D1107909

Erschienen im
Jubiläumsjahr 1997
bei Klett-Cotta

Enzyklopädie des Nationalsozialismus

Herausgegeben von Wolfgang Benz, Hermann Graml
und Hermann Weiß

Mit zahlreichen Abbildungen, Karten und Grafiken

Klett-Cotta

Lektorat und Redaktion: Thomas Bertram
Projektkoordination: Maren Krüger

Klett-Cotta

Printed in Germany
Umschlaggestaltung: Philippa Walz, Böblingen
Gesetzt von dtp, Ismaning
Gedruckt auf säurefreiem, chlorfrei gebleichtem Papier von C. H. Beck'sche Buchdruckerei,
Nördlingen
Gebunden von Auer, Donauwörth

Die Deutsche Bibliothek – CIP-Einheitsaufnahme
Enzyklopädie des Nationalsozialismus / hrsg. von Wolfgang Benz
... - Stuttgart : Klett-Cotta, 1997
ISBN 3-608-91805-1

Inhalt

Vorwort

Der Nationalsozialismus – als Ideologie wie als praktizierte Herrschaft – ist mehr als 50 Jahre nach seinem Untergang keine abgeschlossene Ära der deutschen und der universalen Geschichte; die zwölf Jahre des »Dritten Reiches« bilden immer noch eine politische, moralische und wissenschaftliche Herausforderung, die tief in den alltäglichen Diskurs hineinreicht. Die politische Kultur Deutschlands ist seit der Gründergeneration der Bundesrepublik wie der DDR auf vielfältige Weise durch die kollektive Erfahrung des Nationalsozialismus geprägt, und der jeweilige Umgang mit dem nationalsozialistischen Erbe und die öffentliche Form der Erinnerung hat nach der Vereinigung der beiden deutschen Staaten – deren Existenz ebenso wie die alliierte Besetzung und die Teilung unmittelbare Wirkung des NS-Regimes war – Anlaß zur Auseinandersetzung gegeben, die anhält und fortdauern wird.

Über die Natur des nationalsozialistischen Staates, über die ihn tragende Ideologie, über seine Unterstützung und nicht zuletzt über die von ihm begangenen Verbrechen besteht Erklärungsbedarf. Dazu sind präzise und detaillierte Informationen notwendig. Mit dem Anspruch, den Bestand des Wissens über den Nationalsozialismus zusammenzufassen – das kommt im Titel dieses Nachschlagewerks zum Ausdruck – war die Absicht verbunden, dies in überschaubarer und leicht zu handhabender Form zu tun.

Als Sachlexikon mit etwa 1000 Stichworten, zugleich als Handbuch mit essayistischen Überblicksdarstellungen angelegt, möchte dieser enzyklopädische Versuch alle notwendigen Informationen über Institutionen und Organisationen, zu Ereignissen und Begriffen, über Fakten und Daten der nationalsozialistischen Ideologie und ihrer Verwirklichung im NS-Staat bieten. 132 Autoren haben sich bemüht, diesen Anspruch vom gegenwärtigen Stand der Forschung aus so lakonisch und objektiv wie möglich, aber auch so ausführlich und kritisch wie nötig zu erfüllen.

Literaturhinweise erschienen den Herausgebern und dem Verlag notwendiger als üppige Illustrationen. Der Verzicht auf biographische Artikel half Raum zu schaffen für ausführlichere Sacheinträge. Alle vorkommenden Personen sind jedoch in einem biographischen Personenregister erfaßt und charakterisiert. Dem Verweissystem wurde viel Sorgfalt gewidmet, insbesondere war es Absicht, den Leser von nationalsozialistischen Tarnbezeichnungen, damals gängigen Abkürzungen, Parolen usw. auf die entsprechenden Sachverhalte, Organisationen, Aktionen, Institutionen zu verweisen. In einer Enzyklopädie zum Nationalsozialismus ist die Verwendung nationalsozialistischer Nomenklatur bis zu einem gewissen Grade unvermeidlich; daß dies mit der gebotenen Distanz geschehen muß, ist eine Selbstverständlichkeit. Trotzdem sind Mißverständnisse möglich, wenn z.B. unter »Bettler« auf das Stichwort »Asoziale« verwiesen wird: Das bedeutet keineswegs die Übernahme eines nationalsozialistischen Werturteils, sondern lediglich eine Hilfe zum Auffinden eines gesuchten Problems.

Der eine oder andere Benutzer des Buches und sicherlich mancher Rezensent wird Lücken in der Stichwortliste eruieren oder die Dimensionierung einzelner Einträge als unzulänglich oder überproportioniert empfinden. Die Herausgeber, nicht ganz frei von Sachzwängen, tragen auch die Verantwortung für alle Fehlentscheidungen.

Unser herzlicher Dank gebührt allen Autoren, den betreuenden Lektoraten (Dr. Andrea Wörle, im Verlag dtv, und Eberhard Rathgeb, im Haus Klett-Cotta), insbesondere aber Thomas Bertram, der dieses Projekt angeregt und bis zum Ende mit professioneller Umsicht redaktionell betreut hat, und nicht zuletzt Maren Krüger, die mit souveräner Gelassenheit die manchmal unübersichtlichen Beziehungen zwischen Autoren, Redaktion, Lektoraten und Herausgebern koordinierte. Thomas Bertram ist überdies für das biographische Register, Maren Krüger für die Bildredaktion verantwortlich.

Wolfgang Benz *Hermann Graml* *Hermann Weiß*

Teil I:
Handbuch

Ideologie

Von Wolfgang Wippermann

NSDAP-Programm und *Mein Kampf*

»Die nationalsozialistische Bewegung ist eine Sache des Willens, der Leidenschaft, in erster Linie auf die Gewinnung der politischen Macht abgestellt ...« Mit diesen Worten kommentierte Theodor Heuss in seinem 1932 veröffentlichten Buch *Hitlers Weg* das Fehlen eines festgefügten nationalsozialistischen Programms. In dieser Hinsicht ähnele der → Nationalsozialismus dem italienischen Faschismus, dem es auch primär auf die Macht und deren Behauptung und eben nicht auf die Ideologie angekommen sei. Diese sei ihm, wie Heuss mit leichtem Spott sagte, von »deutschen Privatdozenten ... nachgeliefert« worden.

Heuss stand mit dieser Bewertung nicht allein. Auch andere Zeitgenossen aus dem linken und rechten Parteienspektrum haben die Bedeutung der nationalsozialistischen Ideologie als sehr gering eingeschätzt. Dies war nicht unbegründet, wenn man sich das Programm der → NSDAP näher ansieht, das 1920 formuliert und großspurig als »ewig« und »unveränderbar« präsentiert wurde. Enthielt es doch Postulate, die nicht nur irreal, sondern schlichtweg unsinnig waren. Dies galt etwa für die Forderung nach »Brechung der Zinsknechtschaft«, womit das Verbot aller Bank- und Kreditgeschäfte gemeint war. Ebenso skurril, ja unfreiwillig komisch waren die Feststellungen, daß es die »Pflicht jedes Staatsbürgers« sein müsse, »geistig oder körperlich zu schaffen«, und daß das »Römische Recht durch ein deutsches Gemeinrecht« ersetzt werden solle, wobei jeder Hinweis darauf fehlte, ob dieses »Römische Recht« überhaupt noch gültig sei und was man unter einem »deutschen Gemeinrecht« verstehen sollte.

Konkreter, aber nicht realisierbar waren dagegen die Punkte 12, 13, 14, 16 und 17. Hier forderte die NSDAP die »restlose Einziehung aller Kriegsgewinne«, die »Verstaatlichung aller [bisher] bereits vergesellschafteten [Trusts] Betriebe«, die »Gewinnbeteiligung an Großbetrieben«, die »Kommunalisierung der Groß-Warenhäuser« und die »Schaffung eines Gesetzes zur unentgeltlichen [sollte wohl heißen: entschädigungslosen] Enteignung von Boden für gemeinnützige Zwecke«.

Doch gerade diese Forderungen, mit denen die Partei ihrem Namen als National*sozialistischer* Deutscher *Arbeiter*partei gerecht geworden wäre, wurden 1928 von Hitler eingeschränkt. Generell stehe die Partei »auf dem Boden des Privateigentums«. Enteignet werden sollten nur »jüdische Grundspekulationsgesellschaften«. Hitler beließ es bei dieser Korrrektur des Punktes 17. Die Klärung des völlig mißverständlichen Punktes 13, in dem die »Verstaatlichung« von bereits »vergesellschafteten« Betrieben verlangt worden war, unterblieb.

Bereits unmittelbar nach seiner Proklamation wurde auch der Punkt 3 revidiert, in dem die Partei »Land und Boden [Kolonien] zur Ernährung unseres Volkes und Ansiedlung unseres Bevölkerungsüberschusses« verlangt hatte. Doch die Wiedergewinnung von (überseeischen) »Kolonien« war von Hitler schon in seinem 1924 verfaßten Buch → *Mein Kampf* abgelehnt – später allerdings wieder verlangt – worden, weil dies auf die Proteste → Großbritanniens stieße, das Deutschlands künftiger Bündnispartner werden sollte.

Unmißverständlich formuliert und auch nicht revidiert wurden die Punkte, welche die »Aufhebung der Friedensverträge von Versailles und St. Germain« und den »Zusammenschluß aller Deutschen auf Grund des Selbstbestimmungsrechts der Völker zu einem Groß-Deutschland« betrafen, womit vor allem der → Anschluß Österreichs gemeint war. Von brutaler Klarheit waren schließlich auch die antisemitischen und rassistischen Bestandteile des 25-Punkte-Programms der NSDAP. Dies galt für Punkt 4, in dem festgelegt war, daß nur solche → Volksgenossen die deutsche Staatsbürgerschaft behalten oder erhalten sollten, die »deutschen Blutes« seien. Dies treffe, wie es unmißverständlich hieß, auf → Juden nicht zu. Sie müßten unter eine »Fremdengesetzgebung« gestellt und, wie es im Punkt 7 hieß, als »Angehörige fremder Nationen aus dem Reich« ausgewiesen werden, wenn es nicht möglich sein sollte, »die Gesamtbevölkerung des Staates« ausreichend zu ernähren (→ Fremdvölkisch). Das in Punkt 8 erwähnte Verbot weiterer Einwanderungen von »Nicht-Deutschen« richtete sich ebenfalls primär gegen Juden bzw. Ostjuden.

Die langatmigen Ausführungen über eine künftige »Hebung der Volksgesundheit« in Punkt 21 zielten dagegen auf eine allgemeine rassisch geprägte »Ertüchtigung« und, wie es später hieß, »Reinigung des deutschen Volkskörpers« ab. Dies war aber nur für diejenigen erkennbar, die die entsprechenden Darlegungen in *Mein Kampf* gelesen und auch ernst genommen hatten. Allerdings verzichtete Hitler bei der Skizzierung seines rassenideologischen Programms darauf, die Ideologen des anthropologischen und sozialen Rassimus beim Namen zu nennen, auf die er sich bei seinen unsäglich primitiven Ausführungen berief. Dennoch ist unverkennbar, daß er sich bei seinen Bemerkungen über das sexuelle Verhalten der Tiere, mit denen er seinen rassischen Diskurs begann, auf den → Sozialdarwinismus stützte.

»Schon die oberflächlichste Betrachtung« zeige, schrieb Hitler an einer zentralen Stelle in *Mein Kampf,* »als nahezu ehernes Grundgesetz der unzähligen Ausdrucksformen des Lebenswillens der Natur ihre in sich begrenzte Form der Fortpflanzung und Vermehrung. Jedes Tier paart sich nur mit einem Genossen der gleichen Art. Meise geht zur Meise, Fink zu Fink, der Storch zur Störchin, Feldmaus zu Feldmaus, Hausmaus zu Hausmaus, der Wolf zur Wölfin usw.« Wie Francis Galton, Ernst Haeckel, Alfred Ploetz, Wilhelm Schallmayer und andere Sozialdarwinisten und Rassenhygieniker vor ihm leitete Hitler aus dieser »oberflächlichen Betrachtung« zwei Grundaxiome ab. Das eine war die Behauptung, daß es höhere und niedere Rassen gebe, was im übrigen schon Josephe Arthur de Gobineau, Georges Vacher de Laponge und andere Anhänger eines anthropologischen Rassismus verkündet hatten. Das zweite Axiom war die Feststellung, daß eine Vermischung dieser höheren und niederen Rassen zu vermeiden sei, weil es sonst zur »Bastardierung« der höheren Rasse komme.

Abb. 1: Haupttitel und Frontispiz der Erstausgabe von *Mein Kampf* (1925).

Im weiteren Verlauf des Kapitels über »Volk und Rasse« führte Hitler näher aus, wie die Folgen von dennoch eingetretenen »Rassenvermischungen« wieder zu beseitigen seien. Da es im »deutschen Volkskörper« noch »große unvermischt gebliebene Bestände an nordisch-germanischen Menschen« gebe, könne man die »wertvollsten Bestände an rassischen Urelementen nicht nur sammeln und erhalten, sondern langsam und sicher zur beherrschenden Stellung emporführen«.

Dieser Gedanke wird im Kapitel über die »völkische Weltanschauung« noch einmal wiederholt. Sie glaube »keineswegs an die Gleichheit der Rassen, sondern erkennt mit ihrer Verschiedenheit auch ihren höheren und niederen Wert und fühlt sich durch diese Erkenntnis verpflichtet, gemäß dem eigenen Wollen, das dieses Universum beherrscht, den Sieg des Besseren, Stärkeren zu fördern, die Unterordnung des Schlechteren und Schwächeren zu verlangen«.

Im folgenden wurde Hitler konkreter. Um den »Sieg des Besseren, Stärkeren zu fördern«, müsse der Staat »dafür Sorge tragen, daß nur wer gesund ist, Kinder zeugt«. Die »Verhinderung der Zeugungsfähigkeit bei Syphilitikern, Tuberkulösen, erblich Belasteten, Krüppeln und Kretins« sei unumgänglich. Die

Gesunden dagegen sollten möglichst viele Kinder zeugen und gebären. Zu diesem Zweck wurden ihnen Kindergeld, billige Wohnungen und andere materielle Vergünstigungen versprochen. Den »Trägern höchster Rassenreinheit« müsse von einer »eigens gebildeten Rassekommission« ein »Siedlungsattest« zuerkannt werden, das sie berechtige, Grund und Boden in den noch zu erobernden »Randkolonien« zu erwerben. Bei einer derartigen »bewußten planmäßigen Förderung der Fruchtbarkeit der gesündesten Träger des Volkstums«, wobei gleichzeitig die »Keime unseres heutigen körperlichen und auch geistigen Verfalls« vernichtet werden müßten, sei eine »heute kaum faßbare Gesundung« möglich. Dies war Hitlers zentraler Gedanke. Der Gedanke war ihm so wichtig, daß er ihn noch einmal im Schlußwort von *Mein Kampf* wiederholte: »Ein Staat, der im Zeitalter der Rassenvergiftung sich der Pflege seiner besten rassischen Elemente widmet, muß eines Tages zum Herren der Erde werden.«

Doch diese notwendige und auch erreichbare »Gesundung« des deutschen »Volkskörpers« und die »Pflege seiner besten rassischen Elemente« werde bewußt und systematisch durch die Juden hintertrieben. Die Juden seien nicht nur für den Ausbruch des Ersten Weltkrieges, den deutschen Zusammenbruch, die Revolution, das Kapital und die kommunistische Herrschaft im »jüdisch-bolschewistischen« Rußland verantwortlich, sie strebten darüber hinaus die »rassische Zersetzung«, »Bastardierung« und »Blutvergiftung« des deutschen Volkes an. Dies geschehe durch die Förderung der Prostitution und die damit verbundene Verbreitung der Syphilis und durch die Verführung von ahnungslosen »arischen Mädchen«: »Der schwarzhaarige Judenjunge lauert stundenlang, satanische Freude in seinem Gesicht, auf das ahnungslose Mädchen, das er mit seinem Blute schändet und damit seinem, des Mädchens, Volke raubt. Mit allen Mitteln versucht er, die rassischen Grundlagen des unterjochten Volkes zu verderben.«

Hitler haßte die Juden also auch deshalb, weil sie seiner Ansicht nach die von ihm als notwendig erachtete »rassische Gesundung« des »deutschen Volkskörpers« verhinderten. Deshalb hielt er den rücksichtslosen Kampf gegen die Juden für völlig berechtigt: »Indem ich mich des Juden erwehre, kämpfe ich für das Werk des Herrn.« Hitlers → Antisemitismus war in doppelter Hinsicht rassistisch geprägt. Die Juden stellten nicht nur eine zutiefst »minderwertige Rasse« dar, sie gefährdeten auch die »rassenhygienische« »Gesundung« der »hochwertigen arischen Rasse« (→ Abstammungsnachweis; → Arisierung; → Arierparagraph). Deshalb sei die Bekämpfung und Vernichtung der permanent und gezielt als »Schmarotzer«, »Parasiten«, »Bazillen«, »Blutegel«, »Spaltpilze«, »Ratten« etc. diffamierten Juden im doppelten Sinne gerechtfertigt. Im letzten Kapitel des zweiten Bandes von *Mein Kampf* wurde Hitler dann ganz deutlich: »Hätte man zu Kriegsbeginn und während des Krieges zwölf- oder fünfzehntausend dieser hebräischen Volksverderber so unter Giftgas gehalten, wie hunderttausende unserer allerbesten deutschen Arbeiter aus allen Schichten und Berufen es im Felde erdulden mußten, dann wäre das Millionenopfer der Front nicht vergeblich gewesen. Im Gegenteil: Zwölftausend Schurken zur rechten Zeit beseitigt, hätte vielleicht einer Million ordentlicher, für die Zukunft wertvoller Deutscher das Leben gerettet.«

Lebensraum und Rassismus: Angelpunkte nationalsozialistischer Weltanschauung

Diese offen angekündigte Vernichtung der Juden, wofür später der bemerkenswert deutliche Tarnbegriff → »Endlösung« benutzt wurde, war Hitlers erste zentrale Forderung, um die aus seiner Sicht ebenso notwendige wie mögliche »Reinerhaltung der Rasse« zu erreichen (→ Rassenpolitik und Völkermord). Die zweite war die nach der Gewinnung von → »Lebensraum«. Auch dieser Begriff stammte nicht von Hitler. Er wurde vom Begründer der Geopolitik, Friedrich Ratzel, schon 1897 geprägt. Nach Ratzel gleichen Völker und Staaten Organismen, die zum Leben und Wachsen Raum benötigen. Dies könne nur im ständigen Kampf geschehen, wobei sich die stärkere Nation im Kampf ums Dasein durchsetze.

Während Ratzel, der zur Zeit des Kaiserreichs publizierte und dessen imperialistische Politik rechtfertigte, die These vertrat, daß die Deutschen ihren Lebensraum sowohl in Europa als auch in den überseeischen Kolonien erringen könnten und sollten, deuteten seine Nachfolger und Nachahmer wie der Schwede Rudolf Kjellén, der Brite Halford Mackinder und der Deutsche Karl Haushofer auf Osteuropa. Nach Auffassung Mackinders würde dem Volk, das den eurasischen Raum beherrschte, unweigerlich die Weltherrschaft zufallen, denn die unendlichen Weiten des Ostens stellten das »Herzland« Europas dar.

Es ist zwar nicht nachweisbar, aber sehr wahrscheinlich, daß Hitler die geopolitischen Thesen Ratzels, Kjelléns und vor allem Haushofers, den er durch die Vermittlung von Rudolf Heß auch persönlich kennengelernt hatte, vertraut waren. Möglich ist aber auch, daß Hitler sich einfach an dem seit Beginn des 19. Jahrhunderts vielfach in der deutschen Historiographie, Publizistik und Belletristik geäußerten Vorschlag orientierte, den im Mittelalter abgebrochenen »deutschen Drang nach Osten« fortzusetzen. Dafür spricht auch die folgende sprachlich völlig verunglückte Formulierung aus *Mein Kampf,* mit der sich Hitler ganz zu dem in Deutschland weitverbreiteten »Gen-Ostland-wollen-wir-reiten«-Mythos bekannte: »Wollte man in Europa Grund und Boden, dann konnte dies im großen und ganzen nur auf Kosten Rußlands geschehen, dann mußte sich das neue Reich wieder auf der Straße der einstigen Ordensritter in Marsch setzen, um mit dem deutschen Schwert dem deutschen Pflug die Scholle, der Nation aber das tägliche Brot zu geben.«

Fest steht, daß Hitler völlig von der Notwendigkeit überzeugt war, Lebensraum zu gewinnen, und zwar im Osten und auf Kosten Rußlands: »Wenn wir aber heute in Europa von neuem Grund und Boden reden, können wir in erster Linie nur an Rußland und die ihm untertanen Randstaaten denken.« Diesem ostimperialistischen Ziel sind auch seine sonstigen Bemerkungen über die Prinzipien einer künftigen deutschen → Außenpolitik untergeordnet. Ähnlich wie viele andere deutsche Politiker der Weimarer Republik wollte Hitler den → Versailler Vertrag revidieren und seinen Hauptmandatar Frankreich erst politisch isolieren und dann militärisch vernichten. Dies sollte in einem formellen oder auch nur informellen Bündnis mit England und Italien geschehen.

Daß Hitler an diese Bündnispartner dachte, war zu Beginn der zwanziger Jahre bei den rechten Parteien und Gruppierungen keineswegs populär. Schließlich war England während des Ersten Weltkrieges von der deutschen Propaganda als »perfides Albion« besonders scharf attackiert worden. Italien war bei den damaligen Deutschen sogar ausgesprochen verhaßt, weil es 1915 gegen seine früheren Bündnispartner → Österreich und Deutschland in den Krieg gezogen war und als Lohn für diesen »Verrat« das »deutsche« → Südtirol erhalten hatte.

Hitler setzte sich gegen diese Bedenken mit folgenden Argumenten hinweg: Italien habe sich seit der und durch die Machtergreifung Mussolinis, den Hitler überschwenglich pries und mit Bismarck verglich, zu seinem Vorteil verwandelt. England, das Hitler wegen dessen erfolgreicher Kolonialpolitik geradezu bewunderte, werde dem Aufstieg Deutschlands zur Kontinentalmacht zusehen, wenn Deutschland den Bestand des britischen Empire garantiere und gleichzeitig auf die Wiedergewinnung der deutschen Kolonien verzichte.

Erstaunlicherweise tauchte die Weltmacht → USA im außenpolitischen Konzept Hitlers noch kaum auf, wenn er auch den künftigen Endkampf um die Weltherrschaft mit den USA bereits vorhersah. Von den übrigen Mächten wurde → Japan relativ positiv, aber auch nur sehr kursorisch erwähnt. Auch auf → Polen, dem damals von nahezu allen Parteien – von den Konservativen bis zu den Kommunisten – vorgeworfen wurde, sich die ehemaligen preußischen Ostprovinzen widerrechtlich angeeignet zu haben, ging Hitler in *Mein Kampf* nicht weiter ein. Sein ganzer Zorn und seine ganze Verachtung galten dem »jüdisch-bolschewistischen« System in der → Sowjetunion, das jedoch »reif zum Zusammenbruch« sei, weil es von »rassisch minderwertigen« Juden beherrscht und von ebenfalls »minderwertigen« Slawen bewohnt werde (→ Antibolschewismus). Unzweifelhaft im Mittelpunkt von Hitlers Weltanschauung stand der Rassismus; er stellte, wie schon Franz Neumann in seinem klassischen Werk *Behemoth* schrieb, die »Basisideologie« des Nationalsozialismus dar (→ Faschismustheorien).

Rassistisch geprägt waren auch die Ausführungen zu anderen Politikfeldern. Dies gilt etwa für die Jugend- und Schulpolitik, mit der sich Hitler in *Mein Kamp*f besonders intensiv und mit einem geradezu schulmeisterlich wirkenden Eifer auseinandersetzte (→ Jugend). Dabei betonte er vor allem die Notwendigkeit der »körperlichen Ertüchtigung« der männlichen Jugend, was mit sexual- und rassenpolitischen Überlegungen begründet wurde: »Die übermäßige Betonung des rein geistigen Unterrichts und die Vernachlässigung der körperlichen Ausbildung fördern aber auch in viel zu früher Jugend die Entstehung sexueller Vorstellungen. Der Junge, der in Sport und Turnen zu einer eisernen Abhärtung gebracht wird, unterliegt dem Bedürfnis sinnlicher Befriedigung weniger als der ausschließlich mit geistiger Kost gefütterte Stubenhocker.« Hitlers Warnungen vor zu frühen »sinnlichen Befriedigungen« lagen jedoch nicht, wie man annehmen könnte, bürgerlich-christliche Moralvorstellungen zugrunde. Maßgebend war vielmehr seine Befürchtung, daß die »Entstehung sexueller Vorstellungen« die jungen Männer nur zu Prostituierten treibe, wo sie sich dann mit Syphilis anstecken könnten, was ganz im Interesse der Juden sei, die danach trachteten, auch auf diese Weise die »rassische Gesundung« des deutschen Volkes zu hintertreiben. Als Heilmittel empfahl Hitler daher neben dem → Sport – vor allem dem Boxen, das den »Angriffsgeist« fördere – die möglichst frühzeitige Verehelichung. Doch auch die Ehe sei kein »Selbstzweck« und dürfe es nicht sein, sondern müsse »dem einen größeren Ziele, der Vermehrung und Erhaltung der Art und Rasse«, dienen.

Diesem rassenzüchterischen Zweck völlig untergeordnet sei auch die »weibliche Erziehung«. Ihr oberstes Ziel sei die »kommende Mutter«. Sie sei die »wichtigste Staatsbürgerin«. Mehr hatte Hitler zum Thema Frauenpolitik nicht zu sagen. Die Rolle der → Frauen wurde ganz und gar auf ihre biologische Funktion reduziert, möglichst viele »erbgesunde« und selbstverständlich »rassereine« Kinder zu gebären (→ Erbgesundheit/Erbgesundheitsgericht). Diese Auffassung ist gerade wegen ihrer Begründung und Zielsetzung als extrem frauenfeindlich anzusehen.

Wirtschaft

Erstaunlicherweise äußerte sich Hitler nur sehr kursorisch zu dem Problem, das von vielen Deutschen als das zentrale angesehen wurde und dessen Lösung sie dann ausgerechnet der NSDAP zutrauten. Gemeint ist die Wirtschaftspolitik. Sie wurde in *Mein Kampf* auf ganzen fünf Seiten abgehandelt. Hier heißt es, daß die Wirtschaft eines »der vielen Hilfsmittel« des Staates sei. Was damit gemeint sein könnte, wird jedoch nicht gesagt. Statt dessen verwies Hitler auch in diesem Zusammenhang wieder auf die zentrale Bedeutung der Rasse und die »Erhaltung der Art«. Dies, und nicht etwa eine aktive Wirtschaftspolitik, sei die zentrale Aufgabe des Staates. Zur Begründung dieser »ewig gültigen Wahrheit« wich Hitler auf das Feld der Geschichte des preußischen Staates aus, der sich nicht durch »materielle Eigenschaften, sondern durch ideelle Tugenden« ausgezeichnet habe. Erst später sei die Wirtschaft zur »bestimmenden Herrin des Staats« aufgestiegen, was von Hitler als Verfallserscheinung gedeutet wurde. Die Verehrung des »Götzen Mammon« habe den »Bankjuden« in die Hände gearbeitet. Damit war Hitler wieder bei seinem Lieblingsthema angekommen, dem Haß auf die Juden im allgemeinen und im besonderen auf das »internationale Finanzjudentum«.

Auch in seinen späteren Reden und Aufsätzen, in denen er in der Regel die Grundgedanken seines programmatischen Buches variierte, verzichtete Hitler auf präzise Angaben zur künftigen Wirtschaftspolitik. Statt dessen begnügte er sich mit Verweisen auf die noch nicht einmal von ihm, sondern von Gottfried Feder erfundene Formel von der »Brechung der Zinsknechtschaft«. Nach dem allerdings zweifelhaften Zeugnis des Leiters der Wirtschaftspolitischen Abteilung der NSDAP, Otto Wagener, soll Hitler sogar freimütig eingestanden haben, daß er »kein Wirtschaftler« sei und sich »mit Detailfragen der Wirtschaft nie beschäftigt« habe.

Tatsächlich ließ Hitler es vor 1933 zu, daß verschiedene seiner Unterführer mit wirtschaftspolitischen Programmen an die Öffentlichkeit traten, die sie als originär nationalsozialistisch ausgaben. Das gilt für Wagener, der sich für eine Unterstützung des Mittelstandes einsetzte, und auch für den späteren → Reichsbauernführer Richard Walter Darré, der den Schutz der deutschen Bauern forderte, und es gilt schließlich für Gottfried Feder selbst, der nicht müde wurde, seinen wirtschaftlich völlig unsinnigen Slogan von der »Brechung der Zinsknechtschaft« zu verbreiten. Erst gegen Ende der Weimarer Republik trat die NSDAP im Wahlkampf mit einem Programm zur Überwindung der → Arbeitslosigkeit auf, dessen Grundzüge von der → SPD entwickelt worden waren. Die hier geforderten Arbeitsbeschaffungsmaßnahmen wurden nach der Ernennung Hitlers zum Reichskanzler auch eingeführt. Allerdings geschah dies vor allem durch den → Generalinspekteur für das deutsche Straßenwesen Fritz Todt und durch Hjalmar Schacht, der im März 1933 zum Reichsbankpräsidenten ernannt worden war und im Juli 1934 Kurt Schmitt als Wirtschaftsminister ablöste. Die nationalsozialistischen Wirtschaftsexperten Wagener und Feder verschwanden hingegen in der Versenkung. Nur Darré durfte sich – allerdings mit geringer Kompetenz – als Landwirtschaftsminister um die Bauern kümmern.

Akzeptanz und Bedeutung nationalsozialistischer Ideologie

Welche Elemente der nationalsozialistischen Ideologie waren nun bei den Zeitgenossen vor 1933 tatsächlich bekannt und wurden gutgeheißen? Diese Frage ist deshalb so schwer zu beantworten, weil die NSDAP bei ihren Wahlkämpfen mit Forderungen auftrat, die sie nach Zeit und Ort variierte, wobei im Endeffekt allen alles versprochen wurde: Den Arbeitslosen wurde Arbeit, den noch Beschäftigten die Sicherung ihres Arbeitsplatzes, den verschuldeten Bauern Entschuldung, den Beamten und Angestellten höhere Einkommen und den Industriellen und Großagrariern der Schutz vor Enteignungen zugesagt. Für die Mißstände der Gegenwart wurden die Marxisten, Juden und die Siegermächte des Ersten Weltkriegs verantwortlich gemacht, die Deutschland durch den Versailler Vertrag versklavt hätten, der bekanntlich territoriale Abtretungen, militärische Abrüstung und Reparationszahlungen erzwungen hatte. Von zentraler Bedeutung schließlich war die propagandistische Verherrlichung des → Führers, die schon vor 1933 pseudoreligiöse Züge annahm. Der Führerkult wurde so zu einem zentralen Bestandteil der von Hitler geschaffenen Ideologie (→ Führer und Hitlerkult; → Propaganda).

So mußte jedem klar sein, daß Hitler das, was er in *Mein Kampf* geschrieben hatte, auch wirklich meinte. Die Kommunisten – und andere – hatten recht mit ihrer einfachen Formel »Hitler, das ist der Krieg!«. Doch daß dieser Krieg ein beispielloser Rassenkrieg eines »Rassenstaates« sein würde, der im Innern eine »Reinigung des Volkskörpers« nach rassischen Kriterien durchführen würde, um dann mit der rassischen Unterdrückung und Vernichtung ganzer Völker zu beginnen – dies hatte wohl kaum ein Zeitgenosse im In- und Ausland ernstlich erwartet und für möglich gehalten. So gesehen beruhte der Aufstieg Hitlers zum Diktator

Deutschlands und Herrn über fast ganz Europa auch auf der Unterschätzung seiner Person und seiner Ideologie.

Diese Fehleinschätzungen hätte man spätestens nach Ausbruch des nationalsozialistischen Rassenkrieges revidieren können, was jedoch keineswegs sofort und überall geschah. In Deutschland gerieten zwar nach den ersten Niederlagen einige Repräsentanten des Regimes und einige Aspekte seiner Politik in Mißkredit. Doch das gilt nicht für die Ideologie als Ganzes und vor allem nicht für Hitler als Person, der fast bis zum Schluß bei großen Teilen der Bevölkerung über ein hohes Ansehen verfügte. Eine völlige Abwendung von dem verbrecherischen Regime und seiner mörderischen Ideologie fand nicht statt. Widerstand war die Sache von einigen wenigen.

Auch nach 1945 unterschätzte man zunächst die Bedeutung sowohl Hitlers als auch der nationalsozialistischen Ideologie. So wollte der britische Historiker Alan Bullock in seiner 1952 veröffentlichten Hitler-Biographie im deutschen Diktator einen völlig prinzipienlosen Opportunisten sehen, der über kein ideologisches Programm verfügt und sich statt dessen den jeweiligen Gegebenheiten angepaßt habe. Doch diese Sicht wurde acht Jahre später von Bullocks Landsmann Hugh Trevor-Roper in Frage gestellt. In einem knappen Aufsatz wies er nach, daß Hitler in *Mein Kampf* sehr wohl einige programmatische Leitlinien entwickelt habe, an die er sich in seiner späteren Kriegs- und Rassenpolitik durchaus gehalten habe. Trevor-Roper setzte sich mit dieser These durch. Auch Bullock revidierte seine Ansicht.

In seiner 1963 veröffentlichten Studie über den *Faschismus in seiner Epoche* meinte auch Ernst Nolte, daß Hitler über ein konsistentes ideologisches Programm verfügt habe. Dieser These schloß sich Eberhard Jäckel an, der in Hitlers ideologischen Vorstellungen den planmäßigen »Entwurf einer Herrschaft« sah. Im Mittelpunkt habe die »Endlösung der Judenfrage« und die »Gewinnung von Lebensraum im Osten« gestanden. An diesen Vorstellungen habe sich Hitler dann auch in seiner praktischen Außen- und Judenpolitik orientiert, die daher einen geradezu fahrplanmäßigen Charakter gehabt habe.

Diese Thesen der sogenannten Intentionalisten, zu denen auch Klaus Hildebrand und Andreas Hillgruber zählen, wurden jedoch von den Strukturalisten oder Funktionalisten um Martin Broszat und Hans Mommsen scharf angegriffen. Die verschwommene und widersprüchliche Weltanschauung Hitlers sei eher als Propaganda anzusehen, die integrativen Zwecken gedient habe. Einen programmatischen Charakter habe sie schon deshalb nicht haben können, weil die Außen- und Judenpolitik des → Dritten Reiches wegen seines eher polykratischen Charakters improvisiert worden sei.

Auf die weitere Debatte, die sich auf die Struktur des Dritten Reiches und die Rolle Hitlers konzentrierte, den Hans Mommsen überspitzt als »schwachen Diktator« bezeichnete, kann hier nicht eingegangen werden. Was die Einschätzung der nationalsozialistischen Ideologie angeht, brachte die Kontroverse zwischen den Intentionalisten und Strukturalisten jedoch wenig Neues.

Wirklich neu war die – freilich problematische – These Rainer Zitelmanns, wonach Hitler von seinem »Selbstverständnis« her ein »Revolutionär« gewesen sei. Noch problematischer war, daß er von den Worten Hitlers auf die Wirklichkeit des Dritten Reiches schloß, das »auf verschiedenen sozialpolitischen Gebieten beachtliche Fortschritte« gebracht haben soll.

Gisela Bock, Detlev Peukert, Hans Walter Schmuhl und andere Historiker haben dagegen mit Recht darauf hingewiesen, daß auch die nationalsozialistische → Sozialpolitik unter dem Primat des Rassismus gestanden habe. Alle sozialpolitischen Maßnahmen des Dritten Reiches schlossen kranke, → »asoziale« und vor allem »fremdrassige« Personen aus, ja dienten sogar dazu, diese → »Volksschädlinge« zu selektieren und aus der → Volksgemeinschaft auszugrenzen. Die Bedeutung und Wirksamkeit des Rassismus wurden jedoch in jüngster Zeit von Götz Aly wieder bestritten, der selbst den Holocaust auf nüchterne bevölkerungspolitische Pläne sowie auf die Unordnung zurückführt, die bei der Umsiedlung von → Volksdeutschen aus Rußland in die annektierten polnischen Gebiete entstanden sei und durch welche die Judenpolitik in völlig ungeplanter Weise eine Radikalisierung erfahren habe.

Bei diesen Kontroversen hat man sich jedoch ganz auf die Politik des Dritten Reiches konzentriert. Die Darstellung der Genese und Funktion der nationalsozialistischen Ideologie wurde eher vernachlässigt. Tatsächlich gibt es gerade auf diesem Gebiet noch ganz erstaunliche Forschungslücken. Wir wissen bis heute nicht, wen oder was Hitler gelesen und wer ihm wirklich »die Ideen gegeben hat«, wenn auch der Einfluß der rechtsradikalen und völkischen Presse des Wiens der Jahrhundertwende nach den Forschungen von Brigitte Hamann als bewiesen gelten muß. Nicht viel mehr wissen wir über den geistigen Werdegang und die ideologischen Vorbilder der übrigen nationalsozialistischen Ideologen und Politiker. Dies gilt bereits für Dietrich Eckart, den Hitler als seinen Lehrer bezeichnete und dem er sein Buch widmete. Dagegen wurde die Bedeutung von Alfred Rosenberg als angeblichem Chefideologen der Partei von Zeitgenossen und manchen Historikern viel zu hoch eingeschätzt. Anders verhält es sich mit Heinrich Himmler, der sich wirklich als Ideologe fühlte, aber niemals wagte, in der Öffentlichkeit eine andere Meinung als Hitler zu vertreten. Seinem Führer völlig treu ergeben war schließlich auch Joseph Goebbels, der sich im wesentlichen darauf beschränkte, die Ideologie und die Politik Hitlers zu propagieren; dies allerdings mit großem Geschick. Die übrigen nationalsozialistischen Unterführer können hier übergangen werden, weil sie zwar alle radikale Nationalisten, aber entweder (wie z. B. Hermann Göring) an ideologischen Fragen nicht interessiert oder (wie Richard Walther Darré) politisch zu machtlos waren, um ihre ideologischen Vorstellungen umzusetzen.

Historiker wie Ernst Nolte und Eberhard Jäckel haben daher mit ihrer Auffassung sicherlich recht, daß die Ideologie der Partei von ihrem unbestrittenen Führer systematisiert und autoritativ verkündet wurde. Ebenso widerspricht kaum jemand der Feststellung, daß es sich bei der nationalsozialistischen Weltanschauung um keine »Rechtfertigungs«- und »Verschleierungs«-, sondern um eine »Ausdrucksideologie« (Kurt Lenk) gehandelt habe, weil sie keineswegs bloß

Der Mythus
des 20. Jahrhunderts

Eine Wertung der seelisch-geistigen
Gestaltenkämpfe unserer Zeit

von
Alfred Rosenberg

Diese Rede ist niemand gesagt, denn der sie schon sein nennt als eigenes Leben, oder sie wenigstens besitzt als eine Sehnsucht seines Herzens. Meister Eckehart

125.—128. Auflage

19 38

Hoheneichen-Verlag München

Abb. 2: Haupttitel und Frontispiz von *Der Mythus des 20. Jahrhunderts* von Alfred Rosenberg (125.–128. Auflage, München 1938).

propagandistischen Zwecken diente, sondern den Charakter eines festgefügten Programms hatte, das ohne Abstriche verwirklicht werden sollte und auch weitgehend verwirklicht wurde. Kernstück dieses Programms und Basis der nationalsozialistischen Ideologie insgesamt war der Rassismus.

Literatur

Arendt, Hannah: *Elemente und Ursprünge totalitärer Herrschaft. Antisemitismus, Imperialismus, Totalitarismus,* München 1986.
Fest, Joachim C.: *Hitler. Eine Biographie,* Frankfurt am Main 1973.
Hildebrand, Klaus: *Das Dritte Reich,* München/Wien 1979.
Jäckel, Eberhard: *Hitlers Weltanschauung. Entwurf einer Herrschaft,* Stuttgart [2]1981.
Lange, Karl: *Hitlers unbeachtete Maximen. »Mein Kampf« und die Öffentlichkeit,* Stuttgart 1968.
Lenk, Kurt: *Volk und Staat. Strukturwandel politischer Ideologien im 19. und 20. Jahrhundert,* Stuttgart 1971.
Nolte, Ernst: *Der Faschismus in seiner Epoche,* München 1963.
Wippermann, Wolfgang: *Der konsequente Wahn. Ideologie und Politik Adolf Hitlers,* München 1989.

Führer und Hitlerkult

Von Ian Kershaw

Das Europa der Zwischenkriegszeit erlebte in zahlreichen Ländern das Aufkommen von Führerkulten in einer Art, wie es sie nie zuvor gegeben hatte. Nachdem die pluralistische Demokratie vielen als diskreditiert erschien, machte sich allgemein eine Tendenz zu einfachen Lösungen bemerkbar, die Bereitschaft, einer »starken Führung« zu vertrauen, sich nach den »heldischen« Eigenschaften eines »großen Mannes« zu sehnen, der Rettung aus Elend, Versagen, politischer Korruption und nationaler Demütigung bringen sollte. Führerkulte waren zumeist mit faschistischen Bewegungen verknüpft (→ Faschismus), und ihre Merkmale sind in den meisten komparativen Faschismusstudien festgehalten worden, obwohl es tatsächlich bislang kaum systematische Vergleiche zwischen ihnen gibt. Die Zunahme des Stalinkults in der → UdSSR zeigte jedoch, daß Führerkulte kein rein faschistisches Phänomen waren. Vor allem während des Kalten Krieges sah man in ihnen die Kennzeichen »totalitärer Systeme«, wiederum ohne solche Kulte einem kritischen Vergleich zu unterwerfen (→ Faschismustheorien; → Totalitarismustheorien).

Während der Führerkult in Deutschland zweifellos in manchen äußerlichen Aspekten Ähnlichkeiten mit anderen Führerkulten faschistischer Prägung (beispielsweise dem Duce-Kult in → Italien oder dem Caudillo-Kult um Franco in → Spanien) und dem Stalinkult in Rußland aufwies, werden bei einer genaueren Analyse tiefreichende Unterschiede im Hinblick auf den Charakter, den institutionellen Rahmen und die Einflußmöglichkeiten der Führungspositionen sichtbar, die von den Kulten abgestützt wurden. Der Duce-Kult beispielsweise gelangte erst zu seiner vollen Entfaltung, nachdem Mussolini an die Macht gekommen war. Doch Mussolinis Macht wurde nie absolut. Er bekleidete zwar zahlreiche offizielle Regierungsämter, wurde aber niemals Staatsoberhaupt. Seine Machtbefugnisse als Duce untergruben die institutionalisierten staatlichen Dienstwege auch nicht annähernd in demselben Maße, wie die Stellung des Führers dies in Deutschland tat. Und innerhalb der faschistischen Bewegung selbst bildete der Großrat ein potentielles Gegengewicht zu Mussolinis eigener Macht, wie sich zeigte, als er 1943 dessen Sturz auslöste. Demgegenüber war Hitler strikt dagegen, zu seinen Lebzeiten einen Parteisenat zu schaffen, der seine Befugnisse hätte einschränken können. In Spanien gelangte Franco durch die Armee nach oben und stand vor seiner Ernennung zum Caudillo zu Beginn des → Spanischen Bürgerkriegs nie an der Spitze einer Massenbewegung. Der Caudillo-Kult bildete einen Zusatz zu einer Militärdiktatur mit faschistischem Brimborium. Durch Francos persönliche Herrschaft wurden die Strukturen einer zentralisierten Regierung eher noch verstärkt statt vernichtet. Die Formulierung der Politik erfolgte durch ein stark zentralisiertes Regierungskabinett, das von Franco fast bis zu seinem Lebensende streng kontrolliert wurde. In Deutschland trat das Kabinett nach dem Februar 1938 nie mehr zusammen und wurde auch durch kein anderes zentralisiertes Regierungsorgan ersetzt. In der Sowjetunion wurde der Stalinkult künstlich einem System aufgepfropft, dessen Legitimität sich aus der marxistisch-leninistischen Doktrin ableitete. Stalin betrieb seinen Aufstieg innerhalb eines bereits bestehenden Herrschaftssystems, als Generalsekretär seiner Partei, und sicherte sich die Macht durch die Kontrolle der Parteibürokratie. Sein persönlicher Despotismus, vor allem das pathologische Mißtrauen, das zu den Massenliquidierungen führte, drohte die Strukturen des Sowjetstaats zu zerstören. Doch nach dem Tod Stalins erholte sich das System wieder so weit, daß es sich noch fast 40 weitere Jahre behauptete – und ohne einen Persönlichkeitskult, der ein vorübergehender (wenngleich äußerst bedeutsamer) Auswuchs und kein systemimmanentes Element war.

Charismatische Herrschaft: Führergewalt statt Staatsgewalt

Der Führerkult dagegen, dessen Ausgestaltung sich bestimmten Merkmalen und Eigenarten der besonderen politischen Kultur Deutschlands verdankte, entwickelte sich seit der Mitte der zwanziger Jahre zum Dreh- und Angelpunkt der NS-Bewegung – er wurde ihr Organisationsprinzip, Integrationsmechanismus und ihre zentrale Triebkraft. Der Führungstyp, der sich in den Folgejahren in der → NSDAP herausbildete und nach 1933 in das Zentrum staatlicher Macht übertragen wurde, wird am zutreffendsten mit dem auf Max Weber zurückgehenden Begriff der »charismatischen Herrschaft« erfaßt. Deren Hauptmerkmale sind: eine innerhalb der »Anhängerschaft« des Führers herrschende Vorstellung von seinem heroischen »Auftrag« und seiner angeblichen Größe; eine Tendenz, sich in einer Krisenlage zu entwickeln und als »Notlösung« akzeptiert zu werden; und eine immanente Instabilität entweder infolge des Unvermögens, die Erwartungen zu erfüllen (und eines damit verbundenen Verlusts an Popularität und Ansehen), oder einer »Veralltäglichung« durch die Unterordnung unter ein »System«, welches das Charismatische der Herrschaft zum Verschwinden bringt. Charismatische Herrschaft ist diesem Verständnis zufolge der Gegensatz zur bürokratischen Herrschaft, die auf Regeln, Vorschriften und Routine beruht. Die personalisierte, willkürliche und keinen Regeln unterworfene Ausübung charismatischer Herrschaft kann in einem modernen Staat nicht den unpersönlichen Funktionalismus einer bürokratischen Herrschaft ersetzen, sondern ihn lediglich überlagern. Diese beiden Formen der Herrschaft stehen jedoch zwangsläufig in einem eklatanten Widerspruch zueinander. Im → Dritten Reich war nach dem führenden Verfassungsrechtler Ernst Rudolf Huber die unbegrenzte Führergewalt an die Stelle der Staatsgewalt getreten (→ Führererlaß; → Führerweisung). Das konnte nur zur Folge haben, daß Strukturen einer ordnungsgemäßen Regierung und einer geordneten Verwaltung unterminiert wurden. Hitlers Führungsposition, die auf einer charismatischen Herrschaft beruhte, bedeutete somit, daß der institutionelle Rahmen der staatlichen Regierung zwangsläufig einem anhaltenden Prozeß des Zerfalls ausgesetzt war.

Mehr noch: Die utopischen, missionarischen Ziele, die mit der charismatischen Führerschaft Hitlers verwoben waren, dienten als Aktionsrichtungen für die vielen rivalisierenden Instanzen in Partei und Staat. Wer im darwinistischen Dschungel des Dritten Reiches nach oben kommen und eine Machtposition erringen wollte, mußte den → Führerwillen erahnen und – ohne auf Anweisungen von oben zu warten – tätig werden, um die vermuteten Ziele des Führers zu fördern. Ein NS-Funktionär brachte dies 1934 mit folgenden Worten zum Ausdruck: »Jeder, der Gelegenheit hat, das zu beobachten, weiß, daß der Führer sehr schwer von oben her alles das befehlen kann, was er für bald oder für später zu verwirklichen beabsichtigt. Im Gegenteil, bis jetzt hat jeder an seinem Platz im neuen Deutschland dann am besten gearbeitet, wenn er sozusagen dem Führer entgegen arbeitet ... Es [ist] die Pflicht eines jeden, zu versuchen, im Sinne des Führers ihm entgegen zu arbeiten ... Wer ... dem Führer in seiner Linie und zu seinem Ziel richtig entgegen arbeitet, der wird bestimmt wie bisher so auch in Zukunft den schönsten Lohn darin haben, daß er eines Tages plötzlich die legale Bestätigung seiner Arbeit bekommt.« Das ist eine präzise Formulierung, wie die charismatische Herrschaft funktionierte. In dem Bestreben, »dem Führer entgegen zu arbeiten«, wurden Initiativen ergriffen, Gesetze in die Wege geleitet, wurde Druck ausgeübt – alles in einer Weise, die im Bewußtsein der Akteure Hitlers Zielen entsprach, ohne daß der Diktator als solcher eingreifen mußte. Das Ergebnis war eine fortwährende Radikalisierung der Politik in eine Richtung, die Hitlers eigene ideologische Imperative als praktikable politische Optionen deutlicher sichtbar machte. Die Auflösung des formellen staatlichen Herrschaftsapparats und die mit ihr einhergehende ideologische Radikalisierung waren somit die unmittelbaren und ineinander verwobenen Produkte der charismatischen Autorität, auf der die Macht Hitlers beruhte. Beide formten entscheidend den Prozeß, durch den die personalisierte Macht des Führers sich aus allen institutionellen Zwängen befreien konnte.

Traditionslinien

Die Ursprünge der »heldischen« Vorstellungen von Führerschaft, die sich in den zwanziger Jahren mit Hitler verknüpften, lassen sich in Elementen einer nationalistischen politischen Kultur nachweisen, die in den Jahren zwischen dem Sturz Bismarcks und dem Ausbruch des Ersten Weltkriegs Gestalt annahmen. Zu hoch geschraubte Erwartungen in den neuen »Heldenkaiser« Wilhelm II. wurden bald tief enttäuscht, was dazu beitrug, einen Persönlichkeitskult ins Leben zu rufen, der die nationale Größe des gestürzten Kanzlers Bismarck betonte. Der Erfolg des 1912 erschienenen Traktats von Heinrich Claß, *Wenn ich der Kaiser wär,* zeigte an, daß Vorstellungen von einem zukünftigen großen Volksführer vor allem unter den Alldeutschen und anderen Splittergruppen der völkisch-nationalistischen Rechten Fuß gefaßt hatten. Die bürgerliche Jugendbewegung nahm ebenfalls nationalistisch-romantische Ideale in sich auf, die Forderungen nach einem »heldischen« Führer entgegenkamen. Der Krieg verstärkte natürlich die Bilder eines »heldischen« Führertums, indem er die kriegerischen Eigenschaften früherer »großer Führer« und militärischer Persönlichkeiten verherrlichte. Die Abdankung des Kaisers, das Trauma der Niederlage, der Revolution und des als nationale Demütigung empfundenen → Versailler »Diktatfriedens« beflügelten auf seiten der neokonservativen Rechten und in völkischen Kreisen neue Hoffnungen auf einen künftigen Erlöser der Nation. Die tiefen politischen und sozialen Spaltungen einer »führerlosen Demokratie« (wie die Rechte sie verstand) machten die Sehnsucht nach der Autorität eines starken Führers – eines Mannes aus dem Volk, der die Werte der gesamten → Volksgemeinschaft repräsentieren und durch Einigkeit eine nationale Wiedergeburt vollbringen würde – zu einer wirkungsvollen und zunehmend attraktiven alternativen Vision gegenüber dem Bild der zersplitterten Parteienlandschaft von Weimar. Nach einer dieser Visionen würde der kommende große Führer die Tugenden eines Kriegers, Staatsmanns und Hohepriesters in sich vereinigen – eine Reflexion der quasi religiösen Symbolik, die dem Führerbild innewohnte. Als die Weimarer Republik in den Jahren der wirtschaftlichen Depression in ihre tödliche Krise versank, trat ein Mann auf den Plan, der für sich die Rolle des nationalen Erlösers beanspruchte und hierfür die Unterstützung von mehr als einem Drittel der Bevölkerung fand.

Vom Trommler zum Führer

In seinen Anfangsjahren in der NSDAP hatte Hitler die »höchste Berufung« in seiner selbsterklärten Rolle als »Trommler« für die nationale Sache gesehen. Er verstand sich als Propagandist, nicht als Deutschlands großer Führer in Wartestellung. Mussolinis Marsch auf Rom im Oktober 1922 markierte anscheinend den Beginn eines Wandels in Hitlers Selbstbild. Seine Anhänger begannen ihn öffentlich als »Mussolini Deutschlands« zu apostrophieren, während Hitler selbst in den folgenden Monaten häufiger denn je zuvor die Werte der Persönlichkeit und eines »heldischen« Führertums beschwor. Seine Ausführungen lassen trotz ihrer häufigen Mehrdeutigkeit erkennen, daß er sich unter dem Eindruck der Lobeshymnen, die von seinen Anhängern bereits über ihm ausgeschüttet wurden, solche Eigenschaften mehr und mehr zuschrieb. Der eigentliche Wandel in seinem Selbstbild vollzog sich jedoch erst nach dem Fiasko des Münchner Putschversuchs vom November 1923 (→ Hitlerputsch). Das Echo auf seinen Prozeß in München im April 1924 – der propagandistische Triumph, mit dem er Ludendorff in den Schatten stellte und sich den Mantel eines Führers der völkischen Rechten praktisch selbst umwarf – spielte bei diesem Wandel eine wichtige Rolle. In den folgenden Monaten, während Hitler seine Haftstrafe in Landsberg verbüßte, führten die Zersplitterung der völkischen Bewegung in seiner Abwesenheit, die Heldenverehrung durch seine eigene Umgebung und durch diejenigen, die in ihm einen Märtyrer für die nationale Sache sahen, sowie seine Selbstreflexion während der Niederschrift des ersten Bands von → *Mein Kampf* bei ihm zu der Überzeugung, daß er selbst und niemand sonst der kommende große Führer sei. Noch entscheidender bei dieser Wandlung war seine Erkenntnis, daß eine neugegründete NSDAP, sollte sie künftig jene katastrophalen Fehler von 1923 vermeiden und die Fraktionszwistigkeiten überwinden, von denen die völkische Bewegung 1924 aufgerieben wurde, eine straff organisierte Führerpartei sein mußte, die von allen übrigen politischen Organisationen unabhängig war.

ADOLF HITLER

Erfüllst du die höchsten Pflichten gegenüber deinem Volk?
Wenn ja, dann bist du unser Bruder!
Wenn nicht, dann bist du unser Todfeind.

ADOLF HITLER

Der gesunde Mensch mit festem Charakter ist für die Volksgemeinschaft wertvoller als ein geistreicher Schwächling.

ADOLF HITLER

Mögen Jahrtausende vergehen, so wird man nie von Heldentum reden dürfen, ohne des deutschen Heeres des Weltkrieges zu gedenken.

ADOLF HITLER

Wenn 60 Millionen Menschen nur den einen Willen hätten, fanatisch national zu sein – aus der Faust würden die Waffen herausquellen. An dem Tage, an dem in Deutschland der Marxismus gebrochen wird, brechen in Wahrheit für ewig seine Fesseln.

Abb. 3: Verführer als »Staatsmann«: Die einstudierten Posen und Gesten (Heinrich Hoffmann, Adolf Hitler, vor August 1927, Serie von sechs Postkarten).

Ein äußeres Zeichen für die Art und Weise, wie der Führerkult sich jetzt zum einigenden Band der Partei entwickelte, war 1926 die Einführung des Hitlergrußes innerhalb der NSDAP (→ Deutscher Gruß). Unterstützt durch fortwährende propagandistische Agitation wurde der Führerkult in den Jahren danach zu einem zentralen Element der nach wie vor kleinen Partei. Die Fähigkeit dieses Kults, ideologische Unterschiede innerhalb der Bewegung zurücktreten zu lassen und zu überwinden und als Brennpunkt persönlicher Loyalität zu dienen, zeigte sich 1930 in der Krise um Otto Straßer. Bei dieser Gelegenheit und in anderen Krisensituationen in der NSDAP setzte sich Hitler nicht nur als Verkörperung der »Idee« des → Nationalsozialismus durch, sondern auch als dessen unverzichtbare Zugnummer. Zu dieser Zeit befand sich die NSDAP auf dem Weg zu einem Durchbruch bei den Wählern, wodurch der Führerkult in den Jahren der → Weltwirtschaftskrise beträchtlich an Attraktivität gewann. Bei den Wahlen 1932 zählte die Partei 13 Millionen Anhänger. Und viele, die noch zögerten, sollten nach 1933 hinzugewonnen werden, als eine Propaganda, die in breiten Schichten der Bevölkerung bereits bestehende Denk- und Meinungsstrukturen ansprach, die Erfolge in der Innen- und ganz besonders der Außenpolitik in den ersten Jahren des Dritten Reiches als fast ausschließliche Errungenschaften des Führers personalisierte und dabei das Bild Hitlers von einem Parteiführer in das eines großen nationalen Führers transformierte.

Die Institutionalisierung des Kults im Führerstaat

Bereits im Laufe des Jahres 1933 nahm das Erstarken des Hitlerkults bemerkenswerte Ausmaße an. Die Umbenennung zahlloser Hauptstraßen und städtischer Plätze in ganz Deutschland nach dem »Volkskanzler« war nur eine seiner sichtbaren Manifestationen. Der Hitlergruß wurde jetzt auch Beamten zur Pflicht gemacht und von einem Großteil der Bevölkerung aus freien Stücken übernommen. In Berchtesgaden mußten Verkehrsbeschränkungen eingeführt werden, um der Scharen von Menschen Herr zu werden, die im Sommer eine »Pilgerfahrt« zum → Obersalzberg unternahmen, um vielleicht einen Blick auf den Führer zu erhaschen. Die kommerzielle Ausbeutung des Führerbildes für Handelsprodukte und Kitschartikel wurde strengen Beschränkungen unterworfen. Der Hitlerkult war jetzt allgegenwärtig.

Seine Bedeutung für die Funktionsweise des Regimes kann gar nicht hoch genug veranschlagt werden. Die traditionellen Machteliten waren bereit gewesen, im Januar 1933 mit Hitler ein Bündnis einzugehen, weil er auf der nationalistischen Rechten als einziger Politiker über eine Massenbasis verfügte. Das hatte ihm von Anfang an in der Koalition mit seinen konservativen Partnern eine starke Position verschafft. Hitler sah sehr wohl, daß die Zustimmung der breiten Bevölkerung, die er sich praktisch nach Belieben verschaffen konnte, die Basis seiner Macht war. Von den vier Volksabstimmungen, die 1933, 1934, 1936 und 1938 abgehalten wurden, folgte nur die von 1934 (zur Billigung der Übernahme der Staatsführung nach dem Tod Hindenburgs) nicht auf einen außenpolitischen Coup. Die nationalen Triumphe – Austritt aus dem Völkerbund, Einmarsch in das entmilitarisierte Rheinland, Anschluß Österreichs unter dem Motto »Ein Volk, ein Reich, ein Führer« – fanden allesamt große Resonanz nicht nur unter den überzeugten Anhängern der NSDAP. Die Zustimmung zu Hitler – trotz der Absurdität der zahlenmäßigen Ergebnisse der Plebiszite ohne jeden Zweifel sehr hoch – demoralisierte die Opposition, bewies den national-konservativen Eliten seine unangefochtene Popularität und zeigte dem Ausland, daß er von der überwältigenden Mehrheit des deutschen Volkes unterstützt wurde. Dieser Rückhalt in der Bevölkerung stärkte somit seine Stellung als Führer, verschaffte ihm eine wachsende Unabhängigkeit von den traditionellen Eliten, die 1933 geglaubt hatten, sie könnten ihn in Schach halten, und trug beträchtlich zum Ausbau des absolutistischen Führerstaats bei.

Solange Reichspräsident Paul von Hindenburg noch lebte, war Hitlers Macht eingeschränkt. Noch existierte eine alternative Quelle der Loyalität; die Reichswehr schuldete dem Reichspräsidenten als oberstem Befehlshaber ihre Treue, und Hitlers Position als Regierungschef hing formal von der Prärogative des Reichspräsidenten ab. Die brutale Aktion vom 30. Juni 1934 zur Vernichtung der SA-Führung, die mit Unterstützung der Reichswehr durchgeführt wurde (→ »Röhm-Putsch«), und die wenig später erfolgte handstreichartige Übernahme der Befugnisse des Staatsoberhaupts beim Tod Hindenburgs am 2. August stellten eine »zweite Machtergreifung« dar. Die Position des Führers war jetzt institutionalisiert, wie Hitlers neuer Titel »Führer und Reichskanzler« erkennen ließ. 1939 wurde der Titel einfach auf »Führer« reduziert. Die Reichswehr und nach ihr die

Beamtenschaft leisteten jetzt den Treueid nicht mehr auf eine abstrakte Verfassung, sondern auf Hitler persönlich. Damit war der Führerstaat errichtet.

Die Stellung des Führers kannte von nun an keine formellen oder institutionellen Grenzen mehr. Deutsche Staats- und Verfassungsrechtler bemühten sich, die personalisierte, charismatische Herrschaft verfassungsrechtlich zu legitimieren. Hans Frank erklärte, das Verfassungsrecht im Dritten Reich sei nicht mehr als »die rechtliche Formulierung des geschichtlichen Wollens des Führers«. Der Wille, der auf »herausragenden Leistungen« beruhte, war an die Stelle der unpersönlichen und abstrakten Regeln als Grundlage des Rechts getreten. Ernst Rudolf Huber behauptete, es sei »nicht möglich, die Gesetze des Führers an einer ihnen übergeordneten Rechtsidee zu messen«. Nach der wohlüberlegten Meinung dieses herausragenden Rechtswissenschaftlers war die »Führergewalt umfassend und total, ... frei und unabhängig, ausschließlich und unbeschränkt«.

Erosion der Staatsgewalt

Die Formen und Strukturen einer kollektiven Regierung wurden zwangsläufig und in wachsendem Maße durch den Willen eines Führers untergraben, dessen Autorität sich aus seinen charismatischen Ansprüchen ableitete und nicht mehr aus einer formellen Stellung als Chef einer Regierung oder gar als Staatsoberhaupt. Das Kabinett, das zu Lebzeiten Hindenburgs noch häufig zusammengetreten war, trat 1935 nur noch zwölfmal zusammen. 1937 fanden nur noch sechs Sitzungen statt, und nach einer letzten Sitzung Anfang 1938 sollte das Kabinett bis zum Ende des Dritten Reiches nicht mehr tagen. Die Regierung zerfiel in einzelne staatliche Ämter ohne zentrale Koordination der politischen Maßnahmen oder der Gesetzgebung. Der Chef der → Reichskanzlei, Hans-Heinrich Lammers, diente als einziges Bindeglied zwischen dem Führer und den einzelnen Staatsministern. Seine Funktion, die darin bestand, die für den Führer bestimmten Informationen zu selektieren und ihm vorzulegen oder den Zugang zu ihm zu kontrollieren (ausgenommen bei bevorzugten Ministern wie beispielsweise Goebbels), erhielt auf diese Weise ein besonderes Gewicht. Obwohl weitreichende tagespolitische Entscheidungen von Hitler zu genehmigen waren, mußte die Stellung des Führers über umstrittenen Fragen und Fraktionskämpfen stehen, um zu vermeiden, daß sein Ansehen in Mitleidenschaft gezogen wurde. Hitlers zunehmende Lösung aus den täglichen Regierungsgeschäften resultierte demnach zum Teil aus der Notwendigkeit, sein eigenes Bild der Unfehlbarkeit keinen Schaden leiden zu lassen, entsprach aber auch seinem persönlichen Temperament, seinem Desinteresse an Bürokratie und seinem sozialdarwinistischen Instinkt, sich in einem Konflikt auf die Seite des Stärkeren zu schlagen. Die Folgen auf der Ebene von Staat und Verwaltung bestanden häufig darin, daß Entscheidungen verzögert, auf die lange Bank geschoben, mit hinhaltendem Zaudern behandelt oder bewußt überhaupt nicht getroffen wurden.

Außerhalb der staatlichen Ministerien, die aus den genannten Gründen keine zentralisierten Organe politischer Entscheidungen mehr sein konnten, nahmen rivalisierende und sich gegenseitig bekämpfende Behörden überhand, die auf unterschiedlichen Machtebenen Befugnisse an sich zogen – stets unter Rückgriff auf den vermuteten oder eingeholten Willen des Führers. Die politische Organisation der Partei, geführt von dem schwachen und untauglichen Rudolf Heß, bemühte sich mit beschränktem Erfolg, in vielen Bereichen Einfluß auf die politische Gestaltung zu nehmen. In den Kriegsjahren, unter Martin Bormann, seit 1941 Leiter der nach Heß' Englandflug umbenannten Parteikanzlei, nahmen die Eingriffe der Partei in fast alle Aspekte der Politik, vor allem bei ideologischen Angelegenheiten wie Rassenfragen oder der Verfolgung der Kirchen, stark zu. Doch als Führerpartei, deren Aufgaben weitgehend auf den Gebieten der Propaganda und der gesellschaftlichen Kontrolle lagen, war sie nicht in der Lage, einen kohärenten Einfluß auf rationale politische Entscheidungen auszuüben. Statt dessen sah sie einen Großteil ihrer Funktionen darin, die staatliche Bürokratie durch eine Agitation unter Druck zu setzen, die darauf gerichtet war, die »Vision« des Führers in die Praxis umzusetzen. Auch innerhalb der Parteikanzlei war der immanente Konflikt zwischen einem Organ zur Ausführung des Führerwillens und einer bürokratischen Organisation nicht aufzulösen, während das Verhältnis zwischen Partei und Staat undefiniert blieb. Angesichts der Natur von Hitlers charismatischer Führerschaft ließ es sich auch gar nicht definieren.

Jenseits des Dualismus von Partei und Staat entstanden neue Organisationen, die als ausführende Instanzen des Führerwillens fungierten und Hitler unmittelbar unterstellt waren, aus denen riesige Machtblöcke hervorgingen (beispielsweise → SS und → Polizei und die Organisation des → Vierjahresplans). Diese beschleunigten noch beträchtlich den bereits im Gang befindlichen Prozeß einer Befreiung der persönlichen Macht des Führers von allen Beschränkungen formeller staatlicher Institutionen. Spätestens nach der Beendigung der Krise um Blomberg und Fritsch Anfang Februar 1938 (→ Fritsch-Krise) war die Macht des Führers theoretisch und praktisch durch keinerlei Regierungsinstitutionen oder alternative Organe der Macht mehr eingeschränkt. Die Führung der Wehrmacht, der letzten Macht im Staat, die noch in der Lage gewesen wäre, Hitler entgegenzutreten, war zu diesem Zeitpunkt praktisch selbst auf den Status einer funktionellen Elite reduziert worden, eines ausführenden Organs des Führers.

Unterdessen wurden jene Elemente der Ideologie, die besonders eng mit dem »Auftrag« des charismatischen Führers verbunden waren, von einer oder mehreren der rivalisierenden Machtinstanzen aufgegriffen und weitergetrieben. Als erstes ist hier der Zusammenschluß von SS und Polizei zu nennen, der die wichtigste und schlagkräftigste ideologisch motivierte Organisation innerhalb des Regimes schuf, die zudem der Kontrolle aller Ministerien entzogen war, allein Hitler unterstand und ihre Aufgabe darin sah, die ideologischen Ziele des Führers in die Tat umzusetzen. Die »Idee« des Nationalsozialismus, verkörpert in der Person des Führers, verwandelte sich auf diese Weise mit der Zeit aus einer utopischen »Vision« in realisierbare politische Ziele. Territoriale Expansion und »Entfernung der Juden«, beides zentrale Elemente in Hitlers Weltanschauung, waren in den Jahren 1938/39 als realisierbare politische Alternativen in den Vordergrund getreten. Im Laufe der folgenden Jahre eskalierten sie zum Vernichtungskrieg und Völkermord.

Kollaboration und Radikalisierung

Während des Krieges nahm die Strukturlosigkeit des Regimes, die in den dreißiger Jahren rasch vorangeschritten war – und den Einfluß von Hitlers charismatischer Herrschaft auf das Regierungssystem sichtbar machte – enorme Ausmaße an. Die Zentralregierung wurde zersplittert. Lammers konnte seiner Koordinierungsfunktion immer weniger gerecht werden, da sein Platz zunehmend von Bormann eingenommen wurde. Hitler selbst wurde der Politik mehr und mehr entrückt, schon rein physisch vom Apparat der Zivilregierung getrennt, da er die meiste Zeit in seinem → Führerhauptquartier verbrachte. Die größten Chancen, ihn zu beeinflussen, hatten, abgesehen von dem allgegenwärtigen Bormann, jene wenigen, die stets damit rechnen konnten, zu ihm vorgelassen zu werden – unter ihnen Goebbels, Göring, Himmler, Ley und Speer. Hitlers Interventionen waren dementsprechend häufig, aber unsystematisch und willkürlich. Unter der Belastung des »totalen Krieges« geriet das Regime mehr und mehr außer Kontrolle. So kann es kaum wundernehmen, daß im Frühjahr 1943 selbst Goebbels Andeutungen einer Führungskrise machte.

Als Führer war Hitler die Stütze des gesamten Systems, die einzige Verbindung zwischen dessen verschiedenen, sich häufig befehdenden Teilen. Trotzdem wurde in den meisten Fällen sein unmittelbares Eingreifen nicht benötigt, um die eskalierende Radikalisierung des Regimes anzutreiben. Er mußte lediglich den Ton angeben, sein Placet erteilen, die weitgefaßten Aktionsrichtlinien abfassen und die Vorstöße von anderen sanktionieren. Im übrigen genügte die Bereitschaft, »dem Führer entgegen zu arbeiten« – in der Gewißheit, Zustimmung und Anerkennung für Aktionen zu finden, die mit seinen vermuteten Wünschen und Absichten übereinstimmten.

»Dem Führer entgegen zu arbeiten« konnte für Parteifunktionäre und -ideologen eine buchstäbliche Bedeutung haben. Dem riesigen Apparat von SS und Polizei beispielsweise eröffneten die Aufgaben in Verbindung mit dem Auftrag des Führers einen grenzenlosen Spielraum für barbarische Unternehmungen, vor allem auf dem rassischen Experimentierfeld der besetzten Territorien im Osten, und gleichzeitig den Weg zu Macht, Status und Bereicherung. »Dem Führer entgegen zu arbeiten« konnte aber auch mittelbarer erfolgen, in Bereichen, in denen die ideologische Motivation zweitrangig war oder sogar völlig fehlte und wo die ergriffenen Maßnahmen dennoch objektiv die Verwirklichung der langfristigen Ziele, die mit Hitler verbunden wurden, förderte. Ladeninhaber nutzten die judenfeindliche Gesetzgebung aus, um sich lästige Konkurrenten vom Hals zu schaffen; gewöhnliche Bürger denunzierten Nachbarn bei der Gestapo; Ärzte wollten eine »gesündere« Gesellschaft schaffen, indem sie Patienten aus geschlossenen Anstalten für die Euthanasie vorschlugen; Richter waren bereit, an der Unterminierung rechtlicher Sicherheitsbestimmungen mitzuwirken, um »kriminelle« und »unerwünschte Elemente« aus der Gesellschaft »auszumerzen« (→ Medizin; → Justiz und Innere Verwaltung); militärische Führer hatten ein Interesse daran, das Ansehen und die Macht der Armee wiederherzustellen; Naturwissenschaftler beteiligten sich an neuartigen technischen Experimenten – sie alle kollaborierten mit dem System, ohne daß man es ihnen befohlen hätte. Indem sie zumindest indirekt »dem Führer entgegen arbeiteten«, trugen sie zu einer unaufhaltsamen ideologischen Radikalisierung bei, die sich in der Gestalt politischer Ziele konkretisierte, die im Führer und seinem »Auftrag« verkörpert waren.

In dem zunehmend zerfasernden Regime hatte die charismatische Führerposition Hitlers eine dreifache Funktion, bei der jede Komponente für den Prozeß der ideologischen Radikalisierung gleich unerläßlich war. Die in der gleichsam vergötterten Führergestalt personifizierte »Idee« band nicht nur gegensätzliche Kräfte innerhalb der nationalsozialistischen Bewegung zusammen, sondern auch traditionelle nationalkonservative Eliten im Heer, in der Verwaltung und der Wirtschaft. Allein schon die Unbestimmtheit der »Idee« wirkte integrierend. Der Aufbau einer einheitlichen und rassisch homogenen Volksgemeinschaft, die Wiederherstellung nationaler Stärke und Größe, die Schaffung eines ausgedehnten Großdeutschland – alle diese formulierten Ziele entsprachen den Hoffnungen von Millionen. Daß sie einen Krieg um neuen Lebensraum und die Ausrottung von Millionen von Menschen bedeuteten, wurde von der großen Mehrheit der Bewunderer des Führers überhaupt nicht gesehen. Doch die Grenzen waren in Wirklichkeit fließend. Die im Führer verkörperte »Idee« lieferte somit eine plebiszitäre Basis und einen Grundkonsens für das Regime, dessen aggressive Dynamik immer weniger einzudämmen war. Die weitgehend undefinierbare »Vision« des Führers diente auch als Anreiz für Parteiaktivisten, setzte angestaute Energien gegen markierte Feinde frei (vor allem die Juden) und bot »Aktionsrichtungen« in der staatlichen Bürokratie und den vielen anderen rivalisierenden Stellen des Regimes an. Die Spirale der Diskriminierung und Verfolgung konnte dementsprechend nur immer weiter nach oben gedreht werden. Und nicht zuletzt war die Autorität des Führers auch bedeutsam als Instanz zur Ermächtigung und Sanktionierung selbst der radikalsten und unmenschlichsten Initiativen, die von anderen ergriffen wurden und unter das allgemeine und unbestimmte ideologische Gebot einer Förderung der Ziele des Führers fielen. Die Euthanasieaktion, die von Hitler im Herbst 1939 mit ein paar Zeilen auf einem Papier mit seinem persönlichen Briefkopf angeordnet wurde, die rücksichtslose Germanisierung Polens, der → Kommissarbefehl, mit dem der barbarische Charakter des Krieges im Osten beschlossen wurde, und die »Endlösung der Judenfrage« waren allesamt furchtbare Beispiele dafür, wie die Autorität des Führers die von ihr entfesselten Kräfte befähigte, Aktionen von unerhörter Unmenschlichkeit durchzuführen, die in dem Versuch zur Ausrottung aller Juden in Europa gipfelten.

Der Verfall des Mythos

In der letzten Phase des Krieges, als die militärischen Niederlagen zunahmen und Bomben auf deutsche Städte regneten, erlebte Hitlers Popularität einen raschen Verfall. Die »Erfolge«, die notwendig waren, um seine charismatische Führerschaft zu rechtfertigen, waren inzwischen eine längst verblichene Erinnerung, der Führerkult nur noch ein rudimentäres und ritualisiertes Propagandaprodukt, das kaum noch die spontanen Ausbrüche einer begeisterten Zustimmung auslöste, wie sie aus den Anfangsjahren des Regimes bekannt waren. Trotzdem hatte Hitler in der Bevölkerung noch immer einen starken Rückhalt. Was aber noch wichtiger war: Da alle Machtinstanzen in dem nunmehr untergehenden Regime sich früher an Hitler gebunden und an den verbrecherischen Handlungen des Regimes beteiligt und mit Hitler alle Brücken hinter sich abgebrochen hatten, sahen sie jetzt keinen anderen Ausweg, als sich hinter ihm zu scharen. Dies galt für die Mehrzahl der Offiziere der Wehrmacht, der einzigen Institution, die in der Lage gewesen wäre, Hitler abzusetzen und eine Militärdiktatur zu errichten. Die geringe Chance hierzu war mit dem fehlgeschlagenen Attentat vom → 20. Juli 1944 geschwunden. In dem zunehmenden Chaos der letzten Kriegsmonate ließ die vollständige Zersplitterung der Autorität auf jeder Ebene unterhalb der des Führers nur noch die eine Möglichkeit zu, Hitler bis zum bitteren Ende zu folgen. Erst in den allerletzten Tagen waren die übrigen führenden Nationalsozialisten bereit, Hitlers Autorität in Frage zu stellen. Doch selbst in diesen letzten Tagen, in der unwirklichen Welt des Bunkers unter der Berliner Reichskanzlei, warteten Generäle auf Führerbefehle, um sie an nichtexistente Armeedivisionen weiterzuleiten.

Die charismatische Stellung Hitlers als Führer – eine sozusagen messianische personalisierte Form der Herrschaft, die dem Wunsch nach nationaler Wiedergeburt und Einigkeit vor dem Hintergrund des Zerfalls der Legitimation der Weimarer Demokratie entsprang – konnte von ihrem Wesen her nicht zur Normalität oder zur Routine zurückkehren oder in einen rein konservativen Autoritarismus versinken. Eine anhaltende Dynamik, gerechtfertigt durch die Verfolgung der langfristigen Ziele von nationaler Erlösung, rassischer Säuberung und der Vorherrschaft in Europa, war untrennbar mit ihr verbunden. Je länger das Regime sich behauptete, desto größenwahnsinniger wurden seine Ziele und desto grenzenloser wurde seine Destruktivität. In seinem Hasardspiel um die Weltherrschaft, das zwangsläufig einen Krieg gegen eine Allianz außerordentlich mächtiger Feinde erforderlich machte, riskierte das Regime seine eigene totale Vernichtung. Somit bedeutete die Instabilität des charismatischen Führertums Hitlers nicht nur eine beispiellose Fähigkeit zur Zerstörung anderer, sondern auch eine immanente Tendenz zur Selbstzerstörung. In diesem Sinne war Hitlers Selbstmord am 30. April 1945 nicht nur das willkommene, sondern auch das folgerichtige Ende des Dritten Reiches.

Aus dem Englischen von Udo Rennert

Literatur

Broszat, Martin: *Der Staat Hitlers,* München 1969.
Frei, Norbert: *Der Führerstaat,* München 1987.
Kershaw, Ian: *Der Hitler-Mythos,* Stuttgart 1980.
Kershaw, Ian: *Hitlers Macht,* München 1992.
Mommsen, Hans: Hitlers Stellung im nationalsozialistischen Herrschaftssystem, in: *Der Nationalsozialismus und die deutsche Gesellschaft,* Reinbek 1991.
Rebentisch, Dieter: *Führerstaat und Verwaltung im Zweiten Weltkrieg,* Stuttgart 1989.
Stern, Joseph Peter: *Hitler. Der Führer und das Volk,* München 1981.
Tyrell, Albrecht: *Vom »Trommler« zum »Führer«,* München 1975.

Propaganda

Von Winfried Ranke

Die Dolchstoßlegende, wie sie der gescheiterte Heerführer Erich Ludendorff in seinen 1919 erschienenen *Kriegserinnerungen* verbreitete, fand unter vielen enttäuschten Teilnehmern des Ersten Weltkriegs gläubige Anhänger und Verfechter. Auch Adolf Hitler, der in jenem Jahr im Auftrag des Münchner Reichswehrkommandos als Schulungsredner eingesetzt war, vertrat vor demobilisierten Soldaten wie vor den Anhängern der völkisch-nationalen Deutschen Arbeiterpartei (DAP; → NSDAP) die Meinung, das im Felde unbesiegte deutsche Heer sei nur deshalb zur Kapitulation gezwungen worden, weil ihm die nicht mehr siegesgewisse Heimat in den Rücken gefallen sei. Die von Feindpropaganda verunsicherte und von eigener Gegenpropaganda moralisch unzureichend aufgerüstete Bevölkerung habe den Frontsoldaten die Unterstützung versagt und damit das Vaterland der revolutionären Niedertracht »jüdisch-marxistischer Drahtzieher« ausgeliefert. Mit solch agitatorischer Umdeutung der Niederlage Zustimmung hervorzurufen war im gerade erst von roter Räteherrschaft befreiten München nicht schwer, und Hitler erfuhr in dieser Zeit jene subjektive »Gewalt der Rede«, die ihm die Politikerlaufbahn öffnen sollte.

Die Frühzeit der Bewegung

Als Hitler 1924 in der Landsberger Haft begann, seine Erfahrungen unter dem Titel → *Mein Kampf* zusammenzufassen, formulierte er, wiederum von der Dolchstoßlegende ausgehend, Gedanken zu Theorie und Technik einer politischen Propaganda, die den Erfordernissen der Massenbeeinflussung besser genügen sollte. Er hielt die »richtige Verwendung von Propaganda für eine wirkliche Kunst«, deren wichtigstes Ziel es sei, »die gefühlsmäßige Vorstellungswelt der großen Masse« zu begreifen, um »den Weg zur Aufmerksamkeit und weiter zum Herzen der Masse« zu finden. In Heftigkeit, Leidenschaftlichkeit und Fanatismus sah Hitler »die großen magnetischen Kräfte, die allein die Massen anziehen«. Und in wahnhaft visionärer Gewißheit fügte er hinzu: »Völkerschicksale vermag nur ein Sturm von heißer Leidenschaft zu wenden; Leidenschaft erwecken aber kann nur, wer sie selbst im Innern trägt.«

Der versteckte Bezug zur eigenen Rednergabe und die sich selbst zugeschriebene Befähigung, in der Masse Leidenschaft und Begeisterung zu wecken, lassen erkennen, daß Hitler hier vorerst nur Absichten bekundete und Wunschdenken preisgab. Dennoch sind die in *Mein Kampf* niedergeschriebenen Überlegungen zur Propaganda nicht bloß Machtphantasien eines gescheiterten Putschisten. Das Kapitel über Kriegspropaganda gilt als »Meisterstück psychologischer Erkenntnis«, aber auch die verstreuten Anmerkungen zur Massenbeeinflussung, zur vorrangigen Bedeutung der Agitationsrede, zur Gefühlsbezogenheit der Inhalte von

Propaganda sowie zur Wirkung von Symbolen und Inszenierungen machen deutlich, daß der Verfasser sich zumindest über die damals in populärwissenschaftlicher Form verbreiteten Erkenntnisse von Massenpsychologie und Reklametechnik eine eigene Meinung gebildet hatte.

Vor allem aber zeigen die Einsichten über die Rahmenbedingungen von Propaganda, wie genau Hitler die zweckgerechte Kalkulierbarkeit der Manipulation von Massen begriffen hatte. In Kundgebungen und großen Versammlungen sah er Kampfplätze des Redners, dessen Auftritte als dramaturgisch gegliedertes Politspektakel zu inszenieren waren. Mit ihren Demonstrationszügen hatte die marxistische Linke die Straße zum Ort ihrer politischen Repräsentation gemacht; also mußte man eine noch eindrucksvollere Präsenz auf der Straße erreichen, wenn die vom Marxismus organisierte Arbeiterschaft für die Sache des → Nationalsozialismus zurückgewonnen werden sollte. Über eine 1918 in Berlin erlebte »Massenkundgebung des Marxismus« schrieb er: »Ich konnte selbst fühlen und verstehen, wie leicht der Mann aus dem Volke dem suggestiven Zauber eines solchen grandios wirkenden Schauspiels unterliegt.«

Um grandiose Wirkung zu erzielen, begann die um Hitler gescharte nationalsozialistische → Bewegung schon bald, sich bedenkenlos aller Stilmittel und Agitationsformen zu bedienen, die für die eigenen Zwecke brauchbar schienen, gleich ob sie beim politischen Gegner oder im völkisch-nationalistischen Repertoire zu finden waren, ob sie aus kirchlicher Liturgie oder militärischer Tradition stammten. Für das 1920 in der NSDAP eingeführte → Hakenkreuz griff Hitler auf völkische Symbolik zurück; der damit später betriebene Fahnenkult bediente sich vieler Elemente aus dem militärischen wie kirchlichen Zeremoniell (→ Fahnen). Kundgebungsformen, Flugblatt-Agitation und »revolutionäre« Kampflieder waren »Entwendungen aus der Kommune« (E. Bloch). Der später als → Sturmabteilungen (SA) bezeichnete und seit 1921 zum Teil schon uniformiert auftretende »Saalschutz« verlieh der Bewegung mit militärischer Formaldisziplin, Gruß- und Melderitualen, Marschblöcken und Musikzügen ein Gepräge soldatischer Ordnung und sorgte zugleich dafür, daß niemand den Ablauf von NS-Veranstaltungen störte.

Die Parteitruppe wurde für propagandistische Aktionen eingesetzt und hatte bei Großveranstaltungen für wirkungsvolle Rahmenbedingungen zu sorgen. Damit bot sie frustrierten und desorientierten Männern die Möglichkeit politischer Partizipation, vermittelte Kommandogewalt, das Gemeinschaftsgefühl von Sicherheit und sinnvollem Tun sowie einen ins Politische hinübergeretteten »Frontgeist«. In der Öffentlichkeit wirkte schon ihr militärisch-uniformes Auftreten beruhigend oder einschüchternd. Deshalb wurden die braunen Formationen auch gebraucht, um das Beeindruckungspotential von Propaganda durch Gewaltandrohung und -anwendung zu verstärken. Die »Kameraden« waren »von allem Anbeginn darüber belehrt und daraufhin erzogen ..., daß Terror nur durch Terror zu brechen sei, daß auf dieser Erde der Mutige und Entschlossene noch stets den Erfolg für sich gehabt habe« *(Mein Kampf)*. Frühzeitig manifestierte sich in Erscheinungsbild und Aggressivität der SA die für den Fortgang der NS-Bewegung wichtige Erkenntnis, daß auch Gewalt ihren propagandistischen Wert hat.

In der Anfangsphase, als die NSDAP lediglich eine radikale völkische Splittergruppe war, ging es zunächst darum, sich auf der politischen Szene bemerkbar zu machen. Somit konzentrierten sich Hermann Esser, Gottfried Feder und Hitler, die prominentesten Parteiredner, vorerst auf Versammlungs- und Kundgebungspropaganda. Obgleich ihre Veranstaltungen sich meist nicht wesentlich von denen anderer Parteien unterschieden, waren – trotz beschränkter Mittel und Möglichkeiten – gelegentlich schon Besonderheiten der Öffentlichkeitsarbeit zu erkennen, so z. B. eine außergewöhnliche Vorliebe für spektakuläre Auftritte und pseudosakralen Symbolkult. Die mit militärischer Disziplin, Fahnenaufzügen und christlich-patriotischen Stilmitteln gestalteten Parteifeiern – die erste Fahnenweihe fand Ende Januar 1923 in München statt – sollten unter weihevollem Ernst gemeinschaftliche Gefühle von Stärke und nationaler Erhebung vermitteln. Zudem wollte man demonstrieren, daß den Folgen von Novembertrauma und »Schandfrieden« nur mit revisionsbereiter Entschlossenheit zu begegnen sei (→ Versailles). Insofern äußerte sich im Parteizeremoniell ein fanatisch antisozialistisches, republikfeindliches Deutschsein, das auch vielen, die nicht der Partei angehörten, imponierte und gerechtfertigt erschien. Solche Resonanz bestätigte die Parteiaktivisten in ihrem Glauben an die Wirkungsmacht von Propaganda und ließ sie darauf vertrauen, daß sich die nationalistisch-antirepublikanische Stimmung großer Bevölkerungsgruppen für die eigene Sache ausnutzen ließe.

Der → Hitlerputsch, das folgende Parteiverbot und Hitlers erstaunlich kurze Haft fielen in eine Zeit, in der die Weimarer Republik erste Stabilisierungserfolge verzeichnen konnte. Für die Nationalsozialisten, wie die völkische Rechtsopposition überhaupt (→ völkische Bewegung), bedeutete dies eine Schwächung, so daß die bayerische Regierung nach der Reichstagswahl vom Dezember 1924 das Verbot der NSDAP aufhob. Hitler, der sich bislang als »Trommler« der Bewegung verstanden hatte, entschied sich jedoch für eine Neugründung der Partei. Da er sich inzwischen offenbar zutraute, einer völkisch-nationalen Bewegung durch missionarischen Führungsanspruch politisches Gewicht und Machtzuwachs zu verschaffen, forderte er auf der Gründungsversammlung am 26. Februar 1925 die uneingeschränkte Führerschaft für sich. Nun begann die eigentliche → »Kampfzeit« der Bewegung, die einzig auf das Ziel ausgerichtet war, dem Nationalsozialismus eine Massenbasis zu verschaffen, um das verhaßte »System« zu stürzen und die rote Republik zu beseitigen (→ »Systemzeit«).

Die Gewöhnung der Partei an einen zentralen Leitungswillen war zunächst jedoch ebenso schwer zu realisieren wie die Personifizierung von Hitlers Führungsanspruch durch permanenten Einsatz seiner rhetorischen Talente. Zum einen erwiesen sich allgemeine Organisationsschwächen sowie Eigensinn und Dilettantismus regionaler Parteiführer als hinderlich, zum anderen stand einer aus messianischer Selbstgewißheit agitierenden Kampfpropaganda das über Hitler verhängte Redeverbot entgegen, das in den Ländern unterschiedlich lange in Kraft blieb. Die Partei inszenierte deshalb zunächst eine lautstarke Kampagne gegen die Beschränkung ihrer Möglichkeiten. Im ersten Jahr nach der Neugründung wurden 2370 öffentliche Versammlungen und 3500 innerparteiliche Sprechabende abgehalten. Weil in Thüringen kein Redeverbot verhängt worden war, fand Anfang Juli 1926 in Weimar der zweite → Reichsparteitag der NSDAP statt; hier trat Hitler schon deutlich als »Führer« in Erscheinung, hielt die Hauptrede und nahm – mit erhobenem rechten Arm im Wagen stehend – den Vorbeimarsch der SA ab. Nachdem die Regierungen von Bayern und Sachsen im Frühjahr 1927 öffentliche Hitlerreden wieder zugelassen hatten, fiel auch die letzte Bastion, Preußen: Am 16. November 1928 sprach Hitler erstmals auf einer Großkundgebung der NSDAP im Berliner Sportpalast.

Auf dem Weg zur Macht

Ende 1928 hatte die Partei etwa 108 000 Mitglieder; bei den Reichstagswahlen am 20. Mai 1928 betrug ihr Stimmenanteil 2,6 Prozent. Die Zahl der Ortsgruppen stieg bis Ende dieses Jahres auf 1378, so daß die NSDAP über ein hauptsächlich in den Städten verankertes Organisationsnetz von beachtlicher Dichte verfügte. Inwischen war in München auch ein zentraler Propagandaausschuß eingerichtet worden, dessen weitgehend auf Pressearbeit beschränkte Aktivitäten von der → Arbeitsgemeinschaft Nordwest heftig kritisiert wurden. Im Einflußbereich der Brüder Straßer, wo damals auch Joseph Goebbels die *Nationalsozialistischen Briefe* redigierte, setzte man sich für eine stärkere Konturierung des nationalen Sozialismus und eine anspruchsvollere Propagandakonzeption ein: Aufklärungspropaganda anstelle des von München aus betriebenen demagogischen Aufwiegelns von Gefühlen »auf grauenhaft tiefem Niveau«. Im Februar 1926 zog die → Bamberger Führertagung jedoch den Ambitionen des Straßer-Flügels enge Grenzen. Der in seiner unbedingten Führerschaft bestätigte Hitler gewährte aber auch Kompensation: Gregor Straßer sollte mit der Reorganisation der zentralen Partei- und Propagandaleitung betraut und Joseph Goebbels Gauleiter in Berlin werden. Die am 30. Juni 1926 registrierte Satzung der NSDAP sah die Schaffung einer »Reichspropagandaleitung« (RPL) innerhalb der → Reichsleitung der Partei vor; deren Leiter wurde Gregor Straßer, mit Heinrich Himmler als Stellvertreter. Dieser erhielt Anfang 1928, als Straßer die »Reichsorganisationsleitung« übernahm, noch größeren Einfluß auf den Propaganda-Apparat der Partei. Er straffte die Verwaltungsarbeit und intensivierte das Bemühen um zentrale Anleitung. Neben Anordnungen und Aufrufen der RPL in den Parteizeitungen erschienen broschierte »Leitsätze für die Propaganda«, worin den Methoden der argumentativen Auseinandersetzung einstweilen noch Vorrang vor emotionaler Kampfpropaganda eingeräumt wurde. Als Wunschbild zeichnete sich ein professioneller, redegewandter Parteipropagandist ab, »im Wissen beschlagen und innerlich sauber«.

In den Basisorganisationen der NSDAP entsprachen jedoch die wenigsten Mitglieder diesem Idealtypus. Dort, wo viel eher der rauhbeinig lautstarke Kämpfer gefragt war, stießen die Zentralisierungsbemühungen der RPL aber auch auf Widerspruch, weil sich die vor Ort agierenden Propagandazellen in ihrer Eigeninitiative behindert sahen. Dies fiel um so mehr ins Gewicht, als die Partei nur wenig Geld für Propaganda-Aktionen aufwenden konnte und man sich deshalb in den Ortsgruppen zumeist auf eine mit persönlichem Einsatz von »Mann zu

Mann« betriebene Mundpropaganda beschränken mußte. In der RPL bemühte man sich jedoch erfolgreich um die Ausbildung und Vermittlung von Rednern. Fritz Reinhardt, 1929–1931 Gauleiter von München-Oberbayern, richtete im Sommer 1928 Fernkurse für Parteiredner ein. Diese »Rednerschule« wurde ein Jahr später parteioffiziell als Ausbildungseinrichtung anerkannt, und zu ihren Lehrgängen wurden Teilnehmer von den Gauleitungen nominiert; bis Anfang 1933 schulte man dort etwa 6000 Parteiredner.

Um das wachsende Rednerkorps effizienter einzusetzen, schlug Himmler im Dezember 1928 ein Projekt konzentrierter Propaganda-Offensiven vor: Die Aufmerksamkeit von Presse und Publikum sollte gezielt herausgefordert werden, indem man jeweils in einem Gau innerhalb einer kurzen Zeitspanne eine große Zahl von intensiv beworbenen Veranstaltungen ansetzte. Mit einer derartigen Massierung von Kundgebungen, Versammlungen und SA-Präsenz auf der Straße konnten z. B. in der Landvolk-Agitation in Dithmarschen und Oldenburg beachtliche Erfolge erzielt werden. Andernorts wurde der Erfolg zentral gelenkter Propagandastrategien allerdings häufig noch durch unklare Zuständigkeiten und Organisationsmängel geschmälert. Dennoch zeigen die Ambitionen der RPL, daß man in der Führung der NSDAP unter Propaganda mehr verstand als die stereotype Wiederholung von Haßtiraden und die fanatische Beschwörung von Gefolgschaftstreue. Pragmatische, die je aktuelle Situation berücksichtigende Überlegungen gehörten durchaus in den Aufgabenkatalog der NS-Propagandisten: eine dem Anlaß gemäße Themenwahl, ereignisbezogene Veranstaltungsregie, methodisch geplante Werbewirkung und Symbolstrategie, Zielgruppenansprache, Kritik am politischen Gegner und Feindbildpflege. Sie fanden um so eher Beachtung, als der zunehmende Organisationsgrad der NSDAP (Ende 1930 hatte die Partei fast 390 000 Mitglieder) die Beteiligung an Wahlen auf allen Vertretungsebenen möglich und notwendig machte.

Professionalisierung durch Goebbels

Die zuweilen mangelhafte Umsetzung zentraler Initiativen tat einer stetigen Verbesserung der Wahlergebnisse keinen Abbruch. Eine verbreitete Abneigung gegen die Weimarer Republik, die Sehnsucht nach Führerschaft sowie die wachsende Furcht vor wirtschaftlicher Unsicherheit und sozialer Deklassierung trugen wesentlich zu den Abstimmungserfolgen der Nationalsozialisten bei. Der wachsenden Beanspruchung durch immer mehr Wahlkämpfe stellte man sich schließlich mit offensiver Ausdauer, zumal die Aussichten auf eine Beteiligung an der staatlichen Macht zunehmend konkreter wurden. »Wählen, wählen! Heran ans Volk«, notierte Goebbels 1932 in sein Tagebuch. Als Gauleiter von Berlin betrieb er seit November 1926 – gestützt auf die SA – eine ebenso skrupellose wie erfolgreiche Angriffspropaganda. Er hatte ganz auf Hitler gesetzt und sah sich inzwischen als Propagandaexperte der Partei. Als er im April 1930 während einer Führertagung in München zum Reichspropagandaleiter ernannt wurde, notierte er: »Goebbels triumphans!«

Uneingeschränkt konnte er diesen Triumph jedoch nicht genießen, weil es ihm nicht gelungen war, der RPL auch die Zuständigkeiten für Pressearbeit, → Film, → Rundfunk und Volksbildung zu unterstellen. Goebbels brauchte noch einige Zeit, um die Kompetenzen der RPL in seinem Sinne zu erweitern. Zunächst wurde er Chef der Reichspropaganda-Leitung I; sie leitete die politische Kampf- und Wahlpropaganda an und koordinierte sämtliche Aktivitäten. Die Reichspropaganda-Leitung II unter Fritz Reinhardt war neben der Wirtschafts- und Arbeitsbeschaffungspropaganda weiterhin für die Rednerschulung zuständig. Für die Weitergabe und Ausführung zentraler Anordnungen gemäß den im Mai 1931 veröffentlichten »Richtlinien der Reichspropagandaleitung« waren Gaupropagandaleitungen verantwortlich, die in jedem Gau eingerichtet wurden. Die Absicht, Befehls- und Vermittlungsstränge von oben nach unten allmählich zu straffen, stieß allerdings häufig auf Grenzen, die ihr von der Selbstherrlichkeit und regionalen Machtbefugnis der Gauleiter gezogen wurden.

In der Leitung der RPL kamen Goebbels' Erfahrungen im politischen Kampf unter großstädtischen Verhältnissen stärker zum Tragen. Nach kommunistischem Vorbild existierte in Berlin seit 1927/28 eine → Nationalsozialistische Betriebszellenorganisation (NSBO), und 1932 wurde dort die »Hib-Aktion« gestartet: »Hinein in die Betriebe!« Entsprechend konzentrierten sich Bemühungen der RPL besonders auf die Binnenpropaganda, um auf der untersten Organisationsebene der Partei Bereitschaft für die systematische Kleinarbeit der »Mund-zu-Mund-Propaganda« zu wecken; an die sogenannte Wohnstätten- und Betriebspropaganda wurden hohe Erwartungen geknüpft, weil man sich vom vertrauensbildenden Gespräch unter Arbeitskollegen, unzufriedenen Arbeitslosen oder Nachbarn den Einbruch in die rote Gewerkschaftsfront erhoffte. Auf den zentral herausgegebenen Wahlplakaten der NSDAP erhob zur gleichen Zeit der vormals rote »Riese Proletariat« seine Faust gegen SPD-Bonzen, bolschewistische »Brandstifter« und »habgierige jüdische Drahtzieher«.

Zahlreiche von der RPL versandte Publikationen und Agitationshilfen bemühten sich aber auch um eine Vereinheitlichung der allgemeinen Versammlungs- und Kundgebungspropaganda und ihre Ausrichtung auf eine bestimmte Zielgruppe. In der Kampagne gegen den Young-Plan wurden internationale Hochfinanz und Großkonzerne der »Versklavung Deutschlands« bezichtigt, die insbesondere den produzierenden Mittelstand bedrohe; der verunsicherte Einzelhandel wurde mit einer Kampagne gegen Warenhäuser und Konsumgenossenschaften aufgeputscht, und der seit 1928 unruhig werdenden Landbevölkerung versprach man Unterstützung und ein Engagement für den Bauernstand. Mit bemerkenswert zielsicherem Kalkül versuchte die NS-Propaganda, es möglichst allen recht zu machen. Von etwaigen künftigen Ansprüchen auf Einlösung ihrer Verheißungen ließ sich die Partei nicht beunruhigen. Vorerst ging es einzig und allein um die Zerstörung der Republik und den Zugang zur Macht.

Hitler als Redner

Das geeignetste Mittel dazu war der Einsatz Hitlers als Redner. Seine diesbezügliche Begabung war in der Partei unumstritten, und die von ihm beanspruchte Führerschaft wurde ihm auch immer bereitwilliger zugestanden. Schon 1922 hatte es vom Parteivorsitzenden geheißen, er sei der → »Führer«, auf den Deutschland warte. Während Hitlers Haft warb Alfred Rosenberg für den Vertrieb einer Hitlerpostkarte, die »in Millionen Stücken als Symbol unseres Führers wirken« sollte. Im Jahr 1926 erschien Hitler in Weimar als unangefochtener »Führer«, der den → Hitler-Gruß »seiner« SA in gleicher Weise erwiderte und damit die allgemeine Einführung dieser Huldigungsgeste beschleunigt (→ Deutscher Gruß). Damals erschien zum ersten Mal der *Illustrierte Beobachter,* der fortan sein Monopol auf die parteioffizielle Bildberichterstattung zur massenhaften Verbreitung von Hitler-Porträts und Bildern von Hitler-Kundgebungen nutzte. Höhepunkte solcher Fotopropaganda waren 1932 die Berichte über Hitlers Wahlkampfreisen per Flugzeug, die mit dem Titel aufmachten: »Hitler über Deutschland«. In drei »Deutschlandflügen« hatte Hitler zwischen dem 3. und 9. April zur Reichspräsidentenwahl und vom 16.-23. April sowie vom 15.-30. Juli anläßlich der Reichstagswahlen eine bislang im politischen Betrieb nicht gekannte Omnipräsenz gezeigt. Bei der ersten dieser Inszenierungen hatte er in 21, bei der zweiten in 25 und bei der dritten in 50 Städten gesprochen. Im selben Jahr erschienen auch die ersten von Heinrich Hoffmann zusammengestellten Bildbände über den »Führer« und das »Braune Heer«.

Die Herausstellung Hitlers als »Führer«, »Erneuerer«, »Erwecker« und »Erlöser« wurde unter Goebbels' Federführung von der Parteipropaganda nach Kräften gefördert. Im Zusammenhang mit den großen »Führer«-Kundgebungen entwickelte sich die ästhetische Formierung des öffentlichen Erscheinungsbildes der NSDAP. Hitler selbst war von seinen propagandistischen Fähigkeiten überzeugt und wurde von missionarischem Sendungsbewußtsein getrieben. Obwohl er sich gänzlich auf sein politisches Charisma verließ, blieb er sich des instrumentellen Charakters, den der Kult um seine Person hatte, stets bewußt. Wenn seine Reden, unterstützt durch geschickte Kundgebungsregie, Ausbrüche der Begeisterung und Verehrung hervorriefen, dann trieb eine entfesselte Zuhörerschaft ihn gelegentlich auch selbst zur rauschhaften Steigerung seiner Rhetorik. Die kalkulierten Zwecke derartiger Gemeinschaftserlebnisse verlor er deshalb nicht aus den Augen.

Eine zusammen mit den anderen Parteien der »nationalen Opposition« begonnene Kampagne gegen den Young-Plan hatte trotz massiver Konzentration der Kräfte im Volksentscheid nur zu einem dürftigen Abstimmungsergebnis geführt, aber Hitler wertete sie als Erfolg: »Das Volksbegehren und der Volksentscheid waren der Anlaß für eine Propagandawelle, wie sie ähnlich in Deutschland noch nie da war. Und darin liegt in erster Linie ihr Nutzen.« Offenbar waren ihm der in der Wählerschaft erzielte Aufmerksamkeitsgrad und der die Anhängerschaft einigende Mobilisierungseffekt wichtiger als die Verbreitung politischer Inhalte durch Öffentlichkeitsarbeit. Ähnlich dachte offenbar auch Goebbels, wenn er z. B. in seinem Tagebuch den Ausschluß von NSDAP-Abgeordneten aus einer

Reichstagssitzung wegen Randalierens kommentierte: »Es ist ein Hexensabbath[!], aber am Ende für uns eine Mordspropaganda. Sie kennen das Volk nicht, die da oben.«

Die Nationalsozialisten der »Kampfzeit«, die sich noch »denen da unten« zugehörig fühlten, glaubten das Volk und seine Erwartungen zu kennen. Deshalb setzten sie nicht auf politisch definierte Inhalte und deutlich formulierte Alternativen, sondern appellierten lieber mit vagen Andeutungen, diffamierenden Schuldzuweisungen und skrupellosen Versprechungen an den unbehaglichen Seelenzustand der Nation. Dabei waren sie in der nationalpsychologischen Analyse durchaus treffsicher und fanden für ihre propagandistischen Mobilisierungsabsichten vielversprechende Ansatzpunkte: den Wunsch, die Demütigungen des Versailler »Schandfriedens« rückgängig zu machen; die verbreitete Bereitschaft, einem charismatischen Führer die Erneuerung von Nation und Staat anzuvertrauen; eine Sehnsucht, die von Klassenwidersprüchen und Interessengegensätzen zerrissene Gesellschaft der Republik in eine gerechte → Volksgemeinschaft zu überführen; schließlich auch das ästhetische Bedürfnis, die in der Weimarer Demokratie aller monarchisch-militärischen Prachtentfaltung entkleidete Politik wieder mit anschaulicher Ordnung und symbolischen Formen auszustatten.

Man wich zwar den aktuellen tagespolitischen Streitthemen nicht aus, aber die eigentlichen Inhalte der NS-Propaganda waren andere. Hitler formulierte sie 1928 in ideologisch prägnanter Kurzfassung: »Das gesamte Leben läßt sich in drei Thesen zusammenfassen: der Kampf ist der Vater aller Dinge, die Tugend ist eine Angelegenheit des Blutes, Führertum ist primär und entscheidend ...« Die sozialdarwinistische Hochachtung des Kampfes schloß die Wiedergewinnung nationaler Stärke, die Überlegenheit des Tüchtigen und das höhere Recht des Stärkeren ebenso ein wie Wehrwillen, Militarismus und Mut zum Opfer. Kampfbereitschaft signalisierten die aggressive Propagandasprache und die Brutalität der SA in der handgreiflichen Konfrontation mit dem sozialistischen Gegner; zugleich hatten einzelne SA-Mitglieder aber auch das Gefühl, Teil einer kollektiven Kraft zu sein, wenn die »braunen Bataillone« im Gleichschritt marschierten oder – in Blöcken formiert – dem »Führer« Auge in Auge gegenüberstanden.

Tugend als »Angelegenheit des Blutes« vermittelte erhebende Gefühle des Auserwähltseins und eines höheren Rechtsanspruchs gegenüber anderen, zwang aber auch zu rassenideologischer Differenzierung und Absonderung. Obwohl in den Jahren 1928-1932, als die NSDAP ihre verlogene Legalitätstaktik praktizierte und sich auch der »Führer« um ein wohlanständiges Image und bürgerliche Wählerschichten bemühte, die offen antisemitischen Angriffe zurückgenommen wurden, war die rassistisch begründete Ausgrenzungsabsicht latent immer vorhanden und spürbar. Mit der Erfindung einer »marxistisch-jüdischen Weltverschwörung« und einer »jüdisch-bolschewistischen Bedrohung« entsprach die propagandistische Ineinssetzung unvereinbarer Sachverhalte offenbar Hitlers Empfehlungen, die er in *Mein Kampf* formuliert hatte: Um »die Aufmerksamkeit eines Volkes nicht zu zersplittern, sondern immer auf einen einzigen Gegner zu konzentrieren«, gehöre es »zur Genialität eines großen Führers, selbst auseinanderliegende Gegner immer als nur zu einer Kategorie gehörend erscheinen zu lassen«.

Wie »primär und entscheidend« Führertum damals war, zeigte sich auf jeder Wahlveranstaltung. Die »Wunderwaffe Hitler«, stets in wirkungsvollem Rahmen präsentiert, wurde zum erfolgreichsten Propagandainstrument der Partei. Zwar reichte auch die Popularität des »Führers« niemals aus, um in freien Wahlen eine absolute Mehrheit zu erringen, aber sie genügte, um die Führungseliten der Republik zu bewegen, dem verachteten Konkurrenten einen Teil der Macht zu überlassen. Das Scheitern des arroganten »Zähmungskonzepts« der bürgerlichen Konservativen und die von vielen Vereinen und Verbänden eilfertig vollzogene Selbstgleichschaltung weisen allerdings darauf hin, daß für diese Machtpreisgabe nicht allein von der Propaganda stimulierte Beweggründe ausschlaggebend waren. Außerdem blieb noch zu erproben, ob das propagierte Funktionsschema Führer – Befehl – Gehorsam – Gefolgschaft → Volksgemeinschaft gesellschaftspolitisch tragfähig sein würde.

Der staatliche Propaganda-Apparat

Am 13. März 1933 wurde die Errichtung eines → Reichsministeriums für Volksaufklärung und Propaganda (RMVP) beschlossen; zuständiger Minister wurde Goebbels, der daneben das Amt des Reichspropagandaleiters der NSDAP beibehielt. Zwei Tage später erläuterte er vor der Presse die Aufgaben des neuen Ministeriums: »Wir müssen dieser Aufklärung vielmehr eine aktive Regierungspropaganda zur Seite stellen, eine Propaganda, die darauf hinzielt, Menschen zu gewinnen ... Das Volk soll anfangen einheitlich zu denken, einheitlich zu reagieren und sich der Regierung mit ganzer Sympathie zur Verfügung zu stellen.« Mit der staatlichen Macht fiel der NSDAP auch das noch junge Medium Rundfunk in die Hände, das Goebbels rasch zu einem der wichtigsten Instrumente der Propaganda ausbaute. Anfang Mai 1933 äußerte sich Robert Ley über die Ziele der neuen → Deutschen Arbeitsfront (DAF): »Gewiß, wir haben die Macht, aber wir haben noch nicht das ganze Volk, dich, Arbeiter, haben wir noch nicht hundertprozentig, und gerade dich wollen wir, wir lassen dich nicht, bis du in aufrichtiger Erkenntnis restlos zu uns stehst.« Und Hitler, der den revolutionären Druck aus dem Prozeß der Machtergreifung nehmen wollte, erinnerte die Partei im Juli des Jahres an die ihr zugedachte Erziehungsaufgabe: »Der Erringung der äußeren Macht muß die innere Erziehung des Menschen folgen.«

Gelegenheit, der Arbeiterschaft mit Großartigkeit zu imponieren und ihr ein Integrationsangebot zu machen, bot sich am 1. Mai 1933. Den internationalen Kampftag der Arbeiterklasse hatte das neue Regime kurzerhand zum → »Tag der nationalen Arbeit« erklärt und reichsweit zum Feiertag erhoben. In Berlin führte Goebbels Regie, und der junge Albert Speer entwarf die Festkulissen für die Kundgebung auf dem Tempelhofer Feld. Die Formierung von Berufsgruppen und Betriebsbelegschaften zu einer in Blöcken gegliederten, auf den Erscheinungsort des »Führers« ausgerichteten »Volksgemeinschaft« wurde anhand von Aufmarsch- und Aufstellungsplänen absichtsvoll inszeniert: Der einzelne Teilnehmer sollte sich ausschließlich als Teil dieser Gemeinschaft erleben. Goebbels verkündete dazu über den Rundfunk: »Am heutigen Abend findet sich über Klassen,

Stände und konfessionelle Unterschiede hinweg das ganze deutsche Volk zusammen, um endgültig die Ideologie des Klassenkampfes zu zerstören und der neuen Idee der Verbundenheit und der Volksgemeinschaft die Bahn freizulegen.«

Hitler hatte seinen Auftritt erst abends. Von Scheinwerfern angestrahlt, feierte auch er die »Harmonie von Geist, Stirn und Faust, Arbeitern, Bauern und Bürgern«. Danach zog er die Register religiöser Inbrunst und erbat den Segen des Höchsten: »Herr, Du siehst, wir haben uns geändert, das deutsche Volk ist nicht mehr das Volk der Ehrlosigkeit, der Schande, der Selbstzerfleischung, der Kleinmütigkeit und der Kleingläubigkeit, nein Herr, das deutsche Volk ist wieder stark geworden in seinem Geiste, stark in seinem Willen, stark in seiner Beharrlichkeit, stark im Ertragen aller Opfer. Herr, wir lassen nicht von Dir, nun segne unseren Kampf.« Die religiöse Demutsgeste des Kirchenfeindes Hitler, der natürlich wußte, daß die SA am kommenden Tage im ganzen Reich die Gewerkschaftshäuser besetzen würde, darf nicht überraschen. Anleihen bei kirchlicher Liturgie und Feierlichkeit, bei pastoraler Rede und Gewissenserkundung ebenso wie bei Gemeindegesang und Prozessionsbräuchen gehörten zur NS-Propagandastrategie. Damit sollte Versammlungen und Feiern der Bewegung die Weihe pseudoreligiöser Kulthandlungen verliehen und einer offensichtlich vorhandenen Bereitschaft zu gläubiger Hingabe ein verehrungswürdiges Kultobjekt in der Gestalt des einen, herausgehobenen, unvergleichlichen »Führers« geboten werden.

Das Programm der Reichsparteitage enthielt viele Elemente mit ähnlicher Funktion. Seine wesentlichen Bestandteile – Fackelzug, Kongreß, Sondertagungen, SA-Marsch, SA-Appell und Fahnenweihe – waren seit 1929 festgelegt; bis 1938 kamen noch einige spektakuläre Ereignisse hinzu, in deren Ausgestaltung sich ein ungehemmter Drang zur Größe äußerte, aber auch der Zwang, das Interesse an dem alljährlichen Massenauftrieb durch stete Neuerungen wachhalten zu müssen. In der fortschreitenden Ritualisierung der Programmteile wirkte hingegen ein auf Disziplinierung und Formierung der Volksgemeinschaft gerichtetes Propagandakalkül. So wurde der Einzug Hitlers in die Kongreßhalle oder das Festgelände zu einem von Choral- und Marschmusik begleiteten Introitus; die mit der → »Blutfahne« vollzogenen Fahnen- und Standartenweihen und die regelmäßigen Totenehrungen erinnerten an Reliquienkult und Auferstehungsverheißung; Anrufungsformeln, pathetische Gelöbnisse oder biblisch geprägte Phrasen von Glaube und Vorsehung sollten Assoziationen an die erhebende Feierlichkeit von Gottesdiensten wachrufen. Darüber hinaus wollte man mit der gesamten Inszenierung ein »höheres« Einverständnis suggerieren, ein auf den »Führer« projiziertes Surrogat von Gottesgnadentum.

So wie der einzelne sich auf dem Reichsparteitagsgelände, auf »Thingplätzen« (→ Thingspiel) und anderen Feierstätten in die von Kulissenarchitektur und Festdekoration vorgegebenen Formationsgevierte und Gegenüberstellungen einzufügen hatte, so sollte auch sein Dasein über das Jahr hinweg von einem nationalsozialistischen Festkalender geordnet werden. Dieser kannte – wie das Kirchenjahr – feststehende und bewegliche Feste: Tag der »Machtergreifung« (30. Januar) – Tag der NSDAP-Gründung/Verkündung des Parteiprogramms (24. Februar) – Heldengedenktag (16. März) – Geburtstag des »Führers«

Abb. 4: »Reichsparteitag der Freiheit« 1935 in Nürnberg.
Aufmarsch von SA- und SS-Formationen (Foto: Heinrich Sanden).

(20. April) – »Tag der nationalen Arbeit« (1. Mai) – → Muttertag (zweiter Sonntag im Mai) – Sommersonnenwende (21./22. Juni) – Zeit der Reichsparteitage (erste Septemberhälfte) – Erntedankfest (Sonntag nach Michaelis) – Gedenktag der Bewegung/Ehrung der »Blutzeugen« (8./9. November) – Wintersonnenwende (21./22. Dezember). Einige dieser Feiertage hatten ihren festen Veranstaltungsort, etwa das Erntedankfest bei Bückeburg oder der Gedenktag der Bewegung in München, gleichzeitig fanden jedoch auch andernorts Feiern statt; vor allem übertrug der Rundfunk zum jeweiligen Anlaß Berichte und Reden, über welche die »Volksgenossen« an dem jeweiligen Ereignis teilnehmen konnten und vielfach im »Gemeinschaftsempfang« auch teilzunehmen hatten.

Zu den Feiern, die für Zusammenhalt und »Gefolgschaftstreue« der Parteigenossen besonders wichtig waren, zählte vor allem das Gedenken an den Hitlerputsch und die Ehrung der »Blutzeugen der Bewegung«. Nachdem man die Leichname der sechzehn »Märtyrer«, die 1923 bei der Schießerei an der Münchner → Feldherrnhalle umgekommen waren, 1935 in die Ehrentempel am Königsplatz umgebettet hatte, fand im Anschluß an die Totenehrung dort auch die Aufnahme der achtzehnjährigen Hitler-Jungen in die NSDAP statt. Wenn Hitler dort sprach: »Meine Apostel ... Ihr seid auferstanden im Dritten Reich!«, so produzierte er Auferstehungsmystik, um das »Vermächtnis der Blutzeugen« zu einem ergreifenden Appell werden zu lassen. Dazu wirkten die nächtlichen Treueschwüre der jungen Parteigenossen dann wie eine vielstimmige Bekräftigung.

Propaganda hatte in solchen Zusammenhängen für die zweckgerechte Stimmigkeit der Rahmenbedingungen zu sorgen. Das komplexe Ineinandergreifen von Festdekoration, Musik, Aufmarschzeremoniell, Formierungszwängen und Veranstaltungsdramaturgie hatte – noch ehe ein Redner vielleicht auf politische Inhalte zu sprechen kam – emotionale Ergriffenheit und Glaubensbereitschaft zu erzeugen. Die schließlich folgende Ansprache des/eines »Führers« war dann nur noch der Auslösereiz für die letzte Steigerung im ekstatischen Gemeinschafterlebnis – für das zuckende Emporrecken der Arme und die zustimmenden »Sieg-Heil«-Rufe aus hunderttausend Kehlen (→ Feiergestaltung). Zur Manipulation von Massenverhalten war die propagandistische Ausbeutung christlich-patriotischer Gewohnheiten des Glaubens besonders geeignet. Schon 1927 hatte Hitler beteuert: »Seien Sie versichert, auch bei uns ist in erster Linie das Glauben wichtig und nicht das Erkennen! Man muß an eine Sache glauben können. Der Glaube allein schafft den Staat. Was läßt den Menschen für religiöse Ideale in den Kampf gehen und sterben? Nicht das Erkennen, sondern der blinde Glaube.«

Die Preisgabe kritisch prüfender Erkenntnis, die eingeübte Disziplin, als Teil einer paramilitärischen Formation zu funktionieren, und das willige Sicheinfügen in das Funktionsschema von Befehl und Gehorsam waren notwendige Voraussetzungen, um die deutsche Bevölkerung für Hitlers größenwahnsinnige Kriegspläne zu mobilisieren. Offenbar ließ sich so viel noch nicht verläßlich voraussetzen, als der »Führer« am 10. November 1938 vor Pressevertretern forderte, »das deutsche Volk psychologisch allmählich umzustellen und ihm langsam klarzumachen, daß es Dinge gibt, die, wenn sie nicht mit friedlichen Mitteln durchgesetzt werden können, mit Mitteln der Gewalt durchgesetzt werden müssen«. Um dies zu erreichen, war ein noch so pompöser Aufwand auf Großveranstaltungen nicht genug; dazu bedurfte es zahlreicher anderer Instanzen und Veranstaltungen, die alle dazu beitragen sollten, die Gesellschaft in der gewünschten Weise zu formieren. Neben der Schule gehörten dazu die → Hitler-Jugend, der → Reichsarbeitsdienst, die seit 1934 zum Wehrsportverband domestizierte SA, die unter Himmlers Führung immer selbstbewußter werdende → SS (→ Schutzstaffel) und schließlich auch die → Wehrmacht. Jede dieser Organisationen sah in der Förderung von Wehrwillen und Wehrbereitschaft eine Aufgabe und entwickelte dafür jeweils eigene Propagandastrategien, Veranstaltungsformen und Rituale.

Begrenzte Wirkungen der NS-Propaganda

Ob es nun aber um Wehrertüchtigung und Wehrbereitschaft ging oder erst um deren Vorstufe, die willige Einordnung in die »Volksgemeinschaft« und ihre Gliederungen, die NS-Propaganda beschränkte sich keineswegs auf spektakuläre Großereignisse und Festinszenierungen. Sie entfaltete außerdem eine breitgefächerte Symbol- und Formierungspraxis, die im beruflichen Alltag wie in der Freizeit der Menschen wirksam wurde. Dafür zuständig fühlten sich insbesondere die DAF, das Amt »Schönheit der Arbeit«, die → NS-Frauenschaft und die NS-Gemeinschaft → »Kraft durch Freude« (KdF). Diese Organisationen veranlaßten ständig Initiativen, Spendenaufrufe und »Kämpfe« um irgendwelche Verbesserungen; sie spendeten aber auch Lob, verteilten Belohnungen oder lockten mit günstigen Freizeit- und Konsumangeboten. Aufs Ganze gesehen hielten sich Reallohnsteigerungen, KdF-Vergnügungen und tatsächliche »Verschönerungen« am Arbeitsplatz allerdings in sehr engen Grenzen, und auch die Realisierung mancher Konsumangebote (→ Volkswagen, Eigenheim) mußte bald auf die Zeit nach dem gewonnenen Krieg verschoben werden. Dennoch ist nicht zu unterschätzen, wie sehr die Menschen durch das alltägliche Wechselspiel von Verpflichtungen und ehrenden Auszeichnungen oder auch durch die tiefgestaffelten Ämterhierarchien mit ihren Uniformen, Rangabzeichen und Autoritätszuweisungen veranlaßt wurden, gesellschaftliche Formierungszwänge zu akzeptieren und sich in »privilegierter Unterwerfung« (D. Peukert) einzurichten.

Das NS-Propagandakonzept war zweischneidig: Werbung, Überredung, Verlokkung und Verführung wurden wesensmäßig ergänzt durch Einschüchterung und Bestrafung. Möglichkeiten, ein solches Konzept wirkungsvoll durchzusetzen, bestanden gerade in jener Organisationsvielfalt, die garantieren sollte, daß der Mensch vom kindlichen bis zum wehrhaften oder gebärfähigen Alter ohne Unterbrechung verschiedensten Beeinflussungs- und Kontrollgewalten ausgesetzt war. Soweit es außerdem nötig schien, überlieferte Denktraditionen und Politikvorstellungen zu unterdrücken oder unbelehrbare Oppositionshaltungen abzuwehren, bediente man sich umgehend erlassener Verbote und Strafandrohungen, wie der schon am 21. März 1933 ergangenen Verordnung »zur Abwehr heimtückischer Angriffe gegen die Regierung der nationalen Erhebung« oder des wenig später verabschiedeten Gesetzes zum »Schutz der nationalen Symbole«, der Bestimmungen des Schriftleitergesetzes oder des zu Kriegsbeginn erlassenen

Abb. 5: Ansprache des Reichsministers für Volksaufklärung und Propaganda, Paul Joseph Goebbels, vor den Hauptschriftleitern der deutschen Presse im Konferenzsaal des Propagandaministeriums in Berlin (Foto: Heinrich Hoffmann, 1940).

Verbotes, ausländische Rundfunkprogramme abzuhören. Aufforderungen zur Denunziation, Verurteilungen durch Sondergerichte und die Drohung mit Schutzhaft sowie unkontrollierter SA- und Polizei-Terror verliehen solchen Repressionsinstrumenten Nachdruck und Schärfe.

Anleitung, Koordination und Beaufsichtigung aller propagandistischen Aktivitäten sollten – nach den Vorstellungen von Joseph Goebbels – in der Zuständigkeit von RMVP und RPL liegen. Es gelang ihm auch, entscheidende Lenkungsaufgaben in seinem Amtsbereich zu vereinen: die Informationspolitik einschließlich der Kriegsberichterstattung (→ Presse; → Kriegsberichterstatter) sowie die Aufsicht über die von der → Reichskulturkammer gesteuerten Bereiche Literatur, Musik, Theater, Film, Rundfunk und zerstreuende Unterhaltung (→ Kunst). Außerdem konnte er als Reichspropagandaleiter die Gestaltung des Festkalenders der NSDAP und der großen Auftritte des »Führers« beeinflussen. Der polykratische Kompetenzwirrwarr und die intrigante Machtkonkurrenz innerhalb der Führungsschicht des Regimes erlaubten dem RMVP jedoch niemals den uneingeschränkten Gebrauch seiner Einflußmöglichkeiten. Auch sorgten die Selbstdarstellungsbedürfnisse anderer Mächtiger immer wieder für nicht abgestimmte Initiativen der von ihnen verwalteten Ämter oder Organisationen. Die vornehmlich von Hitler und Goebbels festgelegten Propagandaziele wurden dadurch allerdings niemals grundsätzlich in Frage gestellt. Die bis zuletzt gültige zentrale Vorgabe war die Mobilisierung und Formierung einer begeisterungsfähigen, gehorsamen, rassestolzen und kriegerischen Volksgemeinschaft. Am Ende wurden von ihren Mitgliedern auch noch Gewaltbereitschaft gegen »Gemeinschaftsfremde« (→ »Asoziale«) und Vergeltungswut erwartet.

Fragt man abschließend nach Wirkung und Erfolg der NS-Propaganda, so muß zunächst davor gewarnt werden, in den zur Vergewisserung und Selbstfeier des Regimes hergestellten Produkten der Propagandamaschinerie Belege für gelungene Formierungsanstrengungen zu sehen. In ihren Absichten und kalkulierten Zwecksetzungen suggerierte NS-Propaganda – im Gegensatz zum tatsächlichen Verwaltungschaos des Regimes – scheinbare Zielstrebigkeit und Ordnung. Gemessen an ihren Selbstdarstellungen könnte man sie insofern für eine Leistung des Nationalsozialismus halten, die einlöste, was sie versprach. Doch das hieße wiederum der Propaganda auf den Leim zu gehen. Schließlich waren Berichte des *Illustrierten Beobachters* über »Deutschlands Erwachen« oder Bildbände über *Hitler wie ihn keiner kennt* ebensowenig aufklärende Dokumentation wie die oft als Beleg für Propagandawirkungen zitierten Parteitags- und Olympia-Filme von Leni Riefenstahl.

Der Filmtitel → *Triumph des Willens* (1935; Regie: Leni Riefenstahl) ist keine Vollzugsmeldung! Die filmische Inszenierung führt keineswegs einen Zustand vor, in den die »Volksgemeinschaft« bis 1934 schon hineingezwungen worden wäre; er ist vielmehr Ausdruck einer verblendeten Intention, die sich eine vom »Führer«-Willen gelenkte Gesellschaft als ornamental formierte Verfügungsmasse vorstellte. Der Film, aber auch schon die ihm zugrunde liegenden Parteitagsinszenierungen, können allenfalls als ein Bild dessen genommen werden, was mit Hilfe von Propaganda erreicht werden sollte, nicht aber als Beleg für das, was gewesen ist. Die Wirklichkeit des gesellschaftlichen Lebens sah anders aus, und sie entfernte sich mit fortschreitender Dauer der NS-Herrschaft immer weiter von den idealtypischen Darstellungen nationalsozialistischer Willensstärke. Dies belegen zahlreiche Quellen. Weil das Regime sich genötigt sah, sowohl seine Akzeptanz in der Bevölkerung als auch seine daraus resultierenden Entscheidungsspielräume regelmäßig zu erforschen, organisierte es ein umfangreiches Berichtswesen, dessen Erkundungen zu aufschlußreichen → *Meldungen aus dem Reich* zusammengefaßt wurden.

Aus diesen Lage- und Stimmungsberichten geht hervor, daß sich eine den Absichten des Regimes förderliche Propagandawirkung nicht allein aus dem Ineinandergreifen von Verführung und Gewalt erklären läßt. Vielmehr zeigt sich, daß der Erfolg der Propaganda stark abhängig war vom befriedigenden Ausgang politischer Vorgänge und von der glaubhaften Erfüllung jener Verheißungen, mit denen man zunächst in der Bevölkerung erwartungsvolle Zustimmung geschürt hatte. So ließen sich in den Anfangsjahren Unzufriedenheiten bei Landbevölkerung wie Arbeiterschaft durch die außenpolitischen Erfolge Hitlers kompensieren. Als nach der voller Sorge verfolgten → Sudetenkrise die Kriegspropaganda intensiviert wurde, konnte sie dennoch nicht erreichen, daß der »erzwungene«

Einmarsch in Polen von begeistertem Jubel begleitet wurde (→ Polenfeldzug). Erst die erfolgreichen → Blitzkriege sorgten für einen Stimmungsumschwung, der jedoch nicht zuletzt auch mit Beuteerwartungen zusammenhing.

Es war zudem eine Folge der propagandistisch forcierten Personifizierung von Politik, daß die erfolgsabhängige Hochstimmung vor allem dem Ansehen Hitlers zugute kam. Die Partei konnte kaum davon profitieren. Deren schlechte Reputation schien geradezu notwendig zu sein, damit sich die mythisch überhöhte Gestalt des »Führers« um so strahlender vor braunem Hintergrund abheben konnte. Doch auch der 1940 noch über alle Zweifel erhabene → Führermythos verlor schnell an Wirkung, als der deutsche Vormarsch in der Sowjetunion ins Stocken geriet und die Bevölkerung sich durch Bombenangriffe und Versorgungsschwierigkeiten zunehmend drangsaliert fühlte. Und mit dem Ansehensverlust des »Führers« erwies sich auch der behauptete Zusammenhalt einer angeblich sozial befriedeten »Volksgemeinschaft« als bloßer Wahn. Nachdem Goebbels den → »Totalen Krieg« ausgerufen hatte und das Regime volle Einsatzbereitschaft von jedem forderte, beobachteten viele »Volksgenossen« mit Neid und Argwohn, ob die angeordneten Maßnahmen auch wirklich für jeden gelten sollten. *Die Meldungen aus dem Reich* registrierten gar »klassenkämpferische Gedankengänge«.

Die Einstellung der meisten Deutschen gegenüber Kriegsvorbereitung und Kriegführung des NS-Regimes hat man zutreffend als »passive Loyalität« bezeichnet. Die Stabilisierung einer solchen Haltung scheint auch für das RMVP schließlich das Maximum des mit Hilfe von Propaganda Erreichbaren gewesen zu sein. Die seit 1935 feststellbare Schwerpunktverlagerung auf ein beschwichtigendes Medienangebot, auf die dämpfende Wirkung von Unterhaltung und Zerstreuung, läßt dies zumindest vermuten. Die Passivität, die man dadurch förderte, reichte indessen aus, um offensichtliche Gewalttaten schweigend hinzunehmen, um nicht wissen zu wollen, was man genauer hätte erkunden können, um in dem Zwangsverhältnis von Befehl und Gehorsam bis zum bitteren Ende zu verharren.

Literatur

Boberach, Heinz (Hg.): *Meldungen aus dem Reich 1938-1945. Die geheimen Lageberichte des Sicherheitsdienstes der SS,* 17 Bde., Herrsching 1984.

Herz, Rudolf: *Hoffmann & Hitler. Fotografie als Medium des Führermythos.* Publikation im Zusammenhang mit der gleichnamigen Ausstellung im Münchner Stadtmuseum 1994, München 1994.

Longerich, Peter: *Propagandisten im Krieg. Die Presseabteilung des Auswärtigen Amtes unter Ribbentrop,* München 1987.

Paul, Gerhard: *Aufstand der Bilder. Die NS-Propaganda vor 1933,* Bonn 1990.

Schmeer, Karlheinz: *Die Regie des öffentlichen Lebens im Dritten Reich,* München 1956.

Steinert, Marlis G.: *Hitlers Krieg und die Deutschen. Stimmung und Haltung der deutschen Bevölkerung im Zweiten Weltkrieg,* Düsseldorf/Wien 1970.

Sywottek, Jutta: *Mobilmachung für den totalen Krieg. Die propagandistische Vorbereitung der deutschen Bevölkerung auf den Zweiten Weltkrieg,* Opladen 1976.

Vondung, Klaus: *Magie und Manipulation. Ideologischer Kult und politische Religion des Nationalsozialismus,* Göttingen 1971.

Zelnhefer, Siegfried: *Die Reichsparteitage der NSDAP. Geschichte, Struktur und Bedeutung der größten Propagandafeste im nationalsozialistischen Feierjahr,* Nürnberg 1991.

Rassenpolitik und Völkermord

Von Konrad Kwiet

Der → Nationalsozialismus visierte – bei aller Widersprüchlichkeit seiner politisch-ideologischen Programmatik – mehrere konkrete Ziele an. Sie lagen zunächst in der Zerstörung der Demokratie und in der Zerschlagung der organisierten Arbeiterbewegung, dann in der »Lösung der Judenfrage« und in der »Bekämpfung der Zigeunerplage« sowie schließlich in der Neuordnung Europas auf der Grundlage nationalsozialistischer Herrschaft. In diesem Programm nahm der Rassismus einen zentralen Platz ein. Von Beginn an fungierte er zusammen mit dem → Antisemitismus und dem → Antikommunismus als dominierende Mobilisierungs- und Rechtfertigungsideologie (→ Ideologie).

Traditionen der Feindbilder

Die vom Nationalsozialismus funktionalisierten Feindbilder lassen sich weit in die Geschichte zurückverfolgen. Die Christen setzten schon früh das Bild von den »Gottesmördern« in die Welt, jene Projektion, mit der sie die Schuld am Tod des Erlösers auf die → Juden abwälzen konnten: Sie bildet die Wurzel des religiös motivierten Judenhasses. Als sich das Christentum vom Judentum endgültig losgesagt hatte und zur Staatsreligion aufgestiegen war, formulierten die Kirchenväter die Lehre von der ewigen Knechtschaft der Juden, nach der die »verstockten«, nicht konvertierenden Juden für den »Gottesmord« verflucht, zugleich aber auch als ewige Zeugen für die Wahrheit und den Sieg des Christentums toleriert werden durften. Lange Zeit blieb diese Doktrin unbeachtet. Vor dem Hintergrund des mittelalterlichen Machtkampfs zwischen Kaisertum und Papsttum, der Kreuzzüge und Ketzerkriege sowie des Aufkommens der Städte und der Geldwirtschaft verloren die Juden die Privilegien, die ihnen als unentbehrlichen Kaufleuten von den adligen Herrschern gewährt worden waren. Verdrängt aus dem lukrativen Fernhandel, fanden sie im »verwerflichen« Geld- und Pfandleihgeschäft eine neue ökonomische Existenz. Die Figur des jüdischen Wucherers wurde zum Stereotyp. Der Judenhaß entlud sich in Pogromen. Bekehrung oder Vertreibung offerierten aber noch Möglichkeiten des Überlebens. Als die deklassierten jüdischen Gemeinschaften dann aus West- und Mitteleuropa vertrieben wurden, tauchte die alte Legende von Ahasverus auf, jenem Schuster, der Christus auf dem Kreuzweg verhöhnt haben soll und zur Strafe zu ruhelosem Umherirren verurteilt worden war. Der Mythos vom Wandernden Juden schlug tiefe Wurzeln. Verfluchung und Verteufelung erreichten im ausgehenden Mittelalter ihren Höhepunkt. Sie ließen im Bewußtsein einer unaufgeklärten und abergläubischen Bevölkerung die Juden als fremde, geheimnisvolle und unheimliche Kreaturen erscheinen, deren Berührung Unheil und Tod brachte. Die Juden wurden zu Teufeln und Hexern, Magiern und Giftmischern erklärt, zu Antichristen, die in der Zerstörung der christlichen Gesellschaft ihr letztes Ziel erblickten. Auch diese

Verschwörungstheorie wurde tradiert und erwies sich noch im 20. Jahrhundert als wirksame Propagandawaffe. Sie findet sich in den Fälschungen der »Protokolle der Weisen von Zion« wieder. Im Zeitalter der Aufklärung und Emanzipation, Säkularisierung und Industrialisierung paßten sich die mittelalterlichen Symbolisierungen einer im Umbruch befindlichen Vorstellungwelt an.

Lange bevor die Nationalsozialisten 1933 die Macht übernahmen, hatten Rassefanatiker bereits Thesen propagiert, die auf den Völkermord abzielten. In der zweiten Hälfte des 19. Jahrhunderts formierte sich der moderne Antisemitismus, der die Gleichsetzung des Jüdischen mit dem Liberalismus oder der Sozialdemokratie, mit dem Marxismus oder Kapitalismus, der Freimaurerei oder dem Pazifismus vornahm. Je nach Standort konnten die Konflikte der sich herausbildenden bürgerlichen Gesellschaft mit dem Attribut »jüdisch« versehen werden. Der Antisemitismus avancierte zum Symbol für die Auflehnung gegen die Moderne. Er galt als hof- und salonfähig und setzte sich in weiten Kreisen der Bevölkerung fest. Verbreitung und Virulenz erhielten noch durch einen anderen historischen Akt einen besonderen Auftrieb. Nach zahlreichen emanzipatorischen Akten wurde den Juden im neuen Wilhelminischen Deutschland und im alten Habsburger Kaiserreich definitiv die volle staatsbürgerliche Gleichstellung gewährt – in der Erwartung, daß sie ihre »unzeitgemäßen« Traditionen und »lästigen« Eigenarten aufgäben und sich als Deutsche oder Österreicher in die neuen, nach Homogenität strebenden Nationalstaaten einfügten. Der moderne Antisemitismus suchte den Prozeß der Emanzipation wieder rückgängig zu machen. Mit dieser Stoßrichtung zielte er – und darin unterschied er sich von seinen mittelalterlichen Vorläufern – auf die Wiederausgrenzung einer jüdischen Bevölkerungsgruppe, die bereits auf dem Weg der sozialen Integration, der Akkulturation und der Assimilierung war. Entscheidend war dabei, daß er sich schnell mit dem aufkommenden Rassismus verband, der den Judengegnern in Gestalt von sozialdarwinistischen Leitvorstellungen den »unwiderlegbaren« Beweis lieferte, daß die Juden per se »andersartig«, »minderwertig« und »zerstörerisch« waren. Kernpunkt dieser neuartigen, sich pseudowissenschaftlicher Kriterien bedienenden Rassenlehre war die Annahme, daß soziale Phänomene auf biologische Gesetzmäßigkeiten zurückzuführen seien: Jude bleibe Jude, was immer er tue.

Im Rahmen einer Hierarchisierung der Menschheit wurden die Juden auf die unterste Stufe gestellt und als »Schmarotzer« und »Zerstörer« des »Volkskörpers« identifiziert. Als populär erwiesen sich Parolen wie »Die Juden sind unser Unglück« oder, weiter vulgarisiert, »Juda verrecke!«. Aus dieser Perspektive präsentierte sich schon gegen Ende des 19. Jahrhunderts die »Lösung der Judenfrage« als eine »reinliche Scheidung« in »Deutsche« und »Juden«. Schon damals wurde von der Notwendigkeit einer »Entjudung« Deutschlands oder der »Vernichtung der jüdischen Rasse« gesprochen. Diese Proklamationen und Prophezeiungen verhallten in einer Gesellschaft, die zwar die »Judenfrage« aufgeworfen hatte, dabei allerdings noch Lösungsmodelle offerierte, die von der Aufgabe jüdischer Existenz über die Zurückdrängung des jüdischen Einflusses und die Ausschaltung aus der Gesellschaft bis zur Vertreibung aus Deutschland reichten, oder, anders formuliert, Assimilierung, Ausgrenzung und Austreibung anvisierten. Historische Erfahrung und menschliche Vorstellungskraft sperrten sich aber

Abb. 6: Schulungslager für Schulhelferinnen in Nutringen (Foto: Liselotte Orgel-Köhne, 1943).

damals noch dagegen, den Judenmord in den Bereich des Realisierbaren zu rücken.

Diesem Erbe entstammten die nationalsozialistischen Feindbilder. Sie kulminierten im Mythos vom jüdisch-bolschewistischen Weltfeind, der seit 1918 zum Kampf gegen die arische, sprich deutsche »Herrenrasse« angetreten war. Mit der Machtübernahme der Nationalsozialisten erfuhren Antisemitismus und Rassenhaß eine entscheidende qualitative Veränderung. Anders als in der Weimarer Republik und im Wilhelminischen Kaiserreich wurden sie 1933 zur Staatsdoktrin erhoben. Gleichzeitig lieferten bis dahin relativ unbedeutende Wissenschaften wie Rassenhygiene und Eugenik (→ Medizin) die Legitimationen wie auch die

Rezepte für die Errichtung einer neuen, homogenen deutschen → Volksgemeinschaft, in der es keinen Platz mehr für die »Gemeinschaftsfremden« gab. In die Kategorie der »Volks- und Reichsfeinde« fielen alle tatsächlichen oder vermeintlichen Gegner. Zu ihnen zählten neben den politischen Opponenten in erster Linie die Juden sowie die »Zigeuner«, ebenso → »Asoziale« und → Homosexuelle, später bestimmte Gruppen der sowjetischen → Kriegsgefangenen, der → Zwangsarbeiter und andere → »fremdvölkische« Gruppen. Zu den unerwünschten Elementen gehörten auch Behinderte; sie wurden – quasi als Versuchsobjekte – als erste Opfer der Rassenideologie getötet (→ Aktion T 4).

Ausgrenzung und Verfolgung

Zielstrebig wurde seit 1933 – nach der Zerstörung der Demokratie und Zerschlagung der organisierten Arbeiterbewegung – die »Lösung der Judenfrage« vorangetrieben. Gesetze, sporadisch organisierter Volkszorn und andere Arten von Drangsalierung erwiesen sich als wirksame Mittel, die etwa 500 000 deutschen Juden – und ab 1938 die Juden in den einverleibten österreichischen und tschechoslowakischen Gebieten – in ihren Existenz- und Überlebensräumen einzuschränken. Die Verdrängung aus Wirtschaft und Gesellschaft zog sich bis in die Anfänge des Zweiten Weltkrieges hinein. In dieser ersten Phase bewegte sich die offizielle Judenpolitik gleichsam noch in den Bahnen eines altvertrauten, traditionellen Antisemitismus. Die Nationalsozialisten hofften, die »Judenfrage« durch Vertreibung zu lösen. 270 000-300 000 Juden gelang es, sich bis zum Emigrationsverbot im Herbst 1941 im Ausland in Sicherheit zu bringen. Die anderen blieben zurück, entrechtet und verarmt, überaltert und von Familienangehörigen getrennt, in → Judenhäusern zusammengepfercht und zur Zwangsarbeit verpflichtet – eine »minorité fatale«, die der deutschen Gesellschaft zur Last zu fallen drohte und die im Zuge der → Endlösung in den Osten abgeschoben wurde.

Nicht anders erging es den → Sinti und Roma, einer Minderheit in Deutschland von rund 30 000 Menschen. Schon lange vor 1933 waren sie – nicht nur in Deutschland – diskriminiert, kriminalisiert und ausgegrenzt worden. Vergeblich hatten sich die Behörden um die Zertrümmerung der Traditionen und Lebensweisen des »lästigen« und ungeliebten »Zigeuner-Packs« bemüht. Dazu hatte auch der Versuch gehört, ihre Seßhaftigkeit zu erzwingen. Nach der → »Machtergreifung« der Nationalsozialisten setzten sich die traditionellen Anfeindungen fort. An vielen Orten ging man schon dazu über, Sinti und Roma in »Zigeunerlager« einzusperren. Als »Asoziale« klassifiziert, blieben den meisten die legalen Auswanderungswege verperrt. 1938 fiel die »Lösung der Zigeunerfrage« in den Zuständigkeitsbereich des → Reichsführers SS und Chefs der Deutschen Polizei Heinrich Himmler. Mit Akribie erstellten »Rasseexperten« genealogische und anthropologische, erbbiologische und medizinische Gutachten, auf deren Grundlage – und analog der Juden-Definition – die Betroffenen in »Zigeuner«, »Zigeunermischlinge« und weitere Untergruppen kategorisiert – und »rassehygienisch« ausgesondert wurden. Auch dies erwies sich als ein entscheidender Schritt auf dem Weg zur erfolgreichen »Bekämpfung der Zigeunerplage«.

Im Zweiten Weltkrieg wurde die Verfolgung der Juden sowie der Sinti und Roma auf die eroberten Gebiete ausgedehnt und verschärft. Die zweite Phase von 1939-1941 markiert den Übergang zum Völkermord. Zentren des europäischen Judentums fielen in die Hände der Nationalsozialisten. Die Möglichkeit einer »territorialen Lösung« der »Judenfrage« wurde vorübergehend in Erwägung gezogen. Experten in verschiedenen Ressorts entwarfen Pläne zur Errichtung großer »Judenreservate« in Osteuropa, auf Madagaskar und an anderen entfernten Orten (→ Madagaskarplan). Gleichzeitig begannen die NS-Rassefanatiker die Methoden und das Personal für den organisierten Massenmord zu erproben. In Deutschland lief der staatliche Krankenmord an. Bis dahin waren im Zuge der Rassenpolitik – und abgesichert durch das frühe Gesetz zur Verhütung erbkranken Nachwuchses (→ Erbgesundheit) – etwa 375 000 Deutsche zwangssterilisiert worden. Der »Reinerhaltung der Rasse« dienten ebenso die Gesetze, die zum »Schutz« des »Blutes« und der Gesundheit, der Ehe und der Familie erlassen worden waren. Ab 1939 wurden Insassen aus den Heil- und Pflegeanstalten im Rahmen des Euthanasie-Programms ermordet, zuerst Kinder, dann Erwachsene, Geisteskranke, Behinderte sowie andere Gruppen, die als »unerwünscht«, »nutzlos« oder »minderwertig« definiert waren, insgesamt rund 190 000 Menschen. Im besetzten → Polen – im Zuge einer ersten »völkischen Flurbereinigung« – waren die → Einsatzgruppen der → Sicherheitspolizei (Sipo) und des → Sicherheitsdienstes (SD) der → SS als Mordkommandos auf die Erschießung von Repräsentanten der polnischen Führungsschicht sowie von Geistlichen und Juden spezialisiert. Die planmäßige Deportation der Sinti und Roma nach Polen begann. Die destruktive Dynamik der Rassenpolitik erreichte sehr schnell den Punkt, an dem der traditionelle Katalog von Ausgrenzungs- und Unterdrückungsmaßnahmen ausgeschöpft war. Die Formen und das Ausmaß der chaotischen Vertreibungs- und Umsiedlungsaktionen, der Terror in den neu errichteten → Ghettos und Arbeitslagern (→ Arbeitserziehungslager), die Kompetenzstreitigkeiten und die Profitgier nationalsozialistischer Machthaber stellten die Weichen für den Weg zum Völkermord. Es bedurfte auch keiner schriftlichen »Führerbefehle«, um die Vernichtung der europäischen Juden sowie der »Zigeuner« zu sanktionieren. Der Wunsch bzw. der → Führerwille, vielfach dokumentiert, reichten aus, NS-Instanzen und -Personal zu ermächtigen, die Tötungsaktionen vorzubereiten und durchzuführen. Vor dem Hintergrund des Überfalls auf die → Sowjetunion (→ Ostfeldzug 1941–1945) bildete sich 1941 ein allumfassendes Programm der Endlösung heraus, das in der dritten und letzten Phase der NS-Rassenpolitik unter versuchter Geheimhaltung in die Praxis umgesetzt wurde. Dieser letzte und entscheidende Schritt wurde weder improvisiert noch erst Anfang 1942 – nach dem militärischen Scheitern des Unternehmens → Barbarossa – beschlossen. Von Beginn an wurde eine klare, konsistente Strategie des Völkermordes verfolgt.

Als die Einsatzgruppen der Sicherheitspolizei und des Sicherheitsdienstes der SS, die Polizeibataillone der Ordnungspolizei und die Brigaden der → Waffen-SS im Sommer 1941 den Marsch in den Osten antraten, waren sie mit Richtlinien ausgestattet, die ihre »Sonderaufgaben« umschrieben und die Zielgruppen spezifizierten, die als erste zu liquidieren waren. Die Erschießungen jüdischer Männer und kommunistischer Funktionäre leiteten den Völkermord ein. Im August folgten jüdische Frauen. Im September wurden Kinder als letzter, »logischer«, Schritt miteinbezogen. Die Existenz jüdischer Waisen und »unnützer Esser« verbot sich getreu den Maximen der NS-Ideologie von selbst. Im Herbst 1941 folgten die Befehle, »Zigeuner« zu liquidieren. Bei allen zeitlichen und regionalen Abweichungen oder Überschneidungen stellt diese Sequenz das Grundmuster dar. Diese Verfahren wurden nicht nur deshalb gewählt, um den Opfern die Aussicht auf ein Überleben und auf Widerstand zu nehmen, sondern auch, weil es die beste Methode war, die Mörder mit der Praxis der Liquidierung vertraut zu machen. Die anfangs von der SS und der Polizei angewandten Mittel reichten nicht aus, alle Juden, kommunistischen Funktionäre und »Zigeuner« in den eroberten Gebieten der Sowjetunion zu ermorden. Der schnelle Vormarsch und die Praxis der Erschießungen begrenzten die Tötungsmöglichkeiten: Sie gestatteten allein eine erste Tötungswelle. Vorbereitungen zur Einführung effizienterer Mordtechnologien wurden getroffen: Mobile → Gaswagen und stationäre Vergasungseinrichtungen (→ Gaskammern) waren das Ergebnis.

Geographische, demographische und klimatische Faktoren diktierten zudem den zeitlichen Ablauf des Tötungsverfahrens. Ökonomische Interessen mußten vorerst noch in Rechnung gestellt werden. Überall – zumeist mit dem Hinweis auf die Bedürfnisse der deutschen → Kriegswirtschaft – beeilten sich NS-Dienststellen, Juden noch in Ghettos zu sperren und zur Zwangsarbeit einzusetzen. Man beließ ihnen zunächst ihre Familien – mit dem Kalkül, durch dieses Zugeständnis Arbeitsmoral und Arbeitsproduktivität zu erhöhen. Im Herbst 1941 wurde in Deutschland der → Judenstern eingeführt. Die öffentliche Stigmatisierung signalisierte den Beginn der planmäßigen → Deportationen. Wenige Wochen später, im Januar 1942, stand der Judenmord auf der Tagesordnung der Berliner → Wannsee-Konferenz. Die Erfahrungen und Ergebnisse der bisherigen Liquidierungspraxis wurden erörtert. Schnell verständigten die Repräsentanten der verschiedenen Ressorts sich auf die Koordinierung der letzten Maßnahmen, die zur »Entjudung« Europas noch unternommen werden mußten. Etwa 6 Millionen Juden fielen der Endlösung zum Opfer. Die Nationalsozialisten und ihre Kollaborateure töteten mehr als 250 000 Sinti und Roma.

In den besetzten Gebieten der Sowjetunion sowie in Teilen Südosteuropas bildeten die Massenerschießungen das dominierende Tötungsverfahren. Etwa 1,25 Millionen Juden wurden von Einheiten der SS, der Polizei und der → Wehrmacht liquidiert. Massenweise starben Juden in den → Konzentrationslagern, in den Ghettos und auf den Deportationstransporten. Sie fielen den Mißhandlungen und Epidemien, der Erschöpfung und Unternährung zum Opfer. Die Zahl dürfte die Millionengrenze überschritten haben. Rund 700 000 Juden wurden durch den Einsatz von Gaswagen umgebracht. Die Juden in Mittel- und Westeuropa wurden in die → Vernichtungslager des Ostens deportiert. Die fabrikmäßige Massenvergasung ermöglichte die Ermordung von mehr als 3 Millionen Juden. Sie fand in den Todeslagern von → Chelmno/Kulmhof und → Belzec, → Sobibor und → Treblinka, → Lublin/Majdanek und → Auschwitz statt. Benötigte Arbeitskräfte wurden in Barackenlager getrieben und der »Vernichtung durch Arbeit« ausgesetzt. In der Schlußphase der NS-Herrschaft wurden Juden – im Widerspruch zur NS-Rassenideologie – von Ost nach West transportiert – in ein fast »judenfreies« Deutschland, das angesichts des Zusammenbruchs auf ein kleines Reservoir er-

Abb. 7: April 1945 im KZ Bergen-Belsen nach der Befreiung des Lagers durch englische Truppen.

schöpfter und unterernährter jüdischer Zwangsarbeiter zurückgreifen mußte. Nur wenige Juden haben nach den Torturen der Lagerhaft und der langen → Todesmärsche die Befreiung im Frühjahr 1945 noch erlebt.

Erklärungsversuche zum Judenmord

Der Judenmord als historisches Phänomen entzieht sich noch immer einer angemessenen Erklärung. Mit einer schon seit längerer Zeit unüberschaubaren Fülle von Darstellungen und Dokumentationen hat sich die Forschung in Details verloren. Endlose Debatten sind über die Triebkräfte und Abläufe, Besonderheiten und Konsequenzen des Völkermords geführt worden Eine kurze Charakterisierung einiger Erklärungsansätze mag dies verdeutlichen. Eine schlichte Aussage traf ein Kommunist jüdischer Herkunft, als er 1948 auf die Frage, warum die Juden ermordet wurden, antwortete: »Nur weil es Juden waren.« Beträchtliche Schwierigkeiten bereitete es marxistisch-leninistischen Historikern, die Endlösung mit den Profitinteressen des herrschenden Monopol- und Finanzkapitals in Einklang zu bringen. In den Abfallprodukten der Mordindustrie – in den Gewinnen aus den Lieferungen der Vergasungs- und Verbrennungsanlagen sowie in den Profiten aus der industriellen Leichenfledderei – fanden sie empirische Belege, die für den Wahrheitsbeweis der sakrosankten sowjet-marxistischen Faschismus-Doktrin herhalten mußten. Diese abstrusen Ableitungsversuche wurden fallengelassen, als man innerhalb des NS-Regimes Tendenzen der Verselbständigung entdeckte, die es den Nationalsozialisten gestatteten, den ideologisch motivierten Judenmord gegen die materiellen Interessen der Bourgeoisie durchzusetzen. An dem bekannten NS-Postulat, daß »wirtschaftliche Überlegungen bei der Lösung der Judenfrage grundsätzlich nicht zu berücksichtigen sind«, orientierten sich jene Autoren, die den Primat der Politik hervorhoben und am Beispiel der Judenvernichtung die Selbstzerstörung und den Irrationalismus des deutschen Faschismus zu beweisen suchten. Die Beweisführung erschöpfte sich in Hinweisen auf die ökonomischen Schwierigkeiten, die sich aus der Ausschaltung der Juden ergaben, auf die sinnlose Zerstörung menschlicher Arbeitskraft sowie auf den Einsatz der Deportationszüge zur Massenvernichtung auf Kosten der militärischen Nachschubversorgung. Jüngst wurden erneut Versuche unternommen, der NS-Vernichtungspolitik eine Rationalität zu unterstellen und eine »Ökonomie der Endlösung« zu entwerfen. Den rasse-ideologischen Triebkräften und zentralen Entscheidungsträgern des NS-Regimes wird dabei nur geringe Bedeutung beigemessen. Die entscheidenden Impulse für den Völkermord seien von einer Gruppe mittlerer Bürokraten ausgegangen, Technokraten, die die NS-Neuordnung in Europa geplant und vorangetrieben hätten. Wenngleich der Erklärungswert dieses Ansatzes für den Völkermord nur als sehr gering zu veranschlagen ist, so eröffnet er neue Perspektiven für die Rekonstruktion bürokratischer Entscheidungsprozesse. Weit über die Grenzen der historischen Forschung hinaus gehen die Ansätze, den Genozid als Phänomen der Moderne zu interpretieren. Damit verliert der Judenmord seine Singularität und erscheint als eine Variante innerhalb einer Serie ähnlicher Gewaltverbrechen, die der Dynamik der modernen Massengesellschaft jedweder Couleur entspringen.

Auch bürgerliche Historiker gerieten in einige Verlegenheit, den Judenmord zu erklären. In den ersten Nachkriegsjahren beschränkten sich westdeutsche Forscher darauf, den Weg nach Auschwitz als bedauerlichen »Betriebsunfall« der deutschen Geschichte beiseite zu schieben oder der »Dämonie« Hitlers anzulasten. Ausländische Autoren fanden in den »unheilvollen« geistesgeschichtlichen oder obrigkeitsstaatlichen Traditionen der deutschen Geschichte ihre ersten Erklärungskategorien. Ansätze folgten, aus den pathologischen Vernichtungsabsichten der Rassefanatiker die Endlösung zu erklären. In den Mittelpunkt rückten die hinter dem Judenhaß stehende manichäische Weltdeutung und chiliastische Endzeitvorstellungen. Sie ließen sich in den frühen Prophezeiungen und in der Verwirklichung des Vernichtungsfeldzugs gegen den imaginären jüdischen »Weltfeind« nachweisen. Im Selbstverständnis der NS-Rassefanatiker erschien die Tötung der Juden als eine notwendige, befreiende Heilstat. Sie sei der Wahnvorstellung entsprungen, die »Gesundung« der deutschen »Herrenrasse« herbeizuführen, deren gesicherte biologische und ökonomische Existenz auf der anvisierten Weltmachtstellung Deutschlands und – in der letzten Vision – auf der bewußten Züchtung eines neuen Menschen habe basieren sollen. Breiten Raum nahmen die Kontroversen ein, die sich an der Frage nach den Kontinuitäten und

Brüchen in der Judenpolitik entzündeten. Die sogenannten Intentionalisten bemühten sich um die Rekonstruktion eines geradlinigen, im wesentlichen von politisch-ideologischen Triebkräften bestimmten Weges in den organisierten Massenmord. Eine Kontinuitätslinie wurde gezogen, die von → *Mein Kampf* über Hitlers Reden und Tischgespräche bis nach Auschwitz führt. Die Funktionalisten verwiesen hingegen auf Brüche, Abweichungen und Alternativen. Der Prozeßcharakter der Endlösung wurde herausgestellt, der sich im Zusammenspiel rivalisierender NS-Behörden, in der Improvisation und schrittweisen Radikalisierung nachweisen ließ. Die Frontstellung zwischen Intentionalisten und Funktionalisten löst sich inzwischen auf, und es zeichnet sich die Tendenz ab, beide Ansätze miteinander zu verbinden. Anstrengungen werden unternommen, den Rassismus als zentrale Erklärungskategorie zu benutzen, um die Verfolgung und Vernichtung der »Zigeuner« und anderer Gruppen in das Interpretationsmodell mit aufzunehmen. Unverkennbar ist aber auch das Bemühen – auf der wissenschaftlichen wie der öffentlichen Ebene – den Judenmord und andere Gewaltverbrechen des NS-Regimes wieder aus der deutschen Geschichte und Gesellschaft auszuklammern. Das kündigte sich schon im Historikerstreit an und setzte sich nach der Wiedervereinigung Deutschlands fort. Mit dieser Revision verbindet sich der Rückgriff auf dem Kalten Krieg entstammende → Totalitarismus-Vorstellungen. Beispielhaft hierfür sind die apologetischen Versuche national-konservativer Kreise, Auschwitz als »asiatische Tat«, als eine Antwort Hitlers auf die Verbrechen der stalinistischen Gewaltherrschaft darzustellen oder den rasse-ideologischen Vernichtungsfeldzug gegen die Sowjetunion als Präventivmaßnahme gegen Stalins Eroberungspläne zu rechtfertigen. Generell zeigen sich Bemühungen, die Ansicht durchzusetzen, ein halbes Jahrhundert nach dem Zusammenbruch des NS-Regimes sei es an der Zeit, den Umgang mit dem Nationalsozialismus und seinen Verbrechen zu normalisieren, das heißt die Zeit des → Dritten Reiches unter weitgehender Ausklammerung moralischer Aspekte wie jede andere historische Epoche auch zu behandeln.

Was man auch immer unter Historisierung versteht, die Forschung wird sich weiterhin an den grundlegenden Studien Raul Hilbergs zu orientieren haben, in deren Mittelpunkt die Analyse bürokratischer Entscheidungs- und Handlungsabläufe steht. Die Zuständigkeiten, Arbeitsteilungen und Verhaltensweisen lassen sich folgendermaßen skizzieren: In der propagandistischen Selbstdarstellung präsentierte sich das NS- Herrschaftssystem als ein homogener, monolithischer Block, der getreu der Parole »Ein Volk – Ein Reich – Ein Führer« hierarchisch strukturiert und einzig und allein durch die Omnipotenz Adolf Hitlers zusammengehalten wurde (→ Propaganda; → Führer). Die Wirklichkeit sah anders aus. Das Regime wurde von mehreren Machtsäulen getragen, die miteinander verzahnt waren und sich nicht selten bekämpften. Als Bestandteile oder Leitinstanzen dieser Polykratie erscheinen die NS-Führungsspitze, die Massenpartei (→ NSDAP), die SS sowie die Staatsbürokratie und das Militär, die → Wirtschaft, die Kirchen (→ Kirchen und Religion) und die → Wissenschaft. Übernimmt man dieses Strukturmodell, so wird sichtbar, daß sich das Bündnissystem zwischen Nationalsozialismus und alten sozialkonservativen Eliten, das dem System Funktionsfähigkeit, Effizienz und Dynamik sicherte, auch in der Rassen- und Vernichtungspolitik bewährte.

Von der Verfolgung zur Vernichtung

Die Grundentscheidungen wurden von der NS-Führungsspitze getroffen. Kein Zweifel kann daran bestehen, daß Adolf Hitler als »Führer und Reichskanzler« die Leitlinien bestimmte und imstande war, die »Lösung der Judenfrage« durchzusetzen. Offen war bis zum Jahr 1941, wie sich dieses Ziel verwirklichen ließe. Entscheidend war, daß Hitler auf die Mitwirkung der einzelnen Leitinstanzen angewiesen war. Ihnen wurde es überlassen, die notwendigen Voraussetzungen und Bedingungen zu schaffen, also nach Wegen und Mitteln zu suchen, welche die konkrete Umsetzung der Rassendoktrin in die Wirklichkeit erlaubten. Einflußnahme und Profilierung der einzelnen Ressorts und ihrer Spitzenvertreter waren damit gewährleistet. Das traf auch für die Repräsentanten nachgeordneter Dienststellen zu, die auf der mittleren Entscheidungsebene mit der Vorbereitung und Durchführung der Tötungsaktionen beauftragt worden waren. Der Einsatz offerierte ihnen nicht nur die Möglichkeit, Führungsqualitäten und Durchsetzungsvermögen, Linientreue und Flexibilität unter Beweis zu stellen, sondern auch persönliche Initiativen zu ergreifen. Diese Gelegenheit wurde ausgenutzt. Der Handlungsspielraum erlaubte es, die ersten Einsatzorte als Experimentierfelder anzusehen, auf denen Vorgehensweisen erprobt und verschärft werden konnten. Mit anderen Worten: Nicht nur in den Führerhauptquartieren oder auf den Chefetagen der Leitinstanzen in Berlin, sondern auch auf den unmittelbaren Schauplätzen des organisierten Massenmordes wurden Entscheidungen getroffen, die den Vernichtungsprozeß vorantrieben. Was zählte, waren Erfolgsmeldungen. Sie trafen in den Berliner Kommandozentralen ein und dokumentierten, daß radikale Lösungen verwirklicht werden konnten, daß die Verbrechen durchführbar waren. Die Aktionen wurden nachträglich gebilligt und zum Anlaß genommen, überholte Direktiven zu revidieren. Neue Richtlinien wurden nach unten weitergeleitet und dort von neuem verschärft. Diese Wechselwirkungen zwischen zentralen Entscheidungsträgern und Befehlsgebern auf der mittleren Führungsebene sowie Befehlsempfängern und Exekutoren auf der untersten Ebene trugen erheblich zur Verwirklichung der Vernichtungsabsicht bei.

Der NSDAP und ihren Massenorganisationen blieb es vorbehalten, die entsprechenden Hetz- und Propagandakampagnen zu entfalten. Diese Aktionen dienten nicht nur der Isolierung und Demoralisierung der Opfer, sie verliehen auch den Ausgrenzungen, Vertreibungen und Ermordungen die weltanschauliche Legitimität. Wann immer die Partei ihre »spontanen« Aktionen beendet und den vermeintlichen Volkswillen bekundet hatte, trat die Staats- und Verwaltungsbürokratie in Aktion, um dem »Gesetz« und der »Ordnung« Geltung zu verschaffen. Unübersehbar – und noch nicht vollständig erschlossen – sind die Gesetze und Verordnungen, Anordnungen und Durchführungsbestimmungen, die für die Verfolgung und Vernichtung erlassen wurden. Es gab kaum eine Behörde, ein Gericht oder Gesundheitsamt, Arbeitsamt oder Finanzamt, Ernährungsamt oder Wohnungsamt, keine Ausbildungsstätte oder Versicherung, und später keine Transportbehörde oder Besatzungsverwaltung, die nicht von »Amts wegen« für die »Lösung« einer »Judenangelegenheit« zuständig war. Mit den staatlichen Zwangsmaßnahmen verband sich die Praxis der Terrorisierung. Diese Aufgabe übernahm die SS. Mit dem Aufbau des weitverzweigten SS-Apparates schuf sich der Nationalsozialismus das Herrschaftsinstrumentarium, das dem Juden- und Rassenhaß eine rational-bürokratische Logik unterlegte und ihm ein administratives Moment gab. Systematisch und relativ lautlos wurden von der SS im allgemeinen und von der Sipo und dem SD im besonderen Aufspürung, Überwachung und Bekämpfung aller »Reichs- und Volksfeinde« organisiert und durchgeführt. Heinrich Himmler und Reinhard Heydrich bauten die Eckpfeiler des Machtdreiecks von SS, Polizei und Konzentrationslagern so aus, daß sich der Apparat im Zweiten Weltkrieg anbot, als Exekutivorgan der Endlösung eingesetzt zu werden.

Die Wehrmacht leistete ihren Beitrag dazu; nahezu reibungslos vollzog sich ihre Einbeziehung in die Vernichtungspolitik. Erleichtert nahm das Militär im Frühjahr 1941 die Vereinbarung auf, die im Zuge der Vorbereitungen für das Unternehmen Barbarossa mit der SS über die Abgrenzung der jeweiligen Kompetenzbereiche getroffen wurde. Kein Widerspruch regte sich mehr, als Hitler ankündigte, »reguläre« Soldaten und Offziere zur Durchführung des rasse-ideologischen Vernichtungsfeldzuges gegen die Sowjetunion hinzuzuziehen. Das ließ sich um so leichter bewerkstelligen, als Hitlers → Lebensraum-Konzept neben den territorialen Expansionszielen ein politisch-soziales Aggressionsobjekt offerierte, das die Integration erlaubte. Es war das Feindbild des »jüdischen Bolschewismus«, mit dem Juden und kommunistische Funktionäre gleichgestellt und der Vernichtung überantwortet wurden. Der militärische → Kommissarbefehl sanktionierte die Liquidierung der Polit-Offiziere der Roten Armee. Der Massenmord an den sowjetischen Kriegsgefangenen im Gewahrsam der Wehrmacht forderte über 3 Millionen Opfer. Eine militärische Direktive schrieb die Auslieferung jüdischer Kriegsgefangener an die SS vor. Militärische Dienststellen zeichneten sich bei der Einführung von Judenkennzeichen, der Errichtung von Ghettos und der Rekrutierung von »Rüstungsjuden« aus. Und es waren Einheiten der Wehrmacht, die eigenständig oder in enger Kooperation mit der SS und der Polizei im Zeichen der »Banden-Bekämpfung« in Ost- und Südosteuropa (→ Partisanen) nicht nur an der Aufspürung und Verfolgung, sondern auch an den Massenerschießungen und Massenvergasungen von Juden, Sinti und Roma und anderen »gefährlichen Elementen« beteiligt waren.

Zu den Machtsäulen des nationalsozialistischen Herrschaftssystems zählte die Wirtschaft. Die Verdrängung der Juden aus dem Wirtschaftsleben versprach die Befreiung vom jüdischen Konkurrenten und die Übernahme jüdischen Eigentums. Zahlreiche Wirtschafts- und Industriebetriebe sowie ein Heer von kleinen Geschäftsleuten drängten auf die → Arisierung, bereicherten sich am begehrten Judennachlaß und zogen aus der folgenden Versklavung und Ausbeutung von Hunderttausenden von Zwangsarbeitern und KZ-Häftlingen den größtmöglichen Nutzen. Als moralische Leitinstanz nahmen die Kirchen eine besondere Stellung ein, die sich auch in ihrer Einstellung zur »Judenfrage« niederschlug. Protestantische Würdenträger begrüßten 1933 die nationalsozialistische »Machtergreifung«, weil sie sich von ihr die »Gesundung« einer von »jüdisch-bolschewistischen« Elementen gesäuberten deutsch-christlichen »Volksgemeinschaft« versprachen. Die katholische Kirche gab ihre reservierte Haltung auf und suchte nach Wegen der

Koexistenz mit dem Regime. Die Amtskirchen hüllten sich in Schweigen, als die Rassenpolitik begann und in den Völkermord führte. Sie erwiesen sich als unfähig, Christen jüdischer Abstammung zu schützen. Als im Herbst 1941 die Deportationen einsetzten, wurden die getauften Juden von den Kirchenleitungen wieder zu »Juden« deklariert und der Endlösung überlassen. Bezeichnend war die Reaktion auf das Euthanasie-Programm. Mit der Tötung von Insassen deutscher Heil- und Pflegeanstalten sah die Kirche eines ihrer fundamentalen Glaubensdogmen verletzt. In einigen Predigten und Petitionen schlugen sich Proteste nieder. Aufgeschreckt durch die Auflehnung, die für die Betroffenen ohne Folgen blieb, erklärte Hitler die Euthanasie im Sommer 1941 offiziell für beendet, um sie unter einer neuen Tarnbezeichnung fortzusetzen – in Anstalten, in Konzentrationslagern und in den besetzten Ostgebieten (→ Aktion 14 f 13). Von der Euthanasie führte ein direkter Weg in die Endlösung. Personal und Vergasungseinrichtungen des staatlichen Krankenmordes fanden bei der Durchführung des Judenmordes eine neue Verwendung. Die Nachrichten über die Ermordung der europäischen Juden vermochten allerdings weder die Kirche noch die Bevölkerung mehr aufzuschrecken.

Drei Grundmuster bestimmten die Verhaltensweisen gegenüber der NS-Rassenpolitik: Solidarität, Aggression und Gleichgültigkeit. Ausgrenzung und Vertreibung der Juden spielten sich bis 1941 in aller Öffentlichkeit ab: Sie lösten keine spontanen, offenen und massiven Proteste aus. Was sich in allen Teilen Deutschlands jedoch nachweisen läßt, sind einzelne Akte solidarischen Verhaltens, manifest in den Äußerungen des Mitleids und des Bedauerns, der Betroffenheit und Bestürzung, der Empörung und der humanitären Hilfeleitsung. Die schärfste Form des Protests, die öffentliche Auflehnung, zeigte sich in einer spektakulären Protestaktion. Im Februar 1943 erzwangen deutsche Frauen in Berlin die Freilassung ihrer jüdischen Ehemänner, die im Zuge der → Fabrikaktion an ihren Arbeitsstellen verhaftet worden waren. Die schrittweise Entlassung erfolgte freilich auch, weil die Inhaftierten in »privilegierter Mischehe« lebten, ein Status, der sie in Deutschland – anders als in den besetzten Ostgebieten – vor Deportation und Ermordung bewahrte. Gleichwohl, der erfolgreiche Ausgang dieser späten Aktion legt die Vermutung nahe, daß ähnliche Aktionen zu einem früheren Zeitpunkt den destruktiven Kurs der Judenverfolgung in eine andere Richtung hätten lenken können. Es gab Deutsche, und zwar in allen Kreisen der Gesellschaft, die sich ab 1941 in der sicheren Kenntnis der eigenen Lebensbedrohung für die Rettung von Juden einsetzten. 20 000-25 000 Deutsche dürften es vermutlich gewesen sein, die Kraft und Mut zum → Widerstand aufbrachten: Sie zeichneten sich beim Verstecken und Versorgen untergetauchter Juden aus. Sehr viel größer aber war die Zahl derer, die ihrem Judenhaß freien Lauf ließen. Die Aggressionen manifestierten sich in den alltäglichen Anfeindungen und Angriffen sowie im weitverbreiteten → Denunziantentum. Zwischen diesen beiden Grenzwerten lag die Gleichgültigkeit, lag das Zuschauen oder das Wegschauen, lag das Schweigen. Als die Nationalsozialisten die Juden aus der Gesellschaft ausgrenzten und aus dem Land vertrieben, konnten sie sich auf einen breiten Konsens in der Bevölkerung stützen. Die meisten Deutschen nahmen auch keinen Anstoß mehr daran, als die letzten Juden vor ihren Augen abgeholt und in den Osten abgeschoben wurden.

Täter, Mitwirkende, Helfer, Mitwisser

Diese dominierende Verhaltensweise resultierte nicht nur aus der Tradition judenfeindlicher Ressentiments, sondern auch aus der sozialen Funktion, die der Antisemitismus als direktes und indirektes Herrschaftsinstrument erfüllte. Der Zusammenhang besteht darin, daß der Antisemitismus zum Prototyp der NS-Gewaltherrschaft erhoben wurde und die direkte Terrorisierung der Juden – wie der anderen »Volks- und Reichsfeinde« – indirekt auf die Bevölkerung zurückschlug, sie zur Anpassung, Unterwerfung und Anerkennung der NS-Herrschaft zwang. An der Behandlung der »Gemeinschaftsfremden« konnte die Bevölkerung erkennen und ermessen, wie es einem erging, der dem Regime nicht genehm war. Weder der Antisemitismus noch die Abschreckung durch Terror reichen jedoch zur Erklärung des Schweigens aus. Hinzu kamen NS-Propaganda und Indoktrination. Sie verschafften – gleichsam als positives Pendant – der Bevölkerung die Befriedigung, Mitglied der Volksgemeinschaft, Teil des privilegierten, auserwählten »Herrenvolkes« zu sein. Sie sorgten damit für die feste Einbindung in das NS-Regime, dem man sich bis zum bitteren Ende verpflichtet fühlte. Einbindung und Identifizierung versperrten den Weg in den Widerstand. Sie schlossen ebenso die Möglichkeit der Verweigerung aus. Und schließlich: Der Judenmord konnte keine Proteste auslösen. Schon lange vor der Endlösung war es den meisten Deutschen schwergefallen, die jüdische Existenz zu achten, geschweige denn sie zu lieben.

Nach dem Ausbruch des Zweiten Weltkrieges fanden die Nationalsozialisten in allen besetzten Gebieten Kollaborateure, die sich am Programm der Endlösung beteiligten (→ Kollaboration). Solidarität, Gleichgültigkeit und Aggression bestimmten auch hier die Verhaltensweisen der Bevölkerung. Im Unterschied zu Deutschland fielen jedoch die Grenzwerte anders aus. In Teilen Osteuropas entluden sich die judenfeindlichen Einstellungen in weitaus stärkerem Maße. In Nord- und Westeuropa traten sie kaum in Erscheinung. Akte der Solidarität und Hilfe nahmen einen breiteren Platz ein. Charakteristisch war jedoch auch, daß sich der Widerstand weniger an der NS-Judenpolitik als an der allgemeinen Besatzungspolitik entzündete und erst zu einer Zeit massivere Formen annahm, als die Deportationen oder Ghettoliquidationen schon vorüber waren und sich mit der veränderten militärischen Lage die baldige Befreiung des okkupierten Landes ankündigte. Schon vor 1939 hatte man es im Ausland vorgezogen, sich nicht in die inneren Angelegenheiten des NS-Regimes einzumischen. Nationale und wirtschaftliche Interessen geboten es außerdem, eine restriktive Flüchtlingspolitik zu führen. Die Kriegsereignisse lieferten dann die Handhabe, die Landesgrenzen hermetisch abzuriegeln. Zugleich erhielten die politischen und militärischen Kriegsziele der Alliierten Priorität. Die Nachrichten über den Völkermord lösten lediglich Proklamationen und Absichtserklärungen aus, die Täter nach dem Krieg zur Verantwortung zu ziehen.

In der Vernichtungsmaschinerie der Endlösung – an den Schreibtischen wie auf den Schauplätzen – nahmen mehr als 500 000 Menschen Aufgaben wahr, fast ausschließlich Männer. Für die meisten ist das ohne strafrechtliche Konsequenzen geblieben. Weder die ideologischen oder nationalen, sozialen und beruflichen noch die organisatorischen Bindungen können die Bereitschaft und Fähigkeit zum Mord erklären. Nur wenige Täter wiesen Merkmale eines pathologischen Sadismus auf. Von Christopher R. Browning stammt die Klassifizierung »ganz normale Männer«, die mehr oder weniger aus gruppenspezifischen, kriegs- oder situationsbedingten Gründen zu Mördern wurden. Daniel Jonah Goldhagen wartet mit einem anderen, deterministisch ausgerichteten Erklärungsansatz auf, der die alten, »unheilvollen« Traditionen der deutschen Geschichte reaktiviert. Die Kontinuität eines spezifisch deutschen »eliminatorischen« Antisemitismus wird herausgestellt, der nicht nur den Tätern die Freude am Töten, sondern auch den »gewöhnlichen« Deutschen Bereitschaft zum und Freude am Judenmord verliehen habe. Aus dieser Perspektive präsentieren sich Vorbereitung und Durchführung der Endlösung nur noch als leichte Aufgaben. Barrieren im Vorfeld werden übersehen, Analysen der historischen Abläufe und bürokratischen Entscheidungsprozesse erübrigen sich bei solcher Pauschalisierung. Auf der Grundlage der bisherigen Forschung ist indessen unbestritten: Der Täterkreis rekrutierte sich aus den Angehörigen der mobilen Einsatzgruppen der SS und der stationären Dienststellen der Sicherheitspolizei, der Einheiten der Polizei und der Wehrmacht sowie einer ganzen Reihe anderer Institutionen, zu denen die Baubehörde der → Organisation Todt (OT) ebenso zählte wie die Forstverwaltung. Kaum einer der Täter wußte vor der Rekrutierung, daß er Juden, »Zigeuner« oder Kranke zu töten hatte. Zug um Zug vollzog sich die Gewöhnung an den Mord, genauer, die Erziehung zum Mord. NS-Indoktrination und politische Schulung waren Bestandteil einer Strategie, die darauf abzielte, die spezifischen Gruppenbindungen sowie die Ausrichtung auf den Juden- und Rassenhaß zu festigen. In den offiziellen Sprachregelungen dominierten euphemistische Begriffe, die das Erschießen oder Vergasen erleichterten. Befehle legitimierten die Verbrechen, die schnell zur Routine wurden. Nach der Einübung und den ersten Erfahrungen mit dem Morden stellten sich Ausdrucks- und Verhaltensweisen ein, die jedes Mitgefühl für die Opfer eliminierten und die symptomatisch für den Zerfall aller moralischen und menschlichen Werte waren. Erst aus diesem Prozeß der Abstumpfung, Brutalisierung und Entzivilisierung lassen sich die Fähigkeit und Bereitschaft erklären, die Verbrechen zu begehen.

In den Einheiten der SS und der Polizei galt es als ausgemacht, daß jeder Angehörige sich zumindest einmal bei einer Mordaktion zu bewähren hatte. Dieses ungeschriebene Reglement wirkte sich entlastend auf den einzelnen aus. Unterschiedlich waren die Reaktionsweisen. Sie lassen sich drei Gruppen zuordnen, wobei die Übergänge fließend waren und sich die Verhaltensweisen im Laufe der Zeit änderten. Die erste Gruppe schloß diejenigen ein, die besonderen Eifer und Ehrgeiz an den Tag legten, die stolz auf die Leistung und den Erfolg – und auf die damit verbundenen Auszeichnungen – waren. Der zweite Kreis umfaßte jene, die bei den ersten Einsätzen ein »Unbehagen« oder »Gewissensbisse« verspürten. Sie brauchten länger, um sich an das Morden zu gewöhnen. Die dritte und kleinste Gruppe bestand aus den »Drückebergern« oder »Verweigerern«, aus jenen, die sich um die Ablösung von einem Exekutionskommando bemühten oder sich einem Tötungsbefehl widersetzten. Keiner, der gegen eine »Judenaktion« oder gegen die Ermordung von »Zigeunern« oder Kranken protestierte oder sich einem Tötungsbefehl entzog, wurde zum Tode verurteilt. Er wurde in der Regel von seinem Posten abgelöst, versetzt, eventuell degradiert oder entlassen. Umgekehrt: SS- oder Polizeiangehörige, Soldaten oder Zivilisten, Deutsche oder Ausländer wurden von Gerichten zur Verantwortung gezogen, wenn sie Personen eigenmächtig, das heißt ohne Vorlage eines Befehls, getötet hatten und angezeigt worden waren. Die Strafen fielen in der Regel milde aus. Diese Täter wurden freilich nicht verurteilt, weil sie einen Mord begangen, sondern weil sie die Zuständigkeit der SS und der Polizei unterminiert hatten. Keine Sanktionen wurden gegen jene Täter verhängt, die ihren Aufgaben nicht gewachsen waren. Die Mordgemetzel – vor allem die Exzesse bei der Ermordung von Frauen und Kindern – lösten gelegentlich Übelkeit, Erbrechen und Zusammenbrüche aus. Diese Reaktionen stellten sich auch ein, als nach dem Vergasen die Türen der Gaswagen geöffnet und die Ladeflächen entleert und gesäubert wurden, oder wenn bei den Massenerschießungen die Köpfe der Opfer zerplatzten und Hirn- und Knochenteile, vermischt mit Blut, auf die Gesichter oder die Uniformen der Schützen spritzten. Es kam vor, daß diese »Berührungen« Ekzeme und andere psychosomatische Symptome auslösten.

Von Beginn an hatten sich die Chefarchitekten der Endlösung Sorgen um das Wohl der Vollstrecker gemacht. Die ersten Tötungsbefehle enthielten klare Anweisungen, Vorkehrungen zu treffen, »um die Eindrücke des Tages zu verwischen«. Das ließ sich nach Dienstschluß durch »fröhliche Ausflüge«, »Kameradschaftsabende«, »gemütliches Beisammensein« oder »bunte Abende« arrangieren. Sie erfreuten sich großer Beliebtheit. Marsch- und Volkslieder, Eß- und Trinkgelage sowie andere Ausschweifungen, Kabarett-, Theater- und Filmvorführungen bildeten weitere Elemente des Unterhaltungsprogramms. Heinrich Himmler sprach wiederholt von der »schweren Aufgabe« des Judenmordes und der »Anständigkeit«, die sich die Mörder dabei bewahrt hätten. Es ist genau diese ungeheuerliche Verbindung von Mord und Moral, von Verbrechen und Anständigkeit, die den Kern der Täter-Mentalität trifft. Im Rahmen einer so gearteten NS-Ethik wurde ein völlig neuer Begriff von Anständigkeit kreiert und zur Verpflichtung gemacht. Hannah Arendt prägte die Formel von der »Banalität des Bösen«, andere Autoren betonten die »Normalität des Verbrechens«. Fast alle Täter zeichneten sich in der Tat durch die Fähigkeit aus, nach der Verübung der Mordtat wieder in die Routine des Alltags zurückzukehren und ein »normales« Leben zu führen. Mit Überraschung, Verwirrung und Ärger reagierten die meisten, als sie im Zuge der NS-Strafverfolgung ermittelt und an die Vergangenheit erinnert wurden. Vor Gericht wurden Unwissenheit und Unschuld betont. Die Mörder blieben – von Ausnahmen abgesehen – von den traumatischen Erfahrungen verschont, die sie den überlebenden Opfern hinterlassen haben.

Literatur

Aly, Götz: *Endlösung. Völkerverschiebung und der Mord an den europäischen Juden,* Frankfurt am Main. 1995.

Benz, Wolfgang (Hg.): *Dimension des Völkermords. Die Zahl der jüdischen Opfer des Nationalsozialismus,* München 1991.

Benz, Wolfgang: *Der Holocaust,* München 1995.

Breitman, Richard: *Der Architekt der »Endlösung«. Himmler und die Vernichtung der europäischen Juden,* Paderborn 1996.

Browning, Christopher R.: *Ganz normale Männer. Das Reserve-Polizeibataillon 101 und die »Endlösung« in Polen,* Reinbek 1993.

Hilberg, Raul: *Die Vernichtung der europäischen Juden,* 3 Bde., Frankfurt am Main 1990.

Pohl Dieter: *Nationalsozialistische Judenverfolgung in Ostgalizien 1941-1944. Organisation und Durchführung eines staatlichen Massenverbrechens,* München 1996.

Sandkühler, Thomas: *»Endlösung« in Galizien. Der Judenmord in Ostpolen und die Rettungsinitiativen von Berthold Beitz 1941-1944,* Bonn 1996.

Zimmermann, Miachael: *Rassenutopie und Genozid. Die nationalsozialistische »Lösung der Zigeunerfrage«,* Hamburg 1996.

Außenpolitik

Von Bernd-Jürgen Wendt

Anfang der fünfziger Jahre hat der Historiker Ludwig Dehio in der Kette der europäischen Hegemonialkriege seit der frühen Neuzeit die beiden Weltkriege »als zwei Akte desselben Dramas« in einen engen inneren Zusammenhang gerückt und sie in ihrem Wesen als einen zweimaligen Anlauf Deutschlands, seiner militärischen und politischen Führungsschichten, zur europäischen Hegemonie gedeutet, nicht ohne freilich zu betonen, daß der Zweite Weltkrieg die radikalste Ausprägung aller Hegemonialkämpfe gewesen sei. Mit dieser These begreift Dehio nicht nur den Krieg Hitlers, seine Vorgeschichte, seinen Verlauf und seine Ziele als konsequente Fortsetzung des fehlgeschlagenen ersten »Griffes nach der Weltmacht« (Fritz Fischer) im Wilhelminischen Deutschland. Er hat zugleich grundsätzlich eine bis heute anhaltende heftige Kontroverse um »Kontinuitäten« und »Diskontinuitäten« im außenpolitischen Verhalten des kleindeutschen Nationalstaates zwischen 1870/71 und 1945 und um die Frage nach dem Zäsurcharakter des Jahres 1933 sowie, eng damit verbunden, des Jahres 1939 ausgelöst. Handelte es sich nach der → »Machtergreifung« um Hitlers und eine singulär nationalsozialistische, um eine mehr allgemein faschistische Politik oder um eine Fortführung der herkömmlichen deutschen Außen- und Machtpolitik? Provozierend wirkte Dehios »Kontinuitätsthese« vor allem auf die vielen, die sich nach 1945 darum bemühten, den qualitativen Sprung in der inneren und äußeren Entwicklung des Dritten Reiches nach 1933 scharf zu markieren und dieses als einen »undeutschen Fremdkörper« noch nachträglich aus der jüngeren deutschen Geschichte gleichsam zu eliminieren.

Mit der Frage nach dem Charakter der Außenpolitik im Dritten Reich verbindet sich eine Reihe weiterer Kontroversen. Sie alle stehen in einem Zusammenhang mit der Diskussion um die innere Struktur des Herrschaftssystems, seine Entscheidungsabläufe und die Rolle des → »Führers« in ihnen. Welches Gewicht hatte Hitler als »Außenpolitiker« bei der Planung und Vorbereitung des Krieges? War er ein zielstrebig auf Krieg und Gewalt zusteuernder, »völlig prinzipienloser Opportunist«, dessen Außenpolitik allein vom »Willen zur Macht in seiner brutalsten und reinsten Form« geleitet worden ist (Alan Bullock)? Waren seine machtpolitischen Ambitionen objekt- und grenzenlos, vorwiegend darauf bedacht, seine Herrschaft im Innern zu sichern, oder orientierte sich Hitler in seiner praktischen Politik sehr rational und konsequent an einem schon in den zwanziger Jahren formulierten und dann im Kern unverändert und beharrlich über alle Widerstände hinweg bis 1945 festgehaltenen »Programm« mit einem hohen Verbindlichkeitscharakter, vielleicht sogar an einem »Stufenplan« von der Kontinental- zur Weltherrschaft? Wird ihm auf der einen Seite auch in seiner Außenpolitik ein Hang zur Improvisation, zum Experimentieren, zur Augenblickseingebung und zum bloßen Reagieren attestiert, so erscheint er auf der anderen Seite als ein dogmatischer Ideologe, von Anfang bis Ende fixiert auf die gewaltsame Eroberung von → Lebensraum im Osten, auf die »Vernichtung des Weltjudentums« und auf die

Ausrottung der »bolschewistischen Gefahr«. Eng damit verknüpft ist die Frage, ob Hitlers außenpolitisches Konzept kontinental ausgerichtet gewesen war, also auf die Schaffung eines deutschen Ostimperiums als Endziel gerichtet, oder ob dieses lediglich eine Zwischenstufe für eine globale Auseinandersetzung mit den → USA um die Weltherrschaft, gegebenenfalls erst in einer späteren Generation, dargestellt habe.

Gab es – so lautet eine weitere kontrovers diskutierte Frage – im NS-Herrschaftssystem neben Hitler noch weitere – vielleicht sogar autonome und konkurrierende – außenpolitische Entscheidungszentren wie etwa das → Auswärtige Amt und auch alternative Konzeptionen, und wenn ja, welche Chancen zur Durchsetzung ihrer Ziele hatten sie? Die These vom »Konzeptionen-Pluralismus« auch in der Außenpolitik legt die Frage nahe, inwieweit Deutschlands Weg in den Krieg und dessen Radikalisierung hin zur Vernichtung von vielen Millionen Menschen an irgendeinem Punkt hätten gebremst und die Entwicklung in friedliche Bahnen hätte umgelenkt werden können, oder ob nicht der Gang in den Abgrund von Tod und Verbrechen von Anbeginn an durch den eisernen Willen des Diktators und die Gefolgschaftstreue seiner → Volksgenossen unumkehrbar vorgezeichnet war.

Schließlich stellt sich generell noch einmal die Frage nach dem Stellenwert der Außenpolitik im Diktaturstaat. War sie ein relativ autonomer, zwar mit der Innenpolitik verbundener, aber doch eigenen Prinzipien, Zielen und Gesetzmäßigkeiten unterworfener Politikbereich, oder stellte sie nur sekundär eine Funktion innenpolitischer Abläufe und Strukturen dar? War die Entscheidung zum Krieg der Vollzug eines längst anvisierten Programmzieles? Drängte sie sich relativ kurzfristig 1938/39 als eine Art »Flucht nach vorn« aus einer mit friedlichen Mitteln nicht mehr lösbaren, dabei aber letztendlich doch selbstverantworteten innenpolitischen Krisensituation auf (»Krisentheorie«), oder reagierte die deutsche Staatsführung hier primär auf eine spezifische internationale Mächtekonstellation, deren antideutsche Frontenbildung sie zwar durch ihre Politik der forcierten → Aufrüstung, der Einschüchterung und der fortgesetzten Aggressionen wesentlich mitprovoziert hatte, die aber auch eine gewisse Eigendynamik entwickelte, über die Berlin naturgemäß keine Kontrolle ausüben konnte.

Die nationalsozialistische »Machtergreifung« schien zunächst auch aus der Perspektive der Zeitgenossen in der deutschen Außenpolitik keine spektakuläre Wende zu bringen. Die Revisionspolitik hatte zwar seit der Reichskanzlerschaft Heinrich Brünings deutlich schärfere Züge gegenüber der Ära Stresemann angenommen und auch schon vor Hitler zu einer zunehmenden internationalen Isolierung Deutschlands geführt, in ihrem Kern überschritt sie aber nicht den Rahmen der Ziele, die in der Weimarer Republik bereits abgesteckt waren: Abschüttelung der letzten Fesseln von → Versailles, Wiederherstellung der vollen Wehrhoheit, Aufrüstung, Revision der »blutenden Grenze« im Osten, eine Vormachtstellung in Mitteleuropa unter Einsatz des wirtschaftspolitischen Instrumentariums, Ausbau von blockadesicheren Großwirtschafts- und Ergänzungsräumen (→ Autarkie) mit dem Schwerpunkt Südosteuropa und → Anschluß

→ Österreichs. Dies alles bewegte sich in den Bahnen Wilhelminischer Großmachtpolitik. Die Außenpolitik war vorerst nach offizieller Sprachregelung auf Kontinuität und Berechenbarkeit abgestellt. Innenpolitisch setzten die Verantwortlichen auf »Zähmung« und konservative »Einrahmung« der neuen Machthaber. In der Außenpolitik konkurrierende Parteiapparate – das Außenpolitische Amt der → NSDAP unter Alfred Rosenberg (→ Amt Rosenberg), die → Auslandsorganisation der NSDAP unter Bohle und die → Dienststelle Ribbentrop – schienen in den ersten Jahren in ihrem Ressort-Ehrgeiz gebremst und unter Kontrolle der Diplomaten.

Dies alles fügte sich durchaus in das Konzept Hitlers. In einer »Strategie grandioser Selbstverharmlosung« (H. A. Jacobsen) wies er der Außenpolitik zunächst die Aufgabe zu, den totalitären Umschwung im Innern, die Konsolidierung der Macht und die Wiederwehrhaftmachung des Volkes nach außen abzuschirmen und internationale Konflikte möglichst zu vermeiden. Gleichzeitig vermittelte seine Zurückhaltung in auswärtigen Angelegenheiten seinen konservativen Steigbügelhaltern und Bündnispartnern die illusionäre Gewißheit, mit dem neuen Reichskanzler in einer offenkundigen »Teilidentität der Ziele« (M. Messerschmidt) ein ganzes Stück gemeinsamen Weges in der Revisionspolitik hin zur erneuten Hegemonie Deutschlands in Europa gehen zu können und im übrigen die Zügel soweit in der Hand behalten zu haben, daß eine nationalsozialistische Risikopolitik ausgeschlossen blieb.

Programm und Prämissen

Auf Beruhigung des Auslandes waren auch die ersten außenpolitischen Schritte des Regimes abgestellt: die längst überfällige Ratifikation der Verlängerung des Berliner Vertrages mit der → Sowjetunion von 1926 am 5. Mai 1933, die gerade auch im Ausland vielbeachtete »Friedensrede« Hitlers im Reichstag am 17. Mai, die Rückberufung Hugenbergs von der Londoner Weltwirtschaftskonferenz nach seinen Entgleisungen (öffentliche Forderung nach Kolonien und Lebensraum) im Juni und schließlich der Abschluß des → Reichskonkordats mit dem Vatikan am 20. Juli, der gerade in den katholischen Staaten wie → Italien und → Spanien mit Wohlwollen registriert wurde. Für das einzig alarmierende außenpolitische Ereignis im Jahr 1933 – den Auszug der deutschen Delegation aus der → Genfer Abrüstungskonferenz und Deutschlands Austritt aus dem → Völkerbund am 14. Oktober – zeichneten Außenminister Konstantin Freiherr von Neurath und Reichswehrminister Werner von Blomberg in gleichem Maße wie Hitler verantwortlich. Und auch dieser spektakuläre Schritt lag ganz in der Logik der längst eingeleiteten geheimen Aufrüstung. Er ließ sich propagandistisch erfolgreich mit dem – aus Furcht vor der offenkundigen Remilitarisierung in Deutschland gespeisten – Zögern → Frankreichs und → Großbritanniens begründen, der am 11. Dezember 1932 in Lausanne Deutschland zugestandenen grundsätzlichen Gleichberechtigung in der Rüstung nun auch konkrete Taten folgen zu lassen. Er brachte dem Regime in der anschließenden Volksabstimmung am 12. November 1933 einen beachtlichen Prestigezuwachs und richtete sich im übrigen gegen eine internationale Organisation, den Völkerbund, die inzwischen nach dem Austritt → Japans am 28. März 1933 nur noch ein Schatten ihrer selbst war und auch unter ihren ursprünglichen Schöpfern, den Siegermächten des Ersten Weltkriegs, erheblich an Ansehen eingebüßt hatte.

Nichts wäre freilich verfehlter, als die nationalsozialistische Außenpolitik nach den Befunden der ersten Jahre rückblickend in zwei Phasen einzuteilen: eine mehr friedliche und traditionell revisionistische bis 1937 und eine anschließende Phase der Expansion und Kriegsvorbereitung 1938/39. Für die zeitgenössischen Beobachter im In- und Ausland irritierend und nur schwer durchschaubar, waren in der NS-Außenpolitik von Anfang an ideologische und realpolitische, traditionelle und revolutionäre Impulse und Absichten untrennbar miteinander verflochten. Diese Außenpolitik schloß »in ihrem In- und Gegeneinander Elemente der Kontinuität von Personen, Bestimmungsfaktoren und Perspektiven wie des Bruchs mit bisherigen Methoden und Zielsetzungen« ein (M. L. Recker). Es war die überkommene deutsche Großmachtpolitik, überlagert, radikalisiert und dynamisiert durch die zentralen Elemente der nationalsozialistischen → Ideologie: Rasse und Raum. Hitler hat niemals einen Zweifel daran gelassen, daß das bereits in den zwanziger Jahren in → *Mein Kampf* und in zahlreichen anderen Schriften und Reden formulierte außenpolitische »Programm« in seinem Kern als ein »geschichtlicher Auftrag« zur Richtschnur seines Handelns gehörte, selbst wenn er sich aus taktischen Gründen zeitweilig in der Öffentlichkeit Zurückhaltung auferlegte, Angebote machte und von Frieden sprach, um den Argwohn der anderen Mächte nicht vorzeitig zu wecken, und in seinen konkreten politischen Schritten – etwa beim → deutsch-sowjetischen Nichtangriffspakt vom 23. August 1939 – durchaus flexibel war und situationsbedingte Umwege in Kauf nahm.

Dieses »Programm« war eine spezifische Mischung aus seit dem späten 19. Jahrhundert bekannten völkisch-ideologischen Versatzstücken: Rassenantisemitismus (→ Antisemitismus), → Sozialdarwinismus und geopolitischem Raumdenken (→ Geopolitik). In der außenpolitischen Doktrin Hitlers fügten sich diese Kernelemente zusammen zu einem Verständnis von Politik als »Recht des Stärkeren« und als einem ewigen und gnadenlosen Kampf der Völker um einen ihrer wachsenden Größe und ihrer rassischen Höherwertigkeit angemessenen »Lebensraum«, zu dem Ziel der Eroberung von »Lebensraum im Osten«, der Ausrottung des Bolschewismus und der Vernichtung des »Weltjudentums«. Außen- und rassenpolitische Zielsetzungen waren im Hitlerschen Denken eng miteinander verschränkt: Die Außenpolitik hatte die Voraussetzungen zu schaffen für die »Bodenpolitik der Zukunft« und damit für das Überleben der höherwertigen arisch-germanischen Rasse. Damit hatte sie auch, sofern sich ihr Widerstände entgegenstellten, grundsätzlich den Einsatz kriegerischer Gewalt mit in Rechnung zu stellen. Dieser Einsatz brachte aber langfristig nur einen Gewinn, wenn zum einen die völkische Wehrkraft als Unterfutter einer aggressiv-expansiven Außenpolitik nicht durch »artfremdes Blut« gefährdet, mithin der Einfluß des Judentums schon im Frieden »ausgemerzt« war, und wenn dann zum anderen im Kriege die »Judenfrage« im Interesse einer Sicherung des »Lebensraumes« für immer

»gelöst« wurde (→ Rassenpolitik und Völkermord). Die NS-Außenpolitik ermöglichte also letztendlich auch in dem Maße, wie sie zusammen mit der Aufrüstung in den Dienst der Kriegsvorbereitung gestellt wurde, dann im Kriege die physische → »Endlösung« der Judenfrage und machte sie sogar aus nationalsozialistischer Perspektive zwingend notwendig, weil erst ein »judenfreies« Europa in nationalsozialistischer Sicht die sichere Existenzgrundlage für ein → »Germanisches Reich deutscher Nation« als Herzland, seine Satelliten und seine kolonialen Nebenländer und Versorgungsräume im Osten bot.

Erst von dieser langfristigen Zielperspektive her erschließt sich die Mehrschichtigkeit der NS-Außenpolitik ab 1933: Sie war, soweit sie die Revision des Versailler Vertrages und eine erneute Hegemonie Deutschlands auf dem Kontinent mit politischen und wirtschaftlichen Mitteln anstrebte, für die nationalkonservativen, noch im Denken Wilhelminischer Weltpolitik verwurzelten Führungsschichten ein Ziel an sich und trug damit durchaus traditionelle Züge. Für Hitler dagegen war sie nur eine notwendige Zwischen- und Durchgangsstufe zur politischen, bündnismäßigen, wehrwirtschaftlichen und militärstrategischen Arrondierung der mitteleuropäischen Basis zur Gewinnung von »Lebensraum im Osten« und erhielt dadurch im Kontext der Rassenideologie eine neue, weit über alles Bisherige hinausweisende, zerstörerische revolutionäre Qualität.

Während die Außenpolitik vordergründig durchaus noch die vertrauten Züge des Weimarer Revisionismus und des Strebens nach Gleichberechtigung im europäischen Mächtekonzert trug, machten sich in ihr doch ab 1934 zunehmend ein neuer Stil und die Handschrift Hitlers und seiner nationalsozialistischen Gefolgsleute zu Lasten des Auswärtigen Amtes bemerkbar: eine gezielte Bilateralisierung der politischen und wirtschaftlichen Außenbeziehungen (u. a. mit Hilfe einer rigiden Außenhandels- und Devisenkontrolle seit dem September 1934) und eine strikte Verweigerung jeder kollektiven internationalen Kooperation, um volle internationale Handlungsfreiheit zu gewinnen, die Nachbarn voneinander zu isolieren und bei jedem einzelnen mit individuellem erpresserischem Druck ansetzen zu können, eine sichtliche Beschleunigung des revisionistischen Tempos und eine wachsende Risikobereitschaft nach außen, die nach innen mit einer Forcierung der Aufrüstungsanstrengungen gekoppelt war.

Der am 26. Januar 1934 auf zehn Jahre geschlossene → deutsch-polnische Nichtangriffspakt schien zwar vordergründig einen offiziellen Verzicht auf die Revision der Ostgrenze und damit eine aufsehenerregende Abkehr vom Weimarer Revisionismus zu dokumentieren. Tatsächlich aber wurde durch den Ausgleich mit → Polen ein zentrales Stück im antideutschen »cordon sanitaire« Frankreichs in Ostmitteleuropa gelockert.

Der mißglückte nationalsozialistische Putsch in Österreich mit der Ermordung des Bundeskanzlers Engelbert Dollfuß am 25. Juli 1934 konfrontierte Hitler zum erstenmal mit den Grenzen seines außenpolitischen Handlungsspielraumes: Mussolini ließ eine Division am Brenner zum Schutz der Alpenrepublik aufmarschieren. Bereits vorher schon hatte er durch die Vereinbarung außenpolitischer Konsultationen und wirtschaftlicher Zusammenarbeit mit → Ungarn und Österreich in den »Römischen Protokollen« vom 17. März 1934 unmißverständlich zu verstehen gegeben, daß er nicht bereit war, den Deutschen den Weg in die eigene Interessensphäre im Donau- und Balkanraum widerstandslos zu öffnen. Hitler konnte sein Gesicht nur mühsam dadurch wahren, daß er sich sofort von dem ungestümen Vorpreschen der NSDAP-Landesleitung in Österreich distanzierte.

Die Saar-Abstimmung am 13. Januar 1935 mit einem Rekordergebnis von 90,67 Prozent für die Rückkehr zum Reich brachte zwar dem Regime einen großen Prestigeerfolg (→ Saarland), die Wirkung der beiden anschließenden Überraschungscoups in den Jahren 1935 und 1936 – die einseitige Wiedereinführung der allgemeinen → Wehrpflicht am 16. März 1935 und die → Rheinlandbesetzung am 7. März 1936 mit dem Bruch des Vertrages von Locarno – war jedoch für die nationalsozialistische Außenpolitik durchaus ambivalent: Sie lagen einerseits in der Konsequenz der seit 1930 eingeleiteten Aufrüstungs-dynamik, ermöglichten strategisch nunmehr die durchgehende Befestigung der deutschen Westgrenze und die militärische Sicherung des Ruhrgebietes gegen Frankreich, führten zu einer beschleunigten Erosion des französischen Sicherheitssystems an der deutschen Ost- und Südostgrenze (Lockerung der »Kleinen Entente« mit der → Tschechoslowakei, → Rumänien und → Jugoslawien und beginnende Orientierung der Donaustaaten auf Berlin) und wurden seitens der Westmächte nur mit mehr oder weniger papiernen Protesten beantwortet. Andererseits war aber zumindest bis zum Sommer 1935 eine zunehmende selbst-verschuldete Isolierung des → Deutschen Reiches in Europa nicht zu verkennen: 18. September 1934 Beitritt der Sowjetunion zum Völkerbund mit dem Ziel einer Stärkung der kollektiven Sicherheit; 11./14. April 1935 Konferenz der Regierungschefs von Großbritannien, Frankreich und Italien in → Stresa mit dem Aufbau einer »Stresa-Front« zum Schutz Österreichs und gegen weitere einseitige Vertragsverletzungen; 2. Mai 1935 französisch-sowjetischer Beistandspakt auf fünf Jahre; 16. Mai 1935 tschechoslowakisch-sowjetischer Beistandspakt mit der Klausel einer sowjetischen Hilfeleistung nur für den Fall eines militärischen Beistandes Frankreichs für die Tschechoslowakei (was im September 1938 katastrophale Folgen für Prag haben sollte).

Innerhalb überraschend kurzer Zeit vermochte das nationalsozialistische Deutschland indessen Mitte der dreißiger Jahre seine außenpolitische Isolierung so weit zu überwinden, daß sich sein internationaler Handlungsspielraum wieder vergrößerte und dadurch die Voraussetzungen für die schrittweise Erweiterung der europäischen Machtbasis bis zum Frühjahr 1939 geschaffen werden konnten. Dies war wesentlich darauf zurückzuführen, daß die weltweite Entwicklung seit der Doppelkrise der späten zwanziger und frühen dreißiger Jahre in Form des Zusammenbruchs des kollektiven Sicherheitssystems und der kapitalistischen Welthandelsordnung dem deutschen Diktator in mehrfacher Hinsicht in die Hände spielte. Diese Feststellung nimmt die originäre Verantwortung für den katastrophalen Weg in den Zweiten Weltkrieg in keiner Weise von den deutschen Schultern. Sie hilft aber, die nationalsozialistische Außenpolitik präziser im internationalen Mächtesystem zu verorten.

Von der Isolierung zur Hegemonialpolitik

Es wäre abwegig, anzunehmen, daß die europäischen Mächte mit dem Aufkommen einer aggressiven und bedrohlichen Ideologie in Mitteleuropa und der Machteroberung durch die Nationalsozialisten ihre oft tief verwurzelten gegenseitigen Rivalitäten gleichsam über Nacht begraben und ihre nationalen Egoismen hintangestellt hätten, um sich zu einer machtvollen kollektiven Abwehrfront zusammenzuschließen. Die nationalsozialistische Außenpolitik profitierte in entscheidendem Maße davon, daß damals eigentlich alle Mächte unter dem Eindruck der weltweiten Depression in ihre eigenen ökonomischen, politischen und sozialen Schwierigkeiten verstrickt waren, nach den schweren Erschütterungen und dem unendlichen Leid des erst knapp eine Generation zurückliegenden Weltkrieges vor einem neuen Kriegsabenteuer zurückschreckten und nichts mehr als äußere Ruhe ersehnten. Man verdrängte, was man sah, und wollte nicht sehen, was doch so offenkundig war. Die Weltwirtschaftskrise hatte die Schleusen geöffnet für ungehemmte nationalistische Egoismen, nicht nur in Deutschland.

Das Diktat von Versailles schien den meisten überlebt. War es nicht endlich an der Zeit, den deutschen Ansprüchen auf seine endgültige Revision, auf nationale Selbstbestimmung und auf volle Gleichberechtigung im Konzert der europäischen Mächte Rechnung zu tragen? Würde sich nicht – lautete die Hoffnung vieler – ein saturiertes Deutschland dann als eine friedliebende Macht in einen gegebenenfalls reorganisierten Völkerbund wiedereingliedern lassen? Hitlers wiederholte Signale in dieser Richtung schienen zu Optimismus Anlaß zu geben. Jeder Staat glaubte, gute Gründe für sich zu haben, eigene Sicherheitsinteressen zu verfolgen und sich, wenn es denn sein mußte, ohne Gefahr auf einen bilateralen Handel mit dem NS-Regime einlassen zu können.

Die Polen machten 1934 den Anfang. Die Engländer folgten am 18. Juni 1935 mit dem → deutsch-britischen Flottenabkommen. Ihre → Appeasement-Politik gegenüber Hitlerdeutschland war nur die Konsequenz aus dem Umstand, daß eine in jeder Weise überlastete und in innere Probleme verstrickte Weltmacht im Niedergang danach trachten mußte, im Interesse der eigenen Existenzsicherung wenigstens in einer der zwei Krisenregionen, die ihre Lebensadern und die ihres Empires bedrohten, auf dem europäischen Kontinent eine Entspannung herbeizuführen. Nur so waren gewisse Reserven für die Abwehr der anderen Herausforderung durch Japan im Pazifik zu bewahren. Die Italiener waren froh, für ihr am 2. Oktober 1935 beginnendes Abessinien-Abenteuer und gegen die daraufhin vom Völkerbundsrat, allerdings nur sehr halbherzig, verordneten Wirtschaftssanktionen Unterstützung in Berlin zu finden. Mussolini honorierte dies mit wohlwollender Neutralität bei der Rheinlandbesetzung und am 1. November 1936 mit der Verkündung der → Achse Berlin-Rom in Mailand. Er gab damit Hitler zu verstehen, daß er ihm den »Bratspieß« präsentiere, auf dem die Alpenrepublik nunmehr aufgespießt und »braun gebraten« werden könne (J. R. v. Salis), bis der Diktator-Kollege sie »verspeisen« wolle. Die Franzosen zogen sich demonstrativ hinter ihre → Maginot-Linie zurück. Sie gaben damit zu erkennen, daß sie, selbst paralysiert durch permanente Regierungskrisen und innenpolitische Spannungen, als europäische Großmacht de facto abgedankt und sich nunmehr als Juniorpartner in das Fahrwasser Londons begeben hatten, nicht ohne sich vorher gegenüber dem östlichen Nachbarn eingeigelt und damit ihr Desinteresse an den Geschehnissen in Mittel- und Ostmitteleuropa bekundet zu haben.

Die USA verharrten nach ihrem innenpolitisch außerordentlich umstrittenen militärischen Engagement in Europa gegen Ende des Ersten Weltkrieges nunmehr in der politischen Isolation. Sie vermochte auch Roosevelt trotz seiner beharrlichen Bemühungen bis Kriegsbeginn nicht aufzubrechen. Einig waren sich die bürgerlich-konservativen Führungsschichten in London und Paris in ihrem tiefsitzenden Antikommunismus (→ Antibolschewismus), der das Dritte Reich als selbstproklamiertes »Bollwerk gegen den Weltbolschewismus« gegenüber Moskau zeitweilig immer noch als das kleinere Übel erscheinen ließ, und in ihrem Bestreben, die USA so lange wie möglich aus den europäischen Händeln herauszuhalten. Die Sowjetunion ihrerseits bekundete zwar unter ihrem westlich orientierten Außenminister Maxim M. Litwinow durch ihren Beitritt zum Völkerbund 1934 ihre Bereitschaft, sich einem multilateralen System der kollektiven Sicherheit gegen den deutschen Expansionismus anzuschließen. Stalins blutige

Abb. 8: Vor Beginn der Konferenzen zum Münchener Abkommen vom 29. September 1938, von links nach rechts: der britische Botschafter Henderson, Göring, Chamberlain, Mussolini, Dolmetscher, Hitler, Daladier.

Säuberungen in den späten dreißiger Jahren, der Aufruf zur Bildung von Volksfrontregierungen, das Engagement der Komintern im → Spanischen Bürgerkrieg zwischen 1936 und 1939 und die revisionistischen Forderungen Moskaus nach einer umfangreichen Korrektur der Grenzen zu Polen und Rumänien haben die Westmächte letztendlich aber davor zurückschrecken lassen, die Sowjets in eine antideutsche Abwehrfront einzubauen. Im Gegenteil: Das Mißtrauen des Westens gegenüber der östlichen Flügelmacht ging 1938 so weit, daß sie sie in der → Sudetenkrise und auf der darauf folgenden Münchener Konferenz bewußt aus den europäischen Angelegenheiten auskreisten und dadurch auf weitere Sicht indirekt auf den Weg des politischen Ausgleiches mit Berlin verwiesen. Die mittleren und kleineren Staaten Mittel-, Ost- und Südosteuropas endlich, Polen, Österreich, Rumänien, Ungarn, Jugoslawien und → Bulgarien konnten ihre Sicherheit nicht mehr auf die fragwürdige Unterstützungsbereitschaft der Westmächte gründen. Sie orientierten sich deshalb ab 1936 zunehmend auf Berlin als neues europäisches Gravitationszentrum, zumal der deutsche Absatzmarkt für die Nahrungsmittel und Rohstoffe des Südostens, die deutschen Industrialisierungshilfen und Kredite ein lukratives Geschäft verhießen, während sich der Westen kommerziell und finanziell eher desinteressiert zeigte. Der Großwirtschafts- und Ergänzungsraum in Südosteuropa entlang der traditionellen wirtschaftsimperialistischen Achse Berlin-Wien-Saloniki-Istanbul nahm ab Mitte der dreißiger Jahre unter kräftiger Initiative des Reichswirtschaftsministers Hjalmar Schacht, seines Nachfolgers Walther Funk und Hermann Görings immer konkretere Gestalt an, ein deutsch beherrschtes »informal Empire«, das das Reich der angestrebten Großraum-Autarkie ein Stück näher bringen sollte.

So schienen nach einer Zeit der internationalen Isolierung innerhalb weniger Monate die Weichen für einen erneuten, diesmal voraussichtlich erfolgreichen Anlauf Deutschlands zur europäischen Hegemonialmacht gestellt: Die »Stresa-Front« war zerbrochen, ehe sie überhaupt hatte Wirkung zeigen können; alle Bemühungen um den Aufbau eines Systems kollektiver Sicherheit in Europa waren bereits im Ansatz blockiert; die Briten hatten mit dem Flottenabkommen die deutsche Aufrüstung indirekt sanktioniert, und die Aufmerksamkeit der europäischen Regierungen wurde mit dem Ausbruch des Spanischen Bürgerkrieges am 17. Juli 1936 zunächst von Mitteleuropa weg auf den Südwesten des Kontinents und auf den Mittelmeerraum gelenkt.

Ribbentrops Konzepte – Machtverlust des Auswärtigen Amtes

In diesem Augenblick zeigte sich jedoch, wie sehr eine der grundlegenden Prämissen der nationalsozialistischen Außenpolitik eher das Produkt eines ideologisch fixierten Wunschdenkens ihres »Führers« war und nicht Ergebnis einer realistischen Situationsanalyse. Denn Hitler hatte fest angenommen, gegen das deutsch-britische Flottenabkommen, einen Verzicht auf ein neues Flottenwettrüsten wie vor dem Ersten Weltkrieg und eine Garantie der britischen Weltmachtstellung freie Hand auf dem Kontinent einhandeln zu können. Wie schon beim ersten Anlauf Deutschlands zur Weltmacht vor 1914 blieb das Inselreich auch beim zweiten Versuch im Vorfeld des Krieges der zentrale »Schlüssel zum Schloß der deutschen Außenpolitik und ihrer expansiven Herausforderungen« (K. Hildebrand). In einer bemerkenswerten Kontinuität des Irrtums erhoffte sich das NS-Regime ebenso wie ein Vierteljahrhundert zuvor die kaiserliche Regierung Bethmann Hollweg die Neutralität der Briten im Falle eines europäischen Krieges. In einer ausgeprägten Haßliebe gegenüber den Briten, hier Wilhelm II. nicht unähnlich, bewunderte Hitler den imperialistischen Durchsetzungswillen und die Stärke des »rassenverwandten Volkes« ebenso, wie er der angenommenen »jüdisch-plutokratischen« Überfremdung und Zersetzung seiner Führungsschichten mißtraute. Hoffte der Diktator bis 1935 noch, den europäischen Kontinent nach seinen Vorstellungen politisch und rassisch mit Duldung und Unterstützung seines Wunschpartners England umgestalten zu können, so glaubte er, als die Früchte des Flottenabkommens ausblieben, auch ohne die Briten den erneuten »Griff nach der Weltmacht« wagen zu können, um dann Ende 1937 zum erstenmal von den »beiden Haßgegnern England und Frankreich« zu sprechen. Aber auch nach der Niederlage Frankreichs im Juni 1940 ist Hitler der Illusion nachgejagt, die Briten doch noch, freilich zu dem von ihm diktierten Preis eines Verzichtes auf kontinentale Einflußnahme, zum Einlenken bewegen zu können, um entweder mit ihnen zusammen oder doch unter ihrer Duldung den Endkampf um die Weltvormachtstellung gegen die USA auszufechten.

Doch suchte auch sein Adlatus und späterer Außenminister Joachim von Ribbentrop (ernannt als Nachfolger v. Neuraths am 4. 2. 1938), nach seiner verunglückten Botschafterzeit in London (August 1938 – Januar 1939) von einem fanatischen Haß umgetrieben, ihn endgültig gegen Großbritannien festzulegen. Dieser durch und durch mittelmäßige, selbst in den eigenen Reihen wegen seines hemmungslosen Ehrgeizes und seines Mangels an nationalsozialistischem »Stallgeruch« vielbespöttelte, dabei aber bis zuletzt seinem Herrn treu ergebene Parvenu in dem elitären Zirkel der Wilhelmstraße wäre es kaum wert, daß man sich intensiver mit ihm beschäftigt, wenn sich an seinem unheilvollen Wirken nicht beispielhaft zwei wichtige institutionelle und konzeptionelle Elemente nationalsozialistischer Außenpolitik verdeutlichen ließen. Im nationalsozialistischen »Doppelstaat« (E. Fraenkel), jenem Mit- und Gegeneinander von überkommenem »Normen-« und ideologisch-revolutionärem »Maßnahmenstaat«, betraute Hitler mit »Sonderaufgaben« der nationalsozialistischen Herrschaftsdurchsetzung und -sicherung in der Innen- und Außenpolitik zunehmend ihm persönlich verbundene und nur seinem Willen unterworfene Paladine als »Sonderbeauftragte«. So schloß Ribbentrop als Leiter einer eigenen – 1934 aus seinem Büro als Beauftragter für Abrüstungsfragen hervorgegangenen – »Dienststelle Ribbentrop« 1935 ohne Einschaltung des Auswärtigen Amtes das → deutsch-britische Flottenabkommen ab. Er leistete damit aktiv dem rapiden Machtverlust jener traditionsreichen Reichsbehörde in der Gestaltung der Außenpolitik Vorschub, bis er selbst Anfang 1938 an ihre Spitze trat, ohne ihr jedoch künftig ihre alte Schlüsselfunktion wiedergeben zu können.

Des weiteren vertrat Ribbentrop konzeptionell in der Außenpolitik eine eher traditionell-machtpolitische und weniger ideologische Linie. Sie hatte im Wilhelminischen Imperialismus ihre Wurzeln und konnte sich hier etwa auf den Schöpfer der deutschen Schlachtflotte, Marinestaatssekretär Admiral Alfred von Tirpitz, berufen: Schaffung eines starken Kontinentalblocks unter deutscher Führung und eines mittelafrikanischen deutschen Kolonialreiches als unangreifbare Basis für den Kampf gegen das britische Weltreich. In mehrfachen Anläufen machte sich Ribbentrop unter zeitweiliger Duldung Hitlers zwischen 1936 und 1940 beharrlich daran, die verschiedenen bündnismäßigen Versatzstücke seines von Anfang an antibritisch orientierten »weltpolitischen Dreiecks Berlin-Rom-Tokio« zusammenzusetzen und schließlich im Jahre 1940 seine globale Vision eines »Kontinentalblockes von Madrid bis Yokohama« zu realisieren. In ihrem Kern unterschied sich diese Konzeption diametral von derjenigen Hitlers. Ihre Elemente lassen sich stichwortartig skizzieren: 1934 Einrichtung eines → Kolonialpolitischen Amtes der NSDAP unter Ritter von Epp; 18. Juni 1935 Weisung an Ribbentrop zum Aufbau eines nationalsozialistischen Reichskolonialbundes; 1. November 1936 Verkündung der Achse Berlin-Rom; 25. November 1936 Abschluß des → Antikominternpaktes zwischen Deutschland und Japan mit zunehmend antibritischer und antiamerikanischer Ausrichtung im Pazifik (Beitritt Italiens am 6.11.1937); 22. Mai 1939 Abschluß des → Stahlpaktes zwischen Deutschland und Italien; 27. September 1940 → Dreimächtepakt zwischen Deutschland, Italien und Japan.

Ribbentrops antibritische Globalkonzeption, die im übrigen die Annäherung an Japan mit dem Bruch der traditionellen Freundschaft zu China erkaufte, fand Sympathien bei all den konservativen Kreisen, die der völkisch-rassistisch fixierten Außenpolitik Hitlers fernstanden, dem Kampf um »Lebensraum im Osten« als letztendlich unkalkulierbar mißtrauten, eher einen dauerhaften Ausgleich mit Moskau auf der bewährten »Rapallo-Linie« von 1922 suchten, von der Wiedergewinnung oder gar Erweiterung des Wilhelminischen Kolonialreiches in Übersee träumten und auf diesem Wege zur Weltmachtstellung die Briten als eigentlichen Feind ausmachten: der alten Kolonial-Lobby um Ritter von Epp, Wirtschaftskreisen, der Marineführung um Raeder, bei Vertretern des Auswärtigen Amtes und traditionellen Verfechtern eines deutsch beherrschten »Mitteleuropa« um Schacht. Hitler ließ seinen Außenminister gewähren, wenn dessen Vorstellungen sich funktional in sein eigenes außenpolitisches Konzept integrieren ließen und auch geeignet waren, die alten konservativen Eliten an das Regime zu binden: Die Kolonialwaffe ließ sich ebenso als Druckmittel gegen England verwenden, um die Briten doch noch zum Einlenken zu bewegen, wie als Lockmittel für die Loyalität der »wilhelminischen« Traditionalisten; der zeitweilige Ausgleich mit der Sowjetunion schuf erst den Spielraum für den Angriff auf Polen am 1. September 1939 (→ Polenfeldzug), ohne im Osten eine erneute »Einkreisung« und Blockade wie 1914 fürchten zu müssen; der Antikominternpakt mit Japan ließ sich instrumentalisieren, um die Sowjets an ihrer fernöstlichen Grenze und die Briten und Amerikaner im Pazifik zu binden und entsprechenden Druck vom europäischen Konfliktschauplatz zu nehmen; der Befehl zum Aufbau einer gigantischen neuen Schlachtflotte bis 1945 vom Januar 1939 (Z-Plan) war darauf angelegt, nach außen die Briten einzuschüchtern und nach innen die Marineführung noch enger an das Regime zu fesseln. Eines jedoch wird man stets im Auge behalten müssen: Außenpolitische Alternativkonzeptionen wie die von Ribbentrop oder auch die in der Wehrmachtführung entwickelten hatten weder vor dem

Krieg noch nach Kriegsbeginn eine wirkliche Chance, den Diktator langfristig von seinem Lebensraumkrieg abzubringen.

Ein weiteres Beispiel dafür, daß das Auswärtige Amt inzwischen aus wichtigen außenpolitischen Entscheidungen ausgeschaltet und auf die Funktion einer nur noch die laufenden Routinegeschäfte abwickelnden Reichsbehörde reduziert war, aber ebenso ein Zeichen dafür, wie sehr Hitler auch in der Außenpolitik sich bietende günstige internationale Situationen ausnutzte, wenn sie in sein Konzept paßten, war seine Intervention in den Spanischen Bürgerkrieg am 25. Juli 1936. Seine Reaktion auf einen Hilferuf Francos, den zwei Mitglieder der Auslandsorganisation der NSDAP persönlich dem gerade in Bayreuth weilenden Diktator übermittelten, stieß auf scharfe Kritik im Auswärtigen Amt, bei den Militärs, selbst bei Ribbentrop und Göring, die vorzeitige internationale Komplikationen befürchteten. Hitlers Motive für sein Eingreifen lagen nicht primär, wie oft angenommen, in wirtschaftlichen Interessen oder in der Absicht, die junge Wehrmacht zum erstenmal in einem Kampfeinsatz zu erproben. Sie zielten darauf, ein weiteres linkes Volksfront-Regime in Spanien zu verhindern, die Franzosen selbst mit Hilfe der spanischen Falangisten in den Würgegriff zu nehmen, das ebenfalls in Spanien intervenierende Italien immer mehr in deutsche Abhängigkeit zu bringen und gegebenenfalls auch indirekt über Franco auf die Briten bei Gibraltar Druck ausüben zu können.

Ab Winter 1937/38 erfuhr das äußere Vorgehen des NS-Regimes eine deutliche Tempobeschleunigung. Die nationalsozialistische Außenpolitik trat damit endgültig aus ihrer eher defensiven Funktion einer äußeren Abschirmung des inneren Umsturzes und der Aufrüstung in den Anfangsjahren heraus und wurde zum Instrument der offensiven Kriegsvorbereitung. Erhöhte Risikobereitschaft und einseitiges erpresserisches Auftrumpfen waren nunmehr die Devise nach der Gleichschaltung des Auswärtigen Amtes mit der Ablösung Neuraths durch Ribbentrop am 4. Februar 1938 und der Umgliederung an der Wehrmachtspitze durch die Entlassung v. Blombergs als Reichskriegsminister (seit 1935) und des Oberbefehlshabers des Heeres, Werner Freiherr v. Fritsch, am selben Tage.

Außenpolitik im Dienst der Kriegsvorbereitung

Unter höchster Geheimhaltung setzte Hitler in seiner »Denkschrift« zum → Vierjahresplan vom August 1936 zum erstenmal ein wichtiges Datum: »I. Die deutsche Armee muß in 4 Jahren einsatzfähig sein. II. Die deutsche Wirtschaft muß in 4 Jahren kriegsfähig sein.« Von nun an befinde sich das Reich, sekundierte ihm Göring, als Beauftragter für den Vierjahresplan gerade zum Wirtschaftsdiktator ernannt, »in der Mobilmachung und im Krieg, es wird nur noch nicht geschossen«. »Alle Maßnahmen« hätten »so zu erfolgen, als ob wir im Stadium der drohenden Kriegsgefahr uns befänden.«

Mit dem Übergang zur rüstungsorientierten Lenkung der Volkswirtschaft erwuchs der Außenpolitik neben der politisch-strategischen Arrondierung des

»Germanischen Reiches« als Sprungbrett für die Expansion nach Osten eine weitere wichtige Aufgabe: die Sicherung und Vergrößerung der wehrwirtschaftlichen Versorgungsbasis in Mittel- und Südosteuropa. So verband sich mit dem Anschluß Österreichs am 13. März 1938 und mit der seit dem 30. Mai 1938 geplanten militärischen Zerschlagung der Tschechoslowakei »in absehbarer Zeit« das doppelte Ziel, zum einen die Tür in den Großwirtschaftsraum Südosteuropa weit aufzustoßen und zum anderen die Menschenreserven, die Rohstoff- und Rüstungsressourcen und die Devisenvorräte beider mitteleuropäischer Staaten voll für die deutsche Wehrwirtschaft und damit für den geplanten Krieg nutzbar zu machen.

Deutlich von Zeitangst getrieben, erschien Hitler auf der wichtigen Oberbefehlshaberbesprechung am 5. November 1937. Sie ist in die Geschichte durch die authentische Gedächtnis-Niederschrift des Wehrmachtadjudanten Oberst Hoßbach (→ Hoßbach-»Protokoll«) eingegangen. Stichwortartig seien die Argumente genannt, mit denen Hitler den Zwang zum Kriege »zur Lösung der Raumnot« spätestens 1943-45, unter bestimmten günstigen Bedingungen aber auch schon früher, begründete: drohende Ernährungsschwierigkeiten und »Aussicht auf Senkung des Lebensstandards«; Modernität der »materiellen Ausstattung und Bewaffnung« der Wehrmacht mit der »Gefahr ihrer Veralterung« bei »längerem Zuwarten«; Gegenmaßnahmen und »Aufrüstung der Umwelt« und Abnehmen der eigenen »relativen Stärke«; »Älterwerden der Bewegung und ihrer Führer«.

Das NS-Regime war auf dem besten Wege, durch einander widerstreitende Zielvorgaben – schrittweise Abkoppelung vom Weltmarkt, Herstellung der Autarkie und der rüstungswirtschaftlichen Voraussetzungen für einen Krieg unter gleichbleibender Sicherung des zivilen Konsums mit Rücksicht auf die Stimmung in der Bevölkerung – bei nur begrenzten eigenen Ressourcen die deutsche Volkswirtschaft in gefährlicher Weise zu überlasten und einem verderblichen Verschleißprozeß auszusetzen. Ein ganzes Bündel von dadurch ausgelösten Engpässen wie Rohstoffverknappung, Arbeitskräftemangel, inflationstreibende Staatsverschuldung und Devisennot drohte den überhitzten deutschen Wirtschaftsorganismus offenkundig über kurz oder lang in eine selbstverschuldete Sackgasse zu treiben. Konnte man aus innenpolitischen Gründen den ökonomischen Zusammenbruch nicht riskieren, so blieb in absehbarer Zeit nur noch die Alternative Flucht nach vorn in den Krieg, um dann die Versorgung aus den besetzten Gebieten sicherzustellen, oder zeitweilig Stopp des Aufrüstungstempos, Intensivierung der Außenhandelsbeziehungen und außenpolitisch ein Kurs des Ausgleichs und der Entspannung. Für den zweiten Weg der internationalen Risikovermeidung, jedenfalls vorerst, solange Deutschland noch nicht hinreichend gerüstet war, votierten aus kommerziellen, finanzpolitischen und militärischen Gründen der – allerdings Ende 1937 kaltgestellte – Reichswirtschaftsminister Schacht, sein ebenfalls wenig später aus der Verantwortung entlassener Kollege Neurath, Diplomaten im Auswärtigen Amt um den Staatssekretär Weizsäcker, Kreise der Wehrmachtführung um den Generalstabschef Beck und seinen Nachfolger Halder, sowie Repräsentanten der Abwehr um Oberstleutnant Oster.

Abb. 9: Einmarsch der deutschen Truppen in Salzburg am 12. März 1938, jubelnde Bevölkerung (Foto: Heinrich Sanden).

Aber Hitler blieb unbeeindruckt und reagierte im Gegenteil auf die zunehmenden Krisensymptome mit augenscheinlicher Gelassenheit, schienen sie ihm doch in einer Art »self-fulfilling prophecy« ein geradezu unwiderlegbarer Beweis für die zwingende Notwendigkeit einer kriegerischen »Lösung der Raumfrage«. Spätestens mit der Ausschaltung der inneren Opposition im Jahre 1938 (→ Widerstand) war die nationalsozialistische Außenpolitik faktisch alternativlos geworden und endgültig auf eine rein dienende Funktion der Kriegsvorbereitung reduziert.

Der »Anschluß« Österreichs am 13. März 1938 entsprach ganz diesem Ziel. Das → Juli-Abkommen mit Berlin vom 11. Juli 1936 hatte der Alpenrepublik eine Atempause von nur eineinhalb Jahren gebracht. Die äußeren Umstände des »Anschlusses« zeigen freilich einen Hitler, der nach seinem schroffen und erpresserischen Auftreten in Berchtesgaden gegenüber dem österreichischen Bundeskanzler Kurt Schuschnigg am 12. Februar 1938 dann vier Wochen später zunächst eher im Hintergrund blieb, mehr reagierte und sich durch die überstürzt auf den 13. März angesetzte Volksabstimmung Schuschniggs »für ein freies und deutsches, unabhängiges und soziales, für ein christliches und einiges Österreich« überraschend unter Zugzwang gesetzt fühlte, wollte er den »Anschluß« nicht auf eine

Abb. 10: Einmarsch deutscher Truppen in Prag am 15. März 1939, Wenzelsplatz Ecke Trida 28 rijna, empörte Tschechen haben sich versammelt.

fernere Zukunft vertagen. Auch den Entschluß für die staatsrechtliche Wiedervereinigung seiner Heimat mit dem Reich am 13. März scheint Hitler sehr kurzfristig gefaßt zu haben. Der eigentliche Drahtzieher aller Aktionen war Göring.

Der in der internationalen → Sudetenkrise nach mehrwöchigen Verhandlungen mit dem britischen Premierminister Neville Chamberlain in Berchtesgaden am 19. September und Bad Godesberg am 22./24. September (→ Godesberger Konferenz) den Westmächten und der Prager Regierung am Ende abgepreßte außenpolitische Triumph des → Münchener Abkommens vom 29. September 1938 erschien aus Hitlers Perspektive sehr zwiespältig: Er brachte ihm in der Bevölkerung einen hohen Prestigegewinn, führte ihn durch die Abtretung des → Sudetenlandes der angestrebten »Erledigung der Rest-Tschechei« ein ganzes Stück näher, öffnete vollends den Zugang zum Donau- und Balkanraum und führte zur europäischen Isolierung der Sowjetunion. Andererseits empfand Hitler die Münchener Konferenz als Niederlage, zeigten die Westmächte ihm doch damit unmißverständlich, daß sie nach wie vor ein Mitspracherecht auf dem Kontinent beanspruchten und gewillt waren, dem Diktator vorerst den glatten Durchmarsch nach Prag zu versperren. Verheerend für den weiteren Weg Deutschlands in den Krieg sollte sich auswirken, daß mit dem Entgegenkommen der Briten und Franzosen in München jede innerdeutsche Opposition für lange Zeit zum Verstummen gebracht war und Hitler fortan glaubte, mit den »armseligen Würmern Daladier und Chamberlain«, die zu feige gewesen seien zu kämpfen, straflos nach seinen eigenen Spielregeln umspringen zu können.

Spätestens im April 1939 reifte bei Hitler der endgültige Entschluß, nun doch schon im Herbst des Jahres einen militärischen Konflikt als ersten Schritt zur »Arrondierung des Lebensraumes im Osten und [zur] Sicherstellung der Ernährung« (Hitler auf der Oberbefehlshaberbesprechung am 23.5.1939) zu wagen. Dabei kalkulierte er den großen europäischen Krieg mit den Westmächten durchaus schon ein. Die grundsätzlich seit langem vorhandene Bereitschaft zum Einsatz militärischer Gewalt wurde 1939 zweifellos bei Hitler forciert durch die Verschärfung der inneren Krise, durch den noch relativ überlegenen Stand der deutschen »Breitenrüstung«, durch die offenkundigen mittel- und langfristigen Aufrüstungsanstrengungen der Briten, durch die drohende Haltung Roosevelts im Hintergrund und durch die Erwartung, bei einem »blitzartigen Losschlagen« würden die Westmächte höchstens der Form nach intervenieren, im übrigen aber noch aus der eigenen Schwäche heraus militärisch stillhalten. Hitlers Verantwortung für die Auslösung des Krieges ist also unbestreitbar, selbst wenn ihm die anderen Mächte auf die eine oder andere Weise den Weg dorthin mit geebnet haben. Eine → Kriegsschuldfrage wie 1914 hat es 1939 nicht gegeben. Das NS-Regime hatte durch seine Politik der ständigen Drohungen und Erpressungen nach außen und seine ungehemmte Aufrüstung mit zwingender Notwendigkeit am Ende eine außenpolitische Konstellation in Europa provoziert, die seinen Handlungsspielraum entscheidend einschränkte: Polen empfing zwar zwischen Ende Oktober 1938 und Ende März 1939 mehrfach aus Berlin »großzügige Angebote« (deutsche Grenzgarantien, ein langfristiger Nichtangriffspakt und wirtschaftliche Zusammenarbeit gegen die Rückkehr → Danzigs zum Reich, eine exterritoriale Eisenbahn- und Straßenverbindung durch den »Korridor« und einen Beitritt zum Antikominternpakt), glaubte aber, die Aussicht auf einen deutschen Satellitenstatus nach den deprimierenden Erfahrungen der Tschechen und Slowaken Mitte März mit allen Kräften abwenden zu müssen. Es erteilte Berlin am 27. März 1939 eine endgültige Absage.

Funktionsverlust im Zweiten Weltkrieg

Briten und Franzosen wurden endlich durch die »Zerschlagung der Rest-Tschechei« am 16. März 1939 und durch die italienische Besetzung → Albaniens am 7. April 1939 sowie durch bedrohliche Nachrichten aus Warschau und Bukarest aufgeschreckt. Sie gaben durch ihre Garantieerklärungen für die Unabhängigkeit Polens (31.3./6.4.1939), Griechenlands und Rumäniens (13.4.1939) und eine britisch/französisch-türkische Beistandserklärung (12.5.1939) eindeutig zu erkennen, daß sie sich künftig mit einseitigen Korrekturen der politischen Karte Europas nicht mehr kampflos abfinden würden. US-Präsident Roosevelt forderte

Hitler und Mussolini zum Verzicht auf weitere Gewaltanwendung auf (15.4.39) und ließ keinen Zweifel daran, daß er einer Bedrohung Großbritanniens nicht tatenlos zusehen würde. Die Japaner versagten sich unter dem Druck der militärischen Konflikte an ihrer Grenze zur Sowjetunion entschieden jeder militärischen Hilfeleistung für den Antikomintern-Partner, und die Italiener besiegelten zwar die »Achsen-Partnerschaft« nach außen pompös durch den gemeinsamen Abschluß des Stahlpaktes, gaben aber gleichzeitig vertraulich zu verstehen, daß sie auf einen Eintritt in einen europäischen Krieg an der Seite Deutschlands rüstungswirtschaftlich längst noch nicht vorbereitet seien und dementsprechend höchstens in einem freundschaftlichen Status der »Nichtkriegführung« (Non-Belligerenza) verharren würden.

Die Würfel für den Krieg fielen am 11. April 1939 mit Hitlers Weisung für den → »Fall Weiß« (Angriffsvorbereitungen gegen Polen). Im letzten Augenblick kam Hitler die Sowjetunion mit dem deutsch-sowjetischen Nichtangriffspakt und dem »Geheimen Zusatzprotokoll« vom 23. August 1939 zu Hilfe. Monatelang, seit April 1939, von den Westmächten und von Deutschland umworben, entschied sich Stalin am Ende für den Partner, der ihm den bevorstehenden Krieg von seinem eigenen Territorium fernhielt, ihm durch die »vierte Teilung« Polens und die Aufteilung der Interessensphären in Ostmitteleuropa von → Finnland bis zum Schwarzen Meer ein beträchtliches Vortreiben seiner Westgrenze (Baltische Staaten und Bessarabien) zugestand und für die nächsten Jahre wenigstens Frieden garantierte, solange er – wie Stalin kalkulierte – in den kapitalistischen Krieg im Westen verstrickt wäre. Dafür hielten die Sowjets Hitler den Rücken im Osten frei, beteiligten sich an der militärischen Isolierung Polens und gewährten in drei wichtigen Wirtschaftsverträgen (19.8.1939, 11.2.1940, 10.1.1941) dem Dritten Reich jene kriegsnotwendige materielle Unterstützung, die ihm bei einer neuen gegnerischen Fernblockade wie im Ersten Weltkrieg versagt geblieben wäre. Für Hitler war der Pakt mit Stalin sicher nur eine zeitweilige, aus der Not geborene Aushilfe, auf die er möglichst schnell hoffte verzichten zu können.

Hitler hat Ende August 1939 den »großen Krieg« bewußt riskiert. Seine Hoffnung war aber, nach bewährtem Muster jeden seiner Gegner einzeln und nacheinander niederzukämpfen. Mit Auslösung des Krieges rückte die Außenpolitik klassischen Zuschnitts noch weiter an den Rand des Geschehens. Sie diente im wesentlichen der Kriegführung und dann der Verwirklichung des Rassenprogramms, die eindeutig die Handschrift Hitlers in letzter Verantwortlichkeit trugen. Dies drückte sich auch darin aus, daß über das Auswärtige Amt und mit seiner aktiven Unterstützung nicht nur die laufenden Routineangelegenheiten, sondern ab 1942 auch die administrativen Vorbereitungen für die »Endlösung« der Judenfrage in den besetzten und verbündeten Ländern Europas abgewickelt wurden und Ribbentrop selbst aus dem inneren Kreis der nationalsozialistischen Entscheidungsträger ausschied.

Der Bedeutungs- und Funktionsverlust der Außenpolitik im → Weltkrieg 1939-1945 hing ursächlich mit dem nationalsozialistischen Herrschaftssystem und seinem völkisch-rassischen Programm zusammen. Gegenüber dem als absolut gesetzten Krieg strebte die nationalsozialistische Führung, je weiter der Krieg fortschritt und je geringer seine militärischen Chancen wurden, keine politische Alternative mehr an. Die vom NS-Regime konzipierte »neue Ordnung« in Europa war auf deutsche Hegemonie, auf Unterwerfung, Beherrschung und Ausplünderung, auf »rassische Flurbereinigung« und Vernichtung angelegt. Sie entbehrte jeder konstruktiven und werbenden Idee und ließ keinen außenpolitischen Gestaltungsspielraum zu. Selbst für das Verhältnis zu den »Achsenpartnern« Italien und Japan galt, daß es hier an engen militärischen und politischen Absprachen, wie sie zwischen Briten und Amerikanern bestanden, gefehlt hat. Der Krieg, einmal ausgelöst, trug von Beginn an – nicht zuletzt durch den hartnäckigen Widerstand der Briten und der Sowjets und dann am 10. Dezember 1941 durch die Kriegserklärung Hitlers an die USA – das Gesetz seiner globalen Ausdehnung auf immer weitere Kriegsschauplätze in sich, ohne daß in Berlin so etwas wie ein Gesamtkriegsplan bestanden hätte.

Lediglich zwischen der Kapitulation Frankreichs am 22. Juni 1940 (→ Westfeldzug 1940) und Hitlers endgültiger Weisung für das Unternehmen → Barbarossa am 6. Dezember 1940 schienen sich für wenige Monate alternative Konzeptionen Wilhelminischer Provenienz und ihre Verfechter zu zeigen. Während Hitler seit Ende Juli 1940 seinen eigentlichen Krieg, das heißt den Eroberungs-, Plünderungs- und rassischen Vernichtungsfeldzug gegen die Sowjetunion ansteuerte, damit zugleich Englands »Festlandsdegen« vernichten und sich eines lästigen Konkurrenten entledigen wollte, um nicht eines Tages von Stalin im Rücken erpreßt zu werden, solange er noch im Westen gebunden war, wurden in seiner Umgebung ein letztes Mal, wie in den dreißiger Jahren, machtpolitische und militärische Optionen ventiliert, die auf Kriegsziele vor und im Ersten Weltkrieg zurückverwiesen. Sie hatten ihre Vertreter unter den »Traditionalisten« in der Seekriegsleitung, in der alten Koloniallobby, in Diplomatie und Bürokratie und zählten sogar Ribbentrop zu ihren Fürsprechern. Gemeinsam war diesen Optionen die Frontstellung gegen England, das überkommene Interesse am Aufbau eines mittelafrikanischen Kolonialreiches und eines ozeanisch-überseeischen Stützpunktsystems, um von der atlantischen, nahöstlichen und nordafrikanischen Peripherie aus den Kampf gegen Großbritannien und sein Weltreich führen zu können. Durch sein Treffen mit General Franco in → Hendaye und dem Staatschef → Vichy-Frankreichs, Marschall Pétain, in → Montoire am 23./24. Oktober 1940, durch den Abschluß des Dreimächtepaktes mit Italien und Japan am 27. September 1940 und schließlich durch den Empfang des sowjetischen Außenministers Molotow in Berlin am 12./13. November 1940 schien der Diktator zeitweilig zu signalisieren, daß er Ribbentrops Kontinentalblock-Vision gar nicht so fern stand. Aber mit der Aura des überraschenden »Blitzsieges« über Frankreich, die dem »Führer« so etwas wie eine charismatische Ausstrahlungskraft nunmehr auch als »genialer Feldherr« vermittelte, blieb Hitler am Ende bei seinem »Programm« der Lebensraumeroberung im Osten.

Eine rational kalkulierende Außenpolitik als »Kunst des Möglichen« (Bismarck) hält sich stets mehrere Optionen offen und vermeidet tunlichst den Weg in die Unumkehrbarkeit ihrer Entscheidungen, wenn sie in eine Sackgasse geraten ist. Nur so bleibt sie international manövrier- und kompromißfähig. So handelten die Weimarer Regierungen, und so handelten auch, mit Ausnahme der Julikrise 1914, die Reichsführungen des kaiserlichen Deutschland. Demgegenüber prägte bei aller Geschmeidigkeit in den Zwischenschritten doch im Banne des Endzieles ein radikal zugespitztes »Entweder-Oder« den Denkstil Hitlers – »Deutschland wird entweder Weltmacht oder überhaupt nicht sein« *(Mein Kampf)* – und den Stil der nationalsozialistischen Außenpolitik. Sie erfuhr dann als Kriegspolitik im Zeichen von »Sieg oder Untergang« die letzte Aufgipfelung einer ihr von Anfang an immanenten Radikalität und sollte schließlich in die Selbstvernichtung des Regimes einmünden. In der strikten Ablehnung langfristiger Kompromisse, Sonderfriedensschlüsse oder abweichender, auf Frieden angelegter Optionen entfaltete sich jener unverwechselbare und auch gegenüber dem italienischen Faschismus singuläre Wesenszug nationalsozialistischer Außenpolitik. So fragt sich am Ende, wieweit eine Außenpolitik wie die nationalsozialistische, die von Anfang an bewußt das Kriegsrisiko einschloß, überhaupt noch diesen Namen verdient.

Literatur

Graml, Hermann: *Europas Weg in den Krieg. Hitler und die Mächte 1939,* München 1990.
Hildebrand, Klaus: *Das vergangene Reich. Deutsche Außenpolitik von Bismarck bis Hitler 1871–1945,* Stuttgart 1995.
Jacobsen, Hans-Adolf: *Nationalsozialistische Außenpolitik 1933-1938,* Frankfurt am Main 1968.
Recker, Marie-Luise: *Die Außenpolitik des Dritten Reiches,* München 1990.
Weinberg, Gerhard L.: *The foreign Policy of Hitler's Germany.* Bd. 1: *Diplomatic Revolution in Europe 1933–1936,* London/Chicago 1970. Bd. 2: *Starting World War II 1937-1939,* London/Chicago 1980.
Wendt, Bernd-Jürgen: *Großdeutschland. Außenpolitik und Kriegsvorbereitung des Hitlerregimes,* München 1993.

Justiz und innere Verwaltung

Von Ernst Ritter

Ein hinreichendes Bild von den Vorstellungen des → Nationalsozialismus zu Recht und Verwaltung war vor der nationalsozialistischen → »Machtergreifung« nicht zu erkennen, sieht man von den Deklarationen des Parteiprogramms ab (Punkt 19: »Wir fordern Ersatz für das der materialistischen Weltordnung dienende römische Recht durch ein Deutsches Gemeinrecht«, Punkt 25: »Zur Durchführung alles dessen fordern wir: Die Schaffung einer starken Zentralgewalt des Reiches. Unbedingte Autorität des politischen Zentralparlaments über das gesamte Reich und seine Organisationen im allgemeinen«) und einigen unzusammenhängende Äußerungen in → *Mein Kampf,* darunter einem Lob des »unvergleichlichen Beamtenkörpers des alten Reichs (vor 1918). Deutschland war das bestorganisierte und bestverwaltete Land der Welt« (Kap. 10, Bd. 1). Weitere Beachtung fand Hitlers Legalitätseid im → Ulmer Reichswehrprozeß, doch blieb kein Zweifel an der rein instrumentalen Funktion dieser Strategie. Hitlers sachliches Desinteresse und seine persönliche Aversion gegen Gesetzesordnung und Regelhaftigkeit, Bürokratie und Justiz steigerten sich in kleinem Kreis (→ Tischgespräche Hitlers) zu Formulierungen äußerster Geringschätzung und offener Wut. Die vorläufige Respektierung und Nutzung vorhandener Strukturen, insbesondere auch des Verwaltungsapparates von Reich, Ländern und Gemeinden, erleichterte aber die Erringung und den Ausbau der politischen Macht, diente der Beruhigung und Gewinnung der Bevölkerungsmehrheit und schließlich auch der Disziplinierung allzu »revolutionär« gesinnter eigener Anhänger. Dabei war schon den Zeitgenossen bewußt, daß die nationalsozialistische Machtausübung keineswegs auf legaler Grundlage zustande gekommen war (→ Reichstagsbrandverordnung; → Ermächtigungsgesetz), doch wurden Verstöße dieser Art mit einer überformalen, »inneren Verfassungsmäßigkeit« (Karl Steinbrink) für geheilt erklärt.

In der Folgezeit verlief die Entwicklung widersprüchlich. Zweifellos wollten Hitler und später auch Paladine wie Himmler, Bormann und Goebbels mehr als eine Indienstnahme und Unterjochung des bisherigen Staatsapparates und strebten eine neue, spezifisch nationalsozialistische Form der Herrschaftsausübung an. Doch fehlten ein geschlossenes, theoretisch tragfähiges Konzept und wohl auch die Fähigkeit und der Wille zu einer so radikalen und systematischen Auslöschung tradierter Institutionen und Verfahrensweisen wie im Kommunismus sowjetischer Prägung. Es blieb während des Dritten Reiches bei Eingriffen und Änderungen von Fall zu Fall, dem »Dualismus von Maßnahmen- und Normenstaat« (Ernst Fraenkel), auch wenn letzterer zunehmend in die Defensive geriet.

Wenn das bisherige Normengerüst – die Verfassung der Weimarer Republik, die Rechtsordnung und der weit überwiegende Teil der staatlichen Institutionen – sozusagen subsidiär erhalten blieb, waren sich die nationalsozialistischen Vordenker doch einig in der fundamentalen Ablehnung seiner Grundlage, des »liberalistischen« und »individualistischen« »Systems« der → »Systemzeit«. Ihm überzuordnen war die zentrale Rechtsidee der völkischen Erneuerung, die Weltanschauung und Moral mit Politik und Recht zu einer Einheit verbinden und einen neuen Ordnungszusammenhang jenseits von Positivismus und Formalismus gestalten sollte (Karl Larenz, Carl Schmitt u.a.).

Neue Rechtsquellen waren fortab einige bewußt emotionsbefrachtete und unbestimmt gelassene ideologische Elemente wie der »Geist des Nationalsozialismus«, manifestiert u.a. im Parteiprogramm der → NSDAP, die → Volksgemeinschaft, ausgedrückt im → gesunden Volksempfinden, vor allem aber der → »Führerwille«. Weitere Vorgaben (nach D. Rebentisch) für alle Entscheidungsprozesse von verfassungsrechtlicher und verwaltungspolitischer Konsequenz bildeten in einem keineswegs widerspruchsfreien Konnex das Persönlichkeitsprinzip, das institutionelle Aufgabenzuweisung und Verantwortlichkeit durch personenverbandsstaatliche Wechselbeziehungen ersetzte, das Kampf- und Ausleseprinzip, das den Aufstieg der »Tüchtigen« von unten ermöglichen sollte, und die Methode der nationalsozialistischen Menschenführung, die Impulse aus der Gemeinschaft erfuhr und die Fähigkeit besaß, kollektive Begeisterung zu erzeugen.

Schon zeitgenössische, an sich konforme Staatsrechtler wie Ernst Forsthoff artikulierten die Unvereinbarkeit von zweckrationalem, auf statischen, gesetzmäßigen Grundlagen beruhendem bürokratischem Handeln, wie es für die Funktionsfähigkeit und die Daseinsvorsorge in der modernen Industriegesellschaft unverzichtbar sei, mit der Verpflichtung auf ein persönliches Treue- und Gefolgschaftsverhältnis zu einem dynamischen, rational nicht faßbaren → Führer; politische Führung und Verwaltung hätten ihre unterschiedlichen Lebensgesetze wechselseitig zu respektieren. Theoretiker der SS wie Reinhard Höhn sprachen der Verwaltung hingegen jedes Eigengewicht ab. Zu vermitteln und zugleich den »Führerstaat« durch eine eigene Verfassung zu normieren versuchte – vergeblich – Ernst Rudolf Huber. »Zu ihr gehört nicht nur der einmalige und einzigartige Führer ..., sondern die lebendige Führerschicht, die die dauernde Ordnung und Einheit verbürgt.« Dieser neue Typ des Verwaltungsführers sei allerdings nicht identisch mit dem Berufsbeamten aus der Tradition des absolutistischen Staates.

Beamtentum und öffentlicher Dienst

Der öffentliche Dienst war, vor allem in den unteren Laufbahngruppen, schon vor 1930 stärker als der Bevölkerungsdurchschnitt in der NSDAP vertreten, machte sich dort aber wenig bemerkbar, weil ihm jede »Betätigung« für diese Partei (und die KPD) untersagt war und in Preußen darüber hinaus schon durch die einfache Mitgliedschaft bis 1932 Nachteile drohten.

Auch in den ersten Wochen nach der Machtübernahme suchten überproportional viele Beamte, diesmal vor allem des höheren Dienstes, um den Parteieintritt nach (→ Märzgefallene), darunter Opportunisten und Eingeschüchterte ebenso wie

Sympathisanten autoritärer Strukturen und solche, die in die neue Regierung standespolitische Hoffnungen setzten (→ Reichsbund der Deutschen Beamten). Umgekehrt herrschten im gesamten rechtsbürgerlichen Lager weit übertriebene Vorstellungen einer gezielten Ämterpatronage der republikanischen Regierungen. Die alten Parteimitglieder bewahrten aus der → »Kampfzeit« ihre Ressentiments gegen die staatlichen Vollzugsorgane. So begann die neue Regierung sofort, wo dies regulär möglich war, mit der Entlassung mißliebiger »politischer« Spitzenbeamter, am weitestgehenden unter Göring in Preußen von Ober- und Regierungspräsidenten, Landräten und Polizeipräsidenten. Im übrigen griffen wilde »Säuberungen« vor allem auf kommunaler Ebene um sich, wobei sich die → SA hervortat. Das → Gesetz zur Wiederherstellung des Berufsbeamtentums zwang weitere Personengruppen zum Ausscheiden. Doch zeigte sich bald, daß das Reservoir befähigter alter Parteigenossen zur Besetzung freigemachter Stellen nicht ausreichte. Sie blieben, regional, nach Laufbahnen und Ressorts unterschiedlich, überwiegend in der Minderzahl. Zwar wurden bis 1941 von den 365 preußischen Landratsstellen 354 mit Mitgliedern der NSDAP besetzt, von denen 201 → »Alte Kämpfer« waren. Doch wurde insbesondere im Behördenapparat des Reiches und der Länder noch lange meist mehr auf Fachqualifikation als auf politisches Engagement geachtet, und die innere Geschlossenheit der Beamtenschaft blieb erhalten. Anfang 1938 beklagte sich der → Stellvertreter des Führers darüber, daß im → Reichsarbeitsministerium von 38 Ministerialräten nur fünf Parteigenossen seien, sämtlich mit dem Eintrittsdatum nach dem 30. Januar 1933.

In dieser Kontinuität stand auch das Deutsche Beamtengesetz vom 26. Januar 1937, das in seinen Grundsätzen auf Vorarbeiten der Weimarer Zeit fußte und nach 1945 im wesentlichen erhalten blieb. Es war in seiner Festlegung hergebrachter Rechte und Pflichten und des verbindlich zu beachtenden »Dienstweges« nach Hans Mommsen das einzige große Gesetzwerk des → Reichsministeriums des Innern, das gegen den hinhaltenden Widerstand der Partei und die immer stärkeren Bedenken Hitlers, sich verfassungspolitisch zu binden, in Kraft trat. Das Dienstrecht für Angestellte und Arbeiter, deren Anteil am öffentlichen Dienst durch die zunehmende Beschränkung der Beamten auf hoheitliche Aufgaben wuchs, wurde analog gestaltet.

Der direkte Einfluß der Partei bei Neuernennungen wirkte sich vor allem in den Kommunen aus, wo ihr ein Vorschlagsrecht zustand, während sich bei Reichsbehörden der Stellvertreter des Führers zunächst mit einem Widerspruchsrecht begnügte. Durchgängig wurde aber die regelmäßige »politische Beurteilung« (neben der fachlichen) eingeführt, die die Karriere beeinflussen konnte und in jedem Fall angepaßtes Verhalten begünstigte.

Trotzdem verstärkten sich die Attacken der politischen Führung auf die Inflexibilität und den Formalismus der Bürokratie, schritt ihre Entmachtung durch die Begünstigung und weitere Vermehrung der Sonderverwaltungen und Vollzugsorgane der Partei und ihrer Gliederungen weiter fort und konnte auch nicht durch die Einführung von Beamtenuniformen, Verleihung von Ehrentiteln der Partei und der → SS ausgeglichen werden. Martin Bormann mischte sich erst unter, dann anstelle von Heß immer massiver in die Personalpolitik ein und setzte den

Abb. 11: »Erst Deutscher – dann Beamter«, Motto der Veranstaltung des Reichsbundes der deutschen Beamten in Hamburg am 3. Juli 1933 (Foto: Joseph Schorer).

Eintritt einer neuen Generation seit ihrer Studienzeit aktiver Nationalsozialisten, die zugleich fachlich qualifiziert waren, in Spitzenstellungen durch. Schließlich erklärte Hitler am 26. April 1942 im Reichstag, es sei sein »legales« Recht, jeden zum Rücktritt oder zur Entlassung zu zwingen, der nach seiner Meinung nicht seine Pflicht tue, ohne Rücksicht auf die Person und die Rechte des Beamten. In welcher Art → Widerstand liquidiert wurde, zeigte sich vor allem nach dem → 20. Juli 1944. So wurden die obrigkeitsstaatlichen Kräfte, die nach 1933 zur Stabilisierung des Regimes beigetragen hatten, zwar in ihrer Masse nicht beseitigt, aber schließlich offen zur Disposition gestellt.

Der Verwaltungsapparat

Institutionell und quantitativ nahm die Verwaltung insbesondere auf zentraler Ebene sofort nach der Machtübernahme und bis Mitte des Zweiten Weltkrieges hinein ständig zu. Die permanente nationale Mobilisierung führte zur Wahrnehmung neuer oder zur Expansion bislang nachrangig behandelter Aufgabenbereiche, wie der des → Reichsministeriums für Volksaufklärung und Propaganda sowie des → Reichsluftfahrtministeriums oder der 1935 zur Regelung des Landbedarfs der öffentlichen Hand gegründeten Reichsstelle für → Raumordnung mit dem Charakter einer → Obersten Reichsbehörde. Mit demselben Status wurde 1934 aus dem Reichsministerium für Ernährung und Landwirtschaft auf persönliches Betreiben Görings, der damit → Reichsforstmeister und Reichsjägermeister wurde, das Reichsforstamt ausgegliedert. 1940 kam noch das Reichsministerium für Bewaffnung und Munition (→ Reichsministerium für Rüstung und Kriegsproduktion), 1941 das → Reichsministerium für die besetzten Ostgebiete hinzu.

Ein weiterer erheblicher Aufgabenzuwachs ergab sich aus der Überführung von Kompetenzen, die bislang der föderativen Verwaltung der Länder vorbehalten waren, in die zentrale Zuständigkeit des Reiches (→ Gleichschaltung; → Reichsstatthalter; → Reichsreform). Er erhielt 1934 weitere Schubkraft durch die Liquidierung des größten Teils des zentralen Verwaltungsapparates des bei weitem größten Landes, Preußen, dessen Entmachtung schon 1932 unter der Regierung Papen eingesetzt hatte (→ Preußenschlag). Nur noch das preußische Staats- und das Finanzministerium blieben selbständig, während die anderen Länder des Reiches für durchzuführende Aufgaben auch ihre sonstigen Fachressorts (mit Ausnahme der Justiz) behalten konnten. Durch diese »Verreichlichung« der Kultusaufgaben entstanden noch das → Reichsministerium für Wissenschaft, Erziehung und Volksbildung und das → Reichsministerium für die kirchlichen Angelegenheiten. Aber auch die »klassischen« Ressortministerien, vor allem des Innern und der Justiz (→ Reichsjustizministerium), die bislang auf Lenkungs- und Gesetzgebungsfunktionen beschränkt gewesen waren, konnten durch diesen Unterbau von Dienstaufsicht und Vollzug ihren Personalstand zum Teil vervielfachen.

Es war das Kennzeichen von Hitlers Führungsstil, daß er für Aufgaben besonderer politischer Dringlichkeit oder seines persönlichen Interesses Sonderbeauftragte berief, die unabhängig von der Reichsregierung, deren Kompetenz formell gewahrt blieb, ihre eigene »dynamische« Politik verfolgen konnten, dazu bevorzugt mit finanziellen Mitteln ausgestattet wurden, einen eigenen Verwaltungsapparat aufbauten und sich dabei allein auf das Vertrauen des Führers stützten. Der erste Bevollmächtigte dieser Art als → Generalinspekteur für das deutsche Straßenwesen wurde Fritz Todt, bis dahin schon »Reichswalter« des → Nationalsozialistischen Bundes Deutscher Technik und Leiter des Amtes für technische Wissenschaft in der → Deutschen Arbeitsfront (DAF) sowie Leiter des Hauptamtes für Technik in der → Reichsleitung der NSDAP. Seine weitere Entwicklung ist beispielhaft: Zur Durchführung seiner Bauaufgaben baute er die → Organisation Todt auf, wurde 1938 vom Beauftragten für den → Vierjahresplan zum Generalbevollmächtigten für die Regelung der Bauwirtschaft und Generalinspekteur für die Sonderaufgaben ernannt, 1940 Reichsminister für Bewaffnung und Munition und im Folgejahr noch Generalinspekteur für Wasser und Energie. Nach seinem Unfalltod 1942 trat Albert Speer, schon seit 1937 als Generalbauinspekteur für die Reichshauptstadt Hitler unmittelbar unterstellt, in allen diesen Ämtern Todts Gesamterbe an. Eine ähnliche Kumulation von Ämtern der Regierung, Hitler direkt unterstellten Sonderverwaltungen, berufsständischen Kammern, der NSDAP, ihren Gliederungen und angeschlossenen

Verbänden und schließlich noch reichseigener Wirtschaftsunternehmen fand sich bei so gut wie allen NS-Spitzenfunktionären, nicht nur bei solchen, die technisch-fachlich effizient arbeiteten wie Todt und Speer oder politisches Durchsetzungsvermögen besaßen wie Göring und Himmler, sondern auch z.B. bei einer so offenkundig schwachen und erfolglosen Figur wie Rosenberg (→ *Völkischer Beobachter*; → Kampfbund für Deutsche Kultur; → Amt Rosenberg; → Außenpolitisches Amt der NSDAP; → Hohe Schule der NSDAP; → Einsatzstab RL Rosenberg; Reichsministerium für die besetzten Ostgebiete).

All diese Spielarten der Verquickung von persönlichen und sachlichen Interessen und Rivalitäten mitsamt den Begleiterscheinungen von bürokratischem Leerlauf und auch Korruption übertrafen nicht nur das verbreitete Zerrbild des Weimarer »Systems«, sondern widersprachen auch der Vorstellung eines aufeinander eingespielten, Gesamtleistungen erbringenden Organismus. Offensichtlich war auch, daß Hitler für Verwaltungsfragen weitgehend das Interesse fehlte, er sich vielfach gar nicht oder nur unzusammenhängend und willkürlich äußerte und zudem in oberflächlichster Weise beeinflußbar war. Seine Unlust, seinem propagandistischen Idealbild zu entsprechen, hat ihn sogar als »schwachen Diktator« (Hans Mommsen) erscheinen lassen. Tatsächlich entsprach seine Methode, institutionelle und persönliche Rivalitäten zu fördern, seine Gleichgültigkeit gegenüber vielen Sachfragen, seine untätige oder zumindest abwartende Haltung bei offenen Konflikten seinen sozialdarwinistischen Grundanschauungen. Gegen seinen Willen geschah nichts, und soweit dieser erkennbar schien, wurde er im Machtkampf der Apparate meist zu antizipieren versucht. Der Führer blieb die oberste Instanz, die »monokratische Herrschaft mit polykratischen Mitteln« ausübte (Dieter Rebentisch).

Irregulär wie auf zentraler Ebene blieb auch die Verwaltung auf der mittleren Stufe. Die lange zurückreichenden Bestrebungen zu einer zweckmäßigeren Territorialgliederung und Kompetenzverteilung (Reichsreform) scheiterten ebenso wie die geplante einheitliche Kreisordnung 1938. Als durchgängig wirksam gewordenes Modell einer Neuordnung kann lediglich die → Deutsche Gemeindeordnung vom 30. Januar 1937 gelten, in der die Idee der kommunalen Selbstverwaltung, in Deutschland seit Stein Muster demokratischer Willensbildung, zugunsten direkter Eingriffsmöglichkeiten des »Beauftragten der NSDAP« aufgegeben wurde. Wie sehr im übrigen improvisiert wurde, zeigt die verschiedenartige Verwaltung der → eingegliederten und besetzten Gebiete. So wurde zwar teilweise bei früherem Reichsgebiet die alte Verwaltungsstruktur wiederhergestellt: Das → Memelland, → Eupen und Malmedy und das historische Ost-Oberschlesien wurden 1939 und 1940 umstandslos wieder nach Preußen rückgegliedert; ebenso gelangten zusätzliche Teile des besetzten → Polen und der → Tschechoslowakei zu Preußen und Bayern und damit unter Landesverwaltungen. Umgekehrt wurde aber auf die frühere Zugehörigkeit des → Saarlandes 1935 keine Rücksicht mehr genommen; es wurde, ohne einen definitiven Rechtsstatus zu erhalten, von einem Reichskommissar verwaltet. Der Mittelinstanz neuen Typs am nächsten kamen nach dem → Anschluß Österreichs die dortigen → Reichsgaue und in der Folgezeit die Verwaltungen des → Sudetenlandes, → Danzig-Westpreußens und des → Warthelandes mit dem Unterschied, daß hier als Unterinstanz wieder jeweils drei Regierungsbezirke eingerichtet wurden.

Als »Nebenländer« dem Reiche »angegliedert«, mit einer Hitler direkt unterstellten Regierung bzw. Verwaltung, wurden nach ihrer Okkupation das → Protektorat Böhmen und Mähren und das → Generalgouvernement. Völkerrechtlich nur besetzt waren die Gebiete, die einem »Chef der Zivilverwaltung« – regelmäßig zugleich → Gauleiter im angrenzenden Reichsgebiet – unterstellt waren (→ Luxemburg, → Elsaß-Lothringen, nach der Besetzung → Jugoslawiens Untersteiermark und Oberkrain, nach Beginn das → Ostfeldzuges der Bezirk Białystok). Tatsächlich wurde aber dort durch die weitgehende Einführung deutschen Rechts, der deutschen Amtssprache, der deutschen Staatsangehörigkeit für → Volksdeutsche und deren → Wehrpflicht die förmliche Einverleibung nach dem Krieg vorbereitet. Einen ähnlichen Status erhielten schließlich nach dem Frontwechsel → Italiens die Operationszonen → Adriatisches Küstenland und → Alpenvorland.

Verschieden war auch der Besatzungsstatus der Länder, deren Annexion nicht oder jedenfalls nicht offen vorgesehen war. So verwalteten → Reichskommissare unmittelbar → Norwegen und die → Niederlande. Dem → Reichskommissariat Ostland und dem → Reichskommissariat Ukraine wurde wiederum das Reichsministerium für die besetzten Ostgebiete vorgeordnet. Zivilverwaltungen durch Militärbefehlshaber bestanden dagegen in → Belgien, → Frankreich und → Griechenland, die ihrerseits Vasallenregierungen einsetzten, sowie in → Serbien. Die mildeste Form der Besatzung, die sich zunächst auf Kontrollfunktionen beschränkte, erfolgte schließlich mit der Ernennung von Reichsbevollmächtigten bei den einzelnen Nationalregierungen (→ Dänemark, später → Vichy-Frankreich, Italien, → Ungarn, → Slowakei).

Unabhängig von diesen zentralen Dienststellen operierten im gesamten deutschen Herrschaftsgebiet, mit Sonderrechten ausgestattet und faktisch unabhängig, nicht nur die → Wehrmacht, sondern auch der → Reichsführer SS und Chef der Deutschen Polizei, der Beauftragte für den Vierjahresplan, der → Generalbevollmächtigte für den Arbeitseinsatz und die Minister für Rüstung, für Verkehr und für Post.

Unmittelbare Konsequenzen ergaben sich durch den Kriegsbeginn auch im Reich. Die Beschaffung und Zuteilung kriegswichtiger Rohstoffe, Güter und Arbeitskräfte, die Mobilisierung und Kontrolle der Bevölkerung setzten Prioritäten. Dabei spielte der → Ministerrat für die Reichsverteidigung kaum eine, der → Generalbevollmächtigte für die Reichsverwaltung nur eine nachrangige Rolle. Eine spürbare Vereinfachung der Verwaltung an diesen Einrichtungen vorbei erbrachten erst die »Auskämmaktionen« des Generals von Unruh seit Mai 1942 (»Aktion Heldenklau«) und – schon im Zeichen des → »totalen Krieges« – seit Anfang 1943 des Chefs des Oberkommandos der Wehrmacht (OKW), der Parteikanzlei und der → Reichskanzlei, die erhebliche Personaleinsparungen durch »Freistellung« für die Wehrmacht erzwangen und zur Stillegung aller nicht unmittelbar kriegswichtigen Dienststellen auch der NSDAP führten.

Die Kontakte Hitlers, der in seinen → Führerhauptquartieren weitgehend abgeschottet war, verengten sich zunehmend. Sein Vertrauen behielten im wesentlichen Göring, Himmler und Speer, aber auch Ley, Ribbentrop und Goebbels. In diesem Zusammenhang besondere Bedeutung erlangte nach dem Englandflug von Heß der Aufstieg Martin Bormanns zum Leiter der Parteikanzlei und 1943 zum »Sekretär des Führers«, der in dieser Funktion den Zugang zu Hitler zunehmend kontrollierte, seine Weisungen umsetzte und dabei schließlich auch den Chef der Reichskanzlei ausschalten konnte.

Ein Gegengewicht zu diesen zentralen Gewalten bildeten die Gauleiter, denen ganz überwiegend das Vertrauen des Führers und das Privileg des direkten Vortrags bei Hitler erhalten blieb. Ihre Machtstärkung war vor allem auf ihre Einsetzung als → Reichsverteidigungskommissare zurückzuführen und nahm mit dem Kriegsverlauf noch zu. In den östlichen Reichsgauen waren sie neben der SS der einzige gleichrangige Machtfaktor.

Nach einer immer weitergehenden Radikalisierung auch der inneren Verwaltung in der Endzeit des Regimes war dessen Ausklang bezeichnend für seine ideologische Substanzlosigkeit. Hitler verzichtete in seinem politischen Testament am Tage vor seinem Selbstmord auf die Fortführung des »Führerstaates« und versuchte, mit der Ämterverteilung und Personalauswahl seiner Nachfolgeregierung Dönitz an das verhaßte »Weimarer System« anzuknüpfen. Dessen Institutionen waren zwar nie aufgegeben worden, aber tatsächlich durch die Machtausübung eines auf »Hitlers Willkürherrschaft zentrierten atavistischen Personenverbandes« (Dieter Rebentisch) überwuchert worden.

Justiz

Auch im Erscheinungsbild der Justiz waren die Elemente der Kontinuität zunächst vorherrschend. Das Rechtssystem, wie es sich in Preußen und den anderen deutschen Ländern seit dem 18. Jahrhundert entwickelt hatte, wurde prinzipiell beibehalten. Amtsenthebungen und personelle Veränderungen blieben, außer bei der Rechtsanwaltschaft, mit etwas mehr als 600 Entlassungen von Richtern, Staatsanwälten und Verwaltungsjuristen weit unter dem Durchschnitt und beeinträchtigten die Funktionstüchtigkeit des Justizapparates zu keinem Zeitpunkt. Die NSDAP, die darin vor 1933 nur schwach vertreten war, verzichtete auch in den Spitzenpositionen, wie bei dem deutschnationalen Reichsjustizminister Gürtner und dem Präsidenten des → Reichsgerichts Bumke, auf fachfremde politische Neubesetzungen. Erleichtert wurde ihr das durch die durchgängige Loyalität der ganz überwiegend bürgerlichen und nationalkonservativen Amts-inhaber, die auf das Versprechen der neuen Regierung vertrauten, die formale Ordnung prinzipiell zu respektieren. In der Tat entwickelte sich das Rechtsleben in weiten Bereichen, insbesondere im Privatrecht, »normal« und unauffällig weiter. Selbst im Strafrecht kam es punktuell zu Fortschritten wie dem auf Entwürfen der Weimarer Zeit fußenden Tierschutzgesetz. Doch ließen das Ausnahmerecht und krasse politische Eingriffe gleich in den ersten Wochen (Reichstagsbrandverordnung;

→ Heimtücke-Gesetz; → Lex van der Lubbe) und die Schaffung rechtsfreier Räume zunächst für die SA, dann für SS und → Polizei von Anfang an den veränderten Stellenwert der Justiz im neuen Staat erkennen.

Auf administrativer Ebene wirkte sich die Zentralisierung der gesamten Justizverwaltung noch durchgreifender als bei anderen Ressorts aus. Das Reichsjustizministerium, zuvor in seiner Kompetenz im wesentlichen auf die Gesetzgebung beschränkt und ohne ins Gewicht fallenden Unterbau, wurde durch die Aufhebung der Justizhoheit der Länder und deren »Verreichlichung«, die sich in mehreren Stufen von Januar 1934 bis Januar 1935 vollzog, aufsichtsführend für die Behörden, Gerichte und Vollzugsanstalten von bislang 16 Einzelverwaltungen mit 90000 aktiven Bediensteten. Auch wenn der Angleichungsprozeß noch bis in den Krieg hinein dauerte, waren Effizienzsteigerungen im organisatorischen Ablauf und im Personaleinsatz nicht zu übersehen.

Ein Zeichen des gewünschten Gemeinschaftsgefühls der Berufsgruppe war auch die Einführung des Begriffs → Rechtswahrer, ihre politische Organisation (→ Nationalsozialistischer Rechtswahrerbund) und eine nunmehr reichseinheitliche Justizausbildungsordnung, die für Referendare den zweimonatigen Besuch des »Gemeinschaftslagers Hans Kerrl« in Jüterbog vorschrieb, in dem ausschließlich Sport und ideologische Schulung stattfanden. Ein zusätzlicher (vierter) Prüfer hatte im mündlichen Teil des Staatsexamens »Volks- und Staatskunde im weitesten Sinn« zu prüfen.

Eine Besonderheit, die in dieser Schärfe in der Verwaltung sonst nicht durchgesetzt wurde, war die Entfernung von Frauen, die seit 1935 nicht mehr als Richterin oder Staatsanwältin oder zur Rechtsanwaltschaft zugelassen werden konnten. Selbstverständlich erhielten auch Juden Berufsverbot; sie durften lediglich als »Konsulenten« noch jüdische Klienten vertreten. Im übrigen wurden Rechtsanwälte und Notare in ihrem Status nicht beeinträchtigt, mußten sich aber zwangsweise in Reichsrechtsanwalts- und Reichsnotarkammern organisieren, die auch die Zulassung regelten und für die politische Lenkung sorgten.

Dieser Vereinheitlichung entgegen wurden im ordentlichen Gerichtswesen immer weitere Rechtsbereiche ausgegliedert und das bisherige Rechtsprechungsmonopol der Justiz durch Aufbau einer Sonder- und Standesgerichtsbarkeit aufgehoben. Die → Sondergerichte für politische Delikte und der → Volksgerichtshof waren zwar noch dem Justizressort zugeordnet; ihm gänzlich entzogen waren aber bereits die etwa gleichzeitig neu errichteten Wehrmachtsgerichte (→ Kriegsgerichtsbarkeit; → Reichskriegsgericht), die 1938 unter bestimmten Voraussetzungen auch für die Aburteilung von Zivilpersonen zuständig wurden. Nach ihrem Vorbild baute Himmler nach dem → »Röhm-Putsch« zunächst für die SS ein Ehrengericht auf, aus dem sich 1939 eine → SS- und Polizeigerichtsbarkeit entwickelte, für die das dem Reichsführer SS direkt unterstellte Hauptamt SS-Gericht zuständig wurde. Sie setzte in ihrer drakonischen Urteilspraxis von Anfang an die NS-Ideologie mit besonderer Konsequenz und Radikalität um.

In Zivilsachen hatten (in Verbindung mit der ordentlichen Justiz) die → Erbgesundheitsgerichte über die Anwendung der Gesetze zur → Erbgesundheit in drei Instanzen zu entscheiden. Dem Reichserbhofgericht (→ Erbhof; → Reichserbhofgesetz) präsidierte allerdings der Reichsernährungsminister. Die Verwaltungsgerichtsbarkeit wurde noch 1941 durch eine – bis dahin fehlende – oberste Spruchbehörde, das Reichsverwaltungsgericht im Geschäftsbereich des Reichsministers des Innern, ergänzt, doch war ihm die Nachprüfung politisch veranlaßter Willkürakte, vor allem von seiten der Polizei, entzogen. Überaus große Bedeutung in allen sozialen Bereichen, bei der NSDAP (→ Oberstes Parteigericht) wie bei den berufsständischen Kammern und Organisationen, besaßen schließlich die Ehrengerichtsbarkeit und die mit ihr verbundenen Formen der zwangsweisen außergerichtlichen Konfliktregulierung, die weit in das Arbeitsrecht hineinreichten. Sie waren ursächlich für den erheblichen Rückgang der Zahl der Zivilprozesse.

Grundlage des nationalsozialistischen Rechtsverständnisses war nicht mehr der Schutz der Einzelperson und die Gleichheit aller Staatsbürger vor dem Gesetz, sondern die Vorrangigkeit der vermeintlichen Interessen der → Volksgemeinschaft und die Pflicht, dieser zu dienen (»Recht ist, was dem Volke nützt«). Oberste Rechtsgüter, die es zu bewahren galt, waren Rasse und Erbgut, Ehre und Treue, Wehrhaftigkeit und Arbeitskraft, Zucht und Ordnung. Die Aufgabe der Justiz, so Hitler 1932, bestand darin, »das im nationalsozialistischen Staat sich vollziehende Gemeinschaftsleben unseres Volkes vor destruktiven und damit diese Gemeinschaft schädigenden und bedrohenden Erscheinungen zu schützen«. Da nur »Artgleiche« gemeinsames Recht in Anspruch nehmen konnten, wurde für alle, die außerhalb der Gemeinschaft gestellt wurden, Sonderrecht geschaffen. Dies galt tendenziell schon bei politischen Gegnern und »Gemeinschaftsfremden« (→ »Asozialen«), manifestierte sich in der Gesetzgebung aber namentlich bei den Juden (→ Nürnberger Gesetze; → Arierparagraph) und den → »Fremdvölkischen«, speziell den Polen (→ Polensonderstrafrecht).

Der Anspruch der politischen Führung zeigte sich auch in der Frage der richterlichen Unabhängigkeit deutlich; so postulierte Carl Schmitt, daß der mit eigener, von der Führung unabhängiger Macht ausgestattete Richter nicht zum »Gegenführer oder Werkzeug eines Gegenführers« werden dürfe; die Richterschaft wurde dann auch auf ein persönliches Treueverhältnis zu Hitler – am und seit dem 30. Juni 1934 → »oberster Gerichtsherr des deutschen Volkes« – und ein rückhaltloses Eintreten für den nationalsozialistischen Staat förmlich verpflichtet. Andererseits gewannen die Richter unter dieser Prämisse bei der Entscheidungsfindung an Ermessensspielraum durch die Möglichkeit »schöpferischer« Rechtsgestaltung bei der Konkretisierung des Gemeinschaftswillens und durch Ausnutzung anderer Generalklauseln, die nun in die meisten neuen Gesetze eingeführt wurden. Im Sinne dieses Dezisionismus wurde auch die Möglichkeit, gegen Urteile Rechtsmittel einzulegen, eingeschränkt; bei Sondergerichten entfiel sie ganz.

In der Strafjustiz wurden die bisherigen strengen Anforderungen an das Vorliegen eines Tatbestandes gelockert und der Gesinnung des Täters und seiner inneren Einstellung erhöhte Bedeutung beigemessen. Bekannte Beispiele für solche bewußte Offenhaltung – und damit beabsichtigte Verschärfung – waren zwei Gesetze, die Hitler im Juni 1938 nach entsprechenden Vorfällen rückwirkend ab 1. Januar 1938 erließ, eines gegen erpresserischen Kindesraub und ein anderes, das aus dem einzigen Satz bestand: »Wer in verbrecherischer Absicht eine Autofalle stellt, wird mit dem Tode bestraft.« Es fehlten eine Definition des damals neuen Begriffs »Autofalle« und jede Differenzierung von vorbereitender Handlung, Versuch und Vollendung.

Auch der Grundsatz, daß keine Tat ohne Rechtsgrundlage rückwirkend bestraft werden könne (nulla poena sine lege), der schon durch die Lex van der Lubbe durchbrochen worden war, wurde aufgegeben. Nach zwei Freisprüchen des Reichsgerichts wegen Elektrizitätsdiebstahls und Fernsprechautomatenbetrugs erfolgte die Aufhebung des Analogieverbots im Strafrecht. Fortab konnte bei nicht ausdrücklich für strafbar erklärten Taten das Strafgesetz analog angewandt werden, »dessen zugrundeliegender Rechtsgedanke in Übereinstimmung mit dem völkischen Rechtsempfinden die Bestrafung erfordert«.

Die allgemeine Verschärfung des Strafmaßes zeigt sich am deutlichsten bei der Todesstrafe, die bis 1933 bei drei, schließlich bei 46 Tatbeständen verhängt werden konnte, die zudem gleich nach der → »Machtergreifung« und in einem

Abb. 12: Roland Freisler, Präsident des Volksgerichtshofs, zeigt den Pflichtverteidigern der Attentäter vom 20. Juli 1944 Belastungsmaterial gegen die Angeklagten.

zweiten Schub nach Kriegsbeginn extrem politisiert und generalisiert wurden (Reichstagsbrandverordnung; → Wehrkraftzersetzung; → Kriegswirtschaftsverbrechen. Auch das Abhören feindlicher Rundfunksender wurde im Krieg mit dem Tode bestraft; → Rundfunkverbrechen). Schließlich ließ es die 5. Verordnung zur Ergänzung des → Kriegssonderstrafrechts vom 5. Mai 1940 zu, für jede Straftat alle Strafen einschließlich der Todesstrafe zu verhängen, wenn der regelmäßige Strafrahmen nach gesundem Volksempfinden zur Sühne nicht ausreiche. Insgesamt wurden rund 16000 Todesurteile (ohne Wehrmachtsgerichtsbarkeit) verhängt – davon 15000 ab 1941 –, von denen zwei Drittel vollstreckt wurden.

Im bürgerlichen Recht ergaben sich die bemerkenswertesten Änderungen im Ehe- und Familienrecht. Im Sinne der rassebiologischen Ziele kam es zu Eheverboten aus eugenischen Gründen (→ Ehe; → Erbgesundheit). Die Scheidung wurde erleichtert bei rassischen → Mischehen und der Verweigerung der Fortpflanzung. Unfruchtbarkeit als Scheidungsgrund konnte die katholische Kirche verhindern. Andererseits wurde zur Förderung erwünschten Bevölkerungszuwachses die Stellung unverheirateter Mütter und unehelicher Kinder verbessert. Seit 1941 durften deutsche Frauen sogar noch gefallene Soldaten heiraten.

Die allgemeine Politisierung und »Entformalisierung« zeigte sich auch in der Art der Gesetzgebung. Mit großem Aufwand begonnene Systematisierungen, wie die Kodifikationsvorhaben in der Strafgesetzgebung, dem Strafprozeßrecht oder dem → Volksgesetzbuch, an denen hochrangig besetzte Kommissionen jahrelang arbeiteten, scheiterten sämtlich; die Führung wollte sich und die Exekutive vor langfristigen Bindungen und unerwünschten Berufungsmöglichkeiten bewahren. An ihre Stelle trat eine »Augenblicksgesetzgebung« nach Opportunität. Von 1933 bis Kriegsbeginn wurden nur noch neun Gesetze regulär vom Reichstag verabschiedet; statt dessen traten 4500 Regierungsgesetze und noch mehr → Führererlasse und Verordnungen mit Gesetzeswirkung in Kraft. Dabei hatten alle Äußerungen der Führergewalt den Charakter einer vorrangigen, übergesetzlichen Rechtsquelle, was sich erstmals spektakulär nach den Morden des 30. Juni 1934, die nachträglich sanktioniert wurden, auswirkte (→ »Röhm-Putsch«). Schließlich galt dies auch in abgeleiteter Form; so wurde der Reichsjustizminister durch Führererlaß zum 20. August 1942 ermächtigt, auch in Abweichung von bestehendem Recht alle erforderlichen Maßnahmen zum »Aufbau einer nationalsozialistischen Rechtspflege« zu treffen. Auch die konsequente Lenkung der Rechtsprechung durch die → Richterbriefe und analog dazu die Rechtsanwaltsbriefe setzte etwa zu diesem Zeitpunkt ein. Schon in den Jahren zuvor hatte das Ministerium den Richtern seine Auffassung in Runderlassen, Tagungen und Einzelgesprächen deutlich gemacht.

Weite Bereiche der Strafverfolgung und der Strafvollstreckung waren der Justiz schon durch das Ausnahmerecht der ersten Wochen nach der »Machtergreifung« (Reichstagsbrandverordnung, Heimtücke-Gesetz) und → Amnestien entzogen worden. Ihr faktischer Kompetenzverlust wurde unübersehbar bei der Hinnahme der Ausschreitungen der SA bis hin zur Einrichtung »wilder« → Konzentrationslager. Er verfestigte sich weiter durch den Aufbau und die Verselbständigung der → Geheimen Staatspolizei (Gestapo) und das Erstarken der SS, der Legalisierung der → Schutzhaft und der → vorbeugenden Verbrechensbekämpfung. Die Justiz glaubte, durch praktische Zusammenarbeit mit der polizeilichen Exekutive, eine scharfe Rechtsprechungspraxis bei politischen Straftaten und andere Konzessionen in zahlreichen Einzelfällen die Willkür eindämmen zu können, geriet aber durch diese Anpassung nur weiter in die Defensive. Schließlich wurde die Gestapo zu einer Kontroll- und Revisionsinstanz, die faktisch entschied, welche rechtskräftig, aber aus ihrer Sicht zu milde Verurteilte sie wieder inhaftierte oder tötete und wo sie die Strafverfolgung – so bei den Delikten von → Fremdarbeitern – unmittelbar an sich zog. Nach einer Krise im Frühjahr 1942, die durch Hitlers im Reichstag geäußertes Mißfallen an zu milden Urteilen ausgelöst wurde und der sich ein Personalrevirement anschloß, kapitulierte die Justiz völlig vor SS und Polizei.

Anpassung und Standhaftigkeit gegenüber Zumutungen waren unabhängig von der Parteimitgliedschaft bei den einzelnen Richtern unterschiedlich. Offenen Widerstand gab es spätestens in der zweiten Kriegshälfte kaum noch; in der Regel ließ sich den Opfern aber schon mit einer Ausschöpfung des vorhandenen Ermessensspielraums zu ihren Gunsten helfen. Derjenige, der Druck und Einschüchterung nicht nachgab, konnte benachteiligt werden, wurde aber in keinem Fall verhaftet, in ein KZ eingewiesen oder hingerichtet. Umgekehrt konnte die Willfährigkeit, die sich immer weiter ausbreitete, das Mißtrauen der Partei und der politischen Führung zu keinem Zeitpunkt beseitigen; sie führte nur dazu, daß deren Forderungen und Durchsetzungsmöglichkeiten weiter zunahmen.

Literatur

Broszat, Martin: *Der Staat Hitlers*, München 1969.
Dreier, Ralf / Wolfgang Sellert: *Recht und Justiz im »Dritten Reich«*, Frankfurt am Main 1989.
Gruchmann, Lothar: *Justiz im Dritten Reich 1933-1940*, München 1988.
Hirsch, Martin / Diemut, Majer / Jürgen, Meinck (Hg.): *Recht, Verwaltung und Justiz im Nationalsozialismus*, Köln 1984.
Jeserich, Kurt A. / Hans Pohl / Georg-Christoph von Unruh (Hg.): *Deutsche Verwaltungsgeschichte.* Bd. 4: *Das Reich als Republik und in der Zeit des Nationalsozialismus*, Stuttgart 1985.
Mommsen, Hans: *Beamtentum im Dritten Reich*, Stuttgart 1966.
Rebentisch, Dieter / Karl Teppe (Hg.): *Verwaltung contra Menschenführung im Staat Hitlers*, Göttingen 1986.
Rebentisch, Dieter: *Führerstaat und Verwaltung im Zweiten Weltkrieg*, Stuttgart 1989.
Rüthers, Bernd: *Entartetes Recht*, München 1994.
Staff, Ilse (Hg.): *Justiz im Dritten Reich*, Frankfurt am Main 1978.
Weinkauff, Hermann: *Die deutsche Justiz und der Nationalsozialismus*, Stuttgart 1968.

Wehrmacht

Von Gerd R. Ueberschär

Die Bezeichnung »Wehrmacht« als Name für die gesamten deutschen Streitkräfte trat von 1935 bis 1945 an die Stelle des Begriffs »Reichswehr« aus der Weimarer Republik. Die Umbenennung fand in Verbindung mit der Wiedereinführung der allgemeinen → Wehrpflicht im Deutschen Reich durch das Wehrgesetz vom 16. März 1935 statt. Danach erfolgte eine rasche Vergrößerung des bisherigen Reichsheeres von 100 000 Mann auf ein Friedensheer von zwölf Korpskommandos und 36 Divisionen mit 550 000 Mann; darüber hinaus kam es zum unverdeckten Aufbau der Luftwaffe als neuer Teilstreitkraft und zur Umbenennung der Reichsmarine in Kriegsmarine (→ Aufrüstung). Das Wehrgesetz bestimmte ferner zahlreiche organisatorische Veränderungen für den weiteren Aufbau der Wehrmacht – auch in den Bezeichnungen und Namen der Kommandostellen. Neue Bezeichnungen waren u. a. ab 1. Juni 1935 »Reichskriegsminister und Oberbefehlshaber der Wehrmacht« (anstelle von Reichswehrminister), »Oberbefehlshaber des Heeres« (statt Chef der Heeresleitung), »Oberbefehlshaber der Luftwaffe«, »Ober-befehlshaber der Kriegsmarine« (statt Chef der Marineleitung) sowie »Chef des Generalstabs des Heeres« (früher Chef des Truppenamtes) und »Chef des Generalstabs der Luftwaffe«.

Organisation und Strukturen nach der Wiedereinführung der Wehrpflicht 1935

Mit der Erklärung zur deutschen Wehrhoheit und der bereits am 26. Februar 1935 eingeleiteten Enttarnung der bislang geheim aufgestellten Luftwaffe als dritter Teilstreitkraft löste sich die Reichsregierung unter Hitler einseitig von den einschränkenden Bestimmungen des Friedensvertrages von → Versailles für die nach dem Ersten Weltkrieg auferlegte begrenzte deutsche Landesverteidigung. Da → Großbritannien, → Frankreich und → Italien den einseitigen Schritt der NS-Regierung und den Bruch des Versailler Vertragswerkes mit formellem Protest hinnahmen, konnte der anschließende Aufbau der Wehrmacht rasch vollzogen werden.

Die Wiedereinführung der Wehrpflicht und die Vergrößerung des Offizierskorps durch Neueinstellung von Reserveoffizieren und sogenannten Ergänzungsoffizieren (E-Offizieren), ferner durch Beförderung von Polizeioffizieren sowie durch Überleitung von Unteroffizieren zu Offizieren und durch vermehrte Neueinstellung von Offiziersanwärtern führten zur Aufhebung der Homogenität und bisherigen Geschlossenheit im Offizierkorps der Wehrmacht. Die Wehrmachtsführung suchte diese Auflockerung der bislang geschlossenen Geisteshaltung durch eine verstärkte »Erziehung in der Wehrmacht« (Erlaß vom 16. 4. 1935) zu verhindern. Die Wehrmacht sollte danach die »Erziehungsschule der Nation« sein. Dennoch

JLLUSTRIERTER BEOBACHTER

Die Titelseite dieses Heftes wurde von B. Jacobs geschaffen.

Der Oberste Befehlshaber unter seinen Soldaten

Aufn.: Heinrich Hoffmann.

Abb. 13: Aufgenommen in Polen im September 1939, veröffentlicht im *Illustrierten Beobachter* vom 18. April 1940 (Foto: Heinrich Hoffmann).

war nicht zu vermeiden, daß nationalsozialistisches Gedankengut und eine durch Erziehung in den zahlreichen Parteiorganisationen (→ Hitler-Jugend; → Reichsarbeitsdienst; → SA; → SS) nationalsozialistisch beeinflußte Jugend gerade in das jüngere Offizierkorps hineinströmten.

Im Rahmen der Umbenennungen erhielt Generalfeldmarschall Werner von Blomberg die Bezeichnung »Reichskriegsminister«. Oberbefehlshaber des Heeres war vom 1. Juni 1935 bis zum 3. Februar 1938 Generaloberst Freiherr Werner von Fritsch. Die Stellung als Oberbefehlshaber der neuen Lufwaffe nahm ab März 1935 bis zum 25. April 1945 Hermann Göring ein, der zugleich Reichsminister der Luftfahrt und preußischer Ministerpräsident war. Nach dessen eigenmächtiger und verfrühter Selbstproklamation zum Nachfolger des → Führers im April 1945 ernannte Hitler Generalfeldmarschall Robert Ritter von Greim zu Görings Nachfolger. Als Oberbefehlshaber der Kriegsmarine leitete Generaladmiral (später Großadmiral) Erich Raeder vom 1. Juni 1935 bis zum 30. Januar 1943 das → Oberkommando der Kriegsmarine (OKM); an seine Stelle trat dann bis zum 1. Mai 1945 Großadmiral Karl Dönitz, dem noch bis zum 8. bzw. 23. Mai 1945 Generaladmiral Hans-Georg von Friedeburg folgte. Großadmiral Raeder erhielt bei seiner Verabschiedung im Januar 1943 bis zum Mai 1945 die weitgehend einflußlose Stellung eines Admiralinspekteurs der Kriegsmarine des Großdeutschen Reiches.

In den folgenden Jahren wurden der Ausbau der Wehrmacht und die nationalsozialistische Wirtschaftspolitik in starkem Maß durch die intendierte rasche Aufrüstung und durch entsprechende ökonomische Kriegsvorbereitungen (→ Vierjahresplan) geprägt. Da die wirtschaftlichen Ressourcen des Reiches begrenzt waren, zielte die Wehrwirtschafts- und Rüstungspolitik auf Bereitstellung der knappen ökonomischen Grundlagen für eine »Breitenrüstung«, mit der die Führung von → Blitzkriegen möglich war, und entsprach weniger einer umfassenden »Tiefenrüstung«, die das Wirtschaftssystem sowie Bewaffnung, Munitionsausstattung und Ausrüstung der Wehrmacht auf einen längeren Krieg vorbereitet hätte. Die drei Wehrmachtteile suchten die begrenzten Wirtschaftsquellen und -kapazitäten für jeweils eigene Zwecke zu nutzen, so daß insgesamt keine einheitliche und planvolle Rüstung der Wehrmacht zustande kam. Seit der Reichswehr- bzw. Reichskriegsminister unter Reichspräsident Hindenburg und dessen Nachfolger Adolf Hitler, die jeweils als → Oberster Befehlshaber der Wehrmacht die Befehls- und Kommandogewalt besaßen, ebenfalls als Oberbefehlshaber der Wehrmacht fungierten, kam es zu wiederholten Erörterungen über eine Verbesserung der Wehrmachtsspitzengliederung. Dabei beanspruchte das → Oberkommando des Heeres (OKH) mit dem Generalstab des Heeres für sich die Leitungsfunktion bei der Reichsverteidigung, da man davon ausging, daß im Kriegsfall vor allem die Operationen des Landkrieges das Gesamtkriegsgeschehen beeinflussen würden.

Trotz Aufwertung des früheren Ministeramtes zum politisch orientierten Wehrmachtamt unter General Walter von Reichenau (seit 1934) und zum späteren → Oberkommando der Wehrmacht (OKW; ab Februar 1938) unterblieb bis zum Kriegsbeginn die Einrichtung eines Wehrmachtgeneralstabes für die gesamte operative Kriegführung. Gegen die Pläne einer zentralen und starken Stellung von Reichskriegsminister und Wehrmachtamt sprach sich auch die Luftwaffenführung unter ihrem Oberbefehlshaber Hermann Göring aus, der kein Interesse am Ausbau der Stellung des Reichskriegsministers hatte, solange er nicht selbst diese Position innehatte.

Im Februar 1938 nutzte Hitler geschickt die Wiederverheiratung des Reichskriegsministers von Blomberg mit einer Frau von zweifelhaftem Ruf, um ihn und den Oberbefehlshaber des Heeres, Generaloberst Freiherr von Fritsch, letzteren aufgrund falscher Verdächtigungen (Homosexualität), abzulösen. Die Ereignisse der → Fritsch-Krise wurden von Göring, dem → Reichsführer SS und Chef der Deutschen Polizei Heinrich Himmler und dem Chef des → Sicherheitsdienstes (SD), SS-Gruppenführer Reinhard Heydrich, zugleich zum erfolgreichen Ausbau ihrer eigenen Machtstellungen genutzt. Allerdings ernannte Hitler nicht Göring zum Nachfolger Blombergs, sondern übernahm das Amt des Reichskriegsministers selbst. Gleichsam als Ausgleich beförderte er den Luftwaffen-Oberbefehlshaber zum Generalfeldmarschall (1940 wurde Göring sogar zum »Reichsmarschall« befördert). Nachfolger Fritschs als Oberbefehlshaber des Heeres wurde Generaloberst Walther von Brauchitsch. Zum Leiter seines persönlichen Militärbüros als Chef des Oberkommandos der Wehrmacht ernannte Hitler General Wilhelm Keitel.

Die bis Kriegsbeginn anhaltende Diskussion über die günstigste Wehrmachtsspitzengliederung führte zu Animositäten zwischen den im Oberkommando des Heeres und beim Generalstab des Heeres eingesetzten Offizieren (mit der Zusatzbezeichnung i. G.: im Generalstab) und den Offizieren beim OKW (mit der Zusatzbezeichnung d. G.: des Generalstabs). Das OKW baute dann gleichsam als Gegenspieler des Generalstabs des Heeres aus seiner eigenen kleinen Abteilung Landesverteidigung nach Kriegsbeginn ein neues Wehrmachtführungsamt auf; es wurde am 8. August 1940 in »Wehrmachtführungsstab« umbenannt, ohne jedoch die Funktion eines zentralen Wehrmachtgeneralstabes übernehmen zu können. Während des Krieges führte diese Entwicklung zur Herausbildung parallel und getrennt geführter Kriegsschauplätze unter der jeweiligen Leitung von OKW und OKH.

Militärische Vorbehalte gegen eine nationalsozialistische Kriegspolitik

Aus den Vorgängen um die Fritsch-Krise und aus den unterschiedlichen wehrwirtschaftlichen und militärpolitischen Vorstellungen über die Gefahr eines zu frühen »großen Krieges« resultierten erste Vorbehalte und Kritik der Heeresführung, die danach zu Ansätzen einer begrenzten Militäropposition gegen den Diktator führten. Insbesondere die beiden ersten Chefs des Generalstabs des Heeres, General Ludwig Beck (1935-1938) und General Franz Halder (1938-1942), versuchten, sich Hitlers Kriegspolitik während der Krise mit der → Tschechoslowakei im Herbst 1938 (Abtretung des Sudetengebietes an das Reich durch das → Münchener Abkommen; → Sudetenkrise; → Sudetenland) und bei den auswärtigen Beziehungen gegenüber Frankreich und England entgegenzustellen. Ihre Bemühungen scheiterten sowohl an außenpolitischen Entwicklungen als auch an fehlender Unterstützung im Kreis der höheren Kommandeure und Offiziere. Im Sommer 1939 bemühten sie sich noch einmal, Paris und London zu einer harten Haltung gegenüber Hitler zu bewegen, um den von ihm beschlossenen Krieg gegen → Polen zu verhindern. Unmittelbar geplante Widerstandsaktionen, wie sie noch im September 1938 gegen den Diktator zustandegekommen waren, blieben jedoch im August 1939 aus. Das Bestreben militärischer Widerstandskreise, Hitler und sein verbrecherisches Regime zu stürzen, führte schließlich erst am → 20. Juli 1944 zum gescheiterten Attentatsversuch von Oberst Claus Schenk Graf von Stauffenberg (→ Widerstand). Der größere Teil der höheren Generalität akzeptierte den Angriff auf Polen als überfällige politische Entscheidung und folgte dem Diktator bereitwillig in den Krieg.

Die Zeit der militärischen Erfolge 1939-1941

Im → Polenfeldzug ab 1. September 1939 demonstrierte die Wehrmacht in einem raschen »Blitzkrieg« gegen einen isolierten Gegner erfolgreich ihre Stärke, so daß Polen schon nach wenigen Wochen besiegt werden konnte. Im Rahmen der Besatzungspolitik (→ Generalgouvernement) überließ das Oberkommando des Heeres der SS und den Parteistellen die Durchführung der rassistischen und verbrecherischen Okkupationsmaßnahmen gegenüber der polnischen Zivilbevölkerung. Nur wenige Befehlshaber (General Johannes Blaskowitz, General Wilhelm Ulex) protestierten gegen die Verbrechen der SS in Polen, die unter dem Deckmantel der Militärverwaltung erfolgten. Der Oberbefehlshaber des Heeres, Generaloberst von Brauchitsch, billigte dagegen die rücksichtslosen Maßnahmen gegenüber der polnischen Bevölkerung und bezeichnete sie als unvermeidbare Auswirkungen eines nötigen Volkstumskampfes zwischen Polen und Deutschen. Die vereinzelten Proteste fanden keine Unterstützung bei der Heeresführung. Brauchitsch bot dem Reichsführer SS Heinrich Himmler sogar die Möglichkeit, die verbrecherischen Aktionen der SS vor Offizieren zu erklären. Die Wehrmacht war bereits in Polen erheblich in die NS-Verbrechen verstrickt.

Die Sorge vor einem langandauernden Stellungskrieg, zu dem es im Ersten Weltkrieg gekommen war und dem man sich aufgrund der fehlenden Tiefenrüstung nicht gewachsen fühlte, bestimmte die Heeresführung im Herbst 1939, sich mehrmals um eine Verschiebung des von Hitler beabsichtigten Angriffs auf Frankreich unmittelbar nach dem raschen Sieg über Polen zu bemühen. Darüber kam es zur Verstimmung zwischen Hitler und dem OKH. Der danach fortdauernde Meinungsunterschied über die Siegeschancen verstärkte Hitlers Abneigung gegenüber dem Generalstab und den Generalstabsoffizieren im OKH. Bezeichnenderweise übertrug Hitler dann auch dem Wehrmachtführungsamt unter General Alfred Jodl im OKW die Durchführung neuer Kriegsoperationen gegen → Dänemark und → Norwegen, die im April 1940 britischen Landungsplänen in Nordskandinavien knapp zuvorkamen und zur Besetzung beider Länder durch die Wehrmacht führten (→ Norwegenfeldzug). Damit erfolgte zum ersten Mal die Unterscheidung in OKW-Kriegsschauplatz und OKH-Kriegsschauplatz, wie sie dann bis zum Ende des Krieges insbesondere für die Frontbereiche im Westen (ab März 1941), im Süden und in Afrika (ab Sommer 1941), im Norden (als OKW-Kriegsschauplätze) und im Osten sowie in Afrika bis zum Sommer 1941 (als OKH-Kriegsschauplätze) beibehalten wurde. Dadurch kam es zur Zersplitterung der Führungsorganisation der Wehrmacht. Bei Kriegsende war das OKH schließlich nur noch für die Ostfront zuständig.

Der Angriff im Westen wurde aufgrund von Witterungseinflüssen mehrmals bis zum 10. Mai 1940 verschoben, so daß die Wehrmacht nach verstärktem Aufmarsch und mit verbesserter Kräftebereitstellung Frankreich und die Benelux-Länder angreifen und mit beeindruckendem Erfolg besiegen konnte.

In der Zeit der militärischen Anfangserfolge des Krieges ab September 1939 in Polen, → Belgien, den → Niederlanden, in → Luxemburg und Frankreich (→ Westfeldzug 1940) sowie im → Balkanfeldzug und bei der Besetzung Dänemarks und Norwegens und schließlich im Rahmen der Unternehmen → Marita und → Merkur zur Eroberung von → Griechenland und Kreta sowie in den ersten Monaten nach dem Überfall auf die → Sowjetunion (Unternehmen → Barbarossa; → Ostfeldzug 1941-1945) bis zum Dezember 1941 begründeten die Siege der Wehrmacht in den jeweiligen »Blitzkriegen« den Mythos einer dem Gegner überlegenen deutschen Krieg- und Operationsführung. Auch die persönliche Tapferkeit der deutschen »Landser« belohnte Hitler in vielfältiger Weise bis zum Kriegsende mit zahlreichen neugegründeten Orden und Ehrenzeichen sowie Tapferkeitsauszeichnungen und einem → Heldenkult (→ Orden und Ehrenzeichen).

In der Zeit der Blitzkriege offenbarte sich aber auch die Bereitschaft der vier Oberkommandos von Wehrmacht, Heer, Marine und Luftwaffe, Hitlers verbrecherische politische Maßnahmen gegenüber der jüdischen und slawischen Bevölkerung in Mittel- und Osteuropa zu akzeptieren, sie sogar in eigene Befehle umzusetzen und dementsprechend zu befolgen (→ Kommandobefehl; → Kommissarbefehl). Zahlreiche Einheiten, Stäbe und Verbände der Wehrmacht beteiligten sich an Massenerschießungen oder leisteten dabei den vom Reichsführer SS Heinrich Himmler eingesetzten → Einsatzgruppen und Sonderkommandos von SS und SD wirksame Hilfe (→ Endlösung; → Rassenpolitik und Völkermord). Unter der Verantwortlichkeit der Wehrmacht kamen ferner über drei Millionen kriegsgefangene Rotarmisten um. Nur ein kleiner Teil der Offiziere stellte sich dabei gegen die Verbrechen und schloß sich einzelnen militärischen Widerstandsgruppen an. Nach Kriegsende führten Teilhabe und Verstrickung der Wehrmacht in die Kriegs- und Völkerverbrechen zur Anklage und Verurteilung einzelner Befehlshaber in den Nürnberger Hauptkriegsverbrecher- und Folgeprozessen durch die Alliierten (→ Nachkriegsprozesse). Eine Verurteilung des OKW und der drei anderen Oberkommandos als verbrecherische Organisationen erfolgte jedoch nicht.

Der NS-Führung war die Unterordnung der Wehrmacht jedoch nicht weit genug gegangen, so daß Hitler dem Reichsführer SS Heinrich Himmler ab Herbst 1939 den Aufbau einer bewaffneten SS – gleichsam als vierte Teilstreitkraft – für den Kriegseinsatz zugestand. Aus der Neuaufstellung dreier SS-Divisionen (SS-Totenkopf-Division, SS-Verfügungstruppe-Division und SS-Polizei-Division) entstand im Laufe des Krieges die → Waffen-SS, die bis zum Kriegsende über 750 000 Mann umfaßte, der Kommandogewalt der Wehrmacht- oder Heeresführung organisatorisch entzogen und ihr nur beim Kampfeinsatz operativ und taktisch unterstellt war.

Hitlers Oberbefehl – Die Niederlage zeichnet sich ab

Nach der Niederlage vor Moskau und der Ablösung von Generalfeldmarschall von Brauchitsch als Oberbefehlshaber des Heeres übernahm Hitler am 19. Dezember 1941 selbst den Oberbefehl über das Heer. Dies erfolgte nicht nur formal, sondern Hitler griff in zunehmendem Maße und auch aus großer Entfernung von der Front von seinem jeweiligen → Führerhauptquartier aus mit Hilfe des OKW und des Wehrmachtführungsstabes in die operative und taktische Führung der Frontverbände ein. Bei der Ausübung des Oberbefehls über das Heer stützte sich Hitler insgesamt auf das OKW. Zu diesem Zweck wurde dort ein neuer Chef des Heeresstabes eingesetzt. Vom September bis November 1942 übernahm Hitler vorübergehend sogar noch zusätzlich den Oberbefehl über

Abb. 14: Kolonne bei Stalingrad gefangengenommener deutscher Soldaten, Februar 1943.

die im Kaukasus eingesetzte Heeresgruppe A, da er mit deren Führung durch den Generalstab des Heeres nicht einverstanden war. Im Zusammenhang mit dieser Führungskrise wurde Generaloberst Halder als Chef des Generalstabs des Heeres durch General Kurt Zeitzler ersetzt. Kurz vor Kriegsende, im Frühjahr 1945, gab Hitler aus dem eingeschlossenen Berlin auch Befehle an einzelne Verbände und Einheiten, um so den Kampf bis zum angeblichen »Endsieg« zu verlängern.

Mit dem Scheitern der eigenen Operationen gegen → Stalingrad, im Kaukasus und im → Afrikafeldzug ab Jahresbeginn 1943 sowie mit den Niederlagen in der Schlacht um Kursk (Unternehmen → Zitadelle) und im Atlantik (→ Seekrieg) im Sommer 1943, den erfolgreichen alliierten Landungen in Italien und in der Normandie (→ Italienfeldzug; → Invasion) zeichnete sich die Niederlage der Wehrmacht im Mehrfrontenkrieg und gegenüber den überlegenen personellen, materiellen und wirtschaftlichen Ressourcen der Anti-Hitler-Koalition ab. Um die drohende Niederlage abzuwenden, verstärkte das NS-Regime die Terror- und Propagandamaßnahmen, die den Durchhaltewillen sowohl der Zivilbevölkerung als auch der Soldaten in der Wehrmacht verstärken sollten, auf vielfältige Weise. Propagandakompanien und → Kriegsberichterstatter, nationalsozialistische Führungsoffiziere und eine verschärfte Anwendung der → Kriegsgerichtsbarkeit (→ Kriegsgerichtsbarkeitsbefehl; → Kriegssonderstrafrecht) sowie vermehrte Anklagen von Wehrmachtsangehörigen vor dem → Reichskriegsgericht und dessen zahlreiche Todesurteile führten ebenso wie die fehlende politische Alternative aufgrund der starren alliierten Forderung nach bedingungsloser Kapitulation (unconditional surrender) und das Zusammenrücken der deutschen Bevölkerung im → Luftkrieg der Westalliierten gegen die Heimatfront zur Solidarisierung der Bevölkerung und der Wehrmachtsangehörigen mit der NS-Führung. Man war bereit, den Krieg auch in aussichtsloser Lage bis zum erhofften »Endsieg« fortzusetzen und keinesfalls wie 1918 durch einen Waffenstillstand zu beenden. In den letzten Kriegsmonaten wurden auch Frauen eingezogen und als Stabs- oder Wehrmachtshelferinnen eingesetzt. Ferner wurde die Wehrmacht durch zahlreiche freiwillige fremdländische Verbände anderer Nationalitäten verstärkt (→ Wlassow-Armee). Insbesondere bei der Waffen-SS stellte man nichtdeutsche Verbände aus europäischen Freiwilligen auf. Dagegen unterstellte Hitler den ab September 1944 als letztes Aufgebot für den Kampf innerhalb der Reichsgrenzen aufgestellten → Volkssturm nicht der Wehrmacht- oder Heeresführung, sondern der → Reichsleitung der NSDAP.

Bei Aufteilung der Reichsgewalt in einen Nord- und Südraum ab 22. April 1945 aufgrund der Einschließung Berlins und des gleichzeitigen Vorstoßes der West- und Ostallierten zur Elbe (Zusammentreffen bei Torgau) übernahm das OKW auch die Funktion des OKH, zumal der letzte Chef des Generalstabs des Heeres, General Hans Krebs, im eingeschlossenen Berlin bei Hitler blieb und dort am 2. Mai 1945 für die Reichshauptstadt kapitulierte. Für den Bereich Norddeutschland übernahm der Gesamtstab OKW die militärische Führung, und für den südlichen Raum wurde ein Führungsstab Süd mit dem stellvertretenden Chef des Wehrmachtführungsstabes, Generalleutnant August Winter, unter der Leitung des Oberbefehlshabers Süd, Generalfeldmarschall Albert Kesselring, gebildet.

Dadurch kam es bei Kriegsende dann doch noch zur Aufhebung des früheren nachteiligen Dualismus von OKW und OKH – allerdings zu Lasten der Heeresführung und zu einem Zeitpunkt, als es kaum noch etwas zu befehlen gab. Die Neuregelung hatte auch keine Auswirkungen mehr auf den militärischen Zusammenbruch.

Als Generalfeldmarschall Keitel als Chef des Oberkommandos der Wehrmacht zusammen mit Vertretern der Oberkommandos von Kriegsmarine und Luftwaffe (Generaladmiral Hans-Georg von Friedeburg, Generaloberst Hans-Jürgen Stumpff) die mit Ablauf des 8. Mai 1945 festgelegte Kapitulation, die schon am 7. Mai von Generaloberst Jodl im Hauptquartier General Dwight D. Eisenhowers in Reims unterschrieben worden war, am 9. Mai 1945 noch einmal in Berlin-Karlshorst im Beisein des sowjetischen Marschalls Georgij K. Schukow vollzog, war die Unterzeichnung der bedingungslosen Kapitulationsurkunde durch das OKW (→ Kapitulation, Deutschland 1945) zugleich ein symbolischer Akt für die eingestandene Verantwortlichkeit und totale Niederlage der Wehrmacht im Zweiten Weltkrieg. Bei der Verhaftung der noch von Hitler selbst in seinem Testament bestimmten geschäftsführenden Reichsregierung unter Großadmiral Karl Dönitz durch britische Truppen in Mürwik bei Flensburg am 23. Mai 1945 wurde auch Generaloberst Jodl, der zuvor von Dönitz als Chef des OKW und Nachfolger von Generalfeldmarschall Keitel eingesetzt worden war, inhaftiert, so daß das OKW zusammen mit der Reichsregierung aufgelöst wurde.

Die Legende von der »sauberen« Wehrmacht

In den ersten Nachkriegsjahren bestimmten Aussagen und Memoiren früherer deutscher Generäle und Offiziere das Geschichtsbild von der »sauberen« Wehrmacht, die im Gegensatz zu den die verbrecherischen Mordaktionen ausführenden SS- und Polizei-Verbänden eine weiße Weste behalten habe, weil sie fair nach den Bestimmungen des Kriegsvölkerrechts gekämpft habe. Mit Rückgabe der früheren Wehrmachtsakten durch die Westalliierten in die Obhut der Bundesrepublik Deutschland und durch deren Offenlegung und Auswertung wurde allerdings deutlich, daß sich diese Legende nicht aufrechterhalten ließ; statt dessen kann man heute von einer problematischen Verstrickung der Wehrmacht in die NS-Verbrechen während des Krieges ausgehen. Exemplarisch hinzuweisen ist z. B. auf den Nachweis der oft bezweifelten Durchführung des berüchtigten Kommissarbefehls, der die Erschießung gefangengenommener sowjetischer Kommissare (Politoffiziere) durch Wehrmachtstruppen regelte. Neuere historische Forschungen in den achtziger und neunziger Jahren anhand von Zeugenaussagen und Prozeßunterlagen, Feldpostbriefen oder persönlichen Tagebüchern sowie anderen ergänzenden Dokumenten verdichteten diese Sichtweise zu der Erkenntnis, daß Wehrmachtseinheiten an vielen Massakern bei der Vernichtung der europäischen → Juden und an Kriegsverbrechen – insbesondere während des Ostkrieges sowie in den eroberten und besetzten Gebieten Ost-, Süd- und Südosteuropas – unmittelbar beteiligt waren und dort auch einen rücksichtslosen Vernichtungskrieg führten, so daß die Wehrmacht letztlich als »Komplize des Bösen« und »stählerner Garant« und nicht als vermeintlich unpolitischer Bereich des NS-Staates anzusehen ist.

Literatur

Bartov, Omer: *Hitlers Wehrmacht. Soldaten, Fanatismus und die Brutalisierung des Krieges,* Reinbek 1995.

Das Deutsche Reich und der Zweite Weltkrieg. Hg. v. Militärgeschichtlichen Forschungsamt, Stuttgart 1976 ff.

Heer, Hannes / Klaus Naumann (Hg.): *Vernichtungskrieg. Verbrechen der Wehrmacht 1941-1944,* Hamburg 1995.

Mayer, Arno J.: *Der Krieg als Kreuzzug. Das Deutsche Reich, Hitlers Wehrmacht und die »Endlösung«,* Reinbek 1989.

Messerschmidt, Manfred: *Die Wehrmacht im NS-Staat. Zeit der Indoktrination,* Hamburg 1969.

Müller, Klaus-Jürgen: *Das Heer und Hitler. Armee und nationalsozialistisches Regime 1933-1940,* Stuttgart 1969.

Streit, Christian: *Keine Kameraden. Die Wehrmacht und die sowjetischen Kriegsgefangenen 1941-1945,* Stuttgart 1978, Bonn 1995.

Wirtschaft

Von Werner Bührer

Die Rolle wirtschaftlicher Faktoren beim Aufstieg der NSDAP, die nationalsozialistische Wirtschaftsauffassung sowie Funktion und Entwicklung der Wirtschaft im Dritten Reich haben politische Öffentlichkeit und Wissenschaft von Anfang an intensiv beschäftigt. Einen, wenn nicht den wichtigsten Grund dieses anhaltenden Interesses hat Max Horkheimer 1939 mit seinem berühmten Diktum, wer vom Kapitalismus nicht reden wolle, solle auch vom Faschismus schweigen, angedeutet: Von der Antwort auf die Frage nach dem Verhältnis zwischen Kapitalismus und Faschismus hing und hängt schließlich die Legitimität der westlichen Wirtschafts- und Gesellschaftsordnung ab. Zwangsläufig spielten politische Motive und Absichten stets in die wissenschaftliche Auseinandersetzung mit dieser Thematik hinein. Daran hat sich auch nach dem Zusammenbruch des Ostblocks und der damit verbundenen Misere der marxistisch-leninistischen Geschichtswissenschaft nichts geändert. Ferner fällt auf, daß eine neuere, die bisherige Forschung zusammenfassende Gesamtdarstellung noch immer fehlt, obwohl mittlerweile zahlreiche Monographien und Aufsätze zu einzelnen Aspekten des Komplexes »Wirtschaft und Nationalsozialismus« vorliegen. Solche Schwerpunkte sind das Wirtschaftsverständnis und die Wirtschaftspolitik Hitlers bzw. des → Nationalsozialismus, das Verhältnis zwischen Wirtschaft und Nationalsozialismus sowie der ordnungspolitische Charakter der Wirtschaft im Dritten Reich. Auf diese Themen und auf einen knappen Abriß der wirtschaftlichen Entwicklung zwischen 1933 und 1945 konzentrieren sich die folgenden Betrachtungen. Da Hitler die nationalsozialistische → Ideologie und Praxis wie kein anderer prägte, stehen seine Vorstellungen dabei im Vordergrund.

Staat und Ökonomie im Nationalsozialismus

Die Wirtschaft war für Hitler und die Nationalsozialisten etwas Sekundäres, abhängig von der Existenz eines machtvollen Staates; sie hatte den Interessen des Staates zu dienen und nicht umgekehrt. Die in der Weimarer Republik angeblich Platz greifende »Verwirtschaftung« der Politik und des deutschen Volkes insgesamt war ihnen ein Greuel, für die zeitweise praktizierte Außenpolitik mit wirtschaftlichen Mitteln hatten sie nur Verachtung übrig. Dessen ungeachtet nahmen wirtschaftliche Forderungen stets einen wichtigen Platz in der NS-Programmatik ein. Fast die Hälfte der 25 Punkte des ersten, formell später nicht mehr revidierten Parteiprogramms von 1920 betraf ökonomische Fragen: »Land und Boden« für eine ausreichende Ernährung und zusätzliche Ansiedlungsmöglichkeiten, aktive staatliche Beschäftigungspolitik, Arbeitspflicht, »Brechung der Zinsknechtschaft«, Verstaatlichung von Trusts, Gewinnbeteiligung bei Großbetrieben, Förderung des Mittelstands, ein Gesetz zur »unentgeltlichen Enteignung von Boden für gemeinnützige Zwecke«, die Bildung von »Stände- und Berufskammern«, und schließlich die berühmt-berüchtigte Maxime »Gemeinnutz geht vor Eigennutz«, um nur die wichtigsten zu nennen. Die sozialistische Färbung einiger dieser Leitsätze ist nicht zu übersehen. Ihre Autoren und Propagandisten deshalb in die Nähe der linken, sozialistischen Tradition der Arbeiterbewegung zu rücken wäre indes irreführend. Davon abgesehen, daß sich Hitler vom marxistischen Sozialismus wiederholt abgrenzte und seine Vorstellungen von Sozialismus im deutschen Beamtentum und im deutschen Heer am weitesten verwirklicht sah, widerspricht insbesondere das nationalsozialistische Bekenntnis zum Privateigentum und zur Konkurrenz dieser Interpretation. Eher scheint die konservativ-staats-sozialistische Denktradition der deutschen Nationalökonomie mit ihrer Bejahung staatlicher Interventionen bei manchen Programmpunkten Pate gestanden zu haben. Der gewiß vorhandene, in seinem Ausmaß in der älteren Literatur aber überschätzte Eklektizismus war also ideologisch keineswegs blind. Und obwohl Hitler sich gelegentlich über Theoretiker mokierte und für seine nationalsozialistischen »Wirtschaftserkenntnisse« den Begriff Theorie ausdrücklich ablehnte, war er neueren Forschungen zufolge in wirtschaftswissenschaftlichen Fragen nicht ganz der Ignorant, als der er oft hingestellt wurde.

Für Hitlers hierarchische Sicht des Verhältnisses von Staat und Ökonomie waren solche ideologischen Fragen indes ohne Belang. Ersteren begriff er, wie in → *Mein Kampf* zu lesen, nicht als wirtschaftlichen, sondern als »völkischen Organismus«, der unabhängig von einer bestimmten Wirtschaftsauffassung oder -entwicklung war. Getreu seiner sozialdarwinistischen Überzeugung oblag dem Staat die »Erhaltung und Förderung einer Gemeinschaft physisch und seelisch gleichartiger Lebewesen« (→ Sozialdarwinismus). Sofern sich das individuelle Erwerbsstreben diesem Ziel unterordnete, wurde es vom Staat geschützt und gefördert; im gegenteiligen Fall hatte dieser die Pflicht, einzugreifen. Dank dieses generellen Interventionsvorbehalts wurde der Privatinitiative ein recht großer Spielraum zugestanden. Damit ist zugleich umrissen, was die Nationalsozialisten unter dem von ihnen beanspruchten Primat der Politik verstanden. Konnten sie diesen Anspruch durchsetzen?

Die Finanzierung der NSDAP

Mit dieser Frage ist das Verhältnis zwischen Nationalsozialismus und Wirtschaft angesprochen, dessen verschiedene Aspekte bislang die größte Aufmerksamkeit gefunden haben. Lange Zeit am heftigsten umstritten war die pekuniäre Seite dieses Verhältnisses. Wurden Hitler und die NSDAP vor der »Machtergreifung« von einzelnen Unternehmern oder Firmen in nennenswertem Umfang finanziert? Wenngleich die Quellenbasis nach wie vor lückenhaft ist, erlauben die bisherigen Untersuchungsergebnisse den Schluß, daß Zuwendungen aus der Großindustrie bis zum Jahr 1930 gegenüber der Selbstfinanzierung durch Mitgliedsbeiträge, Sammelaktionen, Eintrittsgelder usw. kaum ins Gewicht fielen; großzügige Spender wie Fritz Thyssen bildeten die Ausnahme. Erst der Erfolg bei der Septemberwahl katapultierte die NSDAP in den Kreis der Parteien, die von der Industrie regelmäßig unterstützt wurden. Allerdings mußte sie sich zunächst mit einem vergleichsweise geringen Anteil am gesamten Spendenvolumen zufrieden geben, der ihre zahlenmäßige Stärke im Reichstag nicht widerspiegelte. Eine finanzielle und, damit verbunden, politische Abhängigkeit der NSDAP von der Großindustrie, wie von manchen marxistischen Historikern behauptet, konnte jedenfalls nicht nachgewiesen werden. Nach 1933 flossen die Gelder allerdings in Strömen: Mit der → Adolf-Hitler-Spende der deutschen Wirtschaft trug die Industrie, mehr oder weniger freiwillig, in beträchtlichem Maße zur Finanzierung der NSDAP bei.

Von größerer Bedeutung als die materielle Hilfe war für den Aufstieg der NSDAP und die Regierungsübernahme durch Hitler die Mitte der zwanziger Jahre in der Schwerindustrie, im Großagrariertum und im Mittelstand einsetzende, unter dem Eindruck der → Weltwirtschaftskrise auch andere Teile der Wirtschaft erfassende Suche nach autoritären Alternativen zur Weimarer Demokratie. Der Nationalsozialismus bot sich dabei als eine mögliche Variante an, deren Attraktivität mit Heftigkeit und Dauer der Krise wuchs. Attraktiv war vor allem das Versprechen, durch die Beseitigung der parlamentarischen Demokratie und die Unterdrückung der Arbeiterbewegung für mehr politische und wirtschaftliche Stabilität zu sorgen. Indem maßgebliche Wirtschaftskreise die NSDAP in ihre politischen Kalkulationen einbezogen, Hitler zu Vorträgen eingeladen wurde und einzelne Industrielle und Bankiers in von der Partei eigens zur Kontaktpflege gegründeten Gesprächszirkeln wie dem → Keppler-Kreis auftauchten, werteten sie den Nationalsozialismus auf und attestierten ihm Regierungsfähigkeit.

Wirtschaft und Politik 1933-1936

Die Entwicklung des Verhältnisses zwischen Wirtschaft und Nationalsozialismus im Dritten Reich läßt sich in drei Phasen unterteilen. Die erste umfaßt die Jahre von 1933 bis 1936. Blieb in dieser Zeit der zumindest partielle politisch-ideologische Konsens, der sich vor der Machtergreifung herausgebildet hatte, bestehen? In allen Industriestaaten waren während der Weltwirtschaftskrise die Anhänger staatsinterventionistischer, protektionistischer und autarkistischer Konzepte auf dem Vormarsch; Deutschland bildete in dieser Hinsicht keine Ausnahme. Mit anderen Worten, solche Vorstellungen waren durchaus zeitgemäß – was nicht heißt, daß sie auch modern im Sinne von zukunftsweisend waren. Auch die Wirtschaftsexperten und die Führung der NSDAP hatten sich dieses Gedankengut teilweise zu eigen gemacht. An die Macht gelangt, begannen sie umgehend mit der Realisierung entsprechender Pläne, freilich weitaus konsequenter als etwa die Weimarer Präsidialregierungen. Wichtigster und publikumswirksamster Teil eines Bündels konjunktur- und beschäftigungspolitischer Maßnahmen waren die staatlichen Programme zur Arbeitsbeschaffung. Etwa zwei Milliarden RM wurden allein 1933 für zivile öffentliche Großprojekte wie den Ausbau des Straßennetzes und die Verbesserung der landwirtschaftlichen Infrastruktur sowie zur Förderung privater und geschäftlicher Bauvorhaben bereitgestellt. Bis Frühjahr 1936 summierten sich die aufgewendeten Mittel zu einem Betrag von über fünf Milliarden RM. Daß die → Arbeitslosigkeit deutlich sank und 1936 nahezu Vollbeschäftigung herrschte, war nicht zuletzt darauf zurückzuführen. Zweifellos wies diese Politik, sieht man von der kriegerischen Zielsetzung ab, gewisse Ähnlichkeiten mit den konjunkturpolitischen Ideen und Vorschlägen auf, welche der britische Nationalökonom John Maynard Keynes etwa zur gleichen Zeit entwickelte und propagierte. Flankiert wurden diese Programme von Steuererleichterungen insbesondere für die beschäftigungs- und rüstungspolitisch relevanten Branchen. Bedenken aus der Industrie gegen arbeitsintensive öffentliche Projekte und eine aktive staatliche Konjunkturpolitik in Form von Großaufträgen konnten durch die steuerlichen Maßnahmen und durch die rasche Zerschlagung der Arbeiterbewegung zerstreut werden. Eine Anpassung an NS-Positionen fand auch auf dem Gebiet der Außenwirtschaft statt. Ungeachtet wiederholter Bekenntnisse zum freien Welthandel ertönte der Ruf nach Protektionismus und → Autarkie selbst aus exportorientierten Branchen wie Chemie- und Elektroindustrie oder Maschinenbau immer lauter. Damit einher ging eine Vereinheitlichung der Standpunkte innerhalb der Industrie, nachdem zunächst in erster Linie Vertreter der Schwerindustrie solche Konzepte verfochten hatten.

Das → Bauerntum nahm in der NS-Ideologie seit jeher einen privilegierten Rang ein. Entsprechend eifrig bemühte sich das Regime darum, diese Klientel zufriedenzustellen: Höhere Importzölle, die zwangsweise Senkung der Agrarkredite, Maßnahmen gegen Zwangsversteigerungen überschuldeter Betriebe und der Schutz der → Erbhöfe sollten die Ertragslage in der Landwirtschaft verbessern helfen. Anders als in der Industrie stießen solche gravierenden Eingriffe in den Marktmechanismus bei den Betroffenen nicht auf Einwände. Im Gegenteil, vielen ging die Reglementierung nicht weit genug. Kaum niedriger rangierte in der Gunst der Nationalsozialisten der gewerbliche Mittelstand, zumal die NSDAP von Angehörigen dieser Schicht massiv unterstützt worden war und weiterhin wurde. Auch der Mittelstand profitierte von den Arbeitsbeschaffungsprogrammen; daneben beschloß das Regime eine Reihe von mittelstandsfördernden Maßnahmen, beispielsweise Regelungen zum Schutz des Einzelhandels. Die von manchen NS-Aktivisten aus diesem Milieu erhoffte zügige Umstrukturierung der Wirtschaft zu Lasten des Großkapitals blieb jedoch aus. Im großen und ganzen konnten Industrie, Einzelhandel, Handwerk und Bauernschaft mit den wirtschaftspolitischen Initiativen der neuen Regierung also zunächst durchaus zufrieden sein. Jüdische Geschäftsleute hatten freilich schon in den ersten Wochen und Monaten unter Boykottmaßnahmen und zahlreichen anderen Pressionen zu leiden.

Verfechter der These von einem eindeutigen Primat der Politik bereits in der Anfangsphase der NS-Herrschaft verweisen zur Untermauerung gerne auf die berufsständische Neuorganisation der Wirtschaft. Entsprechende Absichten lassen sich bis zum Parteiprogramm von 1920 zurückverfolgen. Im Unterschied zum herkömmlichen ständischen Denken waren die im übrigen recht vagen nationalsozialistischen Vorstellungen jedoch dadurch gekennzeichnet, daß die »Stände« staatliche Einrichtungen sein sollten, von oben nach unten aufgebaut und ohne jegliche Autonomie. Am weitesten konnten diese Pläne im landwirtschaftlichen Sektor durchgesetzt werden. Bereits im September 1933 wurde aus den früheren Bauernverbänden und Landwirtschaftskammern der → Reichsnährstand als einheitliche öffentlich-rechtliche Agrarorganisation mit Zwangsmitgliedschaft gegründet; ihm oblag es u. a., die »marktregelnden« Aufgaben zu übernehmen. Im Oktober 1933 folgte der Zusammenschluß aller Handwerksverbände im Reichsstand des deutschen Handwerks. Auch im Handwerk konnten berufsständische Prinzipien weitgehend verwirklicht werden. Die im Juni 1934 per Gesetz eingeführte, in Handwerkskreisen lang ersehnte Pflichtinnung, ein Jahr später durch den »Großen Befähigungsnachweis« ergänzt, markierte zugleich das vorläufige Ende der Gewerbefreiheit. Anders in der Großindustrie: Dort stieß das Konzept eines ständischen Aufbaus auf wenig Gegenliebe. Zwar firmierte der Reichsverband der Deutschen Industrie nach dem Zusammenschluß mit dem sozialpolitischen Spitzenverband (Vereinigung der deutschen Arbeitgeberverbände) vorübergehend als Reichsstand der Deutschen Industrie, doch blieb die Leitung ungeachtet einiger personeller Umbesetzungen – jüdische Mitglieder des Präsidiums und der Geschäftsführung mußten zuverlässigen Nationalsozialisten weichen – und der Übernahme des → Führerprinzips de facto in der Hand der Unternehmer. Außerdem nutzten die tonangebenden Kreise aus der Schwer- und Chemieindustrie die Phase des berufsständischen Experimentierens als hochwillkommene Gelegenheit zur organisatorischen Vereinfachung und Vereinheitlichung der auswuchernden Verbandslandschaft.

Mit dem Gesetz zur Vorbereitung des organischen Aufbaus der deutschen Wirtschaft vom 27. Februar 1934 verabschiedete sich das Regime endgültig von ständischen Vorstellungen im eigentlichen Sinn des Wortes. Die auf Grundlage dieses Gesetzes in rascher Folge geschaffenen Strukturen wurden bis zum Zusammenbruch 1945 kaum verändert. An der Spitze der Hierarchie stand der Reichswirtschaftsminister, darunter rangierte die → Reichswirtschaftskammer als Koordinationsorgan der Spitzenvertretungen der einzelnen Wirtschaftszweige, der fachlich und territorial weiter untergliederten Reichsgruppen sowie der Industrie- und Handelskammern; der Reichsnährstand blieb außerhalb dieses Organisationsgefüges. Die für diese Apparatur verbindlichen Grundsätze lauteten: Führerprinzip; Ausschließlichkeit der Organisation, das heißt, neben den staatlich anerkannten Verbänden waren keine weiteren erlaubt; Zwangsmitgliedschaft. Trotz der damit sanktionierten formellen Unterordnung unter den Primat der Politik konnte insbesondere die Industrie ihren wirtschaftlichen Handlungsspielraum und ein nicht unerhebliches wirtschaftspolitisches Mitspracherecht verteidigen. Eine weitgehende Wahrung ihrer Unabhängigkeit gelang der Industrie auch gegenüber der → Deutschen Arbeitsfront (DAF), der Einheitsorganisation aller Arbeitnehmer und Arbeitgeber. Wie groß der Einfluß der DAF auf betrieblicher Ebene tatsächlich war, ist in der Forschung umstritten. Während vereinzelt die These vertreten wird, die DAF sei sehr viel mächtiger gewesen als die Gewerkschaften vor 1933, attestieren die meisten einschlägigen Studien dem durch das Gesetz zur Ordnung der nationalen Arbeit vom Januar 1934 legitimierten → Betriebsführer eine fast unbeschränkte innerbetriebliche Herrschaft.

Neben den Versuchen, die Verbandsstrukturen neu zu ordnen, werden vor allem die Bemühungen um eine Autarkisierung der deutschen Wirtschaft als Beleg für den Vorrang politischer Zielsetzungen herangezogen. In der Absicht, die Selbstversorgung Deutschlands mit Rohstoffen und Nahrungsmitteln sicherzustellen, wurden noch 1933 die ersten Gesetze und Behörden zur Außenhandelslenkung geschaffen. Diese Initiativen zeitigten jedoch nicht den erhofften Erfolg, im Gegenteil: Die Handelsbilanz entwickelte sich defizitär, die Devisenreserven schrumpften weiter. Auf diesen Trend reagierte der Reichsbankpräsident und Reichswirtschaftsminister Hjalmar Schacht mit dem → Neuen Plan vom September 1934. Auf eine lückenlose staatliche Reglementierung der Außenwirtschaft abzielend, baute das Programm auf Devisenkontingentierung und Exportförderung, verbunden mit einer energischen Bilateralisierung des Waren- und Zahlungsverkehrs. Die Folge waren deutliche Veränderungen in der Zusammensetzung der Importe – Rohstoffe zu Lasten von Fertigwaren – und in der Regionalstruktur des Außenhandels – Skandinavien und Südosteuropa verdrängten Westeuropa und die USA. Autarkie in einer von Deutschland dominierten Großraumwirtschaft hieß die neue Maxime. Mit dieser Perspektive konnten sich Landwirtschaft und Mittelstand ohne Schwierigkeiten anfreunden; diejenigen Bereiche der Industrie, die nach wie vor grundsätzlich für einen möglichst freien Welthandel eintraten, vermochten die Eingriffe um so leichter zu verschmerzen, als sie durch den Aufschwung der Binnenkonjunktur entschädigt wurden.

Stand in den Jahren 1933 bis 1936 die kurzfristige Krisenüberwindung im Vordergrund, oder zielten die einzelnen wirtschaftspolitischen Maßnahmen schon längerfristig auf die wirtschaftliche »Wehrhaftmachung«, betrieb das Regime eine verdeckte Aufrüstung? Insbesondere der Neue Plan spricht für die zweite Interpretation. Für die Nationalsozialisten kam eine internationale Lösung aus ideologischen Gründen ohnehin nicht in Frage. Außerdem diente nach ihrem Verständnis die Bewältigung wirtschaftlicher Probleme stets politischen Zwecken, und an seinen expansiven Absichten hatte Hitler nie Zweifel gelassen. Man wird also eine Verschränkung von Antikrisen- und Rüstungspolitik unterstellen dürfen, wobei für das Regime letztere Vorrang hatte. Die → Aufrüstung im engeren Sinn begann 1934; spätestens ab diesem Zeitpunkt konnten die kriegerischen Ziele den involvierten Wirtschaftskreisen kaum länger verborgen geblieben sein.

Alles in allem konnte das Regime am Ende der ersten Etappe durchaus Erfolge vorweisen: Die Arbeitslosigkeit war, auch durch die Einführung des → Reichsarbeitsdienstes (RAD) und der allgemeinen → Wehrpflicht, drastisch zurückgegangen, die Industrieproduktion hingegen kräftig gestiegen, bezeichnenderweise bei Investitionsgütern wesentlich stärker als bei Konsumgütern. Die Entwicklung schien den Nationalsozialisten recht zu geben. Indes existierten genügend Beispiele, daß eine wirtschaftliche Wiederbelebung auch unter demokratischen Verhältnissen und ohne den Umweg über eine Rüstungskonjunktur möglich war. Außerdem profitierten die Nationalsozialisten von einem allgemeinen wirtschaftlichen Aufwärtstrend. Ihre Autonomie gegenüber dem Staat zu verteidigen, gelang der Wirtschaft in diesem Zeitraum in recht unterschiedlichem Maße: Die Großindustrie war dabei ziemlich erfolgreich, Mittelstand und Landwirtschaft büßten ihren Spielraum weitgehend ein. Allerdings handelte es sich in diesen beiden Fällen um eine freiwillige Unterordnung.

Vom Vierjahresplan zur Kriegswirtschaft 1936-1942

Die zweite Phase im Verhältnis zwischen NS-Staat und Wirtschaft dauerte von 1936 bis 1942. Als Eckpunkte gelten die Ankündigung des zweiten → Vierjahresplans und der Übergang zur »totalen« Kriegswirtschaft. Charakteristisch für diesen Zeitabschnitt war eine neue Qualität staatlicher Lenkung.

Im Gegensatz zum ersten Plan gewann der auf dem Reichsparteitag im September 1936 verkündete zweite Vierjahresplan erhebliche praktische Bedeutung. Unmittelbarer Anlaß waren Engpässe auf dem Rohstoffsektor. In einer eigens verfaßten Denkschrift umriß Hitler die wesentlichen Ziele, die in dem Auftrag gipfelten, in vier Jahren müsse die Armee »einsatzfähig« und die Wirtschaft »kriegsfähig« sein. Zum »Beauftragten für den Vierjahresplan« wurde Hermann Göring ernannt, der – mit umfassenden Vollmachten ausgestattet – dafür zu sorgen hatte, daß die Vorgaben verwirklicht wurden. Er schuf sich dafür eine besondere Organisation und besetzte die Führungsebene nahezu ausschließlich mit überzeugten Nationalsozialisten. Der entscheidende Unterschied zu früheren planerischen Versuchen bestand also in der Etablierung eines zentralistisch aufgebauten, von Nationalsozialisten kontrollierten Lenkungsapparats. Daß Schacht auf Görings Inthronisation als »Wirtschaftsdiktator« mit seinem Rücktritt vom Amt des Wirtschaftsministers reagierte, wird in der Fachliteratur häufig als Ausdruck einer Machtverschiebung zu Lasten der alten Wirtschaftseliten interpretiert. Dabei wird jedoch nicht genügend berücksichtigt, daß die im Rüstungsgeschäft engagierte Privatwirtschaft auf der »operativen« Ebene der Vierjahresplanorganisation zahl- und einflußreich vertreten war. Eine andere in diesem Kontext formulierte These lautet, es habe eine innerindustrielle Machtverschiebung zugunsten der Chemieindustrie, speziell der → I.G. Farben, stattgefunden. Neuere Forschungen von Gerhard Mollin haben indes gezeigt, daß der Vierjahresplan von allen rüstungswirtschaftlich interessierten Branchen getragen wurde – mit der Folge einer wachsenden Verflechtung insbesondere von Montan-, Chemie- und verarbeitender Industrie.

Wesentliches Ziel des Plans war der Aufbau einer möglichst autarken Wirtschaft. Trotz intensiver Bemühungen, die Produktion von synthetischen Ersatzstoffen und den Einsatz selbst wenig ergiebiger Rohstoffe zu forcieren, gelang es jedoch nicht, bis 1939 die Lücken zu schließen. Auch eine ausreichende Versorgung mit Nahrungsmitteln war keineswegs sichergestellt. Daran vermochten weder der → Anschluß Österreichs und des Sudetengebiets (→ Sudetenland; → Sudetenkrise) noch der Einmarsch in die → Tschechoslowakei oder die schrittweise Errichtung eines großdeutsch-südosteuropäischen Wirtschaftsraums etwas zu ändern. Die anvisierte »wehrwirtschaftliche Blockadesicherheit« hatte das Deutsche Reich bei Kriegsbeginn also nicht erreicht.

Die wirtschaftliche Entwicklung seit Mitte der dreißiger Jahre war zweifelsohne geprägt von einer Rüstungskonjunktur. Die Rüstungsausgaben stiegen von ca. 5,5 Milliarden RM (1935) auf über 16 Milliarden (1938). Insgesamt dürften von 1933 bis Kriegsbeginn zwischen 70 und 80 Milliarden RM aufgebracht wor-

Abb. 15: Aufmarsch der »Ehrenwerkscharen« im Hof der Neuen Reichskanzlei in Berlin aus Anlaß der zweiten Verleihung der Auszeichnung »NS-Musterbetrieb« am 30. April 1939.

den sein. Die Finanzierung dieser Ausgaben stellte von Anfang an ein großes Problem für das Regime dar; der reguläre Staatshaushalt reichte dafür jedenfalls nicht aus. Zum wichtigsten Instrument wurden die → Mefowechsel, mit deren Hilfe von 1934 bis 1936 etwa 50 Prozent der Rüstungsausgaben bestritten wurden, deren inflationäre Effekte allerdings beträchtlich waren. Später verdrängten Reichsanleihen und Steuergutscheine die Mefo-Finanzierung. Dennoch stieg die Staatsverschuldung von 14 Milliarden RM (1933) auf annähernd 42 Milliarden (1938). Aus dem Zusammentreffen von konjunktureller Überhitzung und steigendem Haushaltsdefizit einen Zwang zum Krieg ableiten zu wollen, hieße freilich, die Rolle ökonomischer Faktoren bei dieser Entscheidung zu überschätzen.

Die einzelnen Wirtschaftszweige profitierten in unterschiedlichem Maße von der Rüstungskonjunktur seit Mitte der dreißiger Jahre. Generell schnitten diejenigen Sparten am besten ab, die direkt oder indirekt als Zulieferer am Rüstungsgeschäft partizipierten: Dort konnten in dieser Zeitspanne außergewöhnlich hohe Gewinne erzielt werden, wobei die Betriebsgröße zweitrangig war. Mittel- und Kleinbetriebe kamen indes seltener in den Genuß staatlicher Aufträge, so daß der gewerbliche Mittelstand im allgemeinen doch gegenüber der Großindustrie benachteiligt war. Die Stillegung »volkswirtschaftlich nicht wertvoller«

Handwerksbetriebe löste dagegen eher mittelstandsstabilisierende Effekte aus. Ähnlich zwiespältig fiel die Bilanz für den »Bauernstand« aus. Materielle Versprechungen und rüstungswirtschaftliche Erfordernisse ließen sich nicht immer in Einklang bringen. Um den Verbrauchern trotz des Lohnstopps eine angemessene Versorgung zu ermöglichen, wurden die Preise für landwirtschaftliche Erzeugnisse künstlich niedrig gehalten. Die staatlichen Reglementierungen verhinderten also hohe bäuerliche Einkünfte, trugen aber andererseits zum Schutz volkswirtschaftlich rentabler mittlerer Betriebe bei. Wiederum ausgenommen von staatlicher Protektion und staatlich tolerierten Rüstungsgewinnen waren jüdische Geschäftsleute. Von ihrer schrittweisen, terroristischen Ausschaltung aus dem Wirtschaftsleben und von der → Arisierung ihrer Betriebe profitierten vielmehr »arische« Interessenten aus Großindustrie, Bankgewerbe und Einzelhandel gleichermaßen – wenn auch nicht die deutsche Volkswirtschaft insgesamt.

Wie lassen sich angesichts solch disparater Befunde – Zunahme staatlicher Interventionen trotz grundsätzlicher Respektierung des Privateigentums, steigende Gewinne trotz öffentlicher Ächtung des Eigennutzes – das Verhältnis Politik – Wirtschaft und das Wirtschaftssystem in der mittleren Phase der NS-Herrschaft charakterisieren? Simplifizierend-einseitige Versionen der These vom Primat der Politik bzw. vom Primat der Ökonomie sind mittlerweile von differenzierteren Interpretationen abgelöst worden. Diese stimmen darin überein, daß von einer politischen Autonomie des nationalsozialistischen Staats- und Herrschaftsapparates gegenüber den »Kapitalinteressen« auszugehen sei; andererseits sei die privatwirtschaftliche Eigentumsordnung nicht angetastet worden, und die Großindustrie habe ihr ökonomisches Gewicht und ihren wirtschaftspolitischen Einfluß behaupten, wenn nicht sogar steigern können. Daß sich innerhalb der Großindustrie gleichzeitig die Machtverhältnisse zugunsten der Sektoren Chemie- und Elektroindustrie verschoben hätten, konnte noch nicht überzeugend nachgewiesen werden.

In der wirtschaftlichen Sphäre unterscheidet die Forschung in Anlehnung an Franz Neumanns Analyse aus dem Jahr 1942 (*Behemoth;* → Faschismustheorien) zwischen privatkapitalistischer »Monopolwirtschaft« und von Staat und Partei dominierter »Befehlswirtschaft«. Strittig ist die Beziehung zwischen diesen beiden Sektoren bzw. Organisationsformen: Während Neumann die Expansion letzterer als Bestätigung der Lebenskraft des Kapitalismus deutete, weil besonders durch den Ausbau der Parteiwirtschaft die Notwendigkeit einer ökonomischen Fundierung politischer Macht anerkannt worden sei, betonen neuere Arbeiten die Durchsetzungsfähigkeit der Befehls- gegenüber der Monopolwirtschaft. Die Befehlswirtschaft fand ihren Ausdruck in Staats- und Parteiunternehmen sowie in der Kontrolle und Reglementierung von Preisen und Löhnen, Investitionen und Gewinnen, des Außenhandels und des Arbeitsmarktes. Bemerkenswerterweise stieg die Zahl der verstaatlichten Unternehmen, anders als im Parteiprogramm angekündigt, während des Dritten Reiches keineswegs. Die bedeutenden Staatsunternehmen, z. B. die Vereinigte Industrieunternehmungen AG (VIAG), die Vereinigte Elektrizitäts- und Bergwerks-AG (Vebag) oder die Preußische Bergwerks- und Hütten-AG (Preussag), waren alle bereits in der Weimarer Republik entstanden. Statt dessen kam es zu teilweise spektakulären Reprivatisierungen wie im Fall der Gelsenkirchener Bergwerks-AG.

Ein neues Phänomen stellten die Unternehmen der NSDAP, der DAF und der → SS dar. Ihr Aufstieg scheint die These von der Dominanz befehlswirtschaftlicher Strukturen zu untermauern. Als mächtigster Konzern dieser Spezies gelten die → Reichswerke »Hermann Göring«. 1937 zur wirtschaftlich unrentablen, autarkiepolitisch indes gebotenen Verhüttung eisenarmer Erze aus der Region um Salzgitter gegründet, ging daraus unter tatkräftiger Mithilfe Görings in nicht einmal drei Jahren eine gigantische Holdinggesellschaft hervor, welche den Montanblock und zusätzlich einen Waffen- sowie einen Schiffahrtsblock kontrollierte. Daß sich die Reichswerke in einigen Konflikten gegen die alte Elite von der Ruhr, insbesondere gegen die Vereinigten Stahlwerke, durchsetzen konnten, hatte jedoch keine dauerhafte Unterordnung des privatkapitalistischen Sektors unter die Befehlwirtschaft zur Folge. Gegen eine solche Deutung spricht schon die enge personelle Verflechtung des gesamten Konzerns mit der Privatwirtschaft. Die von den Reichswerken in Gang gesetzte Reorganisation der deutschen – und europäischen – Montanindustrie war vielmehr Ausdruck eines durch steigende Kapazitäten und technologischen Wandel erzwungenen Kompromisses zwischen den verschiedenen rüstungswirtschaftlich engagierten und expansiv orientierten Unternehmen und Industriesektoren. Dazu paßt, daß auch die anderen wirtschafts- und arbeitsmarktpolitischen Instrumente keineswegs ohne jegliche Rücksicht auf privatwirtschaftliche Belange eingesetzt wurden. So waren beispielsweise ungeachtet des 1936 angeordneten bzw. verschärften Preis- und Lohnstopps Preisabsprachen im Rahmen von Kartellen ebenso möglich wie Lohnerhöhungen durch besondere Akkord- und Prämiensysteme; und auf die überdurchschnittlichen Unternehmensgewinne in den Jahren 1933 bis 1941 ist schon hingewiesen worden. In der Landwirtschaft und im Außenhandel waren marktwirtschaftliche Mechanismen allerdings völlig außer Kraft gesetzt.

Zusammenfassend kann festgehalten werden: Das Privateigentum an Produktionsmitteln blieb zwar grundsätzlich erhalten, die Verfügungsgewalt der Eigentümer wurde durch Eingriffe des Staates und anderer Lenkungsinstanzen jedoch mehr und mehr eingeschränkt. Wirtschaftswissenschaftler charakterisieren ein solches System als »Zentralverwaltungswirtschaft« – ein Begriff, den manche Wirtschaftshistoriker unter Hinweis auf die Fortdauer kapitalistischer Strukturen jedoch ablehnen. Gewiß kommt es hier darauf an, wie dieser Begriff definiert wird; gegen seine Verwendung spricht indes, daß das unternehmerische Gewinnstreben – ein wesentliches Merkmal einer privatwirtschaftlichen Ordnung – von seiten des NS-Regimes nicht nur gebilligt, sondern sogar ermuntert wurde.

Da die Wirtschaft spätestens seit 1936 planmäßig auf den Krieg vorbereitet worden war, bedeutete die Umstellung auf die → Kriegswirtschaft im September 1939 keinen qualitativen Einschnitt. Der Übergang zur Bewirtschaftung von Lebensmitteln, Kleidung und Brennmaterial ging insofern vergleichsweise problemlos vonstatten, als die Versorgung schon zuvor nicht sonderlich üppig gewesen war; die neueingerichteten Instanzen zur Steuerung der Produktion blieben ohne

. Jahrgang Nr. 23
inzelpreis: RM. 0,75

Berlin, den 5. Dezember 1939

Der Vierjahresplan

ZEITSCHRIFT FÜR NATIONALSOZIALISTISCHE WIRTSCHAFTSPOLITIK

Amtliche Mitteilungen des Beauftragten für den Vierjahresplan Ministerpräsident Generalfeldmarschall Göring

Hochöfen der Hermann-Göring-Werke in Betrieb

Abb. 16: Hochöfen der Reichswerke »Hermann Göring« in Salzgitter, Titelblatt der Zeitschrift *Der Vierjahresplan* vom 5. Dezember 1939.

durchschlagende Wirkung. Die Engpässe bei Nahrungsmitteln, Konsumgütern und Rohstoffen konnten erst im Laufe des Jahres 1940 beseitigt werden. Die anfänglichen militärischen Erfolge trugen möglicherweise dazu bei, daß eine radikale kriegswirtschaftliche Kurskorrektur unterblieb: Zwischen 1938 und 1942 kletterte der Index der gesamten industriellen Produktion nur leicht von 100 auf 106, lediglich die Rüstungsproduktion verzeichnete einen steilen Anstieg von 100 auf 320, ohne daß jedoch alle Möglichkeiten ausgeschöpft worden wären. Von einer Konzentration aller Kräfte auf die Erfordernisse des Krieges konnte also zunächst keine Rede sein, zumal sich die verschiedenen involvierten zivilen und militärischen Stellen – Vierjahresplanbehörde, Wirtschaftsministerium, Reichsministerium für Bewaffnung und Munition, Wehrwirtschafts- und Rüstungsamt – gegenseitig behinderten. Der *United States Strategic Bombing Survey* sprach deshalb nachträglich von einer Volkswirtschaft, die »in einer gemächlichen, halb friedensmäßigen Manier« weitergearbeitet habe. Das war sicherlich übertrieben, denn immerhin vermochte das Regime erfolgreiche → Blitzkriege zu führen. Für einen langandauernden Krieg war die Wirtschaft freilich nicht ausreichend gerüstet. Dies zeigte sich besonders deutlich, als der Feldzug gegen die Sowjetunion ins Stocken geriet (→ Ostfeldzug 1941-1945).

Speers »totale Kriegswirtschaft« 1942-1945

Die dritte und letzte wirtschafts- und ordnungspolitische Phase dauerte von 1942 bis Kriegsende. Sie wird oft nach dem neuen Rüstungsminister und Initiator des Übergangs zur »totalen Kriegswirtschaft« als »Ära Speer« bezeichnet. Charakteristisch für diesen Abschnitt war eine durchgreifende Zentralisierung und Rationalisierung der wirtschaftlichen Strukturen mit dem Ziel, die Rüstungsproduktion zu steigern. Und erstaunlicherweise war mit dieser neuerlichen Kurskorrektur zumindest anfangs eine Stärkung der industriellen Selbstverwaltung und damit des privatwirtschaftlichen Einflusses verbunden.

Ausgangspunkt der Reorganisation war ein Führerbefehl zur Vereinfachung und Leistungssteigerung der Rüstungsproduktion vom Dezember 1941. Der damalige Rüstungsminister Fritz Todt berief in die neu geschaffenen Lenkungsorgane vor allem Fachleute aus der Industrie und drängte damit den Einfluß der Wehrmacht zurück. Sein Nachfolger Speer setzte diesen Weg fort. Im April 1942 errichtete er die erste effektive, alle Bereiche der Kriegswirtschaft umfassende zentrale Planungsinstanz, welche vorrangig die Bewirtschaftung der Rohstoffe und der Transportkapazitäten übernahm. Im September folgten die aus Vertretern maßgeblicher staatlicher Institutionen, der Reichswirtschaftskammer und verschiedener NS-Organisationen zusammengesetzten Rüstungskommissionen. Nachdem Speer im Herbst 1943 auch die Zuständigkeit für die Lenkung der zivilen Produktion an sich gezogen hatte, verfügte er über nahezu diktatorische Vollmachten. Andere Stellen wie die Vierjahresplanbehörde, das Wirtschaftsministerium oder die Wehrmacht verloren demgegenüber weiter an Bedeutung, obgleich Aufträge und Wünsche gerade der letzteren absolute Priorität genossen. Dagegen wuchs der Einfluß der Großindustrie im Zuge des weiteren Ausbaus der industriellen Selbstverwaltung in Form von »Reichsvereinigungen«, »Ausschüssen« und »Ringen« – nicht zuletzt auf Kosten mittelständischer Betriebe. Die ursprüngliche Absicht, das industrielle Verbandswesen zu vereinfachen, wurde durch diese Maßnahmen freilich zunichte gemacht, existierten doch damit für fast alle Industriezweige zivile und rüstungswirtschaftliche Organisationsstränge nebeneinander. Obwohl die Reglementierung der Wirtschaft in dieser letzten Phase also noch einmal stark zunahm, blieb das Privateigentum erhalten. Die Unternehmer behielten in dem neuen Lenkungssystem auch erheblichen organisatorischen Einfluß, doch freie unternehmenspolitische Entscheidungen waren ihnen nicht mehr möglich. Solange der Rüstungsboom anhielt, war dies freilich zu verschmerzen. Dennoch rangierte die Rückkehr zur freien Unternehmerinitiative bei vielen Industriellen auf der Wunschliste für die Nachkriegszeit ganz oben.

Die Reorganisation der Rüstungsproduktion, verbunden mit einer politisch-ideologischen Mobilisierung der Bevölkerung für den → »totalen Krieg«, zeitigte durchaus gewisse Erfolge: Innerhalb von zweieinhalb Jahren stieg, auch dank des Übergangs zur Massenfertigung, der Ausstoß von Flugzeugen, Waffen und Munition um das Drei- und der von Panzern um das Siebenfache. Doch verglichen mit der amerikanischen Rüstungsproduktion lag Deutschland hoffnungslos zurück – absolut und gemessen an der Produktivität, die in den USA fast dreimal höher war. Neben dem technologischen Rückstand war für diese Unterlegenheit der verstärkte Einsatz von → Zwangsarbeitern und Häftlingen aus den Konzentrationslagern verantwortlich, mit dem das Regime den Mangel an heimischen Arbeitskräften zu kompensieren suchte, ohne den Mangel an Facharbeitern ausgleichen zu können. Bemerkenswerterweise gelang es dem Regime nicht einmal, → Frauen in ähnlichem Umfang wie beispielsweise in Großbritannien als Arbeitskräfte für die Rüstungsproduktion zu mobilisieren. So entsteht der Eindruck einer Kriegswirtschaft, deren technische und personelle Reserven auch in der Endphase keineswegs vollständig ausgeschöpft wurden.

Gleichwohl attestieren einige Autoren dem NS-Regime gerade mit Blick auf die kriegswirtschaftlichen Leistungen modernisierende Effekte. Zweifellos lassen sich in bestimmten Zweigen der Grundstoff- und Rüstungsindustrie Rationalisierungs- und Innovationsschübe feststellen. Aber selbst diese partielle Modernisierung konnte mit der Entwicklung in den USA nicht Schritt halten und wurde überdies erkauft durch die Vernachlässigung anderer Sektoren, ganz zu schweigen davon, daß die Produktion in steigendem Maße durch Sklavenarbeit in Gang gehalten wurde. Die deutsche Niederlage mit unausgenützten Kapazitäten und halbherzigen Modernisierungs- und Mobilisierungsbemühungen erklären zu wollen, wäre allerdings abwegig: Angesichts des weit überlegenen Wirtschaftspotentials der gegnerischen Seite waren die Aussichten auf einen Sieg der → Achsenmächte von vornherein verschwindend gering. Daran konnten auch die brutalen Versuche des NS-Regimes nichts ändern, die Ressourcen der eroberten Länder unter dem Leitbild einer »Europäischen Wirtschaftsgemeinschaft« für die eigenen Ziele einzuspannen und auszuplündern.

Die wirtschaftliche Entwicklung Deutschlands unter dem Nationalsozialismus stellt sich im Rückblick als abgeschlossener Zyklus dar, von der Weltwirtschafts- zur Zusammenbruchskrise. Sie war gekennzeichnet durch einen raschen, kontinuierlichen und langanhaltenden Aufschwung, der sich vor allem in den Investitions- und Produktionsgüterindustrien bemerkbar machte, verbunden mit einem deutlichen Rückgang der Arbeitslosigkeit bis zum Erreichen der Vollbeschäftigung im Jahr 1936. Ohne die spätestens seit 1935 unübersehbare einseitige Ausrichtung der staatlichen Wirtschaftspolitik auf die Aufrüstung wären diese Erfolge freilich kaum möglich gewesen. So stieg der Anteil der Rüstungsgüter an der industriellen Nettoproduktion von neun Prozent (1939) über 22 Prozent (1942) auf 40 Prozent (1944), gleichzeitig sank der Anteil der Konsumgüter im selben Zeitraum von 29 auf 22 Prozent; lediglich die Grundstoffindustrie konnte ihren Anteil halten. Betrachtet man die einzelnen Industriezweige, zeigt sich, daß vor allem die Schwerindustrie, die Chemie, der Maschinen- und der Fahrzeugbau ihre Position verbessern konnten, insbesondere zu Lasten der Nahrungsmittel- und der Textilindustrie. Auf die Unternehmensstrukturen hatte diese Entwicklung keinen nennenswerten Einfluß: Der Konzentrationsprozeß wies generell eher eine rückläufige Tendenz auf. Anders bei der Beschäftigungsstruktur: Hier führte die Umschichtung zwangsläufig zu einer Arbeitskräftewanderung in die kriegswichtigen Wirtschaftszweige. Die Gesamtzahl der Beschäftigten blieb hingegen aufgrund des bereits erwähnten Einsatzes von Frauen, Zwangsarbeitern und KZ-Häftlingen in etwa gleich.

Ein Wirtschaftsfaktor von zunehmendem Gewicht war der NS-Staat. Hatten die Staatsausgaben von 1933 bis Kriegsbeginn noch etwa 100 Milliarden RM betragen, erforderte die Finanzierung des Krieges zwischen 600 und 700 Milliarden. Da die Steuerbelastung im Vergleich etwa mit Großbritannien gering war – der Spitzensteuersatz bei einem Jahreseinkommen von 10 000 RM betrug 1941 13,7 gegenüber 23,7 Prozent –, konnte nur etwa ein Drittel dieser Ausgaben durch Einnahmen gedeckt werden, mit der Folge, daß die Staatsverschuldung zwischen 1933 und 1945 von 13 auf 390 Milliarden RM anstieg; diese Summe entsprach etwa 95 Prozent des inländischen Geldvermögens. Der wirtschaftliche Aufschwung wurde also nicht erst während des Krieges durch eine äußerst unseriöse Finanzpolitik erkauft. Solange die Industrie von dieser Politik profitierte, erhob sich kein Protest. Erst als die Nationalsozialisten dazu übergehen wollten, die Substanz der deutschen Volkswirtschaft zu zerstören, entschlossen sich einzelne Unternehmer zur Gegenwehr, indem sie den Spielraum nutzten, den ihnen das Regime ungeachtet aller Reglementierungen und Kontrollen gelassen hatte. Nachdem die Wirtschaft – Großindustrie, Mittelstand und Landwirte – die Kriegsmaschinerie lange Zeit in Gang gehalten hatte, kam diese Besinnung am Ende gerade noch rechtzeitig, um wenigstens zu verhindern, daß die Existenzgrundlagen der Bevölkerung völlig vernichtet wurden.

Literatur

Barkai, Avraham: *Das Wirtschaftssystem des Nationalsozialismus. Ideologie, Theorie, Politik 1933-1945*, erw. Neuausg. Frankfurt am Main 1988.

Eichholtz, Dietrich: *Geschichte der deutschen Kriegswirtschaft 1939-1945,* 3 Bde., Berlin (Ost) 1984/85; Berlin 1996.

Herbst, Ludolf: *Der Totale Krieg und die Ordnung der Wirtschaft. Die Kriegswirtschaft im Spannungsfeld von Politik, Ideologie und Propaganda 1939-1945,* Stuttgart 1982.

Mollin, Gerhard Th.: *Montankonzerne und »Drittes Reich«. Der Gegensatz zwischen Monopolindustrie und Befehlswirtschaft in der deutschen Rüstung und Expansion 1936-1944,* Göttingen 1988.

Spoerer, Mark: *Von Scheingewinnen zum Rüstungsboom. Die Eigenkapitalrentabilität der deutschen Industrieaktiengesellschaften 1925-1941,* Stuttgart 1996.

Volkmann, Hans-Erich: Die NS-Wirtschaft in Vorbereitung des Krieges, in: Wilhelm Deist / Manfred Messerschmidt / Hans-Erich Volkmann / Wolfram Wette (Hg.): *Ursachen und Voraussetzungen der deutschen Kriegspolitik,* Stuttgart 1979, S. 175-368 (*Das Deutsche Reich und der Zweite Weltkrieg,* Bd. 1).

Sozialpolitik

Von Marie-Luise Recker

Die Sozialpolitik ist in jüngster Zeit zunehmend ins Blickfeld der Forschung zum Dritten Reich geraten. Angestoßen von T. W. Masons Untersuchung *Arbeiterklasse und Volksgemeinschaft* haben verschiedene Autoren sich der Entwicklung des Arbeitsmarktes und des Arbeitsrechts, der Lohnpolitik sowie der materiellen Lage der Bevölkerung zwischen 1933 und 1945 zugewandt. Parallel dazu haben auch die Veränderungen im Bereich der Sozialversicherung, des Gesundheitswesens, der Bildungspolitik sowie weiterer sozialpolitischer Aktionsfelder zunehmend Beachtung gefunden. Im folgenden soll der »Kern« staatlicher Sozialpolitik mit den Bereichen Lohn, Arbeitsmarkt und Arbeitsrecht sowie der sozialen Sicherung im Falle von Alter, Invalidität, Krankheit und Arbeitslosigkeit im Mittelpunkt stehen. Von besonderem Interesse sind dabei u. a. die Ausweitung staatlicher Befugnisse und Eingriffsmöglichkeiten in diesen Bereichen sowie die Akzentverschiebungen, die hier während des Dritten Reiches stattfanden.

Arbeitsmarkt und Arbeitsrecht

Mit der Zerschlagung der → Gewerkschaften, mit der Beseitigung des kollektiven Arbeitsrechts sowie der Erweiterung staatlicher Interventionsmöglichkeiten beim Lohn, auf dem Arbeitsmarkt und im Arbeitsrecht schuf die neue politische Führung schon bald nach dem 30. Januar 1933 wichtige Grundlagen für die veränderte Rolle des Staates auf sozialpolitischem Gebiet. Hinsichtlich der Arbeitsverwaltung und -vermittlung stellte sie bereits im ersten Jahr nach der → »Machtergreifung« entscheidende Weichen auf dieses Ziel hin. In mehreren Schritten wurden der Aufgabenbereich der Reichsanstalt für Arbeitsvermittlung und Arbeitslosenversicherung erweitert, ihre Selbstverwaltungsorgane entmachtet und aufgelöst und ihr Präsident der Weisungsbefugnis zunächst des Reichsarbeitsministers, ab 1936 dann des Beauftragten für den → Vierjahresplan unterstellt. Parallel hierzu verschob sich das Tätigkeitsfeld der Reichsanstalt immer deutlicher in Richtung auf Arbeitsvermittlung und Lenkung des → Arbeitseinsatzes, wobei staatliche Stellen die Prioritäten setzten. Vor diesem Hintergrund konnten dann die geplanten Maßnahmen zur → Arbeitsbeschaffung und die vollmundig propagierte → »Arbeitsschlacht« in Angriff genommen werden.

Allerdings vollzog sich der Abbau der → Arbeitslosigkeit nur relativ langsam und regional wie sektoral unterschiedlich. Erst mit der sich entwickelnden Rüstungskonjunktur (→ Aufrüstung) wurde die Massenarbeitslosigkeit zügig reduziert und wich nach Erreichen der Vollbeschäftigung ab etwa 1935/36 einem Arbeitskräftemangel vor allem in den Produktionsgüterindustrien, der nun zur Abwanderung größerer Teile der bisher im Konsumgüterbereich Beschäftigten führte.

Angesichts zunehmender Engpässe auf dem Arbeitsmarkt, welche die (rüstungs-)wirtschaftlichen Ziele des Regimes zu beeinträchtigen drohten, wurden der Verwaltung des Arbeitseinsatzes schon bald zusätzliche Kompetenzen übertragen. Mit Hilfe des durch Gesetz vom 26. Februar 1935 eingeführten → Arbeitsbuches sollte ihr ein Instrument an die Hand gegeben werden, Arbeitskräftereserven in wichtigen Mangelberufen zu erfassen und »berufsfremd« beschäftigte Facharbeiter zur Rückkehr in ihren erlernten Beruf zu veranlassen. Zudem erhielt sie die Befugnis, die Fluktuation auf Teilarbeitsmärkten einzuschränken und insbesondere in den größten Engpaßbereichen Metall-, Bau- und Landwirtschaft die Abwanderung von Arbeitskräften zu unterbinden.

Im Vorfeld des Krieges wurden weitere Schritte zur Kontrolle des Arbeitsmarktes unternommen, indem nun in bestimmten Bereichen nicht nur die Einstellung von Arbeitskräften, sondern auch die Lösung von Arbeitsverhältnissen der Zustimmung der Arbeitsämter bedurfte. Damit war das Modell geschaffen, das mit dem 1. September 1939 für die gesamte → Kriegswirtschaft verbindlich wurde. Parallel hierzu wurde den Arbeitseinsatzbehörden das Recht übertragen, bestehende Arbeitsverhältnisse zunächst auf zwölf Monate beschränkt, ab März 1939 dann auf Dauer zu lösen und die betroffenen Arbeitnehmer an neue Arbeitsstellen zu verpflichten. Mit der Einführung dieser zivilen Dienstpflicht wurde die Arbeitsvertragsfreiheit für die Betroffenen vollständig aufgehoben, wobei dieses Instrument selbst während des Krieges trotz zunehmender Engpässe auf dem Arbeitsmarkt nur relativ zurückhaltend angewandt wurde. Klagen von Arbeitnehmer- wie Arbeitgeberseite über die staatlichen Eingriffe, über Leistungsabfall und »Bummelei« schmälerten außerdem die Effektivität der Zugriffsmöglichkeiten.

Ausgestattet mit diesen Kontroll- und Lenkungsinstrumenten suchten die Arbeitseinsatzbehörden auch nach Kriegsbeginn den Erfordernissen der Kriegswirtschaft nachzukommen. Auch wenn sich angesichts der Einberufungen zur Wehrmacht die Mangelsituation auf dem Arbeitsmarkt zuspitzte, blieben bis auf weiteres größere zusätzliche Anstrengungen zur Gewinnung neuer Arbeitskräfte und zur Umschichtung der Beschäftigten zwischen den Branchen aus. Erst mit der Veränderung der militärischen Lage 1941/42 wurde ein neuer Anlauf zu einschneidenden institutionellen und materiellen Änderungen auch im arbeitspolitischen Bereich gemacht. Der am 21. März 1942 zum → Generalbevollmächtigten für den Arbeitseinsatz (GBA) ernannte Gauleiter von Thüringen Fritz Sauckel erhielt weitreichende Vollmachten zur Mobilisierung und Lenkung von Arbeitskräften, um die Lücken in der Belegschaft vieler Rüstungsbetriebe zu schließen. Aber auch unter seiner Ägide blieb die Lage auf dem Arbeitsmarkt trotz der in mehreren Wellen erfolgenden Aushebung zusätzlicher Reserven durch sich weiter verschärfenden Bedarf gekennzeichnet.

Auf die Tatsache, daß im Dritten Reich selbst bei steigendem Arbeitskräftemangel nicht alle brachliegenden Reserven mobilisiert wurden, ist häufig hingewiesen worden. Sie bezieht sich zunächst auf die »Auskämmung« von Handwerk und Einzelhandel, wo die Arbeitseinsatzbehörden vor allem in kleineren, unwirtschaftlich arbeitenden Betrieben noch Möglichkeiten zur Gewinnung von Arbeitskräften für die Industrie sahen und deshalb entsprechende Maßnahmen verfügten. Die tatsächlichen Umschichtungen in diesem Bereich vollzogen sich indessen weniger aufgrund behördlicher Anordnungen als im wesentlichen aus freien Stücken, da die neuen Arbeitsplätze nicht selten finanziell wesentlich attraktiver waren als manche bisherige Kümmerexistenz. Erst die »Auskämm«-Aktion vom Frühjahr 1943 brachte hier bessere Ergebnisse, doch mehrten sich nun solche Stimmen, die auf die negativen Folgen einer derartigen »Vernichtung« des aus ideologischen Gründen besonders schützenswerten Mittelstandes hinwiesen. Vor diesem Hintergrund, aber auch eingedenk vielfacher Durchführungsschwierigkeiten, gab man das »Auskämmen« bald wieder auf.

Ideologische Bedenken waren auch der wichtigste Grund dafür, daß die NS-Führung zögerte, das Reservoir der nicht berufstätigen → Frauen besser als bisher auszuschöpfen. Zu Beginn des Dritten Reiches hatte es angesichts der hohen Arbeitslosenzahlen noch Versuche gegeben, (Ehe-)Frauen aus industrieller Erwerbstätigkeit oder aus Dienstleistungsberufen zu verdrängen und sie an ihre »wesensmäßige« Bestimmung als Hausfrau und Mutter zu erinnern. Allerdings mehrten sich bereits ab 1936/37 Stimmen, die eine Änderung der bisherigen Haltung befürworteten und auch für Frauen verstärkte Anreize forderten, einer Beschäftigung in der Industrie nachzugehen. Auch wenn es seit Mitte der dreißiger Jahre graduelle Veränderungen in der Einstellung gegenüber weiblicher Erwerbstätigkeit gab, so blieb die ideologisch motivierte, grundsätzliche Ablehnung doch dominant. Diese Haltung änderte sich auch mit Kriegsbeginn nicht, als im Hinblick auf die Lücken in den Belegschaften vieler Industriebetriebe das brachliegende Potential an weiblichen Arbeitskräften erneut ins Blickfeld geriet. Die Einführung einer Meldepflicht für bisher nicht berufstätige Frauen, die anschließend an einen bestimmten Arbeitsplatz hätten (dienst-)verpflichtet werden können, wurde zwar erwogen, aber ebenso auch wieder verworfen; statt dessen setzte man auf Appelle, sich den Arbeitseinsatzbehörden zur Verfügung zu stellen. Erst im Frühjahr 1943 wurde eine solche Meldepflicht im Zeichen des → »totalen Krieges« eingeführt, angesichts der relativ weitgefaßten Ausnahmeregelungen und vielfältiger Probleme bei der Vermittlung dieser Frauen erwies sich ihr Beschäftigungseffekt jedoch als gering.

Was blieb, war die Rekrutierung ausländischer Arbeitskräfte, deren Beschäftigung als einfach und ideologisch unbedenklich angesehen wurde. Der massenhafte Einsatz von → Fremdarbeitern und → Kriegsgefangenen, in steigendem Maße auch von Häftlingen der → Konzentrationslager, entwickelte sich mehr und mehr zum eigentlichen Kennzeichen der NS-Kriegswirtschaft. In insgesamt vier »Aktionen« versuchte Sauckel ab 1942, ein größeres Kontingent ausländischer Arbeitskräfte aus den von den deutschen Armeen besetzten Gebieten zu mobilisieren. Daneben wurden vermehrt Kriegsgefangene vor allem in den rüstungswichtigen Industriezweigen eingesetzt, um den Arbeitskräftebedarf wenigstens annähernd zu decken. Im Zuge dieser Mobilisierungspolitik kam es unter den in der deutschen Wirtschaft Beschäftigten zu einer wachsenden Hierarchisierung: Während den einheimischen Arbeitskräften größere Härten erspart werden sollten, wurden die Lasten einseitig auf Fremdarbeiter und KZ-Insassen abgewälzt. Die NS-Rassenideologie wurde mehr und mehr zum bestimmenden Element der Arbeitseinsatzpolitik.

Lohnpolitik

Die für den Bereich des Arbeitsmarktes bzw. der Arbeitseinsatzpolitik bereits konstatierte Ausweitung staatlicher Kompetenzen läßt sich auch für die Lohnpolitik feststellen. Mit der Zerschlagung der Gewerkschaften und der Beseitigung der Tarifautonomie ging die diesbezügliche Verantwortlichkeit direkt auf den Staat über. Auch hier schuf sich das Regime schon im Sommer 1933 die Instrumente, die in Zukunft die Lohnpolitik nach den staatlicherseits gesetzten Maximen lenken sollten, nämlich die → Reichstreuhänder der Arbeit. Ihnen wurde die Aufgabe zugewiesen, die Bedingungen für den Abschluß von Arbeitsverträgen zu regeln, die Einhaltung der gültigen Tarifordnungen zu überwachen, gegebenenfalls neue Tarifordnungen zu erlassen und insgesamt »für die Erhaltung des Arbeitsfriedens« zu sorgen. Die konkrete Lohnsetzung war mit dem → Arbeitsordnungsgesetz vom 20. Januar 1934 in den betrieblichen Bereich verlegt worden, wo der → Betriebsführer im Rahmen der von den Treuhändern vorgegebenen Tarifordnungen entsprechende Lohnregelungen für seine → Gefolgschaft erließ. In dem Maße, wie dies – parallel zu dem sich verknappenden Arbeitskräfteangebot – zu einer gewissen Aufwärtsbewegung bei den Löhnen führte, wurden dann die lohnpolitischen Befugnisse der Treuhänder ausgeweitet. Mit Wirkung vom 25. Juni 1938 erhielten sie das Recht, Löhne mit bindender Wirkung nach oben und unten festzusetzen sowie einzelne betriebliche Lohnregelungen, die ihnen korrekturbedürftig erschienen, abzuändern. Oberstes Ziel war und blieb es, die Löhne auf möglichst niedrigem Niveau zu stabilisieren, gleichzeitig jedoch gewisse Ventile offenzuhalten, um erwünschte Verschiebungen der Beschäftigungsstruktur zu ermöglichen und Unzufriedenheit über geringe Effektivverdienste abzufangen. Insgesamt machten die Treuhänder von diesen neuen Möglichkeiten jedoch nur in bestimmten Bereichen und Fällen Gebrauch. Lediglich in der Metallindustrie und in der Bauwirtschaft kam es vor dem Sommer 1939 zur Festsetzung von Höchstlöhnen, in allen anderen Branchen wurde die Lohnbewegung nicht nach oben beschnitten. Somit blieb das Auseinanderklaffen von (festgeschriebenen) Tariflöhnen und (steigenden) Effektivlöhnen für die Lohnentwicklung charakteristisch; alle Versuche, diese Schere zu schließen und die Effektivlöhne wieder an den Tarifstand anzunähern, blieben auch in Zukunft erfolglos.

Der Schritt zur völligen staatlichen Lohnkontrolle wurde mit Kriegsbeginn getan. Die Kriegswirtschaftsverordnung vom 4. September 1939 brachte einen allgemeinen Lohnstopp und übertrug den Reichstreuhändern der Arbeit die Aufgabe, die Arbeitsverdienste »sofort den durch den Krieg bedingten Verhältnissen« anzupassen und in bestimmten Branchen oder im Einzelfall »überhöhte Verdienste« auf einen »angemessenen Stand« zu senken. Da sich die Durchführung der Lohnsenkung als schwierig erwies und vielfach zu Protesten führte, wurde diese Anweisung jedoch schon bald wieder rückgängig gemacht, der Lohnstopp hingegen noch einmal bekräftigt. Dies blieb auch während des Krieges grundlegende Maxime staatlicher Lohnpolitik, wobei festzuhalten ist, daß den Reichstreuhändern eine vollständige Überwachung der Lohnbewegung nicht gelang; nach wie vor konnten die Unternehmensleitungen gewisse Aufbesserungen gewähren. Das

Verlangen der Beschäftigten nach höheren Löhnen und das Interesse der Betriebe an der Erhaltung des Leistungswillens und der Einsatzbereitschaft der Belegschaft verbanden sich gegen die Forderung der politischen Führung nach Lohnstabilität und ließen manche Schlupflöcher zur Umgehung des Lohnstopps offen.

In dem Maße, in dem den Unternehmensleitungen der Spielraum für Lohnerhöhungen eingeschränkt wurde, setzten sie im Gegenzug auf eine Ausweitung der betrieblichen Sozialleistungen, um ihrer Belegschaft auf diesem Wege die erwünschten Einkommensverbesserungen zu gewähren. Diese Strategie betraf weniger die gesetzlich festgelegten Leistungen, deren Umfang im wesentlichen konstant blieb, als die freiwilligen Sozialleistungen, die überproportional anstiegen und aus der Sicht der Unternehmensspitze der Bindung der Arbeitskräfte an den jeweiligen Arbeitsplatz dienen bzw. neue Kräfte von außen gewinnen sollten. Das Regime sah diese Ausweitung der betrieblichen Sozialleistungen äußerst ungern, konnte jedoch trotz mancher Ansätze zu ihrer Begrenzung einen Stopp dieser Entwicklung nicht erreichen.

Diese Situation wiederholte sich für das Gros der Angestelltenschaft. Zumindest für die auf tariflicher Basis entlohnten Gehaltsempfänger suchten die Reichstreuhänder der Arbeit den Lohnstopp ebenso durchzusetzen wie für die Lohnempfänger. Die Aufwärtsbewegung konnte jedoch hier genausowenig unterbunden werden – im Gegenteil, gerade für die wachsende Zahl der Industrieangestellten läßt sich (mit regionalen und sektoralen Variationen) ein klarer Trend zu Ge-haltsaufbesserungen registrieren, während die Angestellten in Handel und Handwerk nicht in gleichem Maße an dieser Entwicklung partizipierten. Am wenigsten effektiv jedoch waren die staatlichen Versuche zur Dämpfung der Einkommensentwicklung bei außertariflichen Gehältern. Ebenso wie im Falle von Selbständigen und freien Berufen konnte die Aufwärtsbewegung kaum beeinflußt werden.

Allerdings war die staatliche Lohnpolitik im Dritten Reich nicht allein vom Bemühen um Lohnstabilität und Lohnstopp gekennzeichnet, sondern ebenso von der Hinwendung zu leistungsbezogenen Lohnsystemen und Arbeitsbewertungsverfahren, die in diesem Bereich neue Akzente setzten. Die damit implizierte Orientierung am Prinzip »Lohn nach Leistung« eröffnete nicht nur die Möglichkeit einer stärkeren Differenzierung der Löhne und individueller Lohnerhöhungen, sondern ebnete auch den Weg zur Mobilisierung aller »Leistungsreserven«, die im Zeichen der angespannten Lage auf dem Arbeitsmarkt als notwendig erachtet wurde. Der Faktor »Arbeit« sollte so effizient wie möglich genutzt werden; dies bedeutete nicht nur lohnpolitische Anreize, sondern ebenso gezielte Anlern- und Weiterbildungsmaßnahmen, eine die individuelle Leistungsfähigkeit fördernde Freizeit- und Urlaubsgestaltung und nicht zuletzt die Eröffnung sozialer Aufstiegschancen, die nun nicht mehr durch kollektiven Arbeitskampf, sondern durch individuelle Anstrengungen realisiert werden konnten.

Arbeitsideologie: Leistung und Wettbewerb

Die damit einhergehende Veränderung der innerbetrieblichen Sozialbeziehungen und die Überlagerung faktischer sozialer Ungleichheit durch das Bekenntnis zu individueller Chancengleichheit tendierten dazu, auf längere Sicht eine nach Leistung hierarchisierte → »Volksgemeinschaft« an die Stelle der alten Klassengesellschaft zu setzen. Nicht mehr kollektive Lage und Verhaltensweisen, sondern Eifer und Einsatzbereitschaft des einzelnen würden künftig die soziale Rangordnung bestimmen. Diese Leistungsideologie und das Konzept des Wettbewerbs, das den Leistungsfähigen prämierte und den »Anbrüchigen« und Leistungsschwachen zurücksetzte, läßt sich nicht nur aus manchen Tendenzen der NS-Lohnpolitik ableiten, sondern spricht auch aus den verschiedenen »Wettkämpfen«, wie sie insbesondere die → Deutsche Arbeitsfront (DAF) propagierte und durchführte. Auch hier sollten individuelle Anstrengung und Leistung der Schlüssel zu beruflichem Erfolg und sozialem Aufstieg sein.

Die Orientierung an individueller Leistung schuf aber auch die Brücke, über die rassenideologische Deutungsmuster und Perspektiven in die NS-Arbeitsideologie eindringen konnten. Dem zu belohnenden Leistungsstarken stand am anderen Ende der Skala der Leistungsschwache, Leistungsunwillige, Arbeitsscheue, ja, → »Asoziale« gegenüber, der über seine ökonomische Schlechterstellung hinaus diskriminiert und strafrechtlich verfolgt wurde. Nicht nur angesichts der angespannten Arbeitsmarktlage, sondern aus grundsätzlichen weltanschaulichen Erwägungen heraus sollten Arbeitskräfte mit geringem Leistungsvermögen, »Arbeitsbummelanten« und »sozial Unangepaßte« zur Einreihung in die leistungswillige »Volksgemeinschaft« angehalten werden – wenn nötig, durch polizeilichen Druck oder → Arbeitserziehungslager –, oder ihnen drohte die Ausgrenzung und → »Ausmerze«.

Die Frage nach den Ergebnissen der NS-Lohnpolitik und der materiellen Lage der Bevölkerung im Dritten Reich kann bis heute noch nicht eindeutig beantwortet werden. Doch schwächt sich der Eindruck allmählich ab, das Regime hätte – gleichsam als Konzession für politisches Wohlverhalten – die Lebenshaltungskosten auf niedrigem Niveau stabilisieren und somit die Realeinkommen im allgemeinen verbessern können. Unstrittig ist, daß der Abbau der Arbeitslosigkeit, die Ausweitung der täglichen bzw. wöchentlichen Arbeitszeit, aber auch die Verschiebungen in der Beschäftigungsstruktur hin zu besser bezahlten Branchen und Arbeitsplätzen, einen positiven Effekt auf das (Familien-)Einkommen hatten. Dem standen jedoch wachsende Abzüge von Lohn und Gehalt gegenüber, wobei insbesondere die von den Präsidialkabinetten übernommene Bürgersteuer und die »Spenden« für DAF und → Winterhilfswerk, mit Kriegsausbruch dann auch der 50prozentige Kriegszuschlag auf die Einkommensteuer, zu Buche schlugen. Gleichzeitig stiegen die Lebenshaltungskosten, wobei die amtliche Statistik dies nur unzureichend wiedergibt. Somit müssen Aussagen zur Entwicklung der Realeinkommen vage bleiben. Hinsichtlich der Industriearbeiterschaft schätzt man, daß die wöchentlichen Netto-Einkommen bei Kriegsbeginn im günstigsten Fall gerade das Niveau des Jahres 1929 erreichten, danach aber aufgrund steigen-

Abb. 17: Plakat, hrsg. vom Reichsbeauftragten für das Winterhilfswerk, um 1941.

der (steuerlicher) Belastungen wie erhöhter Ausgaben für Lebensmittel wieder zurückgegangen seien. Etwas günstiger dürfte die Situation für das Gros der Angestellten gewesen sein, während Angaben zur Einkommenssituation des bäuerlichen oder gewerblichen Mittelstandes bisher kaum möglich sind.

Sozialversicherung im »Wohlverhaltensstaat«

Die Entwicklung in den einzelnen Zweigen der Sozialversicherung ist mit den Begriffen »Anverwandlung und Tradition« umschrieben worden, also der Beibehaltung überkommener Formen und Verfahrensweisen bei gleichzeitigem Einfluß von NS-Gedankengut in grundsätzlichen und konzeptionellen Fragen. In der Rentenversicherung wurde mit dem Sanierungsgesetz vom 7. Dezember 1933, mit dem Aufbaugesetz vom 5. Juli 1934 und dem Ausbaugesetz vom 21. Dezember 1937 das tradierte System der beitragsbezogenen, in ihren Leistungen gestaffelten Altersrente festgeschrieben und an die Organisations- und Verwaltungsgrundsätze des neuen Staates angepaßt. Dies bedeutete, daß der noch verbliebene Handlungsspielraum und die Entscheidungsmacht der Selbstverwaltungsgremien eingeschränkt bzw. durch die Einführung des → »Führerprinzips« schließlich ganz beseitigt wurden. Gleichzeitig bestand nun die Möglichkeit gewisser Leistungseinschränkungen in der konkreten Versicherungspraxis. Durch die Bindung der Leistungsgewährung an politische Voraussetzungen, die im Falle »staatsfeindlicher« Betätigung zur Aberkennung des Rentenanspruchs führen konnte, wurde der überkommenen Rentenversicherung der Stempel des NS-Regimes aufgedrückt. Der Wohlfahrtsstaat wurde mehr und mehr zu einem »Wohlverhaltensstaat«.

Im großen und ganzen wiederholte sich diese Entwicklung in den anderen Zweigen der Sozialversicherung. In der Krankenversicherung ging zunächst einmal mit der Beseitigung der Selbstverwaltung durch die Einführung des »Führerprinzips« eine von rassischen und politischen Gesichtspunkten bestimmte Säuberung des Personals der Versicherungen und der zugelassenen Kassenärzte einher. Nicht realisiert wurden dagegen Ansätze zu organisatorischen Veränderungen, vielmehr blieben alle Überlegungen, die Zahl der Krankenversicherungsträger zu reduzieren, mehr oder weniger stecken. Zwar verringerte sich die Zahl der Pflichtkrankenkassen und der Ersatzkassen als Folge verwaltungsmäßiger Eingriffe, doch an der Fortexistenz verschiedener Kassenarten hielt man bis 1945 fest. Allerdings wurden auch im Leistungskatalog der Krankenversicherung spezifisch nationalsozialistische Akzente gesetzt.

Die deutlichsten Veränderungen gab es schließlich in der Arbeitslosenversicherung. Mit Erlaß vom 21.Dezember 1938 wurde die Reichsanstalt für Arbeitsvermittlung und Arbeitslosenversicherung dem → Reichsarbeitsministerium unterstellt und so unter Aushöhlung ihrer ursprünglichen Aufgaben zu einem Instrument der staatlichen Lenkung des Arbeitseinsatzes gemacht. Hatte die Arbeitslosenversicherung schon in der → Weltwirtschaftskrise in vielerlei Hinsicht ihren Versicherungscharakter eingebüßt, so setzte sich diese Tendenz im Dritten

Reich fort. Nicht nur, daß sie zur Finanzierung von Arbeitsbeschaffungsprogrammen herangezogen und der Rechtsanspruch auf Unterstützungsleistung bei Arbeitslosigkeit durch eine Bedürfnisprüfung beseitigt wurde, mit Kriegsbeginn wurde auch die bisher gültige Begrenzung des Kreises potentieller Leistungsempfänger auf abhängig Beschäftigte aufgegeben und die Arbeitslosenunterstützung auch Selbständigen zugänglich gemacht.

Die öffentliche und freie Fürsorge schließlich, gleichsam das Auffangbecken in der Kette sozialstaatlicher Leistungen, stand eher im Zeichen von Anverwandlung denn von Tradition. Auch hier gingen die Leistungen, vor allem die staatlichen Zuschüsse im Bereich der freien Fürsorgearbeit, zurück. Gefördert wurden insbesondere Projekte, die in die bevölkerungs- bzw. rassenpolitische Linie der neuen politischen Führung paßten. Stärker noch als in der Sozialversicherung konnte sich im Fürsorgebereich die Ausdifferenzierung in zu fördernde »würdige« und auszugrenzende »unwürdige« Betroffene durchsetzen. Damit drang die ideologische Leitlinie des Regimes tief in die Fürsorgearbeit ein. Entsprechender Druck auf die Träger der öffentlichen wie der freien Fürsorge zur Orientierung ihrer Tätigkeit an diesen (rassen-)ideologischen Prämissen kam vor allem von seiten der NSDAP. Insbesondere die → NS-Volkswohlfahrt (NSV) versuchte mit Appellen an die Öffentlichkeit, durch eigenes, konkurrierendes Engagement im Fürsorgebereich und durch das Gewicht der hinter ihr stehenden finanziellen Mittel die bisherigen Träger zu diskreditieren, an die Seite zu drängen und sich die politische Führung in diesem Bereich zu sichern. Während ihr dies hinsichtlich der Spitzenverbände der freien Wohlfahrtspflege relativ schnell gelang, war ihr ein ähnlicher Erfolg in der öffentlichen Fürsorgearbeit verwehrt; hier konnten die traditionellen Behörden ihre Position besser wahren, wenn sie sich auch durch ideologische Anpassung dem Druck der NSV zu entziehen suchten.

Modernisierung?

Angesichts dieser Einsichten in Struktur und Zielsetzung der NS-Sozialpolitik und der durch sie bewirkten sozialen und gesellschaftlichen Veränderungen haben in den letzten Jahren verschiedene Autoren nach dem Modernisierungspotential und der Modernisierungsfunktion des Dritten Reiches auf diesem Feld gefragt. Ältere Thesen aus den sechziger Jahren aufgreifend, machten sie Indikatoren eines Modernisierungsprozesses aus, der in mancher Hinsicht die Wohlfahrtsgesellschaft der Bundesrepublik Deutschland vorgeformt habe. Hierbei verwiesen sie auf die Zerschlagung traditionaler gesellschaftlicher Bindungen, das Aufbrechen bestehender sozialer Milieus, die Senkung sozialer und beruflicher Mobilitätsbarrieren, die Wandlungen der Beschäftigungsstruktur, die Hervorkehrung des Leistungsprinzips und auf weitere Elemente, die sie in der NS-Sozialpolitik auszumachen glaubten. Teils mit Absicht, teils als Begleiterscheinung bzw. Folgewirkung von Wirtschaftswachstum und Vollbeschäftigung, ideologischer Gleichschaltung und totalitärem Herrschaftsanspruch hätten diese Entwicklungen das Gesicht der deutschen Gesellschaft zwischen 1933 und 1945 in je unterschiedlicher Weise verändert.

Indessen sind Zweifel angebracht, ob diese Veränderungen ausreichten und dauerhaft genug waren, um von einer »braunen Revolution« (David Schoenbaum) zu sprechen. Trotz mancher Momente einer partiellen Modernisierung bleibt doch das Unvollendete, Torsohafte, Vorläufige dieser Entwicklung zu erkennen, so daß ein tiefgreifender Kontinuitätsbruch kaum zu belegen ist. Zudem setzten sich in vielen Bereichen Entwicklungslinien und Modernisierungstrends fort, die ihren Ursprung in der Weimarer Republik oder noch früher hatten. Gerade die Ansätze zur Leistungsmobilisierung und zu einer effizienteren Form der Belegschaftsführung im Betrieb, wie sie etwa in der Lohn- und der Arbeitseinsatzpolitik erkennbar sind, gehörten bereits in den zwanziger Jahren zum Arsenal des »scientific management« vieler Großbetriebe. Auch in anderer Hinsicht setzten sich manche gesellschaftliche Trends der Weimarer Republik, durch den politischen Systemwechsel nicht oder kaum berührt, nach 1933 fort.

Zudem sprechen nicht wenige Indikatoren gegen die These von einem Modernisierungsschub im Dritten Reich. Hinsichtlich der Beschäftigungsstruktur etwa läßt sich ein signifikanter Wandel nur schwer ausmachen. Die soziale Mobilität war sektoral begrenzt und weitgehend rüstungs- und kriegsbedingt. Darüber hinaus läßt ein Vergleich mit anderen Ländern (Großbritannien) erkennen, wie stark die Veränderungen auf dem Arbeitsmarkt in Deutschland hinter dem Möglichen oder gar Notwendigen zurückblieben. Auch die alle Klassenschranken und Standesdünkel in Frage stellende Volksgemeinschaftsrhetorik kann kaum für die Modernisierungsthese ins Feld geführt werden. Zwar schienen die wirtschaftliche Aufwärtsentwicklung und die sich bietenden Möglichkeiten des Konsums dieses Modell zu stützen, und die entsprechenden, meist von der DAF initiierten, kollektiven Aktivitäten (→ »Kraft durch Freude«) mochten manchen Teilnehmer oder Beobachter von der Tragfähigkeit der Volksgemeinschaftsparolen überzeugen, dennoch blieb all dies im Ergebnis äußere Symbolik, welche die nach wie vor bestehenden Statusdifferenzen nicht aufhob. Wenn man auf die Lohnpolitik oder auch auf die Entwicklung des Lebensstandards blickt, wird deutlich, wie wenig konkrete Taten den Worten von der »Volksgemeinschaft« tatsächlich folgten. Aber auch in anderer Hinsicht wurden zentrale Kriterien von Modernität nicht erfüllt. Die Ausschaltung der politischen Partizipation der Bevölkerung über Parteienkonkurrenz und freie Wahlen, die Abschaffung der Regelungsmechanismen des industriellen Konflikts wie auch die Einführung des »Führerprinzips« in den jeweiligen Verwaltungsorganen der Sozialversicherung unterbanden jegliche eigenständige Artikulation sozialer Interessen und ließen erkennen, daß das neue Regime die Bedingungen und Grundlagen sozialpolitischen Handelns prinzipiell zu ändern und bereits erkämpfte Errungenschaften abzuschaffen trachtete.

Vor allem aber spricht die rassische Utopie des → Nationalsozialismus (→ Ideologie) gegen die These von der Modernisierungsfunktion des Dritten Reiches. Die Tatsache, daß eine bis in die physische Vernichtung führende Politik der Ausgrenzung sich gegen jeden richtete, der den rassischen Vorstellungen und sozialen Leistungserwartungen des Regimes nicht entsprach (→ Medizin; → Rassenpolitik und Völkermord; → Endlösung), war die Kehrseite der Volksgemeinschaftsideologie, und in ihrer Verwirklichung war sie geschichtsmächtiger als kleine Statusverbesserungen oder erhöhte Konsumchancen. Durch die Verknüpfung von

Abb. 18: Festzug in Hamburg unter dem Motto »Schönheit und Freude« am 12. Juni 1938 aus Anlaß der 4. Reichstagung der NS-Gemeinschaft »Kraft durch Freude« (Foto: Joseph Schorer).

»positiver« Auslese, Pflege und Förderung auf der einen mit »negativer« Stigmatisierung und »Ausmerzung« auf der anderen Seite wirkte die Rassenideologie tief in Zielperspektiven wie Anwendungspraktiken der Sozialpolitik des Dritten Reiches hinein. Die monströse Dimension dieser rassischen Utopie, die auf die Aussonderung und Vernichtung aller Leistungsschwachen, »Minderwertigen« und »Gemeinschaftsunfähigen« und auf die Schaffung einer rassischen Hierarchie zwischen Deutschen und → »Fremdvölkischen« abhob, verweist auf die eigentliche Zielsetzung der NS-Herrschaft. In je unterschiedlicher Weise und Ausprägung hat sie der sozialen Realität dieser Jahre ihren Stempel aufgedrückt. In ihrer Intention wies sie in eine von rassischen Kriterien geprägte Zukunft, auch wenn der Alltag dies im Einzelfall kaschieren mochte. Sie war und blieb das prägende Merkmal der nationalsozialistischen Sozialpolitik.

Literatur

Hachtmann, Rüdiger: *Industriearbeit im »Dritten Reich«. Untersuchungen zu den Lohn- und Arbeitsbedingungen in Deutschland 1933-1945*, Göttingen 1989.

Mason, Timothy W.: *Arbeiterklasse und Volksgemeinschaft. Dokumente und Materialien zur deutschen Arbeiterpolitik 1936-1939*, Opladen 1975.

Mommsen, Hans: Noch einmal: Nationalsozialismus und Modernisierung, in: *Geschichte und Gesellschaft,* 21 (1995), S. 391-402.
Recker, Marie-Luise: *Nationalsozialistische Sozialpolitik im Zweiten Weltkrieg,* München 1985.
Teppe, Karl: Zur Sozialpolitik im Dritten Reich am Beispiel der Sozialversicherung, in: *Archiv für Sozialgeschichte* 17 (1977), S. 195-250.

135

Wissenschaft

Von Michael Grüttner

Dem Totalitätsanspruch der Nationalsozialisten entsprach das vielfach proklamierte Ziel, auch die Wissenschaft einer radikalen Veränderung zu unterwerfen. An die Stelle der bisherigen »liberalistischen«, »jüdischen« und »internationalistischen« Wissenschaft sollte eine neue nationalsozialistische treten, über deren Konturen allerdings nur vage und widersprüchliche Vorstellungen bestanden. Erfolgreich und effizient war diese Politik vor allem in der Destruktion, das heißt in der Zerstörung dessen, was die Nationalsozialisten als »jüdisch-liberalistisch« brandmarkten.

Ämterchaos in der Wissenschaftspolitik

Als die Nationalsozialisten 1933 die Macht übernahmen, verfügten sie über keinerlei wissenschaftspolitische Konzepte. Es gab damals auch niemanden, der sich in der → NSDAP dafür zuständig fühlte. Eine Organisation nationalsozialistischer Wissenschaftler existierte zur Zeit der »Machtergreifung« noch nicht. Dieses Vakuum nutzten der → Nationalsozialistische Deutsche Studentenbund (NSDStB) und die ebenfalls von Nationalsozialisten beherrschte Deutsche Studentenschaft, indem sie 1933/34 versuchten, auf eigene Faust eine »nationalsozialistische Hochschulrevolution« zu inszenieren. Durch ihre vehementen Attacken gegen die »reaktionären« und »verkalkten« Professoren erhielt die Phase der »Machtergreifung« an den Hochschulen den Charakter eines Generationskonfliktes, der die traditionellen Hierarchien zeitweise außer Kraft setzte.

Die wichtigsten Institutionen nationalsozialistischer Wissenschaftspolitik entstanden erst zwischen 1934 und 1936: das → Reichsministerium für Wissenschaft, Erziehung und Volksbildung, kurz: Reichserziehungsministerium (REM), die Hochschulkommission der NSDAP, der → Nationalsozialistische Deutsche Dozentenbund (NSDDB) und das Amt Wissenschaft in der Dienststelle Rosenberg (→ Amt Rosenberg). Das 1934 gegründete REM stand unter der Leitung des ehemaligen Studienrats Bernhard Rust, der sich jedoch um Angelegenheiten der Wissenschaft nur wenig und unsystematisch kümmerte. Unter den führenden Nationalsozialisten verfügte der als leicht beeinflußbar geltende Rust nur über ein denkbar geringes Ansehen. Alfred Rosenberg beschrieb ihn 1940 als »haltlos, alt und krank«, während Joseph Goebbels seinen Ministerkollegen in den Tagebüchern als »nicht ganz zurechnungsfähig« oder auch »als absoluten Hohlkopf« porträtierte. Das Amt Wissenschaft im REM bemühte sich, die schwache Position des Ministeriums innerhalb des NS-Machtgefüges auszugleichen, indem es zum einen möglichst gute Beziehungen zur Wehrmacht suchte (bald galt das Ministerium allgemein als »militärfromm«), und zum anderen enge Kontakte zur SS aufbaute.

Zum Gegenspieler des REM innerhalb der Partei erwuchs zunächst die ebenfalls 1934 gegründete → Hochschulkommission der NSDAP. Die faktische Leitung dieser Kommission übernahm der Münchner Dermatologe Franz Wirz, ein Vertrauter des mächtigen Reichsärzteführers Gerhard Wagner, der im Stab Heß (→ Stellvertreter des Führers) nebenbei auch noch für Hochschulpolitik zuständig war. Die Hochschulkommission konzentrierte sich daher von Anfang an stark auf die medizinischen Fakultäten, an denen sie über ein Netz von Vertrauensleuten verfügte und zeitweise erheblichen Einfluß auf Berufungen gewann. Seit 1935 verlor sie jedoch rasch an Bedeutung; ab 1936 stellte sie ihre Tätigkeit weitgehend ein.

An ihre Stelle trat der NSDDB, dessen Leiter, Reichsdozentenführer Walther Schultze, ebenfalls aus dem Kreis der bayerischen NS-Ärzte um Gerhard Wagner kam. In der Parteihierarchie und an den Hochschulen verfügten Schultze und sein Dozentenbund allerdings nur über ein geringes Ansehen. Die Dozentenbundführer galten vielfach als inkompetente Wissenschaftler, die versuchten, ihren Mangel an fachlicher Leistung durch politischen Übereifer zu kompensieren – eine Einschätzung, die in vielen Fällen zweifellos berechtigt war. Auch hatte der NSDDB an hochschulpolitischen Konzepten kaum etwas anzubieten. Im Bereich der Personalpolitik – bei Berufungen, Habilitationen oder bei der Einstellung von Assistenten – verfügten die Funktionäre des NSDDB dagegen über erheblichen Einfluß und konnten akademische Karrieren durch negative politische Beurteilungen verhindern oder zumindest verzögern. Einzelne Dozentenbundführer wie Robert Wetzel (in Tübingen) oder Arthur Schürmann (in Göttingen) verschafften sich an ihren Hochschulen eine beherrschenden Stellung.

In der Dienststelle des Parteiideologen Alfred Rosenberg wurde 1936 ebenfalls ein »Amt Wissenschaft« gegründet, dessen Leitung der NS-Philosoph Alfred Baeumler übernahm. Rosenbergs Wissenschaftspolitiker blieben jedoch Kommentatoren am Rande, immer auf dem Sprung, anderen Partei- oder Staatsstellen Knüppel zwischen die Beine zu werfen, aber ohne wirkliche Möglichkeiten, gestaltend in das wissenschaftliche Leben einzugreifen. Nur an der Universität Halle, die 1938 Rosenberg zu ihrem »Schirmherrn« ernannte, um einer drohenden Schließung vorzubeugen, erlangte die Dienststelle Rosenberg zeitweise einen bestimmenden Einfluß.

All diese Institutionen kämpften im Wissenschaftssektor miteinander um Einfluß und Kompetenzen. Bei diesen Auseinandersetzungen handelte es sich häufig um reine Machtkämpfe; manchmal basierten solche Konflikte aber auch auf inhaltlichen Differenzen. Während der NSDDB in erster Linie daran interessiert war, möglichst viele Lehrstühle mit zuverlässigen Nationalsozialisten zu besetzen, betonte das REM (insbesondere seit 1937) stärker die Notwendigkeit, das wissenschaftliche Niveau zu wahren. Rein politisch bedingte Berufungen wurden daher vom Ministerium nicht gefördert.

Weder REM und NSDDB noch die anderen in der Wissenschaftspolitik aktiven Staats- und Parteistellen waren einflußreiche Machtfaktoren innerhalb des NS-Staates. Folglich gelang es auch keiner dieser Institutionen, sich in solchen

Auseinandersetzungen, die teilweise mit großer Erbitterung geführt wurden, eindeutig durchzusetzen. Daraus entwickelte sich ein Zustand der gegenseitigen Blockade, in dem ein Großteil der Initiativen zur nationalsozialistischen Umgestaltung von Wissenschaft und Hochschule steckenblieb. Dieser Zustand ermutigte wiederum andere Stellen, sich in die Wissenschaftspolitik einzumischen, etwa das → Reichsministerium für Volksaufklärung und Propaganda, diverse Dienststellen der SS und einzelne Gauleiter, die gelegentlich (etwa Fritz Sauckel in Jena) auftraten, als seien die Hochschulen ihr Privateigentum. Verstärkt wurden die chaotischen Strukturen im Wissenschaftssektor durch die Gleichgültigkeit Hitlers, der sich aus diesen Auseinandersetzungen weitgehend heraushielt, weil Forschung und Hochschulpolitik ihn offensichtlich nicht interessierten: »Wissenschaft ist Hitler grundsätzlich unsympathisch«, konstatierte 1933 der Physiker Johannes Stark, einer der wenigen Wissenschaftler, die schon Jahre vor der »Machtergreifung« zur NSDAP gestoßen waren.

Gleichschaltung und Nazifizierung

Wenngleich das im Wissenschaftssektor herrschende Ämterchaos eine stringente Hochschul- und Wissenschaftspolitik nahezu unmöglich machte, bestand doch Einigkeit darüber, die bestehenden Einrichtungen nach nationalsozialistischen Grundsätzen umzustrukturieren. Dazu gehörten eine Personalpolitik, bei der neben dem Kriterium der Leistung auch die »Rasse« und die politische Gesinnung eine entscheidende Rolle spielten, die Beseitigung demokratischer Strukturen und die Durchsetzung des → »Führerprinzips« sowie die Förderung jener Disziplinen, die den Nationalsozialisten politisch besonders wichtig erschienen. Von dieser Politik betroffen waren alle bedeutenden wissenschaftlichen Institutionen des Reiches, sofern sie nicht (wie die Industrieforschung) rein privaten Charakter trugen: 1. die wissenschaftlichen Hochschulen, die durch das Prinzip der Einheit von Forschung und Lehre gekennzeichnet waren; 2. die großen, teils staatlichen, teils halbstaatlichen Forschungseinrichtungen, an der Spitze die Kaiser-Wilhelm-Gesellschaft (KWG) mit ihren damals (1933) 30 Instituten und 318 festangestellten Wissenschaftlern (heute: Max-Planck-Gesellschaft); 3. die 1920 (zunächst als »Notgemeinschaft der Deutschen Wissenschaft«) gegründete Deutsche Forschungsgemeinschaft (DFG) als wichtigste Organisation der Wissenschaftsförderung.

Die Welle der Massenentlassungen setzte bereits im Sommersemester 1933 ein und war erst 1938 nach Entlassung der »Vierteljuden« und der »jüdisch versippten« Wissenschaftler weitgehend abgeschlossen. Unter den etwa 2000-3000 Wissenschaftlern, die Deutschland und Österreich verlassen mußten, befanden sich (nach Berechnungen von H. Möller) nicht weniger als 24 Nobelpreisträger – eine Zahl, die den Verlust an wissenschaftlicher Substanz, der mit dieser Politik verbunden war, eindrucksvoll vor Augen führt. Einige international renommierte Forschungsinstitute wie das Kaiser-Wilhelm-Institut für physikalische Chemie in Berlin oder die weltberühmten mathematischen und physikalischen Institute der Universität Göttingen verloren einen Großteil ihres wissenschaftlichen Perso-

Abb. 19: Feierliche Schlüsselübergabe im neuen Kaiser-Wilhelm-Institut für Physik am 30. Mai 1938, von links nach rechts: Prof. Dr. Planck, Geheimrat Bosch (Präsident der Kaiser-Wilhelm-Gesellschaft) und Direktor Prof. Dr. Debye.

nals. Ganze Disziplinen – wie etwa die Kunstgeschichte – verlagerten 1933/34 ihren Schwerpunkt aus Deutschland in die angelsächsische Welt. Nur in Einzelfällen erhielten von Entlassung bedrohte Wissenschaftler Unterstützung aus dem Kreis ihrer Kollegen.

Das genaue Ausmaß dieses Aderlasses ist bis heute unbekannt. An den Universitäten waren schätzungsweise etwa 20 Prozent des Lehrkörpers von der Entlassungswelle betroffen. Andere wissenschaftliche Hochschulen (Technische Hochschulen, Handelshochschulen usw.) hatten in der Regel geringere personelle Verluste. Von den Instituten der KWG wurden nach Berechnungen von K. Macrakis 71 Wissenschaftler vertrieben. Zwischen den verschiedenen Hochschulen ergaben sich beträchtliche Unterschiede. Relativ liberale Universitäten wie Berlin oder Frankfurt, die sich vor 1933 gegenüber jüdischen, liberalen und sogar marxistischen Wissenschaftlern geöffnet hatten, verloren nach der »Machtergreifung« mehr als ein Drittel ihres Lehrkörpers, während deutschnationale Hochburgen wie Tübingen von der Entlassungswelle weitgehend unberührt blieben, weil sie schon vor 1933 stillschweigend eine Art informellen → Arierparagraphen eingeführt hatten. Wie diverse Studien zeigen, wurden die weitaus meisten der entlassenen Hochschullehrer – mehr als zwei Drittel, vielleicht sogar mehr als drei Viertel – Opfer des nationalsozialistischen → Antisemitismus, darunter auch zahlreiche »Nichtarier« oder »jüdisch versippte« Wissenschaftler, die der jüdischen Religionsgemeinschaft nicht bzw. nicht mehr angehörten. Nur ein geringer Teil der Entlassungen erfolgte ausschließlich aufgrund der politischen Einstellung. Allerdings läßt sich die säuberliche Trennung zwischen antisemitisch und politisch motivierten Entlassungen oft nur schwer aufrechterhalten, da viele entlassene »Nichtarier« den Nationalsozialisten auch aufgrund ihrer politischen Einstellung höchst suspekt waren.

Die traditionelle Struktur der deutschen Hochschulen wurde bereits im Jahr 1933 von den Kultusministerien per Runderlaß liquidiert. Die bisherigen Entscheidungsgremien (Senate und Fakultäten) wurden weitgehend entmachtet. Statt dessen avancierten nunmehr die Rektoren zu »Führern« der Hochschulen, die Dekane zu »Führern« der Fakultäten. Wahlen von Rektoren oder Dekanen entfielen fortan. Die Ernennung der Rektoren übernahm das REM (nach Absprache mit diversen Parteistellen), während die Auswahl der Dekane den Rektoren überlassen wurde. Tatsächlich blieb die Figur des scheinbar allmächtigen Führer-Rektors aber weitgehend eine Fiktion. Zum einen zeigten die örtlichen Funktionäre des NSDDB und des NSDStB oft wenig Bereitschaft, sich dem Rektor unterzuordnen, sondern bildeten faktisch Nebenregierungen, was zu häufigen Konflikten Anlaß gab. Zum anderen mischten sich neben dem REM, dem der Rektor offiziell unterstand, auch örtliche Parteistellen (vor allem die → Gauleiter) immer wieder in die Rektoratsgeschäfte ein. Klare Hierarchien existierten an den Hochschulen nur auf dem Papier. In der Praxis hatte ihre Umstrukturierung nach der »Machtergreifung« vor allem zwei Konsequenzen: 1. eine Verlagerung der Entscheidungsbefugnisse von den Hochschulen zur Staats- und Parteibürokratie; 2. eine partielle Entmachtung der ordentlichen Professoren (Ordinarien), die bis 1933 das wissenschaftliche Leben beherrscht hatten.

Im Vergleich mit den Hochschulen, bei denen es sich um rein staatliche Einrichtungen handelte, konnte die privatrechtlich organisierte KWG, die sich zu großen Teilen durch private Geldgeber finanzierte, ein größeres Maß an Unabhängigkeit gegenüber der NSDAP bewahren. Die Einführung des Führerprinzips erfolgte hier erst 1937. Gleichzeitig wurde die KWG dem REM unterstellt. Wie die Auswahl ihrer Präsidenten zeigt, versuchte die KWG sich vor allem durch eine verstärkte Anlehnung an die Industrie vor parteipolitischen Eingriffen zu schützen. Auf die Präsidentschaft Max Plancks (1930-1936) folgten mit Carl Bosch (1937-1940) und Albert Vögler (1941-1945) zwei Vertreter der Großindustrie. Während Vögler als »Mann der Partei« galt, standen sowohl Bosch als auch Planck der NSDAP mit einer gewissen Distanz gegenüber.

Zum Präsidenten der DFG avancierte 1934 mit Johannes Stark ein führender Vertreter der strikt antisemitisch ausgerichteten → Deutschen Physik, der allerdings schon 1936 nach einem Machtkampf mit dem REM wieder gehen mußte. An seine Stelle trat bis 1945 Rudolf Mentzel, ein enger Mitarbeiter des Reichserziehungsministers mit guten Verbindungen zur Wehrmacht und zur SS. Faktisch war die DFG daher seit Ende 1936 eine nachgeordnete Dienststelle des REM.

Das Führerprinzip wurde ebenfalls erst 1937 durch eine Satzungsänderung eingeführt, war aber auch vorher schon praktiziert worden. Sowohl Stark als auch Mentzel nutzten die Mittel der DFG für die Förderung verbündeter Parteistellen. Während Stark die Anlehnung an Rosenberg suchte (der zum Ehrenpräsidenten der DFG ernannt wurde) und bereitwillig die »wissenschaftlichen« Ambitionen des Parteiideologen (vor allem im Bereich der Volkskunde sowie der Vor- und Frühgeschichte) förderte, zeigte sich Mentzel (der 1942 zum SS-Brigadeführer befördert wurde) gegenüber finanziellen Wünschen der SS besonders aufgeschlossen. Nicht nur diverse Projekte der SS-Forschungsgemeinschaft → Ahnenerbe e. V., sondern auch die wissenschaftlichen Arbeiten für den → Generalplan Ost und die Zwillingsforschungen von SS-Hauptsturmführer Josef Mengele in → Auschwitz wurden von der DFG durch Zuwendungen gefördert. Andererseits zeigt eine Untersuchung von U. Deichmann über die Förderung von biologischen Forschungsprojekten durch die DFG, daß – abgesehen von der Anfangsphase – Parteimitglieder bei der Vergabe von Fördermitteln im allgemeinen nicht bevorzugt behandelt wurden. Dieses Nebeneinander von wissenschaftlicher Kontinuität und Verstrickung in die verbrecherischen Aktivitäten des NS-Regimes war nicht nur für die DFG, sondern auch für zahlreiche andere wissenschaftliche Institutionen im Dritten Reich charakteristisch.

Parallel zur Gleichschaltung der traditionellen Zentren von Forschung und Lehre verlief die Einrichtung neuer genuin nationalsozialistischer Institutionen, in denen ideologisch eindeutig ausgerichtete Forschungen betrieben wurden. Sie entstanden unabhängig voneinander, meist auf Initiative einzelner Parteigliederungen, die sich ihre eigenen Forschungseinrichtungen schufen. Dazu gehörten die von Alfred Rosenberg gegründete → Hohe Schule der NSDAP, die »Wissenschaftlichen Akademien des NS-Dozentenbundes«, das Ahnenerbe e. V. der SS und das »Reichsinstitut für Geschichte des neuen Deutschlands«. Nur wenige dieser Einrichtungen erlangten wirkliche Bedeutung.

Die Hohe Schule der NSDAP sollte nach den Vorstellungen Rosenbergs »die oberste Stätte für nationalsozialistische Forschung, Lehre und Erziehung« werden. Hitler segnete dieses Konzept Anfang 1940 offiziell ab. Die Errichtung der Hohen Schule wurde jedoch auf die Zeit nach dem Krieg vertagt. Rosenberg mußte sich deshalb damit begnügen, in einzelnen Universitätsstädten kleinere »Außenstellen« einzurichten, deren wissenschaftspolitische Relevanz gering blieb. Auch die »Wissenschaftlichen Akademien des NS-Dozentenbundes«, die 1938-1940 an vier Universitäten (Gießen, Göttingen, Kiel, Tübingen) entstanden, entwickelten sich nie zu ernsthaften Gegenspielerinnen für die traditionellen Akademien der Wissenschaften in Berlin, Göttingen, München, Leipzig und Heidelberg. Dafür sorgte nicht zuletzt Alfred Rosenberg, der in den Akademien des NSDDB eine Konkurrenz zu seinen eigenen Plänen sah und dem NSDDB kategorisch das Recht bestritt, »irgendwie parteiamtlich weltanschaulich-wissenschaftliche Forschungen zu betreiben«. Das Resultat war ein langjähriger Konflikt, der die Aktivitäten des Dozentenbundes auf diesem Gebiet praktisch lahmlegte. Demgegenüber profitierte das – ebenfalls in Konkurrenz zu Rosenbergs Plänen – aufgebaute Ahnenerbe e. V. hauptsächlich von zwei Faktoren: zum einen vom allgemeinen Aufstieg der SS innerhalb des NS-Staates, der die

Organisation für ehrgeizige und elitebewußte Wissenschaftler zunehmend attraktiv machte, zum anderen von den guten Beziehungen zwischen der SS und dem Amt Wissenschaft im REM. Tatsächlich gelang es auf diesem Wege, einige SS-Wissenschaftler mit Professuren zu versorgen. Größeren Einfluß gewann das Ahnenerbe e. V. aber nur in den wenigen Disziplinen, die Himmlers SS aus ideologischen Gründen besonders am Herzen lagen, vor allem in der Vor- und Frühgeschichte. Von einer planmäßigen und erfolgreichen Infiltration der Hochschulen durch die SS läßt sich keineswegs sprechen – ebensowenig von einer einheitlichen SS-Hochschulpolitik. Im Gegensatz zu diesen drei Institutionen war das 1935 gegründete → Reichsinstitut für Geschichte des neuen Deutschlands eine staatliche Einrichtung. Faktisch handelte es sich um das Werk eines einzelnen Mannes, des nationalsozialistischen Historikers Walter Frank. Er und seine Mitarbeiter widmeten sich einer pointiert antisemitischen Geschichtsschreibung – und dies mit einer solchen Monomanie, daß selbst der einschlägig profilierte Rassenforscher Hans F. K. Günther monierte, man könne nicht die ganze Weltgeschichte nur von der »Judenfrage« her sehen. Frank mußte schließlich die Erfahrung machen, daß eine wissenschaftspolitisch exponierte Position im Dritten Reich ohne Anlehnung an einflußreiche Parteistellen nicht möglich war. 1941 verlor er nach einem längeren Konflikt mit Rosenberg die Leitung des Instituts.

Letztlich kamen die neuen nationalsozialistischen Wissenschaftseinrichtungen aufgrund parteiinterner Rivalitäten und konzeptioneller Unsicherheiten über ein Dasein am Rande des Wissenschaftsbetriebes kaum hinaus. Die eigentlichen Zentren des wissenschaftlichen Lebens blieben auch nach 1933 jene Hochschulen, Institute und Akademien, die sich lange vor der nationalsozialistischen Machtübernahme herausgebildet hatten.

Nationalsozialistische Wissenschaft

Lautstarke Forderungen nach einer nationalsozialistischen Wissenschaft waren 1933 überall zu hören und verstummten auch in der Folgezeit nicht. Unmißverständlich forderte 1938 der Leiter des NSDDB, Walther Schultze, die Universität müsse »getragen sein von dem Bewußtsein, daß ihre ganze Arbeit bis in die kleinste Disziplin hinein einen gemeinsamen Urgrund hat, nämlich die nationalsozialistische Weltanschauung. Das Wissen um diesen alles umfassenden Nährboden, auf dem jede Disziplin wachsen muß, das Wissen um eine für alle verpflichtende Weltanschauung ist das Lebensprinzip unserer deutschen Hochschulen.« Wie diese neue Wissenschaft aussehen sollte, blieb freilich unklar. Die offiziellen Texte der Partei – Hitlers → *Mein Kampf* und das Parteiprogramm der NSDAP (→ Nationalsozialismus) – schwiegen sich über diesen Punkt nahezu völlig aus. Nach der »Machtergreifung« versuchten einige nationalsozialistische Professoren daher, dieses offenkundige Manko im Eilverfahren zu beseitigen. Die von Ernst Krieck, Alfred Baeumler, Philipp Lenard und anderen publizierten Versuche, ein NS-Wissenschaftskonzept zu erstellen, lassen sich in vier Punkten zusammenfassen:

1. Die Trennung von Wissenschaft und Leben müsse aufgehoben werden. Wissenschaft dürfe künftig kein Selbstzweck mehr sein: »Wir anerkennen künftig

Abb. 20: Semesterbeginn an der Wiener Universität am 26. April 1938, Absingen des Deutschlandliedes.

keinen Geist, keine Kultur und keine Bildung, die nicht im Dienste der Selbstvollendung des deutschen Volkes stünde und von da aus ihren Sinn empfinge«, verkündete Ernst Krieck 1933. Die Wissenschaft stand dadurch sehr viel stärker unter dem Druck, ihre Nützlichkeit für den Staat unter Beweis zu stellen. Diese Forderung bedeutete einen deutlichen Bruch mit dem traditionellen Selbstverständnis der deutschen Universitäten, die stets betont hatten, ihre Aufgabe sei das »zwecklose Suchen nach der reinen Erkenntnis« (C. H. Becker).

2. Der Rassenbegriff als Kernstück der nationalsozialistischen → Ideologie sollte künftig in das Zentrum wissenschaftlicher Forschung rücken: »Das Ordnungsprinzip für alle Bereiche des geistigen Lebens entsteht für uns aus der Biologie, aus der Erkenntnis der Rasse«, erklärte Reichserziehungsminister Rust. »Von der Entdeckung der Rasse ... erhält auch die Wissenschaft ihren entscheidenden revolutionären Anstoß.«

3. Der Ruf der Nationalsozialisten nach einer »ganzheitlichen« Wissenschaft, deren Aufgabe darin bestehen sollte, die Grenzen zwischen den verschiedenen Disziplinen zu überwinden, stand im Gegensatz zur wachsenden Spezialisierung der Forschung. Die Überwindung der Fachgrenzen sei, so verkündete etwa Reichsdozentenführer Schultze, »das radikale Mittel im Kampf gegen jüdischen Geist und für deutsches Wesen«. Abgesehen von der antisemitischen Einfärbung dieses Konzeptes, handelte es sich keineswegs um eine originär nationalsozialistische Vorstellung. »Ganzheit« war schon in der intellektuellen Diskussion vor

1933 ein Schlüsselbegriff gewesen, der wie kein anderer das allgemeine Unbehagen über eine immer komplexer und undurchschaubarer werdende Welt zum Ausdruck brachte.

4. Die Internationalität von Wissenschaft wurde grundsätzlich in Frage gestellt. Wissenschaft wurzele im Volkstum, in der Rasse, hieß es in den Traktaten und Reden nationalsozialistischer Hochschulpolitiker. Dahinter stand letztlich die Überzeugung, allein die Angehörigen der »nordischen« bzw. der »arischen Rasse« seien zu produktiven Leistungen in der Forschung fähig.

Aus solchen relativ allgemeinen Vorstellungen, die zudem nie offiziell sanktioniert wurden, resultierten allerdings noch keine zwingenden Vorgaben, wie eine nationalsozialistische Literaturwissenschaft, Geschichtsschreibung oder gar Physik auszusehen hätten. Zwar formierten sich in den meisten Disziplinen Gruppen von Wissenschaftlern, die sich um eine nationalsozialistische Ausrichtung ihres Faches bemühten, die Ergebnisse dieser Bemühungen erwiesen sich jedoch in den meisten Fällen als eher dürftig.

Jene Professoren, die sich um einen wissenschaftlichen Nationalsozialismus bemühten, mußten bald feststellen, daß ihre Aktivitäten mit großem Mißtrauen beobachtet und oft sogar schroff abgelehnt wurden. An eigenständigen Denkern, die die NS-Ideologie unnötig komplizieren oder gar ihre privaten Theorien in die NS-Weltanschauung einschmuggeln wollten, war in der NSDAP niemand interessiert. Charakteristisch für diese Einstellung war eine Polemik, die → *Das Schwarze Korps* der SS 1941 gegen den »Professorennationalsozialismus« im Staatsrecht veröffentlichte. Der anonyme Verfasser ließ keine Zweifel daran, daß er die auf diesem Gebiet entwickelten gelehrten Theorien für völlig überflüssig hielt: »Was der Staat ist, wissen wir vom Führer, was andere darüber schreiben, betrifft uns nicht. Der Führer braucht keine Professoren, um das auszuführen, was er vorbedacht hat. Wir brauchen keine Theorien.« Diejenigen Wissenschaftler, die versuchten, sich als NS-Vordenker zu etablieren, wurden daher fast immer enttäuscht. Es ist kein Zufall, daß nahezu alle prominenten Wissenschaftler, die dem Regime 1933 ihre Dienste anboten, sich einige Jahre später wieder zurückzogen oder zurückgestoßen wurden. Dies gilt für Carl Schmitt ebenso wie für Martin Heidegger, für Ernst Krieck wie für Hans Freyer oder Erich Rothacker.

Vielfach endete der Aufbruch zur neuen Wissenschaft auch mit heftigen Konflikten zwischen verschiedenen Forschern oder Institutionen des NS-Staates, die allesamt den Anspruch erhoben, nur ihre Sicht der Dinge entspringe dem wahren Geist des Nationalsozialismus. Weil es an präzisen Kriterien zur Überprüfung solcher Ansprüche fehlte, wurden derartige Auseinandersetzungen nicht selten mit Hilfe wechselseitiger Denunziationen ausgetragen. Während des Krieges sahen sich gerade NS-Wissenschaftler, die bemüht waren, im Sinne des Regimes zu forschen, drastischen Zensurmaßnahmen ausgesetzt, die von unterschiedlichen Stellen ausgingen (Reichsministerium für Volksaufklärung und Propaganda, → Auswärtiges Amt, → Gestapo usw.) und weitgehend unkoordiniert blieben. Ernst Krieck, vermutlich der eifrigste Vorkämpfer für eine nationalsozialistische Wissenschaft unter den deutschen Professoren, mußte es 1942 hinnehmen, daß das Propagandaministerium gegen sein geplantes Buch *Das Reich als Träger Europas* – in erster Linie aus außenpolitischen Gründen – etwa 140 Einwände erhob. In einem bitteren Beschwerdebrief an das REM erklärte Krieck resignierend: »Nachdem ich nun aber nicht mehr weiß, was Wissenschaft kann, darf und soll ..., kann ich mit der wissenschaftlichen Arbeit Schluß machen.«

Damit ist ein Grundproblem der NS-Hochschulpolitik angesprochen: Ohne eine Institution, die in der Lage gewesen wäre, bestimmte Positionen für verbindlich zu erklären und anpassungswilligen Wissenschaftlern klare Vorgaben zu machen, war eine durchgreifende Nazifizierung von Forschung und Lehre kaum vorstellbar. Eine solche Instanz existierte jedoch nicht, obwohl es seit 1933 verschiedene Versuche gegeben hatte, Organe der Wissenschaftslenkung ins Leben zu rufen. So plante das REM 1935 die Gründung einer »Reichsakademie der Forschung«, mußte diese Absicht aber wieder aufgeben, nachdem DFG-Präsident Johannes Stark eine Protestkampagne gegen diesen Plan inszeniert hatte. Versuche des NSDDB, durch die Gründung von Fachkreisen und »Wissenschaftlichen Akademien« Leitlinien für die Ausrichtung der einzelnen Disziplinen zu erarbeiten, scheiterten am Widerspruch Alfred Rosenbergs. Rosenberg selber bemühte sich 1939/40 ebenfalls, von Hitler ein generelles Weisungsrecht auf dem Gebiet von Forschung und Lehre zu erhalten. Es zeigte sich jedoch, daß Rosenbergs Anliegen sowohl in der Partei als auch in der Ministerialbürokratie auf Ablehnung stieß. Weder das REM noch der NSDDB oder die Reichsstudentenführung konnten sich für die Vorstellung begeistern, Rosenberg als Wissenschaftsdiktator vorgesetzt zu bekommen. Ihre Einwände und die Bedenken anderer Parteiführer überzeugten am Ende auch den zunächst unschlüssigen Hitler. Rosenbergs Wunsch wurde abgelehnt. Damit war der letzte Versuch einer gezielten weltanschaulichen Lenkung der Wissenschaft im Dritten Reich an der polykratischen Struktur des Regimes und an der Gleichgültigkeit Hitlers gescheitert.

Anpassungsdruck und Anpassungsbereitschaft

Für die Wissenschaftler ergab sich daraus eine verwirrende Situation: Einerseits sahen sie sich starkem Druck ausgesetzt, das NS-Weltbild auch in ihre wissenschaftliche Arbeit zu übernehmen. Vor allem Nachwuchswissenschaftler, die bei der Besetzung von Assistentenstellen, bei der Verleihung der Dozentur oder bei Berufungen stets politisch überprüft wurden, hatten ohne politische Zugeständnisse irgendwelcher Art nur geringe Aufstiegschancen. Andererseits zeigte sich die Partei unfähig, klare Vorgaben für eine nationalsozialistische Umgestaltung der Wissenschaft zu machen. Letztlich gab es daher niemanden, der die Hochschullehrer zwingen konnte, in ihren Publikationen oder Lehrveranstaltungen NS-Gedankengut zu verbreiten. Wer dies dennoch tat, handelte entweder aus Überzeugung oder aus Opportunismus. Einige Ausnahmen sind allerdings erkennbar: Wer Staatsrecht lehrte, konnte diese Aufgabe wohl kaum ohne massive Anpassungsleistungen erfüllen. Insgesamt waren die Freiräume jedoch größer, als die programmatischen Äußerungen von Parteifunktionären vermuten lassen. Die Analyse zeitgenössischer Periodika durch H. Dainat und F.-R. Hausmann hat denn auch gezeigt, daß es zwischen 1933 und 1945 durchaus möglich war, renommierte Fachzeitschriften – die *Deutsche Vierteljahrsschrift für Geistesgeschichte und Literaturwissenschaft* und die *Romanischen Forschungen* – zu publizieren, ohne dem Nationalsozialismus größere Konzessionen zu machen. Derartige Beispiele von Nicht-Anpassung dürfen allerdings nicht vorschnell verallgemeinert werden. Neuere Studien, etwa über die Geschichtswissenschaft (K. Schönwälder) oder die → Ostforschung (M. Burleigh), offenbaren auch bei renommierten Wissenschaftlern ein hohes Maß an Bereitschaft zur Kollaboration mit dem NS-Regime.

Eine Beantwortung der Frage, wie stark die deutsche Wissenschaft nazifiziert war, ist nicht nur aufgrund derart unterschiedlicher Forschungsergebnisse sehr schwierig. Auch die weiterhin bestehenden großen Forschungslücken und die erheblichen Unterschiede zwischen verschiedenen Disziplinen erschweren präzise Antworten. Zudem lassen sich, vor allem in den Geisteswissenschaften, die Grenzen zwischen einer traditionell nationalkonservativen Ausrichtung mit ihrer Neigung zum Nationalismus und ihrem Hang zur Deutschtümelei und einer eindeutigen NS-Orientierung oft nicht genau markieren. Trotz dieser Schwierigkeiten sind einige grundsätzliche Aussagen über die Anpassung der Wissenschaft an den Nationalsozialismus möglich:

1. Anpassung an das NS-Regime war in diesem Bereich keine Randerscheinung, sondern ein weitverbreitetes Phänomen, dem sich kaum ein Wissenschaftler entziehen konnte. In ihrer mildesten Variante beschränkte sich diese Anpassung darauf, heikle Themen nicht mehr zu benennen, Namen von Emigranten und anderen »Unpersonen« nicht mehr zu erwähnen, jüdische Kollegen nur noch selten oder gar nicht mehr zu zitieren. Im Extremfall wurden Wissenschaftler zu geistigen Wegbereitern oder sogar zu Planern und Tätern der nationalsozialistischen Vernichtungspolitik.

2. Wissenschaftler, die sich unter Druck fühlten, gegenüber dem Staat, der sie alimentierte, ihre Nützlichkeit unter Beweis zu stellen, konnten dies prinzipiell auf zwei Arten tun: als Ideologen oder als Experten. Der Weg der ideologischen Anpassung, das heißt der Politisierung der Forschung im Dienste der Parteiideologie, stand im scharfen Kontrast zum herkömmlichen Selbstverständnis der Wissenschaftler und wurde daher nur zögernd und nur von einer Minderheit eingeschlagen. Als Naturwissenschaftler, Techniker oder Mediziner wissenschaftliches (nach eigenem Selbstverständnis: unpolitisches) Expertenwissen für den → Vierjahresplan, für die Kriegsforschung oder die Wehrmacht zur Verfügung zu stellen, wurde dagegen allgemein als unproblematisch empfunden, jedenfalls solange dabei die professionelle Autonomie der Forscher respektiert wurde.

3. Die ideologische Anpassung blieb deutlich hinter den Erwartungen der Partei zurück, wie zahlreiche Klagen belegen. Es überwog eine partielle Anpassung – vor allem dort, wo ohnehin Berührungspunkte zwischen nationalkonservativen und nationalsozialistischen Vorstellungen vorhanden waren. So bestand in den unterschiedlichen Disziplinen eine große Bereitschaft, die expansionistische Politik des Regimes mit der Autorität des Wissenschaftlers zu unterstützen und zu rechtfertigen. Demgegenüber gelang es nicht, die NS-Rassenideologie als neues Paradigma der Forschung durchzusetzen, obwohl es in nahezu allen Fächern Vorstöße in diese Richtung gegeben hat.

4. Bemühungen, die Forschung von Einflüssen der NS-Ideologie freizuhalten, lassen sich hauptsächlich auf zwei Motive zurückführen: Erstens waren jene Wissenschaftler, die sich der internationalen »scientific community« zugehörig fühlten, in der Regel bemüht, in ihren Arbeiten Zugeständnisse an die NS-Ideologie zu vermeiden, weil dies zu einem Prestigeverlust bei ausländischen Kollegen führen mußte. Zweitens blieb die vor 1933 gemeinsame Überzeugung, daß Wissenschaft und Politik zwei grundsätzlich voneinander getrennte Bereiche bildeten und bilden sollten, auch nach der »Machtergreifung« vielfach lebendig. Häufig führte sie auch zu einer Arbeitsteilung: Während ihre wissenschaftlichen Publikationen politisch weitgehend farblos blieben, veröffentlichten dieselben Autoren parallel dazu politische Artikel in der Tagespresse oder in populären Zeitschriften.

5. Anpassungsdruck und Anpassungsbereitschaft waren in den verschiedenen Disziplinen sehr unterschiedlich entwickelt. Am stärksten ausgeprägt waren sie in den traditionell politiknahen Fächern (Staatsrecht, Geschichte usw.) und in jenen Fachrichtungen, die ihre wissenschaftliche Etablierung (in Form von Lehrstühlen und Instituten) weitgehend dem Nationalsozialismus verdankten: Rassenhygiene und → Eugenik, Wehrwissenschaft, → Deutsche Volkskunde, Vor- und Frühgeschichte sowie Kolonialwissenschaft. Dort, wo die Nützlichkeit traditioneller Forschung für die Zwecke des Regimes (Vierjahresplan, Kriegsforschung) auf der Hand lag, vor allem also im naturwissenschaftlich-technischen Bereich, war der ideologische Druck geringer. Die wichtigste Ausnahme bildete die Physik. Der zunächst erhebliche Einfluß der durch eine bornierte Rassenideologie geprägten Deutschen Physik konnte jedoch während des Krieges durch die fachorientierten Physiker unter Hinweis auf die militärische Relevanz ihrer Disziplin zurückgedrängt werden.

6. Die überwiegende Mehrheit der Wissenschaftler orientierte sich bei Berufungsvorschlägen, bei Habilitationen oder bei der Beurteilung wissenschaftlicher Arbeiten auch nach 1933 weiterhin primär an fachlichen und nicht an politischen Kriterien. Wer versuchte, nicht durch fachliche Qualität, sondern durch Parteiprotektion Karriere zu machen, stieß unter den Hochschullehrern auf Ablehnung. In dieser auf Wahrung des akademischen Niveaus abzielenden Einstellung steckte durchaus ein Stück Dissens gegenüber dem Regime. Für die Stabilität des NS-Staates erwiesen sich diese fachlich orientierten Wissenschaftler gleichwohl als äußerst nützlich. Die Fachwissenschaftler und nicht die Ideologen sorgten dafür, daß die wissenschaftlichen Institutionen im Dritten Reich einigermaßen funktionsfähig blieben und weiterhin als Ausbildungsstätten für qualifizierte Physiker, Chemiker, Techniker und Ärzte fungierten, die in der Kriegsforschung, in der Rüstungsindustrie und in der Wehrmacht dringend gebraucht wurden.

Die Wissenschaftler und der Nationalsozialismus

Dem Nationalsozialismus gelang es vor 1933 kaum, in wissenschaftlichen Kreisen Fuß zu fassen. Der plebejische Zuschnitt der Partei, die antiintellektuelle Ausrichtung ihrer Politik und die Furcht vor einer Einschränkung der akademischen Freiheit sorgten ebenso für Distanz wie die Angst vor möglichen Karrierenachteilen für beamtete Wissenschaftler aufgrund einer Mitgliedschaft in der NSDAP.

Zwar waren republikfeindliche Strömungen in der Weimarer Republik an den Hochschulen von Anfang an sehr stark vertreten gewesen, es überwogen jedoch nationalkonservative und nationalliberale Tendenzen. Bis 1933 waren die Nationalsozialisten an den Hochschulen hauptsächlich unter den Studierenden präsent, die sich schon Anfang der dreißiger Jahre mehrheitlich der NSDAP zugewandt hatten, in wachsendem Maße aber auch unter jüngeren Nachwuchswissenschaftlern (Assistenten, Privatdozenten usw.). Erst nach den Märzwahlen des Jahres 1933 setzte unter Wissenschaftlern ein erheblicher Zustrom in die Partei und ihre Gliederungen ein. An einigen Hochschulen gehörten im Sommer 1933 bereits etwa 20 Prozent des Lehrkörpers der NSDAP an. Viele dieser neuen Parteigenossen profitierten in den folgenden Jahren von den nun einsetzenden Massenentlassungen, welche die Karrierechancen des Nachwuchses stark verbesserten.

In den folgenden Jahren nahm die Zahl der Parteimitglieder unter den Wissenschaftlern noch erheblich zu, wie Studien über einzelne Disziplinen oder Hochschulen übereinstimmend zeigen. In der Endphase des Dritten Reiches gehörten vermutlich mehr als zwei Drittel aller Hochschullehrer der NSDAP an. In die Partei zog es vor allem die jüngeren Assistenten, Privatdozenten und außerordentlichen Professoren, also diejenigen, die das Hauptziel einer wissenschaftlichen Karriere, das Ordinariat, noch nicht erreicht hatten. Jene Hochschullehrer, die schon vor der NS-Machtübernahme ein Ordinariat hatten, blieben der NSDAP mehrheitlich fern. Diese Konstellation, die aus allen verfügbaren Statistiken sehr deutlich zutage tritt, erlaubt die Vermutung, daß der Parteieintritt meist wohl nicht so sehr ein Ausdruck politischer Überzeugung war, sondern in erster Linie dem Ziel diente, die eigene Karriere politisch abzusichern.

Tatsächlich lassen sich die meisten deutschen Wissenschaftler kaum als enthusiastische Nationalsozialisten beschreiben. Es dominierte vielmehr – wie in der deutschen Bevölkerung insgesamt – ein ambivalentes Verhältnis zum NS-Regime. Die gewaltsame innenpolitische Befriedung des Landes und die außenpolitischen Erfolge des Regimes wurden von einer durchgängig nationalistisch ausgerichteten Hochschullehrerschaft ganz überwiegend mit Begeisterung begrüßt. Dies gilt für die Überwindung des Vertrags von → Versailles ebenso wie für den → Anschluß Österreichs und die militärischen Siege der Wehrmacht in den ersten Kriegsjahren. Nach dem Sieg über Frankreich haben selbst liberale Wissenschaftler wie Friedrich Meinecke oder Hermann Oncken, die keineswegs als Nationalsozialisten bezeichnet werden können, in den allgemeinen Jubel eingestimmt.

Trotz dieser Annäherung blieb zwischen der Wissenschaft und dem NS-Regime eine deutlich erkennbare Distanz bestehen. Dafür sorgten vor allem die vielfachen Eingriffe von Parteistellen in die Autonomie der wissenschaftlichen Institutionen sowie die demonstrative Geringschätzung der → Intellektuellen durch zahlreiche Parteifunktionäre und große Teile der Parteipresse. Sogar das REM zeigte sich 1938 in einem Runderlaß besorgt, weil »Hochschule und Wissenschaft vielfach in der Öffentlichkeit ... als Angelegenheiten betrachtet werden, die grundsätzlich und ausnahmslos bemängelt und herabgesetzt werden. Diese Herabsetzung betrifft weniger die wissenschaftliche Leistung als vielmehr die allgemeine Wertung der Hochschule, der Wissenschaft und des Studiums«. Das Ergebnis dieser antiintellektuellen Grundstimmung, die das Dritte Reich atmosphärisch stark beeinflußte, war ein erheblicher Prestigeverlust der wissenschaftlichen Berufe, unter dem auch die NS-Hochschullehrer stark litten. In einer Denkschrift Berliner Professoren aus dem Jahr 1939 hieß es mit spürbarer Verbitterung: »Die Autorität der Universität, im weiteren Sinne der Wissenschaft ist zerstört, der Wissenschaftler, der Professor gilt, indem man ihn einfach zum ›Intellektuellen‹ stempelt, geradezu grundsätzlich als anfechtbare Erscheinung.« Er werde mit »Abgunst und Mißtrauen betrachtet, in der Öffentlichkeit immer wieder angegriffen, allzu selten geschützt und verteidigt ... niemals anerkannt«.

Die abnehmende Attraktivität des Hochschullehrerberufs hatte zur Folge, daß sich bereits um 1936 in einigen Disziplinen ein Mangel an qualifiziertem Nachwuchs bemerkbar machte, der sich schließlich zu einem unlösbaren Dauerproblem entwickelte. Die Hochschullehrer insgesamt gehörten daher nicht zu den Teilen der Bevölkerung, die von der NS-Machtübernahme profitieren konnten.

Wissenschaft im Dienste des Krieges

Ein verstärkter Einsatz der Wisssenschaft für die geistige und materielle Kriegsvorbereitung läßt sich bereits unmittelbar nach der NS-Machtübernahme beobachten. An mehreren Hochschulen wurden Professuren für Wehrwissenschaft oder Kriegsgeschichte eingerichtet (so in Berlin, Hamburg, Heidelberg, Jena und Rostock). Außerdem wies das REM die medizinischen und naturwissenschaftlichen Fakultäten an, Lehrveranstaltungen über chemische Kampfstoffe, über »Wehrchirurgie«, »Wehrpathologie« und ähnliche Themen anzubieten. An der Technischen Hochschule Berlin entstand 1935 sogar eine Wehrtechnische Fakultät, über die allerdings in eingeweihten Kreisen kolportiert wurde, sie sei in Wahrheit ein »Potemkinsches Dorf«, das »im wesentlichen nur auf dem geduldigen Papier des Vorlesungsverzeichnisses« existiere.

Als Vermittler zwischen Wissenschaft und Wehrmacht fungierte zunächst hauptsächlich der Leiter der Forschungsabteilung im Heereswaffenamt, Erich Schumann, der 1934 auch die Leitung der Abteilung für wissenschaftliche Forschung und Technik im Amt Wissenschaft des REM übernahm. Auf diese Weise entwickelte sich eine intensivere Zusammenarbeit des Heereswaffenamtes mit einzelnen Hochschullehrern und Instituten aus den naturwissenschaftlich-technischen Disziplinen. Verstärkt wurden diese Bemühungen 1937 durch die Gründung des → Reichsforschungsrates – eines Gemeinschaftsunternehmens von REM und Heereswaffenamt. Präsident der neuen Einrichtung wurde der General der Artillerie Prof. Karl Becker, ein Mann, der als Dekan der Wehrtechnischen Fakultät an der TH Berlin wie auch (seit 1938) als Leiter des Heereswaffenamtes an führender Stelle die engere Zusammenarbeit zwischen Hochschulen und Heer verkörperte.

Unabhängig vom Reichsforschungsrat blieb die Luftfahrtforschung, die, durch Görings breiten Rücken abgeschirmt, ein lukratives Sonderdasein führte. Während der Reichsforschungsrat in den ersten Jahren seiner Existenz nur über relativ bescheidene Mittel verfügte, war die Luftwaffenforschung dank der nie versiegenden Geldmittel des → Reichsluftfahrtministeriums exzellent ausgerüstet. Wahrscheinlich profitierten die wichtigsten Zentren der Luftfahrtforschung – die Deutsche Versuchsanstalt für Luftfahrtforschung in Berlin und die Aerodynamische Versuchsanstalt in Göttingen – mehr von der »Machtergreifung« als alle anderen Forschungseinrichtungen des Reiches. Hinzu kamen Neugründungen wie die Deutsche Forschungsanstalt für Luftfahrt, die Forschungsanstalt »Graf Zeppelin« oder die Deutsche Akademie der Luftfahrtforschung, die finanziell ebenfalls hervorragend ausgestattet wurden. Bereits 1938 konnte Göring öffentlich behaupten, er habe das Personal der Luftfahrtforschung mehr als verzehnfacht, und es scheint, als sei diese Angabe keine Übertreibung gewesen.

Wie viele Wissenschaftler tatsächlich in militärisch relevante Forschungen involviert waren, läßt sich nicht sagen. Von einer umfassenden Mobilisierung der Wissenschaft für die Zwecke des Krieges konnte aber weder vor noch nach Kriegsausbruch die Rede sein. Im Gegenteil: Solange die deutschen Truppen sich ihren Gegnern waffentechnisch überlegen fühlten und solange der Zweite Weltkrieg in Deutschland nur als Folge siegreicher → Blitzkriege wahrgenommen wurde, blieb das Interesse der politischen und militärischen Führung an einem effektiven Kriegseinsatz der Wissenschaft erstaunlich gering. Besonders deutlich wurde dies in der Anfangsphase des Krieges, als ein erheblicher Teil der jüngeren Forscher zur Wehrmacht einrücken mußte und dort zumeist ohne Berücksichtigung fachlicher Qualifikationen eingesetzt wurde. Die damit verbundene Verringerung der Forschungskapazitäten wurde zunächst weder in der Wehrmacht noch in der Wissenschaftspolitik als ernsthaftes Problem empfunden. Offensichtlich unterschätzte die politische und militärische Führung des Dritten Reiches die außerordentliche Bedeutung der Wissenschaft in einem modernen Krieg lange Zeit völlig.

Dies änderte sich erst 1942/43, als die Phase der Blitzkriege endete. Je mehr der »Endsieg« in weite Ferne rückte, desto größer wurde das Interesse an der Wissenschaft, deren Ergebnisse naturgemäß nur mittel- oder langfristig von militärischem Nutzen sein konnten. Ein zweiter Faktor war der 1943 sichtbar werdende anglo-amerikanische Vorsprung in der Radarforschung. Der militärische Einsatz neuartiger Radargeräte trug 1943 zur Niederlage der deutschen U-Boote im Atlantik bei (→ Seekrieg) und verstärkte zudem die Überlegenheit der Alliierten im → Luftkrieg. Erstmals wurde der deutschen Seite drastisch die Relevanz des technisch-wissenschaftlichen Faktors in einem modernen Krieg vor Augen geführt.

In der Folge dieser Entwicklungen erfuhren die naturwissenschaftlich-technischen Disziplinen eine allgemeine Aufwertung. Im Juni 1942 wurde der Reichsforschungsrat neu gegründet, diesmal unter der Präsidentschaft Görings. Obwohl Göring selber sich um die Einrichtung kaum kümmerte, verbesserte sich die finanzielle Ausstattung der Institution schlagartig. Seit 1943 standen erhebliche

Sondermittel für »kriegswichtige« Forschungen zur Verfügung. Im naturwissenschaftlich-technischen Sektor waren daher nahezu alle Wissenschaftler bemüht, ihre Tätigkeit als »kriegswichtig« einstufen zu lassen, selbst wenn es sich realiter um reine Grundlagenforschung handelte. Bald machte an den Hochschulen das ironische Wort vom »Krieg im Dienste der Wissenschaft« die Runde. Auch atmosphärisch verbesserte sich die Lage der Forscher, die lange Zeit unter den antiintellektuellen Ressentiments vieler NS-Funktionäre gelitten hatten. Nunmehr gab das Propagandaministerium die Parole aus: »Die Wissenschaft ist bei jeder sich bietenden Gelegenheit zu loben.«

Das Ziel, die wissenschaftlich-technischen Kapazitäten des Deutschen Reiches möglichst vollständig für Kriegszwecke einzusetzen, hat vor allem der Leiter des Planungsamtes im Reichsforschungsrat, Werner Osenberg, mit beharrlicher Energie verfolgt. Osenberg stellte im Februar 1943 fest, daß an den Hochschulen etwa 50-80 Prozent des militärisch relevanten Forschungspotentials brachlagen. Seine Bemühungen um eine »Aktivierung der Forschung« verfolgten daher das Ziel, diese ungenutzten Kapazitäten der Kriegsforschung nutzbar zu machen. Außerdem bemühte sich Osenberg, jene Naturwissenschaftler und Techniker, die von der Wehrmacht eingezogen worden waren, wieder an die Hochschulen und Forschungsinstitute zurückzuholen. Auf sein Drängen hin ordnete das Oberkommando der Wehrmacht (OKW) Ende 1943 in einem Geheimerlaß die Freigabe von etwa 5000 Wissenschaftlern für Forschungszwecke an. Die Durchführung dieses Erlasses stieß allerdings auf erhebliche Schwierigkeiten. Bis Juli 1944 konnten nur ca. 2000 der Eingezogenen auf diesem Wege wieder der Forschung zugeführt werden. Zudem wurden solche Erfolge durch die zunehmenden Kriegszerstörungen und durch den überall spürbaren Mangel an Fahrzeugen, Chemikalien, Treibstoff und anderen Materialien wieder zunichte gemacht. Auch gelang es nicht, die Ressort-Egoismen innerhalb der Wehrmacht zu überwinden. Bis zum Ende des Krieges unterhielten die verschiedenen, durch strikte Geheimhaltungsvorschriften voneinander abgeschotteten Wehrmachtsteile ihre eigenen Forschungszentren, deren Tätigkeit keine Instanz wirksam koordinieren konnte.

Die Hoffnung, mit Hilfe der Forschung doch noch eine Kriegswende zu erreichen, gehörte in der Endphase des Dritten Reiches zu jenen Strohhalmen, an welche sich die Machthaber um so fester klammerten, je klarer die militärische Niederlage offenbar wurde. In dem Bemühen, das wissenschaftliche Potential des Reiches möglichst vollständig für die Kriegsforschung zu nutzen, erhielten nun sogar Wissenschaftler, die in Konzentrationslagern oder Zuchthäusern inhaftiert waren, Forschungsaufträge vom Heereswaffenamt oder von der SS. In den Konzentrationslagern Dachau und Sachsenhausen entstanden 1943/44 SS-eigene Forschungsinstitute. Einige zum Tode verurteilte Regimegegner – unter ihnen Robert Havemann – überlebten das Ende der NS-Herrschaft nur deshalb, weil sie in der Haft als »kriegswichtig« deklarierte Forschungen durchführten.

Die Geisteswissenschaften profitierten von dieser Aufwertung der Wissenschaft in den letzten Jahren des Dritten Reiches indessen kaum; sie wurden während des Krieges zunehmend an den Rand gedrängt. An den philosophischen Fakultäten war denn auch das Gefühl eines allgemeinen Niedergangs der Geisteswissenschaften weit verbreitet. Als Versuch des REM, diesem Trend entgegenzuwirken, läßt sich der von Paul Ritterbusch geleitete »Kriegseinsatz der Geisteswissenschaften« interpretieren. Damit sollten die Geisteswissenschaftler die Gelegenheit erhalten, ihre Nützlichkeit auch während des Krieges unter Beweis zu stellen. Ziel des 1940 gestarteten Gemeinschaftsunternehmens war es, wie Ritterbusch erläuterte, »die geistige Auseinandersetzung mit der geistigen und Wertwelt des Gegners zu organisieren« und dadurch die aggressive Politik Hitler-Deutschlands zu legitimieren. Im Rahmen dieses Projekts entstanden in den folgenden Jahren (finanziert von der DFG) zahlreiche Monographien und Sammelbände, deren Autoren sich allerdings nicht immer der offiziellen Zielsetzung unterordneten.

Wissenschaft und NS-Verbrechen

Eine Beteiligung von Wissenschaftlern an den NS-Verbrechen läßt sich auf zwei verschiedenen Ebenen beobachten. Zum einen stellten Wissenschaftler ihr Expertenwissen bei der Vorbereitung, Durchführung und Planung dieser Verbrechen zur Verfügung, zum anderen nutzte ein Teil von ihnen die Zustände im NS-Staat für eigene wissenschaftliche Zwecke, indem Versuche mit lebenden Menschen angestellt wurden, die unter anderen politischen Verhältnissen aus ethischen und juristischen Gründen undenkbar gewesen wären.

Die Beteiligung von Wissenschaftlern an NS-Verbrechen ist in den letzten Jahren vor allem von G. Aly und S. Heim thematisiert worden (*Vordenker der Vernichtung. Auschwitz und die deutschen Pläne für eine neue europäische Ordnung,* 1991). Nach ihrer Überzeugung existierte im Dritten Reich eine »planende Intelligenz« aus Wirtschaftswissenschaftlern, Raumplanern, Statistikern und Agronomen, deren Analysen die entscheidende Basis für den Völkermord an den europäischen Juden geliefert hätten (→ Rassenpolitik und Völkermord). Wie Aly und Heim zeigen, waren diese Wissenschaftler zu der Ansicht gelangt, daß das Hauptproblem Osteuropas die »agrarische Überbevölkerung« sei. Die nazistische Judenvernichtung sei demzufolge ein Versuch gewesen, dieses »Überbevölkerungsproblem« mit den Mitteln des Massenmordes zu beseitigen und dadurch gleichzeitig die Wirtschaftsstruktur Osteuropas zu rationalisieren (→ Lebensraum; → Ostforschung). Diese Interpretationslinie stieß allerdings sehr schnell auf entschiedene Kritik. In der Tat gelang Aly/Heim nirgendwo der Nachweis, daß die Analysen zeitgenössischer Wissenschaftler über die Überbevölkerung Osteuropas tatsächlich die Entscheidungsgrundlage für den Holocaust (→ Endlösung) lieferten. Bislang bewegt sich die These, die Initiative zur nationalsozialistischen Genozidpolitik sei von der Wissenschaft ausgegangen, daher noch im Bereich der Spekulation.

Unbestreitbar ist jedoch die Beteiligung von Wissenschaftlern an den nationalsozialistischen Massenmorden. Gut erforscht ist inzwischen (durch Arbeiten von E. Klee, G. Aly, H. W. Schmuhl) die Beteiligung von Psychiatern und anderen Medizinern an der Planung und Durchführung des Euthanasieprogramms (→ Aktion T 4; → Medizin). Die Kindereuthanasie wurde durch eine Initiative des Leipziger

Pädiaters Prof. Werner Catel eingeleitet, der 1938/39 den Eltern eines körperlich und geistig behinderten Kindes empfahl, sich an Hitler zu wenden, um eine straffreie Tötung zu erwirken. Eine Folge dieser Initiative war neben dem Tod des Leipziger Kindes eine allgemeine Ermächtigung der → Kanzlei des Führers durch Hitler, fortan in ähnlich gelagerten Fällen genauso zu verfahren. Diese Generalvollmacht wurde zum Startschuß für die Kindereuthanasie, der insgesamt (bis 1945) etwa 5000 behinderte Kinder zum Opfer fielen. Wenige Monate nach Beginn der Kindereuthanasie begann die Planung einer umfassenden Euthanasie-Politik. Die Entscheidung fiel in der politischen Führungsspitze des NS-Staates. Doch bereits während der Planungen wurde eine Reihe von Medizinern in die Vorbereitung der Aktion einbezogen, u. a. die Professoren Werner Heyde (Würzburg), Max de Crinis (Berlin), Carl Schneider (Heidelberg) und Berthold Kihn (Jena), allesamt Ordinarien für Psychiatrie. Sie waren in den folgenden Jahren auch als Gutachter im Rahmen der Aktion T 4 tätig (ebenso wie andere Ordinarien aus Bonn, Kiel, Königsberg und Breslau sowie weitere Ärzte) und entschieden dabei über Leben und Tod Zehntausender von Psychiatriepatienten.

Auch im Rahmen der NS-Vernichtungspolitik gegen → Juden sowie gegen → Sinti und Roma wirkten Wissenschaftler als Gutachter mit und trafen dabei (ohne sich dessen immer bewußt zu sein) Feststellungen, die indirekt ebenfalls zu Entscheidungen über Leben und Tod werden konnten. So wurde die Kapazität der anthropologischen und der (nach 1933 neueingerichteten) rassenkundlichen Institute zu einem erheblichen Teil durch Tausende von Abstammungsgutachten ausgelastet, in denen die »Rassenzugehörigkeit« von Menschen beurteilt wurde, deren »arische Herkunft« zweifelhaft war. Diese Gutachten, die in der Regel auf Anforderung des → Reichssippenamtes entstanden, grenzten vielfach an »Scharlatanerie« (B. Müller-Hill), vor allem, wenn die Fotos der möglichen Väter die einzige Entscheidungsgrundlage bildeten. Nach 1941/42 erstellte Gutachten, in denen die zu beurteilende Person als Jude oder Jüdin kategorisiert wurde, kamen einem Todesurteil gleich. Bei der Verfolgung und Deportation der Sinti und Roma spielte die 1936 gegründete → Rassenhygienische und bevölkerungsbiologische Forschungsstelle (im Reichsgesundheitsamt) eine wichtige Rolle, deren Leiter der Psychiater Dr. med. habil. Robert Ritter war. Ritters Forschungsstelle klassifizierte mehr als 23 000 Sinti und Roma als »Voll-Zigeuner«, »Zigeuner-Mischling« oder »Nicht-Zigeuner«. Diese Einstufungen bildeten »eine entscheidende Grundlage für die Internierung von Sinti und Roma in Auschwitz« (M. Zimmermann). Darüber hinaus entwickelte Ritters Forschungsstelle eine emsige Beratungstätigkeit für die Kriminalpolizei und andere Behörden oder Parteistellen, die mit »Zigeunerproblemen« befaßt waren.

Wissenschaftlich motivierte → Menschenversuche mit vielfach tödlichem Ausgang wurden während des Krieges in den meisten größeren Konzentrationslagern durchgeführt. Manchmal dienten auch russische Kriegsgefangene, die nicht in Konzentrationslagern inhaftiert waren, als Versuchsobjekte. Teilweise wurden diese Versuche im Auftrag der SS oder bestimmter Wehrmachtsteile durchgeführt, etwa die Sulfonamidversuche, die 1942 auf Befehl Himmlers im KZ Ravensbrück begonnen wurden. Teilweise ergriffen Wissenschaftler selbst die Initiative, z. B. der Hygieniker Wolfgang Rose, der sich 1943 mit der Bitte an die SS wandte, einen neuen Impfstoff gegen Fleckfieber an Häftlingen im KZ Buchenwald testen zu dürfen. Manche Experimente mit lebenden Menschen waren als Bausteine für wissenschaftliche Karrieren gedacht, so die Zwillingsforschungen des berüchtigten KZ-Arztes Josef Mengele in Auschwitz, die als Grundlage für eine Habilitationsschrift dienen sollten.

Über die Beteiligung von Wissenschaftlern, hauptsächlich von Medizinern, an solchen Experimenten ist schon relativ früh (durch die 1947 erstmals veröffentlichte Dokumentation von A. Mitscherlich und F. Mielke: *Das Diktat der Menschenverachtung,* späterer Titel: *Wissenschaft ohne Menschlichkeit*) vieles bekannt geworden. Das Wissen um diese Experimente wurde jedoch gleichsam externalisiert, indem man die beteiligten Forscher pauschal als »Pseudo-Wissenschaftler« etikettierte. »Richtige« Wissenschaftler waren, so schien es, in dieser Lesart gar nicht fähig, Verbrechen zu begehen. Taten sie es dennoch, dann handelte es sich im Ergebnis eben um »Pseudo-Wissenschaft«. Solche Entlastungsversuche verdeckten allerdings die Tatsache, daß die meisten dieser »Pseudo-Wissenschaftler« durchaus die herkömmlichen akademischen Qualifikationsnachweise (Promotion, Habilitation) vorweisen konnten, und manche ihre wissenschaftliche Karriere nach 1945 fortsetzten. Sicher spielte bei einigen dieser Experimente auch pseudowissenschaftlicher Dilettantismus eine Rolle, doch war dies eher die Ausnahme. Was diejenigen, die solche Experimente durchführten, von anderen Wissenschaftlern unterschied, war nicht ihre Qualifikation, sondern die Bereitschaft, gegen ethische Regeln zu verstoßen, die der medizinischen Forschung bislang Grenzen gesetzt hatten, sofern sie für das Individuum zur Bedrohung wurde. Erklären läßt sich diese Grenzüberschreitung durch eine aus politischem Fanatismus geborene Rücksichtslosigkeit, die es vorstellbar machte, als »minderwertig« betrachtete Menschenleben auszulöschen, wenn dies für die »Volksgemeinschaft« von Nutzen zu sein schien. Daneben spielten aber gerade auch wissenschaftliche Motive eine Rolle. Das heißt, Menschenversuche wurden deshalb durchgeführt, weil einige Probleme der Forschung – etwa die Frage der Wirksamkeit bestimmter Medikamente – auf diesem Wege am einfachsten und präzisesten gelöst werden konnten. Wissenschaftlicher Forscherdrang und NS-Vernichtungspolitik gingen auf diese Weise eine Symbiose ein, die einige der grauenhaftesten Episoden der deutschen Wissenschaftsgeschichte hervorbrachte.

Literatur

Grüttner, Michael: *Studenten im Dritten Reich,* Paderborn 1995.

Heiber, Helmut: *Universität unterm Hakenkreuz.* Teil I: *Der Professor im Dritten Reich,* München 1991; Teil II: *Die Kapitulation der Hohen Schulen,* 2 Bde., München 1992/94.

Heinemann, Manfred (Hg.): *Erziehung und Schulung im Dritten Reich.* Teil 2: *Hochschule, Erwachsenenbildung,* Stuttgart 1980.

Lundgreen, Peter (Hg.): *Wissenschaft im Dritten Reich,* Frankfurt am Main 1985.

Macrakis, Kristie: *Surviving the Swastika. Scientific Research in Nazi Germany,* New York/Oxford 1993.

Müller-Hill, Benno: *Tödliche Wissenschaft. Die Aussonderung von Juden, Zigeunern und Geisteskranken 1933-1945,* Reinbek 1984.

Seier, Hellmut: Die Hochschullehrerschaft im Dritten Reich, in: Klaus Schwabe (Hg.): *Deutsche Hochschullehrer als Elite 1815-1945,* Boppard 1988, S.247-295.

Kunst

Bildende Kunst und Architektur

Von Peter Reichel

Das totalitäre Regime des → Dritten Reiches war in mehrfacher Hinsicht ein System der Extreme. Es war extrem aggressiv und expressiv, und es war extrem in seiner antimodernen Modernität. Ablehnung und brutale Verfolgung der politischen und ästhetischen Moderne gingen einher mit der Akzeptanz, Förderung und Instrumentalisierung der industriellen und massenkulturellen Moderne. Der NS-Staat beruhte ebensosehr auf der verheerenden Entfesselung von Gewalt wie auf virtuoser Selbstdarstellung und imponierender – die Nachwelt bis heute irritierender – Inszenierung seiner Macht. Für die »Fremdvölkischen« und »Gemeinschaftsfremden« war diese Macht ein Instrument der Erniedrigung, Unterdrückung und Verfolgung. Und für die → Volksgenossen war sie ein Medium der Mobilisierung und Disziplinierung, der Erbauung und Erhöhung.

Der Nationalsozialismus fesselte die Massen emotional und visuell, indem er ihnen ein bildlich objektiviertes Versprechen auf eine – vermeintlich – bessere Welt gab und für den Weg dahin eine dualistisch vereinfachte Weltsicht des Wir-Ihr anbot. Er ersetzte die »Ambivalenz der Moderne« (Z. Baumann) durch eine fiktive bzw. repressive Harmonie und Eindeutigkeit (→ Ideologie; → Gleichschaltung; → Volksgemeinschaft) und er reduzierte den unübersichtlichen Pluralismus der ideologischen Strömungen und Parteien der Weimarer → »Systemzeit« auf ein übersichtliches Freund-Feind-Schema. Sein Leitbild war nicht das mit universalen, vorstaatlichen Menschenrechten ausgestattete Individuum, sondern die kulturell und rassistisch-biologisch definierte deutsche Volksgemeinschaft.

Die Nationalsozialisten haben von Anfang an ästhetische Fragen wie biologisch-medizinische behandelt – und umgekehrt. In einer – verharmlosenden – Kurzformel lautete ihr Programm der Kunst- und Rassenpflege: »Das Gebot unserer Schönheit soll immer heißen Gesundheit« (Hitler). Gerade der naturwissenschaftliche Kern der NS-Ideologie, die Rassenlehre, war zentrales Element einer auf Visualisierung angelegten, also »im Bilde sich bestätigenden Gesellschaftskonzeption« (B. Hinz). Anders als Kommunismus und demokratischer Sozialismus, mit denen die → NSDAP vor 1933 konkurrierte, propagierte der Nationalsozialismus nicht eine utopische Gesellschaft, sondern eine »utopische Ästhetik« (S. Sontag). So im rassistischen Modell des nordischen Menschen als Fundament einer neuen »Herrenrasse«. So im Bild des Volkskörpers, mit dem Vorstellungen der Volksgesundheit und -hygiene, der Säuberung und Reinheit, der »Ausmerzung« (→ Medizin) von → »Volksschädlingen«, der Zucht und Stärke, der Überlegenheit und des Überlebens unmittelbar verbunden waren.

Daß sich diese zwei Entwicklungen treffen und verbünden konnten, eine politisch-kulturelle und eine medizinisch-naturwissenschaftliche, der antimoderne

Protest gegen die Weimarer Avantgarde und die hochmoderne biomedizinische Utopie einer allgemeinen Volksgesundheit, erklärt sich aus der kulturellen Ungleichzeitigkeit, dem aggressiven Nebeneinander von progressiven und regressiven Tendenzen der Zeit. Auf der einen Seite standen die Skeptiker und Kritiker der modernen Industriegesellschaft und ihrer Errungenschaften und auf der anderen – links wie rechts – die technikbegeisterten und wissenschaftsgläubigen Apologeten des Fortschritts, die daran glaubten, daß Massenelend, Epidemien, Erbkrankheiten usw. ebenso wie sozialökonomische Krisen und Konflikte mit Hilfe wissenschaftlich fundierter Sozialtechnologien überwunden werden könnten.

Gerade die Ärzteschaft stand lange vor 1933 unter dem nachhaltigen Einfluß des sozialdarwinistischen Zeitgeistes (→ Sozialdarwinismus). Was uns heute nur noch schwer verständlich erscheint, war für sie ganz selbstverständlich: die Übertragung biologischer Gesetzmäßigkeiten auf soziale und kulturelle Verhältnisse. Das machte einen Großteil der Ärzte zu Verbündeten der Nationalsozialisten. Eine weitere Übertragung kam hinzu. Nicht mehr das einzelne kranke Individuum war der primäre ärztliche Bezugspunkt, sondern die überindividuelle Volksgemeinschaft. Sie wurde gleichwohl als »lebendiger Organismus« verstanden, was in der individualisierenden Rede vom gesunden bzw. kranken und infizierten Volkskörper deutlich zum Ausdruck kam. Heilen und Vernichten wurden Synonyme im ärztlichen Berufsbild, was zu einem Gutteil erklären dürfte, daß die Euthanasie ein »Massenmord ohne Schuldgefühle« war und zugleich der Vorlauf für die → »Endlösung der Judenfrage«.

Ästhetik und Propaganda: Die neue Deutsche Kunst

Schon zu Weimarer Zeiten hatten Fragen der Schönheit, Reinheit und Einheit bei der Rechten einen hohen Stellenwert. Die Protagonisten der »konservativen Revolution« klagten über die Schwäche, Zerrissenheit und Häßlichkeit der Novemberrepublik und der mit dieser eng verbundenen künstlerischen Avantgarde Weimars. Gegen die Politisierung der Kunst durch die kulturrevolutionäre Linke setzte die nationale Rechte umgekehrt auf eine Ästhetisierung von Macht und Herrschaft, ja auf eine Überwindung von Politik im Medium der Kunst. Aus dem kulturellen und politischen Protest gegen die Weimarer Moderne zogen die Nationalsozialisten jeden möglichen Nutzen. Unter lebhafter Zustimmung der bürgerlich-konservativen Kreise diffamierten sie die avantgardistischen Strömungen als Zeichen des Verfalls und der Entartung. Und als den eigentlichen Agenten dieser Bedrohung identifizierten sie den »jüdischen Kulturbolschewismus«.

Die Ende der zwanziger Jahre u. a. von Alfred Rosenberg, Heinrich Himmler und dem Architekten Paul Schultze-Naumburg (*Kunst und Rasse,* 1928) gegründete Nationalsozialistische Gesellschaft für deutsche Kultur (später umbenannt in → Kampfbund für Deutsche Kultur) verfügte für ihre Agitation über ein dichtes Organisationsnetz und zahlreiche renommierte Redner sowie einflußreiche Förderer. Schultze-Naumburg sah in den sozialkritischen Bildern von Otto Dix, Conrad Felixmüller und George Grosz ein Abbild der rassischen »Entartungserscheinungen« der deutschen Gesellschaft. Er verglich und identifizierte diese Bilder bei seinen Vorträgen mit Krankheitsbildern, die er sich aus einer Psychiatrie-Klinik kommen ließ. Ihren ersten Höhepunkt erlebte diese Kampagne in Thüringen. Dort war es der NSDAP nach den Landtagswahlen im Dezember 1929 erstmals gelungen, in eine rechtsbürgerliche Koalitionsregierung einzutreten. Unter Wilhelm Frick und Schultze-Naumburg wurde Thüringen zum Experimentierfeld nationalsozialistischer Kunstzerstörung. Und 1933 schlug dann die nationalsozialistische Gegenrevolution gegen die Weimarer Avantgarde im ganzen Deutschen Reich zu. Zahlreiche Künstler flüchteten ins rettende Exil (→ Emigration). Und ihre Werke verschwanden in den von den Nationalsozialisten so genannten Schreckenskammern und Schauerkabinetten.

Mochten sich manche der führenden Repräsentanten der Moderne – von Gottfried Benn bis Richard Strauss und von Emil Nolde bis Ludwig Mies van der Rohe – Anerkennung und Aufträge vom NS-Staat erhoffen und teilweise auch erhalten, und mochte es auch anfangs im Umkreis von Joseph Goebbels gewisse Bestrebungen geben, insbesondere die Repräsentanten eines »nordischen« Expressionismus für die von den Nationalsozialisten propagierte »deutsche Kunst« zu gewinnen und zu retten – gegen den erbitterten Widerstand von Goebbels' Kontrahenten Rosenberg –, auf dem Parteitag 1934 erteilte Hitler den Ambitionen beider kulturpolitischer Rivalen und Richtungen eine entschiedene Absage. Er wolle keine modernen »Kunstverderber«, keine »Kubisten, Futuristen, Dadaisten«, und keine »Rückwärtse«, die alten Weggefährten der völkischen Bewegung, sondern eine neue Deutsche Kunst. Diese Forderung war jedoch leichter erhoben als erfüllt.

Als im Juli 1937 mit der ersten »Großen Deutschen Kunstausstellung« zugleich der erste nationalsozialistische Repräsentationsbau eröffnet wurde, das → Haus der Deutschen Kunst in München, dominierte, wie auch in den folgenden Jahren, jene traditionalistische Gattungsmalerei – Akt, Porträt, Stilleben, Genre, Landschaft, Tierbild – , die auf den Münchener Kunstausstellungen schon vor 1933 gezeigt und von ihren Kritikern als »Wald-, Feld- und Wiesenmalerei« verspottet worden war. Nun genoß sie staatliche Anerkennung und Förderung. So wenig sie auch die hochgespannten Erwartungen an eine neue Deutsche Kunst erfüllte, so unverzichtbar erschien sie zur Illustrierung der »nationalsozialistischen Weltanschauung«, von den vorgeblich heroischen und idyllischen Zeiten germanisch-deutscher Vergangenheit bis zu den verklärten Bildern einer neuen »großen« deutschen Gegenwart und Zukunft. Von Wiederaufbau, Wiederaufstieg und militärischer Stärke künden die Bilder der Staatsarchitektur und der Verkehrsbauten, besonders der Reichsautobahn (E. Mercker), der Industriebauten und industriellen Produktion, vor allem der Schwerindustrie (A. Kampf) und der Rüstung.

Die industriellen Themen sind indes weniger zahlreich und auffällig als die (Berg-, See- und Heide-)Landschafts- und Landwirtschaftsdarstellungen mit ihren das vorindustrielle Kleinbauerntum idealisierenden Sujets (G. Ehming, J. P. Junghanns, M. M. Kiefer, S. Hilz, A. Wissel). In diesen Bildern gibt es weder Entwicklung noch Konflikte. Die Zeit scheint stillzustehen, Ausdruck einer »ewigen«, in den immer gleichen Kreislauf der Natur eingelassenen Ordnung, die auf »unvergänglichen« Werten gründet, auf → »Blut und Boden«, auf Heimat und Tradition. Eine heroische deutsche Vergangenheit wollen auch jene Bilder widerspiegeln, die von den Kriegen Friedrichs des Großen oder der Ostkolonisation des Deutschen Ordens (W. Peiner) erzählen. Einen erheblichen Anteil an der NS-Malerei haben nicht zuletzt auch die nationalsozialistischen und soldatischen Sujets, die Kriegs- und Kampfszenen, die Kolonnen, Kundgebungen und sonstigen Massenformationen (G. Ehmig, F. Eichhorst, R. Rudolph, G. Siebert, F. Staeger). Sie sind nicht selten um Hitler in seinen verschiedenen Führerrollen aufgebaut, ob als Parteiführer und Redner oder als Feldherr unter »seinen« Soldaten (H. O. Hoyer, E. Scheibe). Die meisten Führer-Bilder zeigen Hitler allerdings allein, oft stehend und immer unnahbar, gleichsam charismatisch überhöht (G. Einbeck, F. Erler, C. Hommel, F. Triebsch).

Im Mittelpunkt der nationalsozialistischen Bildwelt – und auch des aktuellen Interesses an ihr – stehen indes die Akte, in der Malerei fast ausschließlich weibliche. Es sind Körper einer rassischen Leitbildmalerei – in idealisierender, zugleich aber pornographisch-konkreter Malweise. Sie weist diese Körper trotz aller Dekoration mit Namen der klassischen Mythologie durchaus als zeitgenössische Figuren aus (J. Engelhard, S. Hilz, E. Liebermann, P. M. Padua, O. Roloff, I. Saliger, A. Ziegler). Über die zahlreichen Reproduktionsmedien – Tageszeitungen,

Abb. 21: Adolf Ziegler (1852–1959), *Das Urteil des Paris.*

Wochenschau, Illustrierte, Kunstzeitschriften, Bücher – erfuhren sie eine starke Verbreitung.

Besonders gefragt waren allerdings die plastischen Werke. Von ihren Identifikationsangeboten erhoffte man sich eine politisch-erzieherische Wirkung, insofern »die geformte Gestalt zugleich die Glaubwürdigkeit des Wirklichen und die Echtheit des Idealen enthalten kann«. Dem rassischen Schönheitsideal, Machtanspruch und Gewaltkult konnten die Bildhauer sichtbarer und effektvoller Ausdruck geben als die Maler. Die NS-Kunstideologie wußte, warum: Dem Tafelbild sei »das Zimmer gemäß«, erklärte sie, »die Plastik strahlt aus in einen Raum und kann dadurch viele Menschen beherrschen«, zumal in einer Zeit, die »nicht das Abbild, sondern das Vorbild sucht«, weil sie »Menschen prägen« und von »Idealen künden« will.

Ihren Boom verdankte die Bildhauerei zum einen also dem Umstand, daß sie in hohem Maße staatliche Auftragskunst und ihre Wirksamkeit an einen architektonisch-städtebaulichen Rahmen gebunden war. Zum anderen resultierte ihre Aufwertung aus einem ideologischen Interesse an ihr. Wie kein anderes Medium konnte sie den für die Zeit typischen Gegensatz von »Leibvergottung« und »Leibverachtung« (K. Wolbert) zum Ausdruck bringen, das Doppelprogramm der nationalsozialistischen Kunst- und Rassenpolitik. Aufwertung und Anpassung der Kunstgattung Plastik an die Vorgaben der neuen staatlichen Auftraggeber wurden durch den Umstand wesentlich begünstigt, daß sie in ihrer Formensprache insgesamt konservativer war, das heißt gegenständlich, figurativ. Anders als in der Malerei blieben in der Plastik abstrahierende und abstrakte Werke selten (H. Arp, R. Belling, O. Freundlich, O. Herzog). Ein zweites Element kam hinzu.

Die figurative Plastik der bürgerlichen Kunst thematisierte den Menschen in seiner natürlichen, das heißt natur- und menschenrechtlichen Gleichheit; sie suchte im Akt einer allgemeinen Idee vom Menschen Ausdruck zu geben. Auch der Nationalsozialismus berief sich auf die Natur und eine »natürliche« Ordnung. Aber er verstand den Menschen als Angehörigen einer Rasse, einer Volksgemeinschaft oder Volksnation. Er brach insoweit mit der bürgerlich-liberalen und humanistischen Tradition, konnte sich aber ihr künstlerisches Erbe – in Grenzen – einverleiben. Dafür stehen die Namen von drei Bildhauern: Georg Kolbe, Fritz Klimsch und Richard Scheibe. Sie erfreuten sich mit ihrer figürlichen, in klassischer Tradition stehenden Plastik lange vor 1933 großer Wertschätzung. Sie waren auch im Dritten Reich gefragt und galten nach 1945 – übrigens in Ost- und Westdeutschland – wiederum als »Wahrer humanistisch-realistischer Tradition«. So konnte Richard Scheibe das Denkmal für die Opfer des → 20. Juli 1944 gestalten, das 1953 im Innenhof des Bendler-Blocks in der Berliner Stauffenbergstraße eingeweiht wurde: eine Jünglingsgestalt. Und das bereits in den zwanziger Jahren von ihm angefertigte Ebert-Denkmal an der Frankfurter Paulskirche – ebenfalls eine Jünglingsfigur –, das von den Nationalsozialisten entfernt worden war, wurde wieder aufgestellt. Kolbes *Menschenpaar* von 1936/37 ziert noch heute die Uferpromenade des Maschsees in Hannover. Ein anderes Beispiel offenbart die Unsicherheit und Willkür der NS-Kunstpolitik. Kolbes Kriegerdenkmal *Stürzender* (1924) war 1937 in Kassel als »entartet« beschlagnahmt worden. Die vergrößerte und oberflächengeglättete Version *Großer Stürzender* (1940/42) galt hingegen als »augenfällige Symbolisierung des Wehrgedankens«. Noch frappierender ist die Nutzung von NS-Skulpturen auf dem Sportgelände der früheren sowjetischen Kaserne in Eberswalde bei Berlin, die Magdalena Bushart aufgedeckt hat. Dort befand sich gleich ein ganzes Skulpturen-Ensemble von Hitlers Bildhauerprominenz: Die Akte *Galathea* und *Olympia* von Klimsch, das zunächst im Garten von Hitlers Reichskanzlei aufgestellte *Pferd* von Josef Thorak, und selbst Werke Arno Brekers waren hier zu sehen: die Akte *Berufung* und *Künder*.

Von den beiden prominentesten NS-Bildhauern, Arno Breker und Josef Thorak, kann man vielleicht sagen, sie hätten so etwas wie einen nationalsozialistischen »Reichsstil« (K. Hoffmann-Curtius) ausgebildet. Der geradezu exzessive Anspruch des NS-Körperideals trieb sie zum »Exzeß der Form« (K. Wolbert). Sie steigerten die körperliche Attraktivität des »deutsch-arischen« Mannes – und der auf ihre biologische Funktion und den Mann hin fixierten »artgleichen« Frau – zur totalen Anspannung. Die Figuren folgten der ideologischen Vorgabe, die Typisierung tilgte alles Individuelle. Die Aktplastiken waren von außen und nicht von innen heraus geformt. Hitler hatte die Vorgaben definiert: Er wollte den »jugendlichen Gottmenschen«, ohne Intellektualität und Sensibilität, athletisch,

Abb. 22: Arno Breker bei der Arbeit in seinem Berliner Atelier, November 1939.

kampfbereit, diszipliniert und ohne Todesfurcht. Eine heroische, keine hedonistische Jugend sollte, vorzugsweise in den → Ordensburgen des NS-Staates, heranwachsen. Alles Schwache mußte demzufolge »weggehämmert« werden. Das war zugleich politisch und ästhetisch gemeint. In den männlichen und weiblichen Akten vor allem Brekers und Thoraks waren die Leitbilder, Symbole und Personifikationen der Macht, des Kampfes und der dazu benötigten Sekundärtugenden vorbildlich, das heißt monumental und monströs, modelliert. Zudem ließen die ihnen beigegebenen Namen und Requisiten keinen Zweifel an den militärischen und bevölkerungspolitischen Bedeutungen dieser Körperbilder, hießen sie nun *Wehrmacht, Partei, Kameradschaft, Bereitschaft, Kampf* oder *Flora, Amazone, Siegerin, Hingebung, Auserwählte, Liegende* usw.

Ästhetisierung von Macht und Herrschaft: Die Architektur

Daß die Plastik in der Zeit des Dritten Reiches so nachdrücklich aus ihrem vormaligen Schattendasein herausfand, erklärt nicht zuletzt der Umstand, daß sie als organischer Bestandteil, ja als Krönung des architektonischen Schaffens verstanden und benutzt wurde. Der Kunst-am-Bau-Erlaß des Propagandaministers aus dem Jahr 1934 unterstreicht den ökonomisch-propagandistischen Doppeleffekt dieser Aufwertung. Ihre markantesten Ausprägungen erreichte die Zusammenführung von Plastik und Architektur in drei Gemeinschaftsprojekten: dem Haus des Deutschen Sports (→ Sport) auf dem von Werner March erbauten Reichssportfeld mit Arno Brekers in die Säulenhalle gestellten Plastiken *Zehnkämpfer* und *Siegerin* (1936); dem von Albert Speer erbauten Deutschen Pavillon auf der Pariser Weltausstellung 1937 mit Josef Thoraks *Kameradschaft* und *Familie;* sowie in der ebenfalls von Speer erbauten Neuen Reichskanzlei mit Arno Brekers im Ehrenhof aufgestellten Figuren *Partei* und *Wehrmacht* (1938/39). Insofern die Architektur als Baukunst zum »Sinnbild des Staatslebens« wurde, übernahm die ihr zugeordnete Bauplastik die Funktion der Deutung und Vermittlung. Die zeitgenössische Publizistik sah darin den verbindlichen Ausdruck der nationalsozialistischen Ideologie. Über den Deutschen Pavillon schrieb Werner Rittich: »Der Bau sollte Sicherheit, Stolz, Selbstbewußtsein, Klarheit, Disziplin und damit den Begriff des neuen Deutschland verkörpern; die Plastiken gaben mit den Motiven der Kameradschaft und der Familie die Eckpfeiler des Baues und umrissen die tragenden Kräfte dieses Reiches, dessen Adler-Symbol Bau und Pfeiler überkrönte. Auch der äußere Zusammenklang war so, daß keines fehlen durfte, ohne daß die Gesamtkomposition gestört wurde. Die Gruppen haben für sich gesehen die Struktur des ganzen Baues; als Einzelheit leiten sie das stolze Aufstreben, die selbstbewußte, hoheitsvolle Struktur des Gesamtwerkes ein.«

Lange wurde die NS-Architektur nach 1945 mit den Repräsentationsbauten gleichgesetzt. Inzwischen vermitteln Kunst- und Architekturgeschichtsschreibung ein differenzierteres Bild, wird mit Blick auf die verschiedenen staatlichen, gewerblichen und privaten Bausektoren von einem Stil-Pluralismus oder auch »programmatischen Eklektizismus« (G. Fehl) gesprochen. Schon in der Weimarer Republik gab es unterschiedliche Architektenschulen, standen sich insbesondere die im Berliner Ring zusammengeschlossenen Verfechter des Neuen Bauens und

Abb. 23: Die Neue Reichskanzlei in Berlin, Voßstr. 4–6, erbaut 1938–1939.

die im Block für traditionelles Bauen vereinten Architekten um Paul Bonatz, Paul Schmitthenner und Schultze-Naumburg gegenüber. Und keiner der beiden Richtungen gelang es nach 1933, zum verbindlichen Baustil zu avancieren. Aber im »populistischen Gesamtkalkül nationalsozialistischer Kulturpolitik« (H. Frank) blieben sie nicht ohne Bedeutung und Aufträge. Mehr noch. Der Anpassungsdruck nach 1933 löste das konfrontative Verhältnis zwischen Tradition und Moderne auf. Das Neue Bauen gab sein sozialreformerisches Profil preis, und das traditionalistische Bauen näherte sich der Moderne an, was während des Krieges und des Wiederaufbaus zu einer Konvergenz zwischen den ursprünglich »verfeindeten Architekturrichtungen« führte.

Das handwerksorientierte und landschaftsgebundene Bauen der traditionalistischen → Heimatschutz-Bewegung stand vor allem anfangs im Vordergrund der nationalsozialistischen Propaganda. Es bestimmte insbesondere den Bau von Siedlungshäusern, Jugendherbergen, Freizeit- und Schulungsheimen. Die NS-Ordensburgen markieren den Übergang zum Monumentalstil der NS-Großbauten, wie er für die Planungen der öffentlichen Bauten nicht nur der »Führerstädte« charakteristisch war. Die monumentale Staatsarchitektur mußte einen doppelten Anspruch erfüllen. Sie sollte den klassizistischen Vorbildern folgen und doch neu sein, zumindest neu wirken. Deshalb ist es nicht verwunderlich, daß sich in diesen

Bauten expressionistische, klassizistische und funktionalistische Stilelemente zu einer »Ikonographie des Vagen« (D. Bartetzko) mischten. Aber auch das offiziell als undeutsch verurteilte Neue Bauen erlebte eine Fortführung, wie eingeschränkt auch immer. Das eine aufschlußreiche Beispiel für den Versuch der Nationalsozialisten, »technologische Avantgarde mit nationalem Traditionalismus« zu verbinden, ist die Reichsautobahn (→ Autobahnen). Das andere sind Städte-, Industrie- und Wohnungsbau. Hochmoderne Stahlkonstruktion und monumentaler Massivbau in Naturstein gingen Hand in Hand.

Suggestive Machtdemonstration, symbolische Überhöhung der Wirklichkeit und ihre blendende Umstellung mit Kulissen-Architektur waren die Leitlinien insbesondere beim geplanten Umbau der »Führerstädte« und in Speers Generalbebauungsplan für die Umgestaltung der → Reichshauptstadt Berlin zur »Welthauptstadt« → Germania. Die Geometrie der Radial- und Ringstraßen, die Gleichförmigkeit der Fassaden, die Geschlossenheit der horizontal-massigen Bebauung und die Monumentalität der großen Plätze und Großbauten waren in ihrer Totalität Ausdruck einer neuen Herrschaftsordnung und zugleich Assoziation an römische Städte, ägyptische Pharaonengräber und antike Tempelanlagen. Im Modell der »Führer«- und »Gauhauptstädte« – mit Aufmarschplatz, Glockenturm, Gauleiter-Residenz und Volksgemeinschafts-Halle – ebenso wie in den NS-Ordensburgen (z. B. Vogelsang/Eifel und Krössinsee; Architekt: C. Klotz) und in den von Wilhelm Kreis für die zukünftigen Grenzen modellierten Totenburgen versinnbildlichten sich die neue Herrschaft und der Glaube an die von ihr gepredigte politische Religion. Auf funktionalistische und sachlich-nüchterne Elemente konnte allerdings auch diese Illusions- und Überredungsarchitektur nicht verzichten.

Umgekehrt zwang der heroische Zeitgeist auch und gerade die Industrie-Architektur zu Zugeständnissen, zumal in der Anfangsphase des Dritten Reiches völkisch-agrarromantische Bestrebungen und antitechnische Affekte des Handwerks gegen die großstädtische Industrie eine gewisse Rolle spielten. Solche Zugeständnisse zeigen sich beispielsweise bei den Bauten für die Luftfahrt. Während die Montagehallen durch ihre demonstrative Übereinstimmung von Form und Funktion auffallen, kommen die Hauptportale und Verwaltungsbauten nicht ohne Reliefschmuck, Klinker- und Muschelkalkfassaden aus. Beispiele sind die von Hermann Brenner und Werner Deutschmann 1936 gebaute Deutsche Versuchsanstalt für Luftfahrt in Berlin-Adlershof und die von Herbert Rimpl in Oranienburg/Berlin 1936 gebauten Heinkel-Flugzeugwerke. Noch offensichtlicher wird die Fortsetzung des Neuen Bauens in der Eisen- und Stahlindustrie, in den kubisch-funktionalen Bauten mit Flachdach und Fensterbändern, mit ihrer Entsprechung von äußerer Form und technischer Konstruktion bzw. Funktion. Beispiele sind das Feuerlöschwerk (1937) in Apolda/Thüringen von Egon Eiermann, die Mannesmann-Röhrenwerke (1936) von Hans Väth oder die Fabrik- und Zechenanlagen von Fritz Schupp und Martin Kremmer.

Der Wohnungsbau durchlief eine vergleichbare Entwicklung, sowenig sich auch der NS-Staat auf diesem Sektor, im Gegensatz zu den Behauptungen seiner Propaganda, engagierte. Im Zuge der Politik der → Aufrüstung und des → Vierjahresplans wurde die Großstadtfeindschaft zurückgedrängt und der Geschoß- und Mietwohnungsbau zu einem zentralen Element in den Planungen für den sozialen Wohnungsbau der Nachkriegszeit. Der Rationalisierungsdruck, der dann von der → Kriegswirtschaft ausging, verstärkte diesen Modernisierungsimpuls und beschleunigte den Übergang vom »völkischen Ideal zum technokratischen Realismus« (L. Herbst). Das Konzept eines »stark typisierten, genormten großstädtischen Massenmietwohnungsbaus« (T. Harlander) wurde zumindest unter den Fachleuten während des Krieges konsensfähig. Vor allem die Normierungs- und Rationalisierungsideen Ernst Neuferts, des einstigen Gropius-Mitarbeiters, sind dabei maßgeblich geworden. Die »Wohnung als Massenkonsumgut« blieb allerdings, wie beispielsweise auch der → Volkswagen oder die Urlaubsreise mit → »Kraft durch Freude« (KdF), ein Zukunftsversprechen. Es löste jedoch gleichermaßen mobilisierende und disziplinierende Effekte aus und lenkte zudem davon ab, daß die Modernisierungspolitik des NS-Regimes in unmittelbarem Zusammenhang mit seinen Kriegs-, Eroberungs- und Völkermordplänen stand. Die erste umfassende regionale Bestandsaufnahme des Bauens im Nationalsozialismus hat am Beispiel Bayerns noch einmal die Notwendigkeit unterstrichen, die NS-Bautätigkeit in direktem Zusammenhang mit Rüstungsproduktion, Konzentrationslagern und der Ausbeutung von → Zwangsarbeitern zu sehen. Andernfalls werde die »Architekturgeschichte verfälscht« (W. Nerdinger).

Wirkung und Rezeption nach 1945

Eine eingehende Auseinandersetzung mit dem Kunst- und Architekturerbe der NS-Zeit hat zunächst nicht stattgefunden. Im liberalen Lager galt nun NS-Kunst als Nicht-Kunst, und das Interesse richtete sich folglich primär auf die von den Nationalsozialisten als entartet verfolgte Moderne. Christlich-konservatives Denken beschwor die Rettung des durch Aufklärung und Säkularisierung, Technik und Fortschritt bedrohten göttlichen »ordo« und suchte Rückhalt in der Tradition des christlichen Abendlands. Und auch der DDR paßte eine selbstkritische Auseinandersetzung mit der NS-Kunst und den Entarteten nicht ins strategische Konzept. Nach der Befreiung der Künstler aus nationalsozialistischer Reglementierung und Verfolgung organisierte sie alsbald den »Kampf gegen die verderblichen Wirkungen der spätbürgerlichen Verfallskunst« – wie es in einer DDR-Kunstgeschichte hieß.

Anstöße zur Analyse der NS-Kunst kamen von außerhalb Deutschlands und von Außenseitern des Faches. Einen Markstein setzte die kulturpolitologische Pionierleistung von Hildegard Brenner, die zunächst allerdings ohne Anschluß blieb. Sie erkannte und thematisierte erstmals den Doppelcharakter nationalsozialistischer Kunstpolitik: als Politik, die mit ästhetischen Medien gemacht wurde, und als Politik, die auf die Unterdrückung vorgeblich »undeutscher« Kunst zielte. Erst in den siebziger Jahren nahm sich die Kunstgeschichte des Themas an, was in einer Vielzahl grundlegender Monographien (K. Arndt, B. Hinz, K. Herding, E. Mittig, W. Schäche), Anthologien und Ausstellungen zum Ausdruck kam, u. a. in der damals heftig umstrittenen Ausstellung des Frankfurter Kunstvereins *Kunst im Dritten Reich – Dokumente der Unterwerfung* (1974), der im Münchner Haus der

Kunst gezeigten Ausstellung *Die dreißiger Jahre* (1977) und der Berliner Ausstellung *Zwischen Widerstand und Anpassung – Kunst in Deutschland 1933-1945.*

Eingehend wurde jetzt über die Qualität der Kunst, der Warenästhetik, der Skulptur und Architektur diskutiert, über die stilistische Identität und Singularität dieser Produkte. Man fragte nach ihrer politischen Funktionalität und Massenwirkung und schließlich auch nach ihrer Modernität. Dabei lassen sich eine mehr singularisierende und eine mehr generalisierende Betrachtungsweise unterscheiden. Erstere geht vom Kunstgegenstand und seiner – vergleichenden – Analyse aus, die zweite von einer mehr kontextbezogenen Fragestellung. Ihr Bezugspunkt ist das totalitäre Herrschaftssystem und die von diesem reglementierte und instrumentalisierte Kultur in ihrer Totalität. Auch sie geht komparativ vor. Sei es, daß im Vergleich verschiedener Diktaturen nach den Merkmalen einer »totalitarian art« gefragt wird, sei es, daß mit Blick auf die Vor- und Nachgeschichte eines totalitären Systems Modernisierungsverläufe sowie Brüche und Kontinuitäten in der kulturellen Entwicklung diskutiert werden (→ Totalitarismustheorien).

So groß von Anfang an der Konsens war, die NS-Kunst als Nicht-Kunst einzustufen, zumindest als Kunst minderen Ranges, so kontrovers blieb die Bewertung ihrer politischen Massenwirkung. Gerade in dieser Frage reagierten Öffentlichkeit und Wissenschaft immer wieder unsicher. Man sträubte sich, zuzugestehen, daß die unterstellte Gefährlichkeit der NS-Kunst vor allem ein Produkt der nachträglichen Dämonisierung des Hitler-Staates war und zugleich eine nützliche Lebenslüge der Nachkriegsgesellschaft, der sie mit zu einer umfassenden Schuldentlastung verholfen hatte. Beispielhaft ist diese Problematik in den von dem Graphiker Klaus Staeck (»Keine Nazi-Kunst ins Museum!«) und der Grünen-Abgeordneten Antje Vollmer (»Über den Umgang mit der sog. ›entarteten‹ und der sog. ›schönen‹ Kunst«) in den achtziger Jahren initiierten Kampagnen sichtbar geworden. Sie waren nicht zuletzt eine Reaktion auf die schleichende Rehabilitierung Brekers und Speers.

Während diese Kampagnen teilweise unter ihrer Verkürzung und Übervereinfachung litten, bemühte sich die in Berlin von der Neuen Gesellschaft für Bildende Kunst gezeigte Ausstellung »Inszenierung der Macht« um Komplexität. In »Erlebnisräumen« und an ausgewählten Beispielen sollte die »ästhetische Faszination im Faschismus« nachvollziehbar – und über provozierte Irritation auch begreifbar gemacht werden. Zahlreiche Elemente des schönen Scheins im Nationalsozialismus, seiner Selbstdarstellung in kulturellen Medien – Skulptur und Architektur, Massenaufmarsch und Massenmedien, Techno-Design und KdF-Tourismus – waren dort zu einem Ensemble zusammengefügt und konnten so vielleicht die Ästhetisierung der Lebensverhältnisse als politische Strategie der Nationalsozialisten in ihrer Totalität und formalen Pluralität verständlich machen. Die öffentliche Resonanz war indes gespalten. Die einen bemängelten, daß die ästhetische Seite des Dritten Reiches überbewertet, eine womöglich gefährliche Faszination dadurch erst erzeugt würde, die anderen, daß der nostalgische »Nazi-Klimbim« dem deutschen Faschismus etwas andichte, was er gar nicht habe: »die Aura der Faszination«. Im übrigen sei zu bedenken, daß zwar die »gefährlichen Gefühle« und Wünsche nach Stärke und Schönheit, Harmonie und Größe »unsterblich« seien, sich aber die Wunsch- und Leitbilder der Massen gewandelt hätten.

Die 1987 in München und 1992 in Berlin gezeigten Ausstellungen zur Erinnerung an die NS-Ausstellung → »Entartete Kunst« von 1937 – Publikumsmagneten auch sie – dokumentierten erneut, daß sich in großen Teilen der Öffentlichkeit weiterhin eine das Problem eher verkürzende Sicht behauptet, welche die »entartete« Kunst und die NS-Kunst vor allem als kunsthistorisches Ereignis wahrnimmt unter Absehung von übergreifenden kultur-, modernisierungs- und rassenpolitischen Bezügen. Solche Bezüge thematisierten zwei maßgeblich durch den Münchener Architekturhistoriker Winfried Nerdinger konzipierte Veranstaltungen bzw. Ausstellungen: die »Bauhaus-Moderne im Nationalsozialismus« (1991) und »Bauen im Nationalsozialismus« (1994). In selten erreichter Eindringlichkeit wurde dort das reaktionär-moderne Doppelgesicht des Dritten Reiches dokumentiert und analysiert, also die Gleichzeitigkeit von progressiven und regressiven Tendenzen, das Neben- und Ineinander von Ästhetik und Gewalt, wurde die Parzellierung des Blicks überwunden und in der Totalität des Zusammenhangs von Kunst, Krieg und Konzentrationslagern ein Gewinn an Realitätssinn und empirischer Erklärungskraft erreicht, der die rationale Analyse des Nationalsozialismus vertieft, ohne die Eindeutigkeit im politisch-moralischen Urteil über ihn zu relativieren. Zwei andere, nicht unumstrittene Ausstellungen der neunziger Jahre haben die Kunst im Dritten Reich in den Zusammenhang der deutschen Romantik-Rezeption gestellt (»Ernste Spiele«, München 1995) und in systemvergleichender Perspektive gezeigt (»Kunst und Macht im Europa der Diktatoren« 1930–1945, Stuttgart 1995), also nach übergreifenden Perspektiven und Bewertungen gesucht.

Literatur aus der NS-Zeit

Die Kunst im Dritten (Deutschen) Reich. Monatszeitschrift für bildende Kunst, München 1937-1944.
Rittich, Werner: *Architektur und Bauplastik der Gegenwart,* Berlin 1938.
Tank, Kurt Lothar: *Deutsche Plastik unserer Zeit,* München 1942.
Troost, Gerdy (Hg.): *Das Bauen im Neuen Reich,* 2 Bde., Bayreuth 1943.
Weigert, Hans: *Geschichte der Deutschen Kunst von der Vorzeit bis zur Gegenwart,* Berlin 1942.

Literatur nach 1945

Adam, Peter: *Kunst im Dritten Reich,* Hamburg 1992.
Backes, Klaus: *Hitler und die bildenden Künste. Kulturverständnis und Kunstpolitik im Dritten Reich,* Köln 1988.
Bartetzko, Dieter: *Zwischen Zucht und Ekstase. Zur Theatralik von NS-Architektur,* Berlin 1985.
Brenner, Hildegard: *Die Kunstpolitik des Nationalsozialismus,* Reinbek 1963.
Durth, Werner: *Deutsche Architekten. Biographische Verflechtungen,* Wiesbaden 1986.
Dussel, Konrad: Der NS-Staat und die ›deutsche Kunst‹, in: Karl Dietrich Bracher u. a. (Hg.): *Deutschland 1933-1945. Neue Studien zur nationalsozialistischen Herrschaft,* Bonn/Düsseldorf 1992.
Frank, Hartmut (Hg.): *Faschistische Architekturen. Planen und Bauen in Europa 1930 bis 1945,* Hamburg 1985.

Haftmann, Werner (Hg.): *Verfemte Kunst. Bildende Künstler der inneren und äußeren Emigration in der Zeit des Nationalsozialismus,* Köln 1986.
Harlander, Tilman: *Zwischen Heimstätte und Wohnmaschine. Wohnungsbau und Wohnungspolitik in der Zeit des Nationalsozialismus,* Basel/Berlin 1995.
Hinz, Berthold: *Malerei im deutschen Faschismus,* München 1974.
Hinz, Berthold u. a.: *Die Dekoration der Gewalt – Kunst und Medien im Faschismus,* Gießen 1979.
Hinz, Berthold: 1933/45: Ein Kapitel kunstgeschichtlicher Forschung seit 1945, in: *kritische berichte* 14 (1986) 4, S. 18-33.
Kunst im 3. Reich. Dokumente der Unterwerfung (Ausstellungskatalog Frankfurter Kunstverein), Frankfurt am Main 1979.
Nerdinger, Winfried (Hg.): *Bauen im Nationalsozialismus. Bayern 1933-1945* (Ausstellungskatalog), München 1993.
Nerdinger, Winfried (Hg.): *Bauhaus-Moderne im Nationalsozialismus. Zwischen Anbiederung und Verfolgung,* München 1993.
Neue Gesellschaft für Bildende Kunst (Hg.): *Inszenierung der Macht. Ästhetische Faszination im Faschismus* (Ausstellungskatalog), Berlin 1987.
Reichel, Peter: *Der schöne Schein des Dritten Reiches. Faszination und Gewalt des Faschismus,* Frankfurt am Main [2]1993.
Thomae, Otto: *Die Propagandamaschine. Bildende Kunst und Öffentlichkeitsarbeit im Dritten Reich,* Berlin 1978.
Tümpel, Christian (Hg.): *Deutsche Bildhauer 1900-1945. Entartet,* Zwolle 1992.
Wolbert, Klaus: *Die Nackten und die Toten des Dritten Reiches,* Gießen 1982.
Zuschlag, Christoph: *Entartete Kunst. Ausstellungsstrategien im Nazi-Deutschland,* Worms 1995.

Literatur und Theater

Von Hermann Glaser

Mit Gesetz vom 22. September 1933 schufen die Nationalsozialisten eine → Reichskulturkammer, die dem Reichsminister für Volksaufklärung und Propaganda, Joseph Goebbels, unterstellt war; als Unterabteilung wurde neben einer Reichspresse-, Reichsrundfunk-, Reichstheater-, Reichsmusik-, Reichskunst- und Reichsarchitekturkammer eine Reichsschrifttumskammer eingerichtet; diese leitete bis 1935 Hans Friedrich Blunck, Autor verschiedener historischer Romane, die der rechtsgerichtete Literaturprofessor Josef Nadler (*Literaturgeschichte des deutschen Volkes*) wegen ihrer völkischen Thematik, von »neuer Rasse und germanischem Christentum« handelnd, pries. Sein Nachfolger war der Schriftsteller Hanns Johst, der als Expressionist begonnen und sich dann vor allem als Autor des nationalistischen Kampfstückes *Schlageter* – »Für Adolf Hitler in liebender Verehrung und unwandelbarer Treue« – hervorgetan hatte; die Aufführung in Berlin 1933 (mit Albert Bassermann, Veit Harlan, Lothar Müthel) endete mit dem gemeinsamen Gesang des Deutschland- und des Horst-Wessel-Liedes und wurde als ein nationaler Akt empfunden. Als einen solchen verstand sich insgesamt die regimekonforme Literatur des → Nationalsozialismus, deren Kunstverständnis und Qualität sich mit einem Satz aus Johsts Drama charakterisieren lassen: »Hier wird scharf geschossen! Wenn ich Kultur höre, entsichere ich meinen Browning!« Thematisch bedeutete dies, daß im Gefolge der seit dem 19. Jahrhundert ansteigenden Flut volkhafter, naturmystischer und geschichtsmythischer Strömungen eine Dichtung zum Durchbruch kam, die fast ausschließlich durch → »Blut-und-Boden«-Ideologie bestimmt war: Sie kämpfte gegen den »undeutschen Geist«, die intellektuelle Entwurzelung und die »Humanitätsduselei« der Aufklärung, die man vorwiegend in den Asphaltdschungeln der modernen Großstädte lokalisiert sah; sie wollte den Untergang des Abendlandes dadurch verhindern, daß sie → Führer und → Gefolgschaft, die Scholle, das → Bauerntum, den »Segen des reinen Blutes« und den Schoß der Mütter, Gehorsam, Treue und Manneszucht, den Krieg als »heilige Flamme«, den deutschen Glauben, den deutschen Staat, die deutsche Rassereinheit, die deutsche Wehrgemeinschaft rhapsodisch besang (→ Ideologie).

Gottfried Benn, der bei der nationalsozialistischen »Machtergreifung« selbst in den Sog eines magisch beschworenen Irrationalismus geraten war, hat später – hellsichtig geworden – das Mentalitätsmuster dieser als »nordische Renaissance« sich ausgebenden Spießer-Ideologie dekuvriert: »Ein Volk in der Masse ohne bestimmte Form des Geschmacks, im ganzen unberührt von der moralischen und ästhetischen Verfeinerung benachbarter Kulturländer, philosophisch von konfuser idealistischer Begrifflichkeit, prosaistisch dumpf und unpointiert, ... läßt eine antisemitische Bewegung hoch, die ihm seine niedrigsten Ideale phraseologisch vorzaubert, nämlich Kleinbausiedlungen, darin subventionierten, durch Steuergesetze vergünstigten Geschlechtsverkehr; in der Küche selbstgezogenes Rapsöl, selbstbebrüteten Eierkuchen, Eigengraupen; am Leibe

Heimatkurkeln, Gauflanell und als Kunst und Innenleben funkisch gegrölte Sturmbannlieder.«

Die Literatur jedoch, die seit dem Wilhelminismus im Widerspruch zur offiziellen affirmativen Kultur für Humanismus, Universalismus, Kosmopolitismus eintrat, sich der conditio humana ohne ideologische Ressentiments widmete und im Geiste der Aufklärung einen Beitrag zum menschlichen Fortschritt zu leisten versuchte, verfiel der Verfemung und Verfolgung.

Symptomatisch, daß die von der nationalsozialistischen → Propaganda verkündete »geistige Erneuerung« mit einer → Bücherverbrennung begann, die am 10. Mai 1933 als Aktion »Wider den undeutschen Geist« an allen deutschen Hochschulen anlief. In Berlin, wo 20 000 »politisch und moralisch undeutsche Schriften« zerstört wurden (u. a. solche von Heinrich Mann, Erich Kästner, Sigmund Freud, Kurt Tucholsky, Erich Maria Remarque) sprach Goebbels mit der ihm eigenen ungezügelten Offenheit über die »Zukunft des deutschen Geistes«; dieser sollte, wie die »Feuersprüche« aussagten, ausgerichtet sein »gegen Klassenkampf und Materialismus – für Volksgemeinschaft und idealistische Lebenshaltung! ... Ge-

Abb. 24: Kundgebung »Wider den undeutschen Geist« am Hamburger Kaiser-Friedrich-Ufer am 15. Mai 1933, Vertreter der Studentenschaft vor dem Bücherscheiterhaufen (Foto: Joseph Schorer).

gen Dekadenz und moralischen Verfall! Für Zucht und Sitte in Familie und Staat ... Gegen seelenzerfasernde Überschätzung des Trieblebens, für den Adel der menschlichen Seele ... Gegen Verfälschung unserer Geschichte und Herabwürdigung ihrer großen Gestalten, für Ehrfurcht ihrer großen Vergangenheit ...«

Zusammen mit Tausenden von bildenden Künstlern, Komponisten, Theaterleuten, Publizisten, Filmschaffenden und Wissenschaftlern verließen etwa 250 Autoren Deutschland (in späteren Jahren weitere), darunter die berühmtesten Repräsentanten der zeitgenössischen deutschen Literatur – so Johannes R. Becher, Bertolt Brecht, Alfred Döblin, Lion Feuchtwanger, Stefan George (den Goebbels zurückhalten wollte), Oskar Maria Graf, Heinrich Mann, Klaus Mann, Thomas Mann, Anna Seghers, Ernst Toller, Arnold Zweig, Stefan Zweig (→ Emigration).

Zur äußeren kam die → innere Emigration, bei der die Schriftsteller in ihrem »Doppelleben« (G. Benn) freilich vielfach opportunistische Zugeständnisse an die Machthaber machten. Es blieben u. a. Gottfried Benn, Werner Bergengruen, Hans Carossa, Gertrud von le Fort, Gerhart Hauptmann, Ernst Jünger, Jochen Klepper (der, als seine jüdische Frau deportiert werden sollte, mit der Familie Selbstmord beging), Wilhelm Lehmann, Oskar Loerke, Rudolf Alexander Schröder, Reinhold Schneider (ein Zentrum religiös-literarischen → Widerstandes), Ina Seidel. Am Beispiel seines Vaters Eberhard Meckel, erfolgreicher Schriftsteller der dreißiger Jahre, hat sein Sohn Christoph die Situation der in der inneren Emigration vorwiegend anzutreffenden »Rückzugslyriker« (angesichts der nationalsozialistischen Brutalität in ein Reich empfindsamer Innerlichkeit sich davonmachend) mit kritischer Empathie beschrieben: »Ich habe meinen Vater oft gefragt, was die Dreißiger Jahre für ihn waren und wie er lebte, vor allem: was er und seine Freunde dachten, und keine besonders erhellende Antwort bekommen. Während Brecht, Döblin und Heinrich Mann emigrierten, Loerke und Barlach in Deutschland zu Tode erstickten, während Dix und Schlemmer in süddeutschen Dörfern untertauchten, Musiker, Wissenschaftler und Regisseure verschwanden, Kollegen diffamiert, verfolgt, verboten, Bücher verbrannt und Bilder beschlagnahmt wurden, schrieb er ruhige Verse in traditioneller Manier und baute ein Haus, in dem er alt werden wollte. Der Exodus von Juden, Kommunisten und Intellektuellen, das plötzliche und allmähliche Verschwinden der gesamten Avantgarde schien von ihm kaum zur Kenntnis genommen zu werden.«

Trotz rigoroser → Zensur und Lenkung ergaben sich unter dem NS-Regime Nischen, in denen Autoren der inneren Emigration und talentierte junge Autoren unpolitische oder camouflierte Literatur publizieren konnten – oder auch Lücken, durch die literarische Oppositionelle schlüpfen und eine gewisse Öffentlichkeit erreichen konnten. »Moderne Klassik« im Dritten Reich umfaßte Autoren – vielfach in Freundeskreisen verbunden (z. B. »Die Kolonne«) – wie Johannes Bobrowski, Wolfgang Borchert, Günter Eich, Felix Hartlaub, Peter Huchel, Hermann Kasack, Horst Lange, Elisabeth Langgässer, Hermann Lenz. »Sie wollten, sie mußten publizieren, kein Autor kann für die Schublade schreiben, das ›innere Reich‹ bot den ›staatsfreien‹ Raum dafür. Ältere halfen und standen bei: Loerke, Lehmann, Benn«. (Werner Ross). Auch die Rezeption der »alten Klassik« bot die Möglichkeit, sich nationalsozialistischer Sprachregelung zu entziehen und – etwa im Deutschunterricht der Schulen – kritisches Bewußtsein zu evozieren. Da jedoch die nationalsozialistische Weltanschauung das Erziehungssystem weitestgehend durchdrungen hatte (→ Jugend), zudem die deutsche Universitätsgermanistik seit dem 19. Jahrhundert eine fatale Prädisposition für eine nationalistisch-heroisierende Hermeneutik entwickelt hatte (der »Dichter als Führer«), blieben solche Gegenströmungen schwach.

Der »Kulturort Theater« jedoch (vor allem in den Großstädten) ließ mit sperrigen Brettern Konformismus stolpern. Während unsägliche → Thingspiele, oft mit Massen-Ensembles, als Höhepunkte des »national-kultisch-heroischen Dramas des neuen Deutschland« von einer willfährigen Kunstberichterstattung gepriesen wurden (Goebbels ließ übrigens 1936 die Kunstkritik als Ausdruck »jüdischer Kunstüberfremdung« offiziell verbieten), gelangen eindrucksvolle Theateraufführungen »indirekten Sprechens«. Herausragend waren etwa Jürgen Fehlings Inszenierungen von Schillers *Don Carlos* (1935) und Hebbels *Kriemhilds Rache* (1936) in Hamburg sowie seine Inszenierung von Shakespeares *Richard III.* mit Werner Krauss als hinkendem Monster 1936 in Berlin. Dort führte Gustaf Gründgens drei Monate nach Beginn des Krieges Regie bei Büchners *Dantons Tod* und sechs Tage nach dem → 20. Juli 1944 bei Schillers *Die Räuber.* Daß der Mephisto von Gründgens in den *Faust*-Inszenierungen der Berliner Staatstheater, die Gründgens von 1936 bis 1945 leitete, »die künstlerische Sensation vieler Jahre war, verwies heimlich darauf, in wessen Hand die Welt lag« (G. Rühle).

Zu den Berliner Theaterdirektoren gehörten Heinz Hilpert, der sich künstlerisch an Max Reinhardt orientierte, und Heinrich George, der bei Erwin Piscator als Schauspieler gearbeitet hatte. Junge Regisseure, die dann in der Nachkriegszeit eine große Rolle spielten, waren Karlheinz Stroux, Hans Schalla, Walter Felsenstein. Als Schauspieler wirkten u. a. Bernhard Minetti, Werner Krauss, Hermine Körner, Käthe Gold, Marianne Hoppe, Will Quadflieg, Grete Weiser und Lina Carstens. Zum einen suchten die Künstler die Nähe der Mächtigen, zum anderen waren sie von deren Dumpfheit und Brutalität abgestoßen; nur Goebbels – in der Weimarer Republik »Marat des roten Berlin« genannt – verfügte über Intellekt und künstlerisches Interesse; in seinem Umfeld richteten sich die in Deutschland gebliebenen Talente ein – mit Berührungsangst gegenüber den verfemten, verfolgten und vertriebenen Kolleginnen und Kollegen. (Hunderte waren emigriert, darunter die Regisseure Leopold Jessner, Leopold Lindtberg, Max Reinhardt, Erwin Piscator und die Schauspieler Albert Bassermann, Elisabeth Bergner, Ernst Deutsch, Tilla Durieux, Fritz Kortner, Wolfgang Langhoff, Grete Moosheim, Helene Thimig.) »Ich war damals 33, besaß das ersehnte Haus mit Garten, hatte viele Filmangebote und war auch am Berliner Theater etabliert. Was blieb mir noch zu wünschen übrig?« erinnerte sich Hans Söhnker.

In einer Expertise für die US-Regierung über führende Persönlichkeiten des nationalsozialistischen Kulturlebens (1943) meinte Carl Zuckmayer, der zu den Dramatikern gehörte, die vor den Nationalsozialisten geflüchtet waren (neben Bertolt Brecht auch Ferdinand Bruckner, Ödön von Horvath, Fritz von Unruh), versöhnlich, daß die Schauspieler eben das Dritte Reich als Inszenierung, in der sie eine wichtige Rolle spielten, genossen hätten. Eine Bühne im Zwielicht.

Literatur

Bauer, Gerhard: *Sprache und Sprachlosigkeit im »Dritten Reich«,* Köln 1988.
Barbian, Jan-Pieter: *Literaturpolitik im »Dritten Reich«. Insitutionen, Kompetenzen, Betätigungsfelder,* München 1995.
Daiber, Hans: *Der Vorhang fiel und alle Fragen offen. Die Geschichte von Schauspiel, Oper und Operette, von Allüren und Gesinnungen im Dritten Reich,* Stuttgart 1996.
Denkler, Horst / Karl Prümm: *Die deutsche Literatur im Dritten Reich – Themen, Traditionen, Wirkungen,* Stuttgart 1976.
Ketelsen, Uwe-K.: *Literatur und Drittes Reich,* Schernfeld 1992.
Liebe, Ulrich: *Verehrt, verfolgt, vergessen. Schauspieler als Naziopfer,* Weinheim / Berlin 1993.
Loewy, Ernst: *Literatur unterm Hakenkreuz. Das Dritte Reich und seine Dichtung,* Frankfurt am Main 1966.
Möller, Horst: *Exodus der Kultur. Schriftsteller, Wissenschaftler und Künstler in der Emigration nach 1933,* München 1984.
Schäfer, Hans Dieter: *Das gespaltene Bewußtsein. Deutsche Kultur und Lebenswirklichkeit 1933-1945,* München / Wien 1981.
Schäfer, Hans Dieter: *Am Rande der Nacht. Moderne Klassik im Dritten Reich. Ein Lesebuch,* Frankfurt am Main / Berlin 1984.
Bruno Schnell: Literatur – Dichtung in finsteren Zeiten, in: Hilmar Hoffmann / Heinrich Klotz (Hg): *Die Kultur unseres Jahrhunderts 1933-1945,* Düsseldorf / Wien / New York / Moskau 1991.
Günther Rühle: Theater – Der Griff nach dem Theater. Drama und Bühne im Dritten Reich, in: Hoffmann /Klotz, a. a. O.
Scholdt, Günter: *Autoren über Hitler. Deutschsprachige Schriftsteller 1919-1945 und ihr Bild vom »Führer«,* Bonn 1993.
Wulf, Joseph: *Literatur und Dichtung im Dritten Reich. Eine Dokumentation,* Gütersloh 1963.
Wulf, Joseph: *Theater und Film im Dritten Reich. Eine Dokumentation,* Frankfurt am Main / Berlin 1983.
Bernhard Zeller (Hg.): *Klassik in finsterer Zeit 1933-1945.* Ausstellungskatalog, Marbach 1983.

Film

Von Hermann Glaser

Ende März 1933, zwei Wochen nach seiner Ernennung zum Reichspropagandaminister, stellte Joseph Goebbels in einer Rede vor Filmschaffenden fest, daß die Kunst frei sei und frei bleiben solle. »Allerdings muß sie sich an bestimmte Normen gewöhnen.« Für staatliche Demagogie, Indoktrination und Manipulation zuständig war vor allem das → Reichsministerium für Volksaufklärung und Propaganda, das für »Zwecke der Aufklärung und Propaganda unter der Bevölkerung über die Politik der Reichsregierung und den nationalen Wiederaufbau des deutschen Vaterlandes« geschaffen worden war.

Mit dem Filmkammergesetz vom 14. Juni 1933 wurde die → Gleichschaltung des zu Zeiten der Weimarer Republik international anerkannten deutschen Films eingeleitet; die Berufsausübung konnte nun denjenigen entzogen werden, die nicht die »erforderliche Zuverlässigkeit« besaßen. Das waren im Rahmen der rassistischen Hetze vor allem jüdische Produzenten, Regisseure und Schauspieler bzw. Schauspielerinnen. Das Reichslichtspielgesetz vom Februar 1934 bot die Handhabe, solche Filme zu verbieten, die »nationalsozialistisches Empfinden« verletzten; bereits im ersten Jahr betraf dies mehr als einhundert Werke.

Unter dem von 1933 bis 1945 als Schirmherr des deutschen Films fungierenden Goebbels – er war von der Montage-Technik des russischen Films beeindruckt und schätzte die »Rezepte Hollywoods« – sorgte der Reichsfilmintendant und Leiter der Abteilung Film im Reichspropagandaministerium, Dr. Fritz Hippler, dafür, daß die im Dritten Reich hergestellten etwa 1100 abendfüllenden Spielfilme sowie die 66 deutsch-ausländischen Produktionen und die importierten 600 ausländischen Filme (darunter *King Kong und die weiße Frau, Meuterei auf der Bounty* und *Anna Karenina*) ihren Zweck als »Propagandamittel 1« erfüllten.

Der künstlerische Verlust Deutschlands aufgrund der Unterdrückungspolitik des NS-Regimes war ungemein groß (→ Emigration); es emigrierten u. a. Elisabeth Bergner, Lilian Harvey, Asta Nielsen, Ernst Deutsch, Curt Goetz, Fritz Kortner, Peter Lorre, Ernst Lubitsch, Alexander Moissi, Max Ophüls, Erich Pommer, Otto Preminger, Robert Siodmak, Conrad Veidt, Billy Wilder, Adolf Wohlbrück (insgesamt über 1500 Filmschaffende). Auch Fritz Lang verließ 1933 Deutschland, obwohl er mit seinen Filmen *Metropolis, Das Testament des Dr. Mabuse* und *Die Nibelungen* den heroischen Monumentalstil der Nationalsozialisten vorweggenommen hatte (weshalb ihm Goebbels anbot, Leiter der deutschen Filmwirtschaft zu werden).

Lang war in der Stummfilmzeit zunächst auch die Regie des Films *Das Kabinett des Dr. Caligari* übertragen worden, die er jedoch wegen einer anderen Arbeit wieder abgab. Diese vom Konzept her revolutionäre, die Allmacht der Staatsautorität brandmarkende Schauergeschichte in der Nachfolge E.T.A. Hoffmanns wurde – dem antidemokratischen Denken weiter Kreise der Weimarer Republik entsprechend – bei der Verwirklichung des Films »umgedreht«: die Autorität verherrlichend und deren Widersacher des Wahnsinns bezichtigend. Für Siegfried Kracauer ereignete sich dann 1933 in Deutschland, was der expressionistische Film seit Anbeginn hatte ahnen lassen: die von ihm beschworenen Gestalten traten aus der Leinwand heraus ins Leben: »Selbstherrliche ›Caligaris‹ schwangen sich zu Hexenmeistern auf. Tobsüchtige ›Mabuses‹ begingen straflos grausame Verbrechen, und wahnsinnige Despoten erdachten unerhörte Folterungen. Beim Nürnberger Parteitag tauchten die ornamentalen Muster des ›Nibelungen-Films‹ in gewaltig vergrößertem Maßstab, mit Wäldern von Fahnen und kunstvoll ausgerichteten Menschenmassen, wieder auf.« Die bis heute in der Fachwelt als Regisseurin geschätzte, 1902 geborene Leni Riefenstahl verstand es, mit ihren Parteitagsfilmen *Sieg des Glaubens* (1933) und → *Triumph des Willens* (1934) brutale Machtausübung zu ästhetisieren und damit die Massen zu faszinieren.

Daß die kinofreundlichen Deutschen der Droge des nationalsozialistischen Films zunehmend verfielen – 1939 gingen sie 624millionenmal ins Kino, vier Jahre später war die Zahl der Filmbesucher auf 1,1 Milliarden gestiegen –, war nicht nur eine Folge der allgemeinen Identifikation mit dem NS-Regime, sondern auch ein

Abb. 25: Filmaufnahmen für *Triumph des Willens* unter der Leitung von Leni Riefenstahl auf dem Reichsparteitag 1934 in Nürnberg.

Erfolg der von Goebbels raffiniert gehandhabten Filmpolitik: er setzte weniger auf plump-direkte, sondern vielmehr auf latent-unterschwellige Beeinflussung; außerdem wurden die Unterhaltungsbedürfnisse der → Volksgenossen durch das Massenmedium Film befriedigt. Die Nationalsozialisten fanden hinreichend bedeutende Protagonisten und Regisseure, die sich auf ein künstlerisches Doppelleben in der Diktatur einließen, z. B. Hans Albers, Josef von Baky, Willy Birgel, Heinrich George, Gustaf Gründgens, Emil Jannings, Helmut Käutner, Wolfgang Liebeneiner, Theo Lingen, Hans Moser, Erich Ponto, Arthur Maria Rabenalt, Heinz Rühmann, Paul Wegener, Käthe Haack, Heidemarie Hatheyer, Brigitte Horney, Zarah Leander, Marika Rökk, Ilse Werner. Dazu kamen Künstler und Regisseure, die dem Nationalsozialismus besonders ergeben waren, wie Hans Steinhoff *(Hitlerjunge Quex),* Karl Ritter *(Urlaub auf Ehrenwort),* Veit Harlan (→ *Jud Süß*), Luis Trenker (Spezialist für Bergfilme) und der Senior der Regisseure, Carl Froelich.

Nach Hilmar Hoffmann kann man die Filme des Dritten Reiches, mit deren Hilfe das Regime die Bevölkerung weltanschaulich ausrichtete oder sich ihr anbiederte, in elf Kategorien gliedern: den genuin ideologischen Film; den historischen Film; den gemeinschaftsbildenden Film; Filme gegen den gewollten Feind; den antisemitischen Film; den Wehrertüchtigungsfilm; den Jugendfilm; den patriotischen Film; den Kriegsfilm; den Durchhaltefilm; den Unterhaltungsfilm. Die Grenzen waren fließend. Beim sogenannten Ufa-Stil – die Universum Film AG war 1917 als Kartell der wichtigsten Filmunternehmen gegründet worden, 1927 dem Medienkonzern des nationalkonservativ-reaktionären Alfred Hugenberg eingegliedert worden und 1937 in Staatsbesitz übergegangen –, das heißt bei dem durch die Ufa besonders repräsentierten Genre des NS-Propaganda-Films dominierten Themen, die Führertum (→ Führer), Rasse, → Volksgemeinschaft und Heimat glorifizierten und dabei große Gestalten der Kunst, Medizin und Politik sowie des Militärs für den nationalen Mythos vereinnahmten; der auf die Rolle des Preußenkönigs Friedrich II. spezialisierte Otto Gebühr dürfte den »großen König« (so auch der Titel eines Films von Veit Harlan, 1943) wohl über fünfzigmal gespielt haben.

Als Pendant zu den »kinematographisch sublimierten Stahlgewittern« (H. Hoffmann), die gewissermaßen den eigenen Heldentod seelenerschütternd vorwegnahmen, erfreuten sich die vor allem nach Kriegsausbruch verstärkt produzierten Filmkomödien und -revuen großer Beliebtheit. Die Unterhaltung übernahm die Funktion der Seelenmassage: Man sollte nicht nur sterben lernen, sondern auch zwecks Steigerung bewußtloser Kampfmoral die elende Wirklichkeit verdrängen und vergessen.

Einerseits feierlich intonierter Fahnenkult (»Wir sind das Heer vom Hakenkreuz /hebt hoch die roten Fahnen«), andererseits gemütvoller Liedkitsch (das 1940 produzierte *Wunschkonzert* [»... die Heimat reicht der Front nun ihre Hände ...«] sahen bis Kriegsende 26,5 Millionen Menschen) und forciert-kess den *Karneval der Liebe* (1942) feiernde Operettenseligkeit («... mit Musik geht alles besser / mit Musik fällt alles leicht ...«). Doch gelangen auch anspruchsvolle Unterhaltungsfilme, wie Josef von Bakys *Münchhausen* (das Drehbuch durfte der mit Berufsverbot belegte Erich Kästner unter Pseudonym schreiben) und Helmut Käutners *Große Freiheit Nr. 7,* beides Farbfilme mit Hans Albers in der Hauptrolle. Damit das gleichermaßen heldensüchtige wie lachende Deutschland keine Anwandlungen von Menschlichkeit gegenüber den auszumerzenden »Untermenschen« zeigte – »Humanität ist Schwäche« (Hitler) –, sorgten Spiel-, Kultur- und Lehrfilme, und natürlich auch die *Deutsche Wochenschau* mit ihrem »Feste-druff-Rabaukentum«, für die aggressive Aufputschung der Volksgenossen. Hetzfilme wie *Jud Süß* (unter der Regie von Veit Harlan, mit Ferdinand Marian, Werner Krauss, Kristina Söderbaum in den Hauptrollen) wurden noch »untertroffen« von Machwerken wie → *Der ewige Jude,* einem »Dokumentarfilm« (1940), für den der Schreibtischtäter Fritz Hippler – nach dem Krieg weiterhin publizistisch tätig – verantwortlich zeichnete; er filmte in einem von der SS eingerichteten polnischen Zwangs-Ghetto die erniedrigten, geschundenen, für die Massenvernichtung vorgesehenen Menschen und führte die Opfer einer erbarmungslosen rassistischen Wahnidee als »Abschaum der Menschheit« vor (allein in Berlin startete der Film gleichzeitig in 66 Kinos). »Wo Ratten auftauchen, verbreiten sie Krankheiten und tragen Vernichtung ins Land. Sie sind hinterlistig, feige und grausam und treten meist in großen Scharen auf – nicht anders als die Juden unter den Menschen.«

Einer der bekanntesten Kostümfilme des Dritten Reiches trug den hintersinnigen Titel *Tanz auf dem Vulkan* (1938). Mit dem Schlager »Die Nacht ist nicht allein zum Schlafen da« enthusiasmierte Gustaf Gründgens das Kinopublikum (» ... zieh'n wir festlich angetan / hin zu den Tavernen«). Der Durchhaltefilm → *Kolberg,* der letzte mit dem Ehrentitel »Film der Nation«, hatte am 30. Januar 1945 in der Atlantikfestung La Rochelle und einen Tag später im schon weitgehend zerstörten Berlin Premiere. Der Vulkan war auf verheerende Weise ausgebrochen, die deutsche Hybris unter Schutt begraben. Im April 1945 beging der Filmimperator Goebbels Selbstmord. Mit der bedingungslosen Kapitulation der deutschen Wehrmacht am 8. Mai endete das »Reich der niederen Dämonen« (Ernst Niekisch). »Amnestie, Amnestie / allen braven Sündern«, hatte Gründgens in seinem Schlager geträllert. Aber auch dort, wo er unpolitisch war oder/und technisch bestach, verdient der NS-Film eine solche nicht. Ästhetik kann, wenn sie der Barbarei und dem Verbrechen verführerisch dient, nicht exkulpiert werden.

Literatur

Drewniak, Boguslaw: *Der deutsche Film 1938-1945,* Düsseldorf 1987.

Hoffmann, Hilmar: *Und die Fahne führt uns in die Ewigkeit, Propaganda im NS-Film,* Frankfurt am Main 1988.

Hoffmann, Hilmar: Die Funktion von Film und Kino im Dritten Reich, in: Hilmar Hoffmann / Heinrich Klotz (Hg.): *Die Kultur unseres Jahrhunderts 1933-1945,* Düsseldorf/Wien/New York/Moskau 1991.

Kracauer, Siegfried: *Von Caligari zu Hitler (Schriften,* 2 Bde.), Frankfurt am Main 1977.

Loiperdinger, Martin: *Rituale der Mobilmachung. Der Parteitagsfilm »Triumph des Willens« von Leni Riefenstahl,* Opladen 1987.

Rabenalt, Arthur Maria: *Joseph Goebbels und der »Großdeutsche Film«,* München 1985.

Toeplitz, Jerzy: *Geschichte des Films 1895-1933-1945,* 2 Bde., München 1983.

Wulf, Joseph: *Theater und Film im Dritten Reich. Eine Dokumentation,* Frankfurt am Main/Berlin 1983.

Musik

Von Albrecht Dümling

Joseph Wulf durchbrach 1963 mit seiner Dokumentation *Musik im Dritten Reich* ein Tabu. Im Unterschied zu Literatur und bildender Kunst hatte bis dahin die Musik als die vom Nationalsozialismus am wenigsten beeinträchtigte Kunst gegolten. Das großzügig geförderte Musikleben wurde gelegentlich sogar als positive Errungenschaft des Regimes angesehen. Wulfs Arbeit zerstörte dieses Bild. Während die Musikpädagogik, angeregt auch durch Theodor W. Adornos Essay »Kritik des Musikanten« (zuerst 1956), ihre Helferrolle aufzuarbeiten begann (U. Günther 1967), hüllte sich die Musikwissenschaft gleichwohl vorerst noch in Schweigen. Dies änderte sich erst allmählich nach Fred K. Priebergs Buch *Musik im NS-Staat* (1982), nach Diskussionen in den USA sowie Impulsen der Studentenbewegung. Ab 1988 verhalf die kommentierte Rekonstruktion der Düsseldorfer Ausstellung »Entartete Musik« dem zuvor verdrängten Thema zu öffentlicher Resonanz in mehr als 40 Städten des In- und Auslands. Seitdem widmen sich mehrere universitäre und unabhängige Initiativen dem NS-Musikleben sowie verfolgten Komponisten und Musikern.

Kontrovers wird weiterhin die Rolle Richard Wagners diskutiert: War er der direkte Vorläufer Hitlers, wie dieser selbst es sah, oder wurden Wagner und Bayreuth mißbraucht? Unterschiedliche Einschätzungen gibt es auch zu Wilhelm Furtwängler, Carl Orff und Richard Strauss: Während Apologeten deren Rassentoleranz hervorheben, betont die Gegenseite die Anpassung an das NS-Regime. Solche Divergenzen rühren auch von den Widersprüchen des NS-Musiklebens her. Exemplarisch belegen dies die Schicksale der Komponisten Paul Hindemith und Léon Jessel sowie des Geigers und Musikpolitikers Gustav Havemann, die differenzierte Betrachtungen erfordern.

Funktion der Musik im NS-Staat

Im Selbstverständnis des Nationalsozialismus nahm die Musik einen hohen Stellenwert ein: »Unter sämtlichen kulturellen Gütern des deutschen Volkes steht die deutsche Musik an erster Stelle. Sie ist die deutscheste aller Künste. Am schönsten und reinsten und am unmittelbarsten findet in ihr die deutsche Seele ihren Ausdruck«. (Hans Schemm) Seelisches wurde dabei auf Gefühlshaftes eingeengt, wie Hitler am 6. September 1938 in seiner Kulturrede im Nürnberger Opernhaus bestätigte: »Nicht der intellektuelle Verstand hat bei unseren Musikern Pate zu stehen, sondern ein überquellendes musikalisches Gemüt. Wenn irgendwo, dann muß hier der Grundsatz gelten, daß, ›wes das Herz voll ist, des Mund überläuft‹. Das heißt: wer von der Größe, der Schönheit oder dem Schmerz, dem Leiden einer Zeit und seines Volkes durchdrungen oder überwältigt wird, kann, wenn er von Gott begnadet ist, auch in Tönen sein Inneres erschließen.« Musikalität sah er als Ausdruck eines tiefen Gefühlslebens, dem nur der Begnadete künstleri-

Abb. 26: Titelblatt der Broschüre *Entartete Musik. Eine Abrechnung* von H. S. Ziegler, 1939.

schen Ausdruck verleihen könne. Musik erhielt damit, wie im romantischen Konzept der Kunstreligion, den Rang einer sinnstiftenden göttlichen Offenbarung von ewiger Gültigkeit. Ihr war nicht kritisches Hören, sondern andächtiges, ergriffenes Lauschen angemessen.

Das romantische Musikhören galt als Vorbild und Stimulans des erwünschten politischen Verhaltens. Eine ähnliche Hingabe wie gegenüber einer Bruckner-Sinfonie erwartete Hitler von seinen Zuhörern. »Nichts ist mehr geeignet, den kleinen Nörgler zum Schweigen zu bringen als die ewige Sprache der großen Kunst«, hatte er auf dem Reichsparteitag 1935 verkündet. Die ästhetische Faszination sollte über Einschüchterung zur Zustimmung führen. Um die erstrebte »Macht über die Herzen« zu sichern, investierte der NS-Staat erhebliche Mittel ins Musikleben. Unter dem Primat der Wirkung förderte er traditionelle Sinfoniekonzerte, Musikfestspiele und Opernaufführungen und erzielte auf diesem Gebiet, etwa bei den Furtwängler-Konzerten oder den Bayreuther Festspielen, quantitativ wie qualitativ Bedeutendes. Ein breites Publikum wurde an klassisch-romantische Meisterwerke herangeführt, woraus sich die positiven Rückblicke auf das NS-Musikleben erklären. Aus dem Bewußtsein verdrängt wurde dagegen der ideologische Kontext, der die bekannten Werke einer propagandistischen Funktion zuführte. Diese Umfunktionierung ist für das NS-Musikleben charakteristischer als das Entstehen offensichtlich »politischer« Werke.

Verfolgung

Dem wiederbelebten Konzept der romantischen Kunstreligion widersprach jeder → Kulturbolschewismus in der Musik. Unter dieser Überschrift wurden die Atonalität Schönbergs, experimentelle Formen sowie moderne Tanzrhythmen bei Hindemith, Krenek, Weill und Strawinsky als bedrohliche Zersetzung, als Ausdruck von Chaos und Anarchie bekämpft. Die NS-Musikpolitik knüpfte dabei an anti-moderne Ressentiments an, die Hans Pfitzner schon zu Beginn der zwanziger Jahre formuliert hatte und die Wagnerianer wie Alfred Rosenberg, Winifred Wagner, Alfred Heuß und Hans Severus Ziegler ab 1928 im → Kampfbund für Deutsche Kultur aufgriffen. Die Säuberungen, die der Kampfbund im Jahr 1933 vornahm, richteten sich gegen bekannte Modernisten, Anhänger der Weimarer Republik, Sozialdemokraten, Kommunisten, Ausländer und nicht zuletzt Juden. Die zunächst wilden Schikanen erhielten mit Gründung der Reichsmusikkammer ab November 1933 eine organisatorische Basis (→ Reichskulturkammer). Die → Gleichschaltung der bisherigen Musikverbände durch eine zentrale Verwaltung (an deren Spitze zuerst Richard Strauss, dann der Dirigent Peter Raabe stand) ermöglichte systematische Säuberungen. Dabei konnten sich aus taktischen Erwägungen die Kriterien der Ausgrenzung verändern oder sogar von der ideologischen Grundlinie entfernen. So waren trotz zeitweiliger und regionaler offizieller Jazz-Verbote weiterhin jazzähnliche Musikwerke im Umlauf, allerdings unter anderer Etikettierung (→ Unterhaltungsmusik). Sogar Zwölftonmusik war erlaubt, wenn sich ihre Urheber von Schönberg distanzierten. Infolge des eklatanten Mangels an jungen begabten Komponisten sah sich Goebbels ab 1935 zur Anwerbung zunächst regimeferner Künstler wie

Werner Egk, Paul Höffer, Carl Orff, Heinz Tiessen und Rudolf Wagner-Régeny gezwungen.

Etwa ab 1936 verdrängte offener Rassismus die bislang überwiegend politische Begründung der Säuberungen. An die Stelle des Begriffs Kulturbolschewismus trat der Vorwurf der »Entartung«. In Anlehnung an die Münchner Kunstausstellung von 1937 (→ Entartete Kunst) organisierte der Weimarer Generalintendant Hans Severus Ziegler auf eigene Initiative die Propagandaschau »Entartete Musik«. Als er sie im Mai 1938 während der Düsseldorfer Reichsmusiktage eröffnete, attackierte er unter Berufung auf Wagners Schrift *Das Judentum in der Musik*, auf Hitlers *Mein Kampf* und Arbeiten des völkischen Literaturwissenschaftlers Adolf Bartels jegliche Rassenmischung. Negative Symbolfigur der Ausstellung war, in Anlehnung an Křeneks Oper *Jonny spielt auf*, ein schwarzer Jazzmusiker mit Davidstern. Die meisten der in Düsseldorf als entartet angeprangerten Musiker waren bereits emigriert oder aus der Reichsmusikkammer ausgestoßen worden. Der ebenfalls angegriffene Hindemith emigrierte wenige Monate später. Das volle Ausmaß des Aderlasses im deutschen Musikleben ab 1933 sollte sich erst viel später herausstellen.

Musikpolitik als Rassenpolitik

Ziegler hatte in seiner Düsseldorfer Rede eine Instinktunsicherheit der Deutschen diagnostiziert, die sie der »seelischen Versklavung« widerstandslos ausgeliefert habe. Nun müsse die Politik gegen die vor allem von Juden verantwortete Zersetzung einschreiten: »Kulturpolitik treiben heißt: Betreuung der Seele des Volkes, Pflege seiner schöpferischen Kräfte und aller völkischen Charakter- und Gesinnungswerte, die wir in dem Generalbegriff ›Volkstum‹ zusammenfassen.« Als notwendig galten deshalb erstens die »Reinigung« des Musiklebens von allen »undeutschen« Einflüssen, zweitens die Rückbesinnung auf die germanischen Rassenwurzeln und drittens die Neuprägung der arischen Instinkte.

In seinem »Reinigungsstreben« ging Ziegler, ähnlich wie Herbert Gerigk, der Autor des Lexikons *Die Juden in der Musik*, rigoroser vor als der Pragmatiker Goebbels. Aber auch dieser hatte 1938 in Düsseldorf in seinen »Zehn Grundsätzen deutschen Musikschaffens« betont: »Judentum und deutsche Musik, das sind Gegensätze, die ihrer Natur nach in schroffstem Widerspruch zueinander stehen.« Angeregt durch Wagners Musikdramen erforschte die NS-Musikwissenschaft die germanische Kultur. Neben der »allgemeinen Freude am Kampf« als »Grundeigenschaft nordischen Menschentums« (Richard Eichenauer) hob sie dabei – entsprechend dem Goebbels-Wort von der »stählernen Romantik« – die Innerlichkeit als typisch hervor: »Das rassisch bedingte Drängen zum Metaphysischen flüchtete sich bei den Germanen in ein Ausdrucksgebiet hinein, das, fernab von begrifflichem Erfassen und denkmäßigem Verarbeiten, dieser Eigenschaft unseres Volkes entgegenkam: die Musik. So mußte Musik aus innerer rassischer Notwendigkeit die spezifische Kunst der Germanen werden!« (Walter Kühn). Den vermuteten Rassenkonstanten entsprechend wurde das NS-Musikleben in seiner ganzen Breite, vom Sinfoniekonzert bis zur → Hitler-Jugend, auf Heroisches und

Metaphysisches hin ausgerichtet, um durch Repetition von Standardwerken die bedrohten Instinkte der → Volksgemeinschaft zu festigen. Komponisten wie Bach, Beethoven, Wagner und Bruckner wurden als »Repräsentanten der ewig-gültigen Gesetze des Volkstums« (Ziegler) zu Volkserziehern ernannt, deren Meisterschaft zudem der Legitimation des deutschen Herrschaftsanspruchs diente. 1943 hatte Wolfgang Stumme, der Musikreferent der → Reichsjugendführung, den »Einsatz der Musik als volksbildende und staatserhaltende Lebensmacht« gefordert. Ein Jahr später präzisierte er: »Musikpolitik bedeutet uns heute: Einsatz der Musik als volksbildende und staatserhaltende Lebensmacht und Förderung des Schutzes und vor allem des Wachstums der deutschen Tonkunst als blutgebunden-seelischer Ausdrucksform und demgemäß als eines Mittels höherer Erkenntnis und höherer Entwicklung unserer Rasse.«

Literatur

Dümling, Albrecht / Peter Girth (Hg.): *Entartete Musik. Dokumentation und Kommentar*, Düsseldorf 1988/1993.
Heister, Hanns-Werner / Hans-Günter Klein (Hg.): *Musik und Musikpolitik im faschistischen Deutschland*, Frankfurt am Main 1984.
Heister, Hanns-Werner / Claudia Maurer-Zenck / Peter Petersen (Hg.): *Musik im Exil. Folgen des Nazismus für die internationale Musikkultur*, Frankfurt am Main 1993.
Prieberg, Fred K.: *Musik im NS-Staat*, Frankfurt am Main 1982.
Wulf, Joseph: *Musik im Dritten Reich. Eine Dokumentation*, Gütersloh 1963.

Unterhaltung

Von Michaela Haibl

Unterhaltung während des Nationalsozialismus bedeutete Massenunterhaltung – abgesehen von der privaten Zerstreuung, von Familienfesten und traditionellen Feiern im kleinen Kreis. Die Nationalsozialisten bedienten sich sämtlicher während der Weimarer Republik prosperienden Unterhaltungsmedien und -formen und intensivierten deren ideologische Inbesitznahme. Kennzeichnend ist die enge Verknüpfung von → Propaganda und Unterhaltung, ohne daß jedoch die politische Ausrichtung der Unterhaltung auf den ersten Blick offenbar wurde: »Das Schaffen des kleinen Amüsements, des Tagesbedarfs für die Langeweile und die Trübsal zu produzieren, wollen wir ebenfalls nicht unterdrücken. Man soll nicht von früh bis spät Gesinnung machen.« (Goebbels, 1933)

Im Gegensatz zu Kunst, Ästhetik und Ideologisierung im Nationalsozialismus, die eingehend in ihrem Ineinandergreifen diskutiert und erforscht wurden, gibt es kaum wissenschaftliche Untersuchungen zu den zahlreichen Aspekten NS-konformer Unterhaltung als Alltagsphänomen. Allerdings liegen – häufig in Form von einzelnen Kapiteln – Teilstudien innerhalb umfassender Untersuchungen zu Musik, Kunst, Film, Rundfunk, Theater und Literatur vor. Ansätze zu den Strategien der Unterhaltungspolitik im Nationalsozialismus werden in Gerd Albrechts *Zur Filmpolitik des Dritten Reiches* (1969) thematisiert. Konkretisiert wurde dies in der Regionalstudie *Freizeitgestaltung und kulturelles Leben in Nürnberg 1930-1945* von Michael Maaß. Anregungen zu einer kritischen Auseinandersetzung, die sich von Vereinfachungen und schematisierenden Zeitrastern distanziert, gibt Karl-Heinz Schäfers Untersuchung zur Lebenswirklichkeit im Nationalsozialismus, und Peter Reichel geht in *Der schöne Schein* konzentriert auf die alltägliche visuelle Erfahrbarkeit des Nationalsozialismus ein. Die Fragen nach den verschiedenen Funktionen von Unterhaltung, ihrer Rezipierbarkeit und der tatsächlichen Rezeption durch die Bevölkerung wurden zwar gestellt, breiter angelegte empirische Untersuchungen stehen jedoch noch aus.

Die »Unterhaltungsindustrie« des Nationalsozialismus war geprägt von großer Ambivalenz. Sie repräsentierte einerseits Normalität, Alltag und damit konkrete Lebensumstände der deutschen Bevölkerung, andererseits verbreitete sie mit ihrer »unsichtbaren Propaganda« dennoch die Ideenwelt des Nationalsozialismus. Während der Konstituierungsphase zwischen 1933 und 1936 wurden Aspekte einer »politisch sinnvollen« Unterhaltung sehr ernst genommen und eingehend diskutiert. Vor allem aber seit Kriegsbeginn 1939 griff Goebbels von seiten des → Reichsministeriums für Volksaufklärung und Propaganda, dem alle Bereiche der Unterhaltung unterstanden, immer häufiger ein. Die Unterhaltung bot sich nun als Gegenwelt zu Propaganda, Indoktrinierung und Politik dar, galt es doch, auch den Soldaten an den Kriegsschauplätzen die passende Zerstreuung zukommen zu lassen. Der übrigen Bevölkerung dienten die Unterhaltungsangebote seit 1941 vorrangig zur Flucht aus Mangel und Bombenkrieg.

Goebbels' ausgeklügelte Politik der Unterhaltung bezog sich auf alle Formen kultureller Lebensäußerungen. Popularisierung und Vereinfachung bildeten die Grundlage der Unterhaltung, die ihre Wirksamkeit vor allem aus dem gemeinschaftlichen Erleben beziehen sollte. Dies geschah in den Kulturveranstaltungen von → »Kraft durch Freude« (KdF), im Kino, und auch im gemeinsamen Hören vor dem → Volksempfänger, wie es in dem populären Gemälde »Der Führer spricht« von Paul Matthias Padua 1939 idealisierend propagiert wurde. Gerade um den Vorgaben einer einheitlichen → Volksgemeinschaft zu genügen, wurde die Unterhaltung in sehr verschiedenen Ausdrucksformen gefördert, welche die nationalsozialistischen Ideale von Gemeinschaft, Kraft und Schönheit an die jeweiligen Rezipienten vermitteln sollten. Dazu konnten als Identifikationsmuster sowohl die Revuevorstellungen der Großstadtvariétés dienen als auch Volkstanzaufführungen in ländlichen Gegenden.

Früh schon erfuhr der Unterhaltungsbereich einschneidende Veränderungen. Die → Gleichschaltung ließ seit 1933 deutliche Lücken klaffen, als Musik, Filme, Schlager mit jüdischen Interpreten und von jüdischen Komponisten, Kabarettisten und Textdichtern unter Aufführungsverbot standen. Zudem mußten zahlreiche Schauspieler, Artisten, Sänger, Musiker, Dirigenten, die nicht als genehm in die entsprechenden Sparten der → Reichskulturkammer aufgenommen wurden, das Land verlassen. So emigrierten u. a. Publikumslieblinge wie der Schlagerkomponist Friedrich Hollaender und die Schauspielerinnen Fritzi Massary und Lilian Harvey (→ Emigration). Dennoch konnten die Vorgaben auch variabel gehandhabt werden. Eine ausdrückliche Bevorzugung »reichsdeutscher« Künstler für »deutsche« Unterhaltung wurde häufig umgangen, wie beliebte Film- und Musikstars von Marika Rökk über Zarah Leander bis zu Johannes Heesters zeigen.

Die Bedeutung, die der Unterhaltung beigemessen wurde, manifestiert sich vor allem im Massenmedium → Rundfunk. Das führte zu Empfehlungen, die Pausen in den Betrieben so zu legen, »daß die Belegschaften die Konzerte, die ihrer Erholung nach der Arbeit oder während der Arbeitspausen dienen sollen, auch wirklich hören« (Reichsrundfunkgesetz, 1935). Gemäß der statistischen Aufschlüsselung für das Rundfunkprogramm 1938 machten Marsch- und Blasmusik 2,5 Prozent, Unterhaltungs- und Tanzmusik 60 Prozent und die ernste Musik acht Prozent des Gesamtprogramms aus. Seit 1941 betonten neue Programmrichtlinien, einem Aufsatz von Goebbels zur »Auflockerung des Rundfunkprogrammes im Kriege« folgend, die Bedeutung der Unterhaltungsmusik für die Frontsoldaten. Zwischen 22 Uhr und 5 Uhr sollte das Programm »so bunt, abwechslungsreich und farbig wie möglich, beschwingt und von zündender Wirkung« sein (Anweisungen über musikalische Abendsendungen vom 26.9.1941). Mit solchen Anweisungen gab Goebbels indirekt und aus propagandistischen Gründen den Hörerinteressen nach. Als wirksames Massenmedium war der Rundfunk auf seine Hörer fixiert, die häufig mit Briefen auf Sendungen reagierten. Sollten noch 1936 in einem Tanzkapellen-Wettstreit »arteigene Klänge« gefunden werden, um dem äußerst populären, jedoch als »artfremd« geltenden Jazz etwas entgegenzusetzen, so wurde er später auf Wunsch der Frontsoldaten unter dem Etikett »rhythmische Tanzmusik« doch weitergesendet. Dies geschah entweder in einer Neuauflage durch deutsche Komponisten oder im Titel camoufliert, wenn etwa aus dem »St. Louis Blues« das »Lied des blauen Ludwig« wurde. Mit Kriegsbeginn wurde einem breit angelegten Unterhaltungs- und Ablenkungsbedürfnis der Hörer entsprochen, war es doch eine Taktik Goebbels', nicht immer zu »trommeln«: Auch die Bevölkerung brauche den Glauben, daß Wünsche, Träume und Phantasien in Richtung eines »Endsiegs« realisierbar seien. Die Amerikanismen versuchte man mit »Deutschem« zumindest zu neutralisieren, wenn im Ostmarken-Funk in der Sendung »Das deutsche Volkslied« zum Sammeln und Aufschreiben aufgerufen wurde.

Die Popularität der Rundfunksendungen hing eindeutig von den Inhalten und deren Präsentation ab. Mit entsprechenden Interpreten wurden die einfachen Unterhaltungsschlager zur Kunst erhoben, wobei man sich auch hier auf Goebbels berufen konnte, der auf die Frage nach dem künstlerischen Niveau der Unterhaltung antwortete: »Das Niveau der Darbietenden, nicht der Darbietungen ist zu heben« (12. 4. 1940). Berühmte Solisten aus dem Film wurden nun für Radiosendungen verpflichtet, so Marika Rökk, Fita Benkhoff, Theo Lingen, Hans Brausewetter, Heinz Rühmann und Josef Sieber. Sie alle sangen im »Wunschkonzert für die Wehrmacht«, das zunächst zweimal, dann einmal wöchentlich seit dem 1. Oktober 1939, meist nachmittags zwischen 17 und 20 Uhr, ausgestrahlt wurde. Es folgte dem seit 1935 gesendeten »Wunschkonzert für das → Winterhilfswerk«. Das Wunschkonzert als Prototyp nationalsozialistischer Unterhaltung sollte die Verbindung zwischen Front und Heimat herstellen. Geburten wurden den fernen Vätern bekanntgegeben und Glückwünsche ausgetauscht. Die Sendung war äußerst populär, und allsonntäglich hörten rund 50 Prozent der Bevölkerung das bunte, von der Sendeleitung aus Zusendungen unter dem Aspekt unterhaltungspolitischer Vertretbarkeit zusammengestellte Musikprogramm, dessen Bandbreite von der Operettenmelodie bis zum Militärmarsch reichte. So entstand auch auf dem Höhepunkt der Wunschkonzert-Begeisterung 1940 der mit zahlreichen NS-Filmprädikaten ausgezeichnete und populäre Unterhaltungsfilm *Wunschkonzert* (Regie: Eduard von Borsody; Hauptrolle: Ilse Werner). Spätestens seit März 1940 ließ sich Goebbels wöchentlich den Programmaufbau aus Liedern und musikalischen Improvisationen vorlegen. Die aus dem großen Sendesaal des Berliner Funkhauses übertragene Live-Sendung endete jeweils mit dem vom Musikkorps gespielten »In der Heimat, in der Heimat, da gibts ein Wiedersehn«. 1942 fiel das Wunschkonzert den verschärften Kontrollmaßnahmen im Unterhaltungsbereich zum Opfer, es wurde am 21. Mai vom Reichsministerium für Volksaufklärung und Propaganda verboten.

»Auch die Unterhaltung ist heute staatspolitisch wichtig, wenn nicht sogar kriegsentscheidend«, verkündete Goebbels am 8. Februar 1942. Er meinte damit auch den Film, der, eingebettet in die leichte Unterhaltung, ein Alltagsleben vorspiegelte, das gekrönt werden sollte von der Erfüllung der Sehnsüchte nach Freundschaft und Kameradschaft in der Volksgemeinschaft. Neben dem Rundfunk gehörte das Kino zum meistrezipierten Unterhaltungsmedium. Zwischen 1933 und 1945 wurden insgesamt 1094 deutsche Filme gedreht, von denen 20 Prozent als »Großfilme nationalpolitischen Charakters« firmierten. 80 Prozent galten als »gute, qualitätssichere Unterhaltungsfilme«. 1942 gehörte zu letzteren *Die große Liebe* von Rolf Hansen, der mit etwa 27 Millionen Zuschauern einer der Kassenschlager des Jahres war. Zarah Leander in der Hauptrolle verkörpert eine Varietésängerin, die sich in einen Oberleutnant der Luftwaffe (Victor Staal) verliebt. Anders als bei den meisten Unterhaltungsfilmen fand hier die Kriegsrealität – heroisch verklärt – Aufnahme in den Film. Aufschub und Verzicht charakterisieren die weibliche Hauptfigur. Diesen Prinzipien also sollten – so konnotiert der Film – die deutschen Frauen während des Krieges folgen. Der aus demselben Film stammende berühmte Schlager »Ich weiß, es wird einmal ein Wunder geschehn« vermochte dabei gleichzeitig über die schweren Zeiten hinwegzutrösten. Mit unterschiedlicher Intensität wurden nationalsozialistische Vorstellungen und Werte über Unterhaltungsfilme transportiert. Sprach *Hitlerjunge Quex* 1933 vor allem die Jugend auf suggestive Weise an, indem die Werte von Ordnung, Kameradschaft und Treue herausgearbeitet wurden, so beeindruckte *Der große König* 1942 als historischer Film in einer latenten Parallelisierung von Friedrich dem Großen und Hitler.

Wichtig für die Unterhaltungslandschaft des Dritten Reiches war der Erfolg amerikanischer Western und Revuefilme, die das Publikum bis 1940 begeisterten. Sie beeinflußten das Programm der gleichgeschalteten deutschen Produktionsfirmen Bavaria, Terra, Tobis, Ufa ganz erheblich. Die Aufnahme des amerikanischen Revuefilms mit seinen »Girl-Truppen« in einer »deutscher Form« war sehr bewußt geschehen und bedeutete nur auf den ersten Blick eine Konzession an den Geschmack des deutschen Publikums. Die visuelle Form der »Girls« in ihren uniformen Kostümen, die durchchoreographierte Symmetrie und Synchronie der tanzenden Mädchen fand visuelle Parallelen in der Massenästhetik nationalsozialistischer Großveranstaltungen. Was so typisch amerikanisch schien, konnte in der etwas statischeren, hierarchisch aufgebauten Form ebensogut »deutsch« sein und als gemeinschaftsfördernd vereinnahmt werden. Marika Rökk führte das in *Hallo Janine* (1939) vor, ein Film, der auch visuell auf *Broadway-Melody of 1936* (USA 1935) rückverweist.

Das Flair der Revue-Filme konnte in den größeren Städten auch live erlebt werden und kam besonders dem städtischen Vergnügungsbedürfnis entgegen. Die beliebten, in den zwanziger Jahren noch aus den USA importierten »Tiller-Girls« fanden in den »Hiller-Girls«, die auf deutschen Varieté-Bühnen und in deutschen Revue-Filmen tanzten, ein deutsches Pendant. Artistische Vorführungen ergänzten häufig die Nummern-Programme, die vor allem auch wegen ihrer schnell zu verändernden Zusammenstellung für die »Wehrmachtsbespielung« in Lazaretten oder hinter der Front geeignet waren. Das Plaza, neben Scala und Wintergarten eines der größten Varietés in Berlin, wurde bereits 1938 zu einem von KdF betriebenen Großvarieté, das noch zwischen Mai und Juni 1942 mit seiner aufwendigen Produktion »Regenbogen« eine Viertelmillion Zuschauer anlockte. Inmitten von Mangelwirtschaft und Bombenkrieg bot die Revue ihren Besuchern die Illusion einer Märchenwelt sowie – in Programmen wie *Sterne für Dich* (Plaza 1942) oder *Fantasia* (Scala 1943) – prächtige Bühnenausstattungen und phantasievolle Kostüme. Ablenkung hieß das Gebot der Stunde. Tatsächlich waren – ebenso wie für Film und Rundfunk – offenbar finanzielle Mittel für die Imagination einer glänzenden Gegenwelt als »kriegswichtig« verfügbar. Ähnlich unterhaltende Wirkung besaß die Operette, deren Inhalte ebenso harmlos wie beliebt waren. Sie

Abb. 27: Die Scala-Girls (Foto: Josef Donderer, Okt./Nov. 1941).

erlebte in den großen Variétés eine neue Blüte, und die beliebtesten Melodien, beispielsweise aus Fred Raymonds *Maske in Blau,* waren auf Schallplatten erhältlich. Diese Lieder gehörten zum Schlager, der vom Nationalsozialismus hoch bewertet wurde und sich in einem Schwebezustand zwischen Traum und Wirklichkeit bewegte, damit aber gleichzeitig Ventilfunktion besaß. Jedoch durfte auch der Schlager seit 1942 nicht mehr allzu deutlich die Gegenwelt zur Realität besingen. In einem Rundfunkwettbewerb wurde 1942/43 um Einsendung von Liedern gebeten, die Optimismus verbreiten sollten. Jedoch war es nun nicht mehr die längst emigrierte Fritzi Massary, die ironisierend trällerte »Es wird schon wieder besser, irgendeinmal muß es uns doch besser gehn«, sondern Franz Grothe, der den Wettbewerb mit einem trotzigen »Wir werden das Kind schon schaukeln« gewann. Anklänge an die im Wunschkonzert immer wieder gefragten Märsche wie Herms Niels »Denn wir fahren gegen Engelland«, die Feindbilder unmißverständlich benannten, waren dabei offenbar gefragt.

Besonders auffällig für die unterschiedlichen Unterhaltungssektoren im Nationalsozialismus ist die Ambivalenz, mit der von seiten der zuständigen Stellen des Reichsministeriums für Volksaufklärung und Propaganda gehandelt wurde. Es war die Kluft zwischen den Bedürfnissen der Bevölkerung, dem Sehnen der Soldaten an den Fronten und der ideologischen Indoktrination, die Rundfunk,

Film, Revue, Variété und Unterhaltungsroman auf allen Ebenen gleichzeitig auszugleichen hatten. Unterhaltung entstand im Nationalsozialismus häufig als synästhetisierte Form in der inhaltlichen und formalen Verschmelzung von Live-Veranstaltung, Übertragung im Rundfunk, Film oder Schallplatte. So wurde das »Wunschkonzert der deutschen Wehrmacht« zum Musikfilm, die Radiosendung zum Revue-Programm. Diese Verdoppelungen erhöhten die Rezipierbarkeit des von »oben« Vorgegebenen. Wichtig war vor allem auch der gemeinsame Konsum von Unterhaltung. Dadurch konnten Reaktionen kontrolliert werden. Deshalb erlangte die individuell rezipierbare Unterhaltungsliteratur nur insofern Bedeutung, als man sehr bewußt »politisch korrekte« Frontliteratur zusammenstellte. In zahlreichen Produkten NS-konformer Unterhaltung wurde der Alltag, die Situation in Deutschland, ausgespart – Unterhaltung als Fluchtwelt. Am Menschenbild einer edlen »arischen Rasse«, an den Werten der nationalsozialistischen → Ideologie, an einer hierarchisch gegliederten Gesellschaft, an klaren moralischen Vorgaben des Guten, Hellen im Deutschen wie des Bösen, Düsteren im Fremden jedoch wurde festgehalten. Pflicht, Entsagung, Disziplin sind selbst in ausgelassenen Revue-Filmen spürbar. Die stete Wiederholung der nationalsozialistischen Schönheitsideale in Verbindung mit den sich vornehmlich in Dur-Tonarten bewegenden Melodien bewirkte bei den Rezipienten ein entspanntes Abschalten, so daß die eingestreuten ideologischen Untertöne mit großer Selbstverständlichkeit verinnerlicht wurden.

Literatur

Albrecht, Gerd: *Nationalsozialistische Filmpolitik. Eine soziologische Untersuchung über die Spielfilme des Dritten Reichs,* Stuttgart 1969.

Drechsler, Nanny: *Die Funktion der Musik im deutschen Rundfunk 1933-1945,* Pfaffenweiler 1988.

Jansen, Wolfgang: *Das Variété. Die glanzvolle Geschichte einer unterhaltenden Kunst,* Berlin 1990.

Maaß, Michael: *Freizeitgestaltung und kulturelles Leben in Nürnberg 1930-1945,* Nürnberg 1994.

Reichel, Peter: *Der schöne Schein des Dritten Reiches. Faszination und Gewalt des Faschismus,* München/Wien 1991.

Schäfer, Hans Dieter: *Das gespaltene Bewußtsein,* München/Wien 1981.

Wicke, Peter: Das Ende: Populäre Musik im faschistischen Deutschland, in: Sabine Schutte (Hg.): *Ich will aber gerade vom Leben singen ... Über populäre Musik vom ausgehenden 19. Jahrhundert bis zum Ende der Weimarer Republik,* Reinbek 1987, S. 418-429.

Witte, Karsten: Gehemmte Schaulust. Momente des deutschen Revuefilms, in: Helga Belach (Hg.): *Wir tanzen um die Welt. Deutsche Revuefilme 1933-1945,* München 1979, S. 7-52.

Kirchen und Religion

Von Kurt Nowak

In den dreißiger Jahren zählte man in Europa ungefähr ein Dutzend Diktaturen und autoritäre Systeme. Die Geschichte der Kirchen und religiösen Sondergemeinschaften im Dritten Reich ist mithin Teil eines größeren diktaturgeschichtlichen Panoramas. Die Jahre der NS-Diktatur hinterließen in den Kirchen tiefere Spuren als irgendeine andere Phase der neueren deutschen Geschichte. Bis zum Herrschaftsantritt des Nationalsozialismus verfassungsrechtlich privilegiert, sahen sich die Kirchen alsbald in zermürbende Auseinandersetzungen verstrickt und an den Rand der Gesellschaft gedrängt. Das richtige Augenmaß für die Vorgänge zu gewinnen fiel nicht leicht. In den ersten Jahren nach dem Sturz des Dritten Reiches überwog in den Kirchen die Selbstapologie (*Wir sind aber nicht von denen, die da weichen. Der Kampf um die Kirche,* 1946). In den fünfziger Jahren folgte eine Phase kritischer Revision der sogenannten »Kirchenkampflegenden«. Erst in einem längeren Prozeß der Versachlichung und Professionalisierung der historischen Arbeit gelang es, ein vielteilig differenziertes Bild des Weges der Kirchen im Dritten Reich, der nationalsozialistischen Religions- und Weltanschauungspolitik und der Stellung des Christentums in der deutschen Gesellschaft während der Jahre 1933-1945 zu gewinnen.

Die Institutionalisierung der evangelischen Forschungen vollzog sich 1955 mit der Gründung der »Kommission für die Geschichte des Kirchenkampfes in der nationalsozialistischen Zeit« durch den Rat der EKD und der Schriftenreihe *Arbeiten zur Geschichte des Kirchenkampfes* (nebst »Ergänzungsreihe«). 1962 wurde die »Kommission für Zeitgeschichte bei der Katholischen Akademie in Bayern« ins Leben gerufen (später »Kommission für Zeitgeschichte«). Ihre von vornherein nicht auf das Dritte Reich beschränkte Arbeit entfaltete sich in einer stattlichen Serie von *Veröffentlichungen der Kommission für Zeitgeschichte* (Reihe A: Quellen; Reihe B: Forschungen). 1971 bildete sich die evangelische »Kirchenkampfkommission« zur »Arbeitsgemeinschaft für kirchliche Zeitgeschichte« um. Das Thema Kirche im Dritten Reich besaß weiterhin Vorrang, erschien aber jetzt eingebettet in die Geschichte des gesamten 20. Jahrhunderts. (*Arbeiten zur kirchlichen Zeitgeschichte.* Reihe A: Quellen; Reihe B: Darstellungen, 1975 ff.). Die gegenwärtige Forschungslandschaft ist stark pluralisiert, zumal auch konfessionell nicht gebundene Zeithistoriker Kirchen und Religion als wichtigen Teil der Gesellschafts-, Sozial- und Herrschaftsgeschichte des Dritten Reiches zu entdecken begonnen haben.

Kirchen und NSDAP vor 1933

Intensiv ins Blickfeld der Kirchen trat die NS-Bewegung erst nach den Reichstagswahlen vom 14. September 1930. Die Zahl ihrer Reichstagsmandate schnellte von 12 im Jahr 1928 auf 107 empor. Aus der völkischen Splitterpartei war eine beachtenswerte politische Kraft geworden, ein Eindruck, der sich bei den Reichstagswahlen vom 31. Juli 1932 verstärkte und der trotz des Stimmenabfalls der NSDAP bei den Wahlen vom 6. November 1932 weiter anhielt. Für die evangelische Kirche sind erste offizielle Kontakte auf relativ hoher Ebene mit der NSDAP für den 4. März 1931 bezeugt. Der kirchliche Gesprächspartner notierte: »Bei der augenblicklichen Bedeutung der Nat. Soz. Partei und den mannigfachen Unklarheiten der Bewegung ist aufmerksam zu verfolgen, ob die Maßnahmen der Partei im Ganzen oder in einzelnen Gauen den hier (d. i. in dem Kontaktgespräch) niedergelegten Grundsätzen entsprechen.« Diese abwartende Haltung war in einigen Bereichen der evangelischen Kirchenbürokratie und des Kirchenvolkes mehrheitsfähig, in anderen nicht. Einige Wochen später erklärte der mecklenburgische Landesbischof Heinrich Rendtorff, viele Glieder der evangelischen Kirche lebten heute »mit ihrem ganzen Fühlen und Denken« in der NS-Bewegung. Der Nationalsozialismus profitierte von den antidemokratischen und nationalistischen Stimmungen des Protestantismus in der Niedergangsphase der Weimarer Republik. In einigen Landeskirchen gab es zu diesem Zeitpunkt bereits nationalsozialistische Pfarrergruppen, beispielsweise in Thüringen und Württemberg. Zeitgenössische Beobachter schätzten die Zahl der NS-Sympathisanten unter den aktiven evangelischen Christen auf ungefähr ein Drittel.

Deutlich zurückhaltender reagierte die katholische Kirche auf den Aufstieg der NSDAP. Bereits Ende September 1930 zeichnete sich ab, wie die Fronten zwischen Katholizismus und Nationalsozialismus verliefen. In Hessen verbot ein katholischer Geistlicher von der Kanzel herab den gläubigen Katholiken, Mitglied der NSDAP zu werden. Eingetragenen Mitgliedern der Hitler-Partei sollte der Zugang zu den Sakramenten, NS-Formationen die Beteiligung an Veranstaltungen der Kirche verwehrt sein. Vom Ordinariat in Mainz wurde diese kämpferische Linie approbiert. In den nächsten Wochen und Monaten folgten weitere Verlautbarungen. Am 17. August 1931 hieß es zusammenfassend auf der Fuldaer Bischofskonferenz: »Sämtliche Ordinariate haben die Zugehörigkeit zu dieser Partei für unerlaubt erklärt, weil Teile des offiziellen Programms derselben, so wie sie heute lauten und wie sie ohne Umdeutung verstanden werden müssen, Irrlehren enthalten.«

Da Hitler sah, daß der Weg zur Macht nicht an den Kirchen vorbeiführte, leitete die NSDAP 1930/31 einen religionspolitischen Kurswechsel ein. Sie gab die konfessionelle Indifferenz der → »Kampfzeit« auf, verstärkte die Abgrenzung gegen die völkisch-religiösen Sektierer in ihren eigenen Reihen und gab dem Artikel 24 des NSDAP-Programms (»Positives Christentum«) eine kirchenfreundliche Deutung (→ Ideologie). Außerdem bezeichnete sie Alfred Rosenbergs 1930 erschienenen → *Mythus des 20. Jahrhunderts* als Privatwerk des Verfassers. Rosenberg vertrat im »Mythus« eine spekulative Rassendeutung der Geschichte und griff die biblischen Überlieferungen des Alten und Neuen Testaments an. Beim Abschluß des »Vertrags der Evangelischen Landeskirchen mit dem Freistaat Preußen« vom 11. Mai 1931 warf sich die NS-Fraktion im Preußischen Landtag zum Beschützer der Kirchen auf. Ein parlamentarischer Staat sei nicht imstande, die »begründeten Rechte der Kirchen« zu wahren. 1932 stärkte die NS-Preußenfraktion ihre außerparlamentarische Klientel durch den Zusammenschluß evangelischer Nationalsozialisten in der Glaubensbewegung → Deutsche Christen. Die Freikirchen und religiösen Sondergemeinschaften versuchte der NS-Apparat durch gezielt lancierte Gerüchte über die Frömmigkeit und das intensive Gebetsleben des »Führers« zu gewinnen.

Der staatspolitische Umschwung von 1933

Wie für die Geschichte des Deutschen Reiches insgesamt war das Jahr 1933 auch für die Kirchen von entscheidender Bedeutung. »Am Ende dieses Jahres sind, jedenfalls was die Kirchen betrifft, fast alle grundsätzlichen Entscheidungen gefallen«, urteilte Klaus Scholder. »Was sich dann weiterentwickelt, ist durchweg hier bereits angelegt.« Hitler maß im Jahr der »nationalen Revolution« der Kirchen- und Religionspolitik eine Bedeutung bei, die sie zu keinem späteren Zeitpunkt wieder erlangte. In seiner Regierungserklärung vom 23. März 1933 in der Kroll-Oper versicherte er mit staatsmännischer Geste, die nationale Regierung sehe in den beiden großen Konfessionen »wichtigste Faktoren zur Erhaltung unseres Volkstums«. Er sagte den Kirchen die Unantastbarkeit ihrer Rechte zu, er bekräftigte den Willen zur Sicherung des christlichen Einflusses auf Schule und Erziehung, und er versprach als Element seiner Außenpolitik die Pflege der Beziehungen zum Vatikan. Der Episkopat war herausgefordert, Stellung zu beziehen. Nicht wenige von den Perspektiven der neuen Staatspolitik beflügelte Katholiken drängten plötzlich danach, den Widerspruch zwischen der »nationalen Revolution« und ihrer Glaubenstreue zu beseitigen. Das Festhalten an den Verwerfungen der Jahre 1930/31 hätte nicht mehr und nicht weniger bedeutet, als der in die politische Verantwortung eingerückten Hitler-Regierung Unaufrichtigkeit zu bescheinigen und ihr zumindest auf dem Gebiet der Weltanschauungs- und Kulturpolitik den Fehdehandschuh hinzuwerfen. Am 28. März traten die Bischöfe mit einer Kundgebung an die Öffentlichkeit. Der Kernsatz lautete, »daß die allgemeinen Verbote und Warnungen nicht mehr als notwendig betrachtet zu werden brauchen«. Vom höchsten Vertreter der Reichsregierung sei der Unverletzlichkeit der katholischen Glaubenslehre und den Aufgaben und Pflichten der Kirche Rechnung getragen worden. Der → *Völkische Beobachter* kommentierte triumphierend und voreilig: »Die katholische Kirche gibt Verfemung des Nationalsozialismus auf.«

In der evangelischen Kirche machte der staatspolitische Umschwung einen noch tieferen Eindruck. Nicht nur die Deutschen Christen, die Vorhut der NS-Bewegung unter den kirchentreuen Protestanten, rechneten sich unter Hitler neue Chancen für das Christentum aus. Man hoffte allgemein, mit der Überwindung des Parteienstaates vollziehe sich auch eine Gesinnungsrevolution gegen den angeblich richtungslosen und wertevernichtenden Liberalismus und gegen den gott- und kirchenfeindlichen Bolschewismus. Gänzlich frei von kritischen Einwänden und Bedenken war die protestantische Euphorie in den ersten Monaten des Jahres 1933 nicht. Bei den Reichtagswahlen vom 5. März 1933 hatte die NSDAP nicht die absolute Mehrheit erringen können. Es scheint nicht ausgeschlossen, daß Hitler gerade durch aktive Kirchenchristen um die Majorität gebracht wurde.

Die deutsche Gesellschaft war konfessionell zweigeteilt. Im Jahr 1933 standen 62,7 Prozent Angehörige evangelischer Kirchen einem Anteil von 32,5 Prozent Katholiken gegenüber. Katholiken, Protestanten, Mitglieder von Freikirchen und religiösen Sondergemeinschaften traten mit unterschiedlichen Erwartungen in das Dritte Reich ein. Die Protestanten verbanden den Staatsumbruch mit der Neubelebung ihres Anspruchs auf die gesellschaftliche »Deutungskultur« (Th. Nipperdey). Die katholische Seite sah die Entwicklung vor allem unter dem Gesichtspunkt ihrer staatskirchenrechtlichen Sicherstellung, nachdem die Mechanismen der Reichsverfassung und des parlamentarischen Kräfteausgleichs nicht mehr funktionierten. Hitler verstand es, diese Erwartungen zu bedienen. Der katholischen Kirche bot er unter veränderten staatspolitischen Verhältnissen das in der Weimarer Republik angestrebte, doch nicht zustande gekommene → Reichskonkordat an. Für das evangelische Kirchenwesen favorisierte er den Zusammenschluß der 28 Landeskirchen zu einer »Deutschen Evangelischen Kirche« (Reichskirche). Die evangelischen Kirchenführer folgten dem unitarischen Zug der Zeit, wohl auch deshalb, um sich an die Spitze einer für unausweichlich gehaltenen Entwicklung zu setzen. Über die Konkordatspläne wußte man hier schon Ende März 1933 Bescheid. Hitlers Bevollmächtigter für die evangelische Kirche war Wehrkreispfarrer Ludwig Müller, der spätere Reichsbischof. Ihn zurückzudrängen versuchten die evangelischen Kirchenführer vergeblich. Am 10. Juli 1933 war die Verfassung der »Deutschen Evangelischen Kirche« fertiggestellt, einen Tag später durch die Vertreter der Landeskirchen angenommen und am 14. Juli 1933 durch Reichsgesetz bestätigt. Wenige Tage später, am 20. Juli 1933, wurde das Reichskonkordat durch Vizekanzler von Papen und Kardinalstaatssekretär Pacelli paraphiert. Die evangelischen Kirchenwahlen vom 23. Juli 1933 brachten die Deutschen Christen in der Mehrzahl der Landeskirchen an die Macht. Einen gewissen zeitlichen Gleichklang gab es auch bei der ersten Nationalsynode der Deutschen Evangelischen Kirche mit der Inthronisierung des Reichsbischofs Müller in Wittenberg Ende September und der Ratifizierung des Reichskonkordats (20. September 1933).

So schlüssig Hitlers zweisträngige Kirchenpolitik von 1933 in den großen Linien anmutet, so umstritten sind viele ihrer Details. Im Streit der historischen Forschung befinden sich auch die Entscheidungen des Zentrums, die Motive der deutschen Bischöfe und die Politik des Heiligen Stuhls. War die Zustimmung der Zentrumsfraktion zum → Ermächtigungsgesetz vom 23. März und die einlenkende Erklärung der Bischöfe vom 28. März 1933 eine Vorleistung zugunsten des Konkordats, oder sind derartige Zusammenhänge nicht nachweisbar? War das Ende des politischen Katholizismus (Artikel 32 des Konkordats) ein von der katholischen Seite bewußt in Kauf genommenes Opfer, oder war Artikel 32 als

Abb. 28: Katholisches Jugendtreffen im Stadion Berlin-Neukölln am 20. August 1933, von links nach rechts: Dr. Erich Klausener (wurde am 30. Juni 1934 während des »Röhm-Putsches« von Nationalsozialisten ermordet), Prälat Puchowski, Generalvikar Steinmann, Prälat Weber.

Bollwerk gegen eine »nationalsozialistische Invasion im Klerus« (R. Leiber) gedacht? Die Fragen ließen sich fortsetzen. Das generelle Problem des Konkordats bestand darin, daß es einen Vertrag *mit* einem diktatorischen Staat *gegen* ihn darstellte.

Der Katholizismus war ein weitaus schwierigeres Gegenüber als erhofft. Der Protestantismus zersplitterte sich in inneren Richtungskämpfen. Die von Hitler bei den evangelischen Kirchenwahlen vom 23. Juli 1933 in die Deutschen Christen gesetzten Erwartungen erfüllten sich nicht. Schon im Frühherbst 1933 war die kirchenpolitische Lage wieder unübersichtlich und von vielen Unwägbarkeiten bestimmt. Zusätzlich drängten Hitlers Stellvertreter, Rudolf Heß, und weitere Parteikreise darauf, sich falscher Freunde zu erwehren: solcher, die die »nationalsozialistische Weltanschauung« mit christlichen Ideen aufweichten und gesamtkirchliche Führungsansprüche stellten, gleichviel ob sie ansonsten treue Anhänger Hitlers waren. Im zweiten Halbjahr 1933 hatte Hitler sein Interesse an der Kirchenpolitik und an der Förderung der Deutschen Christen schon wieder verloren.

Kirchenkampf

Der Begriff »Kirchenkampf« ist eine Bezeichnung für die Geschichte beider Kirchen im Dritten Reich. Diese Bedeutung besaß er nicht von Anfang an. Ursprünglich meinte »Kirchenkampf« das Ringen um das Wesen, den Auftrag und die Ordnung der evangelischen Kirche, anders gesagt: den Abwehrkampf der → Bekennenden Kirche gegen die Deutschen Christen und ihre Hintermänner im Partei- und Staatsapparat. Erst in einer weiteren Stufe der Auseinandersetzung bezeichnete »Kirchenkampf« dann den Kampf gegen die nationalsozialistische Weltanschauung und gegen die Kirchenpolitik des Dritten Reiches. Nach katholischem Verständnis meinte »Kirchenkampf« den Kampf des NS-Regimes gegen die katholische Kirche: gegen ihren institutionellen Bestand, gegen ihre Seelsorge-, Kultur- und Bildungsarbeit, gegen die katholische Glaubens- und Sittenlehre. In dieser Version besitzt der Begriff eine gewisse Nähe zum Begriff »Kulturkampf«, wie die Katholiken im Dritten Reich denn auch vielfach von einem »neuen Kulturkampf« sprachen, den sie zu bestehen hätten. Auf die Freikirchen und religiösen Sondergemeinschaften findet der Begriff »Kirchenkampf« nur begrenzte oder gar keine Anwendung. Die »Zeugen Jehovas« beispielsweise, die dem NS-Regime unerbittlich widersprachen, deuteten ihren Kampf- und Leidensweg in anderen Kategorien (→ Ernste Bibelforscher).

Auslösender Faktor des evangelischen Kirchenkampfes waren die Deutschen Christen. Im Gleichklang mit der »nationalen Revolution« erstrebten sie durch die »braune Kirchenrevolution« die Erneuerung des nach ihrer Meinung kultisch und dogmatisch erstarrten evangelischen Christentums. Sie verknüpften ihren volksmissionarischen Aufbruch mit einer weitgehenden Anpassung der kirchlichen Organisationsstrukturen und Verkündigungsinhalte an das Dritte Reich: Führerprinzip, Bekämpfung Andersdenkender, Umprägung des Christentums ins »Heroische«, »Entjudung« der Kirche. Die Erfolge der »Kirchenbewegung Deutsche Christen« (Ursprungsregion seit 1927 Thüringen) und der »Glaubensbewegung Deutsche Christen« (seit 1932 in Preußen) zeigen, daß man ihr volksmissionarisches Anliegen anfangs billigte. Sehr bald jedoch reagierten bestimmte Teile des kirchlichen Protestantismus mit zunehmend heftiger Kritik und Abwehr. »Kirche muß Kirche bleiben!« lautete die Parole der sich seit Frühherbst 1933 in mehreren Etappen formierenden Bekennenden Kirche. Der bekennende Widerstand entzündete sich vor allem an der Einführung des »kirchlichen Arierparagraphen«. Im September 1933 rief Pfarrer Martin Niemöller den → Pfarrernotbund ins Leben. Als organisierte Kirche gab es die Bekennende Kirche im Dritten Reich nur in Ansätzen, und zwar hauptsächlich in jenen Landeskirchen, die von den Deutschen Christen okkupiert waren. Ansonsten war Bekennende Kirche ein Bewegungs- und Identifikationsbegriff auf der Basis unverzichtbarer evangelischer Wahrheiten wie z. B. der Hochschätzung des Alten Testaments und der Ablehnung von Rasse und Geschichte als gleich- oder gar höherrangige Quellen der Gottesoffenbarung neben der Heiligen Schrift.

Eine politische Oppositionsbewegung zu sein wies die Bekennende Kirche zurück. Selbst die »Theologische Erklärung« der ersten reichsweiten Synode der

Bekennenden Kirche vom 29.-31. Mai 1934 in Barmen legte Wert darauf, ein theologisches und kein politisches Dokument zu sein. Die »kirchenverwüstenden Irrlehren« der »Deutschen Christen« erschienen als die Hauptgefahr, nicht die Politik des NS-Staates. Erst allmählich und »wider Willen« (Ernst Wolf) begannen sich Teile der Bekennenden Kirche als Stör- und Oppositionsfaktor in der Politik des Dritten Reiches zu begreifen. Das wichtigste Dokument dafür war die Denkschrift der Zweiten Vorläufigen Kirchenleitung der Bekennenden Kirche an Hitler vom Mai 1936, also im Vorfeld der Olympischen Spiele. Das prestigeempfindliche Regime reagierte brutal.

Die katholische Kirche machte seit Ende 1933 die Erfahrung einer tiefen und unaufhebbaren Kluft zwischen den Vereinbarungen des Reichskonkordats (dazu noch der weitergeltenden Länderkonkordate mit Bayern, Preußen und Baden) auf der einen, der kirchen- und kulturpolitischen Praxis auf der anderen Seite. NS-Organisationen wie die → Hitler-Jugend und die → Deutsche Arbeitsfront setzten ohne Rücksicht auf die katholischen Belange ihre totalitären Ansprüche immer unverhüllter durch. Eine Politik administrativer Unterdrückung griff um sich. Als Warnsignal erster Ordnung empfanden die Katholiken die Beauftragung Rosenbergs mit der »Überwachung der gesamten geistigen und weltanschaulichen Schulung und Erziehung der Partei« und ihrer Organisationen durch Hitler am 24. Januar 1934. 1934/35 veröffentlichte die Erzdiözese Köln in mehreren Teilen *Studien zum Mythus des XX. Jahrhunderts,* eine Kampfschrift gegen den nunmehrigen NS-Chefideologen. Seit 1935 erfolgte die schrittweise Auflösung der großen Jugend- und Arbeiterverbände. Den »Rechtstitel« dafür bot die → Reichstagsbrandverordnung vom 28. Februar 1933. Gewannen 1935 anti- und gegenchristliche Propagandaaktionen und -maßnahmen generell an Boden, so besaßen sie zusätzlich eine antikatholische Spitze. Die Berichte des SD und der Gestapo belegen Blatt um Blatt die Aversionen des Regimes gegen die katholische Kirche (→ *Meldungen aus dem Reich*). Der Gedanke des Märtyrertums wurde als bloßes Mittel zum Zweck charakterisiert, nämlich zur »Aufhetzung gegen den nationalsozialistischen Staat«. In den Jahren 1935-1937 brach das Regime gegen Kleriker und Ordensleute eine Serie von Sittlichkeits- und Devisenprozessen vom Zaun. Die katholische Kirche sollte bei der Bevölkerung um ihren moralischen Kredit gebracht werden, indem man die Geistlichen als geldgierig und sexuell verkommen hinstellte. Tiefgreifende strukturelle Schädigungen des katholischen Lebens hatten die Behinderungen des Religionsunterrichts, die Kampagnen gegen die Bekenntnisschulen und gegen die höheren Privatschulen zur Folge.

Der Episkopat und dessen Sprecher, Kardinal Bertram (Breslau), der päpstliche Nuntius in Deutschland und weitere Repräsentanten der Kirche versuchten durch Berufung auf das Konkordat den »Kirchenkampf« einzudämmen. Da die Politik der Eingaben und Gespräche keine Wirkung auf das Regime zeigte, wandte sich der Episkopat an den Heiligen Stuhl mit der Bitte um ein öffentliches Wort des Protests. Am 14. März 1937 warf die katholische Kirche unter Aufbietung ihrer höchsten Autorität in der päpstlichen Enzyklika »Mit brennender Sorge« dem NS-Staat Bruch des Konkordats vor. Folgt man dem Tagebuch von Joseph Goebbels, plante Hitler im Frühjahr/Frühsommer 1937 die Auflösung der

Orden, das Verbot des Zölibats, die Enteignung der kirchlichen Gebäude und Ländereien.

Deutsche Glaubensbewegung

Ende Juli 1933 war in Eisenach die Arbeitsgemeinschaft der Deutschen Glaubensbewegung entstanden. Unter ihrem Dach trafen sich bürgerliche und proletarische Freidenker, die Deutschgläubige Gemeinschaft, die Nordisch-religiöse Arbeitsgemeinschaft, die Nordungen sowie weitere Gruppen und Bünde aus dem tiefgestaffelten Feld der teilweise bis in das 19. Jahrhundert zurückreichenden neoreligiösen Strömungen. Weder im Deutschen Kaiserreich noch in der Weimarer Republik hatten sie die Körperschaftsrechte erlangen können. Im Dritten Reich betrieben sie verstärkt ihre Anerkennung. Die Einstellung von Partei und Staat zu dieser »dritten Kraft« neben den christlichen Kirchen und der NS-Weltanschauung war voll von Ambivalenzen. Einerseits hatte Hitler schon Mitte der zwanziger Jahre allen völkisch-religiösen Sektierern eine Abfuhr erteilt. Sie waren in seinen Augen nicht politikfähig. Andererseits gärte in der NS-Bewegung ein religiöses Element, geboren aus dem Willen zu neuer Welt- und Menschenschöpfung jenseits der Traditionen der christlich-abendländischen Kultur. Das Dritte Reich war kein säkularer Staat. In ihm lebte das Christentum stärker fort als es den nationalsozialistischen Gegnern der Kirche lieb war, und es war durchwoben von völkischer und rassischer Religiosität, zusätzlich noch von kultförmigen Zelebrationen der NS-Ideologie. Die religiöse Propaganda des Hauses Ludendorff, das sich mit seinen obskuren Ideengebilden »Am Heiligen Quell deutscher Kraft« wähnte, ariosophische Bünde und deutsch-gläubige Kampfringe reicherten das Spektrum zusätzlich an. Rosenberg notierte am 18. August 1934 in sein Tagebuch: »Nach zehn Jahren wird die Zeit vielleicht reif sein für einen Reformator, der die Kirchengebäude neu besetzt und ihnen den heroischen Zug unserer Zeit gibt.«

Die neugermanischen Religionsbildungen riefen in den Kirchen eine Flut polemischer Abwehrliteratur hervor. Das »Neuheidentum«, wie es in kirchlicher Sprache hieß, wirkte als pagane Speerspitze, die auf das Herz des christlichen Deutschland zielte: auf seine Kultur, auf die religiös wie ethisch wegweisende Rolle der Kirchen in der Gesellschaft. Als besonders bedrohlich mutete die Deutsche Glaubensbewegung des einstigen Indienmissionars und Religionsgeschichtlers in Tübingen, Jakob Wilhelm Hauer, an. Organisatorisch hatte sich die Deutsche Glaubensbewegung seit Mai 1934 durch Umbildung der Arbeitsgemeinschaft der Deutschen Glaubensbewegung gestrafft, dies bei gleichzeitiger Abstoßung der allerärgsten völkisch-religiösen Wirrköpfe. Sie verfügte über ein einigermaßen stabiles Organisationsnetz und über publizistische Plattformen. Ihre Erfolge fielen in die Zeit der beginnenden »Entkonfessionalisierung« des öffentlichen Lebens, das heißt der strategisch gezielten Zurückdrängung von kirchenpolitischen und theologischen Problemen aus der deutschen Öffentlichkiet durch das Regime. Aus der Perspektive kirchlicher Lagebeobachter verknüpften sich »Entkonfessionalisierung« und der Erfolg der Deutschen Glaubensbewegung zu einem Generalangriff auf das Christentum.

Mochte dieses Junktim zunächst nur eine kirchliche Sorge sein, so wurde es handgreifliche politische Realität nach der Saarabstimmung Mitte Januar 1935. Nach monatelangem Drängen und Warten erhielt die Deutsche Glaubensbewegung aus der NS-Führungsschicht grünes Licht für öffentliche Massenkampagnen. Die Motivlage für die auffällige Begünstigung der Deutschgläubigen war vielschichtig. Formal betrachtet konnte die Entscheidung, der deutschgläubigen Propaganda die Zügel schießen zu lassen, als Praktizierung des konfessionellen Neutralitätserlasses von Rudolf Heß vom 13. Oktober 1933 bewertet werden. Dieser Erlaß hatte die kirchlichen Allmachtsansprüche der Deutschen Christen im protestantischen Milieu neutralisiert und außerdem festgestellt: völkisch-rassische Kritik am Christentum zu verbieten, sei ein unzeitgemäßer Anachronismus. Offenbar zielte die Begünstigung der Deutschen Glaubensbewegung seit Januar 1935 jedoch auf mehr. Die Feinde von Kirche und Christentum in der NS-Partei sahen in ihr einen strategisch nutzbaren Faktor zur Unterminierung des christlichen Einflusses in der Gesellschaft. Ob es jedoch nur machttaktisches Kalkül war, das zur demonstrativen Duldung und Unterstützung der Deutschen Glaubensbewegung führte, darf bezweifelt werden. Im religiösen Bereich war das Regime wenig rational. Ebenso plötzlich wie der Propagandafrühling der Hauer-Bewegung begann, war er zu Ende. Am 15. August 1935 wies der Inspekteur der Gestapo den Führer der Deutschen Glaubensbewegung an, »öffentliche Veranstaltungen und Kundgebungen jeglicher Art zu unterlassen und die Arbeit ... auf geschlossene Mitgliederversammlungen zu beschränken«. Die Hauer-Bewegung versank neuerlich in der neoreligiösen Sektenszene.

Polykratie der Religionspolitik

Die Episode der Förderung und Eindämmung der Deutschen Glaubensbewegung zeigte mehr Improvisation als konzeptionelle Schlüssigkeit. Tatsächlich war die nationalsozialistische Kirchen- und Religionspolitik uneinheitlich und widerspruchsvoll. Kräften im Ministerialapparat des Regimes, die eine sachliche und einigermaßen rechtsförmige Linie bevorzugten, standen Personen und Gruppen mit strikt kirchenfeindlicher Haltung in der Partei gegenüber. Säuberlich verteilen ließen sich die Sympathisanten, Neutralisten und Gegner auf den Staat und die Partei nicht. Auch in den Staatsbehörden agierten Kirchengegner, wie umgekehrt die Partei nicht durchweg aus Christenfeinden bestand. Hitler selber hielt sich mit öffentlichen Bekundungen zurück. Intern ließ er seinem mittlerweile beträchtlichen Haß auf die »Pfaffen« freien Lauf.

Aus Gründen ministerieller Ressortbereinigung und zwecks Klärung der Verhältnisse zwischen Staat und Partei in der Kirchenpolitik berief Hitler am 16. Juli 1935 in Gemeinschaft mit dem Reichsinnenminister, dem Preußischen Ministerpräsidenten und dem Reichserziehungsminister den bisherigen Reichsminister ohne Geschäftsbereich, Hanns Kerrl, zum Reichsminister für kirchliche Angelegenheiten. Die Kirchen befürchteten von Kerrls Berufung eine Politik staatskirchlicher Reglementierung. Kerrls Hauptaufgabe bestand indes darin, den »evangelischen Kirchenstreit« mit seinen für das Auslandsprestige des Regimes schädlichen Wirkungen zu befrieden. Kerrl entwickelte ein Programm gruppenparitätischer Aussöhnung der evangelischen Streitparteien. Vertreter der Deutschen Christen, der Bekennenden Kirche und der kirchenpolitisch nicht organisierten Kreise sollten sich in einem Reichskirchenausschuß und in Landeskirchenausschüssen zusammenfinden. Kerrl stand mit seiner paritätischen Befriedungspolitik von vornherein auf verlorenem Posten. 1937 war seine Kirchenausschußpolitik gescheitert. Tonangebende Deutsche Christen in den Kirchenleitungen dachten nicht daran, ihre Macht mit der Bekenntniskirche zu teilen, und die entschiedensten Anhänger der Bekennenden Kirche weigerten sich, mit den Deutschen Christen zusammenzuarbeiten. Außerdem warfen die Kirchenfeinde in Staat und Partei dem Reichskirchenminister Knüppel zwischen die Beine. Kerrl, Sohn eines Volksschulrektors aus Fallersleben, versuchte seine Kirchenpolitik mit gutgemeinten, doch völlig unrealistischen Ideen der Versöhnung von Nationalsozialismus und Christentum zu verbinden. Sein Reichskirchenministerium wollte keine bloße Verwaltungsbehörde sein. Theologisch ungeschult, aber von einer diffusen Christlichkeit erfüllt, glaubte Kerrl an eine Synthese von Religion und NS-Weltanschauung, sofern sich die Religion auf den Seelen- und Kultraum beschränkte und der Weltanschauung das Feld der Politik überließ.

In einem Schreiben vom 22. Februar 1940 an Rosenberg stellte Reichsleiter Martin Bormann die administrative Eindämmung des kirchlichen Partikularismus und die Idee der Synthese von Religion und Weltanschauung als verfehlt und gefährlich dar: »Nationalsozialistische und christliche Auffassung sind unvereinbar.« Auch im Reichssicherheits-Hauptamt saßen einflußreiche Gegner Kerrls und seines Ministeriums. Im → Ministerrat für die Reichsverteidigung forderte man hingegen 1940 die Wiederaufnahme eines geordneten Religionsunterrichts. Die NSDAP lehnte das rundheraus ab.

In der älteren Forschung herrschte die Theorie vom einheitlichen und zielstrebigen Willen des Regimes zur Vernichtung von Christentum und Kirche vor. Im Licht der Vernichtungstheorie müßten die religionspolitischen Widersprüche als manipuliertes Spiel mit verteilten Rollen erscheinen. Davon kann keine Rede sein. Ämterdarwinismus und die Dualität von Staatsbehörden und Parteistellen prägten eine Entwicklung, die in unterschiedlich freundliche, neutrale und feindliche Haltungen der Machtinstanzen dem Christentum gegenüber eingebettet war.

Seit 1936 war die konfessionelle Nomenklatur in Deutschland um den Begriff »gottgläubig« erweitert. Bei der Volkszählung von 1939 bezeichneten sich 5,14 Prozent der Bevölkerung als »gottgläubig«. Die noch immer mehrheitliche Kirchenbindung der Deutschen ließ vorsichtiges Taktieren als das Mittel der Wahl erscheinen. In diesem Sinne erklärte Rosenberg, neben Bormann, Himmler, Goebbels und Heydrich eine Führungsfigur im Lager der Kirchenfeinde, bei einem Vortrag über »Weltanschauung und Glaubenslehre« an der Universität Halle vom 4. November 1938: Wer von der nationalsozialistischen Bewegung als Ersatz für die religiösen Traditionen »neue Katechismen und Versprechungen« erwarte, müsse gesagt bekommen, daß der Nationalsozialismus »heute nicht die

Absicht einer Kodifizierung derartiger Grundsätze hat«. Ähnlich dilatorische Äußerungen sind für Hitler in den Jahren 1941/42 bezeugt. Früher habe er vieles übers Knie brechen wollen. Heute sehe er: Man müsse Konfessionen und Kirchen abfaulen lassen »wie ein brandiges Glied«. Wie wenig zielklar Hilter selbst zu diesem fortgeschrittenen Zeitpunkt dachte, geht aus seiner Sympathie für die Anglikanische Staatskirche hervor. Eine in den Staat eingeordnete Kirche sei kein Störfaktor mehr.

Die Kirchen im Zweiten Weltkrieg

Bei der Entfesselung des Zweiten Weltkrieges nahmen Staat und Partei die patriotischen Dienste der Kirchen nicht in Anspruch. Offizielle Gottesdienste fanden zu Kriegsbeginn nicht statt. Immerhin wich die administrative Behinderung und propagandistische Diffamierung zu Kriegsbeginn einem fragilen »Burgfrieden«. In den Kirchen versuchte man, die Spannungen der zurückliegenden Jahre durch nationale Solidarität mit dem deutschen Vaterland hinter sich zu lassen. Das Wohlwollen der Partei gewannen sie deswegen nicht. Am 20. Oktober 1939 hieß es: »Bei sämtlichen Kirchen und Sekten ist ... ein Teil der Priesterschaft festzustellen, der die Berechtigung des deutschen Verteidigungskrieges anerkennt und sich rückhaltlos hinter die Staatsführung stellt. Ein beträchtlicher Teil der Priesterschaft stellt aber auch im gegenwärtigen Zeitpunkt die Interessen, Vorschriften und Grundsätze der jeweiligen Kirche oder Sekte weit über die Lebensnotwendigkeiten des deutschen Volkes ...«

Schmerzlich für die Kirchen war die Behinderung der Militärseelsorge. Die Heeresgeistlichen bildeten in den Stäben eigene Dienststellen. Ihren Wirkungskreis über die unmittelbare seelsorgerliche Betreuung von Verwundeten, Sterbenden und Angehörigen der Gefallenen hinaus zu erweitern, schlug vielfach fehl. »Kasernenabendstunden«, Vorträge und Musikveranstaltungen wurden nicht von allen Offizieren und Wehrmachtsstellen geduldet. Im Verlauf des Zweiten Weltkrieges wuchs die Zahl der militärischen Verbände ohne Seelsorger, namentlich in modernen Verbänden wie der Luftwaffe. Zwischen Militär- und Zivilkirche funktionierten die Verbindungen schlecht. Ein grundsätzlicher Widerspruch bestand im Verständnis der geistlichen Truppenbetreuung. Für die »Gruppe Seelsorge« im Oberkommando des Heeres war die Feldseelsorge ein Mittel zur Stärkung der militärischen Kampfkraft, bei der Militärkirche beider großen Konfessionen der Auftrag zur Verkündigung des Evangeliums. Das schloß militärische Durchhalteparolen nicht aus, verwies sie aber an den zweiten Platz.

Seit Sommer 1940 befürchtete die Bekennende Kirche für die Zeit nach dem Krieg eine flächendeckende Christenverfolgung. Bei den Katholiken gab es vergleichbare Sorgen. Ein Teil der Bischöfe glaubte, daß die katholische Kirche sich mit dem Staat Hitlers abfinden könne und die Konflikte nicht notwendig von staatspolitischer Natur seien. Ein anderer Teil – zu ihm gehörten die Bischöfe Konrad Graf von Preysing und Clemens August Graf von Galen – hielt ein Zusammenleben zwischen totalitärem Staat und katholischer Kirche für unmöglich.

Zum Experimentierfeld nationalsozialistischer Zukunftspläne in der Kirchenpolitik wurde das annektierte polnische Staatsgebiet. Arthur Greiser, → Reichsstatthalter im Wartheland, strebte für dieses Gebiet die Funktion eines »Mustergaus« an. Ein 13-Punkte-Programm der Reichsstatthalterei, das mit der Münchener Parteizentrale abgestimmt war, enthielt ein Konzept der Diskriminierung, der finanziellen und rechtlichen Strangulation der Kirchen. In Zukunft sollten sie keine Körperschaften des öffentlichen Rechts mehr sein, sondern nur noch auf Vereinsebene wirken dürfen. Kirchliche Beitrags- und Vereinigungsverordnungen von 1940/41 boten bereits Beispiele für die den Kirchen zugedachte Kümmerexistenz. Beschwerden der Kirchenführer in der Reichskanzlei prallten ohne Wirkung ab.

Auch im sogenannten »Altreich« versuchte die Parteizentrale mit Bormann als treibender Kraft eine Politik der harten Hand zu praktizieren. Die Kirchen mußten 1941 eine erhebliche Reduktion ihres religiösen Schrifttums hinnehmen und sich wüste Angriffe des SS-Wochenblatts → *Das Schwarze Korps* gefallen lassen. Angehörige der → Ordensburg Krössinsee griffen die örtlichen Gottesdienstbesucher an. NS-Feiergestalter unternahmen verstärkte Anstrengungen, den Kirchen bei den Passageriten Geburt, Hochzeit, Beerdigung den Rang abzulaufen. Die Masse der Disziplinierungsmaßnahmen des Regimes fiel nach dem Höhepunkt des Jahres 1937 in die Kriegszeit. Die Bemühungen um Aufrechterhaltung der »inneren Front« führten selbst bei harmlosen Delikten zu harten Sanktionen. Die Zahl der während des Krieges in das KZ Dachau eingelieferten deutschen Geistlichen wird mit 447 beziffert (92 % katholisch; 8 % evangelisch).

Im »Kirchenkampf« des Zweiten Weltkrieges zog die NSDAP den Kürzeren. Die Meldungen des Sicherheitsdienstes registrierten nach der Kriegswende 1942/43 steigenden Zulauf zu den Kirchen. Von einer Renaissance der Volkskirche im Krieg zu sprechen, dürfte gleichwohl zu weit gegriffen sein. Ganze Bereiche der Gesellschaft waren für die Kirchen verloren, allerdings auch für die nationalsozialistische Ideologie. In den Städten konnte eine Antwort auf den Bombenkrieg Vergnügungssucht sein. Zudem mußte die im Krieg verstärkte Beschäftigung mit religiösen Fragen nicht zwangsläufig in die Gottesdienste und kirchlichen Vortragsabende führen.

Erb- und Rassenpolitik

Das düsterste Kapitel in der Herrschaftsgeschichte des Nationalsozialismus war die Zerstörung der Menschenwürde und des Lebens von behinderten und kranken, von sozial und »rassisch« unerwünschten Menschen sowie der Massenmord an der jüdischen Bevölkerung in Deutschland und Europa. Den Kirchen erwuchs aus der millionenfachen Vernichtung menschlichen Lebens eine ethische Herausforderung, der sie nach Lage der Dinge kaum gewachsen waren. Dieses Urteil bedarf der Differenzierung, um schuldhaftes Versagen, Ohnmacht und humanitären Einsatz genauer ins Verhältnis zu setzen.

Beim Gesetz zur Verhütung erbkranken Nachwuchses vom 14. Juli 1933 (→ Erbgesundheit) zeigten evangelische und katholische Kirche bzw. Innere Mission und Caritas unterschiedliche Verhaltensweisen. Seit dem 1. Januar 1934 praktiziert, fielen dem Gesetz schätzungsweise 350000 Menschen zum Opfer. Im evangelischen Raum fand das Gesetz, von Einzelstimmen abgesehen, keinen Widerspruch. Man begrüßte es und arbeitete an seiner Durchführung zugunsten des »Volkswohls« mit. Den Katholiken war durch die Enzyklika »Casti connubii« vom 31. Dezember 1930 die Beteiligung an Maßnahmen der »negativen Eugenik« verboten. Der Episkopat, die Caritas, katholische Ärzte, Kommunalbeamte, Fürsorger entfalteten gegen das Gesetz eine Protestbewegung, ohne seine Praktizierung wesentlich einschränken zu können.

Für andere Verfolgtengruppen wie die → »Asozialen«, die → Sinti und Roma, die »Rheinlandbastarde« war die Wahrnehmungsfähigkeit in den Kirchen deutlich unterentwickelt. Jedenfalls geben die Quellen für die Verteidigung von deren Lebensrecht kaum Hinweise her. Die gesellschaftlichen Unterschichten des Dritten Reiches, gegen die 1938 die Aktion »Arbeitsscheu Reich« lief, waren Objekt kirchlicher Fürsorge, doch standen sie nicht im Zentrum humanitärer Solidarität.

Bei den Krankenmorden der Jahre 1939-1945 agierten evangelische und katholische Kirche von gleichen Voraussetzungen her. Der kranke Mensch war eine »res sacra«. Klarheit im Grundsatz bedeutete jedoch nicht, daß auch im praktischen Handeln gegen die Krankenmorde Eindeutigkeit herrschte. Die Strategien auf evangelischer Seite, die zur Verlangsamung oder zum Stillstand der Mordmaschine führen sollten, unterschieden sich zum Teil erheblich von denen der katholischen Seite. Die öffentliche Anprangerung der konspirativ durchgeführten »Euthanasie« erfolgte nur bei den Katholiken durch Bischof von Galen (Münster). Den entschiedensten Widerstand lösten die Krankenmorde der Jahre 1940/41 im Altreich aus (→ Aktion T 4). Geringen oder gar keinen Protest fanden die Krankenmorde in den »rechtsfreien Räumen« der Konzentrationslager und der okkupierten Ostgebiete. Die Dislozierung dieser Mordaktionen erschwerte ihre Wahrnehmung (→ Medizin).

Bei der Verfolgung und Ermordung der jüdischen Bevölkerung galt das Engagement der Kirchen nahezu ausschließlich den Christen jüdischer Herkunft. Die Solidarität mit dem mosaischen und assimilierten Judentum war ungleich weniger intensiv. Seit dem 22. März 1935 existierte ein Hilfsausschuß für katholische Nichtarier. Auf evangelischer Seite war die analoge Institution seit 1938 das Büro Grüber. Die Vorsorge für die Christen jüdischer Herkunft war ein Notbehelf. In der Phase der »physischen Endlösung der Judenfrage« wurde sie von den Partei- und Staatsbehörden zum Erliegen gebracht (→ Juden; → Rassenpolitik und Völkermord).

Der millionenfache Mord an den Juden Deutschlands und Europas war rassenpolitisch motiviert, doch enthielt er jenseits seiner ideologischen Einrahmung weitere Dimensionen. Die Technokratie des Terrors entfaltete ihre eigene Logik. Ob der Holocaust im Horizont einer »Endlösung der sozialen Frage« gesehen werden kann, ist umstritten. In der historischen Makroperspektive war das NS-

Regime der blutige Vollstrecker einer zweitausendjährigen Geschichte des Antijudaismus und → Antisemitismus. Der zunächst auf die Deportation, dann auf die Vernichtung bezogene Begriff »Endlösung« gewinnt in dieser Perspektive noch einen weiteren Akzent. Die Selbstdeutungen des jüdischen Schicksals in der Holocaust-Theologie geben Anlaß, die Empirie der Zeitgeschichte zu transzendieren. Die religiös-theologischen Deutungen des Holocaust sind es auch, welche an das Verhalten der Kirchen zu den Judenmorden des Regimes noch weitere als nur humanitäre Fragen stellen. Sie zielen auf den heilsgeschichtlichen Zusammenhang des Alten und Neuen Bundes und dementsprechend auf die Solidarität des in der Unterschiedenheit zusammengehörigen Gottesvolkes. Kardinal Faulhaber (München) forderte angesichts der jüdischen Massendeportationen den Protest des Gesamtepiskopats (→ Deportationen). Daraus erwuchs lediglich der Entschluß, eine zeitlich mit Landesbischof Wurm von der Bekennenden Kirche abgestimmte Denkschrift an Hitler vom Dezember 1941 als »Menschenrechtshirtenbrief« von den Kanzeln zu verlesen. Weitere gemeinsame Hirtenbriefe waren – gegen den Willen Kardinal Bertrams – ein Kanzelwort vom Dezember 1942 und ein Hirtenwort vom 12. September 1943 über die Zehn Gebote als Lebensgesetz der Völker. Im Oktober 1943 brandmarkte auch die altpreußische Bekenntnissynode die Mordtaten des Regimes. All diese Formen des Protests entstammten einer Tradition, die das Geschehen in den Vernichtungslagern nicht mehr einzuholen geschweige denn zu beeinflussen vermochte.

Kirchlicher Widerstand

Von erheblicher, vielleicht sogar entscheidender Bedeutung für die Entwicklung des kirchlichen Widerstands im Dritten Reich war die Religions- und Kirchenpolitik von Staat und Partei. In dem Maße, in dem sich auf diesem Gebiet Unzuträglichkeiten, Widersprüche und Konfrontationen entwickelten, wuchsen der Wille und die Nötigung zur institutionellen Selbstbehauptung und weltanschaulichen Auseinandersetzung. Institutionelle Selbstbehauptung und Weltanschauungskampf beschreiben die frühesten und zugleich dauerhaftesten Formen der kirchlichen Auseinandersetzungen mit dem Regime. Sie durchziehen die Kirchengeschichte des gesamten Dritten Reichs.

Mit der zunehmenden Aggressivität des Regimes vermehrten sich auch die Anlässe und Formen widerständigen Verhaltens. Im humanitären Bereich entwickelten sich Einspruch und Verweigerung nach Maßgabe der Entwicklung und am jeweils konkreten Fall. Daß das Dritte Reich wegen seiner Zerstörung der Individualrechte, der Demokratie und der pluralistischen Verfassung der Gesellschaft ipso facto ein Unrechtsregime war, diese Einsicht besaßen nur wenige Christen und Repräsentanten der Kirche. Feste Demokratie- und Menschenrechtstraditionen gab es in den konfessionellen Milieus nicht. Ein Hemmfaktor war zudem der kirchliche Gouvernementalismus. Auch dem NS-Staatswesen wollte man, trotz seiner Schäden, nicht den Charakter der staatlichen Obrigkeit absprechen. Der humanitäre Widerstand verstand sich weithin als Hilfe für die Opfer, die erst sekundär Widerstandscharakter gewann: durch die Kritik an den

Ursachen der humanitären Notlagen und durch die Reaktionen des Machtapparats. Widerstand im humanitären Bereich war zum Teil ein Produkt der Definitionsmacht des Regimes.

Bei der Bewertung des politischen → Widerstandes sind die unterschiedlichen Voraussetzungen von Kirchen als Großorganisationen in der Gesellschaft, von politischen Widerstandsbewegungen und -gruppen und von Einzelpersonen zu beachten. Dietrich Bonhoeffer und Alfred Delp SJ wußten, daß Kirchen keine Organisationen des politischen Widerstands sein können. Die Kirchen stehen auf der Grenze zwischen (öffentlicher) politischer Verantwortung und seelsorgerlichem Auftrag. In den politischen Untergrund konnten nur einzelne Kirchenmänner und christliche Laien gehen. Von Vertretern der Institution erhielten sie dabei gelegentlich Rückendeckung. Die Frage nach der sittlichen Erlaubtheit des Staatsumsturzes blieb in der Kirche selbst bei Regimekritikern allenfalls offen. Nur eine verschwindend kleine Minorität verstand sich zu Tyrannenmord und Staatsstreich als ultima ratio politischen Handelns.

Kontrovers werden in der Forschung Intensität und Ausmaß christlicher Nonkonformität im Dritten Reich bewertet. Mit fortschreitender Radikalisierung des Regimes konnte schon das »nomen ipsum«, das Christsein als solches, als irregulär, als potentiell widerständig gelten. Bei der Analyse christlicher Nonkonformität ist von zahlreichen regionalen und lokalen Besonderheiten auszugehen. Auch muß man mit erheblichen Ambivalenzen rechnen. Wer sich bei der einen Gelegenheit mit dem Regime im Konsens befand, konnte bei anderer Gelegenheit nonkonformistisch reagieren. Besondere Spannungsbereiche von Systemloyalität und Nonkonformismus waren der Bildungssektor und die Formen aktiver Kirchenbindung. Das Dilemma von staatsbürgerlicher Loyalität und christlicher Identität blieb im Dritten Reich unaufgelöst. Die Geschichte der Kirchen in der NS-Diktatur enthält deshalb Licht und Schatten. Mit polemisch vereinfachter Kritik (»Kollaboration«) und apologetischer Zurückweisung (»Selbstbehauptung«) ist ihr nicht beizukommen.

Die katholischen Bischöfe verbanden nach dem Sturz des Dritten Reiches in einem Hirtenwort vom 23. August 1945 ihre Anerkennung christlicher Glaubenstreue mit einem Schuldbekenntnis. Der Rat der Evangelischen Kirche in Deutschland beklagte in seiner »Stuttgarter Schulderklärung« vom 18./19. Oktober 1945, »daß wir nicht mutiger bekannt, nicht treuer gebetet, nicht fröhlicher geglaubt und nicht brennender geliebt haben«. Waren die sozial-moralischen Milieus der Kirchen im Dritten Reich auch einigermaßen stabil geblieben, so enthalten die im Zeitalter der NS-Diktatur gemachten Erfahrungen bis heute unabgegoltene Elemente christlicher Selbstbesinnung.

Literatur

Hürten, Heinz: *Deutsche Katholiken 1918-1945.* Paderborn/München/Wien/Zürich 1992.
Kretschmar, Georg / Klaus Scholder (Hg.): *Arbeiten zur kirchlichen Zeitgeschichte.* Reihe A: Quellen; Reihe B: Darstellungen. Göttingen 1975 ff.

Mehlhausen, Joachim: Nationalsozialismus und Kirchen, in: *Theologische Realenzyklopädie* 24 (1994), S. 43-78.
Meier, Kurt: *Kreuz und Hakenkreuz. Die evangelische Kirche im Dritten Reich.* München 1992.
Repgen, Konrad u. a. (Hg.): *Veröffentlichungen der Kommission für Zeitgeschichte.* Reihe A: Quellen; Reihe B: Forschungen. Mainz 1965 ff.
Schmidt, Kurt Dietrich u. a. (Hg.): *Arbeiten zur Geschichte des Kirchenkampfes,* Band 1-30. Gütersloh 1958-1984.
Scholder, Klaus: *Die Kirchen und das Dritte Reich. Band 1. Vorgeschichte und Zeit der Illusionen.* Frankfurt am Main/Berlin/Wien 1977; Band 2: *Das Jahr der Ernüchterung 1934.* Berlin 1985.

Jugend

Von Rolf Schörken

Der nationalsozialistische Staat verstand sich als die Verkörperung des »jungen« Deutschland. In seiner Selbstdarstellung spielte das Motiv des Jugendlich-Zupackenden und Zukunftweisenden eine beherrschende Rolle. Jungsein wurde mehr als in jedem anderen politischen Regime zu einem Wert an sich.

»Ein junges Volk steht auf, zum Sturm bereit.
Reißt die Fahnen höher, Kameraden!
Wir fühlen nahe unsere Zeit,
Die Zeit der jungen Soldaten!
Vor uns marschieren mit sturmzerfetzten Fahnen
die toten Helden der jungen Nation,
und über uns die Heldenahnen!
Deutschland, Vaterland, wir kommen schon!«

In diesem vieltausendfach gesungenen Lied der → Hitler-Jugend (HJ) spiegelt sich das Lebensverständnis der Jugend, so wie es von der Führung gewünscht war und über viele Kanäle in das jugendliche Bewußtsein gepumpt wurde: Selbstbewußtsein und Überlegenheit, Wehrhaftigkeit, Kämpfertum, Glaube an die große Zukunftsaufgabe, rückgebunden an eine heroische Geschichtssicht, Verpflichtung gegenüber den Toten, Aufopferungsbereitschaft. Indirekt wird darin auch das Gegenbild sichtbar, das man bekämpfte: das Unsoldatische und altmodisch Zivile, das sich für die Nationalsozialisten im Wort Demokratie verbarg. Der Nationalsozialismus sah in der Jugend den wichtigsten Träger einer politisch-soldatischen Zukunftsgestaltung und bemühte sich mit allen Mitteln, die Jugend in diese Rolle hineinwachsen zu lassen.

Hitlers Erziehungsgrundsätze waren die unmittelbare Konsequenz seiner Vorstellung von Geschichte und Politik: Aus dem Gedanken, daß der Höherwertige im Kampf ums Dasein siegt, war das Erziehungsziel abgeleitet, es komme auf das Heranzüchten gesunder Körper und auf die Ausbildung eines Charakters mit starker Willens- und Entschlußkraft an. Der Schulunterricht solle eine »fanatische Nationalbegeisterung« erzeugen. Von den radikalen Erziehungsvorstellungen Hitlers, der ein »unverdorbenes Geschlecht« propagierte, »das bewußt wieder zurückfindet zum primitiven Instinkt«, und den darauf aufbauenden Erziehungskonzeptionen nationalsozialistischer Pädagogen (Krieck, Baeumler) führte allerdings ein weiter, widerspruchsvoller Weg bis zur Verwirklichung in einer komplexen Industriegesellschaft.

Das NS-Regime bediente sich dazu zweier Hauptinstrumente: des überkommenen Schulwesens, das mit der sogenannten »Machtergreifung« in seine Verfügungsgewalt geriet; und der Hitler-Jugend, die, zunächst Jugendorganisation der NSDAP, 1936 Staatsjugend wurde. Das Schulwesen war und blieb im wesent-

Abb. 29: Plakat »Jugend dient dem Führer. Alle Zehnjährigen in die HJ«, um 1940.

lichen eine staatliche Einrichtung mit Berufsbeamten als Lehrern und einer zentralisierten Verwaltungsbürokratie. Im Gegensatz dazu war die HJ eine zunächst freiwillige Jugendorganisation, deren Zielsetzungen nicht aus einer pädagogischen Tradition, sondern aus dem Machteroberungswillen einer politischen Partei stammten. Es ist keine Frage, daß der → Nationalsozialismus seine genuinen Erziehungsziele erheblich leichter über das Instrument HJ erreichen konnte als über das Instrument Schule, das ja nicht nationalsozialistisch war, sondern erst dazu gemacht werden mußte. Die HJ war auch deshalb ein leichter benutzbares Instrument, weil sie nicht wie die Schule mit der Aufgabe der Reproduktion einer entwickelten Industriegesellschaft belastet war. Kein Wunder, daß das Schulwesen an totalitärer Dynamik weit hinter der HJ zurückblieb. Erst während der Ausnahmesituation des Krieges konnte das Beharrungspotential der Schule aufgebrochen werden.

In allen nichttotalitären Staaten darf man das Elternhaus als die wichtigste Sozialisationsinstanz ansehen. Im NS-Regime trat es als eine Erziehungsmacht eigenen Rechts nicht in Erscheinung; es gab weder Elternorganisationen noch ein verfassungsmäßig gesichertes Recht der Familie auf Erziehung der Kinder. Gegenüber der staatlichen Schule, die als hoheitlich auftrat, und der HJ gab es für das Elternhaus keine Durchsetzungs-, nicht einmal Beschwerdemöglichkeiten. Das heißt nicht, daß die Erziehungseinflüsse des Elternhauses gering gewesen wären. Sie waren vielmehr oftmals von weit größerem Einfluß auf die Kinder als die Instanzen der organisierten Erziehung. Doch läßt sich das immer nur an Einzelaussagen ablesen, generelle Urteile sind kaum möglich. – Die Erziehungstradition der Kirche wurde noch entschiedener zurückgedrängt als die der Eltern. Dennoch konnten kirchliche Einflüsse wirkungsvoll sein, etwa in informellen Jugendkreisen um befähigte Pfarrer, die Vorsicht gegenüber Überwachungen walten ließen.

Im folgenden stehen Schule und Hitler-Jugend sowie die Konflikte zwischen beiden im Mittelpunkt. Sodann wird das – von der Totalitarismusforschung vernachlässigte – problematische Verhältnis von angestrebten Zielen und erreichten Wirkungen skizziert. Dabei kommen auch die kontraproduktiven Momente der nationalsozialistischen Erziehung sowie die Jugendopposition zur Sprache.

Schule

Die erste Phase der nationalsozialistischen Schulpolitik ist durch vergleichsweise mäßige Dynamik bei der weltanschaulichen Umgestaltung gekennzeichnet. Die Jahre von 1933 bis 1936 dienten in erster Linie der Machtkonsolidierung im Schulwesen. Die Nationalsozialisten beschränkten sich auf die personelle Ausschaltung politischer Gegner (→ Verfolgung), auf die Ausschließung jüdischer Lehrer (→ Gesetz zur Wiederherstellung des Berufsbeamtentums), später auch der jüdischen Schüler aus dem öffentlichen Schulwesen, auf ihnen genehme Stellenbesetzungen, auf die Vergrößerung des Einflusses des → Nationalsozialistischen Lehrerbundes (NSLB) und die Schließung von Privatschulen, setzten aber keine grundsätzlichen Änderungen des Schulsystems selbst durch. Sie enttäuschten damit die Reformerwartungen vieler Anhänger, vergrößerten aber die Massenloyalität, die in diesen Jahren so bedeutsam dafür war, daß Hitler sich als → Führer etablieren konnte. Die Einflußnahme auf Unterrichtsinhalte blieb begrenzt; außer neuen Richtlinien für Geschichtsbücher und einem Erlaß zur Berücksichtigung von Rasse und Vererbung in Abschlußklassen wurden keine Veränderungen am Profil der Lehre vollzogen. Später wurde die Rassenkunde zum »Unterrichtsprinzip« erklärt. In der Praxis wurde der rassenkundliche Unterricht meist in das Fach Biologie eingebaut. Zu der ursprünglich geplanten Einführung eines Faches »Staatsbürgerkunde« kam es nicht. Bereits 1933 wurden jedoch NS-Rituale im Schulleben verbindlich gemacht: der Hitlergruß zu Beginn des Unterrichts (→ Deutscher Gruß) und die Flaggenehrung bei Schuljahresbeginn (→ Fahnen; → Reichsflaggengesetz).

Eine zweite Phase der NS-Schulpolitik von 1937 bis 1941 ist durch stärkere Eingriffe mit dem Ziel struktureller Vereinfachungen gekennzeichnet. Das höhere Schulwesen wurde auf drei Formen beschränkt: auf die Oberschule für Jungen, die Oberschule für Mädchen – beide mit naturwissenschaftlichem und sprachlichem Zweig – und auf das zahlenmäßig drastisch beschnittene Humanistische Gymnasium. Jungen- und Mädchenbildung blieben damit grundsätzlich getrennt. Die Oberprimen fielen weg. Man hielt aber weiterhin an der achtjährigen Volksschule fest, die nunmehr als Gemeinschaftsschule entkonfessionalisiert wurde. Der Übergang zu den weiterführenden Mittel- und Höheren Schulen fand nach wie vor nach dem 4. Schuljahr statt. Auch das duale System der Berufsschulen blieb in Kraft. Gefördert wurden Fach-, Techniker- und Ingenieurschulen. Dagegen kam es bei der Volksschullehrerausbildung durch die Einrichtung von Hochschulen für Lehrerbildung anstelle der Pädagogischen Akademien, die wissenschaftlichen Charakter gehabt hatten, zu einer Änderung; später im Krieg wurden Lehrerbildungsanstalten eingerichtet, die den Zugang auch ohne Reifeprüfung erlaubten. Auch in ökonomischer Hinsicht wurde die Volksschule benachteiligt, während in sozialer Hinsicht sowohl das Stadt-Land-Gefälle als auch auch das Klassengefälle beim Schulbesuch fast unverändert blieben. An einzelnen Oberschulen führte die Einführung von Förderklassen, die den Weg zur Obersekunda auf drei Jahre (statt sechs Jahre im Normalfall) verkürzten, zu einer stärkeren Öffnung für kleinbürgerliche und proletarische Familien. Auch der Fächerkanon und die Stundentafel blieben weitgehend erhalten, die Leibesübungen wurden mit 4-5 Wochenstunden deutlich gefördert.

Die Bildungsinhalte erhielten einen charakteristischen Drall: Im Geschichtsunterricht traten u. a. das Reich des Mittelalters, die Ostsiedlungen, die preußische Großmachtbildung, die Abqualifizierung der Französischen und der anderen liberalen und sozialistischen Revolutionen stärker als bisher in den Vordergrund. Das Unterrichtsziel lautete: Begeisterung für vaterländische Größe und Heroismus sowie Verständnis für die schöpferischen Kräfte des Volks wecken. Im Erdkundeunterricht wurden geopolitische Momente betont, der Biologieunterricht vermittelte Abstammungs- und Rassenlehre, der Deutschunterricht bekam heroisierende und deutschtümelnd, die Innerlichkeit beschwörende Züge, der Musikunterricht pflegte das Liedhafte und Musikantische, der Kunstunterricht blieb konventionell antimodern, die neueren Sprachen vermittelten, vor allem nach

Kriegsbeginn, nur einseitige Einblicke in die englische und französische Kultur, in den Mathematikbüchern benutzte man die sogenannten eingekleideten Aufgaben, um die nationalsozialistische → Ideologie zu verbreiten.

In der Unterrichtspraxis gab es viele Stolpersteine in Form unklarer Vorstellungen eines NS-Geschichtsbildes, einer NS-Kunst, -Musik usw. Es dauerte Jahre, bis nationalsozialistisch ausgerichete Lehrbücher geschrieben und gedruckt waren. (Im Geschichtsunterricht der Oberschulen war z. B. das neue Lehrbuchwerk für die Oberschule *Volk und Führer* erst im Schuljahr 1939/40 einsetzbar.) In der Regel hatten nationalsozialistisch ausgerichtete Unterrichtsinhalte ihren Ort neben anderen, nicht an Stelle von anderen Inhalten. Ein Lehrer, der keinen nationalsozialistisch gefärbten Unterricht erteilen wollte, gab auch keinen oder gab ihn so, daß niemand ihn ernst nahm. Die Grenzen der Indoktrination lagen in den vielen Nischen, in welche die Lehrer ausweichen konnten. Da in der Lehrerschaft jedoch konservative Positionen weitverbreitet waren, konnten die weniger radikalen Momente der NS-Pädagogik auch ohne weiteres von Nichtnationalsozialisten übernommen werden, z. B. ein heroisches, auf Macht und Größe abgestelltes Geschichtsbild oder die verinnerlichenden und antimodernistischen Züge im Deutsch- und Kunstunterricht. Autoritärer Unterrichtsstil war auch bei nichtnationalsozialistischen Lehrern durchaus die Regel. Kurz: Die staatliche Schule wies keine braune »Flächenfärbung« auf, dagegen war sie in unterschiedlichem Maße braun »gesprenkelt«.

Während der nationalsozialistische Zugriff auf die Schulen nur Teilerfolge aufzuweisen hatte, schien sich ein Weg zu einer wirksameren NS-Erziehung in der Umwandlung von Internatsschulen in nationalsozialistische Ausleseschulen zu öffnen. Die Internatserziehung bot schon wegen der viel günstigeren Beeinflussungsmöglichkeiten – Abwesenheit des Elternhauses, ganztägige Überwachung – einen vielversprechenden Ansatzpunkt für eine totale Erfassung der Zöglinge. Die → Nationalpolitischen Erziehungsanstalten (Napola) und die → Adolf-Hitler-Schulen (AHS) wurden aus Prestigegründen gern als Eliteschulen oder Ausleseschulen deklariert. Das blieb jedoch Programm. Weder brachten diese Schulen den NS-Führungsnachwuchs hervor, noch waren sie in ihren Leistungen besser als andere Schulen. (Diese Ausleseschulen sind nicht zu verwechseln mit den Schulungsstätten der NSDAP wie den → Ordensburgen, den → Junkerschulen der SS oder der → Reichsführerschule der HJ.)

Die Adolf-Hitler-Schulen wurden ab 1937 eingerichtet. 1939 gab es 32 solcher Heimschulen. Die Initiative ging vom Reichsorganisationsleiter der NSDAP Robert Ley aus, dem es vorübergehend gelang, Einfluß auf die Schulerziehung zu nehmen. Er bewog Hitler dazu, seinen Namen für einen neu zu schaffenden Schultyp zur Verfügung zu stellen.

In der Öffentlichkeit stellten sich die Adolf-Hitler-Schulen als revolutionäre Institution dar, in der eine nach charakterlichen, körperlichen und geistigen Merkmalen ausgelesene Schülerschaft auf die Aufgaben einer zukünftigen politischen Führerschaft im »neuen Deutschland« vorbereitet werden sollte. Hier lockten Aufstiegschancen. Dies mag ein Grund dafür gewesen sein, daß besonders viele

Kinder von Angestellten, darunter hauptamtliche Parteiangestellte, und Beamten in die AHS geschickt wurden; auch der Anteil von Arbeiter- und Bauernkindern war erheblich größer als auf den höheren Schulen – nicht zuletzt wegen der vielen Freiplätze. Dagegen verweigerten sich die akademischen Elternhäuser auffällig. Die kurze Lebensdauer des Dritten Reiches verhinderte die Verwirklichung der Aufstiegsversprechen.

Der Erziehungsalltag der AHS war auf die vagen Vorstellungen einer nationalsozialistischen »Charakterformung« abgestellt, womit »Bewährung«, fanatischer Glaube, Einsatzwille und Gemeinschaftserziehung gemeint waren. In der kleinen Münze des Alltags lief das im wesentlichen auf die Einübung von Gehorsam und Drill hinaus, mit hier und da aufgesetzten Glanzlichtern durch Feier und Ritus. Da die AHS ein der Reifeprüfung gleichberechtigtes Abgangszeugnis verlieh, orientierte sich das Lehrangebot am Kanon der Oberschule, der ja alles andere als im nationalsozialistischen Sinne revolutionär war. Dies bedeutete, daß die Ambivalenz, wie sie im normalen Schulwesen existierte – hier das Moment der Lernschule, dort die Forderung nach weltanschaulicher Formung – auch durchaus in den AHS zu finden war.

Die ersten Nationalpolitischen Erziehungsanstalten, im allgemeinen Sprachgebrauch Napolas genannt, wurden bereits 1933 vom damaligen Reichskommissar im Preußischen Kultusministerium, Bernhard Rust, durch Umwandlung ehemaliger Kadettenanstalten ins Leben gerufen. 1935 gab es elf, 1942 zwölf, 1944 35 Napolas, davon 22 im Altreich. Auch sie waren zahlenmäßig zu unbedeutend, um eine Konkurrenz zum herkömmlichen Schulsystem darzustellen. Immerhin zeigte der → Reichsführer SS und Chef der Deutschen Polizei Heinrich Himmler Interesse an ihnen und schuf sich auf diese Weise ein Standbein im Erziehungswesen. Angesichts der außerordentlichen Machtausdehnung Himmlers lag für die Napolas darin eine Art Zukunftsversprechen.

Es wurden jedoch nicht alle Internate oder Landerziehungsheime nationalsozialistisch umfunktioniert. In vielen von ihnen blieb ein konfessioneller oder jugendbewegter pädagogischer Fundus bestimmend, obwohl vielerlei listige Kompromisse eingegangen werden mußten, um die Schulen vor der Schließung zu bewahren.

Die dritte und letzte Phase nationalsozialistischer Erziehungspolitik (1942-1945) fiel in die Jahre des total werdenden Krieges. Die meisten jugendpolitischen Maßnahmen lassen sich aus den Notwendigkeiten der Kriegführung herleiten, insbesondere die verfrühte Heranziehung zum Wehrdienst und die Evakuierungen der Jugendlichen aus den Gebieten, die unter dem alliierten Luftkrieg besonders zu leiden hatten. Die Ausnahmesituation des Krieges erlaubte es dem Nationalsozialismus, Maßnahmen durchzuführen, die in normalen Friedenszeiten nicht durchsetzbar waren. Von 1941 an mehrte sich die Heranziehung Jugendlicher zur Erntehilfe, zum → Arbeitseinsatz und Befestigungsbau, ab Januar 1943 wurden die Schüler der Mittel- und Höheren Schulen nach dem 9. Schuljahr, das heißt im Alter von 16, ein Jahr später im Alter von 15 Jahren, klassenweise als Flakhelfer (→ Luftwaffenhelfer) eingezogen, 1945 sogar die 15jährigen Lehrlinge der Berufsschulen. Die Einberufung zum → Reichsarbeitsdienst (RAD) und zur Wehrmacht wurde kontinuierlich vorverlegt, das Einberufungsalter lag 1944 bei 17 Jahren; schließlich erfaßte die → Kinderlandverschickung (KLV) alle Altersstufen von Schülern.

Damit wurde die gesamte Erziehung einer tiefgreifenden Strukturveränderung unterworfen. Das Elternhaus fiel als Sozialisationsinstanz in vielen Fällen völlig aus, um so mehr, als »das Reich« sich für das Schicksal der Kinder zuständig erklärte und dem Elternhaus sein elementares Recht, für das Überleben der Kinder zu sorgen, streitig machte. An die Stelle des Elternhauses traten das Lager, die Gleichaltrigengruppe oder die militärische Einheit. Auch die Schule verlor rapide an Bedeutung. Seit 1943 kam die höhere Schulbildung nicht mehr über Mittelstufenniveau hinaus. Was an Unterricht außerhalb der Schule, etwa in den Flakbatterien oder KLV-Lagern, angeboten wurde, eignete sich kaum zur Aufrechterhaltung einer Schablone gegenüber der Öffentlichkeit. Aufgabenstellung und Berufsbild des Lehrers wurden in den KLV-Lagern radikal verändert. Die Lehrer mußten einen Teil ihrer Aufgaben an die HJ-Führer abgeben, sie waren kaum mehr als Kinderbetreuer, während sie in den Flakbatterien für die Luftwaffenhelfer eine Art inoffizieller Freizeitbeschaffer waren. Damit war Wirklichkeit geworden, was schon immer in den Erziehungsvorstellungen Hitlers, Baldur von Schirachs und anderer führender Nationalsozialisten ausgesprochen war: Verkürzung und Entwertung des auf Wissensvermittlung abgestellten Schulunterrichts, Erziehung durch Tat und Bewährung, die sich nun freilich als Aufopferung der Jugendlichen in einem hoffnungslosen Krieg erwies. Der Machtverlust der bisherigen Institutionen der Jugenderziehung, des → Reichsministeriums für Wissenschaft, Erziehung und Unterricht und der → Reichsjugendführung, zugunsten des unmittelbaren Einflusses der → Kanzlei des Führers unter Martin Bormann war nur der konsequente Schlußpunkt dieser Entwicklung.

Hitler-Jugend

Eine Jugend, die einem bekannten Ausspruch Hitlers zufolge »flink wie die Windhunde, zäh wie Leder und hart wie Kruppstahl« werden sollte, konnte man nicht allein – und nicht in erster Linie – durch Schulunterricht formen. Dazu bedurfte es einer von der Schule völlig unabhängigen Erziehungsmacht. Das war die Hitler-Jugend. Hitler forderte von ihr: »Wir wissen, es wird nichts im Völkerleben geschenkt. Alles muß erkämpft und erobert werden ... Wir wollen, daß dieses Volk einst nicht verweichlicht wird, sondern daß es hart sei, ... und ihr müßt euch in der Jugend dafür stählen ... Ihr müßt lernen, hart zu sein, Entbehrungen auf euch zu nehmen, ohne jemals zusammenzubrechen.«

Neben der immer wieder geforderten Härte waren die Erziehungsziele der HJ: Gefolgschaftstreue und Kameradschaft, Pflichterfüllung und Gehorsam, Willensstärke und Angriffslust sowie körperliche Leistungsfähigkeit. Die Geringschätzung des Wissens, die Ablehnung der moralischen Normen der europäischen Zivilisation und aller Erziehungswerte, die aus der rationalen und humanen Tradition stammten, setzten die HJ-Erziehung nicht einfach in ein Konkurrenzverhältnis zur Schule, sondern in eine prinzipielle Gegenposition. Die neuen Ziele verlangten neue Formen. In der Bereitstellung solcher Formen erwies sich das NS-Regime als höchst einfallsreich. Das Gliederungsgefüge der HJ war vielgestaltig und doch einheitlich. Oberster Ausdruck der Einheitlichkeit war die Uniformierung, die sich an die braune Uniform der SA mit vielen Anleihen aus der Jugendbewegungskluft anlehnte. Es gab Gliederungen für unterschiedliche Altersstufen: das Deutsche Jungvolk (DJ) in der HJ für die 10- bis 14jährigen, die eigentliche HJ für die 14- bis 18jährigen. Die kleineren Einheiten (Züge oder Jungzüge) waren jahrgangsmäßig gestaffelt. Die beiden Geschlechter waren strikt getrennt: DJ und HJ für Jungen, Jungmädel und Bund Deutscher Mädel in der HJ (BDM) für Mädchen. Für unterschiedliche Interessensrichtungen gab es – nur bei den Jungen(!) – die Motor-, Reiter-, Flieger-, Marine- und Nachrichten-HJ, dazu die Musikzüge.

HJ und BDM stellten eine überaus große Zahl von Führer- und Führerinnenstellungen bereit. Schon mit 13 oder 14 Jahren konnte der Aufstieg in der Hierarchie beginnen. Das war auch äußerlich an Kordeln und Schnüren der Uniform erkennbar – ein wirkungsvolles Mittel zur Befriedigung des jugendlichen Geltungsbedürfnisses. Demselben Zweck diente eine Fülle von Leistungsabzeichen, Anstecknadeln und Uniformaufnähern, die man z. B. durch sportliche Leistungen erwerben konnte oder die die Zugehörigkeit zu bestimmten Einheiten signalisierten. Das Prinzip »Jugend führt Jugend«, das die HJ aus der deutschen Jugendbewegung übernommen hatte, war freilich Schein. Alle HJ-Führer wurden von oben ernannt, niemand konnte frei gewählt werden, alle waren an die Befehle gebunden, die von oben kamen, und oben in der Hierarchie standen erwachsene Funktionäre der NSDAP.

Die HJ entwickelte eigene Formen kultischer Überhöhung. Dazu gehörten ein bestimmter Typus jugendlicher Marschlieder, in denen die Motive des Kämpfens und Sterbens für die Fahne in immer neuen Varianten abgewandelt wurden, sowie eigene propagandistisch-liturgische Momente: Morgenfeiern, Fahnenappelle, Propagandamärsche zum Klang der Landsknechtstrommeln und Fanfaren. Der Alltag des »Dienstes« war durch solche Märsche, durch Sammeln für das → Winterhilfswerk, durch Exerzieren, Heimabende, Geländespiele, Sportwettkämpfe und von Fall zu Fall durch die Ausbildung an Motorrad, Segelflugzeug, Morseapparat, Reitpferd und Segeljolle bestimmt. Im Laufe des Krieges traten diese Seiten jedoch immer stärker zurück zugunsten von Aufräumaktionen nach Luftangriffen, des Baus von Befestigungsanlagen und des Sammelns knapper Materialien.

Der »Dienst« fand in der Regel zweimal in der Woche nachmittags statt, immer am Samstag, oft auch am Mittwoch. In der Praxis konnte er außerordentlich öde und langweilig sein, vor allem dann, wenn den Führern – oft genug schlichte Gemüter ohne viel Einfallsreichtum – nichts anders einfiel, als die Einheiten exerzieren oder stundenlang marschieren zu lassen. Es spricht vieles dafür, daß die Identifikation mit der HJ erst mit der Übernahme von Führerstellungen begann. Gleichzeitig muß man hinzufügen, daß bei nicht wenigen der einfachen Jungvolk-

Abb. 30: Plakat »Offiziere von morgen«, um 1938.

jungen, der »Pimpfe«, und der HJ-Mitglieder der Typus des gleichgültigen Mitmarschierers vorgeprägt wurde, der alles an sich abtropfen ließ und nur darauf wartete, daß der Dienst zu Ende ging. Zwar gefiel das antiintellektuelle, schulferne Klima der HJ so manchem Jugendlichen, der die Schule als lästig erlebte. Jedoch galt auch: Wer keine Führerposition innehatte, mußte immer nur gehorchen und erfuhr sich, ähnlich wie ein Rekrut, als ein Nichts – eine Entwicklung, die sich mit zunehmender Disziplinierung und Militarisierung der HJ verstärkte.

Über die HJ gelang dem Nationalsozialismus ein Zugriff auf die berufliche Bildung außerhalb des dualen Systems. Der → Reichberufswettkampf wurde einmal im Jahr mit großem organisatorischen Aufwand durchgeführt. In allen Sparten der Berufsausbildung wurden unter den Lehrlingen Gau- und Reichssieger ermittelt, die öffentlich ausgezeichnet und denen die Wege zu raschem Weiterkommen im Beruf geebnet wurden.

Ein ähnlicher, auf Reichsebene einheitlich durchgeführter Wettkampf war der Reichssportwettkampf, bei dem man das begehrte Reichssportabzeichen erwerben konnte (→ Sport). Die Teilnehmerzahlen sprechen für eine große Beliebtheit dieser Wettbewerbe, auch wenn man in Rechnung stellt, daß sie, wie auch alle anderen Aktivitäten der HJ, keineswegs freiwillig waren.

Die HJ war in der Weimarer Republik im Verhältnis zu den anderen Jugendverbänden und -bünden nicht besonders stark – 1932 etwa 100 000 Mitglieder; allein die katholischen Jugendverbände hatten das Zehnfache davon. 1933 setzte Schirach als erstes die Ausschaltung aller anderen Jugendorganisationen durch, an denen Deutschland aus der Tradition der Jugendbewegung besonders reich war. Bis zum Gesetz über die Hitler-Jugend vom Dezember 1936 blieb sie aber immer noch eine Parteijugend, allerdings mit der Besonderheit, daß der Reichsjugendführer der NSDAP von Hitler zum Jugendführer des Deutschen Reiches ernannt wurde und damit die Aufsicht über die gesamte Jugendarbeit hatte. Das war eine der für das Dritte Reich charakteristischen Verschmelzungen von Partei- und Staatskompetenzen. Der Totalitätsanspruch der HJ war damit ein Stück weitergekommen, aber immer noch war der Beitritt zur HJ freiwillig. Der starke Zustrom in den ersten Jahren nach 1933 ist darauf zurückzuführen, daß die HJ die einzige Möglichkeit für Jugendliche war, die freie Zeit noch halbwegs in den Formen der Jugendbewegung zu verbringen. Auch die Idee der → Volksgemeinschaft wirkte auf die Jugendlichen. In dieser Phase spielte der jugendliche Idealismus bei der Motivation zur HJ-Mitgliedschaft eine bedeutende Rolle. Schließlich war die HJ mit ihrer flächendeckenden Organisation in der Lage, auch solche Jugendliche zu aktivieren, an denen die Jugendbewegung vorbeigegangen war: die Landjugend und weitgehend die weibliche Jugend. Zunehmend wurde aus der Freiwilligkeit zunächst ein Stück des für das NS-Regime typischen »freiwilligen Zwanges«, weil vielfältiger Druck auf die Eltern ausgeübt wurde, die Kinder in die HJ eintreten zu lassen. Vielfach wurde auch eine Lehrstelle nur zugebilligt, wenn eine Mitgliedschaft in der HJ vorlag. Aus dem indirekten wurde rasch ein unmittelbarer Zwang. Mit dem Hitlerjugendgesetz von 1936 wurde die Jugenddienstpflicht eingeführt und mit ihr die HJ-Zwangsmitgliedschaft aller Jugendlichen zwischen 10 und 18 Jahren. Aus dem vormals freiwilligen Beitritt wurde eine Art Einberufung ähnlich der zum Reichsarbeitsdienst oder zum Wehrdienst. Die Unterstellung Schirachs unter den Reichserziehungsminister Rust wurde aufgehoben; Schirach war fortan nur noch Hitler persönlich unterstellt.

Die Reste von Spontaneität in der Jugendarbeit wurden von Drill und Gehorsam verdrängt. Im Deutschen Jungvolk hatte bis dahin eine etwas freiere Atmosphäre geherrscht, teilweise wegen des kindlicheren Alters, teilsweise, weil ehemals bündische Jugendführer im DJ untergetaucht waren. Damit wurde nun Schluß gemacht. Die weltanschauliche Schulung freilich beschränkte sich in der Praxis auf ein sehr bescheidenes Maß, einfach deshalb, weil die HJ-Führer, die im jugendlichen Alter standen und keineswegs nach ihrer Intelligenz ausgesucht wurden, auf diesem Feld selbst unsicher waren.

Die BDM-Erziehung befand sich von vornherein in einem Zielkonflikt. Einerseits sollten die Mädchen zu ihrer edelsten Aufgabe erzogen werden, dereinst Mütter gesunder Kinder und damit Garantinnen für das Weiterleben des deutschen Volkes zu sein – eine Aufgabe, die in der Praxis durch »Körperschulung« und Leibesübungen gefördert wurde –, andererseits übernahm man das Ziel der »Einsatzfähigkeit« und das Ideal von »Lager und Kolonne« von der männlichen HJ: Auch die BDM-Mädchen mußten uniformiert zum Appell antreten, in Formation hinter Wimpeln hermarschieren und bei Großveranstaltungen kollektiv Kulisse bilden. Der Widerspruch lag darin, daß die Mädchenerziehung gerade das Gegenbild einer männlich-soldatischen Erziehung darstellen sollte, aber ein Großteil der in der (männlichen) HJ üblichen Formen einfach imitiert wurde. Das Antreten, Marschieren und Singen von Marschliedern wurde von den meisten Mädchen – und nicht zuletzt von deren Eltern – mit Befremden und Ablehnung aufgenommen, so daß die Erziehungswirkung, die man sich davon versprach, verpuffte. Aber es wurden auch andere Formen entwickelt, die dem Aktivitätsdrang der Mädchen besser entgegenkamen: die Übernahme sozialer Aufgaben. Sie reichten vom Spielzeugbasteln für das Winterhilfswerk über die Mithilfe im Haushalt kinderreicher Familien oder Ernteeinsätzen bis zur Hilfe beim Roten Kreuz und später bei Evakuierungsmaßnahmen. Gerade im Verlauf des Krieges mehrten sich die Gelegenheiten, bei denen die Mädchen willkommene und notwendige Hilfe leisten konnten.

In diesem Zusammenhang ist auf den kontraproduktiven Zug der nationalsozialistischen Mädchenerziehung hinzuweisen. Der Nationalsozialismus bekämpfte die Errungenschaften der Frauenbewegung vor 1933 als ein Stück jüdisch-internationalen Ungeistes, ließ Frauen in hervorgehobenen beruflichen Stellungen nicht zu und propagierte das Ideal der Ehefrau und Mutter, deren Wirkungsstätten allein Haus und Familie seien (→ Frauen). Mit dem → Landjahr, das junge Mädchen in kinderreichen Familien vor allem auf dem Lande abzuleisten hatten, machten sie nicht selten soziale Erfahrungen, die ihnen bisher verschlossen geblieben waren. Dies steigerte sich in den letzten Kriegsjahren, als immer mehr Frauen und Mädchen Männerarbeit tun mußten – Bäuerinnen und Bauerntöchter mußten ihre Höfe mit Hilfe von → Zwangsarbeitern allein bewirtschaften, Geschäftsfrauen die Geschäfte ihrer Männer aufrecht erhalten, junge Mädchen wurden für die Arbeit in Rüstungsbetrieben oder bei Reichsbahn und Straßenverkehrsbetrieben dienstverpflichtet und mußten in den Flakbatterien und Nachrichteneinheiten militärische Aufgaben erfüllen. Auf diese Weise wurden viele von ihnen gewaltsam in eine militärisch durchstrukturierte Männerwelt hineingestoßen.

Konflikte zwischen den Erziehungsmächten und Jugendopposition

Die Erziehungsziele von HJ und Schule waren derart gegensätzlich, daß Konflikte unausweichlich waren. Diese Konflikte liefen verdeckt, denn auch das staatliche Schulwesen stand unter nationalsozialistischer Leitung, so daß sich eine Opposition von Seiten der traditionellen Erziehungsmacht Schule nicht formieren konnte. Dafür gewannen viele Formen passiv-defensiven Verhaltens an Wirkung.

Es gab viele Reibungspunkte. Die Schule wehrte sich gegen die dauernden Versuche der HJ, Einfluß auf den Schulbetrieb selbst zu nehmen. HJ-Führer nutzten ihre Stellung, um dem Unterricht fernzubleiben, wenn beliebige dienstliche Belange es erlaubten, z. B. Mitwirkung bei HJ-Veranstaltungen, Lehrgängen, Führerschulungen, Zeltlagern. Auch die kleinen Pimpfe wußten ihren Nutzen aus dem Spannungsverhältnis von Schule und HJ zu schlagen; wenn sie etwas ausgefressen hatten, zogen sie die HJ-Uniform an und spekulierten darauf, »hoheitlich« gekleidet, der Bestrafung zu entgehen. Zu Beginn der NS-Herrschaft wurde der sogenannte »Staatsjugendtag« eingerichtet, ein schulfreier Samstag für HJ-Mitglieder. Er wurde mit der Jugenddienstpflicht wieder aufgegeben, weil er zu einer generellen Fünf-Tage-Woche in der Schule geführt hätte. Mit Rücksicht auf den Samstagnachmittagsdienst der HJ wurde der Unterricht am Samstag aber schon nach der 4. Stunde beendet. Zu einer Kontrolle der HJ über Lehrstoffe und Unterricht kam es nicht. Erst in der Zeit des fortschreitenden Krieges, vor allem durch die Einrichtung der KLV-Lager, erlangte die HJ einen Einfluß auf das Schulleben, den sie vorher nie gehabt hatte. Die KLV-Lager unterstanden einem Lagermannschaftsführer der HJ bzw. des Jungvolks, der sich die Verantwortung für die Schüler mit den Lehrern teilen mußte. Wenn man dies als einen Sieg der HJ über die Schule bezeichnen will, so war es allerdings ein Pyrrhussieg. Von einem Machtzuwachs der HJ gegenüber der Schule konnte schon deshalb kaum die Rede sein, weil die Lagermannschaftsführer, meist im Alter von 15 und 16 Jahren, von ihrer Aufgabe überfordert waren, wenn wirkliche Gefahr infolge von Verpflegungsengpässen, von Luftangriffen und schließlich von den näherrückenden Fronten drohte; sie waren dann meist froh, wenn Erwachsene helfen konnten.

Der Widerstand gegen die HJ erfaßte auch Gruppen, die nicht zu den alten antifaschistischen Kreisen aus den Zeiten der sozialistischen oder kommunistischen Jugendbünde der Weimarer Republik gehörten, sondern sich spontan neu bildeten. Gemeinsam war den unterschiedlichen Oppositionsgruppen der Widerwille gegen die Disziplinierung, Militarisierung und Entindividualisierung des Jugendlebens. Sie entzogen sich nicht nur dem HJ-Dienst, vielmehr machten sich in die-

sen Gruppen neue Leitvorstellungen und Ansätze eines Lebensstils breit, der den Zielen der NS-Erziehung diametral zuwider lief. Die Zentren der Jugendopposition waren die Industriegroßstädte an Rhein und Ruhr, in Sachsen sowie Berlin und Hamburg. Die Gestapo und der eigens dazu eingerichtete HJ-Streifendienst überwachten alle abweichenden Aktivitäten von Jugendlichen. Der Reichsführer SS stellte 1944 in einem Runderlaß drei Strömungen bei den oppositionellen Jugendgruppen fest:
– »Gruppen mit kriminell-asozialer Einstellung«,
– »Gruppen mit politisch-oppositioneller Einstellung«,
– »Cliquen mit liberalistisch-individualistischer Einstellung«.
Unter »kriminell-asozial« fielen bereits »Unfug« und »Raufhändel«, ein Zeichen dafür, daß das bei den Nationalsozialisten übliche Mittel der Kriminalisierung der Opposition nun auch auf Jugendliche angewandt wurde.

Die bekannteste politisch-oppositionelle Gruppe waren die → Edelweißpiraten, so genannt nach ihrem – offen oder versteckt getragenen – Emblem, einer Edelweißanstecknadel. Sie rekrutierten sich hauptsächlich aus der vom Wehrdienst freigestellten Arbeiterjugend in den Rüstungsbetrieben des Ruhrgebiets und brachten aufgrund ihrer – im Vergleich zur Schuljugend und den einberufenen Jahrgängen – selbständigen sozialen Position ein starkes Selbstbewußtsein und eine Verachtung für die in Reih und Glied marschierende HJ mit. Schlägereien mit HJ-Führern oder dem Streifendienst waren an der Tagesordnung und gehörten mit zum Imponierverhalten innerhalb der Gruppe. Anders die zweite größere Gruppe der Jugendopposition, für die der Begriff Resistenz zutreffender ist als der des Widerstandes: die Swing-Cliquen der Weltstädte Hamburg und Berlin. Die Angehörigen dieser Gruppen waren von bürgerlicher Herkunft, meist höhere Schüler, die etwas Englisch konnten und sich in Cafés oder Tennisclubs trafen, um den im Dritten Reich verpönten Swing zu hören. Sie schlugen Kapital aus der Tatsache, daß der Nationalsozialismus aus Rücksicht auf die Zerstreuungs- und Erholungsbedürfnisse der Soldaten in den Unterhaltungsfilmen und der Schlagerproduktion einen lockeren Amüsierton zuließ, der weder den soldatischen noch den nationalsozialistischen Leitbildern entsprach. Die jungen Leute pflegten einen weltstädtisch-internationalen Lebensstil – lange Haare, lässigen Gang, elegante Kleidung, englische Spachbrocken, moderne Tänze –, der das Schreckbild des dekadenten Weichlings mitten im NS-Staat erstehen ließ.

Die nationalsozialistischen Erziehungsmaßnahmen waren ausschließlich polizeilich-strafrechtlicher Art. Sie reichten vom gewaltsamen Haarescheren über Jugendarrest (Wochenendkarzer), Arbeitsauflagen für die Freizeit, Einweisung in Wehrertüchtigungs- und Jugenderziehungslager bis zur verfrühten Einberufung zur Wehrmacht oder zu → Schutzhaft (→ Schutzhaftlager).

Mit diesen Gruppen ist jedoch das Spektrum diffusen Unbehagens an der HJ nicht ausreichend charakterisiert. Im Wirrwarr der letzten Kriegsjahre mit ihrer Auflösung des normalen Alltagslebens durch Bombenangriffe, Evakuierungen und Verschickungen gelang es immer mehr Jugendlichen, sich dem zunehmend als lästig und überflüssig empfundenen HJ-Dienst zu entziehen. Die HJ krankte an ihrer Bedeutungs- und Funktionslosigkeit. Sie war tot, bevor das Regime zusammenbrach. Das wird nirgendwo so sinnfällig wie bei dem eigentümlich irrealen Versuch der HJ, dem bereits verlorenen Krieg durch den → Werwolf noch eine Wende zu geben. Es war der Versuch eines Partisanenkrieges mit Kindern, der vollständig fehlschlug und nur die Zahl der jugendlichen Opfer erhöhte

Wirkungen der NS-Erziehung

Indoktrinationsabsicht und -wirkung deckten sich nicht. Bedenkt man, daß die nationalsozialistischen Bildungsinhalte im Unterricht erst in den Jahren nach 1936 in einiger Breite durchgesetzt wurden, daß aber im Westen und Norden des Reiches infolge der Luftangriffe bereits ab 1942/43, in den meisten übrigen Regionen ab 1943/44 vielfach kein geregelter Schulunterricht mehr möglich war, wird einsichtig, daß viele Schülerjahrgänge im Schulunterricht nicht eben häufig – in nicht wenigen Fällen so gut wie gar nicht – mit NS-Gedankengut in Berührung kamen. Es hing zudem weniger von den Lehrplänen als von den einzelnen Lehrern ab, ob NS-Lehrstoffe überhaupt behandelt wurden und wie das geschah. Viel höher als die direkte Indoktrination sind die indirekten Wirkungen des Unterrichts zu veranschlagen: Die Schüler jener Jahre erfuhren buchstäblich nichts davon, daß es außerhalb der deutschen Grenzen eine liberale Welt mit humanitären Traditionen und zivilen, freundlichen Lebensformen gab. Der Westen blieb verschlossen, der Osten wurde zum Schreckbild gemacht. So mußte den Heranwachsenden die nationalsozialistische Wirklichkeit in ihrer politischen wie gesellschaftlichen Seite als ganz normal und nicht weiter hinterfragbar erscheinen.

Bei der Frage nach den Auswirkungen der NS-Erziehung sind zu unterscheiden: Wirkungen zur Zeit des NS-Regimes selbst und langfristige, das Dritte Reich überdauernde Bewußtseinsprägungen. Zu den Wirkungen in der NS-Zeit: Häufig wird die motivierende, anfeuernde Wirkung der HJ-Erziehung auf den Kampfgeist junger Soldaten, vor allem auf die Tüchtigkeit einer jungen Offiziersgeneration, hervorgehoben. Meist wird hier die SS-Division »Hitler-Jugend« genannt, die sich aus HJ-Führern rekrutierte und die nach der alliierten Invasion in der Normandie 1944 aufgerieben wurde. Zweifellos hat es viele Soldaten gegeben, die auch in aussichtsloser Lage nicht von ihrem Glauben an den Führer und den Endsieg ließen. Bei besonderen Eliteeinheiten gab es in den Jahren der militärischen Erfolge ein starkes nationalsozialistisches Binnenklima, freilich mit charakteristischen Einschränkungen: Führerglaube bei Verachtung der NSDAP, Endsiegglaube bei Hochschätzung des Militärischen und Gleichgültigkeit gegenüber dem Politischen. Dies deutet darauf hin, daß es nicht die Indoktrination war, welche die Motivationen geschaffen hatte, sondern ein Angesteckt- oder Mitgerissenwerden von den militärischen Erfolgen.

Die Wirkungen der HJ-Erziehung auf die späteren Soldaten lagen auf einer anderen als der ideologischen Ebene. Die HJ nahm viele Elemente der üblichen Rekrutenausbildung vorweg. Kein Jugendlicher, der zur Wehrmacht eingezogen wurde, stand dem Exerzieren und Marschieren, dem Leben in der Gruppe und der militärischen Disziplin so fremd gegenüber wie etwa ein junger Engländer oder Franzose; alle waren daran gewöhnt, eingebunden zu sein und zu gehorchen. Auf diese Weise wurde in Deutschland ein Vorsprung in der gesamten Breite der militärischen Ausbildung erreicht. Die HJ baute die Fremdheitsschwelle des Soldatendaseins frühzeitig ab und verringerte die Differenz zwischen dem Soldaten- und dem zivilen Leben.

Die unmerklichen Prägungen werden gegenüber den offen zu Tage liegenden oft übersehen. Gemeint sind die durch Gewöhnung angelegten Habitualisierungen, die bewirkten, daß die Jugendlichen die besonderen Lebensformen und Verhaltensweisen in einer Führer-Diktatur als Normalität erlebten. Die wichtigste Wirkung der HJ-Erziehung war, daß die Jugendlichen in eine uniformierte Welt hineinwuchsen, in der Gehorsam und Befehl die normsetzenden Größen waren, und daß sie dadurch auch lernten, auf alles Zivile wie auf etwas Nicht-Ernstzunehmendes herabzublicken. Was in der NS-Sozialisation fundamental angelegt wurde, waren Ein- und Unterordnungsbereitschaft. Dazu gab es keine Alternativen. In diesem Punkte schrumpfte auch die Differenz zwischen HJ, Schulwesen und oft genug auch dem Elternhaus und der Kirche.

Aber auch hier müssen die Grenzen beachtet werden. Nicht selten brachten diese Prägungen auch ihr Gegenteil hervor: Das Leben in Uniform und Kolonne ließ ein dumpfes Unbehagen und eine (nicht immer offen eingestandene) Sehnsucht aufkommen, endlich einmal das tun zu können, was man selbst wollte. Was das Kämpferische als männliche Tugend angeht, so wurde es durch kreatürliche Angst im Kriege selbst auf elementare Weise widerlegt.

Eine im Ausland, aber während der Anfangsjahre der Demokratie nach 1945 auch im Innern beunruhigende Frage war, ob die NS-Erziehung tiefreichende Auswirkungen auf die ihr unterworfenen jungen Menschen gehabt hatte, die die friedliche Nachkriegsentwicklung in Deutschland hätte gefährden können. Hier ist zunächst eine Grundtatsache festzuhalten: Ein Wiederaufleben nationalsozialistischer Erziehung oder ihrer Leitvorstellungen hat es weder in der Theorie noch in der Praxis, weder in organisierten noch in nichtorganisierten Formen, auch nicht in Formen romantisierender Erinnerung, gegeben. Abgesehen von den strikten Verboten und Säuberungsmaßnahmen der alliierten Besatzung, ließen die Erziehungsinstanzen Schule, Elternhaus, Kirche und Universität alles fallen, was nach NS-Erziehung aussah. Sogar die selbst keineswegs nationalsozialistischen, sondern älteren Gesellungsformen der Jugendbewegung, die Bünde, erlangten trotz mancher Versuche keine Breitenwirkung mehr, Zeichen dafür, daß sich der gesamte soziologische Hintergrund verändert hatte. Ob die geringe Bereitschaft der Jüngeren, in der Nachkriegszeit ihre eigene Stimme in der Politik vernehmbar zu machen, auf Gehorsams- und Passivitätsprägungen der NS-Zeit zurückzuführen sein dürfte, ist umstritten. Hier spielte gewiß auch die mangelnde Vertrautheit mit demokratischen Verfahren eine Rolle. Nicht umstritten ist die Tatsache, daß in den Westzonen und der frühen BRD die Jugendlichen die Möglichkeit zu individueller Lebensführung und zur Anknüpfung internationaler Kontakte mit einem Heißhunger nutzten, der eine deutliche Reaktion auf einen in der NS-Zeit erlittenen Mangel war. In der Ostzone bzw. der frühen DDR wurden dagegen neue kollektive Formen für die Jugenderziehung durchgesetzt, die sich selbst, weil antifaschistisch, als das wahre Gegenbild zur HJ-Erziehung verstanden.

In der Einschätzung langfristiger Wirkungen der nationalsozialistischen Ideen ist man heute sehr zurückhaltend geworden. Die Ideologie hat den Untergang des Nationalsozialismus selbst nicht überlebt. Was überlebt hatte, waren eigentümlich defiziente Denk- und Verhaltensprägungen. Wer im Dritten Reich groß wurde, hatte keine Vorstellung davon, wie die Jugend in andern Ländern lebte, und neigte aus reiner Unkenntnis der Welt zu einer eingeschränkten, nahezu ethnozentrischen Weltsicht. Diese als Wissensnot erfahrene Bewußtseinsverengung führte nach 1945 zu einem ungewöhnlichen Informationshunger, ja einer förmlichen Lesewut, die sich auf die Autoren anderer Länder bezog und zu regelrechten geistigen Befreiungserlebnissen führte, die sich in späteren Jahren in Form des Reisens fortsetzten.

Kontroversen

Blickt man auf die Historiographie zum Thema »Jugend im Nationalsozialismus« zurück, fallen Phasen und Strömungen unterschiedlicher Bewertung ins Auge. Das müssen zwar noch keine förmlichen Kontroversen sein, doch ergeben sich daraus unterschiedliche Interpretationen.

Nach einer zögernden und unsicheren Frühphase in den fünfziger Jahren setzte in den sechziger Jahren eine am Leitbegriff der totalitären Diktatur orientierte Erforschung vor allem der institutionellen und funktionellen Seiten des nationalsozialistischen Erziehungssystems ein, bei der der Gesichtspunkt des totalitären Zugriffs auf die Jugend im Mittelpunkt stand. Der Faschismusansatz der siebziger Jahre machte in seiner sozial- und tiefenpsychologischen Richtung nicht nur die jugendliche Bereitschaft im Kontext der deutschen Gesellschaft bewußt, sich führen zu lassen, sondern auch die faschistoiden Bewußtseinsformungen und tiefsitzende Verhaltenseigenarten, z. B. autoritäre Grundhaltungen als Voraussetzung wie auch als Folge des Nationalsozialismus. Die in den achtziger Jahren einsetzende Alltagsgeschichtsschreibung lenkte die Aufmerksamkeit stärker auf Lücken im totalitären System und berücksichtigte Freiräume für abweichendes Verhalten. Dies bedeutete für die bis dahin erst in den Ansätzen steckende Jugendforschung, daß die HJ nicht mehr entweder als eine eher harmlose Verlängerung der bündischen Jugend oder – im Gegenteil – als eine die Jugend tief in ihrem Innern erfassende und formende Kraft mit totalitärer Wirkung angesehen wurde. Die in den späten siebziger Jahren beginnende Erforschung der integrativen Momente des Nationalsozialismus und die etwa gleichzeitig einsetzende differenzierte Untersuchung des gesamten Spektrums von Haltungen der Bevölkerung zum NS-Regime sowie lebensgeschichtliche Untersuchungen differenzierten manche frühere Überzeichnung.

Die zunehmende Differenzierung des Bildes machte weder vor den NS-Ausleseschulen noch vor dem Jugendwiderstand halt. Die Ausleseschulen waren in ihrer Wirkung überschätzt worden. Ihre tatsächliche Wirkung im Dritten Reich war eher bescheiden, da sie keine Konkurrenz für das allgemeine Schulwesen darstellten, sondern allenfalls als Versuchsinstitution für ein zukünftiges, genuin nationalsozialistisches Schulwesen Bedeutung gehabt hatten.

Um die Edelweißpiraten gab es eine heftige Debatte im rheinischen Raum, nachdem eine Dissertation zahlreiche kriminelle Verfehlungen in den Kreisen der Kölner Edelweißpiraten nachgewiesen hatte und damit starke Zweifel an ihrer reinen Widerstandshaltung aufgekommen waren. Die Auseinandersetzung hatte zur Folge, daß der Widerstandsbegriff inzwischen auch in der Jugendforschung mit größerer Vorsicht verwendet wird als in den siebziger Jahren.

Die allgemeine Kontroverse um die Frage, ob der Nationalsozialismus – gewollt oder ungewollt – die deutsche Gesellschaft modernisiert habe, erstreckte sich auch auf die Wirkungen der HJ-Erziehung. Es wurde auf die Mobilisierung vor allem der ländlichen Jugend durch die HJ aufmerksam gemacht, einer Jugend, die vielerorts noch im Rahmen traditioneller und konfessioneller Enge groß wurde und durch die HJ diesen Rahmen sprengen konnte. Insbesondere wurde dabei auf die Mädchenerziehung hingewiesen: Der BDM habe die Mädchen gerade in den ländlichen Gebieten zum erstenmal aus Küche und Familie herausgebracht und ihnen andere Aufgabenfelder zugewiesen. Vor einer Überschätzung der Modernitätswirkung ist jedoch zu warnen. Die HJ-Erziehung lief – auch im BDM – auf Gehorchenlernen und gerade nicht auf eine selbstbestimmte Lebensführung hinaus. Als Aktivitätsimpuls für Mädchen kam allenfalls das Kennenlernen anderer sozialer Verhältnisse im Landjahr oder im Haushaltspflichtjahr und während des Krieges die – erzwungene – Bewährung in Männerberufen in Betracht. Daraus konnten viele Mädchen ein größeres Selbstbewußtsein schöpfen. Doch müssen auch die Grenzen dieser Erfahrungen gesehen werden: Sie liegen in dem Befehls- und Gehorsamssystem, in das alle diese Erfahrungen eingebunden waren. Hier verbietet sich das Wort Modernität. Im Grunde war es ein Rückschritt gegenüber Erfahrungen, die Mädchen bereits vor dem Dritten Reich in der Jugendbewegung machen konnten, wo ihnen alternative Lebensformen und das Kennenlernen des Auslands erschlossen wurden.

Literatur

Benz, Ute u. Wolfgang (Hg.): *Sozialisation und Traumatisierung. Kinder in der Zeit des Nationalsozialismus,* Frankfurt am Main 1992.

Hermand, Jost: *Als Pimpf in Polen. Erweiterte Kinderlandverschickung 1940-1945,* Frankfurt am Main 1993.

Klönne, Arno: *Jugend im Dritten Reich. Die Hitlerjugend und ihre Gegner,* Düsseldorf/Köln 1982 (Neuaufl. München 1990).

Scholtz, Harald: *Nationalsozialistische Ausleseschulen. Internatsschulen als Herrschaftsmittel des Führerstaates,* Göttingen 1973.

Scholtz, Harald: *Erziehung und Unterricht unterm Hakenkreuz,* Göttingen 1985.

Frauen

Von Ute Frevert

Daß Männer als das erste und Frauen als das zweite Geschlecht gelten, ist keine Erfindung der Nationalsozialisten. Im Sinne einer zeitlichen Abfolge kann sich diese Vorstellung auf die biblische Schöpfungsgeschichte berufen. Aber auch wenn sie auf ein hierarchisch geordnetes Verhältnis zwischen den Geschlechtern abhebt, hat sie eine lange, weit in die Vergangenheit zurückreichende Tradition. In allen Epochen abendländischer Geschichte waren Frauen nicht nur das zu spät gekommene, sondern auch das zurückgesetzte, das unterworfene Geschlecht. Die Begründung einer solchen Politik der Differenz mochte ebenso wechseln wie ihre konkrete Ausgestaltung, und auch die Haltung der Betroffenen war nicht immer und überall gleich. Geblieben aber sind bis weit ins 20. Jahrhundert hinein der Wunsch und das Bedürfnis, den Unterschied der Geschlechter nicht bloß in Körpern und sozialen Funktionen zu lokalisieren, sondern auch in Macht- und Herrschaftsbefugnissen.

Das Dritte Reich der Nationalsozialisten wich von diesem historischen Grundmuster nicht ab. Weder erfand es die soziale Ungleichheit von Frauen und Männern noch setzte es ihr ein Ende. Vielmehr reihte es sich ein in eine lange Kette politischer Systeme, die jene Ungleichheit voraussetzten, fortschrieben und in ihren Dienst nahmen.

Reaktionäre oder moderne Geschlechter-Ideologie?

Man kann kaum behaupten, daß die Nationalsozialisten sich vor 1933 übermäßig viele Gedanken darüber gemacht hätten, wie sie den Status von Frauen und die Beziehungen der Geschlechter in ihrem völkischen Zukunftsstaat ordnen wollten. Dieses Thema war für sie weder kontrovers noch problematisch, so daß es nicht lohnte, viele Worte darüber zu verlieren. Ungleich wichtiger schien es, die Rolle und Funktion von Männern neu zu überdenken, männliche Machtpositionen zu stärken und auszubauen. Frauen rückten demgegenüber an den äußersten Rand des politischen Interesses: Sie füllten lediglich Leerstellen aus, die die männerbündische Landkarte des NS-Staates offenließ. Das Maß aller Dinge war im nationalsozialistischen Weltbild der Mann; nur auf ihn bezogen fand die Frau Beachtung.

Sehr deutlich trat diese Bedeutungsdifferenz in Hitlers → *Mein Kampf*, 1924/25 geschrieben, zutage. Der völkische Staat, hieß es da, sehe »sein Menschheitsideal ... in der trotzigen Verkörperung männlicher Kraft und in Weibern, die wieder Männer zur Welt zu bringen vermögen«. Die Erziehung müsse auf diese grundlegende Differenz Rücksicht nehmen und den Knaben von frühauf in eine strenge militärische Zucht nehmen. Wie diese auszusehen habe, wurde seitenlang mit wachsender Beredsamkeit geschildert. Über die Erziehung der Mädchen verlor Hitler gerade zwei Sätze. Ihr Ziel, lautete die lapidare Botschaft, habe »unverrückbar die kommende Mutter zu sein«.

Ähnlich ungleichgewichtig ging es im Abschnitt über Staatsangehörigkeit und Staatsbürgerschaft zu. Nachdem ausführlich dargelegt worden war, wie »der junge Staatsangehörige« sich durch Schul- und Körperbildung sowie durch Ableistung seiner »Heerespflicht« zum Staatsbürger qualifizieren könne, ging der Schlußsatz kurz und knapp auf »das deutsche Mädchen« ein. Dieses werde »mit ihrer Verheiratung erst Bürgerin«, das heißt durch die eheliche Verbindung mit einem männlichen Staatsbürger. Allerdings könne, gleichsam als Ausnahmefall, »auch den im Erwerbsleben stehenden weiblichen deutschen Staatsangehörigen das Bürgerrecht verliehen werden«. Dies sollte aber, darauf verweist die Diktion, keinesfalls selbstverständlich sein, sondern einem fakultativen Gnadenakt der Staatsführung gleichkommen. Die Norm des völkischen Staates, daran ließ der Text keinen Zweifel, war der männlich-wehrhafte → Volksgenosse, der sich, zwecks Erzeugung männlich-wehrhafter Nachkommen, eine Frau wählte und ihr damit Ehre und Wert für Staat und → Volksgemeinschaft verlieh.

Der Mann ein Soldat, die Frau eine Mutter (von künftigen Soldaten) – in dieser Formel läßt sich das Geschlechterbild des frühen Nationalsozialismus zusammenfassen. Auch spätere Parteiideologen fügten dem nichts wesentlich Neues hinzu. Das Grundmuster blieb erhalten: große Beredsamkeit, wenn es um die Aufgaben von Männern ging; Schweigen oder phantasieloser Gleichklang, was Frauen betraf. Da die NS-Bewegung sich als Männerbund gerierte, war eine solche Prioritätensetzung nicht verwunderlich. Von einer Partei, deren Politikverständnis rein männlich geprägt war, die auf weibliche Mitglieder keinen Wert legte und sie von den Führungspositionen statutarisch ausschloß, konnte man kaum etwas anderes erwarten. Gerade in der → »Kampfzeit«, als martialische Gesten gefragt waren, Saalschlachten und Straßenkämpfe zum Tagesgeschäft gehörten, trat der männerbündische Charakter des Nationalsozialismus überdeutlich zutage. Erst ganz allmählich schuf sich die Erkenntnis Raum, daß ohne Frauen kein Staat zu machen war, daß es zumindest bei Wahlen auch ihrer Ansprache und Zustimmung bedurfte.

Nachdem die NSDAP im März 1932 ihr erklärtes Ziel, den nächsten Reichspräsidenten zu stellen, verfehlt hatte, überdachte man an oberster Stelle auch »unsere Stellung zur Frau«. Hier waren, wie Hitler selber einräumte, »ganz neue Gedanken« gefragt; mit den alten hatte man die Wahl verloren und »harte Angriffe« der politischen Konkurrenten auf sich gezogen. »Frauen und Mädchen«, hieß es beispielsweise auf einem Wahlplakat der SPD von 1930, »wollt Ihr nichts als Magd und Dienerin sein, wie es die Nazis wollen?« Von solchen Auffassungen, wie sie von Parteitheoretikern wie Gottfried Feder tatsächlich vertreten und verbreitet worden waren, setzte sich die Partei nunmehr entschieden ab. »Die Frau«, erklärte Hitler im März 1932, »ist Geschlechts- und Arbeitsgenossin des Mannes. Sie ist das immer gewesen und wird das immer bleiben. Auch bei den heutigen wirtschaftlichen Verhältnissen muß sie das sein. Ehedem auf dem Felde, heute auf dem Büro. Der Mann ist Organisator des Lebens, die Frau seine Hilfe und sein Ausführungsorgan.«

Josef Goebbels, der diese Äußerungen des »Führers« in seinem Tagebuch notierte, empfand sie nicht bloß als neu, sondern auch als geradezu »modern«. Er selber bekannte sich ein Jahr später allerdings zu einer anderen Geschlechterordnung. Zwar distanzierte auch er sich von dem der »modernen Zeit« widersprechenden, »aberwitzigen Gedanken«, »die Frau aus dem öffentlichen Leben, aus Arbeit, Beruf und Broterwerb herausdrängen zu wollen. Aber«, fügte er einschränkend hinzu, »auf die Gefahr hin, als reaktionär zu gelten, spreche ich klar aus: den ersten, besten und ihr gemäßesten Platz hat die Frau in der Familie, und die wunderbarste Aufgabe, die sie erfüllen kann, ist die, ihrem Land und Volk Kinder zu schenken«.

Reaktionär versus modern – hier tauchten die Reizworte auf, die seit den dreißiger Jahren die politische Diskussion und seit den sechziger Jahren die wissenschaftliche Debatte um Charakter und Funktion des NS-Staates beeinflußten. Was die Ideologie des Geschlechterverhältnisses betraf, neigte der Nationalsozialismus im eigenen Selbstverständnis offensichtlich zu einer Vermischung rückwärts- und vorwärtsgewandter Positionen. Als modern galt die Anerkennung sozioökonomischer Strukturen, die Frauen je länger desto mehr in außerhäusliche Arbeitsprozesse integrierten und mit öffentlichen Karrieren versahen. Glaubt man den zitierten Äußerungen Hitlers und Goebbels', sollte diese Entwicklung auch im Dritten Reich nicht unterbrochen und gestoppt werden.

Andererseits aber polemisierte man scharf gegen die Weimarer »Frauen-Emanzipation« und einen damit einhergehenden »schrankenlosen Individualismus«, der Frauen in Konkurrenz und Konflikt zu Männern setze, anstatt eine neue, »Volk und Rasse« rettende »Synthese« der Geschlechter vorzubereiten. Eine solche Synthese konnte erst dann gelingen, wenn man sich auf die fundamentale, von der Natur vorgegebene Geschlechterdifferenz zurückbesann – ein Gedanke, der laut Goebbels in Gefahr stand, als »reaktionär« zu gelten, der aber doch nur, so sah es Hitler 1934, eine überhistorische Wahrheit und Echtheit des Geschlechterverhältnisses verbürgte. Während Männer wie eh und je in der »großen Welt« Verantwortung für Politik, Krieg, Gemeinschaft und Erwerb übernähmen, sollten Frauen in ihrer »kleinen Welt« Sorge für Familie, Haus und Rasse tragen. Eine solche Arbeitsteilung verwies beileibe nicht bloß in die Vergangenheit, sondern auch, wie es in *Mein Kampf* hieß, in eine »tausendjährige Zukunft«, als deren »Wahrer« der völkische Staat auftrat. Nur dann, wenn Frauen wieder »echte« Frauen und Männer wieder »echte« Männer seien, könne er diese seine wichtigste Mission erfüllen, nämlich »die Rasse in den Mittelpunkt des allgemeinen Lebens« zu stellen und ihre »Reinerhaltung«, »Pflege und Entwicklung«, sprich ihren Sieg über andere, konkurrierende »Rassen«, zu garantieren.

Von dieser Warte aus betrachtet verblaßte der »reaktionäre« Gehalt der nationalsozialistischen Geschlechter-Ideologie; das, was auf den ersten Blick als rückwärtsgewandt erschien, entpuppte sich bei näherem Hinsehen als Element einer zukunftsorientierten politischen Vision, die sich auf moderne wissenschaftliche Erkenntnisse (→ Rassenhygiene; → Eugenik) berief und sich zu ihrer Durchsetzung modernster Methoden bediente.

Moderne versus Barbarei – Fortschritt versus Rückschritt?

Wie sahen nun diese Methoden aus und – wichtiger noch – wie beeinflußten sie den gesellschaftlichen, politischen und ökonomischen Status des »zweiten Geschlechts«? Drehte sich die Fortschrittsbewegung weiblicher Emanzipation nach 1933 tatsächlich um, wie der amerikanische Deutschland-Historiker Gordon A. Craig behauptet? Kann man ernsthaft davon sprechen, wie es die Historikerin Rita Thalmann und andere tun, daß der Nationalsozialismus Frauen den »Rückfall in eine entrechtete, degradierte Existenz« bescherte, daß er für sie eine Zeit der »Erniedrigung mit verheerenden Folgen für weibliches Emanzipationsstreben« war? Oder trifft etwa die These Sebastian Haffners zu, die Frauenemanzipation habe im Dritten Reich große Sprünge gemacht, allen anderslautenden Absichtsbekundungen zum Trotz?

Schon der Soziologe Ralf Dahrendorf hatte 1965 eine Differenz zwischen Intention und Wirkung nationalsozialistischer Politik aufgespürt und letzterer eine Modernisierung »wider Willen« bescheinigt. Um sich an der Macht halten zu können, so sein Argument, habe der NS-Staat eine »soziale Revolution« in die Wege leiten müssen, die traditionale Bindungen – an Familie, Religion und Klasse – zerstörte und den einzelnen Volksgenossen dem unmittelbaren Zugriff des totalitären Staates aussetzte. Der amerikanische Historiker David Schoenbaum vertrat 1966 eine ähnliche Auffassung. Bezogen auf die Stellung der Frau, gelangte er zu dem Schluß, das Dritte Reich sei zutiefst frauen- und emanzipationsfeindlich gewesen, habe aber sein Ziel einer »konservativen Revolution« auch auf diesem Gebiet verfehlt. Statt dessen habe sich der Handlungsspielraum von Frauen vor allem in der Jugendphase und auf dem Arbeitsmarkt deutlich in Richtung einer »relativen Gleichberechtigung« erweitert. Im allgemeinen jedoch, so Schoenbaum, »trug das Dritte Reich wenig dazu bei, die Stellung der deutschen Frau zu ändern« – im negativen ebenso wie im »positiven Sinne«.

Weder Schoenbaum noch Dahrendorf ließen dabei im Unklaren, was sie mit »positiv« bzw. »negativ« meinten. Modernisierung, hier verstanden als Erweiterung individueller Handlungsspielräume über traditionale Begrenzungen hinweg, war für sie ein unbestritten positiver Prozeß, Widerstand gegen Modernisierung identisch mit Rückschritt und Verlust. Eben diese positive Wertung des Modernisierungsprozesses aber schränkte die Akzeptanz der These ein. Dem Nationalsozialismus eine wie immer begrenzte modernisierende Wirkung zuzubilligen kam seiner moralischen Aufwertung gleich, und das selbst dann noch, wenn – wie bei Dahrendorf – von einer unbeabsichtigten Modernisierungsleistung die Rede war.

In der frauen- und geschlechterhistorischen Literatur zum Nationalsozialismus, wie sie seit den späten siebziger Jahren entstand, fanden Dahrendorf und Schoenbaum denn auch kein Gehör. Hier herrschte, überspitzt formuliert, die Auffassung vor, das Dritte Reich sei eine Frauenhölle gewesen, ein zutiefst patriarchalischer Staat, der Frauen um Menschenwürde und -rechte betrogen und sie zu überwiegend willfährigen Sklavinnen der Männer degradiert habe. Diese Interpretation beruhte im wesentlichen auf einer kritischen Sichtung der NS-

Ideologie, deren Antifeminismus man für bare Münze nahm. Mehr noch: Die inkriminierte Ideologie wurde mit faktischer Politik gleichgesetzt, ja sogar mit den Folgewirkungen jener Politik, und die Methode der Ideologiekritik trat an die Stelle gründlicher sozial- und alltagsgeschichtlicher Untersuchungen.

An solchen Studien mangelt es nach wie vor; dennoch scheint es an der Zeit, die Frage nach der Bedeutung des Dritten Reiches für den Status von Frauen jenseits positiver Wertungen und negativer Verzeichnungen neu zu stellen. Dazu trägt nicht zuletzt die kritische Wendung des Modernisierungsbegriffs bei: In dem Maße, in dem er seine positiven Konnotationen im vergangenen Jahrzehnt zunehmend einbüßte und, wenn nicht durchweg negativ besetzt, so doch ambivalent beurteilt wurde, gewinnt er an heuristischem Wert. Wenn »modern« nicht mehr automatisch mit »gut« gleichgesetzt wird, kann die Frage nach den modernisierenden Wirkungen des NS-Staates unbefangener formuliert und mit größerer Aussicht auf historische Stimmigkeit beantwortet werden.

Rassen- und Bevölkerungspolitik

Das Kernstück nationalsozialistischer Frauen- und Geschlechterpolitik bildete die Rassen- und Bevölkerungspolitik. Mit den »modernsten ärztlichen Hilfsmitteln«, hatte Hitler 1924 angekündigt, würde der völkische Staat für den konkurrenzlosen Bestand der nordisch-arischen »Herrenrasse« sorgen. Kranke und erblich Belastete sollten für »zeugungsunfähig« erklärt werden, während die »Fruchtbarkeit des gesunden Weibes« nach Kräften zu fördern sei.

Nach der → »Machtergreifung« wurden beide Programmpunkte zielstrebig realisiert. Bereits im Juli 1933 trat ein → Gesetz zur Verhütung erbkranken Nachwuchses in Kraft, das die Sterilisation jener Frauen und Männer erzwang, die an Schwachsinn, Schizophrenie, Epilepsie, Taub- und Blindheit sowie angeborenen körperlichen Mißbildungen litten. Bis Kriegsende wurden etwa eine halbe Million Menschen beiderlei Geschlechts nach diesem Gesetz unfruchtbar gemacht. Auch Abtreibungen aus eugenischen Gründen waren seit 1935 erlaubt. Jüdische Frauen durften seit 1938 sogar ohne Angabe von Gründen eine Schwangerschaft unterbrechen lassen, denn auf ihre Kinder legte der Nationalsozialismus ebensowenig Wert wie auf die Nachkommen von → Sinti und Roma, → Mischlingen oder → Ostarbeiterinnen (→ Medizin; → Erbgesundheit).

Nur »rassisch wertvolle« Frauen sollten dem völkischen Staat Kinder gebären. Die Fortpflanzung jener 20-30 Prozent der deutschen Bevölkerung, die nach strengen rassehygienischen Kriterien als »minderwertig« galten, war dagegen unerwünscht. Millionen Frauen, die den rassischen, sozialen und politischen Ansprüchen der NS-Volkszüchter nicht genügten, wurden folgerichtig nicht ermuntert, sondern nach Kräften gehindert, »ihrem Land und Volk Kinder zu schenken«. Seit Oktober 1935 mußten alle Heiratswilligen eine Gesundheitsprüfung über sich ergehen lassen; ohne die Vorlage eines amtlichen Ehegesundheitszeugnisses durfte kein Standesbeamter eine Eheschließung vornehmen.

Einen Monat zuvor hatten bereits die → Nürnberger Gesetze »zum Schutz des deutschen Blutes und der deutschen Ehre« Ehen zwischen → Juden und »Staatsangehörigen deutschen oder artverwandten Blutes« verboten. Auch Farbige oder »Zigeuner« kamen für »gute Deutsche« nicht mehr als Heiratspartner in Betracht. Übertretungen dieser Verbote wurden mit Zuchthaus und Gefängnis bestraft.

Besonders strenge Maßstäbe wurden für die Ehepartnerinnen von Berufssoldaten und SS-Angehörigen angelegt. Die SS hatte mit ihrem → Rasse- und Siedlungs-Hauptamt (RuSHA) sogar eine eigene Behörde eingerichtet, die seit 1931 Heiratsuntersuchungen vornahm. Nur vollkommen gesunde und rassisch einwandfreie Frauen durften sich mit Mitgliedern der NS-Eliteorganisation verbinden, an deren Nachwuchs man höchste Ansprüche stellte. Im Jahr 1935 gründete der Reichsführer SS Heinrich Himmler die → Lebensborn e. V., deren satzungsgemäße Aufgabe darin bestand, »den Kinderreichtum in der SS zu unterstützen, jede Mutter guten Blutes zu schützen und zu betreuen und für hilfsbedürftige Mütter und Kinder guten Blutes zu sorgen«.

Indem »Lebensborn« unverheirateten »wertvollen« Frauen die materielle Möglichkeit gab, ihre Kinder auszutragen und zur Welt zu bringen, bot er ihnen eine Alternative zur Abtreibung, für die sich jährlich schätzungsweise 600 000 Schwangere entschieden. Für den an einer sowohl quantitativen als auch qualitativen Bevölkerungspolitik interessierten NS-Staat war diese hohe Zahl ein beständiges Ärgernis. Zu den ersten Gesetzen, die das neue Regime erließ, gehörte die Wiedereinführung der §§ 219 und 220 des Strafgesetzbuches. 1926 auf Druck der linken Parteien gestrichen, sahen sie eine schärfere Bestrafung und Verfolgung von Abtreibungen vor. Die Zahl der Abtreibungsprozesse stieg denn auch sprunghaft an. Zugleich wurden kommunale und private Sexualberatungsstellen geschlossen und der Zugang zu Verhütungsmitteln erschwert. Frauen »guten Blutes« sollten Schwangerschaften künftig weder verhindern noch unterbrechen können; die Trennung zwischen Sexualität und Fortpflanzung war im Interesse eines schnellen Bevölkerungswachstums aufzuheben.

Außer solchen repressiven Maßnahmen setzte das Regime aber auch eine Reihe attraktiver Lockmittel ein, um seine Bürgerinnen zu generativen Höchstleistungen zu veranlassen. Kinderreiche Ehepaare wurden steuerlich begünstigt und finanziell unterstützt. Seit 1936 erhielten Arbeiter- und Angestelltenfamilien, deren Monatseinkommen unter 185 RM lag, für das fünfte und jedes weitere Kind 10 RM monatlich, und zwei Jahre später gab es ein solches Kindergeld bereits für das dritte und vierte Kind. Finanziert wurde dieses aufwendige staatliche Unterstützungsprogramm, von dem 1938 immerhin 2,5 Millionen Kinder und deren Eltern profitierten, aus der Arbeitslosenversicherung, deren Kassen dank des ökonomischen Aufrüstungsbooms gut gefüllt waren.

Ein weiteres »Zuckerbrot« stellte das Angebot eines → Ehestandsdarlehens dar. Seit 1933 konnten Heiratswillige, die den rassischen und sozialen »Qualitätsanforderungen« genügten, ein Darlehen beanspruchen, das in Form von Einkaufsgutscheinen in Höhe von maximal 1000 RM ausbezahlt wurde. (Das durchschnittliche Jahreseinkommen abhängig Beschäftigter lag damals bei 1520 RM.) Abgesehen davon, daß es Eheschließungen und Haushaltsgründungen erleichtern sollte, bot das Darlehen auch einen Anreiz, möglichst rasch möglichst viele Kinder in die Welt zu setzen: Die Darlehensschuld verminderte sich pro Kind um ein Viertel und galt nach vier Geburten als »abgekindert«.

Darüber hinaus sorgte eine wohlinszenierte → Propaganda dafür, daß Frauen ihre wichtigste staatsbürgerliche Aufgabe, Kinder zu gebären und aufzuziehen, nicht aus den Augen verloren. Im Herbst 1933 setzte eine bevölkerungspolitische Kampagne ein, die Frauen mit Hilfe millionenfach aufgelegter Broschüren und Plakate auf ihre Verpflichtung gegenüber der → Volksgemeinschaft einzuschwören suchte: »Ihr Mütter und ihr, die ihr Mütter sein werdet, seid Euch dessen bewußt, daß bei Euch Deutschlands Zukunft ruht, daß aus Eures Herzens Glutwellen die heilige Flamme völkischer Erneuerung emporlodern muß.« Die erneuerte Zukunft aber sei nur dann gesichert, wenn die mit dem Geburtenrückgang einhergehende Vergreisung der Bevölkerung gestoppt werde. Deshalb laute die Devise: »Unsere Geburtenzahl muß hoch ansteigen!«

Immer wieder betonten führende Politiker, jedes Kind, das eine Frau zur Welt bringe, sei »eine Schlacht, die sie besteht für das Sein oder Nichtsein ihres Volkes« (Hitler). Mutterschaft galt in diesem Sinne nicht mehr als Privatsache, sondern als Vorbereitung auf den geplanten Rassenkrieg, in dem sich Deutschland im Kampf um knappe Ressourcen gegen andere, »minderwertige« Völker behaupten und durchsetzen müsste. Ihr politischer Wert wurde durch eine Vielzahl öffentlicher Zeremonien unterstrichen. So feierte das Dritte Reich den aus der Weimarer Republik übernommenen → Muttertag als nationales Fest mit offiziellen Ehrungen fleißiger Mütter, politischen Reden und Geschenken. Am Muttertag 1939 verlieh der Staat etwa drei Millionen Frauen das »Ehrenkreuz der deutschen Mutter«, eine Medaille für herausragende Gebärleistungen.

Der meßbare Erfolg dieser Politik ließ nicht lange auf sich warten: Die Geburtenrate stieg. 1939 lag sie mit 20,4 Geburten pro 1000 Einwohner um mehr als fünf Punkte höher als 1932 und hatte fast wieder das Niveau von 1924 erreicht. Ob der Anstieg allerdings tatsächlich auf das Konto der gezielten Geburtensteigerungs-Maßnahmen der Nationalsozialisten ging, ist fraglich. Manches spricht dafür, daß die Trendwende auch ohne sie eingetreten wäre. Daß in den fünf Jahren nach 1933 mehr Kinder geboren wurden als in der entsprechenden Zeit vorher, bedeutete nicht etwa, daß die Kinderzahl pro Ehe stieg. Alle Bemühungen, die Entwicklung zur Zwei-Kinder-Familie aufzuhalten, scheiterten. So kamen in den 1920 geschlossenen Ehen durchschnittlich 2,3 Kinder zur Welt, in den 1930 und 1940 geschlossenen jedoch nur noch 2,2 bzw. 1,8 Kinder. Die durchschnittliche Haushalts- und Familiengröße schrumpfte auch im Dritten Reich weiter. Lebten 1933 3,6 Personen in einem Haushalt, waren es 1939 nur noch 3,27. Ehepaare ließen sich offensichtlich weder durch Abtreibungsverbot noch Kindergeld oder Ehestandsdarlehen davon abhalten, die Zahl ihres Nachwuchses klein zu halten.

Wenn sich die Geburtenrate dennoch erhöhte, lag das hauptsächlich daran, daß mehr Ehen geschlossen wurden, in denen Kinder geboren werden konnten. Ka-

Abb. 31: »Vor 1933 sterbendes Volk – nach 1933 wachsendes junges Volk«, 1936 (Lithographie nach einem Entwurf von Fritz Müller).

men 1932 auf 1000 Einwohner 7,9 Eheschließungen, waren es zwei Jahre später 11,2. Obwohl sich dieser hohe Wert nicht stabilisieren ließ, lag die Heiratsquote bis 1939 um fast 20 Prozent über dem Mittel der Jahre 1923-1932. Nachdem die schlechte Wirtschaftslage in der Endphase der Weimarer Republik Familiengründungen eher aufgeschoben hatte, scheinen das optimistische Aufschwungversprechen der Nationalsozialisten und die rasch zurückgehenden Arbeitslosenzahlen heiratsstimulierend gewirkt zu haben; das Ehestandsdarlehen mag ein zusätzlicher Anreiz gewesen sein, Liebesbeziehungen zu legitimieren. Daß in den Jahren 1936-1939 extrem wenige uneheliche Kinder geboren wurden – nur 7,7 Prozent aller Geburten im Vergleich zu 12,2 Prozent in den Jahren 1926-1930 –, spricht ebenfalls für die These, daß die Heiratsbereitschaft junger Leute in den Anfangsjahren des Dritten Reiches außergewöhnlich hoch war. Je mehr Ehen geschlossen wurden, desto mehr Kinder kamen insgesamt auf die Welt, auch wenn jede einzelne Familie für sich genommen klein blieb. Die Gebärprämien des NS-Staates wurden nur von relativ wenigen Ehepaaren voll ausgeschöpft, die meisten scheinen sich mit zwei Kindern begnügt zu haben.

Dennoch sollte man die Wirkungen der bevölkerungs- und mutterschaftsbezogenen Politik des Regimes nicht unterschätzen. Selbst wenn sich die meisten Frauen nicht entschließen konnten, dem »Führer« mehr als zwei Kinder zu schenken, blieben sie von der propagandistisch verstärkten Politisierung des Mutterseins

Abb. 32: Einsiedekurs der NS-Frauenschaft in Wien.

nicht unberührt. Die von Gesundheitsämtern und Amtsärzten exekutierte »Körperpolitik« rückte ihnen das staatliche Interesse an ihrer Fortpflanzungsqualität ebenso ins Bewußtsein wie die von der Abteilung → Reichsmütterdienst innerhalb des Deutschen Frauenwerkes (→ NS-Frauenschaft) seit 1934 organisierten Mütterschulen. Hier wurden innerhalb von zehn Jahren fünf Millionen Frauen auf ihren »Beruf« als Hausfrau und Mutter vorbereitet. Hinzu kamen spezielle, vom Deutschen Frauenwerk veranstaltete Hauswirtschaftskurse, außerdem Mütterberatungsstellen, die Rat und Information in drängenden Pflege- und Erziehungsfragen gaben sowie materielle Unterstützungen vermittelten. Nach offiziellen Angaben existierten 1938 insgesamt 25 000 solcher Beratungsstellen, die von mehr als zehn Millionen Frauen aufgesucht worden waren.

Mutterschaft und Hausfrauenarbeit wurden somit in bisher einmaliger Manier professionalisiert und in ihrer Bedeutung für die Volksgemeinschaft aufgewertet. Beides, Professionalisierung und Entprivatisierung, war zweifellos eine Modernisierungsleistung des NS-Staates, der sich auf diese Weise der prokreativen Fähigkeiten seiner Bürgerinnen zu versichern suchte. Im Gegenzug bot er ihnen materielle und immaterielle Unterstützungen an, die sowohl die Lebensumstände von Müttern als auch ihren Status in der Gesellschaft positiv beeinflußten.

Arbeitsmarktpolitik

Ein weiteres Ergebnis dieser Politik bestand darin, daß sie Tausenden von Frauen außerhäusliche Karrieren verschaffte und damit einen zusätzlichen Modernisierungseffekt auslöste. In den Mütterschulen und -kursen, in der Administration des Reichsmütterdienstes, in der NS-Frauenschaft und in der gemeinsamen Dachorganisation, dem Deutschen Frauenwerk, sowie in der → NS-Volkswohlfahrt e. V. (NSV) fanden zahlreiche Frauen Beschäftigung. Gleiches galt für die staatlichen Gesundheits- und Sozialämter, in denen Frauen als Ärztinnen, Säuglingsschwestern, Fürsorgerinnen und Bürokräfte tätig waren. Um ihre ambitiöse Rassen-, Körper- und Bevölkerungspolitik ausführen zu können, brauchte das Regime qualifiziertes Personal, das es zu einem erheblichen Teil aus Frauen rekrutierte.

Wie paßt dieser Befund zu den Äußerungen prominenter Nationalsozialisten, Frauen sollten sich auf die »kleine Welt« der Familie konzentrieren und von der »großen Welt« der Männer eher fernhalten? Offensichtlich gar nicht. Andererseits war die NS-Geschlechterideologie alles andere als homogen und in sich schlüssig.

Ähnlich unstet und widersprüchlich wie die Ideologie stellte sich die praktische Politik dar. In den ersten Jahren nach der »Machtergreifung« wurde eine Reihe von Maßnahmen und Gesetzen erlassen, die sich dezidiert gegen erwerbstätige Frauen richteten. So zielte etwa das 1933 eingeführte Ehestandsdarlehen unmittelbar darauf ab, Frauen vom Arbeitsmarkt wegzulotsen. Es wurde nur unter der Voraussetzung gewährt, daß die Braut ihren Arbeitsplatz bei der Eheschließung aufgab und sich verpflichtete, während der Laufzeit des Darlehens keine Erwerbstätigkeit aufzunehmen. Ein im selben Jahr in Kraft tretendes Gesetz erleichterte die Entlassung verheirateter Frauen aus dem öffentlichen Dienst und sanktionierte Lohn- und Gehaltsabzüge für weibliche Beschäftigte. 1936 entschied Hitler, daß Frauen, die ein Jurastudium absolviert hatten, weder Richterinnen noch Staats- und Rechtsanwältinnen werden durften, und 1937 wurden Frauen auf dem gleichen Wege von höchsten Ämtern im öffentlichen Dienst ausgeschlossen. Im Schulwesen wurden sie aus Leitungsposten verdrängt, Lehrerinnen höherer Mädchenschulen wurden an Volksschulen versetzt, und das Verhältnis zwischen männlichen und weiblichen Studienreferendaren setzte man auf 4:1 fest. An den Universitäten wurde 1933 ein geschlechterspezifischer Numerus clausus eingeführt. Nur 10 Prozent der jährlich zugelassenen 15 000 Studienanfänger durften Frauen sein.

Mit dieser Politik reagierte das NS-Regime nicht bloß auf die Überfüllung des Arbeitsmarktes und die Klagen männlicher Berufsverbände über weibliche Konkurrenz. Vielmehr spielte die patriarchalische, emanzipationsfeindliche Ideologie durchaus eine tragende Rolle. Frauen in Leitungspositionen paßten eben nicht zum Bild der »Arbeitsgenossin«, die lediglich die Anweisungen des Mannes ausführt. Schließlich sollten verheiratete Frauen ihre Energien nicht auf außerhäuslichen Arbeitsplätzen vergeuden, sondern in der Kinderstube für »Volk und Rasse« einsetzen.

Die Wirkung dieser antifeministischen Ideologie und Politik blieb jedoch beschränkt. Teilweise änderte das Regime selber den Kurs, als der wirtschaftliche Aufschwung die Arbeitsmarktlage entspannte und Arbeitskräfte knapp zu werden begannen. Seit 1937 mußten heiratswillige Frauen ihren Arbeitsplatz nicht mehr aufgeben, um in den Genuß des Ehestandsdarlehens zu kommen. Auch der universitäre Numerus clausus wurde bereits 1935 gelockert. Gleichsam unter der Hand stieg die weibliche Erwerbsquote, das heißt der Anteil erwerbstätiger Frauen an der weiblichen Gesamtbevölkerung, zwischen 1933 und 1939 von 34,2 auf 36,1 Prozent. Nicht einmal in seinem Bemühen, Ehefrauen und Mütter vom Arbeitsmarkt zu verdrängen, konnte sich der Nationalsozialismus durchsetzen: 1939 waren zwei Millionen mehr erwerbstätige Frauen verheiratet als 1933.

Bei Ausbruch des Krieges 1939 war von einer Eindämmung der Frauenerwerbsarbeit ohnehin nicht mehr die Rede. Statt dessen bemühte sich das Regime jetzt verstärkt um die Mobilisierung der weiblichen Reservearmee – allerdings ohne durchschlagenden Erfolg. Auf Zwang im Sinne einer allgemeinen weiblichen Dienstpflicht, wie sie beispielsweise in Großbritannien seit 1941 bestand, wurde weitgehend verzichtet; Verordnungen, die eine flächendeckende Erfassung arbeitsfähiger Frauen ermöglicht hätten, blieben in der Schublade. Erst 1943 wurde im Zeichen des → »totalen Krieges« eine umfassende Meldepflicht für Frauen zwischen 17 und 45 (später 50) Jahren eingeführt, damit sie auf ihre Arbeits- und Einsatzfähigkeit hin überprüft werden konnten. Doch auch diese Verordnung enthielt so viele Ausnahmebestimmungen und wurde auf Anweisung von oben so milde gehandhabt, daß mit ihrer Hilfe bis Ende des Jahres 1943 nur knapp eine halbe Million Frauen mobilisiert werden konnten.

Was Hitler bewog, den Forderungen nach einer umfassenden weiblichen → Dienstverpflichtung nicht stattzugeben, war die panische Angst vor einem politischen »Dolchstoß«, einer Delegitimierung des Herrschaftssystems. Das nationalsozialistische Deutschland fürchtete um seine Massenbasis, um die Loyalität und Durchhaltebereitschaft der Bevölkerung. Es beschränkte sich auf Appelle an den Opferwillen der weiblichen Volkshälfte, die man – allerdings ohne nennenswerten Erfolg – aufforderte, ihren Beitrag zur Stärkung und Rettung der »Volksgemeinschaft« freiwillig zu leisten. Die Zahl erwerbstätiger Frauen erhöhte sich während der Kriegsjahre nur unwesentlich, von 14,6 Millionen im Mai 1939 auf 14,9 Millionen im September 1944. Außer durch Fremdarbeiter mußte der erhöhte Arbeitskräftebedarf in den Kriegsindustrien daher vor allem durch Umschichtungen gedeckt werden. Textilarbeiterinnen wechselten in die Chemie- und Metallindustrie, haus- und landwirtschaftliche Arbeiterinnen suchten Beschäftigung in Fabriken, und der enorm expandierende Verwaltungs- und Dienstleistungssektor rekrutierte seine Angestellten vorwiegend aus jungen Berufsanfängerinnen.

Damit waren die – ohnehin nur zaghaften – Versuche des NS-Staates, der modernen Entwicklung gegenzusteuern und das weibliche Arbeitskräftepotential von »artfremden« in »artgemäße« Beschäftigungsbereiche umzulenken, sichtbar gescheitert. Das sogenannte → Pflichtjahr, 1938 eingeführt und in landwirtschaftlichen Betrieben oder kinderreichen Familien zu absolvieren, konnte den Trend zur Umstrukturierung des gesamtwirtschaftlichen Arbeitsmarktes ebensowenig aufhalten wie der 1939 intensivierte → Reichsarbeitsdienst (RAD), der von jungen Frauen sechs Monate lang hauptsächlich in der Landwirtschaft abgeleistet werden mußte. Allenfalls trugen diese Maßnahmen dazu bei, den akuten Arbeitskräftemangel im Agrarsektor kurzfristig zu beheben. Eine langfristige Trendwende fand nicht statt, wäre unter den Bedingungen des Krieges auch geradezu kontraproduktiv gewesen. Galt doch jetzt die Devise, wie es in einem offiziellen »Bilddokument zum Kriegseinsatz unserer Frauen und Mütter« aus dem Jahre 1941 hieß: »Auf allen Lebensgebieten, wo es an Männern fehlt, hat die Frau den Mann zu vertreten. Hinter dem Pflug und in der Rüstungsindustrie, in der Eisenbahn und am Postschalter, an ungezählten Orten, wo wir ihr nicht oder doch nicht in gleich schwerer Tätigkeit zu begegnen pflegten, füllt nun die Frau die Lücken, die der Krieg an der Front der Arbeit gerissen hat.«

Den betroffenen Frauen brachte diese Entwicklung sowohl Vor- als auch Nachteile. Ihre in einer Zeit der Vollbeschäftigung bzw. des Arbeitskräftemangels relativ starke Marktposition ermöglichte es ihnen, Verbesserungen durchzusetzen, etwa bei den Löhnen. Seit Oktober 1939 erhielten Frauen, die im öffentlichen Dienst beschäftigt waren und als Omnibus- und Bahnschaffnerinnen oder Stromableserinnen »Männerarbeit« leisteten, das gleiche Arbeitsentgelt wie ihre männlichen Kollegen. Auch Rüstungsbetriebe durften Akkordarbeiterinnen seit 1940 gleich bezahlen, und manche Unternehmen griffen zu dieser Maßnahme, um unverzichtbare Arbeitskräfte zu halten oder neue zu rekrutieren. Weibliche Angestellte konnten nicht selten in höhere Leistungs- und Gehaltsgruppen aufsteigen – stets jedoch in dem Bewußtsein, diese Plätze nach Kriegsende wieder den heimkehrenden Männern überlassen zu müssen.

Verbesserungen wurden auch im Arbeiterinnenschutz erzielt. Noch 1942 trat ein neues Mutterschutzgesetz in Kraft, das die Verordnungen von 1927 beträchtlich erweiterte. Erstmals kamen jetzt auch Arbeiterinnen und Angestellte in der Land- und Hauswirtschaft in den Genuß eines bezahlten Mutterschaftsurlaubs von jeweils sechs Wochen vor und nach der Geburt eines Kindes. Außerdem hatte das in dieser Zeit gezahlte Wochengeld nunmehr dem vollen Grundlohn zu entsprechen. Zugleich verhinderte der Kriegszustand jedoch, daß die im internationalen Vergleich vorbildlichen Schutzbestimmungen überall verwirklicht wurden. Vor allem in Rüstungsbetrieben, aber auch in Landwirtschaft und Verwaltung waren seit Kriegsbeginn viele Schutzverordnungen gelockert oder aufgehoben worden, und die wöchentliche Arbeitszeit, die vor 1939 bei 48 Stunden gelegen hatte, wurde sukzessive verlängert.

An der daraus resultierenden Überlastung der Arbeiterinnen konnten auch die zahlreichen sozialfürsorgerischen Aktivitäten wenig ändern. Sie richteten sich vor allem an berufstätige Mütter, denen auf diese Weise geholfen werden sollte, Erwerbs- und Familienpflichten in Einklang zu bringen. Betriebskindergärten wurden ebenso massiv gefördert wie die Kinderhorte von DAF, NSV oder Kommunen. Das Frauenamt der DAF setzte sich mit seinen 10000 Funktionärinnen und fast 50000 Vertreterinnen in Betrieben und Geschäften für ein besseres Arbeitsklima ein und organisierte hauswirtschaftliche Schulungskurse. Großunternehmen stellten soziale Betriebsarbeiterinnen ein, die sich der persönlichen und familiären Probleme von Fabrikarbeiterinnen annahmen und sie in allen Fragen der Lebensführung berieten. Auch hier vollbrachte der NS-Staat unter dem Druck seiner ökonomisch-militärischen Expansionspolitik beachtliche soziale Modernisierungsleistungen, die den betroffenen Frauen – sowohl den Empfängerinnen als auch den Exekutorinnen jener Leistungen – unmittelbar zugute kamen.

Massenmobilisierung und Frauenloyalität

Aber auch für den Staat selber zahlten sich die Leistungen aus: Die überwiegend weibliche → Heimatfront hielt stand. Massenstreiks wie im Ersten Weltkrieg blieben aus, auch wenn sich Sabotageakte häuften; Hungerkrawalle und Lebensmitteldemonstrationen fanden nicht statt, obwohl Unzufriedenheit mit den schlechten Arbeits- und Lebensbedingungen laut wurde. Bombennächte und Evakuierungen förderten zwar die allgemeine Kriegsmüdigkeit, führten aber nicht zum Aufstand gegen die Regierenden. Doch zwangen beileibe nicht nur Terror, Bespitzelung und unnachgiebige Ahndung »subversiver« und »systemfeindlicher« Äußerungen die Bevölkerung zur Gefolgschaft bis zum bitteren Ende. Vielmehr hatten gerade auch die wohlfahrtsstaatlichen Leistungen des Regimes – Ehestandsdarlehen und Kindergeld, Müttererholungen und verbesserte Mutterschutzgesetze – Massenloyalität schaffen können. Viele Familien aus unteren und mittleren Sozialschichten hatten mit der NS-Gemeinschaft → »Kraft durch Freude« erstmals verreisen können: 10,3 Millionen Menschen nahmen allein 1938 an organisierten Urlaubsfahrten, 54,6 Millionen an sportlichen und kulturellen Freizeitveranstaltungen teil. Im übrigen versuchte die politische

Führung alles, die weibliche Heimatfront gerade während der Kriegsjahre in guter Stimmung zu halten, wie die verzögerte und nie ganz durchgesetzte Dienstverpflichtung für Frauen und die intensiven Bemühungen um eine auskömmliche Lebensmittelversorgung bezeugen.

In ihrer Wirkung auf die Loyalität der weiblichen Bevölkerungshälfte nicht zu unterschätzen war auch deren breite organisatorische Erfassung und politische Integration. 1939 gehörten 12 Millionen Frauen einem der zahlreichen NS-Verbände an. In den Massenorganisationen der NS-Frauenschaft, der NSV, der DAF, des → BDM arbeiteten Hunderttausende, ja Millionen ehrenamtlicher und bezahlter Funktionärinnen, die damit, wie vermittelt auch immer, am Vollzug staatlicher Macht partizipieren konnten. Selbst wenn die meisten dieser Frauen keine glühenden Nationalsozialistinnen oder Parteimitglieder waren, übernahmen sie als öffentliche Funktionsträgerinnen aktive Verantwortung für die Volksgemeinschaft. Zwar gelang es keiner Frau, in die zentralen Entscheidungsgremien von Partei und Staat aufzusteigen, doch unterschied sich das Dritte Reich darin weder von vorhergehenden noch darauf folgenden parlamentarischen Regierungssystemen. Die Differenz lag lediglich dort, wo die nationalsozialistische Führungselite ihren männerbündischen Charakter offensiv zur Schau stellte, während demokratisch verfaßte Institutionen sich offiziell als geschlechterneutral verstanden und verstehen.

Auch die Trennung und Hierarchisierung männlich-weiblicher Einflußsphären war kein exklusives Kennzeichen nationalsozialistischer Politik. Schon in der Weimarer Republik hatten sich Politikerinnen und Parteifrauen nur mit Themen befaßt und befassen dürfen, die dem weiblichen Lebenszusammenhang entstammten. Die Nationalsozialisten knüpften an dieses Muster getrennter Zuständigkeitsbereiche an und hatten weniger ideologische Bauchschmerzen, es nach außen zu verteidigen.

Daß das Gros der Frauen ihnen diese Haltung übelgenommen hätte, ist nicht bezeugt. An eine lange Tradition der Geschlechtertrennung gewöhnt, konnte ihnen die Haltung des NS-Staates weder als ungewöhnlich noch als revolutionär erscheinen. Die Zeit des Dritten Reiches als Erniedrigung und Rückschritt zu empfinden, hatten die meisten Frauen – sofern sie den rassischen Gütekriterien des Nationalsozialismus entsprachen – keinen Grund; ihr Status in Wirtschaft, Gesellschaft und Kultur hatte sich im Vergleich zur Weimarer Republik – und nur damit ließ sich die NS-Zeit vergleichen – keinesfalls verschlechtert.

Literatur

Bajohr, Stefan: *Die Hälfte der Fabrik. Geschichte der Frauenarbeit in Deutschland 1914 bis 1945,* Marburg ^{2}1984.

Benz, Ute (Hg.): *Frauen im Nationalsozialismus. Dokumente und Zeugnisse,* München 1993.

Bock, Gisela: *Zwangssterilisation im Nationalsozialismus. Studien zur Rassenpolitik und Frauenpolitik,* Opladen 1986.

Bridenthal, Renate u. a. (Hg.): *When Biology became Destiny. Women in Weimar and Nazi Germany,* New York 1984.

Czarnowski, Gabriele: *Das kontrollierte Paar. Ehe- und Sozialpolitik im Nationalsozialismus,* Weinheim 1991.

Frauengruppe Faschismusforschung (Hg.): *Mutterkreuz und Arbeitsbuch. Zur Geschichte der Frauen in der Weimarer Republik und im Nationalsozialismus,* Frankfurt am Main 1981.

Klaus, Martin: *Mädchen im Dritten Reich. Der Bund deutscher Mädel,* Köln 1983.

Klinksiek, Dorothee: *Die Frau im NS-Staat,* Stuttgart 1982.

Koonz, Claudia: *Mütter im Vaterland. Frauen im Dritten Reich,* Freiburg 1991.

Kuhn, Annette/Valentine Rothe: *Frauen im deutschen Faschismus,* 2 Bde., Düsseldorf 1982.

Niethammer, Ortrun (Hg.): *Frauen und Nationalsozialismus. Historische und kulturgeschichtliche Positionen,* Osnabrück 1986.

Reese, Dagmar: *Straff, aber nicht stramm – herb, aber nicht derb. Zur Vergesellschaftung von Mädchen durch den Bund Deutscher Mädel im sozialkulturellen Vergleich zweier Milieus,* Weinheim 1989.

Sachse, Carola: *Siemens, der Nationalsozialismus und die moderne Familie,* Hamburg 1990.

Schmidt, Maruta/Gabi Dietz (Hg.): *Frauen unterm Hakenkreuz. Eine Dokumentation,* München 1985.

Stephenson, Jill: *The Nazi Organisation of Women,* London 1981.

Thalmann, Rita: *Frausein im Dritten Reich,* München 1984.

Weyrather, Irmgard: *Muttertag und Mutterkreuz. Der Kult um die »deutsche Mutter« im Nationalsozialismus,* Frankfurt am Main 1993.

Wiggershaus, Renate: *Frauen unterm Nationalsozialismus,* Wuppertal 1984.

Winkler, Dörte: *Frauenarbeit im »Dritten Reich«,* Hamburg 1977.

Medizin

Von Manfred Vasold

Die Nationalsozialisten verfolgten eine »biomedizinische Vision« (R. Lifton); sie wollten die soziale Frage medizinisch lösen (K. Dörner). Ihre Gesundheitspolitik war ein wichtiger Bestandteil der biologistischen Ideologie. Der Stellenwert der Medizin und speziell der amtlichen Gesundheitspolitik im Gesamtgebäude der nat.soz. Ideologie wurde von der Zeitgeschichtsforschung zunächst kaum adäquat eingeschätzt und untersucht. Forschungsergebnisse kamen v.a. vom Spezialfach Medizingeschichte. Erste aufklärende Anstöße gingen von dem 1947 erstmals erschienenen Buch von A. Mitscherlich und F. Mielke *Das Diktat der Menschenverachtung* aus (in weiteren Auflagen unter den Titeln *Wissenschaft ohne Menschlichkeit* bzw. *Medizin ohne Menschlichkeit* herausgebracht), worin die Verfasser ihre Erkenntnisse aus dem Nürnberger Ärzteprozeß zusammenfaßten. Der dort urteilende amerikanische Militärgerichtshof hatte sich v.a. mit den → Menschenversuchen von NS-Ärzten an ausländischen KZ-Insassen befaßt. Die allgemeine Gesundheitspolitik und bestimmte Spezialia dieser Politik wurden dagegen erst in den achtziger Jahren untersucht, wobei in einzelnen Bereichen immer noch Defizite bestehen, so bei Forschungen über die Behandlungen jüdischer Geisteskranker, von → Sinti und Roma, aber auch über die Tätigkeit von Großkrankenhäusern, von Gesundheitsämtern, von Kassenärzten und deren Verhalten gegenüber spezifischen gesundheitspolitischen Forderungen des NS-Staates.

Ideologische Prämissen

Die Nationalsozialisten erhoben die »völkische Weltanschauung« zur Staatsdoktrin. Diese Weltanschauung, schrieb Hitler in → *Mein Kampf*, »glaubt ... keineswegs an eine Gleichheit der Rassen, sondern erkennt mit ihrer Verschiedenheit auch ihren höheren oder minderen Wert und fühlt sich durch diese Erkenntnis verpflichtet, gemäß dem ewigen Wollen, das dieses Universum beherrscht, den Sieg des Besseren, Stärkeren zu fördern, die Unterordnung des Schwächeren zu verlangen. Sie huldigt damit prinzipiell dem aristokratischen Grundgedanken der Natur und glaubt an die Geltung dieses Gesetzes bis herab zum letzten Einzelwesen. Sie sieht nicht nur den verschiedenen Wert der Rassen, sondern auch den verschiedenen Wert der Einzelmenschen«.

Solche Gedanken waren in den zwanziger Jahren, aber auch schon vor 1914, in Europa weitverbreitet. Die Rassenhygiene entstand gegen Ende des 19. Jahrhunderts in Anlehnung an stark vereinfachte, vulgarisierte Vorstellungen von Gelehrten wie Charles Darwin (1809-1882) und Francis Galton (1822-1911). Es war Galton, der den Begriff Eugenik (engl.: *eugenics*) prägte; in Deutschland versuchte man diesen Begriff als »Rassenhygiene« leichter verständlich zu machen. Mit der Wiederentdeckung der Mendelschen Vererbungsregeln (1900) und der Einsicht, daß diese prinzipiell auch auf den Menschen zutreffen, verstärkte sich die Neigung, Erbkranke von der Fortpflanzung auszuschließen. Was die Natur blind in einem langsamen Ausleseprozeß hervorbringe, solle, hieß es nun, von planender Hand besorgt werden; das sei zudem menschenfreundlicher.

Die Deutsche Gesellschaft für Rassenhygiene zählte 1914 etwa 350 Mitglieder, hauptsächlich Hochschullehrer. Sie fürchteten u. a. eine gleichsam zwangsläufige Entartung des Kulturmenschen, vor allem eine »körperliche Entartung« (W. Schallmayer); Psychiater sorgten sich, daß infolge »einseitiger Züchtung seelischer Anlagen« (E. Kraepelin) der menschliche Körper vernachlässigt werde und degeneriere. Die Rassenhygiene pflegte zwischen → »Auslese« und »Ausmerze« zu unterscheiden, zwischen positiven und negativen Maßnahmen. Als negative Maßnahmen bezeichnete man die Drosselung von im Sinne dieser Ideologie »unerwünschten« Elementen, als positive die Förderung und Vermehrung der »Erbgesunden« und Tüchtigen. In bestimmten Kreisen machte man sich darüber hinaus Sorgen um den Erhalt der »weißen Rasse«.

Nach 1918, vor allem als Folge der deutschen Niederlage und der deutschen Verluste, aber auch wegen der starken Altersverschiebung – Abnahme der jungen, Zunahme der älteren Menschen –, wuchs das Bestreben, sich von den Leistungsschwachen zu befreien. Im Jahr 1920 erschien eine kleine Schrift mit dem aufsehenerregenden Titel *Die Freigabe der Vernichtung lebensunwerten Lebens*, die über die medizinischen Fachkreise hinaus eine starke Wirkung auch auf Juristen und eine interessierte Öffentlichkeit ausübte. Verfasser waren der Leipziger Strafrechtler K. Binding und der Freiburger Psychiater A. Hoche, beide angesehene, ernstzunehmende Hochschullehrer. Darin fanden sich viele spätere NS-Begriffe wie »Ballastexistenzen«, »geistig Tote« usw. Ausschlaggebend für die Argumentation der beiden Autoren waren in erster Linie wirtschaftliche Gründe: Gerade aufgrund des verlorenen Krieges und des harten Friedens von → Versailles könne es sich das Deutsche Reich nicht mehr leisten, »Lebensunwerte« durchzufüttern. Andere Argumente kamen hinzu: So befürchtete man, daß die moderne Medizin mit ihren großen Erfolgen nunmehr Erbkranken, die niemals zuvor dieses Lebensalter erreicht haben würden, die Fortpflanzung ermögliche. Die politische Rechte vertrat diese Vorstellungen kämpferisch. Ihr Blick richtete sich weniger auf die Gesundheit des einzelnen als auf die »Volksgesundheit«. Die → NSDAP nahm diesen Aspekt bereits im Februar 1920 in ihr 25-Punkte-Programm auf: »Der Staat hat für die Hebung der Volksgesundheit zu sorgen«, heißt es in Punkt 21 (→ Ideologie).

In den zwanziger Jahren schärfte sich ein Bewußtsein für Gesundheit und Demographie. 1926 fand eine Reichsgesundheitswoche statt, außerdem gleichzeitig in Düsseldorf eine Große Ausstellung für Gesundheitspflege, soziale Fürsorge und Leibesübungen. Vor allem aber die Geburtenstagnation und die Überalterung der Deutschen in der Zwischenkriegszeit verursachten Ängste. Vor dem Ersten Weltkrieg stand sieben jungen Menschen ein älterer gegenüber, 1925 betrug dieses Verhältnis nur noch 4,3 : 1. Im Jahr 1910 waren 34,3 Prozent der Deutschen unter 15 Jahre alt, nur 5,0 Prozent über 65. Im Jahr 1925 waren nur noch 25,7 Prozent der Deutschen unter 15 und 5,8 Prozent über 65 Jahre alt.

Vor 1910 waren stets über 30 Geburten auf 1000 Einwohner gekommen – seit 1926 weniger als 20. Die »Gebärleistung« der deutschen Frau machte vor allem den Konservativen Kopfzerbrechen. Man fürchtete allgemein, daß sich → »Asoziale« und Kranke schneller vermehrten als Gesunde, und verwies neben Beispielen weiterhin darauf, daß enorme Kosten auf den erwerbstätigen Volksteil zukämen. »Die Erziehung eines Volksschülers kostet 120-150 RM jährlich, die eines Anstaltskindes 900 RM«, wurde in einer der zahlreichen NS-Propaganda-Aktionen verkündet. Erbbiologische Extremisten hielten seinerzeit rund ein Drittel der Bevölkerung für erblich belastet und wollten diese Menschen von der Fortpflanzung ausschließen. Hitler und die Nationalsozialisten, die ständig – vulgärdarwinistisch – die »Auslese« und den »Kampf ums Dasein« im Mund führten, kamen daher zu dem Schluß, man müsse die »lebensunwerten Elemente ausmerzen«. 1929 erklärte Hitler auf dem Reichsparteitag in Nürnberg, wenn von einer Million Neugeborener jährlich 700 000 bis 800 000 der Schwächsten »beseitigt« würden, so wäre dies für die deutsche Nation keine Schwächung, sondern eine Kräftesteigerung.

Sorge mit Blick auf die »Erbpflege« – vor allem die Bereitschaft zur Verhinderung der Fortpflanzung – bestand aber auch bei anderen Parteien. Selbst liberale und sozialistische Mediziner und Sozialhygieniker machten sich für eine »ausmerzende Erbgutpflege« stark; sie dachten vor allem an Sterilisierung, wie sie in dieser Zeit in einigen Ländern Skandinaviens und in den USA schon praktiziert wurde, allerdings nur in Einzelfällen, niemals in dem Ausmaß und mit der Verantwortungslosigkeit wie später unter den Nationalsozialisten in Deutschland. Der sozialdemokratische Mediziner und Reichstagsabgeordnete Alfred Grotjahn vertrat eine gemäßigte eugenische Position. Er forderte, die körperlich und geistig »Minderwertigen abzugrenzen« und dafür zu sorgen, daß sie weniger Kinder haben als die »Durchschnittlichen oder gar Höherwertigen«. Sterilisation, auch gegen den Willen des Betroffenen, hielt er bei »geistiger Minderwertigkeit«, zum Beispiel bei Schwachsinn oder Epilepsie, für angezeigt. Wer durch Erbübel schwer belastet sei, befand er, habe keinen Anspruch, Kinder in die Welt zu setzen.

Das Preußische Ministerium für Volkswohlfahrt entwickelte schon seit 1921/22 den Gedanken, schrittweise Gesundheitszeugnisse einzuführen, um damit Eheverbote vorzubereiten. Über ein Ehegesetz und die Sterilisation aus eugenischer Indikation wurde in den zwanziger Jahren offen diskutiert. Vererbungslehre und Bevölkerungskunde gewannen als eigene Fachdisziplinen stark an Bedeutung, zugleich aber auch als sozialpolitische Einrichtungen: Im Rahmen der allgemeinen Volkszählung erfolgte bereits seit Mitte der zwanziger Jahre eine eigene »Gebrechlichenzählung«, die Geisteskranke, Menschen mit körperlichen Anomalien, Epileptiker u. a. registrierte. Am 8. Mai 1930 tagte unter dem Vorsitz des SPD-Reichsinnenministers Carl Severing erstmals ein Reichsausschuß für Bevölkerungsfragen. Nicht wenige Hochschullehrer im Fach Psychiatrie begannen sich für *Die Unfruchtbarmachung geistig und sittlich Kranker und Minderwertiger* (so der Titel einer Publikation des Psychiaters Robert Gaupp) einzusetzen. Einzelne Staatsbürokratien begannen Daten zu sammeln: Im Freistaat Sachsen entstand mit Unterstützung des Justizministeriums eine »Kartei der Minderwertigen«. Hier bestand auch schon seit 1927/28 eine »Kriminalbiologische Kartei«, denn nun begann man auch zwischen genetisch bedingter »Minderwertigkeit« und Verbrechenshäufigkeit ursächliche Verbindungen herzustellen. »Mahnt die Not unserer Zeit nicht laut genug, ›Planwirtschaft‹, d. h. Eugenik auch in der Gesundheitspolitik zu treiben?« fragte die neue Zeitschrift *Eugenik. Erblehre. Erbpflege* im Jahr 1930. Sterilisation sei billiger als Asylierung, hieß es. Dabei wurden ziemlich unbedenklich die unterschiedlichsten Geisteskrankheiten wie Schizophrenie und Schwachsinn der *Erbpflege* anheimgestellt, dazu aber auch Alkoholismus, Prostitution und Asozialität also Verhaltensformen, die nach heutiger wissenschaftlicher Meinung nicht vererbbar sind, deren vermeintliche Vererbbarkeit aber auch damals schon umstritten war.

Die → Weltwirtschaftskrise und die mit ihr einsetzende Zeit der Massenarbeitslosigkeit und Hoffnungslosigkeit begünstigten diese Überzeugungen. Das *Deutsche Ärzteblatt* sah im Mai 1932 den Zeitpunkt gekommen, an dem »die Sorge um die Erhaltung der Minderwertigen anfängt, den Bestand der Lebenstüchtigen zu gefährden«. Einzelne Heil- und Pflegeanstalten begannen bereits vor 1933, Kranke zu sterilisieren, ohne sie oder ihre Angehörigen um Erlaubnis zu fragen, allerdings geschah dies ohne ein Gesetz und somit widerrechtlich. Die preußische Regierung bereitete im Sommer 1932 ein Gesetz vor, das in bestimmten Fällen die Sterilisierung – nur auf freiwilliger Basis – vorsah. Als Hitler am 30. Januar 1933 das Kanzleramt übernahm, war das Gedankengut der Rassenhygieniker in der Alltagssprache weitverbreitet. Viele der Vorstellungen über die »Ungleichheit der Rassen« (Gobineau) oder die Überlegenheit der weißen Rasse (H. St. Chamberlain) waren zunächst anderswo entstanden, fanden aber in Deutschland mehr Anerkennung als am Ort ihrer Entstehung. Rassenhygienische Gedanken waren in Deutschland in der Zwischenkriegszeit populär. Die öffentliche Meinung hätte vermutlich in ihrer Mehrheit nichts gegen ein Sterilisationsgesetz einzuwenden gehabt.

Gesundheitspolitik 1933-1939

Die gesundheitspolitischen Ziele der Nationalsozialisten bestanden, knapp gesagt in folgendem: Sie strebten längerfristig eine rascher wachsende Bevölkerung an, die aus »rassenreinen«, erbgesunden, leistungsfähigen arischen Menschen bestehen sollte. Um dieses Ziel zu erreichen, begannen sie »fremdes« Blut »auszumerzen«, vor allem die Elemente, die sie für minderwertig hielten. Sie verlangten, »minderwertiges« Erbgut von der Fortpflanzung auszuschließen und umgekehrt wertvolles zu fördern. Zum Schutze des »wertvollen« Erbgutes stellten sie daher Abtreibung grundsätzlich unter strenge Strafe.

Der → Antisemitismus stand im engsten Zusammenhang mit diesen Absichten, denn Juden zählten für die Nationalsozialisten zu den »Unerwünschten« schlechthin. Zunächst einmal verdrängte das NS-Regime, auch zur »Reinigung« der

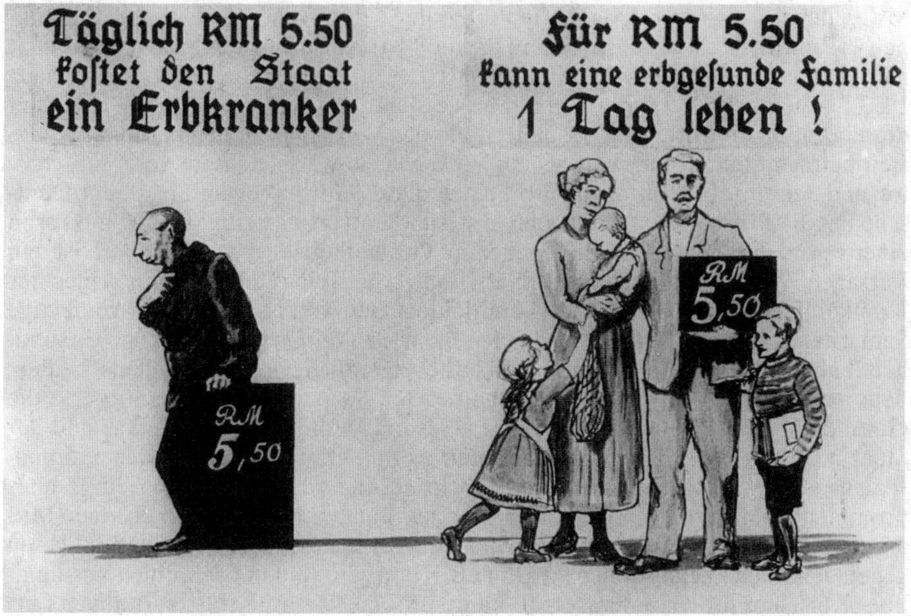

Abb. 33: Vergleich der täglichen Lebenshaltungskosten für den Erbkranken und eine erbgesunde Familie aus der Dia-Serie »Blut und Boden«, die in der NS-Zeit für Schulungszwecke eingesetzt wurde.

Ärzteschaft, jüdische Ärzte aus öffentlichen Stellungen. Städtische Krankenhäuser entließen beispielsweise ihre jüdischen Ärzte. Dies begann bereits im März 1933 ohne jede Rechtsgrundlage. Mit dem Gesetz zur Wiederherstellung des Berufsbeamtentums vom 7. April 1933 und dessen »Arierparagraphen« wurde die rechtliche Handhabe zur Entlassung der jüdischen Beamten, also auch der verbeamteten Hochschullehrer, geschaffen. Wie der Universität Heidelberg, deren medizinische Fakultät etwa ein Viertel ihres Lehrpersonals verlor, erging es fast jeder deutschen Hochschule. Die Reichsärzteordnung vom 13. Dezember 1935 verwehrte jüdischen Medizinstudenten künftig die Approbation; ältere Bestallungen blieben – vorläufig – bestehen. 1937 schlug Reichsärzteführer G. Wagner vor, jüdische Ärzte ganz »auszuschalten«. Danach entzog die Kassenärztliche Vereinigung Deutschlands den jüdischen Ärzten die Zulassung zu den Ersatzkassen. Der entscheidende Schlag folgte im Sommer 1938: Wenige Wochen vor der → Reichskristallnacht erging die Vierte Verordnung zum Reichsbürgergesetz vom 25. Juli 1938 (→ Nürnberger Gesetze). Dort hieß es, daß »Bestallungen (Approbationen) jüdischer Ärzte am 30. September 1938 erlöschen« (§ 1). Jüdische Ärzte durften sich fortan noch als »Krankenbehandler« bezeichnen, »Arier« jedoch nicht mehr behandeln. In den ersten sechs Jahren der NS-Herrschaft verlor Deutschland bereits mehr als neun Zehntel seiner jüdischen Ärzte, die meisten durch Auswanderung.

Mitte des 19. Jahrhunderts hatten liberale Ärzte vom »Recht auf Gesundheit« (Rudolf Virchow) gesprochen; für die Nationalsozialisten hatte Gesundheit eine andere Bedeutung. Die Medizin als Lehrfach und Heilkunst erfuhr nach 1933 beträchtliche Veränderungen. Für sie stand nun nicht mehr die Gesundheit des einzelnen im Mittelpunkt, sondern die des Volksganzen. Die Nationalsozialisten betrachteten Gesundheit als ein Volksgut; sie war gleichsam vergesellschaftet, und der einzelne war dazu verpflichtet, dieses Gut zu bewahren. »Jeder Deutsche hat die Pflicht, so zu leben, daß er gesund und arbeitsfähig bleibt«, hieß es in einem von der Partei herausgegebenen Gesundheitsbuch. »Krankheit ist ein Versagen. Wer krankheitshalber häufig am Arbeitsplatz fehlt, ist ein schlechter Kranker. Der Kranke ist nicht zu bemitleiden. Der Arzt ist nicht der barmherzige Samariter, sondern Mitkämpfer des Kranken, der selbst den Willen zur Gesundheit haben muß. Das Krankenhaus sollte eigentlich Gesundheitshaus heißen, denn sein Endzweck ist die Gesundheit.« Der Nationalsozialismus förderte die Gesundheit des einzelnen, weil nur der Gesunde voll leistungsfähig war und der Staat nicht auf diese Leistung verzichten wollte. »Im Mittelpunkt der nationalsozialistischen Auffassung steht die Pflicht gesund zu sein«, schrieb ein damals prominenter Mediziner, Karl Kötschau. »Der Staat kann auf keinen einzigen Mitarbeiter verzichten. Also muß jeder Staatsbürger gesund sein, um seinen Pflichten gegen den Staat nachkommen zu können. Kranksein ist demnach Pflichtversäumnis.« Kötschau forderte demgemäß kämpferische Vorsorge statt karitativer Fürsorge (Nürnberg 1939).

Für die Nationalsozialisten war das Leben ein steter »Kampf ums Dasein«, sie sahen sich ständig im Wettkampf mit anderen Nationen und dem hatte auch die Medizin zu dienen. Bei dem 1937 getesteten »Gesundheitsstammbuch der NSDAP« ging es in Wirklichkeit darum, den Leistungsstand der deutschen Bevölkerung zu ermitteln. Der Reichsleiter der Deutschen Arbeitsfront, Robert Ley, sah im September 1937 die Zeit kommen, wo es gelinge, das Leistungsalter auf 70 Jahre hochzudrücken.

Die Nationalsozialisten veränderten auch die Ausbildung zum Arzt. Studierende und Ärzte wurden nun mit neuen Kenntnissen ausgerüstet: An den medizinischen Fakultäten nahm die Grundlagenforschung ab, neue Fächer wie Militärmedizin, Bevölkerungspolitik, Vererbungslehre und Rassenbiologie wurden in den Lehrplan aufgenommen. Schon die ärztliche Bestallungsordnung vom 25. März 1936 sah vor, »daß [der Prüfling] die für einen praktischen Arzt erforderlichen Kenntnisse in der Rassenhygiene besitzt«. Vielerlei Fortbildungsveranstaltungen, oft in einem großen städtischen Krankenhaus abgehalten, versuchten älteren niedergelassenen Ärzten solche Kenntnisse zu vermitteln. Seit 1939 war Rassenhygiene für Mediziner obligatorisches Prüfungsfach.

Sterilisation

»Wir wollen lebensuntüchtiges und unwertes Leben gar nicht erst entstehen lassen«, sagte Reichsärzteführer Wagner in einer Grundsatzrede. Zu den wichtigsten nationalsozialistischen Gesetzen gehört das Gesetz zur Verhütung erbkranken Nachwuchses vom 14. Juli 1933 (→ Erbgesundheit). Es wurde binnen eines einzigen Tages fertiggestellt, teils weil die Nationalsozialisten Gesetze ohne großen parlamentarischen Aufwand machten, teils aber auch, weil sie in diesem Fall auf den Gesetzesvorlagen und Beratungen der preußischen Regierung aus der Weimarer Zeit aufbauen konnten, ganz besonders auf dem Sterilisationsgesetz aus dem Jahr 1932. Die Ausführungsbestimmungen zu dem neuen NS-Gesetz ergingen im Dezember 1933, am 1. Januar 1934 trat es in Kraft. Es erlaubte die Sterilisation ohne Einwilligung des Kranken und verpflichtete zugleich den Hausarzt und alle mit Kranken beschäftigten Personen, Erbkrankheiten anzuzeigen. Der Hausarzt sollte künftig ein »Hüter am Erbstrom der Deutschen« sein.

Der Widerstand gegen die Zwangssterilisierung war gering und kam fast nur aus katholischen Kreisen. Das Gesetz zur Verhütung erbkranken Nachwuchses stand im Widerspruch zur päpstlichen Enzyklika »Casti Connubii«. Trotzdem war der Widerstand des Zentrums nicht groß: Sechs Tage nach Verabschiedung dieses Gesetzes wurde das → Reichskonkordat mit dem Heiligen Stuhl unterzeichnet.

Um dem Gesetz Geltung verschaffen zu können, waren Einblicke in die Familien notwendig. Wichtige Vorarbeiten waren bereits geleistet, ohne gesetzliche Grundlagen: Schon in den späten zwanziger Jahren hatten einzelne Wissenschaftler und Sozialpolitiker die Anlage von volksbiologischen Unterlagen gefordert. Zugleich begannen Lehrer und Ärzte entsprechende Daten zu sammeln; sie bildeten dann nach 1933 die Anfänge einer umfassenden »Reichssippenkartei«. Auch in Fürsorgeheimen, Gefängnissen und Anstalten begann man unter dem rassehygienischen Impuls der zwanziger Jahre diesbezügliches Material zusammenzustellen.

Ein Gesetz über die Vereinheitlichung des Gesundheitswesens erging am 3. Juli 1934. Auf seiner Grundlage entstanden Beratungsstellen für Erb- und Rassenpflege, die wiederum die erbbiologische Bestandsaufnahme bei den ca. 650 Gesundheitsämtern verfügten, die in der Folge eingerichtet wurden. Letztere bauten nun systematisch »Erbarchive« und »Erbkarteien« auf, mit deren Erstellung man schon vorab begonnen hatte.

Am 18. Oktober 1935 wurde ein Ehegesundheitsgesetz erlassen. Es steht in enger Verbindung zu den Nürnberger Gesetzen vom 15. September 1935, die jüdische Deutsche zu Staatsbürgern zweiter Klasse herabwürdigten. »Nur die erbgesunde Familie kann die Garantin der Erbgesundheit des Volkes sein«, hieß es darin. Eine Reichszentrale für Gesundheitsführung war bereits am 20. November 1933 gegründet worden. Hilfreich für diese Erfassung waren die in den allgemeinen Kliniken geführten Krankengeschichten.

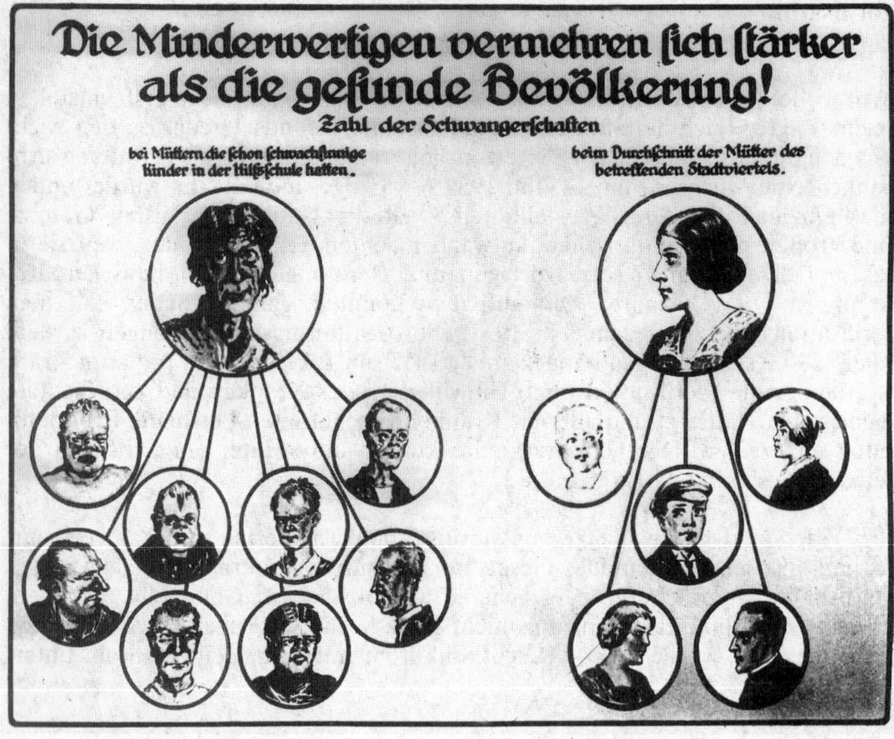

Abb. 34: »Die Minderwertigen vermehren sich stärker als die gesunde Bevölkerung!«, NS-Propaganda-Schaubild.

Auf dieser Grundlage wurden von Gesundheitsbehörden die Zwangssterilisationen eingeleitet, durchschnittlich 50 000 bis 60 000 im Jahr. Seit 1936 gab es in vielen deutschen Großstädten eine weitläufige Datenvernetzung mit erbbiologischen Informationen. Die bedeutendste bestand in Hamburg, dessen Zentrales Gesundheitspaßarchiv das erste regionale Kataster dieser Art war. 1939 waren hier bereits zwei von drei Einwohnern registriert, 1,1 von 1,7 Millionen Menschen. Diesem Archiv ist es wohl zuzuschreiben, daß Hamburg diesbezüglich zu einem »Mustergau« wurde – mit einem höheren Anteil von Sterilisierten als anderswo.

Die meisten Sterilisationen bzw. Kastrationen von Frauen und Männern wurden in regulären Krankenanstalten von Ärzten vorgenommen, und zwar sowohl durch Röntgenbestrahlung als auch durch chirurgischen Eingriff. Am häufigsten war dabei wohl die Unterbindung und Durchtrennung der Eileiter, die sogenannte Tubenknotung. Etwa ein bis zwei Prozent der sterilisierten Frauen starben an diesem Eingriff. Sterilisationen wurden im Prinzip an allen »unerwünschten Elementen« vorgenommen, wobei der Willkür hier keine Grenzen gesetzt waren. Der weitaus größte Anteil an Sterilisationen, rund drei Viertel, erfolgte jedoch aufgrund von psychiatrischen Diagnosen, nämlich Schwachsinn und Schizophrenie.

Hinzu kam die Sterilisation von Kriminellen, Prostituierten und »Asozialen«. Die Unfruchtbarmachungen sollten ja gleichsam als Vorbeugung auch der Verbrechensbekämpfung dienen. Seit der italienische Psychiater Cesare Lombroso 1864 die Ursachen der Verbrechen in der genetischen Beschaffenheit des »geborenen« Verbrechers nachzuweisen versucht hatte, war die Diskussion darüber nicht verstummt. Die kriminologisch begründete Kastration wurde daher schon vor 1933 in einigen Ländern gegen Triebtäter angewandt. Im November 1933 wurde das Gesetz gegen gefährliche Gewohnheitsverbrecher erlassen; es sah bei »gefährlichen Sittlichkeitsverbrechern« die Zwangskastration mit anschließender Einweisung in ein Arbeitshaus oder eine Irrenanstalt oder eine andere Einrichtung der »geschlossenen Zwangsfürsorge« vor. Allein 1934/35 wurden auf dieser Gesetzesgrundlage rund tausend »Entmannungen« vollzogen. »Zentren zur Entmannung« wurden in einigen preußischen Zuchthauslazaretten schon im Januar 1934 eingerichtet, und bis 1936 gab es 27 solcher Kastrationsabteilungen, wo Kriminellen – auch gegen ihren Willen – die Keimdrüsen entfernt wurden.

Bis 1939 waren innerhalb des Altreiches schätzungsweise 200 000 bis 350 000 Menschen sterilisiert worden, weitere 60 000 in Österreich; manche Autoren sprechen von insgesamt mehr als einer halben Million Opfern dieser Maßnahme. Das bedeutet, daß ein halbes bis knapp ein Prozent der Deutschen unfruchtbar gemacht wurden. Die Wissenschaftlichkeit der nat.soz. Erbgesundheitslehre, deren Anwendung für die Betroffenen weitreichende Folgen haben konnte, war bereits damals angezweifelt worden. Der 1939 in Edinburgh abgehaltene siebente Internationale Kongreß für Genetik veröffentlichte ein Manifest, die *Edinburgh Charta*, in der gegen die »unwissenschaftliche Doktrin, daß gute und schlechte Gene das Monopol bestimmter Völker und Personen« seien, protestiert wurde. Darüber hinaus war die Vererbbarkeit gesellschaftlich verachteter Verhaltensweisen wie Asozialität oder Kriminalität und damit deren Beseitigung durch die Unterbindung der Fortpflanzung mit zuverlässigen wissenschaftlichen Methoden noch gar nicht untersucht, geschweige festgestellt worden.

Biologische Medizin

Die Anwendung der Erbgesundheitsideologie waren die eine Seite der NS-Medizin, eine andere war die »biologische« Naturheilkunde. Auch sie hatte in den zwanziger Jahren beträchtlich an Ansehen gewonnen. Die Universität Jena richtete bereits 1924 einen Lehrstuhl für Naturheilverfahren ein; Lehrstuhlinhaber wurde der jüdische Mediziner Emil Klein. Er wurde 1933 entfernt. Seine Nachfolge auf dem nun »Lehrstuhl für Biologische Medizin« genannten Hochschulposten trat 1934 Karl Kötschau an, NSDAP-Mitglied seit 1932, einer der Vordenker einer NS-Gesundheitsvorsorge. Reichsärzteführer Wagner schrieb 1936 im Vorwort eines Buches von Kötschau, *Zum Aufbau einer biologischen Medizin,* daß es »in Zukunft zu den beruflichen Pflichten eines jeden Arztes gehören [wird], neben den schulmedizinischen auch diejenigen Heilverfahren anzuwenden, die sich der Kräfte und Heilmittel der Natur bedienen«. Kötschau selbst verlangte in seinem Buch: »Was wir brauchen, das ist der gemeinschaftliche Auf- und Ausbau einer Medizin, die historisch genug ist, auch die alte Medizin zur Geltung kommen zu lassen, und biologisch genug, auch die Volksmedizin (Naturheilkunde, Homöopathie usw.) einzubeziehen, die aber auch umfassend genug ist, um nicht auf die Errungenschaften der modernen Medizin grundsätzlich zu verzichten.« Kötschau wollte die Universität Jena zu einer »Kampfuniversität für ganzheitliches Denken« machen, scheiterte damit aber sehr bald.

Geplant war also, mehr naturheilkundliche Einsichten in die Medizin aufzunehmen; zugleich sollte der nationalsozialistische Arzt sein Augenmerk weniger auf den einzelnen Kranken, sondern mehr auf das Volksganze richten. Was Kötschau am althergebrachten Krankenhaus vermißte, war die Vorsorgemöglichkeit, die nach seiner Aussage billiger sei als Fürsorge: »Vorsorge verhindert Unproduktivität. Vorsorge schafft Leistungsfähigkeit. Vorsorge erhält Gesundheit.« Auch als Kliniker baute er viel auf die Natur und ihre Kräfte (sie »sind unsere stärksten Mittel gegen Schwachheit und Krankheit. Niemand kann einen schwachen und kranken Körper besser wieder gesund machen als die Natur selbst«). Kötschau ließ Liegewiesen einrichten, um den kranken Körpern Licht, Luft und Sonne zu geben; dazu propagierte er eine einfache, bescheidene Ernährung.

Die Biologische Medizin mit ihrem ganzheitlichen Ansatz kam auch den pädagogischen Zielen der Nationalsozialisten entgegen. »Der völkische Staat hat in dieser Erkenntnis seine gesamte Erziehungsarbeit in erster Linie nicht auf das Einpumpen bloßen Wissens einzustellen, sondern nur auf das Heranzüchten kerngesunder Körper. Erst in zweiter Linie kommt dann die Ausbildung der geistigen Fähigkeiten.«

Begünstigt wurde die Biologische Medizin auch vom Verein Deutsche Volksheilkunde, von Reichsärzteführer Wagner und von einzelnen prominenten Nationalsozialisten wie dem »Frankenführer« Julius Streicher. Auf dem Höhepunkt ihres Selbstbewußtseins forderte diese Bewegung 1935 eigene, »den anderen in jeder Hinsicht völlig gleichgestellte Krankenhäuser und eigene Fakultäten in Form von medizinisch-biologischen Akademien zur Vollausbildung von Ärzten«. Streicher setzte sich als Gründer und Schirmherr des Vereins Deutsche Volksheilkunde für »naturgemäßes Denken, Leben und Heilen« ein, weil dies dem deutschen Wesen besser entspreche.

Biologische Medizin und Volksheilkunde kamen in der Praxis nicht über eine gewisse Außenseiterrolle hinaus, ihnen haftete bis zuletzt etwas Sektiererisches an. Sie wurden neben der bewährten Schulmedizin betrieben. Sie verstanden sich als deren Konkurrenten, aber es gelang ihnen nie, jene zu ersetzen.

Die Euthanasie

1935 deutete Hitler auf dem Reichsparteitag in Nürnberg gegenüber Reichsärzteführer Wagner an, daß er beabsichtige, die »unheilbar Geisteskranken zu beseitigen«. Hitler verwendete genau dieses Verb. Im gleichen Jahr schrieb Reichsjustizminister F. Gürtner noch in einem Bericht: »Eine Freigabe der Vernichtung lebensunwerten Lebens kommt nicht in Frage.« Der Kommentar zum Strafgesetzbuch vertrat ebendiese Auffassung, und zwar noch im Jahr 1944. Die Wirklichkeit sah in Deutschland indes mittlerweile anders aus.

Die Nationalsozialisten bereiteten die Tötung von Geisteskranken und anderen ihnen »unerwünschten Elementen« systematisch vor; der Krieg sollte ihnen den Vorwand zum Handeln liefern. Den propagandistischen Anlaß verschafften sie sich selber: Schon in der zweiten Jahreshälfte 1938 gingen in der Kanzlei des Führers mehr und mehr Bittschriften von Eltern ein, die den »Führer« baten, ihren Kindern doch den »Gnadentod« zu gewähren. An der Jahreswende 1938/39 bat ein Elternpaar namens Knauer Hitler darum, dem Leben ihres geistig schwerbehinderten Kindes ein Ende machen zu dürfen. Später (1941) kam der Film → *Ich klage an* nach dem Buch *Sendung und Gewissen* des Arztes H. Unger in die Kinos; seine Handlung und Problemstellung sollten auf die NS-Euthanasie einstimmen. Seit 1938 erlaubte man Besuchern, auch Schülern, die Besichtigung psychiatrischer Anstalten, um sie von der Notwendigkeit der Euthanasie zu überzeugen. Man zeigte ihnen die Schwerkranken und wies auf die Kosten ihrer Unterbringung hin.

Im Juli 1939 ermächtigte Hitler seinen Leibarzt K. Brandt und Philipp Bouhler, den Chef der Kanzlei des Führers, in Fällen wie dem des Kindes Knauer ohne Rücksprache mit ihm die Tötung vorzunehmen. Zwei Wochen vor Beginn des Zweiten Weltkrieges, am 18. August 1939, erging ein Runderlaß, demzufolge dem »Reichsausschuß zur wissenschaftlichen Erfassung von erb- und anlagebedingten schweren Leiden jedes mißgestaltete Neugeborene« zu melden war, und dies galt rückwirkend auch für Kinder bis zu drei Jahren. Die Verpflichtung betraf Ärzte und Hebammen. Die Nationalsozialisten brachten diese Aktion mit dem Kriegsbeginn in Verbindung. Sie versuchten, die Tötungen mit den Zwängen des Krieges ursächlich zu verknüpfen: Der Gedanke sei ihm unerträglich, sagte Hitler, daß ein Kriegsverletzter ohne ein Bett sei, weil dieses Bett ein Geisteskranker belege. Der Tod von gesunden jungen Menschen an der Front sollte der Bevölkerung die Tötung von Geisteskranken als hinnehmbar erscheinen lassen. In dem ab September 1939 besetzten Polen ging die Leitung der psychiatrischen Anstalten sofort in deutsche Hände über; auch hier wurden die Kranken getötet.

Die Euthanasie in Deutschland begann gleich nach Kriegsbeginn mit der Tötung von geisteskranken Kindern. Es wurden zwar »ärztliche Gutachten« erstellt, die diesen Namen jedoch nicht verdienen: Die Gutachter bekamen die Kinder nicht einmal zu Gesicht; der Leiter der Anstalt Eglfing-Haar »bearbeitete« beispielsweise 2000 Meldebögen neben seiner normalen Arbeit binnen drei Wochen. Zur Tötung wurde oft das Medikament Luminal in großen Dosen verabreicht. In der Anstalt Eglfing-Haar ließ man Kleinkinder langsam verhungern. Bald begann die

Euthanasie an Erwachsenen. Hitlers »Ermächtigungs«-Schreiben für die Euthanasie im Reich erging im Oktober 1939, es wurde auf den 1. September 1939 zurückdatiert, um die »Sachzwänge« des Krieges ins Spiel zu bringen. Es verfügte, »daß nach menschlichem Ermessen unheilbar Kranken bei kritischster Beurteilung ihres Krankheitszustandes der Gnadentod gewährt werden kann«. Ein »Gesetz über die Sterbehilfe« wurde nie erlassen, obwohl ein Entwurf dafür vorlag, der vermutlich von dem Psychiater de Crinis stammte. Hitler ließ ihn nie Gesetzeskraft erlangen – obwohl seine Helfershelfer danach handelten. Das deutsche Volk sei dafür noch nicht »reif«, lautete die Begründung.

Benannt war die Aktion nach ihrer Zentrale in Berlin, Tiergartenstraße 4, als → Aktion T 4. Die Tötungen fanden in einigen ausgesuchten, abseits gelegenen Anstalten statt, in → Bernburg/Anhalt, → Brandenburg/Havel, → Grafeneck, → Hadamar, → Hartheim und → Sonnenstein bei Pirna/Sachsen. Die Kranken wurden in der Regel von anderen Anstalten dorthin gebracht und binnen kürzester Frist getötet: zunächst vergiftet, mit Injektionen getötet (»abgespritzt«) und schließlich vergast. Ab Anfang 1940 folgte die massenhafte Ermordung (nach »Probevergasungen« in den annektierten polnischen Gebieten und in Brandenburg) in → Gaskammern, die meist als Duschräume getarnt waren. Verwendet wurde Kohlenmonoxyd, das in Stahlflaschen angeliefert und aufbewahrt wurde. Verstrickt waren in diese Aktion mehrere Gremien mit Decknamen wie »Reichsarbeitsgemeinschaft Heil- und Pflegeanstalten« oder »Gemeinnützige Krankentransport GmbH« – in Wirklichkeit waren sie für die Tötungen zuständig. Die Kranken ahnten zumeist, was ihnen bevorstand, mochten die Transporte auch getarnt sein; sie erhielten daher Beruhigungsmittel, damit sie den Ablauf der Mordaktion nicht störten.

Die den Angehörigen nach dem »plötzlichen Ableben« mitgeteilten Diagnosen oder Todesursachen waren frei erfunden. Es kam vor, daß Kranke, denen schon Jahre zuvor der Blinddarm operativ entfernt worden war, angeblich an einer »Blinddarmentzündung« verstorben waren. Die Leichen wurden den Angehörigen nicht zum Begräbnis überlassen, sondern rasch verbrannt, als Grund gab man Seuchengefahr an. Es gab an Ort und Stelle Sonderstandesämter. Die Urnen wurden nicht zentral aufgegeben, sondern an mehreren umliegenden Orten, um bei der örtlichen Bevölkerung keinen Verdacht aufkommen zu lassen (zum Beispiel für die Anstalt Grafeneck in Münsingen). Trotzdem drangen Gerüchte nach außen.

Getötet wurden keineswegs nur Geisteskranke, sondern auch Patienten mit chronischen Krankheiten, vor allem Tuberkulose, Arteriosklerose und Krebs. Besonders gefährdet waren straffällig gewordene Geisteskranke. Zurückhaltender war man nur bei Kriegsteilnehmern, vor allem solchen mit militärischen Auszeichnungen, und bei sehr alten Menschen, ausgenommen Senile, die irgendwann einmal mit dem Gesetz in Konflikt gekommen waren. Selbst in gewöhnlichen Altenheimen begann man sich nach Todeskandidaten umzusehen.

Die systematische Ermordung von jüdischen Kranken begann im gleichen Zeitraum, im September 1940, also deutlich vor dem Beginn der großen → Deportationen der deutschen Juden aus dem Reich und dem Beginn des Holocaust. Bei der Auswahl dieser Kranken wurde ohne Bedenken verfahren, es genügte, Jude zu sein. Über den genauen Ablauf dieser Mordaktion ist bislang wenig bekannt.

Die Nationalsozialisten bereiteten den Mord an den Geisteskranken und anderen Menschen ebenso systematisch vor wie den millionenfachen Mord an den Juden; aber nicht einmal auf dem Gipfel seiner Macht hat Hitler gewagt, diese Massenmorde zuzugeben, obwohl doch die »Vernichtung lebensunwerten Lebens« in seinen Augen nur eine »Erlösung« für die Kranken bedeutete. Als die Briten 1940 über Bielefeld Bomben abwarfen und dabei in Bethel Kinder getötet wurden, erfolgte ein Aufschrei im Reich. »Ruchlose Verbrechen an Bethel«, schrieb die *Westfälische Zeitung.* »Auf die Ärmsten der Armen, auf die Schwächsten der Schwachen ...« Man verglich diesen Fall mit dem Kindermord von Bethlehem.

Die NS-Führung hielt das deutsche Volk für nicht »reif« für diese Aktion, daher wurde sie ihm verschwiegen, und sie erfolgte auch ohne gesetzliche Grundlage. Bekannt wurden die Tötungen trotzdem. Schon im Februar 1940 kam es zu Protesten aus der Bevölkerung, auch von NSDAP-Mitgliedern, die meinten, daß »nur bei völlig lebensunwerten Kranken ohne Seelenleben« eine Tötung gerechtfertigt sei.

Es kam nicht zu aktivem Widerstand in der deutschen Bevölkerung, sondern zu Verweigerung, zu Nicht-Kooperation. In Bethel beispielsweise weigerte sich der Leiter der Anstalt, Fritz von Bodelschwingh – der durchaus selbst Begriffe wie »lebensunwertes Leben« verwendete –, die Meldebögen für den Abtransport von Kranken auszustellen. Er wandte sich mit seinem Protest auch an namhafte deutsche Psychiater. Der Chefarzt der Bethelschen Anstalt erstattete Anzeige wegen Mordes, als er von absichtlichen Tötungen von Kranken erfuhr. Der Chefarzt der Anstalten Neuendettelsau, Boeckh, protestierte im Oktober 1940 dagegen, daß Pfleger Berichte verfälschten, um der Kranken habhaft zu werden. Als Boeckh zur Wehrmacht einberufen wurde, ließ seine Nachfolgerin die Kinder abholen.

Einzelne evangelische Bischöfe wie der württembergische Landesbischof Theophil Wurm protestierten im Juli 1940. Die → Bekennende Kirche ließ im Oktober 1940 ein Gutachten über die Euthanasie ausarbeiten. Nach mehreren Klagen mußte Reichsjustizminister Gürtner handeln: entweder den Morden Einhalt gebieten oder eine gesetzliche Grundlage herstellen. Gürtner versuchte die Kläger mit dem Hinweis zu beschwichtigen, den Tötungen läge ein Befehl Hitlers zugrunde. Einem Richter schrieb er: »Wenn Sie den Willen des Führers als Rechtsgrundlage nicht anerkennen können, dann können Sie nicht Richter bleiben.« Diese Äußerung ist aufschlußreich auch mit Blick auf den Holocaust: Es genügte das gesprochene Wort Hitlers, um derartig weitreichende Mordaktionen durchzuführen.

Die Proteste nahmen zu, vor allem von seiten der Justiz und der Kirchen. Erste Einsprüche richteten katholische Bischöfe direkt an die Reichskanzlei. Kardinal Adolf Bertram als Vorsitzender der Fuldaer Bischofskonferenz wurde u. a. von dem Münsteraner Bischof Clemens August Graf von Galen gedrängt, etwas zu unternehmen. Er zögerte. Heftig war dagegen die Stellungnahme Kardinal Michael Faulhabers. »Ob der Standpunkt der Kirche unabänderlich« sei, fragte er. »So unabänderlich wie das 5. Gebot.« Daß die Tötung angeblich auf humane Weise geschah, hielt er für irrelevant. »Es handelt sich für uns nicht um das Wie, sondern um die Tatsache der Beseitigung.« Im Sommer 1941 hielt Bischof Galen mehrere empörte Predigten gegen die Euthanasie. Er appellierte an den Überlebenswunsch seiner Hörer: »Jetzt sind es die Unproduktiven«, rief er. »Wann sind die anderen an der Reihe?«

Die englischen Medien nahmen das Thema ebenfalls auf. Im August 1941 verkündete die BBC: »Ist hier noch ein Kommentar notwendig? In den Konzentrationslagern: Mord! In den Irrenanstalten: Mord! In den Altersheimen: Mord! Und Mord an der deutschen Jugend auf den Schlachtfeldern von Rußland!«

Unter dem Eindruck dieser Proteste hörten die Tötungen nicht auf, sie wurden nur an anderem Ort fortgesetzt. Ende 1940 endeten die Morde in Grafeneck; aber das Personal zog um nach Hadamar und machte dort weiter. Ende August 1941 wurde die Euthanasie von Hitler offiziell gestoppt, sie lief jedoch im geheimen weiter. Gleichzeitig verstärkte man die Propaganda zugunsten der Euthanasie. In den Kinos erschien 1941 der Film *Ich klage an*, der mit emotionalen Mitteln den Zuschauern die »Logik« der Euthanasie klarmachen sollte. Im November 1942 suchte eine hochrangige Kommission psychiatrische Anstalten auf, um dort → »Asoziale« für die Tötung auszusuchen. Darüber hinaus entledigten sich Gefängnisse und psychiatrische Anstalten fortan ihrer »unerwünschten« Insassen auch mittels »Vernichtung durch Arbeit«. Mancherorts – selbst innerhalb des Altreichs – nahm das Morden erst kurz vor dem Einmarsch der Alliierten ein Ende. Über diese Anstaltsmorde existieren bislang kaum zuverlässige Erkenntnisse.

Die Aktion T 4 selbst ist heute ziemlich gut erforscht. Ihr fielen mehr als 70 000 Menschen zum Opfer, der späteren »wilden« Euthanasie schätzungsweise weitere 50 000 Menschen. Man bezeichnet diese spätere Form zu Unrecht als »wilde« Euthanasie: Auch sie war durchaus organisiert und erfolgte planvoll.

Nach dem offiziellen Ende der Aktion T 4 begann im Herbst 1941 in den Konzentrationslagern die → Aktion 14 f 13. Die Bezeichnung »14 f 13« stammt von dem Aktenzeichen des Inspekteurs der KZ. Diese Aktion wird auch als »Invaliden-Aktion« bezeichnet, denn sie erstreckte sich vor allem auf Personen, die ohne Untersuchung zu Invaliden erklärt wurden. Offiziell starben die Opfer eines natürlichen Todes im KZ; der Tod wurde dort auch beurkundet. Diese Vernichtungsaktion fand nicht in allen Lagern statt, sondern nur in einigen ausgesuchten Vernichtungsstätten wie → Hartheim bei Linz, → Mauthausen, → Belzec, → Auschwitz und → Chelmno.

Weitere Mordaktionen richteten sich gezielt gegen ausgewählte Gruppen, eine davon war die Tötung rassisch Mißliebiger, die seit 1942 in Gang war und vorwiegend »Judenmischlinge« traf. Eine andere war die Aktion Brandt. Auch sie zielte auf unerwünschte Personen ab: auf rassisch Unerwünschte, »Asoziale«, Geisteskranke, aufsässige Ostarbeiter u. a.; die Aktion ist bislang noch wenig erforscht.

Die Menschenversuche

Zur nationalsozialistischen Medizin muß man auch die Menschenversuche zählen, die während des Krieges in einer Reihe von KZ stattfanden. An den unter Mißachtung aller ärztlichen Standards durchgeführten Versuchen waren neben Ärzten bzw. als Ärzte der Wehrmacht und der SS namhafte Wissenschaftler angesehener Forschungseinrichtungen einschließlich der Universitäten beteiligt. Die Fragestellungen dieser Menschenversuche waren unsinnig, die Ergebnisse nichtssagend. Die Versuche mit Cholera- und Fleckfiebererregern, mit Sulfonamiden usw., die planvoll zum Tode führenden Unterkühlungen – vor allem an sowjetischen Gefangenen erprobt – waren wissenschaftlich unhaltbar und bestialisch. Sie wurden jedoch, teils noch nach dem Krieg, gutgeheißen oder als zwar grausam, aber für die Forschung wertvoll dargestellt. Die Verbrechen der Menschenversuche stehen in keinem Verhältnis zu etwaigen Forschungsergebnissen.

Die NS-Medizin im Urteil der Forschung

Ziel der NS-Medizin war es, die wertvoll erscheinende »arische« erbgesunde Bevölkerung zu fördern, ihre Gesundheit und vor allem ihre Leistungsfähigkeit zu verbessern, damit sie in stetem »Kampf ums Dasein« andere Völker leichter an den Rand drängen konnte. Aber es war ihr wenig Erfolg beschieden: Der Terror der Nationalsozialisten und der von ihnen entfesselte Krieg erlaubten der Heilkunst keine bedeutenden Erfolge. Der Gesundheitszustand der Deutschen verbesserte sich in der NS-Zeit keineswegs, wenn man die Zahl der Krankenhaustage als Maßstab heranzieht: 1932 waren insgesamt vier Millionen Deutsche zeitweise im Krankenhaus, im letzten Vorkriegsjahr, 1938, jedoch 5,8 Millionen (allerdings war jetzt die Bevölkerung der »Ostmark« hinzugekommen). Die Pro-Kopf-Ausgaben für kassenbezahlte Arzneien nahmen sogar noch zu, denn Ärzte verordneten neben den Mitteln der Schulmedizin auch solche der »biologischen Medizin«.

Die »positiven« eugenischen Maßnahmen zeitigten weniger gewünschte Erfolge als die negativen: Weder gelang die Anhebung der Geburtenziffer über einen längeren Zeitraum (im Krieg fiel sie ohnehin wieder ab) noch die »Aufnordung« der Deutschen. Erfolgreich war die Medizin im Zurückdrängen der Säuglingssterblichkeit, die von 77 Todesfällen je 1000 Geburten im Jahr 1933 auf 60 im Jahr 1939 zurückging, im Krieg indessen wieder anstieg. Ab 1939 zeigte sich ganz deutlich, daß die Politik nicht auf Heilen und Leben angelegt war, sondern auf Eroberung und Töten – die Dezimierung des eigenen Volkes wurde dabei in Kauf genommen.

Hitler hatte von Ärzten – anders als von Juristen – eine hohe Meinung, und Ärzte waren in der NSDAP auch stark vertreten. Sie waren allerdings nicht mehr im Sinne der traditionellen Medizin allein für Heilen und Helfen zuständig, sie hatten darüber hinaus die Auswahl über die Vernichtung einzelner zu treffen und nahmen selber Tötungen vor. Die Nationalsozialisten hoben die Schranke zwischen Heilen und Töten auf, sie verwischten damit die Grenze zwischen Arzt und Henker. Im Dritten Reich nahm die Zahl der Ärzte in Deutschland stark zu. Ihre Zahl stieg von deutlich unter 60000 auf fast 80000. Allerdings wurde die Ausbildung verkürzt, um rasch möglichst viele junge Mediziner ins Feld führen zu können; entsprechend hoch waren die Kriegsverluste unter Medizinern.

Im NS-Staat kam es – teils beabsichtigt, teils nicht – zu Erscheinungen, die man heute gelegentlich als »Modernisierung« bezeichnet. Dazu könnte man auch die Tatsache zählen, daß zu Beginn der NS-Herrschaft nur einer von 20 Ärzten eine Frau war, 1945 jedoch jeder achte.

Im großen und ganzen nahm jedoch der Leistungsstandard der deutschen Medizin in diesen Jahren ab, und die Vertreibung der Juden – und der jüdischen Ärzte – aus Deutschland schädigte sie nachhaltig, zumal sie sich während des Dritten Reiches selbst zum Teil demonstrativ von der internationalen wissenschaftlichen Gemeinschaft ausschloß.

Literatur

Benz, Wolfgang / Barbara Distel (Hg.): *Medizin im NS-Staat. Täter, Opfer, Handlanger* (Dachauer Hefte 4), München 1988.
Frei, Norbert (Hg.): *Medizin und Gesundheitspolitik in der NS-Zeit,* München 1991.
Jäckle, Renate: *Die Ärzte und die Politik. 1930 bis heute,* München 1988.
Kater, Michael H.: *Doctors under Hitler,* Chapel Hill-London 1989.
Klee, Ernst: *»Euthanasie« im NS-Staat. Die »Vernichtung lebensunwerten Lebens«,* Frankfurt am Main 1983.
Kudlien, Fridolf: *Ärzte im Nationalsozialismus,* Köln 1985.
Lifton, Robert Jay: *Ärzte im Dritten Reich,* Stuttgart 1988.
Mitscherlich, Alexander / Fred Mielke: *Medizin ohne Menschlichkeit,* Frankfurt am Main 1960.
Roth, Karl Heinz (Hg.): *Erfassung zur Vernichtung. Von der Sozialhygiene zum »Gesetz über Sterbehilfe«,* Berlin 1984.
Schmuhl, Hans-Walter: *Rassenhygiene, Nationalsozialismus, Euthanasie,* Göttingen 1987.
Weingart, Peter / Jürgen Kroll / Kurt Bayertz: *Rasse, Blut und Gene. Geschichte der Eugenik und Rassenhygiene in Deutschland,* Frankfurt am Main 1988.

Sport

Von Wolf-Dieter Mattausch

Basierend auf den Vorstellungen Adolf Hitlers und den weltanschaulichen Grundlagen des → Nationalsozialismus (Rassenlehre, → Antisemitismus, → Sozialdarwinismus, → Faschismus) sowie den Erfahrungen aus der → »Kampfzeit« fand der Sport (die Leibeserziehung) als Politischer Sport (als Politische Leibeserziehung) eine entsprechende Ausrichtung. Bereits in Hitlers → *Mein Kampf* wurde unmißverständlich ausgesprochen, daß der »völkische Staat« seine gesamte Erziehungsarbeit in erster Linie nicht auf das Einbleuen bloßen Wissens einzustellen habe, »sondern auf das Heranzüchten kerngesunder Körper«. Für Hitler war ein wissenschaftlich wenig gebildeter, aber körperlich gesunder Mensch wertvoller als ein »geistreicher Schwächling«. So erhielt ein hochentwickeltes körperlich-sportliches Leistungsvermögen äußerliche Beweiskraft und wurde durch die Rassentheorie unterfüttert und mit ihr verbunden. In der *Wehrerziehung der deutschen Jugend* von 1936 war nachzulesen, daß »der Geist des Angriffs ... der Geist der nordischen Rasse« sei. »Er wirkt in ihrem Blut. Es lockt und zieht aufzubrechen, zu wandern und zu überwinden, ... um des Eroberns willen.« Als der »ewige Baugrund« der nationalsozialistischen Erziehung wurden »Rasse, Volksgemeinschaft und Führertum« angesehen, die auf dem »Glauben an die Heiligkeit des deutschen Blutes und der deutschen Rasse« beruhen sollten.

Diese Theorie wurde zusammen mit den 1935 erlassenen → Nürnberger Gesetzen in die nationalsozialistische Turn- und Sportbewegung infiltriert. Das fand auch seinen Niederschlag im Schrifttum der NS-Zeit, so beispielsweise in der Fachzeitschrift *Politische Leibeserziehung* von 1936, in der es u. a. hieß: »Was die Gesetzgebung des Staates zum Schutz des deutschen Blutes erreichen will, [muß] die deutsche Leibeserziehung praktisch vorleben und unterstützen. Die kostbare völkische Substanz, das deutsche Blut, das die Leiber der einzelnen formt, ist auch die natürliche Substanz der Leibesübungen.«

Einsatz für die Gemeinschaft, Kraftbewußtsein, Rassereinheit, soldatische Haltung, Treue zur Mannschaft und Volksgesundheit hießen die oft genannten Erziehungsziele des nationalsozialistischen Sports. Um diese in die Turn- und Sportbewegung hineinzutragen, wurden in allen Vereinen und Leitungen sogenannte Dietwarte eingesetzt, die in den »Dietprüfungen« die völkische Haltung der Sportler kontrollierten. »Volkskundevorträge«, in denen besonders die Juden als »feige und faul« verleumdet wurden, waren Bestandteil der Vereinstätigkeit. Auch der humanistische Grundgehalt der olympischen Idee der Neuzeit und der → Olympischen Spiele, die 1936 in Berlin auf dem → Reichssportfeld ausgetragen wurden, wurde als »Geist der knochenweichen Völkerversöhnung« verunglimpft. Selbst in sportartspezifischen Lehrbüchern wie *Hallenkampfspiele* aus dem Jahr 1938 wurde behauptet, daß nur ein »rassisch reiner Körper« Höchstleistungen vollbringen könne und deshalb für die Sportmannschaften »Einheitlichkeit ihrer rassischen Zusammensetzung von ausschlaggebender Bedeutung« sei.

Abb. 35: Plakat zum Sporttag des BDM/Obergau Westfalen, um 1936.

Der Prozeß der »Neuordnung des deutschen Sports« im Dritten Reich begann nach einer Phase der sportlichen Konzeptionslosigkeit im Rahmen der umfassenden → »Machtergreifung« und Machtsicherung der Nationalsozialisten mit der Zerschlagung der sozialistischen Arbeiter-Turn- und Sportbewegung, in der Anfang der dreißiger Jahre in Deutschland mehr als 1,2 Millionen Arbeitersportler in verschiedenen Verbänden organisiert waren, und der mehr oder weniger erzwungenen Selbstauflösung der Dachverbände des bürgerlichen Sports in Deutschland. Gleichzeitig wurden die Sportverbände im Sinne der nationalsozialistischen → Ideologie indoktriniert und der Ausschluß der jüdischen Sportler aus den meisten Fachverbänden vollzogen, ohne daß die politische Führung dies hätte nachdrücklich fordern müssen.

Im März 1933 wurde die Kampfgemeinschaft für Rote Sporteinheit (KG), der von der Kommunistischen Partei Deutschlands (KPD) beeinflußte Teil der Arbeiter-Turn- und Sportorganisation mit ihren 4000 Vereinen und etwa 250 000 Mitgliedern, verboten und ihr Vermögen beschlagnahmt. Am 27. Juni 1933 folgte ein Runderlaß des Reichsinnenministeriums an die Landesregierungen »Über den Neuaufbau der deutschen Sportorganisationen«, in dem es hieß, daß der »Klassensport« endgültig zu verschwinden habe. Das Vermögen der aufgelösten Arbeiter-Turn- und Sportvereine wurde beschlagnahmt und von »Treuhändern« der Polizei verwaltet. Die Vereinsmitglieder durften später nur einzeln und nach Benennung von zwei Bürgen und einer schriftlichen Loyalitätserklärung in den → Deutschen Reichsbund für Leibesübungen (DRB) aufgenommen werden.

Am 28. April 1933 erfolgte die Ernennung des SA-Gruppenführers Hans von Tschammer und Osten zum Reichskommissar für Turnen und Sport (Reichssportkommissar). Tschammer verfügte am 10. Mai 1933 die Auflösung des Deutschen Reichsausschusses für Leibesübungen (DRA), der Dachorganisation der bürgerlichen Turn- und Sportverbände.

Als Nachfolgeorganisation wurde am 24. Juli 1934 der DRB geschaffen, als nationalsozialistischer Einheitsbund unter der autoritären Leitung des von der Regierung berufenen → Reichssportführers von Tschammer. Der DRB ersetzte die bisherigen Sportverbände durch 21 Reichsfachämter. Die Existenz der 43 000 Sportvereine in Deutschland wurde nicht in Frage gestellt. Die traditionelle Einteilung in → Gaue blieb ebenfalls erhalten. Die politische Führung des nationalsozialistischen Sports übernahmen die von Tschammer eingesetzten Gau- und Bezirksbeauftragten.

Nachdem mit der 1933 begonnenen Gleichschaltung der Länder, deren Hoheitsrechte 1934 auf das Reich übergingen, wurde auch ein → Reichsministerium für Wissenschaft, Erziehung und Volksbildung gegründet. Reichserziehungsminister Bernhard Rust unterstand direkt das von Ministerialdirektor Karl Krümmel geleitete Amt für körperliche Erziehung mit seinen zwei Abteilungen Körperliche Erziehung der Lehrer und Studierenden sowie Körperliche Erziehung der Jugend. Es war die oberste staatliche Dienststelle für alle Formen der körperlich-sportlichen Bildung und Erziehung in den Schulen und Hochschulen des Dritten Reiches. Ab 1934 mußte jeder Student als Hinführung zum SA-Mann bis zum dritten Semester eine sportliche Grundausbildung von drei bis vier Wochenstunden absolvieren. 1937 verfügte Rust die Erweiterung des Schulsports auf fünf Wochenstunden. 1936 gründeten der Reichsinnenminister, der Reichserziehungsminister und der Reichssportführer als Ersatz für die aufgelöste Deutsche Hochschule für Leibesübungen die Reichsakademie für Leibesübungen. Sie wurde bei Kriegsausbruch 1939 geschlossen.

Der in sich widersprüchliche Prozeß der »Neuordnung« des deutschen Sports durch die Nationalsozialisten dauerte bis 1936 an. Sportverbände, die nicht in Einklang mit der nationalsozialistischen Ideologie zu bringen waren, wurden verboten. Das betraf vor allem neben den proletarischen die jüdischen und konfessionellen Sportverbände. Dennoch lebte der organisierte jüdische Sport bis in das Jahr 1938 in den beiden großen Verbänden »Schild« und »Makkabi« weiter. Mit der Verbannung der Juden in Deutschland aus dem öffentlichen Leben nach der → Reichskristallnacht vom 9. November 1938 endete auch deren sportliche Vereinstätigkeit.

Unter dem Druck der Konkurrenz durch die NS-Gemeinschaft → »Kraft durch Freude« (KdF) und den SA-Sport gelang es Tschammer schließlich, bei Hitler eine politische Aufwertung der Leitungstätigkeit des DRB durchzusetzen. Mit einem Führererlaß vom 21. Dezember 1938 wurde der Deutsche Reichsbund

Abb. 36: NS-Kampfspiele in Nürnberg, »Tag der Gemeinschaft« auf der Zeppelinwiese am 8. September 1938.

für Leibesübungen zum → Nationalsozialistischen Reichsbund für Leibesübungen (NSRL) unter politischer Verantwortung der NSDAP proklamiert. So wurde der NSRL von einer durch die NSDAP »betreuten« zu einer von ihr kontrollierten Organisation. Gleichzeitig entfiel damit auch die juristische Selbständigkeit der Vereine, deren Vermögen in das Eigentum der NSDAP überging. Die Gründung des NSRL beseitigte außerdem das ohnehin nur noch formale Recht, die Vereinsführer zu wählen. Der territoriale Aufbau des NSRL erfolgte entsprechend dem der NSDAP, wobei mitunter mehrere Gaue die Sportbereiche bildeten. Nach dem Tod Tschammers am 25. März 1943 übernahm Karl Ritter von Halt am 18. September 1944 das Amt des Reichssportführers.

Die nationalsozialistische Leibeserziehung und der Sport nahmen im vielfältigen Gefüge von Gliederungen und angeschlossenen Organisationen der NSDAP einen großen Raum ein. Die breite »Sportoffensive« der Nationalsozialisten erstreckte sich weit über den NSRL hinaus. Mit vier Millionen Mitgliedern Ende 1933 kam der → SA dabei die größte Bedeutung zu. Sie erhob als »Trägerin der Idee« auch in der Sportführung Anspruch auf Schlüsselpositionen. Der Sport sollte als Leitbild der nationalsozialistischen Leibeserziehung gelten. Er war Gelände-, Kampf- und Wehrsport. In Ablehnung der nur auf Sport spezialisierten »Sportstandarten« deutete die SA militärische Übungen wie Märsche, Läufe, das Überwinden von Hindernissen in Uniform, Schießen und den Handgranatenwurf zu Sportdisziplinen um. Im Unterschied zum Sportplatz bei den Sportvereinen galt hier die Hinderniskampfbahn als Hauptübungsstätte.

Die → SS benötigte eine längere Anlaufzeit, um sich auch im Sport zu etablieren. Mit der Errichtung des Amtes für Leibesübungen im SS-Hauptamt am 1. März 1937 wuchs die Bedeutung des Sports für die Ausbildung des SS-Mannes. Mit Spitzenleistungen ihrer Reit-und Fechtmannschaften bewies die SS ihre sportliche Leistungsfähigkeit. Reinhard Heydrich übernahm 1940 die Leitung des Fachamtes Fechten im NSRL. Nach seinem Tod führte der General der Waffen-SS Rauter dieses Amt weiter.

Die → Hitler-Jugend (HJ) betrieb im Rahmen der nationalsozialistischen Erziehung eine intensive körperliche Ausbildung, deren Krönung der Geländedienst war. Das Gesetz über die HJ aus dem Jahr 1936 erklärte sie zur »Staatsjugend« und übertrug ihr die körperliche, geistige und charakterliche Erziehung der gesamten deutschen Jugend. Das bedeutete, daß die Vereine des NSRL keine Jugendlichen unter 14 Jahren betreuen durften. Diese mußten in das Deutsche Jungvolk (DJ) der HJ überführt werden. Nur die freiwillige Sportbetätigung von HJ-Mitgliedern oberhalb dieses Alters verblieb bei den Vereinen, deren Jugendwarte aber ebenfalls der HJ angehören mußten. Gleiche Regelungen galten für den Bund Deutscher Mädel (BDM) und für die 19- bis 21jährigen im 1938 gegründeten BDM-Werk »Glaube und Schönheit«. Die Organisation des HJ-Sports teilten sich das Amt für Leibesübungen und das Amt für körperliche Ertüchtigung. Die Ausbildung beruhte auf einer »Grundschule der Leibesübungen«, ergänzt durch Schießen, Geländesport und Fahrt und Lager. Für technische Sportarten wurden Sondereinheiten wie Marine-, Reiter-, Flieger- und Nachrichten-HJ gebildet (→ Jugend).

Der nationalsozialistische Gewerkschaftsersatz → Deutsche Arbeitsfront (DAF) gründete 1934 als Freizeit- und Erholungsorganisation die NS-Gemeinschaft »Kraft durch Freude«, in der populärer, informeller Massensport der »werktätigen Bevölkerung« nach dem Modell der faschistischen italienischen Feierabend-Organisation Dopolavoro betrieben wurde. Der schnelle Aufbau des Systems diente zugleich der Arbeitsbeschaffung für Hunderte stellenloser Sportlehrer in Deutschland. Durch ein breites Angebot von Kursen vielfältiger Art zu minimalen Gebühren erzielte man große Anfangserfolge. KdF wurde damit zu einer bedrohlichen Konkurrenz für den DRB/NSRL. Der KdF-Sport fand sein Gegenstück in der vom → Reichsnährstand organisierten sportlichen Betätigung der Landbevölkerung.

Die 1936 ins Leben gerufenen → Ordensburgen, Ausbildungsstätten zur Schulung der hauptberuflichen politischen Leiter der NSDAP, leisteten mit härtester körperlich-sportlicher Bildung ihren Beitrag zur nationalsozialistischen Führerauslese. Dabei beriefen sich die Nationalsozialisten in einer Art Imitation altgermanischen Gefolgschaftsdienstes auf die Tradition des Rittertums. Ziel war es – in missionarischer Verstiegenheit –, den Anspruch auf »Herrenmenschentum« durchzusetzen. Die erste Phase der Konzeption der Führerauslese stellte die sechsklassige → Adolf-Hitler-Schule dar. Ihr sollten sieben Jahre berufliche Bewährung folgen und anschließend für drei bis vier Jahre die Aufnahme in die Ordensburg. An den Adolf-Hitler-Schulen, die unmittelbar der NSDAP unterstanden, war die Leibeserziehung mit sechs bis acht Wochenstunden an der Spitze der Stundentafel zu finden. Im Zweiten Weltkrieg verlagerte sich der Schwerpunkt auf die Wehrertüchtigung.

In den → Nationalpolitischen Erziehungsanstalten (Napola), die im Gegensatz zu den Adolf-Hitler-Schulen dem Reichserziehungsministerium unterstanden, kam der Leibeserziehung die zentrale Erziehungsfunktion zu. Der Ausbildungsweg unterschied grundständige Leibesübungen, wie z. B. Leichtathletik, Geräteturnen, Schwimmen und Kampfspiele, von weiterführenden Leibesübungen wie Boxen, Fechten, Reiten, Segelfliegen u. ä. Diese vielseitige Ausbildung zielte insbesondere auf Wehrertüchtigung ab. Höhepunkte des Gelände- und Wehrsports waren vielfältige Lager, Geländeübungen und Manöver.

Literatur

Bernett, Hajo: *Der Weg des Sports in die nationalsozialistische Diktatur,* Schorndorf 1983.
Mayer, P. Yogi: Deutsche Juden und Sport, in: *Menora (*1994), S. 287-311.
Rötig, Peter u. a.: *Sportwissenschaftliches Lexikon,* Schorndorf 1992.
Simon, Hans u. a.: *Die Körperkultur in Deutschland von 1917 bis 1945,* Berlin 1969.

Technik

Von Karl-Heinz Ludwig

In den siebziger Jahren wurde das Thema Nationalsozialismus und Technik erstmals gründlicher abgehandelt, damals im Zusammenhang mit der Herausforderung durch die *Erinnerungen* Albert Speers nach dessen Entlassung aus dem Spandauer Kriegsverbrechergefängnis. Rund zehn Jahre nach der Untersuchung des Verfassers über *Technik und Ingenieure im Dritten Reich* (1974) werteten amerikanische Forscher – allen voran J. Herf (1984) – die allgemeine Technik-Literatur der zwanziger und dreißiger Jahre spezifisch, wenngleich noch keineswegs umfassend aus. Dabei nahmen sie einen deutschnational geprägten »reactionary modernism« wahr. Die schwierige Begrifflichkeit des Wortes »Technik« umfaßt bei alledem jeweils die (moderne) Realtechnik oder – so in der angloamerikanischen Diskussion – »technology-as-object«; gelegentlich erscheint sie aber auch ausgeweitet auf immaterielle Techniken und ein ganzes System der – möglicherweise dann auch verkehrten – Zweck-Mittel-Relation. Ebenfalls in den achtziger Jahren befaßte sich eine Reihe kleinerer Studien mit der Wechselwirkung zwischen Nationalsozialismus auf der einen und Heimat- und Naturschutz auf der anderen Seite. Mehrere Arbeiten untersuchten Innovationen im Kommunikationsbereich sowie den Bau der → Autobahnen, letzteren auch im Hinblick auf einen zugehörigen Landschaftsschutz, der partiell ökologische Maßstäbe erkennen zu geben schien.

In der zweiten Hälfte der achtziger Jahre entstanden in einem ersten Akt besonderer geschichtlicher Aufarbeitung Studien über die → Emigration jüdischer Ingenieure aus Deutschland und Österreich. Sie wurden u. a. durch den Verein Deutscher Ingenieure (VDI) gefördert, der die Entlassung seiner jüdischen Mitglieder im Dritten Reich als schuldhafte Verstrickung verstand und bedauerte. In den neunziger Jahren schwoll der publizistische Strom zum Thema Nationalsozialismus und Technik erneut an, angeregt und getragen nunmehr auch von der universitär ausgebauten Kulturwissenschaft, die in einem von W. Emmerich und C. Wege herausgegebenen Sammelband die nationalsozialistische Technikauffassung bereits mit der historisch-realsozialistischen vergleicht. Ungenügend geklärt ist allerdings immer noch ein Hauptwiderspruch der Weimarer Zeit, der sich herausbildete, als die traditionellen Arbeiterparteien und Gewerkschaften – vermeintlich theoretisch fundiert – auf technischem Fortschritt bestanden, um das kapitalistische Wirtschafts- und Gesellschaftssystem zu überwinden oder es zumindest im Sinne einer Wirtschaftsdemokratie zu verändern, während von konservativer Seite aus die moderne Technik und darauf gründende Zukunftshoffnungen radikal in Frage gestellt wurden. Dementsprechend ziehen sich widersprüchliche Reflexionen bis in die gegenwärtige Debatte über Nationalsozialismus und Modernisierung hinein, die im Blick auf technikhistorische Prozesse deutliche Defizite aufweist.

Technikverständnis im nationalsozialistischen Weltbild

Schon die Weimarer Zeit mit ihren ökonomischen Krisenerscheinungen rief eine literarische und damit gesellschaftliche Diskussion über die Technik hervor. Naturgemäß mußte sich der entstandene »Streit um die Technik« (Friedrich Dessauer) in der großen Wirtschaftskrise seit 1929 verschärfen. Ausgetragen wurde er weniger in den Wirtschafts- oder in den Technikwissenschaften, die von der damals führenden Geisteswissenschaft kaum jemals in interdisziplinäre Gespräche eingebunden wurden, sondern vor allem unter sogenannten Kultur- oder – wie man bald fein unterschied – Zivilisationskritikern jeder Couleur. Man war damals beinahe durchweg der Ansicht, daß die zunehmende Masse von Arbeitslosen in einem überstrapazierten Industriesystem ohne Hoffnung auf dauerhafte Besserung in erster Linie infolge technischer Rationalisierungsmaßnahmen entstand. Der Kulturphilosoph Oswald Spengler, der in seinem vielzitierten Werk *Der Untergang des Abendlandes* (2 Bde., 1918/22) mit der Modernisierung als fatalistischem Verhängnis abgerechnet hatte, präzisierte 1931 in *Der Mensch und die Technik* die Wunschvorstellungen zahlreicher Zeitgenossen nach durchgreifenden Reformen: » ... man möchte aus dem Zwang seelenloser Tätigkeiten, aus der Sklaverei der Maschine, aus der klaren und kalten Atmosphäre technischer Organisation heraus ... « Selbst Studierende Technischer Hochschulen, für die der akademische Stellenmarkt immer enger wurde, sahen 1932 den einzigen Ausweg aus der allumfassenden Krise in einer Re-Agrarisierung. Sie griffen bestimmte Meinungen über einen erforderlichen neuen → Lebensraum auf, die der Nationalsozialismus bereits in den für ihn typischen Zusammenhang mit rassenideologischen Auslese- und heroischen Kampfesvorstellungen gebracht hatte.

Erstaunlicherweise wandte sich der Nationalsozialismus sogar in seiner Parteiorganisation den Problemen der Technik zu. Treibende Kraft für die Integration der Technik und ihrer Schöpfer in die politische Überzeugungsarbeit war der Bauingenieur Gottfried Feder, Mitbegründer und »Programmatiker« der → NSDAP. Im Sommer 1931 entwickelte er mit anderen Parteigenossen aus seinem Umkreis eine spezifische Politisierungsstrategie, indem er die Überwindung der Wirtschaftskrise und der Erwerbslosigkeit kurzerhand zur Aufgabe von Ingenieuren erklärte. Angehörige der technischen Intelligenz sollten zur Mitarbeit in exponierter Position gewonnen werden. Diese damals singuläre Vorgehensweise paßte zur Linie der NS-Mittelstandspolitik und wurde durch den sogenannten Kampfbund Deutscher Architekten und Ingenieure (KDAI) in die Öffentlichkeit getragen. Den Gründungsaufruf unterzeichneten Feder, der Elektroingenieur Franz Lawaczeck, ein anerkannter Turbinenbauer, der auch im Ausland an technischen Großprojekten mitgewirkt hatte, und Paul Schultze-Naumburg als Architekt. Letztgenannter war während des Ersten Weltkriegs mit rassistischen Untertönen für eine naturgemäße Bauweise eingetreten, hatte 1928 ein Buch mit dem Titel *Kunst und Rasse* veröffentlicht und 1930 das Aushängeschild für die höchst fragwürdige »Kultur«-Politik der Koalitionsregierung in Thüringen abgegeben.

Im Verlauf eines Jahres gewann der KDAI eigenen Angaben zufolge rund 2000 Mitglieder, das war weniger als ein Prozent der Gesamtberufsgruppe, aber wohl die Mehrzahl der Architekten und Ingenieure, die sich vom Nationalsozialismus etwas erhofften. Wie berufstypisch nicht anders zu erwarten, drängten die Mitglieder der neuen Organisation darauf, »sachliche« Arbeit zu leisten. Die übliche Agitation der parteiamtlich organisierten mittelständischen Kampfbünde mit lärmenden Demonstrationen und Aufmärschen in der Öffentlichkeit konnte kaum jemanden zufriedenstellen. Mit der »Sammlung«, »Erfassung« und »nationalsozialistischen Erziehung und Schulung« – selbst unter dem angepriesenen Aspekt »Führerauslese für die kommenden großen Staats- und Wirtschaftsaufgaben« – war der akute Betätigungsdrang nicht gestillt. Offenbar brachten die Architekten und Ingenieure die Parteiorganisatoren in nicht geringe Verlegenheit. Um ein wirksames Ventil zu schaffen, wurde in der Münchener → Reichsleitung der NSDAP Anfang November 1931 eine Ingenieur-Technische Abteilung (I.T.A.) eingerichtet. Deren »Fachberater« sollten sich ausschließlich aus dem KDAI rekrutieren, so daß dessen Mitglieder annehmen konnten, mit ihren technischen Arbeits- und Gestaltungsvorschlägen auf oberster Parteiebene Gehör zu finden.

Mit einer ersten sogenannten »Anordnung« wandte sich Feder an die Ingenieur-Technischen Abteilungen der Gauleitungen. Mit dem Aufbau einer vertikalen Gliederung wurde – im Konkurrenzsystem der Parteileitung insbesondere mit Blick auf die Wirtschaftspolitische Abteilung unter Otto Wilhelm Wagener – begonnen, noch ehe konkretere Arbeitspläne vorlagen. Die schnelle Organisation von »oben« nach unten gehörte zum Führungsstil der Nationalsozialisten, und erst die Möglichkeit, Befehle auf Gau- und Kreisebene ausführen zu lassen, stärkte den Einfluß in der Parteizentrale. Bis Anfang 1932 ernannte Feder »technische Gaufachberater«, die sich ihre Mitarbeiterstäbe aus dem Personal ortsansässiger Betriebe und Lehranstalten zusammenstellen sollten. Die so entstehende Organisation »der Technik« erfuhr in der Folgezeit mancherlei Veränderungen und sollte im → Zweiten Weltkrieg einen besonderen Stellenwert in der Rüstung erhalten.

Die Politisierungsstrategie der Nationalsozialisten schenkte den einflußreichen technisch-wissenschaftlichen Vereinen, den seit dem 19. Jahrhundert gewachsenen selbständigen, aber industrieverbundenen Ingenieurorganisationen, zunächst kaum Beachtung. Die Unterlassung rächte sich, als im Frühjahr 1933 die sogenannte »Gleichschaltung der Technik« auf der Tagesordnung stand und Feder aufgrund seiner parteipolitischen Ämter auch den Vorsitz des VDI beanspruchte, jedoch scheiterte. Eine Aktennotiz aus der Kanzlei des Führers vermerkte dazu, daß Hitler das übliche gewaltsame Vorgehen in diesem Falle mißbilligte, weil er nicht wollte, »daß die Wahl unter Druck stattfindet. Es handelt sich um eine wissenschaftliche Führergruppe. Es ist gleich, wer gewählt wird. Wir möchten uns heraushalten.« Diese ansonsten seltene Zurückhaltung bedeutete indessen kein besonderes Zugeständnis, bemühten sich doch die bekannten Ingenieurvereine ihrerseits um eine Integration in das sich abzeichnende autoritäre Staatsmuster, zumindest um die Übertragung technischer Aufgaben. Leichthin folgten ihre erneuerten oder alten Vorstände bald darauf in einem Akt vorauseilenden Gehorsams dem → Gesetz zur Wiederherstellung des Berufsbeamtentums und schlossen jüdische Mitglieder aus. Nach mancherlei organisatorischen Auseinandersetzungen, die sich insbesondere im Interessenausgleich mit der aggressiv vorgehenden → Deutschen Arbeitsfront (DAF) um ebenso traditionelle wie antimodernistische Standesfragen entspannen, wurden die zuvor selbständigen Ingenieurvereine bis 1937 im → NS-Bund Deutscher Technik (NSBDT) zusammengefaßt und mit sämtlichen Mitgliedern dem fortan zuständigen Hauptamt für Technik innerhalb der Reichsleitung der NSDAP unterstellt. Zeitgenössischen Aussagen zufolge war »das Nebeneinanderbestehen« von weltanschaulicher und fachlicher Arbeit damit beseitigt: »Die Technik« stand als Mittel zur Durchführung staatlicher Großprogramme zur Verfügung.

Spezifisch technisch-gestalterische Konzeptionen hatten schon Gründungsmitglieder des KDAI vorgelegt. Ein nennenswertes, für die damalige Zeit nicht einmal sonderlich typisches Programm, das auf dem Umweg über die Energiepolitik verwirklicht werden und 1932 zugleich als Maßnahme zur → Arbeitsbeschaffung dienen sollte, stammte von Lawaczeck. Seine innovatorischen Vorschläge standen in einem rassistischen Kontext, den der Verfasser in vergleichbaren Schriften der frühen zwanziger Jahre noch vermieden hatte, der sich nun aber als Abkehr von technischer Rationalität und damit Modernität erwies. In »organischer« Verbindung zur agrarischen Utopie der Neubesiedlung von Lebensraum forderte er eine Dezentralisierung und Dekomposition der Großindustrie zugunsten einer mittelständischen »Handwerkswirtschaft«. Als Hebel der Umgestaltung war eine veränderte Energiepolitik vorgesehen. Die Wasserelektrolyse und die Produktion des bis heute als ökologisch »sauber« geltenden Energieträgers Wasserstoff sollten die technischen Möglichkeiten zur Steigerung und Verbilligung der Elektrizitätserzeugung und zur Bereitstellung von Überschußstrom und die materielle Basis für die genannten Umwälzungen schaffen.

Gewissermaßen zur Rechtfertigung der vorgesehenen Steuerung durch Technik wurde von einem letztmals erforderlichen allumfassenden Sprung gesprochen, von der entscheidenden »technischen Idee«, um das Industriesystem »umzubauen«, dadurch die Wirtschaftskrise zu beseitigen und eine neue Gesellschaft auf agrarischer Grundlage entstehen zu lassen. Davon abgesehen betrachteten Feder, Lawaczeck und andere in den frühen dreißiger Jahren die Phase der Technisierung, der »großen technischen Investitionen und Installationen« als abgeschlossen. Einzelne technische Programme zum »Umbau des kapitalistischen Systems« seien lediglich noch während einer Übergangsphase erforderlich; im Anschluß daran sollte das deutsche Volk »auf höherer Zivilisations- und Kulturstufe wieder [!] in eine friedlichere [!] Epoche der Schollenverbundenheit und Vaterlandsliebe« hineinwachsen. Hinter diesen Worten Feders war das Lebensraum-Endziel, das Aufrüstung und Landeroberung voraussetzte, leicht zu erkennen.

Als der sogenannte »Kampf um Lebensraum« und damit der Eroberungskrieg deutlicher zum ersten Ziel der Politik erhoben wurde, verschob sich der Schwerpunkt technisch-innovatorischer Planung. Eine zweckgerichtete technische »Revolution« im Innern, vorangetrieben durch eine veränderte Energiepolitik, hätte den Aufrüstungsprozeß verzögert. In einer abwertenden Äußerung Hitlers gegenüber Hermann Rauschning nahmen Feders und Lawaczecks energietechnische Konkretisierungen schon bald den Charakter »bürgerlicher Weisheiten« an. Tatsächlich waren die Schritte von einer – anfänglich zumindest – partiellen Technikfeindlichkeit bzw. spezifisch eingeschränkten Techniknutzung über eine Technikumwertung – auch in rassenideologischer Hinsicht – hin zu einem vornehmlich kriegspolitischen Technikgebrauch vorgezeichnet. Kurz vor Ausbruch des Zweiten Weltkrieges konnte dann einer der nationalsozialistischen Literaten beim Schwadronieren über das technische »Schöpfertum der Rasse« selbstsicher formulieren, daß der Widerstand gegen die Technik vollständig zusammengebrochen sei und ihren Gegnern nichts anderes übrigbleibe, als selber zusammenzubrechen. Nach sechs Jahren des Dritten Reiches war die antitechnische Kultur- und Zivilisationskritik tatsächlich verschwunden, teils auch zum Schweigen gebracht worden, nicht jedoch die völkisch-rassistische Lebensraumideologie, die sich zuvor zumindest streckenweise mit ihr vereinigt hatte.

Ob sich der Nationalsozialismus in seiner zweiten und letzten Phase der absolut kriegspolitischen Techniknutzung als »gigantische Modernisierungsbewegung« (R. P. Sieferle) entpuppte, wie zur Zeit manchmal behauptet wird, darf jedoch füglich bezweifelt werden. Sicherlich kann Technik grundsätzlich als ein Prinzip der Moderne erscheinen, doch entwickelt sie sich weder in Teilbereichen noch insgesamt ohne gesellschaftliche Zielvorstellungen, die in den Begrifflichkeiten zu berücksichtigen sind. Zum Verständnis hat man mit Blick auf das Ganze der Technik jener Zeit den schon genannten »reactionary modernism« ermittelt und mit widersprüchlicher Wortwahl die durch spezifische Mobilisierungen, Neuordnungen und Steuerungsmaßnahmen des Regimes bewirkte Rückschrittlichkeit verdeutlicht. Kriegsvorbereitung und Krieg, sicherlich die bestimmenden Entwicklungsmuster für die Technik im Dritten Reich, lassen sich, einmal ganz abgesehen von der rassenideologischen Verirrung einer vermeintlich arischen Ausprägung der Technik, für eine menschengerechte Modernisierung nicht in Anspruch nehmen. Seit den beiden großen Revolutionen des 18. Jahrhunderts in England und Frankreich gehören übernationale, wissenschaftsschöpferische und nicht zuletzt liberale Elemente zur Moderne und zur Modernisierung im technisch-industriellen Bereich; sie waren dem Nationalsozialismus wesensfremd.

Verkehr und Modernisierung

Selbst der Autobahnbau, der eine längere Vorgeschichte hat, kann im Dritten Reich schwerlich als ein Beispiel für Modernismus gelten. Der Ingenieur Fritz Todt, dessen Denkschrift über den neuartigen Straßenbau im Herbst 1932 in der Reichsleitung der NSDAP kursierte, hatte schon mit früheren Eingaben sowie einer kritischen Abhandlung *Maschine contra Mensch* und dem übrigens nach wie vor aktuellen Vorschlag, Maßnahmen zur Arbeitsbeschaffung durch ein »Arbeitsleihen«, das heißt die befristete Stundung eines Teils der Lohnsumme, zu finanzieren, führende Politiker der Partei auf sich aufmerksam gemacht. Seine Vorschläge für einen großangelegten staatlichen Autobahnbau, die hinsichtlich der Finanzierung die inzwischen verbreitete Formel der produktiven Kreditschöpfung, des »deficit spending« nach John Maynard Keynes, aufnahmen, gerieten seinerzeit über Feder und Rudolf Heß in die Hände des von der technischen Perspektive begeisterten Hitler.

In der historischen Forschung erscheint der deutsche Autobahnbau, über dessen Verwirklichung in großem Stil Todt zum → Generalinspekteur für das deutsche Straßenwesen, zum »Führer der deutschen Technik«, zum Reichminister für Bewaffnung und Munition und 1941 allgemein zum Rüstungsminister aufstieg, zumal auf zeitgenössischer literarischer Quellenbasis, schon beinahe überinterpretiert. Der für die damalige Zeit bemerkenswerte Konsens zwischen Hitler und Todt gründete auf drei Komplexen: dem strategischen im Kontext der sogenannten »Wehrhaftmachung«, Wiederaufrüstung und Kriegsvorbereitung; dem ökonomischen im Rahmen der Arbeitsbeschaffung und Wirtschaftsbelebung; und dem technisch-gestalterischen, der bestimmte sozialökologische Implikationen beinhaltete.

In seiner Denkschrift von 1932 hatte Todt keine weiterreichenden militärstrategischen Überlegungen angestellt, sich aber der bei einem technischen Projekt dieser Größenordnung unvermeidlichen nationalistischen Rhetorik bedient. Noch ohne konkretes Problembewußtsein hinsichtlich des Kolonnenverkehrs, war er der Ansicht, daß sich auf Autobahnen rund 300 000 Soldaten mit ihrem Sturmgepäck in 100 000 requirierten Personenwagen in zwei Nächten von der Ostgrenze des Reiches zur Westgrenze würden transportieren lassen. Hitler seinerseits dürfte im Autobahnbau vor allem einen Beitrag zur ersten Stufe seines in der Forschung sogenannten »Grundplans« erkannt haben. Seine schon früh in Buchform vorgelegte Strategiekonzeption enthielt die Prognose, daß in dem kommenden »technischen Krieg« die allgemeine Motorisierung »kampfbestimmend in Erscheinung treten« werde. Folgerichtig begann Hitler ab 1933 das gesamte Verkehrswesen systematisch zu fördern. Mit seiner Rede zur Eröffnung der Internationalen Automobil- und Motorrad-Ausstellung Mitte Februar schnitt ein deutscher Reichskanzler erstmals publikumswirksam technische Sachfragen an.

Der zur Förderung jener »Motorisierung« dienende »großzügige Straßenbauplan« wurde schnell in die Praxis umgesetzt. Schon im September 1933 erfolgte der »Ausmarsch zum ersten Spatenstich«, wie selbstverständlich ganz vormodern: in Reih und Glied mit rechtsgeschultertem Werkzeug. Entsprechend der Vorschläge Todts und anderer Ingenieure sollten die Baumaßnahmen arbeitsintensiv erfolgen, woraufhin nur ein stark eingeschränkter Geräte- und Maschinenpark zur Verwendung kam. Erst als sich die Arbeitsmarktlage veränderte und Bauarbeiter knapper wurden, setzte man 1936 mehr Technik ein und entwickelte, teilweise nach amerikanischen Vorbildern, neue Baumaschinen wie Flachbagger und Raupengroßgeräte für Erdbewegungen, Bodenverdichtung, Straßendeckenbau usw.

Besonderes Interesse fanden in jüngster, ökologisch sensibilisierter Zeit die beim Autobahnbau angewendeten technisch-gestalterischen Grundsätze. Selbst die deutsche Naturschutzbewegung, deren anfängliche Sympathien für den Nationalsozialismus sich wegen der zunehmend rücksichtsloseren, u. a. durch Erweiterung des → Reichsarbeitsdienstes (RAD) vorangetriebenen Großbaumaßnahmen wie Eindeichungen, Trockenlegungen und Flußregulierungen wieder abschwächen sollten, verfolgte den Autobahnbau mit einiger Genugtuung. Unter dem Einfluß

Abb. 37: »Wundervolle Reichsautobahn im Bau!« A.P.-Bild von der im Bau befindlichen Autobahn zwischen München und der österreichischen Grenze.

von Todt und der von ihm seit 1934 ernannten Landschaftsanwälte trafen in dem Bemühen der Straßenbauingenieure, natürlich-biologische Zusammenhänge unbeschädigt zu lassen und Interaktionsprozesse von Natur und Technik zu ermöglichen, Wirkfaktoren unterschiedlicher Provenienz zusammen. Ein Teilgebiet der Umweltgestaltung wurde zu einem eigenartigen Experimentierfeld gesellschaftlicher Reaktion auf Folgewirkungen des technischen Fortschritts.

Erfahrungen beim Autobahnbau faßte man schließlich in besonderen Richtlinien zusammen: Sie gaben verbindliche Empfehlungen z. B. für die Behandlung der Humusschicht beim Erdaushub, für die Begrünung und Bepflanzung von Mittelstreifen sowie für die Böschungen, die im Profil grundsätzlich naturnah angelegt und jedenfalls u-förmig ausgekehlt und nicht v-förmig eingeschnitten werden sollten. Der Widerspruch, in dem eine als »produktiv« begriffene technische Arbeitshaltung und ökologische Rücksichtnahmen in Anwendung von einer »rein materiell eingestellten Technik« – zu einem Herrschaftssystem standen, das sich grundsätzlich am Rüstungswachstum zur Kriegführung orientierte, verdeutlicht eine der fatalen Ungereimtheiten des Dritten Reiches.

Rüstung und Technik

Im allgemeinen geriet die reale technische Entwicklung im öffentlichen sowie im industriellen Bereich ab 1933 in den Sog regimegesteuerter Kampagnen. Zwar konnte Mitte Juli 1933 noch ein Gesetz in Kraft treten, das die »Verwendung von Maschinen in der Zigarrenindustrie« einschränkte, doch ging es in seinem Wortlaut ebenso wie in dem einer Durchführungsverordnung zu den Arbeitsbeschaffungsmaßnahmen lediglich darum, den ewigen menschlichen Antrieb zur Arbeitserleichterung durch Technik und zur Rationalisierung zu beschränken, um Handarbeitsplätze zu erhalten oder neu zu schaffen. Wirkliche Maßstäbe für die technische Weiterentwickung boten die im Dritten Reich einander ergänzenden und in den Medien stets groß herausgestellten »Programme« der »Wehrfreiheit« oder »Wehrhaftmachung« bzw. → Aufrüstung, der »Nahrungsfreiheit« und »Rohstoffreiheit« bzw. → Autarkie sowie ab Oktober 1936 der neue → Vierjahresplan, allesamt unverkennbar Vorbereitungen auf den Eroberungskrieg (→ Wirtschaft).

Für die Zwecke der Kriegstechnik und der alles dominierenden Aufrüstung kam es zunächst darauf an, erforderliche Finanzmittel bereitzustellen, das hieß bei gleichbleibenden Löhnen einen wachsenden Anteil am Sozialprodukt vom privaten Verbrauch abzuziehen und dem Staat bzw. dem Militär zukommen zu lassen. Die neu formierte → Wehrmacht blieb vergleichsweise nicht auf »altem Eisen« sitzen, sondern konnte über weite Strecken das höhere technische Niveau der Ausrüstung übernehmen, welche die Monopolbetriebe der Weimarer Zeit zwar nicht hergestellt hatten, deren Produktion jedoch, ebenso wie im Heereswaffenamt, in ihren Entwicklungs- und Konstruktionsabteilungen insgeheim z. T. vorbereitet worden war. Zwar setzte ein steigender Ausstoß auch Umstellungen und Investitionen voraus, doch gelangte militärisches Gerät, z. B. das bis in den Zweiten Weltkrieg hinein in hohen Stückzahlen gebaute 15-cm-Infanteriegeschütz,

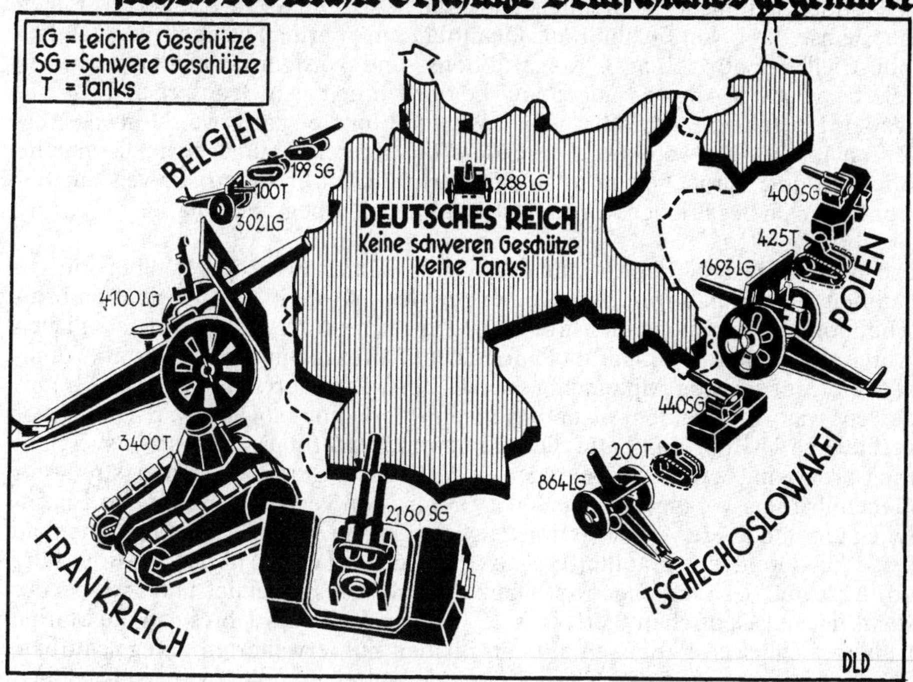

Abb. 38: »Über 10 000 Kanonenrohren unserer Nachbarn stehen 288 leichte Geschütze Deutschlands gegenüber«, NS-Propaganda-Schaubild.

ohne größeren Verzug schon 1933 in den Produktionsprozeß. Zwei Jahre später konnte unter Umgehung und schließlicher Aufhebung des Kriegsgerätegesetzes von 1927 sogar der Waffenexport verstärkt und der anhaltenden Devisenknappheit gegengesteuert werden.

Als der Prozeß der Aufrüstung politisch-aktionistisch beschleunigt werden sollte, stellte der Chef des Heereswaffenamtes 1934 absichtlich mäßigend fest, daß bei einer bestimmten Waffe vom Entschluß ihrer Fertigung bis zur Massenfabrikationsreife acht bis zehn Jahre anzusetzen seien; der privatwirtschaftlich geführten Industrie müßten angesichts solcher Zeitspannen hinlängliche Sicherheitsgarantien zugestanden werden. Diesem Zeit-Dilemma vermochte das Regime bis zu seinem Untergang 1945 nicht auszuweichen. Es wurde ein Kennzeichen der – insbesondere unter zunehmendem Terror – organisatorisch nicht bewältigten Technik. Schon die Fertigung der ersten militärisch brauchbaren mittelschweren Panzerkampfwagen (Typ III und IV) verzögerte sich z. B. trotz jahrelang bekannter heerestechnischer Konstruktionsunterlagen über die Maßen. Militärgeschichtliche Handbücher (Senger-Etterlin) monierten später die »geringe Leistungsfähigkeit« der deutschen Industrie. Tatsächlich aber griff die Politik wiederholt in den technischen Prozeß ein. Im Spätherbst 1941 bewirkte eine von Hitler befohlene »Vereinfachung« und »Leistungssteigerung«, sozusagen eine Umstellung von Qualität auf Quantität, einen grundlegenden Wandel. Die industriellen Entwicklungs-, Konstruktions- und Fertigungsabteilungen hatten »die technischen Anforderungen auf die der feldmäßigen Beanspruchung genügenden Leistungen zu beschränken«. Wenige Monate später wurde im Heereswaffenamt die »Notwendigkeit des Selbstkonstruierens« aufgegeben, die man im Blick auf eine zurückhaltende Industrie ursprünglich mit dem Hinweis auf Beschränkungen des Friedensvertrags von → Versailles begründet hatte.

Die Marine begann 1933/34 mit der Neuprojektierung größerer, über die genannten Beschränkungen hinausgehender Schiffsbauten. Das → deutsch-britische Flottenabkommen von Mitte Juni 1935 wurde dann zum unwiderstehlichen Anreiz, bis zu dem vereinbarten Plafond der 35 Prozent, nun zur »Sollstärke« umgedeutet, aufzurüsten. Mit einem neuen Bauprogramm erreichte man die Grenze dessen, was Konstrukteuren und Werften überhaupt möglich war. Den zuvor verbotenen U-Boot-Bau hatte die Marine mit Geldern aus dem Arbeitsbeschaffungsprogramm zwar aufgenommen, jedoch nur zögernd und unter strengster Geheimhaltung vorangetrieben. Seit 1933 fertigten verschiedene Firmen Einzelteile aufgrund älterer Konstruktionszeichnungen, doch wurde der Zusammenbau erst 1935 befohlen, woraufhin U 1 als erstes deutsches Nachkriegs-U-Boot kurz vor Abschluß des Londoner Flottenabkommens vom Stapel lief, und zwar bei der staatseigenen Deutschen Werft in Kiel. Bis zum Ende des Jahres gab die Marine frühere technische Bedenken auf, um für den nun erweiterten Kriegsschiffbau, der ab 1940 aufgrund der Konkurrenz der Waffengattungen kapazitätsbedingt wieder eingeschränkt wurde, auch die Privatindustrie stärker nutzen zu können.

Die Luftrüstung des Dritten Reiches war von Anfang an ein politisches Prestigeobjekt. Schon das protzige → Reichsluftfahrtministerium in Berlin, von etwa 5000 Handwerkern und Arbeitern in Tag- und Nachtschichten in einjähriger Bauzeit fertiggestellt, erschien als »gigantisches Werk deutscher Technik«. In der maschinellen Aufrüstung klaffte zwischen Schein und Wirklichkeit jedoch eine beachtliche Lücke. Nach damaliger Einschätzung benötigten Kriegsflugzeuge von der Konstruktion bis zur Serienfertigung im günstigsten Falle vier Jahre, und schon beim Spezialmotorenbau, für den in Deutschland wenig Erfahrungen vorlagen, kamen zwei weitere Jahre hinzu. Ein großes Flugzeugbeschaffungsprogramm vom Juli 1934 trug freilich dazu bei, daß die Kapazitäten der metallerzeugenden und -verarbeitenden Industrie stärker ausgelastet und weitere Investitionen vorgenommen wurden.

In einer propagandistisch sogenannten »Enttarnung« präsentierte sich die deutsche Militärluftfahrt dann schon im März 1935 einer staunenden Öffentlichkeit mit rund 2500 Flugzeugen, die sich bei genauerem Hinsehen jedoch größtenteils als Schulungsmaschinen entpuppten. Technisch fortgeschritteneres Kriegsgerät erhielt die Truppe zwei Jahre später mit den Flugzeugen der »zweiten Generation«, doch erzielten die 1935 verbreiteten Phantasiezahlen über die Stärke der

Luftwaffe den von der politischen Führung beabsichtigten Effekt. Der vertragswidrige Einmarsch in die entmilitarisierte Zone des Rheinlandes rief im März 1936 keine wirksame Gegenaktion hervor. Eine die Öffentlichkeit täuschende »Rüstungspropaganda« wurde tatsächlich nicht erst im Zweiten Weltkrieg durch Goebbels oder Speer inauguriert, sondern gehörte von Beginn an zur politischen Strategie des Regimes. In der Presse, auch der illustrierten, erschienen schon 1933 zahlreiche Beiträge, welche die Gefahren eines zukünftigen Gaskrieges beschworen und nach → Luftschutz riefen. Zumindest auf dem Papier war die deutsche → Luftwaffe ab 1935 mit einem Nimbus von Stärke umgeben, wie es die offizielle Wehrmachts-Sprachregelung befahl. Aus dem Munde der Staatsführer, insbesondere Görings, des Reichsministers der Luftfahrt und Oberbefehlshabers der Luftwaffe, klang das Lob wie eine Mischung aus Bestätigung und Dementi ausländischer Vorwürfe. Das internationale Schrifttum, das die Weiterentwicklung der deutschen Militärtechnik anprangerte und die Welt gegen neue Kriegstreiberei zu mobilisieren suchte, erreichte das Gegenteil der erhofften Intervention: Bereits der Schein einer starken deutschen Luftwaffe ließ das Risiko, Hitlerdeutschland in die Schranken zu weisen, als zu groß erscheinen. Das Regime erhielt weitere Zeit, um die Aufrüstung wirklich voranzutreiben und mit dem neuen Vierjahresplan in die letzte Phase der Kriegsvorbereitung einzutreten.

In der alltäglichen Realität hatte der technische Rüstungsprozeß von Anfang an seine Schwachstellen. Die Ursachen dafür sind in Unklarheiten über irreversible technikhistorische Wandlungsprozesse, in generellen Fehleinschätzungen des industrialisierten Produktionsprozesses sowie in parteiideologischen Positionen zu suchen. Es entstand kein geschlossenes, geschweige denn funktionierendes System technischer Entwicklung, obwohl die einzelnen »Machtsäulen« des Dritten Reiches, in erster Linie die Wehrmachtteile, die Industrie sowie Partei und Bürokratie, die Aufrüstung letztlich gemeinsam verantworteten. Die erforderliche Kommunikation lief noch während des Krieges allein über die Person Hitlers, der alle Entscheidungen traf, jedoch seinerseits, trotz imponierender Gedächtnisleistungen, als Datenspeicher begrenzt, in der Aufnahmebereitschaft für mißliche Informationen gestört und in der Kombinationsfähigkeit total überfordert war. Zwar hielt der Aufrüstungsprozeß das Dritte Reich in ständiger Aktivität und wirkte als Bewegungsprinzip, doch paßten die Einzelabläufe oft nicht zusammen.

Ungelöste Führungsprobleme spiegelten sich bereits in dem Mißtrauen, das konservative Militärs einer Technik entgegenbrachten, die traditionelle Strategien und dazugehörige Befehlshierarchien in Frage stellte. In ganz persönlich empfundener Bedrängnis fanden sich »Wehrwissenschaftler« Mitte der dreißiger Jahre in dem Bekenntnis vereint: »Wir wollen den deutschen Soldaten nicht am Hebel von Maschinen, sondern den soldatischen Deutschen als Hebel der Geschichte.« Andererseits kam Kritik an rüstungstechnischen Unzulänglichkeiten aus den Reihen der Ingenieure, das heißt jener Berufsgruppe, die im Zweiten Weltkrieg – begünstigt durch den Interventionismus der Partei im industriellen Bereich – über den einzelnen Säulen des Rüstungsgebäudes als eine Art Architrav fungieren sollte. In berufsständischer Diktion und scheinbar »sachlich« motiviert mißbilligte man noch zu Friedenszeiten, daß die Aufrüstung »unter der maßgeblichen Leitung technisch nicht voll geschulter, meist rein militärischer Dienststellen«

durchgeführt werde und die »Anwendung der Technik, ihr Einsatz mit dem nüchternen Plan der technischen Überflügelung des Gegners ... nicht im Bereich des unmittelbar naiv-heroischen Charakters des deutschen Soldatentums« liege. Bezeichnenderweise mußte ein Versuch aus dem Jahr 1933/34, den spezifischen Problemen der technischen Entwicklung im Heereswaffenamt auf dem Befehls- und Dienstweg beizukommen, ohne weiteres ergebnislos abgebrochen werden. Dem Ingenieur beim Wirtschaftsoffizier blieb jeder schriftliche oder mündliche Verkehr mit dem Chefingenieur untersagt. Damit fehlte eine bestimmte Verbindungslinie in der militärischen Rüstung, und zwar zunächst bis zur Einrichtung des Reichsministeriums für Bewaffnung und Munition (17.3.1940) und zur Bildung der industriellen Arbeitsgemeinschaften, Beiräte, Ausschüsse und ingenieurtechnischen Erfahrungsgemeinschaften ab März 1940.

Deutschlands militärische Führungskräfte hatten sich nach dem verlorenen Ersten Weltkrieg angeschickt, insbesondere die Heeresrüstung und generell die Bevorratung und den Nachschub an Betriebsmitteln auf eine Weise zu organisieren, die frühere Fehler vermeiden sollte. Die Mobilmachung des Heeres und der Flotte war 1914 zwar nach einem ausgeklügelten Programm abgelaufen, doch hatte man es versäumt, geeignete wirtschaftliche Vorbereitungen zu treffen, um der Entwicklung des Produktionsprozesses seit 1870/71, der Herausbildung der Großindustrie mit ihren Stärken und Schwächen gerecht zu werden. Das vielgerühmte preußisch-deutsche militärische Organisationstalent hatte gegenüber den Anforderungen des industriellen Zeitalters erstmals versagt. Hätten Konzernvertreter seinerzeit nicht selbst eingegriffen, dann wären die Vorräte an Pulver, Munition und Sprengstoff schnell zur Neige gegangen. Dergleichen Unzulänglichkeiten waren in den militärischen Analysen ermittelt und planmäßig korrigiert worden. Über dem angestrengten Bemühen, die technisch-*wirtschaftlichen* Aufgaben zukünftiger Kriegführung besser und – auf Prestige bedacht – selbständig zu lösen, blieb den Militärs die Erkenntnis verborgen, daß es längst ebenso darauf ankam, sich technisch-*wissenschaftlichen* Problemen zuzuwenden.

Rationaliät und Mythos

Die NSDAP sprengte ihrerseits mit politischer → Ideologie das an sich geschlossene System technischer Rationalität. »Nichtarische« Ingenieure und Wissenschaftler mußten Deutschland verlassen oder schlimmste Verfolgungen erleiden. Wer Forschungs- und Entwicklungsfortschritte künftig z. B. von Weichenstellungen nach den Lehren Einsteins abhängig machte, bekam das Anathema stumpfsinniger Parteiideologen, aber auch institutioneller Konkurrenten auferlegt. Die Natur- und Technikwissenschaften wurden ausschließlich an unmittelbaren Verwendungsmöglichkeiten für die Rüstung gemessen. »Binnen weniger Monate«, so schwärmte ein engagierter Nationalsozialist noch vor der »Machtergreifung«, könne eine Gruppe »zuverlässiger« Spezialisten ein Abwehrmittel erfinden, um gegnerische Kampfflugzeuge durch Hochfrequenzstrahlen außer Gefecht zu setzen. Wiederum läßt sich von einem solchen Paradigma im Dunkel phantastischer

»Geheimrüstung« mühelos eine Linie zu den nicht minder traumhaften Rüstungsgeheimnissen des Zweiten Weltkriegs ziehen. Im Bannkreis des 1944 verbreiteten »Wunderwaffenmythos« (→ V-Waffen) wollte man siegbringende Techniken wie einst Siegfrieds Schwert Balmung aus den Geheimkammern des völkischen Schöpfertums beziehen. Als sich das untergehende Regime dann doch auf seine Wissenschaftler besann und in »Ausrichtung auf die zu erstrebenden Ziele« des Krieges Mitte 1942 einen (zweiten) → Reichsforschungsrat und ein Jahr später noch ein Planungsamt einsetzte, bekam es in etlichen Gutachten letztlich nur zu hören, was es nicht hören wollte: Auch die Realisierung des wiederaufgegriffenen Vorschlags zur Störung elektrischer Geräte in Feindflugzeugen war technisch-wissenschaftlich seinerzeit aussichtslos.

Die Rezeption wissenschaftlicher Erkenntnisse blieb in der Rüstungsorganisation des Dritten Reiches zurück. Militärs, Parteileute und Bürokraten scheiterten an Aufgabenstellungen der Moderne. Während im angelsächsischen Raum ein rationaleres Kalkül schließlich Methoden des »operational research« hervorbrachte, führte die der nationalsozialistischen Organisation eigene Entelechie zum Wunderwaffenmythos, zu den vor dem Zusammenbruch in allen Medien hochgepriesenen, angeblich »neuen Mitteln und Möglichkeiten der technischen Kriegsführung«. Unter ihnen bleibt eine einzige rüstungs- und allgemeintechnische Innovation hervorzuheben: das militärische Gerät mit Raketenantrieb. An benötigten Treibstoffen, deren Massenerzeugung allerdings nirgendwo gesichert

Abb. 39: Vorbereitung von A4/V2-Raketen auf Startrampen im Einsatzgebiet.

war, hatte man neben Flüssigsauerstoff für die Fernrakete des Heeres größere Mengen Wasserstoffperoxid vorgesehen; dies galt auch für etliche Konstruktionen der Luftwaffe, vor allem das Raketenflugzeug Me 163, für Startraketen, Lufttorpedos und Boden-Luft-Raketen, die sich in einem allerersten Stadium der Erprobung befanden, sowie nicht zuletzt für Torpedos und den U-Boot-Typ XXVI W der Marine, der wegen technischer Unausgereiftheit ganz aus dem Ruder lief. Mit Blick vornehmlich auf die Fernrakete V 2, deren unterirdische Fertigung durch Zwangsarbeit von KZ-Häftlingen erfolgte, sprach Anfang 1945 ein Artikel in der Wochenzeitung *Das Reich* von einer »technische[n] Revolution ..., deren Tragweite erst die Zukunft erweisen kann«. In der Vorausschau auf die bevorstehende totale Niederlage, die spätere Raketenrüstung mit Hilfe deutscher Spezialisten im Kalten Krieg und die moderne Raumfahrt traf diese Prognose sogar zu.

Nicht etwa für militärische, geschweige denn politische, aber immerhin für die technischen Erfolge des deutschen Raketenbaus war das frühe Zusammentreffen dreier Faktoren entscheidend: erstens einer großen Gruppe sogenannter »Raketenpioniere«, in den zwanziger und dreißiger Jahren im deutschen und österreichischen Raum etwa zwei, drei Dutzend Personen; zweitens einer Militärorganisation, die in ihren andauernden Versuchen, vertragliche Beschränkungen aufgrund des verlorenen Ersten Weltkriegs zu umgehen, nach anfänglichem Zögern bereit war, auf ein scheinbar längst überholtes Kampfmittel zurückzugreifen, und schon vor 1933 Kontakte zu einigen »Erfindern« knüpfte; und drittens eines totalitären Regimes ohne demokratisch kontrollierten Haushalt, das – nach typischen Kompetenzstreitigkeiten – sehr beträchtliche Finanzmittel für ein forschungs-, entwicklungs-, konstruktions- und fertigungsmäßig gigantisches Militärprojekt bereitstellte.

Die beanspruchte »technische Revolution« auf dem Raketensektor fügte gewissermaßen den Schlußstein in das allein noch kriegsmäßig-zweckgerichtete Geschichtsbild der Nationalsozialisten. Erst vor dem Strafgericht der Siegermächte schien Hitlers anpassungsfähigem Rüstungsminister Speer das Bekenntnis opportun, »wie verhängnisvoll und unehrlich diese Politik der Belügung des Volkes mit der Aussicht auf eine Wunderwaffe ist«. Diese Aussage ist insoweit moralisch ohne größeren Wert, als die politische Führung und mit ihr der später bußfertige Angeklagte die Propagandatrommel deutscher Technik noch jahrelang hatten rühren lassen, obwohl sie von Todt seit 1941/42 wußten, daß der Krieg militärtechnisch nicht mehr zu gewinnen war.

Technik und Autarkiestreben

Als flankierende Maßnahmen der militärischen Aufrüstung trieben die Nationalsozialisten neben der allgemeinen Motorisierung die technischen Unternehmen der »Rohstofffreiheit« durch vorgeblich »richtige« Verwertung der im Lande vorhandenen Ressourcen Kohle, Holz und Erze sowie die Unternehmen der spezifischen Rohstoffsynthese voran. Um die angestrebte, möglichst weitgehende

Autarkie zu erreichen, förderte der Staat ab 1933 bekannte alternative, aber unrentable Techniken sowie neue Produkte. Eine objektive, das heißt ihren vorrangigen Kriegszweck außer Acht lassende, Bewertung der zahlreichen Innovationen bis hin zur Müllverwertung ist derzeit unmöglich.

Ab 1933 eröffnete die staatliche Garantie des technischen Gestehungspreises der Industrie einen Weg, der »als Ausdruck einer spezifischen nationalsozialistischen Wirtschaftspolitik« (W. Birkenfeld 1964) nicht nur bei der Erzeugung synthetischer Treibstoffe, sondern generell auf dem Rohstoffsektor häufig beschritten werden sollte. Um die heimische Braunkohle zu nutzen, wurde u. a. die Hochtemperaturentgasung verstärkt, und zwar sowohl zur Herstellung von Stadtgas und Speichergasen (Butan- und Leuchtgas) als auch von Flaschengasen (Methan- und Propangas), die als Betriebsstoffe für Omnibusse und Lastkraftwagen vorgesehen waren. Ein Beispiel für den zielgerichteten Ablauf der umfassenden Autarkiebestrebungen ist die »Versuchsfahrt mit heimischen Treibstoffen« im Spätsommer und Herbst 1935. Für den Antrieb besonders präparierter Fahrzeuge nutzte man Holz, Holzkohle, Torf, Steinkohle, Anthrazit, Braun- und Steinkohlenschwelkoks, für selbstzündende Motoren Flüssiggas, Methan und Methanol und für einen Dampfmaschinenantrieb wie bei der Locomobile des 19. Jahrhunderts die Steinkohlenfeuerung. Die spezifisch politischen Erfolge der Versuchsfahrt wurden in den Medien gefeiert, denn die deutsche Motorisierung schien, »wenn es wirtschaftlich oder sonstwie irgend einmal schlimm kommen sollte, letzten Endes frei ... von der gefährlichen Unselbständigkeit in der Treibstoffversorgung«. Die Ingenieure der Industriebüros arbeiteten in erster Linie allerdings weiter an traditionellen Verbrennungsmotoren, für die synthetisches Benzin in Aussicht stand.

Mit dem Rohstoff Holz wurde ebenfalls experimentiert. Rotbuchenholz ließ sich z. B. unter hohem Druck und nach Erhitzung pressen, so daß es wie in der Vorindustrialisierungszeit für Walzwerklager zu gebrauchen war. Ein »Kunstholz« aus »deutschem« Weichholz und Phenolharzen sollte die Widerstandsfähigkeit ausländischer Harthölzer erreichen. Andererseits konnte Holz vor allem in der Flugzeugindustrie auch durch Aluminium ersetzt werden. Dieses Leichtmetall auf Bauxitbasis wurde zu einem bevorzugten, weil inländischen Rohstoff, der auch an die Konstrukteure neue Anforderungen stellte. Die Erzeugung von Aluminium als Ersatz- oder – wie er parteiamtlich heißen sollte – »Austauschstoff« verdoppelte sich bereits zwischen 1933 und 1934, und das Deutsche Reich wurde zum weltweit größten Produzenten, was die Medien systemstabilisierend verkündeten.

In der Eisenerzeugung wurden alle Anstrengungen unternommen, um den Rohstoffbedarf aus minderen inländischen Erzen zu decken. Neu eingeführte und verbesserte Technologien der Aufbereitung, insbesondere das Krupp-Renn-Verfahren und das »saure Schmelzen« nach Paschke/Peetz, ermöglichten es, auch die staatlich garantierten Gestehungskosten zu senken. Der Erzabbau vor allem im Gebiet von Salzgitter ließ sich daraufhin intensivieren, und andere ältere, früher wegen mangelnder Rentabilität geschlossene Gruben, z. B. in der Eifel, bei Elbingerode im Harz oder in Oberschlesien, nahmen die Förderung wieder auf. Bezeichnenderweise verdoppelte sich im Vergleich mit 1933 im folgenden Jahr aber auch die Einfuhr an Eisenerzen. Der steigende Bedarf für Rüstungszwecke erzwang ständig weitere Einsparungen und technische Alternativen, so insbesondere beim Baueisen.

Auf dem Sektor der Nichteisenmetalle wurden Bergwerke im sächsischen Erzgebirge, die in der Wirtschaftskrise stillgelegt worden waren, wieder in Betrieb genommen. Namentlich Zink galt wegen seiner guten Legierbarkeit als ein »neuer Werkstoff«, dessen mehrphasige technisch-metallurgische Gewinnungsverfahren ebenfalls Verbesserungen erfuhren. Um der Knappheit an Kupfer zu begegnen, erging Mitte 1934 sogar ein behördliches Verbot, das Metall weiterhin für Freileitungen zu verwenden. Als Ersatz bot sich wiederum Aluminium an.

Eine Liste der Innovationen aufgrund der Autarkiebestrebungen hätte viele Gebiete zu berücksichtigen und sich dabei auf zahlreiche weitere Ersatzstoffe zu erstrecken, auch solche aus den Bereichen Keramik bzw. Ton, Gesteine und Glas. Letzteres wurde 1935 unter dem Slogan »Glas als Ersatz für unedle Metalle« angepriesen. Nicht zu vergessen sind die Textilien, in denen vermehrt »deutsche Heimstoffe« wie Flachs und Hanf zum Einsatz kamen, aber auch, wie das Spinnstoff-Gesetz aus dem Jahr 1935 zeigt, Produktinnovationen aus Zellstoff und Kunstseide. Weiterhin müßten die wichtigen Neuerungen im Bereich der Rohstoffsynthese berücksichtigt werden, neben den Treibstoffen vor allem der synthetische Kautschuk, eine reine Kohlenstoffverbindung mit annähernd gleichen Eigenschaften wie der Naturstoff. Beachtenswert wären auch die jeweiligen konstruktiven Erfordernisse und die Eigenschaften spezifischer Produktinnovationen, beispielsweise des Kolonits mit der seinerzeit gerühmten Isolierfähigkeit, Wasser- und Säurebeständigkeit sowie mechanischer Bearbeitungsfähigkeit. Noch fehlen hier Überblick und kritische Beurteilung im einzelnen, wobei es interessant sein könnte, zu verfolgen, wie sich Syntheseprodukte gegebenenfalls durchsetzten und welche historischen Impulsgeber im einzelnen zu benennen sind. So liegt der Anteil von künstlichem Kautschuk in Deutschland heute bei 62 Prozent.

Ihren programmatischen und gestalterischen Höhepunkt erreichten die Autarkiebestrebungen des Dritten Reiches im Vierjahresplan vom Herbst 1936. Er sollte Deutschland endgültig »kriegsfähig« machen oder – wie es kaum ein Jahr später unverblümt hieß – auf den → »totalen Krieg« vorbereiten. Politiker und Wehrwirtschaftler setzten im Vierjahresplan ganz und gar auf Technik, auf größtmögliche Steigerung der inländischen Roh- und Werkstofferzeugung und damit auf Rüstung. Rentabilitätsgesichtspunkte spielten keinerlei Rolle mehr. In den Mittelpunkt der technischen Möglichkeiten rückte ein gigantischer Ausbau der katalytischen Druckhydrierung und der technisch inzwischen ausgereiften Kohlenwasserstoffsynthese (Fischer-Tropsch-Verfahren). Massenhaft erzeugt werden sollten mit diesen Technologien nicht nur in der Oktanzahl hoch-, im Vergleich mit dem Erdölprodukt freilich geringerwertiges Flugbenzin, sondern auch Autobenzin sowie verstärkt Dieselöl, Heizöl und Schmieröle.

Wirkungen und Widersprüche

»Technik im Dienst des Dritten Reiches« stand Ende März 1938 über einer Artikelserie in der *Rundschau Deutscher Technik*, dem Organ des NSBDT, in der Fachgruppenleiter über den Stand und die Entwicklung der Technik in den einzelnen Sektoren berichteten. Der Überschrift entsprach ein Satz aus dem einleitenden Beitrag des zugehörigen »Reichsschulungswalters«, der wiederum offenbarte, welche verhängnisvollen Wege man beschritt: »Die deutsche Technik will und wird den Vorhaben des Führers, welche aus den großen Gesichtspunkten des nationalsozialistischen Weltbildes entspringen, auf allen Gebieten gerecht werden.« Ein führender Chemiker vermerkte dazu in einem bemerkenswert besitzergreifenden Satz, es sei nicht zuviel behauptet, »daß die deutsche Chemie mit Hilfe der deutschen Kohle nicht nur für Deutschland die tropischen Rohstoffe ersetzen wird, sondern für ganz Europa«.

Unter die scheinbar »sachlichen« Erfolgsmeldungen mischten sich systemimmanente Widersprüche: Nicht nur über fehlende Facharbeiter wurde geklagt, sondern ebenso über einen merklichen Mangel an Ingenieuren. Das Regime hatte bis zu 3000 jüdische Ingenieure sowie die 2,4 Prozent jüdischer Studenten der Technischen Hochschulen vertrieben und es in antimodernistischer Grundhaltung versäumt, für technischen Nachwuchs zu sorgen. Die Zahl der Studierenden an technischen Hoch- und Fachschulen war zwischen 1932/33 und 1937/38 um 50 Prozent zurückgegangen. Zwar startete man 1937 parallel zum Radikalmittel einer Schulzeitverkürzung eine Kampagne, die besonders Arbeiterkindern im Bereich der Technik einen Aufstieg durch Bildung versprach, doch zeitigte die Aktion bis zum Herbst 1939 kaum Erfolge: Für den am 1. September dieses Jahres entfesselten technischen Krieg fehlte im Deutschen Reich ein breiter, modern ausgebildeter ingenieurwissenschaftlicher Unterbau. Der infolge der Rekrutierungen verschärfte Arbeitskräftemangel rückte die Rationalisierungsfrage wieder in den Vordergrund, aber, wie der Nationalsozialismus scheinheilig zu betonen wußte, »auf anderer Grundlage als einst«. Während des Krieges, insbesondere seit Herbst 1941, wurde die Rationalisierung der Fertigung gleichwohl als Zaubermittel betrachtet.

Sowohl was die zahlreichen Prozeß- und Produktinnovationen im Dritten Reich als auch die Rationalisierungsmaßnahmen betrifft, fehlen fundierte Einschätzungen. Kam der technische Wandel, einmal abgesehen von personellen Kontinuitäten, Nachkriegsdeutschland zugute? Wegen des unzureichenden Forschungsstandes können zu dieser Frage lediglich Mutmaßungen angestellt werden. Ziemlich deutlich zeichnet sich allerdings ab, daß die sozialistische Planwirtschaft in Ostdeutschland allein schon aus chronischem Devisenmangel Kontinuitäten aufwies, was die Nutzung deutscher Roh- und Werkstoffe betraf, während der freie Weltmarkt die meisten Innovationen des Dritten Reiches ins Abseits verbannte. Andererseits ist keineswegs ausgeschlossen, daß die technischen Rationalisierungsmaßnahmen, zumal die der Kriegszeit, dem westdeutschen Wiederaufbau zugute kamen, wenn auf der Basis zurückliegender »Bestarbeitspläne« kostengünstig produziert wurde und die Exportwirtschaft seit

1948 in Wechselwirkung mit dem amerikanischen Marshall-Plan Erfolge verzeichnen konnte.

Literatur

Dietz, Burkhard / Michael Fessner / Helmut Maier (Hg.): *Technische Intelligenz und »Kulturfaktor« Technik. Kulturvorstellungen von Technikern und Ingenieuren zwischen Kaiserreich und früher Bundesrepublik Deutschland,* Münster u. a. 1996.

Emmerich, Wolfgang/Carl Wege (Hg.): *Der Technikdiskurs in der Hitler-Stalin-Ära,* Stuttgart 1995.

Herf, Jeffrey: *Reactionary Modernism. Technology, Culture, and Politics in Weimar and the Third Reich,* Cambridge u. a. 1984.

Ludwig, Karl-Heinz: *Technik und Ingenieure im Dritten Reich,* Düsseldorf 1974, als TB 1979.

Lundgreen, Peter/André Grelon (Hg.): *Ingenieure in Deutschland 1770-1990,* Frankfurt am Main 1994.

Sieferle, Rolf Peter: *Fortschrittsfeinde? Opposition gegen Technik und Industrie von der Romantik bis zur Gegenwart,* München 1984.

Verfolgung

Von Ludwig Eiber

Die Unterdrückung und Verfolgung politischer Gegner und jeglicher Opposition war ein zentrales und unverzichtbares Herrschaftsmittel des NS-Regimes. Das Ziel, die deutsche Gesellschaft nach nationalsozialistischen Ordnungsvorstellungen zu formieren, sie geistig, physisch und organisatorisch auf den geplanten Krieg vorzubereiten, setzte voraus, Widerstand zu brechen und Verweigerung zu unterdrücken. Ausgrenzung, Verfolgung und Vernichtung richteten sich darüber hinaus auch gegen jene, die nach dem Verständnis des Regimes nicht zu integrieren waren, wie → Juden, → Sinti und Roma, Behinderte u.a.

Potentielle Institutionen der Verfolgung, die das neue Regime bei der Machtübertragung vorfand, → Polizei und → Justiz, daneben die eigenen Formationen wie → SA, → SS und deren → Sicherheitsdienst (SD), wurden in den folgenden Jahren beträchtlich ausgebaut, strukturell verändert und um neue Elemente, wie beispielsweise die → Konzentrationslager, ergänzt. Dabei läßt sich eine grundlegende funktionale Aufteilung in Überwachung und Verfolgung erkennen. Den legalistischen Rahmen der Verfolgung bildeten Gesetze und Verordnungen, mit denen rechtsstaatliche Normen außer Kraft gesetzt wurden. Die Verordnung des Reichspräsidenten zum Schutze des deutschen Volkes vom 4. Februar 1933 schuf mit Eingriffsrechten in die Presse- und Versammlungsfreiheit erste Handhaben gegen politische Gegner. Die → Reichstagsbrandverordnung vom 28. Februar 1933 setzte wesentliche Grundrechte außer Kraft und institutionalisierte die → Schutzhaft; das → Heimtücke-Gesetz vom 20. Dezember 1934 stellte regimekritische Äußerungen unter Strafe, während die gleichzeitig eingeführten → Sondergerichte seiner effektiven Durchsetzung dienten. Die bei Kriegsbeginn 1939 in Kraft tretenden Bestimmungen über → Wehrkraftzersetzung und → Rundfunkverbrechen mit ihren drakonischen Strafen gehörten zu den am häufigsten angewandten. Der → Nacht-und-Nebel-Erlaß des Chefs des Oberkommandos der Wehrmacht (OKW), Generalfeldmarschall Wilhelm Keitel, vom 17. Dezember 1941 verfügte, daß Personen aus den besetzten Gebieten, die Straftaten gegen das Deutsche Reich begangen hatten, zur Aburteilung durch Sondergerichte und Einweisung ins KZ nach Deutschland zu deportieren waren. Von diesen gebotenen Möglichkeiten machte der Verfolgungsapparat exzessiven Gebrauch, mit der Tendenz, sie zu überschreiten.

Überwachung

Die Überwachung, das heißt die Beobachtung der Stimmung der Bevölkerung, insbesondere aber ihres regimekritischen und oppositionellen Verhaltens, geschah auf zwei Wegen, einerseits über die systematische Erfassung durch die Institutionen des Überwachungsapparates, andererseits über die zahlreichen, eher zufälligen Denunziationen von Privatpersonen (→ Denunziantentum). Die systematische Überwachung richtete sich vor allem gegen Gefahrenpotentiale in der Bevölkerung, wie oppositionelle Bestrebungen (Arbeiterbewegung, Kirchen), soziale Gruppen und Milieus (Arbeiterschaft, Betriebsbelegschaften, Wohnmilieus). Sie erfolgte durch Institutionen, über regelmäßige Berichte von unten nach oben, systematisches Registrieren und Auswerten, differenzierte Ahndung von der Verwarnung bis zur Meldung an die → Geheime Staatspolizei (Gestapo).

Zum Kern des Überwachungsapparates, der sich in den dreißiger Jahren herausbildete, gehörten vor allem NS-Organisationen, wie der Sicherheitsdienst der SS, der ausschließlich mit Überwachungsaufgaben beauftragt war, die → NSDAP, die → Deutsche Arbeitsfront (DAF), die → Hitler-Jugend (HJ) u. a., die diese Aufgabe neben anderen erledigten. Es gehörte zu den Grundaufgaben jeder NS-Organisation, den eigenen Bereich zu kontrollieren, nonkonformes Verhalten zu registrieren und gegebenenfalls zu ahnden, sei es durch Ermahnung, Verwarnung, Geldbußen oder Anzeige. Auch die Mitglieder waren angehalten, »staatsfeindliche« Äußerungen und Aktivitäten zu melden.

Der SD, Teil der von Heinrich Himmler geführten Schutzstaffel (SS), überwachte schon seit 1931 politische Gegner und Mitglieder der NS-Organisationen. Unter der Führung Reinhard Heydrichs stieg er bis 1937 zum alleinigen Nachrichtendienst der NSDAP auf. Er war organisatorisch und personell eng mit der Gestapo verknüpft. Seine Aufgabe bestand darin, die Entwicklung von Stimmung, Orientierungen und Verhaltensweisen der Bevölkerung zu erkunden, aber beispielsweise auch die politische Linie von Widerstandsorganisationen. Dagegen übernahm die Gestapo die Observierung der konkreten Fälle von → Widerstand. Während des Krieges versorgten etwa 30000 Vertrauensleute (V-Leute) die SD-Zentrale in Berlin sowie die 51 Haupt- und 519 Außenstellen mit Informationen. V-Personen fanden sich in allen gesellschaftlichen Bereichen und Positionen, in den Milieus der Arbeiterbewegung, in den Kirchen, in der Justiz, in den Belegschaften und Leitungen der Betriebe etc. Die Einzelmeldungen der Vertrauensleute wurden in Berichten, seit 1938 in den → *Meldungen aus dem Reich,* zusammengefaßt.

Während der SD mehr an allgemeinen Entwicklungen interessiert war, richtete sich das Interesse von NSDAP und DAF stärker auf das individuelle Verhalten. Die Führer der Unterorganisationen der NSDAP, die → Ortsgruppen-, → Zellen- oder → Blockleiter, hatten überschaubare Einheiten zu betreuen, die Wohnumgebung, den »Block«, zu kontrollieren und insbesondere oppositionelle Verhaltensweisen zu melden. Gelegenheit, dies festzustellen, gab es reichlich: Wurde der → Deutsche Gruß erwidert? Wurde bei den Wohnung für Wohnung vorgenommenen Sammlungen für → Winterhilfswerk (WHW), → NS-Volkswohlfahrt etc. gespendet? Wurde bei NS-Festtagen geflaggt? Gab es Äußerungen, die auf die Einstellung zum Regime schließen ließen? Im Prinzip oblag die gleiche Aufgabe jedem der ca. 10 Millionen Mitglieder der NSDAP. Die Informationen wurden in der NSDAP-Kreisleitung gesammelt. Bei Bedarf, z. B. bei Anklagen wegen politischer Delikte vor dem Sondergericht, wurden »Politische Beurteilungen« abgegeben, deren Inhalt über Leben und Tod entscheiden konnte. In ähnlicher Weise übten auch die HJ – besonders ausgeprägt durch den Streifendienst – und alle anderen NS-Organisationen Überwachungs- und Kontrollfunktionen in ihrem jeweiligen Bereich aus.

Die → Nationalsozialistische Betriebszellenorganisation (NSBO) hatte über ihre Betriebsorganisationen einen Nachrichtendienst aufgebaut, der von der DAF übernommen und ausgebaut wurde. Das Amt Information im Zentralbüro der DAF steuerte diesen Apparat, der über die Gau-I-Referenten und ein System von V-Leuten bis in die Betriebe reichte. Neben den verdeckt arbeitenden Spitzeln berichteten auch die DAF-Betriebsobmänner und DAF-Kreiswalter über Stimmung und Verhalten der Beschäftigten und insbesondere auch über die Opposition in den Betrieben. Das Amt Information wertete diese Meldungen aus und legte Akten von Vorgängen an, in denen regimekritische Aktivitäten festgestellt oder vermutet wurden. Mit der Unterstellung des Amtes Information unter den SD im Jahr 1937 wurden diese Vorgänge listenweise über den SD an die Gestapo abgegeben.

Über die Überwachungssysteme der NSDAP und DAF, welche die wichtigsten Lebensräume – Wohnung und Arbeitsstätte – kontrollierten, ist bisher noch wenig bekannt, Strukturen, Funktionsweisen und Bedeutung im Rahmen des Systems der Verfolgung sind noch kaum erforscht. Diese Überwachungsinstitutionen arbeiteten sehr selektiv und differenziert. Allerdings war die Bereitschaft zu denunzieren je nach → Amtswalter sehr unterschiedlich, letztere besaßen in dieser Hinsicht große Entscheidungsspielräume, die der Willkür breiten Raum ließen. Ein NSDAP-Blockwart oder ein DAF-Betriebsobmann konnte eine Information über regimekritische Äußerungen oder Verhaltensweisen einer bestimmten Person ignorieren, er konnte die Angelegenheit mit einer Buße für WHW, »Kraft durch Freude« etc. für erledigt erklären, er konnte den Vorgang registrieren, ohne die Meldung weiterzuleiten, oder er konnte die ihm übergeordnete Stelle benachrichtigen, die auch für eine Meldung bei der Gestapo zuständig war.

Die Gestapo hatte V-Personen zunächst gezielt bei den Ermittlungen gegen illegale Widerstands- und die Exilorganisationen eingesetzt. Nach der Zerschlagung des Widerstands im Inland setzte die Gestapo ihre Spitzel ab 1936 verstärkt auf oppositionelle Milieus und Betriebsbelegschaften an und baute ein Netz von V-Personen auf. Gefährdungspotentiale und regimekritische Organisationsansätze sollten schon in den Anfängen erkannt werden. In den Rüstungsbetrieben hatte auch die militärische → Abwehr seit 1936 V-Personen eingesetzt. Die Abwehr wurde im Februar 1944 ebenfalls Himmler unterstellt.

So umfassend die systematische Überwachung angelegt war, bei der Einleitung von Gestapo-Ermittlungen und Strafverfahren, die Delikte aus dem privaten Leben betrafen, wie regimekritische Äußerungen, Abhören ausländischer Sender, verbotene Kontakte zu ausländischen → Zwangsarbeitern etc., spielte sie eine relativ geringe Rolle. Die Akten der Gestapo und der Gerichte zeigen, daß etwa zwei Drittel bis drei Viertel der Anzeigen, die diese Delikte betrafen, von Privatpersonen aus dem Umfeld der Angeschuldigten stammten. In der Mehrzahl der Fälle lagen der Anzeige nicht eine nationalsozialistische Überzeugung, sondern persönliche Motive zugrunde. Die Anzeige erfolgte – manchmal erst Jahre nach der Tat – häufig im Zusammenhang mit einem Streit, Neid oder persönlicher Feindschaft, sei es in der Familie, mit Nachbarn, Bekannten. Die Denunziation wurde als Waffe – manchmal mit tödlicher Wirkung – in persönlichen Streitigkeiten verwendet. Daß die drastischen Strafen – während des Krieges drohten den Denunzierten KZ-Haft, Zuchthaus oder Todesstrafen selbst für geringfügige Vergehen – die Anzeigenden nicht abschreckten, ist ein Zeichen für die Barbarisierung des Alltagslebens in der Zeit nach 1933 und besonders im Kriege. Wenn auch nicht alle Denunziationen zu einer Bestrafung führten und auch einzelne unberechtigte Anzeigen mit Verfahren gegen die Denunzianten endeten, in der Regel bewirkte die Denunziation Verfolgung.

Hatten frühere Darstellungen den Eindruck erweckt, die Gestapo habe über einen immensen Apparat verfügt, der es ihr ermöglicht hätte, an jeder Ecke einen Spitzel zu postieren, so muß heute die Vorstellung von einer nahezu allmächtigen und allwissenden Gestapo korrigiert werden. Überwachung und Kontrolle erfolgten differenzierter, durch verschiedene Institutionen und vor allem mit Hilfe der Bevölkerung. Für die Überwachten blieb dies unerheblich, für sie stellte sich die Frage anders: Wird die Person, die dort an der Ecke steht, mich verraten oder nicht? Nur selten konnte dies ausgeschlossen werden. Der große Anteil an privaten Denunziationen läßt manche von einer sich selbst überwachenden Gesellschaft sprechen.

Verfolgung – Polizei

Neben dem Überwachungsapparat, der sich in erster Linie auf die Beobachtung konzentrierte, existierte der damit kooperierende eigentliche Verfolgungsapparat, dessen Kern die Gestapo, die politische Justiz, SA und SS bildeten.

Im Zentrum des Systems von Überwachung und Verfolgung stand die Geheime Staatspolizei. Sie entstand aus den zunächst noch selbständigen politischen Polizeiabteilungen der Länder, die ab 1935 einheitlich den Namen Geheime Staatspolizei trugen. Dies war Ausdruck des Zentralisierungsprozesses, in dessen Verlauf dem → Reichsführer SS Heinrich Himmler, seit März 1933 Kommandeur der bayerischen politischen Polizei, bis zum Frühjahr 1934 der Befehl über die politische Polizei der einzelnen Länder, insbesondere über das preußische Geheime Staatspolizeiamt (Gestapa) und 1936 das Kommando über die gesamte deutsche Polizei übertragen wurde. Dem Gestapa in Berlin, das seit 1936 in ein Hauptamt Ordnungspolizei (Schutzpolizei, Gendarmerie, Gemeindepolizei) unter Kurt Daluege und in ein Hauptamt → Sicherheitspolizei (Gestapo, Kriminalpolizei) unter Heydrich gegliedert war, unterstanden die Leitstellen und Stapostellen im Reich. Aus dem Gestapa ging 1939 das → Reichssicherheits-Hauptamt (RSHA) hervor, in dem Gestapo und Kriminalpolizei mit dem SD zu einer Behörde zusammengefaßt wurden. Damit war eine SS-Organisation integrativer Teil einer staatlichen Behörde geworden. Die Leitung als Chef der Sicherheitspolizei und des SD hatte zunächst Heydrich, ab Januar 1943 SS-Gruppenführer Ernst Kaltenbrunner inne.

Polizei

Der Aufbau des polizeilichen Verfolgungsapparates und die Organisation der Verfolgungsmaßnahmen geschahen unter der Führung der »starken Männer« des Regimes, wie Hermann Göring als Reichskommissar in Preußen oder den → Gauleitern der NSDAP in den Ländern. Die relativ einheitlichen Abläufe beim Aufbau der regionalen Verfolgungsapparate deuten auf eine zentrale Steuerung hin. Zu den einzelnen Schritten gehörte die Schaffung einer Hilfspolizei aus SA-, SS- und → Stahlhelm-Mannschaften im März 1933, die aber nach wenigen Monaten wieder aufgelöst wurde, die Einrichtung von Konzentrationslagern ab März 1933 und die Verselbständigung der politischen Polizei ab Frühjahr 1933. Die politische Polizei erhielt mit der Institution der Schutzhaft ein unbegrenztes Machtmittel, da sie allein berechtigt war, Schutzhaft zu verhängen; die Dauer war nicht befristet, über die Entlassung entschied allein die Gestapo. Gegen den Schutzhaftbefehl und Maßnahmen der Gestapo gab es keine Rechtsmittel. Haftstätten waren in der Regel die Konzentrationslager.

In den ersten Jahren des Regimes wurde der Personalbestand der politischen Polizei beträchtlich erhöht, in der zweiten Hälfte der dreißiger Jahre erfolgte eine Vereinheitlichung und Reorganisation. 1935 zählten Gestapa und preußische Stapostellen knapp 4000 Beamte und Hilfskräfte. Den Gestapo-Dienststellen wurden eigene Untersuchungsgefängnisse zugeordnet, teils als »Hausgefängnis« bezeichnet. Während des Krieges, als auch die Dienststellen der Sicherheitspolizei und des SD in den besetzten Gebieten mit Beamten versorgt werden mußten, verdünnte sich die Personaldecke. Zum Ausgleich griff die Gestapo bei den Ermittlungen wieder verstärkt auf Terrormaßnahmen wie Mißhandlungen, Folter und Erpressung zurück. Aber für die Radikalisierung des Verfolgungsapparates war noch ein anderer Faktor von Bedeutung. Seit 1938/39 verließen fachlich wie ideologisch gut ausgebildete Absolventen die Hochschulen, die bei Gestapo und SS ein weites Betätigungsfeld fanden und gelernt hatten, politische Zielvorgaben in Konzepte umzusetzen und diese ohne Rücksicht zu exekutieren.

Zum Aufgabenbereich der Gestapo gehörte die polizeiliche Ermittlungstätigkeit zur Sammlung von Beweisen für die Anklage vor den Gerichten. Die polizeilichen Ermittlungen waren häufig – nicht alle Beamten wendeten Gewalt an – von Mißhandlungen, Folter und anderen Zwangsmaßnahmen begleitet, mit denen Aussagen erpreßt wurden. Eine beträchtliche Anzahl von Verhafteten kam dabei ums Leben oder beging Selbstmord, um den Torturen zu entgehen. Zur Beobachtung und Aufdeckung illegaler Organisationen sowie zur Überwachung oppositioneller Milieus setzte die Gestapo V-Personen ein. Sie entstammten zumeist diesen Organisationen und Milieus, hatten sich angeboten oder waren von der Gestapo gegen Geld oder Versprechungen angeworben oder durch Folter und Drohungen dazu gepreßt worden. Mehr und mehr, vor allem im Krieg, übte die Gestapo Strafkompetenzen aus, die in einem Rechtsstaat nur der Justiz zustehen. Die Gestapo »korrigierte« Urteile der Gerichte, indem sie Verurteilte nach verbüßter Haft in ein KZ einwies. Nach einer Vereinbarung zwischen dem Reichsführer SS und dem Justizministerium im Jahr 1942 sollten künftig Strafsachen von

Abb. 40: KZ Sachsenhausen, Häftlingsappell.

Juden, Zigeunern, Polen, Russen, Ukrainern durch den Reichsführer SS »erledigt« werden, also durch KZ-Haft oder → »Sonderbehandlung« (seit Kriegsbeginn war die Gestapo ermächtigt, Exekutionen anzuordnen).

Die Gestapo war mit der Beobachtung und Bekämpfung der Gegner des Regimes beauftragt. »Gegner«, das waren nach dem Feindbild der Nationalsozialisten nicht nur Angehörige des politischen Widerstands wie Kommunisten (→ KPD), Sozialdemokraten (→ SPD), frühere Mitglieder der → Gewerkschaften, bürgerliche Oppositionelle und kirchliche NS-Gegner, darunter besonders die → Ernsten Bibelforscher, oder Personen, die sich kritisch gegenüber dem Regime äußerten oder sich seinen Anforderungen verweigerten. »Gegner«, das waren auch die Juden, die Sinti und Roma, während des Krieges ebenso die ausländischen Zivil- und Zwangsarbeiter, insbesondere aus Polen und der Sowjetunion.

Die Schwerpunkte der Gestapotätigkeit lagen nach Zeit und Region unterschiedlich. Bis 1935/36 nahm die Bekämpfung der illegalen Arbeiterbewegung die Gestapo am stärksten in Anspruch. Die Ermittlungen gegen die illegalen Organisationen wurden mit einem hohen Maß an Brutalität geführt. Bei der Zerschlagung der KPD-Organisationen spielte das von der Gestapo geschaffenene Netz von V-Personen eine wichtige Rolle. In katholischen Regionen widmete die Gestapo der Überwachung der katholischen Kirche besondere Aufmerksamkeit, die Verfolgungsmaßnahmen blieben jedoch vereinzelt. Aber nicht nur die Mitglieder von Widerstandsorganisationen waren von Verfolgungsmaßnahmen bedroht. Regimekritische Äußerungen oder Witze über Repräsentanten des Regimes (→ Flüsterwitz) wurden als »Heimtücke« verfolgt. Während des Krieges konnte dies ebenso wie Zweifel am Endsieg als Wehrkraftzersetzung oder wie das Abhören ausländischer Sender als Rundfunkverbrechen mit dem Tode bestraft werden.

Seit den → Nürnberger Gesetzen und besonders seit der → »Reichskristallnacht« vom 9. November 1938, in deren Folge rund 30 000 Juden in Konzentrationslager eingewiesen wurden, befaßte sich die Gestapo in zunehmendem Maße mit Verfolgungsmaßnahmen gegen Juden. Sie organisierte schließlich die → Deportationen in die → Vernichtungslager (→ Rassenpolitik und Völkermord). Mit der Verschleppung von immer mehr Zwangsarbeitern nach Deutschland, vor allem aus dem besetzten Polen und den eroberten Gebieten der Sowjetunion, wurde deren Überwachung und Verfolgung zum Hauptaktionsbereich der Gestapo. Auch unter den über sieben Millionen ausländischen Zivil- und Zwangsarbeitern wurde ein Spitzelsystem aufgebaut, Arbeitsverweigerung, Verstöße gegen die meist inhumanen Verordnungen oder gar Widerstand wurden schwer bestraft. Gerichtsverfahren endeten nicht selten mit der Todesstrafe, die Einweisung in ein Arbeitserziehungs- oder ein Konzentrationslager kam dem oft gleich; wiederholt ordnete die Gestapo »Sonderbehandlung« an.

Trotz der seit Kriegsbeginn drakonisch verschärften Strafbestimmungen begann sich seit 1941 in Deutschland neuer Widerstand zu formieren, allerdings beteiligten sich nur wenige daran. Jugendliche begehrten aus christlicher oder humanistischer Überzeugung gegen das Gewaltregime auf, Kommunisten bauten ein Widerstandsnetz über ganz Deutschland auf, Sozialdemokraten intensivierten ihre Kommunikationsstrukturen und nahmen Verbindung zu den Verschwörern des → 20. Juli 1944 auf, oppositionell eingestellte Militärs, bürgerliche und kirchliche Regimegegner schlossen sich zusammen, das Regime zu stürzen, um seinen Verbrechen ein Ende zu bereiten und Deutschland vor dem Untergang zu bewahren. Gegen sie alle ging die Gestapo mit brutaler Gewalt vor, Folter und andere Zwangsmaßnahmen zur Erzwingung von Geständnissen waren an der Tagesordnung, V-Personen wurden eingesetzt, um alle Beteiligten aufzuspüren. Ein Teil der Beschuldigten wurde von der Gestapo ohne Urteil exekutiert oder in Konzentrationslager verschleppt, die anderen vom → Volksgerichtshof, von Oberlandes- oder Sondergerichten zu langjährigen Haftstrafen oder zum Tode verurteilt. Noch in der Endphase des Krieges im April 1945 wurden auf Weisung des RSHA vielerorts politische Gefangene hingerichtet, um deren Befreiung zu verhindern.

Mit dem Beginn der Eroberungen, der Okkupation → Österreichs, des → Sudetenlandes, der Zerschlagung der »Resttschechei« (→ Tschechoslowakei), Polens und der anderen Länder dehnte sich der deutsche Herrschaftsbereich auf ein Mehrfaches des eigenen Staatsgebietes aus. Auch in diesen Ländern wurde ein deutscher Verfolgungsapparat aufgebaut, der sich auf die militärische Präsenz der

→ Wehrmacht stützte, deren Einheiten auch an einzelnen Verfolgungsmaßnahmen beteiligt waren. Ein Netz von Dienststellen der Sicherheitspolizei und des SD entstand, die zum Teil in Zusammenarbeit mit der örtlichen Polizei und NS-nahen Organisationen in den besetzten Gebieten die Verfolgung des nationalen Widerstands übernahmen und die Deportation der Juden organisierten, wenn ihre Ermordung nicht an Ort und Stelle erfolgte, wie in den Ostgebieten. In Polen und besonders in der → Sowjetunion beteiligten sich die vom RSHA aufgebauten → Einsatzgruppen aus Polizeibeamten, Polizeireservisten und → Waffen-SS am Massenmord an den Juden, Roma und vermuteten Feinden oder Geiseln aus der Zivilbevölkerung. Die Gestapo-Dienststellen in den besetzten Gebieten und die ihnen zugeordneten Gestapo-Gefängnisse (z. B. Pawlak/Warschau, Grini/Norwegen, Breendonck/Belgien, Compiègne/Frankreich etc.) wurden zu Zentren des Terrors gegen die Zivilbevölkerung.

Die anderen Polizeiabteilungen waren nicht nur hier mit der Durchführung nationalsozialistischer Verfolgungsmaßnahmen befaßt. Die Kriminalpolizei wies im Zuge der → »vorbeugenden Verbrechensbekämpfung« Tausende von Personen ohne Tatvorwurf in Konzentrationslager ein und führte die Ermittlungen in Fällen von → »Rassenschande«. Die Ordnungspolizei nahm Anzeigen auf, führte Ermittlungen, Haussuchungen und Verhaftungen durch und assistierte bei Deportationen. Polizeibeamte sorgten in den besetzten Gebieten für die Einhaltung der oktroyierten Ordnung.

Um die Gestapo bestand ein Kreis von Institutionen und Organisationen, die eng mit ihr zusammenarbeiteten, wie die Grenzpolizei, die Bahnpolizei, die Brief- und Telefonüberwachung der Reichspost, die deutschen Botschaften und Konsulate im Ausland. Ergänzt wurden die Überwachungsinstitutionen 1933/34 durch die SA, während sich danach eine immer engere personelle und institutionelle Verflechtung der Polizei mit der SS entwickelte.

SA und SS

Die SA spielte als stärkste und schlagkräftigste NS-Organisation 1933/34 die zentrale Rolle bei Terroraktionen gegen politische Gegner und gegen die Juden. Als Hilfspolizei oder auch ohne pseudo-legale Verbrämung kontrollierte sie Arbeiterwohngebiete, meldete die Verbreitung von illegalen Schriften etc. Anfänglich stellte sie in vielen Konzentrationslagern die Wachmannschaften. Auch wurden in vielen Fällen SA-Führer zu Polizeichefs ernannt. In Bayern versuchte die SA durch Sonderbeauftragte Kontrolle über die öffentliche Verwaltung zu gewinnen. Die Zahl der SA-Angehörigen stieg von etwa 600 000 Anfang 1933 auf 4,5 Millionen im Juni 1934. Mit der Ermordung des → Obersten SA-Führers, Stabschef Ernst Röhm, und anderer SA-Führer schaltete Hitler mit Unterstützung der SS und des SD im Juni 1934 die SA als Machtfaktor aus (→ »Röhm-Putsch«).

Die SS, die im Jahr 1933 an Mitgliedern und Bedeutung zunächst hinter der SA zurückstand, erfuhr ab 1933 einen rapiden Aufstieg; von etwa 56 000 im Jahr 1933 stieg die Zahl ihrer Mitglieder auf über 200 000 im Jahr 1944. Ihr Anspruch, als nationalsozialistische Elite zu gelten, ließ sie vielen Angehörigen des Bürgertums, die sich dem Nationalsozialismus zuwandten, attraktiver erscheinen als die als pöbelhaft verrufene SA. Mit dem Aufstieg Himmlers, der Übertragung der Führung der Konzentrationslager an die SS und dem Ausbau der SS zu einer bewaffneten Kampftruppe zur Sicherung der innenpolitischen Herrschaft erfuhr die SS eine enorme Aufwertung und personelle Ausweitung. Ende 1934 wurde sie in die Allgemeine SS (ehrenamtliche Mitglieder), eine → SS-Verfügungstruppe (SS-VT; bewaffnete SS-Einheiten, ähnlich einer kasernierten Polizei) und die → SS-Totenkopfverbände (SS-TV; KZ-Wachmannschaften) aufgegliedert. Die Verfügungstruppe zählte 1938 etwa 9000 Mann, die Totenkopf-Verbände ca. 6500. Im Krieg wurde die SS-VT zu einer militärischen Truppe ausgebaut und mit den KZ-Wachmannschaften zur → Waffen-SS zusammengefaßt. Mitte 1942 zählte sie etwa 150 000 Mann, im Herbst 1944 über 900 000. Die KZ-Wachmannschaften waren Mitte 1944 ca. 24 000 Mann stark.

Als unmittelbare Instanz der Verfolgung trat die SS in der Anfangsphase als Hilfspolizei und dann vor allem als Wachmannschaft in den Konzentrationslagern in Erscheinung. Die zunehmende personelle und institutionelle Verflechtung mit der Polizei – Himmler zeichnete als »Reichsführer SS und Chef der Deutschen Polizei« –, die Betrauung mit staatlichen Aufgaben und das Selbstverständnis als NS-Elite gaben der SS eine besondere Bedeutung innerhalb des NS-Herrschaftsapparates.

Die Justiz als Verfolgungsinstrument

Die zweite Säule des staatlichen Verfolgungssystems war die Justiz. Nach dem Abschluß ihrer Ermittlungen legte die Gestapo (bzw. die Polizei), wenn sie ein Strafverfahren einleiten wollte, das Ergebnis der Staatsanwaltschaft vor. Diese entschied, ob und nach welchen Bestimmungen ein Verfahren eröffnet wurde. Politische Delikte wie die Mitgliedschaft in Widerstandsorganisationen (Vorbereitung zum Hochverrat, Verstoß gegen das Verbot der Neubildung von Parteien), Besitz oder Weitergabe illegaler Schriften (Reichstagsbrandverordnung), regimekritische Äußerungen (Heimtücke-Gesetz, im Krieg auch Wehrkraftzersetzung), Abhören ausländischer Sender (Rundfunkverbrechen), waren dem Volksgerichtshof, den Oberlandesgerichten und Sondergerichten zugewiesen. Aber auch Landgerichte waren Teil des Verfolgungsapparates, wenn sie z. B. Verfahren wegen »Rassenschande« durchführten. Vor den Amtsgerichten wurden zahlreiche Fälle von regimekritischen Äußerungen und oppositionellem Verhalten verhandelt und mit Geld- und Haftstrafen geahndet. Auch die Kriegsgerichte sprachen Recht im Auftrag des Regimes; sie verhängten rund 30 000 Todesurteile, davon etwa 23 000 wegen → Fahnenflucht (→ Kriegsgerichtsbarkeit).

Schon 1933 hatten die Sondergerichte zahlreiche Todesurteile verhängt, vor allem gegen Kommunisten, die an den Straßenkämpfen gegen SA und Polizei beteiligt gewesen waren. Seit Mitte der dreißiger Jahre verschärfte sich das Strafmaß und die Zahl der Todesurteile nahm zu. Während des Krieges, vor allem ab 1941, verhängten Sondergerichte und Volksgerichtshof selbst für geringfügige Vergehen die Todesstrafe, insbesondere gegen Mitglieder der Widerstandsgruppen in den besetzten Gebieten (→ Nacht-und-Nebel-Erlaß) und gegen ausländische Zwangsarbeiter im Reich. Der Volksgerichtshof allein sprach während des Krieges über 5000 Todesurteile aus. Die politische Justiz wurde zu einem Terrorinstrument, das von Willkür geprägt war.

An der Verfolgung waren jedoch nicht nur die genannten Organisationen beteiligt. Fast alle gesellschaftlichen Institutionen hatten – wenngleich in unterschiedlichem Ausmaß – der Formierung der Gesellschaft im nationalsozialistischen Sinne zu dienen. Sei es, daß sie intern die Ausgrenzungs- und Aussonderungsrichtlinien des Regimes gegenüber Juden und politischen Gegnern, wie sie im → Gesetz zur Wiederherstellung des Berufsbeamtentums formuliert waren, ausführten, sei es, daß sie gegen das Regime gerichtete Vorstellungen und Haltungen unterdrückten und somit ihren Bereich im Sinne des Regimes kontrollierten. Darüber hinaus wurden manche Institutionen initiativ, wenn es darum ging, Verfolgung zu verschärfen oder neue Personengruppen einzubeziehen.

Die Macht des Regimes über die Menschen beruhte im Kern auf einem komplexen, teils differenziert, teils rücksichtslos agierenden Überwachungs- und Verfolgungsapparat. Allerdings unterstützte ein beträchtlicher Teil der Bevölkerung das Regime und auch den Repressionsapparat. Wurde in der Vergangenheit die Repression als wesentliche Ursache für die Stabilität des Regimes gesehen, so werden heute Konsens und Loyalität stärker betont. Allerdings ist diese Frage nicht endgültig geklärt, ebensowenig wie beispielsweise die Zusammenarbeit von politischer Führung und Verfolgungsapparat auf regionaler Ebene.

Konzentrationslager

Die Konzentrationslager waren die erste und augenfälligste Einrichtung, die den Unrechtscharakter des Regimes sichtbar machte. Die fast gleichzeitige Einrichtung der ersten Konzentrationslager im März/April 1933 in → Oranienburg bei Berlin, → Dachau bei München, → Fuhlsbüttel in Hamburg und an anderen Orten läßt auf eine Koordinierung schließen. Die Errichtung geschah im Kontext der kurz zuvor in den Ländern erfolgten Aufstellung einer Hilfspolizei aus SA-, SS- und Stahlhelm-Mannschaften. In fast allen Ländern des Reiches entstanden in den folgenden Monaten weitere Konzentrationslager, wie Berlin-Columbiahaus (→ Reichshauptstadt), Esterwegen (→ Emslandlager), → Heuberg, → Kemna, → Kislau, Osthofen, etc., insgesamt etwa 70. Sie waren hinsichtlich Trägerschaft, Bewachung und Behandlung der Gefangenen sehr verschieden. Besonders dort, wo SA- oder SS-Mannschaften als Wachen eingesetzt waren, wie in Dachau ab Mai 1933 oder in Fuhlsbüttel ab September 1933, begann eine Terrorherrschaft. Schikanen, Mißhandlungen, Folterungen und Morde waren an der Tagesordnung.

All dies geschah nicht spontan oder zufällig, sondern war im Hinblick auf die Wirkung durchaus gewollt. Die Ermordung derjenigen, die sich bei der Bekämpfung des Nationalsozialismus hervorgetan hatten, war zugleich ein Beitrag zur angekündigten »Ausrottung« des Kommunismus und Marxismus. Darüber hinaus war der Terror ein Signal. Zum einen sollten die Mitglieder der illegalen Widerstandsorganisationen durch den Schock paralysiert und eingeschüchtert, zum anderen alle Regimegegner und Unzufriedenen davon abgeschreckt werden, ihre Einstellung offen zu zeigen oder gar danach zu handeln.

Bis 1934 übernahm Himmler als politischer Polizeikommandeur der Länder mit der Verantwortung für die politische Polizei die Zuständigkeit für die Konzentrationslager. Nach der Ausschaltung der SA reorganisierte SS-Oberführer Theodor Eicke als → Inspekteur der Konzentrationslager und SS-Wachverbände ab 1934 im Auftrag Himmlers die Konzentrationslager nach dem Vorbild des von ihm seit Sommer 1933 geführten KZ Dachau. Von den ursprünglichen Lagern blieb schließlich nur Dachau. Neue große Konzentrationslager wurden nach strategischen Gesichtspunkten und im Hinblick auf den Arbeitseinsatz der Gefangenen errichtet. So entstanden bis zum Kriege → Sachsenhausen (1936), → Buchenwald (1937), → Flossenbürg (1938), → Ravensbrück (1939) für Frauen und → Mauthausen (1938) als erstes Konzentrationslager in einem okkupierten Land. Nach Kriegsbeginn wurden weitere Lager im Reich und in den eroberten Gebieten errichtet: → Neuengamme, → Dora-Mittelbau und → Wewelsburg im Reich, → Auschwitz, → Groß-Rosen, → Krakau-Plaszow, → Lublin/Majdanek und → Stutthof auf polnischem Gebiet, → Kauen, → Klooga, → Riga-Kaiserwald, → Vaivara im besetzten Baltikum, → s'Hertogenbosch-Vught in den Niederlanden und → Natzweiler-Struthof im eingegliederten Elsaß. Seit 1942 war die Inspektion der Konzentrationslager dem neugebildeten → SS-Wirtschafts- und Verwaltungs-Hauptamt eingegliedert, dem neben Truppenverwaltung (Waffen-SS) auch das Bauwesen und die wirtschaftlichen Unternehmungen der SS unterstanden. So befanden sich alle mit den Konzentrationslagern befaßten SS-Ämter unter einer Leitung, der des SS-Gruppenführers Oswald Pohl.

Die Konzentrationslager waren staatliche Einrichtungen, die von der SS im Auftrag geführt wurden. Lagerführung und Wachmannschaften gehörten den SS-Totenkopf-Verbänden an, die durch ihre Ausbildung und die Lagerordnungen zur Härte gegenüber den Häftlingen angehalten waren. Die Zahl der KZ-Bewacher stieg von 2000 Anfang 1935 auf fast 5000 Ende 1937.

In den ersten Jahren waren die Konzentrationslager vor allem zur Aufnahme politischer Gegner wie Kommunisten, Sozialdemokraten und Gewerkschafter bestimmt. Aber von Anfang an befanden sich auch Juden, sogenannte → »Asoziale«, → Homosexuelle und Kriminelle unter den Gefangenen. Die Zahl der 1933 Verhafteten wird auf etwa 100 000 geschätzt. Am 31. Juli 1933 befanden sich nach Angaben des Reichsministeriums des Innern 26 789 Personen in Schutzhaft. Die Einweisung ins Konzentrationslager erfolgte in der Regel durch die Gestapo per Schutzhaft-Befehl. Die Gefangenen waren in großen Gruppen in Baracken untergebracht. Sie wurden zur Arbeit in Lagerwerkstätten und -einrichtungen, zu Bauarbeiten im Lager, zur Moorkultivierung u. ä. eingesetzt. Außerhalb der

Werkstätten handelte es sich in der Regel um schwere körperliche Arbeiten, oft auch um sinnlose Tätigkeiten, die lediglich zum Ziel hatten, die Gefangenen zu schikanieren, sie physisch »fertigzumachen«. Die Ernährung der Gefangenen war noch ausreichend. Mißhandlungen und schwere Lagerstrafen für geringe Vergehen waren an der Tagesordnung. Todesfälle waren Ergebnis von Mißhandlungen oder Mordaktionen (»auf der Flucht« erschossen) der Lager-SS oder des Versuchs der Gefangenen, sich den Leiden und Demütigungen durch Selbsttötung zu entziehen. 1933 und 1934 wurden mehrere → Amnestien erlassen, bei denen ein Teil der Gefangenen die Freiheit erhielt. Über Einzelentlassungen entschied die zuständige Gestapo-Dienststelle. So ging die Zahl der KZ-Gefangenen bis 1935 auf 7000-9000 zurück.

KZ-System und Zwangsarbeit

Mit dem Beginn des → Vierjahresplans 1936 setzte in mehrfacher Hinsicht ein Wandel im KZ-System ein. Bei der Neuanlage der Konzentrationslager wurde seit 1936 auf nutzbringende Beschäftigungsmöglichkeiten geachtet. Die Konzentrationslager verwandelten sich nun verstärkt in Stätten der Zwangsarbeit, an denen die Arbeitskraft inhaftierter Regimegegner und anderer ausgegrenzter

Abb. 41: Bombenentschärfung durch Zwangsarbeiter aus Belgien.

Personengruppen für → SS-Wirtschaftsunternehmen genutzt wurde. So ließen die SS-eigenen Deutschen Erd- und Steinwerke (DESt) in Sachsenhausen und Neuengamme riesige Ziegeleien errichten; in Buchenwald, Mauthausen, Flossenbürg und Natzweiler schufteten die Gefangenen in den Steinbrüchen der DESt. Aber weiterhin blieben Strafe und Terror die bestimmenden Elemente, die auch die KZ-Arbeit prägten.

Die neuen Konzentrationslager gliederten sich in drei große Bereiche: Das SS-Lager, das → Schutzhaftlager und die SS-Wirtschaftsbetriebe. Im SS-Lager befanden sich die Kommandantur, geführt von dem SS-Lagerkommandanten, die Unterkünfte der SS-Wachmannschaften und die »Politische Abteilung«, die der Gestapo unterstand und die Gefangenenakten führte. Das Schutzhaftlager, in dem die Gefangenen – zumeist – in Holzbaracken untergebracht waren, befand sich unmittelbar daneben. Es stand unter dem Befehl eines Schutzhaftlagerführers, dem Rapport- und Blockführer sowie mit bestimmten Aufgaben (Küche, Krankenrevier, Effektenverwaltung, Arbeitsdienst) betraute SS-Männer zur Seite standen. Sie führten das Schutzhaftlager und bestimmten den Tagesablauf und das Leben der Häftlinge. Der SS-Führungstruktur stand eine entsprechend gegliederte Häftlingsverwaltung gegenüber. Die SS-Wirtschaftsbetriebe, zumeist Ziegeleien oder Steinbrüche der DESt – im Krieg kamen die Werkstätten der Deutschen Ausrüstungswerke (DAW) hinzu – befanden sich in unmittelbarer Nähe des Lagers. Hier arbeiteten die Gefangenen, beaufsichtigt und angetrieben von SS-Kommandoführern, zivilen Arbeitskräften und Häftlings-Kapos. Die Arbeitsstellen außerhalb des Lagers waren durch eine Postenkette aus SS-Männern gesichert, wer sie überschritt, wurde »auf der Flucht« erschossen.

Seit 1936 kamen neue Häftlingsgruppen wie die Ernsten Bibelforscher, die »Asozialen« (Bettler, Arbeitsverweigerer, Alkoholiker, etc), Kriminelle, Homosexuelle, Sinti und Roma, und seit 1938 politische Gegner aus dem besetzten Österreich, dem Sudetengebiet und der ČSR hinzu. Die Zahl der Gefangenen stieg bis zum Sommer 1938 auf etwa 24 000. Nach dem Pogrom vom 9. November 1938 und der Verhaftung und Einweisung von 30 000 Juden wurde mit 60 000 Gefangenen der Höchststand vor dem Krieg erreicht. Nach der Entlassung des Großteils der jüdischen Häftlinge in den folgenden Wochen und Monaten sank die Belegung der KZ bis Kriegsbeginn auf etwa 25 000 Insassen. Mit dem Zustrom neuer Häftlingsgruppen verschwand die bisherige zahlenmäßige Dominanz der politischen Gefangenen weitgehend. In Buchenwald stufte die Gestapo im August 1939 die ca. 5400 Gefangenen folgendermaßen ein: knapp die Hälfte als »Asoziale« (schwarzer Winkel), ein Viertel als »Politische« (roter Winkel), ein Zehntel als Juden (gelber Winkel), ein Vierzehntel als Ernste Bibelforscher (lila Winkel), ein Dreißigstel als »Befristete Vorbeugehäftlinge«, die im Lagerjargon »Berufsverbrecher« genannt wurden (grüner Winkel). In Sachsenhausen stellten »Asoziale« Ende 1938 fast 60 Prozent, die Politischen ca. 20 und die Juden etwa 15 Prozent der Häftlinge. Lediglich in Dachau dominierten im Sommer 1938 die politischen Häftlinge; sie stellten drei Viertel der 5500 Insassen.

Der SS-Schutzhaftlagerführung unterstanden entsprechende Häftlingsfunktionen, wie Lagerälteste, Blockälteste (gegebenenfalls auch Stubenälteste), Küche,

Krankenrevier, Arbeitsdienst, Lagerwerkstätten etc. Die Häftlingsfunktionäre hatten den Tagesablauf zu organisieren und für Ordnung und Sauberkeit zu sorgen. Kapos (Vorarbeiter) führten die Arbeitskommandos. Um die Besetzung dieser Funktionen, die eine persönliche Besserstellung mit sich brachten und gewisse Einflußmöglichkeiten auf die Bedingungen im Lager eröffneten, kam es zeitweise zu erbitterten Auseinandersetzungen zwischen den politischen und den kriminellen Gefangenen, wobei letztere mehr ihren persönlichen Vorteil im Auge hatten.

Die Lebensbedingungen der Gefangenen in den einzelnen Lagern unterschieden sich beträchtlich. Es hing von der Einstufung des Lagers ab, vom Zeitpunkt, zu dem man sich im KZ befand, vom Verhalten des Kommandanten, der SS-Schutzhaftlagerführung, der Häftlingsfunktionäre und vor allem, welcher Häftlingskategorie man angehörte und ob man Aufgaben in der Lagerverwaltung ausübte. Funktionshäftlinge lebten unter besseren Bedingungen, während jüdische und später auch sowjetische Gefangene die unterste Ebene der Hierarchie bildeten. Aber alle waren sie dem gleichen Willkür- und Terrorregime unterworfen, unter dem keiner der Gefangenen seines Lebens und seiner Gesundheit sicher war. Die Unterschiede hinsichtlich der Ernährung, der Arbeitsbelastung, der Behandlung durch SS und Kapos, der Lebenserwartung waren beträchtlich, aber sie waren nur quantitativ.

Der Tagesablauf der Häftlinge war seit 1936 zunehmend von schwerer Arbeit, unzureichender Verpflegung, überfüllten Unterkünften und Mangel an Ruhe geprägt – unmenschlichen und auf die Dauer tödlichen Bedingungen. Zudem waren die Häftlinge einer ständigen Bedrohung durch Straf- und Willkürmaßnahmen der SS ausgesetzt, die alles im Leben der Häftlinge als Strafe zu gestalten bestrebt war – das Essen, die Arbeit, den Appell, den Schlaf. Zwar gab es SS-Männer, die bereit waren, den Häftlingen zu helfen – sei es aus Mitleid oder für Gegenleistungen –, die Mehrheit versah jedoch ihren Dienst rücksichtslos, und es gab auch Sadisten und Mörder, die Vergnügen daran fanden, Häftlinge zu quälen und zu töten; ihnen waren keine Grenzen gesetzt. Obwohl die SS-Führung für die Behandlung und die Vergehen der Häftlinge genaue Strafvorschriften und Verbote festgelegt hatte, war das Leben aus der Sicht der Gefangenen von einer unergründlichen Mischung aus Ordnung und Chaos geprägt. Neben den regulären Strafen wie Arrest im Bunker (Gefängnis) des Lagers, Essensentzug, Schläge auf dem Prügelbock, Pfahlhängen, Exekution sahen die SS-Führer es als ihr Recht an, mißliebige Häftlinge zu schikanieren, zu mißhandeln oder gar zu töten.

Mochten manche NS-Führer öffentlich verkünden, die Konzentrationslager dienten der »Umerziehung«, so zeigt die nüchterne Betrachtung, daß die Lager immer Stätten der Strafe waren. Dabei reichte die Skala von Schikanen, Mißhandlung und Folter bis zum kaltblütigen Mord. Kam es in den ersten beiden Jahren zu zahlreichen Morden in Konzentrationslagern, vor allem an Kommunisten, Sozialdemokraten und Juden, so blieb die Sterblichkeit in den beiden folgenden Jahren gering. Seit 1936/37 zeichnete sich jedoch eine dramatische Zunahme der Todesfälle in den neuen Lagern ab, die nicht mehr nur vom unmittelbaren Eingreifen der SS, sondern vor allem von den drastisch verschlechterten Lebensbedingungen und der schweren Arbeit verursacht wurden. So stieg die Sterblichkeit in Buchenwald schon 1939 auf 14 Prozent, in Mauthausen auf 23 Prozent, während sie in Dachau nur knapp 5 Prozent erreichte; dort aber hatte sie 1936 noch bei 0,05 Prozent gelegen. Die Vernichtung von Menschenleben, von Anfang an eine Aufgabe der Konzentrationslager, gewann an Bedeutung und erreichte von 1940-1942 einen ersten Höhepunkt.

Im Verlauf des Krieges ging das Regime daran, die vielfach beschworene »Reinigung des deutschen Volkskörpers« durch radikale »Endlösungen« in die Tat umzusetzen. Begonnen wurde mit der Ermordung körperlich und geistig Behinderter (→ Aktion T 4; → Medizin); es folgten der Ausrottungsfeldzug gegen die Sowjetunion und die als »Untermenschen« abgestempelte slawische bzw. »asiatische« Bevölkerung, der Völkermord an den europäischen Juden und an den Sinti und Roma. Hinzu kam die Vernichtung von Menschen, die als außerhalb der → Volksgemeinschaft stehend erklärt wurden, sei es, weil sie als »minderwertig« betrachtet wurden, wie die »Asozialen« und Kriminellen, oder weil sie sich durch ihren Widerstand oder ihre Verweigerung als Gegner des Regimes erwiesen. Die Ausführung dieser Vernichtungsprogramme fand zum Teil in den Konzentrationslagern statt.

Die Juden waren in den KZ schon vor der → Endlösung in besonderer Weise dem Morden ausgesetzt, ihre Sterblichkeit lag weit über der der anderen Gefangenen. Nach Kriegsbeginn, als die Vernichtung der Gefangenen durch Arbeit und Terror bis 1942 einen ersten Höhepunkt erreichte, waren sie wiederum in besonderer Weise betroffen. In Mauthausen kamen beispielsweise 1941 innerhalb weniger Monate fast sämtliche eingelieferten 1600 Juden ums Leben. Der 1941 einsetzende systematische und organisierte Völkermord vollzog sich vor allem auch in den Konzentrationslagern. Das KZ Auschwitz (Stammlager) wurde 1941 um das Vernichtungslager in Auschwitz-Birkenau ergänzt, das zum Zentrum des Völkermordes an den Juden und den Sinti und Roma wurde. Die → Selektion, die Auswahl der Arbeitsfähigen und die Ermordung der Arbeitsunfähigen in den → Gaskammern gewährte den Überlebenden lediglich einen Aufschub in Form der »Vernichtung durch Arbeit«. Auch als ab Sommer 1944 die in Auschwitz selektierten jüdischen Gefangenen in Außenlager der KZ im Reichsgebiet verlegt wurden, erwiesen sich insbesondere die Lager, in denen Männer zu Bauarbeiten eingesetzt waren – und das war die Mehrzahl –, als Todeslager.

In die Mordaktionen an den Behinderten waren auch die Konzentrationslager einbezogen. Ärzte überprüften 1941/42 im Rahmen der → Aktion 14 f 13 die KZ-Gefangenen und schickten die Selektierten in die Tötungsanstalten. Seit Kriegsbeginn entwickelten sich die Konzentrationslager auch zu Hinrichtungsstätten, an denen die Gestapo unauffällig Widerstandskämpfer und andere mißliebige Personen exekutierte, allein im KZ Neuengamme waren es etwa 2000. Nach dem → 20. Juli 1944 wurden in der Aktion »Gewitter« im Reichsgebiet mehrere zehntausend Personen – zumeist ehemalige Funktionäre und Mandatsträger der Arbeiterparteien – verhaftet und viele von ihnen in Konzentrationslager eingeliefert. Nicht wenige von ihnen kamen hier ums Leben; auch Angehörige der Widerstandskreise des 20. Juli wurden in Konzentrationslagern ermordet.

Verfolgung und Sklavenarbeit im Krieg

Nach der Besetzung Österreichs, des Sudetengebietes, des restlichen tschechischen Gebietes und Polens verschleppte die deutsche Polizei Zehntausende in die Konzentrationslager: Oppositionelle, Mitglieder von Widerstandsorganisationen, Personen, die sich Anordnungen verweigerten, als Geiseln verhaftete Angehörige der Intelligenz, später auch geflohene Zwangsarbeiter etc. In manchen Lagern, wie in Sachsenhausen, bildeten die Polen zeitweise die weitaus größte Gruppe. Das Stammlager in Auschwitz war vor allem ein Lager für polnische Häftlinge. Nur kurze Zeit nach dem Überfall auf die Sowjetunion begann die Einlieferung von sowjetischen → Kriegsgefangenen in die Konzentrationslager. Mindestens 50 000 waren in den Kriegsgefangenenlagern als Politische Kommissare, Kommunisten und Juden selektiert und zur Exekution in die KZ geschickt worden. Eine andere kleinere Gruppe von sowjetischen Kriegsgefangenen, die als Arbeitskräfte in die Konzentrationslager gebracht wurden, kam bis auf wenige innerhalb von Monaten durch unmenschliche Lebens- und Arbeitsbedingungen und Epidemien ums Leben. Auch die in der Folgezeit in größerer Zahl eingelieferten russischen und ukrainischen Zwangsarbeiter hatten besonders schlechte Überlebensbedingungen.

Mit dem Kriegsbeginn gegen die Sowjetunion ließ die Gestapo in besetzten west- und nordeuropäischen Ländern Mitglieder der illegalen kommunistischen und sozialistischen Organisationen festnehmen und viele von ihnen in Konzentrationslager im Reich deportieren. In den folgenden Jahren weitete sich diese Praxis aus. Nach der Invasion der Alliierten im Westen und dem Vorrücken der Roten Armee im Osten steigerte sich 1944 der Zustrom. Zehntausende von Menschen, Widerstandskämpfer, Personen, die die → Kollaboration verweigerten, Geiseln, Personen, die sich nicht ausweisen konnten, und unzählige andere wurden von der Gestapo aus den besetzten Ländern in die Konzentrationslager deportiert. Hinzu kamen Zehntausende von ausländischen Arbeitskräften, Männer und Frauen, vor allem Polen, Russen, Ukrainer, die zumeist zwangsweise ins Reichsgebiet gebracht worden waren, dort die Arbeit verweigert hatten oder geflohen waren. Die Zahl der Gefangenen, die vor dem Krieg bei 24 000 gelegen hatte, stieg bis 1942 auf 100 000, 1943 auf 300 000, im Sommer 1944 auf 525 000 und erreichte Anfang 1945 mit 714 000, davon 200 000 Frauen, ihren Höhepunkt.

Die deutschen Gefangenen waren in den Lagern zu einer Minderheit geworden, die jedoch die Lagerverwaltungen dominierte. Allerdings waren auch deutschsprechende ausländische Gefangene, vor allem wenn sie schon länger im Lager waren, mit Häftlingsfunktionen betraut worden. Die Ausübung von Lagerfunktionen eröffnete Einflußmöglichkeiten zugunsten der Häftlinge und gestattete Hilfe in einzelnen Fällen. Sie barg indessen die Gefahr der Korrumpierung und sorgte für Integration in den Herrschaftsapparat, ohne daß am System des Terrors Wesentliches verändert werden konnte. Manche lehnten deshalb die Übernahme bestimmter Funktionen ab. Neben der offiziellen Häftlingsverwaltung bauten Häftlinge, getrennt nach Nationalität oder politischer Richtung, illegale Kommunikations- und Organisationsstrukturen auf. Zum Teil kam es zur Bildung internationaler illegaler Lagerkomitees. Gemeinsames Ziel war es, das Leben der Häftlinge im Lager zu erleichtern, sie soweit wie möglich gegen Gewaltmaßnahmen der SS abzuschirmen und das Überleben zu sichern. Aufstände wie in → Treblinka im August 1943 oder die Erhebung des Sonderkommandos in Auschwitz im Oktober 1944 oder der Massenausbruch sowjetischer Häftlinge aus Mauthausen im Winter 1945 waren die Ausnahme, erfolgten nur angesichts akuter Vernichtungsbedrohung und wurden blutig niedergeschlagen. Die Flucht aus den Lagern gelang nur wenigen.

Die Konzentrationslager waren angelegt, Menschen nicht nur physisch zu zerstören, sondern auch ihre Identität zu vernichten. So gesehen war allein das physische Überleben, die Bewahrung einer menschlichen Existenz, ein Akt des Widerstands. Kulturelle Betätigung, Solidarität und Zuspruch stärkten die Gefangenen.

Die Masseneinweisungen des Sommers 1944, als die SS etwa eine Million neuer Gefangener erwartete, sind nicht mehr allein unter dem Aspekt von Strafe und Vernichtung zu sehen. Seit 1942 war neben die Zwangsarbeit für die SS-Betriebe die Arbeitsleistung für die deutsche → Kriegswirtschaft getreten. 1942 hatte ein grundlegender Wandel beim Arbeitseinsatz von KZ-Gefangenen eingesetzt, dem erste Erfahrungen in der Kooperation mit der Industrie, in diesem Falle mit der → I.G. Farben bei der Errichtung des Chemiewerks in Auschwitz-Monowitz, vorausgingen. Angesichts des zunehmenden Mangels an Arbeitskräften in der Rüstungsindustrie sollten verstärkt KZ-Gefangene für die Rüstungsproduktion eingesetzt werden.

Der Errichtung von Produktionsstätten in der Nähe der Konzentrationslager, wie im Falle Monowitz, waren jedoch enge Grenzen gesetzt. Die Rüstungsindustrie wollte die Kontrolle über die Produktion nicht aus der Hand geben, außerdem erwies es sich als schwierig und langwierig, entsprechende Gebäude zu errichten und Ausrüstungen zu verlagern. Lediglich im Bereich der Untertageverlagerung von Rüstungsproduktionen (Jägerstab) ließ sich dies in größerem Umfang verwirklichen. Dort waren im Juni 1944 17 000 Häftlinge eingesetzt, 250 000 wurden für nötig erachtet. Die Sterblichkeit in den Baukommandos war hoch, dagegen blieb die Todesrate unter den Häftlingsarbeitern in der Produktion meist gering.

Ab 1943 wurden verstärkt KZ-Außenlager bei bereits bestehenden Fabrikanlagen errichtet, besonders in der Flugzeugindustrie und im Marinebereich. De facto verlagerte sich die Kooperation – entsprechend den Leitungsstrukturen der Rüstungsproduktion – von Abkommen mit einzelnen Betrieben wie Heinkel, I.G. Farben (1941), Walther-Werken und Hermann-Göring-Werken (1942) hin zu Vereinbarungen mit Albert Speers → Reichsministerium für Rüstung und Kriegsproduktion, die einzelne Produktionen oder Einsatzbereiche betrafen. So wurde im Frühsommer 1944 der Einsatz von mehreren tausend Frauen aus dem KZ Ravensbrück zur Herstellung von Gasmasken vereinbart; anschließend wurden die Frauen den in Frage kommenden Betrieben als Arbeitskräfte vom Rüstungsministerium angeboten. Im Fall des »Geilenberg-Programms« zur Wiederingangsetzung der im Sommer 1944 stark zerstörten Treibstoffindustrie ordnete Hitler persönlich den Einsatz von KZ-Häftlingen an. Die Entwicklung führte schließlich dazu, daß Speer im Oktober 1944 auch de jure die Kompetenz für den Einsatz von KZ-Häftlingen erhielt. Die Zahl der Außenlager der 25 KZ nahm 1944 sprunghaft zu, auf insgesamt über tausend. In nahezu allen Großstädten und in vielen größeren und kleineren Orten wurden KZ-Häftlingskommandos eingesetzt. KZ-Häftlinge arbeiteten u. a. bei Rüstungs- und Befestigungsbauprojekten, in der Rüstungsproduktion, bei Aufräumungsarbeiten nach Luftangriffen.

Dennoch blieb die Bedeutung der KZ-Arbeit für die deutsche Kriegswirtschaft insgesamt begrenzt. Im Frühjahr 1943 arbeiteten 100 000 KZ-Gefangene in der Kriegswirtschaft, auf dem Höhepunkt beim Jahreswechsel 1944/45 waren es zwar immerhin etwa 500 000, aber ihnen standen im Sommer 1944 allein 7,7 Millionen ausländische Arbeitskräfte gegenüber. Stellt man der Zahl der eingesetzten KZ-Häftlinge die Zahl der in den Konzentrationslagern vernichteten Menschen gegenüber – ohne Auschwitz-Birkenau rund eine Million –, so wird deutlich, daß die Arbeitsleistung in den Konzentrationslagern eher ein Nebenprodukt war. Hier wurde die Arbeitskraft von Menschen ausgebeutet, deren Vernichtung schon beschlossen war oder die schon bewiesen hatten, daß sie nur durch die Demonstration »absoluter Macht« noch zu einer Arbeitsleistung für das Regime bereit waren. Das KZ-System verstrickte sich in unlösbare Widersprüche, die nur punktuell, aber nicht insgesamt lösbar waren. Die SS betrachtete die Vernichtung der Häftlinge allenfalls als aufgeschoben, die Vernichtung durch Arbeit als eine Lösung. Zudem benötigte das Regime den extremen Terror der Konzentrationslager, um sowohl die freien Arbeitskräfte als auch die KZ-Arbeitskräfte arbeitswillig zu halten. Eine höhere Arbeitsleistung hätte eine Verringerung des Terrors, bessere Lebens- und Arbeitsbedingungen vorausgesetzt – für das Regime ein unlösbares Problem.

Aber es war nicht nur die SS, die nun für Leben und Tod verantwortlich war, Verantwortung trugen auch die Privatunternehmen, die Häftlinge beschäftigten. Sie konnten Einfluß auf die Verpflegung nehmen, und sie bestimmten, wieviel die Häftlinge zu arbeiten hatten. Nicht selten kam es vor, daß sie die SS zu schärferem Antreiben aufforderten. Zu diesem Zeitpunkt gehörten in vielen Außenlagern nur noch die Mitglieder der Lagerführung der SS an, die Wachmannschaften dagegen wurden von Luftwaffe, Marine, Zoll etc. gestellt.

Die Orientierung auf den Einsatz in der Rüstungsindustrie und die damit verbundene Reduzierung des exzessiven Terrors sowie Verbesserungen bei der Verpflegung und Behandlung der Gefangenen führten 1943 zu einem Rückgang der hohen Sterblichkeit. Jedoch verlief die Entwicklung in den einzelnen Lagern unterschiedlich, und die Todesrate stieg 1944/45 wieder beträchtlich an.

Der Bevölkerung blieben der großflächige Einsatz von KZ-Häftlingen 1944/45 und deren Elend nicht verborgen. Nur wenige waren jedoch bereit, den Gefangenen zu helfen. Vor dem Näherrücken der Front verlegte die SS die Häftlinge in Lager im Inneren des Reiches bzw. frontferne Gebiete. Diese Transporte und Märsche, die nur noch dazu dienten, die Befreiung der Gefangenen zu verhindern, brachten vielen Häftlingen den Tod (→ Todesmärsche). Endstationen der

Evakuierung waren Todeslager wie → Bergen-Belsen, Mordaktionen der SS und anderer NS-Verbände wie in Gardelegen, der Untergang von Schiffen wie der → Cap Arcona oder die Stelle, an der sich die SS-Wachmannschaften absetzten.

Die Befreiung blieb für die KZ-Häftlinge unvollständig. Viele kamen bis zu ihrer Rückkehr oder nach ihrer Rückkehr (Sowjetunion) erneut in Lager. Viele waren physisch völlig erschöpft, psychisch geschädigt, schwerkrank und litten an (manchmal erst Jahrzehnte später auftretenden) Spätfolgen. Von der Erinnerung an die erlittenen Demütigungen und Leiden, an die Ohnmacht gegenüber den vor ihren Augen begangenen Verbrechen konnten sie nicht befreit werden.

Angehörige der SS-Lagerführungen, der Wachmannschaften und der Bürokratie des KZ-Systems wurden von den Militärgerichten der Alliierten angeklagt und verurteilt. In der Bundesrepublik Deutschland fanden noch eine Reihe von Verfahren gegen Mitglieder der Kommandanturen und Wachmannschaften statt, u. a. der Auschwitz- und der Majdanek-Prozeß, aber die Zahl der Angeklagten war vergleichsweise gering und das Strafmaß fiel oft niedrig aus. Vielen Tätern gelang es, ohne für ihre Verbrechen zur Verantwortung gezogen zu werden, unauffällig in ein bürgerliches Leben zurückzukehren (→ Nachkriegsprozesse).

Abb. 42: Die Gruppe der SS-Aufseherinnen im KZ Stutthof wird von polnischen Truppen verhaftet.

Die Bedeutung der Konzentrationslager liegt bis 1939 weniger in der Zahl der Insassen begründet, die im Vergleich etwa zur Zahl der politischen Gefangenen in Gefängnissen und Zuchthäusern eher gering blieb. Die besondere Bedeutung des KZ-Systems ist vor allem qualitativer Art. Die Konzentrationslager waren eine Schlüssel-Institution des NS-Regimes, in denen der Kern seines Herrschaftssystems – der Terror – offen zutage trat und die deshalb in besonderer Weise abschreckend wirkten. Aber die Konzentrationslager waren mehr, sie waren Schulen des Terrors, Laboratorien der Machtausübung, der Menschenverwertung und -vernichtung.

Die aktuelle Diskussion über die Bedeutung der Verfolgung wird vor allem um die Frage geführt, inwieweit die verschiedenen herrschaftserhaltenden Elemente wie Zwang (Unterdrückung und Terror), Verführung (→ Propaganda), Korrumpierung (materielle Leistungen, z. B. soziale Verbesserungen) und Konsens (ideologische Übereinstimmung) zu einem loyalen Verhalten der Bevölkerung und damit zur Herrschaftsstabilisierung beigetragen haben. Betonten → Totalitarismus- und → Faschismustheorie vor allem die Bedeutung des Terrors, so traten mit einer differenzierteren Sicht auf die inneren Strukturen des Regimes und dessen Herrschaftsmechanismen auch die anderen Elemente stärker hervor, und es wurden verschiedenartige Wirkungskombinationen erkennbar, die sich zudem im zeitlichen Verlauf änderten.

Heute wird allgemein stärker die Anpassung, Hinnahme und Loyalität der Bevölkerung gegenüber dem Regime betont, der Terror in seiner Bedeutung geringer bewertet. Dabei wird aber manchmal zuwenig berücksichtigt, daß die Hauptinstrumente der Herrschaftsabsicherung – Terror, Propaganda und materielle Zugeständnisse – nicht gleichwertig und auch nicht unverbunden nebeneinander standen. Der Repression kam der Primat zu, und die Erfahrung der Verbote, der Formierung, der weitgehenden Ausschaltung von nicht regimekonformen Informationen und der Einschränkung von Verhaltensmöglichkeiten bereitete den Boden und sorgte dafür, daß Propaganda und beschränkte soziale Verbesserungen Wirkungen erzielten. Terror und Repression waren unmittelbare Voraussetzungen für die Entwicklung von Konsens und Loyalität innerhalb des eingeschränkten Spektrums alltäglichen Lebens im NS-Staat. Bei freier Meinungsäußerung, Freiheit der politischen Betätigung und freien Wahlen hätte das Regime nicht bestehen können.

Nach sozialer Schicht und Milieu, nach dem Grad der Distanz zum Regime, nach dem sozialen Stellenwert im nationalsozialistischen Wertesystem zeigen sich deutliche Unterschiede im Grad der ausgeübten Kontrolle und der Verfolgung. Die rassisch begründete Verfolgung der Juden und Sinti und Roma war total, das heißt, sie erfaßte alle, die vom Regime in dieser Weise eingestuft wurden. Unter sozialem Aspekt richteten sich die Überwachung und die Verfolgung in erster Linie gegen die Arbeiterschaft und die unteren Schichten der Gesellschaft. Ein großer Teil der Arbeiter war mit der sozialen Situation unzufrieden, sie waren für Propaganda weniger empfänglich und standen in ihrer Prägung und Denkweise dem Nationalsozialismus eher fern. Im Laufe der Jahre kam es zu ersten Anpassungsprozessen, aber erst der Krieg brachte mit seinen grundlegend veränderten

Rahmenbedingungen tiefgreifende Veränderungen. Der größte Teil der Arbeiterschaft und auch andere dem Nationalsozialismus distanziert gegenüberstehende Gesellschaftsschichten und Institutionen wie die katholische Kirche, bürgerliche Kreise etc. erwiesen im Konflikt »Nation« gegen »Nation«, besonders als die deutsche Wehrmacht in die Defensive geriet, dem »Staat«, der »Nation« die Loyalität, die sie dem NS-Regime zuvor verweigert oder nur unter Zwang gewährt hatten. Dies geschah, obwohl selbst im Alltag die Verbrechen des Regimes nicht mehr zu übersehen waren. Zwar waren Strafandrohungen und der Terror nach Kriegsbeginn drastisch verschärft worden, dies reicht aber nicht aus, um zu erklären, warum nur eine Minderheit der Deutschen bereit war, sich den Anforderungen des Regimes zu verweigern oder Widerstand zu leisten.

Literatur

Benz, Wolfgang / Barbara Distel (Hg.): *Dachauer Hefte. Studien und Dokumente zur Geschichte der nationalsozialistischen Konzentrationslager,* Dachau 1985 ff.

Drobisch, Klaus / Günter Wieland: *System der Konzentrationslager 1933-1939,* Berlin 1993.

Gellately, Robert: *Die Gestapo und die deutsche Gesellschaft. Die Durchsetzung der Rassenpolitik 1933-1945,* Paderborn u. a. 1993.

Hackett, David A. (Hg.): *Der Buchenwald-Report. Bericht über das Konzentrationslager Buchenwald bei Weimar,* München 1996.

Kogon, Eugen: *Der SS-Staat. Das System der deutschen Konzentrationslager,* München [12]1982.

Paul, Gerhard / Klaus-Michael Mallmann: *Die Gestapo – Mythos und Realität,* Darmstadt 1995.

Schwarz, Gudrun: *Die nationalsozialistischen Lager,* Frankfurt am Main 1996.

Sofsky, Wolfgang: *Die Ordnung des Terrors: Das Konzentrationslager,* Frankfurt am Main 1993.

Emigration

Von Maria-Luise Kreuter

Mit der Machtübernahme Adolf Hitlers am 31. Januar 1933 setzte eine Fluchtbewegung ein, die bis 1945 nach Schätzungen allein im deutschsprachigen Raum nahezu eine halbe Million Menschen betraf. Weit über 90 Prozent von ihnen waren jüdischer Herkunft. Das NS-Regime hatte ihnen in Umsetzung eines in der Geschichte beispiellosen Rassenwahns ihren bürgerlichen Status, ihre wirtschaftliche Existenz und schließlich das Lebensrecht verweigert. Die übrigen Flüchtlinge waren Menschen, die aus ideologischen und politischen Gründen von → Verfolgung bedroht waren oder zumindest ihre persönliche und berufliche Integrität unter dem NS-Regime nicht mehr hätten wahren können.

Motive der Emigration: politische Opposition und rassische Verfolgung

Weltweit führte die Emigration in etwa 80 Länder, sie verschlug die Menschen zunächst vornehmlich in die Nachbarländer des Deutschen Reichs, dann auf den amerikanischen Kontinent, aber auch nach Afrika, Asien und Australien. Ab 1937 begann in größerem Umfang die Einwanderung in die USA, die mit 132 000 die meisten Juden aus Deutschland aufnahmen. In Europa war es Großbritannien, das mit 75 000 der größten Zahl von Juden aus Deutschland, Österreich und der Tschechoslowakei auf Dauer oder zumindest vorübergehend Asyl gewährte. Etwa ebenso viele Menschen gelangten aus diesen Ländern nach → Palästina, bis zum endgültigen Verbot jeglicher Auswanderung im Oktober 1941. 80 000 bis 90 000 flüchteten nach Lateinamerika, das in größerem Maßstab erst als Fluchtziel wahrgenommen wurde, als andere Länder sich nur begrenzt aufnahmebereit zeigten bzw. das Verbleiben in Europa aufgrund der deutschen Eroberungs- und Besatzungspolitik nicht mehr möglich war. Argentinien lag hier mit 30 000 Emigranten an der Spitze der Aufnahmeländer. Als letzter Fluchtpunkt blieb Shanghai, das mit seinem Territorium der Internationalen Konzession und der durch den japanisch-chinesischen Krieg bedingten politischen Lage weitgehend aus dem chinesischen Hoheitsbereich ausgeklammert war. Dorthin gelangte man ohne Paß und Visum. Gut 13 000 Juden aus den deutschsprachigen Gebieten fanden in Shanghai Zuflucht.

Während sich der Exodus der als Juden Verfolgten über Jahre hinzog und erst mit dem Novemberpogrom 1938 seinen Höhepunkt erreichte (»Reichskristallnacht«), flohen die politischen Gegner des Nationalsozialismus, deren Zahl auf 30 000 bis 40 000 geschätzt wird, vornehmlich in den ersten Wochen und Monaten des NS- Regimes. Sie waren in dieser Zeit stärker als die Mehrheit der Juden von unmittelbarer Verfolgung bedroht. Nicht wenige von ihnen mußten das Land illegal und auf dem schnellsten Weg verlassen, um der Einlieferung in ein Konzentrationslager zuvorzukommen und den schon bald verschärften Grenzkontrollen zu entgehen. Zu diesem Personenkreis gehörten Funktionäre und aktive Mitglieder

Abb. 43: In den Straßen des Ghettos von Shanghai, das zum Teil auch von Chinesen bewohnt wird, verkaufen europäische Flüchtlinge ihre letzte Habe an Chinesen und japanische Soldaten (Foto: H.J. Szelinski).

vor allem der linken Parteien, der → Gewerkschaften, Vertreter des öffentlichen Lebens verschiedener politischer und christlicher Provenienz bis hin zu dissidenten Nationalsozialisten. Einen erheblichen Anteil hatten Schriftsteller, Publizisten, Verleger, Geistes- und Naturwissenschaftler sowie Künstler.

Obwohl relativ gering an Zahl, prägt diese Gruppe bis heute weitgehend das Bild des vom Nationalsozialismus verursachten Exodus. Ihr Schicksal und ihre Leistungen sind bislang am gründlichsten erforscht, sei es in Form von »unpolitischen« Biographien und Werkdarstellungen oder durch die Untersuchung der vorwiegend »antifaschistisch« orientierten Exilliteratur, deren Exponenten »mit dem Gesicht nach Deutschland« und mit dem Ziel flohen, in ein vom Nationalsozialismus befreites Deutschland zurückzukehren. Als Repräsentanten und Bewahrer des nationalen Kulturerbes eines »anderen« Deutschland und Teil des → Widerstands gegen das NS-Regime – wie sie sich selbst verstanden – bot dieser Personenkreis eine Identifikationsmöglichkeit, als in den sechziger Jahren eine neue Generation nach politischen und kulturellen Traditionen suchte, die nicht durch den Nationalsozialismus in Mißkredit gebracht worden waren. Bis dahin hatte im Westen des geteilten Deutschland das Thema Exil und Emigration als

Forschungsgegenstand wenig Beachtung gefunden, und in der DDR blieb die Forschung einseitig am kommunistischen Exil orientiert.

Die Festlegung auf ein vor allem »antifaschistisches« Exil sah im strengen Sinne als Exilierte nur diejenigen an, die sich weiterhin mit dem Herkunftsland identifizierten, ihre Rückkehr planten und in diesem Kontext sich politisch, wissenschaftlich und literarisch mit dem Deutschen Reich, mit Ursachen, Bedingungen und Konsequenzen des Exils auseinandersetzten. Diese Sichtweise hatte eine Vernachlässigung der sogenannten jüdischen Massenemigration zur Folge oder verwies sie als Gegenstand der Wissenschaft spätestens nach 1945, als der Fluchtanlaß beseitigt war, in den Bereich der Migrationsforschung des jeweiligen Emigrationslandes. Darüber hinaus führte die besondere Sozialstruktur der Emigranten, die vor dem Nationalsozialismus flüchteten, im Vergleich mit den historischen europäischen Auswanderungsschüben zu einer stark wirkungsgeschichtlich geprägten Sichtweise. Der vergleichsweise hohe Anteil von Personen aus Politik, Literatur, Wissenschaft und Kunst ließ die Vertreibung dieser geistigen Eliten, darunter viele Juden, für das Herkunftsland als besonderen Verlust und für das Aufnahmeland als intellektuellen Zugewinn erscheinen.

In der jüngeren Forschung werden Zweifel angemeldet am Ausmaß und an der Wirksamkeit des Kulturtransfers wie an seiner Bewertung aus nationalgeschichtlicher Perspektive, ebenso daran, ob die gewonnenen Vorstellungen über Exil und Emigration anhand des Exodus der Eliten verallgemeinert werden dürfen. Ihr Schicksal, ihre Erfahrungen und Reaktionen spiegeln einen bedeutenden, aber begrenzten Teil der Wirklichkeit wider. Zwar existiert nach wie vor keine einheitliche Definition dessen, was unter Exil zu verstehen und wie der Forschungsgegenstand inhaltlich und zeitlich einzugrenzen sei, aber in dem Maße, in dem die Trennung von Exil und Emigration sowie die Beschränkung auf motivations- und tätigkeitsbezogene Teilbereiche als problematisch begriffen wurden, wandte sich die Exilforschung seit Ende der siebziger Jahre der gesamten Fluchtbewegung zu. Ihre Ergebnisse zeigen, daß der Begriff der »jüdischen Massenemigration« nur bedingt brauchbar ist. Es handelt sich um eine komplexe Bevölkerungsgruppe mit unterschiedlicher Nähe zur jüdischen Religion und Tradition und unterschiedlichem politischen Selbstverständnis. Damit zusammenhängend gab es die verschiedensten Abstufungen in den Lebensläufen: Auch wer als »rassisch« Verfolgter im Rahmen der Massenemigration floh und nicht ins »Exil ging«, konnte sich im Asylland politisch und kulturell für ein zukünftiges Deutschland einsetzen. Auch für diejenigen Flüchtlinge, die ihr Schicksal notgedrungen als Emigration erlebten, galt: Die Heimat war fremd geworden, und die Fremde war nicht heimisch. Der Zwiespalt war eher kennzeichnend, auch wenn vordergründig ein Bekenntnis zum Bruch mit dem Heimatland und zum Neubeginn im Aufnahmeland stand. Gerade für Emigranten, die keine Zuflucht in einem Land ihrer Wahl finden konnten, erweist sich diese Differenzierung als bedeutend.

Richtig ist allerdings, daß der Mehrheit der jüdischen Emigranten ein politisches Engagement fremd war und sie keine Perspektive darin sahen, sich politisch gegen das NS-Regime zu organisieren. Während für die Gegner des Nationalsozialismus, die sich als Vertreter eines in der Tradition des Humanismus stehenden

Deutschland verstanden, der Kampf gegen das NS-Regime wesentliches Element war, um ihre persönliche Identität zu wahren, stellte sich für Juden, denen ihr »Deutschsein« abgesprochen worden war und die man zu »Untermenschen« erklärt hatte, die Frage, ob dieses »andere« Deutschland nicht lediglich eine Fiktion sei und der Nationalsozialismus nicht im Gegenteil das »wahre« Gesicht dieses Landes zeige. So führte die Verfolgung bei Juden eher zu einer Rückbesinnung auf jüdische Religion und kulturelle Tradition. In dem Maße, in dem die Dimensionen der Ausrottungspolitik bekannt wurden, wurde die Gründung eines Staates Israel das politische Ziel der Juden und wuchs die Gewißheit, in das Land der Mörder nicht mehr zurückkehren zu können. Aber auch das war oft ein langer und schmerzhafter Prozeß.

Emigration und Widerstand

Sowohl die aus politischen Gründen gefährdeten Gegner des NS-Regimes als auch die vom Terror der SA in den ersten Monaten bedrohten Juden flohen zunächst in die Nachbarstaaten Deutschlands. Hierbei waren nicht nur die geographische Nähe, die eine schnelle Flucht ermöglichte, oder die persönlichen und geschäftlichen Beziehungen zu Bürgern dieser Staaten ausschlaggebend, sondern auch die Hoffnung, das NS-Regime werde rasch zusammenbrechen und eine Rückkehr bald möglich sein. Für die politischen Gegner des NS-Regimes war zudem die geographische Nähe zu Deutschland unerläßliche Bedingung, um ihre Ziele verwirklichen zu können. Vom Ausland aus wollten sie auf die Verhältnisse in Deutschland einwirken, die öffentliche Meinung in den Gastländern beeinflussen und zum Sturz des NS-Regimes beitragen. Sofern es sich um Vertreter linker Parteien und der von ihnen gebildeten Exilorganisationen handelte, stand der Kontakt zu Widerstandsgruppen in Deutschland und deren Unterstützung an herausragender Stelle. Zu diesem Zweck bauten sie durch Vertrauensleute ein Netz von Verbindungen auf, durch das Nachrichten aus Deutschland gelangten und Informations- und Propagandamaterial nach Deutschland eingeschmuggelt wurde.

Anderer Natur als diese konspirativen Formen des Widerstandes war der publizistische Kampf, die Schaffung einer Gegenöffentlichkeit zum offiziellen Deutschland. Zentrale Bedeutung kommt der Exilpresse auch als Kommunikationsmittel zwischen Schicksalsgenossen und Gleichgesinnten weit über den engen Kreis der politisch Aktiven hinaus zu. Sie befreite aus der Isolation, bot Orientierungshilfe und stellte für viele, die der Sprache des Exillandes nicht mächtig waren, die einzige Chance dar, sich zu informieren und am öffentlichen Diskurs teilzuhaben. So brachte das Exil trotz aller finanziellen, technischen und organisatorischen Schwierigkeiten eine Fülle von Publikationen hervor, an denen nicht nur vertriebene Berufsjournalisten und Politiker, sondern auch Schriftsteller einen entscheidenden Anteil hatten. Viele von ihnen wurden im Exil zu literarisch-politischen Publizisten und fanden in der Erhaltung der Muttersprache ihre Form des Daseinsbeweises im Exil. Andere verloren den Glauben an die Kraft des aufklärenden Wortes. Sie verstummten. Im Extremfall führte das Verstummen in den Tod wie bei Kurt Tucholsky, Ernst Toller und Stefan Zweig.

Aufgrund eines vergleichsweise liberalen Asylrechts, der Duldung der politischen Aktivitäten durch die Regierungen und der Unterstützung durch einheimische Partei- und Gewerkschaftsgruppen waren in der ersten Phase Frankreich und die Tschechoslowakei Zentren des Exils. Aber auch Belgien, die Niederlande, Dänemark und die Schweiz waren Länder, in die eine größere Anzahl floh. Das Saarland, das bis 1935 unter der Verwaltung des Völkerbundes stand, bildete einen Schwerpunkt des politischen Exils. Zum Zentrum des sozialdemokratischen Widerstandes wurde zunächst Prag, wo sich im Sommer 1933 der Parteivorstand der → SPD und 1935 die ihr nahestehende Gewerkschaftsvertretung niederließen. Auch die Vertretungen der österreichischen Sozialdemokraten und der Kommunisten (→ KPD) fanden nach der Umwandlung Österreichs in einen autoritären Ständestaat 1934 politisches Asyl in der Tschechoslowakei. Hier gab die SOPADE, die deutsche Exil-SPD, 1934 ihr → Prager Manifest heraus, das den Versuch darstellte, die verschiedenen sozialdemokratischen und sozialistischen Strömungen auf eine Programmlinie zu vereinigen.

Seit Sommer 1935 wurden in Paris Bemühungen unternommen, Kommunisten, Sozialdemokraten, Sozialisten, Vertreter der bürgerlichen und der katholischen Opposition zu einer Volksfront gegen das NS-Regime zusammenzuführen. Paris hatte sich zu einem politischen und kulturellen Mittelpunkt des oppositionellen Deutschland entwickelt, mit einer Vielzahl von Berufsorganisationen, Solidaritäts- und Selbsthilfekomitees, Clubs und Zirkeln, unter denen die Exil-KPD die stärkste politische Kraft war. Bereits Ende 1933 hielten sich annähernd 30000 der bis dahin insgesamt 65000 deutschen Emigranten in Frankreich auf. Unter ihnen waren 3000 Sozialdemokraten, 5500 Kommunisten sowie Vertreter kleinerer Linksparteien, prominente Politiker wie Rudolf Breitscheid, Willi Münzenberg, Schriftsteller wie Heinrich und Klaus Mann, Anna Seghers, Lion Feuchtwanger, Franz Werfel, um nur einige zu nennen. Schriftsteller, allen voran Heinrich Mann, waren es auch, die wesentlichen Anteil an dem Versuch hatten, die verschiedenen politischen Kräfte aus den alten Denk- und Handlungskategorien von »links« und »rechts« herauszuführen.

Der Versuch scheiterte endgültig 1938. Im Prozeß der »gegenseitigen Anziehung und Abstoßung«, wie der Sozialdemokrat Friedrich Stampfer das Verhältnis der politischen Kräfte zueinander beschrieb, obsiegte die Abstoßung, die Parteipolitik und -taktik triumphierten über die Ideenpolitik.

Der immer perfekter werdende Überwachungsapparat, der zur Zerschlagung der Infrastruktur des Widerstandes in Deutschland führte, der Anschluß Österreichs, der Druck auf Regierungen der Exilländer, die wie die Schweiz, die Tschechoslowakei und Frankreich mit Rücksicht auf mögliche deutsche Repressionen den politischen Spielraum der Emigranten einschränkten, die Besetzung der Tschechoslowakei und schließlich der Kriegsbeginn brachten die konspirativen Formen des Widerstandes zum Erliegen. Die entmutigende politische Entwicklung, wozu die Niederlage der spanischen Republik im Frühjahr 1939 (→ Spanischer Bürgerkrieg) und der → deutsch-sowjetische Nichtangriffspakt vom 23. August 1939 gehörten, wirkte sich lähmend aus. Der deutsche Angriff im Westen, erneute Flucht und die geographische Verstreuung machten auch andere Formen des politischen und publizistischen Kampfes weitgehend unmöglich und beschränkten die Aktivitäten der Exilierten auf Mitarbeit im Rahmen der politischen und militärischen Konzeption des jeweiligen Gastlandes.

Die Flucht der Juden aus Deutschland

Während die Zahl derer, die fliehen mußten, immer größer wurde, verringerte sich die Zahl der Länder in Europa, die nicht im deutschen Einfluß- und Machtbereich lagen, ständig. Wenn häufig Unverständnis darüber gezeigt wird, daß die deutschen Juden nicht »rechtzeitig« die Flucht ergriffen hätten, sondern viele bis zu einem Zeitpunkt warteten, als sich die Auswanderungsbedingungen erheblich verschlechtert hatten und es für eine bedeutende Zahl von Menschen schließlich gar nicht mehr möglich war, zu fliehen, so wird übersehen, daß der Emigration eine Vielzahl von wirtschaftlichen und politischen Schwierigkeiten, von praktischen und nicht zuletzt psychologischen Problemen entgegenstand. In den ersten Jahren des NS-Regimes spielte das Selbstverständnis der deutschen Juden eine entscheidende Rolle. Die Mehrheit verstand sich als deutsche Patrioten, fühlte sich als Teil der deutschen Kultur und Geschichte, hing dem Traum einer deutsch-jüdischen Symbiose an. Viele waren deutsch-national eingestellt, mit Kriegsauszeichnungen dekoriert und vertraten den Standpunkt, daß der Gefreite Hitler einen Offizier des Kaisers nicht aus seinem Vaterland vertreiben könne. Auch gab mancher sich der Illusion hin, nicht er könne gemeint sein, vielmehr seien nur die nach Deutschland eingewanderten osteuropäischen Juden, von denen 1933 etwa 12000 zur Rückwanderung in ihre Heimatstaaten genötigt worden waren, vom Rassenhaß der Nationalsozialisten betroffen. Besonders unfaßbar waren die Ereignisse für jene Menschen, die sich dem Judentum nicht mehr verbunden fühlten. In der jüngeren Generation erfuhr manch einer erst jetzt, daß die Eltern oder ein Elternteil jüdischen Ursprungs waren.

Man glaubte zunächst an eine Zähmung der Nationalsozialisten durch ihre konservativen Verbündeten, an eine Entradikalisierung oder, wie die geflohenen politischen Gegner, an ein schnelles Ende des NS-Regimes. Nach jeder neuen, gegen die Juden gerichteten Maßnahme hofften die Menschen, dies sei die letzte, denn das Maß des Vorstellbaren und Erträglichen schien voll. Sie lernten die Belastungsgrenze immer höher hinaufzuschieben. Irgendwie ging das Leben noch weiter, wenn auch mit wachsenden materiellen Schwierigkeiten und Demütigungen. Es gab auch immer wieder Hoffnungsschimmer, wenn Phasen offenen Terrors und Gesetze, welche die gesamte Judenschaft diskriminierten, von einer schleichenden, in ihren Ausmaßen für den einzelnen unüberschaubaren Verfolgung abgelöst wurden. Die Wirklichkeit scheint nur dem nachträglich Betrachtenden klar und eindeutig, für die Betroffenen war sie viel komplizierter. Erst das Novemberpogrom 1938 brachte das Ende der Illusionen. Im Gegensatz zur Entwicklung in Deutschland traf die 190000 österreichischen Juden das ganze Ausmaß der Entrechtung und Verfolgung innerhalb weniger Wochen und Monate. Hier begann unter Adolf Eichmann sehr rasch eine Vertreibungspolitik ohne Rücksicht auf eine geordnete Auswanderung und auf legale Einwanderungsmöglichkeiten, die nach dem Novemberpogrom ihre Parallele im sogenannten Altreich fand.

NS-Auswanderungspolitik und Aufnahmebereitschaft der Exilländer

Die Reaktionen in den einzelnen Ländern auf die Fluchtbewegung der ersten Jahre hatten deutlich gemacht, daß der Auswanderung nicht nur aus subjektiven Gründen Grenzen gesetzt waren, wobei auch Bedenken seitens der Regierungen, eine uneingeschränkte Aufnahme jüdischer Flüchtlinge würde dazu beitragen, die Austreibungspolitik der Nationalsozialisten zu sanktionieren, nicht als bloßes Alibi-Argument abgetan werden können, wenn auch letztlich sozial- und wirtschaftspolitische Überlegungen den Ausschlag gaben. Eine Reihe von Ländern, darunter Großbritannien und die USA, knüpften die Einwanderungserlaubnis u. a. an den Nachweis eines gewissen Vermögens oder an die Ausübung eines Mangelberufs bzw. an die Unterhaltsgarantie durch einen engen Verwandten. Die Entwicklung im Gefolge der Konferenz im französischen → Evian, als Reaktion auf die rigorose Vertreibung der Juden aus Österreich vom amerikanischen Präsidenten Franklin D. Roosevelt im Juli 1938 einberufen, zeigte, daß auch die Länder Latein- und Mittelamerikas dazu übergingen, ihre Einwanderungsgesetzgebung zu verschärfen, sofern sie dies nicht bereits vorher aufgrund von fremdenfeindlichen und antisemitischen Reaktionen in der Bevölkerung getan hatten. Sie verlangten in der Regel ein sogenanntes Vorzeigegeld von einigen 100 bis einigen 1000 Dollar und den Nachweis, daß der Visumbegehrende befähigt war, in der Landwirtschaft oder als selbständiger Industrieller zu arbeiten. Viele Länder, die unter den Folgen der Weltwirtschaftskrise litten, untersagten zumindest auf dem Papier abhängige Erwerbsarbeit generell oder in bestimmten Berufszweigen, um die Flüchtlinge als unerwünschte Konkurrenz vom einheimischen Arbeitsmarkt fernzuhalten. Damit wurden diese aber zu einer Belastung für die private und öffentliche Wohlfahrt.

Es war die NS-Auswanderungspolitik selbst, die die Aufnahmebereitschaft potentieller Einwanderungsländer untergrub. Wenn die Auswanderungspolitik zwar in ihren Grundzügen auf geographische Verdrängung der Juden ausgerichtet war, bis sich 1941 die Vernichtungspolitik durchsetzte (→ Rassenpolitik und Völkermord; → Endlösung), so war sie doch von verschiedenen Widersprüchen gekennzeichnet, nicht zuletzt, weil die an der Auswanderung beteiligten Behörden unterschiedliche Interessen verfolgten und man an der Vertreibung der Juden kräftig verdienen wollte. Wer sich zur legalen Ausreise entschloß, sah sich, abgesehen von den zermürbenden und oft genug demütigenden Bemühungen um die Beschaffung von Visa, Transitvisa und Schiffspassagen, einer Fülle von bürokratischen Barrieren gegenüber. Diverse Papiere mußten beigebracht werden, darunter die Unbedenklichkeitsbescheinigungen seitens des Auswärtigen Amtes, der Gestapo und der Finanzbehörden. Abgaben waren zu leisten, darunter die → Reichsfluchtsteuer, die im Verein mit devisenwirtschaftlichen Bestimmungen einer Ausraubung gleichkam. Einen vergleichsweise günstigen Transfer von Pri-

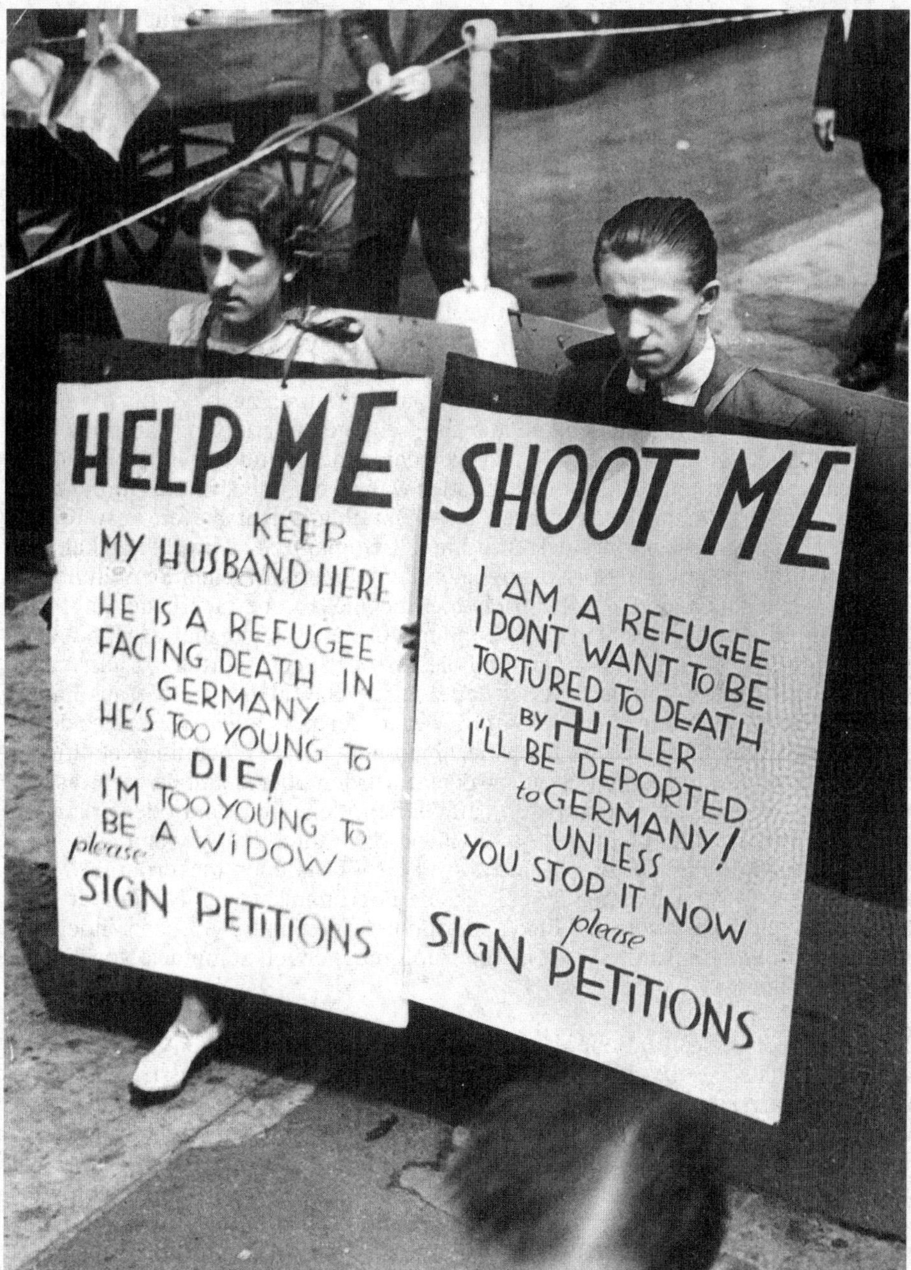

Abb. 44: Das Foto vom 12. Juni 1936 zeigt den deutschen Juden Otto Richter, der zusammen mit seiner Frau auf der amerikanischen Einwandererinsel Ellis Island gegen seine Zwangsdeportation zurück nach Deutschland protestiert. Er konnte keine gültigen Einreisepapiere für die USA vorweisen.

vatvermögen gab es für Palästina durch das → Haavara-Abkommen vom September 1933. Und so war es durchaus typisch, daß Flüchtlinge bis 1938 mit einer kompletten Wohnungseinrichtung ausreisten, aber nur die seit 1937 noch erlaubten 10 RM Bargeld in der Tasche hatten. Von der Vertreibung der Juden, denen die Existenzgrundlage geraubt worden war, versprach sich das NS-Regime das Anwachsen antisemitischer Ressentiments in den Aufnahmeländern und Sympathien für ihre eigene judenfeindliche Politik. In diesem Sinne unterstützte die → Auslandsorganisation der NSDAP einheimische Kreise, die gegen die Aufnahme von Flüchtlingen agitierten. Und gerade weil der Zuzug größerer Massen mittelloser Juden eine Belastung des Gesellschaftsgefüges darstellte, lockerten die Regierungen bestehende restriktive Einwanderungsbedingungen nicht oder verschärften sie noch weiter.

Wenn dennoch seit 1938 mehr Menschen als in den Jahren zuvor Zuflucht fanden – von den knapp 280 000 Juden, die aus Deutschland emigrierten, waren bis 1937 etwa 129 000 ausgewandert –, so hat das verschiedene Gründe: Von den Flüchtenden selbst wurden jetzt auch solche Länder wahrgenommen, in die sie bei noch nicht so unerträglichen Bedingungen im Heimatland nicht hatten auswandern wollen. Hierzu gehörten die meisten Länder Lateinamerikas und Shanghai. Zudem fiel die Einwanderungspraxis in vielen lateinamerikanischen Staaten liberaler aus, als es die Gesetze vorschrieben. Eine nicht unbeträchtliche Zahl von Flüchtlingen gelangte illegal in diese Länder, wozu ein schwunghafter Handel mit gefälschten Visa bzw. mit Visa, die ohne die gesetzlich geforderten Voraussetzungen von den Konsuln ausgestellt wurden, beitrug. Sie taten dies teils aus humanitären Gründen, häufiger jedoch zum Zwecke der persönlichen Bereicherung, indem sie sich die Dokumente teuer bezahlen ließen. Die Flüchtlinge betätigten sich im Land in unerlaubten Berufszweigen, wurden aber dennoch nicht ausgewiesen. Andere reisten als Touristen ein, blieben illegal im Land oder erlangten gegen entsprechende Gebühren schließlich die Aufenthaltsgenehmigung. So wichtige Aufnahmeländer wie die USA und Großbritannien lockerten ihre Einwanderungspraxis nach dem Schock, den die Pogromnacht vom November 1938 auslöste. Auch die Schweiz und die Niederlande öffneten ihre Grenzen, indem sie Flüchtlinge ohne gesicherte Weiterwanderungsmöglichkeit zumindest vorübergehend aufnahmen.

Die jüdischen Organisationen in Deutschland hatten ab 1936 verstärkt auf Auswanderung gesetzt und angesichts der besonderen Berufsstruktur ihrer Mitglieder versucht, die potentiellen Auswanderer durch Umschulungsmaßnahmen auf handwerkliche und landwirtschaftliche Berufe vorzubereiten und durch Beratung und Information über mögliche Aufnahmeländer, durch Hilfe bei der Beschaffung der notwendigen Papiere und Reisedokumente eine geregelte Auswanderung zu fördern. In den meisten Ländern des Exils hatten sich Hilfsorganisationen gebildet, teils waren sie konfessionell orientiert, teils setzten sie sich besonders für bestimmte Berufs- oder politische Gruppen ein. Während der Völkerbund aus verschiedenen Gründen bei der praktischen Hilfe für die Flüchtlinge kaum eine Rolle spielte, waren es die großen, international operierenden, jüdischen Organisationen wie das American Jewish Joint Distribution Committee und die United Hebrew Sheltering and Immigrant Aid Society, die, zusammengeschlossen mit weiteren Organisationen, unter dem Namen HICEM der großen Mehrheit zur Flucht verhalfen. Ihre lokalen Ableger betreuten die Geflüchteten auch im Exilland und auf den verschiedenen Stationen ihres Fluchtweges.

Das Jahr 1940 bedeutete für diejenigen, die in die Niederlande, nach Belgien oder Frankreich emigriert waren, erneute Flucht und Suche nach einem Aufnahmeland, diesmal unter ungleich schwierigeren Bedingungen als zuvor. Deutsche und österreichische Juden, die nach England geflüchtet waren, mußten erleben, daß sie im Asylland nun als »enemy alien« betrachtet und vorübergehend interniert, später in der Rüstungsindustrie und in der Landwirtschaft dienstverpflichtet wurden. Was eine Besetzung durch deutsche Truppen für die Emigranten zur Folge hatte, erlebten die nach Frankreich Geflüchteten, die verzweifelt versuchten, nach Spanien und Portugal zu entkommen, um von dort nach Amerika zu gelangen, da diese Länder sich nur als Transitländer verstanden. All diese erniedrigenden und mit großer Angst durchlebten Erfahrungen wogen schwer bei dem Versuch, in einem neuen Land Fuß zu fassen. Dennoch konnten sie sich zu den Glücklichen zählen, im Gegensatz zu anderen, die ihr Fluchtziel nie erreichten oder von dort wieder zurückgeschickt wurden, weil die Gültigkeit ihrer Papiere nicht anerkannt wurde, wie im Falle der über 900 Passagiere der St. Louis, um nur ein Beispiel zu nennen. Sie mußten Kuba im Sommer 1939 wieder verlassen und wurden nach Europa zurücktransportiert, wo sie wahrscheinlich der »Endlösung« zum Opfer fielen.

Probleme der Akkulturation

Angesichts der geographischen Vielfalt und der Unterschiede in den politischen, wirtschaftlichen und sozialen Verhältnissen in den einzelnen Aufnahmeländern fanden die Emigranten sehr unterschiedliche Bedingungen vor, denen sie sich anzupassen hatten. Dies galt für die politische Betätigung, für die Erwerbsmöglichkeiten wie für den Akkulturationsprozeß überhaupt. Es handelt sich hierbei idealtypisch um einen Annäherungs- und Angleichungsprozeß an die Kultur des Exillandes, an Wertvorstellungen und Lebensgewohnheiten, an dessen Ende die Identifizierung mit der Geschichte und Kultur des Landes steht. Je nach individueller Prägung und Veranlagung, nach den beruflichen und finanziellen Möglichkeiten, der politischen Einstellung und dem Alter hatte die Frage nach der Eingliederung für den einzelnen eine je eigene Qualität, waren Tempo und Intensität der Akkulturation verschieden. Einen besonderen Kulturschock erlebte, wer nach Shanghai oder in die kleinen Länder Lateinamerikas verschlagen worden war. Je größer der Kulturunterschied vom Aufnahmeland zum Herkunftsland war, desto schwieriger gestaltete sich dieser Prozeß, um so mehr grenzten sich die Emigranten von ihrer Umgebung ab und um so ausgeprägter war später der Wille, weiterzuwandern, vor allem in die USA, dem Wunschland vieler Emigranten. Eine große Zahl von Flüchtlingen aus akademischen und wissenschaftlichen Berufen, Künstler, Schriftsteller, Publizisten und einzelne Politiker, vor allem aus dem sozialdemokratischen und bürgerlichen Lager, waren aus dem europäischen Exil in die Metropolen New York und Los Angeles emigriert und fanden dort zumindest zum Teil vergleichsweise bessere Startbedingungen vor als in anderen Ländern.

Für die Mehrheit der Emigranten war der erste Schritt ein schlecht bezahlter Job als ungelernter Arbeiter, als Koch, Bote oder als Kleinproduzent und Hausierer. Die »Klopperei« und der Verkauf von Waren auf Raten waren besonders für Lateinamerika-Emigranten typisch und führten bald zu sozialen Spannungen mit Einheimischen. Besonders schwer hatten es diejenigen, die in kaum erschlossenen tropischen Gebieten ihrer Verpflichtung, in der Landwirtschaft zu arbeiten, nachkamen oder in Shanghai in Barackenlagern lebten und auf Speisung durch die Armenküchen angewiesen waren. Nicht selten waren es in der Anfangszeit die Frauen, die durch Dienstleistungen und durch die Herstellung von Produkten in Heimarbeit die Existenzsicherung der Familie übernahmen, besonders dann, wenn die Männer es aufgrund ihrer früheren Berufe besonders schwer hatten, eine Arbeit zu finden bzw. sich mit ihrer Deklassierung abzufinden. Hierzu gehörten Ärzte, die, wollten sie in ihrem Beruf weiterarbeiten, in der Regel ihre Approbation neu erwerben und sich gegen die Interessen der einheimischen Kollegen durchsetzen mußten, Juristen, deren auf das deutsche Recht zugeschnittene Fachkenntnisse wertlos geworden waren, und Intellektuelle, darunter bekannte Schriftsteller, die nicht selten in Zorn und Verzweiflung verharrten. Anders als etwa die Musiker und Dirigenten traf sie der Verlust ihrer Sprachwelt an der Wurzel ihrer beruflichen und intellektuellen Existenz.

Der Mehrheit der Emigranten gelang der Aufbau einer neuen Existenz. Langfristig brachten es nicht wenige zu Wohlstand und sozialem Ansehen, sie wurden zu Kapazitäten auf verschiedenen Fachgebieten und gaben in industriell wenig fortgeschrittenen Ländern neue Impulse für die Entwicklung in diversen Wirtschaftszweigen. Andere scheiterten bei dem Versuch, wirtschaftlich Fuß zu fassen, nicht nur an mangelnden finanziellen Mitteln und fehlender beruflicher Agilität, sondern auch an der Last der erlittenen Demütigungen und am Verlust ihrer Heimat. Sie vermochten weder wirtschaftlich noch sozial neue Wurzeln zu schlagen.

Auch die Masse der Emigranten erlebte den Verlust ihrer Sprachwelt, wenngleich weniger existentiell und darum weniger schmerzlich. Auch für sie war die Sprache mehr als ein bloßes Verständigungsmittel mit Worten; sie war Teil der Kultur des Landes, dem sie sich als zugehörig betrachtet hatten und aus dem sie brutal vertrieben worden waren. Und wo immer sich Emigranten in größerer Zahl niederließen, konzentrierten sie sich in bestimmten Stadtteilen und schufen sich Organisationen nach dem Vorbild in ihren Heimatländern, die neben der Aufgabe, praktische Hilfestellung im Alltag zu leisten, sich zum Ersatz für eine verlorene Lebenswelt entwickelten. Die Emigranten schlossen sich in der Regel nicht den bereits in vielen Ländern bestehenden jüdischen Gemeinden an, sondern gründeten eigene, die mit einem Netz von Organisationen geistliche, karitative und kulturelle Aufgaben erfüllten. Als Beispiel für den kulturellen Überlebenswillen in der Emigration sei hier das Theater genannt, das als Bildungsgut von den meist aus größeren Städten stammenden Emigranten besonders vermißt wurde. In fast allen Exilländern wurde der Versuch gemacht, an die heimatliche Tradition des Theaters anzuknüpfen, wenn auch die meisten Bühnen über ein sogenanntes Liebhabertheater nicht hinauskamen. Das Festhalten an Sprache, Kultur, Sitten und Gebräuchen in einer fremden Umwelt wirkte identitätsstiftend und gemeinschaftsbildend. Es war Heilmittel für den Verlust materieller und ideeller Werte.

Es war aber auch Gegenstand von Auseinandersetzung über das, was als kulturelles Erbe für Juden noch zu gelten habe, und stellte eine Abkapselung gegenüber dem Exilland dar. So entstand eine Einwandererkultur, die nur ganz allmählich Elemente aus der Kultur des Gastlandes in sich aufnahm und erst mit dem Heranwachsen neuer Generationen an Bedeutung verlor.

Diejenigen Flüchtlinge, die sich weder religiös noch kulturell dem Judentum verbunden fühlten oder ihre jüdische Herkunft als sekundär betrachteten, fanden sich in verschiedenen literarischen Zirkeln, geselligen Clubs, Theatervereinen und in Organisationen zusammen, die sich als Teil einer antifaschistischen Bewegung verstanden und in vielen Fällen ebenfalls soziale und kulturelle Funktionen für ihre Mitglieder wahrnahmen. Die Zentren des politischen Exils hatten sich durch die Expansionspolitik des NS-Regimes nach Großbritannien, Schweden, in die Schweiz und im Falle der KPD in die Sowjetunion verlagert. In Lateinamerika bildeten sich in Buenos Aires und Mexiko-Stadt kulturelle und politische Zentren mit überregionaler Bedeutung für die anderen Länder Lateinamerikas. In Mexiko war es die kommunistisch geführte Bewegung Freies Deutschland unter Paul Merker, in Argentinien das von Anhängern der Sozialistischen Arbeiterpartei Deutschlands unter dem Pädagogen August Siemsen entstandene Andere Deutschland.

Wie in den anderen Zentren des politischen Exils diskutierte man in den vierziger Jahren hier vor allem über die Gestaltung Deutschlands nach dem Krieg. Während die kommunistisch geführten Exilorganisationen aus Gründen einer breiten Bündnispolitik nur sehr allgemein gehaltene Vorstellungen über die zukünftige Gestaltung Deutschlands entwickelten und sich als bedingungslose Verfechter alliierter Nachkriegspolitik verstanden, waren die Ziele sozialistischer und sozialdemokratischer Gruppen auf eine sozialistische Wirtschaftsordnung gerichtet; den sich langsam herauskristallisierenden Abtretungs-, Besatzungs- und Teilungsplänen standen sie ablehnend gegenüber. Obwohl bei den letztgenannten Gruppen ein großes Maß an Übereinstimmung in ihren programmatischen Konzeptionen festzustellen ist, gelang es ihnen nicht, eine repräsentative Vertretung der deutschen Opposition im Ausland zustande zu bringen, ebensowenig gelang es, eine international anerkannte Exilregierung zu bilden, wie es sie für die besetzten Länder mit Ausnahme Österreichs gab. Doch lag das nicht nur an der Zerstrittenheit der deutschen und der österreichischen Opposition, sondern auch am mangelnden Willen der Gastländer, einen solchen Repräsentationsanspruch anzuerkennen.

Entsprechend gering war der Einfluß der Emigranten auf die politische Entwicklung in den beiden deutschen Staaten nach 1945, bzw. waren ihre Einwirkungsmöglichkeiten eng an die Vorgaben durch die Besatzungsmächte gebunden. Von verschiedenen Ausnahmen abgesehen, machten sowohl die aus rassischen als auch die aus politischen Gründen Vertriebenen, die in der Nachkriegszeit zurückkamen, die bittere Erfahrung, daß sie wenig willkommen waren. Nicht zuletzt deshalb kehrten viele, die »mit dem Gesicht nach Deutschland« geflohen waren, nicht mehr dauerhaft zurück. So wurde das Exil auch für sie zur endgültigen Emigration, ebenso wie für die Masse der jüdischen Emigranten, von denen

Schätzungen zufolge höchstens vier Prozent in den Westen Deutschlands und Berlins zurückkehrten.

Literatur

Benz, Wolfgang (Hg.): *Das Exil der kleinen Leute. Alltagserfahrung deutscher Juden in der Emigration,* München 1991.

Biographisches Handbuch der deutschsprachigen Emigration nach 1933. Hg. von Werner Röder und Herbert A. Strauss, 3 Bde., München/New York/London/Paris 1980ff.

Exilforschung. Ein Internationales Jahrbuch, 1983ff.

Frühwald, Wolfgang / Wolfgang Schieder (Hg.): *Leben im Exil. Probleme der Integration deutscher Flüchtlinge im Ausland 1933-1945,* Hamburg 1979.

Walter, Hans-Albert: *Deutsche Exilliteratur 1933-1950,* 3 Bde., Stuttgart 1978ff.

Widerstand

Von Hermann Graml

Widerstand gegen das NS-Regime, also jeder Akt aktiver Bekämpfung des Systems und seines Führers Adolf Hitler, von der Herstellung und dem Kleben regimefeindlicher Plakate bis zum versuchten Attentat und Staatsstreich, war von 1933 bis 1945 die Sache relativ kleiner und in der Bevölkerung weitgehend isolierter Gruppen, die sich auch dann nicht zu einer »Widerstandsbewegung« entwickelten, wenn einzelne Kreise in Verbindung traten und zu Kooperation fanden. Der vor 1943 einzige ernsthafte Anschlag auf Hitler, unternommen am 8. November 1939 im Münchener Bürgerbräukeller (→ Attentate auf Hitler), war sogar die Tat eines Einzelgängers, des Kunstschreiners Georg Elser, der nach sorgfältiger und langwieriger Vorbereitung mit seiner selbstgebastelten Bombe auch erfolgreich gewesen wäre, hätte Hitler die Traditionsveranstaltung, auf der er gesprochen hatte, nicht vorzeitig verlassen. Ursache für diese Fragmentierung der Opposition war einmal der Terror, den die → Geheime Staatspolizei (Gestapo), sonstige Sicherheitsorgane und die NSDAP mit ihren Gliederungen immer effizienter ausübten (→ Verfolgung). Weit wichtiger aber war die Tatsache, daß es der nationalsozialistischen Bewegung und ihrem Führer gelang, auch die nicht in der Partei organisierten und ihr anfänglich oft feindlich oder doch skeptisch gegenüberstehenden Teile der Nation durch wirtschaftliche, außenpolitische und militärische Erfolge – nach der Kriegswende durch die verbindend wirkende Drohung der totalen Niederlage – wieder und wieder zu zeitweiliger und partieller Loyalität zu bewegen und damit politisch zumindest zu neutralisieren.

Kommunistischer Widerstand

Auch die → KPD, die bei den Novemberwahlen 1932 immerhin 16,9 Prozent der Stimmen gewann und zu dieser Zeit rund 360 000 Mitglieder zählte, ist der Isolierung nicht entgangen. Zwar hatten sich die deutschen Kommunisten in Erwartung einer temporären Herrschaft der NSDAP bereits seit Ende der zwanziger Jahre auf eine Periode im Untergrund vorbereitet, was es ermöglichte, daß in den ersten zwei bis drei Jahren nach dem 30. Januar 1933 ein weitverzweigtes organisatorisches Netz bestehenblieb bzw. trotz der Gegenmaßnahmen des Regimes immer wieder neu geknüpft werden konnte, ein Netz von Funktionärsgruppen, die für eine gewisse Zeit sogar noch die Beiträge der Parteimitglieder kassierten. Auf der anderen Seite waren aber die Kommunisten, von den Nationalsozialisten mit Recht als entschlossenste Gegner gefürchtet, vor allen anderen dem Terror des Regimes ausgesetzt. Bereits in den ersten Monaten nach Hitlers Machtübernahme wurde der größere Teil der wichtigeren Funktionäre ermordet, verhaftet oder zur Flucht ins Ausland gezwungen, und das mittlere Funktionärskorps hatte nicht geringere Verluste aufzuweisen; Anfang Juli 1933 saßen nach partei-internen Schätzungen und nach Gestapo-Berichten zwischen 12000 und 15000 kommunistische Aktivisten in Haft. Wenn der Kampf dennoch geraume Zeit mit größter Opferbereitschaft fortgesetzt wurde – vom Druck und der Verbreitung zahlloser Flugblätter und sonstiger Schriften bis zum Durchtrennen des Hauptstromkabels während einer Hitler-Rede in Stuttgart; von 1933 bis 1935 erschien im Untergrund sogar noch das Zentralorgan der KPD, *Die Rote Fahne* –, so fielen doch mehr und mehr Funktionäre und Parteimitglieder den Sicherheitsorganen des Regimes zum Opfer. Ab 1935 sahen sich die übriggebliebenen Zirkel genötigt, sich mit der Konservierung der ideologischen und organisatorischen Substanz zu bescheiden: Ihr Ziel bestand nun darin, beim Ende der NS-Herrschaft existent und handlungsfähig zu sein. Oppositionelle Aktivitäten verlagerten sich notwendigerweise ins Exil (→ Emigration). Daß Moskau und die Komintern seit August 1935 die Parole der »Volksfront«, das heißt einer im Zeichen des Antifaschismus stehenden Kooperation mit Sozialdemokraten und linksbürgerlichen Kräften, ausgaben, vermochte an der Lage in Deutschland nichts mehr zu ändern. Mittlerweile stand die Arbeiterschaft zudem unter dem Einfluß des wirtschaftlichen Aufschwungs und des damit verbundenen Abbaus der Arbeitslosigkeit; außerdem blieb auch die Stimmung der Arbeiter von den außenpolitischen Erfolgen des NS-Staates nicht unberührt. Wohl gelang es dem Regime nicht, die Arbeiterschaft für den Nationalsozialismus zu gewinnen, aber ihre politische Ruhigstellung konnte weitestgehend erreicht werden.

Dennoch sind selbst unter den erschwerten Bedingungen der Kriegsjahre wieder und wieder Zellen des Arbeiterwiderstands gebildet und auch organisatorische Ansätze zu größeren Netzen geschaffen worden, zumal der Krieg die vorübergehend erlahmte Hoffnung auf ein baldiges Ende der NS-Herrschaft wiederbelebte. Inzwischen arbeitete aber die Gestapo noch effizienter als in der ersten Phase nach der »Machtergreifung«, und so wurde Gruppe um Gruppe – nicht selten auf Grund der Tätigkeit eingeschleuster Spitzel – zerschlagen: etwa der Berliner Kreis um Robert Uhrig und John Sieg (in den Anfangsmonaten 1942); der Hamburger Kreis um Bernhard Bästlein und Franz Jacob (ebenfalls 1942); die aus Künstlern, Intellektuellen und Beamten ideologisch höchst heterogen zusammengesetzte, jedoch um einen aus Kommunisten bestehenden Kern (Harro Schulze-Boysen, Oberleutnant im Reichsluftfahrtministerium, und Arvid Harnack, Oberregierungsrat im Reichswirtschaftsministerium) zentrierte Gruppe, die von der deutschen → Abwehr dem in Mittel- und Westeuropa arbeitenden und von ihr »Rote Kapelle« getauften nachrichtendienstlichen Netz der Sowjetunion zugerechnet wurde, obwohl nur wenige Angehörige des Kreises nachrichtendienstlich tätig waren – und das bloß kurze Zeit und wenig effektiv (September 1942); das gleiche Schicksal erlitt die Gruppe, die Wilhelm Knöchel seit Anfang 1942 von Berlin aus in Westdeutschland aufbaute (Anfang 1943). Einer der letzten Zirkel, den Anton Saefkow und Franz Jacob – der sich in Hamburg der Verhaftung hatte entziehen können – organisierten, trat 1944 mit Julius Leber und Adolf Reichwein und über diese beiden Sozialdemokraten mit Claus Graf Schenk von Stauffenberg und seinen Verschwörern in Verbindung; fast alle seiner Angehörigen fielen im Sommer 1944 in die Hände der Gestapo (→ 20. Juli 1944). Von der ersten Phase nach 1933 abgesehen, existierten in den Jahren des Dritten Reiches nur sporadische Kontakte zwischen den kommunistischen Zellen in Deutschland und der Komintern bzw. der sowjetischen Führung, und wenn es sie gab, erwiesen sie sich meist als schädlich oder bestenfalls als ineffektiv, da in Moskau die Wirkungsmöglichkeiten der Kommunisten in Deutschland durchweg weit überschätzt und folglich gefährliche oder undurchführbare Anweisungen gegeben wurden.

Sozialistischer Widerstand

Der Sozialdemokratie war im großen und ganzen das gleiche Los wie den Kommunisten beschieden, zumal sie sich mental und organisatorisch viel schlechter auf Hitlers »Machtergreifung« und Machtbefestigung vorbereitet zeigte (→ SPD). Jedoch gelang es den Sozialdemokraten, die sich flexibler verhalten konnten, weitaus besser, Verbindung zwischen den Exilierten und einem Netz von Vertrauensleuten und Informanten in Deutschland zu halten; von April/Mai 1934 bis April 1940 konnte daher der Exilvorstand die *Deutschland-Berichte der Sozialdemokratischen Partei Deutschlands* (SOPADE) erst in Prag und dann in Paris herausgeben, die als Bindeglied zwischen den einzelnen Gruppen im In- und Ausland von großer Bedeutung waren. Nachdem die deutschen Truppen auch Westeuropa erobert hatten und damit die emigrierten Sozialdemokraten entweder in die Hände der Gestapo gefallen oder zur weiteren Flucht nach Großbritannien bzw. in die USA gezwungen gewesen waren, riß die Verbindung zwischen Exil und innerdeutschem Widerstand freilich ab, und nun waren auch die sozialdemokratischen Zellen in Deutschland endgültig genötigt, sich auf eine Strategie des Überlebens zu beschränken, nachdem sie schon zuvor – wie die Kommunisten – in jene Isolierung geraten waren, die sich aus der politischen Neutralisierung der Arbeiterschaft durch das Regime ergab. Im Überwintern – das heißt praktisch in der Behauptung ihres »Milieus« gegen nationalsozialistische Indoktrination und Infiltration – waren sie allerdings erfolgreicher als die Kommunisten und deshalb in der Lage, sofort nach Kriegsende politisch aktiv und alsbald zu einer der tragenden Säulen eines »neuen« Deutschland zu werden. Einzelne wie Julius Leber, Wilhelm Leuschner, Theodor Haubach und Carlo Mierendorff hatten zuvor noch in Beziehung zu den zivilen und militärischen Widerstandsgruppen treten können, die hinter dem Staatsstreichversuch vom 20. Juli 1944 standen; bis auf Mierendorff, der in der Haft einem Luftangriff zum Opfer fiel, wurden alle, nicht anders als die meisten ihrer bürgerlich-konservativen Kampfgefährten, hingerichtet.

Eine Sonderrolle konnten anfänglich jene sozialistischen Gruppen und Grüppchen spielen, die bereits in der Weimarer Zeit zwischen KPD und SPD gestanden hatten: Die Sozialistische Arbeiterpartei Deutschlands (SAPD bzw. SAP) mit dem Schwerpunkt in Berlin und Mitteldeutschland, geleitet von Walter Fabian; der Internationale Sozialistische Kampfbund (ISK) unter Willi Eichler (im Pariser Exil) und Julius Philippson (in Deutschland); die »Roten Kämpfer« um Arthur Goldstein, Alexander Schwab und Karl Schröder; die nach ihrer im September 1933 im Karlsbader Graphia-Verlag erschienenen Programmschrift *Neu Beginnen* benannte Gruppe um Walter Loewenheim, der unter dem Pseudonym »Miles« auch jene Schrift verfaßt hatte. Aus hochqualifizierten Intellektuellen zusammengesetzt, relativ klein, zum Teil schon vor 1933 konspirativ arbeitend, lagen diese Zirkel anfänglich noch kaum im Blickfeld der Gestapo. Bis zum Beginn des Krieges wurden sie jedoch alle zerschlagen, wenn auch Reste sowohl der SAP wie des ISK, vor allem aber von »Neu Beginnen« noch während des Krieges, ja bis 1945, bestanden und nicht nur geistige, sondern auch eine gewisse organisatorische Substanz bewahrten.

Liberale und Konservative

In gleichem Sinne verhielten sich letzte Überbleibsel liberaldemokratischen Bürgertums, so die Gruppe um den Berliner Richter Ernst Strassmann, den Hamburger Kaufmann Dr. Hans Robinsohn und den Berliner Journalisten Oskar Stark, vor 1933 in der linksliberalen Deutschen Demokratischen Partei tätig. Pfingsten 1934 gegründet und straff organisiert, bestand die Hauptarbeit der Gruppe, zu der auch der spätere prominente FDP-Politiker Thomas Dehler zählte, darin, für die Zeit nach dem Zusammenbruch des NS-Regimes ein liberaldemokratisches Kontrastprogramm zum Nationalsozialismus zu entwerfen. Jedoch entstanden Kontakte sowohl zum sozialdemokratischen (Haubach, Leber) wie zum nationalkonservativen (Goerdeler, Beck, Oster) Widerstand, und seit 1938 strebte der Kreis die Beteiligung an einer Übergangsregierung nach dem Sturz Hitlers an. Strassmann wurde indes im August 1942 verhaftet und saß bis Kriegsende in Schutzhaft, während der Verbindungsmann zu Goerdeler, Fritz Elsas, nach dem 20. Juli 1944 in Gestapohaft kam und im Januar 1945 im KZ Sachsenhausen ermordet wurde.

Ansonsten blieben aber das Bürgertum und die national-konservativen Eliten – mit einer Ausnahme – bis 1938 völlig passiv. Mehrheitlich in antiliberalen und demokratiefeindlichen Traditionen lebend, wilhelminischen Großmachtträumen nachhängend und daher unter der Niederlage im Ersten Weltkrieg und dem harten Frieden von Versailles tief leidend, vielfach auch antisemitisch gestimmt und im »Judentum« einen der Urheber aller schmerzenden und unbegriffenen Rückschläge auf militärischem, politischem und wirtschaftlichem Felde sehend, begrüßte die Majorität des bürgerlichen Deutschland die Zerstörung der parlamentarischen Demokratie, zumal dann, wenn die Ausschaltung des Parlaments, die Liquidierung der politischen Freiheiten und die Errichtung einer Einparteiendiktatur als notwendige Bedingungen für die Unterdrückung der verhaßten politischen Organisationen der sozialistischen und kommunistischen Linken verstanden wurden; auch die erkennbaren außenpolitischen Ziele Hitlers und die rassistischen Theoreme des Nationalsozialismus begegneten vielfach ausdrücklicher Zustimmung.

Die eine Ausnahme in den frühen Jahren des Regimes stellte ausgerechnet eine Gruppe um einen der schärfsten Kritiker des Weimarer Staates dar. Edgar Jung, ein rechtskonservativer Intellektueller, der die Weimarer Republik als *Herrschaft der Minderwertigen* (so der Titel seines publizistischen Hauptwerks) gesehen hatte, avancierte nach Hitlers Machtübernahme zum politischen Chefberater des Vizekanzlers Franz von Papen und sammelte in der Vizekanzlei einen Kreis konservativer Intellektueller um sich. Mit den Realitäten der Diktatur Hitlers konfrontiert, machten Jung und seine Freunde eine rasche und tiefe Wandlung durch. Sie erkannten die verbrecherischen Elemente im Nationalsozialismus und in der nationalsozialistischen Politik, begriffen die enge Verwandtschaft ihres christlichen Humanismus mit dem aufklärerischen Humanismus und entdeckten, daß die politische Umsetzung ihres Humanismus nur in einem pluralistischen System möglich war. Da sie zu Hitlers Sieg einen gehörigen Beitrag geleistet zu haben meinten, fühlten sie sich nach ihrer Konversion verpflichtet, aktiv am Sturz des NS-Regimes zu arbeiten. Seit der Jahreswende 1933/34 spannen sie Fäden einer Verschwörung, und wenn sie dabei auch der illusionären Vorstellung anhingen, mit Hilfe des Reichspräsidenten von Hindenburg und der Reichswehr fürs erste eine monarchistische Restauration an die Stelle der NS-Herrschaft setzen zu können, so ist es doch bezeichnend, daß Jung auch schon die Verbindung zu Sozialdemokraten wie Julius Leber suchte. Den Sicherheitsorganen des Regimes entging die Aktivität Jungs freilich nicht, und am 30. Juni 1934, als Hitler seine unbequem gewordenen SA-Führer dutzendweise ermorden ließ, fiel Jung den Kugeln eines Mordkommandos der SS zum Opfer (→ »Röhm-Putsch«).

Die Kirchen

Zur Stabilisierung des Regimes trug auch bei, daß sowohl die protestantische als auch die katholische Kirche trotz der antichristlichen Lehre und Praxis des Nationalsozialismus vom Anfang bis zum Ende auf grundsätzlichen politischen Widerstand verzichteten und um einen Modus vivendi mit dem Dritten Reich bemüht blieben (→ Kirchen und Religion). Die politische Vorstellungswelt des Bürgertums weitgehend teilend und durch den Antikommunismus nicht ohne gemeinsame Interessen mit dem Regime, beschränkten sich die Kirchen im großen und ganzen auf die Verteidigung des engeren kirchlichen Raumes gegen Übergriffe der Nationalsozialisten. Dabei kam es durchaus zu mutigen und machtvollen Protesten, so von seiten der erstmals mit der Barmer Synode vom 29.-31. Mai 1934 in der Öffentlichkeit auftretenden und von Pfarrern wie Martin Niemöller geführten → Bekennenden Kirche, die sowohl gegen die Unterwanderung durch die nationalsozialistisch infizierten → Deutschen Christen als auch gegen religionsfeindliche Akte des Staates stritt und am 28. Mai 1935 sogar eine Denkschrift verabschiedete, die auch die Auflösung der Gestapo und der Konzentrationslager forderte. Die katholische Kirche übte einige Male ebenfalls demonstrativ Kritik am Regime, so in der päpstlichen Enzyklika »Mit brennender Sorge« vom 14. März 1937. Aber ernste Konflikte, in denen die Kirchen die NS-Herrschaft in Frage gestellt hätten, wurden vermieden, auch dann, wenn protestierende Geistliche, wie etwa Niemöller, verhaftet wurden und Jahre im KZ verbringen mußten. Einzelne freilich – die sich dabei von den Amtskirchen nicht gestützt, sondern meist desavouiert sahen – opponierten in Wort und Schrift gegen Maßnahmen des Regimes, zum Beispiel die Bischöfe Clemens August Graf von Galen (Münster) und Konrad Graf von Preysing (Berlin) gegen die Euthanasie, ebenso Bernhard Lichtenberg, Dompfarrer der

Berliner St. Hedwigs-Kathedrale, der 1938 öffentlich auch für die verfolgten Juden betete und am 5. November 1943 in der Haft umkam, oder der Jesuitenpater Rupert Mayer, der am 1. November 1945 an den Folgen seiner KZ-Haft starb. Andere wiederum führte ihre christliche Gesinnung zu jenen Gruppen, die dann hinter dem Staatsstreichversuch vom 20. Juli 1944 standen, so von der Bekennenden Kirche den bedeutenden evangelischen Theologen Dietrich Bonhoeffer, der am 9. April 1945 im KZ Flossenbürg ermordet wurde.

Militärische und bürgerliche Eliten

Ansonsten bedurften jedoch Angehörige der älteren deutschen Eliten und des nationalen Bürgertums erst jahrelanger Reizung durch die Entfaltung bestimmter Züge des Regimes, ehe sie in schroffe Opposition gerieten und sich dann zu aktivem Widerstand verpflichtet fühlten: so durch den rapiden Abbau des Rechtsstaats und seine Ersetzung durch einen brutalen Polizeistaat; so durch die nationalsozialistische Kirchenpolitik, die den a- und antichristlichen Charakter der NS-Weltanschauung immer schärfer hervortreten ließ; so durch die zunehmend radikalere Judenverfolgung, die bereits im ersten Jahrfünft des Dritten Reiches mit dem von Propagandaminister Joseph Goebbels inszenierten reichsweiten Pogrom vom 9. / 10. November 1938 → Reichskristallnacht) weit über das hinausging, was deutschnationale und durchaus dem traditionellen Antisemitismus des deutschen Bürgertums anhängende Bundesgenossen der Nationalsozialisten zu bejahen bereit waren; so durch eine – gerade in den obersten Funktionärsrängen – allmählich groteske Formen annehmende Ausbreitung aller Spielarten der Korruption. Doch kamen 1938 noch weitere Elemente ins Spiel. In den ersten Monaten dieses Jahres unternahmen Hitler und der engere Führungskreis der NS-Bewegung den gelungenen Versuch, mit der Entlassung des Generalobersten Werner Freiherr von Fritsch und der Ernennung Joachim von Ribbentrops zwei bislang noch relativ eigenständige und von Deutschnationalen (→ DNVP) ge-leitete Institutionen, die Armee und den außenpolitischen Apparat, gleichzuschalten. Das Manöver lief auf die Kündigung der 1933 geschlossenen Allianz zwischen der NS-Führung und den deutschnationalen Spitzen von Militär und Bürokratie hinaus, also auf die Proklamierung und Begründung nationalsozialistischer Alleinherrschaft (→ Fritsch-Krise). Danach steuerte Hitler die deutsche Außenpolitik ungesäumt auf den Weg zur territorialen Expansion, die das Deutsche Reich von der → Sudetenkrise im Sommer 1938 und der Eroberung Böhmens und Mährens im März 1939 über den Angriff auf Polen im September 1939 bis zur Vorbereitung der Eroberung Nord- und Westeuropas im Spätherbst 1939 erkennbar in einen Krieg mit einer überlegenen Koalition führte, in einen Krieg, der nur mit einer katastrophalen Niederlage Deutschlands enden konnte. In unauflöslicher Verbindung mit der Empörung über die sonstigen Ärgernisse, die das Regime fortwährend produzierte, weckte Hitlers Kriegspolitik bei manchen ein patriotisches und nationales Verantwortungsbewußtsein, das sich nicht mit Kritik zufriedengeben wollte, sondern zum Handeln gegen Hitler drängte. Nun gehörte es zum Wesen nationalsozialistischer

Politik und zum Typus nationalsozialistischer Politiker, daß sie – gerade auch Hitler selbst – über eine ungewöhnlich große Portion schieren Dilettantismus verfügten, sowohl bei der wirtschaftlichen und diplomatischen Vorbereitung als auch bei der Führung des Krieges. Für gar nicht wenige hat daher – was durchaus angemessen war – der Weg in den Widerstand zumindest damit begonnen, daß gleichsam das Gewissen des Fachmanns über jedes erträgliche Maß hinaus verletzt wurde.

So formierten sich im Jahr 1938 etliche Widerstandsgruppen in der Mitte und auf der Rechten des politischen Spektrums: etwa um Admiral Wilhelm Canaris, den Chef der Abwehr, und Oberst Hans Oster, den Leiter der Zentralabteilung der Abwehr; um den 1933 noch zu den Anhängern Hitlers gehörenden, 1938 jedoch völlig desillusionierten preußischen Traditionalisten Fritz-Dietlof Graf von der Schulenburg, der, als ungewöhnliche administrative Begabung, bis 1939 zum Regierungspräsidenten in Schlesien aufgestiegen war; um den ehemaligen Leipziger Oberbürgermeister Carl Goerdeler (→ Goerdeler-Kreis) und den 1938 entlassenen Botschafter Ulrich von Hassell; um den Chef des Generalstabs, Ludwig Beck, und seinen Nachfolger, General Franz Halder. Beck war im Sommer 1938 aus Protest gegen Hitlers Politik zurückgetreten.

Nicht immer führte die Wendung verstörter Fachleute gegen das Regime gleich zur Beteiligung an Attentats- und Staatsstreichvorbereitungen. So im Falle des Diplomaten Ernst von Weizsäcker, der, seit Anfang 1938 Staatssekretär im Auswärtigen Amt, als Ziel vor allem die Erhaltung des Friedens im Auge hatte und dabei mit den Mitteln auf das Geschehen einzuwirken suchte, die ihm sein Amt bot, also durch diplomatisch-politisches Handeln. Mit großer Zähigkeit arbeitete er – zusammen mit Attolico, dem italienischen Botschafter in Berlin – daran, den Einfluß des 1938 und 1939 keineswegs kriegswilligen Mussolini auf Hitler ins Spiel zu bringen; in gleicher Weise suchte er über Theo Kordt, den Geschäftsträger in London, die britische Zügelung Hitlers und Ribbentrops zu erreichen. 1938 konnte Weizsäcker, indem er den Weg zum → Münchener Abkommen bereiten half, sein Rezept mit einigem Effekt anwenden, 1939 scheiterte er; seine Konzeption war, wie sich nun herausstellte, der Dynamik nationalsozialistischer Außenpolitik und dem Kriegswillen Hitlers nicht gewachsen.

Militäropposition im Krieg

Die Kriegsjahre brachten den Widerstandsgruppen um Oster, Schulenburg, Hassell, Goerdeler und Beck, die seit Sommer 1938 konsequent an der Planung und der praktischen Vorbereitung eines Staatsstreichs arbeiteten, bei ihren frühen Versuchen während der Sudetenkrise freilich noch in den Anfängen steckengeblieben waren, manchen Zuzug. Die entscheidende Frage lautete aber, ob es gelänge, jene Macht gegen das NS-Regime zu mobilisieren, die nun, da allein sie über Waffen verfügte, als einzige noch in der Lage war, mit Aussicht auf Erfolg gegen den nationalsozialistischen Herrschaftsapparat vorzugehen: die Armee. Tatsächlich sah es schon im Herbst 1939 so aus, als könnten die zivilen Gruppen einen militärischen Arm gewinnen. Nachdem Hitler den Befehl gegeben hatte, noch im November 1939 die Niederlande, Belgien und Frankreich anzugreifen, ließ Generalstabschef Franz Halder, der jeden Versuch zur Realisierung von Hitlers Absicht – zu dieser Zeit wohl mit Recht – als sicheren Weg in eine militärische Katastrophe ansah, erneut – das heißt wie 1938 – die Vorbereitung zu einem Staatsstreich anlaufen. Die Gruppe, die sich nun um Abwehr und Oberkommando des Heeres (OKH) formierte, trat im Herbst 1939 und Frühjahr 1940 durch den Münchener Rechtsanwalt Josef Müller mit dem Vatikan und über Papst Pius XII. mit dem Londoner Foreign Office in Verbindung, und die britische Regierung reagierte auf den Versuch, Verhandlungen über einen Friedensschluß der Westmächte mit einer deutschen Regierung nach Hitlers Sturz aufzunehmen, anfänglich (und zum letzten Mal) durchaus positiv (das Reichssicherheits-Hauptamt, das eine vage Vorstellung von diesen Aktivitäten gewann, gab der Gruppe wegen der vermuteten Vatikan-Konnexion die Bezeichnung »Schwarze Kapelle«). Als Halder jedoch einer Abkanzelung durch den über das Widerstreben des Militärs gegen die Offensive erbosten Hitler glaubte entnehmen zu dürfen, daß der Diktator Lunte gerochen habe und jeden Augenblick zum Gegenschlag ausholen werde, ordnete er die Einstellung jeglicher Arbeit an einem Staatsstreich an. Jetzt konzentrierte er sich auf die Vorbereitung des Angriffs im Westen, an dessen Erfolg im Mai und Juni 1940 er großen Anteil hatte. Von da an fiel er – und mit ihm das OKH – für weitere Aktivitäten gegen das Regime aus. Oberst Oster wurde in jenen Monaten durch die Empörung und Verzweiflung, die ihn angesichts der Passivität der militärischen Führer ergriffen, zu einem ganz anders gearteten Versuch der Einflußnahme auf das Geschehen bewogen. Über den niederländischen Militärattaché in Berlin, Oberst Sas, übermittelte er die Termine der Westoffensive nach Den Haag, ebenso warnte er Dänemark und Norwegen vor dem deutschen Überfall. So hoffte er, ein frühzeitiges Scheitern der Angriffe herbeizuführen und bei den Generälen durch einen solchen Mißerfolg des Regimes doch noch den Boden für eine Aktion gegen Hitler zu bereiten. Allerdings blieben Osters Schritte folgenlos. Da der Termin für den Angriff im Westen aus unterschiedlichen Gründen immer wieder verschoben werden mußte, büßten Osters Warnungen aufgrund allzu häufiger Wiederholung allmählich jede Glaubwürdigkeit ein.

Indes bildeten sich in der Armee schon zwischen dem Sommer 1940 und der Jahreswende 1941/42 drei neue Kreise, die neben den – im April 1943 freilich zerschlagenen – Kreis in der Abwehr traten: in dem von General Olbricht geleiteten Allgemeinen Heeresamt beim Befehlshaber des Ersatzheeres; beim Militärbefehlshaber im besetzten Frankreich, einem Stab, an dessen Spitze seit Februar 1942 General Carl-Heinrich von Stülpnagel stand, der sowohl 1938 wie im Herbst 1939 zu den Schlüsselfiguren der Staatsstreichplanung gehört hatte; und schließlich im Osten bei der Heeresgruppe Mitte, deren Chef der Operationsabteilung, Henning von Tresckow, zielbewußt Gegner Hitlers und des NS-Regimes um sich sammelte.

Seit Anfang 1942 wurden in diesen drei Zentren, die allmählich auch in Verbindung miteinander traten, erneut Überlegungen angestellt, wann und wie ein

Staatsstreich versucht werden könnte. Dabei verquickten sich wiederum professionelle, politische und moralische Motive. Bereits 1941 hatten fast alle beteiligten Offiziere die Erkenntnis gewonnen, daß die Erfolge in Polen, Westeuropa und zunächst auch in der Sowjetunion nichts an der Hoffnungslosigkeit der strategischen Lage Deutschlands geändert hatten und die am Ende unausweichliche Niederlage Deutschlands lediglich hinausschoben. Die vom Sommer 1941 bis zum Wintereinbruch ausgefochtenen Konflikte über die Führung der Operationen in Rußland hatten dann eine schwere Erschütterung des Verhältnisses Hitler – Generalstab bewirkt, und die Winterkrise 1941/42 zeigte an, daß das Konzept eines »Blitzkrieges« gegen die Sowjetunion definitiv gescheitert war. Dazu kam der japanische Überfall auf Pearl Harbor am 7. Dezember 1941, der die USA ins Spiel brachte. Im Innern traten die totalitären und kriminellen Züge des Regimes noch schärfer hervor als bisher, und von Tag zu Tag wurde zudem deutlicher, daß Hitler und die NS-Bewegung erst recht den besetzten Ländern nichts als eine sterile und terroristisch ausgeübte Herrschaft brachten, die den Haß auf Deutschland und die Deutschen stetig steigen ließ. Nachdem Hitler am 26. April 1942 im Reichstag erklärt hatte, als → »Oberster Gerichtsherr« stehe er über »formalem Recht«, sagte Claus Schenk Graf von Stauffenberg, damals Major in der Organisationsabteilung des OKH, zu General von Loeper, jetzt sei »jede Rechtlichkeit aufgegeben«. Nicht zuletzt sahen aber nicht wenige der oppositionellen Offiziere die Notwendigkeit eines Putsches, nachdem der Versuch zur Ausrottung der europäischen Juden begonnen hatte; im Sommer und Herbst 1941 mit dem Massenmord eröffnet, den die sogenannten Einsatzgruppen in der Sowjetunion verübten, gewann die »Endlösung der Judenfrage« Ende 1941 und Anfang 1942 mit dem Beginn des Betriebs einiger »Vernichtungslager« – Chelmno, Auschwitz-Birkenau, Belzec – ihre europäische Dimension. Mehrmals im Frühjahr und Sommer 1942 sagte Graf Stauffenberg in Gesprächen, »die« brächten massenhaft Juden um: »Die Verbrechen dürfen nicht weitergehen.«

Der immer rapidere Absturz des Regimes ins schiere Verbrechen ließ auch außerhalb der Armee wieder neue anti-nationalsozialistische Zirkel entstehen, von denen einer sogar die Öffentlichkeit aufzurütteln suchte. Unter dem Namen → Weiße Rose verfaßte und verteilte zwischen dem 27. Juni 1942 und dem 18. Februar 1943 eine nicht zuletzt christlich motivierte – stark von den katholischen Publizisten Carl Muth und Theodor Haecker beeinflußte – Gruppe Münchener Studenten um Alexander Schmorell, Hans und Sophie Scholl, Willi Graf und Professor Kurt Huber Flugblätter gegen Hitler und den Nationalsozialismus. Nach der letzten Aktion in der Münchner Universität (18. Februar 1943) verhaftet, wurden 14 Angehörige der Weißen Rose vor Gericht gestellt, die Geschwister Scholl, Willi Graf, Kurt Huber und Alexander Schmorell zum Tode, die übrigen zu Haftstrafen verurteilt; die Todesurteile wurden am 22. Februar (Geschwister Scholl), 13. Juli (Schmorell und Huber) und am 13. Oktober 1943 (Graf) vollstreckt.

Abb. 45: Die Geschwister Hans und Sophie Scholl und Christoph Probst (von links) von der studentischen Widerstandsgruppe »Weiße Rose« in München.

Attentat und Staatsstreich

Wie die Münchner Studenten mußten allerdings auch die oppositionellen Militärs, die von Anfang an in engen Beziehungen zu den älteren zivilen Gruppen standen, feststellen, daß sie sowohl unter den Generalstäblern wie unter den Offizieren der Fronttruppen nur wenige Handlungsgenossen zu finden vermochten. Auch nach der Kriegswende, die durch die Niederlage von Stalingrad und den anschließenden Untergang der in Nordafrika kämpfenden Armee sichtbar markiert wurde, änderte sich daran kaum etwas. Versuche, Generalfeldmarschall Erich von Manstein für die Rolle der Spitzenfigur einer Erhebung zu gewinnen, schlugen ebenso fehl wie Bemühungen um den Oberbefehlshaber West, Feldmarschall Gerd von Rundstedt. Erwin Rommel fand sich zwar 1944, als er die Heeresgruppe B in Frankreich befehligte, zur Mitwirkung an einer Aktion bereit, nachdem er über seinen Stabschef, General Hans Speidel, und Offiziere aus der Umgebung des Pariser Militärbefehlshabers mit den Widerstandsgruppen in Verbindung gekommen war und begriffen hatte, daß ein Mann in seiner Stellung und mit seinem Ansehen verpflichtet war, zur Beendigung eines unter jedem nur denkbaren Gesichtspunkt sinnlos gewordenen Krieges beizutragen. Doch geschah das erst ganz kurz vor seiner schweren

Verwundung am 17. Juli 1944, die ihn von jeder weiteren Beteiligung am Geschehen ausschloß.

Die Isolierung aber, die sie mit den linken und den bürgerlichen Widerstandsgruppen gemeinsam hatten, machte den militärischen Verschwörern rasch klar, daß ein Staatsstreich, bei dem ein halbwegs geordneter Übergang zu einem politischen Neubeginn gesichert werden sollte, ein Attentat auf Hitler voraussetzte. Stauffenberg war schon im Frühjahr 1942 überzeugt davon, daß Hitler getötet werden mußte. Danach mochte es erreichbar sein, durch einen Putsch die Macht in Berlin zu ergreifen und die Armee insgesamt – vom Eid gelöst und an den gewohnten Befehls- und Versorgungssträngen hängend – auf die Seite der Putschisten zu ziehen. Als erste versuchten es die Offiziere der Heeresgruppe Mitte. Am 13. März 1943 ließ Generalmajor von Tresckow dem »Führer«, der den Stab der Heeresgruppe in Smolensk besucht hatte, eine Bombe ins Flugzeug schmuggeln, deren Zünder jedoch versagte. Auch weitere Versuche schlugen fehl. Am 21. März 1944 gelang es Oberst von Gersdorff, dem Abwehroffizier der Heeresgruppe, sich zu einer Ausstellung von erbeuteter Ausrüstung im Berliner Zeughaus, zu der Hitler erwartet wurde, mit einer Bombe Zugang zu verschaffen. Sein Plan, sich mit Hitler in die Luft zu sprengen, mißlang aber, weil Hitler die Ausstellung unerwartet rasch wieder verließ. Gleiche Vorhaben von Hauptmann Axel von dem Bussche und Leutnant Ewald von Kleist scheiterten Anfang 1944 ebenfalls an äußeren Zufällen. Rittmeister von Breitenbuch, Ordonnanzoffizier bei Generalfeldmarschall Busch, konnte seine Absicht, Hitler bei einer Besprechung am 11. März 1944 auf dem Berghof zu erschießen, nicht ausführen, da ihm der Zugang zu dieser Besprechung von den SS-Wachen verwehrt wurde.

Als schließlich Graf Stauffenberg, der nach einer schweren Verwundung in Nordafrika lange Zeit ausgefallen, nun aber, zum Oberst befördert, Stabschef beim Befehlshaber des Ersatzheeres geworden war, auch das Attentat selber durchführen mußte, weil von den Verschwörern allein er noch ab und an Zugang zu Hitler hatte, hatte sich, bis Sommer 1944, die Kriegslage so verschlechtert, daß die Hoffnung, ein Deutschland, das die NS-Herrschaft aus eigener Kraft abschüttle, werde von den Alliierten bessere Friedensbedingungen bekommen und über seine politische Zukunft selbst bestimmen können, sehr dünn geworden war. Schon im April 1944 konstatierte Graf Stauffenberg, das Reich sei nicht mehr zu retten. Mehr und mehr trat der Gedanke in den Vordergrund, daß es einfach darauf ankomme, einen Krieg zu beenden, der täglich Hekatomben von Opfern forderte. Davon abgesehen, ging es den Verschwörern, die sich im übrigen wenig Chancen ausrechneten, darum, daß, wie Tresckow sagte, »die deutsche Widerstandsbewegung vor der Welt und vor der Geschichte den entscheidenden Wurf gewagt hat«. Tatsächlich ist denn auch das Attentat vom 20. Juli 1944 mißlungen, das Stauffenberg mit einer Bombe unternehmen mußte, da er nach dem Verlust eines Auges, der rechten Hand und zweier Finger der linken Hand keine Schußwaffe mehr bedienen konnte. Hitler überlebte den Anschlag, und so brach auch der Staatsstreich, den der zurückgekehrte Stauffenberg in Berlin versuchte, zusammen. Fast alle Beteiligten fanden den Tod.

Abb. 46: Carl Friedrich Goerdeler als Angeklagter vor dem Volksgerichtshof in Berlin. Der ehemalige Oberbürgermeister von Leipzig wurde am 7. September 1944 zum Tode verurteilt und am 2. Februar 1945 in Plötzensee hingerichtet.

Nachkriegsplanungen

Während der Kriegsjahre trat indes neben die Attentats- und Staatsstreichpläne eine enorme Intensivierung der Arbeit an Entwürfen für die Verfassungs- und Gesellschaftsordnung eines von Hitler und dem NS-Regime befreiten Deutschland. Um Helmuth James Graf von Moltke sammelten sich seit August 1940 Sozialisten, Jesuiten, Arbeiterführer, christliche Gewerkschafter und preußische Großgrundbesitzer zu einem Kreis, der es, nach Moltkes schlesischem Gut Kreisau benannt, sogar als seine Hauptaufgabe ansah, über die innere Ordnung und die internationale Einordnung des post-nationalsozialistischen Deutschland nachzudenken. An den Überlegungen des → Kreisauer Kreises waren auch andere Gruppen beteiligt, so die → »Freiburger Kreise« um die Nationalökonomen Erwin von Beckerath, Constantin von Dietze, Walter Eucken und Adolf Lampe. Die als Resultate der Debatten formulierten Vorstellungen waren naturgemäß zeitgebunden, das heißt an die politische und kulturkritische Tradition der älteren deutschen Eliten gefesselt und – im Geiste christlicher Religiosität – zur modernen Liberaldemokratie erst unterwegs. Immerhin sind etliche Mitglieder des Kreisauer Kreises, namentlich Moltke selbst, von deutschem Nationalismus zu europäischer Gesinnung fortgeschritten. Wenn diese Kreisauer mit Nationalliberalen wie Goerdeler oder Konservativen wie Hassell diskutierten, nachdem die Gruppen in Kontakt gekommen waren, wurde oft heftig gefochten. Doch für die Zukunft gewann weniger der Inhalt der Diskussionen Bedeutung, sondern mehr die Tatsache, daß sie stattfanden und zu Annäherungen führten, wie sie symbolkräftigen Ausdruck etwa in der persönlichen Freundschaft und der politischen Kooperation zwischen Oberst Graf Stauffenberg und Julius Leber fanden, zwischen dem aristokratischen Kavallerieoffizier und dem als Sohn eines Maurers geborenen Arbeiterführer. Mit solchen Annäherungen hat der Widerstand der deutschen Nachkriegsgesellschaft Integrationsbeispiele und -impulse vererbt, die essentielle Bedeutung hatten.

Literatur

Benz, Wolfgang / Walther H. Pehle (Hg.): *Lexikon des deutschen Widerstands,* Frankfurt am Main 1994.

Graml, Hermann: *Widerstand im Dritten Reich. Probleme, Ereignisse, Gestalten,* Frankfurt am Main 1994.

Hoffmann, Peter: *Widerstand, Staatsstreich, Attentat. Der Kampf der Opposition gegen Hitler,* München [4]1985.

Hoffmann, Peter: *Claus Schenk Graf von Stauffenberg und seine Brüder,* Stuttgart 1992.

Fest, Joachim C.: *Staatsstreich. Der lange Weg zum 20. Juli,* Berlin 1994.

Peukert, Detlev K.: *Die KPD im Widerstand. Verfolgung und Untergrundarbeit an Rhein und Ruhr 1933-1945,* Wuppertal 1980.

Rothfels, Hans: *Deutsche Opposition gegen Hitler. Eine Würdigung,* Frankfurt am Main 1977.

Steinbach, Peter / Johannes Tuchel (Hg.): *Widerstand in Deutschland 1933-1945. Ein historisches Lesebuch,* München 1994.

Steinbach, Peter / Johannes Tuchel: *Lexikon des Widerstands 1933-1945,* München 1994.

Weltkrieg 1939-1945

Von Thomas Bertram

Mit der Kapitulation → Japans am 2. September 1945 endete nach 68 Monaten und acht Tagen die Serie regionaler Kriege, die als Zweiter Weltkrieg in die Geschichte des 20. Jahrhunderts eingegangen sind. Das globale Ringen, in das während der Endphase nahezu alle Staaten der Erde verwickelt waren, hatte etwa 55 Millionen Menschenleben gefordert, davon allein 20-30 Millionen Zivilisten – überwiegend Frauen, alte Leute und Kinder. Etwa ein Zehntel der Kriegstoten waren Opfer der nationalsozialistischen Rasse- und Lebensraumpolitik geworden. Sie wurden in den deutschen → Konzentrations- und → Vernichtungslagern ermordet. 35 Millionen Menschen erlitten im Krieg Verwundungen, drei Millionen Soldaten und Zivilisten wurden nach Kriegsende vermißt. Mit den amerikanischen Atombombenabwürfen über den japanischen Städten Hiroshima und Nagasaki am 6. und 9. August 1945 hatte die Menschheit erstmals einen Blick in den nuklearen Abgrund getan, der die Beziehungen der Staatenwelt nach 1945 entscheidend prägen sollte. Gefolgt von der sowjetischen Kriegserklärung an Japan und dem Einmarsch der Roten Armee in die Mandschurei, erzwang der Einsatz der Atombombe die Kapitulation Japans. Die Kampfhandlungen in Europa waren bereits mit der Unterzeichnung der → bedingungslosen Kapitulation der deutschen Wehrmacht im Hauptquartier des alliierten Oberbefehlshabers in Europa, Dwight D. Eisenhower, in Reims am 7. Mai 1945 durch Generaloberst Jodl beendet worden. Nach Wiederholung der Zeremonie einen Tag später in Berlin-Karlshorst für die sowjetische Seite trat die Gesamtkapitulation am 9. Mai 1945 in Kraft.

50 Jahre nach Kriegsende ist sich die historische Forschung in der Gesamtbeurteilung der Jahre 1939-1945 weitgehend einig. Wenn Winston Churchill in seinem Werk über den Zweiten Weltkrieg 1948 noch von einem »zweiten Dreißigjährigen Krieg« sprechen konnte und der Historiker Ludwig Dehio die beiden Weltkriege dieses Jahrhunderts als »zwei Akte desselben Dramas« charakterisierte oder Ernst Nolte die Jahre 1914-1945 zum »Zeitalter eines europäischen Bürgerkrieges« im Zeichen der Auseinandersetzung totalitärer Ideologien umdeutete, so sind diese Einschätzungen inzwischen einer differenzierteren Betrachtungsweise gewichen. Zu unterschiedlich sind die Voraussetzungen und Ursachen beider Kriege, denen die historische Forschung in den letzten Jahrzehnten besondere Aufmerksamkeit widmete, zu verschieden waren die → Kriegsziele, und zu stark unterschieden sich beide Konflikte im Einsatz der politischen und militärstrategischen Mittel voneinander.

Kriegsziele und Charakter des Krieges

Während die Akteure des Ersten Weltkriegs an territorialen Arrondierungen, an der Sicherung und Erweiterung des Zugriffs auf Ressourcen und an der Neubestimmung ihrer künftigen Rolle in einem nach traditionellem europäischen Muster funktionierenden internationalen Mächtekonzert interessiert gewesen waren, ging es im Zweiten Weltkrieg von Anfang an um eine »radikale Neuordnung der Welt« (G. Weinberg). Die Frage war nicht mehr, wie Land und Rohstoffe künftig verteilt werden sollten, sondern wer auf dieser Welt überhaupt noch leben und in den Genuß von Ressourcen kommen sollte. Die physische Auslöschung ganzer Völker und Staaten bzw. ihre Herabwürdigung auf den Status rechtloser Heloten wurde von den Deutschen bewußt als Kriegsziel verfolgt und mit aktiver Unterstützung eines technokratischen Beamtenapparates in die Tat umgesetzt. Damit markiert der Zweite Weltkrieg auch den moralischen Tiefpunkt der bisherigen Menschheitsgeschichte.

Divergenzen bestehen nach wie vor hinsichtlich der Bedeutung der politischen und militärischen Akteure und des internationalen Systems für die jeweiligen Entscheidungs- und Handlungsspielräume. Strittig ist darüber hinaus die Rolle

10 Pfennig
21. Jahrgang / 1939
Außerhalb von Groß-Berlin 15 Pf.

Nr. 209
IX. 39

Neue Berliner Zeitung

DAS 12 Uhr BLATT

DEUTSCHER VERLAG BERLIN

Extra Ausgabe

Groß-Berliner Bezugspreis (durch Boten) 2.25 M., auswärts und durch die Post 3 Mark monatlich

Freitag, 1. September 1939

Berlin SW 68, Kochstr. 22-26 Fernsprecher: 17 49 01

Aufruf des Führers an die Wehrmacht

Gewalt gegen Gewalt

Abb. 47: Titelblatt der Extraausgabe der Boulevardzeitung *Das 12Uhr Blatt* vom 1. September 1939.

innenpolitischer Faktoren in der → Außenpolitik und der Stellenwert operativer und ideologischer Faktoren. Zu keiner Zeit gab es aber eine mit der sogenannten Fischer-Kontroverse über die Kriegszielpolitik des kaiserlichen Deutschland vergleichbare Debatte über die → Kriegsschuldfrage 1939, wenn man einmal von apologetischen Tendenzen rechtsnationaler Kreise absieht.

So sehr sich die internationale Forschung über die deutsche Kriegsschuld einig ist, so ausdauernd waren und sind Diskussionen über Details, etwa die Verantwortung der britischen → Appeasement-Politik für den Ausbruch des Krieges. Hinter dieser britischen Beschwichtigungspolitik, die im → Münchener Abkommen über die Abtretung der sudetendeutschen Gebiete an Deutschland vom 29. September 1938 gipfelte (→ Sudetenkrise; → Sudetenland), stand nicht zuletzt der Wunsch des seit dem Ersten Weltkrieg angeschlagenen Empire, durch Vermeidung eines neuen Krieges den endgültigen Verlust der Weltgeltung hinauszuzögern. Aus marxistischer Sicht wurde während des Kalten Krieges behauptet, die Politik des Westens habe Hitler im Sommer 1939 zum Losschlagen ermutigt. Die Westmächte hatten der eigenmächtigen Revision des → Versailler Vertrages durch den deutschen Diktator in den dreißiger Jahren tatenlos zugesehen, bis die Zerschlagung der »Resttschechei« am 14.-16. März 1939 (→ Tschechoslowakei) – trotz gegenteiliger Beteuerungen des »Führers« noch in München – ihnen, allen voran Großbritannien, den Scherbenhaufen ihrer Friedenspolitik präsentierte. Dieser Argumentation hielten bürgerliche Historiker den → deutsch-sowjetischen Nichtangriffspakt vom 23. August 1939 entgegen, der Hitler vor der Gefahr eines Zweifrontenkrieges bewahrt und den deutschen Angriff auf Polen erst ermöglicht habe.

Soweit diese Kontroversen Zweifel an der deutschen Alleinverantwortung für die »größte Kriegskatastrophe der Weltgeschichte« (A. Hillgruber) wachhielten, ignorierten sie die fundamentale Bedeutung der deutschen Außenpolitik vor 1939 und Hitlers langfristige Entschlossenheit zum Krieg. Seiner Absicht, die »Lebensraumfrage« gewaltsam zu lösen, korrespondierte eine gesamtpolitische Konstellation, zu deren Kennzeichen der Niedergang des traditionellen Mächtesystems im Ersten Weltkrieg, die Erschütterung der alten Führungseliten und die Auswirkungen der Weltwirtschaftskrise auf die labile Nachkriegsordnung gehören. Diese Konstellation spielte jenen Mächten in die Hände, die in den zwanziger und dreißiger Jahren auf gewaltsame Veränderungen aus waren. Letztlich mußte aber Hitlers unbedingter Wille zum Krieg hinzukommen, so daß bei der Entfesselung des Krieges der »Faktor Hitler« die »ausschlaggebende Rolle« spielte (M. Broszat). Vor diesem Hintergrund war der Weltkrieg die Realisierung von Hitlers in → *Mein Kampf* formuliertem außenpolitischen Programm mit militärischen Mitteln. Der Angriff auf die → Sowjetunion war keineswegs ein Präventivschlag, sondern die planmäßige Umsetzung der Ziele der nationalsozialistischen Rasse- und Lebensraumpolitik. Der Zweite Weltkrieg war indessen nicht allein »Hitlers Krieg«. Ein Großteil des an den Werten des Kaiserreichs orientierten Offizierskorps stimmte trotz Kritik an einzelnen militärischen Entscheidungen des »Führers« mit den expansionistischen Zielen des NS-Regimes überein. Ohne diesen bereitwilligen Gehorsam führender Militärs, ohne die Einsatzbereitschaft von Diplomaten und Beamten, von Unternehmen, die von der Sklavenarbeit der

KZ-Häftlinge und der Zwangsarbeit der Kriegsgefangenen profitierten, ohne Banken, → Wehrmacht und → Polizei, ohne »deutschen Fleiß« und ohne die flankierenden Kriege der Verbündeten hätten Hitler und die Nationalsozialisten Krieg und Genozid nicht in die Tat umsetzen können.

Der Holocaust war »Teil und Kernstück [dieser] weitgespannten rassistischen Herrschafts-, Versklavungs- und Vernichtungspolitik des nationalsozialistischen Deutschland gegen die unterworfenen Völker insbesondere des ›Ostens‹, Polens und der Sowjetunion« (D. Peukert), und damit ein strategisches Kriegsziel. Der Ausbruch des Weltkrieges markierte aus deutscher Sicht zum einen den Beginn des Endkampfes um die Herrschaft über Europa mit dem Ziel der Weltherrschaft, zum anderen die Eröffnung einer »inneren Front« gegen alle Bevölkerungsgruppen, die dem nationalsozialistischen Rasse- und Volksgemeinschaftsideal im Wege standen.

Die globale Zielsetzung der NS-Führung im Verein mit der aggressivsten rassistischen Ideologie führte von Kriegsbeginn an zu einer Überspannung der ökonomischen und militärischen Mittel Deutschlands. In den besetzten Ländern verwischte sie den Unterschied zwischen kämpfender Truppe und Zivilbevölkerung. Der Weltkrieg wurde, insbesondere in Osteuropa – dem von Hitler anvisierten → »Lebensraum« –, mit Hilfe der → Einsatzgruppen der Sicherheitspolizei und des → Sicherheitsdienstes (SD) der SS sowie Einheiten von Wehrmacht und Polizei bewußt gegen die als »Untermenschen« diffamierte Zivilbevölkerung geführt. Für sie war im Rasse- und Lebensraumkonzept der nationalsozialistischen Eroberer kein Platz vorgesehen (→ Rassenpolitik und Völkermord).

Die Blitzkriege im Westen

Aus dem Widerspruch zwischen den ausgreifenden Kriegszielen des NS-Regimes und den für einen Mehrfrontenkrieg zu schwachen Kräften entwickelten Hitler und die Generalität die Strategie des → Blitzkriegs. Der schnelle deutsche Sieg in der ersten Phase des Krieges gegen Polen – am 6. Oktober 1939 kapitulierten die letzten polnischen Einheiten (→ Polenfeldzug) –, die kampflose Besetzung → Dänemarks (9.4.1940) und die Eroberung → Norwegens (9.4.-10.6.1940) zur Schaffung einer breiteren Ausgangsbasis im Handelskrieg gegen Großbritannien und zur Sicherung der schwedischen Erzzufuhr sowie der ebenso erfolgreiche → Westfeldzug, der mit der Kapitulation der → Niederlande (15.5.) und → Belgiens (28.5.) begann und mit dem Zusammenbruch → Frankreichs (22.6.) endete (kampflose Besetzung von Paris durch die Wehrmacht am 14. Juni 1940, Teilung Frankreichs in einen besetzten und einen unbesetzten Teil mit einer konservativ-autoritären Regierung in → Vichy), verschafften dem Regime die Möglichkeit, sich der Loyalität der keineswegs kriegsbegeisterten deutschen Bevölkerung durch immer neue Erfolgsmeldungen zu versichern. Mit dem → Balkanfeldzug gegen → Jugoslawien und → Griechenland, der die rumänischen Erdölfelder alliiertem Zugriff entzog (→ Rumänien war am 23. November 1940 dem → Dreimächtepakt beigetreten, ebenso wie am 20. November

→ Ungarn), den Aufbau einer alliierten Balkanfront vereitelte und die deutsche Südostflanke für den geplanten Angriff auf die Sowjetunion sichern sollte, war der Krieg der verkehrten Fronten vorbei, England auf dem Kontinent ausgeschaltet und die strategische Basis für Hitlers eigentliches Kriegsziel, die Eroberung von Lebensraum im Osten, geschaffen.

Überspannung der Kräfte und Kriegswende

Bevor am 22. Juni 1941 mit dem Überfall der deutschen Wehrmacht auf die Sowjetunion der Raubkrieg im Osten begann (→ Ostfeldzug 1941-1945), war Deutschland bereits entgegen Hitlers Intentionen in einen Mehrfrontenkrieg verwickelt worden. Das durch die italienische Niederlage gegen Großbritannien in Libyen notwendig gewordene Eingreifen zugunsten des italienischen Achsenpartners (→ Afrikafeldzug) führte zu einer Zersplitterung der deutschen Kräfte, die ein Jahr später für die Kriegswende in Europa sorgte. Nach Einsetzen der sowjetischen Winteroffensive am 5. Dezember 1941 begann sich die Katastrophe der Wehrmacht im Osten abzuzeichnen. Die Entmachtung der militärischen Führung durch die Entlassung des Feldmarschalls v. Brauchitsch und die Übernahme des Oberbefehls über das Heer durch Hitler sowie der vorübergehende Erfolg der deutschen Sommeroffensive 1942 konnten nicht darüber hinwegtäuschen, daß der Krieg im Osten langfristig nicht zu gewinnen war. Vor dem Hintergrund des Falls von → Stalingrad (2.2.1943) dürfte Goebbels' Ankündigung des → »totalen Krieges« (18.2.1943) zu diesem Zeitpunkt, unmittelbar gefolgt vom Zusammenbruch der Front in Nordafrika (13.5.1943), als erstes Eingeständnis eigener Ohnmacht gegenüber der militärischen und ökonomischen Kraft der Alliierten gewertet werden, die ja unaufhaltsam wuchs, nachdem als Folge des japanischen Überfalls auf Pearl Harbor (7.12.1941) und der deutschen Kriegserklärung (11.12.1941) die USA an der Seite Großbritanniens und der Sowjetunion kämpften. Die mit dem Scheitern des letzten deutschen Blitzkrieges an der Ostfront einhergehenden Niederlagen des Achsenpartners Japan in der See-Luftschlacht bei den Midway-Inseln (3.-7.6.1942) und auf Guadalcanal (8.2.1943) brachten den USA die Vorherrschaft im Nordpazifik und sicherten den amerikanischen Nachschub auf den südostasiatischen Kriegsschauplatz. Sie leiteten auch im Pazifik eine Wende zugunsten der Alliierten ein. Außerdem machten sie den Amerikanern den Rücken frei für das von Stalin seit geraumer Zeit in Form der Eröffnung einer zweiten Front geforderte stärkere Engagement in Europa.

Politische und militärische Optionen der Alliierten

Politisch reagierten die Alliierten auf die Kriegswende 1942/43 mit der Forderung nach »bedingungsloser Kapitulation« (Konferenz von → Casablanca, 14.-24.1.1943). Bereits ein Jahr zuvor hatten 26 mit den Achsenmächten kriegführende Nationen auf der ersten Washington-Konferenz (22.12.1941-14.1.1942) erklärt, keinen separaten Waffenstillstand zu schließen. Politisch basierte die Zusammenarbeit der Westmächte seit dem 14. August 1941 auf der das Selbstbestimmungsrecht der Völker proklamierenden → Atlantik-Charta. Die strategische Reaktion der Westmächte auf die Kriegswende war der Sturm auf die Festung Europa. Am 10. Juli 1943 landeten amerikanische und britische Streitkräfte in Sizilien, am 3. und 9. September auf dem italienischen Stiefel, es folgte die → Invasion in der Normandie am 6. Juni 1944 und die Landung in Südfrankreich am 15. August 1944. Der Ansturm von Briten und Amerikanern auf die deutsche Position von Westen und Süden her führte am 7. März 1945 zur Bildung eines Brückenkopfes bei Remagen und zum Zusammenbruch der deutschen Westfront. Gleichzeitig gab die Ostfront unter dem Druck einer neuerlichen sowjetischen Großoffensive seit 12. Januar 1945 nach. Ihr vorausgegangen waren die Aufgabe der deutschen Position auf dem Balkan zwischen August und Dezember 1944 und der Vormarsch der Sowjets. Mit dem Vorrücken der Alliierten von Westen und Osten her begann die letzte Phase des Weltkrieges, in welcher das deutsche Reichsgebiet zum Kriegsschauplatz wurde. Diese letzten Kriegsmonate waren auf deutscher Seite gekennzeichnet durch zunehmenden Realitätsverlust und Größenwahn Hitlers (→ V-Waffen; → Verbrannte-Erde-Befehl), den forcierten alliierten → Luftkrieg gegen deutsche Städte und Rüstungszentren sowie den nach der → Wannsee-Konferenz (20.1.1942) industriell betriebenen Massenmord an den europäischen Juden und anderen unter das rassische und/oder politische Verdikt der nationalsozialistischen Ideologie fallenden Gruppen.

Die zunehmende militärische Ausweglosigkeit sorgte im Verein mit der Erkenntnis der deutschen Täter in Politik, Verwaltung und kämpfender Truppe, daß angesichts der ungeheuren Verbrechen nicht mit der Milde der Sieger gerechnet werden konnte, für eine Verschärfung des Terrors und der Unterdrückung nach innen (→ Weiße Rose; → 20. Juli 1944) und außen (→ Oradour-sur-Glane, 6.10.1944; → Warschauer Aufstand, 1.8.-2.10.1944). Allein die → Todesmärsche von KZ-Gefangenen seit Sommer 1944, als die Rote Armee sich den Lagern im Osten näherte und die SS-Mannschaften die Lager räumten, kosteten schätzungsweise 250 000 bis 375 000 der völlig entkräfteten insgesamt noch ca. 750 000 nicht nur jüdischen KZ-Häftlinge das Leben. Im Reich selber versuchte das NS-Regime durch sinnlose Mobilisierung der letzten Reserven (→ Volkssturm) und die Einrichtung von → Standgerichten, (noch nach der Kapitulation sprachen Kriegsgerichte Todesurteile aus, die auch vollstreckt wurden) den militärischen und politischen Zusammenbruch hinauszuzögern.

Die Folgen des Krieges

Durch seine brutale, das Völkerrecht mit Füßen tretende Kriegführung (→ Kommissarbefehl, 13.5.1941) auch gegen die Zivilbevölkerung (Erlaß über die Behandlung feindlicher Landeseinwohner vom 6.5.1941), die in der → »Endlösung« gipfelte, hatte Deutschland bei Kriegsende jeden moralischen Anspruch auf nationale Selbstbestimmung verspielt. Die Besetzung des Reichsgebietes durch Amerikaner, Briten, Russen und Franzosen – letzteren wurde nachträglich eine Besatzungszone zuerkannt – verschaffte den Siegern die Möglichkeit, dem deut-

An den Ortskommandanten oder Bürgermeister!

Wir fordern:

BEDINGUNGSLOSE ÜBERGABE

Der Ortskommandant oder Bürgermeister kann zwecks Übergabebesprechungen bevollmächtigte Parlamentäre mit einer weissen Fahne zum nächsten amerikanischen Gefechtsstand entsenden. Im Falle von Täuschungsmanövern wird kein Pardon gegeben.

ÜBERSETZUNG FÜR U.S.A. SOLDATEN
The local Army Commander or the responsible civilian official can send fully empowered parlementaires with a white flag to the nearest Allied command post for the purpose of arranging a surrender. In case of attempted trickery, no mercy will be given.

Wir gewährleisten:

SICHERSTELLUNG PERSÖNLICHEN EIGENTUMS. BEHANDLUNG LAUT GENFER ABKOMMENS.

VERHALTUNGSMASSREGELN FÜR SOLDATEN:

Feuer sofort einstellen! Waffen niederlegen! Koppel und Helm herunter! Hände hoch, Handflächen nach aussen! Mit weisser Fahne auf unsere Linien zugehen!

VERHALTUNGSMASSREGELN FÜR ZIVILPERSONEN:

WÄHREND DES GEFECHTES: Geht in Euern Keller oder den nächsten Luftschutzraum. Hängt eine weisse Fahne heraus zum Zeichen, dass das Haus nicht verteidigt wird. Wird das Haus von deutschen Soldaten verteidigt, so wird es zerstört.

NACH DEM GEFECHT: Bleibt in Kellern oder Luftschutzräumen! Zeigt Euch nicht auf Bürgersteigen oder Fahrbahnen! Weitere Anweisungen und Verbote werden erfolgen. Zuwiderhandelnde werden verhaftet und abgeurteilt.

Der Befehlshaber der Amerikanischen Truppen.

CPH 34

Abb. 48: Amerikanisches Flugblatt aus dem Frühjahr 1945.

schen Militarismus und dem Streben nach gewaltsamer Revision des Status quo durch eine staatliche und politische Neuordnung definitiv den Garaus zu machen. Wenngleich der deutsche Diktator selber sich der Verantwortung für den Versuch, die Bevölkerung Europas, soweit ihr von der NS-Ideologie nicht die Ausrottung zugedacht gewesen war, dauerhaft unter dem Hakenkreuz zu versklaven, am 30. April 1945 durch Selbstmord entzog, mußten sich 24 führende Persönlichkeiten des Dritten Reiches aus Politik, Wirtschaft, Justiz, Wehrmacht, SS und Polizei ab dem 6. Oktober 1945 vor einem Internationalen Militärtribunal in Nürnberg wegen Verbrechen gegen den Frieden, Kriegsverbrechen, Verbrechen gegen die Menschlichkeit und Mitgliedschaft in verbrecherischen Organisationen verantworten (→ Nachkriegsprozesse).

Die Zerstörung des traditionellen europäischen Mächtesystems durch den Weltkrieg bot auch international die Möglichkeit einer Neuordnung des Staatensystems auf der Basis der Atlantik-Charta, des Washington-Paktes (1.1.1942), der zur Keimzelle der → Vereinten Nationen wurde, und der im Weltkrieg gegen einen gemeinsamen Gegner praktizierten Zusammenarbeit. Der Aufstieg der Sowjetunion zur ideologisch und ökonomisch mit den USA konkurrierenden Weltmacht barg jedoch schon vor 1945 den Keim des Kalten Krieges in sich. Die Dekoloni-sation in Afrika und Asien schuf dann nach 1945 das Szenario zur globalen Austragung des neuen Mächtedualismus, hinter dessen atomarem Drohpotential die alteuropäischen Rivalitäten weiter an Bedeutung verloren.

Daß andererseits die Überwindung des nationalstaatlichen Souveränitätsprinzips im Zuge der Abschüttlung der kolonialen Fesseln durch die Länder Afrikas und Asiens scheiterte, ist in den Nationalitätenkonflikten Osteuropas, deren Ausbruch nach dem Ende des Weltkrieges lediglich vier Jahrzehnte kommunistischer Herrschaft zu unterdrücken vermocht hatten, bis in die jüngste Gegenwart hinein spürbar.

Literatur

Churchill, Winston S.: *Der Zweite Weltkrieg,* Sonderausgabe, Bern/München/Wien [2]1995.

Das Deutsche Reich und der Zweite Weltkrieg. Hg. vom Militärgeschichtlichen Forschungsamt, Stuttgart 1976 ff.

Gruchmann, Lothar: *Der Zweite Weltkrieg,* München [4]1975.

Kleßmann, Christoph: *Nicht nur Hitlers Krieg. Der Zweite Weltkrieg und die Deutschen,* Düsseldorf 1989.

Weinberg, Gerhard L.: *Eine Welt in Waffen. Die globale Geschichte des Zweiten Weltkriegs,* Stuttgart 1995.

Der Zweite Weltkrieg. Analysen, Grundzüge, Forschungsbilanz. Im Auftrag des Militärgeschichtlichen Forschungsamtes hg. von Wolfgang Michalka, München/Zürich 1989.

Quellen zum Nationalsozialismus

Von Heinz Boberach

Die Quellen zur Geschichte des NS-Regimes sind unvollständig überliefert und verstreut. Durch Luftangriffe, bei Kampfhandlungen in den letzten Kriegsmonaten, aber auch durch Vernichtungsmaßnahmen von Beamten und Funktionären, schließlich noch durch Plünderungen nach Kriegsende gingen wichtige schriftliche Quellen verloren. Deshalb ist vielfach der Rückgriff auf Sekundärüberlieferung nötig, wenn primäre Zeugnisse fehlen: Die Tätigkeit einer Zentralbehörde, von der es keine oder nur wenige Akten gibt, kann beispielsweise durch ihren Schriftwechsel mit nachgeordneten Stellen oder durch Dokumente und Aufzeichnungen leitender Beamter dokumentiert werden, aber ebenso durch ihre amtlichen Publikationen, nicht selten stehen sogar audiovisuelle Quellen zur Verfügung. So können für eine Darstellung der Ereignisse des 20. Juli 1944, ihrer Vorgeschichte und Folgen statt der bis auf geringe Reste vernichteten Ermittlungsakten der Geheimen Staatspolizei (Gestapo) und des Oberreichsanwalts beim Volksgerichtshof (VGH) die regelmäßigen ausführlichen Berichte des Chefs der Sicherheitspolizei in den Akten der Parteikanzlei, Briefe und Niederschriften von Beteiligten, Bilder, Tonbänder und Filme von den Hauptverhandlungen herangezogen werden.

Für die NS-Zeit, in der es keine freie öffentliche Meinung gab und in der viele Maßnahmen staatlicher Organe unter strenger Geheimhaltung durchgeführt wurden, sind archivalische Quellen aus der Tätigkeit von Behörden und der mit ihnen nach dem postulierten Prinzip der »Einheit von Partei und Staat« verzahnten Einrichtungen der NSDAP freilich noch wichtiger als für andere Abschnitte der Zeitgeschichte. Was davon bei Kriegsende übrig war, wurde zum großen Teil von den Truppen der Siegermächte beschlagnahmt und ins Ausland verbracht. Aus den USA und aus Großbritannien, wo sie vor allem in Alexandria/Virginia und Whaddon Hall/England aufbewahrt worden waren, kamen diese Archivalien in den sechziger Jahren nahezu vollständig zurück. Die Sowjetunion übergab lediglich Teile ihrer Beute an die DDR und behielt umfangreiche Aktenbestände, die erst nach der Veränderung der politischen Verhältnisse im Moskauer Zentrum für Aufbewahrung historisch dokumentarischer Sammlungen zugänglich wurden; über ihre Rückgabe wird verhandelt. Über den Verbleib nach Frankreich gelangter, wohl nicht sehr umfangreicher Quellen aus dem Reichsgebiet ist wenig bekannt.

Die schriftliche Überlieferung der Organe und Einrichtungen des Deutschen Reiches, der Länder und Gemeinden, der NSDAP und ihrer Gliederungen und Organisationen befindet sich in den Archiven des Bundes und der Länder sowie der Kommunen, Teile auch in anderen Aufbewahrungsstellen. Angaben darüber sind den von vielen Archiven veröffentlichten Bestandsübersichten zu entnehmen; von einigen Archiven sind außerdem Spezialinventare der vorhandenen Quellen zur Geschichte des Nationalsozialismus und Findbücher für einzelne besonders wichtige Bestände erschienen. Da nach den gesetzlichen Bestimmungen für das Archivwesen Archivalien, die nicht einzelne natürliche Personen betreffen, in der Regel 30 Jahre nach ihrer Entstehung benutzt werden dürfen, sind sie überwiegend für wissenschaftliche und publizistische Zwecke zugänglich; dies gilt auch für einen großen Teil der personenbezogenen Akten, die 30 Jahre nach dem Tod oder 100 Jahre nach der Geburt der betreffenden Person benutzt werden können. In fast allen Archiven kann außerdem diese Sperrfrist, wenn der Schutz von Persönlichkeitsrechten gesichert ist, verkürzt werden.

Die Überlieferung der Reichsbehörden und der NSDAP

Die bei der Tätigkeit zuständiger Reichsbehörden und Einrichtungen der NSDAP für ganz Deutschland sowie für annektierte und besetzte Gebiete entstandenen Archivalien liegen weitgehend im BUNDESARCHIV in BERLIN-LICHTERFELDE vereinigt, Teilbestände allerdings auch in Moskau. Die früher zwischen dem Bundesarchiv in Koblenz und dem ehemaligen ZENTRALEN STAATSARCHIV DER DDR in Potsdam geteilten Bestände wurden vereinigt. Künftig werden dort auch noch in einem ZWISCHENARCHIV in DAHLWITZ-HOPPEGARTEN aufbewahrte staatliche und NS-Akten, die das ZENTRALE PARTEIARCHIV der SED und der Staatsicherheitsdienst an sich gezogen hatten, zugänglich sein. Schon jetzt befinden sich hier die Bestände des ehemaligen amerikanischen BERLIN DOCUMENT CENTER mit Millionen personenbezogener Dossiers über Mitglieder der NSDAP, SS-Führer, Mitglieder der Reichskulturkammer, aber auch über volksdeutsche Umsiedler und über Gegner des Regimes, die vom Oberreichsanwalt beim Volksgerichtshof verfolgt wurden.

Zu den Beständen staatlicher Provenienz im Bundesarchiv gehören Registraturen und Registraturteile der → Reichskanzlei, der Reichsministerien sowie anderer oberster Reichsbehörden und der Gerichte, allerdings in sehr unterschiedlicher Vollständigkeit; Verluste können jedoch nicht selten durch Gegenüberlieferung vor allem in Akten der Reichskanzlei und des Reichsfinanzministeriums ausgeglichen werden. Lediglich die überlieferten Akten des Auswärtigen Amtes und der deutschen Auslandsvertretungen verwahrt bis auf einen kleinen ehemals Potsdamer Teilbestand das POLITISCHE ARCHIV DES AUSWÄRTIGEN AMTES. Relativ gut ist die Überlieferung des SS-Staates, u. a. mit den Unterlagen des Persönlichen Stabes von Himmler und mit umfangreichen Akten des Reichssicherheits-Hauptamtes.

Akten von Konzentrationslagern befinden sich in geringem Umfang außer im Bundesarchiv in Weimar, Akten aus Auschwitz und Stutthof in den dortigen Museen und in großer Menge weiterhin beim INTERNATIONALEN SUCHDIENST in AROLSEN, der lediglich die wissenschaftliche Benutzung von sach-, nicht von personenbezogenen Unterlagen zuläßt. Nur sehr lückenhaft sind demgegenüber im Bundesarchiv Akten der Parteikanzlei der NSDAP und anderer zentraler Dienststellen, der Gliederungen und angeschlossenen Verbände überliefert. Die Bestände des sogenannten HAUPTARCHIVS DER NSDAP dokumentieren hauptsächlich die Geschichte des Nationalsozialismus vor 1933, für die im übrigen Akten von Behörden der inneren Verwaltung, der Polizei und von Gerichten aus der Weimarer Republik, darunter als Quelle von zentraler Bedeutung die Berichte und Unterlagen des Reichskommissars für die Überwachung der öffentlichen Ordnung, sowie der Nachrichtensammelstelle im Reichsinnenministerium heranzuziehen sind. Der größte Teil der Überlieferung der Reichsstudentenführung liegt im STAATSARCHIV WÜRZBURG.

Zum Bundesarchiv gehört auch das MILITÄRARCHIV in FREIBURG. Dort ist die gesamte, allerdings sehr stark reduzierte Überlieferung der Wehrmacht, ihrer Kommandobehörden und Einheiten vereinigt. Einen Hauptbestandteil bilden die Kriegstagebücher der Heeresgruppen, Armeen, Korps und Divisionen mit ihren Anlagen von allen Kriegsschauplätzen. Vom Oberkommando der Wehrmacht (OKW) und vom Oberkommando des Heeres (OKH) mit ihren zahlreichen Ämtern und Abteilungen sind meist nur Aktenreste vorhanden, und dasselbe gilt auch für das Schriftgut der Luftwaffe insgesamt und für die Waffen-SS, deren Kriegsarchiv zum Teil in ein ARCHIV DER TSCHECHISCHEN ARMEE gelangt ist. Wesentlich vollständiger ist das Schriftgut der Kriegsmarine überliefert. Die Akten der Rüstungsdienststellen sind als Quellen für die Wirtschaftsgeschichte von Bedeutung, die Überlieferung von Besatzungstruppen dokumentiert auch die Zusammenarbeit der Wehrmacht mit Sicherheitspolizei und Sicherheitsdienst (SD). Für Akten der → Kriegsgerichtsbarkeit und für militärische Personalunterlagen, von denen ein weiterer Teil bei der ehemaligen WEHRMACHTAUSKUNFTSTELLE in BERLIN verwahrt wird, ist die ZENTRALNACHWEISSTELLE des Bundesarchivs in AACHEN-KORNELIMÜNSTER zuständig.

Länder, Reichsgaue, mittlere Reichsbehörden

Die Überlieferung der Behörden der bis 1945 bestehenden Länder und der neu gebildeten Reichsgaue sowie der mittleren Reichsbehörden ist auf die 49 Staatsarchive der Bundesländer, die österreichischen Landesarchive, tschechische Gebiets- und polnische Staatsarchive verteilt; sie verwahren jeweils die in einem ihnen zugewiesenen Bezirk entstandenen Archivalien. Für oberste Landesbehörden zuständig sind außerdem die HAUPTSTAATSARCHIVE DRESDEN, MÜNCHEN, STUTTGART und WEIMAR, das GENERALLANDESARCHIV KARLSRUHE und die STAATSARCHIVE BÜCKEBURG, DARMSTADT, DETMOLD, OLDENBURG, ORANIENBAUM, SCHWERIN und WOLFENBÜTTEL. In den übrigen LANDESHAUPT- oder HAUPTSTAATSARCHIVEN DÜSSELDORF, HANNOVER, KOBLENZ, POTSDAM und WIESBADEN ist neben der regionalen nur die Überlieferung der Zentralbehörden der nach 1945 entstandenen Länder vorhanden.

Von den Reichsstatthaltern und Landesregierungen sind Akten in sehr unterschiedlichem Umfang überliefert. Für die obersten preußischen Behörden, darunter das Staatsministerium und das Finanzministerium, ist das GEHEIME STAATSARCHIV PREUßISCHER KULTURBESITZ in Berlin-Dahlem zuständig, in das auch die früher von der ABTEILUNG MERSEBURG des ZENTRALEN STAATSARCHIVS DER DDR verwahrten Archivalien zurückgekehrt sind. Während die Akten des Reichsstatthalters in Bayern und des Bayerischen Staatsministeriums relativ umfangreich sind, gibt es von den entsprechenden württembergischen, sächsischen und badischen Behörden nur wenige Aktenreste, und dasselbe gilt für die übrigen Länder; aus den Registraturen der Reichsstatthalter für Baden, Oldenburg-Bremen, Braunschweig-Anhalt und Mecklenburg blieb nichts erhalten. Wegen der darin enthaltenen Korrespondenz mit obersten Reichsbehörden sind die Akten der Landesregierungen von Lippe im STAATSARCHIV DETMOLD und von Schaumburg-Lippe im STAATSARCHIV BÜCKEBURG von gewisser Bedeutung. Für die Zeit ab 1938/39 gibt es dagegen umfangreiche Akten vor allem der Reichsstatthalter in Salzburg und Niederdonau, im Sudetenland (im STAATLICHEN GEBIETSARCHIV LEITMERITZ [Litomerice]) und im Wartheland (im STAATSARCHIV POSEN [Poznan]), nur wenig von den übrigen österreichischen Reichsstatthaltern und den Reichsstatthaltern in Danzig-Westpreußen und in der Westmark (Pfalz und Saarland). Die Tätigkeit des Reichsprotektors und des Deutschen Staatsministeriums für das Protektorat Böhmen und Mähren und der Regierung des Generalgouvernements ist durch Bestände in polnischen und tschechischen Archiven gut dokumentiert. Akten von deutschen zivilen und militärischen Behörden in besetzten Gebieten liegen, soweit sie nicht in das Bundesarchiv gelangten, in Archiven Frankreichs, Belgiens, Norwegens, Rußlands, der baltischen und anderer Länder. Als wesentliche Quellen zu erwähnen sind noch Akten des bayerischen Innenministeriums und der Kultus- und Finanzministerien einiger Länder; sie sind jedoch meist in Serien enthalten, die vor 1933 beginnen oder nach 1945 fortgesetzt wurden.

Sehr viel schlechter steht es mit der Überlieferung der Gauleitungen der Partei, der Gauwaltungen ihrer angeschlossenen Verbände und der entsprechenden Dienststellen sowie ihrer Gliederungen. Relativ umfangreich ist sie nur von den Gauleitungen Baden-Elsaß im GENERALLANDESARCHIV KARLSRUHE, Westfalen-Nord und (überwiegend Unterlagen des Gauwirtschaftsberaters) -Süd (STAATSARCHIV MÜNSTER), Wien (ARCHIV DER REPUBLIK im ÖSTERREICHISCHEN STAATSARCHIV), Württemberg-Hohenzollern (STAATSARCHIV LUDWIGSBURG), Sudetenland (in LEITMERITZ), Oberschlesien (im STAATSARCHIV KATTOWITZ) und Wartheland (in POSEN); darin sind die Akten der einzelnen Ämter unterschiedlich vertreten, und einen Hauptbestandteil bilden Personalunterlagen. Für einige Gaue liegt jedoch Ersatzüberlieferung von Kreisleitungen vor.

Von einigen SS-Oberabschnitten, u. a. Südost (Breslau) und Warthe, und SA-Gruppenführungen, u. a. Kurpfalz und Sachsen, gibt es Akten vor allem über Personalangelegenheiten. Bis auf Restakten der Motorbrigade Kurpfalz-Saar (in Speyer), des HJ-Gebiets Schwaben (Augsburg) und der Gaufrauenschaftsleitung Westfalen-Nord (Münster) fehlen sie nahezu völlig von den regionalen Dienststellen des Nationalsozialistischen Kraftfahrkorps (NSKK), des Nationalsozialistischen Fliegerkorps (NSFK), der Hitler-Jugend (HJ), der NS-Frauenschaft, des Nationalsozialistischen Deutschen Dozentenbundes (NSDDB) und des Nationalsozialistischem Studentenbundes. Von den Gauwaltungen der Deutschen Arbeitsfront (DAF) sind größere Bestände nur aus dem Gau Bayerische

Ostmark in Bamberg, von der NS-Volkswohlfahrt nur aus den Gauen Baden in Karlsruhe und Westfalen-Nord in Münster, ansonsten nur Aktenreste und -splitter überliefert. Dies gilt auch für den NS-Rechtswahrer-Bund (NSRB), den NS-Lehrerbund (NSLB), die Nationalsozialistische Kriegsopferversorgung (NSKOV) sowie den NS-Ärztebund, den NS-Bund Deutscher Technik und den Reichsbund Deutscher Beamten.

Mittelinstanzen

Die Verluste bei der Überlieferung der obersten Reichs- und Landesbehörden werden zum Teil durch Quellen ausgeglichen, die sich in Akten der Mittelinstanzen finden, wo solche bestanden. Das trifft vor allem auf die Akten preußischer Oberpräsidien und preußischer, bayerischer und sächsischer Bezirksregierungen zu. Besonders umfangreiche Bestände stammen von den Oberpräsidien der Provinzen Hannover, Westfalen, Sachsen und Oberschlesien und aus der Provinzialselbstverwaltung von Brandenburg, Niederschlesien, Westfalen und der Rheinprovinz, von den meisten preußischen und den Bezirksregierungen von Niederbayern-Oberpfalz, Ober- und Mittelfranken, im Sudetenland und für den Bezirk Litzmannstadt (Lodz). Sie enthalten vielfach Unterlagen über Wirtschafts- und Sozialpolitik, Erziehungswesen, das Verhältnis zu den Kirchen, Gesundheitswesen (Erbgesundheitsgesetz), Folgen des Luftkrieges, kulturelle Veranstaltungen und Ausstellungen und nicht zuletzt über die Verfolgung politischer Gegner des Nationalsozialismus, der Juden, Sinti und Roma.

Sie bieten damit einen Ersatz für die weitgehend vernichteten Akten der Gestapo, von denen lediglich Einzelfall-Akten der Staatspolizei(leit)stellen Düsseldorf, Würzburg, Neustadt/Weinstraße, Litzmannstadt und Zichenau-Schröttersburg in größerem Umfang, im übrigen nur Aktenreste in die Archive gelangt sind; die offenbar weitgehend erhaltenen Sachakten der Staatspolizeileitstelle Stettin befinden sich in Moskau. Widerstand und Verfolgung sind außerdem dokumentiert in Akten von Generalstaatsanwälten bei einigen OBERLANDESGERICHTEN, vor allem HAMM, und von Sondergerichten sowie in den Akten von JUSTIZVOLLZUGSANSTALTEN über politische Häftlinge. Die Vertreibung und Deportation der Juden wird aus Akten von LANDESFINANZÄMTERN und DEVISENSTELLEN ersichtlich, die Ermordung der Geisteskranken aus Unterlagen von HEIL- UND PFLEGEANSTALTEN, auf der Rassenideologie beruhende Maßnahmen aus der Überlieferung von Landesbauernschaften, die nationalsozialistische Propaganda aus wenigen Akten von Reichspropagandaämtern. Über die Stimmung der Bevölkerung geben Akten des SD-Abschnitts Koblenz und anderer Dienststellen des SD Aufschluß.

Die in den übrigen, weitaus meisten Beständen der Staatsarchive enthaltene Überlieferung ist nur bedingt als Quelle für den Nationalsozialismus anzusehen, doch können auch Akten mit politischen Angelegenheiten nicht befaßter Dienststellen gelegentlich von Bedeutung sein, etwa die Unterlagen eines Landesrechungshofs über Kassen- und Rechnungsprüfungen bei der Gestapo oder einer Forst-, Post- oder Eisenbahnbehörde über den Einsatz von ausländischen Zwangsarbeitern. Ein Modellversuch in Nordrhein-Westfalen hat gezeigt, in welch großem Umfang sich die Tätigkeit von Parteieinrichtungen, deren eigene Akten verloren sind, aus der Überlieferung staatlicher Behörden belegen läßt.

Nach 1945 entstandene Quellen

Nach 1945 sind neue Quellen zur Geschichte des Nationalsozialismus aus der Tätigkeit der Behörden und Gerichte bei der Entnazifizierung, der Wiedergutmachung von Verfolgungsmaßnahmen und der Rückerstattung entzogener Vermögenswerte und bei den Nachkriegsprozessen wegen Verbrechen gegen die Menschlichkeit und anderer NS-Gewaltverbrechen entstanden. Bis auf die Akten der Spruchgerichte, die in der britischen Besatzungszone die Angehörigen der in Nürnberg für verbrecherisch erklärten Organisationen aburteilten, im Bundesarchiv Koblenz befinden sich die Unterlagen der durch die Gesetze zur politischen Befreiung eingesetzten Spruchkammern und der Entschädigungsämter der alten Bundesländer wie auch der Gerichte und Staatsanwaltschaften in den regional zuständigen Staatsarchiven. Die Prozesse und Ermittlungsverfahren insbesondere seit Ende der fünfziger Jahre wegen Verbrechen in Osteuropa, in Konzentrations- und Vernichtungslagern sind umfassend bei der ZENTRALEN STELLE DER LANDESJUSTIZVERWALTUNGEN in LUDWIGSBURG dokumentiert; dort wurde auch eine umfangreiche Sammlung kopierter Beweisdokumente aus Archiven Polens, der ehemaligen Sowjetunion und anderer besetzter Länder angelegt. Die Originalüberlieferung des Nürnberger Internationalen Militärtribunals verwahrt der INTERNATIONALE GERICHTSHOF in DEN HAAG, die Akten der Verfahren vor amerikanischen, britischen und französischen Militärgerichten in Deutschland liegen in den Archiven dieser Länder, eine Gegenüberlieferung aus Kanzleien von Verteidigern und Handakten von Angeklagten sowie Mikrofilme von britischen Akten besitzt jedoch das Bundesarchiv.

Nichtstaatliche Archive

Ersatz für verlorene Quellen staatlicher oder NSDAP-Provenienz können die Bestände vieler Kreis- und Kommunalarchive bieten, von denen einige neben der Überlieferung der Landratsämter, der Stadt- und Gemeindeverwaltungen auch Schriftgut lokaler Dienststellen der Partei und ihrer Gliederungen verwahren. Ihre Bedeutung als Quellen für die NS-Zeit gewinnen sie jedoch vor allem dadurch, daß aus ihnen die Lebensverhältnisse, z. B. die Versorgung mit Lebensmitteln und Gebrauchsgütern, die Auswirkungen der Luftangriffe, das Verhalten der Hoheitsträger für Kreise und Ortsgruppen, die Beeinflussung der Bevölkerung durch Propagandaveranstaltungen und -aktionen, auch die zunehmende Entrechtung der jüdischen Bürger unmittelbarer zu erkennen sind als in der Überlieferung der höheren Instanzen.

Schriftliche Quellen stammen aber nicht nur aus der öffentlichen Verwaltung. Nahezu alle staatlichen und größeren Kommunalarchive haben sich mit Erfolg bemüht, Nachlässe von Politikern und Beamten zu erwerben. Nachgewiesen sind sie nach dem Stand von 1983 im *Verzeichnis der Nachlässe in den deutschen Archiven,* das allerdings für die Archive in der ehemaligen DDR unvollständig ist; darin werden z. B. rund 50 Nachlässe von Funktionären der NSDAP und ihrer Gliederungen beschrieben.

Einige Archive haben darüber hinaus systematisch Zeitzeugen befragt oder veranlaßt, Berichte über ihre Tätigkeit und ihre Erlebnisse in der NS-Zeit zu verfassen. In besonders großem Umfang ist das durch die *Ost-Dokumentation* des Bundesarchivs in der für die Archivierung beim Lastenausgleich für Heimatvertriebene entstandenen Unterlagen zuständigen Außenstelle Bayreuth geschehen, die sich nicht auf die Ereignisse bei der Flucht und Vertreibung der Bevölkerung aus Ostdeutschland und den deutschen Siedlungsgebieten in Südosteuropa beschränkt hat, sondern auch Berichte von Persönlichkeiten des öffentlichen Lebens über Politik, Verwaltung und Wirtschaft in den Vertreibungsgebieten umfaßt. Als Beispiel für entsprechende Aktivitäten auf lokaler Ebene ist das beim Historischen Archiv der Stadt Köln eingerichtete NS-Dokumentationszentrum zu nennen.

Staatliche, kommunale und Partei-Archive

Eine Übersicht über die archivalischen Quellen der NS-Zeit wäre unvollständig, würde sie nicht auch die nicht vom Staat oder von den Kommunen unterhaltenen Archive erwähnen. Dazu gehören die kirchlichen Archive: das Evangelische Zentralarchiv in Berlin und die Archive der einzelnen katholischen Diözesen und der evangelischen Landeskirchen. Dort sind die Auseinandersetzungen zwischen NSDAP und Kirchen dokumentiert. Über die Gleichschaltung der wissenschaftlichen Forschung und Lehre geben die Bestände der Archive der Universitäten und Hochschulen, z. B. das Archiv der Berliner Humboldt-Universität, hinreichend Aufschluß, wenn auch in manchen, vor allem den bei meisten Technischen Hochschulen, nur spärliche Akten aus der NS-Zeit vorliegen. Regionale Wirtschaftsarchive wie das Westfälische Wirtschaftsarchiv in Dortmund und Unternehmensarchive, z. B. von Krupp, Siemens, Mercedes-Benz, VW, bieten Quellen für die Wirtschafts- und Rüstungspolitik, die Ausbeutung besetzter Gebiete und ausländischer Zwangsarbeiter. Unterlagen über die Verfolgung politischer Gegner und von Emigranten und Exilorganisationen, die Informationen aus Deutschland sammelten und die Welt über die Verbrechen des Regimes zu unterrichten versuchten, finden sich in Archiven politischer Parteien, vor allem im Archiv der sozialen Demokratie der Friedrich-Ebert-Stiftung in Bonn und in der Stiftung Archiv der Parteien und Massenorganisationen der DDR im Bundesarchiv in Berlin-Lichterfelde. Weitere Akten aus der politischen Emigration, die von Gestapo und SD in Westeuropa beschlagnahmt wurden, gelangten teils in das Bundesarchiv, teils liegen sie noch in Moskau.

Schließlich ist darauf zu verweisen, daß auch Institute, deren Hauptaufgabe die zeitgeschichtliche Forschung ist, archivalische Sammlungen besitzen. Das gilt besonders für das INSTITUT FÜR ZEITGESCHICHTE in MÜNCHEN mit zahlreichen Nachlässen, Manuskripten und Aussagen von mehr als 3000 Zeitzeugen. Dort sind ferner etwa 2700 Gerichtsverfahren wegen Kriegs- und NS-Gewaltverbrechen nach 1945 durch Anklageschriften und Urteile bzw. Einstellungsverfügungen dokumentiert.

Amtliche Druckschriften, Zeitungen und andere Quellen

Das INSTITUT FÜR ZEITGESCHICHTE besitzt außerdem eine umfangreiche Sammlung von amtlichen und NSDAP-Druckschriften. Dabei handelt es sich sowohl um Einzelschriften als auch um rund 400 Periodika und Schriftenreihen. Zahlreiche Publikationen, insbesondere aus der Kriegszeit, waren als Verschlußsachen nur für den Dienstgebrauch bestimmt. Da ein Belegexemplar aller in Deutschland erschienenen Druckschriften an die Deutsche Bücherei in Leipzig abzuliefern war, dürften die in der jetzigen ZWEIGSTELLE DER DEUTSCHEN BIBLIOTHEK in LEIPZIG liegenden Sammlungen noch umfangreicher sein. Das dort bearbeitete *Monatliche Verzeichnis der reichsdeutschen amtlichen Druckschriften,* das bis Juni 1944 erschien, unterrichtet über die Veröffentlichungen der einzelnen Behörden. Für die Publikationen der NSDAP von 1936 bis September 1944 entsprechen ihm die Monatshefte der *Nationalsozialistischen Bibliographie* der Parteiamtlichen Prüfungskommission zum Schutze des NS-Schrifttums (PPK).

Das BUNDESARCHIV besitzt ebenfalls Sammlungen von Amts- und NSDAP-Drucksachen, und einzelne Staats- und Kommunalarchive haben sich erfolgreich bemüht, Veröffentlichungen von Gauleitungen und anderen regionalen NSDAP-Dienststellen zu sammeln. Als Beispiele für derartige Quellen sind die zahlreichen Publikationen des Statistischen Reichsamtes zu nennen, das noch 1944 eine detaillierte Übersicht über das Ergebnis der Sonderzählung der Juden bei der Volkszählung von 1939 herausgab, oder die Schriften von 16 Nationalpolitischen Erziehungsanstalten, deren eigene Akten nicht mehr vorhanden sind. Zu den NS-Druckschriften gehören Jahresberichte von Gauen, Veröffentlichungen über Gauparteitage, Ranglisten, Dienststellenverzeichnisse oder die *Germanischen Leithefte* für die ausländischen Freiwilligen der Waffen-SS. Besonders für die ersten Jahre nach 1933 kommen auch Tageszeitungen als Quellen in Betracht. Durch das DORTMUNDER MIKROFILMARCHIV DER DEUTSCHPRACHIGEN PRESSE sind sie leicht zugänglich. Zugriffsmöglichkeiten zu den darin enthaltenen Informationen bieten sachthematische Zeitungsausschnittsammlungen, wie sie u. a. im Institut für Zeitgeschichte und im Bundesarchiv vorhanden sind. Bei ihrer Auswertung sind freilich die vom Reichsministerium für Volksaufklärung und Propaganda ausgegebenen Tagesparolen und anderen Weisungen zu berücksichtigen, die in mehreren Serien im Bundesarchiv überliefert sind. Veröffentlicht sind auch zahlreiche Beweisdokumente aus den Nachkriegsprozessen. Schon die Dokumentation des Verfahrens gegen die Hauptkriegsverbrecher vor dem Internationalen Militärtribunal enthielt neben den stenographischen Protokollen in 18 der »blauen« Bände eine Fülle von Schriftstücken. Es folgten die »grünen« Bände über die folgenden Prozesse vor amerikanischen Gerichtshöfen und weitere über das Verfahren gegen die Wachmannschaften von Bergen-Belsen u. a. Darüber hinaus stehen die vervielfältigten Dokumentenbücher der Nürnberger Prozesse u. a. im Institut für Zeitgeschichte, im Bundesarchiv, im Staatsarchiv Nürnberg und im ZENTRUM FÜR ANTISEMITISMUSFORSCHUNG in BERLIN zur Verfügung. Die Prozesse wegen NS-Gewaltverbrechen vor deutschen Gerichten sind durch den Abdruck von Urteilen in 22 Bänden *Justiz und NS-Verbrechen* und die bereits erwähnte Urteilsammlung des Instituts für Zeitgeschichte dokumentiert.

Eine besondere Form der Veröffentlichung von Archivalien ist die Herstellung von Mikrofilmen, die käuflich erworben werden können. In großem Umfang geschah das in den USA vor der Rückgabe der in Alexandria/Virginia lagernden deutschen Akten. Ihr Inhalt ist in derzeit etwa 100 Guides beschrieben. Für die Mikrofilme der Akten im POLITISCHEN ARCHIV DES AUSWÄRTIGEN AMTES liegt ein vierbändiger Katalog vor. Die Archivverwaltung der DDR hatte zahlreiche Filme, übrigens auch von deutschen Akten in polnischen Archiven, für das Zentrale Staatsarchiv Potsdam beschafft.

Mehrere tausend Rollen der Alexandria-Filme stehen im Institut für Zeitgeschichte zur Verfügung. Als Ersatz für die weithin vernichteten Akten der Parteikanzlei hat das Institut deren Korrespondenz in anderen Archivbeständen ermittelt und in Form von Microfiches ediert. In einer weiteren Microfiche-Edition des Instituts liegen Urteile aus Verfahren gegen Gegner des Regimes wegen Vorbereitung zum Hochverrat vor. Auch Denkschriften und Gutachten des Arbeitswissenschaftlichen Instituts der DAF sind in dieser Form zugänglich. Von Beständen im Bundesarchiv, zu denen die *Findbücher* publiziert wurden, u. a. von den Akten der Reichskanzlei und des Reichsministeriums für Volksaufklärung und Propaganda, können dort in der Regel Mikrofilme oder -fiches bezogen werden.

Editionen

Schriftliche Quellen von besonderer Bedeutung werden durch wissenschaftliche Editionen zugänglich gemacht. Am umfangreichsten sind die publizierten *Akten zur Deutschen Auswärtigen Politik* mit mehr als 50 Bänden für die Jahre 1933 bis 1945. Von der Edition von *Akten der Reichskanzlei* aus der NS-Zeit sind bisher erst 2 Bände für die Zeit vom 30. Januar 1933 bis zum Tod Hindenburgs 1934 erschienen, weitere Bände sind in Bearbeitung. Von 1933 bis 1936 reichen die 6 Bände der Edition der *NS-Presseanweisungen der Vorkriegszeit.* Hohen Rang besitzen die täglichen Aufzeichnungen von Goebbels, von denen zunächst auf unzureichender Basis 4 Bände für die Jahre 1924 bis 1941 erschienen, denen 15 Bände mit zwischen Juli 1941 und April 1945 diktierten Texten gefolgt sind, nachdem die Originale in Moskau zugänglich wurden. Über Widerstand und Verfolgung informieren die Berichte über die Ermittlungen der Gestapo und über die Verfahren vor dem Volksgerichtshof nach dem 20. Juli 1944 sowie die edierten Lageberichte der Staatspolizeistellen Aachen, Hannover, Frankfurt am Main, Kassel, Köslin, Münster, Osnabrück, Stettin vor allem aus der Vorkriegszeit. Quellen für die Stimmung der Bevölkerung und die Wirkung von Maßnahmen von Partei und Behörden und der Propaganda sind die *Deutschland-Berichte der Sozialdemokratischen Partei Deutschlands 1934-1940* und die *Meldungen aus dem Reich* des SD von 1939 bis 1945, die in 7 bzw. 17 Taschenbuchbänden vorliegen. Äußerungen Hitlers sind veröffentlicht in den Sammlungen seiner Reden und Proklamationen, seiner Tischgespräche im Führerhauptquartier 1941/42, der Fragmente von Lagebesprechungen 1942-1945, der Führerweisungen für die Kriegführung und von Aufzeichnungen über Gespräche mit ausländischen Politikern und Diplomaten 1939-1941. Von Himmler wurden »Geheimreden« und Auszüge aus seiner Korrespondenz herausgegeben. Zur Geschichte des Zweiten Weltkriegs können die Editionen der *Kriegstagebücher* des Oberkommandos der Wehrmacht und der Seekriegsleitung und von Dokumentationen deutscher Kriegsschäden herangezogen werden, und in 9 Bänden sind Belege für *Europa unter dem Hakenkreuz,* die Herrschaft in eingegliederten und besetzten Gebieten gesammelt. In bisher 3 Bänden für die Jahre 1933 bis 1937 wurden *Dokumente zur Kirchenpolitik* veröffentlicht. Einen Beitrag zur Rechtsgeschichte leistet die Veröffentlichung von *Protokollen der Ausschüsse der Akademie für Deutsches Recht.* Als Quellen kritisch zu würdigen sind schließlich die Memoiren von Speer und anderen NS-Politikern und Funktionären. Wie einzelne Männer und Frauen die NS-Zeit erlebten, wird in zahlreichen Publikationen von Tagebüchern, Feldpostbriefen und Nachkriegsaufzeichnungen – nicht zuletzt auch von Opfern politischer oder rassischer Verfolgung – sichtbar.

Die zwischen 1953 und 1980 erschienenen Quellenpublikationen sind in der *Bibliographie zur Zeitgeschichte* nachgewiesen, die Veröffentlichungen der Jahre 1945 bis 1950 in einer gesonderten Bibliographie, und für die Publikationen nach 1980 ist auf die periodischen Bibliographien in den *Vierteljahrsheften für Zeitgeschichte* zu verweisen.

Nichtschriftliche Quellen

Neben den schriftlichen Quellen sind Karten und Pläne, Bilder, Tonträger und Filme für die Geschichte des Nationalsozialismus von erheblicher Bedeutung. Die mehr als 8000 Lagekarten des Oberkommandos des Heeres im Bundesarchiv-Militärarchiv geben Aufschluß über die Entwicklung des Frontverlaufs auf allen Kriegsschauplätzen und die eingesetzten Verbände. Aus Verwaltungskarten wird die Abgrenzung der Gaue und Kreise der NSDAP, der Arbeitsgaue, SS- und SD-Oberabschnitte und Abschnitte, HJ-Gebiete und -Banne ersichtlich. Die Vorstellungen Hitlers, Speers und anderer NS-Architekten von der Neugestaltung Berlins, Münchens und weiterer Städte sind durch Planzeichnungen u. a. im Bundesarchiv, im Bayerischen Hauptstaatsarchiv und in Moskau dokumentiert.

Große Bestände von Bildern aus der NS-Zeit befinden sich u. a. im BILDARCHIV bei der STAATSBIBLIOTHEK PREUßISCHER KULTURBESITZ und beim SÜDDEUTSCHEN VERLAG in München, an den ein Teil des Bildarchivs des Scherl-Verlags gelangte, von dem ein weiterer im Bundesarchiv Koblenz liegt, das auch etwa eine Million Aufnahmen von Propagandakompanien der Wehrmacht im Zweiten Weltkrieg besitzt. Zu den Koblenzer Beständen gehören ferner ca. 15 000 Aufnahmen von Veranstaltungen der NSDAP zwischen 1934 und 1942 aus deren Hauptarchiv und – vor allem aus dem Deutschen Auslands-Institut – Bilder von deutschen Minderheiten im Ausland und von der Umsiedlung von Volksdeutschen aus Ost- und Südosteuropa. Die neben den biographischen und geographischen Serien gebildeten sachthematischen Sammlungen enthalten u. a. Bilder über NS-Organisationen im Ausland, von den Folgen der Luftangriffe und aus den Verfahren vor dem Volksgerichtshof nach dem 20. Juli 1944. Bildquellen sind auch die meisten der im Bundesarchiv, einzelnen Staats- und Kommunalarchiven und im DEUTSCHEN PLAKATMUSEUM in ESSEN gesammelten Plakate der NSDAP und ihrer Organisationen, von denen viele der antisemitischen und antibolschewistischen Propaganda dienten, vor feindlichen Spionen warnen sollten und zum sparsamen Verbrauch von Energie und Rohstoffen aufforderten. Eine oft übersehene, im Bundesarchiv gesammelte Quelle sind schließlich Klebemarken, mit denen die NSDAP vor 1933 und in den ersten Jahren danach geworben oder Spenden quittiert hat, und Siegelmarken von Behörden.

Auf Schallplatten und Tonbändern, die von der Reichspropagandaleitung der NSDAP hergestellt wurden und in das Bundesarchiv gelangten, sind vor allem nicht öffentlich verbreitete Reden Hitlers, Himmlers, Goebbels', Görings und anderer führender Nationalsozialisten, Reportagen und Interviews überliefert. Sehr viel umfangreicher sind die im DEUTSCHEN RUNDFUNKARCHIV in FRANKFURT AM MAIN und BERLIN verwahrten Produktionen der Reichsrundfunkgesellschaft und ihrer Sender; dazu gehören Aufnahmen von Reden, Sitzungen des Reichstags, von Appellen, Trauerfeiern und Kundgebungen, Sondermeldungen des OKW, Berichte von Propagandakompanien und politische Kommentare.

Filme und Filmaufzeichnungen aus der NS-Zeit befinden sich vor allem im BUNDESARCHIV-FILMARCHIV in BERLIN, das die früheren Koblenzer Bestände mit denjenigen, z. T. noch aus dem ehemaligen Reichsfilmarchiv stammenden des Filmarchivs der DDR vereinigt und bei dem auch ein zentraler Nachweis der audiovisuellen Bestände aller deutschen Archive geführt wird. Es handelt sich dabei einmal um die reichseigene Spielfilmproduktion mit Propagandafilmen wie *Jud Süß* und *Kolberg*, zum anderen um Dokumentar- und Werbefilme, die als Quellen von Bedeutung sind. Sie wurden von der NSDAP und ihren Gliederungen selbst oder in deren Auftrag hergestellt, so z. B. der Film *Erbkrank* des Rassepolitischen Amtes der NSDAP, der Film *Triumph des Willens* vom Reichsparteitag 1934 und 41 Filme der Gaufilmstelle Halle-Merseburg. Andere Filme ließ das Reichsministerium für Volksaufklärung und Propaganda produzieren, darunter die Filme über das Ghetto Theresienstadt und über die Prozesse vor dem Volksgerichtshof. In seinem Auftrag entstanden auch das Filmarchiv der Persönlichkeiten mit Interviews u. a. mit Goebbels und Rosenberg, und Filme zur Werbung für den Arbeitseinsatz in Deutschland, nach seinen Weisungen seit Kriegsbeginn die *Deutsche Wochenschau.* Zu Werbezwecken und zum internen Dienstgebrauch vor allem bei der Ausbildung wurden Filme auch für das Reichsjustizministerium, den Reichssportführer, den Reichsluftschutzbund, den Reichsbauernführer und die Wehrmacht hergestellt. Aus Privatbesitz wurden Amateurfilme erworben, darunter von Eva Braun angefertigte Aufnahmen aus dem Privatleben Hitlers auf dem Obersalzberg und Bilder aus besetzten Gebieten. Die Bestände des Bundesfilmarchivs lieferten nicht nur die Grundlage für zahlreiche Fernsehproduktionen über den Nationalsozialismus, sondern auch für im Handel erhältliche Videokassetten. Wissenschaftlich kommentierte Editionen einiger Dokumentarfilme entstanden beim INSTITUT FÜR DEN WISSENSCHAFTLICHEN FILM in GÖTTINGEN.

Literatur

A Catalogue of Files and Microfilms of the German Foreign Ministry Archives 1920-1945. Compiled and edited by George O. Kent. 4 Bde., Stanford/California 1962-1972.

Aly, Götz/Susanne Heim: Das Zentrale Staatsarchiv in Moskau (»Sonderarchiv«). Rekonstruktion und Bestandsverzeichnis verschollen geglaubten Schriftguts aus der NS-Zeit, Düsseldorf 1992.

Archive in der Bundesrepublik Deutschland, Österreich und der Schweiz. Hg. vom Verein deutscher Archivare. 15. Ausgabe, Münster 1995.

Benz, Wolfgang: Quellen zur Zeitgeschichte, in: *Deutsche Geschichte seit dem Ersten Weltkrieg,* Bd. 3, Stuttgart 1973, S. 9-148.

Das Schriftgut der NSDAP, ihrer Gliederungen und angeschlossenen Verbände in der Überlieferung staatlicher Behörden im Bereich des heutigen Landes Nordrhein-Westfalen. 4 Bde., Düsseldorf 1983.

Die Nachlässe in den deutschen Archiven (mit Ergänzungen aus anderen Beständen). Bearb. von Wolfgang A. Mommsen. 2 Bde., Boppard 1971, 1983.

Druga wojna swiatowa 1939-1945. Informator o materialach zrodlowych przechonywanich w archiwaw PRL [2. Weltkrieg. Übersicht über Quellenmaterial in den Archiven der Volksrepublik Polen], Warschau 1972.

Findbücher zu Beständen des Bundesarchivs. Bd. 8: *Wochenschauen und Dokumentarfilme 1895-1950.* Neubearb. v. Peter Bucher, Koblenz 1984.

Mikrofilmarchiv der deutschsprachigen Presse e. V., 9. Bestandsverzeichnis, Dortmund 1994.

Guides to German Records Microfilmed at Alexandria/Va. by the American Historical Association, Committee for the Study of War Documents. 96 Bde., Washington 1958-1996.

Hockerts, Hans Günter: *Weimarer Republik, Nationalsozialismus, Zweiter Weltkrieg.* Erster Teil. Akten und Urkunden (Quellenkunde zur deutschen Geschichte der Neuzeit, Bd. 6,1), Darmstadt 1996.

Inventar archivalischer Quellen des NS-Staates. Die Überlieferung von Behörden und Einrichtungen des Reichs, der Länder und der NSDAP. Im Auftrag des Instituts für Zeitgeschichte bearb. von Heinz Boberach u. a. Teil 1: *Reichszentralbehörden, regionale Behörden und wissenschaftliche Hochschulen für die zehn westdeutschen Länder sowie Berlin.* – Teil 2: *Regionale Behörden und wissenschaftliche Hochschulen für die 5 ostdeutschen Länder, die ehemaligen preußischen Ostprovinzen und eingegliederte Gebiete in Polen, Österreich und der Tschechischen Republik,* mit Nachträgen zu Teil 1. (= Texte und Materialien zur Zeitgeschichte, Bd. 3), München/London/New York/Paris 1991, 1995.

Quellen zur Zeitgeschichte in den staatlichen Archiven des Landes Nordrhein-Westfalen. Nichtstaatliches Schriftgut, nichtschriftliches Archivgut, Nationalsozialismus, Münster 1978.

Teil II: Lexikon

A

AB-Aktion s. Außerordentliche Befriedungsaktion

Abrüstung Langfristig konnte einer auf Rassenwahn und Raumsucht (→ Lebensraum) fixierten → Außenpolitik nichts ferner liegen als A., zumal in nat.soz. Zeit Krieg als eigentliches Bewegungsgesetz und Kampf als höchste Bewährungsform galten. »Wir wollen wieder Waffen«, hatte Hitler schon in *Mein Kampf* für das dt. Volk gefordert, das »unter den tausend Augen des Friedensvertrages von Versailles entwaffnet dahinleben« müsse. Kurzfristig war es allerdings für die Regierung Hitler/Papen erforderlich, das Etappenziel der »Wiederwehrhaftmachung« und der Bündnisfähigkeit des Dt. Reiches einer internationalen Diskussion anzupassen, die seit dem Zusammentritt der Genfer Konferenz im Februar 1932 vom Thema A. bestimmt war. Noch unter Hitlers Vorgänger Schleicher wurde bereits ein gewisser Durchbruch erzielt durch die Viermächteerklärung vom 11.12.1932, daß »Deutschland und den anderen Staaten Gleichberechtigung zu gewähren« sei. Unklar blieb jedoch, wie ein solcher Anspruch umgesetzt werden könnte, zumal die Sicherheit der anderen Mächte Berücksichtigung finden sollte. Propagandistische Hilfestellung ermöglichte die Präambel im Teil V des → Versailler Vertrags, eben weil die dem Dt. Reich auferlegten Abrüstungsbestimmungen als »Einleitung einer allgemeinen Rüstungsbeschränkung aller Nationen« begründet worden waren. Schon am 23.2.1933, als das → Ermächtigungsgesetz eingebracht wurde, stellte Hitler fest: »Deutschland wartet seit Jahren vergebens auf die Einlösung des uns gegebenen Abrüstungsversprechens der anderen.« Dies lag jedoch nicht im Interesse der sich vom Aufstieg des Nat.soz. durchaus bedroht fühlenden Westmächte, die vielmehr auf einen Ausgleich in dieser Frage setzten: hinausgezögerte und an Bedingungen geknüpfte Reduzierung eigener Rüstungen, verbunden mit dem Zugeständnis praktischer Gleichberechtigung anderer – so z.B. der vom brit. Premierminister MacDonald unterbreitete Vorschlag, statt des 100 000-Mann-Heeres von Langdienenden in Deutschland eine kurzdienende Armee von 200 000 Mann aufzustellen, allerdings unter den weiterhin geltenden Vorbehalten für Ausrüstung und Bewaffnung gemäß Versailler Vertrag. Hitler signalisierte daraufhin in der auf Täuschung des In- und Auslandes angelegten sog. Friedensrede vom 17.5.1933 die Bereitschaft Deutschlands, »seine gesamte militärische Einrichtung überhaupt aufzulösen [...], wenn die anliegenden Mächte ebenso das Gleiche tun würden«. Während Hitler es vorgezogen hatte, die verstärkt einsetzende dt. → Aufrüstung durch internationale Absprachen für einen gewissen Zeitraum abzusichern, bestärkten ihn insbesondere die Eliten in Reichswehr/Wehrmacht und im Auswärtigen Amt darin, sich am 14.10.1933 durch den Rückzug aus der → Genfer Abrüstungskonferenz und durch den gleichzeitigen Austritt aus dem → Völkerbund der militärischen Fesseln des Versailler Vertrags und der Bindung an das Prinzip der kollektiven Sicherheit zu entledigen. Mit der Einführung der allgemeinen → Wehrpflicht, die eine der wichtigsten Auflagen des Versailler Vertrags einseitig aufhob, wartete Hitler immerhin bis zum 16.3.1935, um dann sofort die »Friedensstärke« der Wehrmacht auf 550 000 Mann festzulegen. Obwohl Großbritannien, Frankreich und Italien auf der Konferenz von → Stresa das deutsche Vorgehen verurteilten, konnte Hitler bereits am 18.6.1935 durch das → dt.-brit. Flottenabkommen den Versailler Vertrag im Bereich der Marinerüstung sogar einvernehmlich revidieren: Die Flottenstärken wurden im Verhältnis 35:100, die Stärke der U-Boot Waffe im Verhältnis 45:100 festgelegt. Hitler ging es nie um A., sondern lediglich um eine vorübergehende und die dt. Aufrüstung nicht behindernde bilaterale Rüstungsbegrenzung, während die brit. Führung in der Folgezeit vergeblich auf eine ähnliche Absprache hinsichtlich der – die geostrategischen Vorteile der Insellage aufhebenden und deshalb als direkte Bedrohung empfundenen – Luftstreitkräfte hoffte. *Rainer A. Blasius*

Literatur:

Rautenberg, Hans-Jürgen: *Deutsche Rüstungspolitik vom Beginn der Genfer Abrüstungskonferenz bis zur Wiedereinführung der allgemeinen Wehrpflicht 1932-1935*, Bonn 1973.

Abstammungsnachweis, ein für Beamte und öffentliche Bedienstete 1933 (→ Arierparagraph) und für alle Deutschen 1935 (→ Nürnberger Gesetze) eingeführter Nachweis der »dt. oder artverwandten Abstammung bzw. des Grades eines fremden Bluteinschlages« durch Vorlage einer urkundlich beglaubigten Ahnentafel, auch in Form eines Ahnenpasses. Der sog. große A. ging zurück bis auf das Jahr 1800 und wurde in der NSDAP und ihren Gliederungen verlangt. Sonst genügte der kleine A. bis zu den Großeltern. Bei ungeklärten Familienverhältnissen (Findlinge, un- und außereheliche Geburten) und in allen Zweifelsfällen entschied die Reichsstelle für Sippenforschung beim Reichsministerium des Innern, oft aufgrund von erb- und rassenbiologischen Gutachten zuarbeitender Universitätsinstitute. Der A., eines der bösartigsten Instrumente der Rassenpolitik, entschied über die rechtliche und soziale Situation, ja über Leben oder Tod des »Prüflings«. *Antje Gerlach*

Abtreibung s. Bevölkerungspolitik

Abwehr Der im Herbst 1919 im Reichswehrministerium gegründete Nachrichten- und Erkundungsdienst, für den sich in den 20er Jahren der Name »Abteilung Abwehr« einbürgerte, wurde am 1.6.1938 zur Amtsgruppe Auslandsnachrichten und Abwehr (ab 18.10.1939 Amt Ausland/Abwehr) im → OKW aufgewertet. Unter Kapitän zur See (später Admiral) Wilhelm Canaris, Chef der A. vom 2.1.1935 bis 12.2.1944, entwickelte sich diese zum zeitweise wichtigsten militärischen Nachrichtendienst des Dritten Reiches. Seit dem 26.9.1938 gliederte sich die A. in die Amtsgruppe Ausland (außenpolitisch-militärische Auswertung), die Zentralgruppe (später Abteilung Z, Organisation und Verwaltung) sowie die Abteilungen I (Auslandsspionage), II (Sabotage- und Kommandounternehmen) und III (Spionageabwehr), zu denen am 25.10.1939 noch die Baulehrkompagnie 800 hinzukam, aus der sich die spätere Division → Brandenburg entwickelte. Das Verhältnis der A. zu den konkurrierenden Geheimdiensten der → SS (Ämter III und VI des → SD und Amt IV der → Gestapo) zeichnete sich sowohl durch enge Kooperation als auch durch heftige Rivalitäten aus. Mit Canaris' Billigung sammelte Oberstleutnant (später Generalmajor) Hans Oster, Chef der Abteilung Z, eine Gruppe von Regimegegnern (sog. Oster-Kreis), die seit der → Sudetenkrise (April-Sept. 1938) bis zum 16.4.1943, als Oster wegen einer Devisenaffäre vom Dienst suspendiert wurde, eines der wichtigsten Zentren des → Widerstands war. 1941/42 ermöglichte Canaris die Ausreise von als V-Leute der A. getarnten Juden ins Ausland. Andererseits beteiligte sich die der A. unterstellte Geheime Feldpolizei aktiv an der Ermordung von Juden in der Sowjetunion. Aufgrund zahlreicher Mißerfolge der A. verfügte Hitler am 12.2.1944 deren Fusion mit dem → RSHA, welches schließlich das Gros der A.abteilungen übernahm; der Rest verblieb beim OKW. Nach dem Attentat vom → 20.7.1944 wurden mehrere Widerständler aus den Reihen der ehemaligen A. verhaftet und kurz vor Kriegsende hingerichtet, u.a. Canaris und Oster, die am 9.4.1945 im → KZ Flossenbürg ermordet wurden.

Karsten Krieger

Literatur:

Höhne, Heinz: *Canaris. Patriot im Zwielicht,* München 1976.

Thun-Hohenstein, Romedio Galeazzo Graf v.: *Der Verschwörer. General Oster und die Militäropposition,* Berlin 1982.

Achse (Berlin-Rom), Achsenmächte Am 3.11.1936 bezeichnete Mussolini in einer Rede in Mailand das dt.-ital. Verhältnis als A., nachdem sein Außenminister Graf Ciano am 23./24.10. in Berlin eine grundlegende Übereinkunft über die jeweiligen Interessensphären im Mittelmeerraum bzw. in Osteuropa und die nächsten Kooperationsschritte erzielt hatte. Hitler betrachtete die A. zunächst als Druckmittel, um Großbritannien zu einem Bündnis zu bewegen, während Mussolini eben dieses verhindern sowie seine politischen Spielräume gegenüber Großbritannien und → Frankreich vergrößern wollte. Die ständige Propagierung der A., die durch den → Stahlpakt zum Militärbündnis ausgebaut sowie durch Italiens Beitritt zum → Antikominternpakt und den → Dreimächtepakt um Japan erweitert wurde, vermochte die fundamentalen Differenzen der Vertragspartner, deren Kriegführung nur in Ansätzen koordiniert wurde, nicht zu überdecken. Als A.mächte wurden im → Weltkrieg alle mit dem Dt. Reich verbündeten Staaten bezeichnet. *Karsten Krieger*

Adlerhorst Deckname eines → Führerhauptquartiers, ca. 10 km westlich von Bad Nauheim. Die Gebäude, u.a. zur Tarnung mit Bruchstein verkleidete Bunker, wurden von der → Organisation Todt im Winter 1939/40 fertiggestellt. Von A. aus leitete Hitler im Dezember 1944 die → Ardennenoffensive. Als die Offensive nach schweren Verlusten im Februar 1945 endgültig gescheitert war, zog Hitler sich aus A. zurück und bezog wieder den Bunker unter der Reichskanzlei in Berlin.

Willi Dreßen

Adlerorden Eigentlich Dt. Adlerorden bzw. Verdienstorden vom dt. Adler. Am 1.5.1937 von Hitler ins Leben gerufene Auszeichnung für verdiente Ausländer. Der Orden sollte zunächst in erster Linie an Zivilpersonen verliehen werden, jedoch wurden ab 20.4.1939 auch militärische Verdienste ausgezeichnet. In den ursprünglichen 5 Klassen gab es später einen Orden mit Schwertern, außerdem ein Großkreuz und als Sonderklasse ein Großkreuz in Gold, das jedoch nur an wenige Personen verliehen werden durfte. *Willi Dreßen*

Adlerschild des Deutschen Reiches s. Orden und Ehrenzeichen

Adolf-Hitler-Dank An seinem 48. Geburtstag (1937) verfügte Hitler, wahrscheinlich auf Vorschlag des Gauleiters Adolf Wagner, die Einrichtung der Stiftung A. Aufgabe dieses Hilfsfonds, der die → Hilfskasse der NSDAP ergänzte, war die Behebung oder Milderung wirtschaftlicher oder gesundheitlicher

Schäden von Trägern des Goldenen Parteiabzeichens (→ Orden und Ehrenzeichen), des → Blutordens und anderer verdienter Parteimitglieder bzw. ihrer Hinterbliebenen durch einmalige oder laufende Zuschüsse oder Darlehen. Dieser »Ehrendank« war unpfändbar und durfte steuerlich nicht auf das Einkommen angerechnet werden. Verwaltung und Verteilung des Stiftungskapitals von 500 000 RM lagen beim Reichsschatzmeister der NSDAP.

Hermann Weiß

Adolf-Hitler-Freiplatzspende Eine seit 1933 bestehende soziale Einrichtung der NSDAP, die verdienten → Alten Kämpfern einen kostenlosen Erholungsurlaub in Gestalt eines »Freiplatzes« ermöglichen sollte. 1935 wurde diese Möglichkeit theoretisch auf alle → Volksgenossen einschließlich ihrer Familienangehörigen ausgedehnt, sofern ihre örtliche Dienststelle der → NS-Volkswohlfahrt (NSV) sie als bedürftig anerkannte. Die A. unterstand der Verwaltung durch das Amt für Wohlfahrtspflege und Jugendhilfe im Hauptamt für Volkswohlfahrt der NSDAP. In Zusammenarbeit mit Gliederungen der NSDAP, Standesorganisationen wie dem → Reichsnährstand oder dem Reichsfremdenverkehrsverband und den Wohlfahrtseinrichtungen der Kirchen wie Innerer Mission und Caritas warb die NSV nicht zuletzt in Kur- und Badeorten um Freiplätze. Bedürftige aus dem Kreis der Alten Kämpfer wurden bevorzugt. Andere verdiente Parteigenossen wurden in »Hitler-Urlauber-Kameradschaften« zusammengefaßt, die in Verbindung mit der örtlichen Presse bevorzugt als Propagandisten der → Volksgemeinschaft zwischen Spendern und Empfängern aufzutreten hatten. Mit der A. privatisierte die Partei einerseits die öffentliche Fürsorge, übte mit öffentlichen Spenden-Werbeaktionen aber gleichzeitig einen starken moralischen Druck auf die Volksgenossen aus. Den Zweck und die damit Hand in Hand gehende Ideologisierung der Fürsorgepolitik im Nat.soz. verdeutlicht das Motto der parteiamtlichen Richtlinien für die A. (1937), ein Zitat aus einer Rede des Führerstellvertreters Rudolf Heß: »Jeder Parteigenosse muß seine Gesundheit als eine seiner höchsten Pflichten gegen die Partei betrachten, damit er dem Führer dienen kann, solange es ihm sein Körper erlaubt.«

Hermann Weiß

Adolf-Hitler-Kanal Gelegentlich auch Klodnitz-Kanal bzw. heute poln. Kanal Gliwicki genannt, wurde von 1933–1939 zwischen dem oberschlesischen Industriegebiet um Hindenburg (heute Zabrze) bzw. Gleiwitz (heute Gliwice) und der Odermündung bei Cosel (heute Kiedzierzyn-Kozle) gebaut. Dies geschah im Zuge der nat.soz. Arbeitsbeschaffungsmaßnahmen, wobei in den Gesetzen des Jahres 1933 direkte Maßnahmen zur Bekämpfung der → Arbeitslosigkeit in Form staatlicher Investitionen u.a. für den Ausbau von Verkehrswegen vorgesehen waren.

Uffa Jensen

Adolf-Hitler-Koog Heute Dieksanderkoog, 1935 in Dithmarschen durch Hitler als Musterkoog eingeweiht. Er war Teil des Generalplans für Landgewinnung in Schleswig-Holstein, mit dem die Nat.soz. versuchten, für eine neue Schicht eines bäuerlichen »Neuadels« im Sinne der → Blut- und Boden-Ideologie → Lebensraum zu schaffen. Dieser Plan sah im Laufe von 100 Jahren die Eindeichung von 43 Kögen und die Ansiedlung von 14 000 Menschen vor. Zudem dienten die Eindeichungen als Arbeitsbeschaffungsmaßnahme. Das Vorhaben wurde 1938 wegen der schwierigen Landgewinnung abgebrochen, so daß nur sechs Köge eingeweiht wurden. Überlegungen für Neuansiedlungen richteten sich seitdem verstärkt Richtung Osteuropa.

Uffa Jensen

Adolf-Hitler-Marsch der deutschen Jugend Aus Fußmärschen von Abordnungen der Berliner (1929) und der schlesischen → Hitler-Jugend (1934) zum Reichsparteitag der NSDAP nach Nürnberg entwickelte sich ab 1935 der Brauch, HJ-Abordnungen aller HJ-Gebiete auf einen von der → Reichsjugendführung organisierten »Bekenntnismarsch der dt. Jugend« zum Parteitag nach Nürnberg zu entsenden. 1936 erhielt dieser »Marsch durch das Volk« die Bezeichnung A. Die Teilnahme am Marsch galt als Auszeichnung für besonders bewährte und körperlich ausgesuchte Hitlerjungen und HJ-Führer, die teilweise von Juli bis zum Septembertermin des Parteitags unterwegs waren. Jede Abordnung trug die Bannfahnen ihres Gebiets mit, 1938 zusammen fast 600 Fahnen. Die Gesamtstärke aller Abordnungen war auf 2000 Jugendliche im Alter zwischen 16 und 20 Jahren begrenzt. Nach dem Sammeln durften die Abordnungen noch vor der offiziellen Eröffnung des Parteitages geschlossen vor Hitlers Nürnberger Hotel vorbeimarschieren, wo Hitler die Parade vom Balkon aus abnahm. Seit 1937 marschierten die Hitlerjungen im Block noch bis Landsberg am Lech weiter, um dort Hitlers Gefängniszelle zu besuchen. Vom letzten A. ließ die Reichsjugendführung einen Propagandafilm drehen. *Hermann Weiß*

Adolf-Hitler-Schulen Zusammen mit dem Reichsjugendführer (RJF) Baldur v. Schirach (→ Reichsjugendführung) erreichte der für die Schulung der → Politischen Leiter zuständige Reichsschulungsleiter der NSDAP, Robert Ley, am 15.1.1937 von Hitler die Genehmigung für den Aufbau eines eigenen Schultyps zur Heranbildung des Führernachwuchses der Partei. Ley und v. Schirach setzten sich damit sowohl gegen den Partei-Ideologen Rosenberg wie gegen den Schulminister Rust durch, der Ley im Oktober 1936 lediglich parteieigene Internats-»Aufbauschulen« unter der Regie des Reichserziehungsministeriums zugestanden hatte. Das neue Gesamtkonzept sah für den Führernachwuchs ein Erziehungs- und Ausleseverfahren von der Grundschule bis zur → Ordensburg vor. Als Zwischenglied waren die A., sechsklassige Oberstufen-Internatsschulen für das 7.-12. Schuljahr, vorgesehen, in die Pimpfe ab dem vollendeten 12. Lebensjahr, die sich im Dt. Jungvolk (→ HJ) bewährt hatten und ihre »Erbgesundheit« durch das Fehlen »Fremdrassiger« in ihrer Ahnenreihe bis zum 1.1.1800 zurückverfolgen konnten (→ Abstammungsnachweis), auf Vorschlag des zuständigen Parteifunktionärs aufgenommen werden sollten. Hatten die Zöglinge die A. absolviert sowie Arbeits- und Wehrdienst abgeleistet, standen nach weiterer Auslese zur abschließenden Schulung den dann 25jährigen Führer-Anwärtern die Ordensburgen offen.

Die A. unterstanden zunächst einem unmittelbar dem RJF verantwortlichen Inspekteur der A., der mit der Umbenennung in »Kommandeur der A.« ab September 1942 dem Stabsführer des RJF zugeordnet wurde. Der ursprüngliche Plan, für jeden Gau eine landsmannschaftlich geprägte A. einzurichten, war bis Kriegsausbruch nicht zu verwirklichen und wurde während des Krieges ebenso aufgegeben wie die landsmannschaftliche Strukturierung. In dieser Aufbauphase kam es zur

Errichtung von 10 Schulen, die, nach ihren späteren Standorten benannt, alle in den Ordensburgen Krössinsee, dann Sonthofen und 1939 wieder in Krössinsee untergebracht werden mußten. Lediglich Wartha in Schlesien und Iglau im Protektorat Böhmen und Mähren kamen als neue Schulen gleich in ihre Standorte, was für die zehn alten Schulen erst 1941 möglich wurde. Die Trägerschaft von zunächst vier A. ging durch ein Abkommen zwischen Ley und dem Reichsschatzmeister der NSDAP am 23.7.1941 von der Finanzverwaltung der → DAF auf den Reichsschatzmeister über, der am 1.5.1942 auch die restlichen A. übernahm. Die Festlegung der Lehrstoffe und Lehrpläne erfolgte in Zusammenarbeit mit dem Inspekteur der A. beim Reichsjugendführer durch das Amt »Adolf-Hitler-Schulen« im Hauptschulungsamt des Reichsorganisationsleiters, dessen Hauptpersonalamt zusammen mit dem Inspekteur auch die »Erzieher« auswählte. Diese wurden seit November 1937 auf der Ordensburg Sonthofen in einem eigenen Erzieherseminar (1938 in Erzieherakademie umbenannt) ausgebildet; nach der ungenügenden wissenschaftlichen Ausbildung der ersten beiden Jahrgänge, die freilich auch ein Problem der Vorauslese war, wurde 1938 für die Erzieher nach einer viersemestrigen sportlichen und weltanschaulichen Grundausbildung sowie einer universitären wissenschaftlichen Weiterbildung die Gymnasiallehrerqualifikation vorgeschrieben. In Abgrenzung zu den staatlichen → Nationalpolitischen Erziehungsanstalten (Napola) erhielten die A. 1941 die Bezeichnung »Reichsschulen«, die bisher nur der → Reichsschule der NSDAP Feldafing zugestanden hatte.

Alle Erzieher kamen aus den Reihen der HJ, die damit einen großen Einfluß auf die praktische Schularbeit ausübte. Aufbauend auf den abstrusen Vorstellungen der NS-Rassentheorie waren v.a. die geisteswissenschaftlichen Fächer, aber auch Biologie und Sport, mit den Elementen der nat.soz. Ideologie befrachtet. An die Stelle des Religionsunterrichts traten neue Fächer wie Religionskunde und Weltanschauliche Schulung; eine ausgedehnte sportliche und vormilitärische Ausbildung sollte die Liebe zum Kampf bis zur Todesbereitschaft fördern und jeden Anflug von Intellektualität unterbinden. Ziel der Erziehung war der instinktiv handelnde, von der Überlegenheit alles Deutschen gläubig überzeugte Kämpfertyp. Die absolute Treue zum Führer und eine kritiklose Verinnerlichung des Nat.soz. als übergeordnete Erziehungsziele entwerteten andere Erziehungsideale wie Kameradschaft, Ehrlichkeit, Mut.

Bei der angestrebten Erziehung zur Persönlichkeit bediente man sich der Methode der »Selbstführung« nach dem von der Jugendbewegung her bekannten Motto »Jugend führt Jugend«, mit der v.a. die Verantwortung des einzelnen Schülers in der Rolle des Führers gegenüber der »Gemeinschaft« geschult werden sollte. Die betonte Kameradschaft zwischen Erzieher und Schüler, der Gruppenunterricht mit freier Diskussion in den Jahrgangsklassen, die Abschaffung der Zensuren und eine abschließende Beurteilung (auf Veranlassung Hitlers ab Januar 1942 dem Abitur gleichgesetzt) können bei aller pädagogischen Modernität nicht vertuschen, daß die Persönlichkeitsbildung beim Schüler nur soweit gefördert wurde, wie er bereit war, sich seinerseits Führern unterzuordnen und eine kritische Überprüfung seines Verhältnisses zum Nat.soz. zu unterlassen. Anders als bei den Napolas stand bei den A. als reinen Parteischulen die

Ausbildung des Führernachwuchses im Vordergrund. Die Tatsache, daß verbindliche einheitliche Lehrpläne und NS-adäquate neue Fächer nur zu einem ganz geringen Teil entwickelt werden konnten und auch das Erzieherproblem – nicht nur aus kriegsbedingten Gründen – nicht befriedigend gelöst wurde, verweist die A. auch im pädagogischen Bereich in die Kategorie der gescheiterten Experimente. *Hermann Weiß*

Literatur:

Scholtz, Harald: *Nationalsozialistische Ausleseschulen,* Göttingen 1973.

Adolf-Hitler-Spende s. Hilfskasse der NSDAP

Adolf-Hitler-Spende der deutschen Wirtschaft Nach einer Rede Hitlers vor führenden Industriellen im Februar 1933 erklärte sich auf Initiative des Vorsitzenden des Reichsverbands der dt. Industrie, Gustav Krupp, eine Reihe von Anwesenden bereit, den Wahlkampf der Rechtsparteien NSDAP, DNVP und DVP zu unterstützen. Am 30.5.1933 schlug Krupp in einem Spendenaufruf jedoch die Einrichtung der A. vor, die anstelle der Einzelspenden aus Industriekreisen eine Gesamtspende der Wirtschaft nunmehr nur noch an Hitler und seine »Bewegung« bedeutete. Der Spendenaufruf, der jährlich erneuert wurde und an die Mitglieder von Krupps Reichsverband und der Vereinigung der Dt. Arbeitgeberverbände ging, nannte als Richtsumme 5 Tausendstel der 1932 von den Betrieben gezahlten Lohnsumme. Organisiert wurde die Spende vom »Industrieausschuß« (ab 1935 »Kuratorium«) unter Krupps Vorsitz. Erklärter Zweck der Spende war, Hitler unmittelbar die »Durchführung des nationalen Aufbauwerks« zu erleichtern. Allerdings gingen Gelder auch an einzelne Organisationen der NSDAP (→ AO und → HJ). Der überwiegende Teil des Spendenaufkommens (1935: 20 Mio. RM, bis 1945 insg. 700 Mio.) diente jedoch dazu, Hitlers Erwerbungen an Grundbesitz und Kunstgegenständen sowie die von ihm vergebenen Unterstützungen und Dotationen zu finanzieren. *Hermann Weiß*

Adriatisches Küstenland, Operationszone Unmittelbar nach Bekanntgabe der ital. Kapitulation am 8.9.1943 bestimmte eine Anordnung Hitlers vom 10.9.1943 die Einrichtung und die räumliche Festlegung zweier O. in den gemischtsprachigen Provinzen Norditaliens. Dem Namen nach und den ital. Verbündeten der faschistischen Republik von Saló gegenüber als militärische Notwendigkeit charakterisiert, verbargen sich dahinter auch Annexionsgelüste für die Zeit nach dem (gewonnenen) Krieg. Die vollziehende Gewalt übte in beiden O. zunächst der Oberbefehlshaber der Heeresgruppe B, Generalfeldmarschall Erwin Rommel, aus. Daneben wurde in jeder O. eine dt.-ital. Zivilverwaltung unter einem Obersten Kommissar aufgebaut. Der Kärntner Gauleiter Dr. Rainer als Oberster Kommissar der OAK mit Sitz in Triest hatte wegen der drohenden Partisanengefahr gegen wichtige Rohstoffzentren in seinem neuen, zusätzlichen Verwaltungsgebiet die Verwaltung schon vor der offiziellen Amtsübernahme reorganisiert. Seine O. umfaßte die Provinzen Laibach, Triest, Görz, Udine, Fiume und Istrien einschließlich der von dt. »Beratern« kontrollierten Provinzialverwaltungen und ihrer ital. Präfekten. Etwa die Hälfte der ca. 400 Beamten des Obersten Kommissariats in Triest kamen von den Behörden des Gaues Kärnten; sie verwalteten die Schlüsselpositionen in der OAK zusätzlich zu den Verwaltungsaufgaben im Heimatgau. Die unklare

Kompetenzverteilung zwischen der immer selbstbewußter auftretenden Zivilverwaltung und den Dienststellen der Wehrmacht führte ebenso wie die von den Berliner Stellen geforderte Rücksichtnahme auf die so machtlosen wie zu Recht mißtrauischen ital. Verbündeten zu häufigen Streitigkeiten zwischen den Polizeidienststellen der beiden Höheren SS- und Polizeiführer in Laibach (Erwin Roesener) und Triest (Odilo Globocnik) und dem inzwischen ernannten Befehlshaber im Sicherungsgebiet AK, General Kübler. Der Aufbau landeseigener Polizeiverbände seit Dezember 1943 festigte die Position der Zivilverwaltung, der neben 9000 Mann ital. Landschutzmiliz und der Einheit »Tagliamento« unter dem Obersten Juliani in jeder Provinz (außer Görz) noch ein etwa 300 Mann starkes Polizeifreiwilligenbataillon zur Verfügung stand. Die Verwaltung der O. als quasi unter Selbstverwaltung stehende dt. Einflußzonen auf ital. Staatsgebiet, die mit einer weitgehenden Entrechtung ital. Beamter in den Behörden einherging, konnte vom Reichsbevollmächtigten in Italien, dem Gesandten Rudolf Rahn, z.T. abgeschwächt werden; zeitweise benutzte Rahn, der den ital. Kriegslastenbeitrag von monatlich 4 Mrd. Lira (1943) verwaltete und den Haushalt der beiden Obersten Kommissare damit bestritt, seine Finanzhoheit als Druckmittel gegen die allzu direkt vorgetragene Annexionspolitik der beiden Gauleiter.

Die zwiespältige dt. Politik in den O. litt unter den konträren Zielen, einmal die Region Norditalien mit Ligurien und Istrien für die Kriegführung sichern und den bescheidenen militärischen und wirtschaftlichen Beitrag des ital. Partners erhalten zu wollen, aber gleichzeitig für den Fall eines günstigen Kriegsausgangs die Annexion der O. vorzubereiten, eine Politik, die angesichts der Kriegslage 1943 bereits völlig unrealistisch war. Einen letzten verzweifelten Akt dieser Politik der Illusionen stellte die Einbeziehung der Obersten Kommissare und ihrer Stäbe in den Aufbau der sog. → Alpenfestung dar. *Hermann Weiß*

Literatur:

Stuhlpfarrer, Karl: *Die Operationszonen »Alpenvorland« und »Adriatisches Küstenland« 1943–1945,* Wien 1969.

Afrikafeldzug Bezeichnung für die militärischen Operationen dt. und ital. Truppen in Nordafrika 1940–1943. Der A. begann am 13.9.1940 mit einem ital. Angriff von Libyen aus auf Ägypten. Nach einem brit. Gegenangriff, der im Januar und Februar 1941 zur Eroberung Tobruks und Benghasis sowie zum Verlust der Cyrenaika führte, wurde am 8.2.1941 auf Bitten Italiens das später sog. Dt. Afrika-Korps in die ital. Kolonie Libyen entsandt. Ein Ende des ital. Kolonialreiches in Nordafrika hätte das Prestige des mit Hitler verbündeten Mussolini und die Position des Faschismus in Italien nachhaltig untergraben, damit die → Achse Berlin-Rom geschwächt und die brit. Stellung im östl. Mittelmeer gestärkt.

Am 31.3.1941 stießen dt. Verbände in die Cyrenaica vor, während die dt. Luftwaffe den Suezkanal bombardierte. Die dt. Angriffe auf Griechenland und Kreta zwangen die Briten gleichzeitig, ihre zur Eroberung Nordafrikas vorgesehenen Divisionen auf den Balkan zu verlegen. Mitte April 1941 hatte Rommel die Cyrenaica zurückerobert. Nachdem die Einnahme Tobruks gescheitert war, warfen ihn brit. Gegenangriffe jedoch bis Ende 1941 fast wieder auf seine Ausgangsstellung zurück.

Erfolge der Achsenmächte zur See (Versenkung des Flugzeugträgers Ark Royal und des Schlachtschiffes Barham durch dt. U-Boote, Beschädigung weiterer brit. Schlachtschiffe durch ital. Mini-U-Boote im Hafen von Alexandria), die Verlegung brit. Schiffe in den Pazifik und die Bombardierung des brit. Stützpunkts Malta verschafften Rommel jedoch zum Jahreswechsel einen strategischen Vorteil, den er am 21.1.1942 zum erneuten Angriff nutzte. Am 21.6. fiel Tobruk, die für den Nachschub unerläßliche Küstenstraße war damit in dt. Hand, und zwei Tage später rollten dt. Panzer über die lib.-ägypt. Grenze. Hitler gab die Eroberung Maltas endgültig zugunsten Ägyptens auf. Als die Offensive vor → El Alamein ins Stocken geriet, rächte es sich, daß die Insel als Störfaktor für den dt. Nachschub nicht ausgeschaltet worden war. Am 2.11. überrannte die brit. 8. Armee, die am 23.10. – gestärkt durch US-Hilfslieferungen – zum Gegenangriff angetreten war, die El-Alamein-Stellung. Am 7./8.11. landeten die Alliierten in Marokko und Algerien, und Hitler, der eine Invasion Südeuropas befürchtete, lenkte die in Stalingrad benötigten Reserven über das am 11.11.1942 besetzte Vichy-Frankreich nach Afrika um. Unterdessen zog sich das Afrika-Korps in Richtung Tunesien zurück. Mit Tripolis ging am 23.1.1943 Libyen für die Achse verloren. Statt Tunis als letzten Brückenkopf zur Evakuierung der von zwei Seiten eingekeilten Armeen zu nutzen und diese Kräfte der Ostfront zuzuführen, ging Generaloberst Hans-J. von Arnim, Nachfolger des seit 1.12.1943 zur Abwehr einer alliierten Invasion in die Normandie abkommandierten Rommel, am 11.5.1943 mit 275 000 Mann auf Weisung Hitlers in alliierte Kriegsgefangenschaft. *Thomas Bertram*

Literatur:
Weinberg, Gerhard L.: *Eine Welt in Waffen. Die globale Geschichte des Zweiten Weltkriegs,* Stuttgart 1995.
Gruchmann, Lothar: *Totaler Krieg. Vom Blitzkrieg zur bedingungslosen Kapitulation,* München 1991.

Agrarpolitischer Apparat der NSDAP s. Reichsamt für Agrarpolitik

Ahnenerbe e.V., Forschungsgemeinschaft Gegründet 1937 von Heinrich Himmler, Richard Walther Darré und dem »Geistesurgeschichtsforscher« Herman Wirth. Himmler war ab 1937 Präsident, als Kurator fungierte Walther Wüst, als Reichsgeschäftsführer der 40 wissenschaftlichen Abteilungen Wolfram Sievers. Ursprünglich für das Studium der germanischen Vorgeschichte und der dt. Volkskunde gedacht, wandte sich das A. schon vor dem Zweiten Weltkrieg den Naturwissenschaften zu und ab 1939 der kriegsbedingten Zweckforschung, die ab 1942 in den wehrmedizinischen → Menschenversuchen der Ärzte Sigmund Rascher (KZ → Dachau) und August Hirt (KZ → Natzweiler) ihren Höhepunkt fand (→ Medizin). Ab 1938 benutzte Himmler das A. als kulturpolitischen Steuerungs- und Gleichschaltungsmechanismus der SS im Reich und in den besetzten Gebieten (1942 Amt A. im Persönlichen Stab des RFSS). Wegen des in der SS herrschenden Macht-pluralismus konnte das A. nicht die angestrebte Rolle eines maßgebenden Wissenschaftsreferats spielen. Für viele exakt arbeitende Wissenschaftler wurde es jedoch zu einer »Schutzorganisation« vor den Ambitionen des → Amts Rosenberg. *Hellmuth Auerbach*

Ahnenpaß s. Abstammungsnachweis

Akademie für Deutsches Recht Am 26.6.1933 auf Initiative von Hans Frank gegründete Institution zur Verwirklichung des »nationalsozialistische(n)

Programm(s) auf dem gesamten Gebiete des Rechts« in einem »Volksgesetzbuch« nach wissenschaftlichen Gesichtspunkten, seit 11.7.1934 eine öffentliche Körperschaft des Reichs. Trotz umfangreicher Publikationen und zahlreicher Kongresse hatte die A. wegen des Widerstands der Ministerialbürokratie wenig Einfluß auf die Gesetzgebung. Otto Thierack folgte Frank 1942 als Präsident der A.

Angelika Königseder

Aktion »Arbeitsscheu Reich« s. Asoziale

Aktion Brandt s. Medizin

Aktion Erntefest Nach dem Aufstand im Vernichtungslager → Sobibór (14.10.1943) gab Himmler aus Sorge vor weiteren Unruhen in den Lagern den Befehl, alle Juden in den Arbeitslagern → Trawniki (8000–10000), Poniatowa, im Vernichtungslager Majdanek (→ Lublin-Majdanek; 17000–18000) und aus kleineren Lagern zu erschießen. Am 3.11.1943 wurden von einigen tausend SS-, Polizei- und Waffen-SS-Angehörigen in Trawniki einschließlich der Frauen und Kinder aus dem Warschauer Ghetto 8000–10000, in Poniatowa etwa 15000 und in Majdanek, wohin eigens wegen der A. auch Juden aus anderen Arbeitslagern des Distrikts Lublin gebracht worden waren, 17000–18000 Juden erschossen. Da sich Juden teilweise verstecken konnten, hielten die Erschießungen noch einige Tage an. Die jüdischen Arbeitskommandos, die die Toten verbrennen und begraben mußten, wurden anschließend ebenfalls liquidiert. Insgesamt fielen der A. rd. 42000–43000 Juden zum Opfer. *Hermann Weiß*

Aktion Gewitter s. 20. Juli 1944

Aktion Reinhardt Der Name wurde vermutlich schon von den an der A. beteiligten → SS-Dienststellen auf Reinhard Heydrich umgedeutet, bezog sich aber ursprünglich auf den Staatssekretär im Reichsfinanzministerium Fritz Reinhardt. Nachdem im Spätsommer 1944 die Grenzen der → Einsatzgruppen – bezüglich der »Effektivität«, der mangelnden Geheimhaltung und der psychischen Belastung der Täter – deutlich geworden waren, beauftragte Himmler den SS- und Polizeiführer des Distrikts Lublin, Odilo Globocnik, mit der A. Tötungsspezialisten der → Aktion T4 unter Leitung des Kriminalkommissars Christian Wirth überwachten den seit Herbst 1941 vorbereiteten und teilweise bis Sommer 1942 währenden Bau dreier Vernichtungslager an den nach Kriterien wie Abgeschiedenheit und Bahnanschluß ausgesuchten Orten → Belzec, → Sobibór und → Treblinka. Die etwa 100 T4-Mitarbeiter übertrugen ihre an Tausenden von Euthanasieopfern im Reich »erprobte« Tötungstechnik auf die Mordstätten im → Generalgouvernement: Die unter dem Vorwand der »Aussiedlung« deportierten Juden wurden bei der Ankunft im Lager durch ein vorgetäuschtes Reinigungsbad in → Gaskammern gelockt oder mit Gewalt getrieben und durch Einleitung von Kohlenmonoxyd getötet. Für die Bewachung und den Betrieb des jeweiligen Lagers waren etwa 90–120 sog. »Trawnikis« (ukrainische, baltische oder volksdt. ehemalige Kriegsgefangene) zuständig. Etwa 600–1000 »Arbeitsjuden« wurden aus den Transporten ausgesucht, für eine kurze Periode von der sofortigen Ermordung ausgenommen und u.a. zum Säubern der Waggons und Leeren der Gaskammern gezwungen. Seit Ende 1942 wurden die bisher in Massengräbern verscharrten Leichen auf großen Scheiterhaufen verbrannt (→ Enterdungsaktion).

Den Abschluß der A. hatte Himmler schon im Juli 1942 auf Ende 1942 festgesetzt. Tatsächlich begann die Stillegung der Lager nicht vor März 1943; die letzten Mordaktionen fanden im Oktober 1943 statt. Seit Beginn der Massentötungen im März 1942 waren durch die A. 1,75 Mio. Juden aus Polen, aber auch aus anderen europäischen Ländern ermordet worden. Im Abschlußbericht für den Reichsführer SS gab Globocnik den Gesamtwert der »angefallenen« und an die Dt. → Reichsbank abgelieferten Wertsachen (Edelsteine, Gold, Devisen) und der sonstigen den getöteten Juden abgenommenen Habe (Uhren, Brillen usw.) mit rd. 180 Mio. RM an. Der Betrag wurde aufgrund einer Abmachung mit dem Reichsfinanzministerium Himmlers Sonderkonto »R« gutgeschrieben und von ihm für den Ausbau der SS, aber auch für Dotationen verwendet. Der Immobilienbesitz der Opfer diente z.T. zur Ansiedlung der aus den inzwischen eingegliederten westpoln. Gebieten vertriebenen nichtjüdischen Bevölkerung. Globocnik und seine Mannschaft wurden nach Istrien verlegt. Zum Schwerpunkt der → »Endlösung« wurde Auschwitz-Birkenau.

Thorsten Wagner

Literatur:

Arad, Yitzhak: *Belzec, Sobibor, Treblinka. The Operation Reinhard Death Camps,* Bloomington-Indianapolis 1987.

Aktion T 4 Tarnbezeichnung für die »Euthanasie« genannten Massenmorde an etwa 120000 Geisteskranken und Behinderten (→ Medizin) nach der Zentrale, die ab April 1940 in einer Villa in Berlin, Tiergartenstr. 4, unter der Verantwortung des Hauptamts II (Viktor Brack) der Kanzlei des Führers untergebracht war. Die A., durch ein Ermächtigungsschreiben Hitlers auf einem Privatbriefbogen im Oktober 1939 (rückdatiert auf 1.9.1939) »legalisiert«, begann mit der Erfassung von Kranken in den Anstalten durch Meldebogen und Ärztekommissionen. Die zur »Euthanasie« bestimmten Personen wurden verlegt und in besonderen Anstalten u.a. durch Injektionen, mit Medikamenten und mit Giftgas getötet. Eigene Standesämter beurkundeten den Tod, die Leichen wurden sofort eingeäschert. Erkennbar falsche Angaben zur Todesursache weckten oft das Mißtrauen der Angehörigen, der ständige Betrieb der Krematorien die Aufmerksamkeit der Umgebung. Die Abteilungen der A. mit mehreren hundert Mitarbeitern agierten unter verschiedenen Bezeichnungen und Briefbogen wie »Reichsarbeitsgemeinschaft Heil- und Pflegeanstalten« (zuständig für die Tötungen), »Gemeinnützige Krankentransport GmbH/Gekrat« (Verlegung und Transport in die Tötungsanstalten → Bernburg, → Brandenburg, → Grafeneck, → Hadamar, → Hartheim, → Sonnenstein/Pirna), »Gemeinnützige Stiftung für Anstaltspflege« (Wirtschaft und Personal). Zur Korrespondenz mit Kostenträgern wurde der Briefkopf »Zentralverrechnungsstelle Heil- und Pflegeanstalten« verwendet. Nach kirchlichen Protesten wurde die A. am 24.8.1941 offiziell gestoppt, sie wurde aber ebenso wie die → Aktion 14 f 13 insgeheim weitergeführt.

Wolfgang Benz

Literatur:

Aly, Götz (Hg.): *Aktion T4 1938–1945. Die »Euthanasie« – Zentrale in der Tiergartenstr.4, Berlin* 1987, [2]1995.

Klee, Ernst: *»Euthanasie« im NS-Staat Die »Vernichtung lebensunwerten Lebens«*, Frankfurt am Main 1983.

Aktion »1005« (Sonderkommando Blobel) s. Enterdungsaktion

Aktion 14 f 13 Tarnbezeichnung für die nach dem offiziellen Abbruch der → Aktion T 4 im Sommer 1941 auf die Konzentrationslager ausgedehnte Ermordung von tatsächlich oder vermeintlich Kranken, unter den Gefangenen auch »Invalidenaktion« genannt. Wenngleich die Konzentrationslager Teil von Himmlers SS-Apparat waren, führte die bereits im Herbst 1939 mit der »Euthanasie« betraute → Kanzlei des Führers in den Lagern in Absprache mit der SS → Selektionen aufgrund scheinbar medizinischer, in Wahrheit jedoch willkürlicher Kriterien durch. Die Opfer wurden in die T 4-Tötungsanstalten → Bernburg, → Hartheim und → Sonnenstein-Pirna überstellt und dort mittels Kohlenmonoxyd vergast. Bis zu ihrem Ende im Jahr 1943 hatte die A. zwischen 10000 und 20000 Menschen das Leben gekostet. Nach 1943 setzte die SS die Selektionen unter kranken KZ-Insassen ohne Beteiligung des T 4-Personals fort (→ Medizin).

Jürgen Matthäus

Aktion wider den undeutschen Geist s. Bücherverbrennung, 10. Mai 1933

Alarich Deckname für geplante militärische Maßnahmen beim Austritt Italiens aus dem Bündnis mit dem Dt. Reich (→ Achse [Berlin-Rom]). Nach der Kapitulation der dt.-ital. Streitkräfte in Nordafrika (→ Afrikafeldzug) waren als Maßnahmen u.a. vorgesehen: Entwaffnung der ital. Streitkräfte; Besetzung der militärischen Befehlszentralen; Beschlagnahme von Waffen; Blockade der ital. Flotte in ihren Häfen. Nach der Verhaftung Mussolinis am 25.7.1943 wurde statt A. der Deckname »Achse« verwendet. Bei der späteren Durchführung des Plans kam es besonders in Dalmatien zu Massenerschießungen von entwaffneten ital. Offizieren und Mannschaften.

Willi Dreßen

Albanien A. geriet unter Präsident (ab 1928 König) Ahmet Zogu ab Mitte der 20er Jahre in immer stärkere politische und wirtschaftliche Abhängigkeit von Italien. Im April 1939 wurde A. von Truppen besetzt und faktisch zu einem ital. Protektorat umgestaltet. Mussolini diente es im Oktober 1940 als Brükkenkopf für seinen erfolglosen Feldzug gegen Griechenland. Nach dem dt. Feldzug gegen Griechenland und Jugoslawien im April 1941 wurde A. um Teile Kosovos vergrößert (→ Balkanfeldzug). Nach dem Seitenwechsel Italiens im August 1943 wurde A. von dt. Truppen besetzt, erhielt aber formal seine Unabhängigkeit zurück. Eine im April 1944 aufgestellte alban. Waffen-SS-Division beteiligte sich am Kampf gegen die → Partisanen. Nach dem Abzug der dt. Truppen im Oktober 1944 übernahm die von den Kommunisten dominierte Widerstandsbewegung unter Führung Enver Hodschas im ganzen Land die Macht.

Hans-Joachim Hoppe

Alkoholiker s. Asoziale

Alldeutscher Verband Am 9.4.1891 in Berlin unter dem Namen »Allgemeiner Deutscher Verband« gegründeter überparteilicher Zusammenschluß (im Juli 1894 in A. umbenannt). Hervorgegangen aus der Protestbewegung gegen den angeblich für Deutschland ungünstigen Helgoland-Sansibar-Vertrag, vertraten die aus Adel, Besitz- und Bildungsbürgertum kommenden »Alldeutschen« einen ausgesprochen nationalistischen Kurs. Die Bekämpfung aller der Größe Deutschlands abträglichen Bestrebungen und das Eintreten für eine imperialistische Kolonial- und Flottenpolitik fanden in zahlreichen Propagandaschriften und v.a. in den

Alldeutschen Blättern (1894–1939) ebenso Ausdruck wie ein aggressiver → Antisemitismus. Die Verwirklichung der weitreichenden Kriegsziele des A. im Ersten Weltkrieg hätte Deutschland zur Hegemonialmacht in Europa, Afrika und dem Nahen Osten aufsteigen lassen. Unter der Führung von Heinrich Claß (seit 1908), der als Abgeordneter die → DNVP im Reichstag vertrat, hatte der A. nach dem Ersten Weltkrieg agitatorisch und nach Zahl seiner Mitglieder (40000) seinen Höhepunkt erreicht, verlor aber gegen die Massenbewegung des Nat.soz. während der wirtschaftlichen Depression Ende der 20er Jahre rasch an Bedeutung, obwohl er als Teil der nationalen Opposition gegen den Youngplan agitierte und für die → Harzburger Front eintrat. Von den Nat.soz. als reaktionär eingestuft, blieb der A. nach 1933 politisch ebenso wirkungslos wie sein Vorsitzender Claß als MdR der NSDAP. Der A. wurde 1939 aufgelöst.

Hermann Weiß

Allgemeiner Deutscher Gewerkschaftsbund s. Gewerkschaften

Alpenfestung Im Juli 1944 tauchten in der Schweizer Presse Spekulationen über eine starke dt. Verteidigungsstellung im Alpenraum, die sog. A., auf. Obwohl die A. niemals existierte, veranlaßten auch Warnungen vor ihrer möglichen Existenz seitens des Chefs des Office of Strategic Services in Europa, Allan Dulles, den Oberbefehlshaber der westlichen Alliierten in Europa, General Dwight D. Eisenhower, im März 1945, seinen Vormarsch auf Berlin abzubrechen und die 3. und 7. US-Armee nach Süden abschwenken zu lassen, um möglichst wenigen dt. Verbänden den Rückzug in die vermeintliche A. zu gestatten. Hitler befahl am 28.4.1945 den Ausbau der A., an deren Verwirklichung er, der sich weigerte, die »Festung Berlin« zu verlassen, selber nicht mehr glaubte. *Karsten Krieger*

Alpenvorland, Operationszone (OA) Die Voraussetzungen für die Einrichtung der OA waren die gleichen wie bei der Operationsgrenze → Adriatisches Küstenland (OAK). Als Oberster Kommissar für die im Herbst 1943 installierte Zivilverwaltung wurde von der Parteikanzlei Franz Hofer, der Gauleiter von Tirol-Vorarlberg, eingesetzt. Wie sein Kollege Dr. Rainer, Oberster Kommissar der OAK, betrieb er eine kaum verhüllte Annexionspolitik gegenüber den verbündeten Italienern. Erst Bormann konnte verhindern, daß er die Provinz Bozen seinem → Gau eingliederte, ein Versuch, der die Zustimmung eines großen Teils der Bevölkerung in der OA gefunden hätte. Denn anders als in der OAK konnten sich die dt. Truppen und Behörden v.a. in der Provinz Bozen auf eine zahlenmäßig starke und gut organisierte dt. Volksgruppe stützen. Die vom Obersten Kommissar veranlaßte und an der alten dt.-ital. Sprachgrenze orientierte Verwaltungsneugliederung, die einige Gemeinden und den gesamten Gerichtsbezirk Neumarkt von den beiden anderen Provinzen der OA, Trient und Belluno, abtrennte und der Provinzverwaltung Bozen unterstellte, war gegenüber der ital. Bevölkerung und der ohnmächtigen ital. Verwaltung ein deutliches Zeichen, daß unter dem Deckmantel militärischer Sicherheitsvorkehrungen der alte → Südtiroler Volkstumskampf entschieden werden sollte. Wie in der OAK war die ital. Zivilverwaltung von den Deutschen dominiert; allerdings blieb, abweichend von den dortigen Verhältnissen, die Weisungsbefugnis der »Dt. Verwaltungsberater«, wie die in den Schlüsselpositionen der ital. Verwaltung tätigen dt. Beamten offiziell hießen, gegenüber den ital. Provinz-Präfekten eingeschränkt. Die Polizei der gesamten OA unterstand dem SS- und Polizeiführer in Bozen. Die Verfügung über die bei der zunehmenden Partisanengefahr besonders wichtigen landeseigenen Polizeiverbände wurden sowohl von Hofer wie von dem Befehlshaber im Sicherungsgebiet Alpenvorland, General Witthöft, aber auch von der Waffen-SS beansprucht. Nachdem der bereits beim dt. Einmarsch aufgestellte, etwa 8000 Mann starke »Südtiroler Ordnungsdienst« (SOD) im November 1943 dem Befehlshaber der Ordnungspolizei (→ Polizei) in Italien unterstellt worden war, kam es bis 1944 allein in der Provinz Bozen noch zur Aufstellung der Polizei-Regimenter bzw. -Bataillone »Bozen«, »Alpenland«, »Schlanders« und »Brixen« mit zusammen rd. 5000 einheimischen Einberufenen. Die stärker von Italienern besiedelte Provinz Trient brachte dagegen nur rd. 2300 Mann für den »Corpo di Sicurezza Trentino« (CST) auf. Die Spannungen zwischen den fast wie eine Besatzungsmacht auftretenden Deutschen und den kaum noch für das Weiterkämpfen zu begeisternden Italienern interpretierten offizielle ital. Stellen als Rückfall der beiden »Österreicher« Rainer und Hofer in die alte »österr.-habsburgische« Annexionspolitik, wobei sie bewußt übersahen, daß die unverhüllte Machtausübung gegenüber einem der letzten Bundesgenossen nicht allein von dt. Mittelinstanzen ausging, sondern von Hitler selbst gedeckt wurde, der auch gegenüber Vorstellungen Mussolinis kaum mehr Kompromißbereitschaft zeigte. Wenige Wochen vor Kriegsende nahm schließlich Hitler den Vorschlag zum Ausbau der sog. → Alpenfestung auf, der ihm von Gauleiter Hofer im November 1944 in völliger Verkennung der dt. Möglichkeiten übermittelt worden war. Die OA sollte dafür als Vorfeld dienen. *Hermann Weiß*

Literatur:

Stuhlpfarrer, Karl: *Die Operationszonen »Alpenvorland« und »Adriatisches Küstenland« 1943–1945,* Wien 1969.

Alte Garde s. Alte Kämpfer

Alte Kämpfer (»Alte Garde«) Im Sprachgebrauch der NSDAP Bezeichnung für Parteimitglieder, die eine Mitgliedsnummer unter 100 000 besaßen, also zum Tragen des Goldenen Parteiabzeichens berechtigt waren. Laut Parteistatistik gab es am 1.5.1935 in der NSDAP 22 282 Träger dieser Auszeichnung; zeitlich fiel die Vergabe der Mitgliedsnummer 100 000 in das Jahr 1928. Im Unterschied zu den A. wurden die Mitglieder mit einer höheren Nummer, die noch vor dem 30.1.1933 (→ »Machtergreifung«) eingetreten waren, parteiamtlich als »alte Parteigenossen« bezeichnet. Da Hitler sich vorbehalten hatte, auch später eingetretene Mitglieder, aber auch Nichtmitglieder ehrenhalber mit dem Goldenen Parteiabzeichen auszuzeichnen, war nicht jeder Träger dieser Auszeichnung A. Nach der »Machtergreifung« genossen A. bei der Vergabe von Arbeitsplätzen oder sozialen Vergünstigungen der NSDAP wie der → Adolf-Hitler-Freiplatzspende und dem → Adolf-Hitler-Dank eine gewisse Bevorzugung. Am Vorabend der Jahresfeiern zum → Hitlerputsch von 1923 pflegte Hitler sich mit einer Auswahl von A. im Münchner Bürgerbräukeller zu treffen (→ Attentate auf Hitler). *Hermann Weiß*

Altmark-Zwischenfall Das Troßschiff Altmark diente im Herbst 1939 dem Panzerschiff Admiral Graf Spee als Versorger. Nach der Selbstversenkung des nach einem Gefecht stark beschädigten Panzerschiffes am 17.12.1939 in der Mündung des Río de la Plata übernahm die Altmark 303 brit. Gefangene. Während der Rückfahrt wurde sie am 16.2.1940 von dem brit. Zerstörer Cossack in neutralen norweg. Gewässern (Jessing-Fjord) gekapert, wobei fünf dt. Matrosen ums Leben kamen. Der Zwischenfall bestärkte den dt. Zweifel an der norweg. Neutralität und inten-sivierte die dt. Pläne zur Besetzung → Norwegens (Unternehmen Weserübung; → Norwegenfeldzug).

Willi Dreßen

Altmaterialsammlungen Wegen Rohstoff- und Devisenmangels erklärte das NS-Regime schon Jahre vor dem Krieg die A. zur »nationalen Aufgabe«. Als Sonderbevollmächtigter des → Vierjahresplans fungierte ein Reichskommissar für die Altmaterialverwertung (1937). Gesammelt wurden unter Einsatz von NS-Organisationen (→ NSV; → HJ) und Schulen Alttextilien (Lumpen), Papier, Gläser und Flaschen, (Bunt-)Metalle, Knochen. Gegen Kriegsende ging die Beteiligung der Bevölkerung an den »Spinnstoffsammlungen«, »Metallspenden« u.a. »Volksopfer«-Aktionen rapide zurück.

Dietrich Eichholtz

Altonaer Blutsonntag Am 17.7.1932 veranstaltete die NSDAP anläßlich der Reichstagswahl vom 31.7.1932 einen »Werbemarsch« in die »roten Viertel« im Zentrum von Altona (preuß. Provinz Schleswig-Holstein). Polizeipräsident Eggerstedt (SPD) hatte den Marsch trotz der kürzlichen Ermordung von zwei Kommunisten und zwei Sozialdemokraten in der Stadt genehmigt. Im Verlauf des Marsches kam es zwischen → SA und protestierenden Gegnern zu Auseinandersetzungen. Zwei SA-Männer wurden von Kugeln tödlich getroffen. Während des Eingreifens der schwerbewaffneten Polizei kamen 16 Zivilisten ums Leben. Die Schuld an ihrem Tod wurde ebenfalls den Kommunisten (»Fenster- und Dachschützen«) angelastet. Am 18.7. erließ der Reichsinnenminister ein Demonstrationsverbot. Zwischen 1933 und 1937 fanden sechs Prozesse gegen wirkliche und angebliche Beteiligte an den Gewalttätigkeiten statt. Es wurden vier Todesurteile ausgesprochen und insgesamt 315 Jahre Zuchthaus verhängt. Die Todesurteile gegen die Kommunisten (Lütgens, Möller, Wolff, Tesch) fällte ein Sondergericht im ersten und für die folgenden Verfahren richtungsweisenden Prozeß (8.5.–2.6.1933), und zwar aufgrund von gefälschten Beweismitteln und Falschaussagen. Der preuß. Ministerpräsident Göring lehnte Begnadigungsanträge ab. Die Hinrichtungen erfolgten am 1.8.1933. Prozeß, Urteile und deren Vollstreckung wa-ren der Auftakt für die politische Rachejustiz des NS-Regimes. Nach-dem gleichlautende Anträge mehrmals abgelehnt worden waren, hob das Hamburger Landgericht auf Antrag der Staatsanwaltschaft die Todesurteile am 13.11.1992 auf, wobei die beteiligten Richter und Staatsanwälte in der Kassationsbegründung sichtbar geschont wurden.

Kurt Pätzold

Literatur:

Schirmann, Léon: *Der Altonaer Blutsonntag (17.7.1932). Dichtungen und Wahrheit,* Hamburg 1994.

Schirmann, Léon: *Justizmanipulationen. Der Altonaer Blutsonntag und die Altonaer bzw. Hamburger Justiz 1932–1994,* Berlin 1995.

Altreich s. Großdeutschland

Amnestien In der NS-Zeit aus politischen Gründen in mehreren Fällen ergangene Gnadenerlasse, so am 21.3.1933 (Reichstagseröffnung) für alle Straftaten im Zusammenhang mit der »nationalen Erhebung«. Am

7.8.1934 wurde eine A. erlassen, die den Mördern während des → »Röhm-Putsches« zugute kam, deren Taten nachträglich als Akte der Staatsnotwehr gerechtfertigt wurden. Am 1.9.1939 (Kriegsausbruch) fand eine A. für straffällig gewordene Wehrmachtsangehörige statt, am 9.9.1939 folgte eine solche für Zivilisten. Schließlich wurden am 4.10.1939 nach dem → Polenfeldzug die → SS-Angehörigen der Einsatzkommandos (Tötungskommandos; → Einsatzgruppen) wegen der Massaker an der poln. Zivilbevölkerung amnestiert. *Willi Dreßen*

Amt Rosenberg Sammelbezeichnung für die Dienststellen des → Reichsleiters Alfred Rosenberg. Dieser galt aufgrund seiner Tätigkeit als offizieller Chefredakteur des → *Völkischen Beobachters* (ab 1923 bzw. 1925) und als Autor einiger einschlägiger Broschüren als Experte der → NSDAP für → Außenpolitik. U.a. wegen des 1928 von ihm gegründeten, nicht parteiamtlichen → Kampfbundes für deutsche Kultur und seines 1930 veröffentlichten Buches → *Der Mythus des 20. Jahrhunderts* galt er zudem in der dt. Öffentlichkeit als führender NS-Ideologe, während er in der Partei umstritten war. Als innerparteiliche vorläufige Abfindung nach Hitlers Machtantritt wurde für ihn am 1.4.1933 das → Außenpolitische Amt der NSDAP gegründet. Es erhielt aber keinen nennenswerten Einfluß auf die amtliche auswärtige Politik und war gezwungen, sich auf die Sammlung von Material (v.a. für eine Gewinnung Osteuropas) sowie Vorträge und die Betreuung der → Nordischen Gesellschaft, einer ab 1933/34 kulturpropagandistisch verformten Vereinigung, zu beschränken. Negative Berühmtheit erlangte es durch die Unterstützung des Staatsstreichs von Vidkun Quisling während der dt. Besetzung Norwegens im Jahre 1940 sowie durch die Mitwirkung bei der Vorbereitung des Überfalls auf die Sowjetunion (Unternehmen → Barbarossa; → Ostfeldzug 1941–1945). Das am 17. Juli 1941 errichtete → Reichsministerium für die besetzten Ostgebiete, dem Rosenberg vorstand, gehörte als staatliche Institution nicht zum A.

Den Titel »Beauftragter des Führers für die gesamte weltanschauliche Schulung und Erziehung der NSDAP« verlieh sich Rosenberg selber, nachdem Hitler einem entsprechend formulierten Antrag (vom 24.1.1934) Leys und Rosenbergs zwar zugestimmt, Konkretisierungen aber entweder bewußt oder aus Gewohnheit nicht hatte folgen lassen. Direkte Gründe Hitlers sind nicht überliefert; eine Abneigung gegenüber den Kirchen (deren Unterstützung er gleichzeitig, u.a. durch Distanzierung vom *Mythus*, zu gewinnen suchte) oder die Möglichkeit, die parteiamtliche Anerkennung des Kampfbundes zu umgehen, die sich gegen Goebbels' Apparat gerichtet hätte, können bei Hitler als Motive vermutet werden, sofern überhaupt Abwägung im Spiel gewesen sein sollte. Ley hatte vermutlich aufgrund eines schnell überholten Eigeninteresses vermittelt: Sein Hauptschulungsamt benötigte damals Inhalte, sein → KdF-Theater Zuschauer. Letzterem Mangel konnte abgeholfen werden, da sich die dem Kampfbund zugehörige Deutsche Bühne 1933 dank des Geschicks einiger ihrer Funktionäre im allgemeinen Prozeß der → Gleichschaltung in zahlreichen Orten der Leitung großer Theaterbesucherorganisationen (z.B. Volksbühnen und Bühnenvolksbund) bemächtigt hatte (→ Kunst). Ley finanzierte daraufhin etwa ab Juni 1934 aus Mitteln der → DAF die wichtigste Praxis-Organisation des nunmehr gegründeten Parteiamtes des »Beauftragten...«, die aus den genannten Verbänden und dem Kampfbund gebildete → NS-Kulturgemeinde (NSKG). Doch bald kam es zu dauerndem Streit mit Ley und dessen Apparaten, da sich eine Konkurrenz von NSKG und KdF entwickelte und Ley auch im Schulungsbereich das A. nur als Lieferant von Schriften, aber nicht in »überwachender« Funktion zu dulden bereit war. Ende 1936 sperrte er seine Gelder (jährlich rund 3 Mio. RM). Hitler belohnte daraufhin – nach langer Weigerung, den Konflikt zur Kenntnis zu nehmen – wie üblich den »Stärkeren« und entschied, daß das A. sich eher theoretischer Betätigung widmen solle, aber er tat es wiederum, ohne die mündliche Weisung zu konkretisieren. Die NSKG ging daraufhin 1937 in KdF auf. Das A., nunmehr vom Reichsschatzmeister der NSDAP reichlich finanziert, konzentrierte sich zunächst auf Schulungsvorträge, sodann auf die Verbreitung seiner zahlreichen, radikal antisemitisch und antikirchlich ausgerichteten Publikationen und nicht zuletzt auf ständige, intern meist erfolgsarme, für Außenstehende jedoch vielfach diktaturverschärfende Interventionen bei den Apparaten für Schulung (Ley), für Kulturpolitik und Propaganda (Goebbels), der Literatur und → Zensur (→ Parteiamtliche Prüfungskommission zum Schutze des NS-Schrifttums) sowie der Erziehung (→ Jugend) und → Wissenschaft (→ Reichsministerium für; → »Ahnenerbe« e.V.). Besonders verhängnisvoll wirkte sich sein Einfluß auf die Disziplinen der prähistorischen Forschung und der → Dt. Volkskunde aus – hier auch in der Praxis. Dagegen beschränkte sich das A. mangels exekutiver Möglich-keiten in der → Rassenpolitik sowie gegenüber dem Judentum, den → Kirchen und den → Freimaurern auf radikale Agitation. Ein besonderes Interesse verfolgte das A. mit dem Projekt der → Hohen Schule. Ab 1940 betrieb der ebenfalls zum A. gehörende → Einsatzstab RL Rosenberg den bis dahin umfangreichsten → Kunstraub in der Geschichte Europas.

Obwohl das A. niemals direkte Weisungs- oder Exekutivrechte gegenüber anderen Stellen in Partei und Staat auf Reichsebene erhielt und Hitler mindestens drei Ersuchen Rosenbergs um solche Vollmachten nicht beantwortete (1936, 1938) bzw. ablehnte (1940), wurde nach außen der Eindruck einer beständigen Teilhabe am Machtapparat aufrecht erhalten. Am bekanntesten wurde der Kampf der Kirchen gegen Rosenbergs *Mythus*, den sie als schlecht getarnte Programmschrift ansehen mußten. Von der Hohen Schule waren durchaus Gefahren für Forschung und Lehre zu erwarten. Insgesamt ist es zwar schwierig, den tatsächlichen Einfluß der zahlreichen publizistischen und sonstigen Aktivitäten des A. konkret nachzuweisen, aber sie dürften das Ihre zur Festigung der → Ideologie beigetragen haben, auch wenn die Rosenbergschen Varianten parteiintern als doktrinär und praxisfern galten. Daß die verschiedenen Tätigkeiten in der Begründung für das Todesurteil, das die Alliierten 1946 in Nürnberg gegen ihn verhängten und vollstreckten (→ Nachkriegsprozesse), nur am Rande erwähnt wurden (es erging hauptsächlich aufgrund seiner Amtsführung als »Ost-Minister«), ändert nichts an ihrem inhumanen Charakter.

Reinhard Bollmus

Literatur:

Baumgärtner, Raimund: *Weltanschauungskampf im Dritten Reich. Die Auseinandersetzung der Kirchen mit Alfred Rosenberg,* Mainz 1977.

Bollmus, Reinhard: *Das Amt Rosenberg und seine Gegner. Studien zum Machtkampf im nationalsozialistischen Herrschaftssystem,* München ^{2}1997.

Kater, Michael H.: *Das »Ahnenerbe« der SS 1933-1945. Ein Beitrag zur Kulturpolitik des Dritten Reiches,* Stuttgart 1974.

Amtswalter Bezeichnung in dt. Sprache für Beamte. Während die bis 1933 im Staatsapparat beschäftigten Beamten diese Bezeichnung weiter behielten, wurden hauptsächlich für die NSDAP und ihre Untergliederungen tätige Funktionäre als A. bezeichnet.

Willi Dreßen

Anders-Armee s. Polen

Anerbengericht NS-Einrichtung, mit der das bäuerliche Erbrecht durchgesetzt werden sollte. Im Nat.soz. war mit dem → Reichserbhofgesetz die Vererbung eines Hofes auf nur einen Erben, eingeführt worden. Dies entsprang der nat.soz. »Blut und Boden«-Ideologie. Der → Erbhof galt als unveräußerlich. Die A. hatten den ordnungsgemäßen Übergang auf den Erben zu überwachen und mußten über die häufigen Streitfälle entscheiden. Die unteren Instanzen der A. bemühten sich in der Regel, den Wünschen des Erblassers zu genügen, während das Reichserbhofgericht das Anerbenrecht eng auslegte.

Uffa Jensen

Angriff, Der Von Gauleiter Goebbels im Juli 1927 in Berlin geschaffene und v.a. durch dessen Leitartikel geprägte Zeitung, die in aggressiven Tönen »das System« (der Weimarer Republik) bekämpfte (→ Systemzeit) und einen wüsten → Antisemitismus propagierte. Unter dem Motto »Für die Unterdrückten! Gegen die Ausbeuter« diente *Der A.* während des Verbots der → NSDAP in Berlin (1927/28) als Sammelpunkt für die Parteimitglieder und als Propagandamittel. In Text und Karikatur (von »Mjölnir« alias Hans Schweitzer) stilisierte es den Typus des »heroischen Kämpfers der NSDAP« und stellte diesem die politischen Gegner diffamierend als lächerliche, schmähliche (und jüdische) Figuren gegenüber. *Der A.* erschien zunächst monatlich im gleichnamigen Verlag in einer Auflage von 2000 Exemplaren, seit dem 1.10.1929 zweimal wöchentlich, seit dem 1.11.1930 täglich und seit dem 10.5.1933 schließlich als *Tageszeitung der Deutschen Arbeitsfront* im → Eher Verlag. 1944 betrug die Auflage 300 000. Als Hauptschriftleiter fungierten nacheinander Dr. Julius Lippert, Karoly Kampmann und Hans Schwarz van Berg. Die letzte Ausgabe erschien am 24.4.1945.

Angelika Heider

Anschluß Österreichs Bestrebungen zur Vereinigung der dt.sprachigen Gebiete der Habsburgermonarchie mit Deutschland reichen bis in die Zeit der Romantik zurück. Im 19. Jh. war ein solcher Zusammenschluß eine Forderung der Alldt. Partei. Nach der Auflösung der österr.-ungar. Monarchie erklärte sich die aus den dt.-sprachigen Kernländern der Donaumonarchie gegründete Republik »Deutschösterreich« am 12.11.1918 zum »Bestandteil der Dt. Republik«. In den Friedensverträgen von St. Germain wurde jedoch der A. ohne Zustimmung des → Völkerbundes untersagt. Dem neuen Kleinstaat wurde von seinen Bürgern von Anfang an die wirtschaftliche Überlebensfähigkeit abgesprochen. Viele konnten sich mit der kleinstaatlichen Existenz nicht abfinden und wünschten dies durch einen A. an Deutschland zu kompensieren. Das Schlagwort von der »Lebensunfähigkeit« → Österreichs bildete fortan das Hauptargument für die Anschlußpropaganda. Befürworter des A. dominierten in allen politischen Parteien, lediglich legitimistische Gruppen und ein Teil der Christlichsozialen Partei lehnten ihn ab. Volksabstimmungen erbrachten 1921 in Tirol und Salzburg starke Mehrheiten für einen A., woraufhin weitere untersagt wurden.

Österreich verzichtete 1922 in den Genfer Protokollen offiziell auf den A., um eine Völkerbundanleihe zur Sanierung seiner ruinierten Finanzen zu erhalten. Dennoch propagierten v. a. die dt.-national orientierten Parteien und völkische Vereine wie der Österr.-dt. Volksbund, die Österr.-dt. Arbeitsgemeinschaft und der Dt. Schulverein, teilweise von Deutschland finanziert, weiter den A.-Gedanken. Schließlich wurde die erstarkende NSDAP in Österreich zum Hauptträger dieser Propaganda.

1932 scheiterte das Projekt einer Zollunion mit Deutschland am Einspruch der Großmächte. Österreich verzichtete im Protokoll von Lausanne über eine neue Anleihe abermals auf den A. Nach der Machtübernahme der Nat.soz. in Deutschland eliminierte die Sozialdemokratie 1933 die A.-Forderung aus ihrem Parteiprogramm. Auch das von E. Dollfuß errichtete diktatorische Regime des »Ständestaates« versuchte mit starker Anlehnung an das faschistische Italien die Eigenstaatlichkeit Österreichs zu bewahren. Die terroristisch agierende österr. NSDAP wurde 1933 verboten. Hitler erhöhte den wirtschaftlichen und politischen Druck. Im Juli 1934 wurde Dollfuß bei einem Putschversuch der österr. Nat.soz. ermordet. Nach der Niederschlagung des Putsches (Mussolini hatte am Brenner Truppen aufmarschieren lassen) verfolgte die dt. Führung das evolutionäre Konzept eines »dt. Weges«. Österreich geriet jedoch angesichts der Annäherung zwischen Italien und Deutschland immer mehr in eine außenpolitische Isolation.

Innenpolitisch durch die doppelte Frontstellung seines Regimes gegen Arbeiterbewegung und Nat.soz. geschwächt, mußte K. Schuschnigg, der Dollfuß gefolgt war, Kompromissen mit Deutschland zustimmen, die jedoch sämtlich zum Nachteil Österreichs gerieten. Im Juliabkommen 1936 wurde zwar die Souveränität Österreichs durch Deutschland anerkannt, mit der Amnestie und der Aufnahme von Nat.soz. in die Verwaltung wurde jedoch der Unterwanderung der österr. Behörden Tür und Tor geöffnet; auch hatte die Wiener Regierung den außenpolitischen Führungsanspruch Deutschlands anzuerkennen.

Am 12.2.1938 mußte Schuschnigg bei einem Treffen mit Hitler in Berchtesgaden unter massivem militärischem Druck einer Regierungsbeteiligung der Nat.soz. zustimmen. Am 9.3.1938 setzte Schuschnigg jedoch kurzfristig eine Volksabstimmung über die Freiheit und Souveränität Österreichs an, mußte diese aber unter ultimativen dt. Drohungen widerrufen. Er demissionierte schließlich am 11.3. und machte damit den Weg für die Installierung einer nat.soz. Regierung unter A. Seyss-Inquart frei. Am 12.3.1938 marschierten dt. Truppen unter dem Jubel großer Teile der österr. Bevölkerung und v. a. der österr. Nat.soz. in Österreich ein. Die nat.soz. Regierung Seyss-Inquart beschloß am 13.3. nach dem erzwungenen Rücktritt von Bundespräsident W. Miklas das »Bundesverfassungsgesetz über die Wiedervereinigung Österreichs mit dem Dt. Reich«. Gleichzeitig wurde ein entsprechendes Reichsgesetz beschlossen. Am 15.3. fand eine Großkundgebung mit Hitler auf dem Wiener Heldenplatz mit ca. 250000 Teilnehmern statt. Schon ab 11.3. begannen andererseits die Verhaftungen und Exzesse gegen Regimegegner und Juden (kurzfristig über 70000 Festnahmen). Ausmaß und Brutalität des NS-Terrors in Österreich übertrafen die Verhältnisse im Dt. Reich bei weitem. Eine Volksabstimmung am 10.4.1938, die unter den von den Nat.soz. bestimmten Rahmenbedingungen über den bereits vollzogenen A. stattfand, brachte 99,73% Ja-Stimmen. 1940 wurde die nunmehrige »Ostmark« in Reichsgaue aufgeteilt. Am 27.4.1945 proklamierte Österreich seine Unabhängigkeit und erklärte den A. für »null und nichtig«. Im Staatsvertrag verpflichtete es sich 1955, »keine wie immer geartete politische oder wirtschaftliche Vereinigung mit Deutschland« einzugehen. *Gustav Spann*

Literatur:

Schausberger, Norbert: *Der Griff nach Österreich. Der Anschluß,* Wien/München 1978.
Jagschitz, Gerhard: *Der Putsch. Die Nationalsozialisten 1934 in Österreich,* Graz/Wien/Köln 1976.
Stourzh, Gerald/Birgitta Zaar (Hg.): *Österreich, Deutschland und die Mächte. Internationale und österreichische Aspekte des »Anschlusses« vom März 1938,* Wien 1990.
Schmidl, Erwin A.: *März 1938. Der deutsche Einmarsch in Österreich,* Wien 1987.

Antibolschewismus In der Weimarer Republik waren nicht nur einige Organisationen wie die Antibolschewistische Liga Eduard Stadtlers, sondern mit Ausnahme der kommunistischen alle Parteien antibolschewistisch eingestellt. Dabei vermischten sich sehr alte russophobe und antislawische Vorurteile mit einer ausgeprägten Angst vor dem Kommunismus, die durch die Eindrücke von der Russischen Revolution und ihren Greueln wesentlich gesteigert worden war. Bei der NSDAP kam zu diesen antirussischen, antislawischen und antikommunistischen Ressentiments noch der → Antisemitismus hinzu. Für Hitler war der »russische Bolschewismus« nichts anderes als der Versuch des »Judentums«, »sich die Weltherrschaft anzueignen«. Andererseits werde Rußland durch die Judenherrschaft geschwächt. Daher sei es leicht möglich, den unbedingt benötigten → Lebensraum im Osten »auf Kosten Rußlands« zu gewinnen (→ Sowjetunion). *Wolfgang Wippermann*

Antikominternpakt Die Befürchtungen jap. Armeekreise, daß China von der Sowjetunion Unterstützung gegen die expansive Politik → Japans in der Mandschurei bekäme, führten 1936 zu Verhandlungen des jap. Militärattachés in Berlin, Oberst Oshima, mit Hitlers außenpolitischem Berater Ribbentrop, die ohne Kenntnis der beiden zuständigen Außenminister stattfanden. Zweck des am 25.11.1936 unterzeichneten Abkommens mit einer Geltungsdauer von fünf Jahren (1941 verlängert) war nach außen hin die Bekämpfung der Komintern (Kommunistische Internationale). Der Pakt sah gegenseitige Informationen und Konsultationen vor und legte in einem Zusatzprotokoll Maßnahmen gegen Kominternmitarbeiter im In- und Ausland fest. Ein geheimes Zusatzprotokoll enthielt Bestimmungen über Konsultationen und gegenseitige Neutralität im Falle eines nichtprovozierten Angriffs oder entsprechender Drohungen von seiten der Sowjetunion. Ferner erklärten beide Seiten den Verzicht auf künftige vertragliche Vereinbarungen, die gegen den Geist des Abkommens verstießen. Dem Abkommen schlossen sich – ohne Kenntnis des geheimen Zusatzprotokolls – folgende Staaten an: Italien (1937), Mandschukuo, Ungarn, Spanien (alle 1939), Bulgarien, Kroatien, Dänemark, Finnland, Nanking-China, Rumänien und die Slowakei (alle 1941). Das eigentliche Ziel des Abkommens, die außenpolitische Isolierung der UdSSR, opferten sowohl die Reichsregierung mit dem → dt.-sowj. Nichtangriffspakt von 1939 wie Japan mit dem russ.-jap. Neutralitätsabkommen (13.4.1941). Nach dem dt. Überfall auf die UdSSR (Unternehmen → Barbarossa; → Ostfeldzug) griff Japan dem Buchstaben des Abkommens entsprechend nicht zugunsten des Dt. Reiches in den Konflikt ein. *Hermann Weiß*

Antikommunismus s. Antibolschewismus

Antisemitische Aktion Im Jahr 1934 wurde in enger personeller und finanzieller Verbindung mit dem Reichsministerium für Volksaufklärung und Propaganda in Berlin das Institut zum Studium der Judenfrage (zuerst Institut zur Erforschung der Judenfrage) gegründet. Sein erster Leiter, Eugen von Engelhardt, wurde bald von Dr. Wilhelm Ziegler ersetzt, einem hohen Beamten und »Judenreferenten« in dem genannten Ministerium und aktiven antisemitischen Autor und Redner. Im Dezember 1939 wurde das Institut unter seinem neuen Leiter, Dr. Wolff Heinrichsdorff, in A., im Februar 1942, mit Rücksicht auf die arabischen Länder, in »Antijüdische Aktion« umbenannt. Die Bedeutung des Instituts lag primär in der Öffentlichkeitsarbeit, seine wissenschaftlichen Publikationen blieben spärlich. Ziel war die Verbreitung der Ergebnisse der Forschung zur »Judenfrage« in der Bevölkerung. Zu diesem Zweck gab das Institut auflagenstarke Schriften heraus, darunter das mehrfach aufgelegte Buch *Die Juden in Deutschland* (1935, ^{8}1939), besaß eine eigene Bibliothek und veröffentlichte seit 1937 die halbmonatlich/teils wöchentlich erscheinende und für den Nachdruck bzw. die Auswertung vorgesehene Korrespondenz *Mitteilungen über die Judenfrage* (Hg.: Hans Georg Trumit bis 1939, ab Mai 1939 Dr. Heinrichsdorff, ab April 1940 Wolfgang Fehrmann, ab Dezember 1942 Horst Seemann), in der viele führende antisemitische Propagandisten schrieben und die ein wirksames Instrument der nat.soz. Propaganda zur »Judenfrage« darstellte. Ab 1940 hieß das Blatt *Die Judenfrage in Politik, Recht, Kultur und Wirtschaft.* Ende 1943 wurde sein Erscheinen überraschend eingestellt. Ab 1943 gab die A. ein zweites Periodikum heraus: *Archiv für Judenfragen. Schriften zur geistigen Überwindung des Judentums* (Hg. Friedrich Löffler), dessen Intentionen stärker auf wissenschaftlichem Gebiet lagen. Daß die 1937 begonnene Buchreihe *Die Juden im Leben der Völker* über den ersten Band nicht hinauskam, wirft indessen ein Licht auf das wissenschaftliche Schattendasein der A. Gegen Ende des Dritten Reiches soll das Institut in das neugegründete Zentralforschungsinstitut des Propagandaministeriums eingegliedert worden sein, ohne seine Eigenständigkeit völlig verloren zu haben (→ Antisemitismus; → Juden).

Werner Bergmann

Antisemitismus Der Begriff setzte sich seit den 70er Jahren des 19. Jh. gegenüber den Begriffen »Judenhaß« und »Judenfeindlichkeit« in Europa durch. In Reaktion auf die Entstehung der modernen Industriegesellschaft wurde ein sich wissenschaftlich gebender, rassisch-völkischer A. zur nationalistischen Integrationsideologie, die alle negativ bewerteten Zeiterscheinungen (Materialismus, Säkularismus, die »soziale Frage«) den Juden anlastete. Judentum und Germanentum/Deutschtum standen als Chiffren für den Konflikt zwischen den Ideen der Französischen Revolution und einer nationalistischen, antimodernistischen Weltanschauung. In und nach dem Ersten Weltkrieg verschärfte sich der A., da die → Juden von der völkischen Rechten (→ völkische Bewegung) für den Krieg, die Niederlage von 1918 (»Dolchstoßlegende«) und die Revolution (→ »Novemberverbrecher«) verantwortlich gemacht wurden. Die Deutschen wurden als Opfer einer plutokratisch-jüdisch-marxistischen Verschwörung gesehen. Der A. verband sich mit der grundsätzlichen Opposition gegen die Weimarer Demokratie (»Judenrepublik«) und gewann damit erheblich an politischem Gewicht. Der A. der frühen → NSDAP (1919–1923) stellte lediglich eine Verdichtung und Radikalisierung der völkisch-imperialistischen Ideen aus der Zeit vor 1918 dar und unterschied sich kaum von dem anderer völkischer Verbände, die eine fanatische antijüdische Propaganda betrieben. Die NSDAP gab sich im Februar 1920 ein Programm, das Juden aus dem Kreis der → »Volksgenossen« und Staatsbürger ausschließen, sie als »Gäste« unter Fremdenrecht stellen und eingewanderte Juden ausweisen wollte (→ Ideologie). Ihr A. besaß einen Doppelcharakter als der »gefühlsmäßige Unterbau der Bewegung« (Gottfried Feder) und als propagandistisches Mittel, um die Verbitterung der Massen auf einen einzigen »unversöhnlichen Feind« zu lenken. Hitler propagierte einen »A. der Vernunft«, dessen Basis ein aus pseudowissenschaftlichen Theoremen zusammengesetztes sozialdarwinistisches Verständnis der weltgeschichtlichen Entwicklung als »Rassenkampf« bildete (→ Sozialdarwinismus). Die »Judenfrage« wurde entsprechend als ein Rassenproblem formuliert, wobei sich in diesem Rassismus A., Rassenutopie, Gesellschaftsbiologie und Rassenhygiene (→ Rassenpolitik und Völkermord; → Medizin) verbanden. In diesem manichäischen Denksystem wurden die Juden, anders als alle anderen »Nicht-Arier«, die in einer Rassenhierarchie auf eine niedrigere Stufe gestellt wurden, zur mächtigen »Gegenrasse« und zum »Negativtypus« dämonisiert und dem Idealtypus des Ariers gegenübergestellt. Die Definition über das »Blut« war jedoch sekundär mit der des »jüdischen Geistes« verbunden, denn man sah in Liberalismus, Kapitalismus, Bolschewismus, Presse und Freimaurertum sowohl den Ausdruck jüdisch-materialistischen Geistes als auch Herrschaftsinstrumente des Judentums. Das »internationale Judentum« wurde als treibende Kraft hinter allen innen- wie außenpolitischen Problemen gesehen, da ihm ein Streben nach Weltherrschaft zugeschrieben wurde, wie es die in der NSDAP früh rezipierten → »Protokolle der Weisen von Zion« – eine Fälschung der zaristischen Geheimpolizei – zu belegen schienen. Hitler sah deshalb einen Weltkonflikt zwischen Juden und Ariern voraus, denn nach seiner Auffassung bedrohte das Judentum nicht nur das dt. sondern alle Völker (»Rassentuberkulose der Völker«), so daß das Ziel der antijüdischen Politik letztlich die »Entfernung der Juden überhaupt« sein mußte. In der Vorstellung des Kampfes ums Dasein, in dem Völker erbarmungslos Krieg um → Lebensraum führen, liegt die Verbindung des A. mit der Rassenutopie und mit dem kolonialen Lebensraum-Konzept. Hitler drohte in seinen Reden mehrfach, das Ergebnis eines von den Juden verschuldeten Krieges werde nicht die Ausrottung der europäischen Völker, sondern die des Judentums sein. Der nat.soz. A. basierte jedoch nicht nur auf der »Rassentheorie« (→ Rassenkunde), sondern bediente sich aller Motive der antisemitischen Tradition. Deshalb changierte das Bild des »Juden« zwischen der Vorstellung eines dämonischen, fast übermächtigen Feindes und dem des minderwertigen Untermenschen, der parasitär in anderen Völkern lebt, deren Staaten zerstört und das Rassenniveau durch Rassenmischung senkt. Für diesen rabiaten und pornographischen A. stehen exemplarisch das Hetzblatt → *Der Stürmer* und die antijüdische Gewalt der SA. Der A. der NSDAP unterschied sich von dem primär literarischen des Kaiserreichs durch seine Umsetzung in eine terroristische politische Praxis. Ihr verbal aggressiver Antisemitismus war nicht ein Ersatz für Handeln, sondern Wegbereiter der Tat. Auch wenn es keinen konkreten Aktionsplan gab, so lag doch der Völkermord in der Logik des rassistischen A., denn zu seinen Wesenselementen gehörte die Unmöglichkeit, eine begrenzte Regelung für eine dauerhafte dt.-jüdische Koexistenz zu finden, da er nicht auf einen Zustand der Apartheid, sondern auf eine völlige »Entfernung« der Juden zielte. Das dynamische Zusammenspiel von Parteigliederungen und staatlichen Organen radikalisierte sich, nachdem der A. 1933 zum Regierungsprogramm und zur Staatsdoktrin geworden war, seit den Boykottmaßnahmen (→ Boykott 1. April 1933) schrittweise (→ Nürnberger Gesetze) – wenn auch in Form einer konfusen und z.T. widersprüchlichen Politik – zu einer immer weitergehenden rechtlichen, wirtschaftlichen und sozialen Ausschließung der Juden bis hin zur → »Reichskristallnacht«, den → Deportationen und zur → »Endlösung«. *Werner Bergmann*

Literatur:

Graml, Hermann: *Reichskristallnacht. Antisemitismus und Judenverfolgung im Dritten Reich,*, München 1988.

Jäckel, Eberhard: *Hitlers Weltanschauung,* Stuttgart 1981.

Appeasementpolitik Für → Großbritannien stellte sich in den 30er Jahren die Frage, wie auf die revisionistische Politik → Japans in Ostasien, → Italiens im Mittelmeerraum und Deutschlands in Mitteleuropa (→ Großdeutschland) reagiert werden sollte. Traditionellerweise kam dem europäischen Kontinent Priorität zu, so daß sich der Versuch anbot, das Dt. Reich durch weitgehendes Entgegenkommen zu beschwichtigen und in ein Geflecht von Absprachen und Abmachungen einzubinden (→ Außenpolitik). Das Appeasement-Konzept des Premierministers Chamberlain hatte die öffentliche Meinung hinter sich, weil die Furcht vor einem Bombenkrieg sowie der Wunsch nach Wohlstand, Frieden und → Abrüstung weit verbreitet waren, aber auch die Ordnung des Friedensvertrages von Versailles mehr und mehr als ungerecht gegenüber Deutschland empfunden wurde (→ Versailles). Hinzu kamen seitens der konservativen Eliten außenwirtschaftliche Interessen, die Ablehnung der stalinistischen UdSSR, um deren Einbeziehung in eine Anti-Hitler-Koalition sich lediglich der in seiner eigenen Partei völlig isolierte Winston Churchill seit 1935 bemühte, und Befürchtungen hinsichtlich eines fundamentalen innergesellschaftlichen Wandels als Folge eines künftigen Krieges. Der A. lag ein Deutschlandbild zugrunde, das nicht nur zwischen Nat.soz. und dt. Volk unterschied, sondern innerhalb der NS-Führung von einem Tauziehen um den zwischen »Gemäßigten« und »Extremisten« stehenden kompromißbereiten Hitler ausging. In dieser Fehlperzeption wurden die »Appeaser« in Whitehall durch konservative Regimekritiker in Berlin wie Staatssekretär von Weizsäcker und Generalstabschef Halder bestätigt, die einen »großen Krieg« gegen die Westmächte verhindern, jedoch → Österreich, das → Sudetenland, → Danzig und den → poln. »Korridor« gleichsam als Gegenleistung für das brit. Ruhebedürfnis auf dem Kontinent einfordern wollten. Höhepunkt der A. stellte das → Münchener Abkommen vom 29.9.1938 dar, wenngleich zur Erhaltung des Friedens nicht mehr allein die Verhandlungsbereitschaft des Westens und die Überlassung der Sudetengebiete an das Dt. Reich ausreichten, sondern erst die Mobilisierung der brit.

Flotte den zum Krieg entschlossenen Hitler zurückschrecken ließ. In dem erzielten außenpolitischen Erfolg sah Hitler lediglich eine Einschränkung seiner Handlungsfreiheit, während die »Antiappeaser« um Churchill und Duff Cooper das Verhalten der brit. Regierung gegen-über der → Tschechoslowakei als »Schande« bezeichneten und später sogar von einer »verpaßten Chance« zum Sturz Hitlers sprachen. Letztgenannte Behauptung stellten auch diejenigen Hitler-Gegner in Berlin auf, die sich 1938 in der »Septemberverschwörung« zusammengefunden hatten und ihr Handeln von der Bereitschaft der brit. Regierung abhängig machten, Hitler eine öffentliche diplomatische Niederlage beizubringen, die wiederum als Initialzündung von außen für die Beseitigung des Regimes im Innern benutzt werden sollte. Mit Hitlers »Marsch nach Prag« und der Errichtung des → Protektorats Böhmen und Mähren zeichnete sich das Ende der A. ab – offiziell angekündigt durch die brit. Garantieerklärung für die Unabhängigkeit → Polens vom 31.3.1939. Trotzdem ließ Chamberlain bis in den August 1939 hinein die aus seiner Sicht noch verbliebenen Möglichkeiten des »economic appeasement« ausloten, die eine weltweite wirtschaftliche Zusammenarbeit mit Deutschland und sogar ein »koloniales Kondominium« in Afrika beinhalteten. Sogar nach dem dt. Angriff auf Polen und der Kriegserklärung Großbritanniens vom 3.9.1939 (→ Polenfeldzug; Weltkrieg 1939–1945) bestanden in Whitehall noch unterschwellig gewisse Hoffnungen auf einen Frieden ohne Waffengang – allerdings unter keinen Umständen mit Hitler als Verhandlungspartner. Als Churchill schließlich am 10.5.1940 Premierminister wurde, konnte er auf das offensichtliche Scheitern der von ihm heftig bekämpften A. aufbauen, um die brit. Nation im Kampf gegen das nat.soz. Deutschland zu einen und auf das Ziel eines eindeutigen Sieges einzuschwören. *Rainer A. Blasius*

Literatur:

Graml, Hermann: *Europas Weg in den Krieg. Hitler und die Mächte 1939*, München 1990.

Arbeitertum 1931 gegründete Zeitschrift, die 1933 zum Zentralorgan der → DAF wurde, alle 14 Tage erschien und 1939 eine Auflage von 4,5 Mio. Exemplaren erreichte. In den ersten Jahren ihres Bestehens diente sie dazu, die Arbeiterschaft für die NSDAP zu gewinnen. Dieser Versuch war relativ erfolgreich. Allerdings ist die Partei nie zu dem geworden, was sie vorgab zu sein: eine Partei der dt. Arbeiterschaft. Im Dritten Reich selber wurden im *A.* die angeblichen Leistungen der DAF und der ihr angeschlossenen NS-Gemeinschaft → »Kraft durch Freude« gefeiert. Während des Zweiten Weltkrieges warb man für den Einsatz an der → Heimatfront. Die u.a. vom *A.* betriebene → Propaganda wirkt bis heute nach. Neben verschiedenen Zeitgenossen haben auch einige Historiker die These vertreten, daß das Dritte Reich eine »progressive → Sozialpolitik« betrieben habe, wobei allerdings die Bedeutung der tatsächlichen sozialpolitischen Leistungen überschätzt und die damit eng verbundenen rassenpolitischen und terroristischen Aktionen übersehen werden.

Wolfgang Wippermann

Arbeiterwiderstand Bezeichnet auf den Sturz des NS-Regimes zielende Handlungen von Angehörigen der verbotenen Organisationen der Arbeiterbewegung und von nichtorganisierten Arbeitern (→ Widerstand). Unterschiedliche Vorgehensweisen kennzeichneten die beiden großen Arbeiterparteien: Der → SPD-Widerstand zeichnete sich v. a. durch die Aufrechterhaltung von Kontakten und Informationsnetzen aus. Die → KPD konnte dagegen zunächst ihre Organisationsstruktur relativ bruchlos in die Illegalität überführen; der Versuch illegaler Massenarbeit forderte jedoch unzählige Opfer. Kleinere sozialistische Organisationen leisteten aufgrund ihres engen Zusammenhalts, ihrer geringen Mitgliederzahl sowie ihres hohen Maßes an politischer Motivation eine bedeutende Widerstandstätigkeit: Zu nennen sind hier u.a. Neubeginnen, der Internationale Sozialistische Kampfbund (ISK), die Kommunistische Partei Deutschlands (Opposition; KPO), der rechte Flügel der offiziellen KPD, sowie die Sozialistische Arbeiterpartei (SAP). Aktive Widerstandstätigkeit gab es auch aus den Gewerkschaften der Eisenbahn- und Hafenarbeiter, der Nahrungsmittelarbeiter, des Zentralverbands der Hotel-, Restaurant- und Caféangestellten sowie des Zentralverbands der Angestellten (→ Gewerkschaften). Wichtig für das Verständnis des A. ist die enge Zusammenarbeit mit dem politischen Exil (→ Emigration). Bei Kriegsbeginn war der A. im wesentlichen zerschlagen, lediglich einige v.a. kommunistisch geprägte Gruppen wagten den Versuch einer Neuorganisation. Einzelne Sozialdemokraten beteiligten sich am → Kreisauer Kreis sowie an der Verschwörung des → 20. Juli 1944. Weder der organisierte A. noch spontane alltägliche Aktionen unorganisierter Arbeiter (z.B. Streiks) konnten den Bestand des NS-Regimes jemals ernsthaft gefährden (→ Widerstand).

Irene Stuiber

Arbeitsbeschaffung s. Arbeitslosigkeit

Arbeitsbuch Zum Zweck des Arbeitsnachweises gesetzlich (26.2.1935) vorgeschriebenes Dokument, in das Art und Zeit der Beschäftigung eingetragen werden mußten. Bei Arbeitsantritt hatte jeder Arbeitnehmer seinem Arbeitgeber das A. zu übergeben. Bei den Arbeitsämtern wurden dann Karteien über alle Eintragungen angelegt. Dadurch konnte das Buch nicht nur zur Verteilung des Arbeitseinsatzes, sondern auch zur Erfassung von »Arbeitsscheuen« (→ Asoziale) verwendet werden. Nach einer Durchführungsverordnung vom 16.5.1935 war die Beschäftigung von Personen ohne A. nicht gestattet.

Willi Dreßen

Arbeitsdank s. Deutsche Arbeitsfront (DAF)

Arbeitsdienst s. Reichsarbeitsdienst (RAD)

Arbeitsdienst weiblicher Jugend s. Reichsarbeitsdienst (RAD)

Arbeitseinsatz Nationalsozialistische Bezeichnung für eine staatlich regulierte, repressive Arbeitsmarktpolitik. Die Voraussetzungen für den A. wurden 1935 mit dem Gesetz über die Einführung des → Arbeitsbuches und 1937 mit der Ausschaltung privater Arbeitsnachweise geschaffen. Damit kontrollierte die Reichsanstalt für Arbeitsvermittlung und Arbeitslosenversicherung sowohl den Arbeitsmarkt als auch die Arbeitskräfte (→ Arbeitslosigkeit). Ihr Chef, Friedrich Syrup, konnte ab dem 22.6.1938 mittels der sog. Dienstverpflichtung jeden Deutschen befristet »für Aufgaben besonderer staatspolitischer Bedeutung«, z.B. den Bau des → Westwalls, heranziehen. Bis zum Frühjahr 1939 schloß der NS-Staat mit der Eingliederung der Reichsanstalt in das → Reichsarbeitsministerium und mit der Umwandlung der Arbeitsämter in Reichsbehörden die administrative

Zentralisierung ab; zugleich wurde der staatliche Zugriff auf die Arbeitskräfte durch Einführung der unbefristeten Dienstverpflichtung erweitert. Die Kriegsreform der Arbeitsgesetzgebung (→ Sozialpolitik) beseitigte ab September 1939 noch bestehende Freizügigkeiten, um alle beschäftigten wie unbeschäftigten Zivilisten für den A. im Interesse der → Kriegswirtschaft mobilisieren zu können (→ Wirtschaft). 1942 gab das Reichsarbeitsministerium zugunsten einer europaweiten Organisation des A. seine Kompetenzen an den → Generalbevollmächtigten für den Arbeitseinsatz ab, dem auch die Aufgaben der Geschäftsgruppe A. des Beauftragten für den → Vierjahresplan übertragen wurden. A. wurde inzwischen als Vokabel für die massenhafte Organisation der → Zwangsarbeit von Fremdarbeitern und Kriegsgefangenen benutzt, darüber hinaus seit der → Wannsee-Konferenz vom 20.1.1942 auch als Synonym für die »Vernichtung durch Arbeit«, ein Element der → »Endlösung der europäischen Judenfrage«. Schon Ende 1938 hatte der NS-Staat eine spezielle Form des Arbeitszwangs für nach rassistischen Kriterien selektierte Gruppen eingeführt. Im »geschlossenen Arbeitseinsatz« wurden dt. Juden von der Arbeitsverwaltung unter Mißachtung von Eignung und Qualifikation in isolierten Kolonnen oder Betriebsabteilungen unter arbeitsrechtlichen Sonderbedingungen zwangsweise bis zu ihrer Deportation beschäftigt. *Wolf Gruner*

Literatur:

Hermann, Volker: *Vom Arbeitsmarkt zum Arbeitseinsatz. Zur Geschichte der Reichsanstalt für Arbeitsvermittlung und Arbeitslosenversicherung,* Frankfurt am Main 1994

Kranig, Andreas: *Lockung und Zwang. Zur Arbeitsverfassung im Dritten Reich,* Stuttgart 1983.

Arbeitserziehungslager Während des Zweiten Weltkriegs errichtete Straflager für Personen, denen in der Regel Verstöße gegen die Arbeitsdisziplin der → Kriegswirtschaft vorgeworfen wurden, z.B. durch »Arbeitsverweigerung«, »Bummelei« oder unentschuldigtes Fernbleiben. Die Einweisungen in die A. erfolgten durch die → Gestapo. In den A. sollte durch harte Arbeit und KZ-ähnliche Haftbedingungen bestraft und gleichzeitig ein allgemeiner Abschreckungseffekt erreicht werden. Nach mehrwöchiger Haft wurden die meisten Inhaftierten wieder an ihre Arbeitsplätze überstellt. Bei der überwiegenden Mehrzahl der Gefangenen handelte es sich um ausländische → Zwangsarbeiter, denen man oft nur geringe Verstöße gegen die Arbeitsdisziplin vorwerfen konnte. Der Übergang zu den großen KZ war von Beginn an fließend. Als »unverbesserlich« eingeschätzte Häftlinge konnten in die → Konzentrationslager überstellt werden. Darüber hinaus fungierten die A. als Haftstätten für Untersuchungsgefangene der Gestapo und als Durchgangsstation in die KZ. In der zweiten Kriegshälfte wurden Gefangene der A. in großer Zahl in die KZ überführt. Bis Kriegsende wurden über 80 A. errichtet, von denen bislang nur einzelne ausreichend erforscht sind. Es ist davon auszugehen, daß in den A. mehrere tausend Gefangene umkamen.

Wolfgang Ayaß

Arbeitsgemeinschaft Nordwest Zusammenschluß der nord- und westdt. → Gauleiter der NSDAP unter der Leitung von Gregor Straßer (Geschäftsführer: Josef Goebbels); gegründet am 10./11.9.1925 auf Initiative von Gregor und Otto Straßer, Goebbels und anderen Vertretern des linken Flügels der NSDAP zur Vereinheitlichung der angeschlossenen → Gaue in Organisation und Propaganda und zum gegenseitigen Austausch in politischen Fragen (nach den Statuten vom 9.10.1925). Die gesellschafts- und außenpolitischen Vorstellungen der A. und ihre Ansichten über die von der NSDAP zu verfolgende Taktik wichen z.T. erheblich vom Kurs der Münchner Parteiführung ab, insbesondere mit sozialrevolutionären Ideen (»deutscher Sozialismus«), die durch Nationalisierung der Wirtschaft und Mitbesitz der Arbeiter an Produktionsmitteln verwirklicht werden sollten. Die → Bamberger Führertagung bedeutete das faktische Ende der A.

Astrid Müller

Arbeitslosigkeit Von der Beseitigung der A., die 1932/Anfang 1933 ihren höchsten amtlichen Stand mit über 6 Mio. erreicht hatte (nur offiziell Gemeldete; ohne »unsichtbare« A., ohne Kurzarbeiter, Notstandsarbeiter usw.), hing die Festigung des NS-Regimes wesentlich ab. Hitler erklärte schon in den ersten Kabinettssitzungen, es komme außer auf den politischen Effekt, den die »Arbeitsbeschaffung« (AB) haben werde, v.a. darauf an, daß sie der »Wiederwehrhaftmachung des dt. Volkes« diene: »Dieser Gedanke muß immer und überall im Vordergrund stehen« (8.2.1933). Die Hitlerregierung knüpfte zunächst offiziell an die AB-Programme der Regierungen Papen und Schleicher an und stockte sie sukzessive um erhebliche Summen aus öffentlichen Mitteln auf. Bei Hitlers Machtantritt war der Tiefpunkt der Krise bereits überschritten, so daß die Mittel aus den AB-Programmen, die v.a. die Bauindustrie belebten (Investitionen im Verkehrs- und Wohnungswesen und in der Energieversorgung), wie eine Anschubfinanzierung – mit fast ausschließlich binnenwirtschaftlichem Effekt – auch auf andere Industriezweige wirkten, besonders auf die Investitionsgüter-, die Fahrzeug- und die Elektroindustrie. Die → Aufrüstung konnte jedoch bis 1935 nicht direkt über diese Programme finanziert werden, sondern speiste sich aus geheimen Fonds wie der »Kasse L«, deren Mittel in die Flugzeugindustrie flossen, und aus Geldern aus verdeckten Wechseloperationen der Reichsbank (→ Mefowechsel). Von Beginn an setzte die NS-Regierung die Bevölkerung einem unaufhörlichen propagandistischen Trommelfeuer aus, das ihr tatsächliche und scheinbare Erfolge bei der Beseitigung der A. (»Arbeitsschlacht«) einhämmern sollte. Außerdem wurde 1933 die A.-Statistik verändert, so daß nunmehr unregelmäßig Beschäftigte nicht mehr als Arbeitslose zählten. Wenn der Rückgang der A. (bis 31.3.1934 um ca. 3,2 Millionen, d.h. um über 50%) schon im ersten Jahr der NS-Herrschaft propagandistisch groß ausgeschlachtet wurde, so waren darunter annähernd 1,5 Mio. statistisch nichtreguläre Fälle: Notstandsarbeiter einschließlich der Arbeiter an den Reichsautobahnen; zugunsten von Männern »freigemachte« Arbeitsplätze von Frauen und Jugendlichen, von neu rekrutierten Soldaten, von Gefangenen in den Zuchthäusern und KZ und von ermordeten politischen Gegnern, ferner Hilfspolizisten, sog. Landhelfern und Arbeitdienstlern. Dennoch zeigten sowohl die Propaganda als auch die tatsächliche Abnahme der A. unter der Bevölkerung große Wirkung. In den folgenden Jahren saugten die Rüstungskonjunktur und der Aufbau der Wehrmacht die A. auf. Schon 1936 begann sich Arbeitskräftemangel, besonders bei Facharbeitern, bemerkbar zu machen. 1938 gab es keine nennenswerte A. mehr.

Dietrich Eichholtz

Literatur:

Mason, Timothy W.: *Sozialpolitik im Dritten Reich,* Opladen 1977.

Zumpe, Lotte: *Wirtschaft und Staat in Deutschland 1933 bis 1945,* Berlin (Ost) 1980.

Arbeitsmaid s. Reichsarbeitsdienst (RAD)

Arbeitsmann s. Reichsarbeitsdienst (RAD)

Arbeitsordnungsgesetz Kurzbezeichnung für das Gesetz zur Ordnung der nationalen Arbeit vom 20.1.1934. Das A. bildete die Grundlage des nat.soz. Arbeitsrechts (→ Sozialpolitik). Der Arbeitgeber entschied als »Führer des Betriebes« in allen innerbetrieblichen Angelegenheiten und war Vorsitzender des Vertrauensrates, der in Betrieben mit mindestens 20 Mitarbeitern gebildet werden sollte. Die Arbeiter und Angestellten hatten dem → Betriebsführer als → Gefolgschaft die in der → Betriebsgemeinschaft begründete Treue zu halten. Bei der Festsetzung der Richtlinien zu Betriebsordnung, Tarifordnung und Kündigungsschutz war der Betriebsführer an die Weisungen des → Treuhänders der Arbeit gebunden. Als Disziplinarinstanzen für Arbeitgeber und Arbeitnehmer wurden für jeden Treuhänderbezirk »Ehrengerichte« eingeführt. Abschließend wurde das Arbeitsrecht der Weimarer Republik außer Kraft gesetzt. Das A. war aufgrund der starken Stellung des Treuhänders der Arbeit ein wichtiges Instrument zur Wirtschaftslenkung.

Monika Herrmann

Arbeitspflicht Verpflichtung zu produktiver, geistiger und körperlicher Tätigkeit, die als sittliche Konsequenz aus dem Recht auf Arbeit verstanden wurde. Durch nat.-soz. Erziehung (→ Jugend) sollte die A. zur »selbstverständlichen Ehrenpflicht« eines jeden dt. Staatsbürgers werden (Punkt 7 u. 10 aus dem Programm der NSDAP (→ Ideologie; → Nationalsozialismus). Die A. war ein wichtiges Element der »nat.soz. Jugenderziehung« (→ Reichsarbeitsdienst/Landdienst etc.) und galt ab 1938 im Zuge der Aufrüstung für alle dt. Arbeitnehmer.

Monika Herrmann

Arbeitsscheue s. Asoziale

Arbeitsschlacht Von Hitler verwendete propagandistische Bezeichnung für die Bekämpfung der → Arbeitslosigkeit. Hitler hatte 1933 angekündigt, innerhalb von vier Jahren die Arbeitslosigkeit überwunden zu haben. Bis 1937 konnte durch entsprechende Arbeitsbeschaffungsmaßnahmen und die Rüstungsproduktion (→ Aufrüstung) Vollbeschäftigung erreicht werden. Der »Sieg in der Arbeitsschlacht« war der wichtigste innenpolitische Erfolg der Nat.soz., der seine Wirkung auf weite Teile der Arbeitnehmerschaft nicht verfehlte. *Monika Herrmann*

Architektur s. Kunst

Ardennenoffensive Letzte große dt. Angriffsoperation während des Zweiten Weltkrieges. Unter Aufbietung der letzten Reserven begann am 16.12.1944 der Angriff auf die amerik. Front in den Ardennen mit dem Ziel, den Alliierten den Hafen Antwerpen, über den ihr gesamter Nachschub abgewickelt wurde, zu entreißen, die brit. von den amerik. Truppen zu trennen und so die Westmächte friedenswillig zu machen. Nach anfänglichen Erfolgen gingen alle Geländegewinne jedoch bis zum 16.1.1945 wieder verloren. *Jana Richter*

Argentinien Die Republik A. (Hauptstadt Buenos Aires) hat eine Fläche von 2,777 Mio. km^2. 1940 hatte A. 13,2 Mio. Einwohner. Während des Zweiten Weltkriegs versuchte A., seine traditionelle Neutralität gegenüber den Kriegsparteien zu bewahren. Wirtschaftlich war das Land fast gänzlich an seinen größten Handelspartner Großbritannien gebunden, gleichzeitig jedoch fühlte sich v. a. das stark nationalistisch eingestellte Militär, das überwiegend nach dt. Richtlinien ausgebildet worden war, Deutschland verbunden. Nach dt. Vorbild strebten die Militärs eine Vormachtstellung in Südamerika an. Besonders die → USA waren durch die offene Freundschaft A. mit dem Dt. Reich beunruhigt, die trotz entsprechender Wirtschaftsboykotte der USA bestehen blieb. Eine Annäherung der argent. Regierung (unter dem zivilen Präsidenten Castillo) an die USA war für das argent. Militär indiskutabel. Der Militärputsch vom 4.6.1943 (unter maßgeblicher Beteiligung des späteren Diktators Perón) konnte eine solche Annäherung zunächst verhindern. Nach der Androhung eines totalen Wirtschaftsembargos und möglicher militärischer Intervention brach A. jedoch am 26.1.1944 die diplomatischen Beziehungen zu Deutschland ab. Unbeschadet des diplomatischen Bruchs wurden die Kontakte auf offizieller Ebene weiter gepflegt. Als Bedingung für die Mitgliedschaft in den → Vereinten Nationen forderten die Alliierten den Kriegseintritt gegen Deutschland. Als sich auch Großbritannien an den Sanktionen beteiligte, sah sich A. unter Präsident Farell zum Nachgeben gezwungen: Am 27.3.1945 erklärte A. als letzter Staat der Welt dem Dt. Reich und Japan den Krieg. Vor allem unter Perón, der vom einflußreichen Kriegs- und Arbeitsminister (Juni 1943–1945) zum autoritären Präsidenten (24.2.1946 –21.9.1955 und September 1973-Juli 1974) aufstieg und im »Justizialismus« einen »Dritten Weg« zwischen Sozialismus und Kapitalismus mittels staatlicher Sozialmaßnahmen propagierte, wurde nach Kriegsende Deutschen die Einwanderung nach A. ermöglicht. Dabei wurde ihre nat.soz. Gesinnung größtenteils ignoriert; die sonst obligatorischen Führungszeugnisse wurden nicht verlangt. Nicht nur ehemalige Nat.soz., sondern auch viele dt. Juden wählten A. als Zielland der Auswanderung. Die Zahl der jüdischen Immigranten wird für den Zeitraum 1933–1943 mit 30000–45000 angegeben. Die Sympathien der führenden Kreise für Deutschland bekam die jüdische Bevölkerung durch offene antisemitische Anfeindungen zu spüren. In den 50er Jahren wurde die jüdische Immigration nach A. sogar gestoppt, während ehemaligen NS-Schergen die Einreise gewährt wurde. Von 1945–1955 wanderten ca. 60000 Deutsche nach A. aus, wobei das Land vor allem durch die Aufnahme stark belasteter NS-Täter wie Adolf Eichmann und Josef Mengele in die Schlagzeilen geriet. *Natalia Smith*

Literatur:

Ebel, Arnold: *Das Dritte Reich und Argentinien. Die diplomatischen Beziehungen unter besonderer Berücksichtigung der Handelspolitik (1933–1939),* Köln/Wien 1971.

Pommerin, Reiner: *Das Dritte Reich und Lateinamerika. Die deutsche Politik gegenüber Süd- und Mittelamerika 1939–1942,* Düsseldorf 1977.

Ariernachweis s. Abstammungsnachweis

Arierparagraph Erstmals im → Gesetz zur Wiederherstellung des Berufsbeamtentums (BBG) vom 7.4.1933 formulierte Bestimmung zur Ausschaltung von »Nichtariern«. Beamte »nichtarischer Abstammung« waren in den sofortigen Ruhestand zu versetzen; als »nichtarisch« galt der 1. Verordnung zum BBG vom 11.4.1933 zufolge, wer einen Eltern- oder Großelternteil hatte, der der jüdischen Religion angehörte (→ Abstammungsnachweis). Diese Definition wurde zur Grundlage zahlreicher weiterer Ausgrenzungen von »Nichtariern« aus verschiedenen Berufen, Verbänden und Organisationen. Bereits seit dem 7.4.1933 konnte Rechtsanwälten »nichtarischer Abstammung« die Zulassung entzogen werden; am 22.4.1933 wurde »die Tätigkeit von Kassenärzten nichtarischer Abstammung« beendet. Gleichzeitig trat beim Dt. Apotheker-Verein, am 25.4.1933 bei allen Sport- und Turnvereinigungen (→ Sport) und am 23.7.1933 beim Reichsverband Dt. Schriftsteller der A. in Kraft. Das Gesetz gegen die Überfüllung dt. Schulen und Hochschulen vom 25.4.1933 begrenzte die Zahl der »Nichtarier« an den Bildungseinrichtungen (→ Wissenschaft). Mit dem Reichskulturkammergesetz vom 22.9.1933 (→ Reichskulturkammer) wurden → Juden und »jüdische Mischlinge« von der Betätigung in Schrifttum, → Presse, → Rundfunk, Theater, Musik und bildenden Künsten (→ Kunst), mit dem → Schriftleitergesetz vom 4.10.1933 auch von jeglicher Pressearbeit ausgeschlossen. Nach dem Erbhofgesetz vom 29.9.1933 war auch der Besitz eines Erbhofes an die Abstammung von »deutschem oder stammesgleichem« Blut gebunden (→ Bauerntum). Das Wehrgesetz vom 21.5.1935 machte die »arische Abstammung« zur Voraussetzung für den aktiven Wehrdienst. Bis zur 1. Verordnung zum Reichsbürgergesetz vom 14.11.1935 (→ Nürnberger Gesetze) gab es für Frontkämpfer und deren Angehörige und für vor dem 1.8.1914 Verbeamtete Ausnahmen vom A., danach traf die fast vollständige Ausgrenzung vom Berufsleben alle Juden und »jüdischen Mischlinge«. *Angelika Königseder*

Arisierung Nat.soz. Begriff für den Prozeß der Entfernung der dt. → Juden aus den Wirtschafts- und Berufsleben. Die A. umfaßte sowohl die Enteignung jüdischen Besitzes und Vermögens zugunsten von Nichtjuden (»Ariern«) als auch die Einschränkung jüdischer Erwerbstätigkeit und den direkten Zugriff auf jüdische Vermögen. Sie vollzog sich in drei Phasen und betraf Handwerk, Industrie und Handel in unterschiedlichem Maß.

Zwischen 1933 und 1937 erfolgte die A. als illegale Einziehung jüdischen Eigentums. Betroffen von der schleichenden Verdrängung ohne rechtliche Grundlage waren v.a. der Einzelhandel und kleinere bis mittelgroße Betriebe, besonders in Kleinstädten und auf dem Lande, deren Besitzer unter dem Druck der Verhältnisse (von der Parteibasis inszenierte Boykotte und »Volkszorn«) in den Ruin getrieben wurden oder sich zu »freiwilligen« Verkäufen unter Wert genötigt sahen. Diese Parteiaktivitäten wurden von der Regierung nicht verhindert, standen aber dem Staatsziel entgegen, die marode Wirtschaft zur Kriegsvorbereitung zu konsolidieren (weshalb jüdische Banken und Industrieunternehmen bis 1938 meist unbehelligt blieben). Aus dem öffentlichen Dienst und den wichtigsten freien Berufen wurden Juden bereits seit Frühjahr 1933 verdrängt (→ Arierparagraph; → Gesetz zur Wiederherstellung des Berufsbeamtentums). Ab der Jahreswende 1937/38 wurde die A. vor dem Hintergrund des → Vierjahresplans und der radikalisierenden Auswirkung des österr. → Anschlusses von staatlicher Seite systematisiert. Als Beauftragter für den Vierjahresplan bestimmte Hermann Göring, daß die im Rahmen des »Entjudungsprogramms« auf Sperrkonten einzufrierenden Gelder dem Staat, d.h. dem Rüstungsbudget, zuflossen. Ab April 1938 mußten jüdische Vermögen über 5000 RM angemeldet werden; sie unterlagen Verfügungsbeschränkungen (das 1933 auf 12 Mrd. RM geschätzte jüdische Vermögen war 1938 halbiert). Die Scheinübertragung jüdischer Betriebe, deren Registrierung ab Juni 1938 vorgeschrieben war, an nichtjüdische Teilhaber wurde unter Strafe gestellt. Von den 1933 bestehenden ca. 100000 jüdischen Unternehmen im Dt. Reich (Warenhäuser, Praxen, Werkstätten, Einzelhandelsgeschäfte etc.) waren im April 1938 nur 40% noch nicht »arisiert«. Besonders betroffen war dabei der Einzelhandel (von 50000 Läden waren noch 9000 in jüdischem Besitz). Die A. sollte auch zur Auswanderung veranlassen, was die restriktiven Maßnahmen für den Geld- und Devisenverkehr jedoch meist finanziell unmöglich machten. 1938 wurden auch neue Berufsverbote und -zulassungssperren verhängt und bestehende Anordnungen verschärft (im Frühjahr 1938 waren bereits ca. 60000 jüdische Arbeitslose registriert, gegenüber ca. 30000 Ende 1937).

Der Novemberpogrom 1938 (→ »Reichskristallnacht«) bot einen Anlaß zur Radikalisierung der A. mit dem Ziel einer entschädigungslosen staatlichen Zwangsenteignung jüdischer Unternehmen – bis zur völligen »Entjudung« des Reiches. Im Dezember 1938 wurde die »Zwangsarisierung« bzw. Stillegung der restlichen jüdischen Betriebe in Deutschland zum 1.1.1939 beschlossen; die Ausübung praktisch aller Berufe wurde den Juden verboten. Juden verloren bei der Entlassung jeden Anspruch auf Rente, Pension und Versicherungen. Wertpapiere und Wertgegenstände waren zu festgesetzten Niedrigpreisen bei staatlichen Stellen abzuliefern. Auch jüdische Patente und jüdisches Grundeigentum wurden zur A. freigegeben. Den Abschluß der A. bildeten die 11. und die 13. Verordnung zum Reichsbürgergesetz (November 1941 bzw. Juli 1943), nach denen das gesamte Vermögen der nach Osten deportierten bzw. der zu Tode gekommenen Juden dem Reich verfiel (→ Nürnberger Gesetze).

Heiko Pollmeier

Literatur:

Barkai, Avraham: *Vom Boykott zur »Entjudung«. Der wirtschaftliche Existenzkampf der Juden im Dritten Reich 1933-1945,* Frankfurt am Main 1987.

Genschel, Helmut: *Die Verdrängung der Juden aus der Wirtschaft im Dritten Reich,* Göttingen 1966.

Ludwig, Johannes: *Boykott, Enteignung, Mord. Die »Entjudung« der deutschen Wirtschaft,* Hamburg/München 1989.

ARLZ-Maßnahmen Auflockerungs-, Räumungs-, Lähmungs- und Zerstörungsmaßnahmen waren Sicherungsmaßnahmen bei militärischen Rückzügen während des Zweiten Weltkriegs. Unter Auflockerung war das Ausdünnen von Vorräten an Wirtschaftsgütern aller Art, der Abbau weniger wichtiger Maschinen u. ä. zu verstehen, während Räumung das vollständige Verlagern wertvoller Güter, aber auch von Zivilpersonen, in sicherere Zonen bedeutete. Mit Lähmung war das Entfernen wichtiger, aber verhältnismäßig leicht wieder anzubringender Bestandteile von Maschinen, Versorgungsanlagen usw. gemeint. Die Zerstörung durch Sprengung, Verbrennung, Wässern betraf vor allem strategisch und taktisch wichtige Einrichtungen wie Brücken, Bahnhöfe, Straßenkreuzungen, Versorgungseinrichtungen, Kraftwerke, Rundfunksender u.ä. Zuständig waren im militärischen Bereich an der Front die Oberbefehlshaber der Heeresgruppen, in den rückwärtigen Gebieten die Wehrmachtbefehlshaber, in der Heimat die Wehrkreisbefehlshaber; im zivilen Bereich im Heimatkriegsgebiet und in den Operationszonen (→ Adriatisches Küstenland; → Alpenvorland) die → Gauleiter bzw. → Reichsverteidigungskommissare.

Der Reichsminister für Rüstung und Kriegsproduktion (Speer; → Reichsministerium für Rüstung und Kriegsproduktion) verfügte über Sondervollmachten und konnte bestimmte Anlagen durch Einzelanweisung von der Zerstörung ausnehmen.

Mit dem berüchtigten Nero-Befehl vom 19.3.1945 verlagerte Hitler als Oberster Kriegsherr zentral das in der Kriegführung gegen die → Sowjetunion von der Wehrmacht seit 1943 angewandte Prinzip der verbrannten Erde auch auf den Heimatkriegsschauplatz (→ Verbrannte-Erde-Befehle).

Hermann Weiß

Art Biologischer Begriff, mit dem Lebewesen aufgrund gemeinsamer Eigenschaften zu einer genetischen Abstammungsgemeinschaft zusammengefaßt werden. In der nat.soz. Rassenhygiene (→ Medizin; → Rassenpolitik und Völkermord; → Rassenkunde) benutzte man den Ausdruck – analog zum Rassebegriff – zur Unterscheidung menschlicher Gruppen. Dies geschah vor dem Hintergrund der Geschichte der dt. Eugenik, die wesentlich in der Tradition einer selektionistischen Version des Darwinismus (Haeckel, Schallmayer, Ploetz; → Sozialdarwinismus) stand und daher die eugenische Ordnungsfunktion des Staates als überlebensnotwendigen Dienst am Volk betonte. Ein rationales Management sollte die sozialen Fragen mit biomedizinischen Mitteln, d. h. insbesondere durch Reduzierung der »asozialen Elemente« (→ Asoziale/Arbeitsscheue) lösen. In der nat.soz. Eugenik betrachtete man die rassischen Eigenschaften des dt. Volkes als von der Rassenmischung bedroht, womit dieses einer existentiellen Gefahr ausgesetzt sei. Primäres Ziel war sodann → Auslese, d.h. die Erhaltung und Verbesserung schützenswerter Qualitäten und die Verhinderung der Rassenvermischung. Dafür unterschied man zwischen arteigen, artverwandt und artfremd. Mit diesen Begriffen wollte man ungenaue Ausdrücke wie »arisch« oder »nordisch« vermeiden und juristisch exakte Differenzierungen ermöglichen. Als arteigen oder deutschblütig galten alle, die zum deutschen Volk und damit zur nordischen, fälischen, westischen, dinarischen, ostischen oder ostbaltischen Rasse gezählt wurden. Als artfremd erklärten die Nat.soz. → Juden und später zunehmend auch Zigeuner (→ Sinti und Roma). Diese rassehygienischen Unterscheidungen bildeten den Hintergrund für entsprechende Gesetze, insbesondere die → Nürnberger Gesetze, in deren Logik zunächst die zunehmende gesellschaftliche Aussonderung von Juden und schließlich deren Vernichtung stand (→ Endlösung). Zudem wurde mit den eugenischen Vorstellungen des Nat.soz. das Euthanasie-Programm (→ Aktion T 4; → Aktion 14 f 13) als Ausmerzung »lebensunwerter« Menschen positiv begründet. *Uffa Jensen*

Literatur:

Weiss, Sheila F.: The Race Hygiene Movement in Germany. 1904–1945, in: Mark B. Adams (Hg.): *The Wellborn Science. Eugenics in Germany, France, Brazil and Russia,* New York 1990.

Siedler, Horst/Rett, Andreas: *Das Reichs-Sippenamt entscheidet. Rassenbiologie im Nationalsozialismus,* Wien/München 1982.

Artamanen Eine aus dem Umkreis völkischer Jugendbünde, Kampf- und Wehrverbände 1924 hervorgegangene Bewegung freiwilliger Landarbeiter und Siedler (→ Völkische Bewegung). Den Anstoß gab der Rassenhygieniker Willibald Hentschel. Artam hieß für ihn »Erneuerung aus den Urkräften des Volkstums: aus Blut, Boden, Sonne, Wahrheit«. Führend waren Bruno Tanzmann (Dt. Bauernhochschulbewegung), Wilhelm Kotzde (völkischer Jugendbund »Adler und Falken«) und der Rumäniendeutsche August Georg Kenstler. Die A. erstrebten die völkische Erneuerung durch harte Landarbeit und strenge Lebensregeln, Verdrängung der poln. Saisonarbeiter von ostdt. Landgütern, eigene Siedlungen im Osten Deutschlands. Ende der 20er Jahre waren die meisten der 2000 A. NSDAP-Mitglieder. Auch Heinrich Himmler, Richard Walther Darré und Rudolf Höß waren A. Himmler soll für die SS viel von den A. gelernt haben (→ Wehrdorf; → Ordensburgen).

Antje Gerlach

Artfremd/artverwandt s. Art

»Asoziale« Auch schon vor dem Nat.soz. übliche Sammelbezeichnung für als minderwertig eingeschätzte Menschen aus den sozialen Unterschichten, die nicht oder ungenügend arbeiteten bzw. unangepaßt lebten. Darunter fielen insbesondere Bettler, Landstreicher, Prostituierte, Zuhälter, arbeitsunwillige Fürsorgeempfänger, Alkoholiker und deklassierte Unterschichtsfamilien (»asoziale Großfamilien«), aber auch sexuell freizügige Frauen und Personen, die Unterhaltsverpflichtungen vernachlässigten. Auch → Sinti und Roma galten als A.

Die Verfolgung von A., die auf bereits bestehenden Diskriminierungen aufbauen konnte, setzte 1933 mit einer vom → Reichsministerium für Volksaufklärung und Propaganda initiierten Verhaftungswelle gegen Bettler ein. Auch Razzien gegen Straßenprostituierte fanden bereits 1933 statt. Die Initiative zu der sich stetig verschärfenden Verfolgung von A. lag dann jedoch zunächst hauptsächlich auf lokaler bzw. regionaler Ebene. Straf- und fürsorgerechtliche Bestimmungen der Weimarer Zeit gegen »Arbeitsscheue« wurden »rechtsschöpferisch« ausgeweitet. Tausende A. wurden in Arbeitslagern, geschlossenen Anstalten und Arbeitshäusern interniert, oft nach vorangegangenen Entmündigungen.

Als »asozial« eingeschätzte Menschen wurden häufig zwangssterilisiert (→ Medizin), in der Regel mit der Begründung »angeborener Schwachsinn«. Eine umfangreiche rassenhygienische Forschung (→ Rassenhygienische und bevölkerungspolitische Forschungsstelle) behauptete, die Vererbung »asozialer« Charaktereigenschaften in »asozialen Sippen« nachweisen zu können.

Seit dem Grunderlaß → Vorbeugende Verbrechensbekämpfung vom 14.12.1937 konnte, wer »ohne Berufs- und Gewohnheitsverbrecher zu sein, durch sein asoziales Verhalten die Allgemeinheit gefährdet«, mittels kriminalpolizeilicher Vorbeugungshaft in ein KZ eingewiesen werden. Im Rahmen der im Frühjahr und Sommer 1938 durchgeführten Verhaftungswellen (Aktion »Arbeitsscheu Reich«) wurden über 10000 Personen als sog. A. in KZ verschleppt. Auch danach verhängte die Kriminalpolizei immer wieder Vorbeugungshaft gegen als »asozial« eingeschätzte Personen. Informationen über sog. A. erhielt die Kriminalpolizei häufig aus den Stadtverwaltungen und von den Gesundheitsämtern.

In den KZ bildeten die A. eine besondere, mit dem schwarzen Winkel gekennzeichnete Häftlingskategorie; sie hatten in den Lagern eine extrem geringe Überlebenschance. Die A. waren von den übrigen Gefangenen weitgehend isoliert und konnten weniger als andere auf eine schützende Gruppensolidarität rechnen. Überlebende A. erhielten keine Entschädigung im Rahmen der bundesdt. »Wiedergutmachung«.

Wolfgang Ayaß

Literatur:

Ayaß, Wolfgang: *»Asoziale« im Nationalsozialismus,* Stuttgart 1995.

Verachtet, verfolgt, vernichtet. Zu den »vergessenen« Opfern des NS-Regimes, hg. von der Projektgruppe für die vergessenen Opfer des NS-Regimes, Hamburg 1986.

Athenia Brit. Passagierschiff, das am 3.9.1939 nach der Kriegserklärung → Großbritanniens als angeblicher Hilfskreuzer durch ein dt. U-Boot (U 30) in der Nähe der Rockall-Bank ohne Warnung versenkt wurde, wobei 112 Menschen den Tod fanden. Von dt. Seite wurde Großbritannien beschuldigt, den Untergang des Schiffes abseits der Handelsrouten durch eine inszenierte Explosion verursacht zu haben. Nach dem Vorfall erging für die dt. Kriegsmarine ein Verbot, Passagierschiffe anzugreifen. Dieses Verbot wurde Mitte 1940 widerrufen. *Willi Dreßen*

Atlantik-Charta Am 14.8.1941 vom brit. Premierminister Winston Churchill und dem amerik. Präsidenten Franklin D. Roosevelt von Bord des brit. Schlachtschiffes Prince of Wales vor der amerik. Küste verkündete Vorstellungen über die zukünftige Welt-Friedensordnung nach der Niederlage der → Achsenmächte. Ihre gemeinsame Erklärung war allerdings weniger eine konkrete Planung als vielmehr ein politisches Programm, das sich aus acht Forderungen zusammensetzte: 1. Verzicht auf Annexionen; 2. Realisierung territorialer Veränderungen nur in Übereinstimmung mit den betroffenen Völkern; 3. Anerkennung des Selbstbestimmungsrechts der Völker; 4. uneingeschränkter Zugang zu Märkten und Rohstoffen; 5. ökonomische Prosperität durch wirtschaftliche Kooperation; 6. ein Leben frei von »Furcht und Not«; 7. Freiheit der Meere; 8. Verzicht auf Gewalt und Entwaffnung von Aggressoren. *Michael Fröhlich*

Atlantikwall Im Sommer 1942 begann die → Organisation Todt (OT) mit dem Bau eines 2685 km langen Befestigungssystems zur Verhinderung einer alliierten Invasion, das sich entlang der europäischen Atlantikküste von den → Niederlanden bis zur span. Grenze erstrecken sollte und von der dt. → Propaganda A. genannt wurde. Die ersten Verteidigungsanlagen bewährten sich während eines brit. Angriffs auf → Dieppe am 19.8.1942. Obwohl der A., das wichtigste Teilstück in der von Hitler propagierten »Festung Europa«, am 1.5.1943 fertiggestellt sein sollte, war zu Beginn der → Invasion in der Normandie am 6.6.1944 nur ein kleiner Teil der Anlagen funktionstüchtig, weshalb sich der A. insgesamt für die Verteidiger als wertlos erwies.

Karsten Krieger

Attentate auf Hitler Insgesamt sind über 40 gescheiterte Attentatsversuche und -pläne bekannt, die meist an technischen Schwierigkeiten, den strengen Sicherheitsvorkehrungen, auffälligem Verhalten der Attentäter oder auch am unvorhersehbaren Verhalten Hitlers scheiterten. Die Urheber der Attentatsdrohungen in den ersten Jahren nach der → »Machtergreifung« der Nationalsozialisten sind nur in wenigen Fällen bekannt. So wurde z.B. ein Königsberger Kommunist (Kurt Lutter), der im März 1933 ein Sprengstoffattentat auf Hitler geplant haben soll, wegen Mangels an Beweisen vom Gericht freigesprochen. Die wichtigsten Attentatsversuche:

Mit Unterstützung der → Schwarzen Front fuhr der 21jährige jüdische Architekturstudent Helmut Hirsch im Dezember 1936 von Prag nach Nürnberg, um dort auf dem Reichsparteitagsgelände einen Sprengstoffanschlag auf Julius Streicher oder Adolf Hitler zu verüben. Er wurde noch vor der

Sprengstoffübergabe festgenommen, 1937 vom → Volksgerichtshof zum Tode verurteilt und hingerichtet.

Maurice Bavaud, ein in der Bretagne studierender Schweizer Theologiestudent aus Lausanne, unternahm im Oktober 1938 mindestens drei Versuche, Hitler zu ermorden. Es gelang ihm, Hitler mehrere Tage nachzuspüren, ohne jemals kontrolliert zu werden. Während eines Aufmarschs am 9.11.1938 in München stand er mit geladener Pistole auf der Zuschauertribüne, konnte seinen Plan wegen zu großer Entfernung jedoch nicht ausführen. Schließlich wollte er sein Vorhaben verschieben und wurde, aus Geldmangel zur Rückkehr gezwungen, in Augsburg ohne Fahrkarte aus dem Zug geholt; dies führte zur Aufdeckung seines Vorhabens. Der Volksgerichtshof verurteilte ihn 1939 zum Tode. 1941 wurde er hingerichtet.

Ein Jahr später als Bavaud versuchte auch der württembergische Schreiner Georg Elser, ein Einzelgänger, der Mitglied des Roten Frontkämpferbundes gewesen war, Hitler während seiner Ansprache am 8.11.1939 im Bürgerbräukeller durch eine Zeitbombe zu ermorden. Er ließ sich an mehr als 30 Abenden unbemerkt im Bürgerbräukeller einschließen und deponierte in einer Säule eine Zeitbombe. Hitler entging dem Attentat, weil er früher als ursprünglich geplant sprach und die Veranstaltung auch früher verließ. El-ser wurde beim Versuch, Deutschland zu verlassen, am Abend des 8.11. ohne Zusammenhang mit den Fahndungsmaßnahmen festgenommen. Auf Hitlers persönlichen Befehl wurde er im KZ Dachau als »Ehrenhäftling« inhaftiert und erst im April 1945 erschossen.

Die Attentatsversuche nach → Stalingrad sind der Vorgeschichte des → 20. Juli 1944 zuzurechnen, dem eine Reihe mißglückter Vorhaben vorausging. Ein Zentrum dieser Attentatsversuche war der Stab der Heeresgruppe Mitte um Henning von Tresckow. Hitler sollte während eines Besuchs bei der Heeresgruppe am 13.3.1943 erschossen werden. Der Plan wurde aus Rücksicht auf unbeteiligte Offiziere nicht ausgeführt. Statt dessen wurde am selben Tag ein Sprengstoffattentat auf Hitlers Flugzeug in die Wege geleitet. Bei diesem Versuch versagte jedoch der Zeitzünder. Der Versuch des Abwehroffiziers der Heeresgruppe Mitte, Rudolf von Gersdorff, sich am 21.3.1943 bei der Besichtigung einer Beutewaffenausstellung in Berlin zusammen mit Hitler in die Luft zu sprengen, scheiterte, weil Hitler die Ausstellung zu schnell verließ. Ähnliche Unternehmungen Axel von dem Bussche-Streithorsts und Ewald von Kleists scheiterten am Nichterscheinen Hitlers. Claus Graf Schenk von Stauffenberg, der Attentäter des 20. Juli, hatte seit Anfang Juli 1944 Zugang zu den Lagebesprechungen im → Führerhauptquartier. Er verschob das geplante Sprengstoffattentat auf Hitler zweimal, weil Göring und Himmler nicht an den Besprechungen teilnahmen.

Irene Stuiber

Literatur:
Hoffmann, Peter: *Widerstand – Staatsstreich – Attentat. Der Kampf der Opposition gegen Hitler,* München ^{4}1985.

Attila, Unternehmen Deckname für einen am 10.12.1940 von Hitler unterzeichneten Befehl zur Besetzung → Vichy-Frankreichs. Hauptaufgaben waren der Zugriff auf die frz. Flotte im Kriegshafen von Toulon und eine Blockade der Häfen, verbunden mit Luftlandeoperationen, Vorstößen von dt. Einheiten über die Demarkationslinie bis zur Mittelmeerküste und Luftangriffen.

Willi Dreßen

Auf gut deutsch Von Dietrich Eckart 1918 gegründete völkisch-antisemitische Zeitschrift mit dem Untertitel *Wochenschrift für Ordnung und Recht*, die bis 1921 in Eckarts → Hoheneichen-Verlag (München) erschien (→ Antisemitismus). *Wolfgang Benz*

Aufnordung s. Germanisierung

Aufrüstung Getarnt als Forderung nach dt. »Gleichberechtigung« mit den anderen Mächten, war die A. seit 1933 hauptsächliches Ziel der Wirtschaftspolitik des Nat.soz., der sich damit erst im geheimen, seit 1935 mehr oder weniger offen auf bewaffnete Auseinandersetzungen um die Zerstörung der Nachkriegsordnung von 1919 und um die erstrebte Vorherrschaft in Europa vorbereitete. Hitler stellte im Kabinett sogleich (8.2.1933) die Maxime auf, »daß die Wirtschaft des Dt. Reiches ... in erster Linie an den Bedürfnissen der deutschen A. ausgerichtet sein« müsse. Dieser Forderung wurden, je länger, desto eindeutiger, die Investitions-, Finanz-, Arbeitsbeschaffungs- und Außenhandelspolitik untergeordnet (→ Wirtschaft; Arbeitslosigkeit). Hauptfinanzierungsinstrument der ersten Jahre waren – neben anderen Formen »schwarzer Kassen« – die → Mefowechsel. Exportrückgang und Devisenkrise 1934/35 führten zur Knappheit an Rohstoffen, aber auch an Lebensmitteln. Zeitweilige Abhilfe brachte das von Reichsbankpräsident Hjalmar Schacht eingeführte System der Rohstoff- und Devisenbewirtschaftung und der strikten Außenhandelskontrolle (→ Neuer Plan). Die Investitionen des → Vierjahresplans seit 1936 und die dt. Vorkriegsbesetzungen und Annexionen (→ Saarland; → Rheinlandbesetzung; → Österreich; → Tschechoslowakei; → Sudetenkrise; → Sudetenland; → Protektorat Böhmen und Mähren; → Münchner Abkommen) stärkten das dt. Rüstungspotential erheblich. Die A. verschlang bis 1939 annähernd 80 Mrd. RM. Sie verschaffte den Konzernen der Schwerindustrie, der Chemie, des Fahrzeug- und Flugzeugbaus, der Elektroindustrie usw. enorme Investitions- und Profitvorteile. Zu Beginn des → Zweiten Weltkrieges war Deutschland ungeachtet noch empfindlicher Lücken auf entscheidenden Roh- und Grundstoffsektoren und einer angespannten Finanzsituation, die für einen kurzfristigen europäischen Krieg bestgerüstete Macht. Anfang 1933 mit der im → Versailler Vertrag zugestandenen Berufsarmee von 100000 Mann ohne schwere Waffen und ohne Luftwaffe zu größeren militärischen Aktionen außerstande, verfügte die Reichswehr (→ Wehrmacht) im Herbst 1934 schon über 250000 Mann (nur Heer). Nach der Einführung der → Wehrpflicht entstand in Übereinstimmung mit Hitlers Denkschrift zum Vierjahresplan das »Augustprogramm« 1936 der A. des Heeres, das für Oktober 1939 ein Kriegsheer von 2,42 Mio. einschließlich Ersatzheer von 4,62 Mio. Mann (102 Divisionen) vorsah. Tatsächlich wurden mit Kriegsbeginn, bei nicht unerheblichen Ausrüstungsmängeln, 103 Divisionen mobilgemacht. Die Kriegsmarine, deren A. die hybriden Weltmachtambitionen ihrer Führung widerspiegelte, geriet mit ihren Flottenbauprogrammen in wachsenden Widerspruch zu den rüstungswirtschaftlichen Möglichkeiten. Doch verfügte sie im Herbst 1939 gegenüber 1933 (1 Panzerkreuzer, 3 alte Linienschiffe, 5 Leichte Kreuzer und 12 Torpedoboote) über 2 Schlachtschiffe, 3 Panzerschiffe, 1 Schweren Kreuzer, 6 Leichte Kreuzer, 12 Torpedoboote, 21 Zerstörer und 57 U-Boote. Der Personalbestand hatte sich mit 78300 Mann mehr als verfünffacht.

Völlig neu entstanden die Luftwaffe und eine leistungsfähige Flugzeugindustrie. Engpässe in der Entwicklung neuer Typen und Motoren, bei der entsprechenden Umrüstung der Industrie und in der Rohstoff- und Treibstoffversorgung machten sich 1937/38 im Stagnieren der Produktion bemerkbar. Trotzdem wuchs bis Kriegsbeginn eine Luftstreitmacht von über 4000 Frontflugzeugen und weit mehr als der doppelten Zahl von Ausbildungs-, Übungs- u.a. Maschinen heran, außerdem eine Flugabwehr von 21 Flakregimentern mit 9300 Geschützen, darunter 2600 schwere. Der Personalbestand betrug 373 000 Mann. *Dietrich Eichholtz*

Literatur:

Deist, Wilhelm/Manfred Messerschmidt/Hans-Ernst Volkmann/Wolfram Wette: *Ursachen und Voraussetzungen der deutschen Kriegspolitik,* Stuttgart 1979 (*Das Deutsche Reich und der Zweite Weltkrieg,* Bd. 1).

Ausbürgerung, zwangsweise Entziehung der Staatsbürgerschaft. Die A. wurde implizit bereits im Parteiprogramm der NSDAP von 1920 gefordert (→ Ideologie). Danach sollten → Juden nicht Staatsbürger sein können. Das Gesetz über den Widerruf von Einbürgerungen und die Aberkennung der deutschen Staatsbürgerschaft vom 14.7.1933 zielte auf die A. der während der Weimarer Republik eingebürgerten Juden sowie der politischen Flüchtlinge und die Beschlagnahme ihres Vermögens. Insgesamt wurden aufgrund des Gesetzes 39 006 Personen ausgebürgert, darunter mehr als 100 ehemalige Reichstagsabgeordnete. Darüber hinaus verloren über die Reichsgrenze deportierte Juden nach der 11. Verordnung zum Reichsbürgergesetz vom 25.11.1941 die dt. Staatsangehörigkeit.

In der Bundesrepublik Deutschland wurde die im → Nationalsozialismus vollzogene A. gemäß Art. 116 GG auf Antrag rückgängig gemacht. Die dt. Staatsangehörigkeit darf nach Art. 16 GG nicht entzogen werden. *Wolf Kaiser*

Auschwitz Größtes nat.soz. → Konzentrations- und → Vernichtungslager in der Nähe der poln. Stadt Oswiecim (Auschwitz). Ab Ende 1943 bestand A. aus drei selbständigen Lagerbereichen: A. I (Stammlager), A. II (Birkenau) und A. III (Monowitz).

A. I wurde im Mai/Juni 1940 in einer ehemaligen österr. bzw. poln. Artilleriekaserne errichtet. Die Häftlinge wurden in den in der Nähe befindlichen SS-eigenen Produktionsstätten, landwirtschaftlichen Betrieben und Versuchsanstalten zur → Zwangsarbeit eingesetzt. Bis 1943 wuchs der Häftlingsbestand auf etwa 20 000 Personen an. A. I diente zeitweise als Exekutionsstätte für poln. Geiseln, Widerstandskämpfer und sog. Intelligenzler.

A. II (Birkenau) wurde Ende 1941/ Anfang 1942 etwa 3 km vom Stammlager entfernt erbaut und bis Kriegsende ständig erweitert. Das Lager erstreckte sich schließlich über eine Fläche von etwa 175 ha. Es war in mehrere Teillager untergliedert, u.a. das tschech. Familienlager, auch Theresienstädter Lager genannt, das im September 1943 für jüdische Familien aus dem Lager → Theresienstadt eingerichtet wurde; die arbeitsfähigen Häftlinge wurden später in andere Lager geschickt, die übrigen im März und Juli 1944 in A. II vergast. Ein weiteres Teillager war das sog. Zigeunerlager. Im Lager Birkenau waren zur Zeit der Höchstbelegung mindestens 100 000 Häftlinge untergebracht. Die Belegungsstärke schwankte jedoch durch die laufenden Vergasungen und neu eintreffenden Transporte ständig.

A. III (Monowitz) wurde 1941 für die → I. G. Farben errichtet, die auf dem

Gelände eine Produktionsstätte für synthetischen Kautschuk (Buna-Werk) errichtete. Monowitz unterstanden alle in Oberschlesien bestehenden Außenlager von A., deren Anzahl auf rund 40 wuchs.

Die Lebensverhältnisse der Häftlinge in A. waren in jeder Hinsicht unmenschlich, die Todesrate infolgedessen sehr hoch (Massensterben durch Typhus, Ruhr, Cholera, Mißhandlungen und willkürliche Tötungen).

Anfang September 1941 begannen die ersten Tötungen von Häftlingen in A. I mittels → Zyklon B. Die Vergasungen wurden in den Arrestzellen des Blocks 11, in der Lagersprache als »Bunker« bezeichnet, durchgeführt. Da der »Bunker« sich für Tötungen im großen Umfang nicht eignete, wurde im Krematorium des Stammlagers (»altes« oder »kleines« Krematorium) eine → Gaskammer eingerichtet. Zunächst ist dort ein Transport von 900 sowjet. Kriegsgefangenen vergast worden. Ab Oktober 1941 wurden auch kleine Gruppen von → Juden in dieser Gaskammer getötet. Sie blieb bis Oktober 1942 in Betrieb.

Als die Vernichtung der Juden im Rahmen der → »Endlösung« anlief (→ Rassenpolitik und Völkermord; → Wannsee-Konferenz), war ein Vernichtungsapparat mit größerer Aufnahmekapazität erforderlich. Im Januar 1942 wurde daher in A. II ein Bauernhaus zur Gaskammer umgebaut (»Bunker I«). Hier wurden zunächst Juden aus Oberschlesien getötet (sog. → RSHA-Transporte). Es folgten Transportzüge aus dem → General-gouvernement, dem Reichsgebiet, dem → Protektorat Böhmen und Mähren und schließlich aus allen von Deutschen besetzten und beeinflußten europäischen Ländern. Noch 1942 erging ein Befehl Himmlers, wonach die arbeitsfähigen Juden bei ihrer Ankunft zum → Arbeitseinsatz auszusondern seien (→ Selektion). Die Aussonderung bedeutete jedoch nicht Überleben, sondern »Vernichtung durch Arbeit«. Wegen ständig zunehmender Transporte wurde im Juni 1942 in Birkenau ein weiteres Bauernhaus (»Bunker II«) als Gaskammer eingerichtet. Zur Erhöhung der Tötungskapazität baute die → SS letztlich in A. II zusätzlich zwei große und zwei kleinere Krematorien mit Gaskammern. Die größeren Krematorien (Krematorium I und Krematorium II) gingen im Frühjahr 1943 in Betrieb, die kleineren (Krematorium III und Krematorium IV) im Laufe dieses Jahres. Der »Bunker I« wurde abgerissen, der »Bunker II« (nun als »Bunker V« bezeichnet) nur noch aushilfsweise zu Tötungen benutzt. Außer den arbeitsunfähigen Männern, Frauen und Kindern der ankommenden Transporte wurden im Stammlager und in den Nebenlagern von Zeit zu Zeit auch kranke und nicht mehr arbeitsfähige Häftlinge ausgesondert und in den Gaskammern oder im Krankenrevier durch Phenol-Injektionen getötet.

Auf Befehl Himmlers begann man Ende Oktober/Anfang November 1944 die Vergasungsanlagen zu zerstören. Die letzte wurde im Januar 1945 kurz vor dem Einmarsch sowj. Truppen gesprengt. Die Gesamtzahl der in A. getöteten Juden ist nicht genau bekannt, zumal die zur Tötung bestimmten Häftlinge nicht registriert wurden. Die Zahl liegt nach Schätzungen von Sachverständigen zwischen 1 und 1,5 Millionen. Lagerkommandant Rudolf Höss gab die Zahl der vergasten Häftlinge zunächst mit 2,5 Mio., später die Gesamtzahl der getöteten Häftlinge mit 1,3 Mio. an.

Wie in anderen großen KZ gab es auch in A. zahlreiche medizinische Versuche an Häftlingen (→ Medizin; → Menschenversuche). Am bekanntesten sind die von dem SS-Arzt Josef Mengele an Zigeunern (→ Sinti und Roma) und Zwillingen durchgeführten Experimente und die von dem SS-Arzt Carl Clauberg an weiblichen Häftlingen vorgenommenen Sterilisationsversuche.

Kommandanten in A.:
Rudolf Höß (A. I und II, 4/1940 – 11/1943), 1947 in Auschwitz hingerichtet.
Arthur Liebehenschel (A. I, 11/1943 – 5/1944), 1948 in Krakau hingerichtet.
Richard Baer (A. I, 5/1944 – 2/1945), 1963 Selbstmord in Untersuchungshaft.
Fritz Hartjenstein (A. II, 11/1943 – 5/1944), zum Tode verurteilt, 1954 in frz. Haft verstorben.
Josef Kramer (A. II, ab 5/1944), 1947 in Hameln hingerichtet.
Heinrich Schwarz (A. III, etwa ab Herbst 1943), 1947 in Sandweiher hingerichtet. *Alfred Streim*

Literatur:
Adler, H.G./Hermann Langbein/Ella Lingens-Reiner (Hg.): *Auschwitz. Zeugnisse und Berichte,* Köln/Frankfurt am Main 1979.
Hilberg, Raul: *Sonderzüge nach Auschwitz,* Mainz 1987.
Höß, Rudolf: *Kommandant in Auschwitz,* München 1963.
Langbein, Hermann: *Die Auschwitz-Prozesse,* Wien 1965.

Auslandsbriefprüfstellen s. Reichssicherheits-Hauptamt

Auslandsdeutsche Bezeichnung für Personen dt. Muttersprache, die außerhalb der Grenzen des Dt. Reiches lebten und sich als Deutsche identifizierten. Dabei spielte es keine Rolle, ob ein A. die Staatsangehörigkeit des Dt. Reiches besaß (»Reichsdeutscher«) oder die des Aufenthaltslandes (→ Volksdeutscher; → Ausbürgerung; → Deutsche Volksliste). Durch die Gebietsabtrennungen vom Dt. Reich und → Österreich nach den Verträgen von → Versailles und St. Germain vergrößerte sich die Zahl der A. stark. Die meisten A. lebten in Osteuropa, wo z.T. schon seit dem Mittelalter dt. Siedlungen bestanden, doch zählte man auch die Deutschen Österreichs vor dem → Anschluß zu den A., ebenso die Deutschen → Südtirols, des amerik. Kontinents, Südafrikas und Australiens. Besonders über die Volksdt. Mittelstelle versuchte das NS-Regime, Organisationen der A. zu indoktrinieren und sie als »fünfte Kolonne« zu benutzen, etwa in der → Sudetenkrise. Nachdem die dt. Truppen im → Zweiten Weltkrieg zurückgedrängt worden waren, fielen zahlreiche A. Racheaktionen und Vertreibungen zum Opfer. *Peter Widmann*

Auslandsorganisation der NSDAP (AO) Die Abteilung für Deutsche im Ausland, hervorgegangen aus der 1931 gegründeten Auslandsabteilung und ab Februar 1934 als AO bezeichnet, wurde am 8.5.1933 als eigener NSDAP-Gau Ernst Wilhelm Bohle (ab 3.10.1933 Gauleiter) unterstellt. Die AO war für den Dienstverkehr aller Parteidienststellen in Deutschland mit → NSDAP-Organisationen im Ausland zuständig. Ihre Haupttätigkeiten lagen in der ideologischen Schulung der dortigen Parteimitglieder und Reichsdeutschen sowie in der Bekämpfung gegnerischer Propaganda und Assimilierungspolitik (→ Ideologie; → Propaganda). Die Tätigkeit der AO, die ihre Kontakte auch zu Spionage und politischen Pressionen gebrauchte, belastete v.a. die bilateralen Beziehungen Deutschlands zu zahlreichen ausländischen Nationen. 1938/39 wurden die Ortsgruppen der AO in vielen Ländern verboten. *Karsten Krieger*

Auslese Zentraler Begriff der nat.soz. Eugenik (→ Medizin), mit dessen

Hilfe die rassischen Eigenschaften des dt. Volkes geschützt und verbessert werden sollten (→ Rassenkunde; → Rassenhygienische und bevölkerungsbiologische Forschungsstelle; → Rassenpolitisches Amt der NSDAP; → Rassenpolitik und Völkermord). In der dt. Eugenik war bereits vor 1933 über entsprechende Maßnahmen, die das dt. Volk anhand des gesellschaftlich Erwünschten rational planbar machen sollten, diskutiert worden. In der positiven Eugenik ging es besonders um die Förderung erwünschter Volksteile z. B. durch frühe Heirat oder Belohnung von Kinderreichtum (→ Ehe; → Frauen). Ein wichtiges Element war aber auch die negative Eugenik, wobei A. rassisch oder sozial unerwünschter Menschen durch Sterilisation, Heiratsbeschränkungen o. ä. betrieben werden sollte (→ Erbgesundheit). Erst ab 1933 wurden jedoch die rassischen Kriterien (Lenz, Rüdin) für die A. gegenüber der Orientierung an sozialer Tüchtigkeit (Schallmayer, Muckermann) stärker propagiert. *Uffa Jensen*

»Ausmerze« s. Medizin

Außenpolitisches Amt der NSDAP Am 1.4.1933 unter Alfred Rosenberg, dem NS-»Chefideologen« und Hitlers langjährigem außenpolitischen Berater während der → »Kampfzeit« in Konkurrenz zum → Auswärtigen Amt (AA) gegründet. Gegen das AA vermochte sich das aus außenpolitischen Amateuren zusammengesetzte A. allerdings ebensowenig durchzusetzen, wie gegen andere konkurrierende Parteidienststellen (→ Auslandsorganisation der NSDAP; → Dienststelle Ribbentrop). Die Arbeitsschwerpunkte des A. lagen in der geheimen Vorbereitung zur Aufteilung der → Sowjetunion, der Ausbildung der künftigen außenpolitischen Elite Deutschlands, der Agitation gegen den »Weltbolschewismus« bzw. das »Weltjudentum« (→ Antibolschewismus) sowie in der Propagierung der NS-Rassenideologie v.a. in → Großbritannien und den skandinavischen Staaten (→ Nordische Gesellschaft). Im Zusammenspiel mit der dt. Kriegsmarine initiierte das A. den Putsch Vidkun Quislings am 9.4.1940 in → Norwegen (→ Nasjonal Samling). Da Hitler die Entwürfe des A. nicht umsetzte, blieb dessen nach außen sichtbare Tätigkeit v.a. auf die Kontaktpflege zu den faschistischen Parteien anderer Staaten beschränkt (→ Faschismus). *Karsten Krieger*

Außerordentliche Befriedungsaktion Deckname für Massenexekutionen potentieller politischer Gegner und »Berufsverbrecher« von Mai – Juli 1940 im → Generalgouvernement, denen etwa 2000 Männer, ein paar hundert Frauen, ca. 1500 festgenommene Polen nach summarischen Standgerichtsverfahren sowie 3000 verurteilte Kriminelle zum Opfer fielen. Die A. blieb weitgehend singulär, obwohl Hitler die Wiederholung solcher Aktionen vorbeugender »völkischer Gegnerbekämpfung« wünschte; diese erfolgte danach im wesentlichen durch zunehmende KZ-Einweisungen, wobei als Motiv die Arbeitskräftebeschaffung für die KZ hinzukam. Eine Vorläufer-Aktion war die → Intelligenz-Aktion. *Volker Rieß*

Austrofaschismus Bezeichnung für die ideologische Ausrichtung der Heimwehren in der ersten Republik → Österreich. Die paramilitärischen Wehrverbände waren dort nach dem Ersten Weltkrieg länderweise als private bewaffnete Orts- und Bürgerwehren gegründet worden und standen bis 1923 in enger Verbindung mit den rechtsgerichteten bayerischen Einwohnerwehren.

Antidemokratisch, autoritär, aggressiv und antimarxistisch ausgerichtet und dem politischen Katholizismus verbunden, standen die Heimwehren an der Spitze des demokratiefeindlichen Lagers und propagierten ständisch-autoritäre Gesellschafts- und Regierungsformen. Sie wurden von den bürgerlichen Parteien, bes. von den Christlichsozialen, und von Industriekreisen finanziell unterstützt und zu einem außerparlamentarischen Machtinstrument gegen die organisierte Arbeiterbewegung hochgerüstet. Ihre Hauptfeinde waren die in den Anfängen der Republik dominierende Sozialdemokratie und die Gewerkschaften.

Die Heimwehren orientierten sich überwiegend am Vorbild des ital. → Faschismus (→ Italien) und wurden ab 1928 von Mussolini finanziell und mit Waffenlieferungen massiv unterstützt. Versuche, über eine Verfassungsreform 1929 auf legalem Wege ein Präsidialregime zu etablieren, scheiterten am Widerstand der Sozialdemokratie. 1930 verwarfen die Heimwehren im »Korneuburger Programm« (»Korneuburger Gelöbnis«) endgültig den »westlichen demokratischen Parlamentarismus und den Parteienstaat« und legten sich auf eine vom → Führerprinzip bestimmte Regierungsform und die berufsständische Gliederung von Gesellschaft und Wirtschaft fest.

Auf Drängen Mussolinis und der Heimwehren schlug der österr. Bundeskanzler Engelbert Dollfuß ab 1932 einen autoritären Kurs ein. Mit der Ausschaltung des Parlaments im März 1933 unter mißbräuchlicher Verwendung von Notverordnungen vollzog er die schrittweise Demontage der demokratischen Verfassung und der bürgerlichen Freiheitsrechte. Nach der gewaltsamen Niederwerfung und Zerschlagung der Sozialdemokratie im Februar 1934, bei der die Heimwehren neben Bundesheer und Exekutive eine führende Rolle spielten, proklamierte Dollfuß am 1.5.1934 die Verfassung des autoritären »Ständestaates«. Danach wurden die Heimwehren schrittweise entmachtet und 1936 aufgelöst.

Der Begriff A. hat seine Wurzeln in den frühen 20er Jahren. Der Sozialdemokrat J. Deutsch nannte schon 1923 die Heimwehren »österr. Faschisten«, aber auch die Heimwehren selbst bekannten sich offen zum Faschismus und zu Mussolini. Ab 1934 wurde der Begriff A. von den in die Illegalität gedrängten Sozialdemokraten, v. a. von Otto Bauer, auch auf den von Dollfuß errichteten »Ständestaat« (Selbstbezeichnung) angewendet und fand später auch Eingang in das wissenschaftliche Begriffsinventar.

Im Rahmen des faschismustheoretischen Diskurses (→ Faschismustheorien) wurde beim Regime des »Ständestaates« auf verschiedene nationale Besonderheiten, aber auch das Fehlen wesentlicher Merkmale faschistischer Herrschaft hingewiesen, und man erhob deshalb Vorbehalte gegen die Anwendung des Begriffs A. Betrachtet man Faschismus als Phänomen einer Epoche, in der sich länderweise unterschiedliche nationale Varianten herausbildeten, wird der Begriff A. seiner Orientierungsfunktion weitgehend gerecht. Alternativvorschläge, die die Unterschiede zum ital. bzw. dt. Vorbild betonen wollen, sind: Krisendiktatur des »Ständestaates«; autoritäres Regime; bürgerliche Diktatur; traditionelle Rechtsdiktatur; sowie die Übernahme der Selbstbezeichnung des Regimes – »Ständestaat«. Bezeichnungen, die hingegen die faschistischen Merkmale des Regimes betonen, sind: faschistischer Ständestaat; Konkurrenzfaschismus; Klerikalfaschismus; Halbfaschismus.

Gustav Spann

Literatur:
Talos, Emmerich/Wolfgang Neugebauer (Hg.): *»Austrofaschismus«. Beiträge über Politik, Ökonomie und Kultur 1934-1938,* 3. erw. Aufl. Wien 1985.
Wiltschegg, Walter: *Die Heimwehr, eine unwiderstehliche Volksbewegung?,* Wien 1985.

Auswärtiges Amt (AA) Seit der Reichsgründung 1871 klassisches Instrument dt. → Außenpolitik, bis 1945 durch die weitgehende politisch-soziale Kontinuität der traditionellen Berufsdiplomatie gekennzeichnet. Ein mit antidemokratischen, antiliberalen und antisemitischen Ressentiments behafteter Konservativismus kennzeichnete die politische Grundhaltung der meisten, sich aus Aristokratie u.z.T. nobilitiertem Besitz- u. Bildungsbürgertum rekrutierenden Diplomaten. Die wichtigsten Aufgaben des AA bestanden darin, eine zuverlässige Einschätzung des Auslandes als Grundlage für außenpolitische Entscheidungen zu entwickeln, der Reichsregierung Handlungsempfehlungen zu unterbreiten, die Auslandsvertretungen einheitlich zu leiten, Handel und Kulturaustausch zu fördern, die Reichsdeutschen im Ausland zu vertreten sowie nach Möglichkeit politische Widerstände im Ausland gegen die dt. Regierung zu beseitigen. Keine der mit dem AA konkurrierenden Dienststellen der → NSDAP (→ Auslandsorganisation der NSDAP; → Außenpolitisches Amt der NSDAP; → Dienststelle Ribbentrop) im Dritten Reich konnte die Professionalität der traditionellen Diplomatie ersetzen. Gleichwohl fehlte dem AA letztlich das Vertrauen der politischen Führung. Im Zusammenhang mit dem dt. → Widerstand spielten Mitarbeiter des AA eine wichtige Rolle. Unter Constantin Freiherr v. Neurath, Reichsaußenminister vom 10.6.1932 bis 4.2.1938, trug die revisionistische Außenpolitik des AA maßgeblich zur Täuschung des Auslands über Hitlers langfristige politische Ziele bei (→ Lebensraum). Seit der Übernahme des AA durch Joachim v. Ribbentrop am 4.2.1938 verstärkte sich dort der Einfluß der → SS, v.a. auf den Gebieten der Personal-, → Volkstums-, → Propaganda- und Judenpolitik. Auch viele der SS und NSDAP fernstehenden Diplomaten blieben gegenüber dem Holocaust passiv, trotz ihrer Kenntnis der Massentötungen, spätestens seit Anfang 1942 im Zusammenhang mit der → Wannsee-Konferenz (→ Rassenpolitik und Völkermord). Die Zusammenarbeit zwischen → RSHA und A., soweit sie erforderlich war, während der → »Endlösung« verlief dementsprechend reibungslos. Je stärker sich der außenpolitische Spielraum Deutschlands im Verlauf des Zweiten Weltkrieges verengte, desto mehr mutierte traditionelle Außenpolitik zu Besatzungs- und Ausrottungspolitik, in der das A. kaum noch eine Rolle spielte.

Karsten Krieger

Literatur:
Döscher, Hans-Jürgen: *SS und Auswärtiges Amt im Dritten Reich. Diplomatie im Schatten der »Endlösung«,* Frankfurt am Main/Berlin 1991.
Jacobsen, Hans-Adolf: *Nationalsozialistische Außenpolitik 1933–1938,* Frankfurt am Main/Berlin 1968.

Autarkie Vieldeutiges Schlagwort dt. bürgerlich-nationalistischer Kreise, die angesichts des krisenhaften Verfalls der Weltwirtschaft 1929–32 (→ Weltwirtschaftskrise) eine staatsinterventionistisch gestützte wirtschaftliche Abschließung gegenüber der internationalen Verflechtung und den Zwängen der Weltwirtschaft propagierten und als Ziel eine Großraumwirtschaft, d.h. einen von Deutschland dominierten Wirtschaftsblock in Europa anstrebten. Die Nat.soz. übernahmen die Idee der A. und ordneten sie der Kriegsvorbereitung unter (»Nahrungsfreiheit«, »Lebensraum«, »Blockadesicherheit«). Der → Neue Plan und – noch wesentlich ausgeprägter – der → Vierjahresplan als Phasen der wirtschaftlichen → Aufrüstung trugen beide deutliche Züge der A., die zugleich immer auch als Propagandaschlagwort gegen »Kapitalismus«, »Liberalismus« usw. diente. Die durch politischen Druck und militärische Gewalt zu unterwerfenden Territorien bzw. Volkswirtschaften stellten vom Standpunkt der wirtschaftlichen Expansionsstrategie des NS-Regimes eine Stufenfolge von autarken Großräumen dar (»Großdeutschland«, »Mitteleuropa«, Ostexpansion, europäisch-kontinentaler Großraum einschließlich diverser »Ergänzungsräume«; → Wirtschaft).

Dietrich Eichholtz

Autobahnen Der technikbegeisterte Adolf Hitler begann bereits wenige Wochen nach der Machtübernahme mit der Wiederaufnahme der Planungen für den A.bau, die halbprivate Unternehmen wie die Studiengesellschaft für Automobilstraßenbau (STUFA) und der Verein zur Vorbereitung der Autostraße Hansestädte-Frank-furt-Basel (HAFRABA) in den 20er Jahren entwickelt hatten. 1921 war mit der Berliner AVUS die erste A. in Deutschland fertiggestellt worden. Am 27.6.1933 erließ Hitler das Gesetz über die Errichtung eines Unternehmens »Reichsautobahnen«; die »Linienführung und Ausgestaltung der Kraftfahrbahnen« sollte der drei Tage später bestellte → Generalinspekteur für das dt. Straßenwesen, Fritz Todt, festlegen. Unterstützung erhielt er von der im August 1933 zur Gesellschaft zur Vorbereitung der Reichsautobahnen e.V. (GEZUVOR) gleichgeschalteten HAFRABA. Hitler selbst setzte am 23.9.1933 den ersten Spatenstich in Frankfurt am Main, und am 19.5.1935 konnte die erste Teilstrecke von Frankfurt nach Darmstadt dem Verkehr übergeben werden. Im Oktober 1934 waren auf den Strecken Frankfurt-Heidelberg, Duisburg-Dortmund, Duisburg-Köln, München-Salzburg, Dresden-Zwickau, Hamburg-Lübeck, Berlin-Stettin und Elbing-Königsberg 1500 A.-km im Bau, weitere 1200 km für den Bau freigegeben. Um der Forderung Todts zu genügen, die A. müßten auch ein »Kunstwerk« sein, wurde jeder Obersten Bauleitung ein Landschaftsarchitekt (sog. Landschaftsanwalt) zugeordnet, der für die landschaftliche Anpassung der Trassenführung, die Gestaltung der Brücken, Grünstreifen und die Böschungen zuständig war. Mitte 1936 arbeiteten etwa 125 000 Menschen an den »Straßen des Führers«, was wesentlich zum Ruf Hitlers als Überwinder der → Arbeitslosigkeit beitrug. Bei Kriegsbeginn waren 3300 der 6900 geplanten A.-km fertiggestellt, seit Sommer 1940 setzte Todt verstärkt → Kriegsgefangene und → Juden als Arbeiter ein. Um die Jahreswende 1941/42 wurden alle Baumaßnahmen beendet. Die Finanzierung des A.baus (5,24 Mrd. RM) erfolgte größtenteils mit den Geldern der Reichsanstalt für Arbeitsvermittlung und Arbeitslosenversicherung. Obwohl die Militärs in die Streckenplanung einbezogen worden waren, blieb im Krieg die Eisenbahn das wichtigste Transportsystem der Wehrmacht.

Angelika Königseder

Literatur:

Seidler, Franz W.: *Fritz Todt. Baumeister des Dritten Reiches,* München 1986.

Stommer, Rainer (Hg.): *Reichsautobahn. Pyramiden des Dritten Reiches. Analysen zur Ästhetik eines unbewältigten Mythos,* Marburg 1982.

Windisch-Hojnacki, Claudia: *Die Reichsautobahn. Konzept und Bau der RAB, ihre ästhetischen Aspekte sowie ihre Illustration in der Malerei, Literatur, Fotographie und Plastik,* Diss. Bonn 1989.

Aviso Grille Von der Marine als leichtbewaffnetes Hilfskriegsschiff für Versuchszwecke (Hochdruck-Turbinenantrieb) konzipiertes (Stapellauf: 15.12.1934) 1935 in Dienst gestelltes, schlicht eingerichtetes 3400-Tonnen-Schiff. A. bezeichnete den Typ des schnellen Depeschen- und Aufklärungsschiffes, einen Vorläufer des Leichten Kreuzers. Als Geschenk der dt. Industrie diente die A. dem Reichskanzler und auch dem Reichskriegsminister in den Vorkriegsjahren als – wenig genutztes – Repräsentationsschiff bei Auslandsreisen, Stapelläufen (Wilhelm Gustloff, Prinz Eugen) u. ä. Großereignissen der Reichsmarine. Darüber hinaus fungierte die A. als Minenleger-Schulschiff und Artillerie-Zielschiff. Während des Zweiten Weltkrieges wurde die A. als Minenleger und v. a. als Stabsquartier für Marinestäbe (Admiral Nordmeer 1942–1944) verwendet. Als Kriegsbeute der Engländer fand sie zeitweise noch als Kreuzfahrtschiff Verwendung. 1951 wurde sie in den USA abgewrackt.

Hermann Weiß

B

Babi-Yar Am 19.9.1941 marschierte die Wehrmacht in Kiew ein (→ Ostfeldzug 1941–1945). Das Sonderkommando 4a der → Einsatzgruppe C, geführt von Paul Blobel, berichtete am 28.9.1941 nach Berlin: »Angeblich 150 000 Juden vorhanden. Maßnahmen eingeleitet zur Erfassung des gesamten Judentums, Exekution von mindestens 50 000 Juden vorgesehen. Wehrmacht begrüßt Maßnahmen und erbittet radikales Vorgehen.« Plakate forderten die jüdische Bevölkerung auf, sich zur »Umsiedlung« einzufinden: Über 30 000 → Juden folgten dem Befehl. Unter Mithilfe des Polizeiregiments Rußland-Süd (→ Polizei) und ukrain. Miliz, ferner logistisch von der Wehrmacht unterstützt, trieben die Angehörigen des Sonderkommandos die Juden zur Schlucht B. am Stadtrand, wo sie an Sammelstellen auf freiem Feld Gepäck, Wertsachen, Kleidung ablegen und sich in der Schlucht mit dem Gesicht zur Erde hinlegen mußten. Sie wurden durch Genickschuß getötet. Die Nachfolgenden mußten sich auf die Leichen der zuvor Erschossenen legen. Am 2.10. wurde nach Berlin berichtet: »Das Sonderkommando 4a hat in Zusammenarbeit mit Gruppenstab und zwei Kommandos des Polizei-Regiments Süd am 29. und 30.9.1941 in Kiew 33 771 Juden exekutiert.« Pioniereinheiten der Wehrmacht sprengten anschließend die Ränder der Schlucht. B. diente bis August 1943 als Mordstätte, dann mußten jüdische → KZ-Arbeitskommandos im Rahmen der → Enterdungsaktion des Sonderkommandos 1005 die Leichen exhumieren und verbrennen, um die Spuren zu verwischen. Das gelang nicht vollständig; nach dem dt. Rückzug fielen der Roten Armee noch reichlich Beweise der Verbrechen von B. in die Hände.

Wolfgang Benz

Literatur:
Krausnick, Helmut/Hans-Heinrich Wilhelm: *Die Truppe des Weltanschauungskrieges. Die Einsatzgruppen der Sicherheitspolizei und des SD 1938–1942,* Stuttgart 1981.

Baedeker-Angriffe Nach dem bekannten Kunstreiseführer benannte Vergeltungsaktion der dt. Luftwaffe für die von dem brit. Luftmarschall Arthur Travers Harris u.a. angeordneten Bombardierungen dt. Städte mit bedeutenden Kulturgütern (→ Luftkrieg). Im Zuge der B. wurden im Laufe des Jahres 1942 über 3000 Tonnen Bomben auf brit. Orte, wie die Kathedralstädte Norwich, Bath, York und Canterbury, abgeworfen, die sich ebenfalls durch reichen Kunst- und Kulturbesitz auszeichneten. *Willi Dreßen*

Balkanfeldzug Nach dem dt. Balkan-Engagement (→ Rumänien) erfolgte am 28.10.1940 ohne Konsultation Hitlers nach einem Ultimatum die ital. Invasion → Griechenlands. Eine griech. Gegenoffensive warf die Italiener weit auf alban. Gebiet zurück (→ Albanien). Zur Abwendung einer Niederlage des Achsenpartners und um die Gefahr für die rumän. Ölfelder und die »Barbarossa«-Flanke zu beseitigen, ordnete Hitler nach der brit. Luftlandung auf Kreta mit der Weisung Nr. 20 am 13.12.1940 den Angriff auf Griechenland an (Unternehmen → Marita). Am 6.4.1941 begann von Bulgarien aus der dt. Angriff auf Griechenland und → Jugoslawien, das nach dem Simovic-Putsch und dem Sturz der dt. freundlichen Regierung des Prinzen Paul (27.3.1941) ad hoc in die dt. strategischen Planungen einbezogen worden war. Nach der Bombardierung → Belgrads und dem Einmarsch ital., ungar. und bulgar. Truppen, deren Regierungen mit territorialen Versprechen geködert worden waren, kapitulierte die jugoslaw. Armee am 17.4.1941. In Griechenland gelang nach dem Durchbrechen der sog. Metaxas-Linie am 9.4. die Einnahme Salonikis. Ein Anfang März gelandetes brit. Expeditionskorps wurde aus seinen Stellungen am Olymp und bei den Thermopylen geworfen. Das brit. Oberkommando befahl am 17.4. die Räumung Griechenlands. Drei Tage später kapitulierte die griech. Epirus-Armee. Am 27.4. fuhren dt. Panzer in Athen ein, und bis zum 11.5. war die dt. Besetzung Griechenlands einschließlich des Peloponnes abgeschlossen. Kreta wurde vom 20.5.–1.6. gegen den verbissenen Widerstand von Commonwealth-Verbänden und kretischen Zivilisten im Zuge der Luftlandeoperation → Merkur erobert. Mit der »Vertreibung der Engländer« vom Kontinent war das »defensive« Ziel des B. erreicht. Es kam neben einer geringfügigen, oft überschätzten Verzögerung des Unternehmens → Barbarossa zur Zerschlagung Jugoslawiens (Schaffung einers faschistischen Staates Kroatien) und zur Errichtung einer Militärverwaltung in Serbien und Griechenland.

Hagen Fleischer

Ballastexistenzen s. Medizin

Bamberger Führertagung Von Hitler für den 14.2.1926 nach Bamberg einberufene Versammlung führender Funktionäre der → NSDAP. Äußerer Anlaß der B. waren die innerparteilichen Differenzen in der Frage der Fürstenabfindung. Die nordwestdt. → Gauleiter unterstützten im Winter 1925/26 das von der → KPD initiierte Volksbegehren zur entschädigungslosen Enteignung der 1918 entmachteten Fürsten, während Hitler dies strikt ablehnte. Tatsächlich wandte sich Hitler auf der B. aber nicht allein gegen den von der → Arbeitsgemeinschaft Nordwest vertretenen Antikapitalismus, sondern auch gegen die vagen nationalbolschewistischen Tendenzen der nordwestdt. Gauleiter und ihren Versuch, das Parteiprogramm der NSDAP (→ Ideologie; → Nationalsozialismus) zu revidieren. Die »sozialistischen« Bestrebungen innerhalb der NSDAP waren zwar mit der B. nicht beendet, aber es gelang Hitler, zumindest die äußere Geschlossenheit der Partei zu wahren und seine eigene parteiinterne Machtstellung zu festigen. *Astrid Müller*

Bank der Deutschen Arbeit Geldinstitut der → DAF. Das Vermögen der 1924 von den entsprechenden Berufsverbänden der Arbeiter, Angestellten und Beamten gegründeten Bank der Arbeit wurde im Zuge der Zerschlagung der → Gewerkschaften am 2.5.1933 (→ »Machtergreifung«; → Gleichschaltung) beschlagnahmt, von der am 10.5.1933 gegründeten DAF übernommen und die Bank der Arbeit in B. umbenannt. Die Gesamteinnahmen der DAF (Mitgliedsbeiträge und eigene Wirtschaftsunternehmen (→ Volkswagenwerk)) betrugen 1939 ca. 540 Mio. RM. *Monika Herrmann*

Barbarossa, Unternehmen Deckname für die Vorbereitung des Angriffs auf die Sowjetunion, wohl vom Beinamen des 1190 auf dem 3. Kreuzzug ertrunkenen Kaisers Friedrich I. Barbarossa abgeleitet. Zuerst wurde die Bezeichnung in Hitlers Weisung Nr. 21 »Fall B.« vom 18.12.1940 verwendet, die das Resultat seiner bereits im Sommer 1940 getroffenen Entscheidung für den Kriegsbeginn gegen Rußland Mitte Mai 1941 war. Es folgten die »Richtlinien auf Sondergebieten zur Weisung Nr. 21 (Fall B.)« vom 13.3.1941 mit der Abgrenzung von »Sonderaufgaben«, die dem RFSS Himmler im Auftrag Hitlers zugewiesen wurden, sodann der »Erlaß über die Ausübung der Kriegsgerichtsbarkeit im Gebiet ›B.‹« vom 13.5.1941 und »Bestimmungen über das Kriegsgefangenenwesen im Gebiet B.« vom 16.6.1941 – wichtige Etappen hin zum rassenideologischen Raub- und Vernichtungskrieg (→ Kommissarbefehl), den man, wie die Weisung Nr. 32 »Vorbereitungen für die Zeit nach B.« vom 11.6.1941 zeigt, noch vor seinem Beginn bereits für gewonnen hielt (→ Ostfeldzug 1941–1945). *Volker Rieß*

Barmer Bekenntnis (Synode und Erklärung), eigentlich »Theologische Erklärung zur gegenwärtigen Lage in der Dt. Evangelischen Kirche«, die am 31.5.1934 von der ersten Bekenntnissynode der Dt. Evangelischen Kirche in Wuppertal-Barmen verabschiedet wurde. Mit dieser Synode konstituierte sich die → Bekennende Kirche im → Kirchenkampf und gab sich im B. ein theologisches Programm, das in sechs Thesen nicht nur die Theologie und das Kirchenregiment der → Dt. Christen als häretisch verwarf, sondern in kritischer Absetzung vom Totalitätsanspruch des Nat.soz. auch die Freiheit der Kirche in Lehre, Verkündigung und äußerer Gestalt betonte. Über den aktuellen Anlaß hinaus hat das B. als erste gemeinsame theologische Aussage der verschiedenen Konfessionskirchen seit der Reformationszeit eine besondere Bedeutung für die Kirchengemeinschaft protestantischer Kirchen. *Carsten Nicolaisen*

Bästlein-Gruppe Widerstandsgruppe in Hamburg und Nordwestdeutschland um den ehemaligen KPD-Abgeordneten Bernhard Bästlein und kommunistische Funktionäre (Oskar Reincke, Franz Jacob u.a.), die 1940 bis 1942 aktiv war und etwa 200 Kommunisten, einige Sozialdemokraten und Parteilose umfaßte. Bis zur Verhaftung der meisten Mitglieder im Oktober 1942 (Prozesse im Oktober 1944) leisteten sie → Widerstand in etwa 30 Hamburger Betrieben durch politische Agitation; Verbindungen bestanden zur → Roten Kapelle und zur → Uhrig-Römer-Gruppe. *Wolfgang Benz*

Bauerntum In der nat.soz. → Blut und Boden-Ideologie (→ Ideologie; → Nationalsozialismus) als genotypischer Repräsentant des »adelstümlich-germanischen Freisassentums« zum soziobiologischen »Erbträger« eines physisch-rassisch gesunden »Volkskörpers« und einer »artgemäßen Volkskultur« im Zeitalter nivellierter Massengesellschaften mystifiziert (→ Volkstumspolitik). Zur Sicherung seiner beiden außerökonomisch begründeten »völkischen« Grundfunktionen, »Nähr- und Gebärstand« der sich regenerierenden dt. → Volksgemeinschaft zu sein, wurde das B. mit dem → Reichserbhofgesetz zum »Ehrenstand der Nation« erhoben und im → Reichsnährstand zwangsorganisiert. Realiter bedeutete diese sozio-ökonomische Statuserhöhung jedoch eine Degradierung des B. zum treuhänderischen Verwalter der eigenen Scholle im »Dienst an der Sippe und am Volk«, dessen widerrufbare »Bauernfähigkeit« mit Beginn der Erzeugungsschlachten um die »Nahrungsfreiheit« (→ Autarkie) nicht mehr vorrangig an seinen blutmäßigen Charaktereigenschaften gemessen wurde, sondern an dem kapitalistischen Kriterium seiner produktiven Leistungsfähigkeit, bevor es im Zweiten Weltkrieg zum bloßen Erfüllungsgehilfen der staatlichen Planvorgaben entmündigt wurde (→ Anerbengericht; → Erbhof; → Germanisierung; → Reichsamt für Agrarpolitik; → Reichsbauernführer; → Wehrdorf).

Gerhard Otto

Bayreuther Festspiele In Bayreuth werden seit 1876 die Opern von Richard Wagner im eigens erbauten Festspielhaus aufgeführt. Unterstützt wurden die B. seit ihrem Beginn von national gesinnten Förderern, die in Wagners musikalischer Verarbeitung der germanischen Mythologie und in seinen antisemitischen Schriften arisch-völkische Ideen verwirklicht sahen (→ Völkische Bewegung). Die NS-Kulturpolitik wußte sich die B. als Symbol zunutze zu machen (→ Kunst). Jährlich wiederkehrende Auftritte Hitlers und der NS-Prominenz gemeinsam mit der Wagner-Familie während der B. wurden als symbolträchtiger Kulturhöhepunkt propagandistisch inszeniert und die B. zu »nationalen Weihespielen« stilisiert.

Anja von Cysewski

BDM s. Hitler-Jugend

Beauftragter der NSDAP s. Nationalsozialistische Deutsche Arbeiterpartei

Beauftragter des Führers für die gesamte weltanschauliche Schulung und Erziehung der NSDAP s. Amt Rosenberg

Beauftragter für den Vierjahresplan s. Vierjahresplan

Befehlshaber der Sicherheitspolizei und des SD (BdS) s. Sicherheitspolizei

Behelfsheim Die genormten, aus Holzfertigteilen konstruierten Baracken des → RAD dienten als Prototyp multifunktionaler Behelfsbauten für Lager, in der Industrie, in der Bauwirtschaft, beim Militär und in KZ. Ab 1942, nach den ersten Schäden des Luftkriegs, wurden sie auch als Notunterkünfte für Ausgebombte, als Lazarette, Notschulen etc., schließlich für Flüchtlinge und Vertriebene verwendet. Zur zivilen Nutzung als B. wurden massive Versionen in mehreren Typen aus Stahlbeton entwickelt, die teilweise in KZ gefertigt wurden.

Wolfgang Benz

Behemoth s. Faschismustheorien

Bekennende Kirche Theologisch heterogene oppositionelle Bewegung in der evangelischen Kirche gegen die → Deutschen Christen und die NS-Kirchenpolitik (→ Kirchen und Religion; → Reichskonkordat). Eine der Wurzeln der B. waren Pfarrerbruderschaften in einzelnen Landeskirchen sowie der → Pfarrernotbund. Im Frühjahr 1934 entstand aus Protest gegen die Gleichschaltungspolitik durch die Dt. Christen in den von ihnen beherrschten Landeskirchen eine »Bekenntnisbewegung« oder »Bekenntnisfront«, der sich auch die nicht dt.-christlichen Bischöfe von Bayern, Hannover und Württemberg anschlossen. Angesichts der häretischen Theologie der Dt. Christen und der Rechts- und Verfassungsbrüche ihres Kirchenregiments beanspruchte die Bekenntnisbewegung, die rechtmäßige evangelische Kirche in Deutschland zu sein. Sie konstituierte sich zur B. und bildete damit eine Art Gegenkirche zum staatlich anerkannten Kirchenregiment der Dt. Christen, sagte diesem den Gehorsam auf und gab sich im → Barmer Bekenntnis ihr theologisches Programm. Nach dem auf der Dahlemer Bekenntnissynode Ende Oktober 1934 verkündeten kirchlichen Notrecht setzte sie eigene bekenntniskirchliche Leitungsorgane (Bruderräte) ein, als auch Bayern und Württemberg gewaltsam in die Reichskirche (→ Kirchenkampf) eingegliedert werden sollten. Da diese Eingliederungsmaßnahmen auf Befehl Hitlers zurückgenommen werden mußten, ergaben sich für die B. unterschiedliche faktische und rechtliche Verhältnisse: Auf der einen Seite standen die illegalen Bruderräte in den dt.-christlich beherrschten (»zerstörten«), auf der anderen die legitimen Bischöfe in den »intakt« gebliebenen Kirchen. Dieser Gegensatz, verstärkt durch unterschiedliche theologische und ekklesiologische Auffassungen, führte im Frühjahr 1936 zum Bruch der B., weil kein Konsens darüber zu erzielen war, inwieweit es theologisch zu verantworten sei, mit den vom Reichsministerium für die kirchlichen Angelegenheiten im Herbst 1935 eingesetzten neuen Kirchenregierungen zusammenzuarbeiten. Beide Flügel stimmten zwar in der grundsätzlichen Ablehnung der Häresie und des Gewaltregiments der Dt. Christen überein; im Unterschied zum »bruderrätlichen« hatte der »bischöfliche« Flügel der B. jedoch ein stärkeres Interesse an der Konfliktminimierung mit dem NS-Staat und war darum eher zu Konzessionen bereit. Die Spannungen innerhalb der B. hielten bis weit in die Nachkriegszeit an. Ihrem Kampf ist es jedoch zu verdanken, daß der Versuch der Nat.soz., auch die evangelische Kirche gleichzuschalten, weitgehend fehlschlug und der totale Herrschaftsanspruch des → Nationalsozialismus in der B. an seine Grenzen stieß. Ohne eigentlich politischen → Widerstand leisten zu wollen, galt die B. dennoch als staatsfeindlich, sie wurde in ihrer Wirksamkeit behindert, und viele ihrer Glieder wurden durch Suspendierungen, Ausweisungen, Redeverbote sowie kurz- oder längerfristige Verhaftungen politisch verfolgt. *Carsten Nicolaisen*

Literatur:

Niemöller, Wilhelm: *Kampf und Zeugnis der Bekennenden Kirche,* Bielefeld 1948.

Denzler Georg/Volker Fabricius: *Christen und Nationalsozialisten,* Frankfurt am Main 1993.

Belgien Als Deutschland 1936 durch die → Rheinlandbesetzung den Locarno-Vertrag (16.10.1925) brach, zog sich B., um einem dt. Angriff vorzubeugen, aus der Allianz mit → Großbritannien und → Frankreich zurück. Unter Verletzung der 1937 gegebenen Zusicherung, das neutrale B. nicht anzugreifen, marschierten am 10.5.1940 dt. Truppen ein. Am 28.5. nahm der belg. König Leopold III. gegen den Rat der Regierung die dt. Forderung nach bedingungsloser Kapitulation an. Er ging in dt. Gefangenschaft, die Regierung begab sich ins Londoner Exil. Unter dem Militärbefehlshaber Alexander von Falkenhausen wurde eine Militärverwaltung für B. und Nordfrankreich aufgebaut, die die NS-Politik über die landeseigenen, oft kollaborationsbereiten Behörden durchsetzte. Die offiziellen antisemitischen Maßnahmen begannen im Oktober 1940 mit den ersten dt. Verordnungen gegen → Juden, der Registrierung und Enteignung der jüdischen Bevölkerung, die acht Monate später in Antwerpen, Brüssel, Lüttich und Charleroi ghettoisiert wurde. Am 4.8.1942 fuhr der erste Deportationszug mit staatenlosen und ausländischen Juden nach → Auschwitz (→ Deportationen). Fast die Hälfte der über 50 000 Juden, die 1940 in B. lebten, wurden bis August 1944 ermordet; viele andere dagegen konnten mit Unterstützung der belg. Bevölkerung überleben oder beteiligten sich aktiv am → Widerstand. Dieser war zunächst schwach, intensivierte sich jedoch Ende 1942, als sich der Terror der Besatzungsmacht durch Geiselerschießungen und die Zwangsverpflichtung belg. Arbeitskräfte (→ Zwangsarbeit) immer offener gegen die gesamte Bevölkerung richtete. Die Widerstandsbewegung, in der die kommunistische Partei eine zentrale Rolle spielte und die breite Unterstützung in der Bevölkerung fand, ermöglichte es 80 000 Menschen, sich der Zwangsarbeit zu entziehen und unterzutauchen. Im September 1944 befreiten die Alliierten B., das durch die → Ardennenoffensive nochmals zum Kampfgebiet wurde.

Julia Schulze Wessel

Literatur:

Nestler, Ludwig/Wolfgang Schumann (Hg.): *Europa unterm Hakenkreuz. Die faschistische Okkupationspolitik in Belgien, Luxemburg und den Niederlanden (1940–1945)*, Berlin 1990.

Klarsfeld, Serge/Maxime Steinberg (Hg.): *Die Endlösung der Judenfrage in Belgien. Dokumente*, New York 1980.

Belgrad (Luftangriff) Hauptstadt → Serbiens und → Jugoslawiens, 1941 ca. 350 000 Einwohner. Der Grund für den dt. Angriff auf Jugoslawien ohne Kriegserklärung waren der Militärputsch vom 27.3.1941 und die Unterstützung der serbischen Öffentlichkeit für den Sturz der jugoslaw. Regierung, die am 25.3. dem → Dreimächtepakt beigetreten war. Hitler sah in B. ein »Verschwörungszentrum«, welches »nie wieder zur Bedeutung gelangen sollte«. Am 3.4.1941 wurde B. zur offenen Stadt erklärt, aber am 6. und 7.4. mehrmals von der dt. Luftwaffe bombardiert (Operation »Strafgericht«). Bei dem von ca. 500 Maschinen geflogenen Angriff wurde die Stadt systematisch zerstört, etwa 2200–4000 Einwohner kamen ums Leben. Bombardiert wurden Militärobjekte und Kommunikationseinrichtungen, aber auch das königliche Schloß und das jüdische Viertel; getroffen wurden ferner Krankenhäuser und andere zivile Objekte. Vollständig vernichtet wurde die Nationalbibliothek samt ihren Beständen. Die jugoslaw. Luftverteidigung vernichtete unter eigenen schweren Verlusten zehn dt. Flugzeuge und beschädigte weitere. Am 13.4.1941 marschierten dt. Truppen ins zerstörte B. ein (→ Balkanfeldzug). Ostern 1944 erlitt die Stadt schwere Verluste durch alliierte Luftangriffe. Am 20.10.1944 wurde B. von jugoslaw. Partisanen mit Hilfe der Roten Armee befreit. *Milan Ristović*

Belzec Das erste der drei → Vernichtungslager, die zur Ermordung der → Juden im Rahmen der → Aktion Reinhardt errichtet wurden (→ Sobibór; → Treblinka). Nachdem im Vormonat der Ort ausgewählt worden war, begannen im November 1941 die Bauarbeiten in der Nähe der Ortschaft Belzec an der Südostgrenze des Distrikts Lublin. Eine 265 m × 275 m große Fläche wurde mit einem Drahtzaun umgeben und in mehrere Lagerbereiche unterteilt, wobei u.a. durch das Pflanzen junger Bäume ein Einblick ins Lager verhindert wurde. Erster Kommandant von B. wurde SS-Hauptsturmführer Christian Wirth, der schon im Rahmen der → Aktion T 4 eine führende Funktion innegehabt hatte; auch ein Großteil des Lagerpersonals hatte schon im Zuge der »Euthanasie«-Morde einschlägige Erfahrungen gesammelt (→ Medizin). Verstärkt wurden sie durch etwa 80 sog. → Trawniki meist ukrainischer, baltischer oder »volksdt.« Herkunft, die v.a. für die Bewachung und den Betrieb der → Gaskammern zuständig waren. Vom März 1942 bis zur Jahreswende 1942/43 wurden in B. über 600 000 Juden ermordet, vor allem aus den südöstlichen Distrikten des → Generalgouvernements (Radom, Krakau, Lublin, Galizien), aber auch aus dem Reich oder der ehemaligen → Tschechoslowakei. Den Deportierten wurde bei der Ankunft in B. ihre Umsiedlung in den Osten angekündigt – aus hygienischen Gründen müsse jedoch zuvor gebadet werden. Daraufhin wurden die Juden zur Abgabe ihrer Kleidung und Wertsachen veranlaßt und gruppenweise zu den im Sommer mit Blumen dekorierten und als Duschräume getarnten Gaskammern getrieben, in welche Abgase eines Dieselmotors geleitet wurden. Die an Kohlenmonoxyd erstickten Opfer wurden zunächst in Massengräbern verscharrt, seit Ende 1942 jedoch auf Scheiterhaufen verbrannt. Nach dem Bau größerer Gaskammern im Juni 1942 erhöhte sich die »Tötungskapazität« B. erheblich. Verschiedene Arbeitskommandos, gebildet aus ca. 1000 vorläufig von der Vernichtung ausgenommenen Juden, wurden u.a. zum Sortieren der Kleider der Opfer und zum Beseitigen der Leichen gezwungen. Im Frühling 1943 wurde das Lager aufgelöst, die Spuren des Verbrechens wurden verwischt, und als Tarnung errichtete man einen Bauernhof. *Thorsten Wagner*

Literatur:

Arad, Yitzhak: *Belzec, Sobibór, Treblinka. The Operation Reinhard Death Camps,* Bloomington-Indianapolis 1987.

Bendlerblock s. 20. Juli 1944

Bergen-Belsen (KZ) 40 km nördlich von Hannover bei Celle gelegen, in den Kriegsjahren zunächst ein großes Kriegsgefangenenlager, später ein berüchtigtes → Konzentrations- und Auffanglager. 1940 wurde auf dem Areal eines Truppenübungsplatzes ein Barackenlager für frz. und belg. → Kriegsgefangene errichtet. Ab Juli 1941 trafen mehrere 10 000 sowj. Kriegsgefangene in B. ein, für die keine festen Unterkünfte vorhanden waren und die unter freiem Himmel dem Hungertod preisgegeben wurden. Bis zum Februar 1942 starben mindestens 18 000 von ihnen (ca. 90% der Gefangenen) an Hunger, Kälte und Krankheiten. Zuvor hatten im Herbst 1941 Kommandos der SS aus Hamburg unter den Rotarmisten Angehörige der Intelligenz sowie alle → Juden »selektiert« (→ Selektion), die anschließend im KZ → Sachsenhausen in der dortigen Genickschußanlage ermordet wurden. Ab Frühjahr 1942 besserten sich die Zustände. Die neu eintreffenden Kriegsgefangenen wurden von B. aus zum → Arbeitseinsatz geschickt. 1943 wurde das Kriegsgefangenenlager B. als Zweiglager mit durchschnittlich 2000 sowj. Kriegsgefangenen dem benachbarten Lager Fallingbostel zugeordnet.

Im April 1943 wurde ein Lagerkomplex an die SS übergeben, die ein sog. Aufenthaltslager einrichtete. Dort hielt die SS ausländische Juden als Geiseln gefangen, um sie bei Bedarf gegen im Ausland internierte Deutsche (z.B. Spione) austauschen zu können. Bis zum Herbst 1944 wurden ca. 6000 Juden in das Lager eingeliefert, von denen aber nur sehr wenige tatsächlich ausgetauscht wurden.

Seit März 1944 wurden in einem abgesonderten Abschnitt des Lagers kranke und nicht mehr arbeitsfähige Häftlinge aus anderen KZ untergebracht. Im August 1944 richtete man zusätzlich ein Zeltlager für weibliche Häftlinge ein, in dem v.a. poln. und ungar. Jüdinnen (darunter 8000 aus dem KZ → Auschwitz-Birkenau) untergebracht wurden. Zahlreiche Frauen wurden von hier aus zur → Zwangsarbeit in Außenlager der KZ → Neuengamme, → Buchenwald und → Flossenbürg geschickt. Das 1944 auch formal in ein KZ umgewandelte B. hatte somit als Durchgangs- und Auffanglager eine Sonderstellung innerhalb des KZ-Systems inne. Im Dezember 1944 wurde B. dem vormaligen Kommandanten von Auschwitz-Birkenau, SS-Hauptsturmführer Josef Kramer, unterstellt.

Als die SS bei Kriegsende die frontnahen KZ räumte, um die Häftlinge nicht »lebend in die Hände des Feindes« fallen zu lassen, wurde B. zum Ziel zahlreicher »Evakuierungstransporte«. Die eintreffenden Häftlinge, die, eingepfercht in Güterwaggons, tage-, teilweise auch wochenlange Irrfahrten mitgemacht oder lange Fußmärsche zurückgelegt hatten, waren vollkommen ausgezehrt (→ Todesmärsche). In dem überfüllten Lager, in dem es an allem mangelte, verdursteten und verhungerten viele von ihnen binnen kurzem. Als brit. Truppen das Lager am 15.4.1945 befreiten, bot sich ihnen ein Bild des Grauens: Auf dem Lagergelände und im benachbarten Kasernenbereich fanden sie 56000 hungernde und kranke (v.a. Typhus) Frauen, Männer und Kinder sowie über 10000 unbeerdigte Leichen vor. Trotz großer ärztlicher Anstrengungen zur Rettung der Überlebenden starben im ersten Vierteljahr nach der Befreiung noch einmal weitere 13000 Menschen. Insgesamt kamen in B. ca. 50000 KZ-Häftlinge und mindestens 30000 sowj. Kriegsgefangene ums Leben.

Die Bilder von der Befreiung B. – Leichenberge und Massensterben, Überlebende, die ihre Befreiung nicht zu begreifen schienen und zutiefst erschütterte brit. Soldaten – gingen um die Welt. Dies und die millionenfache Verbreitung des Tagebuchs der Anne Frank, die 1945 15jährig in B. verstarb, machte B. zum Symbol für den Terror in den nat.soz. KZ.

Ende Mai 1945 wurden zur Verhinderung der Ausbreitung weiterer Seuchen sämtliche Holzbaracken des Lagers niedergebrannt. Im November 1945 entstand in B. das erste Mahnmal, das jüdische Überlebende ihren Toten widmeten und an dem seit 1946 am Befreiungstag eine Gedenkfeier veranstaltet wird. Auf Anordnung der brit. Militärregierung begannen dt. Kriegsgefangene 1946/47 mit der Errichtung des internationalen Mahnmals, eines 24 m hohen Obelisken mit 50 m langer Inschriftenwand. 1952 übernahm das Land Niedersachsen die Pflege der aus Massengräbern gebildeten Friedhofsanlage und der Mahnmale; 1966 wurde ein (1990 wesentlich erweitertes) Dokumentenhaus mit ständiger Ausstellung eingerichtet. *Detlef Garbe*

Literatur:

Konzentrationslager Bergen-Belsen. Berichte und Dokumente, hg. von der Niedersächsischen Landeszentrale für politische Bildung, Hannover 1995.

Kolb, Eberhard: *Bergen-Belsen. Vom »Aufenthaltslager« zum Konzentrationslager 1943–1945,* Göttingen 1985.

Berghof s. Obersalzberg

Berlin s. Reichshauptstadt

Bernburg Im Herbst 1940 wurde in einem angemieteten Teil des psychiatrischen Krankenhauses in B. eine »Euthanasie«-Anstalt eingerichtet (Tarnbezeichnung: Be), welche die Heilanstalt in → Brandenburg ablöste. Leiter war Dr. med. Irmfried Eberl, 1942 kurz erster Kommandant des → Vernichtungslagers → Treblinka. Vom 21.11.1940–24.8.1941 wurden mehr als 9000 psychisch Kranke und geistig Behinderte aus Nord- und Mitteldeutschland in einer → Gaskammer durch Kohlenmonoxyd ermordet. Nach dem August 1941 wurden hier im Zuge der → Aktion 14 f 13 mehr als 5000 v.a. jüdische Häftlinge aus sechs KZ ermordet. Im August 1943 wurde die »Euthanasie«-Anstalt B. aufgelöst (→ Medizin). *Ute Hoffmann*

Bernhard, Unternehmen Deckname für eine 1940 begonnene Fälschungsaktion des → Reichssicherheits-Hauptamtes, benannt nach dem Vornamen des SS-Sturmbannführers Krüger, der das Unternehmen B. leitete. Dabei wurden originalgetreue brit. Pfundnoten in hoher Qualität hergestellt. Zweck war die Störung des brit. Finanzsystems. Dies gelang freilich mit den Geldscheinen, die v.a. im Konzentrationslager → Sachsenhausen von einschlägig vorgebildeten Häftlingen angefertigt wurden, nur begrenzt. Die Blüten wurden daher z.T. zur Bezahlung von Agenten verwendet. Neben anderen Fälschungen (Dokumente, Briefmarken) konnte die geplante Dollarproduktion 1945 wegen des Kriegsverlaufs nicht mehr realisiert werden; ein Teil der Banknoten wurde im österr. Toplitzsee versenkt. *Uffa Jensen*

Bernstein-Zimmer 1701 vom Preußenkönig Friedrich I. in Auftrag gegebener Prunksaal mit 107 kunstvoll gearbeiteten Wandvertäfelungen aus Bernstein. Das »achte Weltwunder« schenkte Friedrich-Wilhelm I. 1717 dem Zaren Peter dem Großen, der es im Zarenschloß Puschkin (Tsarskoje Sjelo) bei Sankt Petersburg einbauen ließ. Im Herbst 1941 von dt. Truppen geraubt, wurde das B. vorübergehend im Königsberger Schloß wieder aufgebaut und zur Besichtigung freigegeben. Ab Januar 1945 verlieren sich seine Spuren bis heute. Vermutungen weisen entweder auf seine Zerstörung in Königsberg hin oder auf seine rechtzeitige Auslagerung in versteckte Höhlen oder Stollen im Harz. Das B. wird z.Zt. in Puschkin nach alten Plänen rekonstruiert. *Bernd-Jürgen Wendt*

Berufsbeamtengesetz s. Gesetz zur Wiederherstellung des Berufsbeamtentums

Besatzungspolitik s. einzelne Länder

Besetzte Gebiete s. einzelne Länder

Betriebsführer Lt. → Arbeitsordnungsgesetz (AOG) der verantwortliche Leiter bzw. Besitzer einer Firma (Industrie, Gewerbe, Handel, Banken). Der B. entschied als »Führer des Betriebes« in allen innerbetrieblichen Angelegenheiten und war Vorsitzender im → Vertrauensrat. Der B. war an die Weisungen des Treuhänders der Arbeit (→ Reichstreuhänder der Arbeit) gebunden und konnte unter bestimmten Bedingungen abgesetzt werden (→ § 38 AOG). Ab 1.1.1939 durften → Juden nicht mehr als B. im Sinne des AOG tätig sein. *Monika Herrmann*

Betriebsgemeinschaft Im → Arbeitsordnungsgesetz (AOG) auf der Grundlage der betrieblichen und allgemeinen Interessen von Arbeitgebern und Arbeitnehmern und der gegenseitigen Treue- und Fürsorgepflicht geschaffene

Gemeinschaft, in der sich das Ideal der → Volksgemeinschaft als Ergebnis der »Überwindung des Klassenkampfes« widerspiegeln sollte. Als »Walter« über die weltanschaulichen und politischen Zielsetzungen mit sozialen Funktionen war der Betriebsobmann als Vertreter der → DAF in den Betrieben mit mehr als vier Arbeitnehmern tätig.

Monika Herrmann

Betriebsobmann s. Betriebsgemeinschaft

Bettler s. Asoziale

Bevölkerungspolitik Die nat.soz. B. umfaßte alle Gesetze und Maßnahmen, um Art und Umfang der Bevölkerung gemäß der NS-Rassenlehre zu steuern (→ Rassenkunde; → Ideologie). Dazu zählte sowohl die Förderung »erbgesunden« und »arischen« Nachwuchses (→ Erbgesundheit; → Abstammungsnachweis; → Arierparagraph; → Arisierung) als auch die »Ausmerzung« derer, die die Nat.soz. als erbkrank und nichtarisch definierten (→ Medizin). Ehestandsdarlehen (→ Ehe), deren Rückzahlungsverpflichtung sich mit jedem Kind um ein Viertel verringerte, sollten ebenso die Vermehrung der rassisch und genetisch erwünschten Bevölkerungsteile fördern wie Kinderbeihilfen und Steuerermäßigungen (→ Frauen). 1938 stiftete Hitler das »Ehrenkreuz der dt. Mutter« für kinderreiche Mütter (→ Mutterkult). Entsprechende Propaganda, Beratungsstellen und die Schulung von Staats- und Parteifunktionären flankierten diese Bemühungen; hinzu kam eine scharfe Überwachung des Abtreibungsverbots. Das Gesetz zur Verhütung erbkranken Nachwuchses (14.7.1933) ermöglichte die Sterilisation von Personen, deren Nachwuchs mit großer Wahrscheinlichkeit Erbschäden haben würde. Aufgrund des Gesetzes »zum Schutze der Erbgesundheit des deutschen Volkes« vom 18.10.1935 konnten die Behörden als erbkrank eingestuften Personen eine Heirat verbieten. Als Indiz für schlechte Erbanlagen galt auch soziales Fehlverhalten wie Kriminalität, Prostitution oder Alkoholismus (→ Asoziale). Mit sog. »Euthanasie«-Maßnahmen wurden ab Oktober 1939 in Heil- und Pflegeanstalten (→ Bernburg; → Brandenburg; → Grafeneck; → Hadamar; → Hartheim; → Sonnenstein) mehrere zehntausend unheilbare Kranke vergast (→ Aktion T 4). Trotz einer proklamierten Einstellung der Aktionen im August 1941 nach Protesten aus den Kirchen und der Bevölkerung wurde die »Euthanasie« fortgesetzt (→ Aktion 14 f 13). Bestandteil der B. waren auch die → Nürnberger Gesetze (1935), die »Rassenmischung« verhindern sollten. Die Aussonderung und Ermordung von → Juden, → Sinti und Roma sollte die sozialdarwinistische Utopie einer homogenen, »erbgesunden« und »arischen« Bevölkerung verwirklichen. Zur nat.soz. B. gehörten außerdem die ethnischen Säuberungen und »Eindeutschungen«, die Himmler als → Reichskommissar für die Festigung dt. Volkstums durchführte. *Peter Widmann*

Literatur:

Kaupen-Haas, Heidrun: *Der Griff nach der Bevölkerung. Aktualität und Kontinuität nazistischer Bevölkerungspolitik,* Nördlingen 1968.

Aly, Götz: *»Endlösung«. Völkerverschiebung und der Mord an den europäischen Juden,* Frankfurt am Main 1995.

Bewährungsbataillon 999 (oft als »Strafbataillon 999« bezeichnet) Neben der bereits seit 1940 bestehenden »Bewährungseinheit 500« eine Sonderformation der → Wehrmacht, die durch Führererlaß vom 2.10.1942 errichtet wurde. Das B. rekrutierte sich aus »bedingt Wehrwürdigen«, d.h.

Wehrpflichtigen, denen die »Wehrwürdigkeit« aberkannt wurde; ferner aus → »Kriegstätern« und Personen, die wegen politischer und krimineller Straftaten verurteilt worden waren. Die Gesamtzahl der Eingezogenen wird auf ca. 30000 geschätzt, selbst auf KZ-Häftlinge wurde, wie bei der SS-Formation → Einheit Dirlewanger, zurückgegriffen. Die Ausbildung fand auf dem Truppenübungsplatz Heuberg (später Baumholder) unter teils KZ-ähnlichen Bedingungen statt. Zunächst als Afrika-Brigade 999 (später Division 999) aufgestellt, wurden die verschiedenen B. an allen Fronten eingesetzt. Sie galten als politisch unzuverlässige Einheiten, viele der zwangsrekrutierten NS-Gegner versuchten zu desertieren. Von September 1944 an wurden die Mannschaften nach Auflösung der Ersatz-Brigade 999 auf andere Wehrmachtsverbände aufgeteilt, z.T. auch an Strafanstalten oder Konzentrationslager überstellt. *Michael Hensle*

Bewegung Im nat.soz. Sprachgebrauch die Selbstbezeichnung für die → NSDAP und ihre → Gliederungen und Sonderformationen, doch auch von außen wurde der → Nat.soz. mit dem Begriff B. oder »Hitlerbewegung« belegt. Der Begriff findet sich in der völkischen und in der sozialistischen Tradition und betont das dynamische, sozialrevolutionäre Streben nach einer radikalen Erneuerung der Gesellschaft. Im Unterschied zu formal organisierten Parteien zielt die politische B. auf die Mobilisierung einer Massenbasis. *Werner Bergmann*

Białystok s. Polen

Białystok (Ghetto) Größtes → Ghetto im Bezirk Białystok, der seit Juli 1941 Ostpreußen angegliedert war. Durch den Stadtkommandanten der Wehrmacht am 26.7.1941 errichtet, unterstand das Ghetto von August 1941 bis Oktober 1942 dem zivilen Stadtkommissar. In B. lebten ca. 50000 Menschen, die von einem Judenrat unter dem Vorsitz von Efraim Barrasch verwaltet wurden. Ihm gelang es, Nachschubgüter für die Heeresfront im Ghetto produzieren zu lassen, wodurch die Juden in B. zunächst von den Massenmordaktionen bis zum November 1942 verschont blieben (→ Rassenpolitik und Völkermord; → Aktion Reinhardt). Seit November 1942 unterstand das Ghetto jedoch der → Sicherheitspolizei (→ Polizei; → Reichssicherheitshauptamt). Im Februar 1943 setzen die ersten → Deportationen in die → Vernichtungslager → Auschwitz und → Treblinka ein. Zwischen dem 17. und dem 31.8.1943 wurde das Ghetto aufgelöst, seine Bewohner wurden nach Auschwitz und Treblinka verschleppt. Der erbitterte Widerstand gegen diese → Todesmärsche unter der Leitung von Mordechai Tenenbaum, Daniel Moszkowicz und Chaika Grossmann gehört zu den bekanntesten Beispielen bewaffneter jüdischer Selbstverteidigung. *Peter Klein*

Blaue Division (span. División Azul) Bezeichnung für ein Korps von Blauhemden der span. Falange (faschistische Staatspartei), dessen Aufstellung Franco Deutschland unter dem Druck seines Außenministers Serrano Suñer und in der Annahme, die → Achsenmächte könnten nach dem dt. Angriff auf die UdSSR (Unternehmen → Barbarossa; → Ostfeldzug) den Krieg für sich entscheiden, am 24. Juni 1941 versprach. Der Einsatz von insgesamt 47000 Mann der B., der zwischen August 1941 und März 1944 an der Ostfront erfolgte, war Ausdruck einer mehrjährigen diplomatischen Schaukelpolitik und zugleich Höhepunkt des span. Kriegsengagements (→ Spanien). *Matthias Sommer*

Blitzkrieg In der Militärdoktrin Bezeichnung für einen möglichst kurzen, überraschenden, konzentrierten Umfassungs- und Vernichtungsfeldzug. Angesichts eines für einen langen Abnutzungs- und Blockadekrieg unzureichenden Kriegs- und Wirtschaftspotentials sollte der jeweilige Gegner in kürzester Zeit entscheidend besiegt werden. Im Zweiten Weltkrieg lag ein Blitzkriegs-Konzept, abgeleitet aus den raschen Erfolgen der dt. Wehrmacht in Polen und vor allem in Frankreich (→ Polenfeldzug; → Westfeldzug), namentlich dem dt. Angriff auf die Sowjetunion zugrunde (Unternehmen → Barbarossa; → Ostfeldzug 1941–1945), das allerdings scheiterte. *Dietrich Eichholtz*

Block (B.), Blockleiter (Bl.), Blockwart Unter B. verstand man bei der → NSDAP die kleinste Organisationseinheit im Wohngebiet mit etwa 40–60 Haushaltungen. Bl. war die Bezeichnung für Parteifunktionäre der untersten Ebene. 1934/35 waren 204359, im Januar 1939 insgesamt 463043 Bl. ehrenamtlich tätig. Ihre Hauptaufgaben bestanden darin, die Bevölkerung ihres Blocks zu betreuen und zu überwachen. Sie hatten Mitgliedsbeiträge einzusammeln, eine Kartei anzulegen und für die Teilnahme der Bewohner an Kundgebungen und Feierstunden zu sorgen. Sie führten Haussammlungen durch, warben für den Eintritt in NS-Formationen und trieben Mundpropaganda. Die Bl. sollten die → Volksgenossen zwar nicht »beschnüffeln und bespitzeln«, aber »Vorgänge politisch-polizeilichen Charakters« und »die Verbreiter schädigender Gerüchte« den entsprechenden Stellen melden (→ Denunziantentum). Die Bl. waren in Personalunion z.T. auch Blockwalter, das waren die Funktionäre der → NSV und der → DAF im Bl. oder Blockwarte, so hießen die Funktionäre des Reichsluftschutzbundes (→ Luftschutz), die für einen B. verantwortlich waren. Vor allem nach der Übernahme des Reichsluftschutzbundes durch die NSDAP (1944) herrschte die Bezeichnung Blockwart für alle Funktionen vor. Nächsthöhere Einheit der NSDAP-Gebietsgliederung war die Zelle (innerhalb der Ortsgruppe). *Günter Neliba*

Blut (B.), Blutfahne (Bf.), Blutopfer, Blutorden Im nat.soz. Denken eine zentrale, biologistisch aufgeladene Kategorie. Das B. galt als Träger des Erbgutes, und mit dessen Pflege konnten die rassischen Eigenschaften geschützt werden. Durch »Blutschranken« sollte daher die »Blutsgemeinschaft« gesichert und mittels der »Blutwertigkeit« der Grad der Übereinstimmung mit der → nordischen Rasse festgestellt werden. Die Bf. war die Hakenkreuzfahne, die beim Marsch auf die Feldherrnhalle 1923 mitgeführt worden war und in der Vorstellung der Nat.soz. durch das Blut der getöteten Putschisten eine besondere Weihe erhalten hatte (→ Hitlerputsch; → Propaganda). Seit 1926 wurden die Partei-Standarten für die Weihung mit dieser Fahne berührt. Das Blutopfer bezeichnete in der → »Kampfzeit« getötete Mitglieder der → NSDAP. Den 1933 gestifteten Blutorden, die höchste Auszeichnung der NSDAP, erhielten die Teilnehmer des Putsches von 1923. Ab 1938 wurde seine Verleihung auf alle Parteigenossen ausgedehnt, die für ihre Beteiligung an der → »Bewegung« mindestens zu Gefängnis verurteilt worden waren. *Uffa Jensen*

Blut und Boden Ein Schlagwort der nat.soz. → Ideologie, besonders auf dem Gebiet der Agrarpolitik, welches die Einheit eines rassisch definierten Volkskörpers und seines Siedlungsgebiets propagierte. Im Rückgriff auf eine längere Tradition idealisierte die B.-Ideologie bäuerliche als Gegengewicht zu urbanen Lebensformen und verband dies mit rassistischen Ideen. Neben der Ideologie der → Artamanen bildeten die Schriften Richard Walther Darrés die Grundlage der nat.soz. B.-Ideologie. Dabei wurde die germanisch-nordische Rasse als Bauerntum verstanden, entgegen einem jüdischen Nomadentum (→ Rassenkunde). Im Erbrecht sollte v.a. bäuerlicher Boden das Instrument zur rassischen → Auslese eines neuen Bauernadels sein, der auf »Hegehöfen« das Fundament einer gesellschaftlichen Gesundung (»Aufnordung«) schüfe (→ Erbhof). Zur Realisierung einer weitgehenden Verbäuerlichung der Gesellschaft schienen zudem neue Siedlungsgebiete notwendig zu sein, so daß die B.-Ideologie, über das → »Volk ohne Raum« (Grimm) klagend, die Eroberung von → Lebensraum im Osten als unausweichlich darstellte. Die Vorstellungen der B.-Ideologie fanden weite Verbreitung in der NS-Bewegung (Hitler, Himmler, Schirach). Insbesondere die → SS wurde in das Auslese- und Siedlungskonzept Darrés eingebunden. Neben der ideologischen Dimension, welche die Agrarpolitik (→ Reichsamt für Agrarpolitik) mit Bedeutung auflud, hatte das Schlagwort B. vor der → »Machtergreifung« in ländlichen Gebieten auch propagandistische Bedeutung.

Uffa Jensen

Literatur:

Corni, Gustavo/Horst Gies: »*Blut und Boden*«. *Rassenideologie und Agrarpolitik im Staat Hitlers,* Idstein 1994.

Blutschutzgesetz s. Nürnberger Gesetze

Blutwoche s. Köpenicker Blutwoche

Boxheimer Dokumente Im Sommer 1931 erstellte und nach ihrem Entstehungsort »Boxheimer Hof« bei Bürstadt a. d. Bergstraße benannte Sammlung von Richtlinien und Maßnahmen, die im Falle eines kommunistischen Putschversuchs und einer nachfolgenden nat.soz. Machtübernahme von führenden hessischen Nationalsozialisten diskutiert und als notwendig angesehen worden waren. Zu den vorgesehenen Maßnahmen gehörten u. a. die Einführung der Arbeitsdienstpflicht und die Beseitigung politischer Gegner. Autor der Sammlung war Werner Best, damals Amtsrichter und Rechtsberater der hessischen → NSDAP, später Mitbegründer des → Reichssicherheits-Hauptamtes und ab November 1942 Reichsbevollmächtigter in → Dänemark. Best brachte die B. im August/September 1931 in der hessischen Parteibürokratie sowie der Reichsleitung der NSDAP (→ Reichsleiter) in Umlauf, wo sie aufgrund ihrer fehlenden Praktikabilität wenig Resonanz fanden. Bereits im November 1931 gelangten die B. an die Öffentlichkeit, wo sie heftige Reaktionen auslösten, nachdem Hitler ein Jahr zuvor (→ Ulmer Reichswehrprozeß) angekündigt hatte, nur legal die Macht übernehmen zu wollen. Best wurde aus dem hess. Staatsdienst entlassen, der gegen ihn angestrengte Prozeß 1932 vom Reichsgericht mit der Begründung eingestellt, daß die Realisierung der in den B. aufgelisteten Maßnahmen nicht gegeben gewesen sei. Über den konkreten Kontext ihres Entstehens hinaus bestätigten die B. die Bereitschaft der NSDAP zur weitgehenden Umgestaltung von Staat, Wirtschaft und Gesellschaft.

Jürgen Matthäus

Boykott, 1. April 1933 Erste reichsweite antijüdische Aktion nach dem Machtantritt Hitlers. Am 28.3.1933 ordnete die Parteileitung der → NSDAP den B. jüdischer Geschäfte, Ärzte und Anwälte ab dem 1. April an. Offiziell wurde der B. als »Abwehrmaßnahme« gegen angebliche ausländische »Greuelpropaganda« sowie gegen eine angebliche jüdische Kriegserklärung an Deutschland deklariert. → SA, → HJ und → Stahlhelm postierten sich vor den betreffenden Geschäften, um die Kunden vom Betreten abzuhalten. V.a. in ländlichen Gebieten und abgelegeneren Straßen der großen Städte kam es zu Übergriffen und Plünderungen. Solidaritätsbekundungen seitens der nichtjüdischen Bevölkerung waren selten. Scharfe Reaktionen des Auslands bis hin zur Drohung, dt. Waren zu boykottieren, ließen angesichts der anhaltenden → Arbeitslosigkeit negative Konsequenzen für die → Wirtschaft befürchten. Ursprünglich auf unbestimmte Zeit geplant, wurde der B. nach einem Tag ausgesetzt und am 4.4.1933 von der Regierung für beendet erklärt. Durch den B. wurden die bisherigen unorganisierten Aktionen legitimiert und kanalisiert. Insofern war er das Startsignal für die organisierte Verfolgung der → Juden. *Alexander Ruoff*

Brandenburg, Division Der erfolgreiche Einsatz kleiner, von den Abwehrstellen der Wehrmacht in Königsberg, Breslau und Wien gesteuerter Kommandotrupps unmittelbar vor Beginn des Polenfeldzuges veranlaßte den Leiter der → Abwehr, Admiral Canaris, die Aufstellung eines größeren, speziell für Sabotage- und Aufklärungszwecke ausgebildeten Sonderverbandes zu befehlen, der dann unmittelbar der Abwehr-Abteilung II unterstellt war. Zunächst in Kompaniestärke unter der Tarnbezeichnung »Bau-Lehr-Kompanie z.b.V. 800« bereitgestellt, erreichte der Verband bis zum Jahresbeginn 1940 Bataillonsstärke, nach dem Frankreichfeldzug bereits Regimentsstärke (Lehr-Regiment »Brandenburg« z.b.V. 800, nach dem Aufstellungsort Brandenburg a.d. Havel). Mit Wirkung vom 20.11.1942 erfolgte die Umgliederung in einen Divisionsverband (Sonderverband Brandenburg) mit den Regimentern 801–805, der am 1.4.1943 in »Division Brandenburg« umbenannt wurde. Nach der Übernahme der Abwehr durch die SS, die mit der Eingliederung des OKW-Amtes Ausland/Abwehr in das → Reichssicherheit-Hauptamt gleichzusetzen war, kam v.a. Führungspersonal der B. in die Ämter VI und Militär des RSHA, die Ausrüstung an die SS-Jagdverbände (→ Werwolf). Die alte Div. B., nach dem Attentat vom 20. Juli 1944 ihrer Aufgaben als Kommandotruppe entbunden, wurde als »Panzergrenadierdivision Brandenburg« neu aufgestellt, zwischen Mai und September 1944 jedoch noch in Einheiten bis Kompaniestärke für Fernspähtrupps und in Kommandounternehmen im Baltikum, der Slowakei und in Frankreich bereitgestellt.

Zu Beginn des Krieges wurden fast ausschließlich Freiwillige zur B. eingezogen. Mit Ausnahme besonders ausgesuchter reichsdt. Offiziere und Mannschaften kamen sprachkundige Volks- und Auslandsdeutsche zur B.; zeitweise gehörte auch eine Legionärseinheit nichtruss. sowj. Überläufer zur Div. B. Die Einsätze zur Sicherung strategisch wichtiger Punkte wie Brücken, Kraftwerke und Industrieanlagen erfolgten in der Regel in Kompanie- bis Bataillonsstärke, häufig in gegnerischer Uniform mit landeskundigem Personal und Überläufern an der Spitze, um so das Einsickern in die feindliche Front zu erleichtern. Mit dem Ausbluten der

Verbände während des Rußlandfeldzuges verstärkte sich die Tendenz, Einheiten der B. wie normale Infanterieverbände einzusetzen. Da B.-Einheiten an allen Brennpunkten des Krieges, mit Beginn der Rückzüge bevorzugt auch zur Partisanenbekämpfung, eingesetzt wurden, hatten sie hohe Verluste zu verzeichnen. *Hermann Weiß*

Literatur:

Spaeter, Helmuth: *Die Brandenburger,* München 1978.

Brandenburg (Heilanstalt) Nachdem bereits im Januar 1940 im alten Zuchthaus in B. (Tarnbezeichnung: B) die Tötung von Menschen durch Gas getestet worden war, erfolgte dort im Februar die Einrichtung einer »Euthanasie«-Anstalt. Leiter war Dr. med. Irmfried Eberl. Bis zum Oktober 1940 wurden fast 9000 psychisch Kranke und geistig Behinderte aus Nord- und Mitteldeutschland in einer → Gaskammer durch Kohlenmonoxyd ermordet und ihre Leichen in einem Krematorium außerhalb der Stadt verbrannt. Unter den Opfern befanden sich zahlreiche Kinder und jüdische Patientinnen und Patienten. Im Herbst 1940 wurde die »Euthanasie«-Anstalt nach → Bernburg verlegt (→ Medizin; → Aktion T 4; → Aktion 14 f 13).

Ute Hoffmann

Brandenburg-Görden (Zuchthaus) Das 1927–1935 für 1800 Häftlinge erbaute Zuchthaus B. war bis 1945 zeitweise mit weit mehr als 4000 Gefangenen belegt. Zu ihnen zählten neben Kriminellen politische Gegner und Widerstandskämpfer → Kriegsgefangene und Sicherungsverwahrte, darunter → Juden, → Sinti und Roma, Bibelforscher (→ Ernste Bibelforscher), Homosexuelle (→ Homosexualität/Homosexuelle) und Prostituierte (→ Asoziale). Der Zuchthausalltag war durch Schikane, Hunger und schwere Arbeit, seit 1939 für die Rüstungsproduktion (→ Aufrüstung), gekennzeichnet. 652 Gefangene starben an Unterernährung und Krankheit. Ab August 1940 wurde B. nach dem Gefängnis → Plötzensee zur zweitgrößten Hinrichtungsstätte in Norddeutschland. 1722 Männer zwischen 15 und 72 Jahren, die aus politischen Gründen zum Tode verurteilt waren, wurden hier, meist durch das Fallbeil, bis April 1945 hingerichtet. Dann wurde B. unter Mitwirkung der kommunistisch geführten Gefangenen-Widerstandsgruppe durch die Rote Armee befreit. *Maria-Luise Kreuter*

Braunbuch Das *Braunbuch über Reichstagsbrand und Hitlerterror* wurde im August 1933 auf Initiative des nach Paris geflüchteten kommunistischen Verlegers Willi Münzenberg vom Welthilfskomitee für die Opfer des dt. Faschismus herausgegeben. Die auch mit Fälschungen arbeitende Publikation erwies sich bis in die Nachkriegszeit hinein als propagandistisch äußerst erfolgreich in der Verbreitung der These von der nat.soz. Urheberschaft des → Reichstagsbrands. Im April 1934 erschien *Braunbuch II, Dimitroff contra Goering*, das den Reichstagsbrandprozeß zum Gegenstand hatte.

Michael Hensle

Braune Blätter s. Forschungsamt der Luftwaffe

Braune Mappe s. Grüne Mappe

Braunes Band von Deutschland Internationales Pferderennen in München-Riem, organisiert 1934–1944 von Christian Weber (der ehemalige Pferdeknecht war als → Alter Kämpfer und Hitlerfreund Münchner Ratsherr und gehörte zur einflußreichen lokalen Parteiprominenz) als Präsident eines

Kuratoriums, dem NS-Größen wie Göring, F.X. Schwarz, Ph. Bouhler angehörten. Die mehrtägige Veranstaltung war mit 100 000 RM das höchstdotierte Pferderennen in Deutschland. Zum Rahmenprogramm gehörte 1936–1939 die → »Nacht der Amazonen«.

Wolfgang Benz

Braunes Haus Ab 1.1.1931 Sitz der → Reichsleitung der → NSDAP in München, Brienner Str. 45 (ehem. Barlow-Palais). Im Volksmund B. genannt, wurde die Bezeichnung von der Partei bald offiziell übernommen. Auch nach 1933 blieb es der zentrale Sitz der NSDAP und ein Ort Hitlerscher Empfänge. In der Umgebung entstanden viele Parteiverwaltungsbauten. Mit den am Königsplatz errichteten »Ehrentempeln« für die Toten vom 9.11.1923 (→ Hitlerputsch) wurde das B. und seine Umgebung zu einer Art Kultstätte der nat.soz. → Bewegung. *Hellmuth Auerbach*

Braunhemd Offizielle Parteiuniform der → NSDAP, die sich vom kommu-nistischen Rot, vom faschistischen Schwarz und vom Grau völkischer Gruppen unterschied. In Anlehnung an das »Lettowhemd« der dt. Schutztruppe in Ostafrika trugen Teile der → SA erstmals 1921 eine braune Uniform. Nachdem die SA das B. 1924/25 auch öffentlich zu Zwecken der → Propaganda trug, erhielt es 1926 offiziell den Rang der Parteiuniform. Jeder → Parteigenosse durfte das B. tragen, an welchem jedes Rangabzeichen fehlte. Das B. galt als »Ehrenkleid«, dessen Beleidigung nach dem 30.1.1933 verfolgt werden konnte; später wurde es wegen seiner Erdfarbe mit der → Blut und Boden-Ideologie verbunden.

Uffa Jensen

Brechung der Zinsknechtschaft s. Zinsknechtschaft

Breitspurbahn Auf einer von Fritz Todt 1914 angeregten Planungsstudie der Dt. Reichsbahn basierendes Projekt für eine europaweite Eisenbahnstrecke, die die Hauptstädte Paris, Berlin und Moskau für den Schwerlastverkehr auf einer Spurbreite von rund 3 m verbinden sollte. Geplant waren doppelstökkige, 6 m breite Waggons. Bis Kriegsende kam die B. nicht über die Planungsphase hinaus. *Jana Richter*

Brennessel, Die Satirische antisemitische Zeitschrift, die seit Januar 1931 zunächst monatlich (bis März), dann 14tägig (bis September) und schließlich wöchentlich im Folioformat im → Eher Verlag, dem Zentralverlag der NSDAP, erschien. Die B. sah ihre Aufgabe im Kampf gegen die Weimarer Republik, gegen »das feindliche Ausland«, gegen »kleingläubige Meckerer und Miesmacher« im eigenen Land und gegen »das internationale Judentum«. In satirischen Artikeln und Karikaturen wurden Staatsmänner und vermeintlich »typische« Vertreter dieser Gegner verunglimpft und lächerlich gemacht. Die Darstellungen der Juden sollten darüber hinaus dazu dienen, den Lesern deren »wahre und teuflische Natur« zu offenbaren.

Die Auflage der B. betrug 1933 ca. 32 000, 1938 ca. 23 000 Exemplare. Schriftleiter waren Karl Prühäußler (bis September 1931) und Wilhelm Weiß, der von 1933–1938 als Hauptschriftleiter zeichnete. Die letzte Ausgabe der B. erschien am 27.12.1938 (→ Presse). *Angelika Heider*

Breslau (»Festung«) Hauptstadt Niederschlesiens, 1945 beim Herannahen der Roten Armee, die am 12.1. aus dem Weichselbogen heraus zur Offensive angetreten war, zur »Festung« erklärt (erste dt. Erwähnung als »Kampfgebiet« am 24.1.1945). Die Mehrheit der

Bevölkerung verließ aus Angst vor den Kämpfen und den sowj. Truppen, teils auch unter Druck der lokalen → NSDAP-Stellen, die Stadt, die über keine modernen Verteidigungsanlagen verfügte. Damit entstand die Voraussetzung für die mehrmonatige Ernährung der zurückbleibenden Zivilisten (volkssturmpflichtige Männer und Jugendliche, auch Frauen und Kinder) und der Truppen von → Wehrmacht und → SS (ca. 40 000 Mann). Mit Ausnahme der Kinder und Kranken wurden die verbliebenen Breslauer zum Barrikadenbau herangezogen. An der Spitze der »Festung« standen ein Kampfkommandant (anfänglich Generalmajor Hans von Ahlfen, seit 25.3. General Hermann Niehoff) und Gauleiter Karl Hanke. Die bedingungslose Einhaltung aller Befehle wurde durch Terror erzwungen (u. a. Erschießung des stellvertretenden Bürgermeisters Spielhagen wegen Fahnenflucht). Mitte Februar war die Stadt eingeschlossen, was der OKW-Bericht erst am 27.3. einräumte. Zeitweilig wurde eine Verbindung auf dem Luftweg aufrechterhalten. Die sowj. Verbände drangen von Süden und Westen in die Stadt ein. Straßenzug für Straßenzug und Wohnviertel für Wohnviertel des bis dahin unzerstörten B. sanken in Trümmer. Nach Ablehnung eines Kapitulationsangebots erfolgten verheerende Luftangriffe. Angesichts der militärischen Entwicklung an den anderen Fronten hatte die »Festung« für die dt. Führung zuletzt an Bedeutung eingebüßt. Ende April erging die nunmehr illusorische Erlaubnis zum Ausbruch der Besatzung. Am 6.5. erfolgte die Kapitulation. Sie wurde erst am 9.5 mit der Gesamtkapitulation im letzten Wehrmachtsbericht gemeldet (→ Kapitulation Deutschlands 1945). Auf sowj. Seite hatte in B. eine kleine Gruppe dt. Angehöriger des → Nationalkomitees »Freies Deutschland« gekämpft.

Kurt Pätzold

Bromberger Blutsonntag Am Morgen des 3.9.1939, dem dritten Tag des dt. Angriffs auf → Polen (→ Polenfeldzug), passierten zurückgehende Einheiten der poln. Armee und flüchtende poln. Zivilisten Bromberg. Kurz nach 10 Uhr fielen Schüsse, deren Herkunft weder damals noch später geklärt werden konnte. Die Schüsse lösten eine Panik aus, in der zunächst auch Polen auf Polen schossen, aus der sich aber allmählich Aktionen poln. Soldaten und bewaffneter poln. Zivilisten gegen die in Bromberg lebenden Volksdeutschen entwickelten, die der Zusammenarbeit mit den unmittelbar vor der Stadt vermuteten dt. Truppen verdächtigt wurden. Gegen 16 Uhr trat Beruhigung ein, doch als in der Nacht abermals Schüsse zu hören waren, setzte eine vom poln. Stadtkommandanten Major Albrycht vor seinem eigenen Abzug gebildete poln. »Bürgerwehr« die Aktionen gegen die dt. Zivilbevölkerung noch in der Nacht und während des folgendes Tages fort. Erst am Morgen des 5.9., als gegen 8 Uhr Soldaten des dt. Infanterieregiments 123 in die Stadt eindrangen, nahm der Schrecken ein Ende.

Dem »Bromberger Blutsonntag« – ein Begriff, den die *Deutsche Rundschau* vom 8.9.1939 prägte – fielen etwa 1000 Deutsche zum Opfer. Die Zahl der im September 1939 bei ähnlichen Vorfällen in ganz Polen ermordeten Deutschen belief sich nach einer Dokumentation des Auswärtigen Amts vom November 1939 auf 5437. Die NS-Propaganda machte daraus 58 000 Opfer. Diese Zahl sei, so wies das Reichsinnenministerium am 7.2.1940 alle propagandistisch tätigen Stellen an, »allein als verbindlich anzusehen« und in sämtlichen Verlautbarungen, Reden usw. zu verwenden.

Die NS-Führung hatte zwar die Bromberger Vorgänge – entgegen einem gelegentlich geäußerten Verdacht – offensichtlich nicht durch *agents provocateurs* hervorgerufen, doch waren sie ihr hochwillkommen, weil nun die bereits zuvor beschlossene Ermordung eines großen Teils der poln. Intelligenz (d.h. von Geistlichen, Lehrern, Ärzten etc.) als Vergeltung ausgegeben werden konnte. Die rechtsradikale Propaganda in der Bundesrepublik Deutschland versucht immer wieder, den B. und ähnliche poln. Ausschreitungen zum Grund des dt. Angriffs zu erklären, der also ein Feldzug zum Schutz der dt. Min-derheit in Polen gewesen sei. In Wirklichkeit sind alle Ausschreitungen nach Beginn des dt. Überfalls auf Polen geschehen; dieser muß folglich umgekehrt als mittelbare Ursache der poln. Verbrechen gelten.

Volker Rieß

Literatur:

Schubert, Günter: *Das »Unternehmen ›Bromberger Blutsonntag‹. Tod einer Legende,* Köln 1989.

Bruckmann Verlag In dem 1858 gegründeten, renommierten Kunstverlag war 1899 H. St. Chamberlains *Die Grundlagen des 19. Jahrhundert* erschienen (27 Auflagen bis 1941). Im B. wurden die Kataloge der »Großen Dt. Kunstausstellung« (→ Haus der Deutschen Kunst) publiziert. Das Verlegerehepaar Elsa und Hugo B. spielte im gesellschaftlichen Leben Münchens eine große Rolle und verhalf vor 1933 Hitler, Heß und Rosenberg durch Kontakte zu sozialer Anerkennung.

Wolfgang Benz

Buchenwald Das Konzentrationslager B. gehörte zur zweiten Lagergeneration. Es wurde im Juli 1937 eröffnet und lag am Rand der Stadt Weimar auf dem Ettersberg. Seinen Namen erhielt es auf Wunsch der Weimarer NS-Kulturbehörde, die ihre Stadt nicht in Verbindung mit dem Lager gebracht sehen wollte, von Heinrich Himmler. Das Häftlingslager wurde von den Gefangenen errichtet und bestand nach Fertigstellung aus drei Teilen: dem »großen Lager«; dem »Zeltlager«, das im Oktober 1939 zunächst für poln. Gefangene errichtet wurde; und dem »kleinen Lager«, das 1942 als Quarantänestation entstand und in der Schlußphase zum Sterbelager wurde. Neben dem Bereich des Häftlingslagers wurden die SS-Verwaltung, die Unterkünfte für die Angehörigen der SS und die lagereigenen Wirtschaftsbetriebe erbaut. Die ersten Häftlinge waren politische Gegner, Zeugen Jehovas (→ Ernste Bibelforscher), Kriminelle, sog. BV-Häftlinge (befristete Vorbeugehaft; → Vorbeugende Verbrechensbekämpfung), die »Berufsverbrecher« genannt wurden, und zunächst nur vereinzelt jüdische Häftlinge. Die Lebensbedingungen der jüdischen Häftlinge waren stets deutlich schlechter, ihre Sterblichkeitsrate lag höher als die der anderen Gefangenen. Anfangs besetzten die kriminellen Häftlinge nahezu alle Positionen der Häftlingsselbstverwaltung, aber ab Mitte 1938 gelang es den politischen Gefangenen nach und nach, wichtige Schlüsselstellungen zu erobern. Damit begann der illegale Widerstand der Gefangenen, der, in erster Linie von kommunistischen Häftlingen, in den letzten Kriegsjahren international und effektiver als in jedem anderen KZ organisiert wurde. Im September 1938 wurden mehrere tausend → Juden von → Dachau nach B. verlegt, und nach der → »Reichskristallnacht« vom 9.11.1938 wurden 9828 Juden eingeliefert, von denen die meisten mit der Auflage, Deutschland zu verlassen, nach einiger Zeit wieder entlassen wurden. Im September/Oktober 1939 wurden poln. und staatenlose Juden nach B. deportiert (→ Deportationen).

Bis Kriegsbeginn arbeiteten die Häftlinge vorwiegend im Lageraufbau sowie im lagereigenen Steinbruch. Im Laufe der Kriegsjahre veränderte sich die Struktur der Häftlingsgesellschaft ebenso grundlegend wie die Funktion des Lagers. Die Nationalität der Gefangenen spiegelte den Kriegsverlauf wider, und in der Schlußphase waren die dt. Häftlinge eine Minderheit. U.a. waren 2200 dän. Polizisten in B. inhaftiert, unter ihnen waren überdurchschnittlich viele Tote zu beklagen. Himmler wollte in den KZ eine SS-eigene Rüstungsproduktion aufbauen; dazu wurde in B. mit der Herstellung von Karabinern begonnen (→ SS-Wirtschaftsunternehmen). Letztendlich scheiterte dieses Konzept, da sich die Industriebetriebe gegen die entstehende Konkurrenz wehrten. Die → Zwangsarbeiter wurden zu den Fabriken gebracht, in deren Umfeld KZ-Außenlager entstanden. B. hatte insgesamt 129 Außenkommandos, in denen Häftlinge vorwiegend für die Rüstung arbeiteten (→ Kriegswirtschaft). Im Frühjahr 1945 war B. mit über 100000 Häftlingen, davon rund 75000 Gefangenen in den Außenlagern, schließlich der größte noch bestehende KZ-Komplex.

Ab 1941 wurde das Lager immer mehr ein Ort des Massenmords und des Sterbens. So suchten im Sommer 1941 medizinische Gutachter Häftlinge aus, die später in den Tötungsanstalten → Sonnenstein bei Pirna und → Bernburg ermordet wurden. Kranke Häftlinge wurden darüber hinaus in großer Zahl direkt im Lager durch Injektionen ins Herz getötet. Ab Ende 1941 wurden mehrere tausend sowj. → Kriegsgefangene durch Genickschuß ermordet. In einer Fleckfieber-Versuchsstation wurden ab Dezember 1941 medizinische Versuche an Gefangenen durchgeführt (→ Menschenversuche). Im Oktober 1942 wurden auf Befehl Himmlers die meisten jüdischen Häftlinge nach → Auschwitz deportiert. Die letzten Monate des Krieges waren durch Überfüllung des Lagers sowie durch Seuchen- und Erschöpfungstod der Gefangenen gekennzeichnet. Ab 6.4.1945 wurden trotz der Bemühungen der Untergrundbewegung, den Abtransport zu verhindern, zunächst die jüdischen Häftlinge und in den darauffolgenden Tagen Häftlinge verschiedener Nationalitäten evakuiert (→ Todesmärsche). Am 11.4. hatte die SS das Lager verlassen, und die Mitglieder des internationalen Häftlingskomitees, die sich bewaffnet hatten, übernahmen die Kontrolle. Am gleichen Tag trafen amerik. Truppenverbände ein, die die restlichen 21000 Überlebenden, darunter etwa 1000 Kinder und Jugendliche, befreiten.

Von den schätzungsweise 240000 Häftlingen des KZ B. und seiner Außenlager wurden ca. 34000 Tote registriert, die tatsächliche Zahl der Opfer liegt aber bei mindestens 50000 Menschen. *Barbara Distel*

Literatur:
Kogon, Eugen: *Der SS-Staat,* München 1946 (zahlreiche Neuauflagen).
Stein, Harry: *Juden in Buchenwald 1937-1942,* Weimar 1992.
Niethammer, Lutz: *Der »gesäuberte« Antifaschismus. Die SED und die roten Kapos von Buchenwald,* Berlin 1994.
Hackett, David A. (Hg.): *Der Buchenwald-Report. Bericht über das Konzentrationslager Buchenwald bei Weimar,* München 1996.

Bücherverbrennung, 10. Mai 1933 Die Dt. Studentenschaft (DSt) wurde seit 1930 von der → NSDAP beherrscht. In Anlehnung an Goebbels' → Reichsministerium für Volksaufklärung und Propaganda und in Konkurrenz zu Rosenbergs → Kampfbund für Deutsche Kultur schuf die DSt. im März 1933 ein »Hauptamt für Presse und Propaganda«, das Aktionen an den Universitäten zentral organisierte. Als Reaktion auf die angebliche »Greuelhetze des Judentums im Ausland« sollten am 10.5.1933 an allen dt. Universitäten Bücher unliebsamer Autoren verbrannt werden, die man aus Leihbibliotheken herausschaffte. Eine vorbereitende Pressekampagne mit eigens zu diesem Zweck verfaßten Artikeln schlug weitgehend fehl. Die »Verbrennungsfeiern« fanden unter Beteiligung von Rektoren und Professoren überall nach dem gleichen Schema statt; die Ansprache hielt meist ein studentischer Funktionär, in Berlin außerdem Goebbels persönlich. Es wurden »12 Thesen wider den undeutschen. Geist« proklamiert, anschließend warf man mit »Feuersprüchen« unter Nennung bestimmter Autoren deren Bücher auf einen brennenden Scheiterhaufen. Zu den »verfemten« Schriftstellern gehörten u.a. Karl Marx, Friedrich Wilhelm Förster, Sigmund Freud, Heinrich und Thomas Mann, Erich Kästner, Erich Maria Remarque, Emil Ludwig, Carl v. Ossietzky, Kurt Tucholsky. Die meisten von ihnen und viele andere Autoren wurden verboten. Die öffentliche Resonanz in Deutschland blieb lau. Protest kam lediglich von Oskar Maria Graf, der sich mit den Verfemten solidarisch fühlte. Die ausländische Presse berichtete teils ausführlich und stufte die Aktionen zu Recht als schändlich ein. *Hellmuth Auerbach*

Literatur:
10. Mai 1933. Bücherverbrennung in Deutschland und die Folgen, hg. von Ulrich Walberer, Frankfurt am Main 1983.
Die Bücherverbrennung. Zum 10. Mai 1933, hg. von Gerhard Sauder, München 1983.

Bückeberg s. Reichsbauerntag

Bulgarien Aufgrund der Waffenbrüderschaft im Ersten Weltkrieg und gemeinsamer Interessen, insbesondere an einer Revision der Friedensverträge (→ Versailles), kam es in den 30er Jahren zu einer allmählichen Wiederannäherung B. an Deutschland, das dessen wichtigster Handelspartner wurde. Seit 1935 regierte König Boris III. autoritär unter Beibehaltung parlamentarischer Formen. Durch Heirat mit Prinzessin Giovanna, der Tochter König Viktor Emanuels III., näherte er sich 1930 Italien und nach Ausschaltung der Makedonierorganisation → Jugoslawien an, mit dem er 1937 einen Freundschaftspakt abschloß. Aus dem Zweiten Weltkrieg suchte er B. herauszuhalten. Im September 1940 erhielt B. von → Rumänien die Süddobrudscha zurück. Am 1.3.1941 trat B. dem 1940 zwischen Deutschland, → Italien und → Japan geschlossenen → Dreimächtepakt bei und erlaubte den dt. Truppen gegen territoriale Versprechen den Durchmarsch nach Jugoslawien und → Griechenland (→ Balkanfeldzug). Am 13.12.1941 erklärte B. Großbritannien und den USA den Krieg, blieb aber gegenüber der UdSSR neutral. Auch in der Judenpolitik hielt B. teilweise dt. Druck stand: Fast alle bulgar. Juden (50 000) wurden gerettet, nicht hingegen die ca. 12 000 Juden in den bulgar. Besatzungsgebieten in Griechenland und Jugoslawien. Nach dem Tod Boris' III. am 28.8.1943 übte ein Regentschaftsrat die Regierung für den minderjährigen Simeon II. aus. Vergeblich versuchte B. durch ein Waffenstillstandsersuchen an die Westalliierten und die Kriegserklärung an Deutschland am 5. September 1944, der sowj. Besetzung zu entgehen. Am 9.9.1944 ergriff die kommunistisch geführte »Vaterländische Front« die Macht, die am 28.10.1944 in Moskau einen Waffenstillstand unterzeichnete und an der Seite der Roten Armee bulgar. Truppen gegen Deutschland einsetzte. Nach Kriegsende wurde B. nach sowj. Vorbild umgestaltet.

Hans-Joachim Hoppe

Literatur:

Hoppe, Hans-Joachim: *Bulgarien – Hitlers eigenwilliger Verbündeter,* Stuttgart 1979.
Chary, Frederick B.: *The Bulgarian Jews and the Final Solution,* Pittsburgh 1972.

Bund der Auslandsdeutschen Nach den Gebietsabtretungen, die der → Versailler Vertrag erzwungen hatte, war die Zahl der → Auslandsdeutschen erheblich gestiegen, waren zudem deren wirtschaftliche und politische Probleme gewachsen. Deshalb wurde am 18.8.1919 in Berlin der B. als Interessenvertretung der Auslandsdeutschen ins Leben gerufen. Seine Hauptaufgabe war die wirtschaftliche Unterstützung jener Auslandsdeutschen, die, v.a. in den damals neu entstandenen Staaten wie → Polen und der → Tschechoslowakei, durch staatliche Maßnahmen Besitz eingebüßt hatten (Höhe der Entschädigungen bis 1928: 500 Mio. RM). Nach dem 30.1.1933 nahm die Bedeutung des B. rapide ab; schließlich beschränkte er sich auf die Betreuung der ins Dt. Reich zurückgewanderten Auslandsdeutschen (ca. 300 000), während die noch im Ausland lebenden zum »Gau Ausland« der → Auslandsorganisation der → NSDAP gehörten. 1939 löste sich der B. auf. Sein Presseorgan war die *Auslandswarte* (1919–1936).

Hermann Graml

Bund Deutsche Gotterkenntnis Vom Gedankengut Mathilde Ludendorffs geprägte völkisch-religiöse Sekte, die eine spezifisch dt. Gotterkenntnis außerhalb der christlichen Kirchen propagierte. 1933 wurde Frau Ludendorffs Tätigkeit verboten, weil sie der nat.-soz. Religionspolitik widersprach. 1937 wurde der B. unter der Bezeichnung »Dt. Gotterkenntnis« (Haus Ludendorff) wieder zugelassen.

Carsten Nicolaisen

Bund Deutscher Mädel (BDM) s. Hitler-Jugend

Bund Deutscher Offiziere (BDO) Ein Zusammenschluß deutscher Offiziere in sowj. Kriegsgefangenschaft. Die auf der Gründungsversammlung des → Nationalkomitees »Freies Deutschland« (NKFD) am 12./13.7.1943 anwesenden Offiziere lehnten eine Mitarbeit wegen des politischen Übergewichts kommunistischer Emigranten ab. Daraufhin regten sowj. Funktionäre die Gründung eines Offiziersbundes an. Nach anfänglichem Zögern willigten insbesondere einige der in → Stalingrad gefangenen Offiziere ein und gründeten am 12.9.1943 in Lunjonow bei Moskau den BDO. Vorsitzender wurde General Walter von Seydlitz-Kurzbach. Am 14.9.1943 schlossen sich BDO und NKFD zur Bewegung »Freies Deutschland« zusammen. General v. Seydlitz schlug vor, eine »dt. Befreiungsarmee« mit vier Divisionen zu je 10 000 Mann, ein Flakregiment und einen Fliegerverband aufzustellen. Die sowj. Regierung ging darauf nicht ein. Am 2.11.1945 lösten sich sowohl BDO als auch NKFD auf.

Hans Coppi

Literatur:

Reschin, L.: *General zwischen den Fronten. Walter von Seydlitz in sowjetischer Gefangenschaft und Haft 1943–1955,* Berlin 1995.

Bund deutscher Osten NS-Organisation zur Pflege des Volkstums und der Grenzlandarbeit im dt. Osten, gegründet 1933. Reichsführer der Organisation war von 1939 bis 1945 der spätere Bundesvertriebenenminister Theodor Oberländer. Die Siedlungspolitik des B. sollte die landwirtschaftliche Erschließung und Entwicklung vorantreiben und die Landflucht aufhalten. Durch seine → Propaganda sollte allen Deutschen in den Grenzregionen der völkische Gedanke und die nat.soz. → Ideologie nahegebracht werden (→ Volkstumspolitik). *Willi Dreßen*

Bürckel-Aktion s. Gurs

Bürgerbräukeller s. Attentate auf Hitler

Büro Heinrich Grüber s. Paulusbund

Büro Heinrich Spiero s. Paulusbund

Büro Hinkel s. Kulturbund Deutscher Juden

C

Canaris-Oster-Gruppe s. Widerstand

Cap Arcona Größtes von drei Schiffen, die mit insgesamt 9400 Häftlingen aus dem gegen Ende April evakuierten KZ → Neuengamme an Bord am 3.5.1945 in der Lübecker Bucht von brit. Kampfflugzeugen angegriffen wurden. Die C. brannte aus und kenterte, die Thielbeck sank innerhalb von 15 Minuten. Die Briten nahmen an, auf den Schiffen befänden sich wichtige nat.soz. Funktionsträger, die nach Schweden fliehen wollten. Sie forderten die Schiffe auf, die weiße Flagge zu hissen und den nächsten Hafen anzulaufen. Nur der Kapitän der Athen kam dieser Weisung gegen den ausdrücklichen Befehl der → SS nach und rettete so die 2000 an Bord befindlichen Häftlinge. Rettungsboote der dt. Kriegsmarine hatten die strikte Weisung, nur SS-Männer und Matrosen zu retten. Häftlinge, die sich im eiskalten Wasser schwimmend bis ans Ufer retten konnten, wurden dort von Angehörigen der → Hitler-Jugend und des → Volkssturms erschossen. Nur 2400 Häftlinge überlebten, darunter ca. 350 von der C. *Alexander Ruoff*

Casablanca, Konferenz von Vom 14.1.–25.1.1943 tagten in der marokk. Hafenstadt US-Präsident Roosevelt und der brit. Premierminister Churchill gemeinsam mit den alliierten Stabschefs. Churchill räumte der Landung alliierter Invasionstruppen auf Sizilien Priorität ein und setzte sich gegenüber sowj. Vorstellungen durch, eine zweite Front in → Frankreich zu eröffnen. Die Konferenzteilnehmer schlossen die Invasion auf dem Kontinent allerdings nicht aus und faßten als Zeitpunkt den Herbst 1943 ins Auge (→ Weltkrieg 1939–1945). Die Konferenz von C. hat vor allem deshalb ihren Platz in der Geschichte, weil Roosevelt nach dem Ende der Beratungen die Forderung nach bedingungsloser Kapitulation der → Achsenmächte aufstellte. *Michael Fröhlich*

Centralverein deutscher Staatsbürger jüdischen Glaubens (C.V.) 1893 in Berlin gegründete Vereinigung zur »tatkräftigen Wahrung« der »staatsbürgerlichen und gesellschaftlichen Gleichstellung« der → Juden in Deutschland. Das Haupttätigkeitsfeld des C. war vor 1933 die Abwehr des → Antisemitismus. Ein Rechtsschutzbüro ging gegen antisemitische Angriffe gerichtlich vor. Publikationen wie die Monatsschrift *Im deutschen Reich* (1895–1922), die *C.V.-Zeitung* (1922–1938) und die Bücher des vom C. gegründeten Philo-Verlags versuchten, antisemitische Vorwürfe zu widerlegen. Noch im März 1933 schrieb sich der C. den

»Kampf gegen alle unberechtigten Angriffe auf unser Judentum!« auf die Fahnen und distanzierte sich von der »zügellosen → Greuelpropaganda gegen Deutschland«. V.a. nach Erlaß der → Nürnberger Gesetze übernahm er mehr und mehr Programmpunkte des Zionismus (→ Zionistische Vereinigung für Deutschland). Nun trat er für eine Rückbesinnung auf die jüdische Kultur und Gemeinschaft ein und förderte die → Emigration. Seit 1935 mußte sich der C. »Centralverein der Juden in Deutschland« nennen, seit 1936 → »Jüdischer Centralverein«. Am 10.11.1938 wurde die Vereinigung zwangsweise aufgelöst. *Maren Krüger*

Četniks (Tschetniks) Četnici-Freischärler, (»Jugoslaw. Armee im Vaterland«) Politisch-militärische Organisation, im Mai 1941 in → Serbien von Oberst Dragoljub-Draža Mihailović (ab Dezember 1941 General, 1942–1944 Verteidigungsminister in der jugoslaw. Exilregierung), und einer Gruppe jugoslaw. Offiziere gegründet. Um die Č. sammelten sich serbische bürgerliche Politiker und ein Teil der antikommunistischen Intelligenz, während die meisten Rekruten vom Lande stammten. Zu Beginn eine von zwei Widerstandsbewegungen (neben den kommunistischen → Partisanen Titos), hatten die Č. ihren Wirkungskreis in Serbien, Montenegro, Bosnien und Herzegowina und in Teilen → Kroatiens (Lika, Dalmatien). Die Č. erkannten die jugoslaw. Exilregierung an und gaben sich betont jugoslaw. und antikommunistisch, ab Herbst 1941 extrem nationalistisch; sie waren in ihrer Mehrzahl serbisch, die meisten waren Monarchisten und wünschten die Wiederherstellung eines jugosl. Einheitsstaates unter serb. Führung. Zu Beginn des Aufstands 1941 gegen den Beitritt → Jugoslawiens zum → Dreimächtepakt arbeiteten die Č. mit den Kommunisten zusammen. Über einen Konflikt kam es zum Bürgerkrieg. Ab Mitte 1943 wurde den Č. Passivität und → Kollaboration vorgeworfen, sie verloren die Unterstützung der West-Alliierten, die sich den Tito-Partisanen zuwandten. Einzelne Č.-Kommandanten arbeiteten mit den Italienern im Kampf gegen die Kommunisten zusammen, gegen Ende des Zweiten Weltkrieges auch mit deutschen Einheiten. Als Vergeltung für die Ermordung von Serben in Bosnien, Herzegowina, Kroatien und im Sandjak griffen Č. muslimische und kroatische Dörfer an und hinterließen zahllose zivile Opfer. Seit Sommer 1944 ließ sie die Exilregierung ebenfalls fallen und förderte die Tito-Partisanen. Nach dem Krieg wurde der untergetauchte General Mikailović von der kommunistischen jugoslaw. Regierung zum Tode verurteilt und 1946 hingerichtet (→ Balkanfeldzug).

Milan Ristović

Chef AW Der Chef des Ausbildungswesens unter dem damaligen SA-Obergruppenführer Friedrich Wilhelm Krüger war am 1.7.1933 als Dienststelle der → SA eingerichtet worden. Er trat die Nachfolge des gleichzeitig aufgelösten Reichskuratoriums für Jugendertüchtigung an, das seit seiner Gründung im September 1932 aus Mitteln des → Reichsinnenministeriums mit Unterstützung der Reichswehr Angehörige von Wehrverbänden und Sportvereinen (SA; → HJ; → Stahlhelm, Kyffhäuser; → Dt. Turnerschaft; → Reichsbund für Leibesübungen u.a.) in rd. 20 Ausbildungsstätten im Geländesport, Schießen und in anderen Sparten der vormilitärischen Ausbildung schulen ließ. Das vom Stahlhelm dominierte Reichskuratorium wurde nach der → »Machtergreifung« wie dieser selbst ein Opfer der → Gleichschaltung, die von der Reichswehrführung (General v. Reichenau) zugunsten der SA gefördert wurde. Die gigantischen Ausbau- und Verselbständigungspläne Krügers (Haushaltsentwurf für 1933: 118 Mio. RM) isolierten ihn in der SA, während die Reichswehrführung ihn und seine Organisation bis in das Jahr 1934 hinein gegen die rivalisierende SA unter Stabschef Ernst Röhm stützte. Nach der Entscheidung Hitlers für die Reichswehr als alleinigem Waffenträger (→ »Röhm-Putsch«) betrieb v.a. General v. Fritsch seit September 1934 den Abbau der Kompetenzen Krügers bei der vormilitärischen »Sonderausbildung«. Innerparteiliche Rivalitäten in Sachen Jugendausbildung und konkrete Etatprobleme gaben den Ausschlag, die Organisation Krügers mit rd. 13000 Mann Ausbildungspersonal am 24.1.1935 aufzulösen. Die Angestellten wurden im Bereich der → Wehrmacht, des → RAD und verschiedenen Gliederungen der → NSDAP untergebracht. Krüger fand in der → SS eine neue Heimat. *Hermann Weiß*

Chef der Zivilverwaltung s. Eingegliederte Gebiete, s. a. Elsaß-Lothringen, s. a. Luxemburg

Chelmno/Kulmhof → Vernichtungslager im »Warthegau« (→ Wartheland) Im Herbst 1941 erreichte Reichsstatthalter Greiser die Zustimmung der Führung in Berlin zur Einrichtung einer Gaswagenstation für die Ermordung v.a. der nicht arbeitsfähigen → Juden des »Warthegaus« (→ Rassenpolitik und Völkermord). Betrieben werden sollte sie vom »Sonderkommando Lange«, nun »Kulmhof« (→ Einsatzgruppen), das im Rahmen der → Aktion T 4 bereits 1940 ca. 1500 Geisteskranke im ostpreußischen Soldau ermordet hatte. Im November 1941 eingerichtet, bestand das Lager aus einem als »Schloß« bezeichneten Herrenhaus sowie dem 5 km entfernten sog. Waldlager. Ab 8.12.1941 wurden zunächst Juden aus der näheren Umgebung ermordet: Per Lkw zum Schloß gebracht, erklärte man ihnen, sie würden zwecks → Arbeitseinsatz umgesiedelt, müßten zuvor jedoch noch baden. Nachdem die Juden im Gebäude Kleidung und Wertsachen »deponiert« hatten, wurden sie in den → Gaswagen getrieben, dessen Abgase dann ins Wageninnere geleitet wurden. Die Leichen wurden ins Waldlager gefahren, nach Wertsachen untersucht und verscharrt bzw. später verbrannt. Für diese und andere Aufgaben wurden einige Juden kurzfristig von der Vernichtung ausgenommen und als Arbeitskommandos eingesetzt. Seit Anfang 1942 (→ Wannsee-Konferenz; → Endlösung) diente C. v.a. als Vernichtungsstätte der Juden des → Ghettos von → Lodz, die dorthin deportierten Juden u.a. aus dem Reich eingeschlossen. Die Überfüllung des Ghettos durch diese → Deportationen war u.a. als Begründung für die Einrichtung des Lagers benutzt worden. Ende des Jahres 1942 gingen diese Transporte zurück – ein Großteil der Juden des »Warthegaus« war ermordet worden –, und man betrieb verstärkt die Exhumierung und Verbrennung der Leichen. Nachdem das Lager Ende März 1943 aufgelöst und das Schloß gesprengt worden war, wurde das Sonderkommando nach → Jugoslawien versetzt, im Juni/Juli 1944 jedoch zurückbeordert, um – im Zusammenhang mit der endgültigen Liquidierung des Ghettos in Lodz – das Vernichtungslager für 3 Wochen provisorisch wieder in Betrieb zu nehmen. Die Zahl der in C. bis zur Auflösung im Januar 1945 Ermordeten beträgt mindestens 152000.

Thorsten Wagner

Literatur:

Rückerl, Adalbert (Hg.): *NS-Vernichtungslager*

im Spiegel deutscher Strafprozesse. Belzec, Sobibór, Treblinka, Chelmno, München 1977.

Columbia-Haus s. Reichshauptstadt

Compiègne (Dept. Oise) Polizeihaftlager und Durchgangslager für politische Internierte und → Juden unter dt. Verwaltung im besetzten → Frankreich. Von März bis Juli 1942 wurden mehr als 2000 Juden von C. nach → Auschwitz-Birkenau abtransportiert.

Hellmuth Auerbach

Coventry Industriestadt in Mittelengland mit ca. 230 000 Einwohnern (1940). C. wurde während der Luftschlacht um → England (1940/41) von der dt. Luftwaffe mehrmals wegen der dort ansässigen Rüstungsindustrie bombardiert. Besonders der Angriff im Rahmen der Nachtoffensive gegen brit. Industrieziele in der Nacht zum 15.11.1940 machte die Stadt zum Symbol für die Grausamkeit des Luftkrieges gegen Städte. Bei dem Angriff, der über zehn Stunden dauerte und bei dem 449 Bomber 503 t Sprengbomben und 56 t Brandbomben abwarfen, war die Bombardierung von Wohnvierteln miteingeplant. Über 550 Menschen wurden getötet und 865 verletzt. Die historische Altstadt mit der gotischen St.-Michael-Kathedrale ging in Flammen auf, ca. 70 000 Wohnungen wurden zerstört. Die Rüstungsindustrie dagegen hatte nach 35 Tagen wieder ihre volle Kapazität erreicht. Die dt. → Propaganda kündigte an, man werde weitere brit. Städte »coventrieren«.

Alexander Ruoff

ČSR s. Tschechoslowakei

D

Dachau (KZ) Am 20.3.1933 gab der kommissarische Polizeipräsident von München, Heinrich Himmler, die Errichtung eines → Konzentrationslagers nahe der Ortschaft D. bekannt, in dem politische Gegner des NS-Regimes inhaftiert werden sollten. Mit D. begann ein Ter-rorsystem, das mit keinem anderen staatlichen Ahndungs- oder Strafsystem verglichen werden kann und das nach kurzer Zeit jeglicher Überwachung durch die Justizbehörden entzogen war. Im Juni 1933 wurde Theodor Eicke, der ein Jahr später zum → Inspekteur der KZ ernannt wurde, Kommandant von D. Er entwickelte ein Organisationsschema mit detaillierten Bestimmungen für das Lagerleben, das später für alle Lager galt. Auch die Einteilung der KZ in das von einem Hochspannungszaun und Wachtürmen umgebene Häftlingslager und den sog. Kommandanturbereich mit Verwaltungsgebäuden und Kasernen stammte von Eicke. Er machte D. zum Modell- und Musterlager, zur Mörderschule für die Angehörigen der → SS.

Die ersten Häftlinge waren politische Gegner des Regimes, Kommunisten, Sozialdemokraten, Gewerkschafter, vereinzelt auch liberale und konservative Politiker (→ Verfolgung). Auch die ersten jüdischen Häftlinge wurden aufgrund ihrer politischen Gegnerschaft in D. eingeliefert. Im Laufe der 30er Jahre wurden immer neue Gruppen nach D. verschleppt: → Juden, Zeugen Jehovas (→ Ernste Bibelforscher), die den Kriegsdienst verweigerten, Zigeuner (→ Sinti und Roma), → Homosexuelle sowie Kriminelle. Den politischen Häftlingen gelang es, von Ausnahmen abgesehen, in den zwölf Jahren des Bestehens von D., die wichtigsten Positionen der Häftlingsselbstverwaltung besetzt zu halten und damit in vielen Fällen ihren Mithäftlingen zu helfen. Nach dem → Anschluß Österreichs kamen im Frühjahr 1938 mit den Österreichern die ersten nichtdt. Gefangenen nach D. Als Folge der → »Reichskristallnacht« vom 9.11.1938 wurden mehr als 10000 Juden nach D. verschleppt; die meisten von ihnen wurden mit der Auflage, Deutschland zu verlassen, nach einiger Zeit wieder entlassen.

Im Verlauf des Krieges, in dem Häftlinge aus allen von Deutschland überfallenen Ländern nach D. deportiert wurden, veränderte sich das System der KZ grundlegend. Die Gefangenen waren nun Widerstandskämpfer, Juden, Geistliche oder einfach Patrioten, die den Überfall auf ihr Land nicht hatten hinnehmen wollen und sich geweigert hatten, mit den Besatzern zu kollaborieren. Zum Zeitpunkt der Befreiung bildeten die dt. Gefangenen schließlich nur noch eine Minderheit. Im Laufe des Krieges wurde D. zunehmend auch zu einer Stätte des Massenmordes: So wurden ab Oktober 1941 mehrere tausend sowj. → Kriegsgefangene nach D. gebracht und dort erschossen. Ab Winter 1942 wurde eine große Zahl von Häftlingen von SS-Ärzten für qualvolle medizinische Experimente mißbraucht (→ Medizin; → Menschenversuche). Ab Januar 1942 wurden mehr als 3000 Häftlinge, »Invalide«, von D. nach Schloß → Hartheim bei Linz gebracht und dort mit Giftgas (→ Aktion 14 f 13) ermordet. Auch in D. war 1942/43 ein großes Krematorium mit einer → Gaskammer errichtet worden, die aber nicht für Massentötungen in Betrieb genommen wurde. Bis kurz vor der Befreiung wurden Exekutionen durchgeführt. Am 5.10.1942 erließ Heinrich Himmler den Befehl, die im Reichsgebiet gelegenen KZ »judenfrei« zu machen, die jüdischen Häftlinge wurden nach → Auschwitz deportiert (→ Endlösung; → Rassenpolitik und Völkermord).

In der Vorkriegszeit mußten die Gefangenen neben der Bewirtschaftung und dem Unterhalt des Lagers in verschiedenen SS-eigenen Handwerksbetrieben sowie im Straßenbau, in Kiesgruben und bei der Kultivierung des Moores arbeiten. 1938 wurden die → SS-Wirtschaftsunternehmen zentral dem SS-Verwaltungsamt (ab 1942 → SS-Wirtschafts- und Verwaltungs-Hauptamt in Berlin) unterstellt. In den Kriegsjahren gewann die Arbeitskraft der Häftlinge aus D. eine gewisse Bedeutung für die dt. Rüstungsindustrie (→ Kriegswirtschaft). Ab 1942 entstand ein weitverzweigtes Netz aus Außenlagern und Kommandos in denen bis zu 37000 Gefangene nahezu ausschließlich für die Rüstungsproduktion arbeiteten. Ab März 1944 arbeitete die neugegründete Behörde »Jägerstab« daran, die durch Bombardierungen gefährdete Flugzeugproduktion unter die Erde zu verlegen. Dazu wurden zwei große Lagerkomplexe als Außenlager von D. gegründet, in denen unterirdische Fabrikhallen errichtet werden sollten und in die nahezu ausschließlich jüdische Häftlinge aus Osteuropa als Arbeitssklaven transportiert wurden. Der größte Komplex entstand mit elf Lagern bei Landsberg am Lech. Dort arbeiteten zwischen Juni 1944 und April 1945 etwa 30000 Gefangene unter mörderischen Bedingungen. Der zweite Großkomplex lag in Ostbayern, im Raum Mühldorf. Ende April 1945 wurden die Außenlager vor den heranahenden Truppen evakuiert. Eine große, nicht mehr feststellbare Zahl von Gefangenen kam auf den Märschen ums Leben, wurde durch Tieffliegerangriffe auf die Eisenbahntransporte getötet oder wurde noch vor dem Abtransport durch die SS ermordet (→ Todesmärsche).

Auch im Hauptlager D. herrschten ab Dezember 1944 katastrophale Zustände. Eine Typhusepidemie kostete Tausende das Leben. Die Baracken waren aufgrund ständig eintreffender Transporte aus Lagern, die vor den herannahenden Alliierten geräumt worden waren, hoffnungslos überfüllt. Am 26.4.1945 wurden von D. aus rd. 7000 Häftlinge auf einen Marsch in Richtung Süden geschickt, am 28.4. verließ die SS das Lager, am 29. April wurden rund 30000 Häftlinge von Einheiten der US Armee befreit. Von etwa 200000 Häftlingen des Lagers D. im Zeitraum 1933–1945 hatten neben 30000 registrierten noch Tausende nichtregistrierte Gefangene ihr Leben verloren.

Barbara Distel

Literatur:

Dachauer Hefte. Studien und Dokumente zur Geschichte der nationalsozialistischen Konzentrationslager, im Auftrag des Comité International de Dachau hg. von Wolfgang Benz und Barbara Distel, jährlich seit 1985.

Kimmel, Günther: Das Konzentrationslager Dachau. Eine Studie zu den nationalsozialistischen Gewaltverbrechen, in: Broszat/Fröhlich (Hg.), *Bayern in der NS-Zeit,* Band II, München 1979.

Distel, Barbara/Wolfgang Benz: *Das Konzentrationslager Dachau 1933–1945. Geschichte und Bedeutung,* München 1994. (Bayerische Landeszentrale für politische Bildungsarbeit).

Raim, Edith: *Die Dachauer KZ-Außenkommandos Kaufering und Mühldorf. Rüstungsbauten und Zwangsarbeit im letzten Kriegsjahr 1944/45,* Landsberg 1992.

Dänemark Südlichstes und kleinstes der skandinavischen Königreiche mit 43069 km^2 (ohne Faröer und Grönland) und (1933) 3,65 Mio. Einwohnern, schloß am 31.5.1939 einen Nichtangriffspakt mit Deutschland, wurde aber trotzdem am 9.4.1940 von dt. Truppen überfallen und besetzt. Regierung und König blieben im Amt, verhinderten damit die Abtretung von Nordschleswig und bewahrten die Integrität des Landes. Am 25.11.1941 trat D. auf dt. Druck dem → Antikominternpakt bei. Nach Streiks und Sabotageakten wurde am 29.8.1943 das Kriegsrecht verhängt und als »Bevollmächtigter des Dt. Reiches« am 5.11.1942 W. Best ernannt. Zur radikalen Besatzungspolitik gehörte auch der Versuch der Deportation der dän. Juden, von denen jedoch 7900 durch eine beispiellose Solidaritätsaktion der dän. Bevölkerung versteckt und in Fischerbooten nach Schweden in Sicherheit gebracht wurden (die meisten in den ersten Oktoberwochen 1943). Den Dt. fielen nur noch 284 Juden in die Hände.

In D. fand faschistoides politisches Denken in der Zwischenkriegszeit keine gesellschaftliche Basis. Als Hauptgrund dafür muß (wie auch in Schweden und Norwegen) zweifelsohne die politische Hegemonie der Sozialdemokratie angesehen werden, außerdem die Tatsache, daß die Kommunisten politisch bedeutungslos waren und die liberalen Parteien die gesellschaftlichen Modernisierungsbestrebungen der Sozialdemokraten unterstützten. Von den Splittergruppierungen, die sich in D. dennoch in den 20er und 30er Jahren auf dem äußersten rechten Spektrum bemerkbar machten, erlangte nur die Dänische Nationalsozialistische Arbeiterpartei (DNSAP) eine gewisse Bedeutung – und auch das nur infolge der dt. Besetzung des Landes 1940. Diese Partei, im Herbst 1930 gegründet, ist daher identisch mit dem dän. Nazismus. Ideologisch und propagandistisch lehnte sie sich eng an die → NSDAP an und hatte auch zunächst unter der dt. Minderheit in Südjütland ihre größte Anhängerschaft – in den 40er Jahren dann unter der Arbeiterschaft im Großraum Kopenhagen. In ihrem

Parteiprogramm fanden sich ganze Abschnitte des Programms der NSDAP wieder, von der sie auch Organisationen wie die → SA übernahm (Storm-Afdeling in D.). Seit 1933 wurde die Partei von dem südjütländischen Arzt Frits Clausen geführt, dem aber jegliches Charisma fehlte und der auch innerhalb der Partei nicht unumstritten war, weil nationaldän. Positionen hinter seiner offenen Anlehnung an die NSDAP verschwanden. So stieß auch die Propagierung der NS-Rassenlehre bei vielen auf Widerspruch. Die Hoffnungen Clausens, nach der deutschen Okkupation des Landes zum Chef einer Kollaborationsregierung gemacht zu werden, wurden gleich zerstört, weil die dt. Okkupanten zur Aufrechterhaltung der Fiktion dän. Souveränität mit den etablierten Politikern und der legalen Regierung zusammenarbeiteten. Auch die DNSAP erhielt keine Sonderstellung; ihre Rolle spielte sie als Rekrutierungsbecken für Spitzel, Provokateure und bei der Gewinnung von Freiwilligen für den dt. Kriegsdienst im Osten. Immerhin meldeten sich rund 7000 Dänen. 1943 hatte die Partei ihre größte Mitgliederzahl, ca. 21 000. Ihre soziale Zusammensetzung war ein Spiegel der dän. Bevölkerung.

Robert Bohn

Literatur:
Bohn, Robert: *Die deutsche Herrschaft in den »germanischen« Ländern 1940-1945 im Vergleich,* Stuttgart 1996.
Thomsen, Erich: *Deutsche Besatzungspolitik in Dänemark 1940–1945,* Düsseldorf 1971.

DAF s. Deutsche Arbeitsfront

Dankopfer der Nation Bezeichnung für die jährlich zu Hitlers Geburtstag (20.4.) von der → SA durchgeführte Geldsammlung zugunsten des Kleinsiedlungsbaus für bedürftige → Partei- und → Volksgenossen. In der Zeit von Mitte April bis Mitte Mai lagen in den SA-Sturmheimen Listen aus, in die man Geldspenden eintragen konnte. Die Siedlungshäuser sollten eine Mindestwohnfläche von 60 m², Nebenräume und einen Kleintierstall ausweisen. Eigenkapital war nicht nötig. Die Vergabe regelten die SA-Dienststellen. Mit der Verknappung der Baumittel ab Kriegsbeginn war dem D. die Grundlage entzogen. *Hermann Weiß*

Danzig, Freie Stadt (D.F.S., 15.11.1920–1.9.1939) D. wurde als Ergebnis des Ersten Weltkriegs im → Versailler Friedensvertrag vom 28.6.1920 (Art. 100–108) sowohl gegen den Willen → Polens, das D. für sich beanspruchte, als auch gegen den seiner überwiegend dt. Bevölkerung sowie der jüdischen Gemeinde zur Freien Stadt erklärt. Zur D.F.S. gehörten außer der Stadt selbst das Seebad Zoppot und drei ländliche Bezirke (1920: 1966 km², 384 000 Einwohner). Unter Bürgschaft des Völkerbundes gab sich die Stadt ein der Weimarer Verfassung gleichendes Grundgesetz, das am 14.6.1922 in Kraft trat. Der vom Völkerbund garantierte einzigartige politisch-rechtliche Status der Stadt (außenpolitische Vertretung durch Polen, Eingliederung in das poln. Zollgebiet, poln. Teilhoheit über Verkehrswege, besonders den Hafen sowie Kommunikationseinrichtungen, keine Einwanderungsbeschränkungen, kein Visumzwang, Freihafen etc.) bedingte eine wirtschaftliche und politische Teilabhängigkeit von Polen und barg politischen Zündstoff für die Zukunft: Der Ausbau Gdingens zum poln. Wirtschaftshafen sowie die militärische Befestigung der Westerplatte (1926) stellten eine wirtschaftliche Belastung für D.F.S. dar und komplizierten das Verhältnis zwischen D.F.S., dem Dt. Reich und Polen. Gleichzeitig wurde D.F.S. zur Zwischenstation des jüdischen

Exodus aus Osteuropa nach Übersee (1920–1925: 60000 Emigranten). Die → »Heim ins Reich«-Propaganda der → NSDAP fiel im nationalkonservativen D. auf fruchtbaren Boden (→ Propaganda). Bereits am 16.11.1930 avancierte die NSDAP zur zweitstärksten politischen Kraft. Die von Hitler verlangten Neuwahlen am 28.5.1933 bescherten der Partei die absolute Mehrheit, mit dem Ergebnis zunehmender antijüdischer Repressionen ab 1935, wogegen die jüdische Gemeinde vergeblich beim Hochkommissariat des Völkerbundes protestierte. Der Status quo war nach dem → Dt.-poln. Nichtangriffspakt (26.1.1934) bis Herbst 1938 nicht strittig zwischen Berlin und Warschau. Außenpolitische Rücksichtnahmen führten zu einer verzögerten Inkraftsetzung der → Nürnberger Gesetze am 21.11.1938. Nach dem Scheitern der dt.-poln. Verhandlungen 1938 begann am 1.9.1939 mit dem Beschuß der Westerplatte der Zweite Weltkrieg (→ Polenfeldzug), und D.F.S. wurde ins Reich eingegliedert (→ Danzig – Westpreußen, Reichsgau). Die bis zum 26.8.1940 in D. verbliebenen ca. 600 Juden wurden in → Konzentrationslager bzw. → Ghettos deportiert. *Gerit Stibenz*

Literatur:

Lichtenstein, Erwin: *Die Juden der Freien Stadt Danzig unter der Herrschaft des Nationalsozialismus,* Tübingen 1973.

Levine, H.: *Hitler's free City. A History of the Nazi Party in Danzig 1925-1939,* Chicago 1973.

Danzig-Westpreußen, Reichsgau Durch einfachen → Führererlaß vom 8.10. bzw. 26.10.1939 wurde die Freie Stadt → Danzig mit der im → Versailler Vertrag weitestgehend → Polen (→ Polnischer Korridor) übereigneten ehemaligen preuß. Provinz »Westpreußen« zum Reichsgau D. vereinigt und dem sog. Altreich eingegliedert. Der Reichsgau umfaßte die Regierungsbezirke Danzig, Marienwerder (in der Zwischenkriegszeit zu Ostpreußen gehörend) und Bromberg. Zum Gauleiter und Reichsstatthalter dieses 26000 km^2 großen »Kernlandes des Dt. Ritterordens« wurde der → »Alte Kämpfer« Albert Forster ernannt, der den bevölkerungspolitischen »Führerauftrag«, die Re-Germanisierung dieser von »Polen und Juden unterwanderten urdt. Kulturregion«, innerhalb eines Jahrzehntes ausführen sollte. Hierzu wurden dem Reichsstatthalter neben der Gauselbstverwaltung auch sämtliche Exekutivorgane von Reichsbehörden im Reichsgau unterstellt. *Gerhard Otto*

Danz-Schwantes-Gruppe In Magdeburg tätige kommunistische Untergrundorganisation des → Widerstands, geführt von dem ehemaligen DKP-Reichstagsabgeordneten Hermann Danz und dem Lehrer und KPD-Bezirksfunktionär Martin Schwantes. Aufgebaut ab 1937, fiel die Gruppe, die Verbindungen zu ähnlichen Organisationen in Sachsen, Thüringen und Berlin unterhielt, nach dem → 20. Juli 1944 der → Gestapo zum Opfer. *Wolfgang Benz*

DEGESCH s. Deutsche Gesellschaft für Schädlingsbekämpfung

Denunziantentum Die freiwillige Anzeige eines angeblich oder wirklich gegen den → Nationalsozialismus gerichteten Verhaltens mit dem Ziel der Bestrafung des Denunzierten war eine wesentliche Voraussetzung für die Funktionsfähigkeit der NS-Diktatur. Die latente Denunziationsbereitschaft in allen Schichten der dt. Bevölkerung erwies sich als mobilisierbar für die Stabilisierung des Herrschaftssystems und die Durchsetzung der inneren Ordnungsprinzipien der → Ideologie der → »Volksgemeinschaft«. Der NS-

Staat lieferte dafür durch → Heimtücke-Gesetz, »Blutschutzgesetz« (→ Nürnberger Gesetze), → Rundfunkverordnung und etwa die → Kriegssonderstrafrechts-Verordnung, deren § 5 die Bestrafung von → Wehrkraftzersetzung festschrieb, das strafrechtliche Instrumentarium. Von ideologischen Prinzipien und Normen des Regimes abweichende Einstellungen und Verhaltensweisen wurden damit kriminalisiert, die nat.soz. Rassenpolitik erfuhr ihre strafrechtliche Durchsetzung. Im Zweiten Weltkrieg, vor allem nach 1942, nahm insbesondere die → Verfolgung wegen »Defätismus« und verbotenen Umgangs mit → Kriegsgefangenen und → Zwangsarbeitern zu. Das Regime war dabei auf die eifrige Zuträgerschaft aus der Bevölkerung angewiesen, die es den Kontrollorganen von Partei und → Gestapo ermöglichte, oft nur reaktiv tätig zu werden. D. waren meist privat motiviert: als persönliche Racheakte; als Reflex gesellschaftlicher Ressentiments oder sozialer Konflikte. Sie waren aber auch ein Indiz für die Akzeptanz des nat.soz. Systems. Zehntausende Denunzierte wurden verhaftet und von → Sondergerichten oder vom → Volksgerichtshof verurteilt bzw. waren Gewalt und Willkür ausgesetzt bis hin zum Tod im → KZ. Durch D. wurde die Zerschlagung von Widerstandsgruppen vielfach erst ermöglicht, → Widerstand im Keim erstickt. *Norbert Haase*

Deportation(en) Als traditionelles Mittel zur Durchsetzung staatlicher Einwanderungs- und Strafrechtsnormen schienen D. den Machthabern im nat.-soz. Deutschland von vornherein geeignet, eine radikale bevölkerungspolitische Neuordnung verwirklichen zu helfen. Bis zur Okkupation großer Teile Europas in der ersten Kriegshälfte war das Reich jedoch nicht in der Lage, unliebsame Gruppen – allen voran → Juden – summarisch des Landes zu verweisen, ohne (wie im Falle der D. von poln. Juden polnischer Staatsangehörigkeit im Herbst 1938) Sanktionen von seiten der betroffenen Nachbarstaaten zu provozieren. Daher stand in dieser Phase die erzwungene Auswanderung im Mittelpunkt dt. Rassen- und Bevölkerungspolitik. Erst der im September 1939 beginnende Siegeszug der → Wehrmacht (→ Polenfeldzug) änderte dies, indem nun (etwa in Gestalt des → Madagaskarplans oder des → Generalplans Ost) externe wie interne Schranken fielen, die einer umfassenden Veränderung des Status quo bis dahin entgegengestanden hatten. D. waren Teil eines Maßnahmenkatalogs, der neben der Aus-, Um- oder Absiedlung erwünschter Bevölkerungsgruppen, wie der → Volksdeutschen, massivste Mittel zur Entfernung tatsächlicher oder potentieller » Reichsfeinde« zunächst aus Deutschland, später auch aus den besetzten Gebieten vorsah. Die D. von Juden nach → Nisko (Ende 1939) und → Gurs (Sommer 1940) bildeten die Vorstufe zum Vollzug der → »Endlösung« in Osteuropa, wo mit Beginn des Krieges gegen die → Sowjetunion (Unternehmen → Barbarossa; → Ostfeldzug 1941–1945) und dem Bau von → Vernichtungslagern der Genozid im europäischen Maßstab vollzogen wurde. Da politisch-moralische Vorbehalte auf der Führungsebene wie auch innerhalb weiter Kreise nachgeordneter Funktionsträger nicht mehr bestanden und die Mehrheit der dt. Bevölkerung den Vorgängen passiv gegenüberstand, präsentierte sich der Massenmord, notdürftig verschleiert als »Umsiedlung« (→ Volkstumspolitik) und Verbringung in Arbeitslager, in erster Linie als organisatorisch-logistisches Problem, an dessen Lösung spätestens seit der → Wannsee-Konferenz (20.1.1942) ein vielfältig verzweigter Behördenapparat arbeitete. Wurde ein erheblicher Teil der jüdischen Bevölkerung Osteuropas von Exekutionskommandos der → SS, → Polizei und → Wehrmacht unweit ihrer Wohnstätten ermordet (→ Einsatzgruppen), so schien diese Vorgehensweise für Westeuropa wie auch für die größeren poln. → Ghettos (→ Warschau; → Lodz) ausgeschlossen. Der Begriff D. beschreibt daher ein hochkomplexes, interaktives System von Absprachen, Arrangements und Übereinkünften verschiedener Instanzen mit dem Ziel, die Opfer unter Vorspiegelung falscher Tatsachen und unter unmenschlichen Bedingungen von ihren Wohn- zu den Mordstätten zu bringen. Als vorletzte Stufe des Vernichtungsprozesses, der die Definition des Kreises der Opfer, ihre Marginalisierung und Konzentration vorausgegangen waren, bedurften D. zu ihrer reibungslosen Durchführung sowohl zentraler Planung – insbesondere der Absprachen des → RSHA mit der Dt. Reichsbahn – als auch flexibler Durchführung vor Ort, wobei die Zwangsvertretungen der Juden ebenso einbezogen wurden wie polizeiliche Bewachungsorgane, kollaborierende Regierungen und die dt. Diplomatie. Der Verlauf der D. spiegelt weniger die Kriegsereignisse als vielmehr ein Grundmuster des nat.soz. Systems: Auf dem Höhepunkt dt. Machtentfaltung initiiert, entfaltete der Prozeß europaweiter »Entjudung« auch nach der Wende von → Stalingrad eine immer stärkere Dynamik und kulminierte 1944 in der D. der ungar. Juden, die allen Spezifika militärischer Logik widersprach. Am Ende des Krieges erfaßten die D. in Gestalt von Evakuierungen und Todesmärschen auch das Lagersystem. *Jürgen Matthäus*

Literatur:

Hilberg, Raul: *Sonderzüge nach Auschwitz*, Mainz 1981.
Pätzold, Kurt/Erika Schwarz: »Auschwitz war für mich nur ein Bahnhof«. Franz Novak – der Transportoffizier Adolf Eichmanns, Berlin 1994.
Safrian, Hans: *Die Eichmann-Männer*, Wien 1993.

Deutsch-britisches Flottenabkommen Am 18.6.1935 abgeschlossen und am 28.4.1939 von Hitler gekündigt. Das Abkommen zur Rüstungsbegrenzung sah bei der Kriegsmarine ein dt.-brit. Stärkeverhältnis von 35:100, bei den U-Booten von 45:100 bzw., im Falle verstärkten Flottenbaus von Drittstaaten, eine Parität vor. Großbritannien, das durch das D. einen Bruch des Vertrages von → Versailles in Kauf nahm, betrachtete dasselbe als Vorstufe für ein Luftwaffenabkommen und wollte angesichts der maritimen Bedrohungen durch → Italien und → Japan ein Wettrüsten mit dem Dt. Reich vermeiden sowie Hitler, der am 14.10.1933 den Völkerbund und die → Genfer Abrüstungskonferenz verlassen hatte, entsprechend der → Appeasement-Politik zur Rückkehr in ein kollektives Sicherheitssystem bewegen. Hitler hatte durch das D., das er als den Auftakt für ein umfassendes Bündnis mit → Großbritannien ansah, die in der Konferenz von → Stresa formierte Koalition seiner Gegner aufgebrochen und den ersten Schritt aus der Isolierung getan, in die ihn seine → Außenpolitik bis dahin geführt hatte. *Karsten Krieger*

Deutsche Arbeiterpartei s. Nationalsozialistische Deutsche Arbeiterpartei (NSDAP)

Deutsche Arbeitsfront (DAF) Am 10.5.1933 gegründet, rechtlich ein angeschlossener Verband der → NSDAP, mit ca. 23 Mio. Mitgliedern (1938) die größte NS-Massenorganisation. Als Einheitsgebilde »aller schaffenden

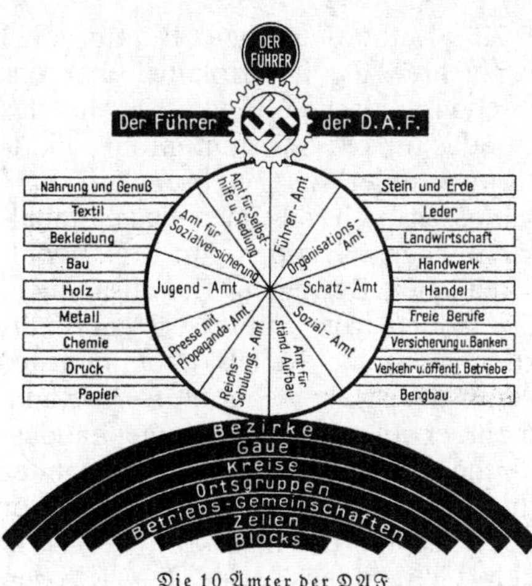

Abb. 49: Die 10 Ämter der DAF (aus: Walther Gehl, *Die Jahre I–IV des nationalsozialistischen Staates,* Breslau 1937)

Deutschen« konzipiert, schuf ihr → Reichsleiter Robert Ley ein vielgliedriges, bürokratisch aufgeblähtes Organisationsimperium, mit dem er in nahezu alle Felder der nat.soz. Wirtschafts- und → Sozialpolitik einzudringen trachtete (→ Wirtschaft). Entscheidender Einfluß auf materielle Belange in diesem Bereich blieb der DAF jedoch verwehrt, vielmehr mußte sie sich im wesentlichen auf die allgemeine Betreuung und weltanschauliche Schulung ihrer Mitglieder beschränken.

Die sich aus den Mitgliederzahlen ergebende enorme Finanzkraft der DAF (Beitragsaufkommen 1939: 539 Mio. RM) diente neben dem Unterhalt eines ausufernden Funktionärskörpers (1939: 44 000 hauptamtliche und 1,3 Mio. ehrenamtliche Mitarbeiter) v.a. der Finanzierung ihrer Wirtschaftsunternehmen. Hierzu gehörten u.a. Wohnungsbau- und Siedlungsgesellschaften, Bauunternehmen, Versicherungsgesellschaften, Banken, Verlags- und Druckereiunternehmen, Werften, ein Automobilwerk (→ Volkswagen) sowie das »Gemeinschaftswerk der DAF«, in dem (1939) rd. 500 gewerbliche Betriebe aller Art und ca. 14 000 Verkaufsstellen der früheren Konsumvereine zu einer Verkaufsorganisation zusammengeschlossen waren. Dieses mächtige Imperium erlaubte es Ley, seine Ansprüche auf Mitsprache in wirtschaftlichen und sozialen Belangen zu unterstreichen und die DAF zu einem wichtigen Faktor des dt. Wirtschaftslebens zu machen.

Der zweite Pfeiler der Aktivitäten der DAF waren die unterhalb des Zentralbüros geschaffenen Ämter; hierzu zählte u.a. das Amt für Berufserziehung und Betriebsführung, das die Tätigkeit des Dt. Instituts für technische Arbeitsschulung fortsetzte und eng mit dem Arbeitswissenschaftlichen Institut der DAF zusammenarbeitete, das Amt Soziale Selbstverantwortung, das den → Leistungskampf der dt. Betriebe durchführte, die Dienststelle, die den → Reichsberufswettkampf organisierte, sowie die NS-Gemeinschaft → »Kraft durch Freude«. Mit den von diesen Untergliederungen ausgehenden Aktivitäten gelang es der DAF, ihre Kompetenzforderungen zu untermauern, staatliche Behörden wie Unternehmensleitungen im Sinne der Verwirklichung ihrer Anregungen und Konzepte unter Druck zu setzen und ein dichtes Netz der Betreuung und Kontrolle aufzubauen, das die gesamte Bevölkerung im Beruf wie in der Freizeit umfassen sollte.

Marie-Luise Recker

Literatur:

Smelser, Ronald: *Robert Ley. Hitlers Mann an der »Arbeitsfront«. Eine Biographie,* Paderborn 1989.

Deutsche Ausrüstungswerke (DAW) s. SS-Wirtschaftsunternehmen

Deutsche Bühne s. NS-Kulturgemeinde

Deutsche Christen Eine theologisch und organisatorisch vielschichtige kirchenpolitische Bewegung im dt. Protestantismus, die von der religiösen Grundorientierung des Nat.soz. überzeugt war (Bekenntnis zum »positiven Christentum« in Art. 24 des Parteiprogramms der → NSDAP; → Ideologie) und 1933 den → Kirchenkampf in der evangelischen Kirche auslöste. Die D. propagierten die weitgehende äußere wie innere → Gleichschaltung der evangelischen Kirche mit dem Nat.soz. (z.B. Übernahme des → Führerprinzips sowie der Volkstums- und Rassenideologie, Stilisierung des »heldischen« Jesus, Ablehnung von Pazifismus und Internationalismus). Nach Auffassung der D. sollten Christentum und Nat.soz. eine Synthese eingehen, um die Kirche aus ihrer dogmatischen Erstarrung zu befreien und sie volksmissionarisch zu erneuern. Aus lokal begrenzten Anfängen um 1930 in Thüringen entstanden, konstituierten sich die D. 1932 mit Hilfe der NSDAP auf Reichsebene als »Glaubensbewegung D.«. Als nach der → »Machtergreifung« deutlich wurde, daß Hitler über sie seine kirchenpolitischen Ziele durchsetzen wollte, erhielten die D. einen Massenzulauf. Im Juli 1933 gewannen sie die von Hitler oktroyierten allgemeinen Kirchenwahlen und besetzten nun wichtige Schlüsselpositionen in den meisten Landeskirchen und der Dt. Evangelischen Kirche. Nach einer provokativen Rede des Berliner Gauobmanns im November 1933, in der die dt.gläubigen und damit häretischen Tendenzen der D. offengelegt wurden, brach die Bewegung auseinander. Die nationalkirchlich orientierten Kräfte konzentrierten sich in der »Kirchenbewegung D.«; Nachfolgeorganisation der »Glaubensbewegung D.«, die stärker volksmissionarisch ausgerichtet blieb, wurde die »Reichsbewegung D.«, ab 1938 »Lutherdeutsche«. Bereits 1936 versuchten die D. erfolglos, über das kirchenpolitische Bündnissystem des Bundes für Dt. Christentum ihre Plattform wieder zu verbreitern. 1937 schlossen sich die meisten nationalkirchlichen Gruppen zur »Nationalkirchlichen Bewegung D.« zusammen, die jedoch trotz zeitweiser Unterstützung durch Reichskirchenminister Hanns Kerrl keine größere Wirkung mehr erzielen konnte. Einige Landeskirchen standen bis 1945 unter dt.christlicher Leitung, aber auch hier blieb die Durchschlagskraft der D. in den Gemeinden gering (→ Kirchen und Religion). *Carsten Nicolaisen*

Literatur:

Meier, Kurt: *Die Deutschen Christen. Das Bild einer Bewegung im Dritten Reich,* Halle a.d. Saale/Göttingen 1964, [3]1967.

Deutsche Erd- und Steinwerke (DEST) s. SS-Wirtschaftsunternehmen

Deutsche Freiheitspartei (DFp) 1937 in Paris gegründeter lockerer Zusammenschluß von konservativen, liberalen und katholischen Emigranten innerhalb der bürgerlichen Opposition (→ Emigration). Trotz fehlender Basis in Deutschland traten die Mitglieder der DFp in den Parteiorganen *Deutsche Freiheitsbriefe* und *Das wahre Deutschland* für die Wiederherstellung bürgerlich-parlamentarischer Verhältnisse ein. 1939/40 verlagerte die DFp ihre Tätigkeit von → Frankreich nach → Großbritannien, wo sie ihre Arbeit Ende 1940 aufgrund mangelnder Unterstützung seitens der brit. Politik und innerer Zerrissenheit einstellen mußte.

Michael Sommer

Deutsche Front (DF) Für die im Januar 1935 stattfindende Abstimmung im → Saarland wurde im Juli 1933 auf Betreiben des »Saarbevollmächtigten der NSDAP«, Gauleiter Joseph Bürckel, als Koalition aller bürgerlichen Parteien im Saarland vom Zentrum bis zur NSDAP die DF gegründet. Die DF agitierte gegen die antifaschistische Einheitsfront aus → KPD und → SPD für die Rückkehr zum Dt. Reich. In der nat.soz. dominierten Leitung der DF spielten auch katholische Politiker eine Rolle. Nach der Abstimmung (13.1.), in der sich die DF mit 90,36% der Stimmen durchsetzte (die antifaschistische Einheitsfront, die den Status quo für das Völkerbund-Mandatsgebiet propagierte, erzielte nur 8,8%) löste sich die DF im März 1935 auf. *Wolfgang Benz*

Deutsche Gemeindeordnung Die am 30.1.1935 erlassene D., die das Preußische Gemeindeverfassungsgesetz vom Dezember 1933 ablöste, schuf erstmals in Deutschland ein einheitliches, für Stadt und Land geltendes Kommunalverfassungsrecht. Sie hielt formell am Begriff der Selbstverwaltung fest, zerstörte freilich in zentralen Punkten dieses Prinzip. In der Gemeinde wurde das → Führerprinzip eingeführt: Bürgermeister bzw. Oberbürgermeister wurden von jeglicher institutionalisierten Willensbildung unabhängig. An die Stelle der Gemeindevertretung traten ernannte Ratsherren, die kein Beratungs- oder Entscheidungsgremium mehr bildeten. Eine entscheidende Rolle spielte der Beauftragte der → NSDAP, der die Ratsherren ernannte und beherrschenden Einfluß auf die Besetzung der kommunalen Spitzenpositionen ausübte. Die Staatsaufsicht wurde wesentlich verstärkt. Über die Bestimmungen der D. hinaus dominierte die Partei die Kommunalpolitik. *Horst Matzerath*

Deutsche Gesellschaft für öffentliche Arbeiten (Öffa) In der Rechtsform der AG 1930 vom Reich gegründete zentrale Verwaltungsstelle für alle der werteschaffenden Arbeitslosenfürsorge dienenden Reichsdarlehen. Das Aktienkapital (150 Mio. RM) befand sich in der Hand des Reichs, darüber hinaus dienten weitere öffentliche Mittel Arbeitsbeschaffungsprogrammen (→ Arbeitslosigkeit): das Papenprogramm bis Ende März 1934 mit 204 Mio RM; das »Sofortprogramm« mit 401 Mio. RM; das Reinhardtprogramm mit 596 Mio. RM. Nach Prüfung der Projekte wurden gemeinsam mit der Reichsanstalt für Arbeitsvermittlung und Arbeitslosenversicherung Darlehen bewilligt und durch Wechsel (von beteiligten Unternehmen auf die Öffa gezogen) vorfinanziert. Das Eigengeschäft war durch Eigenkapital und Zinsrückflüsse finanziert; das Treuhandgeschäft im Rahmen der öffentlichen Arbeitsbeschaffungsprogramme erreichte bis 1939 ein Volumen von 1257 Mio. RM. Ab 1939 wurden Kredite zur Umstellung auf Kriegsproduktion (→ Kriegswirtschaft) gewährt. *Wolfgang Benz*

Deutsche Gesellschaft für Schädlingsbekämpfung (DEGESCH) Entwickelte die Methode der Ungeziefervernichtung mittels Gas und kontrollierte die beiden Vertriebsgesellschaften Heerdt und Lingler GmbH sowie Tesch und Stabenow, die das Entwesungsmittel → Zyklon B u.a. an das Zentrale Sanitätsdepot der → Waffen-SS verkauften, das für die Belieferung der → Konzentrationslager verantwortlich war. Dieses Giftgas wurde ab 1941 im KZ → Auschwitz und später in anderen Konzentrationslagern zur Ermordung von Menschen verwendet. Die DEGESCH mit Sitz in Frankfurt/M. gehörte zu je 42,5% der → I.G. Farben und der Dt. Gold- und Silberscheideanstalt

(DEGUSSA). Die restlichen 15% der Aktien hielt die Firma Goldschmidt. *Alexander Ruoff*

Deutsche Glaubensbewegung Im Juni 1933 erfolgter Zusammenschluß verschiedener nicht- oder antichristlicher dt.gläubiger Gruppierungen unter dem Tübinger Religionswissenschaftler Jakob Wilhelm Hauer mit ca. 300 Ortsgruppen und Stützpunkten. Die D. erhoffte sich vom Nat.soz. vergeblich die Erfüllung ihres religiösen Führungsanspruchs, blieb sogar trotz zeitweise erheblichen Propagandaaufwands immer eine Randerscheinung. 1936 wurde der D. das öffentliche Auftreten verboten, und Hauer mußte zurücktreten, weil die Förderung dt.gläubigen Gedankenguts politisch nicht mehr opportun schien. Die D. fiel daraufhin in miteinander konkurrierende Kleingruppen auseinander. *Carsten Nicolaisen*

Deutsche Hochschule für Politik (DHfP) 1920 in Berlin gegründete Schule für politische Fort- und Erwachsenenbildung 1933 vom NS-Regime übernommen. In der Weimarer Zeit sollte die DHfP das demokratische Bewußtsein fördern. Nach dem Austausch der meisten Dozenten diente die DHfP noch 1933 v.a. der Schulung unterer und mittlerer Funktionäre der → NSDAP, 1940 wurde sie Teil der Auslandswissenschaftlichen Fakultät der Berliner Universität. Auf Initiative Otto Suhrs wurde die DHfP 1949 wiedergegründet und 1959 der Freien Universität als »Otto-Suhr-Institut« eingegliedert. *Peter Widmann*

Deutsche Physik Aus Ablehnung der angeblich jüdischen »dogmatischen Physik« setzten sich die beiden Experimentalphysiker und Nobelpreisträger Johannes Stark (*Die gegenwärtige Krisis der deutschen Physik*, 1922) und Philipp Lenard (*Deutsche Physik*, 1936/37) für eine pragmatische dt. P. ein, in der sowohl aus mathematischem Unvermögen und Selbstüberschätzung wie aus aggressivem → Antisemitismus der beiden Autoren Forschungsergebnisse jüdischer Fachkollegen, v.a. Einsteins Relativitätstheorie, als falsch abgelehnt wurden. Vom Nat.soz. wurde die dt. P. zum propagandistischen Kampfbegriff für »arteigene« richtige Naturwissenschaft im Gegensatz zur »verlogenen« jüdischen ausgeweitet. *Hermann Weiß*

Deutsche Reichsbahn (DR) Am 10.2.37 wurde die im Besitz des Dt. Reiches bisher weitgehend selbständige Dt. Reichsbahngesellschaft in unmittelbare Reichsverwaltung übernommen, ihre Dienststellen wurden in Reichsbehörden umgewandelt. Dem Reichsverkehrsminister Julius Dorpmüller, der bereits 1926 Generaldirektor der DR geworden war, unterstellt, fungierte die DR als größtes Unternehmen der dt. → Wirtschaft. Ende 1939 arbeiteten 971 000 Menschen bei der DR, ihr Streckennetz umfaßte ca. 62 800 km, davon gut 3000 km elektrifiziert in unzusammenhängenden Teilnetzen in Süddeutschland, → Österreich, Mitteldeutschland und Schlesien. Bei den militärischen Transporten während des Krieges spielte die DR eine zentrale Rolle, ebenso bei der → »Endlösung«. Ab 1941 transportierte sie über 3 Mio. Menschen in die → Vernichtungslager. Zu einer gerichtlichen Ahndung nach Kriegsende kam es nicht. *Jana Richter*

Deutsche Reichsbank Zentralnotenbank des Dt. Reiches (1875–1945). Die D. war eine öffentlich-rechtliche Körperschaft und wurde durch das Bankgesetz von 1924 ein von der Reichsregierung unabhängiges Institut. Die D. übernahm die Ausführung der Bankgeschäfte der Reichsverwaltung und hatte das Notenausgaberecht. Ihr Präsident wurde vom Generalrat, dem sieben ausländische Mitglieder agehörten, bei Zustimmung des Reichspräsidenten auf vier Jahre gewählt. Mit Gesetz vom 10.2.1937 wurde die D. voll dem Einfluß des Reiches unterstellt. Der »Führer« ernannte den Reichsbankpräsidenten und die Mitglieder des Direktoriums, der Generalrat wurde abgeschafft. Die Kritik des Präsidenten der D. Hjalmar Schacht an der Rüstungsfinanzierungspolitik der Reichsregierung führte im Januar 1939 zu seiner Entlassung. Die Kontrolle über die Geld-, Kredit- und Kapitalmarktfragen wurde beim Reichswirtschafts- und Reichsfinanzministerium zentralisiert und unter Oberaufsicht des »Führers« gestellt. Die D. wurde zur Vollzugsbehörde im Sinne einer »Hauptkasse« der Reichsregierung ohne jegliche Autonomie. *Monika Herrmann*

Deutsche Sporthilfe s. Deutscher Reichsbund für Leibesübungen

Deutsche Turnerschaft s. Deutscher Reichsbund für Leibesübungen

Deutsche Versuchsanstalt für Ernährung und Verpflegung s. SS-Wirtschaftsunternehmen

Deutsche Volkskunde Die erst Ende des 18. Jh. sich herausbildende Wissenschaftsdisziplin wurde im Nat.soz. zu einer wichtigen »ideologischen Vermittlungsagentur«. Einige Entwicklungstendenzen der D. im 19. Jh. mündeten in Teile der nat.soz. → Ideologie. Das trifft schon für die Romantik und ihr Interesse am germanischen Mythos zu, dessen Bruchstücke sie in Lied, Sage, Märchen und Brauch zu finden hoffte, stärker noch auf die »organische Gesellschaftslehre« Wilhelm Heinrich Riehls, der die D. zur national orientierten Bauernkunde gerinnen ließ, die Stamm, Sprache, Sitte und Siedlung untersuchen sollte. Obwohl sich gegen Ende des 19. Jh. auch eine unideologische Sachvolkskunde entwickelte, die nicht nationalistisch orientiert war, ließ die wiederaufgenommene Suche nach der »Volksseele« keinen Zweifel aufkommen, daß die Volkskunde bestens dafür geeignet war, Propagandamaterial für den nat.soz. Herrschaftsanspruch, die aggressive Expansionspolitik und das dt. Herrenmenschentum zu liefern. Dafür erhielt die D. intensivste Unterstützung vom NS-Regime, was einerseits zur Institutionalisierung des Faches (von zwei Professuren 1933 hin zu Fachvertretungen an fast allen Universitäten Deutschlands 1944/45) und andererseits zu seiner Instrumentalisierung führte. Unmißverständlich »völkische« Arbeiten wie Otto Höflers *Germanische Kontinuität im deutschen Brauchtum* (1937) oder Oskar von Zaborsky-Wahlstättens *Urvätererbe in deutscher Volkskunst* (1936) regten die Choreographie von NS-Feiern wie dem Erntefest auf dem Bückeberg (→ Reichsbauerntag) an und führten zur Popularisierung von Symbolen wie der Man-Rune als »uralte Sinnbilder« (etwa als Embleme auf den Sportlertrikots von NS-Sportvereinigungen). Der 1927 gegründete großangelegte »Atlas der deutschen Volkskunde« sollte eine Ethno-Geographie Deutschlands werden, in der Sprache, Sach- und Brauchkultur in ihren regional verschiedenen Ausprägungen zu dokumentieren waren. Unterstützt von den Ergebnissen der dt. Sprachinselforschung konnten auch einzelne Teilgebiete des Atlas-Projektes für die territoriale Expansionspolitik des Regimes instrumentalisiert werden. Matthes Ziegler, seit 1937 als Reichsamtsleiter im → Amt Rosenberg Verbindungsmann zwischen Alfred Rosenberg und

Heinrich Himmler, hatte schon 1934 das Programm einer Volkskunde auf rassischer Grundlage ausgegeben, der auch der Parteifunktionär und Volkskundler Eugen Fehrle anhing (*Die Volkskunde im neuen Deutschland*, 1933).

Seit 1933 wurden zahlreiche Verbände mit volkskundlichen Abteilungen gegründet, z.B. die Abteilung Volkskunde der Reichsgemeinschaft für dt. Volksforschung unter der Leitung von Adolf Spamer, die von Rosenberg geleitete Arbeitsgemeinschaft für dt. Volkskunde, die Forschungs- und Lehrgemeinschaft → Ahnenerbe e.V. mit einer volkskundlichen Unterabteilung, der Verband dt. Vereine für Volkskunde und der Bund für dt. Volkskunde, in dessen Beirat Wilhelm Peßler saß, der 1935 das Erscheinen des dreibändigen Werkes *Deutsche Volkskunde* mit den Worten kommentierte: »Möge es solcher Gestalt der Dt. Volkskunde gelingen, allen Volksgenossen das Wesen der Deutschheit zu erschließen.« Bereits 1934 waren rund 10000 Vereine im Reichsbund für Volkstum und Heimat aufgegangen. Volkskundler meist bürgerlich-nationaler Gesinnung waren es, die die Phrasen der → Propaganda im Sinne des Nat.soz. mit quasiwissenschaftlichem, germanophilem Inhalt füllten. Aufgabe der D. war es nun nicht mehr, regionale Forschungen wissenschaftlich weiterzubetreiben, sondern es ging darum, überregional Formen und Argumentationsgrundlagen für eine dt. »Volkstumspflege« zu liefern, die breite Bevölkerungsteile ansprechen und im Sinne der → Volksgemeinschaft wirken sollte. Dies geschah in der folkloristischen Inszenierung nationaler Festtage und in der Verbindung von Germanentum und Gegenwartskultur (→ Germanisierung). Die Betonung des »Echten« war gleichzusetzen mit dem »Deutschen«, »Germanischen«, »Nordischen«, und der Bauer wurde zum »Fundament der gesamten Nation« stilisiert (→ Bauerntum). Nur wenigen Volkskundlern gelang es, sich diesen Entwicklungen bewußt zu entziehen. Zu nennen wäre der mit Schreibverbot belegte Will-Erich Peuckert, der bayerische Volksliedforscher Kurt Huber, der wegen seiner Zusammenarbeit mit der → Weißen Rose hingerichtet wurde, und der Sozialdemokrat Adolf Reichwein, der für seinen → Widerstand im Rahmen des → 20. Juli 1944 umgebracht wurde. Die Mehrheit der Volkskundler versuchte, sich auf unscheinbare Forschungsaspekte zurückzuziehen oder sich mit der Macht zu arrangieren. Im Glauben an einen »wissenschaftlichen Rassismus« hatte sich die D. fern von wissenschaftlicher Methodik und Quellenkritik dem Mythos vom Ursprung und einer daraus resultierenden ahistorischen Denkweise verpflichtet, die noch über 1945 hinaus wirkte (→ Wissenschaft). *Michaela Haibl*

Literatur:
Emmerich, Wolfgang: *Germanistische Volkstumsideologie. Genese und Kritik der Volksforschung im Dritten Reich,* Tübingen 1968.
Gerndt, Helge (Hg.): *Volkskunde und Nationalsozialismus. Referate und Diskussionen einer Tagung,* München 1987.
Jacobeit, Wolfgang/Hannjost Lixfeld/Olav Bockhorn (Hg.): *Völkische Wissenschaft. Gestalten und Tendenzen der deutschen und österreichischen Volkskunde in der ersten Hälfte des 19. Jahrhunderts,* Wien/Köln/Weimar 1994.

Deutsche Volksliste In seiner Eigenschaft als → Reichskommissar für die Festigung deutschen Volkstums (RKF) hatte Himmler noch vor Kriegsausbruch Kompetenzen auf sich vereinen können, die bisher teils von anderen → SS-Hauptämtern (Siedlungs-, Umsiedlungspolitik), teils vom Reichsinnenministerium (Staatsangehörigkeitsfragen) wahrgenommen worden waren. Nach dem → Polenfeldzug war den → Volksdeutschen aus den ehemals dt. Gebieten → Polens (Ost-Oberschlesien, Posen, Westpreußen), aber auch aus den nun in das Reichs-gebiet eingegliederten Teilen der poln. Wojwodschaften Lodz, Kielce, Krakau, Warschau und dem Suwalki-Gebiet durch eine vorläufige Regelung des Reichsinnenministeriums mit Wirkung vom 26.10.1939 die dt. Staatsangehörigkeit zugesprochen worden. Sie mußten als poln. Staatsangehörige dt. Volkszugehörigkeit spätestens nach der Zerschlagung des poln. Staates staatenlos geworden sein und inzwischen in den eingegliederten Ostgebieten (→ Eingegliederte Gebiete) oder in anderen Teilen des dt. Staatsgebietes leben.

Himmler als RKF ersetzte die alte Regelung durch die »Verordnung über die Dt. Volksliste und die dt. Staatsangehörigkeit in den eingegliederten Ostgebieten« vom 4.3.1941, die einerseits dem Gesichtspunkt Rechnung trug, daß kein wertvolles dt. Volkstum verloren gehen, anderseits die in den eingegliederten Ostgebieten gehandhabte rassische Politik der → Germanisierung nicht verwässert werden durfte. Die neue Verordnung machte den automatischen Erwerb der dt. Staatsangehörigkeit für alle ehemaligen poln. Staatsangehörigen dt. Volkszugehörigkeit von der Aufnahme in eine der folgenden Gruppen abhängig: Gruppe 1 umfaßte Volksdeutsche einschließlich ihrer Angehörigen, die sich vor Kriegsausbruch aktiv zum Deutschtum bekannt hatten und damit auch für die Aufnahme in die → NSDAP geeignet erschienen; Gruppe 2 betraf solche Personen, die ihr Deutschtum bis zum Ausbruch des Krieges bewahrt hatten, ohne sich aktiv dafür eingesetzt zu haben; die in die Gruppen 1 und 2 aufgenommenen Personen erhielten die dt. Staatsbürgerschaft bereits durch die Einstufung; in Gruppe 3 wurden Volksdeutsche eingetragen, die Bindungen zum Polentum eingegangen waren, aber die Voraussetzungen boten, wieder zum Deutschtum zurückzufinden, ferner nichtdt. Ehepartner, wenn in der Ehe das dt. Element überwog, sowie Personen mit slawischer Muttersprache, aber blutmäßiger und kultureller Hinneigung zum Deutschtum; die in diese Gruppe eingestuften Personen erhielten die dt. Staatsangehörigkeit erst nach einer rassischen Überprüfung und auf Widerruf; in Gruppe 4 konnten sich auf Wunsch solche Volksdeutsche aufnehmen lassen, die im Polentum aufgegangen waren und sich deutschfeindlich betätigt hatten; sie hatten nur die Möglichkeit, die dt. Staatsangehörigkeit über ein normales Einbürgerungsverfahren zu erhalten. In den eingegliederten Ostgebieten wohnhafte Personen, die die dt. Staatsangehörigkeit nicht erwarben, wurden ab 7.3.1941 Schutzangehörige des Dt. Reiches. Rassisch und erbbiologisch belastete Volksdeutsche (→ Erbgesundheit; → Abstammungsnachweis) besaßen keine Chance, in die D. aufgenommen zu werden. Juden und Zigeuner konnten weder in die D. aufgenommen noch Schutzangehörige des Reiches werden. Volksdeutsche aus dem → Generalgouvernement fielen nicht unter die Bestimmungen der D. Nach 1945 war die Eintragung in die D. für manchen Aussiedler aus den genannten Gebieten die einzige Möglichkeit, seine Deutschstämmigkeit zu belegen. *Hermann Weiß*

Literatur:

Seeler, Hans Joachim: *Die Staatsangehörigkeit der Volksdeutschen,* Frankfurt am Main/Berlin 1960.

Deutsche Volkspartei (DVP) In der im Dezember 1918 unter Führung von Gustav Stresemann gegründeten DVP schlossen sich der rechte Flügel der rechtsliberalen Nationalliberalen Partei mit einigen Mitgliedern der linksliberalen Fortschrittlichen Volkspartei zusammen. Die DVP beteiligte sich trotz grundsätzlicher Vorbehalte gegen die Weimarer Republik und ihre Verfassung an verschiedenen Koalitionsregierungen. Mitglieder der von der Großindustrie lange Zeit favorisierten Partei waren u.a. die Unternehmer Hugo Stinnes und Albert Vögler. Letzterer wandte sich gegen Ende der Weimarer Republik – wie viele Mitglieder, Anhänger und Wähler der DVP – der → NSDAP zu. Nach ihrer Zustimmung zum → Ermächtigungsgesetz löste sich die DVP am 30.6.1933 auf. In ihrem Scheitern dokumentiert sich der Niedergang des Liberalismus sowie das Versagen weiter Teile des Bürgertums in der Endphase der ersten dt. Demokratie. *Bernward Dörner*

Deutsche Wirtschaftsbetriebe s. SS-Wirtschaftsunternehmen

Deutsche Wochenschau, kurzer filmischer Nachrichtenüberblick (15–20 Min.; in der NS-Zeit z.T. 40 Min.). Seit 1910 als Medium kultureller, politischer und sportlicher Informationsvermittlung eingesetzt, wurde die D. regelmäßig in fast allen Kinos vor dem Hauptfilm gezeigt und nahm in der NS-Zeit zunehmend den Charakter eines Massenindoktrinationsmittels an. Die D. wollte die innen- und außenpolitischen Aktivitäten des Regimes rechtfertigen und wurde später auf reine Kriegsberichterstattung reduziert (→ Propaganda; → Kriegsberichterstatter). Bis Kriegsanfang gab es mehrere eigenständige Produzenten für die Programme der D. Goebbels und seinen Mitarbeitern gelang es durch die Einrichtung eines Wochenschaureferats und die am 21.11.1940 gegründete Deutsche Wochenschau GmbH aus der D. eine einheitliche, schlagkräftige Propagandawaffe mit vermeintlich dokumentarischer Ausrichtung zu machen, die schließlich kaum noch journalistische Kompetenz erkennen ließ. Durch das »Wochenschaugesetz« vom 30.4.1936 wurden Vertrieb und Copyright einheitlich geregelt. *Juliane Wetzel*

Deutscher Club s. Herrenclub

Deutscher Gruß Nach den parteiamtlichen Bestimmungen erfolgte der D., auch Hitler-Gruß oder Heil-Gruß, durch Erheben des rechten Armes, bei Begrüßung von Personen mit dem Zuruf »Heil Hitler«, gegenüber Hitler mit dem Ausruf »Heil, mein Führer« (→ Führer). Das Publikum von Parteifeiern hatte bei der abschließenden Führerehrung auf das »Sieg« des leitenden Führers möglichst laut »Heil« zu brüllen. Während des Absingens der dt. Nationalhymne und derjenigen befreundeter und verbündeter Staaten, des → Horst-Wessel-Liedes und des Liedes »Ich hatt' einen Kameraden«, vor Fahnen der → NSDAP und ihrer → Gliederungen, der → Wehrmacht, → Polizei, → Waffen-SS und des → Reichsarbeitsdienstes, vor Weihestätten der »Bewegung« (z.B. Feldherrnhalle; → Hitlerputsch) war der D. ohne Zuruf zu vollziehen. Im Behördenschriftverkehr waren Schriftstücke mit der Schlußformel »Mit dt. Gruß Heil Hitler« oder nur mit »Heil Hitler« zu versehen. Obwohl der D. nie durch eine rechtsverbindliche staatliche Vorschrift eingeführt worden war, galt seine Unterlassung als Zeichen antinat.soz. Gesinnung und konnte geahndet werden. Der D. war etwa zeitgleich mit dem Führerbegriff und trotz parteiinterner Opposition als Ritual der germanisch-dt. Vergangenheit (Königswahl) in der → Kampfzeit bei der NSDAP eingeführt worden. Mit der → »Machtergreifung« wurde er zum allgemeinen Brauch im öffentlichen zivilen Leben. Nach dem Attentat vom → 20. Juli 1944 entsprach Hitler der Bitte der Oberbefehlshaber der drei Wehrmachtteile und führte den D. anstelle der militärischen Ehrenbezeugung am 24.7.1944 auch bei der Wehrmacht ein.

Hermann Weiß

Deutscher Juristentag s. Nationalsozialistischer Rechtswahrerbund

Deutscher Kampfbund s. Hitlerputsch

Deutscher Reichsbund für Leibesübungen (DRL) 1934 an die Stelle des 1933 aufgelösten Dt. Reichsausschusses für Leibesübungen getreten, der Dachorganisation der bürgerlichen Turn- und Sportverbände. Diese wurden im DRL zwangsweise unter der zentralen Leitung durch den → Reichssportführer zusammengefaßt. Mitglieder der zerschlagenen Arbeitersportverbände fanden nur bedingt Aufnahme im DRL, → Juden waren ausgeschlossen (→ Sport).

Maria-Luise Kreuter

Deutscher Siedlerbund 1927 als Gesamtverband für Kleinsiedlung und Familienheim e.V. gegründet, sollte der D. der Spitzenverband zur Förderung und Erhaltung von Kleinsiedlungen und Familienheimen sein. Die Nat.soz. hielten sich diese Gründung zugute und datierten sie später auf das Jahr 1934. Der D. war im → Dritten Reich die einzige staatlich und parteiamtlich anerkannte Organisation der Klein- und Eigenheimsiedler. Lt. Erlaß des → Reichsarbeitsministers vom 19.11.1936 war er im Auftrag des Reichsheimstättenamtes der → NSDAP und der → DAF für die wirtschaftliche Beratung und Schulung (im nat.soz. Sinne) aller dt. Heimstätten- und Eigenheimsiedler verantwortlich. Organisatorisch gliederte sich der D. in 32 → Gaugruppen und weiter in Kreisgruppen und Siedlergemeinschaften. 1936 zählte der D. 130 000 Mitglieder.

Wolfram Selig

Deutscher Volksverlag Dr. Ernst Boepple s. J.F. Lehmanns Verlag

Deutsches Frauenwerk s. NS-Frauenschaft

Deutsches Jungvolk (DJ) s. Hitler-Jugend

Deutsches Nachrichtenbüro (DNB) Am 5.12.1933 aus der Fusion der beiden größten dt. Nachrichtenbüros, dem → Wolffschen Telegraphischen Büro (WTB) und der Telegraphen-Union entstandene Zentralagentur im NS-Staat. Nach außen als privatwirtschaftliches Unternehmen auftretend (GmbH), war das D. von Beginn an im Reichsbesitz und der Abt. IV des → Reichsministeriums für Volksaufklärung und Propaganda, der Pressestelle der Reichsregierung, unterstellt. Die Vorstandsmitglieder des D. wurden direkt von Propagandaminister Goebbels berufen. Die D.-Zentrale in Berlin und zahlreiche Nebenstellen im In- und Ausland gaben den allgemeinen »Politischen Dienst« sowie verschiedene wirtschaftliche, Sport-, Bilder- und Materndienste heraus. Ein Großteil der Meldungen (im Krieg bis zu 82%) wurde nicht an die Presse, sondern in geheimen »blauen, roten und weißen Diensten« (nach der Farbe des Papiers) an ausgewählte Personenkreise in Staat und Partei weitergegeben. Vorstandsvorsitzende waren Otto Mejer (bis 1939) und Gustav Albrecht. Die letzte funktionierende Zweigstelle des D. in Hamburg stellte am 2.5.1945 ihre Tätigkeit ein.

Angelika Heider

Deutsches Reich s. Großdeutschland

Deutsches Rotes Kreuz 1921 als Zusammenschluß aller seit 1863 gebildeten Regional- und Funktionsvereinigungen des Roten Kreuzes entstanden. Ein Gesetz vom 9.12.1937 beseitigte die Eigenständigkeit von rd. 9000 Organisationen und stellte das D. mit mehr als 1,5 Mio. Mitgliedern unter die Aufsicht des Reichsinnenministeriums. Die Umgestaltung des D. führte dazu, daß die zivile Wohlfahrtspflege an Bedeutung verlor und die militärischen Verpflichtungen zunahmen. Ab Kriegsbeginn standen der Sanitätsdienst bei der Wehrmacht und der Gas- und Luftschutz im Mittelpunkt der Aufgaben des D. *Holle Ausmeyer*

Deutsches Siedlungswerk Ausgehend von der Auffassung, daß die negativen Folgen der Verstädterung zu »gefährlichen Krankheitserscheinungen im Volkskörper« führen, sollte das D. alle Bestrebungen zur Schaffung einer bodenständigen, sozial- und bevölkerungspolitisch gesunden Lebens- und Wohnstruktur zusammenfassen. In diesem Sinne sollten der ländliche Wohnungsbau und die planmäßige Umsiedlung städtischer Menschen aus Mietskasernen in bodenständige Wohnformen gefördert werden. 1934 faßte der Siedlungsbeauftragte im Stab des → Stellvertreters des Führers, Henrici, die Richtlinien für das D. in der Schrift *Das Deutsche Siedlungswerk* zusammen, in der er »eine grundsätzliche Umordnung der Wirtschaftsstruktur des dt. Volkes« forderte. Grundlage müsse eine »Umwandlung« im Denken sein. So habe eine »Erziehung zum ländlichen Lebensstil einzusetzen«, wie sie schon vom → RAD und dem → Landjahr betrieben werde. Da die Verwirklichung des Anspruchs auf Ansiedlung in bäuerlichen Stellen wegen »Raumnot« nur sehr begrenzt war, blieb das D. zur Erreichung seines Ziels auf die Erweiterung des → Lebensraums angewiesen. *Wolfram Selig*

Deutsches Turn- und Sportfest Das D. sollte eigentlich zur ständigen Einrichtung im NS-Regime werden, fand aber nur Ende Juli 1938 in Breslau statt. Das größte Sportereignis im NS-Staat versammelte 250 000 Sportler und stand in der Tradition der Dt. Turnfeste und der Dt. Kampfspiele. In über 60 Veranstaltungen war die völkisch-nationalistische Ausrichtung, insbesondere im Umfeld der → Sudetenkrise, deutlich spürbar. In einem »großen Bekenntnis des Auslandsdeutschtums zum Dritten Reich« (Hitler) sollte das Anliegen der sudetendt. → »Heim-ins-Reich«-Bewegung im grenznahen Breslau propagandistisch hervorgehoben werden, weshalb auch 30 000 sudetendt. Sportler an dem Fest teilnahmen (→ Sport).

Uffa Jensen

Deutsches Volksbildungswerk 1933 gegründete Institution, die der innerhalb der → DAF am 27.11.1933 entstandenen Freizeitorganisation → »Kraft durch Freude« angegliedert war. Das D. umfaßte alle Erwachsenen- und Volksbildungsstätten, war dem Schulungsamt der → NSDAP unterstellt und befaßte sich mit der Vermittlung der nat.soz. → Ideologie und Kultur sowie beruflicher Bildung und Körperertüchtigung (→ Sport). Zu diesem Zweck wurden Fortbildungskurse, Vorträge sowie Feiern u.ä. veranstaltet.

Willi Dreßen

Deutsch-Japanische Gesellschaft s. Japan

Deutschgläubig s. Deutsche Glaubensbewegung (s.a. Kirchen und Religion)

Deutschkunde Auf Forderungen des Germanistenverbandes der 20er Jahre basierende Erweiterung des Deutschunterrichts aller Stufen und Gattungen dt. Schulen. Neben dem Sprach- und Literatur:unterricht sollte sich das Fach Deutsch auf die Gesamtheit kultureller Äußerungen dt. Geschichte und »deutschen Volkstums« erstrecken und Heimat- und Volkskunde, Geographie, Geschichte, Vorgeschichte und → Rassenkunde einbeziehen. D. hatte im nat.soz. Bildungssystem als zentrales Kernfach im Schulunterricht die Funktion der Stärkung dt.-völkischen Bewußtseins und germanischer Rasse-Ideologie (→ Jugend; → Dt. Volkskunde). *Wolfgang Benz*

Deutschland erwache! Aus einem Gedicht (»Sturmlied«) des antisemitischen völkischen Publizisten Dietrich Eckart (er war Mentor und Förderer Hitlers und erster Schriftleiter des → *Völkischen Beobachters*) entnommener Streitruf der → NSDAP in der → »Kampfzeit« der »Bewegung«. Die Parole wurde seit 1923 als Inschrift der Standarten der → SA verwendet.
Wolfgang Benz

Deutschlandlied Offizielle Nationalhymne des Dt. Reiches bis 1945. Der Text wurde von Hoffmann von Fallersleben 1841 verfaßt, bei der Melodie handelt es sich um die 1797 von Joseph Haydn komponierte österr. Kaiserhymne. Vom Ausland wurde das Lied wegen seiner 1. Strophe (»Deutschland, Deutschland über alles...« und »von der Maas bis an die Memel...«) als Zeichen eines übersteigerten Nationalismus angesehen. Die Alliierten verboten den Text 1945, seit 1952 fungiert die 3. Strophe des Liedes (»Einigkeit und Recht und Freiheit...«) in der Bundesrepublik Deutschland als Nationalhymne. *Willi Dreßen*

Deutschlands Erneuerung Seit 1.4.1917 im → J.F. Lehmanns Verlag (München) erscheinende nationalistisch-rassistische *Monatsschrift für das deutsche Volk*, die als wichtigstes rechtsgerichtetes Organ im Vorfeld des Nat.soz. großen Einfluß im gebildeten Bürgertum hatte. *Wolfgang Benz*

Deutschlandsender s. Rundfunk

Deutschnationale Volkspartei (DNVP) Bis zur Reichstagswahl im Herbst 1930 war die DNVP die stärkste Rechtspartei der Weimarer Republik. 1918 gegründet, vereinte sie konservative und nationalistische Gruppen, die im Kaiserreich wurzelten und deren Repräsentanten zur Führungselite gezählt hatten: Großagrarier, Offiziere, Ministerialbeamte. Trotz Ablehnung der Demokratie beteiligte sich die DNVP ab 1925 an Reichsregierungen. Mit der Wahl Alfred Hugenbergs zum Parteichef setzte sich 1928 der radikal-alldt. Flügel durch, was Parteiabspaltungen nach sich zog. Hugenberg suchte das Bündnis mit der → NSDAP, eine Politik, die 1931 zur Bildung der → Harzburger Front und am 30.1.1933 zur DNVP-Beteiligung am Hitler-Kabinett führte. Am 27.6.1933 trat Hugenberg auf Druck der NSDAP als Wirtschafts- und Ernährungsminister zurück. Unmittelbar danach löste sich die DNVP selbst auf.
Heidrun Holzbach-Linsenmaier

Deutschnationaler Handlungsgehilfen-Verband (DHV) 1893 als Standesorganisation der Handlungsgehilfen gegründet, setzte sich der DHV für sozialpolitische Verbesserungen wie den arbeitsfreien Sonntag, ein. Politisch wollte er den Zulauf der Handlungsgehilfen zur SPD stoppen. Juden und Frauen wurden vom DHV nicht aufgenommen. 1918 schloß er sich mit den

Christlichen Gewerkschaften zum Dt. Gewerkschaftsbund zusammen. DHV-Vertreter gab es unter den Parlamentariern aller bürgerlichen Parteien, die meisten bei der → DNVP. Nachdem DHV-Geschäftsführer Walter Lambach 1929 vom sozialreaktionären Hugenberg-Flügel aus der DNVP gedrängt worden war, wandten sich viele DHV-Mitglieder der → NSDAP zu. Mit rund 410 000 Mitgliedern war der DHV 1931 die führende Angestelltengewerkschaft in Deutschland. 1933 wurde er in die → Dt. Arbeitsfront eingegliedert.

Heidrun Holzbach-Linsenmaier

Deutsch-polnischer Nichtangriffspakt Am 26.1.1934 unterzeichneten Reichsaußenminister Konstantin Frhr. v. Neurath und Polens Botschafter Lipski in Berlin einen Vertrag, in dem unter Berufung auf den Kriegsächtungspakt (27.8.1928) erklärt wurde, Streitfragen zwischen beiden Ländern »unter keinen Umständen« durch Mittel der Gewalt lösen zu wollen, sondern sie durch zweiseitige Verhandlungen zu beheben. Diese »Friedensgarantie« werde beiden Regierungen helfen, für nicht bezeichnete »Probleme politischer, wirtschaftlicher und kultureller Art Lösungen zu finden«, und ein gutnachbarliches Verhältnis begründen. Der D. gehörte zur Strategie der Regierung Hitler, sich gegenüber allen Nachbarn zunächst als friedfertig auszugeben und so das frz. Bündnissystem in Europa zu lockern. Die dt. → Propaganda rühmte, damit sei ein Schritt getan, den die Kabinette der Weimarer Republik nie getan hätten. Jedoch enthielt der D. keinen Verzicht auf Gebietsansprüche. Dem Abschluß folgten demonstrative Gesten, die gute Beziehungen anzeigen sollten (u.a. offizielle und halboffizielle Besuche von Göring, Goebbels u.a. Regierungsmitgliedern in Polen). Das Zusammenwirken beider Staaten erreichte 1939 einen Höhepunkt bei der Zerschlagung der Rest-Tschechei (→ Tschechoslowakei), an der sich die Regierung in Warschau mit geringfügiger Beute beteiligen ließ. Darauf folgte prompt eine nach außen zunächst getarnte dt. Kursänderung gegenüber Polen. Zwar sprach Hitler noch am 30.1.1939 vor dem Reichstag von der dt.-poln. Freundschaft. Doch als Polen die Unterwerfung unter dem dt. Führungsanspruch trotz des Angebots einer Beteiligung bei einem gemeinsamen Überfall auf die Sowjetunion ablehnte und sich → Großbritannien und → Frankreich angesichts des Expansionismus der dt. Machthaber auf die Seite des osteuropäischen Staates stellten (Garantie-Erklärung vom 31.3.1939), nahm Hitler dies zum Anlaß, am 28.4.1939 vor dem Reichstag mit dem → dt.-brit. Flottenabkommen auch den D. aufzukündigen (→ Außenpolitik; → Weltkrieg 1939–1945).

Kurt Pätzold

Deutsch-sowjetischer Nichtangriffspakt Am 23.8.1939 unterzeichneten in Moskau die Außenminister des Dt. Reiches und der UdSSR, Joachim v. Ribbentrop und Wjatscheslaw Molotow, in Anwesenheit Stalins den D. Auf dessen Abschluß hatte Hitler wegen des für den 26.8. fixierten Kriegsbeginns gegen → Polen gedrängt. Unter Berufung auf den am 24.4.1926 geschlossenen Neutralitäts-(Berliner)Vertrag vereinbarten die Partner, sich gegeneinander jeglicher Gewalt zu enthalten (Art. I) und im Falle eines Krieges eines der beiden Vertragschließenden gegen einen dritten Staat diesen nicht zu unterstützen (Art. II). Darüber hinaus wurde eine allgemeine Konsultationsabsicht fixiert (Art. III) und versichert, daß keine Seite sich an einer gegen die andere gerichteten Mächtegruppierung beteiligen werde

(Art. IV) und Konflikte freundschaftlich beigelegt werden sollten (Art. V). Hitler und die Führungsgruppe um ihn glaubten, mit dem D. eine von → Großbritannien und → Frankreich nach dem dt. Überfall auf Polen (→ Polenfeldzug; → Weltkrieg 1939–1945) verhängte Blockade unwirksam zu machen. Stalin hoffte, die → Sowjetunion aus dem bevorstehenden Krieg zwischen den kapitalistischen Staaten herauszuhalten, die dt. Eroberungsgelüste vom eigenen Land ablenken, die eigenen Ansprüche auf die baltischen Staaten befriedigen und inzwischen weiter aufrüsten zu können. In einem Geheimen Zusatzprotokoll sicherte sich die sowj. Seite zudem einen erheblichen Teil des poln. Staatsgebietes, mit dessen Eroberung durch die → Wehrmacht in nächster Zukunft gerechnet wurde. In Übereinstimmung mit dieser Abmachung fielen sowj. Truppen am 17.9.1939 von Osten her in Polen ein und besetzten das der UdSSR zugesprochene Territorium bis zur vereinbarten »Demarkationslinie«. Sie bildete (mit einigen in weiteren Geheimabkommen vom 28.9.1939 vorgenommenen Korrekturen) die dt.-sowj. Einfluß- bzw. Staatsgrenze. Damit wurde offenkundig, welchen Preis die dt. Führung für den D. entrichtet hatte. Der dt. Bevölkerung stellte die nat.soz. → Propaganda den D. in eine Traditionslinie zur Rußlandpolitik Bismarcks und rühmte die Vermeidung eines Zweifrontenkrieges. In den kommunistischen Parteien mehrerer Länder löste der Vertragsabschluß mit seinen Folgen eine Krise aus. Unter dem Vorwand, einem sowj. Angriff zuvorkommen zu müssen, brach das Dt. Reich den D. ohne vorherige Beschwerde oder Kündigung mit dem Überfall vom 22.6.1941 (Unternehmen → Barbarossa; → Ostfeldzug 1941–1945). Die Existenz der Geheimverträge wurde von den sowj. Regierungen jahrzehntelang bestritten. *Kurt Pätzold*

Literatur:
Fleischhauer, Ingeborg: *Der Pakt. Hitler, Stalin und die Initiative der deutschen Diplomatie 1938–1939,* Berlin 1990.
Sowjetstern und Hakenkreuz 1938-1941. Dokumente zu den deutsch-sowjetischen Beziehungen, hg. von Pätzold, Kurt/Günter Rosenfeld, Berlin 1990.

Deutschvölkische Freiheitspartei Im Dezember 1922 von der → DNVP abgespaltene antisemitische und antidemokratische Partei, die sich unter Albrecht von Graefe nach dem → NSDAP-Verbot 1923 mit süddt. Nat.-soz. zur Nat.-soz. Freiheitspartei Großdeutschlands vereinigte und mit Ludendorff und Gregor Straßer unter dem Namen → Nat.-soz. Freiheitsbewegung Großdeutschlands firmierte. Nach der Neugründung der NSDAP 1925 verlor sie an Bedeutung, geriet (jetzt als Dt.völk. Freiheitsbewegung) wegen ihres monarchistischen Programms in Gegensatz zur NSDAP und wurde 1933 verboten. *Wolfgang Benz*

Deutschvölkischer Schutz- und Trutzbund s. Völkische Bewegung

Devisenprozesse s. Kirchen und Religion

DG 4 Die Durchgangsstraßen (DG) in den besetzten Gebieten der Sowjetunion dienten dazu, die neuen Herrschaftsräume im Osten zu durchdringen, abzusichern und auszubeuten. Die DG 4 – über 2000 km lang – verlief vom → Generalgouvernement über Winnitza und Kirowograd bis nach Stalino. Die Planung sah ihre Weiterführung bis in den Kaukasus vor. Ein Einsatzstab des → Höheren SS- und Polizeiführers Rußland-Süd fungierte als oberste Leit- und Kommandozentrale. Ein Polizeibataillon der Ordnungspolizei wurde abkommandiert und auf die vier Bauabschnitte verteilt. Hinzu kamen – in → Schutzmannschaften zusammengefaßt – lettische, litauische und ukrainische Polizisten. Planung und Ausführung des Straßenbaus lagen in Händen der → Organisation Todt, die zahlreiche namhafte dt. Baufirmen heranzog, die sich wiederum zu Arbeitsgemeinschaften zusammenschlossen. Die Arbeitssklaven rekrutierten sich aus sowj. Kriegsgefangenen und Juden. Unzählige kleinere und größere Zwangsarbeitslager etablierten sich an den einzelnen Streckenabschnitten (→ Zwangsarbeit). Mehr als 25 000 Juden wurden hier zwischen 1942 und 1944 umgebracht. Die Ermittlungsverfahren in der Bundesrepublik zogen sich über Jahre hin. Keiner der Täter wurde zur Rechenschaft gezogen. *Konrad Kwiet*

Dienststelle Ribbentrop Anläßlich der Ernennung Joachim v. Ribbentrops zum dt. Sonderbotschafter am 1.6.1935, der die zum → dt.-brit. Flottenabkommen führenden Verhandlungen leiten sollte, wurde dessen »Büro Ribbentrop« (seit 24.4.1934) zur D. aufgewertet. Die D. zählte zu jenen Parteiinstitutionen, die, v.a. aufgrund von Hitlers Mißtrauen gegen die traditionelle dt. Diplomatie, ihre Tätigkeit gegen das → Auswärtige Amt (AA) entfalteten. Sie sollte als erweiterter Arbeitsstab Hitlers diesem besonders wichtige außenpolitische Angelegenheiten zum Erfolg führen. Ribbentrop diente die D. als Machtbasis und Sprungbrett für den Londoner Botschafterposten (1936–1938). Seit der Übernahme des AA durch Ribbentrop am 4.2.1938 führte die D. nur noch ein Schattendasein. Seine enge Bindung an die → SS übertrug Ribbentrop auf seine Mitarbeiter. Von den 28 Referenten der D., die ihm ins AA folgten, wo einige dann Schlüsselpositionen einnahmen, gehörten 20 der SS an. *Karsten Krieger*

Dienstverpflichtung s. Arbeitseinsatz

Dieppe (1942) Unter dem Decknamen »Operation Jubilee« griffen in der Nacht vom 18. auf den 19. August 1942 über 6000 brit. und kanad. Soldaten einen frz. Küstenstreifen an. In dessen Zentrum befand sich die von den dt. Besatzern stark befestigte Hafenstadt D. Mit der Aktion sollte zum einen die → Wehrmacht gezwungen werden, kurzfristig Truppen von der Ostfront abzuziehen, zum anderen wollte die alliierte Führung Erfahrungen für die → Invasion in Frankreich sammeln. Ihr Beginn und damit die Eröffnung einer zweiten Front in Europa wurde besonders von der → Sowjetunion gefordert. Von den 5100 an Land gesetzten Soldaten kehrten nur 1452 nach England zurück; die anderen waren getötet worden oder in dt. Gefangenschaft geraten. *Bernd Ulrich*

Dietwart s. Sport

DNVP s. Deutschnationale Volkspartei

Dimitroff-Formel s. Faschismustheorien

Dinta (Deutsches Institut für nationalsozialistische technische Arbeitsschulung) s. Deutsche Arbeitsfront (DAF)

Dirlewanger s. Einheit Dirlewanger

Doppelstaat s. Faschismustheorien

Dora-Mittelbau (KZ) Nach der Bombardierung der Heeresversuchsanstalt → Peenemünde sollte die dt. Raketenproduktion in unterirdische Fabriken verlegt werden. Die 1943 gegründete Firma Mittelwerk GmbH nutzte unter

Regie des → Reichsministeriums für Rüstung und Kriegsproduktion den Stollen eines aufgelassenen Gips-Bergwerks, das seit 1936 als Treibstofflager diente. Am 28.8.1943 traf der erste Häftlingstransport aus → Buchenwald in Dora im Raum Nordhausen im südlichen Harz mit 107 Arbeitssklaven für die Montage der Rakete A 4 (V 2; → V-Waffen) in der Stollenanlage des Kohnsteins ein. Bis Anfang Februar 1944 erreichte die Häftlingszahl mit rund 12 000 einen ersten Höhepunkt. Sie waren zunächst direkt in Stollen untergebracht, wo sie in mörderischem Tempo bis zur körperlichen Erschöpfung arbeiten mußten. Unzureichende Ernährung, das Fehlen hygienischer Einrichtungen und medizinischer Versorgung trugen darüber hinaus dazu bei, daß die Todeszahlen v.a. während der Periode des Stollenausbaus bis zum Frühjahr 1944 Rekordhöhe erreichten. Arbeitsunfähige Häftlinge wurden nach → Lublin oder → Bergen-Belsen überstellt.

Im Sommer 1944 verbesserten sich mit dem Umzug der Häftlinge aus den Stollen in ein Barackenlager und dem Beginn der Serienproduktion der V 2-Rakete die Lebensbedingungen vorübergehend, die Sterblichkeitsrate sank ab. Es entstanden 40 Außenlager. Am 1.10.1944 wurde aus dem Buchenwalder Außenlager »Dora« der selbständige Lagerkomplex »Mittelbau«. Im November 1944 produzierten 32 475 registrierte Häftlinge die Höchstzahl von 662 V 2-Raketen. Im Winter 1944 stiegen nach der Evakuierung von → Auschwitz und anderer Lager im Osten die Häftlingszahlen drastisch an, Mitte März 1945 wurde die Produktion eingestellt, die Raketenspezialisten wurden abgezogen. Am 4.4.1945 begannen die Evakuierungstransporte der Gefangenen (→ Todesmärsche), am 11.4. wurden die letzten 700 nicht transportfähigen Häftlinge von amerik. Soldaten befreit. Insgesamt waren im Lager D. und seinen Außenlagern 50 000–60 000 Menschen inhaftiert, mindestens 10 000 von ihnen kamen ums Leben.

Barbara Distel

Literatur:
Fiedermann Angela/Torsten Heß/Markus Jaeger: *Mittelbau Dora. Ein historischer Abriß,* Berlin 1993.

Drahtlose Dienst, Der (DDD) Am 1.10.1932 gegründeter Rundfunknachrichtendienst, der die Nachfolge der am 17.9.1932 aufgelösten, fast gleichnamigen Drahtloser Dienst AG (Dradag) antrat. Während sich die Dradag in der Weimarer Republik bereits zunehmend zu einer offiziell sanktionierten »amtlichen Nachrichtenstelle« der Landes- und Reichsregierungen entwickelt hatte, entstand im DDD durch die Ausschaltung der privaten Mitgesellschafter vollends eine behördenähnliche staatliche Stelle. Nach der nat.soz. Machtübernahme wurde der DDD am 1.5.1933 aus dem Zuständigkeitsbereich der Reichs-Rundfunk-Gesellschaft (RRG) genommen. Als Unterabteilung der Presseabteilung des → Reichsministeriums für Volksaufklärung und Propaganda (RMVP) wurde der DDD zum reinen Propagandainstrument der nat.soz. Führung. Die Mitarbeiter erhielten vom RMVP und von Reichssendeleiter Eugen Hadamovsky bindende regierungs- und parteiamtliche Anweisungen über Art und Inhalt der Nachrichten, die der DDD für den → Rundfunk zuschnitt. Am 15.9.1939 erfolgte die Rückgliederung in die RRG. Hauptschriftleiter waren seit 1933 Hans Fritzsche, seit 1938 Walter Wilhelm Dittmar und seit 1942 Franz Wildoner. *Angelika Heider*

Drancy (Dépt. Seine–Saint Denis, nordöstlich von Paris), Durchgangslager für

→ Juden, das am 21.8.1941 eingerichtet und bis 1.7.1943 von der Pariser Polizeipräfektur verwaltet wurde. D. bestand aus riesigen Betonbauten, in denen ursprünglich Sozialwohnungen untergebracht werden sollten. Anfangs wurden sie von den Deutschen zur Internierung frz. und brit. → Kriegsgefangener verwendet. Der Lagerbetrieb stand unter Kontrolle des Judenreferats der → Gestapo. Vom 2.7.1943 bis 17.8.1944 war der SS-Hauptsturmführer Alois Brunner Chef des Lagers. Zwischen dem 22.6.1942 und dem 17.8.1944 gingen 64 Transporte mit ca. 60000 Juden (größtenteils nicht frz. Herkunft) nach → Auschwitz-Birkenau und drei Transporte mit ca. 3700 Juden nach → Sobibór. Die Lebensverhältnisse im Lager waren äußerst schlecht. D. war meist überbelegt; es fehlte an sanitären Anlagen; viele Insassen starben an Unterernährung.

Hellmuth Auerbach

Dreimächtepakt Am 27.9.1940 zwischen → Italien, → Japan und dem Dt. Reich auf die Dauer von zehn Jahren geschlossener Vertrag, der Japan die Vorherrschaft im »großasiatischen Raum«, Italien im Mittelmeerraum und Deutschland in Kontinentaleuropa mit Ausnahme der → Sowjetunion zugestand. Die drei genannten Mächte verpflichteten sich zur gegenseitigen Hilfe gegen bisher nicht in den europäischen und den jap.-chin. Krieg verwickelte Angreifer. Dem D. traten am 20.11.1940 → Ungarn, am 23.11.1940 → Rumänien, am 24.11.1940 die → Slowakei und am 1.3.1941 → Bulgarien bei. Jugoslawien, das zunächst am 25.3.1941 beigetreten war, zog seine Unterschrift am 27.3.1941 im Zusammenhang mit einem Staatsstreich in → Belgrad wieder zurück und lieferte damit einen Anlaß für den → Balkanfeldzug. Das nach diesem Feldzug installierte → Kroatien wurde am 15.6.1941 Vertragsmitglied. Die Idee eines Beitritts der Sowjetunion zum D. wurde nicht ernsthaft verfolgt (Molotow-Besuch in Berlin am 12. und 13.11.1940). Nach dem Überfall der jap. Marineluftwaffe auf Pearl Harbor und dem dadurch ausgelösten amerik.-jap. Krieg erklärten Deutschland und Italien am 11.12.1941 ebenfalls den USA den Krieg. Japan seinerseits hatte eine Kriegserklärung bei Ausbruch des dt.-sowj. Krieges (→ Ostfeldzug 1941–1945) vermieden. Der durch weitere Abkommen, u.a. durch ein Militärabkommen am 18.1.1942, ergänzte D. wurde im Herbst 1943 durch den ital. Sonderwaffenstillstand und am 9.5.1945 durch die dt. → Kapitulation bedeutungslos, auch wenn Japan seinerseits erst am 2.9.1945 kapitulierte (→ Weltkrieg 1939–1945).

Willi Dreßen

Dresden (Luftangriff) In der Nacht vom 13. zum 14. und bei Tagesangriffen am 14. u. 15.2.1945 wurde D. durch Flächenbombardements, die durch Verbände der brit., kanad. und US-Luftwaffe in mehreren Angriffswellen erfolgten, weitgehend zerstört. Wegen des späten Zeitpunkts und wegen des Untergangs des künstlerisch einzigartigen barocken Stadtensembles, v.a. aber wegen der vielen Todesopfer wurde D. (ähnlich wie → Coventry) zum Paradigma für einen militärisch sinnlosen terroristischen → Luftkrieg gegen die Zivilbevölkerung. Die Großstadt D. war unverteidigt und mit Flüchtlingen überfüllt; die Zahl der Opfer wurde Gegenstand propagandistischer Spekulation und ist (nach ersten Schätzungen von 200000) lange Zeit mit 135000 angegeben worden. Nach überzeugenden, auf zeitgenössischen Meldungen und Berichten der Ordnungspolizei beruhenden Berechnungen (Götz Bergander 1977) liegt sie bei 35000 Toten.

Dem Angriff auf D. vorausgegangen war ein Bombardement Berlins am 3.2.1945 (22000 Tote). Am 16.3.1945 wurde Würzburg fast völlig zerstört, am 14./15.4.1945 Potsdam (wie zuvor Hildesheim, Halberstadt, Hamburg mit etwa 30000 Toten, Stuttgart, Köln, Königsberg, Heilbronn). Dabei kamen 5000 Menschen ums Leben.

Wolfgang Benz

Dr.-Fritz-Todt-Preis Gestiftet von Hitler im Herbst 1943 für »erfinderische Leistungen«, die → Wehrmacht und → Wirtschaft dienten und »als Ausdruck der Schöpferkraft des dt. Volkes« verstanden wurden. Die Vergabe sollte am Geburts- und Todestag Todts in Form einer »Ehrennadel« in Gold, Silber oder Stahl und 50000, 10000 oder 2000 RM erfolgen. Den Preis der ersten Stufe erhielten am 8.2.1944 acht Ingenieure, darunter ein zuvor Gefallener (→ Organisation Todt). *Karl-Heinz Ludwig*

Drittes Reich Die in der heutigen Historiographie und Öffentlichkeit für den NS-Staat verbreitete Bezeichnung »D.« wurde nicht von Hitler und den Nat.soz. erfunden. Der Begriff selbst stammt ursprünglich aus dem Endzeitdenken Joachim von Fiores und anderer mittelalterlicher Theologen. Danach sollte das »Dritte« oder »Reich des Heiligen Geistes« auf das »Reich des Vaters« und »des Sohnes« folgen. In der Neuzeit wurde der Terminus von einigen Romantikern und schließlich von verschiedenen Repräsentanten der sog. Konservativen Revolution verwandt. Hier ist vor allem Arthur Moeller van den Bruck zu erwähnen, der 1923 ein Buch über *Das Dritte Reich* veröffentlichte, in dem er sich für die Schaffung eines neuen Staates verwandte, der die verhaßte Demokratie von Weimar ersetzen und an die Traditionen sowohl des Heiligen Römischen Reiches dt. Nation wie des Bismarck-Reiches anknüpfen sollte. Der Begriff wurde zum Schlagwort, das Angehörige verschiedener antidemokratischer und rechtsradikaler Gruppen verwandten. Auch die Nat.soz. kündigten schließlich an, ein D. errichten zu wollen, was von Hitler in → *Mein Kampf* noch mit keinem Wort erwähnt worden war. Dennoch war es Hitler, der am 1.9.1933 offiziell verkündete, daß der von ihm geführte Staat ein D. sei, das »tausend Jahre« dauern werde. Dabei blieb es aber nicht. Am 10.7.1939 wies Goebbels die Presse an, künftig den Begriff D. zu meiden und statt dessen das »Großdeutsche Reich« zu preisen (→ Großdeutschland).

Wolfgang Wippermann

Literatur:
Neurohr, Jean F.: *Der Mythos vom Dritten Reich,* Stuttgart 1957.
Mosse, George L.: *Die völkische Revolution. Über die geistigen Wurzeln des Nationalsozialismus,* Königstein 1979.

Dünkirchen Nachdem sich die Niederlage der westlichen Alliierten in der ersten Phase des → Westfeldzugs abzuzeichnen begann, wurden zwischen dem 26.5. und 3.6.1940 ca. 220000 brit. und 120000 frz. in Nordfrankreich eingeschlossene Soldaten ohne ihre Ausrüstung auf brit. Schiffen von der frz. Hafenstadt D. nach England evakuiert. Die Rettungsaktion wurde durch den gemeinsamen Entschluß Hitlers und des Oberbefehlshabers der Heeresgruppe A, Generaloberst Gerd v. Rundstedts vom 24.5. erleichtert, die dt. Panzerverbände für weitere Kämpfe in Frankreich zu schonen und statt dessen der Luftwaffe, die allerdings ihre Aufgabe verfehlte, die Vernichtung der Eingeschlossenen zu übertragen. Die aus D. geretteten Truppen bildeten zunächst den Kern der brit. Heimatverteidigung im Falle einer dt. Invasion

(Unternehmen → Seelöwe) und im Juni 1944 der brit. Streitkräfte, die, zusammen mit ihren US-Verbündeten, die → Invasion in der Normandie durchführten. *Karsten Krieger*

DVP s. Deutsche Volkspartei

E

Ebensee (KZ) s. Mauthausen (KZ)

Edelweiß-Piraten Unter der Sammelbezeichnung E. verfolgten → Hitler-Jugend, → Geheime Staatspolizei und → Justiz im Zweiten → Weltkrieg subkulturelle Gruppen von Jugendlichen (→ Verfolgung; → Jugend). Die Herkunft der Bezeichnung E. steht nicht definitiv fest und ist vermutlich eine Schöpfung der Verfolgungsbehörden, die bei festgenommenen Jugendlichen Edelweiß-Abzeichen fanden. Bevor sich der Begriff E. für die besonders im rheinisch-westfälischen Industriegebiet bestehenden Jugendgruppen durchsetzte, benutzten die NS-Behörden anfänglich auch die Bezeichnung »Kittelbach-Piraten«. Sie ist auf einen 1925 in Düsseldorf gegründeten Wanderbund zurückzuführen, der seinen Namen von einem Wasserlauf ableitete.

Es dürfte sich um mehrere tausend Jugendliche gehandelt haben, die als E. galten bzw. in ähnlichen Gruppen organisiert waren. Das Phänomen E. ist ebenso für Frankfurt am Main, Kassel und Offenbach bekannt geworden und hat zu unterschiedlichen Zeiten abweichende regionale Ausprägungen und Bezeichnungen gefunden, so z.B. »Fahrtenstenze« (Essen), »Navajos« (Köln), »Fahrtenjungs« (Düsseldorf) oder »Ruhrpiraten«. Nachweisbar sind weiterhin vergleichbare bzw. differierende Ausprägungen subkultureller Jugendgruppen, wie »Swing-Cliquen« in Hamburg und anderen Großstädten, »Zazous« (Paris), »Schlurfs« (Wien), »Meuten« (Leipzig), Stäuber-Banden (Danzig) oder Gruppen mit Bezeichnungen wie »Mob«, »Blase«, »Platte« und »Gang«.

Bei ihren dem Dienst in der HJ vorgezogenen geselligen Unternehmungen – Fahrten in das Umland der Großstädte, Treffpunkte in Parks usw. – stießen die an ihrer von der HJ-Kleidung abweichenden Kluft leicht zu erkennenden E. oft mit dem Streifendienst der HJ zusammen. Solche Auseinandersetzungen hätten weitgehend den Charakter großstädtischer Auseinandersetzungen zwischen Jugendlichen um bestimmte Reviere, Straßen und Plätze gehabt, wenn die dabei gefangenen E. nicht → Polizei und Justiz übergeben worden wären. Dadurch wurden sie oft erst in eine Protesthaltung gedrängt bzw. darin bestärkt. Eine entschiedene politische Ausrichtung der E. ist nur in Ausnahmefällen feststellbar. Neben der proletarischen Herkunft vieler Jugendlicher gab es Überlieferungen aus der bündischen Jugend. Eine wichtige Rolle für die hohe Popularität der Jugendgruppen spielte neben der Verfolgung und den jugendtypischen Angebereien und Prahlereien die Anwesenheit von Mädchen. Besonderen Stellenwert nimmt die Kontroverse um den Köln-Ehrenfelder Komplex ein, bei dem es um die Frage geht, ob bzw. inwieweit sechs als E. bezeichnete und am 10.11.1944 ohne gerichtliches Verfahren erhängte Jugendliche als Opfer, Oppositionelle oder Kriminelle einzuschätzen sind. *Kurt Schilde*

Literatur:

Peukert, Detlev: *Die Edelweiß-Piraten. Protestbewegungen jugendlicher Arbeiter im Dritten Reich,* Köln [2]1983.

Ehe (rechtlich anerkannte Lebensgemeinschaft von Mann und Frau) Der E. kam in der nat.soz. → Ideologie eine außerordentliche Bedeutung zu. Sie wurde aus dem rein privatrechtlichen Kontext herausgelöst und als »Grundlage und Keimzelle der → Volksgemeinschaft zu einem Instrument aktiver → Bevölkerungspolitik. Jede E. sollte v.a. der Zeugung möglichst vieler Nachkommen dienen. Zu diesem Zweck wurden gesunde, nach rassischen Gesichtspunkten ausgewählte Paare durch ein großzügiges Ehestandsdarlehen und steuerliche Vorteile begünstigt, während der Staat gegen ihm mißliebige E. durch strikte Gesetzgebung vorging: Zur Sicherung der medizinischen und rassischen → Erbgesundheit des Volkes sah das Gesetz zur Verhütung erbkranken Nachwuchses vom 14.7.1933 die Sterilisierung erblich kranker Menschen vor, durch die → Nürnberger Gesetze waren seit dem 15.9.1935 Ehen zwischen sog. Deutschblütigen und → Juden verboten, und das Ehegesundheitsgesetz vom 18.10.1935 sprach Verbote gegen E. aus, bei denen mit schädlichen Folgen für die Nachkommenschaft zu rechnen war. *Anja von Cysewski*

Ehegesundheitsgesetz s. Erbgesundheit

Eher Verlag, Zentralverlag der → NSDAP, der nach der → »Machtergreifung« zum beherrschenden Presse-Konzern im Dt. Reich ausgebaut wurde. 1920 hatte die NSDAP für 115000 Mark den Verlag Franz Eher Nachf. GmbH erworben. Der E., in dem das Parteiorgan → *Völkischer Beobachter* erschien, war in den Anfangsjahren ständig von Finanzproblemen geplagt, und nur durch den Bestseller → *Mein Kampf* gelang es dem von Hitler eingesetzten Verlagsleiter Max Amann, ihn bis 1933 in die Gewinnzone zu führen. Nach der »Machtergreifung« und der Zerschlagung der sozialistischen → Presse (→ Gleichschaltung) erfüllte Amann mit dem E. die Aufgabe, die übriggebliebenen Zeitungen unter die Kontrolle des Parteiverlags zu bringen. Auch die lokalen NS-Blätter nahm Hitler 1933/34 aus den Händen der → Gauleiter und unterstellte sie in der Standarte Verlags- und Druckerei GmbH der Kontrolle und finanziellen Verwaltung des E. Nach der Anordnung Amanns, daß anonyme Kapitalgesellschaften und konfessionelle Organisationen keine Zeitungsverleger mehr sein durften, wurden 1935 die katholischen Verlage der vom E. beherrschten Phoenix GmbH zugeschlagen, andere private Zeitungen, u.a. die *Frankfurter Zeitung*, integrierte man in die Tochtergesellschaft Herold Verlagsanstalt GmbH, die einträgliche unpolitische Generalanzeigerpresse in die vom → Hugenberg-Konzern übernommene Vera Verlagsanstalt GmbH. Bis 1937 hatte sich der Eher-Konzern über 50% der → Presse angeeignet. 1943 kontrollierte er mit seinen Tochtergesellschaften ca. 150 Verlage. Vom im Verlauf des Krieges zunehmenden Material- und Personalmangel profitierte der E., weil die notwendig gewordene Presse-Konzentration allein zu Lasten der von ihm noch nicht kontrollierten Blätter ging. 1944 beherrschte der Eher-Konzern mit einer Gesamtauflage von gut 16 Mio. Exemplaren der von ihm kontrollierten Blätter über 80% des Pressemarktes. Nach dem Zusammenbruch des → Dritten Reiches ging der E. an die bayerische Staatsregierung, die ihn im Auftrag der Alliierten bis 1952 liquidierte. *Wolfram Selig*

Ehestandsdarlehen s. Ehe

Ehre Im Wertesystem der nat.soz. → Ideologie nahm die E. die beherrschende Stellung ein (→ »Meine Ehre heißt Treue«). »Die Idee der E. ... wird für uns Anfang und Ende unseres ganzen Denkens und Handelns« (Alfred Rosenberg, → *Der Mythus des 20. Jahrhunderts*). Das ausschlaggebende Kriterium für die E. des Individuums war die Zugehörigkeit zur Rasse. »E. ist bedingt durch die Art, durch das Blut.« (Meyers Lexikon, 1937) Diese Auffassung der E. spiegelte sich sowohl in der Gesetzgebung – eines der → Nürnberger Gesetze von 1935 hatte den Titel: »Gesetz zum Schutz des dt. Blutes und der dt. E.« – als auch in der Rechtsprechung wider. Der → Volksgerichtshof kam am 18.3.1942 in einer Urteilsbegründung zu dem Schluß: »Die Aberkennung der bürgerlichen Ehrenrechte nach § 3 StGB könnte nur dann einen Sinn und Zweck haben, wenn der Angeklagte die ... Rechte tatsächlich besitzen würde. Dies ist aber bei einem → Juden nicht der Fall. ... Ein Jude ... besitzt nach der Überzeugung des ganzen dt. Volkes überhaupt keine E.« *Markus Meckl*

Ehrenarier Die Ernennung zum E. bedeutete für → Mischlinge eine weitgehende »Gleichstellung mit Deutschblütigen«. Gesetzliche Grundlage war § 7 der 1. Verordnung zum Reichsbürgergesetz, der als Voraussetzungen Unentbehrlichkeit oder besondere Verdienste »um die → Bewegung« festlegte (→ Nürnberger Gesetze). Die Bearbeitung der Anträge erfolgte im → Reichsinnenministerium und in der Reichskanzlei; die Entscheidung lag bei Hitler persönlich. Etwa 260 Offiziere bzw. deren Ehefrauen erhielten eine solche Statusänderung. Nach dem Attentat vom → 20. Juli 1944 wurden alle Mischlinge sowie deren Ehepartner aus dem Staatsdienst entfernt, auch die, die zuvor Ariern gleichgestellt worden waren. *Sigrid Lekebusch*

Ehrenblatt des deutschen Heeres, ehrenvolle Namensnennung in einer Anlage des Heeresverordnungsblattes seit dem 22.7.1941. Durch zusätzliche Verordnung vom 30.1.1944 wurde als äußeres Zeichen der Namensnennung eine Ehrenspange für Angehörige des Heeres und der → Waffen-SS, die schon das EK 1 (→ Orden und Ehrenzeichen) erhalten hatten, verliehen. Die Luftwaffe verlieh für ihren Bereich durch eine Verordnung Görings vom 5.7.1944 ebenfalls eine E.Spange für Luftwaffenangehörige, die bereits ausgezeichnet worden waren, nachdem Göring am 26.1.1944 die Eintragung verdienter Luftwaffenangehörigen in die Ehrenliste der Dt. Luftwaffe gestiftet hatte. Analog zum E. wurde in der Kriegsmarine am 23.2.1943 die Einführung einer Ehrentafel der Dt. Kriegsmarine bekanntgegeben. *Willi Dreßen*

Ehrendank der NSDAP s. Orden und Ehrenzeichen

Ehrentempel Bezeichnung für zwei Bauten, die den beim gescheiterten → Hitlerputsch ums Leben gekommenen 16 Nat.soz. nach Plänen des Architekten Paul Ludwig Troost zwischen 1933 und 1935 am Königsplatz in München errichtet wurden. In den Sarkophagen waren die Toten beigesetzt. Ab 1935 wurde die alljährliche Wiederholung des »Marsches zur Feldherrnhalle« bis zu den E. fortgesetzt und dort mit einem pompösen »Letzten Appell« beendet. Im Januar 1947 sprengten die Amerikaner die Bauten. *Wolfram Selig*

Ehrenzeichen der NSDAP s. Orden und Ehrenzeichen

Eid Während noch nach der Verordnung des → Reichspräsidenten vom 2.12.1933 der Diensteid von Beamten und Soldaten auf die Verfassung zu leisten war, wurde nach Hindenburgs Tod und der Vereinigung der Ämter des Reichskanzlers und Reichspräsidenten in der Person Hitlers ein Treuegelöbnis auf den Diktator eingeführt: Mit Gesetz vom 20.8.1934 mußte »dem Führer des Dt. Reiches und Volkes, Adolf Hitler« Treue und Gehorsam gelobt werden. Die Eidesleistung von → SS-Anwärtern, üblicherweise inszeniert am 20.4., dem »Geburtstag des Führers«, sah gar »Gehorsam bis in den Tod« vor. Die mit dem E. beabsichtigte personale Bindung an den Diktator führte nicht nur bei religiösen Gruppen wie den → Ernsten Bibelforschern zu Gewissenskonflikten. Eine Eidesverweigerung hatte jedoch Sanktionen zur Folge – von der Entlassung als Beamter bis hin zur Einweisung in ein → Konzentrationslager.

Michael Hensle

Ein Volk, ein Reich, ein Führer! Agitationsparole zur Volksabstimmung und den damit verbundenen Reichstagswahlen am 10.4.1938 nach dem → Anschluß Österreichs. Der Spruch war anläßlich Hitlers Besuch in Wien flächendeckend verbreitet, erschien aber auf Plakaten mit dem Bild Hitlers auch in der Folgezeit als typisches Element nat.soz. politischer Ästhetik.

Wolfgang Benz

Eindeutschung (Wiedereindeutschung, Rückdeutschung) Verleihung der dt. Staatsangehörigkeit an → Volksdeutsche und auch »rassisch wertvolle → Fremdvölkische« (auf Widerruf), mit der langfristig die → Germanisierung der eroberten Gebiete im Osten gesichert werden sollte. Zuständig für die E. war Heinrich Himmler als → Reichskommissar für die Festigung deutschen Volkstums (ernannt: 7.10.1939), der mit der → Dt. Volksliste (DVL) vom 4.3.1941 ein perfides System völkisch-rassistischer Hierarchisierung geschaffen hatte. 1944 waren in der DVL 2,75 Mio. Menschen zur E. eingetragen, Langzeitplanungen über 30 Jahre sahen eine Zahl von 14 Mio. vor. Ihnen standen 31 Mio. Menschen gegenüber, die als nicht »eindeutschungsfähig« galten (50% der Tschechen, 65% der Ukrainer, 75% der Weißrussen, 80% der Polen und 100% der Juden); für sie waren Umsiedlung (→ Volkstumspolitik), → Deportation und Vernichtung (→ Rassenpolitik und Völkermord; → Endlösung) vorgesehen.

Michael Hensle

Eingegliederte Gebiete Im Rahmen der dt. Besatzungspolitik wurde eine Reihe von Gebieten teils de jure, teils de facto annektiert: Die nördlichen und westlichen Landesteile Polens wurden Schlesien oder Ostpreußen zugeschlagen bzw. als Gaue Danzig-Westpreußen und → Wartheland Reichsgebiet, während das mittlere und südliche Polen als »Generalgouvernement« ähnlich wie das »Protektorat Böhmen und Mähren« in einem rechtlich nicht genauer definierten Sinne Teil des Dt. Reiches wurde, wohingegen → Białystok, → Luxemburg, → Elsaß-Lothringen sowie Teile → Jugoslawiens unter einem Chef der Zivilverwaltung erst allmählich »eingedeutscht« werden sollten, die formelle Annexion hier also zunächst unterblieb. Die nat.soz. Germanisierungspolitik in den E. – langfristig als Muster für weitere Gebiete unter dt. Kontrolle gedacht – traf die Bevölkerung der »eingegliederten Ostgebiete« ungleich härter als jene im Westen: Sie sah die Enteignung von Grundbesitz und Industrie sowie die Ausbeutung als billiges Arbeitskräftereservoir vor und schloß zudem die Ermordung der poln. Intelligenz, die »Aussiedlung«

und Vertreibung von Millionen Polen zugunsten anzusiedelnder → »Volksdeutscher« sowie die → Deportation bzw. Ermordung der jüdischen Bevölkerung ein. *Thorsten Wagner*

Einheit Dirlewanger Eine Frontbewährungseinheit der → SS, die sich anfangs (1940) aus »asozialen« und kriminellen → KZ-Häftlingen (ab Juli 1942), vorbestraften SS- und → Wehrmachtsangehörigen (ab Februar 1944) und aus politischen KZ-Häftlingen (November 1944) rekrutierte; geführt wurde sie von Dr. Oskar Dirlewanger (zuletzt SS-Oberführer). Ursprünglich Bataillon, wuchs die E. bis zur Brigade an (ca. 6500 Mann). Sie wurde eingesetzt zur Bekämpfung von → Partisanen im → Generalgouvernement und in Weißrußland, bei der Niederschlagung des → Warschauer Aufstands (1944) und des Aufstands in der → Slowakei, an der ungar. und an der Oderfront. Mehr als 500 politische Häftlinge liefen zur Roten Armee über. In der E. herrschte ein rigoroser Ton. Verstöße wurden mit Erschießung geahndet. Die E. war wegen ihrer Grausamkeiten, Plünderungen und Ausschreitungen berüchtigt. *Hellmuth Auerbach*

Einsatzgruppen Mobile Einheiten der → Sicherheitspolizei und des → Sicherheitsdienstes (SD), die bei Feldzügen vor allem in Osteuropa eingesetzt wurden (→ Weltkrieg 1939–1945). Ihre Aufgabe war die Überwachung des politischen Lebens, die Sicherstellung von staatlichen Akten, vor allem aber die Ermittlung und Ermordung von angeblichen politischen Gegnern und von »rassisch Unerwünschten«. Die ersten E. nahmen am Einmarsch in → Österreich (1938) und in Böhmen und Mähren (1938/39) teil (→ Protektorat Böhmen und Mähren; → Tschechoslowakei). In → Polen waren 1939 die E. I-VI (und E. z.b.V.) tätig, die den Auftrag zur Ermordung der poln. Intelligenz hatten, aber auch Massaker an → Juden verübten (→ Polenfeldzug). Wegen anfänglicher Proteste der Heeresführung wurde der Einbau der E. im Unternehmen → Barbarossa von März–Juni 1941 (→ Polenfeldzug 1941-1945) genau mit → OKW und → OKH geregelt. In der → Sowjetunion hatten die E. ihren umfangreichsten Einsatz mit schließlich 3000 Mann Personal vor allem aus SD, → Gestapo und Kripo (→ Reichssicherheits-Hauptamt), denen noch Einheiten der Ordnungspolizei (→ Polizei) und der → Waffen-SS beigegeben wurden. Die E. A, B und C waren den Heeresgruppen Nord, Mitte und Süd zugeordnet, die E. D dem Armee-Oberkommando 11 an der Schwarzmeer-Küste. Der Befehlshaber der Sicherheitspolizei in Krakau entsandte daneben kleine Kommandos nach Ostpolen, die später als E. z.b.V. bezeichnet wurden. Die E. mit ihren Untergliederungen, den Einsatzkommandos und Sonderkommandos, konzentrierten sich auf die Ermordung der Juden, E. ermordeten aber außerdem bestimmte Kategorien von → Kriegsgefangenen (→ Kommissarbefehl), Zigeunern (→ Sinti und Roma), alle Geisteskranken und andere, angeblich »bandenverdächtige« Zivilisten. Insgesamt muß man von weit über 500 000 Opfern ausgehen, die bei Massenerschießungen ab November 1941 und auch durch → Gaswagen ermordet wurden. Bei den großen Massakern erfolgte die Steuerung durch die → Höheren SS-und Polizeiführer, die gleichzeitig Ordnungspolizei- und Waffen-SS-Einheiten einbezogen. Die E. arbeiteten eng mit der → Wehrmacht, insbesondere den Armee-Oberkommandos, zusammen; die frontnahen Sonderkommandos unterlagen zeitweise genauer Steuerung

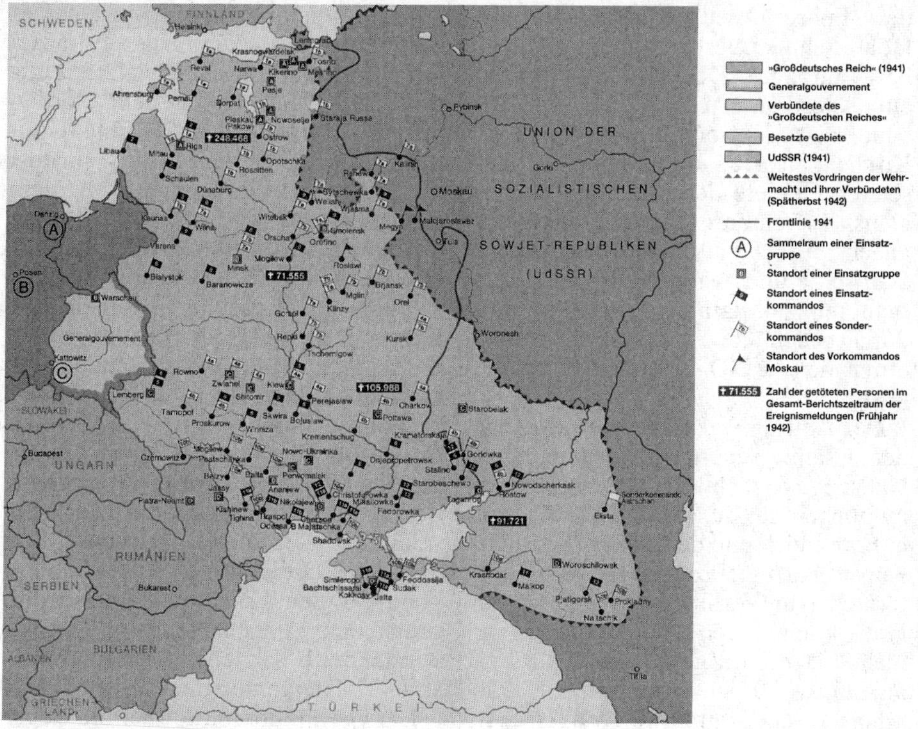

Abb. 50: Die Einsatzgruppen in der UdSSR (1941/42)

durch die Armeen. Ab Frühjahr 1942 wurden die meisten E. zu stationären Dienststellen umgewandelt, die E. D zunehmend im »Bandenkampf« eingesetzt (→ Partisanen). Die täglichen Gesamtmeldungen der E. sind überliefert, enthalten aber nicht alle Verbrechen. Wenig ist bekannt über die Aktivitäten der E. in Norwegen, der E. E in Kroatien, F bei der Heeresgruppe Süd, G in Rumänien, später in Ungarn, H in der Slowakei, K und L bei der Ardennenoffensive sowie über das Einsatzkommando → Luxemburg. Nach dem Krieg war die Tätigkeit der E. Gegenstand eines amerik. Militärprozesses in Nürnberg sowie umfangreicher bundesdt. und sowj. Gerichtsverfahren (→ Nachkriegsprozesse).

Dieter Pohl

Literatur:

Krausnick, Helmut/Hans-Heinrich Wilhelm: *Die Truppe des Weltanschauungskrieges. Die Einsatzgruppen der Sicherheitspolizei und des SD 1938–1942,* Stuttgart 1981.

Ogorreck, Ralf: *Die Einsatzgruppen und die »Genesis der Endlösung«,* Berlin 1996.

Einsatzkommando Blobel s. Enterdungsaktion

Einsatzstab Reichsleiter Rosenberg Die effektivste unter den Organisationen, die den → Kunstraub und die Beschlagnahmung von Kulturgegenständen aller Art in sämtlichen zeitweise dt. besetzten Ländern Europas als Mittel zur Errichtung von Institutionen rassistisch-antisemitischer Selbstdarstellung und Ideologie-Produktion betrieben. Zu ersteren zählte außer dem geplanten »Führermuseum« in Linz die → Hohe Schule, die das → Amt Rosenberg aufbaute. Dessen Leiter wurde auf Anordnung Hitlers am 5.7.1940 beauftragt, Staatsbibliotheken, Archive, Kirchenkanzleien und Logen der besetzten Gebiete der Niederlande, Belgiens, Luxemburgs und Frankreichs »nach für Deutschland geeigneten Schriften« und gegen die Nat.soz. »gerichteten politischen Vorgängen« zu durchsuchen und entsprechende Funde durch den → SD beschlagnahmen zu lassen.

Der Auftrag war so rechtswidrig wie der gesamte Kunstraub nicht nur der Nat.soz. Er machte die intensiven Bemühungen des dt. Militärbefehlshabers in Frankreich und des ihm unterstellten Kunstschutzes (Prof. Graf Wolff Metternich) zur Verhinderung der nun in Gang kommenden Aktionen des E. zunichte. Der Auftrag Rosenbergs wurde am 17.9.1940 auf »herrenlosen jüdischen Besitz«, auf »wertvoll erscheinende Kulturgüter« und die Vollmacht für deren »Abtransport nach Deutschland« ausgedehnt und am 1.3.1942 in analoger Weise auch durch Einbeziehung der »unter Zivilverwaltung stehenden Ostgebiete« erweitert. In den Westgebieten wurde er nicht auf Staatsbesitz angewandt, obwohl der Auftrag vom 17.9.1940 eine solche Beschränkung nicht vorsah. Vermutlich hatte Metternich erreichen können, daß auf derartige Abtransporte während der Kriegszeit verzichtet wurde.

Die Effektivität des E., die im Gegensatz zur sonstigen Einflußarmut des Amtes Rosenberg stand, geht zunächst vermutlich auf das Interesse Hitlers zurück, der hoffen konnte, aus der Beute des E. erstklassige Kunstwerke für das geplante Museum in Linz zu erwerben. Viele Kunstschätze stammten aus jüdischem Besitz. Rosenberg hätte seinen Auftrag aber gar nicht ausführen können, wenn ihm nicht spätestens seit November 1940 die Transportmittel und das Bewachungspersonal der Luftwaffe zur Verfügung gestellt worden wären. Denn deren Chef Göring requirierte rund 700 der 1375 Gemälde, die er bis 1945 ansammelte, aus dem Beutegut des E., unter formellem Vorbehalt einer späteren Entscheidung Hitlers. Später bot er auch einmal Bezahlung an. Rosenberg duldete die Korruption, und selbst Hitler beließ es im April/Mai 1943 bei einem inkonsequenten Versuch, die Kunstschätze künftig durch seinen Beauftragten Prof. Voß allein verwalten zu lassen. Den zeitweise bis zu 300 Mitarbeitern des E. dienten offensichtlich der Vorwand kriegsbedingter »Bergung« und antisemitische Motive als Rechtfertigung für den Kunstraub. Sie wurden durch eine Anzahl Hehler im Kunsthandel der besetzten Gebiete und neutraler Staaten unterstützt.

Ein Gesamtüberblick über die Beute erwies sich bisher als unmöglich; Einzelbeispiele sprechen aber für sich: Allein in Frankreich wurden zwischen März 1941 und Juli 1944 21 903 Kunstwerke »inventarisiert«; zum Abtransport der daraus entnommenen Stücke wurden 137 Waggons benötigt, 69 641 meist jüdische Wohnungen wurden in Frankreich durchsucht und Möbel in 26 948 Waggons weggeschafft. In der Sowjetunion, in Polen, den Balkanstaaten und Ungarn wurden die wichtigsten Bibliotheken, Institute und Museen ausgeraubt und oft dem Verfall preisgegeben oder gar angezündet; Wiederherstellung im Rahmen der Rosenbergschen Separierungs-Politik für die Ukraine (→ Reichskommissariat Ukraine), die es z.B. in Kiew gegeben hat, war eine Ausnahme. Unersetzliche Schätze gingen während der überstürzten Rückzüge im Osten verloren (→ Bernstein-Zimmer).

In Griechenland gelang es dem Kunstschutz, die Raubgrabungen des E. 1943 zu stoppen, in Italien fiel dem E. während der dt. Besetzung »nur« das jüdische Eigentum in die Hände; der dortige Kunstschutz schützte und rettete tatsächlich in zahlreichen Fällen kriegsgefährdete Kunstwerke, glaubte sich aber 1943/44 Himmler-Befehlen zum Abtransport in das damals von Deutschland quasi annektierte → Südtirol nicht widersetzen zu können. Es gab nur eine positive, d.h. zivilisierte Aktion: die Mitwirkung einiger E.-Funktionäre an der Verhinderung der vom oberösterr. Gauleiter Eigruber vorbereiteten Sprengung des Bergwerks-Depots in Alt-Aussee mit seinem Inhalt an Kunstwerken ersten Ranges sowie die ordnungsgemäße Übergabe dieser und anderer Aufbewahrungsplätze an die amerik. Besatzungsmacht im Mai 1945. *Reinhard Bollmus*

Literatur:
Bollmus, Reinhard: *Das Amt Rosenberg und seine Gegner,* München ²1997.
Brenner, Hildegard: *Die Kunstpolitik des Nationalsozialismus,* Hamburg 1963 (zahlreiche Neuauflagen).
Friemuth, Cay: *Die geraubte Kunst,* Braunschweig 1989.
Kurz, Jakob: *Kunstraub in Europa 1938–1945,* Hamburg 1989.
Klinkhammer, Lutz: Die Abteilung Kunstschutz der deutschen Militärverwaltung in Italien 1943–1945, in: *Quellen und Forschungen aus italienischen Archiven und Bibliotheken* 72 (1992), S. 483–549.

Eintopfsonntag Am 13.9.1933 verpflichtete die Reichsregierung alle dt. Familien und Restaurants, jeweils am ersten Sonntag der Monate Oktober bis März nur ein Eintopfgericht zu verzehren bzw. anzubieten, das pro Kopf bis zu 0,50 RM kosten sollte. Der Differenzbetrag zum gewohnten Sonntagsgericht sollte dem → Winterhilfswerk zugute kommen. Mit propagandistischem Aufwand, der auch der Stärkung der Idee der völkischen Solidargemeinschaft diente, zeigten sich Prominente wie Hitler und Goebbels beim öffentlichen Eintopfessen. *Wolfgang Benz*

Einwandererzentralstelle Litzmannstadt Im Auftrag Himmlers (als RKF → Reichskommissar für die Festigung dt. Volkstums) im Oktober 1939 gegründete Sammeldienststelle des → RSHA, seit Herbst 1940 mit Sitz in Lodz (»Litzmannstadt«), zuständig für die Ansiedlung und Einbürgerung von etwa 500 000 »volksdt. Umsiedlern« (aus dem Baltikum, Bessarabien etc.) in den annektierten Ostgebieten. Eine »Umwandererzentralstelle« war für das »Platzschaffen«, die parallel erfolgende → Deportation bzw. Ermordung von Polen und Juden zuständig. Mehrmals wurden die von der Umsiedlung betroffenen Bevölkerungsgruppen und die einbezogenen Territorien erweitert, was mit dazu beitrug, daß die gigantischen »Planungsziele« dieser mörderischen Völkerverschiebung fortlaufend verfehlt wurden. *Thorsten Wagner*

Eiserne Front Am 16.12.1931 in Berlin gegründete Organisation zur Koordinierung des republikanischen Widerstands gegen die extreme Rechte (→ Harzburger Front). Der E. gehörten die → SPD, → Gewerkschaften und Arbeitersportverbände sowie das → Reichsbanner Schwarz-Rot-Gold an. Die E. war jedoch kein echtes Gegengewicht gegen den Terror von → SA und → SS (→ Verfolgung). Im Zusammenhang mit dem → Preußenschlag vom 20.7.1932 wurde sie nicht mobilisiert. Nach der Zerschlagung der Gewerkschaften(→ Gleichschaltung) im Jahr 1933 löste sich die E. praktisch auf. *Willi Dreßen*

Eiserne Garde s. Rumänien, s.a. Faschismus

Eisernes Kreuz s. Orden und Ehrenzeichen

Eisernes Sparen Ende 1941 zum Zweck der Kaufkraftbeschränkung eingeführtes Sparen von Lohn- und Gehaltsbeträgen auf gesperrten Sonderkonten (»Verordnung über die Lenkung von Kaufkraft« vom 30.10.1941 mit Durchführungs-Verordnung). Nach einer »eisernen Sparerklärung« des Betreffenden zog der Arbeitgeber die Summen (zunächst mindestens 0,50 RM täglich bzw. 13,00 RM monatlich) von Lohn bzw. Gehalt ab und zahlte sie auf ein »eisernes« Sparkonto bei einem Geldinstitut ein. Die Beträge waren lohnsteuerfrei und wurden zu den üblichen Sätzen verzinst, sollten aber für den Sparer erst nach Kriegsende verfügbar sein. Mehrarbeitszuschläge, Weihnachtszuwendungen usw. wurden zu hohen Anteilen eingezogen. Das E. war ein unter dem Druck der NS-Propaganda, der Behörden und der Unternehmer weitgehend erzwungener Beitrag zur Kriegsfinanzierung. Sein Erfolg blieb jedoch bescheiden (der Gesamtbetrag ist nicht bekannt).

Dietrich Eichholtz

Eiweißlücke s. Autarkie

El Alamein Ort in Nordägypten, 100 km westlich von Alexandria. Am 30.6.1942 kam der dt.-ital. Vormarsch unter Generalfeldmarschall Erwin Rommel vor der Enge von E. zum Stehen. Die brit. Gegenoffensive unter General Bernard Law Montgomery begann am 23.10. und durchbrach am 2.11. die dt. Stellungen; 30 000 Mann gerieten in brit. Gefangenschaft. Die Panzerschlacht von E. war der Wendepunkt des → Afrikafeldzuges.

Thomas Bertram

Elsaß-Lothringen Wie an → Südtirol, so läßt sich auch am früheren Reichsland E. – seit 1918 wieder frz. – zeigen, daß die → Volkstumspolitik für den → Nat.soz. und für Hitler im besonderen, nur funktionalen Charakter hatte. Vor 1939 diente der wiederholt ausgesprochene Verzicht auf das ehemalige Grenzland dazu, → Frankreich zu beschwichtigen und zu einem stillschweigenden Komplizen der dt. Ostexpansion zu machen. Am Ende des → Westfeldzugs nahm Hitler mit Rücksicht auf Pétain davon Abstand, E. offiziell zu annektieren. Gleichzeitig erhielten die Gauleiter der Gaue Baden (Robert Wagner) und Saarpfalz (Josef Bürckel) den Auftrag, im Elsaß und in Lothringen eine dt. Verwaltung einzurichten. Langfristig sollten diese Provinzen mit den benachbarten reichsdt. Gebieten verschmolzen werden (»Oberrhein« und »Westmark«). Die Gauleiter wurden als »Chefs der Zivilverwaltung« Hitler direkt unterstellt (2.8.1940). Völkerrechtlich waren Elsaß und Lothringen also nicht Teil des Reiches. Gleichwohl wurde später einzelnen Elsässern und Lothringern, v.a. Wehrpflichtigen, die dt. Staatsangehörigkeit verliehen. Robert Wagner suchte die Elsässer durch Umerziehung, insbesondere durch die »Entwelschung« von Land und Leuten (u.a. Verbot von Baskenmützen), zum Deutschtum zu bekehren; Bürckel glaubte seinem Ziel durch die rigorose Umsiedlung frankophoner Bevölkerungsteile näherzukommen. Am Ende des Krieges war auch der Autonomiegedanke, der in der Zwischenkriegszeit eine gewisse Bedeutung erlangt hatte, politisch total diskreditiert.

Lothar Kettenacker

Literatur:

Kettenacker, Lothar: *Nationalsozialistische Volkstumspolitik im Elsaß,* Stuttgart 1973.

Emslandlager (KZ) 15 entlang der Ems an der niederländ. Grenze zwischen 1933 und 1938 errichtete Haftstätten mit unterschiedlichen und wechselnden Funktionen, deren zentrale Verwaltung ihren Sitz in Papenburg hatte. Die drei ersten Lager Esterwegen, Börgermoor und Neusustrum wurden 1933 als KZ für politische Häftlinge geschaf-fen; 1934 bzw. 1936 (Esterwegen) wurden sie als Strafgefangenenlager der Reichsjustizverwaltung unterstellt. Unter den Strafgefangenen befanden sich zahlreiche wegen Hochverratsdelikten gerichtlich abgeurteilte Regimegegner, v.a. kommunistische und sozialdemokratische Widerständler, ferner Zeugen Jehovas (→ Ernste Bibelforscher) und weitere aus politischen Gründen zu Haftstrafen Verurteilte (→ Verfolgung; → Widerstand). Seit Kriegsbeginn dienten die südl. E. hauptsächlich zur Unterbringung von → Kriegsgefangenen verschiedener Nationalitäten. In die nördlichen Lager kamen überwiegend von Militärgerichten verurteilte ehemalige Wehrmachtsangehörige, die zumeist aufgrund einer Zuchthausstrafe als »Wehrunwürdige« aus der → Wehrmacht ausgestoßen worden waren. Die im Laufe des Krieges in → Norwegen und → Frankreich zur Inhaftierung abgeurteilter Ex-Soldaten eingerichteten, sehr berüchtigten Gefangenenlager »Nord« und »West« unterstanden ebenfalls der Verwaltung der E.

Aus westeuropäischen Ländern verschleppte Widerstandskämpfer (→ »Nacht-und-Nebel-Erlaß«) kamen 1943/44 nach Esterwegen; in Oberlangen wurden nach dem → Warschauer Aufstand 1944 poln. Frauen inhaftiert. Von November 1944 bis März 1945 wurden über 2500 KZ-Häftlinge, unter ihnen zahlreiche Skandinavier, in Dalum und Versen untergebracht, die nunmehr als Außenlager dem KZ → Neuengamme unterstanden. Die körperlich ausgezehrten Häftlinge mußten mit Spaten und Schaufel bis zu 5 m breite und 3 m tiefe Panzergräben für den »Friesenwall« graben, der den norddt. Küstenbereich gegen eine Landung der Alliierten schützen sollte.

Von Anfang an mußten die Häftlinge bei der Kultivierung der emsländ. Moore härteste körperliche Arbeit leisten, die offiziell zur »Umerziehung« der Gefangenen beitragen sollte, tatsächlich aber als grausame Strafe eingesetzt wurde, an der zahlreiche Gefangene zugrunde gingen. Die Zustände in den E., in denen im August 1933 das Lied von den »Moorsoldaten« entstand, wurden der internationalen Öffentlichkeit u.a. durch das 1935 in Zürich erschienene Buch *Die Moorsoldaten – 13 Monate KZ-Haft* bekannt. Zu den Häftlingen der emsländ. KZ, die sich selbst »Moorsoldaten« nannten, gehörten bekannte Politiker und Intellektuelle, unter ihnen der Friedensnobelpreisträger von 1935 Carl von Ossietzky.

Zwischen 1933 und 1945 befanden sich insgesamt 70000 Häftlinge und Strafgefangene sowie 110000 Kriegsgefangene in den E. Die Zahl der Todesopfer wird auf 30000 geschätzt, darunter etwa 26000 sowj. Kriegsgefangene.

1984 wurde in Papenburg eine von einem Verein getragene Dokumentationsstätte mit ständiger Ausstellung zur Geschichte der E. eröffnet.

Detlef Garbe

Literatur:
Kosthorst, Erich/Bernd Walter: *Konzentrations- und Strafgefangenenlager im Emsland 1933–1945. Zum Verhältnis von NS-Regime und Justiz. Darstellung und Dokumentation,* Düsseldorf 1985.
Suhr, Elke: *Die Emslandlager. Die politische und wirtschaftliche Bedeutung der emsländischen Konzentrations- und Strafgefangenenlager 1933–1945,* Bremen 1985.

Endlösung Begriff der nat.soz. Tarnsprache, mit dem ab Frühjahr 1941 die beabsichtigte Deportation und Ermordung aller Juden im nat.soz. Machtbereich umschrieben wurde. Die »Lösung der Judenfrage« war als Metapher im öffentlichen Diskurs durch Traktate und Pamphlete seit den 40er Jahren des 19. Jahrhunderts präsent, der Begriff wurde zunächst nicht ausschließlich von Antisemiten propagiert. Unter »Lösung der Judenfrage« wurden ursprünglich auch Assimilations- und Siedlungsprojekte und emanzipatorische philosemitische Bestrebungen verstanden. Im Zeichen des rassebiologisch argumentierenden → Antisemitismus (Schriften von Eugen Dühring, Theodor Fritsch u.a.) diente der Begriff der Propagierung von ausgrenzenden und diskriminierenden Maßnahmen wie Nichtzulassung von Juden zum öffentlichen Dienst, »Entjudung« der Presse und des öffentlichen Lebens, gesellschaftliche Ächtung von »Mischehen«, Zurückdrängen des angeblich ökonomischen Einflusses der Juden.

Ab 1933 radikalisierte sich die Metapher bis hin zur E. der Judenfrage. Die Formulierung wurde spätestens ab Frühjahr 1941 auch im amtlichen Schriftverkehr verwendet (Hinweis Eichmanns am 12.3.1941 auf bevorstehende E., Befehl RSHA v. 29.5.1941) und am 31.7.1941 im »Bestellungsschreiben« Görings an Heydrich gebraucht: »Ich beauftrage Sie ... mir in Bälde einen Gesamtentwurf über die organisatorischen, sachlichen und materiellen Vorausmaßnahmen zur Durchführung der angestrebten E. der Judenfrage vorzulegen.« Im Einladungsschreiben und als Tagesordnung der → Wannsee-Konferenz ist der Begriff E. als feststehender Terminus etabliert. Bei Reden vor Wehrmacht-Generalen sprach der Reichsführer SS Himmler auch im Klartext über die E. als Vollzug der → Rassenpolitik des NS-Staates, die »nach Befehl und verstandesmäßiger Erkenntnis kompromißlos gelöst« sei (24.5.1944): »Es ist gut, daß wir die Härte hatten, die Juden in unserem Bereich auszurotten« (21.6.1944). *Wolfgang Benz*

Enigma (griech.: Rätsel) Bezeichnung für den 1937 offiziell eingeführten Chiffrierautomaten der dt. Wehrmacht. E. verschlüsselte Befehle und Nachrichten durch 5 elektrische Walzen: der Code wurde alle 48 Stunden geändert. Der Adressat empfing die Signale mittels eines synchron geschalteten Geräts und entschlüsselte die Texte anhand des jeweils verabredeten Schlüssels. Der brit. Geheimdienst knackte das E.-System im Frühjahr 1940 (Operation Ultra), was den Deutschen verborgen blieb, die E. bis zum Kriegsende einsetzten, wodurch die Alliierten einen Informationsvorsprung bekamen.

Thomas Bertram

Endsieg s. Propaganda

Entartete Kunst Diffamierende Bezeichnung aller Kunstwerke und -strömungen, die dem engen und rückständigen Kunstverständnis der Nat.soz. und ihrem zwanghaften Schönheitsideal nicht entsprachen. Das in rassistischer Terminologie für angebliche Verfallserscheinungen verwendete Wort »Entartung« richtete sich vor allem gegen die verschiedenen Richtungen der Moderne – Impressionismus, Expressionismus, Kubismus, abstrakte Kunst, Fauvismus, Dadaismus, neue Sachlichkeit –, aber auch gegen alle politisch nicht genehmen Werke. Die nat.soz. Sichtweise konnte sich auf Ressentiments in der Bevölkerung gegenüber schwer verständlichen und als elitär und fremdartig empfundenen Werken und auf eine schon in der Weimarer Republik manifeste Opposition gegen Avantgarde-Kunst (»Kampfbund für dt. Kultur«, 1929) stützen (→ Kunst).

Obwohl vor allem auf Bildende Kunst bezogen, richtete sich der Kampfbegriff auch gegen alle anderen Sparten: Architektur, Literatur:, Theater, Film, Musik (gerade auch gegen angeblich »jüdischen« oder »Nigger«-Jazz) sowie gegen → Presse und → Rundfunk und alle Bereiche der Alltagsästhetik (→ Zensur). Das → Gesetz zur Wiederherstellung des Berufsbeamtentums vertrieb nicht nur jüdische, sondern auch alle progressiven Künstler, Hochschullehrer, Museumsleiter aus dem Staatsdienst. Die → Bücherverbrennung 1933 war der Auftakt zur Entfernung aller nicht genehmen Literatur aus den dt. Bibliotheken. Ein großer Teil der verfemten Künstler emigrierte gleich nach 1933 (→ Emigration). 1936 verbot man die Kunstkritik; erlaubt war nur noch »Kunstbetrachtung«. Mehr als 16 000 Kunstwerke aus Museen und Sammlungen wurden beschlagnahmt und vielfach im Ausland versteigert, was 1938 durch das Gesetz über Einziehung von Erzeugnissen entarteter Kunst sanktioniert wurde. Die Wanderausstellung »Entartete Kunst« (München 1937, später durch die Ausstellung »Entartete Musik« ergänzt) zeigte eine Auswahl prominenter Werke der Moderne, versehen mit diffamierenden Texten und Fotos kranker Menschen, und sollte bei den 3,2 Mio. Besuchern Ängste und Abscheu erregen. Eine öffentliche Verbrennung Tausender von Werken fand 1939 in Berlin statt. Die Verluste, die diese Politik mit sich gebracht hat, sind bis heute nicht überwunden. *Stefanie Endlich*

Literatur:
»Entartete Kunst«. Das Schicksal der Avantgarde im Nazi-Deutschland. Katalog zur Ausstellung im Los Angeles County Museum of Art, übernommen vom Deutschen Historischen Museum, Berlin/München 1992.
Wulf, Joseph: *Kunst im Dritten Reich. Presse und Funk / Literatur: und Dichtung / Die bildenden Künste / Theater und Film / Musik,* Gütersloh 1963/1966.

Enterdungsaktion Versuch zur Beseitigung der Massengräber von NS-Opfern in Osteuropa 1943–1945 durch das sog. Sonderkommando 1005, benannt nach dem einschlägigen Aktenzeichen im → RSHA. Nach ersten Überlegungen seit der Jahreswende 1941/42 beauftragte Heydrich etwa Ende März 1942 Paul Blobel, den früheren Leiter des Sonderkommandos 4a, mit der E. Dieser verhandelte mit → Gestapostellen in Osteuropa und inspizierte 1942 die Leichenverbrennung in den → Vernichtungslagern. In Zusammenhang mit der Entdeckung der Gräber von NS-Opfern im Kaukasus im April 1943 beschleunigte er die Vorbereitungen. Die E. begann im Juni 1943 durch die Gestapo in Lemberg beim dortigen Lager Janowska, wo die Einheit 1005 auch selbst Massenerschießungen vornahm. Ab August wurden die mobilen Sonderkommandos 1005-A und 1005-B in der Ukraine und 1005-Mitte in Weißrußland gebildet, die die Massengräber dieser Gebiete von Ost nach West exhumierten. Lokale Kommandos wurden von Gestapostellen im Baltikum, im Bezirk Białystok, im → Generalgouvernement, in den Reichsgauen → Danzig-Westpreußen und → Wartheland und in → Jugoslawien eingerichtet. Blobel selbst hatte nur einen kleinen Stab, die Kommandos wurden von Gestapomännern geleitet. Die unvorstellbare Arbeit der E. mußten Häftlinge, meist → Juden, verrichten, die von Schutzpolizisten bewacht und nach dem Abschluß der Arbeiten ermordet wurden. Einige der Häftlingskommandos unternahmen erfolgreiche Massenfluchten. Die Massengräber wurden aufgegraben, die Leichen an Sammelpunkte getragen oder gefahren, dort auf Eisenbahnschienen und Holzbohlen geschichtet, mit Benzin übergossen und angezündet. Asche und Knochenteile wurden wieder vergraben. Die E. ist nur teilweise gelungen, vermutlich wurden aber über 1 Mio. Leichen verbrannt; die angestrebte Geheimhaltung konnte nicht erreicht werden. *Dieter Pohl*

Literatur:
Spector, Shmuel: »Aktion 1005 – Effacing the Murder of Millions«, in: *Holocaust and Genocide Studies* 5 (1990), S. 157–173.

Erbarchive s. Medizin

Erbgesundheit Pseudomedizinischer Begriff zur Begründung rassenhygienischer Maßnahmen. Angeblich war die E. des dt. »Volkskörpers« nur zu retten durch »Ausmerze« der »Erbkranken«, »Minderwertigen« und »Gemeinschaftsunfähigen« und durch »Auslese« der »Erbgesunden«, »Hochwertigen« und »Leistungsstarken« (→ Medizin). Nach dem Gesetz zur Verhütung erbkranken Nachwuchses vom 14.7.1933 konnte gegen seinen Willen sterilisiert werden, wer an schwerem Alkoholismus, angeborenem Schwachsinn, Schizophrenie, zirkulärem Irresein oder den erblichen Formen von Veitstanz, Blindheit, Taubheit und schwerer körperlicher Mißbildung litt. Ärzte, Fürsorger, Lehrer usw. hatten den Betreffenden beim Gesundheitsamt anzuzeigen. Das Gesundheitsamt erstellte ein Gutachten und beantragte damit bei dem jedem Amtsgericht angegliederten Erbgesundheitsgericht die Zwangssterilisation.

1933–1945 wurden ca. 400 000 Personen zwangssterilisiert. In der Mehrzahl waren es Fürsorgeempfänger, Langzeitarbeitslose, kinderreiche → »Asoziale«, Hilfsschüler, Behinderte u.a. kostenträchtige »Ballastexistenzen«. Es waren dieselben, die auch von familienfördernden Maßnahmen wie Ehestandsdarlehen und Kinderbeihilfen (→ Ehe) ausgeschlossen waren und nach dem Gesetz zum Schutze der E. des dt. Volkes vom 18.10.1935 nicht heiraten durften. Ärzte und Richter wandelten willkürlich soziale Urteile in medizinische Diagnosen um.

Antje Gerlach

Erbhof Der nat.soz. Versuch, bäuerliches Leben mit der → »Blut und Boden«-Ideologie zu vereinbaren. Mit dem → Reichserbhofgesetz wurde das Anerbenrecht, d. h. die Vererbung auf nur einen Erben, verpflichtend. Die so gebildeten, unteilbaren E. sollten die Erhaltung und Pflege der → nordischen Rasse gewährleisten und eine »rassische Wiedergeburt« des dt. Volkes ermöglichen. Der E.besitz wurde so zu einer Art Lehen, was weitgehende Einschränkungen bäuerlicher Selbstbestimmung bedeutete, insbesondere in wirtschaftlicher und erbrechtlicher Hinsicht. Dies führte zu vielen Streitfällen vor den → Anerbengerichten. Der E.besitzer mußte einen Ariernachweis (→ Abstammungsnachweis) führen, und die Erbberechtigung war an »Reinrassigkeit« gebunden.

Uffa Jensen

Erbkarteien s. Medizin

Erbpflege s. Medizin

Ereignismeldungen s. Einsatzgruppen

Ermächtigungsgesetz Da die → NSDAP bei den Wahlen am 5.3.1933 ein für sie enttäuschendes Ergebnis erzielte und nur mit der → DNVP die absolute Mehrheit erreichte, versuchte Hitler, mit einem Gesetz zur Behebung der Not von Volk und Reich vom 24.3.1933 die Ermächtigung zu erlangen, ohne Zustimmung von → Reichstag und → Reichsrat und ohne Gegenzeichnung des → Reichspräsidenten Gesetze zu erlassen, einschließlich des Haushaltsgesetzes und Verträgen mit fremden Staaten. Ein solches verfassungsänderndes Gesetz bedurfte einer 2/3-Mehrheit des Reichstages. Dieses E. kam nur durch massiven Druck (bewaffnete → SA- und → SS-Männer im Plenarsaal) und Propagierung einer vorübergehenden »legalen Revolution« zustande. Nach der Zusicherung einer restriktiven und kontrollierten Anwendung des E. von seiten Hitlers (Sicherung der Existenz der obersten Verfassungsorgane, der Länder, der Rechte der Kirchen, Wiedergewährung der Grundrechte, Einsetzung eines Reichstagsausschusses für die Kontrolle der zu erlassenden Gesetze), die aber nie eingehalten wurde, stimmten schließlich außer den Parteien der Regierungskoalition → Zentrum, Bayerische Volkspartei und Dt. Staatspartei für das E. Lediglich die 94 Abgeordneten der → SPD votierten dagegen (eindrucksvolle Ablehnung durch den Vorsitzenden Otto Wels); die Abgeordneten der → KPD waren schon vorher verhaftet worden. In dieser formellen Selbstentmachtung des Reichstages und in dem damit erreichten Machtzuwachs Hitlers liegt die eigentliche Bedeutung des E. Der Rechts- und Verfassungsstaat in Deutschland wurde damit beseitigt.

Hellmuth Auerbach

Literatur:

Das »Ermächtigungsgesetz« vom 24. März 1933. Quellen zur Geschichte und Interpretation des »Gesetzes zur Behebung der Not von Volk und Reich«, hg. u. bearb. von Rudolf Morsey, Düsseldorf 1992.

Hitlers Machtergreifung 1933. Vom Machtantritt Hitlers 30. Januar 1933 bis zur Besiegelung des Einparteienstaates 14. Juli 1933, hg. von Josef und Ruth Becker, München 1983.

Jasper, Gotthard: *Die gescheiterte Zähmung. Wege zur Machtergreifung Hitlers 1930–1938,* Frankfurt am Main 1986.

Ernste Bibelforscher Die E., die 1931 den Namen »Zeugen Jehovas« annahmen, für die jedoch ihre älteren Bezeichnungen Ernste oder Internationale Bibelforscher noch lange gebräuchlich blieben, wurden von den Nat.soz. mit unerbittlicher Härte bekämpft. Zu der in den 70er Jahren des 19. Jh. in Pennsylvania/USA entstandenen christlichen Vereinigung bekannten sich in Deutschland, seinerzeit nach den USA die stärkste Ländersektion, 1933 ca. 25000 Personen. Die E. wurden als erste Glaubensgemeinschaft bereits ab April 1933 nach und nach in allen dt. Ländern (in Preußen am 24.6.1933) verboten. Schon seit dem Ersten Weltkrieg hatten sie den Haß völkisch-antisemitischer Kreise auf sich gezogen, die die E. wegen deren Predigt vom herannahenden Weltuntergang, dem Bekenntnis zur Kriegsdienstverweigerung, der »Fremdlenkung« aus den USA und deren vermeintlicher Nähe zum Judentum bekämpften. Die Nat.soz. sahen in ihnen »Wegbereiter des jüdischen Bolschewismus«.

Trotz Verbotes führten weit mehr als 10000 E. ihre Zusammenkünfte und Missionsaktivitäten beharrlich und unter Anwendung konspirativer Techniken fort. Sie hielten die Verbindung untereinander und ins Ausland aufrecht, organisierten einen ausgedehnten Schriftenschmuggel und stellten Druckerzeugnisse (z.B. ihre Zeitschrift *Der Wachtturm*) im Untergrund her. Die Verweigerung des → Deutschen Grußes und der Mitgliedschaft in NS-Zwangskörperschaften führte zu einer weiteren Verschärfung des Konflikts. Von den → Sondergerichten wurden Tausende E. abgeurteilt; Funktionäre und »Wiederholungstäter« wurden ab

Mitte der 30er Jahre zu Hunderten in → Konzentrationslager eingeliefert. Dort führte die → SS die E. als eigenständige Kategorie (violetter Winkel). Aufgrund ihres Zusammengehörigkeitsgefühls und ihrer Glaubenszuversicht zeigten sie einen ausgeprägten Selbstbehauptungswillen, an dem der Versuch der SS, mit Isolierung, Strafkompanie und Mißhandlungen die Abkehr von der Sekte zu erzwingen, scheiterte.

Auf die zunehmende Repression reagierten die E. mit einer Intensivierung ihrer Aktivitäten. 1936/37 protestierten sie mit mehreren reichsweit organisierten Flugblattkampagnen gegen die Einschränkung ihrer Glaubensfreiheit und die Verfolgung durch → Justiz und → Gestapo. Die nonkonforme und radikale Haltung der E. zielte aber nicht auf die Veränderung der politischen Ordnung, vielmehr ging es ihnen um die Möglichkeit uneingeschränkter Religionsausübung. Die → Verfolgung deuteten sie als eine ihnen auferlegte Prüfung, in der sie ihre Glaubenstreue zu beweisen hatten. Insofern war → Widerstand für sie ein Bekenntnisakt.

Nach mehreren Verhaftungswellen waren die reichsweiten Organisationsstrukturen der E. 1938 zerschlagen. Nahezu 10 000 E. wurden für unterschiedlich lange Dauer inhaftiert, über 2000 wurden in KZ eingewiesen. Die Zahl der Todesopfer unter den dt. E. liegt bei 1200, von denen ca. 250 – überwiegend aufgrund wehrmachtgerichtlicher Verurteilung wegen Kriegsdienstverweigerung – hingerichtet wurden. Damit wurden die E. von allen religiösen Gruppen – nach den Angehörigen jüdischen Glaubens – vom NS-Regime prozentual am härtesten verfolgt.

Detlef Garbe

Literatur:

Garbe, Detlef: *Zwischen Widerstand und Martyrium: Die Zeugen Jehovas im »Dritten Reich«*, München 1993.

Imberger, Elke: *Widerstand »von unten«. Widerstand und Dissens aus den Reihen der Arbeiterbewegung und der Zeugen Jehovas in Lübeck und Schleswig-Holstein 1933-1945*, Neumünster 1991.

Erntedanktag Der Sonntag nach Michaelis, einer der nationalen Feiertage des NS-Regimes, mit dem die Bedeutung der Landbevölkerung hervorgehoben und der → »Blut-und-Boden«-Ideologie Ausdruck verliehen wurde (→ Propaganda). Mit der → Feiergestaltung war das → Reichsministerium für Volksaufklärung und Propaganda beauftragt, das ab 1933 ein einheitliches Programmschema (Flaggenparade, Übergabe der Erntegaben, Volksfest etc.) festlegte. Abweichende Bräuche wurden verboten, um die vollständige Indienstnahme dieses alten Volksfeiertages zu gewährleisten. Nachdem die Hauptveranstaltung, der → Reichsbauerntag, ab 1938 nicht mehr stattfand, erlahmte das Interesse am E., lebte aber ab 1942 erneut wieder auf. *Uffa Jensen*

Erntefest s. Aktion Erntefest

Erster Mai s. Nationale Feiertage

Erzeugungsschlacht s. Autarkie

Esterwegen s. Emslandlager

Estland Bis 16.6.1940 unabhängige Republik, dann der → Sowjetunion angegliedert und im Zuge des Unternehmens → Barbarossa im Sommer 1941 von dt. Truppen besetzt sowie als Teil des → Reichskommissariats Ostland der Zivilverwaltung unterstellt. Wie die anderen balt. Staaten war E. zum Experimentierfeld dt. Ausbeutungs- und Germanisierungspolitik ausersehen, wobei nat.soz. Rasseexperten den Esten gute »Eindeutschungs«-Aussichten bescheinigten (→ Germanisierung). Während die »arische« Bevölkerung insbesondere in der Endphase dt. Besetzung als Partner im Kampf gegen die Rote Armee umworben wurde, verfielen → Juden und andere potentielle Gegner der Vernichtung, sofern ihnen nicht die Flucht gelang (→ Rassenpolitik und Völkermord). E. war das erste dt. Besatzungsgebiet, das (bereits Anfang 1942 nach der Ermordung von 936 Juden durch die → Einsatzgruppe A) als »judenfrei« gemeldet wurde; bis zur Befreiung des Landes durch sowj. Truppen im September 1944 existierten allerdings weiter → Konzentrationslager für Juden, etwa in → Vaivara und → Klooga, in denen Zehntausende von hauptsächlich aus → Lettland und → Litauen deportierten Juden starben.

Jürgen Matthäus

Eugenik s. Medizin

Eupen-Malmedy, vom Dt. Reich annektiertes belg. Gebiet. Die Annexion des ehemaligen preuß., im → Versailler Vertrag an → Belgien abgetretenen Gebiets E., wurde am 18.5.1940 verkündet. Breite Zustimmung großer Teile der Bevölkerung erleichterte die Eingliederung, die von Verhaftungen der probelg. und jüdischen Einwohner begleitet wurde. Im September 1944 wurde E. wieder belg. Gebiet; die genauen Grenzen wurden erst im dt.-belg. Grenzvertrag von 1956 festgelegt.

Julia Schulze Wessel

Europäische Neuordnung s. Neuordnung Europas

Euthanasie s. Medizin, s. Aktion T 4

Euthanasieanstalten s. Bernburg, Brandenburg, Grafeneck, Hadamar, Hartheim, Sonnenstein

Evian Die Konferenz von E., als Reaktion auf die rigorose Vertreibung der → Juden aus → Österreich von US-Präsidenten Franklin D. Roosevelt initiiert, fand im Juli 1938 mit Delegierten aus 32 Ländern statt. Das Ziel, durch internationale Zusammenarbeit eine geordnete Auswanderung der dt. und österr. Juden zu ermöglichen und die Aufnahmebereitschaft der teilnehmenden Länder zu erhöhen, wurde nicht erreicht.

Maria-Luise Kreuter

Ewige Jude, Der (Ausstellung) Die von der NSDAP-Gauleitung München-Oberbayern und dem → Reichsministerium für Volksaufklärung und Propaganda veranstaltete Ausstellung wurde am 8.11.1937 in München als »große politische Schau im Bibliotheksbau des Dt. Museums« auf einer Fläche von 3500 m^2 eröffnet. Von → Juden begangene Verbrechen wurden groß herausgestellt, jüdische Bräuche verächtlich gemacht und der »entsittlichende« Einfluß jüdischer Künstler auf die dt. Kultur behauptet. Die gefährlichsten Feinde des Dt. Reiches seien Juden in einflußreichen Positionen auf der ganzen Welt. Fotos sollten die Minderwertigkeit der »jüdischen Rasse« beweisen. Gezeigt wurden einseitig ausgewählte und die Wirklichkeit verfälschende Bilder, so z.B. kleinwüchsige, bucklige Ostjuden im abgerissenen Kaftan oder jüdische Schauspieler in häßlichen Masken. Als »Verderber Deutschlands« prangerte man Politiker jüdischer Herkunft an wie Walter Rathenau; als »Verderber der ganzen Welt« die »jüdischen Kommunisten« Karl Marx und Leo Trotzki. In Anwesenheit hochrangiger NS-Funktionäre wurde die Ausstellung durch Goebbels eröffnet. Julius Streicher vertrat als Hauptredner die These, daß »die Rassenfrage der Schlüssel zur Weltgeschichte« sei. Am Abend wurde im Residenztheater »in plastischen Bildern« – einer Folge von Rezitationen und dramatischen Szenen – die antisemitische Botschaft vertieft (→ Antisemitismus). Sonderpostkarten und Sonderstempel warben für die Ausstellung. Eine Vortragsreihe der »Forschungsabteilung Judenfrage des → Reichsinstituts für Geschichte des neuen Deutschlands« sollte das Ausstellungsthema wissenschaftlich untermauern. Schulklassen wurden durch die antisemitische Schau geführt, die vom 8.11.1937–31.1.1938 412300 Besucher zählte. Die Ausstellung wurde auch in anderen Städten gezeigt. *Wolfram Selig*

Ewige Jude, Der (Film) Hier wurde die Figur des ewig wandernden Juden, des Ahasverus, die seit dem frühen Mittelalter als Legende kursiert, zum Titel des wohl bekanntesten antisemitischen Propagandafilms der NS-Zeit, der mit pseudo-dokumentarischen Mitteln den »niederträchtigen«, angeblich unzivilisierten Charakter des »Weltjudentums« aufdecken will. Regie führte Fritz Hippler, gedreht wurde vor allem im → Ghetto → Lodz; Premiere war am 29.11.1940. Der Film arbeitet mit altbekannten antijüdischen Stereotypen, und die Kamera versucht die Gesichter etwa der Ghettobewohner so einzufangen, daß sie nur noch als »typisch jüdische« Fratzen ähnlich den → *Stürmer*-Karikaturen erscheinen. Besonders erschauern sollte der Betrachter bei der Schächtszene (die in manchen Kopien aus Rücksicht auf die »Nerven« der Zuschauer herausgeschnitten wurde), deren plastische, blutrünstige Darstellung Ekel erregt (→ Antisemitismus; → Propaganda). *Juliane Wetzel*

Exil s. Emigration

Externsteine s. SS-Wirtschaftsunternehmen

F

Fabrikaktion Letzte große Razzia zur → Deportation aller noch im Dt. Reich verbliebenen nichtprivilegierten → Juden. In seiner Eigenschaft als Gauleiter von Berlin verfolgte Reichspropagandaminister Dr. Joseph Goebbels das Ziel, Berlin bis spätestens Ende März 1943 »judenfrei zu machen«. Die Aktion hatte zwei Ziele: neben der Deportation aller im Reich befindlichen »ungeschützten« Juden sollten die in → »Mischehe« lebenden jüdischen Zwangsarbeiter erfaßt und aus den Industriebetrieben entfernt werden. Auf Anordnung des → RSHA wurden ab dem 27.2.1943 in Berlin etwa 11000 Juden verhaftet und in vier Sammellagern (zwei Kasernen, die Synagoge in der Levetzowstraße und das Konzerthaus Clou) bis zu ihrer Deportation festgehalten. Von den über 11000 Verhafteten wurden zwischen dem 27.2. und dem 6.3. etwa 8650 Personen deportiert. »Geltungsjuden« sowie die in → »Mischehe« lebenden Juden wurden in einem Verwaltungsgebäude der Jüdischen Kultusvereinigung in der Rosenstraße 2–4 und in einem Gebäude der Großen Hamburger Straße interniert. Gegen die Gefangensetzung und die befürchtete Deportation dieses Personenkreises protestierten deren nichtjüdische Angehörige, v.a. Ehefrauen, eine Woche lang unter den Augen der SS, in einer beispiellosen öffentlichen Aktion in der Rosenstraße, bis zur Freilassung der Internierten am 6.3.1943. Die Festsetzung war nach neueren Forschungen offenbar erfolgt, um die letzten jüdischen Mitarbeiter nichtjüdischer Einrichtungen zu ersetzen. Die Freilassung war also nicht unbedingt Ergebnis des Widerstands der Angehörigen. Dieser Protest irritierte aber zweifellos die Machthaber, wovon Goebbels' Tagebuchaufzeichnungen zeugen. *Mona Körte*

Literatur:

Gruner, Wolf: *Der Geschlossene Arbeitseinsatz deutscher Juden. Zur Zwangsarbeit als Element der Verfolgung 1938-1943,* Berlin 1997.
Jochheim, Gernot: *Frauenprotest in der Rosenstraße,* Berlin 1993.

Fahne hoch, Die s. Horst-Wessel-Lied

Fahnenflucht Galt als das »gemeinste militärische Verbrechen« (Keitel) an der »Wehr- und Volksgemeinschaft« des nat.soz. Staates. Getreu Adolf Hitlers in → *Mein Kampf* vertretener Devise, als Deserteur müsse man sterben, wurde nach §§ 69, 70 MStGB im Kriege grundsätzlich mit dem Tode bestraft, wer sich schuldig machte, »sich der Verpflichtung zum Dienste in der Wehrmacht dauernd zu entziehen«. Das Feindbild des Deserteurs verband traditionelle militärische Disziplinvorstellungen mit der Psychopathologisierung des politischen Gegners und »Reinigungs«-Vorstellungen des → Sozialdarwinismus. Der Fahnenflüchtige galt als »Wehrmachtsschädling«. Die Wehrmachtsjustiz strafte F. als eminent politisches Delikt ab, wurde doch der Verstoß gegen die im Fahneneid festgeschriebene persönliche Eidesleistung auf Hitler als »Treuebruch« und »schwerste Pflichtverletzung« gewertet (→ Eid). Kriegsgerichte verhängten mehr als 22000 Todesurteile wegen F. und ließen mehr als 15000 verurteilte Deserteure hinrichten (→ Kriegsgerichtsbarkeit). Richtlinien und Erlasse für die Strafzumessung bei F. wurden im Verlauf des Zweiten Weltkrieges zur Durchsetzung einer generalpräventiven Abschreckungsdoktrin mehrfach verschärft (→ Kriegssonderstrafrecht).

Die F. wurde für viele dt. Soldaten, die erzwungenermaßen ihren Kriegsdienst für den Unrechtsstaat leisteten, zum einzigen Ausweg aus der Gewissensnot. F. war daher in zahlreichen Fällen auch Ausdruck des → Widerstands. *Norbert Haase*

Literatur:

Ausländer, Fietje (Hg.): *Verräter oder Vorbilder? Deserteure und ungehorsame Soldaten im Nationalsozialismus,* Bremen 1990.
Haase, Norbert: *Deutsche Deserteure,* Berlin 1987.
Seidler, Franz W.: *Fahnenflucht. Der Soldat zwischen Eid und Gewissen,* München/Berlin 1993.

Fahrtenstenze s. Edelweiß-Piraten

Fall Gelb Tarnbezeichnung für den dt. Angriff im Westen. Die auf dem Schlieffen-Plan aus dem Ersten Weltkrieg basierende Aufmarschanweisung vom 19.10.1939 fiel den Belgiern in die Hände (→ Mechelen-Zwischenfall 10.1.1940) und machte eine Änderung des Angriffskonzepts nötig, die allerdings ohnehin schon erwogen wurde. Der neue, insbesondere von Erich v. Manstein beeinflußte Operationsplan vom 24.2.1940 sah v.a. den Vorstoß starker Panzerverbände durch die als unpassierbar geltenden Ardennen vor (»Sichelschnitt«), worauf im allgemeinen der Erfolg des → Westfeldzuges zurückgeführt wird. *Elke Fröhlich*

Fall Grün Operationsplan für den Einmarsch in das → Sudetenland und die Besetzung der (Rest-) → Tschechoslowakei.

Fall Weiß Operationsplan für den → Polenfeldzug.

Faschismus Abgeleitet vom lateinischen *fascis* (Rutenbündel mit Beil, das im antiken Rom den Liktoren als Symbol ihrer Amtsgewalt vorangetragen wurde, im ital. F. Sinnbild der faschistischen

Bewegung, von 1926 bis 1943 offizielles Staatssymbol → Italiens). Im engeren Sinne bezeichnet F. die von Mussolini gegründete Bewegung bzw. Partei, ihre Ideologie sowie das von ihr in Italien errichtete Herrschaftssystem; im weiteren Sinne alle ideologisch verwandten Phänomene in Europa nach dem Ersten und bis zum Ende des Zweiten Weltkrieges, die totalitäre Systeme begründeten oder sich deren Begründung zum Ziel setzten. Als neofaschistisch werden politische Bewegungen bzw. Parteien bezeichnet, die nach dem Zweiten Weltkrieg an faschistische Zielvorstellungen anknüpfen.

Obwohl der F. niemals eine konsistente Ideologie ausbildete, teilten die verschiedenen faschistischen Bewegungen eine Reihe von Merkmalen: militanten Antikommunismus und Antiliberalismus sowie eine prinzipielle Feindschaft gegenüber der Demokratie, einen extremen Nationalismus, der den Einzelnen der Nation total unterordnete und in der Regel expansive Ziele verfolgte (und sei es gegen Minderheiten im eigenen Land), verbunden mit rassistischen, oftmals auch antisemitischen Motiven (→ Antibolschewismus; → Antisemitismus). Der F. propagierte kultische Verehrung gegenüber einem allmächtigen Führer sowie die Herausbildung eines Ethos, das bedingungslosen Befehlsgehorsam, Konformismus sowie Haß gegen Außenseiter und abweichende politische Auffassungen, ständige Bereitschaft zur Anwendung physischer Gewalt und Verachtung für alles Schwache forderte. Die Organisation der Gesellschaft sollte nach dem → Führer- und → Gefolgschaftsprinzip erfolgen.

Der F. propagierte eine monolithische Einheit zwischen dem Staat und der eine Monopolstellung behauptenden faschistischen Partei. Die Funktion der vielfältigen Parteiorganisationen bestand v.a. darin, alle staatlich-sozialen Bereiche mit dem Willen des Führers »gleichzuschalten«, den einzelnen total zu kontrollieren sowie schließlich einen neuen, faschistischen Menschentypus zu schaffen. Alle faschistischen Parteien unterhielten paramilitärische Verbände, die ursprünglich für Auseinandersetzungen mit dem politischen Gegner bestimmt waren und im Falle der Machtergreifung auch staatliche Aufgaben wahrnahmen. Der F. erstrebte die politische und oft auch physische Vernichtung des ideologischen Gegners. Brutale Gewaltanwendung wurde einerseits als Kampf gegen den Kompromißcharakter des bürgerlich-liberalen Systems sowie gegen den Bolschewismus glorifiziert, andererseits als Ausdruck eines neuen politischen Stils verherrlicht, der den Zustand des Krieges schon in den Frieden verlagerte.

In der Herrschaftsphase wurde Opposition durch Polizeiterror unterdrückt oder vernichtet. Faschistische Bewegungen entstanden nach dem Ersten Weltkrieg nahezu überall in Europa aufgrund verschiedener, v.a. wirtschaftlich-sozialer Krisen. Sie vermochten dort massenwirksamen Protest zu mobilisieren sowie das bürgerliche System selber zu gefährden, wo dieses nur ansatzweise bzw. unvollkommen gesellschaftlich verwurzelt war, wo vorkapitalistische, obrigkeitsstaatliche, feudale oder ständische Orientierungsmuster sich in weiten Teilen der Gesellschaft erhalten hatten. Ohne auswärtige Hilfe konnten sich faschistische Regime nur in Italien und Deutschland etablieren, und dort konnten sie es nur im Bündnis mit älteren konservativen Machteliten, die ihrerseits mit Hilfe des F. den Bolschewismus zu vernichten trachteten. Der F. sollte im Rahmen eines – letztlich fehlgeschlagenen – konservativen »Zähmungskonzeptes« kontrolliert werden. Wo die Hilfe der Konservativen ausblieb, der F. durch autoritäre Regime unterdrückt wurde oder sich ein klassenübergreifender antifaschistischer Widerstand organisierte, hatte der F. keine Chance, unter friedlichen Bedingungen zur Herrschaft zu gelangen.

In → *Italien* gründete der ehemalige Sozialist Benito Mussolini am 23.3.1919 eine Organisation ehemaliger Kriegsteilnehmer, die »fasci di combattimento« (Kampfbünde), die am 7.11.1921 in eine Partei, den Partito Nazionale Fascista (PNF) umgewandelt wurde. Am 27./28.10.1922 veranstalteten die Faschisten den »Marsch auf Rom« (der zum Vorbild des → Hitlerputsches wurde), eine mit schwachen Kräften unternommene Revolte gegen den liberalen ital. Staat, die zum Erfolg führte, weil Mussolini die Unterstützung der ital. Führungsschichten besaß, er sich mit der Kirche zu verständigen wußte und der ital. König Viktor Emanuel III. den bereits über Rom verhängten Ausnahmezustand wieder aufhob und Mussolini schließlich mit der Regierungsbildung beauftragte. In diesem Kabinett waren die Faschisten in der Minderheit. Der Ausbau des 1925 von Mussolini propagierten »stato totalitario« erfolgte 1925–1928 in verschiedenen Etappen, erreichte allerdings niemals das Ausmaß, das diese Staatsform in Deutschland annehmen sollte. Dies lag nicht zuletzt daran, daß Militär, Kirche und Krone nicht »gleichgeschaltet« werden konnten, sondern für den ital. F. Verbündete auf Zeit blieben. Mussolinis Entschluß, den Weg imperialistischer Expansion zu beschreiten, führte ihn in die Abhängigkeit vom nat.soz. Deutschland. Nach dem Zusammenbruch seines Regimes am 25.7.1943, seiner Verhaftung und anschließenden Befreiung durch dt. Soldaten, verblieb ihm schließlich noch die kurzlebige Rolle, in Norditalien den Chef einer Marionettenregierung von Hitlers Gnaden zu spielen.

Aufstieg, Programmatik und soziale Zusammensetzung der → NSDAP weisen große Ähnlichkeiten mit der PNF auf. Das Regime Hitlers war hinsichtlich seiner Entstehung und ursprünglichen Struktur eine Führerdiktatur nach ital. Vorbild. Die Entwicklung der nat.soz. Herrschaftspraxis wich jedoch vom ital. Prototyp derart stark ab, daß sich von einem dt. F. allenfalls im Hinblick auf die strukturellen und entwicklungsgeschichtlichen Gemeinsamkeiten der faschistischen Regime sprechen läßt. War Mussolinis F. letztlich immerhin noch auf die Umwandlung des Staates bezogen, so ging es Hitler von Anfang an um die Begründung eines Imperiums auf rassischer Grundlage, für das der Staat nur das Mittel zum Zweck bildete. Der sozialdarwinistisch motivierte, auf planmäßige physische Vernichtung abzielende Rassismus und Antisemitismus des NS-Regimes hatte keine ital. Entsprechung. Der Rassismus des ital. F. war von älterer, kolonial-imperialistischer und apartheidlicher Art; er unterdrückte ganze Völker und zwang sie zu einer diskriminierenden Randexistenz, führte aber nicht in den organisierten Völkermord. An Deutschland und Italien orientierten sich letztlich alle kleineren faschistischen Bewegungen und Parteien Europas.

In → *Kroatien* gründete der Rechtsanwalt Ante Pavelic am 7.1.1929 die → Ustascha, welche die nationale Unabhängigkeit Kroatiens proklamierte und dieses Ziel durch den Einsatz von Terror zu erreichen trachtete. Die Ustascha, extrem antisemitisch und antibolschewistisch orientiert, übernahm nach der dt. Besetzung → Jugoslawiens in Kroatien die Macht, wo sie nach nat.soz. Vorbild ein Terrorregime errichtete, das → Juden und Serben mit äußerster Grausamkeit verfolgte.

In → *Rumänien* gründete der Student Corneliu Zelea Codreanu am 24.6.1927 die nationalistische, antikommunistische und antisemitische Legion Erzengel Michael, seit 1931 als »Eiserne Garde« bekannt, die v.a. durch politische Morde von sich reden machte. Nachdem Codreanu bei den Parlamentswahlen 1937 16% der Stimmen erhalten hatte, wurde seine Organisation verboten, er selber verhaftet und am 30.11.1938 »auf der Flucht erschossen«. Die Eiserne Garde blieb jedoch weiterhin ein politischer Machtfaktor: Im September 1940 bildete auf dt. Druck die von General Ion Antonescu geleitete Regierung mit der von Horia Sima, dem Nachfolger Codreanus, geführten Eisernen Garde eine Koalitionsregierung, die insbesondere Juden brutal verfolgte. Horia Sima, der nach einem gescheiterten Putschversuch im Januar 1941 im KZ → Buchenwald interniert worden war, wurde nach dem Sturz Antonescus am 26.9.1944 von Hitler als Chef einer rumänischen Exilregierung eingesetzt.

Die am Nat.soz. orientierten Bewegungen → *Ungarns* gingen in der 1935 gegründeten »Partei des nationalen Willens« des ehemaligen Generalstabsoffiziers Ferenc Szálasi auf, die sich nach ihrem Symbol schließlich → Pfeilkreuz-Partei nannte. Szálasi vertrat ein national-imperialistisches, antifeudalistisches, antikapitalistisches und antisemitisches Programm. Nach dem Sturz des Reichsverwesers Nikolaus v. Horthy im Oktober 1944 wurde er von Hitler zum Regierungschef erhoben. Seine Pfeilkreuzler beteiligten sich an der Vernichtung der ungar. Juden sowie am dt. Abwehrkampf gegen die Rote Armee.

In → *Österreich* entstand der F. aus den Heimwehren, die, den dt. Freikorps ähnlich, unmittelbar nach dem Ersten Weltkrieg aufgebaut worden waren. Während sich die Deutsche Nationalsozialistische Arbeiterpartei (DNSAP) Österreichs schließlich völlig der dt. NSDAP anschloß, orientierten sich die Heimwehren mehrheitlich am ital. F. und widersetzten sich dem → Anschluß Österreichs an Deutschland. Mit ihrer Auflösung im Oktober 1936 endete der einzige europäische F., der gegen Hitler auf Mussolini setzte (→ Austrofaschismus).

Die faschistischen Parteien → *Spaniens* gingen in der am 13.2.1934 von José Primo de Rivera gegründeten Falange Español de las Juntas de Ofensiva Nacional Sindicalista auf. Ideologisch am ital. F. orientiert, blieb die Falange vor dem → Spanischen Bürgerkrieg von geringer Bedeutung. Am 19.4.1937 wurde sie durch General Francisco Franco mit der reaktionären Partei der Carlisten zur Einheitspartei verschmolzen, verlor somit ihre Selbständigkeit und – als Stütze der Militärdiktatur Francos – auch ihren faschistischen Charakter.

In → *Frankreich* existierten in der Zwischenkriegszeit eine Reihe faschistischer Bewegungen und Parteien, von denen lediglich dem 1925 gegründeten Faisceau des combattants et des producteurs des ehemaligen Mitglieds der Action Française, Georges Valois, und der 1936 gegründeten Parti populaire français des Exkommunisten Jacques Doriot einige Bedeutung zukam. Alle diese Gruppierungen scheiterten letztlich am breiten antifaschistischen Konsens im Frankreich der 30er Jahre sowie an dem Umstand, daß die aggressive nat.soz. → Außenpolitik generell die Erfolgschancen faschistischer Parteien in Europa untergrub.

Die unbedeutenden faschistischen Gruppen in → *Großbritannien* gingen in der am 1.10.1932 von dem ehemaligen Konservativen und anschließenden Labour-Abgeordneten Sir Oswald Mosley gegründeten British Union of Fascists (ab 1937: British Union) auf. Mosleys antikommunistische und antisemitische Partei erreichte im Juni 1934 den Höhepunkt ihres Erfolges (50 000 Mitglieder). Zu Kriegsbeginn war sie zur unbedeutenden Splittergruppe herabgesunken, was nicht zuletzt daran lag, daß sich Mosley durch seine zunehmende Selbstidentifikation des Parteigründers mit Hitler in der öffentlichen Meinung disqualifizierte.

In den Ländern, in denen der F. mit dt. Unterstützung während des Zweiten Weltkrieges zur Herrschaft gelangte, konnte er sich auch nur mit dt. Unterstützung halten. Der Zusammenbruch des Dritten Reiches bedeutete auch das Ende des F. in Europa (→ Faschismustheorien). *Karsten Krieger*

Literatur:
Griffin, Roger: *The Nature of Fascism,* London 1991.
Nolte, Ernst: *Die faschistischen Bewegungen. Die Krise des liberalen Systems und die Entwicklung der Faschismen,* München [9]1984.
Woolf, Stuart Joseph (Hg.): *Fascism in Europe,* New York [2]1981.

Faschismustheorien *Fascismo*, abgeleitet vom latein. *fascis* (Rutenbündel), war ursprünglich die Selbstbezeichnung der Mussolini-Bewegung, doch machte sich der Begriff als weltanschauliches Faszinosum in den 20er Jahren rasch selbständig. F. im engeren Sinne entstanden erst durch eine doppelte Wendung: einmal durch die Abstraktion von der spezifischen Situation in → Italien, zum andern durch eine scharfe politische Antistellung, die den → Faschismus zum exponierten Gegner erklärte. Damit ist auch schon gesagt, daß die F., die durch den Sieg des → Nat.soz. in Deutschland eine zusätzliche Konjunktur erlebte, zur Domäne der politischen Linken wurde. Die extremste Form der politischen Instrumentalisierung ist zweifelsohne die ökonomistische Dogmatisierung des Faschismusbegriffs durch den Parteikommunismus geblieben, die 1924 auf dem V. Weltkongreß der Komintern einsetzte und – über die »Sozialfaschismus«-Formel hinweg durch Dimitroff auf dem VII. Weltkongreß der Komintern (25.6.–20.8.1935) zu einem gewissen Abschluß gebracht wurde (»Der Faschismus ist die offene terroristische Diktatur der am meisten reaktionären, chauvinistischen und imperialistischen Elemente des Finanzkapitals«). Da die F. aber auch dort ein politisches Konzept blieb, wo der Eigenwert der theoretischen Anstrengung erkannt und anerkannt wurde, waren ihre Ausprägungen so vieldeutig wie die vielfältigen Fraktionen des antifaschistischen Kampfes im 20. Jh. Hier seien nur diejenigen hervorgehoben, die 1. eine prägnante Theoriegestalt erreichten und 2. ihr vorrangiges Ziel darin sahen, die spezifische Entwicklung in Deutschland zu verstehen. Die Stichworte, die sie für die Erforschung der Nat.soz. liefert, entstammen einer typischen, mittleren Abstraktionslage, in der sich der Faschismus als allgemeine Epochentendenz, der Nat.soz. aber als deren extremste Ausformung darstellt.

Theoriegeschichtlich folgenreich wurden vor allem zwei Ansätze: 1. Die sozial-psychologische F. entwickelte sich seit den 20er Jahren aus Versuchen, die Freudsche Psychoanalyse zur Erklärung der faschistischen Massenmobilisierung heranzuziehen. Während Wilhelm Reich sich noch einer relativ groben »Sexualökonomik« bediente, entwarfen Erich Fromm, Max Horkheimer und Theodor W. Adorno in der Emigration differenziertere Methoden, um die Psychodynamik der Führer-Gefolgschaft-Beziehung zu untersuchen.

Im »autoritären Charakter« verschmolz für sie masochistische Unterwerfungslust mit sadistisch-rebellischer Aggression, eine Charakterstruktur, die sich als »psychischer Kitt« für die Durchsetzung und Stabilisierung einer auf Unterdrückung und Vernichtung angelegten Gesellschaftsordnung eignete. 2. Parallel dazu kam es zur Ausformung einer politisch-ökonomischen F., die aus der manifesten Krise des Monopolkapitalismus einen schwerwiegenden Form- und Funktionswandel des liberal-demokratischen Institutionensystems entspringen sah. Während sich Hermann Heller Ende der 20er Jahre noch eng an den ital. Faschismus hielt, um die politische Krise dingfest zu machen, erweiterte sich der Radius dieses Ansatzes in dem Maße, in dem der Nat.soz. sich zuerst gegenüber der Weimarer Republik durchsetzte und dann zur Triebkraft der »Faschisierung« Europas wurde. Aus der Vielzahl ausgefeilter politisch-ökonomischer Studien, wie sie u.a. von Rudolf Hilferding, Richard Loewenthal, Franz Borkenau vorgelegt wurden, ragen zwei Werke hervor, weil sie die detaillierte Analyse der nat.soz. Politik in griffige Metaphern zu gießen verstanden: Ernst Fraenkel charakterisierte das Hitler-Regime als »Doppelstaat«, dessen Gesetzes-Seite der Aufrechterhaltung des Kapitalismus und dessen Maßnahme-Seite der Durchsetzung eines terroristischen Regimes zu dienen habe. Franz Neumanns *Behemoth* präzisierte mit der Unterscheidung der Monopol- von der Befehlswirtschaft nicht nur die kapitalismustheoretische Grundlage, sondern ergänzte das Verständnis des nat.soz. Herrschaftssystems durch die Betonung seiner ideologischen wie institutionellen Zerstörungsdynamik – mit dem ebenso paradoxen wie nachhaltigen Ergebnis, daß der Nat.soz. ein in Auflösung begriffenes Regime, ein totalitärer »Nicht-Staat« sei, dessen Machteliten (Partei, Bürokratie, Kapital, Armee) auf ein einziges Ziel verständigt seien: auf die terroristische Unterwerfung nach innen und auf die rassenimperialistische Aggression nach außen.

Die große Zeit der F. endet mit dem Zweiten Weltkrieg. Dies verweist auf ihre historische Bedingtheit ebenso wie auf ihre politische Funktionalität: Sie waren eines der wichtigsten, in ihren Vertretern auch eines der anspruchsvollsten Verständigungsmedien der westlichen Linksintelligenz, die durch die Erfahrung des Faschismus zu einer moralischen Instanz sui generis zusammengeschweißt wurde. In den 50er Jahren weitgehend abgelöst durch die sog. → Totalitarismustheorien, existierten sie im Zeitalter des Kalten Krieges nur mehr in rudimentärer Form weiter: Ernst Nolte konzentrierte sich auf die weltanschaulichen Aspekte der faschistischen Politikauffassung und entwarf mit seiner phänomenologischen Methode das eindrucksvolle Gemälde des *Faschismus in seiner Epoche*; in der Studentenbewegung der 60er Jahre, v.a. in ihrer dt. Variante, kehrte der Faschismusbegriff noch einmal zurück, dessen einseitige Theoriefixierung jedoch kaum mehr Impulse für die historische Detailforschung erbrachte. Heute scheinen die Faschismustheorien weitgehend ersetzt zu werden durch eine vergleichende politische Soziologie, deren Schlüsselbegriff »Autori-tarismus« (Juan Linz) lautet.

Alfons Söllner

Literatur:

Bracher, Karl D.: *Zeitgeschichtliche Kontroversen. Um Faschismus, Totalitarismus, Demokratie*, 5., veränd. u. erw. Aufl., München/Zürich 1984.

De Felice, Renzo: *Die Deutungen des Faschismus*, Göttingen 1980.

Eichholtz, Dietrich/Kurt Gossweiler (Hg.): *Faschismus-Forschung. Positionen, Probleme, Polemik*, 2. durchges. Aufl., Köln 1980.

Kühnl, Reinhard: *Faschismustheorien. Ein Leitfaden,* Neuausg., Reinbek 1990.
Luks, Leonid: *Entstehung der kommunistischen Faschismustehorie. Die Auseinandersetzung der Komintern mit Faschismus und Nationalsozialismus 1921-1935,* Stuttgart 1985.
Nolte, Ernst (Hg.): *Theorien über den Faschismus,* 5. Aufl., Königstein, Ts. 1979.
Wippermann, Wolfgang: *Faschismustheorien. Zum Stand der gegenwärtigen Diskussion,* 5., völlig neu bearb. Aufl., Damstadt 1989.

Februarstreik Proteststreik gegen die antisemitische Politik der dt. Verwaltung in den → Niederlanden. Am 25. und 26.2.1941 folgten Arbeiter und städtische Angestellte in Amsterdam einem von der illegalen KP verfaßten anonymen Aufruf zur Solidaritätsbekundung mit den → Juden. Anlaß war die → Deportation von 425 Amsterdamer Juden ins KZ → Mauthausen. Der Ausstand breitete sich auf Zaandam, Utrecht und Hilversum aus. Nach gewaltsamem Durchgreifen der Polizei brach der Protest am 27.2.1941 zusammen. Der F. forderte neun Todesopfer, drei Beteiligte wurden im März 1941 hingerichtet. Der F. machte deutlich, daß mit einer Selbstnazifizierung der Niederlande nicht zu rechnen war.

Paul Stoop

Feiergestaltung Die F. bildete ein zentrales Element der nat.soz. → Propaganda, boten sich hier doch viele Wege, nat.soz. → Ideologie in konkreter Form zu vermitteln, wobei oft volkstümliche Traditionen ideologisch verbrämt wurden. So drängte man bereits 1933 auf eine Neuregelung der F. im nat.soz. Sinne, um durch die Wirkung der Massenkundgebungen das öffentliche Leben zu beeinflussen. Die totale Durchdringung des Alltags sollte auch v.a. durch das Eindringen ideologischer Feierkonzepte in die Privatsphäre (z.B. → Lebensfeier, Jugendfeiern) erreicht werden. Mit Gesetz vom 27.2.1934 wurden drei → nationale Feiertage festgelegt: der 1. Mai als Ausdruck der geeinten → Volksgemeinschaft, der → Heldengedenktag am Sonntag Reminiscere, später auf den 16.3. als »Tag der allgemeinen Wehrfreiheit« verlegt, zur Thematisierung von heroischer Opfer- und Kampfbereitschaft, sowie der → Erntedanktag am Sonntag nach Michaelis zur Ehrung der dt. Bauern. Hinzu kamen Feiern im nat.soz. Festtagszyklus: der Tag der → »Machtergreifung« am 30.1., der Parteigründungstag am 24.2., Hitlers Geburtstag am 20.4., der Muttertag am 2. Sonntag im Mai (→ Mutterkult), die Sommersonnwendfeier (→ Sonnwendfeier), der → Reichsparteitag Anfang September, der Tag der → »Bewegung« am 9.11. (→ Hitlerputsch), die Wintersonnwendfeier und die nat.soz. »Volksweihnacht«. Darüber hinaus gab es regelmäßig Lebensfeiern; besonders bedeutsam waren auch die Parteitage sowie die verschiedenen Jugendfeiern. Organisatorisch waren für die F. v.a. einige Ämter im Reichsministerium für Volksaufklärung und Propaganda und in der Reichspropagandaleitung sowie das Reichsministerium des Innern u.a. zuständig. Zwischen den Partei- und Regierungsstellen kam es immer wieder zu Streitigkeiten, die erst 1943 beendet wurden, als das → Amt Rosenberg die Leitung der Lebensfeiern und das Propagandaministerium die Regie über die Feiertage zugesprochen bekam. Um die Wirksamkeit der Feiern zu gewährleisten, war jeweils ein einheitliches Programmschema vorgesehen, von dem prinzipiell keine Abweichungen im Hinblick auf lokales Brauchtum erlaubt waren. In speziellen Einzelanleitungen, Hand- und Hausbüchern lag ein umfangreiches Angebot an Propagandaschriften für den Einzelnen und für die verschiedenen NS-Organisationen vor, von denen u.a. die SS und die HJ an der

Entwicklung eigener Rituale beteiligt waren. *Uffa Jensen*

Literatur:

Reichel, Peter: *Der schöne Schein des Dritten Reiches,* Frankfurt am Main 1993.
Schellack, Fritz: *Nationalfeiertage in Deutschland von 1871 bis 1945,* Frankfurt am Main 1990.
Vondung, Klaus: *Magie und Manipulation. Ideologischer Kult und politische Religion des Nationalsozialismus,* Göttingen 1971.

Feindstaatenklausel s. Vereinte Nationen

Feldherrnhalle s. Hitlerputsch (s.a. Propaganda)

Feldpost Brief- und Paketverkehr zwischen der Front und der Heimat im Zweiten → Weltkrieg. Ein System von F.nummern sollte der Feindaufklärung das Auffinden der Standorte der Adressaten und Truppenteile erschweren. Zur Bewältigung der F. waren bis zu 400 F.-Ämter in den von den Deutschen besetzten Gebieten eingesetzt worden. Die F. wurde in Stichproben zur Abwehr von Spionage und → Wehrkraftzersetzung zensiert (F.-Prüfstellen). Die Alliierten nutzten die F. zur Gegenpropaganda, indem sie z.T. gefälschte Briefe hinter den Fronten und über Deutschland abwarfen (→ Mölders-Brief). *Willi Dreßen*

Feldscher-Aktion Zwischen Oktober 1943 und Mai 1944 liefen über den Schweizer Diplomaten Peter Anton Feldscher diplomatische Bemühungen → Großbritanniens und anderer alliierter Staaten, aus den im dt. Einflußbereich befindlichen Ländern → Litauen, → Lettland, → Polen, → Dänemark, den → Niederlanden, → Belgien, → Griechenland, → Jugoslawien (→ Serbien) und Deutschland selbst 5000 jüdische Kinder gegen Deutsche auszutauschen, die in alliierten Ländern interniert waren. Kurzzeitig waren auch 30000–50000 Kinder aus → Rumänien, → Bulgarien und → Frankreich im Gespräch. Die → USA, → Argentinien und → Schweden boten an, die Kinder zu vermitteln oder bei sich aufzunehmen. Die dt. Seite, die an dem Tausch nicht interessiert war, wollte auf das brit. Angebot nur eingehen, wenn die Kinder in → Palästina untergebracht würden, was England wegen der zu erwartenden Reaktion der arabischen Staaten ablehnte. Ein modifiziertes brit. Angebot ließ das → Auswärtige Amt unbeantwortet. *Hermann Weiß*

Felix, Unternehmen Codename für dt. Pläne, den strategisch äußerst wichtigen brit. Stützpunkt Gibraltar einzunehmen. Für die Operationen war ein kombiniertes Land-Seeunternehmen vorgesehen, für das die Zustimmung Spaniens unumgänglich war. Entsprechende Pläne wurden von Hitler beim Treffen von → Hendaye am 23.10.1940 Franco vorgelegt und mit Weisung Nr. 18 vom 12.11.1940 trotz Francos Zögern beschlossen. Nach der endgültigen Entscheidung Spaniens gegen einen Kriegseintritt (7.12.1940) wurde F. von der dt. Seite nicht weiter betrieben. *Matthias Sommer*

Felsennest s. Führerhauptquartiere

Ferntrauung Während des Zweiten Weltkrieges bestand die Möglichkeit zur Eheschließung in Abwesenheit des Mannes (Personenstandsverordnung der Wehrmacht vom 4.11.1939 und 17.10.1942). Zur F. war die Willenserklärung des Soldaten vor dem Bataillonskommandeur erforderlich sowie spätestens nach 2 (später 6) Monaten die Zustimmung der Braut beim Heimstandesamt. Die Ehe war auch gültig, wenn die Frau ihre Erklärung zu einem Zeitpunkt abgab, an dem der Mann schon gestorben war. In Einzelfällen (z.B. Schwangerschaft) wurde die F. der Braut noch vorgenommen, wenn der Mann inzwischen gefallen war oder als vermißt galt. *Nils Klawitter*

Fettlücke s. Autarkie

Film s. Kunst

Finnland Republik in Nordeuropa mit (1928) 388 279 km² und 3,6 Mio. Einwohnern, bis 1918 unter russ. Hoheit, dann selbständige Republik. Im geheimen Zusatzprotokoll zum → Dt.-Sowj. Nichtangriffspakt war F. in die sowj. Interessensphäre gefallen. Nach ultimativer Aufforderung zu Gebietsabtretungen begannen am 5.10.1939 sowj.-finn. Verhandlungen in Moskau, die in den Winterkrieg (30.11.1939–12.3.1940) mündeten. Die zahlenmäßig unterlegene finn. Armee unter Feldmarschall Mannerheim leistete der Roten Armee erfolgreich Widerstand bis Februar 1940. Wegen fehlender Unterstützung gegen den vom Völkerbund als Aggressor verurteilten Gegner schloß F. am 12.3.1940 Frieden, der u.a. die Abtretung der Karelischen Landenge u.a. Gebiete forderte. Ab 26.6.1941 beteiligte sich F. am dt. Angriff auf die Sowjetunion, trat am 25.11.1941 dem → Antikominternpakt bei, schloß am 19.9. 1944 einen Waffenstillstand, mußte dabei u.a. das nickelerzreiche Petsamo-Gebiet abgeben, sich an der Vertreibung der dt. Lappland-Armee beteiligen und 300 Mio. Dollar Entschädigung leisten (bestätigt im Pariser Friedensvertrag 1947). Außenpolitisch blieb F. in der Nachkriegszeit unter sowj. Einfluß; durch Neutralität und freundschaftliche Beziehungen zu Moskau wurde jedoch die Unabhängigkeit bewahrt.

Der Nazismus in F. ist aufs engste mit der sog. Lapua-Bewegung (ausgehend vom Ort Lapua) verknüpft, die, in rechtsautoritären Kreisen und Schützenverbänden verankert, einen militanten Antikommunismus (→ Antibolschewismus) verfocht. Die traditionelle finn. Russophobie, der Befreiungskampf 1917/18 gegen Sowjetrußland, der blutige Bürgerkrieg in F. zwischen Roten und Weißen (in dem letztere siegten) sowie der Aktionismus der als Fünfte Kolonne Moskaus betrachteten finn. KP unter O. Kuusinen schufen das labile politische Klima, in dem die finn. Rechte ab Herbst 1929 die Massenbewegung organisierte, aus der heraus Gewaltmaßnahmen gegen Kommunisten und Sozialdemokraten sowie Druck auf Regierung und Parlamentarier ausgeübt wurden. Unterstützt wurde die Bewegung von bürgerlichen Politikern, Wirtschaftlern und hohen Militärs. Erfolgreich konnten antikommunistische Gesetze initiiert und 1931 der Ministerpräsident Per Svinhufvud, Exponent der Lapua-Bewegung, als finn. Staatspräsident (bis 1937) installiert werden. Die Arbeit der Linksparteien wurde eingeschränkt bzw. verboten, die Behinderung der parlamentarischen Opposition ermöglichte der Rechten Verfassungsänderungen und die Etablierung eines autoritären Regimes. Die gemäßigten Kräfte in der Lapua-Bewegung sahen damit ihr Ziel erreicht, die radikaleren jedoch strebten die gänzliche Beseitigung des parlamentarischen Systems und die Ausrichtung von Gesellschaft und Politik an faschistischen Prinzipien an, wobei ideologische Einflüsse aus → Italien und Deutschland erkennbar sind. Es kam zu einer Spaltung und sogar (1932) zu bewaffneten, gegen die Regierung gerichteten Aufläufen, die Svinhufvud und seine legalistische Linie in Gegnerschaft zur Lapua-Bewegung brachten. Einige Führer wurden verhaftet und die Lapua-Bewegung aufgelöst. Kurz darauf kam es zur Bildung der Nachfolgeorganisation IKL

(Vaterländische Volksbewegung), die nach dem Vorbild der → NSDAP den Charakter einer politischen Partei erhielt. Ihr mäßiger Einfluß währte bis 1944, als sie nach dem Friedensschluß mit der → Sowjetunion auf Druck Moskaus verboten werden mußte.

Robert Bohn

Literatur:

Larsen, Stein U., u.a.: *Who were the Fascists. Social roots of european Fascism,* Bergen/Oslo/Tromsö 1980.

Lindström, Ulf: *Fascism in Scandinavia 1920–1940,* Stockholm 1985.

Ueberschär, Gerd R.: *Hitler und Finnland 1939–1941. Die deutsch-finnischen Beziehungen während des Hitler-Stalin-Paktes,* Wiesbaden 1978.

Flaggengesetz s. Reichsflaggengesetz

Flakhelfer s. Luftwaffenhelfer

Flieger-HJ s. Hitler-Jugend

Flossenbürg Im Mai 1938 wurde in Nordbayern, nahe der tschechischen Grenze das Konzentrationslager F. in unmittelbarer Nähe großer Granitsteinbrüche, die vom SS-eigenen Wirtschaftsunternehmen Deutsche Erd- und Steinwerke GmbH (DEST) betrieben wurden, eröffnet (→ SS-Wirtschaftsunternehmen). Bis zum Jahr 1943 bestimmte der Abbau des Granits, der ohne Rücksicht auf Leben oder Gesundheit der Häftlinge vorangetrieben wurde, den Häftlingsalltag. Die meisten Häftlinge des Jahres 1938 waren dt. Kriminelle, sog. »BVler« (befristete Vorbeugehaft), die mit einem grünen Winkel gekennzeichnet waren. Sie besetzten die Positionen innerhalb der Häftlingsselbstverwaltung und agierten vielfach als verlängerter Arm der → SS zum Nachteil ihrer Mitgefangenen. Während des Krieges veränderte sich auch hier mit dem Eintreffen ausländischer Gefangener die Häftlingsgesellschaft grundlegend. Bis Ende 1944 entstanden mehr als 100 Außenlager und -kommandos, in denen die Häftlinge vorwiegend in Rüstungsbetrieben arbeiteten. Im letzten Kriegsjahr diente das abgelegene Lager auch als Hin-richtungsstätte für rund 1500 Gegner des Regimes, und am 9.4.1945 wurden nach einem Standgerichtverfahren in Flossenbürg noch sieben Beteiligte am mißglückten Attentat vom → 20. Juli 1944, unter ihnen Wilhelm Canaris, Hans Oster und auch Dietrich Bonhoeffer, hingerichtet. Ab 16. April 1945 wurde der größte Teil der rund 45 000 Häftlinge, unter ihnen 16 000 Frauen, evakuiert, Tausende kamen bei den → Todesmärschen ums Leben. Am 23.4.1945 wurden die letzten Überlebenden von US-Truppen befreit. Von schätzungsweise 100 000 Gefangenen des KZ-Komplexes F. waren mindestens 30 000 Häftlinge zu Tode gekommen.

Barbara Distel

Literatur:

Heigl, Peter: *Konzentrationslager Flossenbürg in Geschichte und Gegenwart,* Regensburg 1989.

Siegert, Toni: *30 000 Tote mahnen! Die Geschichte des Konzentrationslagers Flossenbürg und seiner 100 Außenlager von 1938 bis 1945,* Weiden 1987.

Flucht und Vertreibung Zu Beginn des Zweiten Weltkrieges lebten in Ostpreußen, Pommern, Brandenburg, Schlesien und → Danzig 9,995 Mio., in → Polen 1,2 Mio., in der (ehemaligen) → Tschechoslowakei 3,544 Mio., in den Baltischen Staaten 250 000, in der → Sowjetunion 1,4 Mio., in → Ungarn 600 000, in → Rumänien 782 000 und in → Jugoslawien 536 000, zusammen 18,267 Mio. Deutsche bzw. Deutschstämmige. In Folge des Zweiten Weltkriegs mußten dort lebende Reichs- und → Volksdeutsche aus ihren Heimatgebieten flüchten oder wurden vertrieben bzw. deportiert.

Nach 1939 sahen sich im Rahmen von Umsiedlungsmaßnahmen Volks-

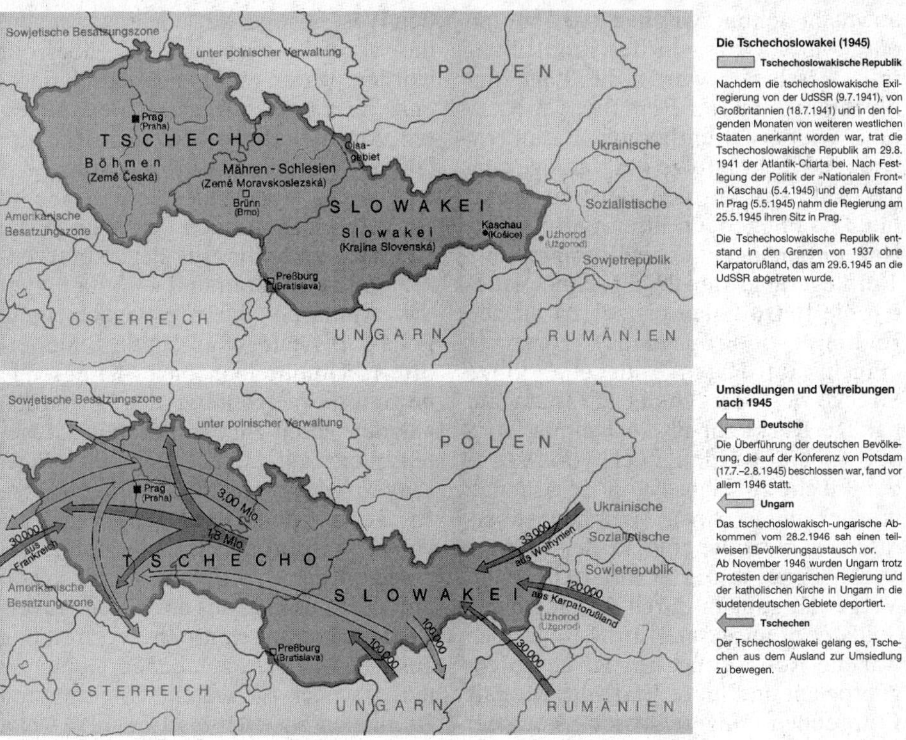

Abb. 51: Umsiedlungen und Vertreibungen nach 1945

deutsche aus den von der Sowjetunion besetzten Teilen Polens, den Baltischen Staaten, aus der Bukowina und Bessarabien gezwungen, ihre Heimat zu verlassen, ebenso nach der Zerschlagung Jugoslawiens ein Teil der dort lebenden Deutschen. Aus der Sowjetunion wurden durch Vereinbarung Rußlanddeutsche umgesiedelt. Von den 910 000 so aus ihrer Heimat Zwangsausgesiedelten machte man 575 000 in den dem Reich eingegliederten Ostgebieten ansässig (→ Eingegliederte Gebiete), von wo sie 1944/45 weiter fliehen mußten oder vertrieben wurden, 75 000 im → Generalgouvernement, 220 000 im sog. Altreich (→ Großdeutschland) und 40 000 in → Österreich.

Ab Anfang 1944 flüchteten Volksdeutsche wegen des zunehmenden Terrors der → Partisanen Titos aus Jugoslawien. Nach dem Frontwechsel Rumäniens im August 1944 zogen dort lebende Rumäniendeutsche erst Richtung Ungarn und dann, als dort die Rote Armee eindrang, weiter nach Österreich und ins Reich. Als die sowj. Truppen im Oktober 1944 in Ostpreußen eindrangen, zog ein immer mehr anschwellender Strom von dt. Flüchtlingen in Richtung Westen. Da die dt. Führung die Flucht oft bis zum letzten Augenblick verbot, zogen die Flüchtlingstrecks zu Fuß oder auf Pferdefuhrwerken vielfach erst kurz vor Ankunft der rasch vorrückenden Roten Armee ab, gerieten nicht selten zwischen die Fronten oder wurden gar von der Front überrollt. Erschwert wurde die Lage der Flüchtlinge und ihr Bemühen, in Richtung Westen zu entkommen, dadurch, daß die Flucht infolge der Verzögerung des Aufbruchs in den tiefsten Winter fiel. Die Fliehenden litten unter Kälte, Nahrungsmangel, unter Bomben und Auffliegerangriffen. Nicht selten glaubten die Betroffenen bis zuletzt an den Endsieg (→ Propaganda), zogen in »Flucht auf Raten« nur eine kurze Strecke westwärts, in der Hoffnung auf baldige Rückkehr in die Heimat. Wieder andere wurden noch vor Antritt der Flucht zu Hause von den schnell vorrückenden sowj. Truppen überrascht. Überrollte und in der Heimat Verbliebene waren Raub, Mord und Vergewaltigungen durch die siegreiche Soldateska ausgesetzt. Im Januar 1945 war die Rote Armee ins Reich durchgebrochen und hatte Ende des Monats Ostpreußen eingeschlossen. Von der dort festsitzenden dt. Zivilbevölkerung wurden rund 1,5 Mio. Menschen in einer beispiellosen Evakuierungsaktion mit 500 Seefahrzeugen jeglicher Art über die winterliche Ostsee Richtung Westen evakuiert. Andere flohen über das brüchige Eis des Haffs, viele gingen dabei zugrunde. Aus Schlesien ging die Flucht überwiegend in Richtung Süden und Südwesten ins → Sudetenland und ins → Protektorat Böhmen und Mähren. Dort befanden sich bei Kriegsende 1,6 Mio. Schlesier. Erst ab März 1945 begann die Evakuierung Deutscher aus der Tschechoslowakei. Die meisten Sudetendeutschen blieben und wurden in ihrer Heimat Anfang Mai 1945 vom Aufstand der Tschechen überrascht, mit dem Rache und Vergeltung über die dt. Bevölkerung hereinbrachen, die viele von ihnen das Leben kosteten. Bis zum Ende des Krieges hatte sich etwa die Hälfte der ostdt. Bevölkerung in den Westen abgesetzt. Viele von denen, die von der Sowjetarmee überrollt worden waren oder sich bei Kriegsende im östlichen Reichsgebiet aufhielten, zogen zunächst wieder in ihre alte Heimat zurück, bis die Sperrung der Übergänge über Oder und Neiße in Richtung Osten ihnen den Weg in die Heimat abschnitt. Auf den Konferenzen von → Teheran und → Jalta hatten die Alliierten die Westverschiebung Polens bis zur Oder-Neiße-Linie erörtert. Unmittelbar nach Kriegsende begann die Vertreibung der Deutschen aus den Polen zugesprochenen Gebieten, gleichzeitig die ungeregelte Massenvertreibung der Sudetendeutschen. Bis zur → Potsdamer Konferenz, die eine Überführung in »geordneter, humaner Weise« verfügte, waren schon Hunderttausende aus ihrer Heimat vertrieben. Die systematische Vertreibung aus den an Polen gefallenen Gebieten, der Tschechoslowakei, Ungarn und Rumänien zog sich bis Ende 1947 hin. Später wurden auch die meisten Volksdeutschen aus dem früheren nördlichen Ostpreußen und dem ehemals poln., an die Sowjetunion gefallenen Staatsgebiet vertrieben.

Von den vor Beginn der F. in den Ostgebieten noch lebenden 16,9 Mio. Deutschen gelangten 7,9 Mio. in die spätere Bundesrepublik Deutschland, 4,065 Mio. in die spätere DDR und nach Berlin, 370 000 nach Österreich und 115 000 in außereuropäische Länder. 1,01 Mio. wurden zur Zwangsarbeit in die Sowjetunion verschleppt, viele von ihnen erlagen dort den unmenschlichen Arbeitsbedingungen. 1,44 Mio. verloren bei F. ihr Leben.

Wolfram Selig

Literatur:

Benz, Wolfgang (Hg.): *Die Vertreibung der Deutschen aus dem Osten,* Frankfurt am Main 1995.

Dokumentation der Vertreibung der Deutschen aus Ost-Mitteleuropa, bearb. von Theodor Schieder u.a., hg. vom Bundesministerium für Vertriebene, Bonn 1954, Neudr. München 1994, 8 Bde.

Flüsterwitz Bereits unter dem Nat.soz. verwendete Bezeichnung für einen in kritischer Absicht hinter vorgehaltener Hand weitererzählten Witz. Der F. brachte eine Distanzierung von der nat.soz. Bewegung, dem Regime oder deren Repräsentanten zum Ausdruck. Zugleich wirkte er durch die Kompensation von Ohnmachtsgefühlen psychisch entlastend und diente als Ersatz für oppositionelle Handlungen. Mancher F. zeigt (etwa durch den Gebrauch rassistischer Begriffe) eine partielle Übernahme der nat.soz. Denk- und Redeweise.

Die Autoren blieben naturgemäß anonym; gelegentlich wurde die Urheberschaft einem bekannten Kabarettisten wie Werner Finck oder Karl Valentin zugeschrieben. Das Erzählen eines F. konnte nach der Heimtücke-Verordnung, später dem → Heimtücke-Gesetz, mit bis zu zwei Jahren Gefängnis (woran sich oft die Verbringung ins KZ anschloß) bestraft werden, während des Krieges sogar als Defätismus und → Wehrkraftzersetzung mit dem Tode.

Wolf Kaiser

Forschungsamt der Luftwaffe (FA) Das F. war einer der leistungsfähigsten der geheimen Nachrichtendienste. Unter seinem Tarnnamen am 10.4.1933 gegründet, entstand das F. offiziell als Behörde des preuß. Staatsministeriums. Als eigene ministerielle Nachrichtenquelle unterstand es direkt Hermann Göring. 1937 war das F. so umfangreich geworden, daß es nicht mehr vom preuß. Staatshaushalt finanziert werden konnte. Göring übernahm es daraufhin in den Etat des Luftfahrtministeriums. Bis zum Juli 1933 auf 20 Mann verstärkt, wuchs das F. während der folgenden zwölf Jahre auf 3500 Beschäftigte mit einem weitverbreiteten Netz von Außenstellen in den besetzten Ländern an. Mit ausschließlich mechanischen Mitteln wurden neben ausländischen Radiosendungen weltweite Funkverbindungen abgehört sowie der private und diplomatische Fernsprech- und Funkverkehr überwacht. Die Erkenntnisse wurden in streng geheimen »Braunen Blättern« zusammengefaßt, die nur einer ausgesuchten Zahl führender Persönlichkeiten zugingen. Das Propaganda- und das Reichswirschaftsministerium waren die größten Abnehmer der Informationen. Ab 1942 wurde auf Wunsch der SS eine Verbindungsstelle zum → RSHA eingerichtet; später wurde auch das Reichsinnenministerium informiert.

Die Versuche Heydrichs und Himmlers, das F. dem eigenen Nachrichtendienst einzugliedern, konnten von Göring abgewehrt werden. Trotz des Führerbefehls »Über die Schaffung eines einheitlichen dt. geheimen Meldedienstes« behielt das F. noch 1944 seine Selbständigkeit. Erst als das F. Anfang 1945 dem RSHA überstellt wurde, gelang der SS der Zugriff auf bestimmte Dienststellen. *Holle Ausmeyer*

Literatur:

Gellermann, Günther W.: *... und lauschten für Hitler. Geheime Reichssache: Die Abhörzentralen des Dritten Reiches,* Bonn 1991.

Forstschutz Ende 1939 – nach dem dt. Überfall auf Polen – wurde das F.kommando aufgestellt, das später unter der Bezeichnung F. (FSK) operierte. Aus Forstbeamten und Waldarbeitern rekrutierten sich die rd. 10 000 Freiwilligen, die in dieser paramilitärischen Institution des NS-Regimes dienten. Als Kommandeur fungierte Landesforstmeister Ernst Boden. Als oberster Dienstherr trat Generalfeldmarschall Hermann Göring in seiner Eigenschaft als → Reichsforstmeister in Erscheinung. 1940 – nach einer kurzen Ausbildung – wurden die ersten 2000 Forstschützen auf Waldgebiete im besetzten Polen verteilt. Zu ihren Aufgaben gehörten nicht nur die Sicherung von Holztransporten, Lagerplätzen und Sägewerken und die Bekämpfung von Holzdiebstählen und Wilddieberei, sondern auch die Festnahme von Personen, die sich »unbefugt« im Wald aufhielten. Bei Fluchtversuchen waren sie berechtigt, von der Schußwaffe Gebrauch zu machen. Im Juli 1941 übernahm der F. das große Waldgebiet von Białowies, das einst den Zaren als Jagdgebiet gedient hatte und das für die Holzwirtschaft von großer Bedeutung war. Unverzüglich wurde die einheimische Bevölkerung aus dem neuen Göringschen »Reichsforst« evakuiert. Ihre Dörfer und Gehöfte wurden niedergebrannt. Nach der Liquidierung von zwei kleinen jüdischen Gemeinden wurde das Gebiet zudem noch als »judenfrei« deklariert. Im Sommer 1942 wurden Einheiten des F. in die → Reichskommissariate Ostland und Ukraine in Marsch gesetzt. Unter beträchtlichen Verlusten beteiligten sie sich an der Bekämpfung der Partisanen. Später – auf den langen Rückzügen – nahmen sie an militärischen Kampfhandlungen teil. Förster und Forstschützen, unterstützt von einheimischen Kollaborateuren (→ Kollaboration), entdeckten und liquidierten in den Wäldern auch Juden, die aus den → Ghettos geflohen waren. Standen in abseits gelegenen Ortschaften nicht genügend Kräfte der SS und Polizei zur Verfügung, wurden Forstbeamte über die »Notdienstverpflichtung« zu Ghettoliquidierungen herangezogen. Nach der Liquidierung eines kleinen Ghettos in der Nähe von Grodno berichtete ein dt. Förster im November 1942 seiner vorgesetzten Dienststelle: »Ich habe (meinen) Dienst wieder aufgenommen, zumal es hier im Osten nicht meine Aufgabe als Forstamtsvorstand sein kann, Juden tot zu schießen.«

Konrad Kwiet

Fosse Ardeatine Tuffsteinhöhlen am südlichen Stadtrand von Rom. In diesen Höhlen ließ der dt. Polizeichef von Rom, → SS-Obersturmbannführer Herbert Kappler, als Repressalie und Vergeltung für ein Attentat kommunistischer Widerstandskämpfer vom Vortag, bei dem 33 dt. Soldaten getötet worden waren, am 24.3.1944 335 ital. Geiseln erschießen. Unter den Opfern befanden sich 75 Juden, Frauen und zwei 14jährige Jungen. Außerdem wurden mehr Personen als nach der »Geiselquote« des Völkerrechts zulässig, getötet. Im Juli 1948 wurde Kappler in Rom zum Tode verurteilt, aber später zu lebenslanger Haft begnadigt. 1977 konnte er aus einem römischen Militärhospital fliehen. Ein an dem Massaker beteiligter Untergebener Kapplers, SS-Hauptsturmführer Priebke, wurde 1997 von einem römischen Gericht zu einer Haftstrafe verurteilt. *Willi Dreßen*

Fraktur 1941 untersagten die Nat.soz. die weitere Verwendung der »gebrochenen Schrift« gotischen Stils, die nach 1500 aus der kaiserlichen Urkundenschrift entstanden war und durch Anschwung der Großbuchstaben und zierliche Schriftkörper charakterisiert ist. Grund der Einführung der Antiqua-Schrift anstelle der F. als Druckschrift war Hitlers Einsicht, daß die Weltgeltung der dt. Sprache in Gestalt gedruckter Erzeugnisse gefährdet wäre, weil Fraktur im Ausland nicht gelesen werden konnte. Die vorher geschätzte »deutsche Schrift« wurde nunmehr als »Judenletter« verunglimpft. Gleichzeitig wurde in den Schulen anstelle der Sütterlinschrift, die 1935 als »dt. Schreibschrift« zur Norm gemacht worden war, wieder eine lateinische Kursive als »dt. Normalschrift« vorgeschrieben. *Stefanie Endlich*

Frankfurt am Main s. Stadt des deutschen Handwerks

Frankreich Die III. Frz. Republik (1870–1940) kämpfte in den Jahren nach dem Ersten Weltkrieg einen vergeblichen Kampf gegen eine Reihe teilweise hausgemachter Probleme. Die ausgebliebene Modernisierung der Industriewirtschaft und eine deflationistische Finanzpolitik in Verbindung mit einer unflexiblen, den Franc überbewertenden Währungspolitik führte zu hoher Arbeitslosigkeit, einer Verarmung von weiten Teilen des Mittelstandes und des Proletariats und erheblichen sich daraus entwickelnden sozialen Spannungen. Die Außenwirkung dieser inneren Uneinigkeit und Schwäche bestand v.a. in der fortschreitenden Aufgabe einer selbständigen Außenpolitik zugunsten der außenpolitischen Linie Großbritanniens (→ Appeasementpolitik). Die Militärpolitik beschränkte sich selbst bei der frz. Armeeführung auf eine reine Defensivstrategie, bei deren Anwendung der Ausbau des mächtigen Befestigungssystems der → Maginot-Linie für die Sicherheit F. zu genügen schien; der Aufbau einer zwar teueren, aber flexibel einsetzbaren modernen Panzerwaffe und Bomberflotte wurde so lange Zeit vernachlässigt. Die außen- wie sicherheitspolitische Schwäche F. war den großen revisionistischen Mächten Europas, Italien und Deutschland, bereits während Mussolinis Eroberungskrieg gegen Abessinien 1935, dann v.a. 1936 im Verlauf des Spanischen Bürgerkriegs und – in extremster Weise – bei der → Rheinlandbesetzung im März 1936 zugute gekommen. Völlig im Schlepptau der brit. Appeasementpolitik, bewegte sich F. schließlich während der → Sudetenkrise (→ Münchener Abkommen), blieb der britischen Linie allerdings dann auch treu, als Hitler im März 1939 mit dem Einmarsch in die »Resttschechei« (→ Tschechoslowakei) den Bogen überspannte. Nach dem dt. Angriff auf → Polen erklärten F. und → Großbritannien am 3.9.1939 dem Dt. Reich den Krieg. Der am 10.5.1940 beginnenden Offensive der dt. Wehrmacht an der Westfront (→ Westfeldzug) konnten die frz. Militärs kein operativ erfolgreiches Konzept entgegensetzen. Am 14.6. marschierten dt. Truppen in Paris ein. Zwei Tage später trat die am 10.6. nach Bordeaux geflüchtete frz. Regierung unter Paul Reynaud zurück. Das neu gebildete Kabinett unter Marschall Henri Philippe Pétain bot den Deutschen einen Waffenstillstand an, der am 22.6.1940 in → Compiègne unterzeichnet wurde. Dieser Vertrag sah eine Teilung F. in verschiedene Zonen vor. Die von den Deutschen besetzte und unter Militärverwaltung gestellte »Zone occupée« (besetzte Zone) umfaßte den Nordosten und Norden des Landes, die Atlantik- und die Kanalküste sowie die de facto vom Reich annektierten Départements → Elsaß und Lothringen. Der äußerste Norden unterstand der Militärverwaltung in → Belgien, der äußerste Südosten dem Bündnispartner → Italien. Süd- und Zentral-F. bildeten die »Zone libre« (freie Zone). Die freie Zone unterstand der seit Juni 1940 im südfrz. Kurort → Vichy ansässigen frz. Reg. unter Pétain. In ihr lebten auf etwa 40% des bisherigen frz. Staatsgebiets 17 Mio. Franzosen, darunter 145000 Juden. Nach Ernennung Pétains zum »Staatschef« durch die frz. Nationalversammlung am 10.7.1940 und der Außerkraftsetzung der Verfassung der Dritten Republik orientierte sich die Regierung von Vichy an autoritär-nationalistischen Werten. »Arbeit, Familie, Vaterland« traten an die Stelle der republikanischen Begriffe »Freiheit, Gleichheit, Brüderlichkeit«.

Die Regierungschefs von Vichy, Pierre Laval (Jun. 1940 – Dez. 1940 und April 1942 – Aug. 1945) und François Darlan (Dez. 1940 – April 1942) setzten – mit Zustimmung Pétains – auf eine Politik der begrenzten → Kollaboration mit Deutschland, um F. einen Platz in der neuen Ordnung Europas zu sichern. Mit der Losung »Frankreich den Franzosen« rechtfertigte man in der Folge die Beschneidung der Rechte von Juden, Ausländern und Freimaurern. Besonders stark betroffen von der Politik der »Révolution nationale« waren die Juden. Am 3.10.1940 erließ die Regierung von Vichy ein »Judenstatut«, welches die Juden nach rassischen Kriterien definierte und aus dem öffentlichen Dienst und anderen Berufen ausschloß. Ein weiteres Gesetz vom 4.10.1940 über »ausländische Staatsangehörige jüdischer Rasse« ermöglichte die Inhaftierung von 20000–30000 Juden aus der besetzten und der freien Zone in den Internierungslagern der freien Zone. Im März 1941 richtete Vichy ein Kommissariat für Judenfragen unter der Führung von Xavier Vallat ein, der am 2.6.1941 ein zweites verschärftes »Judenstatut« durchsetzen konnte, das den weitgehenden Ausschluß der Juden aus dem Wirtschaftsleben F. zur Folge hatte. Im Winter 1941 veranlaßte Vichy schließlich auf dt. Initiative die Gründung der Zwangsvereinigung der Juden (Union Général des Israélites de France). Das Jahr 1942 war geprägt von der Einführung des gelben Sterns (→ Judenstern), der Fortdauer der Razzien auf Juden in der besetzten Zone und dem Beginn der → Deportationen aus ganz F., die bis August 1944 andauerten. Besonders die Mithilfe frz. Polizei bei der Verhaftung von 13000 ausländischen Juden im Juni 1942 in Paris und die Auslieferung ausländischer und frz. Juden aus der freien Zone durch die Regierung von Vichy an die Deutschen ab Juli 1942 veränderten nachhaltig die Haltung der frz. Öffentlichkeit und führten – besonders im Süden – zum Anwachsen der Résistance (bewaffneter Widerstand) und des zivilen Protestes.

Zur gleichen Zeit kämpfte ein etwa 2500 Mann starker militärischer Verband, die Légion des Volontaires Français, eine Gründung frz. Faschisten u. Kollaborateure, im Rahmen der Wehrmacht an der Ostfront. Aus ihren Resten und weiteren frz. Freiwilligen entstand im Herbst 1944 die Waffen-SS-Division »Charlemagne« mit 7000 Mann, darunter 2000 Mann Vichy-Miliz, deren Reste im April 1945 am Endkampf in Berlin beteiligt waren.

General Charles de Gaulle, der im Mai 1940 nach London, dann in die frz. Kolonien gegangen war, organisierte in Brazzaville einen »Nationalen Verteidigungsrat«, später »Comité National« quasi als Exilregierung eines freien F., das sich im Gefolge der US-Armee an der Befreiung des Landes beteiligte (Forces Françaises Libres, frz. Armee unter General Lattre de Tassigny). Die Résistance im Lande operierte weitgehend selbständig. Sie war in viele politische Richtungen zersplittert. Der Widerstand reichte von Sabotage über Kooperation mit alliierten Geheimdiensten bis zum Partisanenkrieg und gipfelte im Zusammenschluß aller Widerstandsorganisationen im Nationalen Befreiungskommitee mit einer am 1.2.1944 gebildeten, eigenen Befreiungsarmee (Forces Françaises de l'Intérieur). Die Zwangsrekrutierung von Arbeitskräften durch die dt. Besatzung stärkte ab 1943 die Résistance, die hohe Opfer zu beklagen hatte: etwa

20 000 Exekutionen und über 60 000 Deportationen in dt. KZ. Nach der Landung der Alliierten in Nordafrika (→ Afrikafeldzug) besetzte Deutschland am 11.11.1942 große Teile der freien Zone. Acht südliche Départements und Korsika wurden von Italien besetzt. Die ital. Zone entwickelte sich bis zur Besetzung durch die Deutschen im September 1943 zum Fluchtgebiet für Juden. Bis zur Befreiung F. durch die Alliierten im August 1944 (→ Invasion) wurden 75 721 Juden aus F. deportiert, 4000 weitere starben in den frz. Internierungslagern bzw. wurden hingerichtet, 4,5 Mio. Franzosen leisteten zwischen 1940 und 1944 → Zwangsarbeit für das Dt. Reich.

Silke Ammerschubert

Literatur:

Hirschfeld, Gerhard/Patrick Marsh (Hg.): *Kollaboration in Frankreich. Politik, Wirtschaft und Kultur während der nationalsozialistischen Besatzung 1940–1944,* Frankfurt am Main 1991.

Jäckel, Eberhard: *Frankreich in Hitlers Europa. Die deutsche Frankreichpolitik im Zweiten Weltkrieg,* Stuttgart 1966.

Klarsfeld, Serge: *Vichy – Auschwitz. Die Zusammenarbeit der deutschen und französischen Behörden bei der Endlösung der Judenfrage in Frankreich,* Nördlingen 1989.

Marrus, Michael R./Robert O. Paxton: *Vichy France and the Jews,* New York 1983.

Frankreichfeldzug s. Westfeldzug 1940

Frauenschaft s. NS-Frauenschaft

Freiburger Kreise In Freiburg existierten während des Nat.soz. drei unabhängige Widerstandskreise, die durch die Nationalökonomen Walter Eucken, Adolf Lampe und Constantin v. Dietze personell eng verbunden waren. Die Mitglieder der F. standen zudem durch ihre Zugehörigkeit zur → Bekennenden Kirche und den universitären Forschungsbetrieb in Kontakt. Während das 1938 gegründete Freiburger Konzil und der zwischen Ende 1942 und Anfang 1943 bestehende Bonhoeffer-Kreis dem christlichen → Widerstand zuzurechnen sind, beschäftigte sich die seit 1943 tätige Arbeitsgruppe Erwin v. Beckerath ausschließlich mit nationalökonomischen Fragen. Sie entwickelte das Modell des Ordo-Liberalismus, das die Grundlage einer wirtschaftlichen Neuordnung Deutschlands nach dem Krieg darstellen sollte. Die Verhaftung der bedeutendsten Mitglieder der F. im September 1944 führte zur Auflösung der Oppositionsgruppen.

Anja von Cysewski

Freiheitsaktion Bayern Die F., bestehend aus einer Gruppe von Soldaten, versuchte Ende April 1945 in München und Umgebung den Krieg rasch zu beenden und München kampflos zu übergeben, um so weiteres Blutvergießen zu verhindern. Im Mittelpunkt der F. stand Hauptmann Rupprecht Gerngroß. Am 27.4.1945 nahmen Teile einer Panzerkompanie die Sendeanlagen des Reichssenders München ein. Von hier aus rief die F. zum → Widerstand gegen das Regime auf und gab ein Programm für die politische Neuordnung bekannt. Bemühungen, → Reichsstatthalter Franz Xaver Ritter von Epp zur Unterstützung des Aufstandes zu gewinnen, scheiterten ebenso wie der Versuch, die Befehlsstelle des → Gauleiters im Zentralministerium in München zu besetzen. Die Aktion brach rasch zusammen. Die NS-Machthaber ließen Mitglieder der F., die das noch immer beachtliche Potential ihrer Gegner unterschätzt hatte, und Personen, die ihren Aufrufen gefolgt waren, hinrichten.

Wolfram Selig

Freimaurer Ausgehend von den mittelalterlichen Steinmetzbruderschaften und Dombauhütten sind F. ein weltweiter Zusammenschluß von Männern, die sich Brüder nennen und durch nichtöffentliche rituelle Handlungen – sog. Arbeiten – sittliche Festigung, Pflege echter Menschlichkeit und geistige Vertiefung anstreben. Die in Logen und Großlogen organisierten F. treten für Toleranz, Freiheit, Brüderlichkeit und Menschenwürde ein. Die Nat.soz. warfen den F. vor, im 19. Jh. die Emanzipation der Juden gefördert und damit »artfremde« Einflüsse ins dt. Geistesleben lanciert zu haben. Sie erklärten sich zu schärfsten Gegnern der F. Der Geheimbundcharakter der F. begünstigte zudem nat.soz. Verschwörungstheorien. Zwischen 1933 und 1935 führte staatlicher Druck zur schrittweisen Selbstauflösung der dt. Großlogen und Logen. Alle Logenvermögen, Archive und Bibliotheken wurden eingezogen, zahlreiche F. verhaftet. *Jana Richter*

Freiwilligenverbände s. Hilfswillige s.a. Schutzmannschaften

Freizeit Auch die arbeitsfreie Zeit stand im Verständnis des NS-Regimes stets im Dienste von Gesellschaft und Politik: Zum einen war die Regeneration der Arbeitskraft zu gewährleisten, zum anderen bot sich hier ein Ansatzpunkt für die – v.a. auf die Arbeiterschaft abzielenden – sozial- und kulturpolitischen Integrationsstrategien des Regimes, für die Verbreitung nazistischen Gedankengutes und die Inszenierung der → Volksgemeinschaft. Zuständig für die Organisation und Kontrolle der Freizeitkultur war v.a. die → DAF-Einrichtung → »Kraft durch Freude«. Ihr Angebot reichte von Massenunterhaltung über »Volkssport« bis hin zur Erwachsenenbildung. Insbesondere die Massentouristik (Wochenendfahrten, Sonderzüge, Seereisen) wurde propagandistisch ausgeschlachtet, obgleich von einer »Demokratisierung des Reisens« real kaum die Rede sein konnte. Die alternative und non-konforme Freizeitgestaltung der → Edelweißpiraten und der Swing-Bewegung (→ Jugend) verweist zudem auf das partielle Scheitern des NS-Freizeitangebots für Jugendliche (→ Hitler-Jugend). *Thorsten Wagner*

Fremdarbeiter Bezeichnung für während des Zweiten Weltkrieges angeworbene oder nach Deutschland verschleppte Arbeitskräfte, die den Arbeitskräftemangel in der dt. → Kriegswirtschaft beheben sollten. Im Herbst 1944 waren 7,8 Mio. ausländische Zivilarbeiter und → Kriegsgefangene aus fast allen europäischen Ländern in der dt. Wirtschaft beschäftigt. Sie kamen v.a. in der Landwirtschaft, der Rüstungs- und der handarbeitsintensiven Industrie zum Einsatz. Die Rekrutierung von F. begann 1939 im besetzten → Polen. Als Anwerbekampagnen nicht den gewünschten Erfolg hatten, gingen die dt. Behörden zur Zwangsrekrutierung über, wobei Arbeitsfähige bei Razzien aufgegriffen und nach Deutschland deportiert wurden. Bis 1944 kamen 1,7 Mio. poln. F. zum Einsatz. Ab 1942 rekrutierten Einsatzstäbe der → Wehrmacht zwangsweise 2,5 Mio. Zivilarbeiter aus der besetzten → Sowjetunion, nachdem die meisten sowj. Kriegsgefangenen durch Unterernährung und brutale Behandlung für den → Arbeitseinsatz nicht mehr in Frage kamen (→ Zwangsarbeit). Über die Hälfte der poln. und sowj. F. waren Frauen; das Durchschnittsalter lag unter 20 Jahren. Auch aus den besetzten Ländern Westeuropas wurden Kriegsgefangene und Zivilarbeiter als F. nach Deutschland verbracht. Die politische Zuständigkeit für die F. war nicht klar geregelt, bis Hitler am 21.3.1942 den thüringischen Gauleiter Fritz Sauckel zum → Generalbevollmächtigten für den Arbeitseinsatz ernannte. Die rechtliche Lage der F.

folgte strikter rassischer Hierarchie, an deren Spitze F. »germanischer Abstammung« standen, während Polen und schließlich sowj. »Ostarbeiter« das untere Ende der Skala bildeten. Letztere waren streng von der Bevölkerung isoliert, unterstanden einer Fülle von diskriminierenden Erlassen des → RSHA und mußten eine spezielle Kennzeichnung (»Ost« bzw. »P«) tragen. Sie wurden schlechter verpflegt und arbeiteten für weniger Lohn mehr als dt. und aus dem westlichen Ausland stammende Arbeiter und waren gleichzeitig der Willkür von Vorgesetzten ausgeliefert. Eine Zwischenstellung nahmen F. aus befreundeten Staaten, aus Westeuropa, dem Balkan und dem Baltikum ein. Insgesamt existierten im Dt. Reich vermutlich mehr als 20000 F.-Lager.

Peter Widmann

Literatur:

Aly, Götz, u.a. (Hg.): *Herrenmensch und Arbeitsvölker. Ausländische Arbeiter und Deutsche 1939–1945,* Berlin 1986.

Herbert, Ulrich: *Fremdarbeiter. Politik und Praxis des »Ausländereinsatzes« in der Kriegswirtschaft des Dritten Reiches,* Berlin/Bonn 1985.

Fremdvölkisch Nach den Kategorien der nat.soz. → Rassenkunde allgemeine Bezeichnung aller Angehörigen nichtdt. oder nicht artverwandter Völker; im engeren Sinne all derer, die nach nat.soz. Kriterien in den besetzten Gebieten u.a. Osteuropas für eine → Eindeutschung nicht in Frage kamen (v.a. Polen, Russen, → Sinti und Roma). Himmlers 1940 verfaßte Denkschrift »Einige Gedanken über die Behandlung der F. im Osten« qualifizierte F. als »führerloses Arbeitsvolk«, das »den Deutschen gehorsam« zu sein und jährliche Arbeitssklaven (»Wanderarbeiter«) zu stellen habe. Ende 1941 wurden F. unter Sonderstrafrecht gestellt (→ Kriegssonderstrafrecht; → Polensonderstrafrecht). *Heiko Pollmeier*

Freundeskreis Reichsführer SS Hervorgegangen aus dem → Keppler-Kreis, um dessen Mitglieder sich seit 1933 der → RFSS Heinrich Himmler auf Hitlers Wunsch bei den → Reichsparteitagen, später auch bei den Feiern zum 9. November (→ Hitlerputsch) zu kümmern hatte. 1936 übernahm Himmler die Leitung des Kreises; als eine Art Generalsekretär stand ihm ein Verwandter Kepplers, Fritz Kranefuß, zur Seite, auf den wahrscheinlich die um die gleiche Zeit sich einbürgernde Bezeichnung F. zurückging. Ursprünglich hatte Himmler den Kontakt zu den Industriellen gesucht, weil er Idealvorstellungen des Schwarzen Ordens der → SS auch auf die Wirtschaft übertragen wissen wollte. Ab 1936 sah er umgekehrt die Möglichkeit, mit Industriespenden aus dem F. den Aufbau der SS zu beschleunigen. In den alten Keppler-Kreis nahm er daher weitere potente Mitglieder auf wie den Flick-Direktor Otto Steinbrinck, bald darauf Flick selbst, dann den Vorsitzenden des Norddt. Lloyd, Karl Lindemann, die Bankenvertreter und Sportfunktionäre Karl Ritter v. Halt (Dt. Bank) und Karl Rasche (Dresdner Bank), die hohen Ministerialbeamten Hans Kehrl (Reichswirtschaftsministerium) und die Staatssekretäre Wilhelm Kleinmann (Reichsverkehrsministerium), Franz Hayler (Reichswirtschaftsministerium) und Werner Naumann (Reichsministerium für Volksaufklärung und Propaganda). Als Vertreter des → Ahnenerbe e.V. beteiligten sich Münchens Universitätsrektor Walther Wüst, der Tibetforscher Ernst Schäfer und der Reichsgeschäftsführer des Ahnenerbe, Wolfram Sievers, allerdings so selten an den Zusammenkünften, daß sie 1944 von Kranefuß, inzwischen SS-Ehrenbrigadeführer und Direktor der Braunkohle-Benzin AG (Brabag), ausgeschlossen wurden. Von der SS selbst wurden Oswald Pohl, Chef des → SS-Wirtschafts-Verwaltungs-Hauptamtes, und (gegen Himmlers Bedenken) Otto Ohlendorf, Amtschef im → RSHA, in den Kreis aufgenommen. 1943 umfaßte der Kreis 44 Mitglieder, inzwischen meist Leute aus der Wirtschaft und hauptamtliche SS-Führer. Nach dem Attentat vom → 20. Juli 1944 mußte Graf v. Bismarck-Schönhausen den Kreis verlassen, während der Bosch-Direktor Hans Walz und der ehemalige Reichsbankdirektor Karl Blessing, obschon belastet, den Kreis als Alibi nutzten. Die letzte Zusammenkunft fand am 10.1.1945 statt; Himmler nahm aber bereits seit 1941 nicht mehr an den Treffen teil. Die Programme des Kreises, darunter Besuche in den KZ → Dachau und → Sachsenhausen, konnten nicht darüber hinwegtäuschen, daß der Kreis von Himmler in erster Linie als Propagandainstrument und Spendenverein für die SS benutzt wurde, während die ursprüngliche Funktion als wirtschaftspolitisches Beratergremium bedeutungslos geworden war. Die Spenden wurden auf das Sonderkonto »S« des RFSS im Bankhaus Stein (Baron v. Schröder) eingezahlt. Sie steigerten sich von 600 000 (1936) auf etwa 1 Mio. RM jährlich während des Krieges, insgesamt etwa 8 Mio. Die Mitglieder des F. und Direktoren der Dresdner Bank, Rasche und Meyer, gewährten Himmler darüber hinaus 30 Mio. RM an Krediten für den Ausbau der SS. Angeblich sollten die Spenden kulturellen Zwecken dienen, Himmler verwendete sie jedoch für Zuwendungen an verdiente SS-Führer, für den Unterhalt seiner Feldkommandostelle, für den Ausbau der → Wewelsburg und weitere Bauvorhaben, für das Ahnenerbe, den → Lebensborn e.V. und die Reinhard-Heydrich-Stiftung. Die Firmen der Mitglieder hatten erhebliche Vorteile. Der Brabag wurden von der SS Arbeitskräfte, darunter KZ-Häftlinge, zur Verfügung gestellt (→ Zwangsarbeit); sie beteiligte sich, wie die → I.G. Farben, die Deutsche, die Dresdner und die Commerzbank, an der Gründung der Kontinentalen Öl-AG, der die Nutzung aller Ölerzeugnisse in den besetzten Gebieten Osteuropas übertragen wurde; Keppler, Kranefuß, Heyler, Rasche u.a. saßen im Aufsichtsrat, Karl Blessing war einer der Direktoren. Repräsentierte der Keppler-Kreis die gelungene Annäherung der antisozialistischen → NSDAP an die Kreise des Industrie- und Finanzkapitals unter teilweise ähnlichen ideologischen Voraussetzungen, so suchten im F. auch im Gegensatz zur nat.soz. → Ideologie stehende Wirtschaftler in nahezu widerspruchsloser Anpassung an Himmler und seine SS den unternehmerischen Freiraum, den das SS-Imperium bieten konnte. Bestimmender Faktor in diesem Bündnis blieb allerdings immer der RFSS.

Hermann Weiß

Literatur:

Koch, Peter-Ferdinand: *Die Dresdner Bank und der Reichsführer SS*, Hamburg 1987.
Vogelsang, Reinhard: *Der Freundeskreis Himmler*, Göttingen/Zürich/Frankfurt am Main 1972.

Friedenskämpfer, Der s. Knöchel-Organisation

Friedensrede Hitlers s. Außenpolitik

Friesenwall s. Emslandlager

Fritsch-Krise Entlassung des Oberbefehlshabers des Heeres, Werner Freiherr von Fritsch am 4.2.1938. Die F. war ein Zufallsprodukt aus Sittenskandal und Polizeiintrige. Ausgelöst wurde sie durch die Heirat des Reichskriegsministers Werner von Blomberg mit einer Frau zweifelhaften Rufes. Hitler, schockiert durch den »Fehltritt« seines zum Rücktritt gezwungenen getreuen Feldmarschalls, ernannte jedoch nicht Fritsch, der sich ebenso wie Blomberg für einen guten Nat.soz. hielt, zum Nachfolger. Vielmehr ließ er nun Vorwürfe, der Generaloberst sei wegen Homosexualität erpreßt worden, durch die → Gestapo untersuchen. 14 Tage wirkte der nat.soz. Staatsapparat wie gelähmt, da Hitler nur mühsam einen Ausweg aus der F. fand. Im Wege eines großen Revirements, das die peinlichen Affären vertuschen sollte, mußte Fritsch noch vor Ablauf der Untersuchungen seinen Abschied einreichen. Hitler löste die Nachfolgekrise auf überraschende Weise. Um seinen Paladinen Göring und Himmler den Zugriff auf → Wehrmacht und Heer zu verwehren, entschloß sich »der Staatsmann Adolf Hitler ..., sein eigener Feldherr zu sein«: Er unterstellte sich die Wehrmacht unmittelbar. Oberbefehlshaber des Heeres wurde, auf Vorschlag der Armee, General Walther von Brauchitsch, der als erstes die Rehabilitierung seines im Heer hochangesehenen Vorgängers verlangte. Ein Reichskriegsgericht unter Vorsitz Görings sprach Fritsch am 17.3.1938 in geheimer Sitzung wegen erwiesener Unschuld frei. Eine winzige Gruppe hoher Offiziere im Heer und in der → Abwehr, subjektiv überzeugt von einer Intrige Himmlers und Heydrichs gegen die Armee, erwog erstmals einen Putsch, nicht gegen Hitler, sondern gegen → SS und Gestapo. Hitler sah sich jedoch genötigt, Fritsch auch öffentlich zu rehabilitieren, indem er ihm ein Regiment verlieh. Gleichwohl wirkte der Vorgang als »Gleichschaltung« des bis dahin noch eigenständigen Militärs. *Karl-Heinz Janßen*

Literatur:

Janßen, Karl-Heinz/Tobias Fritz: *Der Sturz der Generäle,* München 1994.

Fuhlsbüttel (KZ) Das im Nordwesten Hamburgs gelegene Konzentrationslager (ab 1936: Polizeigefängnis) F. wurde 1933 in Gebäuden der dortigen Strafanstalten eingerichtet und unterstand zunächst der Landesjustizvollzugsanstalt. Auf Weisung des Gauleiters Karl Kaufmann erfolgte am 4.9.1933 die Übertragung der Bewachung an → SA und → SS. Das im zeitgenössischen Sprachgebrauch als »Kola-Fu« bezeichnete KZ wurde innerhalb kürzester Zeit zu einem Inbegriff für Willkür und Gewalt. F. kam im System der KZ eine gewisse Sonderstellung zu, da es der → Gestapo als eine Art Vor-Untersuchungsgefängnis diente. Die Schutzhäftlinge wurden je nach Beweislage entweder zur Aburteilung an die Justiz übergeben oder in andere KZ überstellt (→ Schutzhaft; → Schutzhaftlager). V.a. politische Regimegegner, aber auch Zeugen Jehovas (→ Ernste Bibelforscher), → Juden, Swing-Jugendliche (→ Jugend), → Homosexuelle, sog. → Volksschädlinge und während des Krieges Tausende ausländischer Widerstandskämpfer und → Zwangsarbeiter waren in F. inhaftiert. Von Oktober 1944 bis Februar 1945 nutzte die SS einen Gebäudeteil des Zuchthauses F. als Außenlager des KZ → Neuengamme; in diesen vier Monaten starben von den dort auf engstem Raum untergebrachten 1300 Häftlingen über 200. Insgesamt kamen in F. über 450 Frauen und Männer ums Leben – sie starben an den Folgen der Mißhandlungen, wurden ermordet oder in den Tod getrieben. *Detlef Garbe*

Führerbauten Bezeichnung für den sog. Führerbau und das Verwaltungsgebäude der NSDAP an der Münchener Arcisstraße, für die Paul Ludwig Troost im Rahmen der geplanten Umgestaltung des Königsplatzes zum zentralen Gedenk- und Aufmarschplatz der NSDAP im Auftrag Hitlers bereits ab 1931 Pläne ausarbeitete. Diesen äußerlich völlig gleichen Gebäuden, die mit ihren Dimensionen von 84,20 m × 45,20 m die Harmonie des von den klassizistischen Bauten Ludwigs I. geprägten Platzes zerstörten, kam neben den zwischen ihnen stehenden → Ehrentempeln für den Baustil des Nat.soz. programmatische Bedeutung zu: In ihrer wuchtigen, abweisenden Form waren sie repräsentative Beispiele der Architektur des Regimes. Im sog. Führerbau befanden sich neben Repräsentationsräumen – in einem von ihnen wurde am 29.9.1938 das → Münchner Abkommen unterzeichnet – ein Arbeitszimmer Hitlers und die Amtsräume des → Stellvertreters des Führers, Rudolf Heß; im Verwaltungsbau der NSDAP war die Dienststelle des Reichsschatzmeisters mit der zentralen Mitgliederkartei der NSDAP untergebracht. *Wolfram Selig*

Führerbegleitbataillon Für die Sicherheit Hitlers waren neben den Kriminalisten des → Reichssicherheitsdienstes und dem SS-Führerbegleitkommando auch Soldaten der → Wehrmacht verantwortlich. Das Berliner Wachbataillon »Großdeutschland« und das Regiment »Hermann Göring« mußten im Juni 1938 Soldaten für das Kommando »Führerreise« abgeben, das Hitler bei den militärisch inszenierten Reisen ins → Sudetenland (Okt. 1938) und nach Prag (März 1939) zu bewachen hatte. Umbenannt in F. (Ende August 1939) hatte es die Aufgabe, Hitler bei Frontreisen zu begleiten und die Sicherheit im gesamten Bereich der → Führerhauptquartiere und ihres Personals zu gewährleisten. Die Führerhauptquartiere wurden auch bei Hitlers Abwesenheit vom F. bewacht. Das F. war in Friedenszeiten in der Kaserne des Regiments »Hermann Göring« in Döberitz untergebracht. Kommandeur war bis Februar 1940 Generalmajor Erwin Rommel. Bei den Frontfahrten im Kraftwagen gehörten Flak- und Pakzüge zum Kommando. Nach dem Ausbau zum Führerbegleitregiment mit zusätzlicher Flak- und Nachrichteneinheit in den Hauptquartieren wuchs es im November 1944 unter Oberst Remer auf die Größe einer Brigade. Im Januar 1945 zur Führer-Grenadierdivision erweitert, wurde die Einheit nach ihrem Einsatz bei der → Ardennenoffensive im April 1945 aufgerieben. *Hermann Weiß*

Führerbunker s. Führerhauptquartiere

Führererlaß Erwuchs aus dem Recht des → Reichspräsidenten, die Organisation der Reichsregierung bzw. der → Obersten Reichsbehörden zu verändern. Dies wurde bis 1939 auch so gehandhabt. Nach Kriegsbeginn ersetzte der F. zunehmend Gesetze und Verordnungen der → Reichsregierung bzw. des → Ministerrats für die Reichsverteidigung, indem er materielles Recht veränderte und setzte bzw. Rechtsetzungsvollmachten delegierte. Dies war um so problematischer, als F. z.T. nicht publiziert und nur auf dem Dienstweg den Obersten Reichsbehörden bekannt gemacht wurden (→ Justiz und Innere Verwaltung). Aufgrund eines geheimen F. errichtete Hitler z.B. im Oktober 1939 die zentrale Reichsbehörde des → Reichskommissars für die Festigung deutschen Volkstums. Der geheime F. über den umfassenden → Arbeitseinsatz vom 15.1.1943, nach dem die Obersten Reichsbehörden bei den betreffenden Maßnahmen »von entgegenstehenden gesetzlichen Bestimmungen« abweichen durften, bildete eine weitere Steigerung rechtlicher Willkür. *Volker Rieß*

Führerhauptquartiere Bezeichnung für die festen Kommandozentralen Adolf Hitlers, von denen aus er während des Zweiten Weltkrieges die Operationen leitete. Die F. waren ausgestattet mit Wohngebäuden, Bunkern und Flakständen und lagen sowohl in Deutschland als auch im Ausland. Während des → Polenfeldzuges und später auch beim → Balkanfeldzug benutzte Hitler seinen Befehlszug »Adler« als F. Weitere F. während des Krieges: »Felsennest« bei Münstereifel (10.5.–5.6.40), »Wolfsschlucht« (vorher »Waldwiese«) bei Bruly de Pêche in Belgien (6.–17.6., 19.–28.6.40), »Tannenberg« auf dem Kniebis im Schwarzwald (28.6.–5.7.40), »Wolfsschanze« bei Rastenburg in Ostpreußen (24.6.41 –17.6.42, 31.10.–7.11.42, 22.11.42–17.2.43, 14.7.–20.11.44), »Werwolf« bei Winniza in der Ukraine (16.7.–31.9.42, 19.2.–13.3.43), »Wolfsschlucht II« bei Soissons (17.6.44), → »Adlerhorst« (10.12.44–16.1.45). *Jana Richter*

Führerkult s. Führer

Führermythos s. Führer

Führerprinzip Grundsatz der Entscheidungsbefugnis und Befehlsgebung in der NSDAP und im NS-Staat, nach Hitler (*Mein Kampf*): »Autorität jedes Führers nach unten und Verantwortung nach oben«; Befreiung vom »parlamentarischen Prinzip der Majoritäts- und Massenbestimmung«. In Hitler kulminierte das F. (→ Führer). Theoretisch bestand nach dem F. ene »strikte« Kommandostruktur« von oben nach unten. In der Praxis aber führten »Macht- und Kompetenzstreitigkeiten«, ausgetragen nach dem sozialdarwinistischen Grundsatz der Durchsetzung des Stärkeren (→ Sozialdarwinismus), sowie die Ausnutzung von »Freiräumen« durch »tatkräftige verantwortungsfreudige« Unterführer zu polykratischen Strukturen. Hitler selbst trug entscheidend zur Entstehung einer Polykratie und einer »Zersplitterung der Verwaltung« bei, indem er neben vielen bestehenden Instanzen »Sonderbeauftragte« als ihm unmittelbar unterstellte »Führungsinstanzen« einsetzte. *Günter Neliba*

Führerweisung Herrschaftsinstrument Hitlers als → Oberster Befehlshaber der Wehrmacht mit Befehlscharakter. F. bezeichnete in der Regel einen Rahmenbefehl mit allgemeinen Richtlinien für ganze Kriegsschauplätze bzw. längere Zeiträume, wobei die Art der Ausführung den Kommandostellen oder ihnen nachgeordneten Stellen überlassen blieb. Die Unterschiede zum konkreteren Führerbefehl wurden zunehmend fließend, und letzterer ersetzte, nicht zuletzt wegen der militärischen Entwicklung, schließlich 1944/45 die F. ganz. Ab 1937 wurden die F. fast alle fortlaufend numeriert. Eine der wichtigsten F. war die Weisung Nr. 21 für den Fall → Barbarossa zur Vorbereitung eines Feldzugs gegen die Sowjetunion (→ Ostfeldzug 1941–1945; → Führer). *Volker Rieß*

Führerwille Zentrales Element des nat.soz. Staats- und Rechtsverständnisses, demzufolge Hitler den Willen des dt. Volkes (unter Ausschluß seiner rassisch, politisch oder anderweitig nicht tragbar erscheinenden Elemente) personifizierte und folglich die Leitlinien für die politische Praxis festlegte. Im Unterschied zum Führerbefehl oder zur → Führerweisung wurde der F. erst durch die aktive Aneignung und Vorwegnahme Hitlerscher Ziele durch nachgeordnete Instanzen politisch wirksam. Der F. diente auf allen Ebenen staatlichen Handelns als Bezugspunkt, wobei sein fehlender konkreter

Bedeutungsgehalt unter den systemimmanenten Bedingungen des permanenten Entscheidungszwangs insbesondere im Krieg wesentlich zur Radikalisierung nat.soz. Politik beitrug (→ Führer). *Jürgen Matthäus*

Funktionshäftlinge Bezeichnung für Gefangene, die eine Position in der von der → SS in den → Konzentrationslagern geschaffenen sog. Häftlingsselbstverwaltung einnahmen. Neben dem Lagerältesten und Blockältesten der Häftlingsselbstverwaltung verrichteten die F. als Häftlingsärzte, Lagerschreiber, Kapos bei den Arbeitskommandos, Vorarbeiter in den Krematorien, Leichenkammern usw. mehr oder weniger einflußreiche Hilfsfunktionen im Lager, die die Einflußnahme der SS bis weit in die Lagergesellschaft hinein ermöglichten. Streng hierarchisch gegliedert, erhielten die durch die SS ernannten Gefangenen Privilegien, die sie entweder zum eigenen Vorteil gegen ihre Mithäftlinge oder zum Wohle der Häftlingsgemeinschaft nutzen konnten. *Barbara Distel*

G

Gangsterverordnung Bezeichnung für die Verordnung über die »Erweiterung der Zuständigkeit der → Sondergerichte« vom 20.11.1938. Die Sondergerichte waren nun auch für unpolitische Straftaten zuständig, wenn »mit Rücksicht auf die Schwere oder die Verwerflichkeit der Tat oder die in der Öffentlichkeit hervorgerufene Erregung die sofortige Aburteilung durch das Sondergericht geboten ist«. Unmittelbarer Anlaß der G. war ein zwei Tage zuvor verübter Raubüberfall bei Graz. Eine nochmalige Ausweitung der Sondergerichtsbarkeit erfolgte mit Kriegsbeginn durch das → Kriegssonderstrafrecht. *Michael Hensle*

Gaskammern Im Rahmen der → Aktion T4 wurden in sechs G.-Anlagen (→ Bernburg, → Brandenburg, → Grafeneck, → Hadamar, → Hartheim und → Sonnenstein/Pirna) zwischen Januar 1940 und August 1941 mindestens 70000 Menschen, von Ärzten als »lebensunwert« ausgesonderte Kranke und Behinderte, Jugendliche und jüdische Insassen von Heil- und psychiatrischen Anstalten, ermordet. Ab Spätherbst 1941 begannen unter Federführung des Chefs der → Sicherheitspolizei und des → SD, Gruppenführer Reinhard Heydrich (ab. 1.1.43 Ernst Kaltenbrunner), die Vorbereitungen zum Völkermord an den → Juden in speziellen → Vernichtungslagern (→ Rassenpolitik und Völkermord). Christian Wirth, ein früherer Kriminalkommissar aus Stuttgart, der in der »T4«-Anstalt Grafeneck erste Erfahrungen mit G. gesammelt hatte, war für den Aufbau ortsfester G. und die Tötungsmethode durch eingeleitete Motorenabgase verantwortlich.

Im Zuge der → Aktion Reinhardt genannten Ermordung der Juden aus dem → Generalgouvernement wurden hierfür in → Belzec, → Sobibór und → Treblinka zwischen dem 17.3.1942 und dem 19.10.1943 Vernichtungslager mit zunächst drei kleineren G., die ab Herbst 1942 erweitert wurden, betrieben. Bis zu 4000 Menschen täglich konnten in einer – von mehreren – G. getötet werden. In Treblinka wurden so zwischen dem 23.7. und dem 28.8.1942 täglich über 5000, zeitweise bis zu 12000 Menschen ermordet.

Tötungsorte	*Tötungsmethode*	*Mindestanzahl der Opfer*
Kulmhof (→ Chelmno), 1941–42, 1944	Gaswagen, Kohlenmonoxyd	152 000
Belzec, 1942	Gaskammer, Kohlenmonoxyd	600 000
Sobibór, 1942–43	Gaskammer, Kohlenmonoxyd	250 000
Treblinka, 1942–43	Gaskammer, Kohlenmonoxyd	900 000
Lublin-→ Majdanek, 1942–44	Gaskammer, Kohlenmonoxyd und → Zyklon B	60 000
→ Auschwitz-Birkenau, 1942–44	Gaskammer, Zyklon B	1 100 000

(Friedlander, 1997)

Zu den Bemühungen, die Tötungen möglichst effizient durchzuführen, gehörte auch die Täuschung der Opfer, denen vorgespiegelt wurde, sie kämen in Durchgangs- oder Arbeitslager und würden deshalb zunächst geduscht.

Die Leichen wurden anfangs in riesigen Gräbern verscharrt. Ab Herbst 1942 begann man mit Verbrennungen, auch der zunächst beerdigten Leichname (→ Enterdungsaktion).

Unter Federführung des → SS-Wirtschafts-Verwaltungs-Hauptamtes wurde parallel zur Aktion Reinhardt unter Leitung des Kommandanten Rudolf Höß in Auschwitz-Birkenau ein neues Tötungszentrum aufgebaut, in dem nach den Anfängen 1941/42 zwischen März und Juni 1943 vier neue G. mit Krematorien in Betrieb genommen wurden. Höß entschied sich für die Tötung mit dem Schädlingsbekämpfungsmittel Zyklon B. Wegen der Anzahl von rund 1 Mio ermordeten Juden, Zigeuner (→ Sinti und Roma) sowie anderer Opfer steht der Name Auschwitz heute stellvertretend für die nat.soz. Massentötung durch Giftgas und dem Genozid an den Juden Europas. Eine weitere große Gruppe von Opfern waren sowj. → Kriegsgefangene.

Auch in den Konzentrationslagern → Mauthausen (mindestens 3544 Ermordete; hier fand die letzte Vergasung am 28.4.45 statt), → Sachsenhausen (die unsichere Schätzung geht von 4000 Toten aus), → Ravensbrück, → Stutthof, → Neuengamme und → Natzweiler/Struthof sind Vergasungen von Gefangenen in dafür speziell hergerichteten Räumen nachgewiesen.

Thomas Lutz

Literatur:
Friedlander, Henry: *Der Weg zum NS-Genozid. Von der Euthanasie zur Endlösung,* Berlin 1997.

Gaswagen Erstmals im Sommer 1940 für die Ermordung von Anstaltspatienten im Rahmen der → Aktion T4 im Wartheland eingesetzt. Ein Sonderkommando unter SS-Hauptsturmführer Herbert Lange (→ Einsatzgruppen; → SS) ermordete Kranke und Behinderte aus den Hospitälern Wartha, Tiegenhof und Soldau; bei letzterem 1559 Menschen in 19 Tagen. Etwa 40 Personen gleichzeitig wurden in luftdichten Lkw-Aufbauten während der Fahrt mit Kohlenmonoxyd aus Flaschen vergast. Im September 1941 beauftragte Obersturmbannführer Walter Rauff, Leiter der Abteilung II D im → RSHA, den Verantwortlichen für Transporte, Friedrich Pradel, Lastkraftwagen so zu konstruieren, daß die Motorabgase in die geschlossenen Kastenaufbauten gelenkt werden konnten. Bei der Firma Gaubschat in Berlin wurden insgesamt 30 Spezialaufbauten bestellt. Diese modifizierte »T4«-Tötungsmethode wurde im Gebiet der besetzten Sowjetunion von den dort operierenden Einsatzgruppen angewandt. Die G. wurden hierfür von den Einsatzkommandos bei den Stäben der Einsatzgruppen für besondere Aktionen angefordert. Der erste erwiesene Einsatz der G. in der westlichen Sowjetunion erfolgte im November 1941 in Poltawa und im Dezember in Charkow. Im Laufe des Jahres 1942 verfügten alle Einsatzgruppen über G. »Seit Dezember 1941 wurden beispielsweise mit drei eingesetzten Wagen 97 000 verarbeitet, ohne daß Mängel an den Fahrzeugen auf-traten«, heißt es in einem Bericht des RSHA vom Juni 1942. Die Tötungen wurden in der Regel durch Einleitung der Autoabgase während der Fahrt von einem Sammelplatz zu einem Exekutionsort durchgeführt. Die aus Gefangenen bestehenden Kommandos, die die Leichen aus den Lastwagen ausladen und in Gruben verscharren mußten, wurden anschließend ebenfalls ermordet. In → Chelmno Kulmhof wurde im Dezember 1941 ein → Vernichtungslager hauptsächlich für die jüdische Bevölkerung aus dem besetzten Reichsgau → Wartheland errichtet. Dort ermordete das Sonderkommando Lange, das bereits während der Aktion T 4 Erfahrungen mit G. gesammelt hatte, mit 2–3 stationären Lkw zwischen Dezember 1941 und Dezember 1942 mindestens 152 000 Menschen. *Thomas Lutz*

Literatur:

Kogon, Eugen/Hermann Langbein/Adalbert Rückerl u.a. (Hg.): *Nationalsozialistische Massentötungen durch Giftgas.* Frankfurt am Main 1983.

Gau/Gauleiter Territoriale Gebietseinheit der NSDAP und deren Führer. Die Einteilung des Reichsgebietes in G. geschah auf Veranlassung Hitlers nach der Neugründung der Partei 1925, als sie sich über Bayern hinaus auszudehnen begann. Letztlich war das Reichsgebiet in 42 G. gegliedert, als 43. G. zählte die → Auslandsorganisation der NSDAP. Der G. war seinerseits unterteilt in → Kreis, → Ortsgruppe, → Zelle und → Block und stand zwischen Reichs- und Kreisebene. Die regionalen Organisationseinheiten wurden als »Hoheitsgebiete« der → NSDAP bezeichnet, ihre jeweiligen Führer (Reichs-, Gau-, Kreis-, Ortsgruppen-, Zellen-, Blockleiter) als »Hoheitsträger« . Die G. konnten nur von Hitler ernannt bzw. entlassen werden. Sie trugen gemäß dem → Führerprinzip ausschließlich ihm gegenüber die Gesamtverantwortung für den ihnen anvertrauten Bereich und besaßen das Aufsichtsrecht über sämtliche Parteigliederungen. Unter den G. befanden sich zahlreiche sog. → Alte Kämpfer mit einem besonderen Vertrauensverhältnis zu Hitler. Ihre in der → Kampfzeit bei der Eroberung der Macht und Festigung der Parteiherrschaft bewiesene Loyalität dankte ihnen Hitler 1933 mit ihrer Einsetzung auch in staatliche Ämter (Reichsstatthalter, Ministerpräsidenten, Minister u.a.). In dieser Personalunion verkörperte sich die »Einheit von Partei und Staat«. Zu Beginn des Zweiten Weltkriegs wur-den mit Verordnung vom 1.9.1939 diejenigen G., die zugleich ein Staatsamt innehatten, zu → Reichsverteidigungskommissaren ernannt, mit Verordnung vom 16.11. 1942 auch die restlichen G. In dieser Eigenschaft wurde ihnen am 25.9.1944 die Aufstellung des → Volkssturms übertragen. In Zusammenarbeit mit der Wehrmacht waren sie für die zivile Landesverteidigung ihres jeweiligen Gebiets verantwortlich. Als Teil der → Politischen Leiter der NSDAP wurden die G. im Nürnberger Prozeß am 30.9.1946 als verbrecherische Gruppe verurteilt (→ Nachkriegsprozesse). *Elke Fröhlich*

Literatur:

Hüttenberger, Peter: *Die Gauleiter. Studie zum Wandel des Machtgefüges in der NSDAP*, Stuttgart 1969.

Abb. 52: Die Gaue der NSDAP

Gefolgschaft Im Nat.soz. das komplementäre Prinzip zum → Führerprinzip, welche beide auf der Idee einer natürlichen Ungleichheit zwischen Menschen basierten. In der G. drückte sich die geforderte bedingungslose Unterwerfung unter den → Führer aus, dessen Führertum schicksalhaft vorbestimmt war und keiner weiteren Begründung bedurfte. Dieses Verhältnis galt sowohl zwischen dem gesamten dt. Volk und seinem Führer als auch in kleineren Einheiten auf den verschiedenen Parteiebenen. Im Gegenzug zur G. sollte der Führer zur Fürsorge verpflichtet sein. Analog dazu fand der Begriff der G. auch im nat.soz. Arbeitsrecht Verwendung, wobei er die Gesamtheit der Arbeiter und Angestellten eines Betriebes bezeichnete (→ Dt. Arbeitsfront; → Betriebsführer; → Betriebsgemeinschaft).

Uffa Jensen

Geheime Feldpolizei (GFP) Die Abwehrpolizei des Feldheeres. Fachlich wurde sie von der Abteilung III der → Abwehr im OKW geführt. An ihrer Spitze stand der Heeresfeldpolizeichef beim Oberquartiermeister IV des OKH, ab Mai 1940 der Feldpolizeichef der Wehrmacht bei der Amtsgruppe Ausland/Abwehr des OKW, SS-Oberführer Wilhelm Krichbaum, dem als Stab die Gruppe G. im OKH zur Verfügung stand. Jedes Armee-Oberkommando verfügte über eine eigene G.-Gruppe, ferner bestanden G.-Kommandos bei den Grenzabschnittkommandos und den Generalkommandos der Grenztruppen. In Kriegszeiten gehörte zu den Aufgaben der G. das Aufspüren und Bekämpfen gegnerischer Sabotage-, Zersetzungs- und Spionagevorhaben sowie von landesverräterischen Handlungen in den Operationsgebieten; außerdem wurde die G. zum Objektschutz und zur abwehrmäßigen Sicherung militärischer Verbände herangezogen. Neben der Beratung der Abwehroffiziere in den Stäben hatte die G. auch exekutive Aufgaben durchzuführen, etwa als Hilfsorgan militärischer Gerichtsherren oder zur Sicherung von Hauptquartieren. Auch zum Schutz Hitlers wurde sie eingesetzt. Die G. verfügte über geheimpolizeiliche Sonderrechte; ihre Beamten konnten in Zivil tätig werden und durften sich andere Wehrmachtsangehörige als Hilfsorgane unterstellen; ihre Angelegenheiten unterlagen nicht der Nachprüfung durch die Verwaltungsgerichte. Die Mitarbeiter der G. besaßen den Status von Wehrmachtsbeamten und rekrutierten sich zum großen Teil aus der → Sicherheitspolizei (Sipo). 1939 bestanden 15 jeweils bis zu 50 Mann starke Gruppen der G.

Ein erstes Auftreten der G. ist im → Spanischen Bürgerkrieg nachzuweisen. Über ihre abwehrpolizeilichen Aufgaben hinaus beteiligte sich die G. seit dem → Polenfeldzug an den rassenpolitisch und anders motivierten Zwangs- und Gewaltmaßnahmen des Dritten Reiches, teilweise in enger Zusammenarbeit mit der Sicherheitspolizei (→ Einsatzgruppen). Sie verfolgte Fälle von → Fahnenflucht ebenso wie die → Rassenschande bei Exzessen dt. Soldaten gegenüber der jüdischen Bevölkerung. Eine wichtige Rolle spielte sie bei der abwehrmäßigen Sicherung der besetzten Gebiete und der Verfolgung von Mitgliedern des → Widerstands. Im besetzten → Frankreich wurde die G. bereits am 25.4.1942 in die Sicherheitspolizei überführt, ein Prozeß, der bis 1944 zur Übernahme von 51 G.-Gruppen mit über 5000 Mann durch die Sipo führte. Ihm entsprach nicht die auf Befehl Hitlers vom 12.2.1944 vollzogene Übernahme der Abwehr durch das → RSHA, von der die G. ausgenommen blieb: Der Feldpolizeichef der Wehrmacht wurde in die Abteilung Truppenabwehr des Wehrmachtführungsstabes überführt. Krichbaum selbst betätigte sich nach dem Krieg als wichtiger Mitarbeiter Reinhard Gehlens beim Aufbau eines bundesdt. Geheimdienstes. Gegen einige seiner Untergebenen fanden Prozesse wegen der Beteiligung an Kriegsverbrechen statt (→ Nachkriegsprozesse).

Hermann Weiß

Literatur:

Geßner, Klaus: *Geheime Feldpolizei*, Berlin (O) 1986.

Geheime Staatspolizei (Gestapo) »Um die wirksame Bekämpfung aller gegen den Bestand und die Sicherheit des Staates gerichteten Bestrebungen zu sichern«, wurde auf Veranlassung Görings als Ministerpräsident im April 1933 in Preußen die G. eingerichtet (Gesetz vom 26.4.1933). Die meisten Mitarbeiter kamen aus der preuß. politischen Polizei, die v.a. den Linksradikalismus verfolgt, aber schon nach dem Staatsstreich vom 20.7.1932 (→ Preußenschlag) auch die Sozialdemokratie in ihre Ermittlungen einbezogen hatte.

Zentralbehörde und unmittelbar Göring unterstellt wurde das Geheime Staatspolizeiamt (Gestapa) unter Leitung von R. Diels; in jedem Regierungsbezirk entstand eine Staatspolizeileitstelle. Gleichzeitig bildete Himmler in Bayern die Bayerische Politische Polizei unter Heydrich. Die in den anderen Ländern entstehenden Dienststellen der politischen Polizei übernahmen die preuß. Bezeichnungen, kamen aber nach und nach unter die Kontrolle Himmlers als Politischer Polizeikommandeur der Länder. Im April 1934 wurde Himmler auch Inspekteur der G. in Preußen, Heydrich Chef des Gestapa, leitete aber weiterhin auch den → Sicherheitsdienst (SD). Mit Himmlers Ernennung als Reichsführer SS zum Chef der Dt. Polizei wurde die G. Reichsbehörde und mit der Kriminalpolizei zur Sicherheitspolizei vereinigt, deren Zentrale zunächst das SS-Hauptamt Sicherheitspolizei, ab 1939 das → Reichssicherheits-Hauptamt unter Heydrich als Chef der → Sicherheitspolizei und des SD wurde; Amtschef der G. (Amt IV des RSHA) war seit 1937 Heinrich Müller. Die 1941 bestehenden 67 Staatspolizei- oder – mit Koordinierungsfunktionen für mehrere Stapostellen – Staatspolizeileitstellen waren grundsätzlich für einen Regierungsbezirk bzw. ein größeres Land zuständig, Außenstellen und Grenzpolizeikommissariate konnten unterstellt sein; ihnen entsprachen in den meisten besetzten Gebieten die Abteilungen IV der Befehlshaber bzw. Kommandeure der Sicherheitspolizei und des SD. Hatte die G. anfangs noch ihre Maßnahmen mit der → Reichstagsbrandverordnung und anderen Vorschriften begründet, befreite sie sich schließlich von allen Bindungen an Recht und Gesetz. Sie verhängte → Schutzhaft in Hausgefängnissen, → Arbeitserziehungs- und → Konzentrationslagern, in denen ihre Politischen Abteilungen die Häftlinge terrorisierten, konnte Aussagen durch Folter (»verschärfte Vernehmung«) erzwingen und Gefangene ermorden (→ Sonderbehandlung). Polen und ausländische → Zwangsarbeiter waren ihr ausgeliefert, sie stellte die Kommandos zur Ermordung von → Kriegsgefangenen und einen Teil des Personals der → Einsatzgruppen und ermöglichte die → Endlösung der Judenfrage, indem sie Juden in → Ghettos zwang und zur → Deportation in die → Vernichtungslager verhaftete. Die Zahl der Angehörigen der nach dem Urteil des Nürnberger Internationalen Militärtribunals (→ Nachkriegsprozesse) verbrecherischen Organisation war dabei relativ gering. Sie betrug 1943 einschließlich Grenzpolizei 31 374 Beamte und Angestellte, darunter zunehmend Frauen; für die Aufgaben der G. im Regierungsbezirk Koblenz mit 871 000 Einwohnern genügten 1941 nur 103 Mitarbeiter. Auch die Zahl ihrer Informanten oder V-Leute war nicht groß; denn die G. konnte immer damit rechnen, daß Funktionäre der Partei, jedoch ebenso »Volksgenossen« bereit waren, politische Gegner zu denunzieren (→ Denunziantentum). Nur weil sie diesen Rückhalt in der Gesellschaft hatte, konnte die G. als wesentliches Element des nat.soz. Terrorsystems tätig werden (→ Verfolgung). *Heinz Boberach*

Literatur:

Gellately, Robert: *Die Gestapo und die deutsche Gesellschaft*, Paderborn 1993.
Lang, Jochen v.: *Die Gestapo. Instrument des Terrors*, Hamburg 1990.
Paul, Gerhard/Klaus Mallmann (Hg.): *Die Gestapo. Mythos und Realität*, Darmstadt 1995.

Geheimer Kabinettsrat Mit Führererlaß vom 4.2.1938 wurde der G. zur Beratung Hitlers »in der Führung der Außenpolitik« eingesetzt. Unter dem Vorsitz von Reichsminister von Neurath und der Geschäftsführung durch den Chef der Reichskanzlei gehörten dem Gremium die Minister für Auswärtiges, Propaganda, Vertreter der Wehrmacht und der Stellvertreter des Führers an. Der G. trat nie zusammen und hatte lediglich die Funktion, dem im Zuge der → Fritsch-Krise am 4.2.1938 als Reichsaußenminister entlassenen Neurath ein Amt zu beschaffen. *Wolfgang Benz*

Geilenberg-Programm Benannt nach seinem Leiter, Edmund Geilenberg, der mit Führererlaß vom 30.5.1944 zum Generalkommissar für Sofortmaßnahmen im Speer-Ministerium ernannt wurde (→ Reichsministerium für Rüstung und Kriegsproduktion), um die durch eine Serie US-amerik. Luftangriffe zerstörten Anlagen zur Gewinnung von Mineralöl und Benzin wiederaufzubauen und neue Möglichkeiten zur Gewinnung dieser Produkte industriell zu verwerten. Vielfach wurden für diese Programme KZ-Häftlinge herangezogen (v.a. aus → Dora-Mittelbau). In einer Reihe von einzelnen Programmen und Projekten wurden neue Anlagen erstellt (Tarnbezeichnungen: Neuanlagen Tiere, Karpfen, Kuckuck, Meise, Schwalbe) und neue, auch unwirtschaftliche Gewinnungsmöglichkeiten ausgenutzt, wie die Aufschließung der Ölschiefer der Schwäbischen Alb in Ölschiefer-Schwelanlagen, wofür etwa 5000 Häftlinge v.a. aus → Auschwitz, → Dachau und → Natzweiler herangezogen wurden (Tarnbezeichnung Wüste). *Hermann Weiß*

Geländesport s. Sport

Geltungsjude Als Halbjuden eingestufte Personen, die 1. zum Stichtag der → Nürnberger Gesetze der jüdischen Religionsgemeinschaft angehörten, 2. zu diesem Stichtag mit einem Juden verheiratet waren, 3. nach diesem Stichtag trotz Verbots einen Juden heirateten. Kinder aus der Ehe eines G. mit einer »deutschblütigen« Frau wurden als Mischlinge ersten Grades eingestuft und konnten nur auf besonderen Antrag eine andere rassische Einordnung erreichen (→ Ehrenarier). G. wurden von der nat.soz. Gesetzgebung wie Volljuden behandelt. Im Gegensatz zu den → Mischlingen mußten sie den → Judenstern tragen, den Namenszusatz Israel bzw. Sara annehmen, ihre Wohnungstüren mit einem Judenstern kennzeichnen usw. Häufig erhielten die G. gemeinsam mit dem jüdischen Elternteil den Befehl zur → Deportation. *Sigrid Lekebusch*

Gemeinnützige Krankentransport GmbH (Gekrat) s. Aktion T 4, s.a. Medizin

Gemeinnützige Stiftung für Anstaltspflege s. Aktion T 4, s.a. Medizin

Gemeinschaftsfremde s. Asoziale

Gemischtvölkische Ehe s. Ehe

Generalbauinspektor für die Reichshauptstadt s. Germania, s.a. Reichshauptstadt

Generalbevollmächtigter für den Arbeitseinsatz Sonderbehörde zur Rekrutierung in- und ausländischer Arbeitskräfte für die dt. → Kriegswirtschaft. Die am 21.3.1942 geschaffene Instanz des G. unter Leitung von → Gauleiter Fritz Sauckel war Hitler unterstellt. Die Gauleiter der NSDAP fungierten als Bevollmächtigte für den Arbeitseinsatz. Der G. erhielt Kompetenzen und Personal vom Arbeitsministerium, Arbeitsämter waren ihm verantwortlich. Mit Hilfe der zentralisierten Organisation des G. wurden in Europa bis 1945 Millionen von → Fremdarbeitern oft unter massivem Zwang für den → Arbeitseinsatz in der dt. Wirtschaft rekrutiert. *Wolf Gruner*

Generalbevollmächtigter für die Reichsverwaltung (GBV) Im Rahmen des geheimgehaltenen Reichsverteidigungsgesetzes vom 4.9.1938 wurde die Funktion des G. geschaffen: Er sollte bei Kriegsbeginn die einheitliche Führung der Zivilverwaltung übernehmen und besaß auch Weisungsbefugnis gegenüber einigen Ressorts (→ Justiz und innere Verwaltung). Die tatsächliche Bedeutung des G. war jedoch gering. Zunächst hatte der Reichsminister des Innern, Wilhelm Frick, das Amt inne, bis er im August 1943 durch den → Reichsführer SS und Chef der Dt. Polizei Heinrich Himmler, auch in seiner Funktion als Reichsinnenminister, abgelöst wurde. *Michael Hensle*

Generalgouvernement (»für die besetzten poln. Gebiete«, ab Juli 1940 nur noch GG) Im Anschluß an den → Polenfeldzug (→ Polen) gemäß Führererlaß vom 12.10.1939 für die nicht in das Reich eingegliederten besetzten zentralpoln. Gebiete geschaffen und zunächst aus vier Distrikten (Krakau, Radom, Warschau und Lublin) mit ca. 12 Mio. Einwohnern bestehend. Nach dem dt. Angriff auf die Sowjetunion (Unternehmen → Barbarossa; → Ostfeldzug) wurde das Gebiet um Lemberg am 1.8.1941 dem G. als 5. Distrikt Galizien mit weiteren 5 Mio. Einwohner einverleibt. Die Bezeichnung G. war schon im Ersten Weltkrieg für das von den Mittelmächten besetzte Kongreßpolen, das Generalgouvernement Warschau, benutzt worden.

Mit der Liquidierung der Militärverwaltung bezog Hans Frank am 26.10.1939 als Generalgouverneur, der unmittelbar Hitler unterstand, seinen Dienstsitz in Krakau, das Hauptstadt des G. wurde, um eine Zivilverwaltung aufzubauen, die von einer möglichst kleinen Zahl von dt. Beamten nach »kolonialen« Gesichtspunkten geführt werden konnte.

Vom Krakauer »Amt des Generalgouverneurs«, seit 1940 zur Regierung aufgewertet, wurde über die Distriktgouverneure (Amtschefs) bis hinunter zu den Kreishauptleuten und Stadthauptleuten in kreisfreien Städten, denen Land- und Stadtkommissare unterstellt waren, ein traditionelles dreigliedriges Instanzensystem errichtet. Für die poln. Bevölkerung existierte nur eine begrenzte Selbstverwaltung auf unterster Ebene durch einheimische Bürgermeister bzw. Vögte in Städten und Landgemeinden, die jedoch dem absoluten Aufsichts- und Eingriffsrecht der dt. Kreis- bzw. Stadtkommissare unterlagen.

Gerichtsbarkeit und Exekutive lagen weitgehend bei den → Höheren SS- und Polizeiführern, die direkt dem → Reichsführer SS und Chef der Dt. Polizei, Heinrich Himmler, unterstanden, der am 7.10.1939 als → Reichskommissar für die Festigung dt. Volkstums von Hitler die Vollmacht für umfangreiche Zwangsumsiedlungen in Polen bekommen hatte. Im Rahmen von Himmlers An- und Umsiedlungsprogramm, der »Heimholung« von bis zu 1,2 Mio. → Volksdeutschen aus den sowj. Besatzungs- und Interessengebieten, wurde das G. als Abschiebegebiet für Polen und Juden aus den in das Reich eingegliederten Gebieten definiert (→ Volkstumspolitik). Frank gelang es nicht, den SS- und Polizeiapparat, der aufgrund seiner Verantwortung für diese Umsiedlungen von vornherein eine beherrschende Stellung innehatte, seiner Zivilverwaltung zu unterstellen. Auf Distriktsebene waren SS- und Polizeiführer mit Weisungsrecht über Sicherheits- und Ordnungspolizei eingesetzt, die sich in den Bereichen Volkstums- und Siedlungspolitik, Judenverfolgung und Partisanenbekämpfung betätigten. Einer der Lubliner Vorreiter dieser Entwicklung war der Lubliner SS- und Polizeiführer Odilo Globocnik, der die Rassen- und

Judenpolitik immer mehr an sich zog und später als Leiter der → Aktion Reinhardt der Hauptverantwortliche für die Ermordung der Juden im G. wurde (→ Rassenpolitik und Völkermord; → »Endlösung«). Als Gegengewicht zur Polizei baute Frank seit März 1940 den sog. → Sonderdienst aus volksdt. Selbstschutzleuten auf, die die Funktion einer Ersatzpolizei auf Kreisebene ausübten.

Die dt. Besatzungspolitik, die auf radikaler Unterdrückung und Ausbeutung aller → Fremdvölkischen, einem rassistisch abgestuften Sonderrecht, Terror, → Deportationen und Völkermord beruhte, stellte den reinsten Typ nat.soz. Okkupationsverwaltung dar, wie er sonst in keinem anderen von Deutschland besetzten Gebiet anzutreffen war. Sie stand im Zeichen der Herrenrassenideologie mit der Zielvorstellung, ein poln. »führerloses Arbeitsvolk« zu schaffen; dies sollte durch die Schließung aller Universitäten und höheren Schulen und die systematische Zerstörung von Kultur- und Wissenschaftsinstitutionen, Beschlagnahmung von Klöstern und die physische Vernichtung von Angehörigen der poln. Intelligenz und des katholischen Klerus (so z.B. in der Sonderaktion Krakau vom Nov. 1939, bei der 183 poln. Hochschulangehörige nach → Sachsenhausen deportiert wurden) realisiert werden.

Zu Beginn wurden sowohl Polen als auch Juden Opfer des dt. Besatzungsterrors. Während der antipoln. Terror selektiv war, d. h. sich gegen Vertreter der Intelligenz, der Kirche sowie Angehörige politischer und gewerkschaftlicher Kreise richtete, erfaßte der antijüdische Terror alle Schichten der Bevölkerung; es kam zu Massenexekutionen und Razzien, Juden wurden generell zur → Zwangsarbeit für die Okkupationsbehörden verpflichtet. Ab Ende 1939 erfolgte die Kennzeichnungspflicht aller Juden mit dem → Judenstern, gefolgt von weiteren antijüdischen Maßnahmen. Bereits Anfang 1940 waren die Juden aus dem gesamten Wirtschaftsleben des G. verdrängt, alle jüdischen Betriebe und Geschäfte standen unter der Leitung von Treuhändern; ferner begann die Zwangsghettoisierung der jüdischen Bevölkerung. Im August 1940 trat die Verordnung in Kraft, die auf der Grundlage der antisemitischen → Nürnberger Gesetze bestimmte, wer als Jude zu gelten habe.

Vom Oktober 1941 bis Juni 1942 wurde das G., das zum Aufmarschgelände des Unternehmens → Barbarossa geworden war, verstärkt in den Dienst der dt. → Kriegswirtschaft gestellt; die Ausbeutung der Landwirtschaft wurde intensiviert. Anfang Juni 1942 gingen alle polizeilichen Aufgaben, einschließlich der »Judenangelegenheiten«, an die → SS über, was Franks Position unterminierte.

Nachdem die → Einsatzgruppen in Ostgalizien bereits im Juni/Juli 1941 in großem Maßstab Mordaktionen an Juden durchgeführt hatten, begannen im Frühjahr 1942 die Deportationen der Juden aus den → Ghettos in die → Vernichtungslager, v.a. nach → Belzec und → Treblinka. Vom 6.7. bis Ende des Jahres 1942 wurde die »Endlösung« mit höchstem Tempo vorangetrieben und nach dem Aufstand des → Warschauer Ghettos im April/Mai 1943 mit um so größerer Brutalität wieder aufgenommen. Im Sommer 1943 waren alle Ghettos im G. aufgelöst. Viele der noch in Zwangsarbeitslagern und sog. Arbeitsghettos lebenden Juden wurden im November 1943 ohne Rücksicht auf die Bedürfnisse der dt. Kriegswirtschaft während der Aktion → Erntefest ermordet. Obwohl das G. seit Mai 1943 auch organisatorisch vollständig in die → Kriegswirtschaft des Dritten Reiches integriert war, hatte die Wirtschaftspolitik am Ende hinter der Volkstumspolitik zurückzustehen.

Das G. war industrielles und landwirtschaftliches Ausbeutungsobjekt, diente als Rekrutierungsfeld für Zwangsarbeiter für das Dt. Reich (bis 1942 befand sich bereits ca. 1 Mio. poln. Arbeitskräfte in Deutschland), ferner als Aufnahmegebiet für die aus den annektierten poln. Gebieten (→ Danzig-Westpreußen; → Wartheland) vertriebenen 1,2 Mio. Polen und als wichtigstes Nachschubgebiet für die Ostfront. Ab November 1942 begann Himmler mit seinen Dienststellen, seine bisher in den → eingegliederten Gebieten betriebene Aussiedlungspolitik gegenüber der poln. Bevölkerung im Rahmen der Germanisierungspläne auch auf das G. auszudehnen. Ein erstes dt. »Siedlungsbollwerk« sollte im Kreis → Zamosc/Distrikt Lublin entstehen, von dem bis Sommer 1943 etwa 40 000 Polen durch Vertreibung von Heim und Hof betroffen waren.

Ab Januar 1943 verschärften sich die Verhaftungsaktionen in Form von Großrazzien und präventiven polizeilichen Maßnahmen in Warschau, mit denen die »Belegschaften« der Konzentrationslager aufgefüllt wurden. Im Frühjahr 1943 wuchs der aktive und passive Widerstand, nicht zuletzt aufgrund der dt. Niederlage von → Stalingrad. Die sich ab Oktober 1939 formierende poln. militärische und zivile nationale Untergrundbewegung, die der poln. Exilregierung in London unterstand, bildete einen Untergrundstaat, dessen wichtigstes Operationsgebiet das G. war.

Die Teilräumung des Distrikts Galizien im März 1944 leitete die »anarchische Endphase« der dt. Herrschaft im G. ein. Nach dem Scheitern des im August begonnenen → Warschauer Aufstands im Oktober 1944 und der völligen Zerstörung der poln. Hauptstadt nach der Kapitulation der Armia Krajówa (»Heimatarmee«) wurde das G. im Januar 1945 von der Roten Armee befreit. *Beate Kosmala*

Literatur:

Golczewski, Frank: Polen, in: Wolfgang Benz (Hg.): *Dimension des Völkermords. Die Zahl der jüdischen Opfer des Nationalsozialismus*, München 1991.

Hoensch, Jörg K.: *Geschichte Polens*, Stuttgart [2]1990.

Madajczyk, Czeslaw: *Die Okkupationspolitik Nazideutschlands in Polen 1939-1945*, Berlin 1987.

Sandkühler, Thomas: *»Endlösung« in Galizien. Der Judenmord in Ostpolen und die Rettungsinitiativen von Berthold Beitz 1941–1944*, Bonn 1996.

Generalinspektor für das deutsche Straßenwesen Am 30.6.1933 eingerichtete und von Fritz Todt geleitete Dienststelle »für die Förderung des Baues der Reichsautobahn (→ Autobahnen) und für die Ausgestaltung des Landstraßennetzes«. Mit Erlaß vom 30.11.1933 → Oberste Reichsbehörde, die direkt dem Reichskanzler unterstand und damit Gesetzgebungs- und Anordnungskompetenz besaß. Das Organ des G. war *Die Straße*. Albert Speer wurde am 9.2.1942 Todts Nachfolger. *Angelika Königseder*

Generalplan Ost In Fortführung seiner Ende 1939 verfaßten Gedanken »über die Behandlung der Fremdvölkischen im Osten« gab Himmler als → Reichskommissar für die Festigung dt. Volkstums (RKF) den Befehl zur Ausarbeitung einer Gesamtkonzeption zur Germanisierungspolitik in den besetzten und noch zu erobernden Ostgebieten. Das Ergebnis bestand im G., der Himmler Ende Mai 1942 vorgelegt wurde (eine erste Fassung war schon Mitte 1941 entstanden). Die Denkschrift war unter Federführung des SS-Standartenführers (und Professors der Agrarwissenschaft) Konrad Meyer im → Reichssicherheits-Hauptamt und im Stabshauptamt/RKF ausgearbeitet worden; sie trug den Untertitel »Rechtliche, wirtschaftliche und räumliche Grundlagen des Ostaufbaus« und sah als Voraussetzung ein neues Bodenrecht (Bodenmonopol der SS im Osten, »Belehnung« germanischer Siedler auf »Siedlungsmarken« und in 36 »Siedlungsstützpunkten«) vor; das Programm sollte in fünf Fünfjahresabschnitten realisiert werden. Ziel war die → Eindeutschung durch Bevölkerungstransfer. Vier Mio. »Germanen« sollten die Hegemonie über die verbleibende autochthone Bevölkerung in den Siedlungsmarken »Ingermanland« (um Petersburg), »Gotengau« (Krim und Chersongebiet), im Memel-Narew-Gebiet ausüben. Beteiligt an den Planungen waren das → Reichsministerium für die besetzten Ostgebiete und das → Rassenpolitische Amt der NSDAP. Der G. (geschätzte Kosten: 45,7 Mrd. RM), der auf eine Umsiedlung unerwünschter Völker nach Sibirien bzw. auf deren Versklavung oder Vernichtung zielte, hatte keine Chance der Realisierung, bestimmte aber die Intentionen der dt. Besatzungspolitik.

Wolfgang Benz

Literatur:

Rössler, Mechtild/Sabine Schleiermacher (Hg.): *Der »Generalplan Ost«. Hauptlinien der nationalsozialistischen Planungs- und Vernichtungspolitik,* Berlin 1993.

Generalrat der Wirtschaft Von Hitler am 15.7.1933 unter erheblichem propagandistischen Aufwand zur Beratung der Regierung berufenes Gremium von 17 führenden Unternehmern (u.a. Gustav Krupp, Carl-Friedrich v. Siemens, Albert Vögler, Carl Bosch, August Diehn) und Parteivertretern. Der G. erlangte keine praktische Bedeutung. Er trat nur ein einziges Mal zusammen (20.9.1933). Auf der Tagesordnung dieser Sitzung standen u.a. eine Ansprache Hitlers und ein Bericht von Reichswirtschaftsminister Kurt Schmitt.

Dietrich Eichholtz

Genfer Abrüstungskonferenz Seit 1925 durch die Abrüstungskommission des → Völkerbundes vorbereitet und am 2.2.1932 eröffnet. An der G. nahmen 61 Staaten teil. Die G. stand von Anfang an im Zeichen des Konflikts zwischen der von Deutschland vertretenen Forderung nach militärischer Gleichberechtigung und Frankreichs Streben nach militärischer Sicherheit. Am 11.12.1932 gestanden Frankreich, Großbritannien, Italien und die USA in einer gemeinsamen Erklärung Deutschland militärische Gleichberechtigung im Rahmen eines Systems kollektiver → Abrüstung zu. Der frz. Plan einer vierjährigen Übergangsfrist vor Beginn der Abrüstung wurde von Deutschland als Anlaß zum Verlassen der G. und zum Austritt aus dem Völkerbund am 14.10.1933 genommen. Die G. stellte 1935 erfolglos ihre Arbeit ein.

Markus Meckl

Geopolitik Bezeichnung für eine am Anfang des 20. Jh. besonders im angelsächsischen und dt. Raum entstandene Wissenschaft von den geographischen Grundlagen der Politik. Hauptvertreter in Deutschland war der General und Münchner Geographieprofessor Karl Haushofer (1869–1946). Er verstand den Raum als zentrale politische Kategorie, an den das Volk organisch gebunden sei. Aufgrund imperialistischer Elemente seiner Lehre hat er Hitler (über R. Heß, der Haushofers Schüler war) beeinflußt (→ »Volk ohne Raum«).

Peter Widmann

Germania Vorgesehener Name für die → Reichshauptstadt Berlin nach ihrem geplanten Umbau zur Machtzentrale eines »großgermanischen« Weltreiches. Das Berliner »Neugestaltungsprogramm« war als Vorbild für die Umbaukonzepte von Hamburg, München und allen Gauhauptstädten angelegt. Hierzu wurde 1937 eine neue Behörde geschaffen, der »Generalbauinspektor für die Reichshauptstadt Berlin« (GBI) mit Albert Speer als Leiter, der Hitlers Vorstellungen einer gigantischen steinernen Machtkulisse für Aufmärsche und Massenveranstaltungen planerisch umsetzte und diesem direkt unterstand. Zentrales Merkmal der Planung war – als »Rückgrat« ringförmiger Verkehrsplanungen – ein Achsenkreuz mit einer Nord-Süd- und einer Ost-West-Trasse. Der die historische Bausubstanz der Stadt zerstörende Mittelabschnitt der Nord-Süd-Achse sollte von Staats- und Parteibauten, Repräsentationsgebäuden der Wirtschaft und NS-Ehrenmalen gesäumt werden und (im Spreebogen) in den »Großen Platz« mit der 180 000 Menschen fassenden »Großen Halle« münden. Diese wegen des Krieges nur ansatzweise realisierte Monumentalplanung verkörpert in extremer Weise die Indienstnahme von Architektur und Städtebau als Ideologieträger und als Wegbereiter für Rüstung, Krieg und Weltherrschaft durch das NS-Regime (→ Kunst).

Stefanie Endlich

Germanenorden s. Völkische Bewegung

Germanische SS s. National-Socialistische Beweging (NSB)

Germanisches Reich Vage, rassenideologisch geprägte Konzeption einer »Neuordnung Europas« unter dt. Vorherrschaft. Der Begriff wurde zunächst ohne außenpolitische Dimension verwendet; erst im Zuge der dt. Besetzung Nord- und Nordwesteuropas 1940 gewann der dem Begriff implizite, expansionistische Herrschaftsanspruch an Bedeutung: Zivilverwaltungen sollten die Eingliederung dieser »germanischen Brudervölker« ins G. vorbereiten. Ab 1942 gelang es der SS zunehmend, u.a. durch die Aufstellung »germanischer« Freiwilligenverbände, die Dominanz der NSDAP in der »germanischen Politik« zu brechen und den eigenen Führungsanspruch in »germanisch-völkischen« Belangen durchzusetzen.

Thorsten Wagner

Germanisierung Bereits im Dt. Kaiserreich verwendeter Begriff, im Nat.soz. Umschreibung für die Vertreibung der slawischen Völker aus ihrer dt.-besetzten osteuropäischen Heimat bei gleichzeitiger Ansiedlung von Deutschen bzw. und der → Eindeutschung von Angehörigen fremder Völker. Grundlage war die nat.soz. → Rassenkunde, derzufolge die Deutschen der »hochwertigen« → nordischen Rasse zugerechnet, Angehörige der slawischen Völker dagegen als »Untermenschen« bezeichnet wurden. Hitler hatte bereits in → *Mein Kampf* die Eroberung Osteuropas als neuen → Lebensraum für die Deutschen zum Ziel seiner Politik erklärt, verbunden mit der Forderung nach einem → Germanischen Reich dt. Nation. Mit Beginn des Zweiten → Weltkrieges wurde die G. von der → SS praktisch umgesetzt. Himmler war seit 7.10.1939 → Reichskommissar für die Festigung dt. Volkstums und übernahm die Planung und Durchführung der G. Nach den Kriterien der → Dt. Volksliste wurde zunächst die Bevölkerung der besetzten polnischen Gebiete in vier Klassen eingeteilt: eine Minderheit wurde zu »eindeutschungsfähigen« Personen erklärt, die Mehrheit jedoch vertrieben, für Zwangsarbeit rekrutiert oder getötet, an ihrer Stelle wurden planmäßig Tausende von → Volksdeutschen angesiedelt. Um »rassisch wertvolle« Kinder fremder Volkszugehörigkeit »auszulesen«, führte das → Rasse- und Siedlungs-Hauptamt der SS in großem Umfang rassenbiologische Untersuchungen durch. Tausende von Kindern »germanischen Typs« wurden von ihren Eltern getrennt und dt. Familien bzw. Heimen der Organisation → Lebensborn zur Erziehung übergeben. Die Maßnahmen der G. sollten nicht nur zu einem »rassisch erwünschten Bevölkerungszuwachs« beitragen, sondern auch »eine qualitative Minderung der Führerschicht im fremden Volkstum (Himmler) bewirken.

Heiko Pollmeier

Gerstein-Bericht(e) Bezeichnung für die vom SS-Obersturmführer Kurt Gerstein zwischen dem 26.4. und 6.5.1945 in frz. und dt. Sprache verfaßten Berichte über seine Erlebnisse in den → Vernichtungslagern → Belzec, → Treblinka und → Majdanek. Gerstein hatte 1942 im Rahmen einer Dienstreise für das Hygieneinstitut der Waffen-SS die Vernichtungslager besucht und in Belzec die Vergasung von Lemberger Juden miterlebt. Auf der Rückreise nach Berlin informierte er den schwed. Diplomaten Göran v. Otter sowie in Berlin selbst Bischof Otto Dibelius über das zuvor Erlebte und bat beide, die erhaltenen Informationen über die Ermordung der Juden an die Alliierten bzw. den Vatikan weiterzuleiten. Dibelius wie v. Otter bestätigten nach dem Krieg die Gespräche mit Gerstein. Die Umstände von Gersteins Tod in einem Pariser Gefängnis sind immer noch nicht einwandfrei geklärt.

Silke Ammerschubert

Geschlossener Arbeitseinsatz s. Arbeitseinsatz

Gesellschaft für Textil- und Lederverwertung s. SS-Wirtschaftsunternehmen

Gesetz gegen heimtückische Angriffe s. Heimtücke-Gesetz

Gesetz zur Behebung der Not von Volk und Reich s. Ermächtigungsgesetz

Gesetz zur Verhütung erbkranken Nachwuchses s. Erbgesundheit

Gesetz zur Wiederherstellung des Berufsbeamtentums Am 7.4.1933 nach längeren Diskussionen hinsichtlich der Loyalität der Beamtenschaft, die das G. als Angriff auf ihre »wohlerworbenen Rechte« verstehen mußte, verabschiedet. Beamte konnten »zur Wiederherstellung eines nationalen Berufsbeamtentums und zur Vereinfachung der Verwaltung aus dem Amt entlassen werden, auch wenn die nach dem geltenden Recht hierfür erforderlichen Voraussetzungen nicht« vorlagen (§ 1). Unter Berufung auf § 2 (Beamte, »die seit dem 9. November 1918 in das Beamtenverhältnis eingetreten sind, ohne die für ihre Laufbahn vorgeschriebene oder übliche Vorbildung oder Eignung zu besitzen«), wurden alle Beamte, die einer kommunistischen Organisation angehörten, entlassen. »Beamte, die nicht arischer Abstammung« waren, wurden in den Ruhestand versetzt (§ 3, → Arierparagraph). Davon ausgenommen waren bereits vor dem 1.8.1914 Verbeamtete, Frontkämpfer des Ersten Weltkriegs und Söhne oder Väter von Kriegsgefallenen. Als »nicht arisch« galt, wer einen jüdischen Eltern- oder Großelternteil besaß (→ Abstammungsnachweis). Beamte, die nicht »rückhaltlos« für den Staat eintraten, konnten entlassen werden; damit war der Willkür Tür und Tor geöffnet. Ferner durften alle Beamten auch auf niedrigere Positionen versetzt werden. Zahlreiche »Nichtarier« wurden nach § 6 des G. (»zur Vereinfachung der Verwaltung«) entlassen. Über Entlassung, Versetzung in den Ruhestand oder Versetzung entschied die »oberste Reichs- oder Landesbehörde«. Das G. sollte sechs Monate in Kraft bleiben, wegen des komplizierten Verfahrens wurde diese Frist jedoch mehrfach verlängert und schließlich erst durch das Dt. Beamtengesetz vom 26.1.1937 ersetzt. Die Erwartungen der Partei konnte das G. nicht erfüllen, da mit etwa 30000 Betroffenen nur rund 2% aller Beamten entlassen wurden. Es diente jedoch wegen des »Arierparagraphen« als wesentliche Grundlage für die folgende gesetzliche Entfernung von Juden aus weiteren Berufsgruppen. *Angelika Königseder*

Literatur:

Mommsen, Hans: *Beamtentum im Dritten Reich*, Stuttgart 1966.

Gestapo s. Geheime Staatspolizei

Gesundes Volksempfinden Begriff zur Verbannung von avantgardistischer, moderner und kritischer Kunst, die angeblich im Widerspruch zum G. stand. Durch das Gesetz zur Änderung des StGB vom 28.6.1935 konnten Verstöße gegen das G. strafrechtlich geahndet werden, was eine Gefährdung der Rechtssicherheit und die Aufweichung des Prinzips »nulla poena sine lege« bedeutete. Die Erwartungen der Befürworter des Gesetzes wurden jedoch nicht erfüllt, da das G. nur schwer definierbar und damit kaum justitiabel war (→ Entartete Kunst).

Angelika Königseder

Gesundheitspolitik s. Medizin

Gewerkschaften Im 19. Jh. entstandene Interessenorganisationen der Arbeitnehmerschaft zur Verbesserung ihrer Lohn- und Arbeitsbedingungen. Die größte Organisation war der Allgemeine Dt. Gewerkschaftsbund (ADGB), der Dachverband der freien G. Daneben gab es die christlichen G., den liberalen Hirsch-Dunckerschen Gewerkschaftsverein und andere Gruppierungen. Die G. waren seit 1916 staatlich und seit 1918 durch die Zentralarbeitsgemeinschaft auch von Unternehmerseite anerkannt. Seit der Novemberrevolution 1918 konnten sie wichtige sozialpolitische Forderungen durchsetzen (8-Std.-Tag) und wurden politisch aufgewertet (Generalstreik zur Niederschlagung des Kapp-Putsches). Im Zuge der → Weltwirtschaftskrise wurde der Einfluß der G. v.a. durch die hohe → Arbeitslosigkeit zurückgedrängt. Am 2.5.1933 wurden die Häuser der G. besetzt, ihr Vermögen beschlagnahmt und führende Funktionäre der G. verhaftet. Die Arbeiterschaft wurde in der am 10.5.1933 gegründeten nat.soz. → Dt. Arbeitsfront zusammengefaßt, der auch das Vermögen der G. zufloß (→ Sozialpolitik). *Monika Herrmann*

Gewitter (Aktion) s. 20. Juli 1944

Ghetto In sprachlicher Anknüpfung an historische Vorbilder im dt. besetzten Osteuropa (Polen, Sowjetunion) geschaffenes Zwangsquartier für Juden. Entstehung, Existenzbedingungen, innere Organisation der G. und die Art ihrer Liquidierung durch die Deutschen unterschieden sich erheblich (→ Białystok, → Kauen/Kaunas, → Lodz, → Warschau). Allgemein läßt sich feststellen, daß die Ghettoisierung im Generalgouvernement den Übergang zur Vernichtungspolitik einleitete (→ Endlösung; → Rassenpolitik und Völkermord), in den besetzten Gebieten der Sowjetunion bereits unmittelbar mit dem Vollzug der »Endlösung« verknüpft war. Der Charakter der G. als Zwischenstationen auf dem Weg in die → Vernichtungslager und zu den Massengräbern mußte den Opfern insofern verborgen bleiben, als die von den Deutschen aus Tarnungs- und Effizienzgründen eingerichtete jüdische Selbstverwaltung (Juden-, Ältestenrat, Ghettopolizei) und ihr Streben nach wirtschaftlicher Produktivität die Illusion einer zweckrationalen dt. Judenpolitik förderte. Bereits Ende 1943 waren alle G. in Polen und der Sowjetunion aufgelöst, ihre Insassen ermordet oder in andere Lager deportiert.

Jürgen Matthäus

Gibraltar s. Felix, Unternehmen

Glaube und Schönheit s. Hitler-Jugend

Gleichschaltung Der Begriff erscheint zuerst in zwei von Hitler und Innenminister Frick unterzeichneten Reichsgesetzen, von denen das erste (31.3.1933) als »Vorläufiges«, das folgende (7.4.1933) als »Zweites Gesetz zur G. der Länder mit dem Reich« bezeichnet wurde. Beide zielten, die Befugnisse ausnutzend, welche die Reichsregierung durch das → Ermächtigungsgesetz erhalten hatte, auf Länderebene auf die politische Ausschaltung aller Minister, Abgeordneten und höheren Staatsbeamten, die nicht der → NSDAP oder der → DNVP angehörten. In erster Linie handelte es sich um einen juristisch getarnten Staatsstreich gegen die Regierungen süddt. Länder und die Senate der Hansestädte, die bereits unter stärkstem Druck und Drohungen gegen Leib und Leben ihrer Mitglieder durch territoriale Führer der NSDAP und der → SA standen. Langfristig dienten die Gesetze der striktesten Zentralisierung der Staatsmacht nach dem → Führerprinzip. Das erste Gesetz ermächtigte die Landes-regierungen, Gesetze selbst zu erlassen, solche eingeschlossen, die der Landesverfassung widersprachen (§ 1). Es bestimmte die Auflösung der Landtage und Bürgerschaften und ihre Zusammensetzung nach den Stimmverhältnissen der Reichstagswahl vom 5.3.1933 im jeweiligen Land unter Ausschluß der auf die → KPD entfallenen Stimmen (§ 4). Das gleiche Verfahren wurde auf alle Selbstverwaltungskörperschaften von den Kreistagen bis zu den Gemeinderäten angewendet (§ 12). Damit eröffneten sich zugleich für Tausende von Gefolgsleuten der NSDAP Chancen, aus der → »Machtergreifung« persönlichen Vorteil zu ziehen und auf freigewordene Posten nachzurücken. Das zweite Gesetz etablierte in allen Ländern mit Ausnahme Preußens direkte Beauftragte des Reichskanzlers mit diktatorischen Befugnissen (→ Reichsstatthalter). Ihr Titel gab später dem Gesetz die verkürzte und treffendere Bezeichnung Reichsstatthaltergesetz. Die Inhaber dieser Staatsämter waren den Länderregierungen übergeordnet, konnten deren Mitglieder sowie Staatsbeamte und Richter ernennen und entlassen, sofern sie zur Nomenklatur der obersten Landesbehörde gehörten. Das eben den Landesregierungen erteilte Recht, Landesgesetze auszufertigen und zu verkünden, ging auf den Reichsstatthalter über (§ 1). Gleichzeitig wurde das Amt des Staatspräsidenten, das in einigen Länderverfassungen verankert war, für erledigt erklärt (§ 6). Die zum Dekorativen herabgestufte Bedeutung der Landtage wurde noch weiter verringert; Mißtrauensanträge gegen Mitglieder der Landesregierung waren unzulässig (§ 4). Die im Gesetz dem → Reichspräsidenten eingeräumte Befugnis der Ernennung der Reichsstatthalter (§ 1) blieb bedeutungslos. Auf die Posten gelangten durchweg von

Hitler vorgeschlagene alte Gefolgsleute der NSDAP, in der Regel NSDAP-Gauleiter. Der Begriff G. erfuhr im folgenden eine Ausweitung. Er wurde auf verschiedenste Maßnahmen und Schritte angewendet, mit denen Institutionen und Organisationen der neuen Macht und deren Regierungs- und Herrschaftsprinzipien eingepaßt wurden oder sich ihnen auch selbst »gleichschalteten«. *Kurt Pätzold*

Gleiwitzer Sender, Überfall auf den Nach gründlicher Vorbereitung und Absicherung gegen unerwünschte Eingriffe von Zivilpersonen und örtlicher Polizei überfiel am Abend des 31.8.1939 der Standartenführer Alfred Naujocks mit sechs in Zivil gekleideten SS-Leuten den Sender Gleiwitz. Die 20-Uhr-Nachrichten wurden unterbrochen. Ein Dolmetscher aus den Reihen der poln. Minderheit kündigte im Namen eines »poln. Aufständischenverbandes« die Stunde der Befreiung aller Polen an. Die Aktion dauerte nur wenige Minuten. Zwei Tote, der Dolmetscher und ein KZ-Häftling, blieben im Senderaum und in der Zufahrt des Senders zurück.

Ein Führer der Sicherheitspolizei sperrte den Tatort ab, bevor die aufmerksam gewordenen Beamten des nahen Polizeireviers eintrafen. Der Aufruf hatte zur Enttäuschung der NS-Führung nicht die für den ganzen schlesischen Raum erwünschte Wirkung, weil der G. die Nachrichten nur im Stadtbereich ausstrahlte. Dafür stellte die nat.soz. Presse den Vorfall groß heraus und verschaffte ihm genügend Publizität, um damit die Schuld am Ausbruch des Zweiten Weltkriegs den Polen zuschieben zu können (→ Polenfeldzug; → Grenzzwischenfälle). *Jürgen Runzheimer*

Gliederungen der NSDAP Zu den als G. bezeichneten Gruppierungen der → NSDAP zählten gemäß § 2 der Verordnung zur Durchführung des Gesetzes zur Sicherung der Einheit von Partei und Staat vom 29.3.1935 → SA, → SS, → NSKK, → HJ (inkl. Jungvolk, BDM und Jungmädel), → NSDDB, → NSDStB und → NS-Frauenschaft. Anders als die »angeschlossenen Verbände« der Partei besaßen die G. nach § 4 der Verordnung keine eigene Rechtspersönlichkeit und kein eigenes Vermögen. *Karsten Krieger*

Gnadentod s. Medizin

Godesberger Konferenz s. Münchner Abkommen

Goerdeler-Kreis Carl Goerdeler, erfahrener und auch von Hitler geschätzter dt.-nationaler Kommunalpolitiker, hatte als Reichskommissar für die Preisüberwachung (1931–1935) und Oberbürgermeister von Leipzig einige Jahre aktiv am Aufbau des NS-Staates mitgearbeitet. Aus Protest gegen die angespannte Finanzlage, die durch die forcierte → Aufrüstung entstanden war, aber auch wegen der nat.soz. Kirchen- und Judenpolitik (→ Kirchen und Religion; → Nürnberger Gesetze) trat er zwischen 1935 und 1937 von allen staatlichen Ämtern zurück und begann seitdem mit großer Beharrlichkeit und gefährlicher Offenheit, Gesinnungsgenossen unter hochrangigen Militärs und Beamten des Dritten Reichs zu suchen. Zu Generalstabschef Ludwig Beck, einem der ersten gewichtigen Opponenten gegen Hitlers Kriegspolitik, und dessen Nachfolger Franz Halder, zum Oberbefehlshaber des Heeres, Generaloberst Werner v. Fritsch, ferner zum Chef der Wehrmachtsrüstung, General Georg Thomas, und zum Berliner Wehrkreisbefehlshaber, General

Erwin v. Witzleben, nahm er ebenso Verbindung auf wie zum oppositionellen Kreis um den Stuttgarter Industriellen Robert Bosch und zu Mitgliedern der Berliner → Mittwochsgesellschaft wie Johannes Popitz und Ulrich v. Hassell. Nach Kriegsausbruch nahm Goerdeler über den bisherigen national-konservativen Kreis hinaus auch Kontakt zu dem ehemaligen Gewerkschafter und Abgeordneten der → Zentrumspartei, Jakob Kaiser, und dem früheren hessischen → SPD-Innenminister Wilhelm Leuschner auf. Bei mehreren Frontreisen bemühte er sich 1940 und erneut 1942 vergeblich, einzelne Feldmarschälle für einen Staatsstreich zu gewinnen. Trotz mancher Vorbehalte der jüngeren Militärs um Stauffenberg, aber auch der meisten Mitglieder des → Kreisauer Kreises gegen die älteren, in ihren politischen Vorstellungen konservativ geprägten Vertreter des G., v.a. gegen Goerdeler selbst, tauchten in den Ministerlisten der Widerstandsbewegung 1943/44 die führenden Köpfe des G. – neben Goerdeler Beck, v. Witzleben, Popitz, v. Hassell, auch der frühere Botschafter in Moskau, Werner v.d. Schulenburg und Wilhelm Leuschner – wiederholt und in wechselnden Funktionen auf. Die zahlreichen Memoranden Goerdelers, wichtige Quellen für die außen- und innenpolitischen Ziele seines Kreises, erscheinen aus heutiger Sicht in manchen Punkten utopisch, stammen aber, wie die grundlegende Ausarbeitung »Das Ziel«, 1941 zusammen mit Beck verfaßt, aus der Zeit der größten Machtentfaltung der Achsenmächte und waren zur Zeit des Attentats vom → 20. Juli 1944 keine echte Diskussionsgrundlage mehr. So glaubten er und andere Angehörige des Kreises, Deutschland in den Grenzen von 1938 unter Einschluß Österreichs, aber auch des Elsaß, des Sudetenlands und Südtirols erhalten zu können. Die Verfassungspläne des Kreises sahen eine starke Zentralregierung unter einem starken Reichskanzler für das zukünftige, wieder christlich geprägte Deutschland vor. Auf lokalem Gebiet plädierte der erfahrene Kommunalpolitiker Goerdeler jedoch für eine weitgehende Selbstverwaltung. An der Spitze des Staates sollte nach Meinung Goerdelers und anderer Mitglieder des Kreises ein Monarch stehen. Eine Festlegung erfolgte hier allerdings nicht – nicht zuletzt wegen der ablehnenden Reaktionen anderer Widerstandskreise, die Goerdeler zu ihren Sitzungen zuzogen (Kreisauer Kreis, Freiburger Professorenkreis [→ Freiburger Kreise]). Als eine Reaktion auf die Erfahrung des Nat.soz., v.a. auf dessen Entstehung, muß man die Forderung nach einer klassenfreien Gesellschaft interpretieren. Außenpolitisch Propagandist einer dt.-poln. Aussöhnung, machte sich der G. nicht nur für die Bestrafung der dt. Kriegsverbrecher stark, sondern auch für ein vereintes Europa mit europäischen Ministerien für Wirtschaft und Außenpolitik. Die Wiederaufnahme Deutschlands in den Kreis der europäischen Völker glaubte er mit dem Einbringen der ehemaligen dt. Kolonien in einen gemeinsamen Kolonien-Pool erleichtern zu können. Als Folge des Attentats vom 20. Juli 1944 büßten alle führenden Männer des Kreises ihren Widerstand gegen die nazistische Gewaltherrschaft mit dem Tode (→ Widerstand). *Hermann Weiß*

Literatur:

Mommsen, Hans: Gesellschaftsbild und Verfassungspläne des dt. Widerstandes, zuletzt in: Hermann Graml (Hg.): *Widerstand im Dritten Reich*, Frankfurt am Main 1994.

Müller, Klaus-Jürgen: Struktur und Entwicklung der national-konservativen Opposition, in: *Aufstand des Gewissens*, Herford-Bonn, ^{3}1987.

Ritter, Gerhard: *Carl Goerdeler und die deutsche Widerstandsbewegung*, Stuttgart 1956.

Goldene Fahne der DAF (NS-Musterbetrieb) s. Leistungskampf der deutschen Betriebe

Goldenes Parteiabzeichen s. Orden und Ehrenzeichen

Göring-Werke s. Reichswerke Hermann Göring

Gottgläubig Am 26.11.1936 durch Runderlaß des Reichsinnenministers eingeführte religiöse Identifikationsformel für Personen, die weder einer Religions- oder Weltanschauungsgemeinschaft angehören noch sich als glaubenslos bezeichnen wollten.

Carsten Nicolaisen

Grafeneck Schloß G. (im Besitz der Stuttgarter Samariter-Stiftung) im Kreis Münsingen/Württemberg wurde als erste Tötungsanstalt der → Aktion T4 eingerichtet. In die alte Wagenremise wurde eine → Gaskammer eingebaut. Zwischen Januar und Dezember 1940 wurden dort mindestens 10500 Menschen ermordet. Nach der Schließung im Dezember 1940 wurde das Personal nach Hadamar verlegt. *Thomas Lutz*

Grenzzwischenfälle Hitler begründete am 1.9.1939 den Einmarsch dt. Truppen in Polen mit Grenzverletzungen durch reguläres poln. Militär. Er berief sich auf zwei Vorkommnisse, die auch in der Presse groß herausgestellt wurden. Beide waren von der → SS in-szeniert worden.

Reinhard Heydrich hatte auf Befehl des → Reichsführers SS Heinrich Himmler Anfang August 1939 Leute seines Amtsbereichs mit der Ausarbeitung von Plänen für Zwischenfälle beauftragt, die Hitler einen Vorwand zum Angriff auf Polen liefern sollten. In der SS-Fechtschule Bernau bei Berlin wurden in Kompaniestärke SS-Leute aus dem schlesischen Grenzgebiet, die die poln. Sprache beherrschten, zusammengezogen und geschult. Die militärische → Abwehr lieferte poln. Uniformen. SS-Standartenführer Hans Trummler, Kommandeur der Grenzpolizeischule Pretzsch, bereitete sich vor, mit seinen Polizeischülern die Scheinangriffe unblutig abzuwehren, und Gestapochef Heinrich Müller hielt einige zum Tode verurteilte KZ-Häftlinge aus dem KZ → Sachsenhausen bereit, um Verluste vorzutäuschen. Der örtlich zuständige Gestapochef von Oppeln, Dr. Emanuel Schaefer, zog die dt. Zöllner zurück und ließ den Grenzraum abschirmen. SS-Oberführer Dr. Herbert Mehlhorn wurde mit der kritischen Prüfung und Koordinierung beauftragt und sprach den Einsatz der Grenzpolizei mit der Wehrmacht ab. Stichworte für Alarm, Bereitstellung und Auslösung wurden festgelegt, aus Geheimhaltungsgründen aber auf einen gemeinsamen Decknamen verzichtet.

Am Abend des 31. August – zeitgleich mit dem Überfall auf den → Gleiwitzer Sender – beschoß bei Hochlinden ein weiteres SS-Kommando das dt. Zollhaus. Am folgenden Morgen bemerkten Einwohner bei den Zollhäusern deutliche Blutspuren. In Pitschen rief der Förster den Bürgermeister an und teilte mit, sein im Grenzwald gelegenes Forsthaus werde soeben von Polen überfallen. Die beteiligten SS-Leute wurden nach den Zwischenfällen einem der fünf Einsatzkommandos zugeteilt, die unter dem Decknamen »Unternehmen Tannenberg« aufgestellt worden waren, um hinter den vorrückenden dt. Armeen die nat.soz. → Volkstumspolitik in Polen durchzusetzen. Die → Einsatzgruppen selbst hatten mit den Grenzzwischenfällen nichts zu tun.

Jürgen Runzheimer

Literatur:

Runzheimer, Jürgen: Die Grenzzwischenfälle am Abend vor dem Angriff auf Polen, in: Benz, Wolfgang/Hermann Graml (Hg.): *Sommer 1939. Die*

Großmächte und der Europäische Krieg, Stuttgart 1979.

Greuelpropaganda Verbreitung erfundener oder übertriebener Nachrichten über einen Gegner mit dem Ziel, sein Ansehen zu untergraben, seine Anhänger zu verunsichern und ihren Kampfwillen zu brechen. G. wurde im Ersten Weltkrieg als Mittel psychologischer Kriegführung vor allem auf seiten der Entente eingesetzt, etwa indem behauptet wurde, dt. Soldaten hätten auf Befehl Nonnen vergewaltigt und Kindern die Hände abgehackt.

Die nat.soz. → Propaganda nahm den Begriff G. schon 1933 auf, um Meldungen der internationalen Presse über Verfolgungsmaßnahmen in Deutschland zu desavouieren. Zum → Boykott am 1.4.1933 veröffentlichte die NSDAP einen Aufruf »betreffend den Abwehrkampf gegen die G.« In einem Berliner Verlag wurden in dt., engl. und frz. Sprache gegen G. gerichtete Erklärungen in Deutschland tätiger jüdischer Organisationen publiziert.

In Erinnerung an die von Historikern im nachhinein widerlegte G. des Ersten Weltkriegs nahmen gerade politisch Informierte in den westlichen Ländern die Berichte über den nat.soz. Massenmord an den Juden zunächst mit Skepsis auf. Als die Wahrheit dieser Informationen nicht mehr bezweifelt werden konnte, blieb doch eine gewisse Neigung, sie als zumindest teilweise übertrieben anzusehen, was ihre Wirkung abschwächte. *Wolf Kaiser*

Griechenland Unterhielt spätestens seit Ende der 20er Jahre gute Beziehungen zu Deutschland – trotz antirevisionistischer Politik (gegen → Bulgarien) und Wechsels der Regierungsform (im November 1935 Restauration der Monarchie durch gefälschtes Plebiszit; am 4.8.1936 Abschaffung der Demokratie durch König Georg II. und General I. Metaxas). Das als »Dritte [nach Antike und Byzanz] griechische Zivilisation« posierende autoritäre antikommunistische Regime wurde in Berlin positiv bewertet, doch wurde ihm trotz z.T. »faschistischen Gebarens« (→ Führerkult, Staatsjugend etc.) jede weitergehende »Verwandtschaft« zu Recht abgesprochen. Wie die anderen Balkanländer geriet auch G. bald in wirtschaftliche Abhängigkeit vom Dt. Reich, das 1936–1938 über die Hälfte des griech. Hauptexportartikels Tabak abnahm (und im Clearing zunehmend mit Rüstungsgütern »zahlte«). 1936 begann die propagandawirksame »Führergrabung« in Olympia. Außenpolitisch orientierte sich G. (unter dem Einfluß des anglophilen Georg II.) dennoch Richtung London. Die vage brit. Garantie nach der ital. Übernahme → Albaniens hielt Mussolini jedoch nicht ab, am 28.10.1940 in G. einzumarschieren. Obwohl nicht konsultiert, kam Hitler dem bedrängten Partner im → Balkanfeldzug zu Hilfe.

Die nat.soz. Rezeption der Antike war gespalten: Kritisch eingestellt waren die Vorkämpfer einer »Germanisierung« der Geschichte (Rosenberg, Himmler), wenn auch primär mit antirömischer Stoßrichtung; Hitler hingegen pries die Paradigmen der röm. Weltreichsidee und des hellenischen Schönheits- und Kulturideals, das (für ihn im Selbstverständnis als Architekt/ Künstler) ästhetische Schönheit optimal darstellte. Das Perikleische Zeitalter verkörpere im Parthenon den Gegenpol zur »jüdisch-bolschewistischen Kunst« (→ *Mein Kampf*). Imitationsversuche waren die heroisierenden Monumentalstatuen von Arno Breker und Josef Thorak. Da die Germanen nichts der Akropolis Vergleichbares – nur »Steintröge und Tonkrüge« (*Hitlers Tischgespräche)* – schufen, weitete Hitler die Perspektive (sekundiert von Althistorikern wie Helmut Berve) zur »größeren Rassegemeinschaft, die Griechen- und Germanentum umschließt«, aus. Von diesen »bluts- und wesensverwandten nordischen Stämmen« hätten die Griechen die gemeinsame »kulturschaffende Urkraft« unter den günstigen mediterranen Bedingungen besser entfalten können. Letztlich aber hätten »hellenischer Geist und germanische Technik« vereint die Grundlagen unserer Kultur gesetzt *(Mein Kampf)*. Ebenso wichtig für das nat.soz. Hellas-Verständnis war Sparta als »erster völkischer« bzw. »klarster Rassenstaat der Geschichte« (*Mein Kampf*). An ideologischen Gemeinsamkeiten boten sich an: staatlicher Totalitätsanspruch; »planmäßige Rasseerhaltung und -trennung« mit Zuchtbestrebungen (Geburtenpolitik, selektive Kindsaussetzung); Schollenmythos (vgl. Darrés Erbhofgesetzgebung; → Erbhof); Gemeinschafts- und → Führerprinzip; »Leibeszucht« und »wehrgeistige Erziehung« als Vorbedingungen für Opfermut und Heldentum. Der Sport wurde für den Siegeswillen und die Wehrertüchtigung funktionalisiert; so ignorierte der Nat.soz. bei den → Olympischen Spielen, einer »Schöpfung Spartas«, 1936 die völkerverbindende Komponente. Maßgebenden »Rasseforschern« (H.F.K. Günther u.a.) diente die griech. Geschichte als Beispiel für das »Entwicklungsgesetz vom Aufstieg »nordischer Herrenschichten« und anschließender Degeneration nach Vermischung mit »nichtnordischem, minderwertigem Menschenmaterial«: Diese »Entnordung« habe den politischen und rassischen Verfall in der hellenistischen »Dekadenzphase« bewirkt, bis hin zur endgültigen Zerstörung der Antike in Byzanz durch »Juden-Christen« (*Tischgespräche*). Wenn somit die alten Hellenen ohne direkte Erben blieben, konnten sie nach der dt. Besetzung Griechenlands 1941 leichter für die im Vergleich zum ital. → Faschismus fehlende althistorische Legitimation des NS-Reiches vereinnahmt werden: Hitler sah sich als »eine Art Parallele« zu Perikles (A. Speer), ihm zufolge waren auch die Griechen Germanen und »unsere Vorfahren« (*Tischgespräche*). Obwohl also den Neugriechen die rassische Kontinuität bestritten wurde, beurteilte Hitler sie aufgrund bewiesener Tapferkeit zunächst positiv. Nach Installierung einer dt. Militärverwaltung und einer »unpolitischen« Kollaborationsregierung (mangels autochthoner faschistischer Kräfte) wurde G. unter ital. und bulgar. Besatzung aufgeteilt (jeweils mit territorialen Aspirationen); die dt. Zone sicherte strategische Schlüsselpositionen, v.a. Saloniki und Kreta (wo das OKM eine dt. Nachkriegspräsenz plante) sowie die wirtschaftliche Ausbeutung (Chrom u.a. Erze, Öl, Tabak etc.). Allein im Winter 1941/42 hatte das von den Importen abhängige G. 100000 Hungertote zu beklagen. Die dt. Besatzungspolitik verschärfte sich nach der ital. Kapitulation und dem Anschwellen des Widerstands: Die Neugriechen wurden zunehmend negativ charakterisiert, was die Hemmschwelle weiter senkte und blutige Massaker (Kalavryta, Distomo u. v.a.) zur Folge hatte. Annähernd 60000 Juden fielen dem Holocaust zum Opfer (→ Rassenpolitik und Völkermord). Nach dem sowj. Durchbruch in → Rumänien und Bulgarien wurde Athen am 12.10.1944, das restliche Festland bis zum 2.11.1944 geräumt. Besonnene dt. Stellen unterbanden in letzter Sekunde die Demonstration der »Chaos-These« des SD und Himmlers (Liquidierung einer weiteren bürgerlichen Führungsschicht, um mit dem Folge-Chaos zu zeigen, daß in Ländern wie G. ohne Deutsche keine Ordnung möglich sei). Noch 1945 beschworen Hitler, Berve u.a. Sparta bzw. Visionen heroischen Untergangs (Leonidas). Manche Inseln (Rhodos, Kreta u.a.), deren Evakuierung nicht möglich war, kapitulierten erst im Mai 1945. In der »Kernfestung Kreta« (um Chania) residierten gar die »letzten Waffenträger der Wehrmacht«, da der Abtransport Tausender »sich selbst bewachender Gefangener« im brit. Lager sich bis Anfang Juli 1945 hinzog.

Hagen Fleischer

Literatur:

Fleischer, Hagen: *Im Kreuzschatten der Mächte: Griechenland 1941–1944*, Frankfurt am Main 1986.

Großbritannien Nach dem Ersten Weltkrieg sah sich die Weltmacht G. mit einer Reihe gleichzeitig auftretender Probleme konfrontiert, die ihre politischen Handlungsspielräume stark einschränkten: ökonomische Strukturschwächen und hohe Arbeitslosigkeit; ein Nachlassen der eigenen Finanzkraft; die Notwendigkeit sozialer Reformen, verbunden mit dem Zwang zur Reduzierung der Militärausgaben; Desintegrationserscheinungen in Empire und Commonwealth sowie eine allgemeine Überdehnung des brit. Kräftepotentials infolge internationaler Krisen. G. konnte sein Weltreich im Kriegsfall nicht aus eigener Kraft gegen mehrere Gegner verteidigen, so daß die Wahrung des Friedens zur unabdingbaren Voraussetzung der Erhaltung des eigenen Weltmachtstatus wurde. Deutschland gegenüber bedeutete dies eine Politik des Ausgleichs, der wirtschaftlichen Stabilisierung, des begrenzten Verständnisses für Revisionswünsche bezüglich des Vertrags von → Versailles und der Integration Deutschlands in das internationale Staatensystem. Das Tragische dieser bereits in den 20er Jahren → Appeasement genannten Politik bestand darin, daß sie Hitlers Expansionsstreben letztlich maßgeblich begünstigte. Die globale Herausforderung G. durch die revisionistischen Mächte → Japan, → Italien und Deutschland in den 30er Jahren sowie das Versagen des → Völkerbundes als Instrument der Konfliktregulierung führten auf brit. Seite zur Entwicklung einer Doppelstrategie gegenüber den drei Staaten, bestehend aus Rüstungsbegrenzungsverhandlungen und Appeasement. Hitlers Taktik, schrittweise gewaltsam Tatsachen zu schaffen und jeweils anschließend von Frieden zu reden, ging bis zum → Münchener Abkommen auf (→ Außenpolitik). Sogar die brit. Garantieerklärung gegenüber → Polen vom 31.3.1939 ließ noch Raum für Verhandlungen, da die poln. Unabhängigkeit, nicht jedoch der territoriale Status quo garantiert wurde. Die Handlungsspielräume G. gegenüber Hitler erschienen so lange ausreichend, wie dessen wahre Ziele im Unklaren lagen. Als diese schließlich klar zutage traten, verblieb lediglich die Option des großen Krieges. Am 3.9.1939 erklärten G. und → Frankreich, zwei Tage nach Beginn des dt. Überfalls auf Polen (→ Polenfeldzug) und zu einem Zeitpunkt, da beide Mächte nur unzureichend gerüstet waren, Deutschland den Krieg. Premierminister Chamberlain bildete ein Kriegskabinett, das bis zum Ende des »Sitzkrieges« keine größeren Kampfhandlungen einleitete. Nach dem Debakel des → Norwegenfeldzuges trat Chamberlain am 10.5.1940 zurück; Winston Churchill wurde Premierminister und bildete eine Koalition aus Konservativen, Liberalen und Labour-Partei. Nach dem → Westfeldzug und der Niederlage Frankreichs am 22.6.1940 führte G. den Krieg, der in der Luftschlacht um → England einen weiteren Höhepunkt erreichte, bis zum dt. Überfall auf die Sowjetunion am 22.6.1941 ohne Verbündete, wenngleich es durch die USA in Form des Leih- und Pachtgesetzes seit März 1941 materiell unterstützt wurde. Der weitere Verlauf des Weltkrieges war, trotz folgender Niederlagen, strategisch seit dem Scheitern des dt. → Ostfeldzuges und dem Kriegseintritt der USA (11.12.1941) bereits im Dezember 1941 entschieden. 1945 zählte G. zu den Siegern, mußte danach allerdings den Verzicht auf das Empire einleiten. *Karsten Krieger*

Literatur:

Addison, Paul: *The Road to 1945. British Politics and the Second World War,* London 1975.
Cowling, Maurice: *The Impact of Hitler. British Politics and British Policy 1933–1940,* London 1975.

Großdeutsche Volksgemeinschaft Ersatzorganisation für die nach dem → Hitlerputsch vom 9.11.1923 verbotene NSDAP, gegründet im November 1923 von Hitlers Platzhalter Alfred Rosenberg, ab Juli 1924 geführt von Hermann Esser und Julius Streicher. Die vor allem in Süddeutschland aktive G. konkurrierte bis zu ihrer Auflösung anläßlich der Wiedergründung der NSDAP am 27.2.1925 mit der → Nat.soz. Freiheitsbewegung Großdeutschlands. *Wolfgang Benz*

Großdeutsche Volkspartei s. Anschluß Österreichs

Großdeutscher Bund Im G. hatten sich Ende März 1933 Gruppen der bündischen Jugend zusammengeschlossen, die damit ein konservatives Gegengewicht zur → Hitler-Jugend bilden wollten. Bundesführer wurde der 65jährige ehemalige Vizeadmiral Adolf von Trotha. Nachdem ein Verbot des G. nicht zurückgenommen wurde, ließen sich die schätzungsweise 50000 Mitglieder im Juni 1933 bereitwillig in die HJ eingliedern. Damit war die bündische Jugend offiziell aufgelöst. *Kurt Schilde*

Großdeutscher Jugendbund Der G. entstand 1918 als studentische Gründung der Freikorpsbewegung und trug seit 1924 diesen Namen. Die gesamte Dauer seiner Existenz bestimmten Auseinandersetzungen zwischen nationalistischen und militaristischen Führern, Protagonisten des »Wandervogel« sowie demokratisch und sozialistisch orientierten Persönlichkeiten, bis 1933 die Integration in den → Großdt. Bund und danach in die → Hitler-Jugend erfolgte. *Kurt Schilde*

Großdeutschland Ein Begriff aus der 1848er Revolution, von 1938 bis 1945 die nat.soz. Bezeichnung für das Dt. Reich. Mit dem von Hitler und den Nat.soz. erzwungenen und später durch ein gesamtdt. Referendum bestätigten Gesetz über die Vereinigung Österreichs mit dem Dt. Reich vom 14.3.1938 (→ Anschluß Österreichs) erfüllte sich ein alter Traum der dt. Nation. Er wurde aber bereits 1939 durch die Angliederung rein tschech. und poln. Gebiete imperialistisch übersteigert (→ Außenpolitik; → Tschechoslowakei; → Polenfeldzug; → Generalgouvernement). Angelegt war dieser Umschlag vom Nationalen ins Hegemoniale schon in den Kontroversen zwischen den sog. Kleindeutschen und Großdeutschen in der Paulskirchenversammlung des Jahres 1848. Der Liberale Heinrich von Gagern setzte sich mit seiner Idee vom zweifach gegliederten großdt. Reich durch: ein nationaler Bundesstaat unter preuß. Führung und ein weiterer Staatenbund mit Österreich samt seinen außerdt. Gebieten. Bismarck kam darauf zurück, als er das von ihm gegründete kleindt. Reich 1879 mit Österreich-Ungarn in

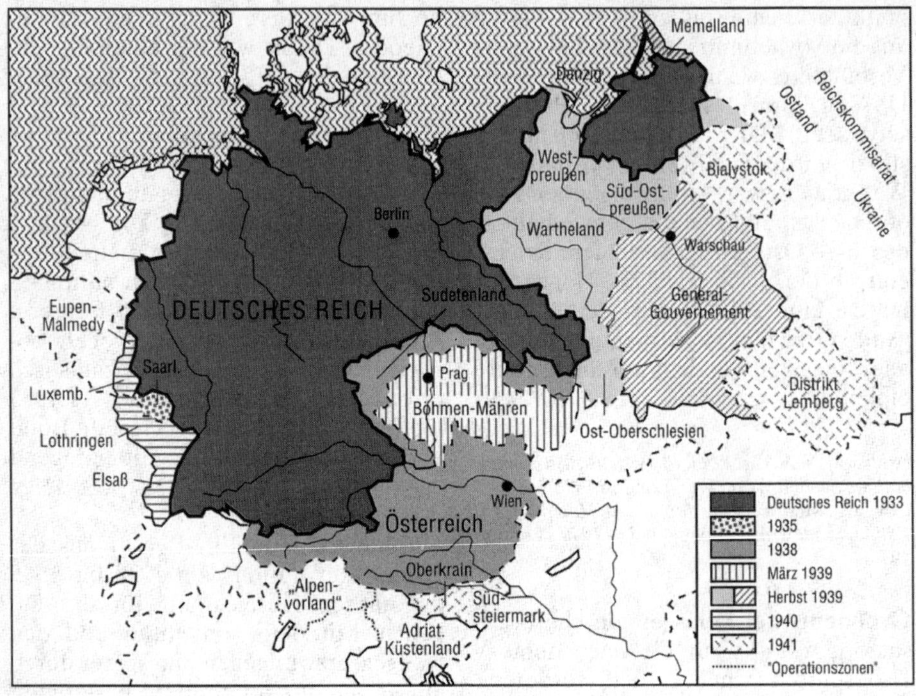

Abb. 53: Entwicklung des »Großdeutschen Reiches« seit 1933

einem politischen und militärischen Zweibund verband.

Dennoch wurde die großdt. Idee wachgehalten, u.a. von Publizisten wie Constantin Frantz, dem ein großdt.-mitteleuropäisches Föderativsystem vorschwebte, und Paul de Lagarde, einem Vorläufer der Alldeutschen (→ Alldt. Verband) und der Nat.soz., die zwischen Herrenvölkern und minderwertigen Völkern unterschieden. Nach dem Zusammenbruch des Habsburgerreiches 1918 erstrebten die demokratischen Gremien in Wien und Berlin den Anschluß Dt.-Österreichs an das Dt. Reich. Das Vorhaben scheiterte am Veto der Siegermächte. Die Nat.soz. forderten in ihrem Parteiprogramm von 1920 (→ Ideologie; → Nationalsozialismus) unter Punkt 1 »den Zusammenschluß aller Dt. aufgrund des Selbstbestimmungsrechts der Völker zu einem G.« Seit März 1938 gab es dann einen großdt. Reichstag, einen großdt. Rundfunk, eine großdt. Fußballnationalmannschaft, ein Infanterie-Reg. »G.« und offiziell statt eines »Dritten Reiches« ein »Großdt. Reich«.

Karl-Heinz Janßen

Literatur:

Wollstein, Günter: *Das »Großdeutschland« der Paulskirche*, Düsseldorf 1977.

Großer Senat s. Senat

Groß-Rosen (KZ) Das Lager lag 60 km südwestlich von Breslau. Es wurde im August 1940 in unmittelbarer Nähe eines Granitsteinbruchs zunächst als Außenlager von → Sachsenhausen errichtet. Am 1.5.1941 wurde die Umwandlung in ein selbständiges → Konzentrationslager angeordnet. Zu diesem Zeitpunkt waren dort in vier Baracken 722 Häftlinge untergebracht. Im Sommer 1942 begann der Ausbau des Lagers, das eine Aufnahmekapazität von 15000–20000 Gefangenen erreichen sollte. 1944 wurde nochmals eine Erweiterung beschlossen, um insgesamt 45000 Gefangene unterzubringen. Die Arbeits- und Lebensbedingungen der Häftlinge waren selbst für ein KZ außergewöhnlich schlecht. Die schwere Arbeit im Steinbruch bei unzureichender Ernährung und fehlender medizinischer Versorgung führte zu extrem hoher Sterblichkeit. Ab 1943, als mit der sich abzeichnenden Niederlage der dt. Wehrmacht der Abbau von Granit für Prachtbauten und Autobahnen an Bedeutung verlor, wurden auch die Häftlinge des Lagers G. immer stärker für Arbeiten in der Rüstungsindustrie herangezogen. 1944 begann der rapide Ausbau des Hauptlagers und der etwa 100 Nebenlager. Im Laufe des Jahres wurden 90000 Häftlinge, darunter etwa 25000 Frauen, die aus östlich gelegenen Lagern und Gefängnissen evakuiert wurden, nach G. gebracht; nach der Räumung von → Auschwitz kam auch ein Teil der dortigen Häftlinge nach G. Ab Ende Januar 1945 wurden die Häftlinge etappenweise ins Reichsinnere transportiert (→ Todesmärsche). Am 13.2. erreichten Einheiten der Roten Armee das leerstehende Lager. Insgesamt waren 120000 Häftlinge nach G. und in seine Außenlager verschleppt worden, in der Mehrzahl poln. Staatsangehörige; in den Außenlagern waren etwa die Hälfte der Häftlinge Juden. Nach Schätzungen fanden mindestens 40000 Gefangene in G. und seinen Außenlagern den Tod. *Barbara Distel*

Literatur:

Konieczny, Alfred: Das Konzentrationslager Groß-Rosen, in: *Dachauer Hefte* 5 (1988), S. 15–27.

Sprenger, Isabell: *Groß-Rosen. Ein Konzentrationslager in Schlesien,* Köln 1996.

Großwirtschaftsraum s. Neuordnung Europas

Grüne Mappe In der NS-Bürokratie übliche Umschreibung der von Hermann Göring als → Reichsmarschall des Großdt. Reiches im Sommer 1941 herausgegebenen »Richtlinien für die Führung der Wirtschaft in den neubesetzten Ostgebieten«, die die »sofortige und höchstmögliche Ausnutzung der besetzten Gebiete zugunsten Deutschlands« bei »Drosselung des Verbrauchs der einheimischen Bevölkerung« vorsahen und die Organisation der mit dieser Aufgabe befaßten Dienststellen festschrieben. Zusammen mit der »Braunen Mappe«, den von Alfred Rosenbergs → Reichsministerium für die besetzten Ostgebiete erstellten Richtlinien für die Zivilverwaltung, diente die G. als administrative Grundlage dt. Besatzungsherrschaft. *Jürgen Matthäus*

Guernica Nordspan. Stadt mit ca. 7000 Einwohnern (1937) in der baskischen Provinz Vizcaya. Im → Spanischen Bürgerkrieg wurde G. am Nachmittag des 26.4.1937 von Einheiten ital. Kampfflieger und der dt. → Legion Condor in mehreren Angriffswellen mit Spreng- und Brandbomben über drei Stunden lang bombardiert und fast völlig zerstört. Der Angriff war gar nicht gegen die Stadt selbst befohlen, sondern sollte den Vorstoß pro-francistischer Truppen in das 18 km westlich gelegene Bilbao unterstützen und gleichzeitig den republikanischen Kräften den Rückzug in den »eisernen Ring« um Bilbao versperren. Dazu sollten eine Brücke östlich der Stadt und der Vorort Renteria zerstört werden. Die Brücke blieb unbeschädigt. Die span. und die dt. Propaganda behaupteten, anarchistische Truppen hätten G., das kulturelle Zentrum der Basken, selber in Brand gesetzt.

Insbesondere durch das Gemälde von Pablo Picasso wurde G. zum Symbol einer barbarischen Kriegführung, bei der die Bombardierung von Zivilisten beabsichtigt ist. *Alexander Ruoff*

Gurs (Dépt. Basses-Pyrénées, ab 1969 Pyrénées-Atlantiques) Das Lager diente von April 1939 – Mai 1940 als Aufnahmelager für span. Flüchtlinge und Spanienkämpfer der Internationalen Brigaden (→ Span. Bürgerkrieg), von Mai 1940 – Sommer 1944 als Sammellager für Ausländer. Es unterstand anfangs dem frz. Kriegsministerium, ab November 1940 der frz. Polizei. Im Juni 1939 waren in G. über 15 000 Personen interniert, darunter ca. 1200 Deutsche und Österreicher, fast durchweg Spanienkämpfer. Die Internierungswelle für dt. Emigranten in Frankreich setzte unmittelbar nach Kriegsbeginn im September 1939 ein, sie erfaßte in G. ca. 10 000 Menschen, von denen viele aber bald wieder freikamen. Ende Juli und im August 1940 besuchte eine dt. Kontrollkommission alle Lager im unbesetzten Frankreich, um die Auslieferung der von Deutschland verlangten Emigranten (nach § 19 des dt.-frz. Waffenstillstandsvertrages) zu überprüfen. Zu diesem Zeitpunkt befanden sich in G. noch ca. 3800 Internierte, die größtenteils in Frankreich bleiben wollten und an deren Rückführung nach Deutschland auch kein Interesse bestand. Ende Oktober 1940 wurde die gesamte jüdische Bevölkerung aus Baden, der Pfalz und einigen Orten Württembergs, ca. 7500 Menschen, nach G. deportiert (sog. »Bürckel-Aktion«). Die sanitären Einrichtungen im Lager waren primitiv, fast 1200 Internierte starben an Epidemien. 1942/43 wurden ca. 3000 jüdische Internierte über Drancy Richtung Osten deportiert (→ Deportationen; → Endlösung). *Hellmuth Auerbach*

Gusen (KZ) s. Mauthausen (KZ)

Gustav-Stellung s. Italienfeldzug, s. Monte Cassino

H

Haavara-Abkommen (H. hebr. für Transfer) Vermögenstransferabkommen auf der Basis »Ware gegen Menschen« durch Verkauf dt. Waren nach → Palästina, in Kraft von 1933–1939. Es konnte erstmals im Mai 1933 aufgrund einer Vereinbarung zwischen der Zitrus-Pflanzungsgesellschaft Hanotea Ltd. aus Palästina mit dem Reichswirtschaftsministerium umgesetzt werden. Wegen der in Deutschland herrschenden Devisenbewirtschaftung konnte Geld nicht ins Ausland transferiert werden. Erst durch die Möglichkeit, Kapital auf Treuhandkonten in Deutschland einzuzahlen, wovon dt. Waren gekauft und nach Palästina verschifft wurden, wo die Einzahler dann den Gegenwert in Gestalt eines Hauses oder von Pflanzungen erhielten, wurde die Auswanderung nach Palästina auch für den gehobenen jüdischen Mittelstand attraktiv (→ Palästina-Amt; → Palästina-Treuhandgesellschaft zur Beratung dt. Juden). Ca. 52 000 Juden wanderten von 1933–1942 nach Palästina aus und transferierten 140 Mio. RM; 20 % der dt. Juden konnten sich direkt oder indirekt ihre Zukunft mit dem H. sichern (→ Juden).

Juliane Wetzel

Hadamar Bei Limburg gelegene 6. und letzte Tötungsanstalt im Rahmen der → Aktion T 4. Von Januar–August 1941 wurden hier in einer → Gaskammer über 10 000 Menschen mit Kohlenmonoxyd ermordet. Zwischen August 1942 und Kriegsende wurden in der Landesheilanstalt H. auf Anweisung der T 4-Zentrale 4422 weitere Patienten durch überdosierte Medikamente getötet (→ Bernburg; → Brandenburg; → Grafeneck; → Hartheim; → Sonnenstein; → Medizin). *Thomas Lutz*

Hakenkreuz Offizielles Symbol der NSDAP und der nat.soz. Herrschaft. Als segensreiches Heilszeichen war das H. – dessen Balken geknickt sind, so daß es wie ein laufendes Rad erscheint – seit etwa 4000 Jahren in zahlreichen europäischen und außereuropäischen Kulturen verbreitet und als Symbolträger vielfach interpretiert, z.B. als Zeichen für Wandlung, als Sonnenrad (Swastika, Indien) oder als Thors Hammer. Seit der Wende vom 19. zum 20. Jh. wurde es als politisches Symbol benutzt: von national-revolutionären Bewegungen, v.a. aber von völkischen Verbänden, auch vom Wandervogel und in Freikorps mit antisemitischer Stoßrichtung (→ Antisemitismus). Die H.fahne, die Hitler selbst (»im Hakenkreuz [sehen wir] die Mission des Kampfes für den Sieg des arischen Menschen«) entworfen hatte, wurde 1920 zum Banner der NSDAP, 1933 neben der schwarzweißroten Fahne zur Reichsflagge, 1935 zur alleinigen Nationalflagge bestimmt (→ Reichsflaggengesetz). Als zentrales Propagandamittel war das H. allgegenwärtig: in den Fahnenmeeren bei den Massenaufmärschen, an allen nationalen Feiertagen, an denen Beflaggungspflicht für jedes Haus bestand (→ Feiergestaltung), auf Zeitungsköpfen und Parteischriften, an Staatsbauten und im Eichenkranz des NS-Reichsadlers. Obwohl es seit 1945 in Deutschland verboten ist, wird es weiterhin von Neonazis verwendet. *Stefanie Endlich*

Halbjuden s. Mischlinge

Halder-Tagebuch Zusammen mit dem Kriegstagebuch des → OKW (1940–1945), Hitlers Weisungen für die Kriegführung (1939–1945) und den Protokollfragmenten von Hitlers Lagebesprechungen (1942–1945) gehört das H. zu den aufschlußreichsten Quellen für die Planung und zentrale Leitung der dt. Kriegführung im Zweiten Weltkrieg. Die Aufzeichnungen des Generalstabschefs (seit 1.9.1938) Franz Halder (1884–1972) besitzen den Charakter eines Notizbuches über seine Besprechungen und Telefonate, über erhaltene und gegebene Befehle, Weisungen und Informationen. Sie reichen vom Kriegsbeginn bis zur Versetzung Halders in die »Führerreserve« (24.9.1942), die im Zusammenhang mit der sich abzeichnenden zweiten Krise des Krieges gegen die UdSSR vor der Schlacht bei → Stalingrad und den zwischen ihm und dem Obersten Befehlshaber entstandenen Meinungsverschiedenheiten erfolgte (→ Ostfeldzug 1941–1945). Da Halder, namentlich seit Hitler nach Absetzung von Generalfeldmarschall v. Brauchitsch (19.12.1941) auch den Oberbefehl über das Heer übernommen hatte, zu dessen engsten militärischen Beratern gehörte, und unter seiner Leitung die Planung des → Polenfeldzugs (1939) sowie der Feldzüge in West- (1940), Südost- und Osteuropa (1941) (→ Westfeldzug; → Balkanfeldzug; Unternehmen → Barbarossa) sowie der verschiedensten phantastischen Nachfolgeprojekte für Feldzüge in Asien und Afrika entstand, läßt sich anhand des H. der Gesamtumfang der dt. Eroberungsziele ermessen.

Es enthält zudem Informationen über Rolle, Gedanken und Zweifel der beteiligten Militärs und spiegelt die Haltung Halders wider, der vor seiner Ablösung »trotz aller Bedenken« für die Sommeroffensive 1942 eingetreten war.

Kurt Pätzold

Literatur:

Halder, Franz: *Kriegstagebuch. Tägliche Aufzeichnungen des Chefs des Generalstabs des Heeres 1939–1942,* hg. vom Arbeitskreis für Wehrforschung, bearb. v. Hans-Adolf Jacobsen, Stuttgart, Bde. 1–3, 1962–1964.

Hanfstaengl Verlag s. Kunstverlag Franz Hanfstaengl

Hans-Schemm-Preis s. Preise und Auszeichnungen

Hartheim Im Schloß H. bei Linz wurden zwischen Mai 1940 und Herbst 1941 in der ersten Phase der → Aktion T4 18269 Menschen in einer → Gaskammer ermordet. Bis Dezember 1944 fanden weitere Mordaktionen im Rahmen der → Aktion 14 f 13 statt, denen aus den KZ → Mauthausen, Gusen und → Dachau über 5000 Häftlinge zum Opfer fielen (→ Bernburg; → Brandenburg; → Grafeneck; → Hadamar; → Sonnenstein; → Medizin). *Thomas Lutz*

Harzburger Front Tagung und paramilitärischer Aufmarsch der »Nationalen Opposition« am 11.10.1931 in Bad Harzburg. Auf Initiative des DNVP-Vorsitzenden Alfred Hugenberg wollten → DNVP, → NSDAP, der Frontkämpferbund → Stahlhelm, Teile der → DVP sowie eine Reihe nationalistischer Verbände ihre Bereitschaft demonstrieren, gemeinsam die Regierungsmacht in Deutschland zu übernehmen. Während der Tagung kam es zu heftigen Führungsrivalitäten zwischen Hugenberg und Hitler. Ein Mißtrauensantrag der H. gegen Reichskanzler Brüning scheiterte am 16.10.1931 nicht zuletzt deshalb, weil ein gemeinsamer Kanzlerkandidat fehlte. Mit einem Großaufmarsch am 18.10.1931 in Braunschweig unterstrich die NSDAP ihre Eigenständigkeit. Im Hitler-Kabinett vom 30.1.1933 waren mit Hugenberg und Stahlhelmführer Franz Seldte die Spitzen der H. vertreten. *Heidrun Holzbach-Linsenmaier*

Hauptarchiv der NSDAP Im Januar 1934 wurde in Berlin die Errichtung eines zentralen Archivs der → NSDAP und der → DAF beschlossen, im Oktober 1934 übersiedelte es in die → Hauptstadt der Bewegung nach München, wo ihm das Archiv der Reichspropagandaleitung (eine seit 1926 bestehende Sammlung von Presseausschnitten) inkorporiert wurde. Im Juni 1935 wurden die Bestände mit dem Archiv des Reichsschulungsamtes vereinigt und mit der amtlichen Bezeichnung H. dem → Stellvertreter des Führers unterstellt. Das H. war mit 30 Mitarbeitern fortan als zentrale Institution für die Akten der NSDAP und für die Dokumentation der Parteigeschichte zuständig. Zu diesem Zweck wurden auch Akten des bayerischen Innenministeriums, der Münchner Polizei usw. übernommen, um die → Kampfzeit der Bewegung historisch belegen zu können.

Das H. stand in Konkurrenz zur → Sammlung Rehse und konnte seinen Anspruch auf Pflichtablieferung relevanten Materials gegenüber Parteidienststellen erst 1939 durchsetzen. Eine Aufgabe des H. bestand in der Erteilung von Auskünften und der Bereitstellung von Material zu Propagandazwecken. Bei Kriegsende ging ein Teil der Bestände verloren, ein Teil kam an die Hoover Institution nach Stanford, wurde zurückgegeben und befindet sich heute im Bundesarchiv bzw. im Bayerischen Hauptstaatsarchiv in München. *Wolfgang Benz*

Hauptschriftleiter s. Schriftleitergesetz

Hauptschule Im Dezember 1939 führte die reichsweite Vereinheitlichung der Lehrpläne zu einer Konsolidierung der Mittelschulen. In Aufbau und Ziel ihnen ähnlich waren die sog. H. der »Ostmark« (→ Österreich) und die sog. Bürgerschulen des Sudetenlandes. 1940 wurde die H. als Grundlage des gesamten Schulaufbaus außerhalb des »Altreichs« als weitere Pflicht- und »Ausleseschule« neben der Volksschule eingeführt. Der Lehrplan war so angelegt, daß durch obligatorischen Englischunterricht die ersten zwei Jahre noch der Übergang zu höheren Schulen ermöglicht wurde. Allerdings sollte die vierjährige Ausbildung hauptsächlich praktischen Bedürfnissen Rechnung tragen und eine nat. soz. Berufsauffassung vorbereiten, die sich an einer germanisch-dt. Wertordnung orientierte. Nach Kriegsende wurde die Hauptschule in dieser Form von dt. Seite aus wieder abgeschafft. *Jana Richter*

Hauptstadt der Bewegung Ehrentitel, den Hitler München als Gründungsort und Sitz der NSDAP verlieh. Schon in → *Mein Kampf* wies er München die Rolle des zentralen Mittelpunkts seiner → »Bewegung« zu und wurde nie müde, dies immer wieder zu bekräftigen. Offiziell, wenn auch formlos, verlieh er diesen Titel bei einem Treffen mit Münchens Oberbürgermeister Karl Fiehler am 2.8.1935. In der H. inszenierte die Partei alljährlich ihre großen Gedenktage, den Parteigründungstag und den »Marsch zur Feldherrnhalle« (→ Hitlerputsch). Die H. sollte nach dem Willen Hitlers gleichzeitig »Hauptstadt der Dt. Kunst« sein: Hier entstand nach 1933 das → Haus der Dt. Kunst, hier fanden alljährlich bis 1939 die »Tage der Dt. Kunst« statt und hier wurde in pompösen Festzügen die dt. Kultur aus NS-Perspektive dargestellt. Nach der → »Machtergreifung« versuchten die Nat.soz. die Stadt quasi zu einer Modellstadt umzugestalten, was ihre Rolle als Vorkämpferin für die nat. soz. Ideen und auch die städtebauliche Neugestaltung betraf. So sah es die Stadtverwaltung unter Fiehler als ihre »Ehrenpflicht« an, bei der Diskriminierung der jüdischen Bürger eine Vorreiterrolle zu spielen; viele antisemitische Maßnahmen, die reichsweit erst später durch Gesetze und Verordnungen allgemein gültig wurden (→ Nürnberger Gesetze), wurden in der H. bereits vorweggenommen. Im Rahmen eines gigantischen Programms sollte nach dem Willen und den Vorstellungen Hitlers die H. in ihrer architekto-nischen Gestaltung Macht und Größe der Bewegung repräsentieren. Für den Parteiapparat der NSDAP und die NS-Organisationen waren an einer überbreiten, 2,5 km langen Straße zwischen einem monströsen »Denkmal der Bewegung« und einem gewaltigen neuen Bahnhof monumentale Bauten vorgesehen. Der eigens für die Planung geschaffene Generalbaurat unterstand Hitler direkt. Der Kriegsausbruch verhinderte, daß die H. auch Hauptstadt der NS-Architektur wurde. *Wolfram Selig*

Literatur:

München – »Hauptstadt der Bewegung«. Katalog zur gleichnamigen Ausstellung im Münchner Stadtmuseum, München 1993.

Hauptstadt der Deutschen Kunst s. Hauptstadt der Bewegung (München)

Haupttreuhandstelle Ost Nach der »Bezwingung« → Polens (→ Polenfeldzug) für die einheitliche »Erfassung, Verwaltung und Verwertung« des poln. Staats- und Privatvermögens mit Erlaß vom 19.10.1939 gegründete Dienststelle des Beauftragten für den → Vierjahresplan. Zum Leiter der H. wurde der u.a. bei der → Arisierung des jüdischen Presse- und Verlagswesens einschlägig bewährte Dr. h. c. Max Winkler ernannt. Gemäß der 1. Verordnung über die H. vom 12.6.1940 hatte sie den zeitlich befristeten Auftrag, die notwendigen strukturpolitischen Maßnahmen für die Währungs- und Wirtschaftsunion der → eingegliederten Gebiete Polens mit dem Altreich einzuleiten. Hierfür erhielt die H. mit Ausnahme des dem → Reichskommissar für die Festigung dt. Volkstums überantworteten Agrarsektors das Monopol auf Beschlagnahme und Einsetzung »Kommissarischer Verwalter« sowie die Ermächtigung, »Anordnungen und Verwaltungsvorschriften« zu erlassen sowie rechtsgültige Vermögensübertragungen vorzunehmen. Mit Beginn der extensiven Verwertungsphase mußte die Berliner H.-Zentrale jedoch insofern erhebliche Kompetenzverluste hinnehmen, als ihre in den drei neuen Gauen als Exekutivorgane vor Ort errichteten Treuhandstellen in die Wirtschaftsverwaltung der → Reichsstatthalter bzw. Oberpräsidenten überführt und ihre Zuständigkeiten auf die Kernfunktionen der fachlichen Aufsicht, der Bearbeitung von Grundsatzfragen sowie der »Verwaltung und Verwertung von Objekten über 500 000 RM« im Einvernehmen mit den Gau-Satrapen begrenzt wurden (2. Verordnung über die H. vom 17.2.1941). Gleichzeitig wurden die »Geschäftsgruppe« der H., die zahlreichen mit der »ordnungsgemäßen Betreuung von Sondergebieten« beauftragten Eigenbetriebe, gemischtwirtschaftliche Beteiligungsunternehmen in GmbH-Form u.a. aufgrund der intensiven »Beratungsrevision« des → Rechnungshofs des Dt. Reichs teils liquidiert, teils im Finanzinteresse des Staates reorganisiert und reglementiert. Gefangen in dem Dilemma von → Volkstumspolitik, Wirtschafts- und Fiskalpolitik entwickelte sich die H. von einer Institution des »Maßnahmenstaates« zu einer Institution des »Normenstaates«, in Anbetracht des nat.soz. »Ämterdarwinismus« (→ Justiz und innere Verwaltung) eine logische Konsequenz ihres improvisierten Gründungsaktes. (→ Dt. Volksliste; → Volksdeutsche; → Volksdeutsche Mittelstelle).

Gerhard Otto

Haus der Deutschen Kunst In München 1933/37 als reines Kunstausstellungsgebäude errichtet und Schauplatz der alljährlich stattfindenden Großen Dt. Kunstausstellung. Von Paul Ludwig Troost am westlichen Rand des Englischen Gartens geplant und nach Troosts Tod von seiner Witwe Gerda und Leonhard Gall fertiggestellt, sollte das H., zusammen mit den NS-Bauten am Königsplatz, die Architektur des Regimes repräsentieren und den Anspruch Münchens verdeutlichen, neben der → »Hauptstadt der Bewegung« auch die »Hauptstadt der Deutschen Kunst« zu sein. Hitler und sein Architekt wollten mit diesem wuchtigen 160 m langen und 60 m tiefen Gebäude und seiner mit Säulen geschmückten Fassade einen »Tempel der Kunst« errichten. Es sollte die einzig maßgebliche NS-Kunstausstellungsstätte sein. Hitler selbst beeinflußte massiv den Bau des H., die Auswahl der Exponate, die Gestaltung der Großen Dt. Kunstausstellungen und eröffnete das H. am 18.7.1937 mit einer programmatischen Rede über die Kunst.

Wolfram Selig

Haus des Deutschen Sports s. Sport

Haus Wachenfeld s. Obersalzberg

Hauswirtschaftliches Jahr 1934 zunächst zum Abbau der Jugendarbeitslosigkeit eingeführtes Dienstjahr, in dem schulentlassene Mädchen zwischen 19 und 25 Jahren gegen geringes Entgelt in auf Unterstützung angewiesenen, kinderreichen Haushalten aushalfen. Das H. sollte wie auch das → Landjahr der praktischen und politischen Schulung junger Frauen dienen. Abgelöst wurde es 1938 durch das → Pflichtjahr. *Anja von Cysewski*

Haw-Haw s. Lord Haw-Haw

Heer s. Wehrmacht

Heereswaffenamt s. Oberkommando des Heeres (OKH)

Hegehof Begriff der NS-Agrarpolitik, mit dem eine »Wiederaufnordung« des dt. Volkes gelingen sollte (→ Nordische Rasse). Getreu der → Blut und Boden-Ideologie des → Reichsbauernführers Richard Walther Darré sollten ausgewählte Teile des urbanisierten und somit entfremdeten dt. Volkes durch das bäuerliche Leben auf einem H. neu verwurzelt werden. Das → Reichserbhofgesetz stellte insbesondere einen Versuch dar, die Entstehung eines solchen nordischen »Neuadels« zu fördern, da es die erbrechtliche Unteilbarkeit des »Erblehens« vorsah. In einer späteren Phase sollte der Adel in sog. Adelsgenossenschaften zusammengeführt werden, Vorstellungen, die nach der Kaltstellung Darrés und dem Ausbruch des Krieges nicht mehr zu realisieren waren. *Uffa Jensen*

Heil Hitler s. Deutscher Gruß

Heim ins Reich Auf dem Höhepunkt der vom Dt. Reich mit Hilfe der → Sudetendeutschen Partei inszenierten → Sudetenkrise ließ Konrad Henlein am 15.9.1938 über das Dt. Nachrichtenbüro in Berlin einen Aufruf »an das Sudetendeutschtum, an das dt. Volk und die gesamte Welt« verbreiten, der mit den Worten schloß: »Wir wollen als freie deutsche Menschen leben! Wir wollen wieder Frieden und Arbeit in unserer Heimat! Wir wollen heim ins Reich! Gott segne uns und unseren gerechten Kampf!« Die Parole H. wurde zum geflügelten Wort und dann auch in anderen Zusammenhängen gebraucht. *Wolfgang Benz*

Heimabend s. Hitler-Jugend

Heimatflak Bezeichnung für seit 1942 bestehende Flugabwehralarmeinheiten zur Abwehr von Luftangriffen, deren Personal ganz oder teilweise aus Zivilisten bestand und die nur bei aktuellem Bombenalarm aktiviert wurden (→ Luftkrieg). Die neben ihrer beruflichen Arbeit eingesetzten Arbeiter, Angestellten, Beamten und Lehrlinge sollten in der Nähe ihres Wohnortes den Schutz von Industriebetrieben usw. übernehmen. Da angesichts der zunehmenden alliierten Luftangriffe durch das zivile Aufgebot keine ausreichende Entlastung des Militärpersonals erfolgte, mußte ab 1943 eine Verstärkung der Bedienungsmannschaften durch jugendliche → Luftwaffenhelfer angeordnet werden. Deshalb wurden auch zahlreiche mit Luftwaffenhelfern besetzte Flakstellungen als H.-Batterien bezeichnet. *Kurt Schilde*

Heimatfront Propagandaausdruck, um die Verbundenheit zwischen den an der Front kämpfenden Soldaten und den in der Heimat Zurückgebliebenen zu dokumentieren und zu verstärken. In den Reden Hitlers und der nat.-soz. Politiker spielte der Ausdruck eine große Rolle. Im weiteren Kriegsverlauf wurde der Begriff für den gesamten

Arbeitseinsatz in der Heimat übernommen. Das Propagandaschlagwort wurde von Propagandaminister Goebbels gerne für seine Vorstellungen von → »totalem Krieg« und vom »Kampf an allen Fronten« verwendet.

Willi Dreßen

Heimatschutz 1904 gegründet als Dt. Bund H. durch Ernst Rudorff. In die Dachorganisation eingegliedert waren die regionalen H.vereine, die z.T. eng mit dem Denkmalschutz zusammenarbeiteten. Die antimodern-konservative Bewegung richtete sich gegen die rasanten, negativen Veränderungen der Städte, Dörfer und der Landschaft infolge der Industrialisierung und setzte sich für die Erforschung und Bewahrung von traditionellen Bräuchen und regional spezifischen Formen ländlicher Kulturäußerungen ein. Dabei bot sie zunächst sehr flexible Lösungen an. Seit 1925 drangen rassistische und agrarromantische Argumentationsweisen ein, für die der langjährige Vorsitzende des Bundes H., der Architekt Paul Schultze-Naumburg (1869–1949), in seiner programmatischen Schrift *Kunst und Rasse* (1938) warb. Damit konzentrierte sich der H. in erster Linie auf architektonische Projekte. Der sog. »Heimatschutzstil« entwickelte sich im Nat.soz. u.a. aus den dem H.gedanken verpflichteten Bau-Richtlinien des Reichsheimstättenamtes in der → Dt. Arbeitsfront unter Ley und führte zu einer deutschlandweiten stilistischen Uniformierung im Wohnungsbau hin zu einer konstruierten »dt. Heimat« (z.B. in den Bauten für dt.stämmige Umsiedler in Österreich und im Elsaß 1941–1943). Mit äußerlichen Anpassungen an das »Neue Bauen« fand ein gemäßigter H.stil auch nach 1945 Bauherren.

Michaela Haibl

Literatur:

Gesellschaft der Freunde des deutschen Heimatschutzes (Hg.), *Der deutsche Heimatschutz. Ein Rückblick und Ausblick*, München 1930.

Höhns, Ulrich: Grenzenloser Heimatschutz 1941. Neues, altes Bauen in der »Ostmark« und der »Westmark«, in: Vittorio Magnago Lampugnani/Romana Schneider (Hg.): *Moderne Architektur in Deutschland 1900 bis 1950. Reform und Tradition*, Ausstellungskatalog Frankfurt am Main 1992, S. 283–301.

Heimstätten s. Deutscher Siedlerbund, s. Deutsches Siedlungswerk

Heimtücke-Gesetz Um Kritik an der NS-Führung und ihren Organisationen zu unterbinden, erließ die Regierung am 21.3.1933 die »Verordnung des Reichspräsidenten zur Abwehr heimtückischer Angriffe gegen die Regierung der nationalen Erhebung«, derzufolge unbefugter Besitz von Uniformen und die Verbreitung »unwahrer« Behauptungen, die angeblich das Ansehen des Reiches oder der Regierung schädigten, mit Gefängnis oder Zuchthaus bestraft wurden. 1933 wurden 3744 Verstöße gegen die Verordnung geahndet, die am 20.12.1934 durch das Gesetz gegen heimtückische Angriffe auf Staat und Partei und zum Schutz der Parteiuniformen ersetzt wurde. Selbst »nichtöffentliche böswillige Äußerungen« konnten nun mit Gefängnis bestraft werden, wodurch dem → Denunziantentum eine Scheinlegalität verliehen wurde. Um für die Partei peinliche Prozesse zu vermeiden, durften »unwahre« Behauptungen, die sich »gegen das Ansehen der NSDAP« richteten, nur mit Zustimmung des Stellvertreters des Führers verfolgt werden. Verstöße gegen das H. wurden vor → Sondergerichten verhandelt.

Angelika Königseder

Heiratsbefehl s. Schutzstaffel (SS)

Heldengedenktag Einer der nationalen Feiertage, mit dem das NS-Regime

Heldentum und Opferbereitschaft ehren und propagieren wollte. Aus dem Volkstrauertag zum Gedenken der Weltkriegsopfer wurde 1934 der H. Dieser wurde am Sonntag Reminiscere begangen und war durch einen einheitlichen Ablauf strukturiert. Ab 1939 (16. März) hieß der H. »Tag der Wehrfreiheit«. Aufgrund der Kriegstoten wurden ab 1940 zunehmend auf lokaler Ebene Heldengedenkfeiern, die meist Durchhaltefeiern waren, abgehalten, und der H. verlor an Bedeutung.

Uffa Jensen

Heldenkult Propagiertes Leitbild »heldischer« Größe und Tugenden in Soldatentum und Alltag. Es basierte auf rassistischen Vorstellungen der Überlegenheit der → Nordischen Rasse über alle anderen »Rassen« und Völker. Der »nordische« Mensch wurde als Urtypus des Helden dargestellt, als geborener Kämpfer, dessen Wesen durch Eroberungs- und Expansionswillen bestimmt sei. In dieser Sichtweise führte eine direkte Linie von germanischen Recken und Wikingern über die Helden des Nibelungenliedes und die dt. Ritter zu den Studenten von Langemarck, zu den SA-Männern und den Soldaten der Wehrmacht. Der H. duldete weder Zweifel noch Ängste oder Schwächen, weder humanistische Grundsätze noch intellektuelle Differenzierungen; seinen bildhaften Ausdruck fand er z.B. in den Skulpturen von Thorak und Breker (→ Kunst). Trotz aller propagierter Aggressivität und Herrschsucht war das Bild des »Heldischen« jedoch an die Idee der Pflichterfüllung gebunden und an die Bereitschaft, für die »Gemeinschaft« zu sterben. Solche Sinngebungsversuche zielten zum einen auf widerspruchslose Ein- und Unterordnung in die → Volksgemeinschaft, zum anderen auf »Wehrhaftigkeit« im Blick auf den Kriegseinsatz, dem auch die Deklarierung der dt. Kriegstoten als »Helden« und die Einführung des → Heldengedenktages dienten.

Stefanie Endlich

Hendaye, Treffen von Das Zusammentreffen Hitlers und Francos am 23.10.1940 in H., bei dem die Bedingungen für einen Kriegseintritt Spaniens an der Seite Deutschlands erörtert wurden, sollte der NS-Führung zur bündnispolitischen Rückversicherung und als Anhaltspunkt bei der Festlegung zukünftiger Kriegsziele in Südwesteuropa, insbesondere bei der für Januar 1941 geplanten Besetzung Gibraltars (Unternehmen → Felix) dienen. Das Treffen von H. muß aber auch in Zusammenhang mit Gesprächen zwischen Hitler und Vertretern des frz. Vichy-Regimes am 22. und 24. Oktober 1940 in → Montoire sur Loire sowie vor dem Hintergrund span. Ansprüche auf die frz. Besitzungen in Marokko gesehen werden, denen Hitler nicht nachgab, um so eine Verständigung zwischen Frankreich und Großbritannien zu vermeiden. Die dt. Hinhaltetaktik führte im Dezember 1940 zur Entscheidung Francos, den Kriegseintritt endgültig abzulehnen.

Matthias Sommer

Herbert-Baum-Gruppe Organisation des → Widerstands in Berlin, geführt von Herbert Baum, Marianne Cohn, Martin Kochmann und Sala Rosenbaum, deren über 100 Mitglieder mehrheitlich jüdischer Herkunft waren; sie kamen aus der jüdischen Jugendbewegung (Dt.-jüdischer Wanderbund Kameraden), Dt.-jüdische Jugendgemeinschaft) und aus linkszionistischen Organisationen, standen überwiegend in jugendlichem Alter, stammten aus proletarischem oder kleinbürgerlichem Milieu und waren kommunistisch oder sozialistisch orientiert. Die Gruppe wurde bereits 1933 aktiv, verteilte Klebezettel, malte antifaschistische Parolen und betätigte sich in solidarischen Aktivitäten zur Fluchthilfe für Juden. Politisch nahm die Gruppe, deren Frauenanteil untypisch hoch war und zu der 1941 auch junge jüdische Zwangsarbeiter eines Berliner Siemens-Werkes gestoßen waren, Partei für die Sowjetunion. Als spektakuläres Fanal der Opposition beschloß der Freundeskreis daher einen Brandanschlag auf die antikommunistische Propaganda-Ausstellung »Das Sowjetparadies«, die am 8.5.1942 im Berliner Lustgarten eröffnet worden war. Am Abend des 18.5.1942 explodierte ein Brandsatz in der Ausstellung. Elf Personen wurden verletzt, der Sachschaden war gering, somit konnten die Behörden den Anschlag vertuschen, obwohl gleichzeitig eine Flugblattaktion (an der sich auch andere Gruppen beteiligten) stattfand, bei der die Parole verbreitet wurde »Ständige Ausstellung – das Nazi-Paradies – Krieg, Hunger, Lüge, Gestapo. Wie lange noch?« Die → Gestapo verhaftete vier Tage später zahlreiche Mitglieder der H.; in mehreren Prozessen wurden mehr als 20 Personen zum Tode verurteilt. Herbert Baum kam nach Folterungen in der Haft ums Leben, wahrscheinlich durch Freitod. Durch das Gerücht, wegen des Brandanschlags seien 500 Berliner Juden festgenommen und 250 sofort erschossen worden, erzielte die H. doch Wirkung und Aufmerksamkeit (die Erschießungen waren in Wirklichkeit ein Racheakt wegen des Attentats auf Heydrich).

Wolfgang Benz

Literatur:

Löhken, Wilfried/Werner Vathke (Hg.): *Juden im Widerstand. Drei Gruppen zwischen Überlebenskampf und politischer Aktion. Berlin 1939–1945,* Berlin 1993.

Hermann-Göring-Koog Heute Tümlauer Koog, 1935 auf der Eiderinsel fertiggestellt und 1937 nach Göring benannt (→ Adolf-Hitler-Koog). *Uffa Jensen*

Herold Verlagsanstalt GmbH
s. Eher-Verlag

Herrenklub Politische Vereinigung führender Persönlichkeiten aus konservativen Gruppen der dt. Oberschicht, 1924 in Berlin um Moeller van den Bruck unter der organisatorischen Leitung v. Gleichens gegründet. 1932 existierten über 20 Klubs mit etwa 500 zumeist antidemokratischen Mitgliedern (u.a. Flick, Thyssen, Stinnes), die auf die Bildung ultrakonservativer Eliten abzielten. Unter der Regierung Papen (Juni–Nov. 1932) befand sich der H. auf dem Höhepunkt seines sonst oftmals überschätzten politischen Einflusses. 1933 folgte die Umbenennung in »Dt. Klub« und sein rascher Bedeutungsverlust. 1944 wurde der H. aufgelöst.

Elke Fröhlich

's Hertogenbosch-Vught (KZ) Eines von vier Lagern, die während der dt. Besatzung in den → Niederlanden errichtet wurden. Es lag in der südlichen Provinz Brabant bei der Gemeinde Vught und bestand 19 Monate lang, von Januar 1943 bis zum 5./6.9.1944, als alle noch dort verbliebenen Häftlinge nach Deutschland in die KZ → Sachsen-hausen und → Ravensbrück deportiert wurden. Insgesamt wurden in diesem Zeitraum etwa 30 000 Gefangene, Männer, Frauen und Kinder, in das Lager H. gebracht, das aus mehreren Abteilungen bestand: In das KZ kamen rund 11 000 → Schutzhäftlinge, darunter ca. 9650 Männer, der größte Teil von ihnen Niederländer. Von den etwa 1350 nichtholländ. Gefangenen waren die meisten Franzosen oder Belgier. Ab Mai 1943 wurden auch weibliche Häftlinge eingeliefert, insgesamt ca. 1500, darunter auch Untersuchungsgefangene der Polizei. In das Judendurchgangslager wurden ca. 12000 Menschen eingeliefert, von denen etwa 10500 nach kurzer Zeit in das Lager → Westerbork verlegt und von dort in die Vernichtungslager → Sobibór und → Auschwitz deportiert wurden. Zwei Transporte mit insgesamt 1645 Menschen gingen direkt von H. nach → Auschwitz. Im polizeilichen Durchgangslager wurden ca. 3900 Untersuchungshäftlinge der dt. Polizei untergebracht, außerdem gab es zeitweise ein »Studentenlager« sowie abgetrennte Baracken für mehrere hundert Geiseln. Verglichen mit anderen Lagern besserten sich die anfangs extrem schlechten Lebensbedingungen später etwas, wichen aber in den einzelnen Lagerteilen stark voneinander ab. Die Gefangenen arbeiteten v.a. für den Philips-Konzern sowie in einem Zerlegungsbetrieb für abgestürzte Flugzeuge. In elf Außenkommandos wurden die Häftlinge überwiegend beim Bau dt. Flugplätze und militärischer Befestigungsanlagen eingesetzt. Anfang September 1944 wurde das Lager vor den näherrückenden alliierten Truppen evakuiert, alle Wertsachen wurden nach Deutschland gebracht. *Barbara Distel*

Herzogenbusch s. 's Hertogenbosch-Vught (KZ)

Heß-Flug Am 10.5.1941 flog der → Stellvertreter des Führers, Rudolf Heß, mit einer eigens ausgerüsteten Me 110 nach Großbritannien, um London zu einem Friedensschluß mit dem Dt. Reich zu bewegen, das er durch Hitlers Entschluß zum Angriff auf die Sowjetunion gefährdet sah. Hitler ließ ihn für geisteskrank erklären, die Briten nahmen ihn gefangen. *Jana Richter*

Heuaktion Bezeichnung für die Deportation russ. Waisenkinder zum → Arbeitseinsatz nach Deutschland. Die H. bezog ihren Tarnnamen aus der Lebenssituation von 40000–50000 Kindern zwischen 10 und 14 Jahren im Bereich der Heeresgruppe Mitte: Sie waren heimat-, eltern- und unterkunftslos, da die dt. Besatzungsbehörden ihre Eltern in Arbeitslager gebracht hatten. Zusammen mit dem Oberkommando der Heeresgruppe Mitte plante das → Reichsministerium für die besetzten Ostgebiete im Mai 1944, die Kinder zwangsweise zu erfassen und sie in Deutschland als Fabrik- oder Landarbeiternachwuchs, später als SS-Helfer, einzusetzen. Zumindest zeitweise spielte auch die Frage der Eindeutschung eine Rolle. 2500–4500 Kinder wurden von den dt. Behörden vor ihrem Rückzug deportiert. *Nils Klawitter*

Heuberg (KZ) Am 20.3.1933 wurde der bis dahin als Kinderheim genutzte Teil des Truppenübungsplatzes Heuberg bei Stetten am Kalten Markt (bei Sigmaringen) als → Schutzhaftlager in Betrieb genommen (→ Verfolgung). Zuständig war das Politische Polizeiamt im württembergischen Innenministerium, Lagerkommandant ab April 1933 Major a.D. Karl Buck. Rund 3300 männliche württembergische und anfänglich auch 178 badische politische Regimegegner durchliefen das Lager. Im Dezember 1933 wurde es wegen militärischer Nutzung des Geländes aufgelöst. Die noch verbliebenen 264 Häftlinge kamen ins KZ → Oberer Kuhberg bei Ulm. *Markus Kienle*

Hib-Aktion s. Hinein in die Betriebe

Hilfskasse der NSDAP Zur Unterstützung der bei Auseinandersetzungen mit politischen Gegnern verletzten Parteimitglieder und der Unfallopfer bei Parteiveranstaltungen schuf die NSDAP schon in der → Kampfzeit die H., eine Art Unfallversicherung, für deren Prämien die Mitglieder der Partei und ihrer Gliederungen zusätzlich zu den Mitgliedsbeiträgen aufkommen mußten. Nach dem Gesetz über die Versorgung der Kämpfer der nationalen Erhebung vom 27.2.1934 kamen auch die Hinterbliebenen solcher verstorbener Parteimitglieder in den Genuß von Zahlungen aus der H., die in die von der H. geführte »Ehrenliste der Ermordeten der Bewegung« und in die »Totenliste der NSDAP« aufgenommen worden waren. Letztere enthielt die Namen verstorbener Mitglieder mit herausragenden Verdiensten um die Partei. Neben der Durchführung des genannten Gesetzes oblag der H. die Vergabe eines »Ehrensolds« an Hinterbliebene von »im Kampf der Bewegung für die Freiheit des dt. Volkes gefallenen Kämpfern« (eingerichtet am 9.11.1934), einer »Ehrenunterstützung« für die Schwerbeschädigten der NSDAP (eingerichtet am 9.11.1935) und von Unterstützungen aus Mitteln der von Hitler gestifteten »Adolf-Hitler-Spende« (nicht zu verwechseln mit der → Adolf-Hitler-Spende der dt. Wirtschaft bzw. dem → Adolf-Hitler-Dank). Die H. unterstand dem Reichsschatzmeister der NSDAP, der auch die Entscheidung über die Unterstützungsanträge zu treffen hatte. Zur Erledigung seiner Aufgaben standen ihm in den Ortsgruppen Hilfskassenobmänner zur Verfügung. Erster Leiter der H. war Martin Bormann. *Hermann Weiß*

Hilfsverein der deutschen Juden 1901 als Hilfsorganisation für sozial und wirtschaftlich in Not geratene Juden mit Sitz in Berlin gegründet. Während der NS-Zeit bemühte sich der H. vor allem um Emigrationsmöglichkeiten und wurde zur Zentralstelle der gesamten nicht nach → Palästina zielenden Auswanderung (→ Emigration). 1933–1939 beriet er mehr als 90 000 Juden und unterstützte 31 000 Emigranten finanziell. Das Organ des H. nannte sich *Jüdische Auswanderung, Korrespondenzblatt für Auswanderungs- und Siedlungswesen.* Im Juli 1939 erfolgte die Zwangseingliederung in die Reichsvereinigung der Juden in Deutschland (→ Reichsvertretung der dt. Juden), und am 1.1.1942 mußte der H. seine Arbeit einstellen. *Juliane Wetzel*

Hilfswerk Mutter und Kind Von der → NS-Volkswohlfahrt (NSV) 1934 ins Leben gerufene Organisation zur Unterstützung und Betreuung hilfsbedürftiger Familien, die unter rassischen Gesichtspunkten ausgewählt wurden. Das H. gewährte kinderreichen Familien Wohnungshilfe, medizinische Unterstützung und bot Kinderbetreuung an. Finanziert wurde es durch Beiträge, Sammlungen und Spenden (→ Frauen). *Anja von Cysewski*

Hilfswillige (Kurzform: Hiwi) Sammelbegriff für insbesondere während des Krieges gegen die Sowjetunion (→ Ostfeldzug 1941–1945) im Auftrag dt. Besatzungsinstanzen, primär der Wehrmacht, tätige nichtdt. Landeseinwohner. Zunächst meist kurzfristig und nach Bedarf von durchziehenden Einheiten für alle Arten von Hilfsdiensten ohne Waffe eingesetzt, wurden die H. schon bald eine feste, für die Aufrechterhaltung der dt. Besatzungsherrschaft unverzichtbare Institution. Mit der sowohl von dt. Militär- als auch von Polizei- und SS-Dienststellen betriebenen Übernahme in geregelte Dienstverhältnisse (→ Schutzmannschaften, Ordnungsdienst) erweiterte sich der Aufgabenbereich nichtdt. Kollaborateure bis hin zur aktiven Teilnahme an Maßenerschießungen im Rahmen der → Endlösung oder des »Bandenkampfs« (→ Partisanen).

Jürgen Matthäus

Hilfszug Bayern Einrichtung der Reichspropagandaleitung (→ Reichsministerium für Volksaufklärung und Propaganda; → Propaganda) zur Massenverpflegung bei Parteitagen und Großkundgebungen mit Standort München. Der motorisierte Teil des H. umfaßte 160 Fahrzeuge, darunter Spezialfahrzeuge mit Kochapparaturen, Werkstattwagen, Aggregat-, Pump- und Tankfahrzeuge für eigene Strom- und Wasserversorgung, Rundfunkwagen und Sanitätszug. Die Stammannschaft bestand aus 160 Mann, die bei Großeinsätzen von bis zu 1000 Hilfskräften unterstützt wurden. Es konnten bis zu 675 000 Essen pro Tag ausgegeben werden. Nach Einsätzen bei Arbeiten am → Westwall wurde der H. im Kriegseinsatz dem OKW zur Truppen- und Flüchtlingsversorgung unterstellt.

Wolfram Selig

Hindenburgspende 1927 zu Ehren des Reichspräsidenten v. Hindenburg an dessen 80. Geburtstag gegründeter sozialer Hilfsfonds zur Unterstützung von Kriegsopfern und Kleinrentnern. Die Mittel für den Fonds wurden durch Volkssammlungen beigeschafft. Ein Teil des Geldes stand Hindenburg zur besonderen Verfügung. Große Volkssammlungen fanden zum 85. Geburtstag des Reichspräsidenten und posthum zu seinem 90. Geburtstag statt. Die Volksammlungen erbrachten Millionensummen, 1937 z.B. über 3 Mio. RM.

Willi Dreßen

Hinein in die Betriebe Um die bescheidenen Anhängerzahlen der in der gewerkschaftsähnlichen → NSBO organisierten Arbeiter zu erhöhen (1931: 39 000), wurde im Herbst 1931 eine Werbekampagne »Hinein in die Betriebe« (Hib-Aktion) initiiert, die ab Januar 1932 insbesondere in Berlin unter dem von Goebbels propagierten Motto »Keine Arbeitsstelle ohne Nazi-Zelle« Erfolg hatte. Die Hib-Aktion war zugleich flankierende Maßnahme der Sozialwahlen 1933.

Wolfgang Benz

Hinzert 1938 errichtete die → Dt. Arbeitsfront (DAF) in der Nähe des Dorfes H. im Hunsrück ein Barackenlager für Arbeiter des → Westwalls. 1939 wurde das Lager von der → Organisation Todt (OT) übernommen, es wurde nun als »Erziehungslager« für Polizeihäftlinge bezeichnet (→ Arbeitserziehungslager). 1940 wurde das Lager H. als »SS-Sonderlager« eingestuft, ab 1.7.1940 unterstand es dem → Inspekteur der KZ. Erst ab Mai 1942 wurde H. der für die KZ zuständigen Amtsgruppe D des → SS-Wirtschafts-Verwaltungs-Hauptamtes zugeordnet. Ab Januar 1945 wurde H. bis zur Evakuierung der letzten Häftlinge, die im März erfolgte, dem Lager → Buchenwald unterstellt. Neben Arbeitserziehungshäftlingen (»Zöglingen«) wurden politische Gefangene, v.a. Widerstandskämpfer aus Luxemburg und Frankreich, eingeliefert. Für viele von ihnen war H. Durchgangsstation auf dem Weg in andere Lager. Von schätzungsweise 20 000 Häftlingen kamen mindestens 302 Gefangene dort zu Tode.

Barbara Distel

Literatur:
Das ehemalige SS-Sonderlager/KZ Hinzert 1940–1945, Mainz 1995 (Landeszentrale für politische Bildung).

Hitler-Dank s. Adolf-Hitler-Dank

Hitler-Gruß s. Deutscher Gruß

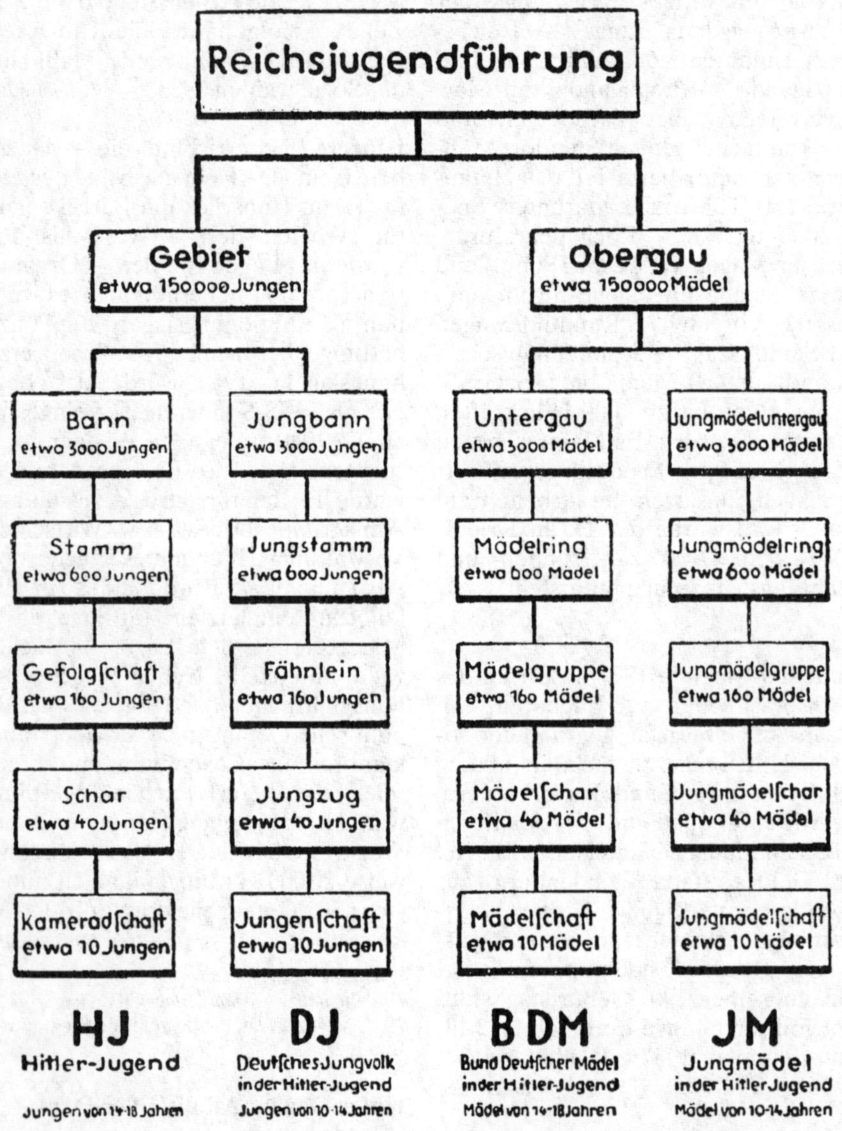

Abb. 54: Gliederung und Aufbau der Hitler-Jugend (aus: Paul Meier-Benneckenstein, *Wehrhaftes Volk,* Berlin 1939)

Hitler-Jugend (HJ) Die Jugendorganisation der NSDAP, die den Namen von Adolf Hitler trug, entwickelte sich ab 1933 zum staatlichen Jugendverband, was offiziell erst mit dem Gesetz über die HJ vom 1.12.1936 sanktioniert wurde.

Das proklamierte Prinzip »Jugend wird durch Jugend geführt« konnte weitgehend realisiert werden und trug zur Anziehungskraft der Organisation bei, deren proklamierte Aufgabe die politische Schulung und körperliche Ertüchtigung der dt. → Jugend war.

Der erste Versuch einer Jugendabteilung der NSDAP war der im März 1922 in München gegründete und ein Jahr darauf mit der Partei verbotene »Jugendbund der NSDAP«. 1926 initiierte Kurt Gruber die Großdt. Jugendbewegung, die im selben Jahr den Namen »Hitlerjugend, Bund dt. Arbeiterjugend« erhielt und der SA unterstellt wurde. 1929 entstanden durch Adrian von Renteln zusammengefaßte Schülergruppen. 1930 erfolgte die Umbenennung von seit 1926 bestehenden »Schwesternschaften« in »Bund Dt. Mädel«.

Der von 1929 an als Führer des → Nat.soz. Dt. Studentenbundes fungierende Baldur von Schirach avancierte im Juni 1931 zum Reichsjugendführer der NSDAP, und seit der 1933 erfolgten Berufung zum Jugendführer des Dt. Reiches befanden sich Partei- und Staatsfunktion bis 1940 in seiner Hand.

Die HJ entwickelte sich in steigendem Maße zu einem System der Erfassung und Beeinflussung der Jugend und war eines der »wesentlichen Mittel zur Herrschaftserhaltung des NS-Regimes« (Klönne). Hatte sie Ende 1932 nur 108 000 Mitglieder, gehörten ihr in Folge von Verbot, Auflösung und Übernahme anderer Jugendorganisationen 1933 schon 2,3 Mio. und im Jahr darauf 3,6 Mio. dt. Jugendliche an. Die Zahl stieg kontinuierlich bis 1935 auf 3,9 Mio. Mit dem Gesetz über die HJ erfolgte 1936 die Fixierung der HJ als – neben Elternhaus und Schule – einziger Erziehungsinstitution und die Ausweitung auf 5,4 Mio., Ende 1937 5,8 Mio. und 1938 7 Mio. Jugendliche. Im Anschluß an die Einführung der Jugenddienstpflicht (Zwangsmitgliedschaft) durch die 2. Durchführungsverordnung zum Gesetz über die HJ vom 25.3.1939 gelang es, die Mitgliedszahl auf 8,7 Mio. zu erhöhen. Die totale Erfassung der dt. Jugend wurde jedoch bis 1945 nicht verwirklicht.

Die HJ war uniformiert und gliederte sich nach Altersgruppen und regionalen Gesichtspunkten. Das Dt. Jungvolk in der HJ (DJ) erfaßte die Jungen von 10–14 Jahren (Pimpfe), die eigentliche HJ die Jungen von 14–18, der Jungmädelbund in der HJ (JM) die Mädchen von 10–14 und der Bund Deutscher Mädel in der HJ (BDM) die Mädchen und jungen Frauen von 14–21, wobei das BDM-Werk »Glaube und Schönheit« die 17- bis 21jährigen zur geschlechtsspezifischen Erziehung im nat.soz. Sinne gesondert sammelte. Die Aufnahme in die HJ, bzw. die Übernahme aus den Kinderorganisationen erfolgte jeweils am 20.4., dem Geburtstag des Namensgebers.

Der Jugendverband gliederte sich (1943) mit entsprechenden »Dienstgraden« – beginnend mit der eigentlichen HJ – in Kameradschaften (durchschnittlich 15 Angehörige), Scharen (4 Kameradschaften mit insgesamt 40–50 Jungen), Gefolgschaften (4 Scharen; 120–160), Stämme (3–5 Gefolgschaften; 400–600), Banne (4–8 Stämme; 2000–4000) und Gebiete (10–30 Banne). Diesem Prinzip entsprachen beim BDM Mädelschaft, -schar, -gruppe,-ring, Untergau und Obergau; im DJ Jungenschaft, Jungzug, Fähnlein, Jungstamm und -bann und beim JM Jungmädelschaft, -schar, -gruppe, -ring und -untergau. Die 38 regional gegliederten Gebiete ordneten sich – bei Jungen – in Obergebiete und – bei Mädchen – zu Gauverbänden mit je etwa 750 000 Kindern und Jugendlichen. Die Spitze der HJ bildete die → Reichsjugendführung, der die dem Reichsjugendführer untergeordnete und für die »Mädelarbeit« verantwortliche BDM-Reichsreferentin angehörte. Die HJ besaß ein eigenständiges Ausbildungswesen (Akademie für Jugendführung und Führerschulen) sowie eine HJ-Gerichtsbarkeit. Zusätzlich zur allgemeinen HJ (Stamm-HJ) gab es – korrespondierend zu Wehrmacht und SA – spezielle Gliederungen wie die Marine-, Motor-, Flieger-, Nachrichten- und Feldscher-HJ sowie Spielscharen, Musik-, Spielmanns- und Fanfarenzüge und den Streifendienst. Die Sondereinheiten waren teilweise beliebter als die Stamm-HJ, weil hier individuelle Interessen der Jugendlichen stärker zur Geltung kamen.

Der 1940 eingesetzte Reichsjugendführer Artur Axmann organisierte den Einsatz von HJ und BDM während des Zweiten Weltkrieges. Zur Mobilisierung für den → »totalen Krieg« erfolgte seit Frühjahr 1943 die Bildung der Hitler-Jugend-Panzergrenadierdivision, die aus Wehrmachtsoffizieren – früheren HJ-Führern – und Absolventen von Wehrertüchtigungslagern (→ Sport) bestand und im Herbst 1943 den offiziellen Namen »12. SS-Panzerdivision Hitler-Jugend« erhielt. Unzureichend ausgebildet und ohne Kampferfahrung, erlitt die Einheit, deren Soldaten teilweise noch nicht das 17. Lebensjahr vollendet hatten, vor allem in der Normandie im Sommer 1944 große Verluste, bis sie sich mit wenigen Überlebenden im Mai 1945 den US-Streitkräften ergab. Der Kriegseinsatz der HJ beinhaltete darüber hinaus neben sozialen und landwirtschaftlichen Arbeiten die Durchführung von Sammelaktionen (Altmetalle usw.; → Altmaterialsammlungen) und Nachbarschaftshilfe, die → Kinderlandverschickung, das Löschen von Bränden sowie den Kampfeinsatz beim → Volkssturm.

Kurt Schilde

Literatur:

Klönne, Arno: *Hitlerjugend. Die Jugend und ihre Organisation im Dritten Reich.* Hannover/Frankfurt am Main 1955.

Klönne, Arno: *Jugend im Dritten Reich. Die Hitler-Jugend und ihre Gegner. Dokumente und Analysen*, Düsseldorf 1982 (TB-Ausgabe München 1995).

Hitlerjunge Quex Regie dieses Propagandafilms nach dem gleichnamigen Roman von Karl Alois Schenzinger führte Hans Steinhoff; die Uraufführung fand am 12.9.1933 in München statt. Die Vorlage ist authentisch: Der Hitlerjunge Herbert Norkus war von einem Kommunisten getötet worden, was ihn zum Märtyrer der HJ machte. Der Film setzt dies in einer rituellen Zelebration des NS-Ethos um. Die HJ, die sich ganz und gar dem Vaterland verschrieben hat, ersetzt die Familie. Musikalisch wird dies durch das von HJ-Führer Schirach gedichtete Lied »Unsere Fahne flattert uns voran« zum Ausdruck gebracht. Der Protagonist des Films, Heini Völker, der sich gegen sein Elternhaus für die Nat.soz. entscheidet, erhält in der HJ den Spitznamen »Quex« (Quecksilber) für seine heroischen Leistungen im Straßenkampf gegen die Kommunisten.

Juliane Wetzel

Hitlerprozeß Zwischen dem 26.2. und 1.4.1924 hatten sich Erich Ludendorff, Adolf Hitler und weitere acht Mitangeklagte vor dem Volksgericht München wegen der Vorgänge beim → Hitlerputsch im November 1923 in einem

Hochverratsprozeß zu verantworten. Hitler gelang es, das Verfahren propagandistisch zu nutzen und sich durch sein demagogisches Auftreten als nationaler Retter darzustellen, dessen Vorhaben nur durch Verrat gescheitert sei. Unter dem Vorsitz des rechtskonservativen Richters Georg Neithardt wurden skandalös milde Urteile gefällt: Ludendorff wurde freigesprochen, Hitler, der aus einem anderen Urteil noch unter Bewährung stand, und drei Mitangeklagte wurden zu je fünf Jahren, die übrigen zu je 15 Monaten Festungshaft verurteilt. Entgegen den Bestimmungen des Republikschutzgesetzes verwies man Hitler als verurteilten ausländischen Staatsbürger nicht des Landes, von seiner Strafe saß er lediglich acht Monate in Landsberg/ Lech ab, wo er zahlreiche Besucher empfangen und sein Buch → *Mein Kampf* verfassen konnte. *Wolfram Selig*

Hitlerputsch Mit einem Putsch versuchten Hitler und seine Anhänger gemeinsam mit anderen republikfeindlichen Organisationen am 8./9.11.1923 in München die Macht an sich zu reißen. Während einer programmatischen Rede von Generalstaatskommissar Gustav von Kahr am 8.11. im Münchner Bürgerbräukeller stürmte Hitler mit bewaffneten → SA-Leuten den Saal, rief die »Nationale Revolution« aus und erklärte die Bayerische und die Reichsregierung für abgesetzt. Kahr, der Leiter des bayerischen Wehrkreiskommandos, General Otto von Lossow, und der Chef der Bayerischen Landespolizei, Oberst Hans von Seißer, gaben unter Zwang ihre Zustimmung zu dem Putsch, widerriefen diese aber noch in der Nacht und leiteten Gegenmaßnahmen ein. Damit war der H. bereits gescheitert. Dennoch formierten sich die Putschisten am 9.11. zu einem Marsch durch die Münchner Innenstadt. An der Feldherrnhalle kam es zum Gefecht mit der Landespolizei; 15 der Aufrührer, vier Polizisten und ein Unbeteiligter kamen ums Leben. Ludendorff und andere Teilnehmer wurden verhaftet, den geflüchteten Hitler nahm man später in seinem Versteck fest. Hitler machte aus dem dilettantisch inszenierten, kläglich gescheiterten Putsch eine propagandistische Legende und verwandelte den H. nach der → »Machtergreifung« rückwirkend in einen Triumph, der alljährlich mit dem martialisch inszenierten »Marsch zur Feldherrnhalle« gefeiert wurde. *Wolfram Selig*

Literatur:

Deuerlein, Ernst (Hg.): *Der Hitler-Putsch. Bayerische Dokumente zum 8./9. November 1923,* Stuttgart 1962.

Hitler-Stalin-Pakt s. Deutsch-sowjetischer Nichtangriffspakt

Hiwis s. Hilfswillige

HJ s. Hitler-Jugend

Hlinka Garde s. Slowakei

Hochlinden s. Grenzzwischenfälle

Hochschule für Lehrerbildung (HfL) s. Lehrerbildungsanstalten

Hochschule für Politik s. Deutsche Hochschule für Politik

Hochverrat Die vom NS-Regime sehr schnell ausgeweiteten und verschärften Hochverratsbestimmungen (§§ 80 ff. StGB) dienten der Verfolgung jedes auch nur ansatzweise organisierten → Widerstands. Mit der »Verordnung des Reichspräsidenten zum Schutz von Volk und Staat« vom 28.2.1933 (→ Reichstagsbrandverordnung) wurde die Todesstrafe u.a. auch auf H. ausgedehnt, nachdem für dieses Delikt bereits mit der »Verordnung des Reichspräsidenten zum Schutz des Dt. Volkes« vom 4.2.1933 die unbegrenzte Polizeihaft möglich gemacht worden war (→ Schutzhaft; → Schutzhaftlager). Der → Volksgerichtshof, der 1934 die Zuständigkeit in Hoch- und → Landesverratsfällen erhielt, verhängte Tausende von Todesurteilen gegen Gegner des NS-Regimes. Insbesondere ehe-malige Mitglieder der Arbeiterparteien (→ KPD → SPD Sozialistische Arbeiterpartei Deutschlands; → Kommunistische Partei Deutschlands [Opposition]) sowie tschechische Widerstandskämpfern kostete der justizielle Terror das Leben. Als »Hochverräter« wurden auch die Männer und Frauen des → 20. Juli 1944 zum Tode verurteilt.

Bernward Dörner

Hohe Schule Die H. sollte, einer Definition ihres mutmaßlichen Gründers Alfred Rosenberg vom 12.8.1940 zufolge, »die oberste Stätte für nat.soz. Forschung, Lehre und Erziehung« und, »nach ausdrücklichem Wunsch« Hitlers, »von der Partei gebaut und erhalten…, aber nicht Hohe Schule der NSDAP« genannt werden, sondern schlichtweg »Hohe Schule (HS)«. Ihr ideologischer Anspruch erstreckte sich also auf die gesamte Gesellschaft, sämtliche Bereiche von Kultur und Wissenschaft eingeschlossen, und nicht nur auf die Partei. Vorstufen finden sich bereits in den Vorstellungen Rosenbergs über einen rassisch-elitär gedachten »Orden« im → *Mythus des 20. Jahrhunderts* (1930). Vorbereitungen für die H. betrieb das → Amt Rosenberg spätestens ab 1935, u.a. mit einem Bauprojekt in Neu-Rehse (Mecklenburg), ab 1936 am Chiemsee. Ab 1937 verfolgte Robert Ley als Chef des Hauptschulungsamtes der NSDAP die Idee, die H. – die Bezeichnung stammt von ihm – als Abschluß-Institution eines Ausbildungsweges für die nat.soz. Funktionsträger zu errichten. Der Weg zu den H. sollte über die → Adolf-Hitler-Schulen und über die → Ordensburgen führen. Ley fügte dem Projekt noch ein Schulungslager hinzu, mit dem er eigene Absichten verband. In dieser Form wurde es am 18.1.1939 in einer schriftlichen »Vereinbarung« zwischen Rosenberg, Ley und NSDAP-Reichsschatzmeister Schwarz festgelegt, wobei Ley, offenbar widerwillig, auf eine Mit-Leitung neben Rosenberg verzichtete.

Schon am 25.5.1938 soll Hitler lt. Rosenberg die H. genehmigt haben, aber offenbar nur mündlich. Dabei kann eine Rolle gespielt haben, daß Hitler der Rosenbergschen Variante des antisemitischen Rassismus von jeher seine eigene, pseudo-naturwissenschaftlich begründete Version entgegengesetzt hatte. Der konzeptionelle Grundsatzkonflikt, der die gesamte theoretische Basis des Projektes betraf, hinderte Hitler jedoch keineswegs daran, einen von Rosenberg vorgelegten Entwurf, demzufolge Partei und Staat »Vorbereitungsarbeiten« für die H. »v.a. auf dem Gebiete der Forschung und Errichtung von Bibliotheken« zu unterstützen hätten, sofort zu unterschreiben. Den Anlaß geboten hatte u.a. die Möglichkeit, die Judaica-Sammlung der Stadt Frankfurt am Main in ein → »Institut zur Erforschung der Judenfragen« der H. umzuwandeln. Am 30.5.1940 konzedierte Reichserziehungsminister Rust Rosenberg in extensiver Auslegung der Hitler-Genehmigung, daß an fünf Universitäten – vorgesehen waren München, Halle, Hamburg, Marburg und Graz, später kamen noch Planungen für Prag, Kiel und Straßburg hinzu – Außen-Institute der H. eingerichtet werden sollten, deren »Forschungsaufgaben und Themenstellung« Rosenberg überlassen blieben. Diese Institute würden nicht zur Universität gehören, aber ihre Professoren sollten in Personalunion auch an den betreffenden Universitäten tätig sein. Die Leitung des »Aufbauamtes Hohe Schule« im Amt Rosenberg übernahm Alfred Baeumler, Professor für »Politische Pädagogik«. Er hatte die Übereinkunft ausgehandelt und war der Ansicht, die Wissenschaft sei »noch keineswegs gewillt, den Nat.soz. als geschichtliches Ereignis zur Kenntnis zu nehmen«.

Daß die Pläne für die H. aus kriegsbedingten Gründen über Anfänge (in Hamburg und München) nicht hinauskamen, änderte nichts daran, daß es sich um erste Einbrüche in den Universitätsbereich handelte, die der politisch schwache Rust nicht verhindern konnte, obwohl die Probleme eines doppelten Disziplinarrechts und einer weiteren Zerstörung des traditionellen Hochschulwesens vorhersehbar waren. Allerdings bot der Krieg Rosenberg die Möglichkeit, mit Hilfe seines → Einsatzstabes RL Rosenberg Bücher für die Bedürfnisse der H. in den von Deutschland besetzten Gebieten Europas zu rauben. Ein Bildungsziel der H. war jedoch – wie zuvor schon bei den → Adolf-Hitler-Schulen – nicht formuliert worden, bestand doch über zu erwerbende Berechtigungen, ebenso wie im Falle der Ordensburgen, keinerlei Klarheit. Es waren Unsicherheiten, die der Weigerung der Partei entsprachen, die Übergabe von »Macht von einer erworbenen Qualifikation abhängig zu machen« (H. Scholtz), und die wiederum typisch für nahezu alle Bemühungen der NS-Führung auf dem Gebiet der Bildung waren (→ Wissenschaft). *Reinhard Bollmus*

Literatur:

Bollmus Reinhard: »Zum Projekt einer nat.-soz. Alternativ-Universität: Alfred Rosenbergs »Hohe Schule«, in: Manfred Heinemann (Hg.): *Erziehung und Schulung im Dritten Reich*, Bd. 2, S. 125–152, Stuttgart 1980.

Scholtz, Harald: *Nationalsozialistische Ausleseschulen. Internatsschulen als Herrschaftsmittel des Führerstaates*, Göttingen 1973.

Hoheitsabzeichen Uniformabzeichen von Heer, Kriegsmarine und Luftwaffe. Die Abzeichen bestanden aus dem Reichsadler mit → Hakenkreuz. Sie wurden bei der Wehrmacht auf der linken Seite des Stahlhelms in silbergrauer Farbe angebracht sowie an der Mütze über der Kokarde und an Hemdbluse, Jacke und Hemd auf der rechten Brustseite. Bei Offizieren waren sie silbern gestickt, für Marineoffiziere und Generäle golden. Bei den Mannschaften von Luftwaffe und Heer waren sie aus silbergrauem und bei der Kriegsmarine aus gelbem Garn. *Willi Dreßen*

Hoheitsträger Bezeichnung für Gebietsleiter der Partei auf allen Ebenen. H. war auf Reichsebene der Führer, in den → Gauen waren es die → Gauleiter, unter dem Gauleiter die → Kreis-, → Ortsgruppen-, Stützpunkt-, Zellen-, und → Blockleiter. Die unteren H. waren nach dem → Führerprinzip den jeweils Höheren verantwortlich und übten die Dienstaufsicht über alle Parteieinrichtungen in ihrem Gebiet aus. Sie waren meist auch als Amtsträger mit staatlichen Aufgaben befaßt.

Willi Dreßen

Hoheneichen Verlag Der 1916 gegründete H. war seit Ende 1918 im Besitz des Schriftstellers Dietrich Eckart (→ *Auf gut deutsch*). Zum völkisch-antisemitischen Programm des H. gehörten Alfred Rosenbergs → *Der Mythus des 20. Jahrhunderts* und dessen Zeitschrift → *Der Weltkampf*. 1929 ging der H. im Zentralverlag der NSDAP (→ Eher Verlag) auf, der für einige Titel den alten Verlagsnamen beibehielt.

Wolfgang Benz

Höhere SS- und Polizeiführer Von Himmler in seiner Funktion als → Reichsführer SS und Chef der Dt. Polizei Ende 1937 geschaffenes Amt, das – zunächst im Reich, später in den besetzten Gebieten – die Verschmelzung von → Polizei- und → SS-Apparat symbolisierte und in die Praxis umsetzen half. Von Himmler sorgfältig ausgewählt und ihm direkt unterstellt, hatten die H. dafür zu sorgen, daß in ihrem Herrschaftsgebiet die geschriebenen wie ungeschriebenen Grundsätze nat.soz. Politik aktiv verfolgt wurden. Auf der Basis vorbehaltloser Loyalität gegenüber dem Reichsführer in Verbindung mit zielgerichteter Eigeninitiative agierten die von Otto Ohlendorf nach dem Krieg als »kleine Himmler« bezeichneten H. – in der Regel SS-Generäle mit langjähriger Erfahrung in Partei- und Staatsstellungen – ebenso rücksichtslos wie flexibel und setzten dabei die Parameter für die fortschreitende Radikalisierungnat.soz. Herrschaftsmethoden. Zu den hervorstechendsten Aufgaben der H. gehörte der Vollzug der → »Endlösung der Judenfrage« und der Kampf gegen → Partisanen, bei denen sie besonders in Osteuropa die Federführung übernahmen. Bekannte Namen unter den H. – Erich von dem Bach-Zelewski, Friedrich Jeckeln und Hans-Adolf Prützmann – fanden sich besonders im Osteinsatz. Stärker als in Deutschland, wo die Konkurrenz anderer Instanzen im Kampf um Einflußsphären und Profilierungsmöglichkeiten den Ambitionen der H. Grenzen setzte, liefen bei ihnen in den militär- oder zivilverwalteten Besatzungsgebieten ungeachtet formaler Unterstellungsverhältnisse die Stränge machtpolitischen Handelns zusammen. Bei der Verwirklichung von Massenmord (→ Rassenpolitik und Völkermord), → Germanisierung und Ausbeutung (→ SS-Wirtschaftsunternehmen; → SS-Wirtschafts-Verwaltungs-Hauptamt) war ihnen ein Netz untergebener Dienststellen von den SS- und Polizeiführern auf regionaler Ebene bis hinunter zu lokalen Standortkommandanten ebenso behilflich wie das trotz aller Rivalitäten ähnlich gelagerte Interesse militärischer und ziviler Dienststellen. *Jürgen Matthäus*

Literatur:

Birn, Ruth Bettina: *Die Höheren SS- und Polizeiführer. Himmlers Vertreter im Reich und in den besetzten Gebieten.* Düsseldorf 1986.

Hohnstein (KZ) Am Morgen nach der Reichstagswahl vom 5.3.1933 besetzte SA die Burg Hohnstein in Sachsen, die als Jugendherberge genutzt wurde. Ab 14.3. diente sie unter SA-Bewachung (zuletzt SS) als »Schutzhaftlager Hohnstein, Sächs. Schweiz«, in dem politische Gegner (insbesondere Funktionäre von KPD und SPD) eingesperrt und mißhandelt wurden; insgesamt etwa 5600 Personen, unter ihnen 109 Frauen und 400 Jugendliche, waren bei einer durchschnittlichen Belegungsstärke von 700–800 Häftlingen inhaftiert (→ Schutzhaft; → Schutzhaftlager). Das KZ wurde am 25.8.1934 aufgelöst, die Burg ab April 1935 von der HJ genutzt, später diente sie als Kriegsgefangenenlager. 1935 standen der Lagerkommandant und Wachmannschaften wegen »Körperverletzung im Amt« vor Gericht; juristisch aufgearbeitet wurden die oft tödlichen Exzesse erst in den Hohnstein-Prozessen ab 1949. *Wolfgang Benz*

Holocaust s. Endlösung, s. Rassenpolitik und Völkermord

Homosexualität/Homosexuelle H. galten in der nat.soz. Weltanschauung als »Gemeinschaftsfremde« und »Entartete«. Als »Jugendverführer«, »Infektionsgefahr« und »Staatsfeinde« wurden sie verfolgt und ca. 5000–15 000 in den KZ ermordet. Die antihomosexuellen Typisierungen der Nat.soz. standen dabei in der ungebrochenen historischen Tradition von Pathologisierung und Kriminalisierung der H. Die Welle organisierter Verfolgung H. setzte ab Mitte 1934, nach dem sog. → Röhm-Putsch, ein. Hiervon waren v.a. Mitglieder der NSDAP und ihrer Organisationen betroffen. Die Nat.soz. instrumentalisierten den Vorwurf der H., um Mißliebige und Oppositionelle, z.B. Geistliche, zu verfolgen. Ein von Himmler gegründetes »Sonderdezernat Homosexualität« im Geheimen Staatspolizeiamt organisierte die Erfassung der H. Das Reichsjustizministerium erließ Richtlinien, nach denen schon die Absicht, eine homosexuelle Handlung zu begehen, für eine Verurteilung ausreichte. Im Juni 1935 wurde der § 175 StGB um den Zusatz § 175a »schwere Unzucht zwischen Männern«, der Zuchthaus bis zu zehn Jahren vorsah, verschärft. Oktober 1936 wurde auf Betreiben Himmlers die »Reichszentrale zur Bekämpfung der H. und Abtreibung« eingerichtet. Hauptaufgabe war die zentrale Registrierung der H. sowie der Frauen, die ihre Schwangerschaft abbrachen. Seit Januar 1938 konnte jeder H. unmittelbar nach einer Verurteilung auch in → Schutzhaft genommen werden. Im Juli 1940 ordnete Himmler schließlich die obligatorische Einweisung aller H., die mehr als einen Sexualpartner hatten, wenn sie aus der Strafhaft entlassen waren, in ein KZ an.

Sexuelle Akte zwischen Frauen waren juristisch nicht verboten. Dennoch wurden auch lesbische Frauen verurteilt und als sog. Asoziale in KZ eingeliefert. Die Verfolgung H. in den besetzten Ländern wurde sehr unterschiedlich gehandhabt. Galt die einheimische Bevölkerung nach der NS-Ideologie als »minderwertig«, wurde H. geduldet, rechnete man sie der »nordischen Rasse« zu, entsprach die Verfolgung derjenigen in Deutschland. Die »arische Rasse« mußte vor einer Ansteckung geschützt, das Ende der »degenerierten Völker« beschleunigt werden (→ Rassenkunde).

Neben der Inhaftierung wurden bei ca. 2800 H. auch zwangsweise Kastrationen vorgenommen. Sie betrafen anfangs v.a. Männer, die der Staat als vermeintliche »gefährliche Sittlichkeitsverbrecher« einstufte, z.B. Päderasten. Zunehmend wurde die Entmannung aber auch als eine Möglichkeit der Haftverschonung bzw. Entlassung aus dem KZ von verzweifelten H. in Kauf genommen. In den KZ rangierten die mit einem rosa Winkel gekennzeichneten H. neben den → Juden, den → Sinti und Roma sowie den sowj. → Kriegsgefangenen auf der untersten Sprosse der Häftlingshierarchie. Von den meisten Mithäftlingen verachtet und gemieden, den Grausamkeiten der SS-Wachmannschaften hilflos ausgeliefert, verzeichneten die homosexuellen Häftlinge prozentual mit die höchste Todesrate in den Lagern. Vor allem bei den speziellen Sonderkommandos und durch medizinische Versuche, z.B. Hormonversuche, kamen viele H. zu Tode.

Armin Bergmann

Literatur:

Jellonnek, Burkhard: *Homosexuelle unter dem Hakenkreuz*, Paderborn 1990.

Plant, Richard: *Rosa Winkel. Der Krieg der Nazis gegen die Homosexuellen*, Frankfurt am Main/New York 1991.

Schoppmann, Claudia: *Nationalsozialistische Sexualpolitik und weibliche Homosexualität*, Pfaffenweiler 1991.

Hörspiel Form dramatischer Literatur, die im Nat.soz. durch die Förderung des Rundfunkhörens größere Verbreitung fand (→ Rundfunk). Dabei dominierten gegenüber Funkbearbeitungen von Dramen Schillers, Kleists und Grabbes sowie einigen literarisch anspruchsvolleren neuen Werken (u.a. von Günter Eich, Wolfgang Weyrauch und Fred v. Hoerschelmann) H., die dazu dienten, die nat.soz. → Ideologie zu transportieren. Im H. wurde die Tradition der »Heimatkunst«, der nationalistischen und militaristischen Literatur fortgesetzt, aber auch gezielt spezifisch nat.soz. → Propaganda verbreitet. So wurde – meist anhand historischer Stoffe – der → Führerkult gepflegt; der Deutschlandsender verbreitete in der beliebten »Stunde der Nation« ein »rassenhygienisches Lehr- und Hörspiel«; zum »Tag der nationalen Arbeit« (→ nationale Feiertage), zum → Erntedanktag, zu → Reichsparteitagen wurden entsprechende Auftragsarbeiten gesendet. Während des Krieges wurden H. gezielt in Propagandakampagnen gegen Kriegsgegner eingesetzt, z.B. 1940 gegen England. Exilierte Autoren wie Anna Seghers und Bertolt Brecht setzten dem Nat.-soz. kritische Werke entgegen, die über nichtdt. Sender verbreitet wurden.

Wolf Kaiser

Horst-Wessel-Koog Der H. (heute Norderheverkoog) wurde 1938 im Kreis Eiderstedt eingeweiht. Er war Teil des »Generalplans für Landgewinnung in Schleswig-Holstein«, mit dem die Nat.-soz. versuchten, für eine neue Schicht eines bäuerlichen »Neuadels« im Sinne der → Blut und Boden-Ideologie »Lebensraum« zu schaffen (→ Adolf-Hitler-Koog).

Uffa Jensen

Horst-Wessel-Lied Zu den wichtigsten »Liedern der → Bewegung« gehörte das H., das im Goebbelschen → *Angriff* vom 23.9.1929 erstmals veröffentlicht wurde. Wessel, Führer des SA-Sturms 5 in Berlin-Friedrichshain (→ SA), hatte es verfaßt und dazu die Melodie des »Königsberg-Liedes« verwendet, das 1918 auf die Auslieferung des Kreuzers Königsberg an die Alliierten gedichtet und, nach einer von Peter Cornelius überlieferten Melodie eines Berliner Gassenhauers komponiert, von der Brigade Ehrhardt und im Wiking-Bund gesungen wurde, dessen Mitglied Wessel war. Nach Wessels Ermordung erschien das Lied am 1.3.1930 auf der ersten Seite des → *Völkischen Beobachters* unter der Überschrift »Horst Wessels Gruß an das kommende Deutschland« und trug so mit zur Popularisierung des nun auch außerhalb Berlins gesungenen Liedes bei, das noch im gleichen Jahr als Parteihymne anerkannt wurde. Mit der → »Machtergreifung« wurde es bei Parteifeiern u.ä. üblich, die 1. Strophe des H. dem → »Deutschlandlied« anzuhängen, was ein Rundschreiben von Reichsinnenminister Frick vom 12.7.1933 zur Norm erklärte. Die offizielle Einführung als Nationalhymne lehnte Hitler trotz eines entsprechenden Vorstoßes Bormanns 1938 jedoch ebenso ab wie das Absingen des H. bei Sportveranstaltungen im Ausland.

Hermann Weiß

Horst-Wessel-Studium Mitte der 30er Jahre Bezeichnung für eine Vorstudienförderung Jugendlicher, die aus sozialen Gründen eine höhere Schule nicht besuchen konnten; sie betraf nur ganz wenige Stipendiaten und ging vermutlich später im → Langemarckstudium auf.

Dietfrid Krause-Vilmar

Hoßbach-»Protokoll« Am 5.11.1937 sprach Hitler in der Berliner Reichskanzlei vor engsten Mitarbeitern. Anwesend waren Reichskriegsminister v. Blomberg, die Oberbefehlshaber von Heer, Luftwaffe und Kriegsmarine, v. Fritsch, Göring und Raeder, Reichsaußenminister v. Neurath sowie der Wehrmachtsadjutant Hitlers, Oberst Friedrich Hoßbach. Einige Tage nach der Zusammenkunft fertigte dieser eine Niederschrift mit den wesentlichen Aussagen der Hitler-Rede und den Bemerkungen einiger Teilnehmer an. Das Dokument, fälschlich meist als »Protokoll« bezeichnet, gibt Auskunft über die Entwicklung der Kriegspläne Hitlers und markiert Einwände der Militärs. Hitler, der seinen Ausführungen testamentarisches Gewicht verlieh, dachte sich das aggressiv-kriegerische Vorgehen in zwei Etappen. In der ersten sollte das Dt. Reich, vielleicht schon 1938, durch die Liquidierung Österreichs und der Tschechoslowakei vergrößert und für einen Angriff auf die Großmächte kriegsbereit gemacht werden. Die zweite, in ihrem Inhalt nicht näher erörterte Etappe, müßte zwischen 1943 und 1945 abgelaufen sein, weil sich danach eine weitere Überlegenheit über die Kriegsgegner nicht mehr erringen ließe. Blomberg und Fritsch bemerkten hinsichtlich des gedachten Auftakts, daß die eigenen Streitkräfte nicht ausreichten, einen Krieg gegen die Tschechoslowakei zu riskieren, selbst wenn Frankreich sich nicht vollständig auf deren Unterstützung konzentrieren könnte. Die Einwände wurden nicht debattiert. Hitler war nach der Zusammenkunft klar, daß seine Ansichten und die der maßgeblichen Militärs im Hinblick auf das einzugehende außenpolitische Risiko auseinanderklafften. Das H. lag 1945 dem Internationalen Militärtribunal in Nürnberg vor und diente als Beweismittel der Anklage für den Nachweis der planmäßigen Vorbereitung eines Angriffskrieges (→ Nachkriegsprozesse).

Kurt Pätzold

Hugenberg-Konzern Erster moderner Multi-Medienkonzern in Deutschland, der seit 1914 vom damaligen Krupp-Generaldirektor und späteren Vorsitzenden der → DNVP, Alfred Hugenberg, mit Geldern der Schwerindustrie aufgebaut worden war. Zum Konzern, der nationalistisches und antidemokratisches Gedankengut verbreitete, gehörten Ende der 20er Jahre mit der → Universum Film AG (Ufa) die führende Filmgesellschaft und mit der Telegraphen-Union die zweitgrößte Nachrichtenagentur der Weimarer Republik. Hinzu kamen der Berliner Scherl Verlag mit drei Tageszeitungen und einem Dutzend Zeitschriften, Zeitungsbanken, Zeitungsberatungsgesellschaften sowie Maternunternehmen, die Hunderte von Provinzzeitungen mit vorgedruckten Berichten und Kommentaren belieferten. Die Nat.soz. übernahmen ab 1933 gegen finanzielle Entschädigung nach und nach fast alle Unternehmen des Konzerns (→ Presse).

Heidrun Holzbach-Linsenmaier

I

I.G. Farbenindustrie A.G. (IG Farben) Als größter dt. Industriekonzern (Zusammenschluß von BASF, Bayerische Farbwerke Hoechst u.a. [1925]) führend auf allen Gebieten der Chemie, war die I. das am tiefsten in die Kriegs- und Menschlichkeitsverbrechen des NS-Regimes verstrickte Großunternehmen. Ihre führende Rolle bei der Kriegsvorbereitung seit 1933 (Feder-Bosch-Abkommen) gipfelte seit 1936 (→ Vierjahresplan) in der Verschmelzung NS-staatlicher und großkapitalistischer Funktionen und Institutionen. Carl Krauch (Mitglied des Vorstands, seit 1940 Mitglied des Aufsichtsrats des Konzerns) regulierte als Generalbevollmächtigter für Sonderfragen der chemischen Erzeugung große Teile des dt. Investitionsvolumens und sicherte der Wehrmacht die Mindestversorgung mit Treibstoff, Buna, Sprengstoff, Giftgas usw. Die I., einer der größten »Arisierer« (→ Arisierung) und Kriegsprofiteure, faßte den Krieg als Gelegenheit zur Herstellung ihres Weltmonopols auf und griff rücksichtslos in die Eigentumsverhältnisse poln., frz., norw., sowj. und anderer Unternehmen ein. Sie beschäftigte 1944 über 83 000 ausländische → Zwangsarbeiter und KZ-Häftlinge. Die I. war Bauherr des großen Industriekomplexes, der seit 1940/41 in → Auschwitz errichtet wurde und für den das dortige KZ Arbeitskräfte stellte. Die SS-Strategie der »Vernichtung durch Arbeit« verband sich hier mit dem von I.-Führungskräften ausgearbeiteten System der Ausbeutung ständig vom Tode bedrohter KZ-Häftlinge (→ SS-Wirtschaftsunternehmen; → SS-Wirtschafts-Verwaltungs-Hauptamt). Im I. Lager Auschwitz-Monowitz allein wurden ca. 120 000, zusammen mit seinen Nebenlagern 370 000 Tote registriert. Die I. lieferte der SS ferner u.a. Fleckfieberimpfstoffe für Versuche an Häftlingen (→ Menschenversuche). Das in Auschwitz und anderen → Vernichtungslagern zur Massentötung eingesetzte Giftgas → Zyklon B stammte aus einer von der I. abhängigen Verkaufsgesellschaft (→ DEGESCH).

Dietrich Eichholtz

Ich klage an Der unter der Regie von Wolfgang Liebeneiner nach der Romanvorlage *Sendung des Gewissens* von Hellmuth Unger gedrehte Propagandafilm diente der Rechtfertigung des nat.soz. Euthanasieprogramms und der Vorbereitung eines »Sterbehilfegesetzes« (→ Medizin). Hauptdarsteller: Heidemarie Hatheyer, Paul Hartmann, Mathias Wieman; Premiere: 29.8.1941. Der Zuschauer erkennt die Absicht dieses raffiniert und suggestiv inszenierten Films nur schwer, die Verklärung des »Gnadentods« ist weit entfernt von der nat.soz. Realität. Goebbels und andere Mitglieder der nat.soz. Führung erkannten die Problematik des Films und gaben der Presse die Anweisung, den Inhalt zu verschleiern und sehr zurückhaltend ohne Wertung darüber zu berichten. *Juliane Wetzel*

Illustrierter Beobachter Im Juli 1926 nach dem Vorbild der großen illustrierten Wochenblätter gegründete Parallelzeitschrift zum → *Völkischen Beobachter.* Das zunächst monatlich, seit Oktober 1928 wöchentlich im → Eher-Verlag erscheinende Blatt sollte als »Kampfblatt« fungieren und die nat.-soz. Ideologie in die breite Öffentlichkeit tragen. Die Bildberichterstattung über die »Bewegung«, v.a. über die Führungskreise, stellte den Schwerpunkt des I. dar. Auf der regelmäßigen Sonderseite »Der Judenspiegel« wurde aggressive antisemitische Hetzpropaganda betrieben. Nach der → »Machtergreifung« umstrukturiert, nahm die Wehr- und Feindbildpropaganda zunehmenden Raum ein. Das fotografische Element prägte der »Reichsbildberichterstatter« Heinrich Hoffmann. Hauptschriftleiter war Dietrich Loder. Die zunächst recht bescheidene Auflage von 35 000 Exemplaren 1927 stieg bis auf 1,9 Mio. im Jahr 1944 an. Die letzte Ausgabe erschien am 12.2.1945 (→ Propaganda; → Presse).

Angelika Heider

Industriebrief Am 19.11.1932 an Reichspräsident v. Hindenburg ausgehändigtes Schreiben namhafter Industrieller und Bankiers, darunter Fritz Thyssen, in dem die Ernennung Hitlers zum Reichskanzler befürwortet wurde. Sie erhofften sich von dessen Politik ein Wiedererstarken der dt. Wirtschaft.

Der Brief hatte wegen der Bedenken Hindenburgs und der hohen Forderungen Hitlers zunächst keinen Erfolg.

Willi Dreßen

Informationsdienst s. Uhrig-Römer-Gruppe

Innere Emigration Umschreibung für die distanzierte Haltung insbesondere von Intellektuellen während des Nat.-soz. Der Begriff I. wurde 1933 von Frank Thiess geprägt. Mit ihm sollte eine Position des Rückzugs gegenüber dem NS-System zum Ausdruck kommen, die jedoch zugleich offenere Formen des → Widerstands vermied. Neben Bemühungen, sich auf ein privates Umfeld zu beschränken, sah man zumindest in den ersten Jahren der nat.soz. Herrschaft in bestimmten Institutionen, die, wie z.B. die Wehrmacht, noch nicht vollständig dem nat.soz. Machtanspruch erlegen zu sein schienen, Rückzugsgebiete. I. steht auch für einen Teil des künstlerischen Schaffens dieser Periode. Dabei entstand eine ästhetische Formensprache, namentlich der Naturlyrik, und eine Art »Auswanderung in die Innerlichkeit«, die in ihrer Haltung der demonstrativen Unabhängigkeit Kritik erkennen ließ. So war diese Literatur häufig resignativ. Insbesondere nach 1945 wurde die I. zu einer bewußten Widerstandsform stilisiert und dabei v.a. von der eigentlichen → Emigration abgegrenzt.

Uffa Jensen

Inspekteur der KL Himmler direkt unterstellter Leiter und Organisator der Verwaltung, Führung und Bewachung der → Konzentrationslager. Erster I. war der → Dachauer Lagerkommandant Theodor Eicke (ernannt am 7.7.34), der für das Lager einen Organisationsplan ausgearbeitet hatte, der später für alle KZ im Reich galt. Am 10.12.1934 wurde eine eigene Dienststelle des I. eingerichtet, die »Inspektion der KL« (IKL), die bis 1938 in Dachau und später in Oranienburg ihren Sitz hatte. Am 1.6.1940 wurde der I. in das SS-Hauptamt und am 16.3.1942 mit erweiterten Zuständigkeiten als Amtsgruppe D in das → SS-Wirtschafts-Verwaltungs-Hauptamt) eingegliedert.

Willi Dreßen

Inspekteur der Sicherheitspolizei und des SD s. Sicherheitspolizei

Institut zur Erforschung der Judenfrage Das seit November 1938 vorbereitete und im Juni 1939 auf dem Papier gegründete Institut in Frankfurt am Main wurde erst am 26.3.1941 eingeweiht und offiziell eröffnet. Es unterstand als erste Außenstelle der lt. Führerbefehl zu errichtenden → Hohen Schule der NSDAP. Das I. war also eine Einrichtung der Partei, dessen wesentliche Bestände aus der ca. 40 000 Bände umfassenden Judaica-Hebraica-Sammlung der Frankfurter Stadtbibliothek, ergänzt durch Beutegut aus den besetzten Gebieten, stammten. Als Direktor fungierte von Juli 1940 bis Oktober 1942 Wilhelm Grau, nach dessen Ausbootung und der kommissarischen Leitung Otto Pauls übernahm im Oktober 1943 Klaus Schickert das I. Als Publikationsorgan diente dem Institut die Vierteljahresschrift *Weltkampf. Die Judenfrage in Geschichte und Gegenwart*, die erstmals im April 1941 unter der Schriftleitung von Peter-Heinz Seraphim – seit Ende 1943 unter derjenigen Schickerts – erschien. Wirkung erzielte das Institut durch seine Publikationen allenfalls auf der Ebene der Propaganda, wissenschaftliche Publikationen blieben aus.

Juliane Wetzel

Intellektueller Bezeichnung für einen wissenschaftlich oder künstlerisch gebildeten Menschen, der geistig arbeitet. Schlüsselbegriff während der Dreyfus-Affäre in Frankreich. Dort setzten die demokratischen Kräfte, die schließlich die Rehabilitierung des zu Unrecht und mit Hilfe gefälschter Dokumente von der Armee verurteilten jüdischen Hauptmanns erreichten, die positive Konnotation des Wortes durch.

Die Assoziation von I. mit »jüdisch« oder »verjudet« bestimmte die Aufnahme des Wortes in Deutschland. Insbesondere im rechten Spektrum wurde I. als Schimpfwort gegen Gebildete verwendet und richtete sich zugleich gegen rationale Analyse und liberale wie demokratische Haltungen.

Im Nat.soz. wurde der Begriff generell abwertend für kritisch denkende Menschen (»Kritikaster«) verwendet, denen Charakterlosigkeit unterstellt und Mangel an »Instinkt« als »rassisch« bestimmter Natureigenschaft sowie »zersetzende« Verstandestätigkeit vorgeworfen wurde. Noch heute wird der I. vielfach als »(einseitiger) Verstandesmensch« (*Duden*) abgewertet.

Wolf Kaiser

Intelligenzaktion Tarnbezeichnung für die Erschießung von Angehörigen der poln. Intelligenz (Ärzten, Lehrern, Geistlichen u.ä.) nach dem → Polenfeldzug, die auf Befehl Hitlers von Reinhard Heydrich, dem Chef des RSHA, organisiert wurde. Die I. begann zunächst im Oktober 1939 in den → eingegliederten Gebieten, wie → Danzig-Westpreußen und Posen, und wurde von Angehörigen des dt. Selbstschutzes, einer milizähnlichen Formation von → Volksdeutschen in Polen, sowie den → Einsatzgruppen des Sicherheitsdienstes (SD) und der Sicherheitspolizei ausgeführt. Ursprünglich sollte sie nach einem Befehl Heydrichs bis zum 1.11.1939 beendet sein, setzte sich jedoch noch einige Zeit nach diesem Datum fort. Der I. fielen rund 60 000 Polen zum Opfer.

Willi Dreßen

Internationale Brigaden s. Spanischer Bürgerkrieg

Internationaler Sozialistischer Kampfbund (ISK) s. Widerstand, s.a. Arbeiterwiderstand

Invaliden-Aktion s. Aktion 14 f 13

Invasion Im Kontext des Zweiten Weltkriegs Bezeichnung für die verschiedenen Landungen westalliierter Truppen in Europa. Die eigentliche I. begann am 6.6.1944 (»D-Day«) in der Normandie. Ihr vorausgegangen war außer dem Versuch in → Dieppe drei Monate nach dem Ende des → Afrikafeldzuges am 10.7.1943 die Landung brit. und amerik. Verbände auf Sizilien, von wo aus die brit. 8. Armee und die amerik. 5. Armee am 3. bzw. 9.9. auf das ital. Festland übersetzten. Die Verteidigung Italiens übernahmen allein die dt. Truppen, da die Regierung Badoglio bereits am 3.9.1943 einen Waffenstillstand mit den Alliierten abgeschlossen hatte. Die dt. Truppen, die Restitalien besetzt hatten, kapitulierten erst am 28.4.1945 (→ Italienfeldzug).

In Nordfrankreich brachten die Westalliierten im Rahmen der Operation Overlord unter dem Oberkommando General Dwight D. Eisenhowers mit massiver Luftunterstützung bis zum 18.6. 619 000 Soldaten und 95 000 Fahrzeuge an Land. Den 86 alliierten Divisionen standen 56 dt. Divisionen und eine völlig unzureichende Luftwaffe gegenüber. Am 30.6.1944 fiel Cherbourg, und nach dem Ausbruch aus dem Brückenkopf begannen die Alliierten am 2.8. mit dem Vormarsch Richtung Paris, das am 25.8. besetzt wurde. Am 3.9. folgte Brüssel.

Vom 14. bis zum 16. August 1944 landeten alliierte Truppen an der frz. Mittelmeerküste. Sie vereinigten sich am 11.9. mit den aus der Normandie vorstoßenden US-Verbänden bei Dijon. Noch am selben Tag erreichten alliierte Truppen erstmals bei Trier die Grenze des Dt. Reiches. Mit den Invasionen in Europa entsprachen die Westalliierten auch einer seit langem vorgetragenen Forderung Stalins nach Errichtung einer zweiten Front in Europa zur Entlastung der Roten Armee im Osten (Konferenz von → Casablanca).

Thomas Bertram

Irland 1921 wurde I. geteilt. Nordirland (die sechs nordöstlichen Grafschaften) blieb weiterhin Bestandteil → Großbritanniens. Der größere Teil I. konstituierte sich am 8.1.1922 als Irischer Freistaat, der allerdings weiterhin im britischen Commonwealth verblieb. Der seit 1932 amtierende Premierminister, Eamon de Valera, erklärte sein Land als einziges Mitglied des Commonwealth während des Zweiten Weltkrieges für neutral, was zwar der Stimmungslage der Bevölkerung entsprach, jedoch brit. Wirtschaftssanktionen zur Folge hatte und die Spaltung zu Nordirland, das an brit. Seite am Krieg teilnahm, vertiefte. Die Irlandpolitik des Dritten Reiches war stets ein untergeordneter Faktor seiner Englandpolitik. Erst seit der Kriegserklärung Großbritanniens an Deutschland wurde I. zu einem, allerdings niemals erstrangigen, strategischen Faktor dt. → Außenpolitik. Die Zusammenarbeit der dt. → Abwehr mit der nationalistischen Irish Republican Army (I.R.A.), die mit dt. Hilfe die Briten aus Nordirland zu vertreiben hoffte, gefährdete die ir. Neutralität. Tatsächlich faßten sowohl Churchill als auch Hitler zeitweise eine Invasion I. ins Auge. Seit Beginn des dt. → Ostfeldzuges verlor I. für die dt. Außenpolitik zunehmend an Bedeutung.

Karsten Krieger

Italien Seit 17.3.1861 Königreich und seit 1870 Einheitsstaat, erhielt I. nach dem Ersten Weltkrieg u.a. Istrien, Trient, Triest, → Südtirol und griech. Gebiete. 1931 umfaßte das Königreich 310000 km^2 und hatte 41,2 Mio. Einwohner. Der Unmut über die als gering empfundene Beute aus dem Ersten Weltkrieg und innenpolitische Krisen stärkten die von Benito Mussolini geführte Bewegung der Faschisten (→ Faschismus). Nach dem »Marsch auf Rom« (28.10.1922) wurde Mussolini am 29.10.1922 von König Viktor Emanuel III. zum Ministerpräsidenten berufen. Mit Hilfe von Sondergesetzen gelang es Mussolini, in I. eine Diktatur zu errichten, ohne jedoch die Monarchie zu beseitigen und die Kirche zu entmachten (Lateranverträge, 11.2.1929). Nach den Wahlen von 1929 trat unter Führung des »Duce« ein rein faschistisches Parlament zusammen. Durch den Überfall auf Abessinien (3.10.1935) und dessen vollständige Eroberung im Juli 1936 sowie die Besetzung → Albaniens (12.4.1939) machte Mussolini seinen Expansionsdrang deutlich. Die Annäherung an Deutschland führte am 25.10.1936 zum dt.-ital. Vertrag (→ Achse Berlin-Rom); beide Länder intervenierten im → Span. Bürgerkrieg auf der Seite Francos I. trat dem → Antikominternpakt bei (5.11.1937), Mussolini vermittelte beim → Münchner Abkommen und schloß mit Deutschland am 22.5.1939 ein Militärbündnis, den sog. → Stahlpakt. Um Hitler entgegenzukommen, verabschiedete I. am 17.11.1938 antisemitische Rassengesetze. Am 10.6.1940 trat I. an der Seite Deutschlands in den Krieg ein. Zunehmende wirtschaftliche Not und große Kriegsverluste führten am 25.7.1943 zum Zusammenbruch des faschistischen Systems, Mussolini wurde auf Anordnung des Königs verhaftet und die Regierung Marschall Pietro Badoglio übertragen. Seit dem Waffenstillstand mit den Alliierten am 8. September 1943 zerfiel I. in zwei Teile: im Süden das Königreich (Regno del Sul) unter der Militärregierung Badoglio auf seiten der Alliierten; in Mittel- und Norditalien die am 15.9.1943 (Regierung amtierte ab 23.9.1943) von Mussolini ins Leben gerufene faschistische Republik von Salò am Gardasee (Repubblica Sociale Italiana), zwar mit dem am 12.9. von den Deutschen befreiten Mussolini als Regierungschef, aber unter dt. Befehlsgewalt als »besetzter Verbündeter«. Am 28.4.1945 kapitulierten die dt. Truppen, und Mussolini wurde zusammen mit seiner Geliebten Clara Petacci von Partisanen erschossen. *Juliane Wetzel*

Literatur:
Petersen, Jens: *Hitler-Mussolini. Die Entstehung der Achse Berlin-Rom 1933–1936*, Tübingen 1973.
Deakin, Frederick W.: *Die brutale Freundschaft. Hitler, Mussolini und der Untergang des italienischen Faschismus,* Köln/Berlin 1964.
Klinkhammer, Lutz: *Zwischen Bündnis und Besatzung. Das nationalsozialistische Deutschland und die Republik von Salò 1943–1945*, Tübingen 1993.

Italienfeldzug Nachdem am 13.5.1943 die geschlagenen dt. und ital. Streitkräfte in Nordafrika (Tunis) kapituliert hatten (→ Afrikafeldzug), entschlossen sich die westlichen Alliierten zu einem noch vor der → Invasion in Frankreich zu führenden Stoß in den »weichen Unterleib« (Churchill) der → Achse Deutschland-Italien. Damit sollten, zur Erleichterung der als entscheidend angesehenen Invasion Frankreichs und zur möglichst frühzeitigen Entlastung der sowj. Front, dt. Streitkräfte gebunden und verbraucht werden. Dieses Ziel wurde erreicht, zumal auch der ebenfalls erwünschte Abfall → Italiens von Deutschland erzwungen werden konnte und die Verteidigung der Südfront nahezu allein zur Sache der dt. Wehrmacht wurde.

Am 10.7.1943 landeten brit. und US-Truppen auf Sizilien, das sie bis zum 17.8. in ihren Besitz brachten. Schon dieser Erfolg bewirkte den Umsturz in Italien, in dessen Verlauf der »Duce« des faschistischen Italien, Benito Mussolini, am 25.7. gestürzt und festgenommen wurde (am 12.9. von dt. Fallschirmjägern auf dem Gran Sasso befreit). Die neue Regierung unter Marschall Pietro Badoglio trat in der Tat sogleich in geheime Verhandlungen mit den Alliierten ein und unterzeichnete in Cassibile auf Sizilien am 3.9. die am 8.9. verkündete Kapitulation, die unmittelbar in den Frontwechsel Italiens mündete. Die darauf vorbereiteten dt. Verbände in Italien, Südfrankreich, Kroatien und Griechenland entwaffneten die ital. Einheiten, wobei sich der Zorn auf den schon bislang wenig geschätzten und nun auch noch des »Verrats« geziehenen Verbündeten in vielfältigen Mißhandlungen ital. Offiziere und Mannschaften (bis hin zu zahlreichen Erschießungen und Massenmorden) entlud.

Am 3. und 8.9.1943 gingen brit. Truppen in Kalabrien an Land, US-Einheiten folgten einen Tag später bei Salerno. Jedoch vermochten die dt. Streitkräfte bis zum November 1943 wieder eine zusammenhängende Front aufzubauen, die von der Mündung des Garigliano am Tyrrhenischen Meer bis zur Sangro-Mündung an der Adria reichte (»Gustav-Stellung«). Die alliierten Streitkräfte (Amerikaner, Briten, Franzosen, Polen, Brasilianer, Italiener und auch eine jüdische Brigade) konnten danach die dt. Verteidiger in schweren und blutigen Kämpfen (so um den

Monte Cassino, wo das berühmte Benediktinerkloster durch alliierte Artillerie und Bomber zerstört wurde) nur Schritt für Schritt nach Norden drängen, obwohl es gelang, durch Anlandungen von See her Brückenköpfe hinter der dt. Front zu schaffen (21./22.1.1944 bei Anzio und Nettuno). Erst am 18.5.1944 nahmen die Alliierten den Monte Cassino, und erst am 4.6. zogen sie in Rom ein. Auf die »Grüne Linie« zurückgedrückt, die südöstl. von La Spezia am Ligurischen Meer bis Rimini an der Adria verlief, behaupteten sich die dt. Truppen, vom Gelände, von schwierigen Bodenverhältnissen und von einem strengen Winter begünstigt, bis Anfang April 1945. Schließlich aber von einer alliierten Generaloffensive auf der ganzen Front geschlagen, schlossen sie unter der Führung von Generaloberst Heinrich v. Vietinghoff am 29. 4. selbständig eine am 2.5.1945 bekanntgegebene Kapitulation ab (in geheimen Verhandlungen vorbereitet vom höchsten SS- und Polizeiführer Italiens, SS-Obergruppenführer Karl Wolff). *Juliane Wetzel*

J

Jägerstab s. Ringeltaube (Unternehmen)

Jalta, Konferenz von Vom 4.–11.2.1945 tagten in der sowj. Stadt auf der Halbinsel Krim in Anwesenheit ihrer Außenminister die Regierungschefs von Großbritannien, der UdSSR und der USA. Der bevorstehende Sieg über Deutschland verlangte Entscheidungen über eine globale Neuordnung, die Churchill, Stalin und Roosevelt nach kontroversen Diskussionen ins Auge faßten. Sie einigten sich auf eine wirksamere Koordination für die Schlußphase des Krieges, die Aufteilung Deutschlands in Besatzungszonen, die Entmilitarisierung und Entnazifizierung des Landes, die Erhebung von Reparationen, die Westverschiebung Polens, die Anerkennung des Lubliner Komitees als provisorische poln. Regierung, die Errichtung einer demokratischen Ordnung in Ost- und Südosteuropa sowie auf die Einberufung einer Konferenz mit dem Ziel, die → Vereinten Nationen zu gründen. Stalin erklärte sich zum Eintritt in den Krieg gegen Japan bereit, allerdings erst nach der dt. → Kapitulation (→ Potsdamer Konferenz). *Michael Fröhlich*

Japan (amtl. Nihonkoku) Aus ca. 5000 Inseln bestehender Archipel in Ostasien mit 377 535 km² und (1935) 69 254 150 Einwohnern, einschließlich der bis 1945 jap. Kolonialherrschaft unterstellten Gebiete von Korea, Taiwan, den Pescadoren, Südsachalin und Kwantung 681 280 km² und (1935) 99 354 300 Einwohner. Konstitutionelle Monarchie mit dem Tennô als Staatsoberhaupt, der seit 1889 amtlich auch den Titel »Emperor« führt.

Das am 2.10.1930 von Tennô Hirohito (Regierungszeit 1926–1989, posthumer Name Shôwa Tennô) ratifizierte Londoner Flottenrüstungsabkommen vom selben Jahr verschärfte den seit den 20er Jahren schwelenden innenpolitischen Streit um Zielsetzungen der Außen- und Militärpolitik. In der Kaiserlichen Marine setzte sich der Generalstab mit seiner Forderung durch, die Stärke der Marinestreitkräfte eigenständig, d.h. ohne Rücksicht auf die Außenpolitik der Regierung, festsetzen zu können. Im Gegenzug forderte dann die Führung der Kaiserlichen Armee die vorrangige Erhöhung ihres

Haushalts zur Durchsetzung eines Aufrüstungsprogramms für die Landstreitkräfte. Aus der Gegensätzlichkeit dieser Forderungen entstand ein Strategiestreit, der die Außen- und Militärpolitik J. bis 1940, auch gegenüber Deutschland, bestimmte. Zwischen 1931 und 1940 war die Strategie der Armee maßgebend, die innenpolitisch auf Veränderung der Grundlagen der sozialen Ordnung (z.B. Aufbau von Massenorganisationen nach nat.soz. Vorbild) und Neuordnung des politischen Systems (Errichtung eines als »Kokutai« bezeichneten autoritären Staatswesens) unter einer Militärdiktatur, außenpolitisch auf den Angriff auf den Kontinent, besonders China, und auf Krieg gegen die → UdSSR gerichtet war. Doch trotz des von der Armee am 18.9.1931 selbst inszenierten Zwischenfalls an der Südmandschurischen Eisenbahn in Mukden und der darauf folgenden Intervention J. in der Mandschurei verhinderten die im Parlament vertretenen politischen Parteien sowie andere Angehörige der konservativen Eliten bis 1937 weitgehend die Ausführung des Armeeprogramms.

Nach dem niedergeschlagenen, als »Shôwa-Restauration« bezeichneten Putsch radikaler jüngerer Armeeoffiziere vom 26.2.1936 wuchs jedoch unter Armee-Minister Hisaichi Terauchi der politische Druck der Armeeführung auf die Regierung, und Außenminister Hachirô Arita befürwortete mit Oberst Hiroshi Ôshima den Abschluß eines förmlichen Bündnisses mit der dt. Regierung. Doch die Marine erhob Einspruch und verwässerte den Plan zu einer allgemein gehaltenen, als → Antikominternpakt bezeichneten Verabredung gemeinsamer »Abwehrmaßnahmen« gegen die UdSSR, die am 25.11.1936 gegen den Widerstand von Reichsaußenminister v. Neurath, der sich gegen seinen späteren Nachfolger Ribbentrop nicht durch setzen konnte, unterzeichnet wurde (Ausdehnung auf Italien 1937 sowie Ungarn und »Mandschukuo« 1939). Nach einem Zwischenfall an der Marco-Polo-Brücke außerhalb von Beijing, wo es am 7.7.1937 zu einer Schießerei zwischen chin. und jap. Truppen kam, geriet die Armee jedoch stärker in den Sog des von ihr gewollten Kriegs gegen Chiang Kai-shek um die Vorherrschaft in China. Infolge-dessen wurden die innenpolitischen Reformvorhaben sowie der Krieg gegen die UdSSR trotz wiederholter Grenzzwischenfälle 1938/39 verschoben.

Nach Bekanntwerden des → Dt.-sowj. Nichtangriffspaktes vom 23.8.1939 wurde auch in der jap. Armee der Abschluß eines Nichtangriffspaktes mit der UdSSR erwogen. Nachdem die Regierung mit Deutschland und Italien am 27.9.1940 den von der dt. Regierung gewollten, aber vom Auswärtigen Amt für eine »Fassade« gehaltenen → Dreimächtepakt geschlossen hatte, setzte sich Außenminister Yôsuke Matsuoka mit seinem Plan einer jap.-russ. Kooperation durch und schloß am 13.4.1941 einen Neutralitätspakt mit der UdSSR, um der außenpolitischen Isolierung J. entgegenzuwirken. Bedingt durch die Fortdauer des Krieges in China und durch den dt. Angriff auf die Sowjetunion (Unternehmen → Barbarossa; → Ostfeldzug) hatte aber seit Sommer 1941 angesichts amerik. Flottenrüstungen die stets in der Marine vertretene Ansicht die Oberhand gewonnen, daß die Ausdehnung der Interessensphäre J. in den Südpazifik und den Indischen Ozean Vorrang erhalten müsse.

Nach dem Abbruch jap.-amerik. Ausgleichsverhandlungen erfolgte am 7./8.12.1941 der jap. Angriff auf den US-Flottenstützpunkt Pearl Harbor auf der hawaiischen Insel Oahu, der – unter taktischer Ausnutzung von

Geländeformationen – die dort stationierten Teile der US-Pazifikflotte zerstörte oder schwer beschädigte. Danach kam es zu einem raschen Vorstoß jap. Verbände in den Südpazifik und den Indischen Ozean. Am 15.2.1942 fiel der unzureichend geschützte brit. Stützpunkt Singapur, und jap. Einheiten drangen bis nach Neuguinea im Süden und zu den Gilbert-Inseln im Südosten sowie nach Burma im Südwesten vor.

Die neueroberten Gebiete wurden der Kontrolle des 1942 neugeschaffenen Großostasiatischen Ministeriums auch zur wirtschaftlichen Ausbeutung unterstellt. Doch bereits nach der für J. verlustreichen See- und Luftschlacht bei den Midway-Inseln (4.–7.6.1942) gingen die USA in die Offensive. Erst jetzt erklärte sich die jap. Armeeführung bereit, Truppen aus China in die neueroberten Gebiete zu verlegen. Armee und Marine versuchten die schwierige militärische Lage zu beschönigen und ignorierten seit 1943 Vorschläge einer Arbeitsgruppe um den neuen Außenminister Mamoru Shigemitsu und von konservativen Angehörigen des Hofadels sowie des diplomatischen Diensts, darunter Shigeru Yoshida, zur raschen Beendigung des Krieges in China durch Rückzug J. und zum Abschluß eines Friedensvertrags mit den Westmächten auf der Basis der → Atlantik-Charta von 1941; den Gebieten in Ozeanien und Südostasien, die vor dem jap. Angriff amerik., brit., frz. und niederl. Kolonialherrschaft unterworfen gewesen waren, sollte dabei die Unabhängigkeit gewährt werden. Armee und Marine konnten dann aber 1944/45 ebensowenig das Zurückweichen der jap. Fronten verhindern wie den Abwurf amerik. Brandbomben auf J., besonders im März 1945 auf Tokio, und die Abwürfe der Atombomben auf Hiroshima am 6.8. und auf Nagasaki am 9.8.1945. Der zeitgleiche Zusammenbruch der jap. Streitkräfte in China und der am 8.8.1945 erfolgte Kriegseintritt der UdSSR führten auf Weisung des Tenno zur Annahme der Potsdamer Erklärung der Alliierten durch die Regierung am 14.8.1945 und zur Kapitulation am 2.9.1945 (→ Potsdamer Konferenz; → Weltkrieg 1939–1945).

Die jap. und die dt. Strategie waren vor und während des Krieges nur oberflächlich koordiniert. Zu einem förmlichen dt.-ital.-jap. Militärbündnis kam es erst 1942. Auf Genozid gerichtete ideologische Kriegsziele wie z.B. die Ermordung der → Juden (→ Endlösung; → Rassenpolitik und Völkermord) wurden in J. weder vertreten noch unmittelbar unterstützt. Der in Deutschland gängige Begriff des »Weltkrieges« war zumal der jap. Armeeführung fremd, welche die Kriegshandlungen als Elemente des »Großen Ostasiatischen Krieges« (so die seit 12.12.1941 regierungsamtliche Bezeichnung) auffaßte und daher keine Notwendigkeit zu strategischer Kooperation mit Deutschland sah, was zu dt.-jap. Meinungsverschiedenheiten führte, insbesondere seit Ende 1942 über die Frage eines jap. Angriffs auf die UdSSR zur Entlastung der dt. Ostfront. Die jap. Seite lehnte dies mit Hinweisen auf den Vorrang des pazifischen Krieges und auf den jap.-russ. Nichtangriffspakt ab. Seitdem glaubte die jap. Armeeführung nicht mehr an einen dt. Sieg über die UdSSR.

Während des Nat.soz. herrschten in Deutschland zunächst Einstellungen gegenüber J. vor, die sich kaum von denen der Weimarer Republik unterschieden. Die Ähnlichkeiten betrafen wesentliche Bereiche von Wirtschaft, Politik und Kultur. In der Wirtschaft galt J. als Produzent von industrieller Billigware, insbesondere Textilien. Das dt.-jap. Handelsvolumen war gering und umfaßte 1936 mit 109 Mio. RM nur knapp 10% des jap.-amerik. Handelsvolumens; zudem wurde sein Wachstum gegenüber dem Chinahandel skeptisch beurteilt. Eine Änderung trat erst 1936 ein. Man hoffte seit 1938 auf jap. Vermittlung beim Zugriff auf Rohstoffe aus China. 1939 wurde der Handelsvertrag von 1927 erneuert. Seit 1941 wurde die Zusammenarbeit in der chemischen Industrie intensiviert, wobei die Gewinnung synthetischer Rohstoffe Vorrang besaß. Zu Ansätzen einer Koordinierung der Wirtschaftspolitik kam es erst durch den Dt.-jap. Wirtschaftsvertrag von 1943, der aber auf die Zeit nach Kriegsende abzielte. Ebenso wich das NS-Regime zunächst von der J.politik der Weimarer Republik nicht grundsätzlich ab, die sich im jap.-chin. Krieg auf die Seite Chinas gestellt hatte. Nach dem Austritt J. aus dem → Völkerbund am 27.3.1933 sollte die Annäherung an J. »unsichtbar«, d.h. ohne Beeinträchtigung der Beziehungen zu China, vollzogen werden. Bis 1936 verbesserten sich die Beziehungen nur zögerlich. Auf jap. Seite agierte der seit 1934 in Berlin stationierte Militärattaché und nachmalige Botschafter Hiroshi Ôshima, auf dt. Seite die 1928 neu konstituierte Dt.-Jap. Gesellschaft (DJG).

Im Oktober 1933 gleichgeschaltet, über die Vereinigung der Zwischenstaatlichen Verbände dem Reichsministerium für Volksaufklärung und Propaganda unterstellt und durch ihren 1933 neugewählten Präsidenten Admiral Paul Behncke (gest. 1937) sowie dessen Nachfolger, Admiral z.b.V. Richard Foerster, mit der Marine verbunden, entwickelte sich die DJG zur Zentralstelle für die Koordinierung der dt.-jap. Beziehungen. Seit dem Antikominternpakt konnte die koordinierte Propagandaarbeit der DJG, ihrer zuletzt 15 Zweigstellen, des Ostasiatischen Vereins Hamburg-Bremen, des Verbands für den Fernen Osten, des Japan-Ausschusses der Dt. Industrie, des Dt. Auslandswissenschaftlichen Instituts Berlin, der Dt. Gesellschaft für Ostasiatische Kunst, der Dt. Gesellschaft für Natur- und Völkerkunde Ostasiens, des Dt. Auslandsinstituts Stuttgart sowie der Dt. Akademie München Wirkung zeigen, die im Dreimächtepakt politisch manifest wurde. Die kulturellen Beziehungen zu J. standen stets unter dem Einfluß der nat.soz. Rassenlehre und Rassengesetzgebung (→ Rassenkunde; → Nürnberger Gesetze). In → *Mein Kampf* hatte sich Hitler auf die ihn selbst kompromittierende Bemerkung festgelegt, die Japaner seien keine »kulturschöpferische«, sondern lediglich eine »kulturtragende Rasse«. Er radikalisierte damit das vor und während des Nat.soz. gängige Klischee von J. als »Nachahmervolk«. Hitlers negative Einstellung stand der von der Marine befürworteten aktiven auswärtigen Kulturpolitik entgegen.

Ab 1936 aber wurden Partei und Regierung zugänglicher. 1938 kam es zum Dt.-Jap. Kulturabkommen, zur Bildung einer Arbeitsgemeinschaft des jap. Studentenvereins mit der Reichsstudentenführung, zu einem Austauschprogramm für Hochschuldozenten, von dem auf dt. Seite die Philosophen Karl Löwith und Eduard Spranger, auf jap. Seite der Buddhologe Junyu Kitayama profitierten. 1938 wurde ein dt.-jap. Ärzteabkommen unterzeichnet, das von der 1936 gegründeten Jap.-Dt. Medizinischen Gesellschaft angeregt worden war. 1939 wurde in Berlin eine große Ausstellung altjap. Kunst veranstaltet. 1940 bildete sich ein Dt.-Jap. Kulturausschuß. Demgegenüber entfaltete die J.forschung in Deutschland in ihren wenigen Einrichtungen, dem Japaninstitut in Berlin sowie den Universitäten Berlin, Hamburg und Leipzig, nur geringe Öffentlichkeitswirkung. *Harald Kleinschmidt*

Literatur:
Barnhart, Michael A.: *Japan and the World since 1868*, London 1995. *Cambridge History of Japan*, Bd. 6, Cambridge 1988.
Giffard, Sydney: *Japan among the Powers. 1890–1990*, New Haven/London 1994.
Kleinschmidt, Harald: *Württemberg und Japan. Landesgeschichtliche Aspekte der deutsch-japanischen Beziehungen*, Stuttgart 1991.
Krebs, Gerhard: *Japans Deutschlandpolitik 1935–1941*, Hamburg 1984.

Jasenovac (KZ) Das größte → Konzentrationslager im »Unabhängigen Staat → Kroatien« wurde im August 1941 eingerichtet. Es lag an der Mündung der Una in die Sava, in der Nähe der Eisenbahnlinie Zagreb-Belgrad. J. bestand aus mehreren Einzellagern: Krapja, Ciglana, Stara Gradiska (Frauenlager), Kozara und Bracica. Für die Einrichtung, Kontrolle und Verwaltung der → Ustascha-Todeslager war die III. Abteilung der Ustascha-Aufsichtsbehörde (Ustaška Nadzorna Sluzba) zuständig. Vier Jahre lang wurde in J. systematisch gemordet. Die Ustascha tötete dort Serben, Juden, Zigeuner und alle anderen, die als Hindernis für das faschistische Regime betrachtet wurden. Wenige Tage, bevor das Lager von den jugosl. → Partisanen befreit wurde (2.5.1945), ermordete die Ustascha-Wachmannschaft fast alle Häftlinge. Die Anzahl der getöteten Opfer konnte nie genau festgestellt werden, zumal die Ustascha am Ende des Krieges sämtliche Beweismaterialien und Dokumente vernichtete. Die Schätzungen schwanken zwischen 40 000 (von einigen kroat. Autoren) und 800 000 (nach Ansicht einiger serb. Autoren). Die Schätzungen des Croatian Land Committee for Establishing the Volume of War Crimes Anfang der 60er Jahre beliefen sich auf 500 000–600 000 Opfer. Untersuchungen von Massengräbern in einem Areal von 57 000 m^2 ergaben mehr als 360 000 Tote. Die Zahl der jüdischen Opfer in J. liegt zwischen 20 000–25 000 (→ Jugoslawien; → Serbien; → Balkanfeldzug). *Milan Ristović*

Jud Süß Unter der Regie von Veit Harlan, in Anlehnung an Wilhelm Hauffs Novelle *Jud Süß* (1827), wurde der Film *J.* 1940 gedreht und am 5. 9.1940 in Venedig uraufgeführt. Hauptrollen: Ferdinand Marian, Heinrich George, Werner Krauß, Kristina Söderbaum. Harlan setzte zudem 120 Juden aus dem → Ghetto Lublin in verschiedenen Filmsequenzen ein. Angelegt als authentischer Historienfilm, der angeblich auf Akten des Württembergischen Staatsarchivs basiert, wurde der Verlauf der Geschichte manipuliert. Der Protagonist, Joseph Süß-Oppenheimer, ist zwar eine historische Figur, seine Lebensgeschichte erfährt aber in J. entsprechend der rassistischen Propaganda-Absichten der Nat.soz. eine völlige Verkehrung. Oppenheimer wird als Prototyp des kriminellen, amoralischen Juden dargestellt, der mit durchtriebenen Finanztricks das Herzogtum ruiniert und Christenmädchen verführt (→ Rassenschande). Die mit dem Film beabsichtigte Unterstützung der antisemitischen Maßnahmen des Regimes gelang; im Anschluß an die Filmvorführungen kam es häufig zu Ausschreitungen gegen Juden. Nach dem Krieg wurde J. als »Verbrechen gegen die Menschlichkeit« eingestuft (→ Antisemitismus). *Juliane Wetzel*

Juden 1933 lebten in Deutschland knapp 500 000 J., auch als »Israeliten«, »Hebräer« oder Anhänger des »mosaischen Glaubens« bezeichnet (etwa »Israelitische Kultusgemeinde«), die sich religiös zum Judentum bekannten. Nach der Definition der → Nürnberger

Gesetze machten J. 0,76% der Bevölkerung des Dt. Reiches aus (ohne das Saargebiet mit 4638 Juden = 0,56%), davon 80,2% dt. und 19,8% andere Staatsangehörige. Sie bildeten keine uniforme, sondern eine stark ausdifferenzierte Minderheit ohne scharfe Außenabgrenzung. Religiös waren Liberale, Konservative (innerhalb der Einheitsgemeinden) und die Neo-Orthodoxen zu unterscheiden. Hinzu kam eine Vielzahl religiös ungebundener Personen. Politisch überwogen Voten für DDP/DStP, → SPD, → Zentrum und → DVP, mit regional unterschiedlichen Schwerpunkten entsprechend den allgemeinen Trends bis hin zu Minderheitenorientierungen an → KPD und → DNVP. Pluralität spiegelten v.a. die Verbände: Im religiös/politisch neutralen → Centralverein dt. Staatsbürger jüdischen Glaubens (C.V.) waren 20% der dt. J. organisiert. Die → Zionistische Vereinigung für Deutschland zählte um 1930 ca. 20000 Mitglieder, der Jüdische Frauenbund 50000. Als Reaktion auf Vorbehalte gegen J. waren mit je eigenem Profil die jüdischen Logen (B'nai Brith) oder studentische Kartelle entstanden; hervorzuheben ist der national orientierte → Reichsbund jüdischer Frontsoldaten mit ca. 35000 Mitgliedern und eigenen Sportvereinen (auch in Konkurrenz zum zionistischen Dt. Makkabikreis).

Die überwiegend großstädtische Orientierung der J. war Ergebnis komplexer historischer Prozesse, die J. zur Etablierung in expansionsfähigen und urbanen Bereichen anhielten.

Nach nat.soz. Diktion waren »J.« eine rassische Einheit und eine international agierende Macht (→ Antisemitismus; → Ideologie). Die Realität und die Reaktionsmöglichkeiten standen dieser Kategorisierung diametral entgegen: Die dt. J. verfügten gemäß ihrer diversen Orientierungen erst seit 1928 über eine lockere Gesamtvertretung, aus der die spätere → Reichsvertretung der dt. Juden hervorging (RVJD, Sept. 1933). Angesichts der dramatisch gewandelten Bedingungen wirkte sie für Koordination von Erziehung, Wohlfahrt, organisatorischen Strukturen und Auswanderung (bis 1935 über den eigenständigen Zentralausschuß der dt. J. für Hilfe und Aufbau unter Einschluß von Gemeindevertretungen und Verbänden). Daneben entstand in Berlin und auch in anderen Städten und Landesverbänden der → Jüdische Kulturbund, zuerst als Auffangnetz für entlassene jüdische Künstler, dann als einzige den J. verbleibende kulturell-gesellschaftliche Nische (Musik, Theater, Fortbildung). Gleichsam als Spiegelbild des nat.soz. Konzepts vom »J.« entstand damit eine nach außen einheitlich geformte jüdische Gesellschaft, die im Inneren aber alle gegensätzlichen Orientierungen auffangen mußte. Bis 1938 konnte sich noch die Hoffnung auf ein Weiterleben innerhalb dieses engen Rahmens halten, dann ließ das Regime alle Zurückhaltung fallen. J., die mit poln. Paß in Deutschland lebten (17000), wurden Ende Oktober 1938 unter fürchterlichen Umständen abgeschoben. Das Pogromjahr 1938 (→ »Reichskristallnacht«) samt der folgenden Verhaftungswelle markierte den definitiven Schritt zur Aufkündigung der legalen Existenz dt. J., entsprechend der Absicht Hitlers und Görings, die »Judenfrage« jetzt »so oder so zur Erledigung« zu bringen (Interministerielle Konferenz vom 12.11.1938; → Endlösung). Mit Wirkung vom 1.1.1939 an mußten J. die Zwangsvornamen »Israel« bzw. »Sara« führen. Auch die systematische Zerstörung der wirtschaftlichen Existenz erreichte ihren Höhepunkt (Verordnung vom 12.11.1938; → Arisierung); dazu kamen die »Sühneleistung« für die Schäden des Novemberpogroms und eine »Vermögensabgabe« (20–25 %), meist zeitgleich zum Verlust existenzsichernder Einkünfte. Nur noch wenige Ärzte und Anwälte durften – ausschließlich für J. – tätig sein. Das Gesetz über die Mietverhältnisse der J. leitete die Konzentration in bestimmten Wohnvierteln ein und war ein Schritt zur späteren → Deportation (→ Judenhäuser). Seit Kriegsbeginn waren von J. sukzessive Photoapparate, Radios, Fahrräder etc. abzuliefern, Telephonanschlüsse wurden im Sommer 1940 gekündigt, seit Dezember 1941 war ihnen auch die Nutzung öffentlicher Fernsprecher untersagt. Seit September 1941 mußten sie den → Judenstern tragen. Die Perfidie der nat.soz. Politik bestand darin, nach der Ausgrenzung der J. in eine abgeschlossene jüdische Nebengesellschaft deren Bewegungsrahmen schrittweise weiter einzuengen und die Reichsvertretung selbst zum Instrument der Entrechtungs-, Vertreibungs- und Vernichtungspolitik zu machen, etwa zur Einziehung von Zwangsabgaben oder zur Lebensmittelzuteilung, schließlich zur Erfassung der verbliebenen J. zur Deportation. 1939 wurde die Reichsvertretung der dt. J. in »Reichsvereinigung der J. in Deutschland« (RVJD) umbenannt (aus »dt. J.« wurden »J. in Deutschland«) und unter Aufsicht von → SD und → Gestapo zur Zwangsvertretung aller J. im Sinne der → Nürnberger Gesetze, d. h. auch für Angehörige anderer Konfessionen (→ Judenchristen) oder Konfessionslose, zuständig, zuletzt nur noch für die Auswanderung (bis zum Verbot im Oktober 1941), für Schulen (bis Juli 1942) und für die Vermittlung von → Zwangsarbeitern bis zu deren Deportation (→ Fabrikaktion, 27.2.1943). Der Kulturbund wurde am 11.9.1941 verboten. Mit der Deportation der letzten Mitarbeiter erlosch die RVJD – und damit auch förmlich die Berliner Gemeinde (zuletzt Jüdische Kultusvereinigung zu Berlin) – am 10.6.1943. Lediglich zwei Einrichtungen blieben bestehen: Der Friedhof Weißensee und das Jüdische Krankenhaus (Iranische Straße), jetzt gleichermaßen Hospital und Gefängnis (von dort erfolgte am 27.3.1945 die letzte Deportation Berliner J.), in dem allen Umständen zum Trotz über das Kriegsende hinaus Kranke versorgt wurden und illegal Gottesdienste stattfanden.

Die Machtübernahme der Nat.soz. hatte die Mehrheit der dt. J. in einer ohnehin krisenhaften Zeit getroffen. Bereits 1930 war jeder achte J. in Berlin Hilfeempfänger. 1935, nach Ausschluß der J. von öffentlichen Unterstützungen, verschlangen Zuwendungen ein Drittel des Berliner Gemeindeetats. Emigration, Ausweisung von J. ohne dt. Paß und krisenbedingter »Sterbeüberschuß« hatten die Zahl der J. in Deutschland bis 1939 um mehr als die Hälfte reduziert. Fast ein Viertel war auf Unterstützung angewiesen; nur jeder sechste verfügte noch über einen Erwerb. Das Entgelt für Zwangsarbeit ohne Rechtsschutz unter Extrembedingungen reichte nicht zum Lebensunterhalt.

Im Herbst 1941 lebten noch ca. 164 000 Juden in Deutschland, 73 000 davon in Berlin. Sie wurden fast alle zwischen Februar 1940 (Stettin) und Juni 1943 in die → Ghettos, Arbeits- und → Vernichtungslager im Osten deportiert (→ Rassenpolitik und Völkermord). Im September 1944 war die Zahl der J. im Reich auf 14574 gesunken. Insgesamt fielen bis 1945 etwa 165 000 dt. J. dem nat.soz. Rassenwahn zum Opfer. Nur wenigen gelang das Überleben in Lagern oder das Ausharren in der Illegalität (ca. 15 000); ins unbesetzte Ausland flüchteten zwischen 1933 und dem Auswanderungsverbot im Oktober 1941 ca. 275 000 J. und von Oktober 1941 bis Mai 1945 noch einmal etwa 85 000. Einige wenige J. konnten der Verfolgung dank ihrer Herkunft oder einem Leben in »privilegierter → Mischehe« oder als → »Mischling 1. oder 2. Grades« entgehen.

Die Ausgrenzungs- und Vernichtungspolitik wurde 1938 in Österreich und in der Tschechoslowakei sowie seit Kriegsbeginn in den besetzten Staaten Europas nicht nur entsprechend dem jeweiligen Stand in Deutschland übernommen. Neue Verschärfungen wurden andernorts zuerst (so sofort in Österreich) vorgenommen und dann auch im Reich umgesetzt. Insgesamt wurden in Europa mindestens 5,29 Mio., wahrscheinlich aber knapp über 6 Mio. J. Opfer der Vernichtung (siehe dazu die jeweiligen Länderartikel). *Johannes Heil*

Literatur:

Die Juden im nationalsozialistischen Deutschland. The Jews in Nazi Germany 1933–1945, hg. von Arnold Paucker mit Sylvia Gilchrist und Barbara Suchy, Tübingen 1986.

Die Juden in Deutschland 1933–1945. Leben unter nationalsozialistischer Herrschaft, unter Mitarbeit von Volker Dahm, Konrad Kwiet, Günther Plum, Clemens Vollnhals, Juliane Wetzel hg. von Wolfgang Benz, München 1988.

Dimension des Völkermords. Die Zahl der jüdischen Opfer des Nationalsozialismus, hg. von Wolfgang Benz, München 1991.

Richarz, Monika (Hg.): *Jüdisches Leben in Deutschland.* Bd. 3: *Selbstzeugnisse zur Sozialgeschichte 1918–1945*, Stuttgart 1982.

Judenboykott s. Boykott 1. April 1933

Judenchristen Im weiteren Sinne ursprünglich die christlichen Gruppen der frühen Kirche, deren Glieder geborene Juden waren und die bewußt auf dem Boden des Judentums standen → im Gegensatz zu den Heidenchristen. Mit dem Untergang des altkirchlichen J.tums verwendete man den Begriff J. für konvertierte Juden (heute: Christen jüdischer Herkunft). Seit 1822 entstanden in Deutschland verschiedene christliche Gesellschaften, die sich im missionarischen Sinne um eine Bekehrung der Juden bemühten. Nach anfänglicher Duldung durch den Nat.soz. wurde die Judenmission 1935 als nicht mehr mit den »Absichten der Reichsregierung vereinbar« angesehen und verboten. Das Gefühl, in den christlichen Gemeinden nur geduldet zu sein, verstärkte sich für die J. seit 1933. Hilfsmaßnahmen wurden in der katholischen Kirche durch den Raphaelsverein, in den evangelischen Kirchen durch das Büro Heinrich Grüber (seit 1938) sowie durch den → Paulusbund wahrgenommen. Obwohl für die NS-Rassentheoretiker die Konfession unerheblich war, wurden viele J. durch die → Mischehen vor der → Deportation bewahrt. *Sigrid Lekebusch*

Judenhäuser Häuser jüdischer Besitzer, in die ab 1939 jüdische Mieter zwangseingewiesen wurden. Im Zuge der → Arisierung jüdischen Besitzes erging am 30.4.39 das Gesetz über die Mietverhältnisse mit → Juden (Juden in → Mischehe ausgenommen). Unter Aufhebung des Mieterschutzes wurden die alten Mietverhältnisse von Juden sukzessive aufgelöst (zuerst jene in »arischen« Häusern). Die Auswahl der Häuser und die zwangsweise Umquartierung der Betroffenen erfolgten durch die Wohnungsämter, ab 1941 durch die jüdischen Gemeinden. In den J. noch ansässige »Arier« bekamen Ersatzwohnungen. Ab 1941 durften Juden nur noch in J. wohnen, die Belegungsdichte innerhalb der J. wurde willkürlich gesteigert. Die Segregation der Juden durch Zusammenfassung in J. (ohne → Ghettobildung) diente auch der schärferen Überwachung durch die → Gestapo. Die J. stellten die erste Station auf dem Weg zur → Deportation und Ermordung der jüdischen Bürger dar. *Heiko Pollmeier*

Judenräte In den von Deutschland besetzten Gebieten und v.a. in den jüdischen → Ghettos im Osten wurden auf Anweisung dt. Behörden Vertretungen gebildet, die oftmals identisch waren mit der Gemeindevertretung der Vorkriegszeit. Die J. (zwischen 12 und 24 Mitgliedern) waren sowohl für die interne Verwaltung der Gemeinden und Ghettos verantwortlich (z.B. Verteilung von Wohnraum und Nahrungsmitteln, Alten- und Krankenpflege etc.) als auch für die Durchführung der Anweisungen der dt. Behörden. So wurden die J. u.a. auch zur Vorbereitung von → Deportationen und zu deren Abwicklung herangezogen. *Marion Neiss*

Judenreservat s. Madagaskarplan, s. Nisko

Judenstern Am 20.8.1941 – als die Entscheidung über den Judenmord gefallen war (→ Endlösung; → Rassenpolitik und Völkermord) – gab Hitler die Zustimmung zur Einführung des J. im Gebiet des Dt. Reiches und Reichspropagandaminister Goebbels freie Hand, das Modell zu entwerfen. Der handtellergroße, sechszackige gelbe Stern war schwarz umrandet und trug in schwarzen, die hebräische Schrift parodierenden Buchstaben die Aufschrift »Jude«. Schon zuvor hatten Nat.soz. wiederholt auf die äußere Kennzeichnung der → Juden gedrängt, eine historische Form der Diskriminierung, die sich weit in die Geschichte der Judenfeindschaft zurückverfolgen läßt. »Juden-Experten« im → Reichsministerium des Innern und → Reichssicherheits-Hauptamt einigten sich schnell auf die Formulierung der Polizeiverordnung, die am 19.9.1941 in Kraft trat. Fortan mußten alle Juden in Deutschland über sechs Jahre »sichtbar auf der linken Brustseite der Kleidung« und »fest angenäht« den gelben Stern tragen. Die öffentliche Stigmatisierung schloß den Prozeß der sozialen Ausgrenzung praktisch ab; sie signalisierte zugleich den Beginn der planmäßigen Deportation der »Sternträger« in die → Vernichtungslager im Osten. In den besetzten Gebieten Polens war der J. schon früher eingeführt worden. Ab 13.3.1942 mußten auch Wohnungstüren entsprechend gekennzeichnet sein. *Konrad Kwiet*

Jüdischer Kulturbund s. Kulturbund Deutscher Juden

Jugendführer des Deutschen Reiches s. Reichsjugendführung

Jugendkriminalität Der Begriff J. erfuhr in der NS-Zeit eine Ausdehnung auf Handlungen, die weit über strafbare Delikte hinausgingen. J. wurde überall dort vermutet, wo sich Jugendliche dem zunehmenden Zwangscharakter der Erziehung entzogen und sich außerhalb der → Hitler-Jugend in Cliquen usw. zusammenfanden oder durch ihr Verhalten den akzeptierten Mustern widersprachen. Mit der Verschärfung der Definition von J. und dem daraus resultierenden Verfolgungsdruck verbunden war eine Unterdrückung jugendlicher Lebensbedürfnisse und ihre Kriminalisierung sowie indirekt das Anwachsen jugendlicher Opposition. Bei dieser besonders in den Kriegsjahren bei männlichen Jugendlichen zunehmenden Tendenz waren die Grenzen zwischen jugendspezifischen Verhaltensweisen und kriegsbedingten kleinkriminellen Handlungen fließend. Zur Verschärfung der Verfolgung kam es ab 1940 mit Einweisungen in die polizeilichen → Jugendschutzlager Moringen – mit Nebenlagern in Volpriehausen und Berlin-Weißensee – für Jungen sowie Uckermark – mit einem Außenkommando in Dallgow/Döberitz – für Mädchen. Die J. im heutigen Sinne hat im Dritten Reich, entgegen einer weit verbreiteten Legende nicht ab-, sondern zugenommen. *Kurt Schilde*

Jugendschutzlager Spezielle → KZ für Kinder und Jugendliche. Wie in den KZ erfolgten die Einweisungen durch Kriminalpolizei (→ Reichssicherheits-Hauptamt) und → Geheime Staatspolizei. Unter den in J. inhaftierten Jugendlichen befanden sich viele als unerziehbar eingeschätzte ehemalige Fürsorgezöglinge. Die Haftdauer in den J. war unbefristet. Die Gefangenen der J. unterlagen einer »kriminalbiologischen Begutachtung« durch den Rassenhygieniker Robert Ritter. Als minderwertig eingeschätzte, aber volljährig gewordene Jugendliche wurden in gewöhnliche KZ überführt. Nur eine Minderheit der in J. eingewiesenen Kinder und Jugendlichen wurde wieder in die Freiheit entlassen.

Das erste J. wurde 1940 im Gebäude des Arbeitshauses Moringen (bei Göttingen) errichtet. Bis Kriegsende wurden etwa 1400 männliche Jugendliche nach Moringen eingewiesen, von denen mindestens 89 umkamen. Für Mädchen wurde 1942 in unmittelbarer Nähe des KZ → Ravensbrück das J. Uckermark mit etwa 600 Haftplätzen errichtet.

Für poln. Kinder und Jugendliche bestand ab 1942 in Lodz das Polen-Jugendverwahrlager Litzmannstadt. Dort kamen vermutlich etwa 500 Kinder und Jugendliche ums Leben. *Wolfgang Ayaß*

Jugoslawien (Jugoslavija) 1918 aus den unabhängigen Königreichen → Serbien, Montenegro und dem Zusammenschluß der österr.-ungar. Länder Slowenien, Dalmatien, → Kroatien, Slawonien, Vojwodina und Bosnien-Herzegowina gebildeter Einheitsstaat; von 1918–1945 Königreich mit der serb. Dynastie Karageorgević; 1945–1991 sozialistische föderative Republik. Die nationale Zusammensetzung 1941: Serben 43%, Kroaten 34%, Slowenen 7%, u.a.; religiöse Zusammensetzung: 47% Orthodoxe, 37% Katholiken, 11% Muslime, u.a.. J. war wirtschaftlich unterentwickelt; bis 1941 lebten etwa 80% der Bevölkerung auf dem Lande. Bis zum Zweiten Weltkrieg stand J. unter innen- und außenpolitischem Druck. Bis Ende 1930 war J. Mitglied der Kleinen Entente und lehnte sich an Frankreich an. Seit Mitte der 30er Jahre band sich J. wirtschaftlich an Deutschland, und am 25.3.1941 trat die jugoslaw. Regierung dem → Dreimächtepakt bei. Der dadurch ausgelöste Sturz der Regierung war der Grund für den Angriff der → Achsenmächte auf J. (→ Balkanfeldzug). Der König und die Regierung gingen in die Emigration, das Land wurde in Besatzungszonen und annektierte Gebiete aufgeteilt. Slowenien wurde zwischen Deutschland und Italien aufgeteilt, der größere Teil Dalmatiens, Montenegro, der größte Teil des Kosovo, West-Makedonien und der Sandjak kamen unter ital. Kontrolle. Bulgarien annektierte den größten Teil Makedoniens, das südöstl. Serbien und einen Teil des Kosovo. Batschka, Baranja und Medjimurje wurden Ungarn angeschlossen. Aus Kroatien, Bosnien, Herzegowina und Syrmien entstand der Unabhängige Staat Kroatien. »Rest-Serbien« und Banat kamen unter dt. Militärverwaltung. Mit der Besatzung fingen die Verfolgungen, Umsiedlungen und Tötungen an, deren Ziel es war, die ethnische Struktur der einzelnen Territorien zu verändern. Die Deutschen vertrieben die Slowenen nach Serbien. Aus Kroatien, Makedonien, dem Kosovo und aus der Batschka kamen etwa 400000

Flüchtlinge nach Serbien. Nach dem Ausbruch eines Aufstandes unter Führung der Kommunisten (→ Partisanen) und Nationalisten (→Četniks) kam es vom Sommer 1941 an zu massiven Repressionen der Besatzer in Serbien gegenüber den Serben und Juden, wobei Zehntausende von Zivilisten ermordet wurden. Der Völkermord im Unabhängigen Staat Kroatien kostete Hunderttausende Serben, 30 000 Juden, eine unbekannte Anzahl von Sinti und Roma sowie Tausende von andersnationalen Gegnern des Ustascha-Regimes das Leben. In der Batschka wurden allein im Januar und Februar 1942 über 10 000 Serben und Juden von der ungar. Armee getötet. Ähnliches geschah auch im Kosovo und in den bulg. besetzten Territorien. J. war der Schauplatz des Kampfes gegen die Besatzungsmächte und Kollaborateure (→ Kollaboration), aber auch eines Bürger- und Religionskrieges. Viele Opfer kostete der Machtkampf zwischen Četniks und Tito-Partisanen. Die »Vergeltung« der Cetniks – für den Ustascha-Völkermord an den Serben – an muslimischen und kroatischen Siedlungen forderte weitere Tausende von Opfern. Die Schätzungen der Zahl der Opfer in J. während des Krieges insgesamt schwanken zwischen 1 und 1,5 Mio. bei einer Gesamtbevölkerung von ca. 15 Mio. Als stärkste militärische und politische Kraft gingen die Kommunisten aus dem Krieg hervor. Ihr Erfolg basierte auf der pragmatischen Verbindung von kommunistischem Egalitarismus, nationaler Gleichberechtigung, Föderalismus, Jugoslawismus und Republikanismus. Eine Balance in der Innen- wie Außenpolitik ermöglichte den Kommunisten bis 1991 den Verbleib an der Macht. *Milan Ristović*

Literatur:

Batakovic, D.: *Yougoslavie. Nations, Réligions, Idéologies. L'Age d'Homme*, Lausanne 1994.

Pavlowitsch, S. K.: *The Improbable Survivor: Yugoslavia and its Problems, 1918–1988*, London 1988.

Juli-Abkommen Zwischen dem dt. Botschafter v. Papen und dem österr. Bundeskanzler Schuschnigg am 11.7. 1936 abgeschlossenes, zweiteiliges Abkommen. Im öffentlichen Kommuniqué erkannte Berlin die volle Souveränität Österreichs an und verzichtete auf Einmischung in dessen innere Angelegenheiten. Österreich verpflichtete sich zu einer Politik, »die der Tatsache, daß Österreich sich als dt. Staat bekennt, entspricht«. Ein geheimes Zusatzabkommen (»Gentlemen's Agreement«) sah in zehn Punkten u.a. vor: Ausbau der kulturellen und wirtschaftlichen Beziehungen; gegenseitige ungehinderte Zulassung von Zeitungen und Druckerzeugnissen; Aufhebung der Beschränkungen im Reiseverkehr; Zusage Wiens, seine Außenpolitik »unter Bedachtnahme auf die friedlichen Bestrebungen der → Außenpolitik der dt. Reichsregierung zu führen«; sowie weitreichende politische Amnestie und Beteiligung der bisherigen »nationalen Opposition«, d.h. der Nationalsozialistischen, in Österreich an der politischen Verantwortung. Schuschniggs dilatorische Behandlung des letzten Punktes lieferte Hitler 1938 den Vorwand für massiven Druck auf Wien.

Bernd-Jürgen Wendt

Juli-Putsch 1934 (Österreich) Die Beziehungen zwischen Deutschland und → Österreich verschlechterten sich 1933 zusehends. Der österr. Bundeskanzler Engelbert Dollfuß vertrat einen christlichen Ständestaat mit Anlehnung an → Italien. Er sammelte seine Anhänger in der »Vaterländischen Front« und regierte mit Notverordnungen. Als Reaktion auf den unfreundlichen Empfang eines nat.soz. Ministers wurde von den dt. Behörden für Reisen von Deutschland nach Österreich eine Taxe von 1000 Mark verlangt. Der Kampf der österr. NSDAP verschärfte sich; nach Terroranschlägen wurde sie im Juni 1933 verboten, agitierte aber illegal weiter. Ein SA-Kommando in Heeresuniformen wollte am 25.7.1934 den Ministerrat verhaften. Die Sache wurde jedoch verraten. Das Kommando traf am Wiener Ballhausplatz nur Dollfuß an; beim Versuch, zu entweichen, wurde dieser niedergeschossen. Der Putsch schlug fehl. Aber als die Putschisten die Einschaltung des dt. Gesandten verlangten, wurde die dt. Urheberschaft des J. schnell bekannt.

Hellmuth Auerbach

Julleuchter Kunsthandwerklicher Bestandteil der Ausstattung von SS-Feiern (→ Feiergestaltung). Besonders beim Jul-Fest (Jul = altgerman. Feier der Wintersonnenwende), das von der SS anstelle des christlichen Weihnachtsfestes propagiert wurde, gehörte das Entzünden der Julleuchter zum vorgeschriebenen Ritual. Vom Reichsführer SS wurde der J. gerne auch als Geschenk verwendet, als eine Art Auszeichnung. Häftlinge in der Modellierwerkstatt des Klinkerwerks im KZ → Neuengamme stellten 1943 15000 J. her.

Stefanie Endlich

Jungdeutscher Orden Der von dem Wandervogel und politischen Schriftsteller Artur Mahraun (1890–1950) 1920 gegründete und geführte national-völkisch orientierte J. spielte in den 20er Jahren in der bündischen Jugendbewegung eine wichtige Rolle (→ Jugend). Das Fronterlebnis und jugendbewegte Gemeinschaft, eine Erneuerung dt. Politik – daher die Bezeichnung »jungdt.« – und die Orientierung an mittelalterlichen Ordensregeln mit Bruderschaft und Kameradschaft sollten auf die Jungen übertragen werden. 1929 beteiligte sich der J. an der Gründung der liberalen Dt. Staatspartei und bezog damit Stellung gegen den aufkommenden Nat.soz.. Die trotz Ambivalenz und Widersprüchlichkeit entschiedene Haltung des J. gegen diesen führte 1933 zum Verbot und zur kurzzeitigen Verhaftung des Ordensführers. Die Ideen des J. und Mahraun blieben auch nach 1945 umstritten.

Kurt Schilde

Jungvolk s. Hitler-Jugend

Junkerschulen Zentrale Einrichtung zur Ausbildung der Führer (Offiziere) der bewaffneten SS (→ Waffen-SS). Die bis zu zehnmonatigen Lehrgänge ähnelten grundsätzlich den Kriegsschulen des Heeres, wiesen aber zusätzliche Schwerpunkte auf, wie das aus der Inhomogenität der Bewerber resultierende Ziel der sozialen und bildungsmäßigen Standardisierung und die weltanschauliche Erziehung. 1934 wurde die erste J. in Bad Tölz, 1935 die zweite in Braunschweig (später Posen) errichtet. Im Zweiten Weltkrieg folgten J. in Klagenfurt und Prag. Die bis 1939 ausgebildeten Führer kamen zu 50–60% außerhalb der bewaffneten SS zum Einsatz. Bereits 1940 kamen aber drei Viertel des Führernachwuchses der J. zur rasch wachsenden Waffen-SS. Während des Krieges wurden etwa 15000 Führer in den J. ausgebildet. Im März 1945 wurde der letzte Tölzer Lehrgang der SS-Division »Nibelungen«, der letzten von nominell 38 SS-Divisionen, eingegliedert.

Volker Rieß

K

Kaiserwald (KZ) Mitte 1943 gegründetes KZ in der Nähe von Riga (→ Lettland) mit zahlreichen Außenlagern und Arbeitskommandos. Die fast ausschließlich jüdischen Gefangenen (im März 1944 rd. 12 000, davon 50 % Frauen) hatten die Liquidierung der lett. → Ghettos überlebt. Nun verfielen sie dem nat.soz. Verdikt der »Vernichtung durch Arbeit«. K. wurde ab Anfang August 1944 evakuiert; die weiblichen Gefangenen kamen ins KZ → Stutthof bei Danzig, während die Männer in KZ im Reichsgebiet verlegt wurden (→ Rassenpolitik und Völkermord).

Jürgen Matthäus

Kaminski, Brigade Benannt nach dem Kollaborateur und späteren SS-Brigadeführer Kaminski, der in Weißrußland einen halbautonomen Selbstverwaltungsbezirk mit Miliz leitete, die mit den Deutschen gegen → Partisanen vorging. Vor der Roten Armee zog sich K. im Herbst 1943 mit der aus der Miliz erwachsenen Brigade (5000–7000 Mann) plus Troß zurück und wurde dem Chef der SS-Bandenbekämpfungsverbände, Erich von dem Bach-Zelewski, unterstellt. Unter ihm wurde die B. zur Niederwerfung des → Warschauer Aufstands 1944 eingesetzt, wobei sie durch besondere Grausamkeit und umfangreiche Plünderungen auffiel. Himmler forderte daraufhin die Verhaftung von K., der samt Stab nach Lodz gelockt und unter Leitung Bach-Zelewskis erschossen wurde. *Volker Rieß*

Kampf dem Verderb Nat.soz. Propagandaparole im Zusammenhang mit den Bemühungen um Selbstversorung (→ Autarkie). Die Parole diente wie die Propagandafigur des → Kohlenklau auf dem Gebiet der Energieversorgung dem sparsamen Umgang mit den Lebensmittelvorräten, für den mit Plakaten und Anzeigen besonders im Krieg Propaganda gemacht werden mußte.

Willi Dreßen

Kampf ums Dasein s. Medizin

Kampfbund für deutsche Kultur Kulturpolitische Einrichtung völkischer Kulturschaffender unter Leitung Rosenbergs. Bereits 1927 als »Nat.soz. Gesellschaft für dt. Kultur« gegründet, war der K. ein Sammelbecken rechtsextremer Außenseiter des Weimarer Kulturlebens. Ohne Breitenwirkung, wurde der K. 1934 mit der Theaterbesucher-Organisation Dt. Bühne zur → NS-Kulturgemeinde vereinigt, die 1937 der NS-Freizeitorganisation »Kraft durch Freude« angegliedert wurde. *Uffa Jensen*

Kämpfer für die nationale Erhebung Angehörige der NSDAP, der SS, SA und anderer Verände, die vor der → »Machtergreifung« 1933 für den Nat.-soz. gekämpft hatten. Durch ein entsprechendes Gesetz vom 27.3.1934 erhielten die K. als Belohnung für ihren Einsatz gleiche Versorgungsansprüche wie Kriegsopfer. *Willi Dreßen*

Kampffront Schwarz-Weiß-Rot Zusammenschluß von → Dt.nationaler Volkspartei (DNVP) und → Stahlhelm für die Reichstagswahlen vom 5.3.1933. Der Name »Schwarz-Weiß-Rot« ging auf die Farben des Kaiserreichs zurück. Die K. erhielt bei den Wahlen 52 Mandate und sicherte der → NSDAP als Koalitionspartner die Mehrheit.

Willi Dreßen

Kampfgemeinschaft revolutionärer Nationalsozialisten s. Schwarze Front

Kampfsport s. Sport

Kampfzeit Nat.soz. Propagandabegriff, der die Zeit von der Parteigründung 1919/20 bis zur → »Machtergreifung« (bzw. in Österreich bis zum → Anschluß 1938) verklärte. Die K. wurde zur Fortsetzung des mystifizierten Fronterlebnisses im Ersten Weltkrieg stilisiert und diente dem Kult der → Alten Kämpfer, die ihr »politisches Führertum« auch über die Masse der »Mitläufer« nach 1933 auf die K. gründeten. Diese nat.soz. »Kampfgemeinschaft« sollte nach der Eroberung der politischen Macht im Innern die neue dt. Größe auch nach außen tragen und so die Schmach des »Diktates von Versailles« tilgen.

Der gescheiterte → Hitlerputsch vom 8./9.11.1923 galt als zentrales Ereignis der K., dessen die Parteispitze zu Ehren der »Gefallenen der Bewegung« alljährlich mit dem Marsch zur Münchner Feldherrnhalle gedachte. *Heiko Pollmeier*

Kanaldurchbruch s. Seekrieg

Kanzelhetze Unter Rückgriff auf den in der Zeit des Bismarckschen Kulturkampfes geschaffenen § 130a StGB wurde im Dritten Reich politische Kritik von Priestern im Gottesdienst als K. verfolgt. Zuständig für dieses Delikt waren die am 21. März 1933 aufgrund einer Notverordnung eingerichteten → Sondergerichte. Viele Pfarrer der → Bekennenden Kirche und des katholischen Klerus kamen mit dieser Strafbestimmung in Konflikt. Die Mehrzahl der eingeleiteten Ermittlungsverfahren wurde aus kirchenpolitischen und taktischen Erwägungen eingestellt (→ Kirchen und Religion; → Verfolgung). *Bernward Dörner*

Kanzlei des Führers 1934 unter Philipp Bouhler errichtete Parteistelle, zuständig für an Hitler persönlich bzw. an ihn als Parteichef gerichtete Eingaben. Gegliedert (1938/39) in fünf Hauptämter, darunter Amt II, Parteipolitisches Amt, und Amt III, Gnadensachen, das die Kompetenzen in Gnadensachen für straffällig gewordene → Parteigenossen, also die Einschaltung einer Parteiinstanz in das Gnadenwesen der Justiz, wahrnahm. Amt II b der K. organisierte ab Frühjahr 1939 die NS-Kinder-»Euthanasie«. Im Oktober 1939 wurden Bouhler und Hitlers Leibarzt Dr. Karl Brandt von Hitler mit der Durchführung der NS-Erwachsenen-»Euthanasie« (→ Aktion T 4) betraut (→ Medizin). Sie erfolgte durch das Hauptamt II unter Viktor Brack getarnt und in Zusammenarbeit mit staatlichen und anderen Stellen. Die K. war 1941–43 organisatorisch und besonders durch Abstellung von »Euthanasie«-Personal an der Vernichtung der → Juden in den Lagern der → Aktion Reinhardt beteiligt. 1942 wurde die K. zugunsten der Partei- und der Reichskanzlei verkleinert (→ Reichskanzlei; → Stellvertreter des Führers). *Volker Rieß*

Kapitulation, Deutschland 1945 Die K. wurde in verschiedenen Schritten zu unterschiedlichen Zeitpunkten vollzogen. Geheime Kontakte zwischen dt. Generälen in Italien und dem US-Geheimdienst in der Schweiz seit Februar 1945 führten ohne Kenntnis Hitlers und noch vor dessen Tod zur K. der Streitkräfte unter Generaloberst v. Vietinghoff, dem Oberbefehlshaber Südwest in Oberitalien. Dessen Vertreter unterzeichneten im Hauptquartier des alliierten Oberkommandierenden im Mittelmeerraum, Feldmarschall Alexander, auf Schloß Caserta bei Neapel am 29.4.1945 die Teil-K. Sie galt für ganz Italien und wurde erst mit dem Tag ihres Inkrafttretens am 2.5. bekanntgegeben. Hitlers Nachfolger als

→ Reichspräsident, Großadmiral Dönitz, versuchte durch Teil-K. im Westen der Gesamt-K. auszuweichen und Zeit zu gewinnen für die Flucht der dt. Soldaten und Zivilisten vor der sowj. Roten Armee. In seinem Auftrag handelte der Oberbefehlshaber der Kriegsmarine, v. Friedeburg, im brit. Hauptquartier bei Lüneburg eine Teil-K. aus. Am 4.5. nahm Feldmarschall Montgomery die K. der dt. Truppen in Nordwestdeutschland an der brit. Front, in Dänemark und in den Niederlanden entgegen. Die deutscherseits von Friedeburg unterschriebene K. trat am 5.5. in Kraft. Um weitere Teil-K. im Westen abzuschließen, eilte er nach Reims in das US-Hauptquartier, wo er aber mit der strikten Forderung General Eisenhowers nach bedingungsloser K. konfrontiert wurde. In Verkennung der verbleibenden Möglichkeiten sandte Dönitz Generaloberst Jodl, den entschiedensten Gegner der Gesamt-K., nach Reims. Auch Jodl scheiterte. Er unterzeichnete am 7.5., um 2.41 Uhr, im Namen des dt. Oberkommandos die Gesamt-K. aller dt. Streitkräfte. Sie trat am 8.5., um 23.01. Uhr, in Kraft. Auf Druck der Sowjets wurde dieser Akt in deren Hauptquartier in Berlin-Karlshorst wiederholt (9.5., 0.16 Uhr). Unterzeichner auf dt. Seite war u.a. Generalfeldmarschall Keitel. Mit diesen beiden Zeremonien war der Zweite Weltkrieg in Europa beendet. Entgegen früheren Forderungen der Alliierten nach einer bedingungslosen K. (»unconditional surrender«), von Roosevelt auf der → Casablanca-Konferenz am 24.1.1943 erstmals gefordert und seither von sämtlichen Alliierten stets bekräftigt, beschränkte sich die K.-Urkunde auf die militärische K. und tangierte den dt. Staat zunächst nicht. Das Kabinett Dönitz, das seine fragwürdige Legitimation noch von Hitler herleitete, existierte gespenstergleich weiter bis zur Gefangennahme seiner Mitglieder am 23.5. Es entstand ein staatsrechtliches Vakuum, bis die vier Siegermächte in einer Proklamation vom 5.6. die Regierungsgewalt in Deutschland offiziell übernahmen. Mit dieser Juni-Deklaration und dem Potsdamer Abkommen vom 2.8.1945 (→ Potsdamer Konferenz) wurde die K. auch staatlich-politisch vollzogen. Die K. bedeutete zugleich das Ende des Dt. Reiches.

Elke Fröhlich

Literatur:

Müller, Rolf Dieter/Gerd R. Ueberschär: *Kriegsende 1945. Die Zerstörung des Deutschen Reiches*, Frankfurt am Main 1994.

Kapo s. Konzentrationslager

Karinhall (auch: Carinhall) Landsitz Görings in der Schorfheide nördlich von Berlin am Ostrand des Großdöllner Sees nahe Groß Dölln (Landkreis Uckermark). Göring erwarb das ehemalige kaiserliche Jagdhaus 1934, ließ es prunkvoll zu einem altdt. Herrensitz (»Waldhof«) ausbauen und benannte es nach seiner ersten Frau. Hier empfing er Staatsbesucher, veranstaltete Jagden und Feste und richtete sich eine rieisige private Kunstsammlung ein, die teilweise aus dem Kunstraub in den besetzten europäischen Ländern stammte. Beim Anrücken der Roten Armee ließ er die Sammlung an verschiedene Orte überführen und die Baulichkeiten zerstören. *Stefanie Endlich*

Karlsbader Programm Ein am 24.4.1938 der Prager Regierung vorgelegter, von Hitler initiierter Katalog verschärfter Autonomieforderungen der → Sudetendeutschen Partei für das → Sudetenland, mit dem die → Sudetenkrise ihren ersten Höhepunkt erreichte. In acht Punkten verlangte das K.: 1. volle Gleichberechtigung der dt. Volksgruppe mit dem tschech. Volk; 2. Anerkennung der sudetendt. Volksgruppe als Rechtspersönlichkeit; 3. Feststellung und Anerkennung des dt. Siedlungsgebietes; 4. Aufbau einer dt. Selbstverwaltung im dt. Siedlungsgebiet; 5. Schaffung gesetzlicher Schutzbestimmungen für die außerhalb des dt. Siedlungsgebietes wohnenden Sudetendeutschen; 6. Wiedergutmachung des dem Sudetendeutschtum seit 1918 zugefügten Unrechts; 7. Durchführung des Grundsatzes, daß im dt. Gebiet nur Deutsche öffentliche Angestellte sein sollten; 8. volle Freiheit des Bekenntnisses zum dt. Volkstum und zur dt. (gemeint: nat.soz.) Weltanschauung. Die Prager Regierung lehnte diese weitgehenden Forderungen als Gefährdung der inneren Einheit des Staates zunächst ab, nahm sie aber Anfang Juli 1938 weitgehend an. *Bernd-Jürgen Wendt*

Katholische Aktion 1886 in Italien gegründet, handelte es sich bei der K. um eine Laienbewegung mit zunächst primär politischer Aufgabenstellung. Diese »Teilnahme und Zusammenarbeit der Laien mit der apostolischen Hierarchie«, wie Papst Pius XI. sie definierte, war im katholischen Deutschland nie sehr populär gewesen; statt dessen war hier ein Netz von starken Organisationen aufgebaut worden, die im ganzen Land vertreten und von bischöflicher Kontrolle weitgehend unabhängig waren. Nach dem → Reichskonkordat und dem Ende des politischen Katholizismus erhoffte sich Rom von der K. eine ähnliche Auffangfunktion wie in Italien. Da die Nat.-soz. eine weltanschauliche Massenbewegung wie die K. nicht neben sich dulden wollten, sah sie sich mit Repressalien und Terrorakten konfrontiert. Höhepunkt des NS-Terrors gegen die K. war die Ermordung ihres Berliner Leiters, Erich Klausener, am 30.6.1934. *Jana Richter*

Katyn Ortschaft 20 km westlich der russ. Stadt Smolensk, wurde in Polen zum Symbol für das Leiden der Polen in der Sowjetunion im Zweiten Weltkrieg. Im Februar 1943 entdeckten dt. Soldaten in einem Wald bei K. die Leichen von 4400 poln. Offizieren, die zu den etwa 15 000 Soldaten und Offizieren der poln. Armee gehört hatten, die nach dem Einmarsch der Roten Armee im September 1939 in Ostpolen (→ Dt.-sowj. Nichtangriffspakt) als Kriegsgefangene in sowj. Speziallager geraten waren und seither als vermißt galten. Am 17.4.1943 wandte sich die poln. Exilregierung in London an das Internationale Komitee vom Roten Kreuz mit der Bitte um Nachforschung, was auch von dt. Seite verlangt wurde. Darauf klagte Stalin die poln. Regierung der Zusammenarbeit mit Hitler an und brach die diplomatischen Beziehungen ab. Die UdSSR wies diesen Massenmord der dt. Seite zu und nahm als Tatzeit den Herbst 1941 an. Verschiedene Untersuchungen während des Krieges und in der Zeit danach machten jedoch den sowj. NKWD verantwortlich und datierten die Erschießungen auf den Zeitraum April/Mai 1940. Auch nach dem Krieg hielten die sowj. Behörden an der Version, daß Deutsche die Täter der Erschießungen in K. gewesen seien, fest. Erst 1987 kam es zu einer Vereinbarung zwischen Jaruzelski und Gorbatschow, die Verbrechen von K. aufzuklären. 1990 erklärte die sowj. Nachrichtenagentur TASS offiziell, daß die Massenerschießungen im Frühjahr 1940 auf Befehl höchster sowj. Stellen vom NKWD durchgeführt worden waren.

Beate Kosmala

Kauen (Ghetto/KZ), dt. Bezeichnung für Kaunas (lit.)/Kowno (russ.), Hauptstadt → Litauens vor dem Zweiten Weltkrieg. Im zeitlichen Umfeld der dt.

Besetzung Ende Juni 1941 kam es zunächst zu spontanen antisemitischen → Pogromen, später zu vom → SD organisierten »Aktionen« mit ca. 10000 Toten. Die rd. 30000 überlebenden Juden wurden bis zum 15.8.1941 im Stadtteil Viliampole/Slobodka ghettoisiert, Dr. Elchanan Elkes wurde zum Vorsitzenden des jüdischen Ältestenrats bestimmt. Im Zuge der → Endlösung in Litauen sollte auch das Ghetto in K. liquidiert werden. Die beteiligten dt. Instanzen – SD (KdS Jäger), Zivilverwaltung (Stadtkommissar Cramer) und Wehrmacht – einigten sich im Herbst 1941 jedoch darauf, die arbeitsfähigen Juden zunächst in K. zu belassen. Am 28.10.1941 wurden in der »Großen Aktion« ca. 10000 Personen selektiert (→ Selektion) und am Rande der Stadt im sog. Neunten Fort erschossen, wo → SS und einheimische Kollaborateure bis zum Sommer 1944 mehr als 50000 Juden aus Litauen, Deutschland und anderen Ländern ermordeten. Die folgenden zwei Jahre im Ghetto K. waren geprägt durch → Zwangsarbeit, Lebensmittelknappheit, sporadische Deportationen und ständige Übergriffe von außen. Elkes' Judenrat tat sein Bestes, die Lage der Juden zu verbessern, scheiterte aber an der dt. Vernichtungspolitik (→ Rassenpolitik und Völkermord). Nachdem Heinrich Himmler am 21.6.1943 die Umwandlung der Ghettos im → Reichskommissariat Ostland in KZ befohlen hatte, begann die SS (KZ-Kommandant Wilhelm Göcke) ab Mitte September 1943 mit der Deportation der arbeitsfähigen Juden in umliegende Außenlager sowie nach → Estland. Die »Kinderaktion«, der am 27.3.1944 rd. 1800 KZ-Insassen zum Opfer fielen, leitete die letzte Phase der Judenvernichtung in K. ein. Die Widerstandsbewegung im Ghetto versuchte, Fluchtwege zu den → Partisanen und zu lit. Helfern zu schaffen. Am 7.7.1944 begannen die Deportationen in KZ im Reich und die Zerstörung des ehemaligen Ghettogeländes, auf dem sich zahlreiche Juden in Erdbunkern versteckt hielten. Elkes starb ab 17.10.1944 im KZ → Dachau. Aus den Trümmern des Ghettos befreite die Rote Armee am 1.8.1944 90 Überlebende einer einstmals blühenden jüdischen Gemeinde. *Jürgen Matthäus*

Literatur:

Tory, Avraham: *Surviving the Holocaust. The Kovno Ghetto Diary*, hg. von Martin Gilbert, London 1990.

Kaunas s. Kauen (Ghetto/KZ)

KdF-Wagen s. Volkswagen

Kemna (KZ) Am 5. Juli 1933 wurde auf Veranlassung des Wuppertaler Polizeipräsidenten in einem im Wuppertaler Stadtteil Kemna gelegenen leerstehenden Fabrikgebäude ein »provisorisches Sammellager zur vorübergehenden Unterbringung von politischen Schutzhäftlingen« eröffnet (→ Schutzhaft; → Schutzhaftlager). Die Gefangenen waren in der Mehrzahl Kommunisten und Sozialdemokraten, prominentester Häftling war der preußische Zentrumspolitiker Heinrich Hirtsiefer. Bis zur Schließung des Lagers am 23.1.1934 wurden schätzungsweise 4500 Häftlinge dort inhaftiert, wobei bis zu 1000 Menschen in die für 200–300 Gefangene vorgesehenen Unterkünfte gepfercht wurden. Sadistische Quälereien und körperliche Mißhandlungen der Gefangenen waren an der Tagesordnung und wurden im Jahr 1948 durch einen Prozeß gegen 30 Mitglieder der SA-Wachmannschaften dokumentiert und einer breiteren Öffentlichkeit bekannt. *Barbara Distel*

Keppler-Kreis Benannt nach dem 1927 der NSDAP beigetretenen Ingenieur und Gelatinefabrikaten Wilhelm Keppler (1882–1960), seit Ende 1931 Wirtschaftsberater der NSDAP. 1932 bildete Keppler auf Hitlers Anraten den K. ein zwölfköpfiges Beratungsgremium von führenden Persönlichkeiten aus der Wirtschaft und der Finanzwelt, die für Hitler warben (erstes Treffen am 20.6.1932). Auf Vermittlung des K. kam am 4.1.1933 das Treffen zwischen Hitler und dem ehemaligen Reichskanzler Franz von Papen zustande, das Hitlers → »Machtergreifung« vorbereitete. Aus dem K. ging 1935 der → Freundeskreis Reichsführer SS hervor.

Heiko Pollmeier

Kinderlandverschickung Bezeichnung für gesundheitlich begründete Ferienreisen von Stadtkindern. Seit 1940 trug die → HJ die inhaltliche Verantwortung und führte die Maßnahme in Zusammenarbeit mit der → NS-Volkswohlfahrt und den Schulen durch. Der Terminus »Erweiterte K.« sollte verdeutlichen, daß es sich bei den massenhaften Evakuierungen aus den seit 1943 verschärft von Bomben bedrohten Städten (→ Luftkrieg) lediglich um eine Ausweitung bereits vorher bestehender Erholungsmaßnahmen handeln würde. Die eigentliche Notlage wurde in eine ideologische Tugend umgewandelt: Die Kinder waren vor den Kriegsauswirkungen geschützt und politischer Beeinflussung und paramilitärischem Drill ausgeliefert. Insgesamt wurden etwa 5 Mio. Kinder und Jugendliche im Laufe des Krieges evakuiert. Sie lebten teilweise jahrelang in Schullandheimen, Jugendherbergen, Zeltlagern, Pensionen, Hotels, Klöstern usw. Nachdem die K. Anfang 1944 ihren Höhepunkt erreicht hatte, begannen Mitte desselben Jahres die Rückführungen, die sich bis in die ersten Nachkriegsmonate hinzogen, vielfach gerieten die Kinder bei Kriegsende zwischen die Fronten, oft nach der Flucht des Betreuungspersonals.

Kurt Schilde

Literatur:
Hermand, Jost: *Als Pimpf in Polen. Erweiterte Kinderlandverschickung 1940–1945,* Frankfurt am Main 1993.

Kirchenkampf 1933 entstandener Begriff zur Beschreibung der Auseinandersetzungen innerhalb der evangelischen Kirche, aber ebenso Bezeichnung für den Kampf der Kirchen um ihre Freiheit und Eigenständigkeit gegenüber dem nat.soz Totalitätsanspruch wie auch für den Kampf zwischen Christentum und nat.soz. Weltanschauung und Herrschaftspraxis. Nach 1945 wurde K. zum Epochenbegriff für die Geschichte der Kirchen während der NS-Herrschaft (→ Kirchen und Religion). Trotz des grundsätzlichen ideologischen Unterschieds zwischen Nat.soz. und Christentum vermied Hitler, zumindest anfangs, einen Konfrontationskurs mit den großen Kirchen; seine Kirchenpolitik war vielmehr darauf ausgerichtet, auch diese in sein Konzept der → Gleichschaltung einzubinden, dabei allerdings das öffentliche Leben weitgehend zu »entkonfessionalisieren«. Er schloß mit dem Heiligen Stuhl im Juli 1933 das → Reichskonkordat, das katholischen Geistlichen und Ordensleuten jegliche politische Betätigung untersagte, andererseits aber die Aufrechterhaltung der theologischen Fakultäten, der Konfessionsschulen, des Religionsunterrichts an öffentlichen Schulen und den Bestand der kirchlichen Presse garantierte. Der katholische K. entwickelte sich im wesentlichen zu einem Kampf um die Einhaltung der Konkordatsbestimmungen, die von Anfang an von den Nat.soz. unterlaufen und umgangen wurden, besonders im Hinblick auf den Verbandskatholizismus. Die evangelische Kirche sollte durch die nat.soz. Kirchenpartei der → Dt. Christen von innen heraus gleichgeschaltet und zu einer einheitlichen Reichskirche unter NS-konformer Führung umgestaltet werden. Dieses Ziel wurde 1933 zwar erreicht, hatte aber nur kurzzeitig Bestand, weil sich innerhalb der Kirche eine Oppositionsbewegung gegen die Dt. Christen erhob, die sich in Gestalt der → Bekennenden Kirche zu einer Gegenkirche zur dt.-christlich beherrschten und staatlich anerkannten Kirche formierte. Die NS-Kirchenpolitik versuchte in verschiedenen Anläufen, die unerwünschte Spaltung der evangelischen Kirche durch administrative Maßnahmen zu überwinden, scheiterte aber letztlich. Zu Anfang des Zweiten Weltkrieges verkündete Hitler einen »Burgfrieden« mit den Kirchen; nach dem gewonnenen Krieg sollte die Kirchenfrage grundsätzlich in nat.soz. Sinne neu geregelt werden. *Carsten Nicolaisen*

Literatur:

Gotto, Klaus/Konrad Repgen (Hg.): *Die Katholiken und das Dritte Reich*, Mainz [3]1984.
Meier, Kurt: *Der evangelische Kirchenkampf*, 3 Bde., Halle a.d. Saale/Göttingen 1976–1984.
Scholder, Klaus: *Die Kirchen und das Dritte Reich*, 2 Bde (unvollendet), Frankfurt am Main u.a. 1977; Berlin 1985.

Kislau Erstes KZ in Baden. In das zuvor als »Arbeitshaus« genutzte Schloß K. bei Mingolsheim (heute Bad Schönborn) wurden Ende April 1933 zunächst sozialdemokratische und kommunistische »Schutzhäftlinge« eingeliefert (→ Schutzhaft). Im März 1934 wurde Ludwig Marum (SPD) in K. ermordet. Zeitweilig diente K. als Durchgangslager für Internierte der frz. Fremdenlegion. Seit Mitte 1936 »Bewahrungslager«, wurde K. im März 1939 als »Arbeitslager« wieder dem badischen Innen- bzw. Justizministerium unterstellt (→ Arbeitserziehungslager). *Michael Caroli*

Kittelbach-Piraten s. Edelweiß-Piraten

KL s. Konzentrationslager

Kleiderkarte s. Rationierung

Klooga (KZ) Im September 1943 gegründetes Außenlager des KZ → Vaivara in der Nähe von Tallinn (Estland). Die 2000–3000 Gefangenen – Juden aus den aufgelösten → Ghettos in → Kauen und → Wilna sowie etwa 100 sowj. → Kriegsgefangene – hatten schwerste Arbeiten zu verrichten und waren ständigen Repressionen ausgesetzt. Die Verlegung vor der herannahenden Roten Armee begann im Sommer 1944. Am 18./19.9.1944 wurden die verbliebenen Gefangenen von der SS-Lagerleitung zusammengetrieben, teils erschossen, teils bei lebendigem Leib auf Scheiterhaufen verbrannt. Die am 24.9.1944 anrückenden sowj. Truppen fanden 85 Überlebende vor, die sich im nahegelegenen Wald versteckt gehalten hatten (→ Rassenpolitik und Völkermord). *Jürgen Matthäus*

Knöchel-Organisation Kommunistische Gruppe des → Widerstands um das im Januar 1942 aus der Emigration zurückgekehrte ZK-Mitglied der KPD Wilhelm Knöchel, die in Westdeutschland operierte, eine Untergrundzeitung (*Der Friedenskämpfer*) sowie Flugblätter, Kleinplakate usw. publizierte. Im Januar 1943 wurde die Gruppe von der → Geheimen Staatspolizei entdeckt; von über 200 Verhafteten wurden im Sommer 1944 Knöchel und 22 Gruppenmitglieder zum Tode verurteilt und hingerichtet. *Wolfgang Benz*

Kohlenklau Propaganda-Symbol für Energieverschwendung. Eine abstoßende, Kohlen klauende Figur mit einem Sack in der Hand oder auf dem Rücken diente ab Winter 1942 in einer großangelegten Propagandaaktion als Warnung vor leichtsinnigem Umgang mit dem knapp gewordenen Heizmaterial. Seine allerorten dokumentierte Omnipräsenz (auf zahlreichen Plakaten, Anschlägen, Zetteln, Zündholzschachteln, in Kino und Rundfunk) machte den K. schnell und nachhaltig zum Inbegriff des → »Volksschädlings«. *Elke Fröhlich*

Kolberg Von Goebbels am 1.6.1943 in Auftrag gegebener Durchhaltefilm. Regie: Veit Harlan; Hauptrollen: Heinrich George, Kristina Söderbaum, Paul Wegener, Horst Caspar; Musik: Norbert Schultze; Uraufführung am 30.1.1945 in La Rochelle. Mit enormem Budget (knapp 8 Mio. RM) und riesigem Aufwand (für die Massenszenen wurden eigens Soldaten von den Fronten abgestellt) gedreht, zielte das gezeigte historisch verfälschte Vorbild der gegen Napoleon Widerstand leistenden Kolberger Bürger (1806/07) darauf ab, ähnliches Verhalten unter der dt. Bevölkerung in der prekären Kriegslage der Gegenwart zu aktivieren und den → Volkssturm zu motivieren. Aussagen wie »Lieber unter den Trümmern begraben als kapitulieren« und »Sturm brich los!« sowie die Leitthemen »Heimat«, »Eid« und »Disziplin« sollten im aktuellen Bezug den Weg aus der verzweifelten Lage weisen. 1965 kam K. unter dem Titel »30. Januar 1945 (Kolberg)« in vollständiger Fassung mit aufklärenden Untertiteln und kritischen Kommentaren wieder in die bundesdt. Kinos. *Juliane Wetzel*

Kollaboration Der Begriff der K. in seiner heutigen Bedeutung – der Zusammenarbeit von Teilen der Bevölkerung eines besetzten Landes oder einzelner Gruppen und Individuen mit dem Feind während der Dauer eines Krieges – entstand im Herbst 1940 zunächst als Ergebnis der Waffenstillstandsvereinbarungen zwischen Deutschland und dem besiegten Frankreich (Radioansprache Marschall Philippe Pétains am 24.10.1940). Die K. ist ein äußerst komplexes Phänomen, das politische, aber auch militärische, ökonomische, kulturelle und privat-gesellschaftliche Formen einbeziehen kann. Übergänge zu analogen und temporären historischen Verhaltensweisen (»Fünfte Kolonne«, Landesverrat, illoyales Verhalten, Attentismus) sind fließend und allein von den divergierenden Motiven bzw. Bewertungen abhängig. Nahezu alle Formen der K. sind durch die Mehrdeutigkeit der Argumente ihrer Verfechter und die Doppelwertigkeit aller Verhaltensweisen (Ambivalenz und Ambiguität) geprägt. Beispielhaft gilt dies für die wirtschaftliche K., für die aus Sicht ihrer Betreiber zunächst eine Reihe unternehmerischer und volkswirtschaftlicher Gründe sprach.

Demgegenüber stand das Bestreben mancher Unternehmer nach vermehrtem Profit, wobei sie sich die besonderen Umstände des Besatzungssystems zunutze zu machen verstanden.

Kollaboriert wurde während des Zweiten Weltkriegs in allen von der Wehrmacht besetzten Ländern Europas (mit abnehmender Tendenz von West- nach Osteuropa), wobei die Chancen, aber auch die Grenzen einer erfolgreichen Zusammenarbeit stets mit den Interessen der dt. Besatzungsmacht gekoppelt waren. Besonders deutlich wurde dies im Falle der einheimischen Faschisten, für die eine nat.-soz. Besatzungsherrschaft oftmals die einzige Gelegenheit zur angestrebten Machtübernahme darstellte. Trotz einer totalen oder teilweisen Identifikation mit den nat.soz. Zielen reduzierte sich der politische Spielraum der einheimischen Faschisten zusehends. Ihre Funktion bestand schließlich weitgehend darin, als nützliche Werkzeuge der Besatzungsmacht deren Herrschaft in der Verwaltung und vielen Bereichen der Gesellschaft zu stabilisieren und die angestrebte wirtschaftliche Ausbeutung zum Nutzen Deutschlands mitzutragen. Als eine Illusion der faschistischen K. erwies sich auch die Hoffnung auf eine gemeinsame ideologische Abwehrfront gegenüber dem Bolschewismus, für die immerhin Zehntausende von Freiwilligen aus nahezu allen besetzten Ländern (militärische K.) ihr Leben aufs Spiel setzten.

Gerhard Hirschfeld

Literatur:

Benz, Wolfgang/Johannes Houwink ten Cate/ Gerhard Otto (Hg.): *Anpassung, Kollaboration, Widerstand. Kollektive Reaktionen auf die Okkupation*, Berlin 1996.

Bender, Reinhold: *Kollaboration in Frankreich im Zweiten Weltkrieg*, München 1992.

Hirschfeld, Gerhard/Patrick Marsh (Hg.): *Kollaboration in Frankreich. Politik, Wirtschaft und Kultur während der nationalsozialistischen Besatzung 1940–1944*, Frankfurt am Main 1991.

Kolonialpolitisches Amt der NSDAP Das am 5.5.1934 unter dem ehemaligen Freikorpsführer und Präsidenten des Reichskolonialbundes, Franz Xaver Ritter von Epp, gegründete K. forderte die Rückgabe der ehemaligen dt. Kolonien sowie die Schaffung eines mittelafrik. dt. Kolonialreiches und repräsentierte insofern die außenpolitischen Ziele revisionistisch-imperialistischer Gruppierungen in Reichswehr, Wirtschaft und NSDAP. Das K. sollte die Kernzelle eines – nie verwirklichten – Reichskolonialmini-steriums bilden. Entgegen den Vorstellungen Hitlers, sah das K. in Großbritannien den Hauptgegner und die UdSSR als dauerhaften Verbündeten. Aufgrund des Kriegsverlaufes wurden seine Ziele auch nicht ansatzweise realisiert.

Karsten Krieger

Komintern s. Antikominternpakt

Kommandobefehl Völkerrechtswidriger Geheimbefehl Hitlers an die → Wehrmacht mit separater Begründung vom 18.10.1942 zur Vernichtung insbesondere westalliierter Kommandotrupps. Der K. wurde im Wehrmachtbericht vom 7.10.1942 öffentlich bekannt gemacht. Angehörige gegnerischer Kommandounternehmen, die sich wie »Banditen« benähmen, sollten vernichtet, d.h., ob mit oder ohne Uniform, im Kampf oder auf der Flucht »niedergemacht« werden. Kommandomitglieder, die z.B. durch die Polizei in den besetzten Ländern lebend in die Hände der Wehrmacht gerieten, sollten »unverzüglich« dem → SD übergeben werden. Der K. wurde nach der → Invasion 1944 bestätigt und auf Angehörige alliierter Militärmissionen ausgedehnt, die im dt. besetzten Südosten und Süd-westen bei → Partisanen gefangen wurden. Die Angehörigen der Trupps wurden, z.T. nach Verhör, entweder von der Wehrmacht oder von der → Sicherheitspolizei erschossen.

Volker Rieß

Kommissarbefehl Völkerrechtswidrige Anordnung Hitlers zur Ermordung gefangener sowj. Kommissare. Etwa ein halbes Jahr vor dem Beginn des Angriffs auf die UdSSR (Unternehmen → Barbarossa; → Ostfeldzug 1941–1945) unterrichtete Hitler in einer Besprechung am 30.3.1941 die anwesenden Generäle, daß nach dem Beginn des Krieges mit der UdSSR kommunistische Kommissare zu töten seien. Entsprechend den Absichten Hitlers wurde von Wehrmachtführungsstab des OKW und Rechtsabteilung im OKH ein Erlaß ausgearbeitet, wonach im Operationsgebiet zivile Kommissare »jeder Art und Stellung«, die sich gegen die Truppe wendeten bzw. verdächtig waren, sich gegen die Truppe zu wenden, zu »erledigen« seien; noch auf dem Gefechtsfeld seien Kommissare von den übrigen Kriegsgefangenen abzusondern und zu »erledigen«. Im rückwärtigen Heeresgebiet seien Kommissare, die wegen verdächtigen Verhaltens ergriffen würden, zur Tötung an die → Einsatzgruppen und Kommandos der → Sicherheitspolizei zu überstellen. Diese Richtlinien wurden am 6.6.1941 an die Oberbefehlshaber der drei Wehrmachtteile übersandt. Verteilt wurden sie an die Oberbefehlshaber der Armeen und die Luftflottenchefs bzw. ähnlich hohe Stäbe. Die Bekanntgabe an die rangniedrigeren Befehlshaber und Kommandeure erfolgte mündlich. Der K. stieß bei Teilen der Truppe und Offiziere auf Widerspruch. Bei einigen Einheiten wurde der Befehl nicht durchgeführt. Das OKH regte am 23.9.1941 beim OKW zunächst vergeblich an, »die Notwendigkeit der Durchführung des K. in der bisherigen Form im Hinblick auf die Entwicklung der Lage zu überprüfen«. Erst Anfang Mai 1942 wurde der K. auf Anordnung Hitlers versuchsweise aufgehoben, mit der Begründung, dadurch die Verhärtung des feindlichen Widerstandes aufzuweichen und die Neigung eingeschlossener sowj. Truppen zur Kapitulation zu steigern. Danach wurde der Befehl nicht wieder in Kraft gesetzt.

Willi Dreßen

Literatur:

Krausnick, Helmut: *Kommissarbefehl und »Gerichtsbarkeitserlaß Barbarossa« in neuer Sicht,* Vierteljahrshefte zur Zeitgeschichte 25 (1977), S. 682–738.

Streim, Alfred: *Die Behandlung sowjetischer Kriegsgefangener im »Fall Barbarossa«. Eine Dokumentation,* Heidelberg/Karlsruhe 1981.

Streit, Christian: Die Behandlung der sowjetischen Kriegsgefangenen und völkerrechtliche Probleme des Krieges gegen die Sowjetunion, in: Gerd R. Ueberschär/Wolfram Wette (Hg): *Der deutsche Überfall auf die Sowjetunion,* Frankfurt am Main 1991.

Kommunistische Partei Deutschlands (KPD) Die KPD – am 30.12.1918 durch den Zusammenschluß des »Spartakusbundes« und der »Internationalen Kommunisten Deutschlands« in Berlin gegründet – avancierte Ende 1932 mit ca. 6 Mio. Wählern zur drittstärksten Partei in Deutschland. Gelenkt von der Komintern in Moskau, richtete sich die KPD zwar frühzeitig auf die Illegalität ein, unterlag aber einem doppelten Trugschluß: Bis Ende 1935 wurde die → SPD zum Hauptgegner erklärt (»Sozialfaschismus-These«) und der nat.soz. Terror unterschätzt – der ersten Verhaftungswelle nach dem → Reichstagsbrand fielen rd. 11 000 Kommunisten zum Opfer (→ Reichstagsbrandverordnung; → Verfolgung). Bei den Reichstagswahlen vom 5.3.1933 konnte die KPD zwar 12,3 % der Stimmen erreichen, ihre 81 Mandate wurden jedoch sofort konfisziert. Die Parteileitung war bereits am 30.1.1933 in eine Auslandsleitung in Paris bzw. Prag und eine illegale Inlandsleitung in Berlin aufgeteilt worden. Der Alltag des → Widerstandes war in der ersten Phase (bis Ende 1935) durch einen verlustreichen Aktionismus und den ständigen Neuaufbau der Organisation gekennzeichnet, so daß sich danach ein Großteil der Basis auf das Überleben im Milieu beschränkte (→ Arbeiterwiderstand). Mit der sog. Brüsseler Konferenz (Okt. 1935), einem Treffen der KPD-Führung in Moskau, wurden die Leitlinien der Partei geändert: die getarnte Arbeit in den NS-Massenorganisationen löste die Offensivtaktik ab (»trojanisches Pferd«), das Einheits- bzw. Volksfrontangebot an die SPD die Sozialfaschismus-These. Das letztere Angebot scheiterte an der Skepsis der SPD, ersteres an der Kluft zwischen Parteileitung und Basis: Exil und in-nerdt. Widerstand waren getrennte Handlungsebenen. Der → dt.-

sowj. Nichtangriffspakt lähmte den kommunistischen Widerstand vollends, er wurde erst nach dem Überfall auf die UdSSR (Juni 1941) v.a. auf regionaler Ebene reaktiviert.

Die KPD hatte die größte Zahl der Opfer im Widerstand gegen die Hitler-Diktatur zu beklagen; die Behauptung eines kontinuierlichen Widerstands (DDR-Historiographie) ist jedoch ebensowenig aufrechtzuerhalten wie die seiner weitgehenden Zerschlagung 1935/36 (West-Forschung).

Michael Sommer

Literatur:

Mallmann, Klaus-Michael: Kommunistischer Widerstand 1933–1945. Anmerkungen zu Forschungsstand und Forschungsdefiziten, in: Steinbach, Peter/Johannes Tuchel (Hg.): *Widerstand gegen den Nationalsozialismus*, Bonn 1994.

Peukert, Detlev: *Die KPD im Widerstand. Verfolgung und Untergrundarbeit an Rhein und Ruhr 1933 bis 1945*, Wuppertal 1980.

Kommunistische Partei Deutschlands (Opposition) (KPO) s. Arbeiterwiderstand

Konkordat s. Reichskonkordat

Konzentrationslager (KZ) Am 15.2. 1933 wurde mit der Verordnung des Reichspräsidenten zum »Schutz von Volk und Staat« (→Reichstagsbrandverordnung) die »Rechtsgrundlage« für die nat.soz. KZ geschaffen. Damit war in Deutschland das Grundrecht

Abb. 55: Die wichtigsten nationalsozialistischen Konzentrations- und Vernichtungslager

der persönlichen Freiheit außer Kraft gesetzt. Die KZ wurden in den zwölf Jahren der NS-Herrschaft zum wichtigsten Instrument des Staatsterrors (→ Verfolgung). In 59 frühen Lagern und einer geringen Zahl von KZ-ähnlichen Einrichtungen im Reichsgebiet (die 1934 aufgelöst wurden) wurden die Gefangenen anfangs meist von SA und Polizei bewacht, bevor SS-Mannschaften, die ab 1936 als »Totenkopfverbände« bezeichnet wurden, die Bewachung übernahmen. Ab 1934 wurden die KZ zentral der SS-Institution »Inspektion der Konzentrationslager« unterstellt, die Einweisungen erfolgten v.a. durch das RSHA bzw. dessen Vorläufer (Gestapo). Bis Kriegsbeginn wurden sieben KZ errichtet, bis 1945 waren im Machtbereich des NS-Staates 22 Hauptlager mit 1202 Außenlagern und Außenkommandos entstanden. Dienten die KZ ursprünglich der Ausschaltung der politischen Gegner sowie der Drangsalierung unerwünschter Minderheiten, so wurden sie während des Krieges immer mehr zum Arbeitskräftereservoir für die Rüstungsindustrie (→ Kriegswirtschaft). Zu diesem Zweck wurde die Inspektion der KZ im Frühjahr 1942 dem → SS-Wirtschafts-Verwaltungshauptamt eingegliedert. Ab 1941 wurde in einigen Konzentrationslagern die fabrikmäßige Tötung von Juden, Sinti und Roma und in kleinerem Umfang auch von → Kriegsgefangenen und politischen Gegnern durchgeführt (→ Vernichtungslager). *Barbara Distel*

Literatur:
Drobisch Klaus/Günther Wieland: *System der NS-Konzentratonslager 1933–1945,* Berlin 1993.
Schwarz, Gudrun: *Die nationalsozialistischen Lager,* Frankfurt am Main 1990.
Sofsky, Wolfgang: *Die Ordnung des Terrors. Das Konzentrationslager,* Frankfurt am Main, 1993.

Köpenicker Blutwoche Die Woche vom 21.–26.6.1933, in der in Berlin-Köpenick zahlreiche Bürger von der → SA verschleppt, gefoltert und ermordet wurden. Schauplätze waren die SA-Lokale »Demuth«, »Seidler« und »Jägerheim«, das ehemalige Wassersportheim des → Reichsbanners Schwarz-Rot-Gold und das Amtsgerichtsgefängnis. Die 23 Todesopfer gehörten in der Mehrzahl der KPD und der SPD an, einige waren parteilos bzw. Juden. Unter ihnen waren der Schlosser Paul v. Essen (SPD), der Maschinenbauer Erich Janitzky (KPD), der ehemalige Ministerpräsident von Mecklenburg, Johannes Stelling (SPD), und der Chemiker Dr. Georg v. Eppenstein (Jude, parteilos).

Gegen die beteiligten SA-Männer fanden mehrere Prozesse statt: 1947 und 1948 am Landgericht Berlin (Moabit) und 1950 am Landgericht Berlin (Ost); bei letzterem wurden 16 Todesurteile und zahlreiche hohe Zuchthausstrafen ausgesprochen (→ Verfolgung). Im ehemaligen Amtsgerichtsgefängnis ist eine Gedenkstätte eingerichtet. *Antje Gerlach*

Korridor s. Polnischer Korridor

Kowno s. Kauen (Ghetto/KZ)

KPD s. Kommunistische Partei Deutschlands

Kraft durch Freude (KdF) Die NS-Gemeinschaft »Kraft durch Freude«, eine Unterorganisation der → Dt. Arbeitsfront, war die massenwirksamste und wohl auch populärste Organisation des NS-Regimes. Im Rahmen ihrer Aktivitäten bot sie ein umfangreiches kulturelles und touristisches Freizeitprogramm, das von Theateraufführungen und Konzerten über Kunstausstellungen und Vorträge bis zu Tages-, Wochenend- und Ferienreisen in Deutschland und in verschiedene Länder des europäischen Auslands reichte. Das propagandistisch stark herausgestellte Prunkstück dieses Reiseprogramms waren die Kreuzfahrten nach Madeira, an die ital. Küsten und nach Norwegen, die mit einer KdF-eigenen Flotte durchgeführt wurden. Im Mittelpunkt dieses KdF-Freizeitprogramms stand die Arbeiterschaft, der ein Erholungs- und Unterhaltungsangebot zugänglich gemacht werden sollte, das bisher anderen sozialen Schichten vorbehalten gewesen war. Doch trotz der günstigen Preise waren Arbeiter sowohl bei den Reise- als auch bei den Kulturveranstaltungen unterrepräsentiert, vielmehr bildete die Angestelltenschaft die mit Abstand größte Teilnehmergruppe.

Neben dem Ziel des Abbaus »bürgerlicher« Privilegien und der Schaffung einer → Volksgemeinschaft sollten die KdF-Veranstaltungen aber ebenso der Entspannung, der Regeneration der Arbeitskraft und damit der Erhöhung der Arbeits- und Produktionsleistungen dienen. Dieser Funktion kam im Rahmen von KdF insbesondere das Amt → Schönheit der Arbeit nach, das seine Tätigkeit vor allem auf den Industriebetrieb als Arbeitsstätte bezog. Sein Aufgabenkreis reichte von der Beratung bei Neu- oder Umbau von Werkshallen, bei der Schaffung von Kantinen, Sportstätten oder Grünanlagen über Fragen der Belüftung, Hygiene und Beleuchtung bis hin zu Anregungen für die Gestaltung des Arbeitsplatzes und für die Organisation des Arbeitsablaufs. Moderne betriebswirtschaftliche und arbeitspsychologische Ansätze sollten so für den Arbeitsalltag nutzbar gemacht werden (→ Sozialpolitik). *Marie-Luise Recker*

Literatur:
Weiß, Hermann: *Ideologie der Freizeit im Dritten Reich. Die NS-Gemeinschaft »Kraft durch Freude«*, in: *Archiv für Sozialgeschichte* 33 (1993), S. 289–303.

Krakau-Plaszow (KZ) Im Sommer 1942 in einem Vorort der poln. Stadt Krakau gegründetes KZ. Die Zahl der Gefangenen war zunächst niedrig, wuchs aber mit der Liquidierung des Krakauer → Ghettos (Mitte März 1943), der Deportation ungar. Juden und poln. Überlebender des → Warschauer Aufstands bis Sommer 1944 auf etwa 24 000 an. Unweit vom Amtssitz von Hans Frank, Hitlers Statthalter im → Generalgouvernement, gelegen, war K. insbesondere unter der Leitung von Kommandant Amon Göth Schauplatz von Massenmord, Folter und Mißhandlungen. Im Sommer 1944 wurden die Gefangenen vor der heranrückenden Roten Armee im Sommer 1944 in → Vernichtungslager oder andere KZ verlegt. Etwa 900 Lagerinsassen rettete Oskar Schindler, indem er sie in seinen Industriebetrieb übernahm (→ Rassenpolitik und Völkermord).

Jürgen Matthäus

Kreis/Kreisleiter Der K. war die Gebietseinheit der → NSDAP unterhalb des → Gaus. Er entsprach meist der kommunalen Verwaltungseinheit (Stadt bzw. K.). Der oberste Parteiführer auf dieser Ebene war der K.leiter, ein auf Vorschlag des → Gauleiters von Hitler eingesetzter hauptamtlicher Funktionär der Partei. Ihm unterstanden die → Ortsgruppenleiter seines K. und die Politischen Leiter in der K.leitung. Nicht selten verbanden K.leiter ihr Parteiamt in Personalunion mit dem Amt des kommunalen Verwaltungschefs (Bürgermeister, Oberbürgermeister). Der kommunale Einfluß der NSDAP auf Politik und Verwaltung erfuhr so eine zusätzliche Absicherung.

Bernward Dörner

Kreisauer Kreis Eine Gruppe des → Widerstands, die sich primär mit der Entwicklung von Nachkriegskonzeptionen befaßte. Der K. formierte sich ab 1940 aus dem Freundeskreis der Ehepaare Helmuth James und Freya v. Moltke sowie Peter und Marion Yorck v. Wartenburg. Der Name K. stammt von der Gestapo und geht auf Moltkes Gut Kreisau zurück, das neben Berlin und München einer der Treffpunkte der Gruppe war, die etwa 40 Personen mit unterschiedlichem sozialen und politischen Hintergrund umfaßte und sich in wechselnder Zusammensetzung traf. Dem engeren Kreis zuzuordnen sind Horst v. Einsiedel, Carl Dietrich v. Trotha, Adolf Reichwein, Hans Peters, Hans Lukaschek, Carlo Mierendorff, Theodor Steltzer, Adam v. Trott zu Solz, Hans-Bernd v. Haeften, Harald Poelchau, Augustin Rösch, Alfred Delp, Theo Haubach, Eugen Gerstenmaier, Paulus van Husen, Lothar König sowie Julius Leber. Auf den größeren Tagungen zu Pfingsten 1942, Oktober 1942 sowie Pfingsten 1943 wurden wichtige programmatische Schriften wie die »Grundsätze für die Neuordnung« und der Text »Bestrafung von Rechtsschändern« ausgearbeitet. Die Programmatik des K. war von christlich-ethischen, sozialreformerischen Gesichtspunkten bestimmt und enthielt Formen der indirekten Demokratie; Deutschland sollte in eine europäische Ordnung eingeschlossen sein. Die ökonomischen Planungen des K. sahen eine ständisch geprägte Mischform von Plan- und Marktwirtschaft, wirkungsvolle Mitbestimmungs- und Arbeitsschutzregeln sowie eine lohnunabhängige soziale Sicherung bei starker Betonung der Familie vor. Der K. versuchte ohne großen Erfolg Auslandsbeziehungen in Schweden und Großbritannien zu knüpfen. Im Januar 1944 wurde Helmuth James von Moltke im Rahmen der Ermittlungen gegen die → Abwehr verhaftet, Adolf Reichwein und Julius Leber wurden im Juli 1944 festgenommen, als sie versuchten, sich mit Vertretern der → KPD zu treffen. Aus ethischen Gründen blieb die Beteiligung an einem Attentat auf Hitler im K. umstritten, vor allem Moltke war lange Zeit entschiedener Gegner eines Tyrannenmordes. Dennoch beteiligten sich mehrere Kreisauer an der Verschwörung des → 20. Juli 1944. Viele Mitglieder des K. wurden in der Folge des gescheiterten Hitler-Attentats verhaftet, zum Tode verurteilt und hingerichtet. *Irene Stuiber*

Literatur:

Dossier: Kreisauer Kreis. Dokumente aus dem Widerstand gegen den Nationalsozialismus. Aus dem Nachlaß von Lothar König S. J., hg. und komm. von Roman Bleistein, Frankfurt am Main 1987.

Roon, Ger van: *Neuordnung im Widerstand. Der Kreisauer Kreis innerhalb der deutschen Widerstandsbewegung*, München 1967.

Kreta s. Balkanfeldzug, s. Griechenland, s. Merkur (Unternehmen)

Kretiner s. Muselmann

Kriegsberichter(statter) Die K. schilderten in → Presse, → Rundfunk und Film mittels Bild und Wort den Kriegsverlauf. Geeignete Journalisten kamen von den Reichspropagandaämtern; im Winter 1938/39 einigten sich das → Reichsministerium für Volksaufklärung und Propaganda und das OKW über die Aufstellung von Propaganda-Kompanien mit von der Wehrmacht geschulten K. bei den Armee-Oberkommandos. Die Fachausbildung übernahm im Laufe des Krieges eine Ersatzeinheit. Bei Kriegsausbruch bestanden bei Heer, Luftwaffe und Marine 14 Propaganda-Kompanien, die mit K.- und Lautsprecherzügen sowie Bild-, Film-, Wort- und Rundfunktrupps ausgestattet waren. Nach einer Phase der Überproduktion im Bereich der Berichterstattung kam es bei der Wehrmacht nicht zuletzt unter dem Einfluß der bei der → Wafffen-SS nach dem → Polenfeldzug aufgestellten Standarte »Kurt Eggers«, in der alle K. der Waffen-SS zusammengefaßt waren, zu einer Umstrukturierung in Aufbau, Ausbildung und Einsatz der K. Die Gegnerbeeinflussung (psychologische Kriegführung) und die propagandistische Betreuung der eigenen und verbündeten Truppen bekamen den Vorzug vor der eigentlichen Berichterstattung von den Kriegsschauplätzen. Die Waffen-SS setzte geeignete Front- und selbst Berufsoffiziere bei den K.-Einheiten ein und pflegte eine stärker ideologisierte Kampfpropaganda. Unter dem Decknamen »Skorpion-Ost« betrieb »Kurt Eggers« eine anfangs recht erfolgreiche Überläuferstrategie gegenüber der Roten Armee, verbunden mit einer Abschreckungsstrategie gegenüber deren möglichen Bundesgenossen im ukrain.-poln.-tschech. Raum. Ein ähnlicher Versuch gegenüber den Invasionstruppen der Anglo-Amerikaner (»Skorpion-West«) mußte nach deren raschen Erfolgen jedoch umfunktioniert werden in eine psychologische Betreuung der eigenen abgekämpften und entmutigten Verbände. Der Wunschtraum, mit Hilfe sowj. Kriegsgefangener die Kriegslage noch beeinflussen zu können (→ Wlassow-Armee), führte dazu, daß Gunther d'Alquen als Chef von »Kurt Eggers« mit seinen Mitarbeitern die propagandistische Betreuung der »Ostvölker«-Truppen von der Wehrmacht übernahm und kurz vor Kriegsende auch deren gesamten K.-Bereich. Zur Zahl der rd. 15 000 K. der dt. Streitkräfte kamen noch die Mitarbeiter von → Vineta, die unter dem Propagandaministerium im Bereich der psychologischen Kriegsführung arbeiteten. Etwa 1000 K. kamen bei ihrer gefahrvollen Tätigkeit ums Leben. *Uffa Jensen*

Kriegsgefangene *1. In deutscher Hand:* Die Situation der alliierten K. unterschied sich je nach Herkunftsland grundsätzlich. K. der westlichen Alliierten wurden gemäß der Vorschriften der Haager Landkriegsordnung (HLKO) von 1907 und der Genfer K.-Konvention vom 27.7.1929 behandelt; brit. und US-amerik. jüdische K. wurden lediglich gesondert untergebracht. Niederl. und norweg. K. erhielten bald nach Beendigung der Kämpfe ihre Entlassung. Von den belg. K. wurden nur die Flamen, von den frz. 1941 ein Teil entlassen. Im April 1941 erhielten 250 000 (ausgenommen blieben Berufssoldaten, Juden und »Deutschfeindliche«) die »Beurlaubung Arbeitseinsatz in Deutschland«, schließlich den Zivilstand. Verletzungen der auferlegten Verhaltensvorschriften wurden zumeist mit Einweisung in ein Sonderlager (mit geringen Überlebenschancen) bestraft. Schwerverwundete brit. und amerik. K. wurden zumeist gegen dt. Schwerverwundete ausgetauscht.

Nach dem Ausscheiden Italiens aus dem Bündnis mit Deutschland (→ Italienfeldzug) wurden die anfänglich internierten ital. Soldaten und Milizionäre zu K. erklärt und im Reich oder im Generalgouvernement zur Arbeit eingesetzt. Die Behandlung war infolge des ital. »Verrats« hart, auch kam es zu zahlreichen Erschießungen. Die K. des → Balkanfeldzuges wurden nach Beendigung der Kämpfe entlassen, ausgenommen Serben, die man zur Arbeit ins Reich oder nach Norwegen deportierte, wo sie die gleichen schweren Lebensbedingungen zu tragen hatten wie poln. und sowj. K. (→ Zwangsarbeit).

Auch die poln. K. wurden zur Arbeit eingesetzt, nachdem diejenigen mit deutschfeindlicher Gesinnung oder die man deutschfeindlicher Handlungen verdächtigte, ausgesondert waren; sie wurden zumeist erschossen oder, wie eingefangene Geflohene, in KZ eingeliefert. Generell galten für poln. K. strengste Bestimmungen, deren Verletzung mit Einweisung ins KZ oder mit dem Tod bestraft wurde. Den gleichen inhumanen Bestimmungen unterlagen auch die sowj. K. Letztere traf das schwerste Los, bestimmt von Rassenideologie und Bolschewikenhaß. Da die UdSSR weder die HLKO noch die Genfer Konvention unterzeichnet hatte, meinte Berlin, keine Rücksicht nehmen zu müssen – selbst Postverbindungen wurden verweigert. Sowj. Funktionäre, Juden, »Intelligenzler« und andere, in denen man entschiedene Feinde des Nat.soz. sah, wurden, soweit sie noch nicht dem → Kommissarbefehl zum Opfer gefallen waren, ausgesondert und ebenfalls ermordet. Die Mortalitätsrate in den verschiedenen Lagern war sehr hoch, da sie zur Aufnahme und Versorgung der in den Kesselschlachten eingebrachten Massen völlig erschöpfter K. in keiner Weise vorbereitet waren. Erst gegen Ende 1941, als Hitler die Arbeitskraft der K. zu nutzen befahl, trat eine geringe Besserung ihrer Lebensverhältnisse ein. Die unmenschliche Behandlung führte zu wachsendem Widerstand und – zumeist erfolglosen – Fluchtversuchen. Insgesamt wurden mindestens 2,53 Mio. eher jedoch über 3 Mio. der ca. 5,3 Mio. sowj. K. Opfer des dt. Gewahrsams.

Zum 1.1.1945 befanden sich noch 2 442 687 K. in dt. Gewahrsam, davon 930 287 Sowjets, 920 598 Franzosen (220 037 mit »erleichtertem Statut«), 168 640 Briten, 122 232 Serben, 70 121 Polen, 68 142 Italiener, 64 444 Belgier (Wallonen), 62 090 Amerikaner, 10 278 Niederländer, der Rest Sonstige.

2. In alliierter Hand: Die ersten dt. K. in brit. Hand waren Luftwaffen- und Marineangehörige, Ende 1939 ca. 100, Ende 1940 rd. 3500 Mann. Erst nach dem Zusammenbruch des Afrika-Korps (→ Afrikafeldzug) stieg die Zahl der *Prisoners of War* (POWs) stark an. Ende 1943 befanden sich 121 730 in amerik. und 34 850 in brit. Lagern, Ende 1944 betrug die Zahl 478 000 bzw. 235 000. Die Kapitulationsgefangenen, die, damit man nicht auf deren K.-Status Rücksicht nehmen mußte, z.T. nicht als POWs, sondern als *Surrendered Enemy Personal* (SEP) oder *Disarmed Enemy Forces* (DEF) mit Sonderstatus geführt wurden (insgesamt 4 098 000), erhöhten die Zahlen enorm, insgesamt wurden 3 635 000 dt. K. in brit. und 3 097 000 in amerik. Gewahrsam, rd. 150 000 in frz. registriert. Die USA übergaben einen Teil ihrer K. an Frankreich zum Arbeitseinsatz, das dadurch über insgesamt 937 000 K. verfügen konnte, von denen ein erheblicher Teil nach 1947 als Zivilarbeiter verpflichtet blieb. Auch an Belgien (64 000), die Niederlande (7000) und Luxemburg (5000) wurden K. übergeben. In sowj. Gewahrsam befanden sich Ende 1941 etwa 26 000 K., deren Zahl durch die sowj. Gegenoffensive im Winter 1941/42 auf 115 000 anwuchs. Ende 1943 betrug ihre Zahl rd. 197 000, Ende 1944 560 000 Mann. Die Gesamtzahl der in sowj. Hand geratenen K. belief sich auf 3 180 000, an Polen wurden davon 70 000, an die Tschechoslowakei 25 000 K. übergeben. In Jugoslawien befanden sich über 194 000 K., kleinere Gruppen in den ehemals mit Deutschland verbündeten Staaten Bulgarien, Rumänien, Ungarn und Spanien.

Die Lebensverhältnisse der dt. K. differierten stark. In amerik. Gewahrsam fehlte ihnen nichts, ebenso wenig in Großbritannien. Erst die Masse der Kapitulationsgefangenen warf gravierende Probleme auf, besonders in den »Rheinwiesenlagern«, wo Tausende den Tod fanden. In frz. Gefangenschaft wirkte sich die schwierige Wirtschaftslage auch auf die K. aus. In ungleich stärkerem Maß war dies in Jugoslawien, wo die Härte des → Partisanenkrieges auch tiefen Haß hinterlassen hatte, und in der UdSSR der Fall. Die katastrophale sowj. Versorgungslage, die sich nach der Einstellung der amerik. Hilfslieferungen noch verschärfte, ließ bis 1947 weder für K. noch für die Zivilbevölkerung eine ausreichende Lebensmittelversorgung zu. Dementsprechend war die Zahl der Todesfälle in sowj. und jugosl. Gewahrsam relativ hoch. Sowj. Quellen sprechen von 750 000, dazu kommen jene K., die die Aufnahmelager nicht erreichten. Die Gesamtverluste belaufen sich für die UdSSR auf rd. 1,1 Mio., für Jugoslawien auf 80 000 Mann.

Keinen Konsens gab es in der Frage der politischen Umerziehung. In der UdSSR war sie, abgesehen von der Volksfront-Phase des → Nationalkomitees »Freies Deutschland« (Mitte 1943 – Mitte 1947) kommunistisch ausgerichtet, die Teilnahme obligatorisch; in Großbritannien war die reeducation offen für alle nicht-nat.soz. Richtungen, die Beteiligung freiwillig. In Frankreich und den USA fand eine allgemeine politische Umerziehung nicht statt.

Die Entlassungen wurden unterschiedlich gehandhabt. Arbeitsunfähige kehrten nach Kriegsende heim, auch begannen die USA und Großbritannien schon im Sommer 1945 in großem Umfang Kapitulationsgefangene zu entlassen, die K. in den USA wurden 1946/47 entlassen, allerdings vielfach schon 1945 an Frankreich, Großbritannien und Belgien übergeben. Die Moskauer Außenminister-Konferenz vom April 1947 setzte den Abschluß der Entlassungen auf Dezember 1948 fest. Auch Jugoslawien entließ seine K. bis Januar 1949. Die UdSSR und mit ihr Polen lehnte aber den Vollzug Ende 1948 unter Berufung auf die frz., brit. und belg. Verpflichtung von K. als »freie Zivilarbeiter« ab. Polen schloß die Entlassungen im April, die UdSSR im Mai 1950 ab. Zurückgehalten wurden allgemein K., die als Kriegsverbrecher beschuldigt und verurteilt worden waren. *Hergard Robel*

Literatur:
Zur Geschichte der deutschen Kriegsgefangenen des Zweiten Weltkrieges, Bde. 1–15, München 1962–1974.
Smith, Arthur L.: *Die vermißte Million*, München 1992.
Streit, Christian: *Keine Kameraden. Die Wehrmacht und die sowjetischen Kriegsgefangenen 1941–1945*, Stuttgart 1978.
Benz, Wolfgang/Angelika Schardt (Hg.): *Deutsche Kriegsgefangene im Zweiten Weltkrieg. Erinnerungen*, Frankfurt am Main 1995.

Kriegsgerichtsbarkeit Bereits am 12.5.1933 erfolgte die Wiedereinführung der Militärgerichtsbarkeit als einer gesonderten Gerichtsbarkeit für Militärpersonen, deren oberste Instanz das 1936 gegründete → Reichskriegsgericht wurde. Mit Kriegsbeginn entfielen Instanzenweg und Rechtsmittel, obgleich zahlreiche Bestimmungen des → Kriegssonderstrafrechts die Todesstrafe androhten. Die Urteile der sich nun Feld(kriegs)gerichte nennenden Militärgerichte bedurften nach einem erfolgten Nachprüfverfahren lediglich der Bestätigung der jeweiligen militärischen Befehlshaber. Für SS- und Polizeiverbände galt ab Oktober 1939 eine eigene Gerichtsbarkeit. Gegen Kriegsende wurden auch Sonderstandgerichte »zur Bekämpfung von Auflösungserscheinungen« errichtet (→ Standgerichte). Die Bilanz dieser K. bestand in mehr als 30 000 Todesurteilen, überwiegend verhängt wegen → Fahnenflucht und → »Wehrkraftzersetzung«. *Michael Hensle*

Kriegsgerichtsbarkeitsbefehl Erlaß vom 13.5.1941 über die Ausübung der → Kriegsgerichtsbarkeit im Gebiet → »Barbarossa« (besetzte Gebiete der Sowjetunion) und über besondere Maßnahmen der Truppe. Durch den K. wurden Straftaten feindlicher Zivilisten »bis auf weiteres« nicht mehr durch Kriegs- und Standgerichte, sondern durch die Truppe selbst geahndet. → Partisanen waren »im Kampf oder auf der Flucht zu erledigen«, Partisanenverdächtige Ortschaften waren durch kollektive Gewaltmaßnahmen (Niederbrennen, Töten von Einwohnern, Zwangsdeportationen etc.) zu bestrafen, wenn die Umstände eine Feststellung einzelner Täter nicht gestatteten. Es war ausdrücklich verboten, verdächtige Täter »zu verwahren«, um sie später an Gerichte abzugeben. Umgekehrt wurde für Straftaten von Wehrmachtsangehörigen und Gefolge gegen Landeseinwohner der Verfolgungszwang aufgehoben. Nur in Ausnahmefällen, z.B. bei geschlechtlicher Hemmungslosigkeit oder verbrecherischer Veranlagung, war gerichtliches Einschreiten möglich. *Willi Dreßen*

Kriegshilfsdienst Bereits bei Kriegsbeginn als vorübergehende Maßnahme für Schüler und Schülerinnen höherer Schulen eingeführt, bestimmte der »Erlaß des Führers und Reichskanzlers über den weiteren Kriegseinsatz des → Reichsarbeitsdienstes für die weibliche Jugend« vom 29.7.1941, ein weiteres halbes Jahr K. offiziell bei sozialen Einrichtungen, in Krankenhäusern und bei bedürftigen, insbesondere kinderreichen Familien, bei Behörden und bei Dienststellen der Wehrmacht abzuleisten. De facto arbeiteten 30 000 der im Winter 1942/43 herangezogenen 50 000 Frauen in Verkehrsbetrieben und Rüstungsindustrie (→ Kriegswirtschaft). *Heiko Pollmeier*

Kriegsmarine s. Wehrmacht

Kriegsschuldfrage Zwischen 1919 und 1939 ein Hauptargument für die Revision des → Versailler Friedensvertrages. Die Sieger des Ersten Weltkriegs hatten erklärt, daß der Krieg 1914 durch die dt. Kriegserklärungen an Rußland und Frankreich und durch den dt. Überfall auf das neutrale Belgien verursacht worden sei. Im Art. 231, der die Reparationsforderungen begründete, wurde Deutschland für alle Schäden und Verluste haftbar gemacht. Alle Parteien der Weimarer Republik vom linken bis zum rechten Spektrum sowie alle gesellschaftlich wichtigen Gruppen, allen voran die Historiker, bestritten leidenschaftlich die dt. Kriegsschuld. Die Sozialdemokraten, welche gleich nach der Novemberrevolution von 1918 die Akten zum Kriegsbeginn studierten, wagten nicht, dem Volk die bittere Wahrheit zu sagen. Genossen wie Eduard Bernstein, der für ein Schuldeingeständnis plädierte, wurden wegen »Wahrheitsfimmels« verhöhnt. Ein Gutachten des angesehenen Juristen Hermann Kantorowicz, der das Dt. Reich und Österreich als Hauptverantwortliche benannte, wurde auf Betreiben des Auswärtigen Amtes unter Gustav Stresemann nicht veröffentlicht. Die K. diente den Nat.soz. von Anfang an dazu, die Massen gegen die Republik aufzuhetzen. Am 30.1.1937 widerrief Hitler dann als Reichskanzler im dt. Reichstag die dt. Unterschrift unter den Art. 231 des Versailler Vertrags. Für den Beginn des europäischen Krieges am 1.9.1939 war die Führung des Dritten Reiches so eindeutig verantwortlich, daß hier eine »Kriegsschuldfrage« zu keiner Zeit entstehen konnte. *Karl-Heinz Janßen*

Kriegssonderstrafrecht Das K. beinhaltete eine umfassende Radikalisierung des Strafrechts. Bereits am 17.8.1938 wurde die K.-Verordnung beschlossen, nach der → »Wehrkraftzersetzung«, Wehrdienstentziehung und Selbstverstümmelung mit der Todesstrafe geahndet werden konnten. Die Verordnung zum »Schutz der Wehrmacht« vom 25.11.1939 betraf u.a. Sabotage, Wehrmittelbeschädigung sowie verbotenen Umgang mit → Kriegsgefangenen. Am 1.9.1939 wurde das Hören ausländischer Sender unter Androhung von Zuchthausstrafen verboten (→ Rundfunkverbrechen). Ebenfalls drakonische Strafen drohte die »Kriegswirtschaftsverordnung« vom 4.9.1939 bei → »Kriegswirtschaftsverbrechen« an. Am 5.9.1939 wurde die Verordnung gegen → »Volksschädlinge« erlassen, die auch bei Eigentumsdelikten die Todesstrafe zuließ. Die Verordnung gegen »Gewaltverbrecher« vom 5.12.1939 sah als alleiniges Strafmaß die Todesstrafe vor. Am 4.12.1941 erging das berüchtigte → Polensonderstrafrecht. In letzter Konsequenz führte das K. zur Verordnung vom 15.2.1945 über die Errichtung von → Standgerichten, die nur drei Entscheidungen kannten: Todesurteil, Freispruch oder Überweisung an ein ordentliches Gericht.

Michael Hensle

Kriegstäter Alle wehrfähigen Straftäter im Alter bis 45 Jahre, die wegen nach Kriegsbeginn verübter Straftaten zu Zuchthausstrafen (bei Militär-, SS- und Polizeigerichten auch zu Gefängnisstrafen mit Verlust der Wehrwürdigkeit) verurteilt worden waren, galten als K. Diesen war nach einer Verordnung vom 11.6.1940 die Zeit der Strafvollstreckung für die Dauer des Krieges nicht als Strafzeit anzurechnen: Die Strafverbüßung während des Krieges zählte nicht. Zusätzlich wurde Vollstreckung unter verschärften Bedingungen angeordnet, was vielfach Strafvollstreckung in speziellen, den Zuchthäusern angegliederten Straflagern bedeutete. 1942 wurde die Verordnung dahingehend modifiziert, daß die Nichtanrechnung der Strafzeit nur für Erstbestrafte über zwei Jahren Zuchthaus gelten sollte. Ein Widerruf der Nichtanrechnung war über einen Gnadenerweis oder die Wiederverleihung der Wehrwürdigkeit möglich, was meist umgehend die Einberufung zur Wehrmacht, häufig zum → Bewährungsbataillon 999, zur Folge hatte.

Michael Hensle

Kriegswirtschaft Die K. wird allgemein charakterisiert durch eine Umverteilung der volkswirtschaftlichen Ressourcen zugunsten der Versorgung des Militärs mit Waffen und Ausrüstung und durch eine entsprechende Zwangsregulierung von Produktion und Verbrauch: In Deutschland wies sie als besondere Merkmale ein überragendes Gewicht der führenden Rüstungskonzerne und – seit 1941/42 – deren außerordentlich große Entscheidungsgewalt in der Regulierung der gesamten industriellen Produktion, das Fehlen jeglicher Interessenvertretungen der Arbeitenden, die terroristische Niederhaltung jeden Widerstands, die millionenfache Beschäftigung von Ausländern unter dem unmenschlichen Regime der → Zwangsarbeit und die Ausplünderung und Ausbeutung der wirtschaftlichen Ressourcen in den besetzten Ländern Europas auf. In der Phase der → Blitzkriege (1939–1941) schwankte die Produktion von Waffen und Gerät stark. Der dt. Rüstungsvorsprung sollte gehalten, die eigene Bevölkerung aber vor scharfen Einschnitten in ihrer Lebenshaltung bewahrt und bei Laune gehalten werden. »Umsteuerungen« in der K. sollten das begrenzte dt. Wirtschaftspotential jeweils auf Schwerpunkte der Rüstung konzentrieren. In wichtigen Waffenarten verdoppelte und verdreifachte sich die Produktion schon 1940 (Panzer, Infanteriegeschütze, Maschinenwaffen). Wirtschaftliche Ressourcen der besetzten Länder wurden in den Dienst der dt. K. gestellt. Den kriegswirtschaftlichen Wendepunkt bezeichnen die dt. Niederlage vor Moskau und der Kriegseintritt der USA (Dezember 1941). Das Potential der Anti-Hitler-Koalition war dem dt. jetzt hoch überlegen, und die ungeheuren Menschen- und Materialverluste an der Ostfront warfen die Schatten des Niedergangs der K. voraus. Diese bisher schwerste Krise wurde durch erhebliche Veränderungen in der Produktion und in der Organisation der K. aufgefangen. Marine- und Luftrüstung wurden gekürzt, Material und Arbeitskräfte auf die Heeresrüstung konzentriert. Ausschüsse, »Ringe« und Kommissionen von Rüstungsindustriellen, unter dem mit großen Vollmachten ausgestatteten Minister für Bewaffnung und Munition (seit Februar 1942: Albert Speer), steuerten fortan die Rüstung und unterzogen Produktion und Entwicklung von Waffen und Gerät einer umfassenden Rationalisierung. 1943 wurde dieses System der »industriellen Selbstverantwortung« auf die Marinerüstung, 1944 auf die Luftrüstung ausgedehnt. Die wichtigste Aufgabe des im März 1942 von Hitler zum → Generalbevollmächtigen für den Arbeitseinsatz ernannten Fritz Sauckel war die Zwangsrekrutierung von ausländischen Arbeitskräften für die K., zunächst v.a. von sowj., die mit Hilfe der Wehrmacht im Osten zusammengetrieben wurden. Im Herbst 1943 stammten von allen ausländischen Arbeitskräften (ca. 7 Mio.) 33% aus der UdSSR, 24% aus Polen und 20% aus Frankreich. Unter Sauckel wurde ein barbarisches Zwangsarbeitsregime errichtet und das gesamte Arbeitskräftepotential einer rassischen Kategorisierung und »Ordnung« unterworfen. Die dt. Arbeiter drängte dieses System in die schändliche Rolle von »Herrenmenschen« und Sklavenaufsehern. Noch Mitte 1944 erreichte die Kriegsproduktion dank hoher Investitionen der Vorjahre und durchgreifender Rationalisierungsmaßnahmen Höchstleistungen. Zur selben Zeit aber kündigte sich unaufhaltsam die wirtschaftliche Katastrophe an. Der ausschlaggebende Faktor war hierbei der konzentrierte → Luftkrieg der westlichen Alliierten gegen kriegswirtschaftliche Ziele in Deutschland. Nach der verkehrsmäßigen Abschnürung des Ruhrgebiets Ende 1944 und dem Verlust des oberschlesischen Industriereviers Ende Januar 1945 war der Kollaps der K. unvermeidlich. In die Nachkriegszeit trat die dt. Industrie zwar mit einem angeschlagenen, aber gegenüber 1939 immer noch größeren und moderneren Produktionsapparat ein. Die dt. Staatsschulden einschließlich Clearingschulden waren bei Kriegsende auf 430–470 Mrd. RM angewachsen. 70–80 Mrd. RM können als Kriegsprofit der Rüstungsindustrie gelten. Die gesamten Kriegskosten auf dt. Seite mit dem Anteil, den die besetzten Gebiete und Satellitenstaaten zu tragen hatten, betrugen sicherlich weit über 800 Mrd. RM. *Dietrich Eichholtz*

Literatur:

Eichholtz, Dietrich: *Geschichte der deutschen Kriegswirtschaft 1939–1945*, 3 Bde., Berlin (Ost) 1969 ff.

Ránki, György: *The Economics of the Second World War*, Wien/Köln/Weimar 1993.

Kriegswirtschaftsverbrechen Bezeichnung für Verstöße gegen die Kriegswirtschaftsverordnung vom 4.9.1939. Zumeist handelte es sich um Schwarzschlachtungen (Schlachten ohne behördliche Genehmigung), Lebensmittelkarten- und Bezugsscheinbetrügereien (→ Rationierung), Horten von Rohstoffen wie auch Lebensmitteln und ähnliche Delikte, die von den zuständigen → Sondergerichten teilweise drakonisch (Verhängung der Todesstrafe) geahndet wurden.

Michael Hensle

Krim-Konferenz s. Jalta

Kriminalpolizei s. Reichssicherheits-Hauptamt

Kriminalbiologisches Institut s. Reichssicherheits-Hauptamt

Kriminaltechnisches Institut s. Reichssicherheits-Hauptamt

Kristallnacht s. »Reichskristallnacht«

Kroatien (Hrvatska) Von 1919–1992 Teil des Staates → Jugoslawien. Am 10.4.1941 wurde nach dem Einmarsch dt. Truppen in Zagreb von Mitgliedern der kroat. separatistischen und faschistischen Bewegung → Ustascha der »Unabhängige Staat Kroatien« (USK) ausgerufen. Das Territorium umfaßte außer K. Bosnien-Herzegowina und Syrmien (102 000 km², 6,3 Mio. Einwohner, davon 3,3 Mio. Kroaten, ca. 2 Mio. Serben, 700 000 Muslime, 40 000 Juden, 150 000 Deutsche u.a.). Einen Teil Dalmatiens mußte die kroat. Regierung → Italien überlassen. Der USK trat dem → Dreimächtepakt und dem → Antikominternpakt bei; im Inneren war er korporativ organisiert, »rassisch Minderwertige« wurden aus der Gesellschaft ausgeschlossen. Die »Serbische Frage« löste der USK durch Vertreibung, Ermordung und gewaltsame Konversion zum Katholizismus. Es entstand ein Netz von KZ (das größte Lager war → Jasenovac). Der Völkermord kostete Hundertausende von Serben das Leben. Im Sommer 1941 kam es zu einem bewaffneten Massenaufstand der Serben, der die Existenz des USK gefährdete. Etwa 80% der im USK lebenden Juden wurden von der Ustascha ermordet oder den Deutschen ausgeliefert. Genauso wurde mit Kommunisten und allen anderen Regimegegnern verfahren. Das faschistische K. stand politisch, wirtschaftlich und militärisch völlig unter dem Einfluß Deutschlands, schickte Soldaten an die Ostfront, erlaubte die Rekrutierung zur → SS und »exportierte« Arbeitskräfte, Rohstoffe und Nahrungsmittel ins Dt. Reich. Mit dt. Hilfe wurden erfolglos die → Partisanen bekämpft. Mit dem Einmarsch der jugosl. Partisanenarmee in Zagreb am 8.5.1945 war die Existenz des USK beendet.

Milan Ristović

Literatur:

Hory, Ladislaus/Martin Broszat: *Der Kroatische Ustascha-Staat 1941–1945,* Stuttgart 1964.

Kübelwagen s. Volkswagen

Kugelerlaß Befehl des OKW von Anfang 1944 (genaues Datum nicht bekannt), wiederergriffene → Kriegsgefangene dem Chef der → Sipo und des → SD (CSSD) unter der Codebezeichnung »Stufe III« zu übergeben. Die dem CSSD unterstellten Dienststellen wurden mit Erlaß vom 2.3.1944 bzw. mit Fernschreiben vom 4.3.1944 vom K. unterrichtet und zu strengster Geheimhaltung der Durchführungsmaßnahmen verpflichtet. Die unter den Erlaß fallenden Kriegsgefangenen waren in das KZ → Mauthausen (Tarnwort: »Aktion Kugel«) zu überführen. Dort wurden sie ermordet. Brit. und amerik. Kriegsgefangene waren von dem Erlaß nicht betroffen. Der Verbleib des Originals des K. ist bis heute unbekannt, der Erlaß wird jedoch im Text des Fernschreibens des CSSD vom 4.3.1944 auszugsweise wörtlich wiedergegeben. *Willi Dreßen*

Kulmhof s. Chelmno/Kulmhof

Kulturbolschewismus In den 20er Jahren entstandener Kampfbegriff, der sich ursprünglich gegen die »Entwürdigung« des Menschen durch schmucklose und zweckmäßige Bauhaus-Architektur (Gropius, Mies van der Rohe, Bruno Taut u.a.) und gegen die Aktivitäten des Dt. Werkbundes richtete, bald jedoch gegen alle Formen moderner und gesellschaftskritischer Kunst in der Weimarer Republik. Die Nat.-soz. übernahmen den Begriff mit dem Ziel, konservative Intellektuelle zu gewinnen. Die Bezeichnung K. bezog sich – ähnlich wie »Kunstbolschewismus« – auf Versuche sowj. Kulturpolitik, eine »Proletkult«-Bewegung im Dienst des Proletariats zu fördern, und belebte damit antikommunistische Ressentiments, wenn sie – in ganz anderer Verwendung – gegen »Internationalismus« und »jüdische Zersetzung« in der Kunst, gegen atonale Musik oder sexualwissenschaftliche Forschung benutzt wurde. Alfred Rosenbergs nat.-soz. → Kampfbund für Dt. Kultur stellte sich als Verteidiger Deutschlands gegen den K. dar. *Stefanie Endlich*

Kulturbund Deutscher Juden Im Juli 1933 in Berlin gegründete Selbsthilfeorganisation, die jüdischen Künstlern Arbeitsmöglichkeiten und dem jüdischen Publikum eine Alternative zum nat.soz. Kulturbetrieb bot. Der K. veranstaltete in Form eines Abonnementtheaters Schauspiel- und Opernaufführungen, Konzerte und Ausstellungen. Der Zutritt war ausschließlich Juden gestattet (außer den Beamten der Gestapo, die die Veranstaltungen überwachten). Die erste Aufführung war am 1.10.1933 Lessings *Nathan der Weise*. Sie löste in der jüdischen Öffentlichkeit Diskussionen über »dt.« und »jüdische« Inhalte aus, die die Arbeit des K. in den folgenden Jahren begleiteten. So beargwöhnten die Zionisten (→ Zionistische Vereinigung für Deutschland) die Wahl des »Nathan« als Blindheit gegenüber der Realität jüdischen Lebens im nat.soz. Deutschland. Dem Berliner Vorbild folgend entstanden 1933 weitere Kulturbünde im Reich. Seit Frühjahr 1935 mußte sich der K. »Jüd. Kulturbund Berlin« nennen, und es erfolgte der Zusammenschluß mit den anderen Kulturbünden zum »Reichsverband jüdischer Kulturbünde«. Alle inzwischen aus den → Reichskulturkammern mit ihren fachlichen Untergliederungen ausgeschlossenen jüdischen Künstler wurden Mitglieder im Reichsverband. Jede geplante Veranstaltung mußte dem Büro des Reichskulturwalters Hans Hinkel zur Prüfung vorgelegt werden. Das »Büro Hinkel« forcierte dabei die »Judaisierung« der Spielpläne: Nach und nach wurden Schiller und Goethe, Mozart und Beethoven verboten. Nach der → Reichskristallnacht wurden alle Kulturbünde zur Schließung gezwungen. Der Berliner K. mußte jedoch am 20.11.1938 auf Anordnung von Goebbels seine Arbeit wieder aufnehmen. Die Teilnahme an allen kulturellen Veranstaltungen außerhalb des K. war den Juden von nun an untersagt. Am 11.9.1941 wurde der K. von der Gestapo endgültig aufgelöst.

Maren Krüger

Literatur:

Geisel, Eike/Henryk M. Broder: *Premiere und Pogrom. Der Jüdische Kulturbund 1933–1941. Texte und Bilder*, Berlin 1992.

Geschlossene Vorstellung. Der Jüdische Kulturbund in Deutschland 1933–1941, hg. von der Akademie der Künste, Berlin 1992.

Kulturförderung Maßnahmen, die der Unterstützung von »Kulturschaffenden« dienen sowie sie anregen und in den Stand versetzen sollten, der nat.-soz. → Ideologie entsprechende Werke hervorzubringen und damit Beachtung beim Publikum zu finden. Die K. zielte auf die Schaffung und Lenkung einer einheitlichen nat.-soz. Kultur und die Ausmerzung alles »Volksfremden«. Zentrales Instrument der K. war die → Reichskulturkammer, doch waren auch Organisationen wie die → NS-Kulturgemeinde, die → Dt. Arbeitsfront und das Dt. Volksbildungswerk sowie kommunale Kunstvereine daran beteiligt. Die K. galt dem Film, der Musik, dem Theater, der Literatur und der bildenden Kunst (→ Kunst), die durch öffentliche Aufträge insbesondere für Berlin, die → Reichshauptstadt, und für München, die → »Hauptstadt der Bewegung«, unterstützt wurden. Der Förderung »volkhafter Dichtung« sollten v.a. die weit über 100 Literaturpreise gelten, die von staatlichen Stellen, → Gliederungen der NSDAP und verschiedenen Vereinigungen vergeben wurden. Die Stiftung und Verleihung von Preisen unterlag seit Dezember 1933 einer systematischen Kontrolle durch die Reichsschrifttumskammer.

Wolf Kaiser

Künsberg, Sonderkommando s. Kunstraub

Kunstraub Der Kunst-, besser: Kulturraub des NS-Regimes begann im Lande selbst mit der Verfolgung und teilweisen Vernichtung und Verschleuderung der modernen Kunst. Nach dem → Anschluß Österreichs setzte die allmähliche Beschlagnahme fast aller Kulturgegenstände im Besitz jüdischer Bürger und Institutionen ein. Das Vorgehen zielte bereits über den reinen K. hinaus auf die Auslöschung der jüdischen Kultur und Identität. Es wurde 1939 nach dem Überfall auf Polen (→ Polenfeldzug) fortgesetzt durch die Beschlagnahme des gesamten staatlichen, privaten und kirchlichen Kunstbesitzes durch mehrere dt. Funktionsträger: durch das Amt des Generalgouverneurs (→ Generalgouvernement); durch Himmlers zur SS gehöriges → »Ahnenerbe«; durch das »Sonderkommando Künsberg« des Außenministeriums sowie durch Göring als privaten Kunstdieb. Hitlers Beauftragte für das geplante Groß-Museum in Linz, Dr. Hans Posse und dessen Nachfolger (ab 1942) Prof. Dr. Hermann Voß, beteiligten sich an den Vorgängen durch umfangreiche Ankäufe zu meist erpreßten Niedrigpreisen. Die Absicht der Zerstörung der Identität der meisten Nationen Osteuropas wurde 1940 von Himmler in einer Denkschrift, die Hitler gegenüber den Reichsstatthaltern für verbindlich erklärte, offen dargelegt. Die Polen der Zukunft wurden darin als »führerloses Arbeitsvolk« bezeichnet.

Jeglicher K. widersprach nicht zuletzt auch der Haager Landkriegsordnung aus dem Jahr 1907 (Art. 27, 46, 56). Alfred Rosenberg erheiterte sich über »unsere Kriegsjuristen« im militärischen Kunstschutz der dt. Armeen, die sich auf verbale Opposition beschränkten gegenüber dem → Einsatzstab Reichsleiter Rosenberg, der sich ab 1940 mit Hilfe des persönlich interessierten Göring zu der effektivsten K.organisation zunächst in den westlichen, dann den östlichen Besatzungsgebieten entwickelte. Am K. im Osten beteiligten sich Teile der Wehrmacht, der SS, anfänglich auch Goebbels, sowie wieder das Sonderkommando Künsberg. Sie raubten ungeheure Beutemassen zusammen, deren Umfang sich auch gegenwärtig allenfalls vage bestimmen läßt.

Was sich in den westlichen Ländern und den entsprechenden Besatzungszonen Deutschlands an fremdem Kunstgut finden ließ, wurde den betreffenden Nationen nach 1945 bei Eigentumsnachweis zurückgegeben. Die UdSSR meldete 1946, daß in 73 der bedeutendsten Museen 564 723 Kunstwerke fehlten, wobei allerdings auch Objekte mitgezählt worden waren, die bereits nachweislich vernichtet waren, oder solche, die man vor dem dt. Einmarsch verlagert hatte. Im Rahmen einer großen von den USA als Treuhänder der aufgefundenen Güter ab 1946 durchgeführten Restitution erhielt die UdSSR 534 120, Frankreich rund 60 000 Objekte zurück. Entsprechende Zahlen für andere Länder fehlen z. Zt. noch.

Der nat.soz. K. führte schon während des Krieges zumindest in den USA, in Großbritannien und der UdSSR zur Aufstellung von Listen dt. Kunstwerke, die nach der dt. Niederlage für eine evtl. *Restitution in kind* vorläufig in eine Art Pfandschaft genommen werden sollten. Auch dies widersprach der Haager Konvention, erschien nach billigem Rechtsempfinden jedoch vertretbar, sofern darüber öffentliche und vertragliche Regelungen getroffen werden sollten. Auf westlicher Seite ist es dann jedoch nicht zu nennenswerten »Restitutionen« dieses Typs gekommen. Die gegenteilige und bis 1990 völlig geheimgehaltene Handlungsweise der ehemaligen UdSSR – das heutige Rußland verfügt noch über etwa 200 000 Kunstwerke, 3 Mio. Bücher und 3 km Archivmaterial, die nach 1945 in Deutschland beschlagnahmt wurden, darunter auch dt. Raubgut aus nicht russ. Ländern – war einer der Gegenstände des dt.-russ. Vertrages vom 9.11.1990 (Art. 16), dessen Erfüllung noch aussteht. *Reinhard Bollmus*

Literatur:

Goldmann, Klaus: Patrimoine. L'art et les prises de guerre, in: *Archäologisches Nachrichtenblatt*, Bd. 1, H. 3, Berlin 1996, S. 219–224.
Hartung, Ulrike: *Raubzüge in der Sowjetunion*, Bremen 1997.
NS-Kunstraub in der Sowjetunion [Arbeitstitel], hg. von der Forschungsstelle Osteuropa der Universität Bremen (1997).

Kunstverlag Franz Hanfstaengl Im Programm des traditionsreichen Münchner Kunstverlags spielten ab 1933 Kunstdrucke und Postkarten mit nat.-soz. Motiven eine beträchtliche Rolle (Serie »Bildnisse der nationalen Führer«). Ernst (»Putzi«) H., der Inhaber des Verlages, war seit 1921 enger Freund und Förderer Hitlers und öffnete ihm die Tore zur Münchner großbürgerlichen Gesellschaft. 1931 wurde er Auslandspressechef der NSDAP, fiel aber in Ungnade und floh 1937 nach Intrigen Görings u.a. nach England.

Wolfgang Benz

Kursk, Offensive von s. Zitadelle, Unternehmen

Kurt Eggers (Propagandaeinheit) s. Kriegsberichter(statter)

KZ s. Konzentrationslager

L

Laienspiel Das L. bestand aus einem chorischen Spiel, das in den 20er Jahren in der bündischen Jugendbewegung, aber auch in bürgerlichen Kreisen, populär wurde. Die L.-bewegung besaß bereits vor 1933 Gemeinsamkeiten mit der nat.soz. Ideologie, wies aber eben-so eine starke Nähe zu expressionistischen, religiösen oder gar sozialistischen Formen auf. Der zentrale Gedanke war die erstrebte → Volksgemeinschaft, durch das gemeinsame Spiel symbolisch vorgelebt. Wurden zunächst mittelalterliche Spiele bevorzugt, begann man später vermehrt, eigene Stücke zu verfassen. Sowohl die Stücke als auch viele der Führer der Bewegung (Luserke, Mirbt u.a.) konnten durch den Nat.soz. nach 1933 für die »neue Volksgemeinschaft« vereinnahmt werden. *Uffa Jensen*

Landesverrat Wegen L. (§§ 88 ff. StGB) wurde seit der »Verordnung des Reichspräsidenten zum Schutz von Volk und Staat« vom 28.2.1933 (→ Reichstagsbrandverordnung) mit dem Tode bestraft, wer das Ausland über die → Aufrüstung und die Expansion des NS-Regimes (→ Außenpolitik) zu informieren suchte. Nicht nur Spione, die aus materiellen oder politischen Motiven ausländischen Geheimdiensten dienten, wurden Opfer des für dieses Delikt zuständigen → Volksgerichtshofs. Auch dt. Patrioten, die Deutschland mit Hilfe des Auslands von der NS-Diktatur befreien wollten, wurden als »Landesverräter« zum Tode verurteilt und hingerichtet (→ Widerstand). *Bernward Dörner*

Landjahr Eine aus der Zeit der Weimarer Republik stammende sozialpolitische Maßnahme, mit der die Landverbundenheit der schulentlassenen Stadtjugend gestärkt und der Landflucht von Jugendlichen gegengesteuert werden sollte. Die Schulungsunternehmung dauerte ein Dreivierteljahr und begann jeweils am 15.4. und 15.12. Neben der landwirtschaftlichen Arbeit hatten gemeinschaftliche Aktivitäten eine große Bedeutung. Das L. unterlag der Verantwortung des Reichsministers für Wissenschaft, Erziehung und Volksbildung und verfolgte neben ideologischen auch arbeitsmarktpolitische Ziele. *Kurt Schilde*

Landschaftsanwälte s. Autobahnen, s. Technik

Landstreicher s. Asoziale

Langemarckfeiern s. Feiergestaltung

Langemarck-Studium Zur Ausschöpfung von Begabungsreserven wurde ab 1934 in 1 1/2jährigen kostenlosen, L. genannten Lehrgängen in Vorstudienanstalten Arbeiter- und Bauernsöhnen ohne höhere Schulbildung ein Studium ermöglicht. Der Name L. knüpfte an den Mythos der Schlacht bei Langemarck am 22./23.10.1914 an, bei der junge Kriegsfreiwillige in den Kampf geschickt worden waren und viele den Tod gefunden hatten. Im Anfangsjahr fanden zwei Lehrgänge mit zusammen 20 Zöglingen statt. 1944 umfaßte die Vorstudienanstalt zehn Lehrgänge mit insgesamt fast 300 Schülern. Der Anspruch, jährlich 1000 junge → Volksgenossen auszubilden, konnte nicht eingelöst werden. Die Kurse mit stark politischer Betonung führten »bewährte« → Parteigenossen durch. Aufgenommen wurde nur, wer mehrjährigen »Dienst« in NSDAP oder HJ nachweisen konnte, durch NS-Organisationen vorgeschlagen worden war und ein Ausleseverfahren bestand. Dies gelang nur etwas mehr als einem Zehntel der Kandidaten. Während des Zweiten Weltkrieges konnten auf eigenen Antrag auch Kriegsversehrte aufgenommen werden. 1944 bestand eine Vorstudienanstalt für junge Frauen, die drei Lehrgänge mit 75 Teilnehmerinnen umfaßte (→ Jugend). *Kurt Schilde*

Lapua-Bewegung s. Finnland

Le Vernet (Dépt. Ariège, südl. von Toulouse), Internierungslager unter der Verwaltung d. frz. Polizei; *camp disciplinaire* für in → Frankreich »unerwünschte Ausländer«, darunter viele dt. u. österr. Angehörige der Internationalen Brigaden des → Span. Bürgerkrieges. Belegung: Ende 1940 ca. 4500, Juni 1941 ca. 2000 Personen, ausschließlich Männer. Die letzten Internierten wurden im September 1944 nach → Dachau abtransportiert. Die Ernährung war ungenügend, die hygienischen Verhältnisse und die medizinische Betreuung waren miserabel. Unter den prominenten Häftlingen befanden sich zeitweise Arthur Koestler, Walter Hasenclever und Bruno Frei (→ Les Milles; → Emigration).

Hellmuth Auerbach

Lebensborn e.V. Von Himmler 1935 gegründeter SS-Verein mit rassischer und bevölkerungspolitischer Zielsetzung (Kampf gegen die Abtreibung, Erhöhung der Geburtenrate zur Stärkung der Wehrkraft). Der L. unterstand sachlich dem → Rasse- und Siedlungs-Hauptamt der SS, verwaltungsmäßig dem → SS-Wirtschafts-Verwaltungs-Hauptamt. Der L. hatte lt. Satzung vom 10.2.1938 »den Kinderreichtum in der SS zu unterstützen, jede Mutter guten Blutes zu schützen und zu betreuen und für hilfsbedürftige Mütter und Kinder guten Blutes zu sorgen«. Aufrufe des → RFSS an alle SS-Führer (1936) und an die gesamte SS und Polizei (1939) zur Zeugung einer zahlreichen Nachkommenschaft (mindestens 4-Kinder-Ehe) betonten besonders die Unterstützung noch nicht verheirateter Mütter, die nach erbbiologischer Untersuchung durch SS-Ärzte in die Entbindungsheime des L. (1939: 7, 1940: 9 in Deutschland, 11 in den besetzten Gebieten Norwegen, Belgien und Frankreich) aufgenommen wurden (zwecks Geheimhaltung der Geburten mit eigenen Standesämtern). Insgesamt wurden in den L.-Heimen ca. 8000 Kinder geboren (vor 1940 rd. 80%, nach 1940 rd. 50% unehelich). Der Verein finanzierte sich durch Zwangsbeiträge hauptamtlicher SS-Führer, seine Zentrale saß in München. Ab 1941 übernahm er auch die zwangsweise → Eindeutschung »rassisch wertvoller« Kinder aus den besetzten Gebieten (Norwegen, Ost- u. Südosteuropa; → Rassenkunde). Gegen 1944 aufkommende Gerüchte über »Begattungsheime« der SS wurde scharf vorgegangen. Derartige Versuche regelrechter Menschenzüchtung durch die SS konnten auch später nicht nachgewiesen werden. Über entsprechende Pläne Himmlers für die Zeit nach dem Krieg berichtete sein Masseur Kersten.

Hellmuth Auerbach

Literatur:

Lilienthal, Georg: *Der »Lebensborn e.V.«, Ein Instrument nationalsozialistischer Rassenpolitik*, Frankfurt am Main 1993.

Lebensfeiern Nat.soz. Ersatzfeiern für die christliche Taufe, die Hochzeit und das Begräbnis. Sie wurden insbesondere von SS-Angehörigen durchgeführt. Die L. behielten christliche Riten bei, entleerten diese aber ihres religiösen Sinns. Das → Amt Rosenberg war für die Ausführung der L. zuständig, das auch ein einheitliches Feierprogramm festlegte. Das Amt verstrickte sich dabei aber zu häufig in bürokratische oder ideologische Probleme. Obwohl L. in der Partei ab 1936 häufiger wurden, verhielt sich die Bevölkerung reserviert.

Uffa Jensen

Lebensmittelkarte s. Rationierung

Lebensraum Das Konzept des L. nahm – neben der Rassedoktrin – in der nat.soz. → Außenpolitik eine zentrale ideologische Stellung ein (→ Ideologie). Mit diesem Konzept wurde der imperialistische Expansionsdrang des Regimes in Polen und v.a. der

Sowjetunion begründet. Das L.-Konzept wurde vom → Alldeutschen Verband schon vor 1914 entwickelt. Hitler nahm das Konzept auf und wandte sich in → *Mein Kampf* gegen das Ziel des »ordinären« dt. Nationalismus, lediglich den Zustand von 1914 wiederzuerlangen. Deutschland sei, so die der → »Blut und Boden«-Ideologie nahestehende Grundidee, ein → »Volk ohne Raum« (Grimm) und müsse im immerwährenden Kampf der Völker durch biologische Expansion L. im Osten Europas gewinnen, um für den Geburtenüberschuß Siedlungsgebiete zu erschließen, eine autarke Wirtschaft aufzubauen (→ Autarkie) und erfolgreich Krieg führen zu können. Nach der Schaffung eines europäischen Kontinentalimperiums war die Realisierung kolonialer Bestrebungen im Weltmaßstab geplant. Ohne die rassistisch-sozialdarwinistische Annahme eines dt. Herrenvolkes und der Minderwertigkeit der slawischen Völker (→ Sozialdarwinismus; → Rassenkunde) ist das L.-Konzept nicht denkbar, womit sich die beiden Grundpfeiler der Hitlerschen Außenpolitik verbanden und gegenseitig verstärkten. Mit dem Autarkie-Gedanken und den rassistischen Elementen wurde eine Vereinigung bis dato unterschiedlicher imperialer Konzepte (ökonomischer Imperialismus und konservativer Kolonialismus) ermöglicht. *Uffa Jensen*

Literatur:

Graml, Hermann: Rassismus und Lebensraum. Völkermord im Zweiten Weltkrieg, in: Karl Dietrich Bracher/Manfred Funke/Hans-Adolf Jacobsen (Hg.): *Deutschland 1933–1945. Neue Studien zur nationalsozialistischen Herrschaft*, Bonn [2]1993, S. 440–451.

Rössler, Mechtild: *»Wissenschaft und Lebensraum«. Geographische Ostforschung im Nationalsozialismus. Ein Beitrag zur Disziplingeschichte der Geographie*, Berlin 1990.

Lebensunwerte s. Medizin

Lechleiter-Gruppe Kommunistische Gruppe des → Widerstands im Rhein-Neckar-Gebiet, die unter Georg Lechleiter (ehemaliger KPD-Abgeordneter und Parteifunktionär) 1940–1942 als Untergrundorganisation tätig war und u.a. eine illegale Zeitung *Der Vorbote – Informations- und Kampforgan gegen den Hitlerfaschismus* in Mannheimer Betrieben verteilte. Im Februar/März 1942 wurden 50–60 Gruppenmitglieder verhaftet. *Wolfgang Benz*

Legalitätseid s. Ulmer Reichswehrprozeß

Legion Condor Dt. gemischte Luftwaffeneinheit, die im → Spanischen Bürgerkrieg auf seiten Francos gegen die gewählte Volksfrontregierung eingesetzt wurde, um → Spanien nicht in ein antinat.soz. Fahrwasser geraten zu lassen. Zudem bot das offiziell als Sache von Freiwilligen deklarierte Engagement die Möglichkeit, das Verhältnis zu dem ebenfalls zugunsten Francos intervenierenden → Italien zu verbessern, neues Kriegsgerät unter Einsatzbedingungen zu erproben und span. Rohstoffe für die Rüstungsindustrie zu erhalten. Die erste dt. Hilfe, die von Hitler am 25.7.1936 auf Bitten Francos in Form von 20 Transportflugzeugen (Ju 52) und sechs Jägern (He 51) gewährt worden war, wurde rasch ausgeweitet. Zum 1.11.1936 wurde Generalmajor Hugo Sperrle mit der Führung der L. beauftragt, die von diesem Zeitpunkt an ständig über etwa 100 Flugzeuge verschiedener Typen und ca. 5000 Mann verfügte. Seine Nachfolger waren Generalmajor Hellmuth Volkmann und Generalmajor Wolfram Freiherr v. Richthofen. Da die Mannschaften periodisch ausgewechselt wurden, sammelten ca. 19000 Mann praktische Kampferfahrungen, die systematisch ausgewertet wurden. Die L.

war an vielen entscheidenden Gefechten des Span. Bürgerkriegs beteiligt und auch an der Zerstörung → Guernicas am 26.4.1937. *Alexander Ruoff*

J. F. Lehmanns Verlag Der 1890 gegründete Münchner Verlag war auf Medizin spezialisiert, erweiterte das Programm schon vor dem Ersten Weltkrieg um Titel zur Rassenhygiene (→ Medizin) und → Rassenkunde und publizierte nach 1918 im großen Umfang Militaria sowie nat.soz. und völkisches Schrifttum. Für die Sparte Rassenkunde war der Verlag, in dem prominente völkische Autoren wie R. W. Darré und H. F. K. Günther publizierten, seit Mitte der 20er Jahre Branchenführer. 1919 wurde als Tochterfirma der → Dt. Volksverlag Dr. Ernst Boepple gegründet, dessen Leiter und Namensgeber in der → völkischen Bewegung und der NSDAP seit 1919 aktiv war. Der Verlag spielte eine Rolle als Integrationsfaktor der völkisch-antisemitischen Szene. *Wolfgang Benz*

Lehrerbildungsanstalten Zwischen 1937 und 1940 gab es in allen dt. Ländern an den bestehenden 28 Hochschulen für Lehrerbildung eine (für Abiturienten zweijährige, für Absolventen von Volksschulen, Mittelschulen u.a. Voraussetzungen entsprechend längere) Hochschulausbildung für Lehrer an Volksschulen (Gymnasiallehrer wurden nach wie vor an Universitäten ausgebildet). Die Abkehr von dieser Hochschulausbildung setzte mit den L. ein, die zwischen 1940 und 1943 mit großem finanziellen Aufwand eingerichtet wurden. Diese stark politisierten (Formationserziehung, Lager, Internat), dem Modell der → Nationalpolitischen Erziehungsanstalten nacheifernden und künftige HJ-Führer bzw. BDM-Führerinnen anstrebenden faktischen »Führerschulen« (insges. 257, darunter 130 für künftige Lehrerinnen), erhöhten die Zahl der Ausgebildeten beträchtlich. Die Richtlinien für die L. bestimmte die → Parteikanzlei, nicht das → Reichsministerium für Wissenschaft, Erziehung und Volksbildung. 20 L. bildeten in dreimonatigen Kurzlehrgängen (anschließend 1–2jährige Praxis und neunmonatiger Abschlußlehrgang) »Schulhelfer« (überwiegend Frauen) aus. *Dietfrid Krause-Vilmar*

Leibeserziehung s. Sport

Leibstandarte-SS Adolf Hitler (LSSAH) Am 17.3.1933 wurde aus 120 Mann der ehemaligen Münchner Stabswache (persönliche Schutztruppe) Hitlers die SS-Stabswache Berlin gegründet, die im Frühherbst in »Wachbataillon Berlin« und Anfang September 1933 in »L.« umbenannt wurde. Am 9.11.1933 wurde die L. auf Hitlers Person vereidigt, als dessen Privattruppe sie künftig außerhalb des verfassungsrechtlichen Rahmens von Staat und Partei stand. Unter dem Kommando Joseph (»Sepp«) Dietrichs zunächst für den Schutz Hitlers sowie für Sicherungs- und Repräsentationsaufgaben zuständig, trug die L. während des → Röhm-Putsches maßgeblich zur Verhaftung und anschließenden Ermordung der SA-Spitze bei. Danach wurde sie, zusammen mit den »Politischen Bereitschaften« der SS, zur SS-Verfügungstruppe (→ Waffen-SS) zusammengeschlossen. In den folgenden Jahren ständig verstärkt und im November 1939 in die Waffen-SS integriert, wurde die L. schließlich zur Division ausgebaut (9.9.1942 SS-Panzergrenadierdivison, ab Februar 1944 1. SS-Panzerdivision). Die L. galt als Elitetruppe, die freilich eine keine Verluste achtende Art der Kriegführung praktizierte. Auf dem östlichen wie dem westlichen Kriegsschauplatz machte sich die L.

verschiedener Kriegsverbrechen schuldig, deren bekanntestes am 17.12.1944 bei Malmédy begangen wurde, als Angehörige der L. 71 US-Soldaten niederschossen, die sich bereits in Gefangenschaft befanden. Am 9. Mai 1945 ergaben sich die letzten Einheiten der L. in Österreich amerikanischen Truppen. Zuvor hatte die L. noch an der letzten dt .Offensive am Plattensee (Februar 1945) teilgenommen und wegen der Kritik Hitlers am Scheitern der Offensive ihre Ärmelstreifen abgelegt. teile der L. wurden an die Sowjetunion ausgeliefert. *Karsten Krieger*

Leistungskampf der deutschen Betriebe Seit 1936 von der → Dt. Arbeitsfront (DAF) jährlich veranstaltete Wettbewerbe um die »Bestgestaltung« der Arbeitsplätze und -bedingungen. Durch den L. sollten die sozialen Bemühungen (Aus- und Fortbildung, Arbeitsschutz, Verpflegung, Unterkunft, Sportstätten usw.) gefördert werden. Die nach Richtlinien der DAF regional Besten erhielten ein Gaudiplom und konnten am Wettbewerb auf Reichsebene teilnehmen. Die Erfolgreichsten erhielten jeweils am 1. Mai von Hitler (erstmalig 1937) für ein Jahr die Auszeichnung »nat.soz. Musterbetrieb« und durften die Goldene Fahne der DAF (Hakenkreuzfahne: weißer Kreis umrahmt mit goldenem Zahnrad) führen. Die Betriebe, die in einzelnen Bereichen hervortraten, erhielten Leistungsabzeichen. Der L. war eine erfolgreiche Aktion der nat.soz. → Solzialpolitik, die zur Verbesserung der Arbeitsbedingungen beitrug. Mit Beginn des Krieges verlor der L. jedoch an Bedeutung. *Monika Herrmann*

Les Milles (Dépt. Bouches du Rhône, bei Aix-en-Provence) Internierungslager für Emigranten *(centre d'embarquement)*, das im September 1939 in einer ehemaligen Ziegelei eingerichtet wurde und der frz. Polizei unterstand. Das Lager war im Mai/Juni 1940 mit ca. 3000 Internierten belegt, meist Deutsche und Österreicher, 1940/41 durchliefen bis zu 10000 Personen im Transit nach Übersee das Lager. Die Unterkünfte waren primitiv und schmutzig, die hygienischen Verhältnisse schlecht. Das Lager wurde berühmt, weil viele Intellektuelle und Künstler zeitweise dort untergebracht waren, u.a. Walter Benjamin, Joseph Breitbach, Max Ernst, Lion Feuchtwanger, Walter Hasenclever (der dort am 21.6.1940 Selbstmord beging), Alfred Kantorowicz, Golo Mann, Otto Meyerhof (Nobelpreis für Medizin 1923), Tadeus Reichstein (Nobelpreis für Medizin 1950), Gerhard Eisler. Um die Internierten und die Möglichkeit ihrer → Emigration bemühten sich zahlreiche ausländische Hilfsorganisationen, z.B. das amerik. Emergency Rescue Committee mit Varian Fry, sowie illegale Büros von SPD und KPD. Von den künstlerischen Hinterlassenschaften der Internierten sind Wandmale-reien in der Ziegelei erhalten, die restauriert wurden. Fast 2000 Insassen des Lagers, das bis März 1943 bestand, wurden über Drancy nach dem Osten deportiert (→ Deportationen). *Hellmuth Auerbach*

Lettland Im Sommer 1940, obwohl es noch am 7.5.1939 einen auf zehn Jahre terminierten Nichtangriffspakt abgeschlossen hatte, aufgrund des → dt.-sowj. Nichtangriffspakts der Sowjetunion angegliederter Staat und mit Beginn des Unternehmens → Barbarossa als »Generalkommissariat L.« Teil des zivil verwalteten dt. Besatzungsgebiets im Baltikum (→ Ostfeldzug; → Reichskommissariat Ostland). Aufgrund des raschen dt. Vormarsches – die Hauptstadt Riga wurde bereits am 1.7.1941 erobert – konnte nur ein kleiner Teil der lett. Juden fliehen, während die Mehrzahl (etwa 70000) entweder binnen weniger Monate von den Kommandos der Einsatzgruppe A (→ Einsatzgruppen) sowie Wehrmachtseinheiten umgebracht oder später Opfer der im gesamten → Reichskommissariat Ostland vollzogenen → »Endlösung« wurde. Die lett. Ghettos (das größte befand sich in → Riga) dienten als Zwischenstation auf dem Weg zu den Erschießungsstätten. Von den Juden im Lande erlebten 1944 nur etwa 3000 den sowj. Einmarsch. Wie in anderen Teilen der besetzten Sowjetunion bedienten sich dt. Instanzen kollaborationswilliger Einheimischer (→ Schutzmannschaften; die berüchtigste Einheit war das sog. Arajs-Kommando), um Juden, aber auch Zigeuner, Insassen von Heilanstalten sowie kommunistische Funktionäre zu ermorden (→ Kommissarbefehl; → Rassenpolitik und Völkermord). Viele Letten aus dem Bürgertum hofften auch lange Zeit, mit Hilfe der Deutschen die Unabhängigkeit ihres Landes zurückgewinnen zu können; u.a. kämpften zwei lett. SS-Divisionen an der Ostfront. Ab Mitte 1942 verwischte sich im Zuge des an Bedeutung gewinnenden → Partisanenkampfes zunehmend die Grenze zwischen Herrschaftssicherung und vorbehaltloser Terrorpolitik. Wie in den anderen besetzten Gebieten Osteuropas hinterließen die Deutschen auch in L. bei ihrem Rückzug ein in weiten Teilen zerstörtes Land.

Jürgen Matthäus

Literatur:
Press, Bernhard: *Judenmord in Lettland 1941–1945,* Berlin [2]1995.

Lex van der Lubbe Das Gesetz über »Verhängung und Vollzug der Todesstrafe« vom 29.3.1933, im Volksmund L., wurde anläßlich des → Reichstagsbrandes vom 27.2.1933 erlassen. Die L. bestimmte, daß § 5 der → Reichstagsbrandverordnung vom 28.2.1933, der u.a. für Brandstiftung die Todesstrafe vorsah, rückwirkend auch für zwischen dem 31.1. und dem 28.2.1933 begangene Taten gelte. Aufgrund dieser Konstruktion wurde der holländische Maurergeselle Marinus van der Lubbe am 23.12.1933 als Reichstagsbrandstifter zum Tode verurteilt. *Karsten Krieger*

Lichtenburg (KZ) Im Schloß L. bei Prettin (Kreis Torgau) wurde Ende Mai 1933 unter Dienstaufsicht des preuß. Regierungspräsidenten in Merseburg in einem aufgelassenen Zuchthaus ein »Sammellager« für »staatsfeindliche Elemente« eingerichtet, das zunächst von zwei Polizeihundertschaften unter SS-Kommando bewacht wurde. Am 17.5.1934 wurde das KZ L. unmittelbarer SS-Herrschaft (dem → Inspekteur der KL) unterstellt und verkörperte damit neben → Dachau und dem Columbia-Haus Berlin den Prototyp des KZ-Systems. Die Belegung betrug 1933 etwa 1600, 1934 etwa 500 Häftlinge und stieg auf über 1200 im Jahr 1937 an. Vom 16.7.–18.8.1937 wurden die Häftlinge ins neu errichtete KZ → Buchenwald verlegt. Ab Dezember 1937 diente L. als Frauen-KZ anstelle des aufgelösten Frauen-KZ Moringen, dessen Insassen (ca. 600) es übernahm. Ab 15.5.1939 wurden die Häftlinge ins neu errichtete Frauen-KZ → Ravensbrück verlegt. In L. waren anschließend Einheiten, dann ein Bekleidungslager und ein Hauptzeugamt der → Waffen-SS untergebracht; Häftlinge des KZ → Sachsenhausen bildeten ab 1941 ein Außenkommando in Lichtenburg, sie dienten dort als Arbeitskräfte. *Wolfgang Benz*

Lidice Auf einen vagen Verdacht hin wurde das im → Protektorat Böhmen und Mähren gelegene westböhm. Dorf L. bezichtigt, aus den Reihen seiner Bewohner stammten die Attentäter, die den amt. Reichsprotektor und Chef des → RSHA, SS-Obergruppenführer Reinhard Heydrich, bei einem Anschlag am 27.5.1942 in Prag tödlich verletzt hatten. Am Tage der Beisetzung in Berlin befahl Hitler, die männlichen Einwohner von L., zumeist Hütten- und Bergarbeiter im nahen Kladnoer Revier, zu töten, die Frauen in KZ zu schaffen und die Kinder, sofern sie nicht zur → Eindeutschung geeignet seien, einer »anderen Erziehung« zuzuführen. Der Auftrag wurde von Angehörigen der Gestapo, des → SD und der Schutzpolizei (→ Polizei) unter dem Kommando von SS-Offizieren einer Sonderkommission und des Befehlshabers der Sipo in Prag, Horst Böhme, ausgeführt. Die Männer, der jüngste 15, der älteste nahezu 90 Jahre alt, wurden am 10.6.1942 in L. erschossen. Die Mehrzahl der Frauen kam im KZ um. Das Leben der Kinder endete mit Ausnahme derjenigen, die in dt. Familien leben mußten und dt. Vornamen erhielten, im → Vernichtungslager → Kulmhof/Chelmno im Reichsgau → Wartheland; sie wurden vergast. Die Gemeinde (Häuser, Kirche, Friedhof, Schulgebäude, Mühle, Straßen, Wege, Bäume) wurde unter Einsatz von u.a. aus dem Reich herbeigeschafften Feuerwehrleuten und Männern des → Reichsarbeitsdienstes dem Erdboden gleichgemacht. Der Stellvertreter Heydrichs, K. H. Frank, überzeugte sich selbst von der Ausführung des Führerbefehls. Die Einebnung von L. wurde in einem Film festgehalten. Daraufhin kam es in vielen Ländern zu Bekundungen von Protest, von Sieges- und Überlebenswillen. In den USA sowie in mittel- und südamerik. Staaten erhielten Ortschaften, Plätze und Straßen 1942/43 den Namen »Lidice«. Auf Waffen und Bomben der alliierten Armeen fand sich der Name der Ortschaft. In Wales drehte Heinrich Jennings den Film *The Silent Village*, Heinrich Mann schrieb den gleichnamigen Roman, Brecht das »Lidicelied« für den Film *Hangmen also die* (*Auch Henker sterben*, USA 1941; Regie: Fritz Lang). Das Verbrechen in L. war ein Racheakt der Deutschen. Die Heydrich-Attentäter, von England aus mit dem Fallschirm abgesetzt und ohne nachweisbare Beziehung zu L., wurden in einer Prager Kirche gestellt und sämtlich niedergemacht. Wenig später (24.6.1942) erlitten die Einwohner der Ortschaft Lezàky das gleiche Schicksal wie die Bewohner von L. Nach der Befreiung errichteten sowj. Soldaten auf dem Gelände von L. einen Gedenkstein, ferner erinnert ein hochaufragendes Kreuz, das einen Dornenkranz trägt, an die Opfer. Später entstand eine Gedenkstätte. Die tschechoslowak. Regierung beschloß den Aufbau eines »neuen L.«. Dessen Grundsteinlegung erfolgte 1947. Im selben Jahr sagten überlebende Frauen und Mädchen in Nürnberg in einem der zwölf vor US-amerik. Militärgerichtshöfen geführten Prozesse (Fall 8) als Zeugen aus (→ Nachkriegsprozesse). *Kurt Pätzold*

Literatur:

Kral, Vaclav (Hg.): *Die Vergangenheit warnt. Dokumente über die Germanisierungs- und Austilgungspolitik der Naziokkupanten in der Tschechoslowakei*, Prag 1960.
Neumann, Uwe: *Lidice – ein böhmisches Dorf*, Frankfurt am Main 1983.

Lieberose Nebenlager des KZ → Sachsenhausen, etwa 40 km nördlich von Cottbus, errichtet im Frühjahr 1944. Die Häftlingszahl stieg durch große Transporte, insbesondere geschwächter jüdischer Häftlinge aus → Auschwitz, stark an. Die Höchstbelegung von L. schwankte um die Jahreswende 1944/45 zwischen 4000 und 6000 Häftlingen;

die Sterblichkeit war hoch. Den Hauptanteil bildeten holländ., belg., frz., dän., norweg., griech., ungar. und in einer geringen Zahl dt. Häftlinge, die meisten von ihnen Juden. Das größte Arbeitskommando »Ullersdorf« baute Kasernen. Die Außenbewachung erfolgte durch das SS-Wachbataillon »Kurmark« vom nahegelegenen Truppenübungsplatz. Anfang Februar 1945 wurde L. geräumt, marschunfähige Häftlinge wurden während der Evakuierung erschossen (→ Todesmärsche).

Volker Rieß

Lili Marleen Schlager nach einem 1915 von dem Schriftsteller Hans Leip (1893-1983) verfaßten Gedicht, das der Komponist Norbert Schultze (*1911) 1938 vertonte. Berühmt wurde L. durch die Sängerin Lale Andersen (Liselotte Helene Bunnenberg; 1919–1972), nachdem es am 18.8.1941 erstmals vom dt. Soldatensender Belgrad gesendet worden war. Fortan beschloß L. täglich das Programm des Senders, bald strahlten es auch engl., frz. und amerik. Sender aus, und die Interpretin wurde international bekannt. Goebbels hielt L. für »unheroisch«, aber erst nach → Stalingrad konnte er seine Meinung durchsetzen: Das Lied wurde abgesetzt, und Lale Andersen erhielt Auftrittsverbot. Ab Mai 1943 durfte sie dann wieder öffentlich singen, aber nicht mehr vor Soldaten auftreten und keinerlei Hinweis auf eine Verbindung mit L. geben. Seither wurde L. in rund 50 Filmen von verschiedenen anderen Interpretinnen gesungen; Rainer Werner Faßbinder setzte der Sängerin und dem Lied in dem Film *Lili Marleen* (BRD 1981) ein Denkmal. *Juliane Wetzel*

Linz Landeshauptstadt von Oberösterreich (Gau Oberdonau), von Adolf Hitler aufgrund persönlicher Jugenderinnerungen aus seiner Realschulzeit besonders gefördert. Er erklärte L. am 13.3.1938 unter dem Eindruck seines Empfangs in L. (→ Anschluß Österreichs) zu seiner Patenstadt. L. sollte Kulturmetropole und Industriezentrum werden und wurde wie Hamburg, Berlin, Nürnberg und München zur »Führerstadt« erhoben. Hitler selbst entwickelte ein gigantisches städtebauliches Konzept. Neben zahlreichen Wohnungen sollte am Donauufer ein Kulturzentrum mit Theater, einer Konzerthalle, einem Opern- und Operettenhaus, der größten Gemälde- und Kunstgalerie der Welt, mit Museum und Bibliothek entstehen. Außerdem waren ein Bankenzentrum, ein Luxushotel, mehrere Brücken über die Donau und ein Bismarckdenkmal geplant. Auch sein eigenes Grabmal wollte Hitler hier errichten. Von diesen Plänen wurden nur wenige, wie die »Nibelungenbrücke«, verwirklicht.

Dagegen wurde mit der Gründung der Hermann-Göring-Werke L. der Grundstein zu einem der damals größten Industriestandorte gelegt. Hochöfen, Stahlwerke, eine Stickstoffanlage, chemische Fabriken, Aluminium- und Kunstfaserproduktionen und andere Rüstungsbetriebe wurden in L. angesiedelt, Hafen und Werft wesentlich ausgebaut. Hier wurden auch Häftlinge aus dem KZ → Mauthausen eingesetzt; zu diesem Zweck errichtete man auf dem Gelände der Reichswerke die Nebenlager L. I und II. Die Konzentration der Rüstung im Raum löste massierte alliierte Bombenangriffe aus, die auch die Stadt selbst schwer trafen. Der so ausgebaute Industriestandort L. erlangte nach Kriegsende und Wiederaufbau erneut große Bedeutung. *Gustav Spann*

Literatur:
Bukey, Evan Burr: *»Patenstadt des Führers«. Eine Politik- und Sozialgeschichte von Linz 1908–1945,* Frankfurt am Main/New York 1993.
Klinger, Astrid: *Die Beziehung zwischen Adolf*

Hitler und Linz. Stadtplanung im Nationalsozialismus unter besonderer Berücksichtigung des sozialen Wohnbaus, Dipl., Wien 1991.

Litauen Bereits im Ersten Weltkrieg Objekt aktiver dt. Expansionsbestrebungen, geriet seit 1939 mit der Abtretung des → Memellandes und der Umsiedlung von → Volksdeutschen als Resultat des → dt.-sowj. Nichtangriffspakts in dt. Abhängigkeit, dann unter sowj. Herrschaft. Der Angriff auf die Sowjetunion am 22.6.1941 (Unternehmen → Barbarossa; → Ostfeldzug) eröffnete neue Möglichkeiten, die Ziele nat.soz. Herrschaftspolitik zu verwirklichen: In L. begann in den ersten Kriegstagen der Vollzug der → »Endlösung« im Sinne des systematischen Massenmordes an den Juden (→ Rassenpolitik und Völkermord). Beteiligte Kräfte waren im wesentlichen die Einsatzgruppe A (→ Einsatzgruppen), andere dt. → Polizei-, → SS- oder Militärinstanzen sowie lit. Gruppen, die teilweise bereits vor dem Einmarsch der Deutschen umfangreiche »Pogrome« veranstalteten und später im Rahmen der → Schutzmannschaften dt. Interessen dienten. Ende 1941 meldete das für die Gegnerbekämpfung in L. zuständige Einsatzkommando 3, die »Judenfrage« sei gelöst; die überlebenden Juden sollten bis zu ihrer Ermordung in einigen wenigen Ghettos – die größten in → Wilna und → Kauen – als Arbeitskräfte ausgebeutet werden. Von den Juden in L. (mindestens 220000 zur Zeit des dt. Angriffs) erlebten weniger als 5% die Befreiung durch die Rote Armee im Sommer 1944.

Jürgen Matthäus

Litzmannstadt s. Lodz (Ghetto), s.a. Jugendschutzlager

Lodz (Ghetto) Größtes Ghetto in den dem Dt. Reich eingegliederten poln. Gebieten. Ursprüngliches Ziel der Konzentration von Juden in den → eingegliederten Gebieten war deren effektivere → Deportation in das → Generalgouvernement.

Nach der zwangsweisen Übersiedlung der in L. ansässigen Juden in das nördliche Stadtgebiet Anfang 1940 erfolgte am 30.4.1940 die Abriegelung des Ghettos. Nach dem Ergebnis eines Zensus vom Juni 1940 lebten dort rund 157000 Menschen auf einem Areal von 4 km^2 mit unzureichender Kanalisation und Elektrifizierung. Das Scheitern der Versuche einer Deportation aus L. in das Generalgouvernement erforderten seit Mitte 1940 eine kontinuierliche Nahrungsmittelversorgung, die von der städtischen Ghettoverwaltung unter Leitung Hans Biebows organisiert wurde. Als Gegenleistung mußten die Juden in den Textilbetrieben im Ghetto oder in Lagern außerhalb von L. → Zwangsarbeit leisten. Die Administration im Ghetto leitete ein eingesetzter → Judenrat, der der Stadtverwaltung und der Polizei verantwortlich war. Charakteristisch für L. war die herausragende Stellung des »Ältesten der Juden«, Mordechai Chaim Rumkowski, dessen diktatorisches Auftreten umstritten war. Im Oktober 1941 wurden 20000 dt., luxemb., österr. und tschech. Juden nach L. deportiert und in die Zwangsarbeit integriert. 5000 *Lalleri* (→ Sinti und Roma) aus dem Burgenland wurden in einem abgegrenzten Teil des Ghettos eingesperrt. Zwischen Januar 1942 und Juli 1944 erfolgten in verschiedenen Aktionen die → Deportationen in das → Vernichtungslager → Chelmno/Kulmhof. Hier wurden über 80000 Menschen aus L. ermordet. Im August 1944 wurde das Ghetto aufgelöst. Fast 60000 Menschen wurden nach → Auschwitz deportiert, die meisten dort ermordet.

Peter Klein

Literatur:
»Unser einziger Weg ist Arbeit«. Das Ghetto in Lodz 1940–1944, Red. Hanno Loewy, G. Schoenberner, Wien 1990.

Löhne und Preise Der vom NS-Regime verordnete Lohn- und Preisstop, verbunden mit der Zerschlagung der Arbeiterbewegung und der Gewerkschaften, hielt die Tariflöhne, ungeachtet der wirtschaftlichen Belebung und der Rüstungskonjunktur, zunächst weitgehend auf dem Krisenniveau fest, was die Konjunkturgewinne der Unternehmer ungewöhnlich stark steigen ließ. Wenn die tatsächlichen Stunden- und besonders die Wochenlöhne dennoch allmählich stiegen – in erster Linie in den Produktionsmittelindustrien, schließlich auch in verschiedenen Konsumgüterindustrien –, so war das auf die Erhöhung der (Akkord-)Leistung der Arbeiter und die Zulagen besonders für die gesuchten Facharbeiter, v.a. aber auf die verlängerte Wochenarbeitszeit zurückzuführen. Das Lohnniveau stieg insgesamt auch infolge der strukturellen Verschiebungen zugunsten der Produktionsmittelindustrien bzw. der Rüstung. Die Preise von Industriewaren (außerhalb der Rüstung) blieben im wesentlichen stabil; den Landwirten gewährte die Regierung hingegen verschiedentlich Preiserhöhungen für ihre Produkte. Die zunehmende Knappheit an Fett und Fleisch trieb die Preise noch weiter hinauf, so daß die Regierung schon 1935 schwerwiegende Auswirkungen auf die Kaufkraft der Löhne und damit soziale und politische Schwierigkeiten befürchtete. Der Index des Reallohns ging in den Vorkriegsjahren – bei großen Unterschieden zwischen den Industriezweigen und Branchen – insgesamt nur langsam über den Krisenstand hinaus und blieb erheblich unter dem Stand von 1928/29.

Während des Krieges stiegen die Nominallöhne der dt. Arbeiter weiter an, v.a. wegen der verlängerten Arbeitszeiten; ihre Kaufkraft aber war durch die → Rationierung von Lebensmitteln und Kleidung drastisch beschränkt und verfiel infolge der schleichenden Teuerung aller nichtrationierten bzw. auf dem → Schwarzen Markt erhältlichen Waren rapide. Die aus den besetzten Ländern ausgeführten bzw. dort erbeuteten oder gestohlenen Lebensmittel und Konsumgüter verbesserten die Lebenshaltung vieler Deutscher, insbesondere Wehrmachtsangehöriger und deren Familien, und gingen vielfach in die Schattenwirtschaft des Schwarzmarktes und des Naturaltausches ein, obwohl beide vom Regime – mit abnehmendem Erfolg – bekämpft wurden. Die ausländischen Zwangsarbeiter alimentierten die Lebenshaltung der dt. Bevölkerung insoweit, als sie zu Hungerlöhnen und -rationen Lebensmittel und Gebrauchsgüter für den dt. Bedarf produzierten und zur Stabilität der dt. Löhne und Preise beitrugen.

Dietrich Eichholtz

Literatur:
Kuczynski, Jürgen: *Darstellung der Lage der Arbeiter in Deutschland von 1933 bis 1945*, Berlin (Ost) 1964.
Mason, Timothy W.: *Arbeiterklasse und Volksgemeinschaft. Dokumente und Materialien zur deutschen Arbeiterpolitik 1936-1939*, Opladen 1975.

Lord Haw Haw Spitzname von William Brokke Joyce (1906–1946). Der radikale Antisemit irisch-dt. Abstammung war Propagandaleiter der British Union of Fascists bis zu seinem Austritt 1937. Zusammen mit anderen Hitler-Verehrern gründete er die National Socialist League. 1939 floh er nach Deutschland und nahm bereits Mitte September 1939 seine Propagandatätigkeit für den Auslandsdienst des dt. → Rundfunks auf. Joyce' näselndes Oxford-Englisch in »Gairmany calling! Gairmany calling« brachte ihm den Spitznamen L. ein. Seit 1940 dt. Staatsbürger, wurde er 1945 zum Tode verurteilt und 1946 in London gehängt. *Juliane Wetzel*

Lublin (Judenreservat) s. Nisko

Lublin-Majdanek → Konzentrations- und → Vernichtungslager im Lubliner Stadtteil Majdan Tatarski (→ Generalgouvernement). Die Planung (v.a. seit Sept. 1941) und der Bau (seit Nov. 1941) des »Kriegsgefangenenlagers der → Waffen-SS Lublin« war Bestandteil der gigantomanischen Pläne Himmlers, hier einen zentralen Knoten- und Stützpunkt eines im »Osten« zu errichtenden SS-Imperiums zu etablieren. Die Überstellung von sowj. → Kriegsgefangenen in großer Zahl, deren Arbeitskraft im Rahmen des entstehenden SS-Industriekomplexes (→ SS-Wirtschaftsunternehmen) und der Errichtung zentraler SS-Behörden ausgebeutet werden sollte, blieb jedoch wegen der schon in den Lagern der Wehrmacht hohen Todeszahlen weitgehend aus. Auch scheiterten die auswuchernden Dimensionen der Planungen Himmlers für das Lager am kriegsbedingten Mangel an Transportraum: Aufgrund fehlender Baumaterialien gelangte L. – im Gegensatz zum parallel konzipierten Birkenau (→ Auschwitz) – nie über seinen provisorischen Zustand hinaus.

Im Laufe der Jahre 1942/43 diente L. primär als KZ für »umgesiedelte« bzw. »bandenverdächtige« nichtjüdische und jüdische Polen sowie als Zielpunkt deportierter Juden u.a. aus der Tschechoslowakei, aus Slowenien und aus den → Ghettos von → Warschau und → Białystok. Schon früh gehörte das Lager zum Zuständigkeitsbereich des → Inspekteurs der KL; seit dem 16.2.1943 wurde dem auch offiziell Rechnung getragen und das Lager in KL Lublin umbenannt. Zur Nutzung als Arbeitskräftereservoir der → SS kam jedoch die Funktion als Vernichtungslager: Nicht nur wegen Arbeitsunfähigkeit »selektierte« Häftlinge (→ Selektion), sondern auch ankommende Juden wurden in der von September bis November 1942 errichteten Vergasungsanlage mit → Zyklon B ermordet (→ Gaskammern). Wegen der primitiven Lagerbedingungen war die Todesrate ohnehin hoch. Im Rahmen der → Aktion Erntefest wurden am 3.11.1943 allein in L. rd. 17 000 Häftlinge erschossen. Am 23.7.1944 wurde das Lager befreit: Die Opferzahlen liegen bei mindestens 200 000, davon 60–80 000 Juden. *Thorsten Wagner*

Literatur:
Marszalek, Jozef: *Majdanek. Geschichte und Wirklichkeit des Vernichtungslagers*, Reinbek 1982.

Luftkrieg Allgemeine Bezeichnung für alle durch Flugzeuge ausgetragenen Kampfhandlungen. Während des Zweiten Weltkrieges bezeichnete L. aus dt. Sicht die alliierten Versuche, durch schwere Bombenangriffe auf Industrieanlagen, Transportsysteme und Städte dem Gegner die technischen Voraussetzungen oder den Willen zur Fortführung des Krieges zu nehmen. Am 16./17.5.1940 eröffnete das brit. Bomber Command (BC) durch Bombenabwürfe über dem Ruhrgebiet den strategischen L. gegen Deutschland. Nach der frz. Niederlage (→ Westfeldzug) war dies auf Jahre hinaus die einzige → Großbritannien verbleibende Möglichkeit, Deutschland direkt zu treffen. Die brit. Angriffe erfolgten meist bei Nacht und aus großer Höhe, um den dt. Jägern und der Flak zu entgehen. Da sich auf diese Weise kleinere Ziele kaum treffen ließen, konzentrierte sich das BC bis 1942 auf das Flächenbombardement dt. Städte. Nachdem am 23.2.1942

Luftmarschall Arthur Harris (»Bomber Harris«) das BC übernommen hatte, erfolgte eine Intensivierung des L., die im Frühjahr 1942 mit schweren Bombardements auf Essen, Lübeck und Rostock begann und im ersten »1000-Bomber-Angriff« gegen Köln am 30./31.5.1942 gipfelte. Erklärtes Ziel war die Zerstörung der Moral der dt. Zivilbevölkerung. Trotz erheblicher dt. Abwehrmaßnahmen (Einsatz von Nachtjägern, → Heimatflak; → Luftwaffenhelfer) stellte sich zusehends heraus, daß der seit Herbst 1942 in der dt. Presse propagierten »Festung Europas« das ›Dach‹ fehlte. Nachdem auf der Konferenz von → Casablanca festgelegt worden war, daß in einer kombinierten Bomberoffensive die 8. Luftflotte der US-Air-Force, die seit August 1942 in England stationiert war, Präzisionsangriffe bei Tage, die brit. Royal Air Force (RAF) Flächenbombardements bei Nacht durchführen sollte, erfolgte eine nochmalige Steigerung des L. Der Bombardierung Hamburgs durch die RAF vom 24.–30.7.1943 fielen 30482 Menschen zum Opfer. Nach der endgültigen Niederlage der dt. Luftwaffe im Februar/März 1944 waren nahezu alle größeren und zahlreiche kleinere dt. Städte den alliierten Angriffen ausgeliefert. Die meisten Menschenleben kostete die Bombardierung → Dresdens am 13./14.2.1945. Systematischer Terror gegen die Zivilbevölkerung des Feindes, um diesen zur Kapitulation zu zwingen, war erstmals von der dt. Luftwaffe während der Bombardierungen Warschaus und → Rotterdams sowie erneut während des Überfalls auf → Belgrad angewendet worden. Die Bombardierungen engl. Städte in der Luftschlacht um → England und durch die → Baedeker-Angriffe offenbarten, daß die für taktische und operative Aufgaben, v.a. zur Unterstützung des dt. Heeres in den → Blitzkriegen, konzipierte Luftwaffe zur Führung eines strategischen L. nicht geeignet war. Während des L. wurden ca. 100000 Mann fliegendes Personal der Alliierten, etwa 40000 engl. und 609000 dt. Zivilisten getötet sowie 917000 verletzt. 3,37 Mio. Wohnungen in Deutschland wurden zerstört. Keiner Seite gelang die Brechung der feindlichen Kampfmoral. Andererseits verzögerte der L. die Entwicklung und Produktion neuer dt. Waffen, entlastete die sowj. Kriegführung und verkürzte infolge der Zerstörung insbesondere der dt. Treibstoffproduktion und der Transportsysteme den Krieg. *Karsten Krieger*

Literatur:

Webster, Sir Charles/Noble Frankland: *The Strategic Air Offensive against Germany*, 4 Bde. (*History of the Second World War – United Kingdom Military Series*, hg. von Sir James Butler), London 1961.

Luftschlacht um England Versuch der dt. Luftwaffe zwischen August 1940 und März 1941, die Luftherrschaft über dem Ärmelkanal und Südengland als Voraussetzung zur Durchführung des Unternehmens → Seelöwe zu erringen sowie durch die Führung eines strategischen → Luftkrieges → Großbritannien zum Frieden mit Deutschland zu zwingen. Nur die erste Phase der dt. Luftoffensive (13.8.–6.9.) stand noch in Zusammenhang mit den Vorbereitungen zu »Seelöwe«. Sie wurde abgebrochen, bevor das Ziel, die Ausschaltung der Royal Air Force, erreicht worden war. Ab der zweiten Phase (7.9.–13.11.) ging die Luftwaffe zum strategischen Bombenkrieg über, für den sie sich jedoch als ungeeignet erwies. Die dt. Angriffe konzentrierten sich zunächst auf Ziele in und um London. Die nun beginnenden Luftschlachten erreichten am »Battle of Britain Day« (15. Sept.) ihren Höhepunkt. In der dritten Phase (14.11.1940–März 1941), eingeleitet durch einen schweren Bombenangriff auf → Coventry, konzentrierten sich die Angriffe auf engl. Industriestädte und Häfen. Im März 1941 wurde die L. wegen der Verlegung der Luftwaffe für den → Ostfeldzug nach schweren dt. Verlusten abgebrochen. 1942–1945 folgten weitere, allerdings mit schwachen Kräften geführte Luftangriffe auf England (→ Baedeker-Angriffe; → V-Waffen). *Karsten Krieger*

Luftschutz Schutzmaßnahmen vor Bombenangriffen der Alliierten. Am 29.4.1933 wurde der Reichsluftschutzbund (RLB) ins Leben gerufen, der bis 1944 dem Reichsluftfahrtminister unterstand (→ Reichsluftfahrtministerium) und 1944 von der → NSDAP übernommen wurde. Der RLB war für die Schulung der ehrenamtlichen L.-Warte, die die L.-Gemeinschaften in Häuserblocks oder einzelnen Häusern leiteten, zuständig. Am 26.5.1935 wurde ein L.-Gesetz erlassen, das eine Reihe von L.-Maßnahmen vorsah, z.B. Verdunkelung, Fliegeralarm, Brandbekämpfung, sanitäre Versorgung und Räumarbeiten nach Luftangriffen, Bau von L.-Räumen mit den notwendigen Gerätschaften u.a. Zusätzliche Maßnahmen waren für den betrieblichen Werk-L. vorgesehen. Bei der Zunahme der Bombenangriffe nach 1942 stellte sich jedoch mehr und mehr die relative Wirkungslosigkeit der L.-Maßnahmen im modernen → Luftkrieg heraus. *Willi Dreßen*

Luftwaffe s. Wehrmacht

Luftwaffenfelddivisionen Im Sommer 1942 wurden aus Personal von Bodendienststellen der Luftwaffe acht L. gebildet, denen im Winter 1942/43 zwölf weitere folgten. Stamm der Infanterie bildeten die aus den Fliegerausbildungsregimentern, die zur Grundausbildung der Luftwaffensoldaten geschaffen worden waren, hervorgegangenen Fliegerregimenter. Im September 1943 wurden die L. als Felddivisionen (L.) in das Heer übernommen, behielten aber im offiziellen Sprachgebrauch ihre ursprüngliche Bezeichnung. Die L. kamen zum Teil bis Kriegsende an vielen Fronten zum Einsatz, besonders im Osten. Vor den L. gab es bereits Luftwaffengefechtsverbände, die dann neben den Luftwaffenfelddivisionen weiterexistierten. Sie wurden zum Teil auch gegen Partisanen eingesetzt. So waren unter dem Rubrum »Bandenbekämpfung« das Sicherungsbataillon der Luftwaffe z.b. V. und das Jäger-Sonderkommando der Luftwaffe Bialowice im Bereich des Bialowicer Forstes, einem der Jagdreviere Görings, an sog. Vergeltungsaktionen sowie an Erschießungen gefangener Partisanen, Juden und Zivilisten beteiligt. *Volker Rieß*

Luftwaffenhelfer Mit der Verordnung zur »Heranziehung von Schülern zum Kriegshilfseinsatz der dt. Jugend in der Luftwaffe« vom 26.1.1943 konnten 17jährige Schüler ab Geburtsjahrgang 1926 klassenweise und zunächst unter Fortsetzung des Unterrichts als Hilfskräfte an Flakgeschützen (daher die übliche Bezeichnung »Flakhelfer«) der Luftwaffe und der Marine (Marinehelfer) eingesetzt werden. Die bis Jahrgang 1928 zum Einsatz kommenden Schüler wurden gegen Kriegsende auch im Erdkampf eingesetzt. Die im HJ-Dienst entsprechend militarisierten Jugendlichen kämpften in der Regel mit Begeisterung und ersetzten bald in allen Funktionen ausgebildete Kanoniere, vom Richtkanonier bis zum Geschützführer. Im Sommer 1944 sollen bis zu 56 000 eingesetzt gewesen sein. Mit der Zunahme der Tagesangriffe und gezielter Bombenabwürfe auf die Flakstellungen stiegen auch die Verluste der L., genaue Zahlen sind allerdings nicht bekannt (→ Luftkrieg).

Hermann Weiß

Lutherdeutsche s. Deutsche Christen

Luxemburg Am frühen Morgen des 10.5.1940 besetzten dt. Truppen das neutrale Großherzogtum L. (→ Westfeldzug). Um gegen diesen Einmarsch zu protestieren, verließ am selben Morgen Großherzogin Charlotte zusammen mit der Regierung das Land und flüchtete ins Exil. Bis Ende Juli 1940 stand L. unter dt. Militärverwaltung, ehe Gustav Simon, Gauleiter des benachbarten NSDAP-Gaus Koblenz-Trier, zum »Chef der Zivilverwaltung« ernannt wurde. Sofort nach Amtsantritt setzte sich Simon als oberstes Ziel, L. so schnell wie möglich in das Großdt. Reich einzugliedern. Um dies zu erreichen, betrieb er eine systematische Politik der → Germanisierung, die u.a. darin bestand, die Luxemburger Gesellschaft zu »entwelschen« und die dt. Sprache als offizielle Amtssprache einzuführen. Gleichzeitig wurde das gesamte politische und öffentliche Leben gleichgeschaltet sowie Druck auf die luxemb. Bevölkerung ausgeübt, der »Volksdt. Bewegung« beizutreten, die für eine Angliederung an → Großdeutschland warb. Die schleichende Germanisierungspolitik traf ab August 1940 auf den passiven Widerstand der Bevölkerung. Ende 1940 entstanden die ersten Widerstandsorganisationen, die im Laufe des Krieges aktive Propaganda gegen die nat.soz. Herrschaft machten. Im September 1940 begann die Judenverfolgung in L., zunächst mit der Einführung der → Nürnberger Gesetze und mit der Ausweisung von 1450 Juden. Seit Oktober 1941 wurden die in L. zurückgebliebenen Juden Opfer der systematischen Verschleppung in die → Vernichtungslager. Von den 683 umgesiedelten Juden überlebten nur 43 (→ Rassenpolitik und Völkermord). Als Gauleiter Simon am 10.10.1941 versuchte, eine Volkszählung in eine dt.freundliche Abstimmung umzuwandeln, setzten die Widerstandsgruppen dem eine gezielte Propaganda-Aktion entgegen. Für den Gauleiter erwies sich das Resultat als Niederlage, so daß die ganze Aktion abgebrochen wurde. Am 30.8.1942 wurde mit einer Verordnung über die Staatsangehörigkeit die allgemeine Wehrpflicht für 11200 Luxemburger eingeführt. Spontan brach daraufhin ein Streik im ganzen Lande aus, der blutig niedergeschlagen wurde. 21 Personen wurden »standrechtlich« zum Tode verurteilt und sofort hingerichtet. 4186 Luxemburger, die eine dt.feindliche Haltung bekundeten, wurden nach Deutschland und in die besetzten Ostgebiete umgesiedelt. Im Laufe der folgenden Jahre nahm die Verfolgung der Luxemburger Bevölkerung ständig zu, zumal der Widerstand gegen die verhaßte Okkupationsmacht dauernd wuchs und zahlreiche »Fahnenflüchtige« Hilfe von ihren Landsleuten erhielten. Annähernd 4000 Personen wurden im Laufe des Krieges inhaftiert, 791 kamen in der Gefangenschaft um. Als L. am 10.9.1944 befreit wurde, waren über 8000 Luxemburger dem nat.soz. Terror zum Opfer gefallen.

Serge Hoffmann

Literatur:

Dostert, Paul: *Luxemburg zwischen Selbstbehauptung und nationaler Selbstaufgabe. Die deutsche Besatzungspolitik und die Volksdeutsche Bewegung 1940–1945*, Luxemburg 1985.

M

»Machtergreifung« Unter diesem von den Nat.soz. geprägten Begriff ist nicht allein das Ereignis der Ernennung Adolf Hitlers zum Reichskanzler am 30. Januar 1993 zu verstehen. Die Beteiligung der NSDAP an der → Reichsregierung, die ihr die Chance der Liquidierung der Demokratie sowie der Errichtung eines totalitären Staates bot, stand am Ende eines längeren Prozesses des Machtverfalls der Weimarer Republik. Zudem benötigte die M. noch eine Phase der Konsolidierung mit Hilfe der ab Februar 1933 folgenden Politik der → Gleichschaltung.

Zur Erklärung des der M. vorausgehenden Machtverfalls der Weimarer Republik müßte eine Fülle von Ursachen herangezogen werden. Bestimmend blieb letztlich, daß es der Weimarer Republik nicht gelang, die Eliten sowie große Teile der Bevölkerung in das parlamentarische Staatssystem zu integrieren, daß kein Bewußtsein der Bindung an die Demokratie entstanden war.

In der Koalitionsregierung der »nationalen Konzentration« befanden sich neben Reichskanzler Adolf Hitler mit Wilhelm Frick als Reichsinnenminister und Hermann Göring als Minister ohne Portefeuille nur zwei weitere Nat.soz. Zwei Tage nach der Ernennung Hitlers wurde der → Reichstag aufgelöst. Die Zeit des Wahlkampfes nutzte die NSDAP geschickt zur Herrschaftsstabilisierung. Mit Hilfe von Notverordnungen konnten die Pressefreiheit sowie die lästige Konkurrenz anderer Parteien eingeschränkt und durch das → Gesetz zur Wiederherstellung des Berufsbeamtentums die Administration von mißliebigen Beamten »gesäubert« werden.

Die beiden am Tag nach dem → Reichstagsbrand, am 28. Februar 1933, erlassenen »Verordnungen zum Schutz von Volk und Staat« (→ Reichstagsbrandverordnung) und »gegen Verrat am Deutschen Volke und hochverräterische Umtriebe« bildeten den gesetzlichen Rahmen für eine Art Ausnahmezustand. Praktisch setzten sie die Verfassung der Weimarer Republik außer Kraft, unterbanden Aktivitäten der mit der NSDAP konkurrierenden Parteien und legalisierten künftig, bis hin zur Zeit nach dem Attentat vom → 20. Juli 1944, die terroristischen Übergriffe des → Dritten Reichs.

Die Märzwahlen des Jahres 1933 besaßen allenfalls noch »halbfreien« Charakter. Obgleich die Regierungskoalition über 51,9% der abgegebenen Stimmen verfügte, legte Hitler ein → »Ermächtigungsgesetz« vor, welches am 23.3. mit der notwendigen Zweidrittelmehrheit das Parlament passierte. Dieses Gesetz schaltete Reichstag und Kontrollorgane zunächst für vier Jahre aus. Es folgte die Proklamation des »Einparteienstaates« und die »Gleichschaltung«; gemeint war die Liquidierung aller Parteien außer der NSDAP, die Entmachtung der → Gewerkschaften und Länder sowie die Aufhebung des → Reichsrats. Als während der Niederschlagung des → Röhm-Putsches die beiden Reichswehrgenerale v. Schleicher und v. Bredow ermordet wurden, regte sich selbst bei der bewaffneten Macht, der Reichswehr, keine Hand mehr gegen das neue Regime (→ Verfolgung).

Reichspräsident Paul v. Hindenburg starb am 2.8.1934. Hitler faßte sofort die Ämter des Reichskanzlers und des Reichspräsidenten in Personalunion zusammen. Am selben Tage ließ die Reichswehrführung, gleichsam in vorauseilendem Gehorsam, die Reichswehr auf die Person des »Führers und

Reichskanzlers« Adolf Hitler vereidigen. Damit fand die erste und schwierigste Phase der M., in der es noch Möglichkeiten zu ihrer Unterbindung gegeben hätte, ihren erfolgreichen Abschluß, war das Fundament des totalitären Regimes gelegt. *Reiner Pommerin*

Literatur:

Broszat, Martin/Ulrich Dübber/Walther Hofer/ Horst Möller/Heinrich Oberreuter/Jürgen Schmädeke/Wolfgang Treue (Hg.): *Deutschlands Weg in die Diktatur. Internationale Konferenz zur nationalsozialistischen Machtübernahme*, Berlin 1983.
Lill, Rudolf/Heinrich Oberreuter (Hg.): *Machtverfall und Machtergreifung. Aufstieg und Herrschaft des Nationalsozialismus*, München 1983.
Michalka, Wolfgang (Hg.): *Die nationalsozialistische Machtergreifung*, Paderborn 1984.

Madagaskarplan Der M. sah vor, 4 Mio. → Juden auf der zum frz. Kolonialreich gehörenden Insel Madagaskar anzusiedeln. Er war Teil der »territorialen → Endlösung« im Zusammenhang mit der Um- und Aussiedlungspolitik in Deutschland und den besetzten Ländern (→ Volkstumspolitik) mit dem Ziel, Europa »judenfrei« zu machen. Der M. entstand im Juni 1940 im Referat D III des → Auswärtigen Amtes, die detaillierte Planung erfolgte durch das Referat Adolf Eichmanns im → RSHA. Hiernach hatte Frankreich die Insel Deutschland als Mandat zu übertragen. Unter der Verwaltung eines dem → Reichsführer SS unterstehenden Polizeigouverneurs sollten die Juden auf einem abgesteckten Territorium »agrarisch tätig« werden. Mit der Planung des Krieges gegen die UdSSR wurde der M. von dem Vorhaben abgelöst, die Juden in die dort zu erobernden Gebiete zu deportieren und zu vernichten (→ Deportationen; → Rassenpolitik und Völkermord). *Maria-Luise Kreuter*

Literatur:

Brechtken, Magnus: *»Madagaskar für die Juden«. Antisemitische Idee und politische Praxis 1885–1945*, München 1997.

Maginot-Linie Der nach dem frz. Kriegsminister André Maginot benannte, 1929–1932 erbaute Befestigungsgürtel der M. erstreckte sich entlang der frz.-belg. über die luxemb. und dt. bis zur schweizer. Grenze. Die M. reflektierte das aus den Erfahrungen im Ersten Weltkrieg resultierende Defensivdenken des frz. Generalstabs, dem die M. als unüberwindliches Hindernis gegenüber einem dt. Angriff galt. Während des → Westfeldzuges führte die Wehrmacht ihren bis zur Kanalküste reichenden Hauptstoß (»Sichelschnitt«) unter Umgehung der M. durch die Ardennen, die, da sie der frz. Seite als für Panzer unpassierbar galten, durch keine Befestigung gesichert waren. *Karsten Krieger*

Maifeld Großes Aufmarschgelände (für über 200000 Menschen) auf dem Berliner → Reichssportfeld hinter dem Olympiastadion. Das M. wurde 1936 errichtet. Es war für nat.soz. Großveranstaltungen und Kundgebungen bestimmt. Eine Tribünenanlage für ca. 70000 Personen, eine Halle und ein 76 m hoher Turm vervollständigten die Anlage. *Willi Dreßen*

Majdanek s. Lublin-Majdanek (KZ)

Makkabi s. Sport

Marburger Rede Am 17.6.1934 hielt Vizekanzler Franz v. Papen eine sensationelle regimekritische Rede vor dem Marburger Universitätsbund. Verfaßt hatte sie der Publizist Edgar Jung, geistiges Haupt eines jungkonservativen Kreises in der Vizekanzlei. Diese »Vorhut konservativen Widerstands« (Hermann Graml) wollte ein Signal setzen für einen Staatsstreich mit Hilfe des Reichspräsidenten v. Hindenburg und der Reichswehr, um einer Revolte der → SA zuvorzukommen. Goebbels verbot sofort die Veröffentlichung, doch war der Redetext im voraus – ohne Wissen v. Papens – in 1000 Exemplaren an Gesinnungsfreunde und an die Auslandspresse verteilt worden. Als Hitler am 30.6.1934 selber gegen die SA losschlug (→ »Röhm-Putsch«), rächten sich → SS und → SD auch an den »Papenschweinen«. Jung, schon seit dem 25.6. in Haft, und der Pressereferent Herbert v. Bose wurden ermordet, zwei Mitarbeiter entkamen den Mordkommandos, drei landeten im KZ. Papen wurde unter Hausarrest gestellt und blieb danach als Diplomat in Hitlers Diensten. *Karl-Heinz Janßen*

Marinehelfer s. Luftwaffenhelfer

Marine-HJ s. Hitler-Jugend

Marita Am 13.12.1940 befahl Hitler zur Unterstützung der von den Griechen nach Albanien zurückgeworfenen 9. und 11. ital. Armee mit der Weisung Nr. 20 die Planung eines dt. Angriffs auf Griechenland von Bulgarien aus, für den der Deckname M. ausgegeben wurde. Nach dem gegen Deutschland gerichteten Putsch in Belgrad (27.3.1941) wurde M. durch die Planung eines Vorstoßes gegen Jugoslawien von Österreich aus erweitert (→ Balkanfeldzug).

Hermann Weiß

Marzabotto Städtchen bei Bologna. Im September 1944 zerstörten u.a. Einheiten der 16. SS-Panzergrenadier-Division den Ort und einige umliegende Dörfer als Antwort auf die Tätigkeit der → Partisanen in der Region. Nach ital. Angaben kamen insgesamt 1830 Zivilisten (Männer, Frauen und Kinder) in den Flammen der Häuser um oder wurden erschossen. Der Kommandeur der Einheit, Walter Reder, wurde 1951 in Bologna zu lebenslanger Haft verurteilt, aber im Januar 1985 begnadigt (→ Italienfeldzug). *Willi Dreßen*

Märzgefallene Spottname für »Mitläufer«. Bezeichnet diejenigen, die nach den Reichstagswahlen vom 5. März 1933, als die von den Nat.soz. beherrschte Regierungskoalition eine absolute Mehrheit erreicht hatte, aus opportunistischen Gründen der NSDAP beitraten. Der Ausdruck M. stammt eigentlich aus der Märzrevolution von 1848 und galt den bei Straßenkämpfen in Berlin am 18.3.1848 vom preuß. Militär erschossenen Demonstranten.

Elke Fröhlich

Mauthausen (KZ) Am 8.8.1938 begann eine Gruppe von 300 österr. und dt. Häftlingen aus → Dachau mit dem Aufbau des → Konzentrationslagers M. in der Nähe von → Linz in Oberösterreich. Wie → Flossenbürg war auch M. aufgrund benachbarter Granitsteinbrüche ausgewählt worden. Eine vom Chef der → Sicherheitspolizei und des → SD, Reinhard Heydrich, erstellte Einstufung der KZ wies M. als einziges KZ mit der Lagerstufe III aus, »für schwerbelastete, unverbesserliche und auch gleichzeitig kriminell vorbestrafte und asoziale, das heißt kaum noch erziehbare Schutzhäftlinge« (→ Schutzhaft; → Schutzhaftlager). Bis zum Jahr 1942, als alle KZ als Arbeitskräftereservoir für die Rüstungsindustrie an Bedeutung gewannen (→ Kriegswirtschaft), war M. ein Todeslager, in dem v.a. Polen, Tschechen, russ. Kriegsgefangene, republikanische Spanier, holländ. Juden, aber auch Jugoslawen, Belgier, Franzosen, Sinti und Roma sowie dt. und österr. Kommunisten systematisch ermordet wurden. Dabei spielte »Vernichtung durch Arbeit« in den Steinbrüchen von M. und in dem 1940 gegründeten Außenlager Gusen eine ebenso herausragende Rolle wie die

1940 in Betrieb genommene Tötungseinrichtung in Schloß Hartheim, in der ab 1941 mehr als 5000 Gefangene des Lagers M. mit Giftgas ermordet wurden. Auch im Lager M. wurde im Frühjahr 1942 eine → Gaskammer in Betrieb genommen. Ab Sommer 1943 arbeitete der Großteil der Häftlinge von M. in den Rüstungsbetrieben, v.a. in dem sich ausdehnenden Netz der Außenlager. Neben der Steyr-Daimler-Puch AG und den → Reichswerken »Hermann Göring« in Linz wurden ab Herbst 1943 in Ebensee im Salzkammergut, in der Nähe von Melk und bei St. Georgen an der Gusen große Stollenanlagen errichtet, mit denen die Flugzeug- und Raketenproduktion unter die Erde verlagert werden sollte. Ende 1944 befanden sich in M. etwa 10000 und in den Außenlagern 60000 Häft-linge. Ab Ende März 1945 wurden die Außenlager evakuiert (→ Todesmärsche), oftmals wurden kranke und gehunfähige Gefangene zuvor ermordet. Gleichzeitig strömten Zehntausende aus östlicher Richtung nach M., wo sie nur noch in Zelten untergebracht werden konnten.

Am 5.5.1945 wurde M. von einer Panzereinheit der US-Armee befreit. Man schätzt, daß mehr als 100000 Menschen in M. und seinen Außenlagern ihr Leben verloren. *Barbara Distel*

Literatur:
Freund, Florian: *Arbeitslager Zement. Das Konzentrationslager Ebensee und die Raketenrüstung*, Wien 1989.
Maršálek, Hans: *Die Geschichte des Konzentrationslagers Mauthausen*, Wien 1980.
Perz, Bertrand: *Projekt Quarz. Steyr-Daimler-Puch und das Konzentrationslager Melk*, Wien 1991.

Mechelen-Zwischenfall Durch die Notlandung der Luftwaffenoffiziere Hönmanns und Reinberger am 10.1.1940 bei Mechelen (Belgien) wurden die dt. Angriffsplanungen im Westen bekannt. Den beiden Offizieren gelang es zwar, während ihres Verhörs einen Teil der mitgeführten geheimen Aufmarschweisungen (→ Fall Gelb) zu vernichten; aus dem verbliebenen Rest konnten die Belgier aber entnehmen, daß die dt. Offensive unter Nichtachtung der belg. und holländ. Neutralität geplant war. Der M. hatte sowohl eine Änderung der belg. Politik gegenüber Deutschland als auch eine Abänderung der dt. Angriffsstrategie zur Folge (→ Westfeldzug). *Elke Fröhlich*

Mefowechsel Bei der Reichsbank diskontierfähige, zur Prolongation auf fünf Jahre vorgesehene, verzinsliche Wechsel, von Rüstungsunternehmen auf die im April 1933 gegründete Metallurgische Forschungsgesellschaft mbH (Mefo) gezogen. Die Mefo war eine von der Autorität des neu ernannten Reichsbankpräsidenten Hjalmar Schacht (16.3.1933) gedeckte Scheinfirma, gegründet mit einem Kapital von 1 Mio. RM von fünf industriellen Konzerngesellschaften, darunter Krupp und Siemens. Den Vorstand bildeten je ein Vertreter der Reichsbank und des Reichswehrministeriums. Die M., insgesamt für 12 Mrd. RM ausgestellt, waren bis 1936/37 die wichtigste Finanzierungsquelle für die → Aufrüstung und deckten 1934–1936 rd. 50% der reinen Rüstungsausgaben der → Wehrmacht ab. Als die M. ab 1938 fällig wurden, aber nicht bezahlt werden konnten, warnte Schacht Hitler vor der drohenden Inflationsgefahr und entzog sich der Verantwortung durch Rücktritt (19.1.1939). Statt durch M. wurde die Aufrüstung seit 1938 hauptsächlich durch kurzfristige Staatsschuldpapiere finanziert. *Dietrich Eichholtz*

Mein Kampf Hitlers Hauptwerk sollte ursprünglich »Viereinhalb Jahre gegen Lüge, Dummheit und Feigheit« heißen.

Den ersten Band schrieb Hitler 1924 während seiner Festungshaft in Landsberg (Lech) bzw. diktierte ihn zunächst seinem Fahrer Emil Maurice, dann Rudolf Heß. Hitlers Parteigenossen Ernst Hanfstaengl und Pater Bernhard Stempfle redigierten das Manuskript und brachten es in eine druckreife Form. Der erste Band erschien im Juli 1925 mit dem Untertitel »Eine Abrechnung« im parteieigenen → Eher-Verlag. Der zweite Band – »Die nat.soz. Bewegung« – wurde im Dezember 1926 veröffentlicht. Seit 1930 erschienen beide Teile in einem Band, dessen Text an verschiedenen Stellen von Auflage zu Auflage in inhaltlicher und stilistischer Hinsicht korrigiert wurde. *Mein Kampf* wurde in 16 Sprachen übersetzt und erreichte eine Gesamtauflage von 10 Mio. Exemplaren. Lt. Vorwort sollte der erste Band Hitlers Leben, der zweite die Geschichte der Partei bis zum Putsch von 1923 enthalten (→ Hitlerputsch). Tatsächlich sind die autobiographischen Angaben lückenhaft und z.T. sogar falsch. In beiden Bänden überwiegen Hitlers programmatische Aussagen. In ihrem Zentrum stehen die Forderungen nach → »Lebensraum im Osten« und »Entfernung der Juden« (→ Endlösung). *Wolfgang Wippermann*

Literatur:

Jäckel, Eberhard: *Hitlers Weltanschauung. Entwurf einer Herrschaft*, Stuttgart 1981.

Maser, Werner: *Hitlers Mein Kampf*, München 1966.

Meine Ehre heißt Treue »Treue« war für Himmler eine zentrale Kategorie, die in fast allen Reden als wichtige Tugend der SS vorkam. Nach den → Stennes-Revolten gab Hitler der → SS 1931 den Leitspruch »SS-Mann, deine Ehre heißt Treue«, der in der Form »Meine Ehre heißt Treue« auf dem metallenen Koppelschloß der Uniform prangte. *Wolfgang Benz*

Meldungen aus dem Reich In sog. M. die als Geheimsache eingestuft wurden, legte das Amt III, Inlandnachrichtendienst des → Reichssicherheits-Hauptamtes, von Dezember 1939 bis Juni 1943 zwei- bis dreimal wöchentlich einem kleinen Kreis von Beamten und Parteifunktionären die Ergebnisse der Erhebungen der Dienststellen und Vertrauensleute des → Sicherheitsdienstes (SD) der → SS über die Stimmung der Bevölkerung und ihre Reaktionen auf Kriegsereignisse, Propaganda und Maßnahmen von Partei und Staat vor; vorangegangen waren ab 1938 Jahres- und Vierteljahreslageberichte und Berichte zur innenpolitischen Lage, fortgesetzt wurden sie als SD-Berichte zu Inlandsfragen bis Juli 1944 und mit Einzelmeldungen bis Kriegsende. Der Amtschef Otto Ohlendorf wollte damit einen Ersatz für die öffentliche Meinung schaffen und die Staatsführung objektiv über die im Volk vorhandenen oder entstehenden Auffassungen informieren. Die Berichte über die Stimmung im allgemeinen und aus den »Lebensgebieten« Kultur, Volkstum und Volksgesundheit, Verwaltung und Recht, Wirtschaft (bis September 1940 auch Gegner) belegen eine zunehmende Kritik an der Führung, von der lediglich Hitler selbst ausgenommen wurde, Zweifel am »Endsieg« und die Wirkungslosigkeit der Propaganda sowie die Verbreitung von Kenntnissen über die Ermordung der Juden und über kirchliche Bindungen vieler Deutscher. Goebbels und Bormann erzwangen daher 1944 die Einschränkung der M. wegen »Defätismus«. Ihre angestrebte Objektivität war allerdings durch Wunschvorstellungen der Berichterstatter und wirtschaftspolitische Ziele Ohlendorfs beeinträchtigt, der 1944 zugleich Vertreter des Staatssekretärs Hayler im Reichswirtschaftsministerium war. *Heinz Boberach*

Literatur:

Boberach, Heinz (Hg.): *Meldungen aus dem Reich. Die geheimen Lageberichte des Sicherheitsdienstes der SS 1938–1945*, 17 Bde. und Registerbd., Herrsching 1984.
Steinert, Marlis G.: *Hitlers Krieg und die Deutschen*, Düsseldorf 1970.

Melk (KZ) s. Mauthausen

Memelland Im 1923 von → Litauen annektierten M., das wegen seiner starken litauischen Minderheit nach dem Ersten Weltkrieg von einem frz. Oberkommissar verwaltet worden war, existierten seit Ende der 20er Jahre geheime Zellen der NSDAP, die im Mai 1933, geführt von dem Pfarrer Frhr. v. Saß, unter dem Decknamen Christlich-Soziale Arbeitsgemeinschaft (CSA) bei der Stadtverordnetenwahl über 50% der Stimmen gewannen. Mit diesem Erfolg breitete sich die NS-Bewegung im M. rasch aus. Der von reichsdt. Parteistellen als ungeeignet boykottierten CSA wurde im Sommer 1933 die Sozialistische Volksgemeinschaft (Sovog) entgegengesetzt (Leitung Dr. Ernst Neumann), die schnell die Oberhand gewann. 1934 wurden beide Organisationen verboten, und die Mehrzahl ihrer Führer wurde wegen hochverräterischer Beziehungen zum Dt. Reich im international beachteten Kownoer Prozeß (1934/35) zu langen Freiheitsstrafen verurteilt. Damit war eine öffentliche NS-Agitation im M. bis 1938 nicht mehr möglich. Als 1938 die dt. Reichsregierung in der »Memelfrage« Druck auf Litauen auszuüben begann, ließ dieses die verhafteten NS-Führer frei und hob den seit 1926 bestehenden Ausnahmezustand auf, um so eine Annexion zu verhindern. Dies war das Startzeichen für den Aufbau der NS-Bewegung im »Memeldeutschen Kulturverband«. Bei den Landtagswahlen (Dezember 1938) gewannen die Nat.-soz. beherrschenden Einfluß in Landtag und Direktorium, so daß bis auf den litauischen Gouverneur die gesamte Selbstverwaltung in ihren Händen lag. Die Reichsregierung verstärkte ihren Druck auf Litauen und erzwang am 22.3.1939 einen Vertrag, der das Autonomiestatut des M. aufhob und den ehemals ostpreuß. Landstreifen an Deutschland zurückgab, am 23.3.1939 marschierten dt. Truppen ein. Von den 60000 Mitgliedern des Kul-turverbandes wurden nur bewährte Kräfte in die NSDAP übernommen.

Werner Bergmann

Literatur:

Broszat, Martin: Die memeldeutschen Organisationen und der Nationalsozialismus 1933–1939, in: *Vierteljahrshefte für Zeitgeschichte* 5 (1957), S. 272–278.

Menschenversuche Die Experimente, die Mediziner im KZ an Menschen durchführten, wurden als kriegswichtig und als bevölkerungspolitisch bzw. rassehygienisch notwendig begründet; Hitler selbst hatte im Mai 1942 entschieden, »daß grundsätzlich, wenn es um das Staatswohl geht, der Menschenversuch zuzulassen ist«. Opfer der Versuche waren Häftlinge in KZ, v.a. Juden und Sinti und Roma, auch sowj. Kriegsgefangene und Frauen. Täter waren Ärzte aus den Reihen der SS, der Wehrmacht, von den Universitäten, die ihr ärztliches Berufsethos der NS-Ideologie geopfert hatten.

Im Mai 1942 bekam Prof. Karl Gebhardt, der »beratende Chirurg der Waffen-SS«, die Möglichkeit zu Experimenten, die ab Juli 1942 im KZ → Ravensbrück durchgeführt wurden. Um die Wirkung von Sulfonamid-Präparaten zu erproben, wurden Häftlinge mit Schmutz, Gasbrand- und Tetanuserregern u.a. Bakterien infiziert. Über die Ergebnisse berichteten die SS-Ärzte bei Fachtagungen der Wehrmacht. Ebenfalls in Ravensbrück wurde mit

Knochentransplantationen experimentiert. Im KZ → Dachau wurden 1942 und 1943 Versuche durchgeführt, bei denen künstlich Phlegmone (Entzündungen) erzeugt wurden, um Medikamente zu erproben. Opfer waren v.a. Geistliche. In den KZ → Sachsenhausen und → Natzweiler/Struthof wurden Experimente mit Lost und Phosgen vorgenommen, in der »Reichsuniversität Straßburg« betrieb Prof. August Hirt eine »jüdische Skelettsammlung«, für die er im KZ Natzweiler lebende Opfer auswählte. Nur einer fixen Idee folgte der Tropenmediziner Claus Schilling, der von Februar 1942 bis März 1945 im KZ Dachau eine Malaria-Versuchsstation betrieb und etwa 1100 Häftlinge mit Erregern infizierte. Der Gynäkologe Carl Clauberg experimentierte 1942–1944 in → Auschwitz an einer Methode der Massensterilisation ohne Operation: Er ließ ätzende Substanzen in die Gebärmutter der unbetäubten Versuchspersonen einspritzen, was zu größten Schmerzen und dauernden Schäden, manchmal auch zum Tod führte. Dr. Sigmund Rascher, ein Protégé Himmlers, erhielt im KZ Dachau die Möglichkeit zu Unterdruck- und Unterkühlungsversuchen. Die unter dem militärischen Vorwand »Rettung aus großen Höhen« mit Hilfe der Luftwaffe angestellten Versuche in einer Unterdruckkammer führten bei 70–80 von 200 daran beteiligten Häftlingen zum Tod. Noch dubioser waren Raschers Kälteexperimente, bei denen er (um Rettungsmöglichkeiten »aus Seenot« zu studieren) ab August 1942 Menschen unterkühlte, um sie anschließend wieder zu erwärmen. An diesen Versuchen nahm Himmler besonders lebhaftes Interesse. Im Auftrag der Luftwaffe fanden 1944 in Dachau Versuche zur Trinkbarmachung von Meerwasser statt. In → Buchenwald und Natzweiler/Struthof wurde mit Fleckfieber-Impfstoffen experimentiert, in Auschwitz »forschte« Josef Mengele an Zwillingen und aus rassehygienischen und erbbiologischen Motiven über Anomalien und Deformationen. Insgesamt waren als Täter etwa 350 Personen an den Medizinverbrechen (einschl. »Euthanasie«) beteiligt.

Zwischen Dezember 1946 und Juli 1947 standen die aus omnipotentem Verfügungsanspruch gegenüber Gefangenen begangenen Verbrechen im »Ärzteprozeß« in Nürnberg zur Verhandlung (→ Nachkriegsprozesse). Von den 23 Angeklagten wurden 7 zum Tode verurteilt, 7 freigesprochen, die übrigen erhielten Freiheitsstrafen. Der Prozeß erwies auch, daß die Experimente wissenschaftlich wertlos gewesen waren. *Wolfgang Benz*

Literatur:

Lifton, Robert Jay: *The Nazi Doctors. Medical killing and the psychology of genocide,* New York 1986.

Mitscherlich, Alexander/Fred Mielke (Hg.): *Medizin ohne Menschlichkeit. Dokumente der Nürnberger Ärzteprozesse*, Frankfurt am Main [10] 1989.

Merkur, Unternehmen Deckname für die mit Führerweisung Nr. 28 vom 25.4.1941 angeordneten Operationen dt. Luftwaffen- und Heeresverbände gegen die griech. Insel Kreta im Mai 1941. Im Verlauf des → Balkanfeldzuges hatten dt. Truppen bis Ende April 1941 das gesamte griech. Festland erobert. Um die von Kreta v.a. als Luft- und Seestützpunkt der Engländer ausgehende Bedrohung u.a. gegen die rumän. Erdölfelder abzustellen und gleichzeitig einen vorgeschobenen Stützpunkt von strategischer Bedeutung für den → Afrikafeldzug und den geplanten → Ostfeldzug zu gewinnen, griff im bislang größten Luftlandeunternehmen des Zweiten Weltkriegs die 7. Fallschirmjäger-Division (XI. Fliegerkorps unter General Student) mit 15 000 Mann die drei Inselflugplätze

Malemes, Rethymnon und Iraklion an. Gebirgsjäger der 5. Gebirgs-Division landeten von See her in der Suda-Bucht. Brit. Commonwealth-Truppen, die mit Zustimmung der griech. Regierung seit Oktober 1940 auf Kreta stationiert waren (unter dem Oberbefehl des neuseeländ. General Freyberg kämpften einschl. vom Festland zurückgeführter Einheiten insgesamt 10 000 griech. und 32 000 brit. Soldaten), fügten aus vorbereiteten Feldstellungen v.a. den Fallschirmjägern hohe Verluste zu (mit ein Grund für Hitler, ein ähnliches Unternehmen gegen Malta [Unternehmen Herkules] immer wieder zu verschieben). Der Kampf um die Insel, deren Hauptstadt Chania am 27.5. in die Hand der Deutschen fiel, war nach der Einnahme des Hafens in der Suda-Bucht am folgenden Tag entschieden. Den Engländern gelang es, vor der völligen Eroberung der Insel am 31. Mai 17 000 Mann nach Ägypten zurückzuführen. Entscheidend für den dt. Erfolg war die Überlegenheit der Luftwaffe, die drei Schlachtschiffe, einen Träger, sechs Kreuzer und elf Zerstörer der brit. Mittelmeerflotte versenkte oder beschädigte. Die strategische Bedeutung der Einnahme Kretas konnte jedoch durch den Abzug starker dt. Kräfte für den Krieg gegen die Sowjetunion nicht voll ausgenutzt werden, was sich v.a. im Verlauf des Afrikafeldzuges nachteilig bemerkbar machte. *Hermann Weiß*

Metallspende des deutschen Volkes s. Altmaterialsammlungen

Meuten s. Edelweiß-Piraten

Militärgerichtsbarkeit s. Kriegsgerichtsbarkeit

Militäropposition s. Widerstand

Ministerrat für die Reichsverteidigung Ausschuß zur kriegsbedingten einheitlichen Führung von Verwaltung und Wirtschaft 1939–1945. Mit Erlaß Hitlers vom 30.8.1939 wurde der M. gebildet. Unter dem Vorsitz Görings gehörten ihm als ständige Mitglieder an: der → Stellvertreter des Führers (Heß), bzw. dessen Nachfolger und Leiter der Parteikanzlei (Bormann), der → Generalbevollmächtigte für die Reichsverwaltung (Frick), der Generalbevollmächtigte für die Wirtschaft (Funk), der Chef der → Reichskanzlei (Lammers) und der Chef des → OKW (Keitel). Der M. konnte Verordnungen mit Gesetzeskraft erlassen, gewann aber keine Bedeutung. *Elke Fröhlich*

Minsk (Ghetto) Hauptstadt der weißruss. SSR mit ca. 240 000 Einwohnern (1939) und unter dt. Besatzung als Hauptstadt des Generalkommissariats Weißruthenien Sitz zahlreicher dt. Dienststellen. Nach dem dt. Einmarsch am 28.6.1941 und ersten »Aktionen« errichtete die Wehrmacht am 19.7.1941 in einem westlichen Stadtteil ein → Ghetto für die etwa 85 000 Juden der Stadt und der Umgebung. Anfang November 1941, unmittelbar vor der Ankunft von ca. 7000 Juden aus dem Reichsgebiet, wurden 6000–12000 Ghettoinsassen ermordet und ein kleineres »Sonderghetto« für Deportierte geschaffen. Zwischen November 1941 und Oktober 1942 gelangten mehr als 35 000 Juden aus Deutschland und dem → Protektorat Böhmen und Mähren nach M., von denen die Mehrzahl jedoch umgehend in der Vernichtungsstätte Maly Trostenec, 12 km südöstl. von M., ermordet wurde. Der → Judenrat unter Eliyahu Mushkin, ab Februar 1942 unter Moshe Jaffe, versuchte angesichts der aussichtslosen Lage Verbindung mit dem jüdischen

Fortsetzung S. 586

Wehrmacht	Polizei	SS	Waffen-SS	SA
Reichsmarschall				
Generalfeldmarschall Großadmiral	Reichsführer SS und Chef der deutschen Polizei			Stabschef
Generaloberst Generaladmiral	Generaloberst	Oberstgruppen- führer	Oberstgruppen- führer	
General der Inf. usw. Admiral	General der Polizei	Obergruppenführer	Obergruppenführer	Obergruppenführer
Generalleutnant Vizeadmiral	Generalleutnant	Gruppenführer	Gruppenführer	Gruppenführer
Generalmajor Konteradmiral	Generalmajor	Brigadeführer	Brigadeführer	Brigadeführer
		Oberführer	Oberführer	Oberführer
Oberst/Kpt. z. S.	Oberst	Standartenführer	Standartenführer	Standartenführer
Oberstleutnant Fregattenkapitän	Oberstleutnant	Obersturmbann- führer	Obersturmbann- führer	Obersturmbann- führer
Major Korvettenkapitän	Major	Sturmbannführer	Sturmbannführer	Sturmbannführer
Hauptmann Kapitänleutnant	Hauptmann	Hauptsturmführer	Hauptsturmführer	Hauptsturmführer
Oberleutnant (z. S.)	Oberleutnant	Obersturmführer	Obersturmführer	Obersturmführer
Leutnant (z. S.)	Leutnant	Untersturmführer	Untersturmführer	Sturmführer
Stabsoberfeldwebel		Sturmscharführer	Sturmscharführer	Haupttruppführer
Oberfähnrich (z. S.)				
Oberfeldwebel		Hauptscharführer	Hauptscharführer	Obertruppführer
Feldwebel	Meister	Oberscharführer	Oberscharführer	Truppführer
Fähnrich (z. S.)				
Unterfeldwebel Matr. Ob.Maat	Hauptwachtmeister	Scharführer	Scharführer	Oberscharführer
Unteroffizier Matr.Maat	Rev.O.Wachtmeister Zugwachtmeister	Unterscharführer	Unterscharführer	Scharführer
Stabsgefreiter Hauptgefreiter				
Obergefreiter	Oberwachtmeister			
Gefreiter	Wachtmeister	Rottenführer	Rottenführer	Rottenführer
Obersoldat	Rottwachtmeister	Sturmmann	Sturmmann	Obersturmmann
Soldat Matrose	Unterwachtmeister	SS-Mann	SS-Mann	Sturmmann
		SS-Anwärter		SA-Anwärter

Abb. 56: Militärische/paramilitärische Ränge im Vergleich

und nichtjüdischen Untergrund zu halten, letzteres vergeblich. Durch ständige »Aktionen« im Rahmen der → »Endlösung« in Weißrußland reduzierten die Einsatzgruppe B (→ Einsatzgruppen) und die Dienststelle des KdS mittels Erschießungen, dem Einsatz von → Gaswagen und → Deportationen ins → Vernichtungslager → Sobibór die Ghettobevölkerung bis zum Herbst 1943 auf 6000 russ. und 300–400 dt. Juden (→ Rassenpolitik und Völkermord). Etwa 10 000 Personen gelang die Flucht in die umliegenden Wälder, wo sie – zumeist erfolglos – Schutz vor den Patrouillen der dt. Ordnungspolizei (→ Polizei) und der → Schutzmannschaft suchten. Das Ghetto wurde im Oktober 1943 aufgelöst. Die Befreiung durch die Rote Armee erlebten 3000–4000 russ. und max. 30 dt. Juden. *Jürgen Matthäus*

Literatur:

Kohl, Paul: *Der Krieg der deutschen Wehrmacht und der Polizei 1941–1944. Sowjetische Überlebende berichten*, Frankfurt am Main 1995.

Mischehe Allgemein Ehe zwischen Partnern verschiedener Glaubensbekenntnisse. Die nat.soz. Gesetzgebung definierte eine M. dagegen als eine Ehe, die »zu einer Rassenmischung« führt, d.h. eine Ehe zwischen einem »arischen« und »nichtarischen« Partner. Man unterschied zwischen einer einfachen M. (Ehe eines dt.blütigen mit einem jüdischen Partner ohne getaufte Kinder oder mit Kindern, die der Synagogengemeinde angehörten) und einer privilegierten M. (eine Ehe eines dt.blütigen Mannes mit einer jüdischen Frau auch ohne Kinder oder eine Ehe, in der die Kinder einer christlichen Kirche angehörten). Neue Eheschließungen waren zwar ab September 1935 verboten (→ Nürnberger Gesetze), aber bestehende M. wurden niemals zwangsweise aufgelöst. Auf den dt.blütigen Teil wurde häufig Druck ausgeübt, sich scheiden zu lassen, und ein Scheidungsgesuch wurde schnell erfüllt. In einer bestehenden Ehe blieben die jüdischen Partner unterschiedlich lange geschützt, aber Tod des nichtjüd. Partners oder Scheidung bedeutete für den jüdischen Teil sofortige → Deportation. Auf der → Wannsee-Konferenz wurde eine Einbeziehung der jüdischen Partner einer M. in die → »Endlösung« diskutiert, jedoch mit Rücksicht auf arische Verwandte verschoben. Ab Herbst 1944 wurden die jüdischen Partner erst in Arbeitslager und im Frühjahr 1945 nach → Theresienstadt deportiert (→ Rassenpolitik und Völkermord). *Sigrid Lekebusch*

Mischlinge Mit der 1. Verordnung zum Reichsbürgergesetz vom November 1935 (→ Nürnberger Gesetze) wurden neben → Juden und Ariern die M. als dritte Gruppe, als Menschen mit einer teilweise jüdischen Abstammung, definiert. Man unterschied zwischen »M. ersten Grades« oder »Halbjuden« und »M. zweiten Grades« oder »Vierteljuden«. Die Einstufung richtete sich nach der Anzahl der jüdischen Großeltern (2 jüdische Großeltern: M. 1. Grades, ein jüd. Großelternteil: M. 2. Grades). Außerdem durften diese Menschen am 15.9.1935 weder der jüdischen Religion angehört haben (→ Geltungsjude) noch mit einem jüdischen Partner verheiratet gewesen sein. M. 2. Grades wurden als »Reichsbürger« angesehen, zur Wehrmacht eingezogen und durften »Arier« heiraten. M. 1. Grades waren »vorläufige Reichsbürger«, auf dem Papier besaßen sie dieselben Rechte wie ein Arier – mit einer Reihe von Ausnahmeregelungen. Eine Eheschließung mit einem Arier bedurfte einer Sondergenehmigung vom Innenministerium, die fast nie erteilt wurde. Umgang mit Ariern des anderen Geschlechts wurde als → Rassenschande geahndet. Obwohl den M. erst 1939 eine Immatrikulation an den Hochschulen untersagt und sie per Runderlaß des Reichsministeriums für Wissenschaft, Erziehung und Volksbildung vom 2.7.1942 vom Besuch höherer Schulen ausgeschlossen wurden, wurden viele schon lange zuvor in ihrer Ausbildung behindert. 1939 wurden die M. 1. Grades zur Wehrmacht eingezogen, doch bis 1942 mit dem Vermerk »n.z.v.« (»nicht zu verwenden«) wieder entlassen. Auf der → Wannsee-Konferenz wurden verschiedene Pläne zur Behandlung der M. – von der Massensterilisierung bis zur Ansiedlung im Osten – diskutiert, aber eine Realisierung der Entwürfe mit Rücksicht auf mögliche negative Reaktionen der arischen Verwandten bis Kriegsende verschoben. Ab 1941 wurden die M., ebenso wie die in → Mischehe lebenden Personen, verstärkt zur → Zwangsarbeit eingezogen und ab Herbst 1944 in verschiedene Arbeitslager deportiert, so daß an einigen Orten reine Mischlingslager entstanden. In den besetzten Gebieten verfuhr man uneinheitlich. Im Osten wurden die M. in die Ghettoisierung einbezogen, aber sowohl in der Slowakei als auch in Kroatien von der → Deportation in die → Vernichtungslager prinzipiell ausgenommen. Die M. 1. Grades nahmen eine Stellung zwischen Juden und Ariern ein, die zu Beginn von Privilegien geprägt war und dann immer stärker den Abbau der Vorrechte einschloß.

Sigrid Lekebusch

Literatur:

Lekebusch, Sigrid: *Not und Verfolgung der Christen jüdischer Herkunft im Rheinland*, Köln 1995. Röhm, Eberhard/Jörg Thierfelder: *Juden-Christen-Deutsche*, Bde. 1–3, Stuttgart 1990, 1992, 1995.

Mit brennender Sorge Nach zahlreichen fruchtlosen Protesten des Heiligen Stuhls gegen die systematische Verletzung des → Reichskonkordats durch die Nat.soz., äußerte sich schließlich im Frühjahr 1937 Papst Pius XI. in der Enzyklika »Mit brennender Sorge« öffentlich zu den Übelständen in Deutschland; sie ist das erste und einzige päpstliche Rundschreiben in dt. Sprache. Nach Deutschland hineingeschmuggelt, insgeheim gedruckt und in wenigen Tagen den Geistlichen im ganzen Land durch Boten übermittelt, wurde die Enzyklika am Palmsonntag, den 21.3.1937, von den Kanzeln aller katholischen Kirchen im Reich verlesen. Der Papst protestierte in ihr gegen die permanente Unterdrückung der Gläubigen und die Behinderung der Kirche auf allen Gebieten. Das Regime, für das die Enzyklika völlig unerwartet kam, ließ alle Exemplare von der Gestapo beschlagnahmen und antwortete mit einem Verleumdungsfeldzug sowie Schauprozessen (→ Kirchen und Religion).

Jana Richter

Mittelbau-Dora s. Dora-Mittelbau (KZ)

Mittwochs-Gesellschaft Zu den Gründungsmitgliedern der 1863 als »Freie Gesellschaft für wissenschaftliche Unterhaltung« gegründeten M. gehörten der Historiker J. G. Droysen und der Begründer der dt. Ägyptologie, Carl Richard Lepsius. Die Mitglieder dieser Berliner Gelehrtengesellschaft ergänzten sich durch einstimmige Kooptation auf die satzungsmäßigen 16 Mitglieder, meist Professoren der Berliner Universität und bedeutende Beamte, Wirtschaftler und Militärs. Zwischen 1933 und 1945 gehörten zu ihren Mitgliedern der preuß. Finanzminister Popitz, der ehemalige Reichswehrminister Groener, der Generalstabschef Beck, der Mediziner Prof. Sauerbruch, der Pädagoge Spranger, der Diplomat

v. Hassell, die Historiker Oncken, Baethgen und Wilcken, der Altphilologe Schadewaldt, der Kunsthistoriker Pinder, der Physiker Heisenberg, der Literaturhistoriker und Journalist Fechter und, als einziger Jude, der Kunsthistoriker Weisbach, der, 1933 als Universitätsprofessor entlassen, bis zu seiner → Emigration 1935 in der M. verkehrte. In der Mehrzahl eher konservativ als liberal, standen vor allem ältere Mitglieder, aber auch jüngere wie Jessen und Heisenberg dem Nat.-soz. ablehnend gegenüber, was sich dank Popitz auch in der Aufnahmepolitik niederschlug. Wegen der Zugehörigkeit zum Kreis des → 20. Juli 1944 beging Beck Selbstmord, Popitz, v. Hassell und Jessen wurden hingerichtet, Sauerbruch und Spranger wurden verhaftet. Von der Gestapo wurde die M. als Kristallisationspunkt »defaitistischer und dem Nat.soz. feindlicher Haltung« bezeichnet. Die Überlebenden machten nach dem Krieg keinen Versuch, die M. wieder aufleben zu lassen. *Hermann Weiß*

Literatur:
Die Mittwochs-Gesellschaft. Protokolle aus dem geistigen Deutschland 1932–1944, hg. u. eingel. v. Klaus Scholder, Berlin 1982.

Mölders-Brief Fälschung der brit. psychologischen Kriegführung. Der im Januar 1942 in zahlreichen Exemplaren über Deutschland abgeworfene M. stieß bei der dt. Bevölkerung auf starkes Interesse und wurde vielfach als echtes Dokument gewertet, bis Sefton Delmer 1962 das Geheimnis preisgab. Das fingierte Schreiben, angeblich aus der Feder des populären, tödlich verunglückten Fliegerasses Mölders, sollte den Eindruck erwecken, als sei der praktizierende Katholik, weil er die Nat.soz. als gottlos verurteilt hatte, einem Attentat zum Opfer gefallen. Der M. gilt als die erfolgreichste Aktion der schwarzen Propaganda Großbritanniens. *Elke Fröhlich*

Monte Cassino Berg und Gründungskloster des Benediktinerordens in Mittelitalien, Zentrum der Schlacht um M. 1943/44. M. lag auf der Verteidigungslinie (»Gustav«-Stellung), an der die seit ihrer Landung auf Sizilien (10.7.1943) und nach der Kapitulation Italiens (8.9.1943) vorrückenden alliierten Truppen gestoppt werden sollten (→ Invasion; → Italienfeldzug). In vier großen Offensiven von Januar bis Mai 1944, in deren Verlauf die Alliierten die Abtei zur Ruine bombardierten, gelang es unter schwersten Verlusten, den dt. Riegel zu durchbrechen (18.5.). Der Einnahme Roms stand nichts mehr im Wege. *Elke Fröhlich*

Montoire, Treffen von Begegnung Hitlers mit Pétain in der frz. Kleinstadt M. (Dépt. Loire-et-Cher) 1940. Nach den ergebnislos verlaufenen Gesprächen mit Franco in → Hendaye traf Hitler sich am 24.10.1940 mit dem Präsidenten des unbesetzten → Vichy-Frankreich im Beisein von Ribbentrop und Laval, dem damaligen stellv. frz. Ministerprädidenten. Ebenso wie der span. General tags zuvor den gewünschten Kriegseintritt verweigert hatte, ging der frz. Marschall auf Hitlers Forderungen, sich am Kampf gegen Großbritannien, in diesem Fall ohne direkten Kriegseintritt, zu beteiligen, ungeachtet der Gefahr einer möglichen Gesamtbesetzung Frankreichs, nicht ein. In Fragen eines Friedensvertrages oder einer Rückkehr frz. Kriegsgefangener zeigte Hitler seinerseits kein Entgegenkommen. Die Besprechung endete ohne konkretes Ergebnis. *Elke Fröhlich*

Moorsoldaten s. Emslandlager

Morgenfeiern s. Feiergestaltung

Morgenthau-Plan Im August 1944 veranlaßte US-Finanzminister Henry Morgenthau jr. ein Memorandum zur Behandlung Deutschlands nach dessen Niederlage. In der Denkschrift wurde die Aufteilung Deutschlands in drei Staaten und die Internationalisierung der Wirtschaftsregionen an Rhein und Ruhr sowie der Nordseeküste propagiert. Außer der Entwaffnung Deutschlands und Reparationsleistungen sollten nach dem M. die Schwerindustrie demontiert und die Bergwerke stillgelegt werden. Das Ziel war ein rein agrarisches Deutschland ohne jede Möglichkeit zu aggressiver Politik. Der Plan enthielt, in radikaler Form, Vorschläge und Maßnahmen, die in der Kriegszieldebatte der Alliierten eine Rolle spielten. Morgenthau, mit US-Präsident Roosevelt befreundet, schien Erfolg zu haben, als bei der brit.-US-amerik. Konferenz in → Quebec am 15.9.1944 der brit. Premierminister Churchill und Präsident Roosevelt eine Version des M. paraphierten. Außenminister Cordell Hull protestierte ebenso wie sein brit. Kollege Anthony Eden am folgenden Tag, US-Kriegsminister Stimson nannte das Programm »ein Verbrechen gegen die Zivilisation«. Als es durch gezielte Indiskretion am 21.9.1944 an die Öffentlichkeit kam, war die Reaktion so negativ, daß auch Roosevelt sich distanzierte. Der M. verschwand in der Versenkung. Für die Besatzungs- und Deutschlandpolitik der Alliierten blieb die Episode ohne Bedeutung. Aber Goebbels und Hitler benutzten »Judas Mordplan« zur »Versklavung Deutschlands« mit so großem Erfolg für ihre Durchhaltepropaganda, daß sich bei vielen später der Glaube festigte, das Programm sei 1945 realisiert worden. In der rechtsextremen Publizistik spielt der M. diese Rolle heute noch.

Wolfgang Benz

Literatur:

Gelber, H. G.: Der Morgenthau-Plan, in: *Vierteljahrshefte für Zeitgeschichte* 13 (1965), S. 372–402.

Greiner, Bernd: *Die Morgenthau-Legende. Zur Geschichte eines umstrittenen Plans*, Hamburg 1995.

Moringen s. Jugendschutzlager

Moskau, Außenministerkonferenz von (1943) Vom 19.–30.10.1943 fand die 1. Moskauer Außenministerkonferenz statt. Die chines., brit., US-amerikan. und sowj. Außenminister verfolgten mit dieser ersten Gesprächsrunde – der weitere folgten – das Ziel, die Konferenz von → Teheran vorzubereiten. Darüber hinaus faßten sie konkrete Beschlüsse, die primär die europäische Zukunft betrafen. So einigten sich die Außenminister darauf, Österreich nach dem Krieg wiederherzustellen und den Faschismus aus Italien zu verbannen. Wichtiges Thema war die Auslieferung dt. Kriegsverbrecher. Diese sollten nach Beschluß der Konferenzteilnehmer an die Länder ausgeliefert werden, die unter ihren Verbrechen gelitten hatten. Weiteres Ziel war die Gründung einer Europäischen Beratenden Kommission. Diese Kommission sollte die Fragen der Besetzung und künftigen Behandlung Deutschlands – einschließlich der vorgesehenen Aufteilung – bis zur Entscheidungsreife klären.

Michael Fröhlich

Motor-HJ s. Hitler-Jugend

München s. Hauptstadt der Bewegung

Münchener Beobachter s. Völkischer Beobachter

Münchener Abkommen Das am 30.9.1938 zwischen den Regierungschefs Deutschlands, → Italiens, → Großbritanniens und → Frankreichs ohne Beteiligung der → Tschechoslowakei und der mit ihr verbündeten → Sowjetunion geschlossene M., bestimmte die Abtretung des → Sudetenlandes an Deutschland vom 1.–10.10.1938, wodurch die ČSR v.a. ihre Grenzbefestigungen und damit ihre Verteidigungsfähigkeit gegenüber Deutschland verlor. In weiteren Gebieten sollten Volksabstimmungen stattfinden, überwacht von einem Ausschuß, der zugleich die künftigen Grenzen festlegen sollte. Für die poln. und ungar. Minderheiten wurde eine entsprechende Regelung ins Auge gefaßt (→ Polen besetzte am 2./3.10.1938 das Teschener Gebiet; Ungarn erhielt durch den sog. 1. Wiener Schiedsspruch vom 2.11.1938 die Südslowakei). Der ČSR wurde eine internationale Garantie in Aussicht gestellt, die allerdings nie erfolgte. Das M. beendete die → Sudetenkrise; bis zur Besetzung durch dt. Truppen verblieben der ČSR noch knapp sechs Monate. Das M. markiert den bis dato größten außenpolitischen Erfolg des Dritten Reiches, der von Hitler jedoch als Niederlage empfunden wurde: Ihm ging es nämlich nicht um die von Großbritannien und Frankreich längst akzeptierte Abtretung des Sudetenlandes, sondern, als Auftakt für seinen Krieg um → Lebensraum, um die diplomatische Isolierung und anschließende Eroberung der ČSR. Dieses Vorgehen war am 5.11.1937 im → Hoßbach-»Protokoll« erstmals erwähnt und in den Weisungen für den Fall Grün vom 21.4. und 30.5.1938 – dem Plan für einen → Blitzkrieg, der ab dem 1.10.1938 jederzeit durchführbar sein sollte – entschieden worden. Deshalb hatte Hitler eine Verhandlungslösung, die seinen Plan vereiteln würde, vermeiden wollen, indem er in den Treffen mit dem brit. Regierungschef Chamberlain in Berchtesgaden (15.9.) und Bad Godesberg (22.–24.9.) immer brutalere Forderungen bezüglich des Abtretungsmodus erhoben hatte. Deren Erfüllung war der Gipfelpunkt der brit.-frz. → Appeasement-Politik, durch den eine Vertagung des großen Krieges erreicht wurde. Infolge ihrer Ausgrenzung durch die Westmächte im M. leitete die UdSSR eine Neuorientierung ihrer Außenpolitik ein, die schließlich zum → Dt.-sowj. Nichtangriffspakt führte (→ Außenpolitik). *Karsten Krieger*

Literatur:

Celovsky, Boris: *Das Münchener Abkommen*, Stuttgart 1958.

Taylor, Telford: *Munich. The Price of Peace*, New York 1979.

Münchener Attentat s. Attentate auf Hitler

Muselmann Als M. bezeichneten KZ-Häftlinge Mitgefangene, die durch Hunger und körperliche Erschöpfung in ein Stadium zwischen Leben und Tod geraten waren. Über die zu Skeletten abgemagerten Körper spannte sich die Haut grau und leblos, die Augen, die nichts mehr wahrzunehmen schienen, waren tief in ihre Höhlen gesunken. Die M. bewegten sich kaum noch und erwarteten apathisch ihr Ende. Die Herkunft des Begriffs, der v.a. in → Auschwitz gebräuchlich war, ist nicht geklärt. Einerseits wurde er auf einen angeblichen Fatalismus von Muslimen zurückgeführt, andererseits auf ihre ruckartigen Bewegungen beim Gebet. Der Auschwitz-Überlebende Primo Levi schrieb über sie: »Man zögert, sie als Lebende zu bezeichnen; man zögert, ihren Tod, vor dem sie nicht erschrecken, als Tod zu bezeichnen, weil sie zu müde sind, ihn zu fassen.« In → Dachau wurden die zu Tode erschöpften Häftlinge als »Kretiner« bezeichnet. *Barbara Distel*

Mussert-Bewegung s. Nationaal-Socialistische Beweging der Nederlanden (NSB)

Musterbetrieb s. Leistungskampf der deutschen Betriebe

Mutter und Kind s. Hilfswerk Mutter und Kind

Mütterdienst Bezeichnung für die Maßnahmen zur Betreuung von Schwangeren und Müttern, insbesondere der Mütterschulung und Müttererholung (→ Hilfswerk Mutter und Kind) in der Regie der → NS-Volkswohlfahrt, der → NS-Frauenschaft bzw. des dt. Frauenwerks und der → DAF. In Mütter- und Bräuteschulen wurden in den von der Abteilung M. der NS-Frauenschaft veranstalteten ideologisch befrachteten 4–6wöchigen Lehrgängen Kenntnisse in Haushaltsführung, Gesundheits-, Säuglings-, Krankenpflege und Kindererziehung vermittelt. 1941 existierten 517 Mütterschulen, darunter zwölf Bräute- und Heim-Mütterschulen. Betriebliche Mütterschulung wurde vom Frauenamt der DAF angeboten. Die Kurse wurden z.T. unter finanziellem Druck besucht, wenn z.B. die Auszahlung von Ehestandsbeihilfen vom Nachweis der Kursteilnahme abhängig war. Den hauptamtlichen Lehrkräften, die in Mütteroberschulen ausgebildet waren, diente die Reichsmütterschule in Berlin-Wedding als Nachschulungsstätte (→ Frauen). *Wolfgang Benz*

Mutterkreuz s. Mutterkult

Mutterkult Ideologische Verherrlichung der Mutterrolle. Die nat.soz. Propaganda forderte von der »dt. erbgesunden« Frau die Mehrung der → »Volksgemeinschaft« durch ihre Gebärfreudigkeit. Sie sollte entsprechend den Gesetzen »zur Verhütung erbkranken Nachwuchses«, »zum Schutz des dt. Blutes und der dt. Ehre« und »zum Schutz der Erbgesundheit des dt. Volkes« (→ Erbgesundheit; → Nürnberger Gesetze) für »völkisch wertvollen« Nachwuchs sorgen. So diente der Muttertag, der im Dt. Reich bereits seit 1922 begangen wurde, dem Nat.soz. ab 1934 als fester Bestandteil des »nat.soz. Feierjahres«. Ab 1942 wurden Muttertagsfeiern als »Morgenfeiern« mit festem Rahmenprogramm (→ HJ-Chor, Ansprachen, Lesungen) vorgeschrieben, im Anschluß wurde das »Ehrenkreuz der deutschen Mutter« verliehen. Das von der Parteileitung der NSDAP ausgelobte sog. Mutterkreuz (in Bronze für 4–6 Kinder, Silber für 6–8 und Gold für 8 und mehr Kinder) wurde ab 1938 reichsdt. Müttern verliehen, deren Kinder als »arisch« und erbgesund galten (→ Ariernachweis). Das Mutterkreuz mußte beantragt werden und konnte, nach Bekanntwerden evtl. »rasseideologischer Mängel«, auch wieder entzogen werden. Überlegungen, einen Ehrensold an die Mutterkreuzträgerinnen zu zahlen, wurden wegen der auszuzahlenden Summen in Höhe von 25 Mio. RM jährl. wieder fallengelassen. Bis September 1941 wurden 4,7 Mio. Mutterkreuze verliehen; im November 1944 erlaubte man auch Verleihungen an »volksdt.« Mütter. *Marion Neiss*

Muttertag s. Mutterkult

Mythus des 20. Jahrhunderts, Der Das von Alfred Rosenberg 1930 verfaßte Werk, das Weltgeschichte nur als eine Geschichte von Rassenkonflikten interpretiert, war stark beeinflußt von den Ideen Houston Stewart Chamberlains. Rosenberg, der in der Frühphase der NSDAP zum Ideologielieferanten für → Antisemitismus und → Antibolschewismus geworden war, formulierte in den drei Teilen des Buches (»Das Ringen der Werte«, »Das Wesen der germanischen Kunst«, »Das kommende Reich«) seine Weltanschauung. Er entwickelte seine pseudowissenschaftlichen Ideen vom Neuheidentum, der Überlegenheit des nordischen Blutes und der Mystik seiner »Reinheit«, das sich gegen → Juden und → Freimaurer erfolgreich durchsetzte. Obgleich der *M.* neben Hitlers → *Mein Kampf* zum zentralen Werk des Nat.soz. wurde und bis 1942 bereits über 1 Mio. Exemplare verkauft waren, fand der verquaste Stil kaum Leser und stieß auch bei den Parteifunktionären auf wenig Resonanz. Da der *M.* auch die römische »Priesterkaste« als Mitverursacher des Untergangs der germanischen Kultur einstufte, setzte die katholische Kirche den *M.* am 7.2.1934 auf den Index (→ Nordische Rasse; → Rassenkunde; → Ideologie). *Juliane Wetzel*

N

Nachkriegsprozesse Nachdem Großbritannien, die USA und die Sowjetunion bereits in einer Erkärung vom 1.11.1943 die strafrechtliche Verfolgung vom nat.soz. Verbrechen angekündigt hatten, schlossen sie unter Beteiligung Frankreichs am 8.8.1945 ein Abkommen über die Bestrafung der Hauptkriegsverbrecher. Sie sollten sich verantworten für die Planung und Führung von Angriffskriegen, Kriegsverbrechen und Verbrechen gegen die Menschlichkeit. Dabei galten als Kriegsverbrechen Unrechtshandlungen gegen Soldaten und Zivilisten im Zusammenhang mit militärischen Aktionen, z.B. die Ermordung von → Kriegsgefangenen und Geiseln, Plünderungen, als Verbrechen gegen die Menschlichkeit die Verantwortlichkeit für Verfolgungsmaßnahmen aus politischen, rassischen und religiösen Gründen, Zwangsverschleppung, Folterung und Freiheitsberaubung und Beteiligung daran. Im Nürnberger Prozeß vom 20.11.1945–1.10.1946 vor dem Internationalen Militärtribunal (IMT) gegen 24 Politiker, Beamte, Funktionäre der NSDAP und Generäle wurden 12 Todesurteile u.a. gegen Göring, Frick, Ribbentrop und Bormann (in Abwesenheit) verhängt, 7 Angeklagte zu Freiheitsstrafen zwischen lebenslänglich (u.a. Heß) und 10 Jahren (nur Dönitz) verurteilt, die im dafür eingerichteten Kriegsverbrechergefängnis in Berlin-Spandau bis 1987 vollzogen wurden, und 3 Angeklagte freigesprochen; im Verfahren gegen den Ruhrindustriellen Gustav Krupp v. Bohlen und Halbach mußte sein Sohn und designierter Nachfolger Alfried auf die Anklagebank, da der Vater wegen eines erlittenen Schlaganfalls nicht verhandlungsfähig war. Alfried wurde zu 12 Jahren Haft und Vermögensentzug verurteilt. Zu verbrecherischen Organisationen wurden → SS, → Geheime Staatspolizei, → Sicherheitsdienst und Führerkorps der NSDAP (vom Reichsleiter bis zum Ortsgruppenleiter) erklärt; die Reichsregierung, die → SA, das → Oberkommando der Wehrmacht, Generalstab und die Reiter-SS wurden von dieser Anklage freigesprochen. Bei den Angehörigen der verurteilten Organisationen wurde in der brit. Zone die individuelle Schuld von speziellen Spruchgerichten ermittelt, in der US-Zone wurde sie im Entnazifizierungsverfahren von Laienrichtern festgestellt. Dem IMT-Prozeß folgten in Nürnberg von 1946 bis 1948 12 Verfahren vor US-Militärgerichten mit 177 Angeklagten, von denen 24 zum Tode (davon 12 begnadigt), 120 zu lebenslänglich oder zeitlichen Freiheitsstrafen verurteilt (bis 1956 sämtlich entlassen), 35 freigesprochen wurden. Angeklagt waren Minister (u.a. Lammers) und Staatssekretäre (u.a. von Weizsäcker), Generalfeldmarschälle und Generäle, Angehörige der SS und der Gestapo, vor allem der → Einsatzgruppen und des → SS-Wirtschafts-Verwaltungs-Hauptamtes, Ärzte, die Experimente an Häftlingen durchgeführt hatten (→ Menschenversuche; → Medizin), hohe Richter und Justizbeamte, Industrielle (u.a. Flick), Vorstandsmitglieder der → I. G. Farben und der Dresdner Bank, denen die Ausplünderung besetzter Gebiete und Beschäftigung von → Fremdarbeitern vorgeworfen wurde. Weitere 256 Prozesse mit ca. 800 Angeklagten fanden vor US-Militärgerichten in Dachau statt. Sie richteten sich insbesondere gegen Wachmannschaften und Funktionshäftlinge der → Konzentrationslager → Dachau, → Buchenwald, → Flossenbürg und → Mauthausen sowie dort tätige Ärzte, ferner gegen Angehörige der Wehrmacht und der → Waffen-SS wegen der Ermordung von Kriegsgefangenen, u.a. in dem wegen seiner Beweisführung umstrittenen Prozeß wegen Tötung amerik. Soldaten bei Malmedy (→ Ardennen-offensive). In anderen amerik. Verfahren wurden Parteifunktionäre und Zivilisten wegen Lynchjustiz an abgeschossenen Fliegern der US Air Force, Ärzte, Krankenschwestern und -pfleger wegen Ermordung ausländischer Geisteskranker u.a. in → Hadamar verurteilt. Entsprechende Verfahren gab es vor brit. Militärgerichten, u.a. wegen der Verbrechen in den KZ → Bergen-Belsen, → Groß-Rosen, → Neuengamme, → Ravensbrück und in → Arbeitserziehungslagern, wegen Erschießung von Geiseln (u.a. gegen Feldmarschall Kesselring); wegen Mißhandlung von Fremdarbeitern wurden auch Angestellte der Hermann-Göring-Werke und anderer Firmen verurteilt. Die Verfahren vor frz. Militärgerichten in Rastatt richteten sich insbesondere gegen Wachmannschaften württembergischer Außenlager des KZ → Natzweiler/Struthof und gegen den Saar-Industriellen Röchling. Angehörige des Kommandanturstabes des KZ → Sachsenhausen wurden 1947 in Berlin von einem sowj. Militärgericht verurteilt. Die Gesamtzahl der in den westlichen Besatzungszonen von Militärgerichten einschließlich Nürnberg Verurteilten beläuft sich auf 5025, die Todesstrafe wurde gegen 806 Angeklagte verhängt, aber nur bei 486 Verurteilten vollstreckt. Weitere Verfahren wurden im Ausland durchgeführt: in Polen u.a. gegen Mitglieder der Regierung des → Generalgouvernements, → Gauleiter und → Reichsstatthalter, zwei Kommandanten und Personal des KZ → Auschwitz, in der Tschechoslowakei gegen Funktionäre aus dem → Sudetenland und dem → Protektorat Böhmen und Mähren, in Frankreich u.a. gegen den Chef der Zivilverwaltung im Elsaß und gegen am Massaker von → Oradour-sur-Glane beteiligte SS-Leute, in Belgien gegen den Militärbefehls-haber, in den Niederlanden, Luxemburg, Dänemark und Norwegen gegen dort tätige dt. Verwaltungsbeamte und Angehörige der → Sicherheitspolizei, in Jugoslawien auch gegen Offiziere, in Italien wegen der Ermordung von Geiseln. Die summarischen Prozesse in der Sowjetunion richteten sich nur zum Teil gegen Schuldige, z.B. den → Höheren SS- und Polizeiführer in

Riga, meist gegen Wehrmachtsangehörige aus bestimmten Einheiten, die erst 1953/55 entlassen wurden. Täter, die ins Ausland geflüchtet waren, konnten erst nach ihrer Auslieferung oder Entführung verurteilt werden: in Israel Eichmann 1961, in Frankreich der Chef der Gestapo in Lyon 1987, weitere Verfahren in Italien. Vor dt. Gerichten konnten zunächst nur Verfahren wegen Verbrechen gegen die Menschlichkeit und nach dt. Recht strafbaren Delikten durchgeführt werden, wenn sie aus-schließlich an Deutschen begangen worden waren. Seit 1946 ergingen in den westlichen Besatzungszonen Urteile gegen Angehörige von SS und SA wegen Ermordung und Mißhandlung politischer Gegner 1933, gegen Beteiligte an den Ausschreitungen der → »Reichskristallnacht« 1938, gegen Gestapobeamte wegen Folterung von Häftlingen, gegen Aufseher in Justizvollzugsanstalten und frühen Konzentrationslagern, gegen Denunzianten, deren Anzeige → Schutzhaft oder unverhältnismäßige Strafurteile zur Folge gehabt hatte (→ Denunziantentum), gegen Mitarbeiter von Heil- und Pflegeanstalten wegen der Ermordung von Geisteskranken (→ Aktion T4), gegen NSDAP-Funktionäre und Wehrmachtsangehörige, die im Frühjahr 1945 zur Kapitulation bereite Zivilisten hatten hinrichten lassen. Bis zur Aufhebung der Todesstrafe wurden 12 Todesurteile verhängt, viele andere Urteile und Freisprüche wurden jedoch in der Öffentlichkeit als unzureichend empfunden. In der DDR wurden andererseits 1950 im Zuchthaus Waldheim von besonderen Strafkammern des Landgerichts Chemnitz in Schnellverfahren, die rechtsstaatlichen Grundsätzen widersprachen, 3324 überwiegend nur formal belastete Angeklagte verurteilt, davon 29, von denen nur 5 begnadigt wurden, zum Tode, die meisten zu lebenslänglichen oder mehr als 15jährigen Haftstrafen. Nachdem in den 50er Jahren die Zahl der Prozesse zurückgegangen war, brachte der Ulmer Prozeß gegen Angehörige einer Einsatzgruppe 1958 eine Wende. In Ludwigsburg wurde die Zentrale Stelle der Landesjustizverwaltungen errichtet, um Delikte aufzuklären, für die sich die Bezeichnung »NS-Gewaltverbrechen« (NSG) zur Unterscheidung von Kriegsverbrechen durchsetzte, und die Täter zu ermitteln, damit gegen sie bei der örtlich zuständigen Staatsanwaltschaft Anklage erhoben werden konnte. Damit die Strafverfolgung nicht wegen Verjährung unterbleiben mußte, wurde das Strafrecht geändert. Die Mehrzahl der Verfahren betraf Verbrechen in Polen und der Sowjetunion, in Konzentrations- und → Vernichtungslagern. Von besonderer Bedeutung war der Prozeß gegen 21 SS-Führer, -Unterführer und -Ärzte und einen ehemaligen Häftling des KZ Auschwitz vor dem Landgericht Frankfurt von Dezember 1963 bis August 1965, in dem das ganze Ausmaß der dort begangenen Verbrechen dokumentiert wurde. In anderen Verfahren hatten sich der Höhere SS- und Polizeiführer Rußland-Mitte v. d. Bach-Zelewski, der Chef des Persönlichen Stabes Himmlers, Karl Wolff, der Kommandeur der → Leibstandarte-SS »Adolf Hitler«, Sepp Dietrich, und der braunschweigische Ministerpräsident Klagges zu verantworten. Nahezu völlig erfolglos blieben trotz umfangreicher Ermittlungsverfahren alle Bemühungen, Richter und Beisitzer des → Volksgerichtshofes und Angehörige des → Reichssicherheits-Hauptamtes zur Verantwortung zu ziehen.

Heinz Boberach

Literatur:

Eisert, Wolfgang: *Die Waldheimer Prozesse. Der stalinistische Terror 1950*, Esslingen 1993.

Justiz und NS-Verbrechen. Sammlung deutscher

Strafurteile wegen nationalsozialistischer Tötungsverbrechen 1945–1966, bearb. im Seminarium voor Strafrecht en Strafrechtspleging Van Hamel der Universiteit van Amsterdam, 22 Bde., Amsterdam 1968–1982.
Der Prozeß gegen die Hauptkriegsverbrecher vor dem Internationalen Militärgerichtshof, 42 Bde., Nürnberg 1947–1949.
Rückerl, Adalbert: *NS-Verbrechen vor Gericht. Versuch einer Vergangenheitsbewältigung*, Heidelberg 1982.
Trials of War Criminals before the Nuremberg Military Tribunals under Control Council Law No. 10, 15 Bde., Washington 1950–1953.
War Crimes Trials, 7 Bde., London 1949–1950.

Nacht der Amazonen Von der Stadt München unter Leitung Christian Webers 1936-1939 jährlich veranstaltete sommerliche Feste im Nymphenburger Schloßpark, die zum Rahmenprogramm des Pferderennens um das → Braune Band von Deutschland gehörten. Charakteristisch waren Spiele und Darbietungen allegorischer und mythischer Szenen (z.B. »Im Blumenhain der Amazonenkönigin«) mit spärlich bekleideten Darstellerinnen.

Wolfgang Benz

Nacht- und Nebel-Erlaß Auf einen Befehl Hitlers zurückgehende, von Keitel herausgegebene Anordnung vom 7.12.1941. Aufgrund des N. wurden Personen in den besetzten Gebieten, die des Widerstandes gegen das Dt. Reich verdächtig waren, für die ein Todesurteil durch ein Kriegsgericht aber nicht sicher schien, »bei Nacht und Nebel« nach Deutschland deportiert, wo → Sondergerichte das Todesverdikt über sie verhängten oder wo sie ohne Aburteilung im KZ verschwanden. Über das Schicksal der Verschleppten sollte erklärtermaßen Ungewißheit herrschen, um die Bevölkerung in Angst und Schrecken zu versetzen. Ca. 7000 Personen, in der Mehrzahl Franzosen, fielen dem N. zum Opfer.

Elke Fröhlich

Napola s. Nationalpolitische Erziehungsanstalten

Nasjonal Samling (Nationale Sammlung) Die N. wurde am 17.5.1933 von Vidkun Quisling gegründet, der, nach einer Karriere als Generalstabsoffizier und Sekretär Nansens bei der Rußlandhungerhilfe in den 20er Jahren, bis 1932 Kriegsminister der in → Norwegen regierenden Bauernpartei war, aber über eine von ihm gegen die Arbeiterpartei inszenierte Intrige, die die Sammlung des nationalkonservativen Lagers zum Ziel hatte, stürzte. Die norweg. N. war in einem Maße wie vielleicht nur noch die dt. NSDAP auf ihren »Förer« ausgerichtet, der in zahlreichen Schriften und endlosen Reden ihr weltanschauliches Profil bestimmte. Dieses war korporatistisch, antistädtisch, antimarxistisch und völkisch-rassistisch. Über allem schwebte die Verklärung der Wikingerzeit als Ausdruck reinsten Germanentums. Alles in allem ein klares faschistisches/nazistisches Profil, obwohl Quisling sich selbst immer nur als Nationalist bezeichnete. Bis 1940 führte die Partei ein Sektendasein. Die Stunde der N. schlug erst mit der dt. Besetzung des Landes (→ Norwegenfeldzug), nachdem vom → Reichskommissar alle Parteien außer der N. verboten worden waren. Die N. wurde zur »staatstragenden« Partei erklärt, die die »nationale Revolution« im Lande herbeiführen sollte. Zu diesem Zweck wurde Quisling im Februar 1942 als Ministerpräsident einer Kollaborationsregierung eingesetzt (→ Kollaboration). Schon vorher waren mit tatkräftiger dt. Hilfe die verschiedenen Parteiformationen auf- bzw. ausgebaut worden, wie der Hird (= SA) und die N.-Jugend; gleichzeitig begann die Rekrutierung für die SS. 1942/43 hatte die N. rund 50000 Mitglieder, meist Opportunisten. Die Mittelschicht war überrepräsentiert. Mit der dt. Kapitulation endete auch die N.

Robert Bohn

Nationaal-Socialistische Beweging der Nederlanden (NSB) Niederl. faschistische Bewegung, 1931 von Anton Adriaan Mussert gegründet. Zunächst orientiert am ital. → Faschismus, schlug die NSB nach einem ersten Erfolg (8% bei der Provinzialwahl 1935) eine an Deutschland ausgerichtete, zunehmend antisemitische Linie ein. Diese Radikalisierung, die 1935 einsetzenden politischen und publizistischen Kampagnen verschiedener antifaschistischer Komitees sowie eine Verbesserung der Wirtschaftslage trugen zum Rückgang des NSB-Anhangs bei: 4,2% bei der Parlamentswahl 1937, unter 4% bei der Provinzialwahl 1939. Musserts Hoffnung auf eine Regierungsbeteiligung unter der dt. Besatzung wurde enttäuscht. Zwar war die NSB von Dezember 1941 an die einzige zugelassene politische Organisation, mußte sich jedoch mit Funktionen auf lokaler und regionaler Ebene zufrieden geben. Die »Wehrabteilung« der NSB sowie die »Niederländische Landwacht« und die »Germanische SS«, die sich in den Niederlanden weitgehend aus der NSB rekrutierten, spielten eine wichtige Rolle bei der Etablierung und Aufrechterhaltung der Terrorherrschaft. NSB-Führer Mussert wurde 1946 zum Tode verurteilt und hingerichtet (→ Niederlande; → Kollaboration). *Paul Stoop*

Nationale Erhebung s. »Machtergreifung«

Nationale Feiertage Das Gesetz über die N. vom 27.2.1934 bestimmte zunächst nur drei N.: Tag der nationalen Arbeit am 1. Mai, → Heldengedenktag (ehem. Volkstrauertag) am fünften Sonntag vor Ostern (Reminiscere) und → Erntedanktag am 1. Sonntag nach Michaelis. Gleichzeitig erkannte das Gesetz die üblichen Kirchenfeste als N. an. Ein Führererlaß vom 25.2.1939 verfügte zum einen die Verlegung des Heldengedenktages auf den 16.3. (Jahrestag der Wiedereinführung der → Wehrpflicht), sofern dieser Tag auf einen Sonntag fiel, andernfalls auf den diesem Tage vorangehenden Sonntag. Zum anderen erhob er den Gedenktag für die »Gefallenen der Bewegung« am 9.11. zum vierten N. Daneben war die Verordnung von einmaligen N. zu besonderen Anlässen möglich, z.B. bei Mussolinis Staatsbesuch im September 1937 oder Hitlers 50. Geburtstag am 20.4.1939. An all diesen N. herrschte Arbeitsruhe. Weitere Veranstaltungen des Jahresablaufs waren zwar keine arbeitsfreien N., erinnerten aber an parteipolitische Ereignisse oder nahmen in propagandistischer Weise volkstümliches bzw. christliches Brauchtum auf (→ Feiergestaltung; → Propaganda). Zum nat.soz. Feierjahr zählten: Tag der → »Machtergreifung« (30.1.), Parteigründungsfeier (24.2.)., Führergeburtstag (20.4.)., Muttertag (2. Maisonntag), Sommersonnenwende (21.6.), → Reichsparteitag in Nürnberg (1. Septemberhälfte), Wintersonnwendfeier (22.12.), Volksweihnacht (24.12.). Der Kriegsbeginn beeinträchtigte den Feierzyklus erheblich. Aus wirtschaftlichen Gründen wurden einige kirchliche Feiertage auf einen Sonntag verlegt. 1942 verschob Hitler sogar den N. vom 1. Mai auf den 2., einen Samstag. *Alexa Loohs*

Nationale Opposition s. Harzburger Front

Nationalhymne s. Deutschlandlied (s.a. Horst-Wessel-Lied)

Nationalkomitee »Freies Deutschland« (NKFD) Eine am 13.7.1943 auf Initiative der sowj. Führung in Krasnogorsk bei Moskau gegründete Organisation, bestehend aus emigrierten dt. Kommunisten und Kriegsgefangenen. Präsident war der Schriftsteller Erich Weinert. Im Gründungsmanifest wurden die NS-Verbrechen verurteilt, zum Sturz des Hitlerregimes und zur Rettung des Vaterlandes aufgerufen. Die in den schwarz-weiß-roten Farben gehaltenen Insignien des NKFD und die nationalen Parolen sollten Hitlergegner unterschiedlicher Anschauungen ansprechen. Der Versuch, das NS-Regime aus der Gefangenschaft zu bekämpfen, war unter dt. Kriegsgefangenen und auch bei oppositionellen Wehrmachtsangehörigen umstritten. Es erschien eine wöchentliche Zeitung *Freies Deutschland*. Unter gleichem Namen sendete eine nach Deutschland ausgerichtete Rundfunkstation. Mit Flugblättern und anderen Propagandamitteln versuchte das NKFD, bei Fronteinsätzen Angehörige der Wehrmacht zum Einstellen der Kampfhandlungen und zum Überlaufen zu bewegen. Dies gelang nur in wenigen Fällen. In anderen Ländern und in Deutschland selber bildeten sich 1943/44 Gruppen der »Bewegung Freies Deutschland«. Das NKFD löste sich nach einem Beschluß des Politbüros der KPdSU am 2.11.1945 selbst auf (→ Bund dt. Offiziere). *Hans Coppi*

Literatur:

Bliembach, Eva (Hg.): *Flugblätter des Nationalkomitees »Freies Deutschland«*, Berlin 1989.

Scheurig, Bodo: *Verräter oder Patrioten. Das Nationalkomitee »Freies Deutschland« und der Bund deutscher Offiziere in der Sowjetunion 1943–1945*, Berlin/Frankfurt am Main 1993.

Nationalpolitische Erziehungsanstalten (NPEA, gebräuchlicher: NAPOLA) Als den ersten Schultyp auf dem Weg zu einem nat.soz. Schulwesen übergab der damalige Staatskommissar im preuß. Erziehungsministerium und spätere Reichserziehungsminister Bernhard Rust Hitler zu dessen Geburtstag 1933 die aus den ehemaligen Kadettenanstalten Potsdam, Köslin und Plön hervorgegangenen Staatlichen Bildungsanstalten als »Nationalpolitische Erziehungsanstalten«. Es handelte sich um den Typ der achtklassigen Internatsschule mit der Hochschulreife als Abschluß, in den bei der Schulleitung und im Gemeinschaftsunterricht Besonderheiten der engl. Internatsschulen und der dt. Landschulheimbewegung Eingang gefunden hatten. Rusts neuer Schultyp, der ab 1934 auch von den anderen dt. Ländern übernommen wurde, breitete sich v.a. deshalb so rasch aus, weil die preuß. Schulverwaltung – anders als Ley mit seinen gigantischen Neubauten für die → Adolf-Hitler-Schulen (AHS) und → Ordensburgen – auf die Gebäude bereits bestehender staatlicher Schulen zurückgreifen konnte. Noch 1933 wurden das Potsdamer Große Waisenhaus und die ehemalige Kadettenanstalt Wahlstatt in Schlesien in N. umgewandelt (beide 1937 aufgegeben). 1934 eröffnete Preußen N. in Naumburg/Saale, Berlin-Spandau, Oranienstein, Ilfeld und Stuhm; Sachsen zog mit Klotzsche bei Dresden, Württemberg mit Backnang und Anhalt mit Ballenstedt am Harz nach. Im nächsten Jahr folgten Schulpforta und Bensberg in Preußen, 1936 Rottweil in Württemberg und Köthen in Anhalt. Mit dem → Anschluß Österreichs wurde der neue Schultyp dort in den ehemaligen Staatserziehungsanstalten Wien-Theresianum, Traiskirchen bei Wien und Wien-Breitensee eingeführt. 1940 wurden im Sudetengau Schloß Ploschkowitz bei Leitmeritz, im Reichsgau → Wartheland Reißen bei Lissa als N. eingerichtet. 1941 wurden rd. 6000 Schüler in N. unterrichtet. Im Verlauf des Krieges kamen zu den 14 neuen N. auch einige in den besetzten bzw. eingegliederten

»germanischen« Ländern hinzu, wie Koningsheide (Niederlande) und Kolmar/Berg (Luxemburg). Obwohl die N. im Gegensatz zu den Partei-Eliteschulen die Bezeichnung »Reichsschulen« nicht verwenden durften, wurde den N. im »germanischen« Ausland, die auch ausländische Schüler aufnahmen, diese heraushebende Kennzeichnung verliehen; vermutlich sollte damit der Anspruch auf dt. Eliteschulen im gesamten »großgermanischen« Reich der Zukunft zum Ausdruck gebracht werden. Drei Anstalten, darunter Koningsheide, waren auf Wunsch Hitlers für Mädchen vorgesehen.

Obwohl Dienstaufsicht und Verwaltung der N. bei der Inspektion der Nationalpolitischen Erziehungsanstalten lag, die dem Reichserziehungsminister direkt unterstand, waren die N. Einrichtungen der Länder. Die Tendenz der Parteileitung und der SS, die N. zu verreichlichen, blieb jedoch bis Kriegsende folgenlos; lediglich die Anstalten in Österreich und im Sudetenland übernahm das Reich von Anfang an. In den parteiinternen Rivalitäten beim Aufbau des nat.soz. Schulwesens hatte Rust, seit 1934 Reichserziehungsminister, die SS als Partner gewählt und bereits 1935 seinen ersten Inspekteur der N., Joachim Haupt, durch den damaligen Chef des SS-Hauptamtes, August Heißmeyer, ersetzt, den im Sommer 1939 auch die Länder Anhalt, Sachsen und Württemberg als Inspekteur ihrer N. übernahmen. Himmlers rührigem Amtschef Gottlob Berger, nach Kriegsbeginn verantwortlich für die Freiwilligen-Werbung in den »germanischen« Ländern und im Hinblick auf den Führernachwuchs der → Waffen-SS an einem stärkeren Einfluß der SS auf die N. besonders interessiert, gelang es in einer SS-internen Intrige, die Finanzierung und Werbung für die Schulen zu übernehmen und Heißmeyers Dienststelle hinter dem Rükken Rusts in ein SS-Hauptamt umzuwandeln und Heißmeyer dabei auf Organisation und Leitung der N. zu beschränken.

Die Auslesekriterien für die N. entsprachen in der Betonung sportlicher Talente etwa denen der AHS. Eine den staatlichen Höheren Schulen entsprechende schulische Leistung war jedoch von Anfang an Voraussetzung für die Aufnahme. Die rassische Überprüfung erfolgte durch Führer des → Rasse- und Siedlungs-Hauptamtes der SS. Ausschlaggebend für die Aufnahme als »Jungmann« war der »geistig-körperlich-charakterliche Gesamtzustand« der Aspiranten. Politische Zuverlässigkeit des Elternhauses war Voraussetzung; Kinder → Alter Kämpfer wurden bevorzugt. Anders als in den Parteischulen wurde bis 1943 ein allerdings nach sozialen Gesichtspunkten gestaffeltes Schulgeld erhoben. Die Lehrpläne ähnelten denen der Höheren Schulen; drei N., darunter das traditionsreiche Schulpforta, entsprachen dem Typ des humanistischen Gymnasiums. Zum Unterricht gehörten Geländesport, Schießen, Reiten, Motorsport u.a. vormilitärische Ausbildungsarten, teilweise auch Flug- und Segelsport. Vorbilder aus der bündischen Jugend wirkten sich auf das kameradschaftliche Lehrer-Schüler-Verhältnis mit gemeinsamen Zeltlagern, Auslandsfahrten und Feiern ebenso aus wie auf Landarbeit und Untertagearbeit der älteren Jahrgänge oder pädagogische Aufgaben für die Schüler selbst. Die ideologische Schulung blieb stärker als in den Parteischulen dem einzelnen Lehrer überlassen. Die Lehrkräfte sollten sich durch »Führerpersönlichkeit« auszeichnen; Lehrerkandidaten stellten neben den normalen Lehrerbildungsanstalten die Reichsakademie für Leibesübungen (→ Sport), die Dt. Studentenschaft und die SS-Mannschaftshäuser. Jeder Erzieher sollte Reserveoffizier sein. Den Absolventen stand die Berufswahl frei. Erst in einem Erlaß vom 7.12.1944 befahl Hitler, ab Februar 1945 die Erziehung des aktiven Offiziersnachwuchses aus dem Jahrgang 1929 in den Eliteschulen durchzuführen.

Auf den Dolchen der »Jungmannen« stand die Devise »Mehr sein als scheinen«. Zutreffender erscheint allerdings ihre von den ital. Faschisten übernommene Devise »Glauben, gehorchen und kämpfen«. Wie bei den Parteischulen läßt sich auch hinter den Erziehungszielen der N. als staatlichen Eliteschulen nicht die Absicht erkennen, eine intelligente, aufgeklärte und kritische Elite heranzuziehen, sondern der Wunsch einer totalitären Staatsführung, in naher Zukunft über eine zuverlässige, allein der NS-Ideologie verpflichtete und dem Führer bedingungslos gehorchende Führungsschicht zu verfügen (→ Jugend). *Hermann Weiß*

Literatur:
Scholtz, Harald: *Die nationalsozialistischen Ausleseschulen*, Göttingen 1973.

Nationalpreis für Buch und Film Im Juli 1933 von Joseph Goebbels gestiftete und mit je 12 000 RM dotierte Auszeichnung. Der N. sollte jeweils am 1. Mai für das literarische und das Filmwerk verliehen werden, »in dem nach dem Urteil Berufener das aufrüttelnde Erlebnis unserer Tage den packendsten und künstlerisch reifsten Ausdruck gefunden hat«. Den Filmpreis erhielt u.a. Leni Riefenstahl (für → *Triumph des Willens*); den auch als Stefan-George-Preis bezeichneten Buchpreis bekamen Richard Euringer (für seine *Deutsche Passion*) und andere heute weitgehend vergessene Autoren. Während des Krieges wurde der Preis nicht verliehen. *Wolf Kaiser*

Nationalpreis für Kunst und Wissenschaft Auszeichnung für Künstler und Wissenschaftler. Der Dt. N. wurde am 30.1.1937 von Hitler als Reaktion auf die Verleihung des Friedensnobelpreises an Carl v. Ossietzky gestiftet. Die Annahme des Nobelpreises wurde dt. Staatsbürgern untersagt. Der N. ersetzte den Preis der NSDAP für Kunst und Wissenschaft und wurde auf den → Reichsparteitagen jeweils an zwei oder anteilig an mehrere Preisträger verliehen (u.a. an den Parteiideologen Alfred Rosenberg, den Architekten Ludwig Troost [posthum], den Arzt Ferdinand Sauerbruch). Er war mit je 100 000 RM dotiert. Bei Kriegsbeginn wurde die Verleihung der Preise ausgesetzt. *Wolf Kaiser*

Nationalsozialismus Direkte Vorläufer der → NSDAP mit einer nat.soz. Programmatik entwickelten sich in den Volkstumskämpfen der k. u. k.-Monarchie schon vor dem Ersten Weltkrieg. Die Suche nach einem dritten Weg über Nationalismus und Sozialismus hinaus findet sich aber auch in bestimmten Zielsetzungen der Jugendbewegung. Bis weit in die Weimarer Zeit reichten die Bemühungen christlich bestimmter Kreise um Persönlichkeiten wie die Professoren Rosenstock-Huessy und Löwe, den Jesuiten Gundelach und den Protestanten Tillich, die den kapitalistischen Nationalstaat konservativer wie liberaler Prägung mit den Mitteln des Sozialismus humanisieren wollten. Der nationalbolschewistische Kreis um den ehemaligen Sozialdemokraten Ernst Niekisch glaubte gegen Ende der Weimarer Republik einen dritten Weg in der Nationalisierung des Sozialismus gefunden zu haben. Viele Teilnehmer des Ersten Weltkriegs wurden – wie Gregor Straßer betonte – durch das Kriegserlebnis bestimmt, sich aktiv an der Suche nach neuen politischen Leitbildern über Sozialismus und Kapitalismus hinaus zu beteiligen. Der Begriff N. tauchte erstmals 1904 bei der im österr. → Sudetenland agierenden Dt. Arbeiterpartei auf, die sich 1918 in Dt. Nat.soz. Arbeiterpartei (DNSAP) umbenannte. Einer ihrer Theoretiker, der sudetendt. Abgeordnete Rudolf Jung, veröffentlichte 1919 eine Programmschrift mit dem Titel »Nationaler Sozialismus«, die einen großen Teil der Programmatik der damals noch unter dem Namen »Dt. Arbeiterpartei« firmierenden NSDAP vorwegnahm. »Nationalsozialismus« und »Nationaler Sozialismus« wurden als programmatische Begriffe in den 20er Jahren nebeneinander gebraucht, wobei die in der Parteipresse öffentlich ausgetragene Diskussion zwischen Rosenberg und Gregor Straßer die innerparteiliche Auseinandersetzung über die Wertigkeit des »sozialistischen« Anteils in Namen und Programm der NSDAP deutlich macht. Für Rosenberg bedeutete der N. einen Nationalismus mit sozialer Komponente, für Straßer einen Sozialismus national-dt. Machart. Gemeinsam war allen ideologischen Flügeln der Partei die Ablehnung übernationaler Organisationsformen. Als weitere ideologische Komponente des N. spielte der → Antisemitismus eine zentrale Rolle; hier bewegte sich der N. durchaus auf der Linie des europäischen Nationalismus, übertraf ihn aber in seiner organisierten Militanz bei weitem. Ferner lassen sich antichristliche bzw. antikirchliche Komponenten (Rosenberg, Bormann), finanzpolitische Ansätze wie die »Brechung der → Zinsknechtschaft« (Feder) und ständische Ideen (zeitweise Goebbels) als ideologische Unterfütterung des Begriffs N. ausmachen. Hitler lehnte für sich die Rolle eines Parteitheoretikers ab und mied ideologische Festlegungen. Das kam seiner Stellung als Schiedsrichter bei parteiinternen Streitigkeiten ebenso entgegen wie der Durchsetzung ihm wichtig erscheinender Fragen, etwa des führerstaatlichen Prinzips bei der Übernahme des Parteivorsitzes (29.7.1921; → Führerprinzip). Eine ausgearbeitete und schlüssige Theorie oder Auslegung des N. legte keiner ihrer Funktionäre vor. Typisch war vielmehr die Flucht in vielsagende Irrationalismen; die »kristallene Reinheit und Tiefe der Idee« erschloß sich dem gläubigen Nat.soz. aus dem »Rhythmus des Blutes«, seine Arbeit war bestimmt durch das »ewige Gesetz der Pflicht«.

Wolfgang Wippermann

Literatur:

Benz, Wolfgang/Hans Buchheim/Hans Mommsen (Hrsg.): *Der Nationalsozialismus. Studien zur Ideologie und Herrschaft,* Frankfurt am Main 1993.

Tyrell, Albrecht: *Führer befiehl…*, Düsseldorf 1969.

Nationalsozialistische Betriebszellenorganisation (NSBO) 1928 in Berlin gegründet, Ergebnis einer Initiative verschiedener Mitglieder des »linken« Flügels der NSDAP, eine eigene politische Organisation zur Werbung und Sammlung von Arbeitern zu schaffen. Die N. sollte sich aller gewerkschaftlichen Aktivitäten enthalten, sich vielmehr auf die Rolle eines politischen »Stoßtrupps« in den Betrieben beschränken. Ende 1932 auf 300000 Mitglieder angewachsen, konnte sie jedoch weder in Betriebsratswahlen noch durch Unterstützung einer Reihe von Streiks größeren Einfluß gewinnen. Auch nach der Zerschlagung der → Gewerkschaften wurden die Hoffnungen der N., zum Kern einer parteigebundenen Einheitsgewerkschaft zu werden, enttäuscht; vielmehr übernahm die → Dt. Arbeitsfront (DAF) nun die Aufgabe, die »Arbeiter der Stirn und der Faust« unter ihrem Dach zu versammeln. Damit war der Aktionsradius der NSBO entscheidend eingeengt; trotz des Massenzulaufs neuer Mitglieder nach der → »Machtergreifung« blieben ihr im wesentlichen nur noch zwei Funktionen: weltanschauliche Schulung und die Versorgung der DAF mit Nachwuchskräften.

Marie-Luise Recker

Nationalsozialistische Deutsche Arbeiterpartei (NSDAP) Am 5.1.1919 gründeten der Eisenbahnschlosser Anton Drexler und der Sportjournalist Karl Harrer, ein Mitglied der → Thule-Gesellschaft, in deren Auftrag er handelte, in München die Dt. Arbeiterpartei (DAP) mit zunächst etwa 20–40 Mitgliedern als antimarxistische, antisemitische und völkische Organisation. Am 12.9.1919 besuchte Adolf Hitler im Auftrag des Reichswehrgruppenkommandos eine Versammlung der Partei, trat ihr bald darauf bei und wurde Werbeobmann. Auf der ersten Massenversammlung der im Februar 1920 in NSDAP umbenannten Organisation am 24.2.1920 mit 2000 Besuchern im Münchener Hofbräuhaus verkündete Hitler die 25 Punkte des Parteiprogramms (→ Ideologie, → Nationalsozialismus).

Mit der öffentlichen Agitation verlor die rechtsradikale Partei den Charakter einer politischen Sekte, wie sie in Bayern nach dem Ersten Weltkrieg in größerer Zahl entstanden waren, und entwickelte sich zur organisierten → »Bewegung«, die zunächst aufstiegsorientierte Arbeiter und deklassierte Soldaten, dann zunehmend das Kleinbürgertum ansprach. Mit Ausnahme praktizierender Katholiken und des industriellen Proletariats fand die NSDAP Unterstützung und Mitglieder in allen Schichten und demographischen Gruppen, ihre Anhängerschaft wies schließlich eine ausgewogenere Sozialstruktur auf als alle anderen Parteien der Weimarer Republik. Nach der Ausbootung des Vorsitzenden Harrer stand vom 5.1.1920 bis 29.7.1921 Drex-

Soziologische Struktur der NSDAP vor 1933
(Erwerbstätige im Reich und in der NSDAP nach sozialen und Berufs-Gruppen)

Erwerbstätige	Im Reichsgebiet (Volkszählung von 1925)		In der NSDAP vor dem 14. 9. 1930		Unter den neuen NSDAP-Mitgliedern (zw. 14. 9. 1930 und 30. 1. 1933)		v. H. der NSDAP-Mitgl. unter den Erwerbstätigen (vor dem 30. 1. 1933)
		v. H.		v. H.		v. H.	
Arbeiter	14443000	45,1	34000	28,1	233000	33,5	1,9
Selbständige							
a) Land- u. Forstwirtschaft (Landwirte)	2203000	6,7	17100	14,1	90000	13,4	4,9
b) Industrie u. Handwerk (Handwerker und Gewerbetreibende)	1785000	5,5	11000	9,1	56000	8,4	3,9
c) Handel u. Verkehr (Kaufleute)	1193000	3,7	9900	8,2	49000	7,5	4,9
d) Freie Berufe	477000	1,5	3600	3,0	20000	3,0	4,9
Beamte							
a) Lehrer	334000	1,0	2000	1,7	11000	1,7	4,0
b) Andere	1050000	3,3	8000	6,6	36000	5,5	
Angestellte	5087000	15,9	31000	25,6	148000	22,1	3,4
Mithelfende Fam.-Angehörige (meist weibl.)	5437000	17,3	4400	3,6	27000	4,9	0,6
Insgesamt	32009000	100	121000	100	670000	100	2,5

Abb. 57: Mitgliederstruktur der NSDAP vor 1933

ler an der Spitze; programmatische Auseinandersetzungen über den Zusammenschluß mit anderen Gruppierungen entschied Hitler mit dem Druckmittel seines Austritts (10.7. 1921) für sich: Am 29.7.1921 wurde er mit diktatorischen Vollmachten zum Vorsitzenden gewählt und das Parteiprogramm für unabänderlich erklärt. Am 17.12.1920 hatte die NSDAP (Dietrich Eckart) mit privater Hilfe und Unterstützung der Reichswehr den → *Völkischen Beobachter* gekauft, der ab 8.2.1923 als Tageszeitung erschien. Chefredakteur wurde am 11.8.1921 Dietrich Eckart. Im August 1921 wurde der Saalschutz der NSDAP, die → Sturmabteilung (SA), reorganisiert und ab Anfang 1923 zum paramilitärischen Wehrverband ausgestaltet. Nahziel der NSDAP war die Vergrößerung ihrer Basis. Hitler als ihr erfolgreicher Propagandist lehnte die Teilnahme an parlamentarischen Wahlen ab und propagierte die NSDAP als »Bewegung« im Gegensatz zu den Parteien. Nach dem Anschluß von Julius Streichers Nürnberger »Dt. Werkgemeinschaft« an die NSDAP wurden beim ersten Reichsparteitag in München (27.–29.1.1923) 20 000 Mitglieder gezählt.

Mussolinis Marsch auf Rom (Oktober 1922) stimulierte die Erwartungen auf eine »nationale Revolution«. In Kooperation mit bayerischen Wehrverbänden (→ Dt. Kampfbund) nutzte Hitler die durch innen- und außenpolitische Ereignisse (Abbruch des Ruhrkampfes, Ausnahmezustand, Reichsexekution gegen Sachsen und Thüringen), entfachte Putschstimmung rechtsextremer und konservativer Kreise, propagierte am 8./9.11.1923 in München die »nationale Erhebung« und erklärte die Absetzung der Reichsregierung und der bayerischen Regierung. Der Demonstrationszug zur Münchener Feldherrnhalle brach nach Schüssen der bayerischen Polizei zusammen (19 Tote, davon 14 Putschisten und 3 Polizisten), Hitler und andere Rädelsführer wurden verhaftet, NSDAP, SA und Dt. Kampfbund wurden verboten (→ Hitlerputsch). Im → Hitlerprozeß (26.2.–1.4.1924) wurden Hitler und andere Angeklagte zu fünf Jahren Festungshaft verurteilt, die NSDAP blieb bis Februar 1925 verboten. Hitler benutzte den Prozeß als Propagandatribüne und die Haft in Landsberg (vorzeitige Entlassung am 20.12.1924) zur Abfassung seiner Programmschrift → *Mein Kampf*, deren erster Band im Juli 1925 erschien.

Bis zur Wiedergründung der NSDAP am 26.2.1925 durch Hitler fungierten die → Großdt. Volksgemeinschaft und die → Nat.soz. Freiheitsbewegung Großdeutschlands als Ersatzorganisationen. Trotz Redeverboten für Hitler in Bayern (bis 5.3.1927), Preußen (bis September 1928) u.a. Ländern konsolidierte sich die NSDAP in der Folgezeit, die Mitgliederzahl stieg von 27 000 Ende 1925 über 130 000 (September 1930) und 850 000 (Januar 1933) auf 2,5 Mio. im März 1933, als eine Aufnahmesperre verhängt wurde, um den weiteren Zustrom von Opportunisten (→ »Märzgefallene«) zu beenden.

Die NSDAP etablierte sich in der → »Kampfzeit« als auf Hitler fixierte Organisation, in der Programmdiskussionen und Sachaussagen gegenüber dem Führer-Charisma und propagandistischen Aktionen keine Rolle spielten (→ Führer). Bei der → Bamberger Führertagung (14.2.1926) unterband Hitler den von Goebbels, Straßer u.a. unternommenen Versuch der Ergänzung des Parteiprogramms, am 22.5.1926 wurde Hitler letztmals und einstimmig von der Generalmitgliederversammlung zum Vorsitzenden der NSDAP gewählt. Trotz grundsätzlicher Ablehnung des parlamentarischen

Systems erstrebte die NSDAP nach der Wiedergründung aus taktischen Gründen auf legalem Wege die Macht. Als Zeuge im → Ulmer Reichswehrprozeß schwor Hitler am 25.9.1930 den Legalitätseid: Die NSDAP kämpfe mit legalen Mitteln um die Macht, wolle aber nach deren Erhalt den Staat verändern. Hitler kandidierte 1932 bei der Reichspräsidentenwahl (30,1% der Stimmen im ersten, 36,8% im zweiten Wahlgang). In Thüringen beteiligte sich die NSDAP ab Januar 1930 mit Innenminister Frick erstmals an einer Koalition. In den Ländern Anhalt (Mai 1932), Oldenburg, Mecklenburg-Schwerin (Juli 1932), Thüringen (August 1932) stellte die NSDAP Ministerpräsidenten. In den Reichstagswahlen steigerte die NSDAP ihren Stimmenanteil von 2,6% (1928) auf 18,3% (1930) und wurde im Juli 1932 mit 37,3% und 230 Mandaten stärkste Fraktion. Trotz des Rückgangs auf 33,1% blieb die NSDAP auch bei den Novemberwahlen 1932 mit 196 Abgeordneten stärkste Partei.

Der Zustand der NSDAP war jedoch nach inneren Auseinandersetzungen (→ Stennes-Revolten) und fehlenden Sachaussagen labil, sie befand sich personell und finanziell in einer Krise. In der Öffentlichkeit war die NSDAP durch Aktionismus und Terror präsent (→ Altonaer Blutsonntag, → Potempa). Gegenüber der seit Sommer 1932 von Gregor Straßer propagierten Beteiligung an einer (evtl. auch von den Gewerkschaften mitgetragenen) autoritären Regierung beharrte Hitler, unterstützt von Goebbels und Göring, auf der uneingeschränkten Machtausübung, was zum Bruch mit Straßer führte, der am 8.12.1932 alle Parteiämter niederlegte. Der Erfolg bei den Landtagswahlen in Lippe (39,5%) am 15.1.1933 wurde als Ausdruck der Stabilisierung der NSDAP dargestellt, die Kanzlerschaft Hitlers war in Gesprächen mit Papen (4.1.1933) und Vertretern der konservativen Koalitionspartner (→ Dt.nationale Volkspartei; → Harzburger Front; → Stahlhelm) vorbereitet. Die Ernennung Hitlers zum Reichskanzler am 30.1.1933 wurde von der NSDAP als → »Machtergreifung« verklärt, die konservativen Steigbügelhalter erkannten in der folgenden Phase der Machtmonopolisierung das Scheitern ihres Zähmungskonzeptes, als die NSDAP nach → Gleichschaltung, Selbstauflösung und Verbot aller anderen Parteien ab Juli 1933 einzige und zentrale politische Organisation im Dt. Reich wurde (»Parteitag des Sieges« in Nürnberg 31.8.–3.9.1933).

Mit dem Gesetz zur Sicherung der Einheit von Partei und Staat (1.12.1933) war die Machtposition der NSDAP scheinbar institutionalisiert, sie wurde Körperschaft des öffentlichen Rechts mit eigener Disziplinargerichtsbarkeit. Tatsächlich bedeutete die auf dem Parteitag 1933 als künftige Hauptaufgabe der NSDAP verkündete »Volksführung« jedoch das Einfrieren der »Bewegung« auf subsidiäre Hilfsfunktionen bei der Durchsetzung des Führerstaates und beim Machterhalt. Das Verbleiben der NSDAP-Zentrale in München unter dem politisch bedeutungslosen → Stellvertreter des Führers, Heß, war ein Indiz für die Stellung der Partei; das Verhältnis Partei – Staat blieb in der Schwebe, die tatsächlichen Machtverhältnisse kamen in Personalunionen und führerunmittelbaren Sonderinstitutionen zum Ausdruck.

Bei der Reichstagswahl am 5.3.1933 an der letztmals konkurrierende Parteien teilnahmen, verfehlte die NSDAP die absolute Mehrheit und erhielt trotz massiver Behinderung der politischen Gegner nur 43,9% der Stimmen. Nach der »Machtergreifung« unterlag die NSDAP einem Prozeß der Verbürokratisierung und verlor als Staatspartei rasch den revolutionär-aktionistischen Charakter der »Kampfzeit«, ein Prozeß, den allein die → SA zu verhindern suchte. Diese Entwicklung war mit dem → Röhm-Putsch abgeschlossen, die NSDAP wurde in der Folgezeit zur Machtdemonstration und ideologischen Durchdringung des Alltags instrumentalisiert; sinnfälligen Ausdruck fand dies in den Massenaufmärschen der → Reichsparteitage und bei den Inszenierungen anläßlich von Staatsbesuchen oder den → Olympischen Spielen. Durch die Konzentration von Zeitungen (zuletzt über 80% der Auflage der dt. Presse) in der Hand des → Reichsleiters für die Presse, Ammann, verfügte die NSDAP über das Meinungsmonopol und über beträchtlichen kommerziellen Einfluß. Nach Kriegsausbruch erhielt die NSDAP Hilfsfunktionen an der → Heimatfront zugewiesen, die u.a. in der generellen Ernennung der Gauleiter zu → Reichsverteidigungskommissaren (Sept. 1939 bzw. Nov. 1942), der Übernahme von Aufgaben im → Luftschutz und dem Auftrag zur Aufstellung des → Volkssturms (Sept. 1944) zum Ausdruck kamen.

Mit dem Niedergang des Führermythos zerfiel auch das Ansehen der NSDAP, deren hauptamtliche Funktionäre häufig wegen Unfähigkeit und Korruption in der Bevölkerung von Anfang an wenig Prestige genossen hatten (Bonzen, »Goldfasane«). Die Mitgliederzahl betrug nach der offiziellen Parteistatistik am Stichtag 1.1.1935 2493890 Personen, 66% davon waren nach dem 30.1.1933 eingetreten. Die Mitgliedernummern zeichnen, da fortlaufend ohne Rücksicht auf Abgänge vergeben, ein falsches Bild von der Realität. So waren am Stichtag 1935 schon über 4 Mio. Mitgliedsnummern ausgegeben. Nach der Aufhebung der am 1.5.1933 verfügten Aufnahmesperre stieg die Zahl der → Parteigenossen ab 1937 auf zuletzt 8,5 Mio. De facto endete die Existenz der NSDAP mit dem Zusammenbruch des NS-Staates, formal wurde sie mit allen Gliederungen und angeschlossenen Verbänden durch Gesetz des Alliierten Kontrollrats am 10.10.1945 verboten.

Organisation: Die NSDAP war nach dem → Führerprinzip vertikal gegliedert. Die Funktionäre vom → Blockleiter über → Ortsgruppen-, → Kreis-, → Gauleiter aufwärts über den Stellvertreter des Führers zum Führer hießen »Hoheitsträger« und standen an der Spitze eines Hoheitsgebiets (Block, Zelle, Ortsgruppe, Kreis, Gau, Reich). Zusammen mit den übrigen Funktionären, die nur fachliche Aufgaben zu bearbeiten hatten, bildeten sie das Korps der → Politischen Leiter, das nach militärischem Vorbild uniformiert (hellbraun) und in Dienstränge eingeteilt war. Oberstes regionales Gliederungselement waren die Gaue, deren Zahl von 32 (1936) infolge der Annexionen auf 41 im Jahre 1940 anstieg. Dazu kam die → Auslandsorganisation, die wie ein Gau verwaltet wurde (→ Reichsgaue).

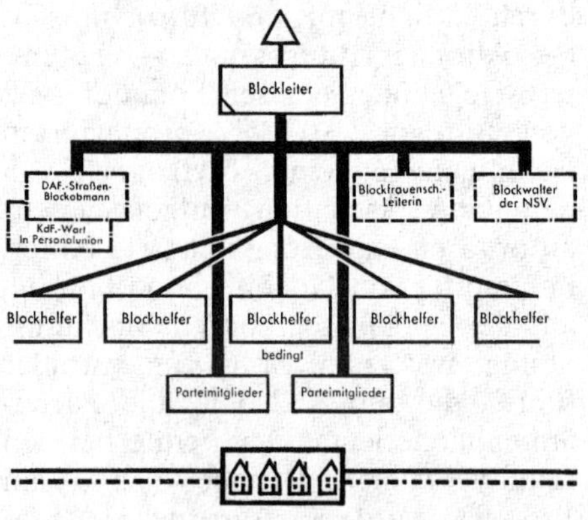

Abb. 58: Der Blockleiter der NSDAP (aus: *Organisationsbuch der NSDAP*, München 1940)

Der Reichsorganisationsleiter der NSDAP.

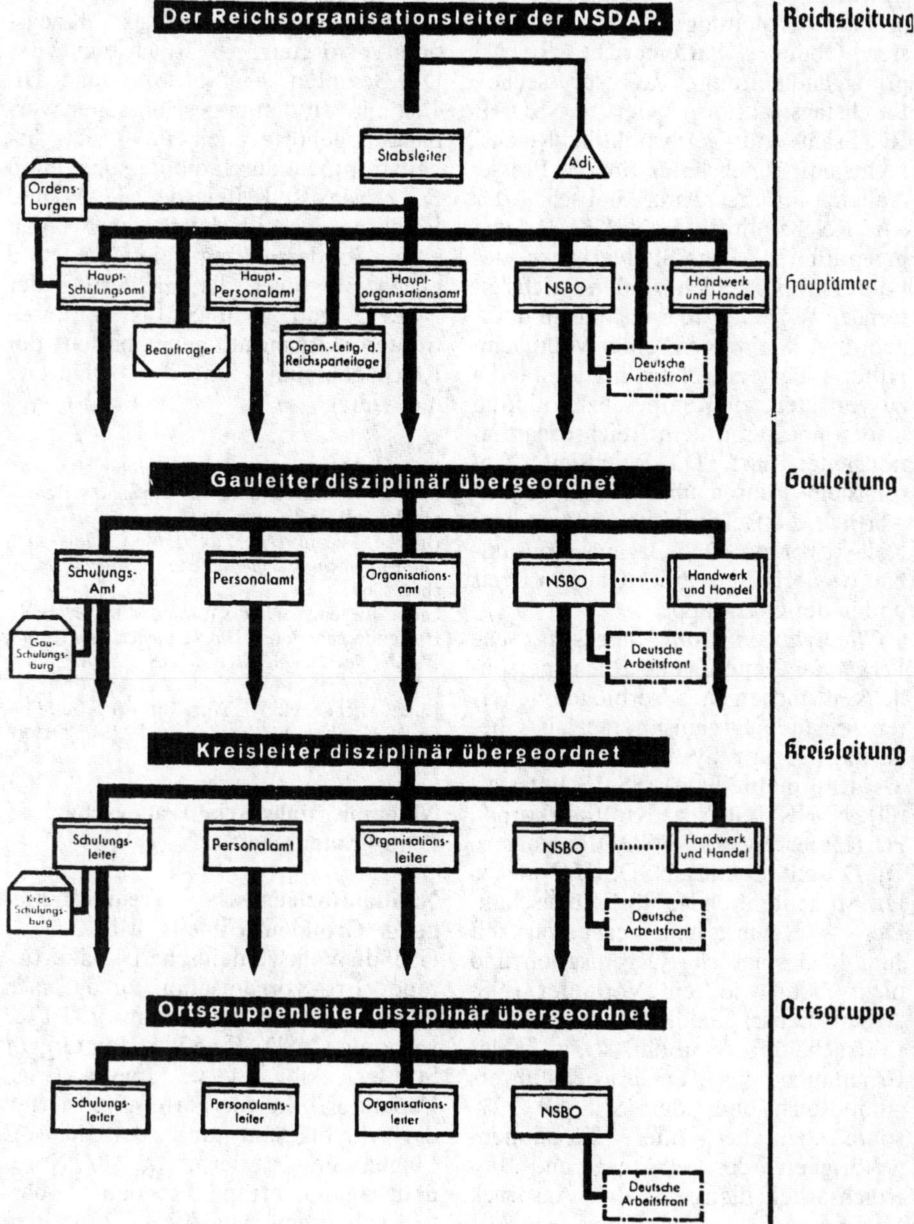

Abb. 59: Der Reichsorganisationsleiter der NSDAP (aus: *Organisationsbuch der NSDAP,* München 1940)

Die Reichsleitung der NSDAP bestand aus folgenden Ressorts mit Reichsleitern an der Spitze: Reichsorganisationsleitung, Reichsschatzmeister, Oberstes Parteigericht, Reichspropagandaleitung, Reichspressechef, Reichstagsfraktion der NSDAP, Reichsamt für Agrarpolitik, Reichsrechtsamt, Reichsleiter für die Presse, Außenpolitisches Amt, Stabschef der SA, Reichsführer SS, NSKK, Reichsjugendführer. Der Stellvertreter des Führers gehörte nicht zu den Reichsleitern, er war ihnen aber auch nicht übergeordnet, was wegen seiner Vollmacht, Hitler in Parteiangelegenheiten ständig zu vertreten, zu Kompetenzkonflikten insbesondere mit dem Reichsorganisationsleiter führte. Die Reichsleiter waren dem Führer unmittelbar verantwortlich, die Reichsleitung bildete kein Kollektivorgan. Der Organisationsaufbau wiederholte sich im Gau, im Kreis und in der Ortsgruppe.

Gliederungen und angeschlossene Verbände: Ohne eigene Rechtspersönlichkeit und eigenes Vermögen gehörten folgende Organisationen als Gliederungen zum System der NSDAP: SA (Sturmabteilung), SS (Schutzstaffel), NSKK (Nat.soz. Kraftfahrkorps), HJ (Hitler-Jugend), NSDDB (Nat.soz. Dt. Dozentenbund), NSDStB (Nat.soz. Dt. Studentenbund), NS-Frauenschaft. Der → Reichsarbeitsdienst war seit Juni 1935 staatliche Organisation und nicht mehr wie sein Vorläufer (NS-Arbeitsdienst) Gliederung der NSDAP. In Tracht und Symbolik sowie in der Ernennung des Reichsarbeitsführers zum Reichsleiter der NSDAP 1936 sollte aber die »innere Zusammengehörigkeit der NSDAP und des Reichsarbeitsdienstes« zum Ausdruck kommen.

Als *angeschlossene Verbände* wurden von der NSDAP rechtlich selbständige Berufsverbände und andere Organisationen politisch geführt: → Nat.soz. Dt. Ärztebund, → Nat.soz. Lehrerbund, → Nat.soz. Rechtswahrerbund, → NS-Volkswohlfahrt, → Nat.soz. Kriegsopferversorgung, → Reichsbund der Dt. Beamten, → Nat.soz. Bund Dt. Technik. Zu den angeschlossenen Verbänden gehörte auch die → Dt. Arbeitsfront, die durch die Personalunion R. Leys als Leiter der DAF und Reichsorganisationsleiter der NSDAP eine Sonderstellung einnahm und gleichzeitig auch als Gliederung der NSDAP galt. Den Status von »betreuten Organisationen« hatten der Reichsnährstand« und der → Dt. Gemeindetag. *Wolfgang Benz*

Literatur:

Broszat, Martin: *Die Machtergreifung. Der Aufstieg der NSDAP und die Zerstörung der Weimarer Republik,* München [5]1994.

Broszat, Martin: *Der Staat Hitlers. Grundlegung und Entwicklung seiner inneren Verfassung,* München 1969.

Falter, Jürgen W.: *Hitlers Wähler,* München 1991.

Hüttenberger, Peter: *Die Gauleiter. Studie zum Wandel des Machtgefüges in der NSDAP,* Stuttgart 1969.

Kater, Michael H.: *The Nazi Party. A Social Profile of Members and Leaders, 1919–1945,* Oxford 1983.

Nationalsozialistische Frauenschaft s. NS-Frauenschaft

Nationalsozialistische Freiheitsbewegung Großdeutschlands Mit der → Großdt. Volksgemeinschaft konkurrierende Ersatzorganisation für die nach dem → Hitlerputsch vom 9.11.1923 verbotene NSDAP, geführt von Gregor Straßer, Albrecht v. Graefe, Erich Ludendorff. In der Partei rivalisierten der dt.völkische und der nat.soz. Flügel, sie operierte v.a. in Norddeutschland, errang bei den Reichstagswahlen im Mai 1924 32 und im Dezember 1924 14 Mandate. Bei der Neugründung der NSDAP am 27.2.1925 trennten sich die Nat.soz., die sich Hitler unterstellten, von den Dt.völkischen. *Willi Dreßen*

Nationalsozialistische Handwerks-, Handels- und Gewerbeorganisation (NS-Hago) 1933 gegründete Gliederung der NSDAP zur weltanschaulichen und wirtschaftlichen Schulung und Ausrichtung des Mittelstandes im nat.soz. Sinne. 1935 verschmolz die N. mit der Reichsbetriebsgemeinschaft Handwerk und Handel der → Dt. Arbeitsfront. *Willi Dreßen*

Nationalsozialistische Kampfspiele (NS-Kampfspiele) Nat. soz. Version der Deutschen Kampfspiele, der vom Erlebnis des Ersten Weltkrieges bestimmten Vorstellung eines dt. Olympia, von dem sich Hitler eine Demonstration des nat.soz. Menschentyps für die »kommenden Jahrhunderte« versprach. Die N. fanden 1937 und 1938 (1939 ausgefallen) als sportliche und wehrsportliche Einzel- und Mannschaftskämpfe in Verbindung mit dem → Reichsparteitag in Nürnberg statt. Nach den für das NS-Regime politisch und sportlich erfolgreichen → Olympischen Spielen in Garmisch-Partenkirchen und Berlin 1936 proklamierte Hitler auf dem »Reichsparteitag der Ehre« (8.–14.9.1936) die »N.« und übertrug die Durchführung der → SA. Beteiligt waren auch → SS, → NSKK, → NSFK, → HJ, → RAD und → NSRL. Damit war die weltanschauliche Infiltration des dt. Sports gänzlich vollzogen (→ Sport). Hitler erklärte, daß »Berlin ... die letzte internationale Olympiade (war), an der Deutschland teilgenommen hat. In Zukunft werden wir hier in Nürnberg die großartigste Sportveranstaltung der Welt ... in eigener Regie unter uns abhalten«. Als zukünftige Austragungsstätte der N. war von Albert Speer ein Stadion auf dem Reichsparteitagsgelände konzipiert worden, das mit 400 000 Plätzen das größte der Welt sein sollte. *Wolf-Dieter Mattausch*

Nationalsozialistische Kriegsopferversorgung (NSKOV) Seit 1930 bestehender Parteiverband unter späterer → Gleichschaltung aller anderen entsprechenden Verbände. Die Unterstützungsleistungen für Kriegsbeschädigte wurden maßgeblich nach politischen Gesichtspunkten zugeteilt und bemessen. Die N. zählte 1939 ca. 1,6 Mio. Mitglieder. *Willi Dreßen*

Nationalsozialistische Parteikorrespondenz (NSK) Informationsdienst, der 1932 eingerichtet worden war, um der Parteipresse Nachrichten über die NSDAP zu liefern. Ab 1933 mußte die N. von sämtlichen dt. Zeitungen bezogen werden. *Willi Dreßen*

Nationalsozialistischer Bund Deutscher Technik (NSBDT) Der NSDAP angeschlossener Verband für → Technik unter Fritz Todt mit Gliederung in Reichs- und Gaufachgruppen. In dem Verband waren alle technisch-wissenschaftlichen Vereine und Verbände des Dt. Reiches vereinigt. Der N. verfügte auf der Plassenburg bei Kulmbach in Franken seit 1936 über eine eigene Schule und richtete zur Leistungssteigerung auf dem Gebiet der Technik in den einzelnen Gauen sog. Gauhäuser der Technik ein. *Willi Dreßen*

Nationalsozialistischer Deutscher Ärztebund (NSDÄB) Auf dem vierten Reichsparteitag 1929 der NSDAP in Nürnberg gegründete Ärzteorganisation, der 1930 auch Zahn- und Tierärzte sowie Apotheker beitraten. Ende 1932 besuchten mehrere hundert Ärzte zum ersten Mal einen rassenhygienischen Schulungskurs. Bis 1938 zählte der N. ca. 30 000 Mitglieder. Er spielte eine wichtige Rolle bei der → Gleichschaltung der Ärzteschaft und der rassenhygienischen Propaganda. Nach dem Krieg wurde er durch das Kontrollratsgesetz Nr. 2 für ungesetzlich erklärt (→ Medizin). *Willi Dreßen*

Nationalsozialistischer Deutscher Dozentenbund (NSDDB) Erst im Juli 1935 durch Anordnung von R. Heß aus dem → Nationalsozialistischen Lehrerbund hervorgegangene, nach dem → Führerprinzip (»Reichsdozentenführer«: Hon. prof. Walther Schultze, seit Juli 1944 Gustav Adolf Scheel) aufgebaute → Gliederung der NSDAP zur ideologischen Beeinflussung (z.B. Dozentenlager, Wissenschaftliche Akademien) und politischen Kontrolle (z.B. Gutachten bei Berufung von Professoren) der Hochschullehrerschaft. Mitglieder 1938 25,3% der dt. Hochschullehrer, insbesondere in den Hochschulen für Lehrerbildung und in den Philosophischen Fakultäten der Universitäten (→ Nationalsozialistischer Deutscher Studentenbund; → Wissenschaft). *Peter Chroust*

Nationalsozialistischer Deutscher Studentenbund (NSDStB) Anfänge 1925 bzw. 1926 in München und Leipzig, vor 1933 Kampagnen gegen politisch mißliebige bzw. jüdische Professoren und den preuß. Kultusminister C. H. Becker, 1931 absolute Mehrheit in Studentenvertretungen an 28 dt. Hochschulen, im Juli 1931 Übernahme des Dachverbandes Dt. Studentenschaft. Der N. gehörte bis zur Entmachtung der konkurrierenden → SA (Juni 1934; → Röhm-Putsch) zum »sozialrevolutionären« Flügel der nat.soz. → Bewegung; 1934 wurde er eine → Gliederung der NSDAP. Mitglieder: Anfang 1933 9,2%, 1935 17,1%, 1939 ca. 50%, 1942 ca. 1/3 der männlichen Studenten.

Unterorganisationen für weibliche Studenten: Arbeitsgemeinschaft Nat.-soz. Studentinnen (gegründet 1930), Mitglieder: 1937 75%, 1939 ca. 70%, 1942 ca. 2/3 der weiblichen Studenten (→ Nationalsozialistischer Deutscher Dozentenbund; → Wissenschaft). *Peter Chroust*

Nationalsozialistischer Führungsoffizier (NSFo) Die durch Befehl Hitlers vom 22.12.1943 eingesetzten N. sollten die Soldaten der Wehrmacht durch Vorträge und Gespräche zu Kämpfern der nat.soz. Weltanschauung erziehen. Dieser Befehl etablierte das Mitspracherecht der NSDAP bei allen politisch-weltanschaulichen Maßnahmen des OKW. Zum Aufbau der NS-Führungsorganisation bildete Bormann in der Parteikanzlei im Oktober 1943 einen von Wilhelm Ruder geleiteten Arbeitsstab, der jeden von den Personalämtern der Wehrmacht berufenen N. bestätigen mußte. Ende 1944 waren rund 1100 hauptamtlich und 47000 nebenamtlich tätig. Maßgeblicher Rückhalt der NS-Schulungsarbeit, die nur im Heer ansatzweise umgesetzt wurde, blieben parteigebundene Reserveoffiziere. Am 10.5.1945 wurden die N. durch Befehl der Regierung Dönitz abgeschafft. *Nils Klawitter*

Nationalsozialistischer Lehrerbund (NSLB) Zusammenschluß der dt. Erzieher ohne Rücksicht auf Schulart und Vorbildung. Der N. wurde 1929 als der NSDAP angeschlossener Verband mit Sitz in Bayreuth gegründet. Seine Aufgabe war die weltanschaulich-politische Ausrichtung der Erzieher, die Mitarbeit an der Neuordnung des Schulwesens sowie die fachliche Schulung und Fortbildung der Erzieher auf der Grundlage der nat.soz. Weltanschauung (→ Jugend). *Jana Richter*

Nationalsozialistischer Musterbetrieb s. Leistungskampf der deutschen Betriebe

Nationalsozialistischer Rechtswahrerbund (NSRB) Aus dem 1928 gegründeten Bund Nat.soz. Dt. Juristen (BNSDJ) hervorgegangen. Die vom Reichsrechtsführer (Hans Frank, ab 1942 Otto Thierack) geführte, 1936 in NSRB umbenannte Fachorganisation der NSDAP (Organ: *Deutsches Recht*; Aufgabe: Schulungen) wuchs nach erfolgter → Gleichschaltung der Juristenverbände bis auf 104 000 Mitglieder an, verlor aber zunehmend an rechtspolitischem Einfluß (→ Rechtswahrer).
Michael Hensle

Nationalsozialistischer Reichsbund für Leibesübungen (NSRL) Zur totalen → Gleichschaltung des Dachverbandes des dt. Sports entstand 1938 als Nachfolgeorganisation des → Dt. Reichsbundes für Leibesübungen der N. Stabsleiter war Guido von Mengden. Die dt. Sport-bewegung hatte offiziell den Status als »von der NSDAP betreute Organisation« (Führerverfügung v. 21.12.1938). Der territoriale Aufbau mußte an die Gliederung der Partei angeglichen werden. Mit der völligen Aufgabe der Selbständigkeit ging das Vereinsvermögen in das Eigentum der Partei über und die freie Wahl der Vereinsführer war ausgeschlossen (→ Sport).
Kurt Schilde

Nationalsozialistischer Reichskriegerbund Seit dem 4.3.1938 – aus dem Dt. Reichskriegerverband Kyffhäuser hervorgegangene – Organisation ehemaliger dt. Soldaten. Bis 1.10.1938 wurden alle anderen Soldatenverbände, z.B. der Reichsbund Dt. Offiziere, der Dt. Soldatenbund etc., gleichgeschaltet (→ Gleichschaltung). Der N. betrieb Kameradschaftspflege im NS-Sinn. Sein Vorsitzender als »Reichskriegerführer« war SS-Gruppenführer Reinhard, dem die »Gebietskriegerführer« unterstellt waren.
Willi Dreßen

Nationalsozialistisches Fliegerkorps (NSFK) Von Hitler am 17.4.1937 gegründete »luftsportliche Kampforganisation« zur Sicherung eines fachlich gut geschulten Nachwuchses für die dt. Luftwaffe. Flugsportliche Betätigung war nur im N. und in der Flieger-HJ (→ Hitler-Jugend), die beide zusammenarbeiteten, möglich. Das N. hatte paramilitärischen Charakter (Uniformierung und Anlehnung an Wehrmachtsränge sowie Unterstellung unter Göring). Geeignete 18jährige erhielten in eigenen Flugzeugführerschulen eine kostenlose Pilotenausbildung. *Willi Dreßen*

Nationalsozialistisches Kraftfahrkorps (NSKK) Von April 1931 – Juni 1934 Sondereinheit der → SA, danach → Gliederung der NSDAP, die am 23.8.1934 mit der Motor-SA vereinigt wurde. Das N. verfolgte u.a. wehrpolitische Ziele. Seine Aufgabe waren die »motorische Ertüchtigung der Jugend« (Motor-HJ; → Hitler-Jugend) und die Kraftfahrerausbildung für das Heer in 21 Motorsportschulen. Das N. wurde u.a. bei der → Organisation Todt und für Transporte bei Heer und Luftwaffe eingesetzt.
Willi Dreßen

Nationalsozialistisches Reichs-Symphonieorchester Als »Orchester des Führers« stand das 1931 gegründete, im Januar 1932 im Münchener Zirkus Krone debütierende, ursprünglich aus arbeitslosen NSDAP-Mitgliedern zusammengesetzte N. im Dienst nat.soz. → Propaganda, spielte als Reiseorchester ein Repertoire vor allem dt. Komponisten der Klassik und Romantik, aber auch systemkonformer Moderne bei Werks- und Jugendkonzerten, bei politischen Veranstaltungen, vor der Wehrmacht usw. Das N. bildete eine eigene NSDAP-Ortsgruppe in München, unterstand direkt dem → Stellvertreter des Führers und wurde 1936 der → DAF bzw. → KdF eingegliedert. Die Musiker trugen bei Konzerten einen von Hitler und Paul Troost entworfenen braunen Smoking. Gründer und musikalischer Leiter war Franz Adam. Die Konzertreisen führten auch ins befreundete Ausland und in die besetzten Gebiete. Das N. war das renommierteste der parteieigenen Ensembles (NS-Streichorchester Wiesbaden, NS-Frankenorchester Nürnberg, NS-Frauenchor Berlin, NS-Volkschor Essen). *Wolfgang Benz*

Natzweiler/Struthof (KZ) in den Vogesen südwestlich von Straßburg. Im Mai 1941 für 1500 Häftlinge errichtet, waren in N. zuletzt mehr als 7000 Menschen zusammengepfercht. Gefangene aus 17 europäischen Ländern wurden hauptsächlich zu Arbeiten im Steinbruch in 800 m Höhe eingesetzt. Exakte Angaben über die Gesamtzahl der Häftlinge und der Todesopfer fehlen bisher. In N. waren Häftlinge aller Kategorien vertreten; einen großen Anteil machten »Nacht-und-Nebel-Häftlinge« aus (→ Nacht-und-Nebel-Erlaß). Zahlreiche Gefangene wurden Opfer von → Menschenversuchen zu »rassenkundlichen« Untersuchungen und zur Erprobung chemischer Kampfstoffe, die unter Leitung der Professoren Otto Bickenbach, Eugen Haagen und August Hirt an der Universität Straßburg durchgeführt wurden. Außerdem waren N. rund 50 Außenkommandos in Südwestdeutschland unterstellt. Die dort untergebrachten rund 15000 Häftlinge (1944/45) verlieh das → SS-Wirtschafts-Verwaltungs-Hauptamt an »kriegswichtige« Unternehmen. Im September 1944 wurde N. evakuiert; die Kommandantur des KZ befand sich bis Ende Februar 1945 im Schloß Binau am Neckar. Die Häftlinge wurden Ende März 1945 in mehreren → Todesmärschen Richtung → Dachau verschleppt; soweit sie überlebten, wurden sie dort im April 1945 befreit.

Michael Caroli

Navajos s. Edelweiß-Piraten

Nero-Befehl s. Verbrannte-Erde-Befehl

Neubauer-Gruppe, 1940–1944 in Thüringen tätiger kommunistischer Zirkel des → Widerstands um den ehemaligen Reichstagsabgeordneten Theodor Neubauer, der bis zu seiner Verhaftung nach dem → 20. Juli 1944 Flugblattpropaganda betrieb und mit ähnlichen Gruppen in Berlin, Magdeburg und Leipzig Kontakt hielt.

Wolfgang Benz

Neubeginnen s. Widerstand, s. a. Arbeiterwiderstand

Neue Deutsche Heilkunde s. Medizin

Neue Gemeinschaft, Die Die N. erschien 1935–1945 im Auftrag der Reichspropagandaleitung der NSDAP in Monatslieferungen als periodische Materialsammlung mit dem Untertitel »Das Parteiarchiv für nat.soz. Feier- und Freizeitgestaltung« im Zentralverlag der NSDAP (→ Eher Verlag). Das »Parteiarchiv« enthielt Material und Programmvorschläge für Veranstaltungen wie Heimatabende, Mitgliederversammlungen, Schulungslager, Kameradschaftsabende, Hinweise, Zitate, Dokumente zur Verwendung bei Gedenktagen. Sonderausgaben waren u.a. der »Deutschen Weihnacht« bzw. der Kriegsweihnacht gewidmet.

Wolfgang Benz

Neue Reichskanzlei s. Reichshauptstadt

Neuengamme (KZ) Im Dezember 1938 verlegte die SS ein Außenkommando des KZ → Sachsenhausen nach N., ein in den Hamburger Vierlanden, 20 km südöstlich der Innenstadt, gelegenes Dorf. Die zunächst 100 Häftlinge sollten eine stillgelegte Ziegelei wieder in Betrieb nehmen. In den ersten Kriegsmonaten fiel die Entscheidung, N. zu einem großen KZ auszubauen. Im April 1940 schloß die SS-Führung einen Vertrag mit der Stadt Hamburg, die eine Neugestaltung des Hamburger Elbufers beabsichtigte und für die dabei geplanten »Führerbauten« einen großen Baustoffbedarf hatte. Die Hansestadt gewährte deshalb für den Aufbau des Lagers und die Errichtung eines neuen großen Klinkerwerkes ein Millionendarlehen. Im Frühsommer 1940 wurde N. zum eigenständigen KZ erklärt. Die Häftlinge, deren Zahl schnell auf mehrere tausend stieg, arbeiteten im Lageraufbau, beim Tonabbau für die Ziegelproduktion, bei der Schiffbarmachung der »Dove-Elbe« und der Anlage eines Stichkanals mit Hafenbecken. Im Verlauf des Krieges deportierten → Gestapo und → SD Zehntausende Menschen aus allen besetzten Ländern Europas als KZ-Häftlinge nach N. Grund der Einweisung war zumeist ihr Widerstand gegen die dt. Besatzungsherrschaft, die Auflehnung gegen → Zwangsarbeit oder rassisch motivierte Verfolgung. Der Anteil der dt. Häftlinge sank auf etwa 10%. Größere Gruppen stellten in N. die Russen mit 18850, die Polen mit 16900, die Franzosen mit 11500 und die Ukrainer mit 10500 Häftlingen. Die Zahl der jüdischen Häftlinge betrug ca. 13000. Ab 1942 wurden Häftlinge als Arbeitskräfte in der Rüstungsfertigung eingesetzt – zunächst in Werkstätten, die auf dem Lagergelände errichtet wurden; später erfolgte die Zuteilung von Häftlingen direkt an die Betriebe. Auf diese Weise entstanden in den letzten Kriegsjahren bei Rüstungsfirmen in ganz Norddeutschland Außenlager von N. Andere Außenlager dienten dem Bau von Produktionsstätten und Behelfsheimsiedlungen, zur Trümmerbeseitigung nach Bombenangriffen sowie gegen Kriegsende dem Bau von »Panzergräben«. Insgesamt zählten zu N. mehr als 80 Außenlager, von denen über 20 mit Frauen belegt waren. Im Frühjahr 1945 befanden sich im Hauptlager 14000 und in den Außenlagern zusammen 40000 Häftlinge, davon fast ein Drittel Frauen. Schlechte Arbeitsbedingungen, minderwertige Kleidung und ungenügende Ernährung, unzureichende medizinische Versorgung und katastrophale sanitäre Verhältnisse sowie Mißhandlungen durch SS und Kapos führten zum Tod vieler Häftlinge. N. diente der Gestapo auch als zentrale Hinrichtungsstätte. Weit über 1000 Personen wurden zur Exekution nach N. eingeliefert. Im Herbst 1942 wurden 448 sowj. Kriegsgefangene im Lagergefängnis mit → Zyklon B vergast. Mehrere tausend als arbeitsunfähig eingestufte Häftlinge wurden – v.a. in den Jahren 1942/43 – von SS-Ärzten durch Injektionen ins Herz getötet, in Vernichtungsstätten oder andere Lager abtransportiert. Bei Kriegsende starben Tausende auf → Todesmärschen und -transporten. Die im Stammlager N. verbliebenen 10000 Häftlinge wurden Mitte April 1945 nach Lübeck transportiert und auf drei Schiffe verladen. Am 3. Mai 1945 griffen brit. Jagdbomber die in der Neustädter Bucht ankernden Schiffe, die sie für Truppentransporter hielten, an und bombardierten sie. Der Angriff wurde für die 4600 auf der → Cap Arcona und die 2800 auf der Thielbek eingepferchten Häftlinge zur Katastrophe. Nur 400 von ihnen konnten sich retten, während 7000 Häftlinge im Feuer verbrannten, in der Ostsee ertranken oder beim Versuch, sich an Land zu retten, erschossen wurden. Die genaue Zahl der Todesopfer des KZ N. ist nicht bekannt; Schätzungen zufolge kamen insgesamt 55000 der 106000 in N. und den

Außenlagern Inhaftierten ums Leben. Nach dem Krieg wurden die KZ-Gebäude zunächst als Internierungslager genutzt. 1948 übergaben die brit. Besatzungsbehörden das Lager an die Freie und Hansestadt Hamburg, die dort ein Gefängnis einrichtete. Die Errichtung einer KZ-Gedenkstätte als Mahnmal erfolgte 1965, sie wurde 1981 durch ein Dokumentenhaus ergänzt. Der Hamburger Senat kündigte 1989 an, das z.T. in den Gebäuden des ehemaligen Häftlingslagers untergebrachte Gefängnis an einen anderen Standort zu verlagern. Die Verwirklichung des Beschlusses steht noch aus; allerdings wurde 1995 ein kleinerer Teil des Gefängnisses ausgegliedert und zu einem Ausstellungsgebäude umgestaltet. *Detlef Garbe*

Literatur:
Jureit, Ulrike/Karin Orth: *Überlebensgeschichten. Gespräche mit Überlebenden des KZ Neuengamme*, Hamburg 1994.
Kaienburg, Hermann: *»Vernichtung durch Arbeit«. Der Fall Neuengamme. Die Wirtschaftsbestrebungen der SS und ihre Auswirkungen auf die Existenzbedingungen der KZ-Gefangenen*, Bonn 1990.

Neuer Plan 1934/35 geschaffenes System einschneidender staatlicher Regulierung des Außenhandels und der Devisenwirtschaft mit dem Ziel, die Rohstoff- und Lebensmitteleinfuhren zu sichern und die Ausfuhr zu fördern. Angesichts des seit der → Weltwirtschaftskrise stagnierenden Welthandels und der Währungsabwertung in einer Reihe wichtiger Exportländer blieb die dt. Außenhandelsbilanz in den mittleren 30er Jahren negativ (nach festen Preisen), und die dt. Devisennot nahm, potenziert durch die → Aufrüstung, Dimensionen an, die die Belebung der stark rohstoffabhängigen dt. Wirtschaft, besonders aber die Versorgung der Rüstungsindustrie mit Rohstoffen, ernsthaft gefährdeten. Reichsbankpräsident Hjalmar Schacht, seit August 1934 auch kommissarischer Reichswirtschaftsminister, schuf in dieser Funktion ab September 1934 mittels eines umfangreichen Verordnungswerks zahlreiche zentrale Überwachungs- und Reichsstellen (für die Einfuhr) und Prüfungsstellen (für die Ausfuhr). Diese mit staatlichen Vollmachten ausgestatteten Institutionen arbeiteten in enger Verbindung mit der → Reichsgruppe Industrie und den Wirtschaftsgruppen. Jeder einzelne Einfuhr- und Ausfuhrvorgang – täglich Zehntausende – durchlief von nun an ein bürokratisches Antrags- und Genehmigungsverfahren, verbunden mit einer strengen Devisenkontingentierung (bei der Einfuhr) bzw. mit der Auflage, eingenommene Devisen der Reichsbank zum Kauf anzubieten (bei der Ausfuhr) oder damit bestimmten Zahlungsverpflichtungen im Ausland nachzukommen. Großfirmen, besonders Rüstungsbetriebe, konnten dagegen bei Bezug wichtiger Rohstoffe o.ä. selbständig Verrechnungsgeschäfte mit ausländischen Partnern abschließen. Überschüssige Devisenforderungen ausländischer Kunden wurden »eingefroren«, d.h. in nur für Käufe in Deutschland verwendbare »Sperrmark« verwandelt. Schacht forcierte den devisenfreien bilateralen Verrechnungs-(Clearing-) Verkehr von Land zu Land über die Zentralbanken. Eine Folge des N. war die Ausweitung des dt. Marktanteils in den Ländern Südosteuropas und in Südamerika. Ein »Zusatzausfuhrverfahren« (seit Oktober 1933) mit Exportausgleichsabgaben und Exportprämien konstituierte ein bürokratisiertes System der Ausfuhrförderung. Zugunsten der Einfuhr von Eisen-, Chrom- u.a. Erzen, von Erdölprodukten, Kautschuk u.a. wichtigen Rohstoffen ging die Einfuhr besonders von Textilrohstoffen zurück. Für bestimmte Waren, in erster Linie Konsumgüter, wurden Rohstoffverwendungsverbote bzw. -gebote eingeführt. Eine den N. begleitende Maßnahme war die Einstellung des Devisentransfers bei den Zins- und Tilgungszahlungen für die hohen dt. Auslandsschulden. Der Erfolg des N. hielt, je länger, desto weniger mit dem Tempo der Aufrüstung Schritt. Die Investitionspolitik des → Vierjahresplans setzte schließlich andere Prioritäten, ohne die Außenhandelsregulierung des N. aufzuheben.

Dietrich Eichholtz

Literatur:

Zumpe, Lotte: *Wirtschaft und Staat in Deutschland 1933 bis 1945*, Berlin 1980.

Neuheidentum s. Kirchen und Religion

Neuordnung Europas Zentrale dt. Kriegszielforderung, als Begriff offiziell gebräuchlich seit dem Sieg über → Frankreich (Sommer 1940; → Westfeldzug). 1941 sollte der Überfall auf die UdSSR die »russ. Ölquellen und Getreidefelder« unter dt. Herrschaft bringen; damit wären dann »alle Voraussetzungen gegeben, die die von den → Achsenmächten beabsichtigte Neuordnung des europäischen Raumes ermöglichen« (v. Ribbentrop, 28.6.1941). Auf dem Gebiet der politischen N. herrschten, abgesehen von den unmittelbaren Annexionen im Osten und Westen, unsichere, wenn auch hybride Vorstellungen: Den Zukunftsplänen Hitlers entsprach ein »Großgermanisches Reich« von der Kanalküste bis zum Ural, von Narvik bis weit hinein nach Südosteuropa. Das dt. Großkapital hingegen unterbreitete den Behörden gut vorbereitete, ambitiöse Planungen für die wirtschaftliche N. Ausgehend vom »dt. Führungsanspruch« in Europa forderten die dt. Großunternehmer in ihren »Wunschprogrammen« die »Organisation der Industrie nach dt. Muster«, die Übernahme der dt. Vorschriften, Standards, Typen und Normen, die »Ordnung der beteiligten Märkte unter dt. Führung«, v.a. die dt. Führung in den internationalen Kartellen und Marktvereinbarungen. Mittels »Kapitalverflechtung« unter Druck (Aktienübernahme, -tausch und -kauf) sowie durch → »Arisierung« sollte der dt. Wirtschaft europa- bzw. weltweit der dominierende Kapitaleinfluß gesichert werden. Die N. bedeutete in der Praxis der dt. Okkupationsherrschaft die Neuverteilung der europäischen Reichtümer und Ressourcen auf dem Wege der Veränderung politischer Grenzen, politischer Abhängigkeiten und wirtschaftlicher Besitzverhältnisse und auf dem Wege der »Aussiedlung« und Umsiedlung von Millionen Menschen sowie der Ermordung von Juden und Slawen. *Dietrich Eichholtz*

Literatur:

Eichholtz, Dietrich: *Geschichte der deutschen Kriegswirtschaft 1939–1945*, Bde. I–III, Berlin 1969 f.

Umbreit, Hans: *Auf dem Wege zur Kontinentalherrschaft (Das Deutsche Reich und der Zweite Weltkrieg*, hg. vom Militärgeschichtlichen Forschungsamt, Bd. 5, 1. Halbbd.), Stuttgart 1988.

Niederhagen (KZ) s. Wewelsburg

Niederlande Konstitutionelle Monarchie, vom 15.5.1940 bis zum 10.5.1945 von den Deutschen besetzt. Die niederl. Armee hielt dem dt. Überfall, der am 10.5.1940 ohne Kriegserklärung und unter Verletzung der niederl. Neutralität begann, nur wenige Tage stand (→ Westfeldzug). Königin Wilhelmina und das gesamte Kabinett gingen am 13.5.1940 nach London ins Exil. An die Stelle einer kurzzeitigen Militärverwaltung trat am 25.5.1940 eine dt. Zivilverwaltung. Unter dem → Reichskommissar für die besetzten niederl. Gebiete und vier Generalkommissaren blieb die gesamte niederländ. Verwaltung intakt. Die einigermaßen zurückhaltende Besatzungspolitik (keine Parteiverbote, keine allgemeine Pressezensur, schnelle Rückkehr der Kriegsgefangenen) führte nicht zur erhofften Selbstnazifizierung. Nach dem → Februarstreik 1941 setzte die dt. Besatzungspolitik stärker auf eine Nazifizierung mit Hilfe von Musserts → »National-Socialistischer Beweging« (NSB), die von Reichskommissar Seyß-Inquart bereits 1940 als einzige politische Partei zugelassen worden war. Die zunehmende Repression bedeutete Ausschaltung der Parteien, Gewerkschaften und einer kurzzeitig erfolgreichen niederländ. Sammlungsbewegung (»Niederländ. Union«) mit bis zu 800 000 Mitgliedern, Ausbeutung der niederländischen Wirtschaft und die Deportation Hunderttausender niederländ. → Zwangsarbeiter nach Deutschland. Dies löste besonders ab 1943 stärkeren aktiven Widerstand gegen die Besatzung aus. Nach der schon im Sommer 1940 einsetzenden Erfassung und Ausgrenzung der Juden aus dem sozialen Leben begannen die Deportationen der Juden im Sommer 1942. Tausende versuchten sich durch Untertauchen zu entziehen. Von den 140 000 Juden in den N. wurden ca. 105 000 meist über → Westerbork in dt. Lager deportiert; die meisten starben in → Auschwitz, → Sobibór und → Theresienstadt. Nur ca. 5000 der Deportierten überlebten die Todeslager. *Paul Stoop*

Literatur:

Hirschfeld, Gerhard: *Fremdherrschaft und Kollaboration. Die Niederlande unter deutscher Besatzung*, Stuttgart 1984.

Jong, Louis de: *Het Koninkrijk der Nederlanden in de Tweede Wereldoorlog*, 14. Bde, Den Haag 1969–1990.

Kwiet, Konrad: *Reichskommissariat Niederlande. Versuch und Scheitern nationalsozialistischer Neuordnung*, Stuttgart 1968.

Niederländische Landwacht s. Nationaal-Socialistische Beweging (NSB)

Nisko Nach Beendigung des → Polenfeldzuges wurden in der Reichsspitze Pläne erörtert, Juden und »alle unzuverlässigen Elemente« aus den neuen → Reichsgauen und dem Altreich in das → Generalgouvernement für die besetzten poln. Gebiete abzuschieben, nach Äußerungen Hitlers von Ende September 1939 in das Gebiet zwischen Weichsel und Bug, nach Heydrich in einen Judenstaat bei Krakau (22.9.) bzw. ein »Reichs-Ghetto« um Lublin (29.9.). Heydrich wies in einer Amtschefbesprechung (21.9.), zu der auch Adolf Eichmann, damals Leiter der Wiener wie der Prager Zentralstelle für jüdische Auswanderung, eingeladen war, darauf hin, daß Hitler u.a. die Abschiebung der Deportierten über die dt.-sowj. Demarkationslinie genehmigt habe. Eichmann organisierte daraufhin unter Berufung auf einen angeblichen Befehl von Gestapo-Chef Müller die Deportation von Juden aus Mährisch-Ostrau, Wien und Kattowitz. Als Vorkommandos für nachfolgende Transporte sollten sie ein »Durchgangslager« für die vorgespielte jüdische »Umsiedlung« aufbauen. Am 15.10.1939 legte Eichmann zusammen mit dem Führer der → Einsatzgruppe A, Stahlecker, die Bahnstation N. am San als Ziel der Transporte fest. Zwischen dem 18. und dem 26.10.1939 wurden in sechs Transporten 4000–5000 Juden nach N. deportiert, von denen aber nur ein kleinerer Teil, der handwerklich geeignet war, zum Aufbau des eigentlichen Lagers bei dem nahegelegenen Dorf Zarzecze eingesetzt wurde. Der größere Teil der Juden wurde unmittelbar nach der Ankunft mit Waffengewalt zur Flucht über die Demarkationslinie gezwungen. Nach Beschwerden der Zivilverwaltung, der Wehrmacht und auch der Sowjets wurde die Eigenmächtigkeit Eichmanns um den 21.10. von Müller im Interesse einer generellen antijüdischen Deportationspolitik unterbunden. Eichmann konnte in Berlin lediglich erreichen, daß die Transporte vom 26.10. noch durchgeführt werden durften, »um das Prestige der [örtlichen] Staatspolizei zu wahren«. Die im Lager verbliebenen 501 jüdischen Handwerker wurden am 14.4.1940 repatriiert. Wie viele sich von den übrigen Deportierten zu den Sowjets retten konnten, ist nicht bekannt. Die N.-Aktion wurde von der älteren Forschung fälschlich als Vorbereitung der späteren → Endlösung angesehen; tatsächlich ist sie jedoch eher ein Beleg für die Phase des Experimentierens in der nat.soz. Judenpolitik in den Jahren 1939/40. *Hermann Weiß*

Nisko 1938/1994. Die Aktion Nisko in der Gesamtgeschichte der »Endlösung der Judenfrage«. Hg.: Facultas Philosophica Universitatis Ostraviensis, Ostrava 1995.

NKFD s. Nationalkomitee »Freies Deutschland«

Norden, Der s. Nordische Gesellschaft

Nordische Gesellschaft 1921 in Lübeck gegründet zur Pflege des »nordischen Gedankens« als Form völkischer und rassistischer Ideologie, in deren Mittelpunkt die Vorstellung stand, die → nordische Rasse sei der Inbegriff germanisch-dt. Kulturüberlegenheit. 1934 gleichgeschaltet und dem → Außenpolitischen Amt der NSDAP unterstellt, hatte die N. die Aufgabe, Kulturpropaganda nach Norden zu treiben und die nordische Ideologie im Inland zu propagieren. Dazu dienten Tagungen, → Sonnwendfeiern u.a. Veranstaltungen. Die N. war in Gaue gegliedert, Zentrale war das → »Reichskontor« in Lübeck. An der Spitze stand bis 1945 Gauleiter Hinrich Lohse; dem »Großen Rat« gehörten prominente Nat.-soz. wie Himmler, Rosenberg und Darré an. Neben Presse- und Wirtschaftsdiensten veröffentlichte die N. die Monatszeitschrift *Der Norden* sowie die von H. F. K. Günther herausgegebene Zeitschrift *Die Rasse*. Liquidiert wurde die N. erst 1957 (→ Ideologie; → Propaganda). *Karsten Jessen*

Literatur:

Lutzhöft, Hans Jürgen: *Der Nordische Gedanke in Deutschland 1920–1940*, Stuttgart 1971.

Nordische Rasse Die Vorstellung einer N. basierte auf der Hypothese (Günther, Darré), daß sich in Nordeuropa autonom ein bäuerliches Germanentum herausgebildet habe. Von Rassenvermischung v.a. mit der jüdischen »Gegenrasse« bedroht, sollte die N. durch Rassenhygiene erneuert und geschützt werden (→ Rassenpolitik und Völkermord; → Medizin). Hiermit verbanden sich insbesondere Ideale bäuerlicher Lebensformen (→ Blut und Boden-Ideologie) und Siedlungspläne im Osten (→ Lebensraum). *Uffa Jensen*

Nordisch-religiöse Arbeitsgemeinschaft s. Kirchen und Religion

Nordland Verlag s. SS-Wirtschaftsunternehmen

Nordungen s. Kirchen und Religion

Norwegen Königreich in Nordeuropa mit 322 538 km^2 und 2,8 Mio. Einwohnern (1939), verfolgte wie im Ersten Weltkrieg eine Neutralitätspolitik, geriet jedoch wegen der strategischen Bedeutung des Hafens Narvik, über den 40% des dt. Erzimports aus Schweden liefen, in die militärische Interessensphäre sowohl der Alliierten (Verminung der norweg. Küste am 8.4.1940) als auch Deutschlands, das am 9.4.1940 durch Überfall den → Norwegenfeldzug eröffnete. Nach der Flucht des Königs Håkon VII., der Regierung und von Parlamentariern nach London, von wo aus die Exilregierung auch den militärischen Kampf fortsetzte, wurde am 24.4.1940 Gauleiter Terboven zum → Reichskommissar für die besetzten norwegischen Gebiete ernannt. Die Kollaborationsregierung unter Vidkun Quisling (Führer der faschist. »Nasjonal Samling«) amtierte ohne Unterstützung der Bevölkerung gegen wachsenden Widerstand einer Untergrundbewegung, der ab 1943 mit Massenverhaftungen begegnet wurde. Von den rd. 1100 norweg. Juden wurden 750 deportiert und ermordet, die Mehrzahl der Überlebenden war nach Schweden geflohen. Am 4.5.1945 kapitulierten die dt. Besatzungstruppen, am 31.5.1945 kehrte die Exilregierung zurück.

Der Nazismus ist in N. in erster Linie mit dem Namen Vidkun Quisling und dessen Partei → Nasjonal Samling verbunden. Vor der Gründung dieser Partei gab es in N. bereits einige Gruppierungen, die in das Umfeld präfaschistischer Bewegungen einzuordnen sind (→ Faschismus). Vor allem in Kreisen der Konservativen und der Bauernpartei waren autoritäre, antimarxistische Einstellungen virulent, die sich in erster Linie gegen die Arbeiterpartei und deren Modernisierungsbestrebungen richteten. Hier ist neben Streikbrecherorganisationen und Wehrverbänden politisch (ab 1925) vor allem die Gruppe Fedrelandslag (Vaterlandsbund) hervorgetreten, ein parteienübergreifender Zusammenschluß national Gesinnter aus Verwaltung, Wirtschaft und Wissenschaft. Der Bund entwickelte sich bis 1930 zunehmend in antikommunistischer und antiparlamentarischer Richtung, wobei sich ein um Quisling gruppierter völkischer Flügel herausbildete, der sich ab 1931 Nordiske Folkereisning i Norge (Nordische Volkserhebung in Norwegen) nannte und Vorläuferorganisation der Nasjonal Samling war. *Robert Bohn*

Literatur:
Bohn, Robert: *Die deutsche Herrschaft in den »germanischen« Ländern 1940–1945 im Vergleich*, Stuttgart 1996.
Bohn, Robert: *Reichskommissariat Norwegen. »Nationalsozialistische Neuordnung« und Kriegswirtschaft*, Sigmaringen 1996.
Loock, Hans-Dietrich: *Quisling, Rosenberg und Terboven. Zur Vorgeschichte und Geschichte der nationalsozialistischen Revolution in Norwegen*, Stuttgart 1970.

Norwegenfeldzug Am 9. April 1940 überfiel die dt. Wehrmacht das neutrale Norwegen und aus operativen Gründen auch das ebenfalls neutrale Dänemark. Der N. (Operation Weserübung) war weder ideologisch motiviert noch Bestandteil der Hitlerschen Revisionspolitik (→ Außenpolitik; → Versailles), auch wenn später während der Okkupation ideologische Momente die Besatzungspolitik wesentlich bestimmten. Ausschlaggebend waren militärstrategische und rüstungswirtschaftliche Aspekte: die Furcht der dt. Führung vor einem Festsetzen der Alliierten in Skandinavien (Anlaß: finn.-sowj. Winterkrieg) und die Eröffnung einer Front im Norden des Reiches; die Furcht vor dem Abgeschnittenwerden von den skandinavischen Rohstoffen (Eisenerz, Kupfer); sowie der Wunsch der Marineführung nach Operationsbasen zur Handelskriegführung gegen Großbritannien (→ Weltkrieg 1939–1945). Die von der dt. Führung erhoffte sog. Friedensbesetzung glückte (im Unterschied zu Dänemark) allerdings nicht, da die norweg. Regierung zu militärischem Widerstand entschlossen war und die dt. Forderungen zurückwies. Die Kampfhandlungen zwischen Wehrmacht und Norwegen/Westalliierten zogen sich zwei Monate hin, bis die norweg. Armee am 10.6.1940 kapitulierte, nachdem die brit. und frz. Einheiten wegen der dt. Westoffensive abgezogen worden waren (→ Westfeldzug). Die dt. Kriegsmarine erlitt bei dem Unternehmen schwerste Verluste.

Robert Bohn

Notabitur Am 8.9.1939 erging eine Anordnung des → Reichsministeriums für Wissenschaft, Erziehung und Volksbildung über »Reifezeugnisse und Abgangszeugnisse der Höheren Schulen«, derzufolge Schülern der letzten (8.) Oberschulklasse, »wenn Führung und Klassenleistung es rechtfertigen«, bei Einberufung zum Militär das Abgangszeugnis als Reifezeugnis ausgestellt werden konnte. 1942 dehnte man diese Regelung auf 17jährige Schüler der 7. Oberschulklasse aus, später praktizierte man es noch lässiger. Ein nach dem 1.1.1943 erlangtes N. wurde nach dem Krieg nicht anerkannt.

Dietfrid Krause-Vilmar

Novemberpogrom s. »Reichskristallnacht«

Novemberverbrecher Diffamierende Bezeichnung der nationalistischen Rechten in der Weimarer Republik für die politischen und militärischen Träger der Novemberrevolution von 1918. Ursprünglich nur als Schimpfwort gegen die meuternden Soldaten und Matrosen und gegen die politisch Verantwortlichen der »ersten Stunde«, den sozialdemokratischen Rat der Volksbeauftragten und die Unterzeichner des Waffenstillstandes vom 11.11.1918 verwendet, wurde die Parole von den N. schließlich allen entgegengeschleudert, die Verantwortung für die Weimarer Republik übernahmen und sich mit ihr identifizierten, Demokraten wie Sozialisten, Juden wie Linksintellektuelle. Den N. wurde zugleich die militärische Niederlage als »Dolchstoß der Heimat in den Rücken des kämpfenden Feldheeres« angelastet. Hier fanden Hitler und die Nat.soz. den ideologischen Nährboden, auf dem sie hemmungslos und nicht ohne Erfolg gegen die »Novemberrepublik« und das »Novembersystem«, gegen »Erfüllungspolitiker« und die »Schmach von Versailles« agitierten (→ Systemzeit).

Bernd-Jürgen Wendt

NSBDT s. Nationalsozialistischer Bund Deutscher Technik

NSBO s. Nationalsozialistische Betriebszellenorganisation

NSDÄB s. Nationalsozialistischer Deutscher Ärztebund

NSDAP s. Nationalsozialistische Deutsche Arbeiterpartei

NSDDB s. Nationalsozialistischer Deutscher Dozentenbund

NSDStB s. Nationalsozialistischer Deutscher Studentenbund

NSFo s. Nationalsozialistischer Führungsoffizier

NS-Frauenschaft Am 1.10.1931 als Zusammenschluß verschiedener Verbände von der → NSDAP gegründet. Seit dem 29.3.1935 als offizielle → Gliederung der NSDAP in die Partei eingeordnet, kam der N. die Aufgabe zu, Frauenarbeit im Sinne der NS-Ideologie zu leisten. Wie die NSDAP war die N. organisatorisch in → Gau, → Kreis, → Ortsgruppe, Zelle und → Block unterteilt. Zusätzlich zu der streng nat.soz. ausgerichteten N. wurde im Oktober 1933 das Dt. Frauenwerk (DFW) geschaffen, das als Sammelbecken für gleichgeschaltete bürgerliche Frauenbewegungen und einzelne Mitglieder diente (→ Gleichschaltung). Obwohl das DFW als eingetragener Verein mit eigenem Vermögen über einen anderen Status als die N. verfügte, waren beide Organisationen v.a. personell eng miteinander verflochten. An der Spitze des hierarchischen Aufbaus beider stand seit 1934 die → Reichsfrauenführerin Gertrud Scholtz-Klink. Insgesamt waren etwa 4 Mio. Frauen organisiert, davon 2,3 Mio. in der N. 1936 wurden die Bedingungen für die

Aufnahme in die N. verschärft, um den Auswahlcharakter der Organisation zu erhalten. Seitdem wurden nur noch Frauen aufgenommen, die sich bereits im Sinne der Partei verdient gemacht hatten. Politisch blieb die N. ohne Bedeutung oder Profil und übte nur geringen Einfluß auf die NSDAP aus. Sie beschränkte sich vielmehr auf eine gezielte ideologische und praktische Schulung von Frauen innerhalb der ihnen zugeordneten häuslichen und familiären Welt. Zu diesem Zwecke wurde der Reichsmütterdienst eingerichtet (→ Mütterdienst), der Kurse in den Bereichen Haushalts- und Gesundheitsführung, in Erziehungsfragen und im Brauchtum anbot. Zwischen 1934 und 1938 nahmen etwa 1,2 Mio. Frauen an N.-Schulungen teil (→ Frauen; → Ehe; → Mutterkult). *Anja von Cysewski*

Literatur:
Klinksiek, Dorothee: *Die Frau im NS-Staat*, Stuttgart 1982.
Stephenson, Jill: *The Nazi Organisation of Women*, London/New York 1981.

NS-Gemeinschaft »Kraft durch Freude« s. Kraft durch Freude

NS-Hago s. Nationalsozialistische Handwerks-, Handels- und Gewerbeorganisation

NSK s. Nationalsozialistische Parteikorrespondenz

NS-Kampfspiele s. Nationalsozialistische Kampfspiele

NSKK s. Nationalsozialistisches Kraftfahrerkorps

NSKOV s. Nationalsozialistische Kriegsopferversorgung

NS-Kulturgemeinde (NSKG) Der früh als Chefideologe der NSDAP auftretende Alfred Rosenberg galt u.a. als Gründer des → Kampfbundes für dt. Kultur (1927) und in der → »Kampfzeit« der NSDAP als ihr maßgeblicher Kulturtheoretiker und -politiker. Mit der → »Machtergreifung« erwuchsen ihm in dem mit Kompetenzen auf dem kulturellen Sektor ausgestatteten Reichspropagandaminister Joseph Goebbels und dem machthungrigen Reichsschulungsleiter Robert Ley Konkurrenten, die sich in wechselnden Koalitionen vor allem gegen den wenig durchsetzungsfähigen Rosenberg profilieren konnten. Seinem Theaterfachmann Dr. Walter Stang, der 1933 erst zum Leiter der aus dem Bühnenvolksbund und dem Verband der freien Volksbühne zur Dt. Bühne e.V. zwangsvereinigten größten dt. Besucherorganisation ernannt worden war, gelang es nicht, den vom Kampfbund propagierten Theaterstil, der von völkisch-nationalistischen Inhalten in z.T. schwerfälligsteifen Darbietungsformen (→ Thingspiel) geprägt war, so zu popularisieren, daß daraus eine wirtschaftlich unabhängige NS-spezifische Theaterkultur hätte entstehen können (→ Kunst). Rosenberg war deshalb gezwungen, im Juni 1934 das Angebot Leys anzunehmen, gegen Zahlung von 3,6 Mio. RM aus den mit Gewerkschaftsgeldern gefüllten Kassen der → Dt. Arbeitsfront den Kampfbund für dt. Kultur und die Dt. Bühne zur N. zusammenzuschließen und die neue Organisation körperschaftlich in Leys Freizeitorganisation → »Kraft durch Freude« einzugliedern. Die kulturpolitischen Gegensätze zwischen den drei Kontrahenten waren damit nicht beseitigt. Auf der ehemaligen Piscator-Bühne des Berliner Theaters am Nollendorf-Platz und während der »Reichstagungen«, die die N. zwischen 1934 und 1936 in Eisenach, Düsseldorf und München abhielt, versuchten die Rosenberg-Anhänger, beispielhafte, auf eine Elite innerhalb der NSDAP abzielende nat.soz. Kulturprogramme anzubieten, die jedoch wegen ihrer Dürftigkeit und Erfolglosigkeit bald wieder aufgegeben werden mußten.

Nachdem Goebbels mit seiner relativ liberalen, auf großstädtisches Publikum zielenden Linie von der fundamentalistischen N. in den ersten Jahren des Dritten Reiches einige Male zu Korrekturen veranlaßt worden war, stellte sein Ministerium 1936 fest, daß die N. im Vorjahr lediglich 3% der Theaterbesucher gestellt hatte und entgegen der ideologisch geforderten Volksnähe »stark intellektuell« durchsetzt sei. Das bei Stangs organisatorischer Unfähigkeit sich abzeichnende Ende der N., das im Mai 1936 nach Leys Drohung, die Rosenbergschen Unternehmungen nicht mehr zu finanzieren, unabwendbar schien, wurde durch Hitler jedoch verhindert. In einer von Heß abgesegneten Vereinbarung legten Ley und Rosenberg schließlich am 12.6.1937 fest, daß die N. Ley direkt unterstellt und organisatorisch durch Personalunion mit den KdF-Ämtern »Feierabend« und »Dt. Volksbildungswerk« endgültig in die DAF überführt werden sollte.

Hermann Weiß

Literatur:

Bollmus, Reinhard: *Das Amt Rosenberg und seine Gegner*, Stuttgart 1970.

Brenner, Hildegard: *Die Kunstpolitik des Nationalsozialismus*, Reinbek 1963.

NSLB s. Nationalsozialistischer Deutscher Lehrerbund

NSRB s. Nationalsozialistischer Deutscher Rechtswahrerbund

NSRL s. Nationalsozialistischer Reichsbund für Leibesübungen

NS-Volkswohlfahrt (NSV) Mit 17 Mio. Mitgliedern (1943) nach der → Dt. Arbeitsfront die größte und in der Öffentlichkeit bekannteste NS-Massenorganisation. 1931 in Berlin als lokaler Selbsthilfeverein gegründet, wurde sie ab 1933 unter ihrem Leiter Erich Hilgenfeldt zu einer reichsweiten, ständig expandierenden Wohlfahrtseinrichtung. Sie organisierte u.a. das – formal von ihr unabhängige – → Winterhilfswerk, das → Hilfswerk »Mutter und Kind« sowie die → Kinderlandverschickung. Während des Krieges kamen die Betreuung von Bombenopfern und die Flüchtlingsversorgung hinzu. Ihren Anspruch auf Monopolisierung der gesamten freien und öffentlichen Wohlfahrt konnte die N. zwar nicht realisieren, doch gelang es ihr, die in der freien Wohlfahrtspflege tätigen Verbände zurückzudrängen bzw. gleichzuschalten, deren finanzielle Mittel zu beschneiden und auch die von den Kommunen getragene öffentliche Fürsorge einzuschränken. Angesichts der ihr zur Verfügung stehenden finanziellen Mittel (Mitgliedsbeiträge, Spenden, staatliche Zuwendungen) war es ihr möglich, in alle Bereiche der Wohlfahrt zu expandieren und dort spezifische Akzente zu setzen. Aufgrund ihrer scheinbaren Ideologieferne war die Arbeit der N. populär und die Mitgliedschaft erschien auch für diejenigen, die dem Regime eher zögernd oder kritisch gegenüberstanden, aber aus Opportunitätsgründen in eine Parteiorganisation eintreten wollten, akzeptabel. Tatsächlich war die Arbeit der N. von rasse- und erbbiologischen Selektionskriterien bestimmt, indem v.a. »rassisch wertvolle«, nur zeitweilig in eine Notlage geratene Bedürftige gefördert werden sollten, während »Minderwertige«, → »Asoziale«, Alte und Kranke der (Minimal-)Unterstützung der öffentlichen Fürsorge überlassen wurden. Die Wohlfahrtspflege sollte Dienst am Volk, nicht am Individuum leisten, an die Stelle des (christlichen) Mitleids sollte die Solidar- und Opferbereitschaft der nat.soz. → Volksgemeinschaft treten (→ Sozialpolitik).

Marie-Luise Recker

Literatur:
Vorländer, Herwart: *Die NSV. Darstellung und Dokumentation einer nationalsozialistischen Organisation*, Boppard/Rhein 1988.

Nürnberg 1933 erklärte Hitler die alte Freie Reichstadt zur »Stadt der → Reichsparteitage«, die von 1927 bis 1938 dort alljährlich stattfanden. Sie bescherten der Stadt, unter der architektonischen Leitung Alfred Speers, eine gigantische Anlage mit riesigen Aufmarschfeldern. Die auf dem 7. Reichsparteitag 1935 verkündeten → Nürnberger Gesetze verhalfen der Stadt zu einer traurigen Bekanntheit. Im Kriege wurde sie zu über 50% zerstört. Nach dem Sieg der Alliierten fanden hier zwischen 1945 und 1949 die Nürnberger Prozesse statt (→ Nachkriegsprozesse). *Armin Bergmann*

Nürnberger Gesetze Sammelbezeichnung für die am 15.9.1935 auf dem »Reichsparteitag der Freiheit« in → Nürnberg (→ Reichsparteitage) verabschiedeten, in NSDAP-Kreisen bereits lange diskutierten Rassengesetze. Das Gesetz »zum Schutz des dt. Blutes und der dt. Ehre« (»Blutschutzgesetz«) stellte u.a. Eheschließungen und außerehelichen Geschlechtsverkehr zwischen Juden und »Deutschblütigen«, subsumiert unter dem Begriff → »Rassenschande«, unter Strafe; das »Reichsbürgergesetz« stellte die Reichsbürgerschaft über die Staatsbürgerschaft, »Arier« genossen nun besondere politische Rechte, die Juden als bloßen »Staatsbürgern« nicht gewährt wurden (→ Abstammungsnachweis; → Arierparagraph); zusätzlich regelte das Gesetz die Frage, wer als Jude zu gelten habe. Jude war danach, wer von drei jüdischen Großelternteilen abstammte, wer zwei jüdische Großeltern hatte und bei Erlaß des Gesetzes der jüdischen Religionsgemeinschaft angehörte bzw. ihr später beitrat oder zu diesem Zeitpunkt mit einem »Volljuden« verheiratet war bzw. danach ehelichte. (1. Verordnung zum Reichsbürgergesetz). Juden waren von nun an Bürger zweiter Klasse. *Juliane Wetzel*

Literatur:
Gruchmann, Lothar: »Blutschutzgesetz« und Justiz. Entstehung und Anwendung des Nürnberger Gesetzes vom 15. September 1935, in: *Vierteljahrshefte für Zeitgeschichte* 31 (1983), S. 418–442

Nürnberger Prozesse s. Nachkriegsprozesse

O

Oberer Kuhberg (KZ Ulm) Unter der offiziellen Bezeichnung »Württembergisches → Schutzhaftlager Ulm/Donau« bestand das Lager von November 1933 bis Juli 1935. Als Landes-KZ für Württemberg-Hohenzollern (zuständig: politische Polizei im Innenministerium) folgte es zeitlich dem KZ → Heuberg und ging dem KZ im Polizeigefängnis Welzheim (1935–1945) voran. Kommandant von O. war Karl Buck (ebenso am Heuberg, in Welzheim und ab 1940 im elsäss. → Schirmeck-Vorbruck). Bei den ca. 600 männlichen Häftlingen handelte es sich vorwiegend um politische und weltanschauliche Gegner des NS-Regimes, wie z.B. den KPD-Landtagsabgeordneten Alfred Haag, den SPD-Reichstagsabgeordneten Kurt Schumacher und den katholischen Stadtpfarrer von Metzingen, Alois Dangelmaier (→ Verfolgung). Das KZ war im »Fort O.«, einem Teil der Bundesfestung Ulm, erbaut 1842-1857, untergebracht. In der erhaltenen Anlage befindet sich heute eine KZ-Gedenkstätte. *Silvester Lechner*

Oberkommando der Kriegsmarine (OKM) Höchste Verwaltungs-, Stabs- und Kommandostelle der dt. Kriegsmarine. 1935 aus der Marineleitung hervorgegangen, 1937 mit der Seekriegsleitung vereinigt, im November 1939 und im April/Mai 1944 organisatorisch verändert, unterstand es den Oberbefehlshabern Raeder (1.6.1935–30.1.1943), Dönitz (bis 1.5.1945) und v. Friedeburg (bis zur Verhaftung der Regierung Dönitz am 23.5.1945). Das O. setzte sich aus drei Bereichen zusammen: Chef des Stabes Seekriegsleitung mit der Operationsabteilung; Stab des Oberbefehlshabers mit verschiedenen Abteilungen wie Haushalt, Medizinalwesen und unmittelbar dem Oberbefehlshaber unterstellte Abteilungen wie Personalamt und Waffenamt (→ OKW). *Elke Fröhlich*

Oberkommando der Luftwaffe (OKL) Seit September 1934 Bezeichnung für die oberste Verwaltungs- und Kommandobehörde der dt. Luftwaffe. Oberbefehlshaber waren vom 1.3.1935–23.4.1945 Göring, vom 25.4.–8.5.1945 Ritter v. Greim (→ OKW). *Elke Fröhlich*

Oberkommando der Wehrmacht (OKW) Militärischer Arbeitsstab für Hitler als Oberbefehlshaber der dt. Streitkräfte. Das nach der Entlassung Blombergs und v. Fritschs (→ Fritsch-Krise) mit Erlaß vom 4.2.1938 aus dem Wehrmachtsamt im Kriegsministerium gebildete O. war die höchste Kommando- und Verwaltungsbehörde der dt. → Wehrmacht; ihr waren → OKH, → OKL und → OKM untergeordnet. Es wurde von Keitel, der Hitler unmittelbar unterstellt war, bis Kriegsende geleitet. Das O. umfaßte die Ämter: Wehrmachtsführungsamt (bzw. -stab) unter Jodl, Amt Ausland/Abwehr unter Canaris, Allgemeines Wehrmachtsamt, Wehrwirtschafts- und Rüstungsamt, Wehrmachtzentralamt, Wehrersatzamt (bis Sommer 1943 OKH) und Dienststellen wie Chef des Kriegsgefangenenwesens, Chef Heeresstab und Heeresrüstung, Dt. Waffenstillstandskommission. *Elke Fröhlich*

Oberkommando des Heeres (OKH) Seit 1.11.1936 oberste Verwaltungs- und Kommandobehörde des dt. Heeres (bestehend aus Generalstab d. Heeres, Generalquartiermeister, Chef Heeresrüstung und Oberbefehlshaber des Ersatzheeres, Heerespersonalamt, Militärattachégruppe, Allgemeines Heeresamt, Heereswaffenamt, Heeresrechtswesen, Heeresverwaltungsamt und Inspektion der Kriegsschulen, ab 1944 NS-Führungsstab des Heeres). Chef des O.: v. Fritsch bis 4.2.1938; v. Brauchitsch bis 19.12.1941; Hitler bis zur Auflösung des O. am 30.4.1945. Während des Krieges, insbesondere nach Übernahme des Oberbefehls durch Hitler, verlor das O. an Kompetenzen und bearbeitete schließlich nur noch den Rußlandfeldzug (→ Ostfeldzug; → OKW). *Elke Fröhlich*

Obersalzberg Seit 1923 kam Hitler regelmäßig auf den O. im Berchtesgadener Land. 1928 mietete er »Haus Wachenfeld«, das er später kaufte und erweitern ließ. Das dann »Berghof« genannte Anwesen wurde Zentrum des »Führergebiets«, das durch erzwungene Verkäufe auf mehr als 1000 ha anwuchs und auf dem bis 1939 eine rege Um- und Neubautätigkeit herrschte. Nach der → Reichskanzlei in Berlin wurde der O. die zweite Residenz Hitlers. Hier empfing er wichtige Staatsgäste und Würdenträger (Schuschnigg, Chamberlain, Mussolini, Faulhaber u.a.). Von der nat.soz. → Propaganda wurde hier vor der Kulisse der Berge der »private«, heimatverbundene, tier- und kinderliebe Hitler inszeniert. Im

»Führergebiet« auf dem O. hatten auch Goebbels, Göring und Bormann Villen.

Wolfram Selig

Oberste Reichsbehörden Unter den Begriff O. fallen alle Reichsbehörden, die unmittelbar unter dem Reichspräsidenten oder dem Reichskanzler bzw. dem »Führer und Reichskanzler« (Titulatur Hitlers seit 2.8.1934, ab Januar 1939 nur noch Führer) im Amtsbereich des Reiches bzw. des Großdt. Reiches die ihnen zugewiesenen Amtsgeschäfte ausführten; so zählten zu den O. vorrangig die Reichsministerien, aber auch die Spitzen von Fachbehörden, die keinem Reichsministerium unter- oder nachgeordnet waren (z.B. Reichsjägermeister, Der Beauftragte für den → Vierjahresplan), darunter auch kleine Behörden ohne weitere Unterbehörden (z.B. Generalbauinspektor für die Reichshauptstadt). Funktionen von O. übten auch die Reichsgerichte (→ Reichsgericht; → Reichsarbeitsgericht; → Reichskriegsgericht; → Reichsverwaltungsgericht und das neugeschaffene → Reichserbhofgericht) aus, ohne ausdrücklich als solche bezeichnet zu werden. Für die Herrschafts- und Verwaltungsstruktur des dt. Einparteienstaates zwischen 1933 und 1945 war typisch, daß zusätzlich zu den ohnehin nicht seltenen Aufgabenüberschneidungen der staatlichen Verwaltung (z.B. auf dem Gebiet der Wirtschaft zwischen dem Reichswirtschaftsministerium und dem Beauftragten für den Vierjahresplan) der Dualismus von zentralstaatlichem Regiment und Parteiregiment zu Kompetenzstreitigkeiten führte, bei denen meist Hitlers Entscheidung herbeigeführt werden mußte. Tendenziell führten solche Auseinandersetzungen zur Verschmelzung von Verwaltungen zugunsten der Parteiherrschaft. Ein typisches Beispiel ist der Reichsjugendführer der NSDAP (seit 1931: Baldur v. Schirach, verantwortlich für die gesamte → HJ, den NS-Schüler- und den -Studentenbund). Als Jugendführer des Dt. Reiches übernahm er ab Juni 1933 auch alle übrigen dt. Jugendorganisationen; nach deren Ausschaltung durch Auflösung oder Verbot und der Erklärung der HJ zur Staatsjugend (HJ-Gesetz vom 1.12.1936) war die Funktion eines Jugendführers des Dt. Reichs überflüssig geworden und v. Schirach konnte in seiner Parteieigenschaft als Reichsjugendführer in die Position einer O. aufrücken. In anderen Fällen übten Spitzenbehörden der Partei Funktionen von O. aus, obwohl sie nicht ausdrücklich als solche bestätigt wurden. Besonders deutlich wird dies beim → Stellvertreter des Führers (ab Mitte 1941: Chef der Parteikanzlei), der im Ministerrang dem Reichskabinett und dem → Ministerrat für die Reichsverteidigung angehörte und dem bei wichtigen Verordnungen der Reichsministerien sowie bei Ernennungen von höheren Staatsbeamten ein Anhörungs- bzw. Mitspracherecht zustand. Die Verschmelzung staatlicher und parteiamtlicher Funktionen und die Übernahme staatlicher Positionen in einer bis Kriegsende nicht abgeschlossenen Entwicklung kennzeichnet auch das Verhältnis zwischen → SS und → Polizei; Himmlers Ernennung zum → Reichsführer SS und Chef der Dt. Polizei (1936) in der nominellen Stellung eines Staatssekretärs innerhalb des Reichsinnenministeriums, faktisch jedoch in der Rolle eines Polizeiministers, gipfelte konsequenterweise in der Übernahme des Reichsinnenministeriums durch Himmler (Juli 1943), wobei er schon seit 1936 alle Funktionen einer O. ausübte. Folgende Behörden galten als O.: Büro des Reichspräsidenten bzw. nach Hindenburgs Tod → Präsidialkanzlei des Führers und Reichskanzlers, → Reichskanzlei, → Reichsmarschall, → Reichsregierung mit den Reichsministerien (RM), → Auswärtiges Amt, → RM des Innern, RM der Finanzen, RM der Justiz, Reichswirtschaftsministerium, Reichswehrministerium (ab 21.5.1935; Reichskriegsministerium bis 4.2.1938), RM der Luftfahrt, → RM für Volksaufklärung und Propaganda, Reichsarbeitsministerium, RM für Ernährung und Landwirtschaft, RM für Wissenschaft, Erziehung und Volksbildung, RM für Bewaffnung und Munition (ab 1942: → RM für Rüstung und Kriegsproduktion), Reichspostministerium, Reichsverkehrsministerium, → RM für die kirchlichen Angelegenheiten, → RM für die besetzten Ostgebiete.

Eine Auswahl von Ministern bildete O. wie den → Geheimen Kabinettsrat und den Reichsverteidigungsrat bzw. den Ministerrat für die Reichsverteidigung (seit 1938). Zu den traditionellen O. zählten Einrichtungen wie → Rechnungshof des Dt. Reiches, Reichsanstalt für Arbeitsvermittlung und Arbeitslosenversicherung, die aber schon im Dezember 1939 dem Reichsarbeitsministerium eingegliedert wurde; im Juni 1939 wurde auch die bislang autonome Reichsbank dem Führer unterstellt. Neu geschaffene Sonderbehörden des Dritten Reiches im Range von O. waren → Reichsjugendführung (seit 1936), → Reichsforstmeister, Reichsjägermeister, → Generalinspektor für das dt. Straßenwesen (seit Nov. 1933), Reichskommissar für sozialen Wohnungsbau, Reichsstelle für Raumordnung (1935), Generalbevollmächtigter für den Arbeitseinsatz (seit März 1943), Generalbevollmächtigter für die (Kriegs-)Wirtschaft (1935), Reichskommissar für Preisbildung (seit 1936), → Reichssportführer (seit 1936), Generalbauinspektor für die Reichshauptstadt (1937), → Generalbevollmächtigter für die Reichsverwaltung (1938), Reichsprotektor in Böhmen und Mähren (März 1939), Reichsarbeitsführer (seit 1943), Reichsbevollmächtigter für den totalen Kriegseinsatz (Juli 1944). *Hermann Weiß*

Oberster Befehlshaber der Wehrmacht Nach dem Tod des Reichspräsidenten v. Hindenburg am 2.8.1934 trat Hitler staatsstreichartig die Nachfolge in dessen Ämtern an und wurde dadurch auch O. Von diesem Zeitpunkt an hatten die Angehörigen der → Wehrmacht den Eid auf Hitler abzulegen. Infolge der Blomberg- und → Fritschkrise wurde am 4.2.1938 das Kriegsministerium aufgelöst. Hitler übernahm den direkten Oberbefehl über die Wehrmacht, wie Reichswehrminister v. Blomberg anordnete, das neu eingerichtete → Oberkommando der Wehrmacht diente ihm als Arbeitsstab. *Elke Fröhlich*

Oberster Gerichtsherr Amtliche Bezeichnung, die Hitler in der letzten Sitzung des Reichstags am 26.4.1942 verliehen wurde. Die Funktion als O. hatte Hitler sich bereits vorher bei der Zusammenlegung der Ämter Führer und Reichskanzler angemaßt und schon durch die rückwirkende Rechtfertigung der während des → »Röhm-Putsches« begangenen Morde als »Staatsnotwehr« ausgeübt. Als O. stand Hitler über Recht und Justiz (→ Justiz und innere Verwaltung). *Willi Dreßen*

Oberster SA-Führer (OSAF) Nach der Ende 1929 erfolgten Ablösung Franz Pfeffer v. Salomons von dem seit 1926 bestehenden Posten des O. übernahm 1930 Hitler selbst die Führung der unruhigen und ständig nach mehr Selbständigkeit von der Politischen Organisation (PO) strebenden SA. Die faktische Leitung der Dienstgeschäfte wurde einem Stabschef übertragen (bis zu seiner Ermordung 1934 Röhm, gefolgt von Lutze bis zu dessen Unfalltod 1943, zuletzt bei Kriegsende Schepmann). *Bernward Dörner*

Oberstes Parteigericht Zur Schlichtung parteiinterner Streitigkeiten richtete die NSDAP bei der Neugründung der Partei im Februar 1925 eine eigene Schiedstelle ein, den Untersuchungs- und Schlichtungsausschuß (Uschla), Vorsitz Generalleutnant a.D. Heinemann. Erst mit dessen Nachfolger, dem seit 1922 der Partei angehörenden Major a.D. und Münchner SA-Führer Walter Buch, einem verbohrten Antisemiten und treuen Parteigänger Hitlers, gewann der Uschla Format und Ansehen in der Partei. Buch, ein erbitterter Gegner des SA-Stabschefs Röhm, führte 1934 eine regelrechte Säuberung der Partei von allerlei zweifelhaften Figuren, v.a. aus dem Umfeld Röhms bzw. der SA, durch und verschaffte sich damit Respekt. Erleichtert wurde ihm diese Aufgabe u.a. durch die Aufwertung des Uschla zum Obersten Parteigericht (OPG) am 1.1.1934. Das OPG erhielt eine 2. Kammer unter Vorsitz des Kreisleiters und Nicht-Juristen Wilhelm Grimm. Arbeitsrichtlinien erhielt das O. mit den Richtlinien des Stellvertreters des Führers vom 17.2.1934. Bei parteischädigendem Verhalten konnten danach außer auf Rang- und Postenverlust oder Parteiausschluß auch auf Arrest- und Haftstrafen erkannt werden. Bezeichnend für die justiziablen Inhalte, mit denen sich das OPG auseinanderzusetzen hatte, sind – von der Schlichtung gewöhnlicher innerparteilicher Streitigkeiten abgesehen – seine Urteile gegen Parteigenossen, die im Zusammenhang mit der → »Kristallnacht« wegen Plünderung in jüdischen Gebäuden oder wegen Vergewaltigung jüdischer Frauen angeklagt waren. Während die öffentlichen Gerichte schwerere Delikte wie politische oder rassistische Morde bei Parteimitgliedern oder -anhängern mit der gebotenen Milde behandelten, wurde im Fall der Kristallnacht-Täter die Disziplin- und Würdelosigkeit der Parteignossen streng bestraft. Im Laufe des Krieges stießen sich Hitler und auch Buchs Schwiegersohn Martin Bormann an der in ihren Augen allzu strengen Rechtsauslegung des OPG, besonders nach dessen milder Entscheidung in der Angelegenheit des innerhalb der Partei zum Außenseiter gewordenen Gauleiters Josef Wagner. Buch und sein Gericht sahen sich ab 1942 soweit entwürdigt, alle Urteile durch den Leiter der Parteikanzlei genehmigen zu lassen. Einen Anlaß zum Rücktritt sah darin aber keiner der Parteirichter.

Willi Dreßen

Öffa s. Deutsche Gesellschaft für öffentliche Arbeiten

Ohm Krüger Unter der Regie von Hans Steinhoff entstand der Film *Ohm Krüger* frei nach dem Roman *Mann ohne Volk* von Arnold Krieger und den Lebenserinnerungen des Burenpräsidenten Paul Krüger. Am 4.4.1941 wurde er in Berlin uraufgeführt und erhielt das Prädikat »staatspolitisch und künstlerisch besonders wertvoll«. Hauptdarsteller waren Emil Jannings, Lucie Höflich, Werner Hinz, Ernst Schröder und Gisela Uhlen; Gustaf Gründgens spielte Joseph Chamberlain. Die nat.soz. Propaganda benutzte die für ihre Zwecke verfälschte historische Vorlage des Burenkriegs, in dem sich die beiden südafrikan. Republiken Oranje und Transvaal gegen die Engländer verteidigten, um vor der geplanten Invasion Englands, dem Unternehmen → Seelöwe, die antibrit. Stimmung zu schüren und die vermeintlich negativen engl. Charaktermerkmale besonders herauszustellen. Am Rande sollten unter dem Schlagwort »Burenkrieg ist gleich Judenkrieg« auch antisemitische Stereotypen transportiert werden. Als Durchhaltefilm ließ Goebbels *Ohm Krüger* 1944 wieder in die Programme der Kinos aufnehmen. *Juliane Wetzel*

OKH s. Oberkommando des Heeres

OKL s. Oberkommando der Luftwaffe

OKM s. Oberkommando der Marine

OKW s. Oberkommando der Wehrmacht

Olympische Spiele 1936 stand Sport im Dienste der NS-Propaganda bei den Winterspielen in Garmisch-Partenkirchen (6.–16.2.) und den Sommerspielen in Berlin (1.–16.8.). 1931 hatte das Internationale Olympische Komitee (IOC) Berlin den Zuschlag für die Austragung der XI. Olympischen Spiele gegeben. Während die NSDAP sich dagegen aussprach, Wettkämpfe gemeinsam mit »Negern und Juden« durchzuführen, sah Hitler darin eine Chance, die »Weltgeltung« des Dritten Reiches zu demonstrieren. Das IOC revidierte seine Entscheidung nicht, trotz der Boykottaufrufe internationaler Sportverbände und dt. Emigranten, trotz der → Nürnberger Gesetze (September 1935) und der → Rheinlandbesetzung (März 1936). Die Spiele wurden durch höchsten finanziellen und organisatorischen Aufwand zu einer beispiellosen ästhetisch-politischen Großinszenierung; die Monumentalanlage des → Reichssportfeldes – Stadion, Maifeld, Glockenturm, Langemarck-Halle – war das erste von Hitler beschlossene Großbauvorhaben.

In den Zeremonien, als deren »Schirmherr« Hitler sich feiern ließ, wurden olympische von nat.soz., sportliche von militärisch-chauvinistischen Ritualen vielfach überlagert. Die dt. Sportler, konditioniert zu »Kämpfern für die Idee unseres Führers«, errangen die meisten Medaillen. Leni Riefenstahls Olympia-Film stilisierte die Spiele zum mythischen Ereignis. Die NS-Realität hinter der glanzvollen Fassade blieb den internationalen Besuchern weitgehend verborgen. Für die Dauer der Spiele waren antisemitische Parolen aus dem Stadtbild entfernt und der Verkauf des Hetz-Blattes → *Der Stürmer* untersagt worden. Weitgehend vergessen ist, daß die Spiele auch zum Anlaß genommen wurden, die → Sinti und Roma aus dem Raum Berlin in ein Lager nach Marzahn zu bringen, wo sie bis zu ihrer → Deportation nach → Auschwitz unter üblen Bedingungen gefangengehalten wurden.

Stefanie Endlich

Literatur:
Hoffman, Hilmar: *Mythos Olympia*, Berlin/Weimar 1993.
Rürup, Reinhard (Hg.): *1936. Die Olympischen Spiele und der Nationalsozialismus. Eine Dokumentation,* Berlin 1996.

Operation Jubilee s. Dieppe

Operation Ultra s. Enigma

Operation Weserübung s. Norwegenfeldzug

Operationszone s. Adriatisches Küstenland, s. Alpenvorland

Opfer der Arbeit Stiftung zur Unterstützung der Hinterbliebenen von tödlich verunglückten Arbeitern, die im Mai 1933 von Hitler gegründet wurde. Im Dezember 1935 wurde sie durch eine Stiftung »O. auf See« erweitert. Die Stiftung wurde durch Spenden finanziert, die nach politischen Gesichtspunkten verteilt wurden. *Willi Dreßen*

Oradour-sur-Glane (Dépt. Haute-Vienne) Am Nachmittag des 10.6.1944 besetzte eine Kompanie der SS-Panzer-Division »Das Reich« aufgrund von Gerüchten über ein angebliches Waffenlager der Résistance die frz. Ortschaft O. Die Einwohner wurden zusammengetrieben. Die Männer wurden von Frauen und Kindern getrennt, in einige Scheunen gebracht und dort erschossen. Andere SS-Angehörige schlossen die Frauen und Kinder in die Kirche ein und zündeten diese an. Jeder, der zu fliehen versuchte, wurde erschossen. Dann zogen die SS-Soldaten plündernd durch den Ort und brannten alle Häuser nieder. Insgesamt 642 Menschen wurden umgebracht, nur 36 konnten entkommen. Eine kriegsgerichtliche Verfolgung wurde von Hitler verhindert. Bei einem Prozeß vor einem frz. Militärgericht 1953 wurden 21 ehemalige Angehörige der SS-Einheit verurteilt; da es sich aber größtenteils um Elsässer handelte, die zum Dienst in der → Waffen-SS gezwungen worden waren, wurden sie kurz darauf amnestiert (→ Nachkriegsprozesse). Die Ruinen des Ortes sind als Mahnmal erhalten, dieser selbst wurde daneben wieder aufgebaut. *Hellmuth Auerbach*

Oranienburg (KZ) In der nördlich von Berlin gelegenen märkischen Kleinstadt O. wurde am 21.3.1933 – dem »Tag von Potsdam« – eines der ersten → Konzentrationslager errichtet. Nach der Ausschaltung der SA-Führung im Zuge des → »Röhm-Putsches« wurde das von der → SA geführte Lager im Juli 1934 von der → SS übernommen und wenig später aufgelöst. Etwa 3000 Häftlinge, die v.a. aus den Reihen der → KPD und → SPD stammten, wurden in dem mitten in der Stadt in einer ehemaligen Brauerei eingerichteten Lager inhaftiert. Mindestens 16 Häftlinge, darunter auch der Schriftsteller Erich Mühsam, wurden hier ermordet. Das KZ ist nicht identisch mit dem im Juli 1936 von der SS am Rande von Oranienburg eingerichteten Konzentrationslager → Sachsenhausen.

Bernward Dörner

Orden und Ehrenzeichen Abzeichen in Form von Medaillen oder Kreuzen für besondere Verdienste. Nach der ordensarmen Zeit der Weimarer Republik erlebten die O. u. E. nach ihrer gesetzlichen Wiedereinführung am 7.4.1933 eine Blüte (Gesetz über Titel, O. u. E. ergänzt am 15.5.1934, ersetzt am 1.7.1937). Seit 1937 konnte die Verleihung von O. u. E. nur noch durch Hitler erfolgen. Zu den wichtigsten O. u. E. bis Kriegsbeginn zählten: das Ehrenkreuz für Frontkämpfer, Kriegsteilnehmer und Kriegshinterbliebene des Ersten Weltkrieges; die »Ehrenzeichen der nat.soz. → Bewegung« (Ehrenzeichen für Mitglieder unter Nr. 100000 [Goldenes Parteiabzeichen]; → Blut-O. in Erinnerung an den 9.11.1923 [→ Hitlerputsch]; Goldenes HJ-Abzeichen; u.a.); O. zum Gedenken an außenpolitische Ereignisse (z.B Österreich-, Sudeten- und Memel-Medaille für Verdienste bei der Besetzung der jeweiligen Länder (→ Anschluß Österreichs; → Sudetenland; → Sudetenkrise; → Memelland); das Spanienkreuz für Angehörige der → Legion Condor. Für sonstige besondere Verdienste in den verschiedensten Bereichen wurden z.B. gestiftet: das Dt. Olympia-E. von 1936; das Mutterkreuz für kinderreiche Frauen (→ Mutterkult); der Verdienst-O. vom Dt. Adler (→ Adlerorden) zunächst nur für ausländische Persönlichkeiten; das E. des Roten Kreuzes für soziale Verdienste (am 1.5.1939 durch das »E. für dt. Volkspflege« ersetzt); die Rettungsmedaille für die Errettung von Menschen aus Lebensgefahr; Dienstauszeichnungen für → SS,

→ RAD, Polizei, Feuerwehr etc.; Dt. National-O. für Kunst und Wissenschaft. Die wichtigsten im Zweiten Weltkrieg geschaffenen O. u. E. waren: Eisernes Kreuz (EK) in vier Abstufungen, wiedergestiftet am 1.9.1939 für besondere Tapferkeit und Truppenführung. Die 3. Stufe bezeichnete das Ritterkreuz mit fünf Unterteilungen: Ritterkreuz des EK, dazu Eichenlaub, dazu Schwerter, dazu Brillanten, und das Ritterkreuz mit goldenem Eichenlaub mit Schwertern und Brillanten. Die 4. Stufe des EK war das Großkreuz. Weitere O.: Dt. Kreuz in Gold und Silber vom 28.9.1941; Kriegsverdienstkreuz in zwei Klassen vom 18.10.1939 für alle Verdienste, die keine Würdigung durch das Eiserne Kreuz finden konnten (am 19.8.1940 erweitert durch das Ritterkreuz als 3. Stufe); Verwundetenabzeichen; verschiedene Kampfabzeichen der Wehrmacht. Außerdem Abzeichen für bestimmte militärische Ereignisse: Ostmedaille für die »Winterschlacht im Osten 1941/42«, oder der Narvik-, Cholm-, Krim-, Demjansk-, Kubanschild. *Alexa Loohs*

Ordensburgen Die Schulung der Parteifunktionäre sollte nach den Vorstellungen des Reichsschulungsleiters Robert Ley in sog. Schulungsburgen erfolgen, von denen bei Kriegsausbruch für die Funktionäre der Gau- und Kreisebene 130 Gau- und Kreisschulungsburgen in Betrieb genommen waren. Für die Schulung der Parteielite waren die sog. O. vorgesehen, deren äußere bauliche Gestaltung nach einer Anregung Hitlers allein schon die Idee des Nat.soz. zum Ausdruck bringen sollte. Bereits ab Februar 1934 wurde an den O. Krössinsee bei Falkenburg in Pommern und »Vogelsang« unterhalb der Urfttalsperre in der Eifel gebaut. Als letzte O. entstand seit Mai 1935 Sonthofen im Allgäu. Alle drei O. wurden 1936 wenige Tage nach Hitlers Geburtstag eingeweiht. Die riesigen Bauvorhaben mit einem Platzangebot für 1000 Schüler und 500 Mann Stammpersonal waren aber bis Kriegsbeginn noch keineswegs abgeschlossen. Nach Leys ursprünglichen Plänen sollte eine Auslese von Absolventen der → Adolf-Hitler-Schulen nach Arbeits- und Wehrdienst (→ RAD; → Wehrpflicht) im Aufnahmealter zwischen 23 und 30 Jahren (ab 26 nur als Verheiratete) zu → Politischen Leitern ausgebildet werden, wobei die O. jährlich gewechselt werden sollte. Aus dem ersten, knapp einjährigen Lehrgang auf »Vogelsang«, der im Mai 1936 begonnen hatte und dem nur → Parteigenossen aus der Zeit vor 1933 angehörten, wurde das Stammpersonal für die drei Burgen genommen. Zu den nächsten Lehrgängen 1937 meldeten sich überwiegend ungeeignete Bewerber, die einen späteren sicheren Arbeitsplatz suchten. Daher konnten sich bereits 1939 auch Nicht-Parteigenossen aus den Reihen der → DAF um Aufnahme bewerben. Mit Kriegsbeginn wurde die Ausbildung abgebrochen und nur 1943/44 auf Krössinsee mit drei Lehrgängen für Kriegsversehrte noch einmal kurzfristig aufgenommen. Wie bei den Adolf-Hitler-Schulen, versuchte während des Krieges Reichsschatzmeister Schwarz im Bunde mit dem Leiter der Parteikanzlei (→ Stellvertreter des Führers), Martin Bormann, Einfluß auf die O. zu gewinnen, indem er die Finanzierung der Schulen übernahm.

Das Lehrangebot der »Schule der Weltanschauung« (Ley) beschränkte sich im theoretischen Teil auf die Hauptgebiete Geschichte, Rassen- und Geopolitik mit den Schwerpunkten Vor- und Zeitgeschichte (→ Rassenkunde; → Geopolitik), ab 1938 kamen noch »Ostfragen« zur Vorbereitung auf die Erweiterung des Reiches nach

Osten hinzu. Teilweise nur auf dem Papier standen Fächer wie Wissenschafts- und Soziallehre, Philosophie und Kunstgeschichte. Überwog in den Schwerpunktfächern die politische Indoktrination, so diente die intensive sportlich-militärische Ausbildung nicht zuletzt der Erziehung zu Gehorsam und Disziplin. Zur Förderung des gesellschaftlichen Selbstbewußtseins wurden auch Reiten, Segeln und Fliegen angeboten. Wegen der geringen Attraktivität der O. für die Adolf-Hitler-Schüler, die, anders als Ordensjunker, mit dem Schulabschluß die Hochschulreife erhielten, blieb das Ausbildungsergebnis der O. an den verbleibenden, von ihren Bildungsvoraussetzungen her häufig überforderten Ordensjunkern jedoch von Anfang an hinter den Erwartungen zurück. Akademische Berufe blieben tabu; selbst der Übertritt in die → Hohe Schule der NSDAP wurde den Absolventen nicht gestattet. Nicht wenige Ordensjunker bemühten sich daher um vorzeitige Entlassung. Damit blieben die O. schon aus äußeren Gründen mehr noch als die Adolf-Hitler-Schulen oder die → Nationalpolitischen Erziehungsanstalten reine Kaderschulen der Partei. *Hermann Weiß*

Literatur:

Arntz, Hans-Dieter: *Ordensburg Vogelsang 1934–1945, Erziehung zur politischen Führung im Dritten Reich*, Euskirchen 1986.
Scholtz, Harald: *Nationalsozialistische Ausleseschulen*, Göttingen 1973.

Ordnungspolizei s. Polizei

Organisation der gewerblichen Wirtschaft Durch Gesetz vom 27.2.1934 verfügte Neugliederung der gewerblichen Wirtschaft, die in sieben Reichsgruppen unterteilt wurde: Industrie (→ Reichsgruppe Industrie); Handwerk; Handel; Banken; Versicherungen; Energiewirtschaft; Fremdenverkehr. Die Mitgliedschaft war für die Unternehmen Pflicht ebenso wie die Zugehörigkeit zur Industrie- und Handelskammer bzw. zu den Innungen. Die Reichsgruppen unterstanden der → Reichswirtschaftskammer, deren Funktionäre für die Wirtschaftslenkung sorgten und Anweisungen des Reichswirtschaftsministeriums durchsetzten. *Willi Dreßen*

Organisation Schmelt Eine SS-Instanz zur regionalen Organisation von → Zwangsarbeit. Ende Oktober 1940 war SS-Brigadeführer Albrecht Schmelt zum Sonderbeauftragten des Reichsführers SS für fremdvölkischen → Arbeitseinsatz in Oberschlesien eingesetzt worden. Bis 1944 wurden Zehntausende, überwiegend aus dem ostoberschlesischen Abstimmungsgebiet stammende Juden unabhängig von der Arbeitsverwaltung rekrutiert und gegen nach Qualifikation gestaffelte Tagesgebühren an Unternehmen des Autobahnbaus oder der Rüstung »verliehen«. Ähnlich verfuhr ab 1942 das → SS-Wirtschafts-Verwaltungs-Hauptamt mit KZ-Häftlingen. Für die Zwangsarbeit errichtete die O. ein Netz von über 170 bewachten Lagern nicht nur in ganz Schlesien, sondern auch im Sudetenland. Da viele Insassen an Unterernährung oder Mißhandlungen starben oder als arbeitsunfähig ermordet wurden, erhielt die O. im Sommer 1942 die Genehmigung, 10 000 westeuropäische Juden aus den Transporten nach → Auschwitz zu mustern. Das als »Vernichtung durch Arbeit« zu charakterisierende Regime der O. umfaßte Anfang 1943 weit über 50 000 Juden. Ab Mitte 1943 wurden Lager bei wichtigen Produktionsstätten in Außenlager der KZ → Auschwitz oder → Groß-Rosen umgewandelt, der Rest aufgelöst, die Insassen deportiert und ermordet (→ Deportationen; → Rassenpolitik und Völkermord). *Wolf Gruner*

Organisation Todt (OT) 1938 für den Bau militärischer Anlagen eingerichtete Organisation. Sie war nach dem → Generalinspekteur für das dt. Straßenwesen und Generalbevollmächtigten für die Regelung der Bauwirtschaft, Fritz Todt (1891–1942), benannt. Ihm oblag nicht nur die Koordination des gesamten Bauwesens, sondern seit 1940 auch die der Produktion von Bewaffnung und Munition. Bereits 1938 war Todt die Bauleitung des → Westwalls übertragen worden. Nach Kriegsbeginn wurde die O. v.a. für Bauvorhaben in den besetzten Gebieten eingesetzt. »Frontbauleitungen« waren für den Wiederaufbau zerstörter Straßen, Brücken und Eisenbahnlinien zuständig. Im Verlauf des Krieges wurden alle militärischen Bauaufgaben, schließlich auch die Bauformationen der Wehrmacht, der O. unterstellt. Auf den Baustellen wurden Hunderttausende von ausländischen Zivilarbeitern, → Zwangsarbeitern, → Kriegsgefangenen sowie Häftlingen der → KZ eingesetzt. Die O. war militärisch strukturiert, und die uniformierten Angehörigen unterstanden einer quasi militärischen Dienstpflicht.

Die O. war eine der bedeutendsten Sonderorganisationen des nat.-soz. Staates. Eine weitgehende Unabhängigkeit von bürokratischen Strukturen, weitreichende Machtpositionen innerhalb ihrer Befugnisse sowie das ihr zur Verfügung stehende Menschenpotential verliehen der O. eine hohe Effizienz bei der Ausführung der Bauaufträge.

Nach Todts Tod übernahm Alfred Speer 1942 seine Nachfolge als Reichsminister für Bewaffnung und Munition und 1943 die Leitung der O.

Armin Bergmann

Ortsgruppe/Ortsgruppenleiter Die O. war die Gebietseinheit der NSDAP unterhalb der → Kreisebene. Sie umfaßte auf dem Lande eine oder mehrere Gemeinden; in Städten entsprach sie Stadtteilen bzw. -vierteln. Zunächst sollten in einer O. 50–500 → Parteigenossen organisiert sein; nach der NSDAP-Organisationsreform des Jahres 1936 wurden O. nach der Anzahl der Haushaltungen ihres Gebiets (höchstens 1500) eingerichtet. Der O.leiter wurde auf Vorschlag des → Kreisleiters vom → Gauleiter ernannt. Er kontrollierte die Zellen- und Blockleiter (→ Block) seines Gebiets. Eine wichtige Aufgabe der O.leiter bestand in der Beobachtung, Betreuung und Überwachung (politische Beurteilung) der in ihrem Hoheitsgebiet wohnenden Bevölkerung.

Bernward Dörner

OSAF s. Oberster SA-Führer

Ostarbeiter s. Fremdarbeiter

Ostbahn Mit der Verordnung über die Verwaltung des Eisenbahnwesens im Gebiet des → Generalgouvernements vom 9.11.1939 wurden die ehemals poln. Staatsbahnen im Generalgouvernement, nunmehr in O. umbenannt und der (Haupt)Abteilung Eisenbahnen der Gouvernementsverwaltung unterstellt, die damit als Generaldirektion der O. fungierte. Als wichtigstes Transportmittel im Güteraustausch mit der Sowjetunion war die O. gezwungen, die Umsetzung des riesigen Transportaufkommens von der Normalspur auf die in der Sowjetunion übliche Breitspur zu bewältigen. Zu diesem Zweck wurden die Umladebahnhöfe Malascewice bei Brest-Litowsk und Zurawica bei Przemysl gebaut. Wegen der kriegsbedingten Verlagerung des Warentransits vom Schiff auf die Schiene mußten schon seit Beginn des Zweiten Weltkriegs der Warenaustausch mit Zentral- und Ostasien und die Beförderung des kriegswichtigen rumänischen Öls im wesentlichen über die O. erfolgen. Diese strategische Bedeutung der O. v.a. für die Rüstungsindustrie wuchs noch mit dem → Ostfeldzug, weil die Versorgung fast der gesamten Ostfront über das Schienennetz und mit dem Fahrzeugpark der O. erfolgte.

Hermann Weiß

Österreich 1938–1945 Nach dem militärisch vollzogenen → Anschluß wurde Ö. rechtlich zunächst als Land eingegliedert, jedoch 1939 durch das »Ostmarkgesetz« aufgelöst und in seinen gewachsenen historischen Strukturen zerstört. Sein Name wurde durch »Ostmark« und 1942 durch den Sammelbegriff »Alpen- und Donaureichsgaue« ersetzt. An die Stelle der früheren Bundesländer traten sieben direkt den zentralen Reichsbehörden unterstellte → Reichsgaue: Wien, Kärnten, Niederdonau, Oberdonau, Salzburg, Steiermark und Tirol. Vorarlberg wurde dem Gau Tirol angeschlossen, Osttirol kam zu Kärnten, das Burgenland wurde aufgelöst und den Gauen Niederdonau und Steiermark zugeteilt. Die Gaue Niederdonau und Oberdonau wurden im Norden um ehemalige sudetendt. Gebiete erweitert. Wien wurde durch Gebiete in seinem Umland beträchtlich vergrößert, wie überhaupt die größeren Städte durch Eingemeindungen erweitert wurden.

Verwaltung und Justiz wurden durch eine Flut von Gesetzen und Verordnungen rasch angeglichen. Die administrativen Spitzenpositionen wurden zur Enttäuschung der österr. Nat.soz. vielfach mit Reichsdeutschen besetzt. Zum Reichskommissar für die Vereinigung Österreichs mit dem Dt. Reich wurde der Gauleiter von Saarpfalz, Josef Bürckel, bestellt.

Die Gold- und Devisenreserven wurden nach Berlin abtransportiert, die Währung im Umrechnungskurs 1 RM = 1,5 S. umgestellt, was einen massiven Aufkauf österr. Betriebe und Firmenanteile begünstigte. Der → Vierjahresplan wurde auf Ö. ausgeweitet, und die neugewonnenen Industrie- und Energieressourcen sowie das bis dahin brachliegende Arbeitskräftepotential ermöglichten es dem Dt. Reich, seine Hochrüstungspolitik ungebremst weiterzuführen. Kriegswirtschaftliche Großinvestitionen wie der Bau der → Reichswerke »Hermann Göring« in → Linz sollten später zur Basis der österr. Schwerindustrie werden.

Der nat.soz. Polizeiapparat wurde bereits in den ersten Tagen der Okkupation installiert, und die Verfolgungsmaßnahmen gegen politische Gegner setzten sofort ein. Der erste Transport von politischen Häftlingen ging am 1.4.1938 in das KZ → Dachau. Die Juden waren in diesen Tagen bösartigen Schikanen und brutalen öffentlichen Demütigungen ausgesetzt, die unter aktiver Beteiligung und Zustimmung eines beträchtlichen Teils der Bevölkerung abliefen. Viele suchten den Freitod. Die Pogrome gegen die Juden im November 1938 brachten eine abermalige Steigerung des antijüdischen Terrors. Die jüdische Bevölkerung wurde entrechtet, beraubt und zur Auswanderung genötigt, später jedoch in Sammelstellen zusammengedrängt und darauf in Konzentrations- und Vernichtungslager deportiert. Insgesamt wurden 65 459 österr. Juden ermordet. Eine überproportional hohe Zahl von Österreichern war an den nat.soz. Massenverbrechen beteiligt (→ Rassenpolitik und Völkermord).

Der Widerstand gegen das NS-Regime forderte bei vergleichsweise geringer Wirksamkeit einen hohen Blutzoll. Insgesamt verloren über 35 300 Österreicher ihr Leben im Widerstand, als → Partisanen, als Soldaten in den alliierten Armeen oder durch vielfältige andere Widerstandsaktivitäten. Rd. 100000 Österreicher waren aus politischen Gründen inhaftiert.

Das österr. Bundesheer wurde in die dt. Wehrmacht integriert. Für die ehemaligen Österreicher bestand → Wehrpflicht. 247000 österr. Soldaten fielen im Zweiten Weltkrieg, 20000 Zivilisten kamen durch Bombenangriffe ums Leben. Noch in den letzten Kriegstagen etablierten sich politische Parteien. Am 27.4.1945 wurde in einer Unabhängigkeitserklärung die Wiedererrichtung der Republik Ö. proklamiert.

Gustav Spann

Litaratur:

Botz, Gerhard: *Die Eingliederung Österreichs in das Deutsche Reich. Planung und Verwirklichung des politisch-administrativen Anschlusses (1938–1940)*, Wien [2] 1976.

Talos, Emmerich/Ernst Hanisch/Wolfgang Neugebauer (Hg.): *NS-Herrschaft in Österreich 1938–1945*, Wien 1988.

Ostfeldzug Der dt. Angriff, der als Unternehmen → Barbarossa am 22.6.1941 ohne vorherige Kriegserklärung und unter Bruch des dt.-sowj. Nichtangriffspakts begann, traf die Sowjetunion trotz einiger Warnungen ungenügend vorbereitet, insbesondere die Rote Armee, die durch die Liquidierung des größten Teils ihrer erfahrenen Kommandeure in den Stalinschen Säuberungen stark geschwächt war. So rückten die dt. Truppen und ihre Verbündeten rasch vor; schon im Herbst waren das Baltikum und große Teile der Ukraine und Weißrußlands besetzt, Hunderttausende von Rotarmisten gingen in dt. Gefangenschaft. Dennoch zeigte sich bald, daß der Widerstand härter war als in den bisherigen Feldzügen. Der Angriff auf Moskau schlug im November 1941 fehl und mündete in einen Rückschlag mit schwersten dt. Verlusten an Menschen, Material und Gelände. Leningrad war auch nach 900-tägiger Belagerung nicht zu erobern. Damit war der geplante → Blitzkrieg gescheitert. Die größeren Ressourcen an Menschen und Material wurden nun für den Kriegsausgang entscheidend.

Unterstützt wurde der Abwehrkampf von einer wachsenden → Partisanenbewegung, die die rückwärtigen dt. Verbindungslinien gefährdete. Die Unterdrückung der slaw. und die Ermordung der jüdischen Bevölkerung sowie die rigorose Ausbeutung des Landes ließen die anfangs v.a. in bäuerlichen Kreisen vorhandenen Sympathien für die »Befreier« rasch in Ablehnung und Haß umschlagen und brachten den Partisanen Zulauf und Unterstützung (→ Einsatzgruppen; → Kommissarbefehl; → Rassenpolitik und Völkermord).

Trotz des raschen dt. Vormarsches war es den Sowjets gelungen, große Teile der kriegswichtigen Industrie – 2600 Betriebe – in Sicherheit zu bringen; im Ural, in Sibirien und Zentral-asien nahmen sie ihre Produktion wieder auf. Zudem erhielt die UdSSR starke materielle Unterstützung von Großbritannien und den USA. Schon in den ersten beiden Kriegstagen sicherten Churchill und Roosevelt Stalin ihre Hilfe zu, am 12.7.1941 wurde ein entsprechendes brit.-sowj. Abkommen unterzeichnet, am 2.8. folgten die USA, die schon in den ersten drei Monaten für 145 Mio. US-Dollar Kriegsmaterial lieferten.

Die dt. Offensive des Jahres 1942 gewann zwar noch einmal weite Gebiete, Südrußland bis zur Wolga und den Nordkaukasus, überspannte aber die dt. Kräfte völlig und endete in der Katastrophe von → Stalingrad (Kapitulation der 6. Armee am 31.1. bzw. 2.2.1943). Von nun an lag das Gesetz des Handelns bei der Roten Armee, die in der Schlacht bei Kursk (Unternehmen → Zitadelle; Juli 1943) einen letzten dt. Angriff zunichte machte. Anfang 1944 erreichte die Rote Armee die alte poln.-sowj. Grenze, im März Czernowitz. Anfang Mai 1944 eroberten die sowj. Truppen die Krim, nach dem Zusammenbruch der Heeresgruppe Mitte im Juni/Juli 1944 standen die Sowjets im August an der Weichsel, gleichzeitig wechselte das verbündete Rumänien auf die Seite der Alliierten, danach ging der gesamte Balkan verloren. Im September drangen die Sowjets in die Slowakei, im Oktober in Ostpreußen und Ungarn ein, im Januar 1945 erreichten sie die Oder. Das eingeschlossene Berlin kapitulierte am 2. Mai, am 8. Mai beendete die dt. → Kapitulation den Krieg in Europa (→ Weltkrieg 1939–1945).

Der O. kostete die Sowjetunion ungeheure Verluste. Mehr als 20 Mio. Menschen waren ihm zum Opfer gefallen, über 25 Mio. waren obdachlos, Tausende von Dörfern und Städten lagen in Trümmern, 6000 Betriebe mußten wieder aufgebaut werden, die Infrastruktur war zerstört. In einer riesigen Anstrengung gelang es der UdSSR bis zum Ende des Jahrzehnts, die materiellen Folgen des dt. Überfalls zu beseitigen – mehr als 3 Mio. dt. → Kriegsgefangene haben dazu beigetragen. Die Verluste der dt. Wehrmacht beliefen sich auf rd. 3 Mio. Gefallene und eine schwer schätzbare Zahl von Toten in sowj. Gefangenschaft. *Gert Robel*

Literatur:

Bonwetsch, Bernd: Der ›Große Vaterländische Krieg‹: Vom deutschen Einfall bis zum sowjetischen Sieg (1941–1945), in: *Handbuch der Geschichte Rußlands*, Bd. 3, Stuttgart 1992, S. 909–1008.

Ostforschung Die vor und während der Zeit des Dritten Reiches betriebene O. war nicht mit der damaligen und heutigen Osteuropaforschung identisch. »Ostforscher« interessierten sich weniger für die Geschichte und Kultur der osteuropäischen Völker, deren Sprachen sie noch nicht einmal beherrschten, sondern mehr oder minder ausschließlich für die angeblich kulturbringenden Leistungen der Deutschen in einem Gebiet, das »Ostmitteleuropa« oder auch »Zwischeneuropa« genannt wurde und sich von den balt. Staaten über Polen, Tschechien, die Slowakei und Ungarn bis Rumänien erstreckte. Dieser »Raum« sei im Zuge der »dt. Ostkolonisation« oder »Ostbewegung«, die einige mit der Völkerwanderungszeit beginnen und mit dem Landesausbau im Zeitalter des Absolutismus enden ließen, so von »den« Deutschen geprägt worden, daß er als »dt. Volks«- bzw. »Kulturboden« anzusehen sei. Mit dieser »Volks- und Kulturbodentheorie« wurden politische, genauer gesagt ostimperialistische Forderungen legitimiert. Folglich beteiligten sich auch verschiedene »Ostforscher« an der ideologischen Vorbereitung und Durchführung des → Ostfeldzuges und an der Ausarbeitung des → Generalplans Ost. Trotz dieser politischen und ideologischen Belastungen führten einige »Ostforscher« ihre Tätigkeit nach 1945 fort. Die Ziele und Methoden dieser im höchsten Grade ideologisierten Wissenschaftsdisziplin wurden erst in den 60er Jahren in Frage gestellt. O. gilt heute nicht mehr als anerkannte Wissenschaft. *Wolfgang Wippermann*

Literatur:

Burleigh, Michael: *Germany turns eastwards. A study of »Ostforschung« in the Third Reich*, Cambridge 1988.

Osthofen (KZ) In der Gemeinde O., nördlich von Worms, damals in Hessen, heute in Rheinland-Pfalz gelegen, existierte in einer ehemaligen Papierfabrik von März 1933 bis Ende Juni 1934 ein KZ. Nach zeitgenössischen Zeitungsberichten war es das erste in Hessen. Eine Anordnung des Staatskommissars für das Polizeiwesen in Hessen, Werner Best, zur Schaffung des KZ O. datiert vom 1.5.1933, erste Häftlingsberichte nennen aber den 8.3. Inhaftiert waren politische Gegner, (Funktionäre der → KPD, → SPD, des → Zentrums, der → Gewerkschaften, des → Reichsbanners Schwarz-Rot-Gold), darunter eine Frau, aber auch → Juden, die besonders schikanös behandelt wurden – z.B. mußten sie in einem Stacheldraht-Käfig tagelang im Kreis gehen. Die Zahl der Häftlinge lag zwischen 250 und 400, ab April 1934 wurden sie sukzessive in andere Lager überstellt. Prominentester Häftling war Carlo Mierendorff (SPD-MdR). In die Literatur eingegangen ist das KZ O. durch Anna Seghers' Roman *Das siebte Kreuz* (1941). *Wolfgang Benz*

Ostindustrie s. SS-Wirtschaftsunternehmen

Ostmark s. Österreich

Ostwall Nach dem Scheitern des Unternehmens → Zitadelle (→ Ostfeldzug) befahl Hitler am 12.8.1943 den Aufbau einer Verteidigungslinie an Dnjepr und Desna, die von der dt. Propaganda, analog zum → Westwall, O. genannt wurde. Der noch kaum ausgebaute, auch unter dem Codenamen »Panther-Stellung« bekannte O. wurde bereits am 21.9.1943 von der sowj. Zentralfront beiderseits der Pripjetmündung und tags darauf von der 3. Garde-Panzerarmee bei Perejaslawl (Raum Kiew) durchbrochen. Der im Gebiet der Heeresgruppe Nord von Narwa entlang dem Peipussee über Pskov (Pleskau) bis in den Raum westlich von Newel verlaufende Abschnitt des O. konnte von dt. Truppen bis in das Jahr 1944 gehalten werden.

Karsten Krieger

OT s. Organisation Todt

Overlord, Operation s. Invasion

P

Palästina Der Name P. (hebr. Erez-Israel) stammt aus dem 2. Jh. n. Chr; Siedlungen der Israeliten sind seit 1200 v. Chr. nachweisbar. Mit der Eroberung P. durch die Briten im Ersten Weltkrieg schied P. aus dem türk. Reich aus. 1922 wurden die ehemaligen türk. Verwaltungsbezirke Akko, Nablus und Jerusalem (23 000 km^2; 673 193 Einwohner) vom → Völkerbund zum Mandatsland erklärt und unter brit. Hoheit gestellt.

Bereits 1917 hatte die Balfour-Deklaration die Errichtung einer eigenen jüdischen Heimstätte auf dem Boden P. in Aussicht gestellt, was zu einer verstärkten Einwanderung (*alija*) führte. Die Zahl der Einwohner P. stieg bis 1929 auf 933 142; mit 18,1 % (168 000) bildeten die → Juden nach den Moslems die zweitgrößte Gruppe. Die arabische Bevölkerung leistete gegen das kontinuierliche Ansteigen jüdischer Zuwanderer Widerstand, der zum Gegenterror jüdischer Untergrundorganisationen führte. Die brit. Mandatsmacht beschloß 1937 die Einwanderung auf 10 000 Personen jährlich zu beschränken. Diese Verordnung trat in Kraft, als die europäischen Juden bereits der NS-Verfolgung ausgesetzt waren (→ Endlösung; → Rassenpolitik und Völkermord); 1933–1941 konnten sich daher nur rund 55000 Flüchtlinge nach P. retten. Erst nach der aufgrund des UN-Teilungsbeschlusses vom November 1947 erfolgten Gründung des Staates Israel im Mai 1948 wurden die Einwanderungsbeschränkungen 1949 vollständig aufgehoben.

Juliane Wetzel

Palästina-Amt Dienststelle der Jewish Agency for Palestine, deren Zentrale in Berlin sowie 22 Zweigstellen im

Dt. Reich nur für die Auswanderung nach Palästina zuständig waren. Dem P. oblag die Auswahl der Emigranten (→ Emigration), die Vorbereitung auf die Auswanderung (*hachschara*) sowie die Durchführung der Wanderung (Visa, Personaldokumente, Transport). Nach der → »Reichskristallnacht« wurde das P. der → Reichsvertretung der dt. Juden bzw. im Juli 1939 der Reichsvereinigung der Juden in Deutschland eingegliedert, behielt allerdings bis zum Frühjahr 1941 eine Sonderstellung und konnte weitgehend eigenständig arbeiten. *Juliane Wetzel*

Paltreu Die Palästina-Treuhandstelle zur Beratung dt. Juden G.m.b.H. wurde für die Abwicklung des → Haavara-Abkommens eingerichtet. Der Palästina-Auswanderer zahlte sein zu transferierendes Kapital auf Treuhandkonten der Gesellschafter der P., die jüdischen Privatbanken M. M. Warburg & Co. in Hamburg und A. E. Wassermann in Berlin, zugunsten der bei der Reichsbank errichteten Sonderkonten ein, aus denen die dt. Warenlieferungen nach Palästina bezahlt wurden. Den Gegenwert erhielt der Auswanderer dort in Form von Häusern oder Pflanzungen. *Juliane Wetzel*

Paneriai s. Ponary

Panther-Stellung s. Ostwall

Panzerbär s. Reichshauptstadt

Papenstreich s. Preußenschlag

Parole der Woche Von der Reichspropagandaleitung der NSDAP von April 1936 bis Februar 1943 herausgegebene wöchentliche Publikation mit dem Untertitel »Parteiamtliche Wandzeitung der NSDAP«, die zum öffentlichen Aushang bestimmt war. Die P. knüpfte oft an aktuelle politische Ereignisse an, vermittelte in leicht verständlicher Form ideologische Botschaften und gefestigte Feindbilder. Die P. war im März 1936 (2 Ausgaben) von der Hauptstelle »Aktive Propaganda« der Reichspropagandaleitung der NSDAP zur Reichstagswahl entwickelt worden; die Ausgaben wurden in Dienststellen, Betrieben, Bahnhöfen, Gaststätten, an Straßen usw. ausgehängt. *Wolfgang Benz*

Parteiabzeichen Das Abzeichen der → NSDAP dokumentierte die Zugehörigkeit des Trägers zur regierenden Staatspartei. Durch das Tragen des P. dokumentierte man nicht nur seine nat.soz. Gesinnung, sondern auch seine Nähe zur Partei- und Staatsführung. Das Abzeichen war somit auch ein Symbol der Teilhabe der Parteigenossen an der Macht. Je deutlicher sich der Untergang des NS-Regimes abzeichnete, desto mehr sank die Neigung der NSDAP-Mitglieder, ihr P. zu tragen. Der Mißbrauch des P. wurde hart bestraft (→ Heimtücke-Gesetz). Es durfte nur von Vollmitgliedern der Partei getragen werden. → Parteigenossen, die bei jüdischen Firmen arbeiteten, durften das P. »im Geschäftsdienst« nicht anlegen. Das P. wurde auf der linken Uniformbrusttasche, bei einigen → Gliederungen der Partei traditionell auf der Krawatte, am Zivilanzug auf dem linken Revers getragen.

Bernward Dörner

Parteiamtliche Prüfungskommission zum Schutze des nationalsozialistischen Schrifttums (PPK) Gegründet am 16.4.1934 durch Verfügung des → Stellvertreters des Führers, Leitung Philipp Bouhler (der sein Amt als Reichsgeschäftsführer der → NSDAP dafür niederlegte), sollte die P. v.a. das nach der → »Machtergreifung« gewinnträchtige, nat.soz. aufgemachte »Konjunkturschrifttum« bekämpfen, d.h. → Zensur gegen unerwünschte Interpretationen von NS-Geschichte und NS-Realität ausüben. Darüber hinaus war es ihre Funktion, Profite für den parteieigenen → Eher-Verlag zu sichern. Als dessen getarntes Vorlektorat fungierte die Dienststelle inoffiziell, sicherte sich aber durch Verfügung des Stellvertreters des Führers vom 6.1.1936 auch die Befugnis zur selbständigen Auftragsvergabe an Parteistellen und → Parteigenossen. Für Druckerzeugnisse mit nat.soz. Thematik bestand Vorlagepflicht der Verleger. Zu den wesentlichen Machtinstrumenten, die einer rivalisierenden Institution wie dem → Amt Rosenberg fehlten, gehörte u.a. die Befugnis, ggf. ein Vertriebsverbot aussprechen zu können (offiziell anerkannt von der ebenfalls rivalisierenden Reichsschrifttumskammer [→ Reichskulturkammer] am 16.4.1935) sowie das Recht, die Durchsetzung des Verbots auch ohne Fühlungnahme mit Reichsschrifttumskammer und → Reichsministerium für Volksaufklärung und Propaganda selbständig bei der → Gestapo beantragen zu dürfen (nochmals anerkannt durch Hitler im März 1941).

Die P. dehnte ihre Überprüfungsansprüche nicht nur auf parteiverwandte Veröffentlichungen aus, sondern auch auf das gesamte wissenschaftliche, erzieherische und volksbildnerische Schrifttum, für dessen Überwachung dem → Reichsministerium für Wissenschaft, Erziehung und Volksbil-dung eine gemeinsame Kommission aufgenötigt wurde (Abkommen vom 14.7.1937). Im Oktober 1940 wurde die P. dazu ermächtigt, die Verleger von Schulbüchern ggf. – und Anlässe gab es offenbar genug – zur Veränderung von Konzeption und Texten zu veranlassen. Eine damals errichtete Reichsstelle für das Schul- und Unterrichtsschrifttum bemühte sich um die Abfassung neuer Lehrbücher unter nur noch formeller Einbeziehung des Ministeriums. Der Ausbau zu einem zentralen »Schrifttumsamt« der NSDAP mit Befugnis zur Ausübung von Vorzensur, beides spätestens seit 1937 angestrebt, schei-terte an den Protesten Rosenbergs und des Eher-Verlages (Max Amann) und kam auch 1943 trotz einer Zusage Hitlers nicht zustande.

Die Entwicklung der P. war symptomatisch für den Machtkampf, in dem sich die Dienststelle, wie die meisten anderen Einrichtungen des NS-Regimes, nur durch ständige Kompetenzausweitung behaupten konnte: Bouhler, der sich allerdings auch durch sein Amt als Chef der → Kanzlei des Führers (berufen am 17.11.1934) in Hitlers Nähe befand und von ihm gelegentlich unterstützt wurde, übernahm im Oktober 1939, und zwar durchaus, damit ihm kein anderer zuvorkäme, den »Euthanasie«-Auftrag Hitlers mit der Folge des ersten Massenmordes im Dritten Reich (→ Aktion T4; → Medizin). Nach dem Untergang des NS-Staates richtete Bouhler sich selber.

Reinhard Bollmus

Literatur:

Barbian, Jan-Pieter: *Literaturpolitik im »Dritten Reich« Institutionen, Kompetenzen, Betätigungsfelder.* Frankfurt am Main 1993.

Noakes, Jeremy: Philipp Bouhler und die Kanzlei des Führers. Beispiel einer Sonderverwaltung im Dritten Reich, in: Dieter Rebentisch/Karl Teppe (Hg.): *Verwaltung contra Menschenführung. Studien zum politisch-administrativen System.* Göttingen 1986, S. 208–236.

Parteigenosse/in Als P. (Abk. »Pg.«) bezeichnete die → NSDAP ihre Mitglieder. Grundsätzlich konnte jeder »arische« Deutsche (→ Abstammungsnachweis) nach vollendetem 18. Lebensjahr P. werden. Ausgenommen waren Freimaurer, Theosophen und Fremdenlegionäre. Es gab keinen Zwang, der NSDAP beizutreten. Nach dem 30.1.1933 traten viele in die Partei ein, weil sie sich persönliche Vorteile davon versprachen. Wegen der vielen → »Märzgefallenen« erließ die Parteiführung im April 1933 eine jahrelange Eintrittssperre. Sie galt allerdings nicht für → HJ-, BDM- und Stahlhelm-Mitglieder. Im Frühjahr 1937 wurde sie für »Parteianwärter« gelockert. Häufig übte die NSDAP in der Folgezeit auf Beamte und Angestellte in Schlüsselstellungen Druck aus, der Partei beizutreten. 1945 zählte die NSDAP rund 8,5 Mio. Mitglieder. *Bernward Dörner*

Parteigerichte s. Oberstes Parteigericht

Parteikanzlei s. Stellvertreter des Führers

Parteiprogramm der NSDAP s. Ideologie, s. Nationalsozialismus

Parteitage s. Reichsparteitage

Partisanen Üblicherweise beschreibt der Begriff P. in feindlich besetztem Gebiet operierende irreguläre Verbände, die in Form militärischer Widerstandshandlungen einen zumindest partiell entwickelten nationalen Befreiungsanspruch verfechten. Im nat.soz. Sprachgebrauch weist der Terminus bestimmte Charakteristika auf, die ihn frühzeitig als Gegenstand gezielter politischer Funktionalisierung kennzeichnen: Einerseits wurden dt.-freundliche Einheiten wie die litauischen Nationalisten, die sich in den ersten Tagen des Unternehmens → Barbarossa an → Pogromen beteiligten, als P. bezeichnet; andererseits war die Besatzungsmacht nicht bereit, antidt. Widerstand als völkerrechtlich legitime Befreiungshandlung zu verstehen. Am deutlichsten trat dies im als Vernichtungsfeldzug konzipierten Krieg gegen die Sowjetunion zutage: Bereits in der Angriffsplanung war festgelegt, daß völkerrechtliche Bedenken fehl am Platze seien und der Kampf »rücksichtsloses und energisches Durchgreifen gegen bolschewistische Hetzer, Freischärler, Saboteure, Juden und restlose Beseitigung jedes aktiven oder passiven Widerstandes« erfordere. Der von Stalin ausgerufene P.-Krieg bot nach Einschätzung Hitlers »die Möglichkeit, auszurotten, was sich gegen uns stellt«.

In der Folgezeit wurde P. in der besetzten Sowjetunion, in Polen und auf dem Balkan als Sammelbegriff für dt.-feindliche Aktivisten jeglicher Couleur benutzt, auch wenn diese weder über eine klare Strategie militärischen Widerstandes noch über eine einheitliche Organisationsstruktur verfügten. In Ost- und Südosteuropa fand die Besatzungsmacht keine festgefügte P.-Organisation vor; sie entstand erst als Reaktion auf die repressive Okkupationspolitik. Nationale, politische und regionale Rahmenbedingungen spielten dabei eine ebenso wichtige Rolle wie der unterschiedliche Grad dt. Gewaltbereitschaft. So blieben die Repressionsmaßnahmen gegenüber P. im Westen bis zur Landung der Alliierten in der Regel im Rahmen des → »Nacht-und-Nebel-Erlasses« vom Dezember 1941, während im Osten die organisierte Vernichtung von Zivilisten – Juden, Kommunisten und »Zigeunern«, Männern, Frauen und Kindern – mit der »Befriedung« des Landes einherging. Ihrer Natur nach verlangte die P.-Tätigkeit einen hohen Grad an Rückhalt in der Bevölkerung, geeignetes Gelände sowie Mobilität – Faktoren, die eine organisatorische Zusammenfassung der Kräfte nur bedingt sinnvoll erscheinen ließen. Die Entstehung von P.-Gruppen war somit stark vom Vorhandensein funktionsfähiger Untergrundzellen sowie vom Engagement einzelner abhängig.

Mit dem dt. Überfall auf die → Sowjetunion (→ Ostfeldzug) bildete sich in den besetzten Ländern der kommunistische Widerstand als Kern der P.-Bewegung heraus, wobei aus der Vorkriegszeit tradierte politische Divergenzen zu bürgerlichen Gruppierungen an Schärfe gewannen. So kämpften verschiedene Fraktionen in → Polen, → Griechenland und → Jugoslawien, aber auch im Westen der Sowjetunion, nicht nur gegen die Besatzungsmacht, sondern auch gegeneinander. Ebenso diffus wie die Binnenstruktur blieben die Bedingungen, die an die Aufnahme in die Reihen der P. geknüpft waren. Dazu gehörte bei kämpfenden Einheiten in der Regel die Fähigkeit zum militärischen Einsatz. Gerade im Westen der Sowjetunion, einem der Schwerpunkte der P.-Bewegung ab 1943, blieben aus den → Ghettos entflohene Juden – insbesondere Frauen, Alte und Kinder – ausgeschlossen, wenn nicht (wie im Falle der Gruppe um Tuvia Bielski in Weißrußland) ein P.-Kommandeur von sich aus Schutz bot. Für die Juden, die nach nat.soz. Verständnis als P.-Helfer, nicht aber als aktive Kämpfer galten, bestand besonderer Grund zur Flucht in den Untergrund: Während die Angehörigen des kommunistischen und nationalistischen Widerstandes das Herannahen der Front abwarten konnten, bedurften die vom Vollzug der → Endlösung der Judenfrage Betroffenen sofortiger Hilfe, die die P.-Bewegung auf dem Höhepunkt der Tötungswelle nur sehr marginal zu bieten in der Lage war.

Mit dem Anwachsen des Widerstands in Ost- und Südosteuropa begann die Besatzungsmacht die von vornherein diffuse Trennungslinie zwischen Vergeltungsmaßnahmen und offenem Terror auch begrifflich zu verwischen. Im Sommer 1942 befahl Heinrich Himmler, in der dienstlichen Korrespondenz statt »Partisanen« nur noch die Termini »Banditen, Franktireurs und kriminelle Verbrecher« zu benutzen. Gleichzeitig ernannte Himmler einen »Bevollmächtigten für die Bandenbekämpfung«, der die europaweite Unterdrückung der P.-Bewegung durch Einheiten der SS, Polizei und Wehrmacht leiten sollte. Es war kein Zufall, daß dieser Posten dem für Weißrußland zuständigen → Höheren SS- und Polizeiführer Rußland-Mitte, Erich von dem Bach-Zelewski, übertragen wurde. Seit der dt. Niederlage in → Stalingrad nahm der Umfang der P.-Tätigkeit rapide zu; die Stärke der P.-Bewegung sollte aber dennoch nicht überbewertet werden: In der Sowjetunion standen 1943 Schätzungen zufolge 200 000–300 000 aktiven Kämpfern mindestens doppelt so viele Kollaborateure in den Reihen der Wehrmacht und Polizei gegenüber (→ Kolloboration). Hinzu kam die relativ geringe militärische Bedeutung des Krieges im Besatzungsgebiet, der auf seiten der P. hohe Verluste nach sich zog. Von den kommunistisch kontrollierten P. im Gebiet der Sowjetunion erlebten zwischen einem Drittel und der Hälfte die Befreiung nicht mehr; bei den jüdischen P. betrug die Todesrate etwa 80 %. *Jürgen Matthäus*

Literatur:

Michel, Henri: *The Shadow War. European Resistance 1939–1945*, New York 1992.
Tec, Nechama: *Defiance. The Bielski Partisans*, New York/Oxford 1993.

Paulusbund Bezeichnung für den seit 1936 unter diesem Namen bekannt gewordenen »Reichsverband christlich-dt. Staatsbürger nichtarischer oder nicht rein arischer Abstammung e.V.«, gegründet am 20.7.1933 in Berlin als Zweckverband katholischer und evangelischer Christen jüdischer Abstammung mit Ortsgruppen im gesamten Dt. Reich. Nach den → Nürnberger Gesetzen wurde zunehmender Druck auf den Verband ausgeübt, die volljüdischen Mitglieder auszuschließen. Im August 1936 kam es – bei unveränderter Zusammensetzung – durch Verfügung von Reichskulturwalter Hinkel zu der Namensänderung »P. Vereinigung nichtarischer Christen e.V.«. Im März 1937 teilte sich der P. in eine »Vereinigung 1937« (Mischlingsstatus als Voraussetzung für die Mitgliedschaft) und ein »Büro Heinrich Spiero«. Der frühere Vorsitzende, H. Spiero, betreute die Volljuden bis Juli 1939, bis zur Angliederung dieses Verbandes an die Hilfsorganisation der evangelischen Kirche, das »Büro Heinrich Grüber«. Die »Vereinigung 1937« wurde am 11.8.1939 und das »Büro Grüber« Anfang 1941 von der Gestapo liquidiert.

Sigrid Lekebusch

Peenemünde Gemeinde im Norden der Ostseeinsel Usedom, Forschungsstätte und Versuchsgelände für Raketenwaffen. Seit 1936 erprobte das Heer (Leitung: Dornberger, v. Braun) die Fernrakete A-4 (→ V-Waffen); erster erfolgreicher Abschuß am 3.10.1942. In Konkurrenz zum Heer entwickelte die Luftwaffe in unmittelbarer Nähe seit 1943 eine Flugbombe namens »Kirschkern«, bekannter als V1. Ein gegen diese Projekte gerichteter Großangriff der brit. Royal Air Force am 18.8.1943 (→ Luftangriff) führte nur zu einer geringen Verzögerung des Raketenprogramms; die Fertigung der ab Sommer 1944 gegen → Großbritannien eingesetzten V2 wurde in bombensichere Schachtanlagen im Harz (→ Dora-Mittelbau) verlegt. *Elke Fröhlich*

Penzberger Mordnacht s. Werwolf

Pfarrernotbund Im September 1933 erfolgter Zusammenschluß der oppositionellen Sammlungsbewegung in der evangelischen Pfarrerschaft gegen die → Dt. Christen und die von ihnen beherrschten Kirchenregierungen. Einer der Anlässe für die Gründung des P. durch Martin Niemöller war die Übernahme des staatlichen → Arierparagraphen in die Kirche durch die Dt. Christen. Der P. sah darin eine Verletzung des Bekenntnisstandes der Kirche und verpflichtete seine Mitglieder demgegenüber erneut auf die Heilige Schrift und die Bekenntnisse der Reformation. Mit seinen Mitgliedsbeiträgen unterstützte der P. die von den Kirchenbehörden gemaßregelten Pfarrer finanziell. Der P., der von einem Bruderrat geleitet wurde und eine Geschäftsstelle in Berlin unterhielt, wurde zu einer der wichtigsten Wurzeln der → Bekennenden Kirche.

Carsten Nicolaisen

Pfeilkreuzpartei – Hungaristische Bewegung (Parteisymbol: ein dem Hakenkreuz ähnelndes Pfeilkreuz; Parteiuniform: grüne Hemden und Schnürstiefel) Faschistische Gruppen traten im Gefolge der Weltwirtschaftskrise erstmals im Dezember 1931 in Ungarn auf. Nach mehreren Spaltungen und Zusammenschlüssen im Verlauf von zehn Jahren kristallisierte sich im September 1941 die Sammlungsbewegung »Parteibündnis Ungarische Erneuerung – Nationalsozialistisches Parteibündnis« als stärkste NS-Partei Ungarns noch vor der P. heraus. Die P.-Hungaristische Bewegung war am 1.3.1935 zunächst als »Partei des Willens der Nation« (NAP) von dem ehemaligen Major Ferenc Szálasi gegründet worden; sie schaffte noch im selben Jahr den Einzug in das Parlament. Sie vertrat eine revisionistische groß-ungarische Außenpolitik, deren Ziel die Bildung eines von Ungarn geführten Bundesstaates unter Einbeziehung des gesamten Karpatenbeckens war. Innenpolitisch strebte die P. einen Agrarstaat mit eigener Industrie an. Zur Durchsetzung dieser Ziele sollte ein extrem rassistischer, autoritärer Führerstaat errichtet werden. Während zwischen 1933 und 1944 die ungar. Regierungen zur Realisierung einer revisionistischen, antisowjetischen Außenpolitik zunehmend enger mit Deutschland zusammenarbeiteten, grenzten sie sich innenpolitisch mehr oder weniger von den nat.soz. Parteien im Lande ab. Auf den Deutschland-Besuch Szálasis im Herbst 1936, der u.a. eine verstärkte Werbung der P. unter der städtischen Arbeiterschaft zur Folge hatte, antwortete die Regierung im April 1937 mit der Auflösung der Partei und der Verhaftung ihres Führers. Im Oktober 1938 entstand daraufhin mit Zustimmung Szálasis aus einem Parteibündnis die »Ungarische Nationalsozialistische Partei«, die bereits im Februar 1938 ebenfalls verboten wurde. Aus Zusammenschlüssen, z.T. mit Abspaltungen von christlichen und agrarischen Parteien, sowie durch Umbenennungen entstand im August 1938 die Ungarische National-Sozialistische Partei – Hungaristische Bewegung. Streiks, Demonstrationen, bewaffnete Aktionen einschließlich eines Bombenanschlags gegen die Budapester Synagoge, ferner die Aufstellung eines Freikorps bei der Teilung der Tschechoslowakei, standen in engem Zusammenhang mit inzwischen zu führenden Funktionären der Partei aufgestiegenen Persönlichkeiten wie Emil Kovarcz, László Baky, László Endre, Gábor Vajna, später alle Mitglieder der P.-Regierung. Parteiblatt war seit 1938 *Virradat* (»Morgendämmerung«) unter der Herausgeberschaft von István Milotay; als Parteiideologe fungierte der spätere Leiter des Instituts für Judenforschung, Zoltán Bosnyák. Nach der Verurteilung Szálásis zu drei Jahren Haft gründete K. Hubay im Frühjahr 1939 schließlich die P. (ab 24.2.1942 P. – Hungaristische Bewegung), die in den Parlamentswahlen vom Mai 1939 31 Sitze errang. Unter dem Zwang zu nationaler Geschlossenheit ließ die Regierung Szálasi frei, der im September 1940 die »Ungarische National-Sozialistische Partei« des Grafen Pálffy übernahm u. damit über 42 Parlamentssitze verfügte. Wegen der Radikalität Szálasis kam es ab 1941 zur Krise der Partei; Intelligenz und Mittelschichten wanderten z.T. zu anderen nat.soz. Parteien ab. Die P. blieb bis 1944 auch für die dt. Seite ohne Bedeutung. Nach der Besetzung Ungarns durch dt. Truppen im März 1944 setzte die ungar. Regierung bevorzugt Mitglieder der P. im Bereich der Judendeportationen ein. Reichsverweser Horthy ließ nach der Niederschlagung des Putsches von László Baky und László Endre die P. am 24.8.1944 verbieten. Als offenkundig wurde, daß Horthy sich um einen Waffenstillstand mit den Alliierten bemühte, griff die dt. Besatzungsmacht im Oktober 1944 doch noch auf die P. und ihren Führer Szálasi zurück und setzte die Übernahme der Regierungsgewalt durch den »Volksführer« durch. Die Szálasi-Regierung veranlaßte umgehend, daß alle Männer zwischen 17 und 60 Jahren zum Kriegsdienst eingezogen, alle noch nicht deportierten Juden im Alter von 12–70 Jahren beim Stellungsbau eingesetzt oder sofort nach Auschwitz in Marsch gesetzt wurden. Bis zur Befreiung des Landes durch die Rote Armee überzog die P. Ungarn mit blutigem Terror; über ein Viertel des Staatsschatzes wurde nach Deutschland gebracht. Von einem nach dem Vorbild des Nürnberger Gerichtshofes eingerichteten Volksgericht wurden Szálasi und andere Funktionäre der P. im Februar 1946 zum Tode verurteilt und einen Monat später in Budapest hingerichtet.

Ágnes Ságvári

Literatur:
Szöllösi-Janze, Margit: *Die Pfeilkreuzlerbewegung in Ungarn. Historischer Kontext, Entwicklung und Herrschaft,* München 1989.

Pflichtarbeit Eine in der Weimarer Fürsorge- und Arbeitsgesetzgebung zur Prüfung des individuellen Arbeitswillens von Sozialunterstützten vorgesehene befristete und unbezahlte Maßnahme. In der NS-Zeit wurde P. massenhaft von Wohlfahrts- und Arbeitsämtern als Disziplinierungsmittel gegen angeblichen Leistungsmißbrauch, aber auch als Verfolgungsinstrument in der → Sozialpolitik eingesetzt. Ab 1936/37 richteten Ämter isolierte P.-Maßnahmen für Juden oder Sinti und Roma ein, die Sozialleistungen nun generell abarbeiten mußten. Die von vielen Städten als billiges Arbeitskräftereservoir genutzten P.-Programme wurden mit Kriegsbeginn aufgelöst, »arische« Unterstützte den Arbeitsämtern für den → Arbeitseinsatz, jüdische für den »geschlossenen« Arbeitseinsatz überstellt. *Wolf Gruner*

Pflichtjahr Zur Lenkung und Erhöhung des → Arbeitseinsatzes von jungen Frauen bestand ab 1938 als Zwangsmaßnahme das ein Jahr dauernde P. für 18- bis 25jährige. Die Teilnahme galt als Voraussetzung für eine spätere Berufstätigkeit. Von dieser von den Arbeitsämtern zu vermittelnden und in einer Land- bzw. Hauswirtschaft abzuleistenden Dienstpflicht waren nur Frauen befreit, die ohnehin in diesen Bereichen tätig waren. *Kurt Schilde*

Pg. s. Parteigenosse

Phoenix GmbH s. Eher-Verlag

Pimpf s. Hitler-Jugend

Plötzensee Das Gefängnis P. in Berlin war bis 1942 zentrale Hinrichtungsstätte aller vom → Volksgerichtshof und vom Kammergericht Berlin zum Tode Verurteilten und neben dem Zuchthaus → Brandenburg-Görden die größte in Norddeutschland. Zunächst waren es nur dt., ab 1942 politische Gegner und Widerstandskämpfer aus 19 europäischen Nationen (→ Widerstand). Die Zahl der ermordeten Frauen, Männer und Jugendlichen wird auf 2500 geschätzt, unter ihnen Mitglieder der Schulze-Boysen/Harnack-Gruppe (→ Rote Kapelle), der → Herbert-Baum-Gruppe, des → Kreisauer Kreises und des → 20. Juli, aber auch Per-sonen, die wegen kleiner Delikte als → »Volksschädlinge« verurteilt worden waren. Während Enthauptungen zunächst mit dem Beil, ab 1935 durch die Guillotine vorgenommen wurden, erweiterte man Ende 1942 die Tötungspraktiken durch Anbringen einer Laufschiene mit acht Haken als Galgen. Einen Höhepunkt erreichten die Hinrichtungen vom 7.–9. September 1943, als 360 Menschen erhängt wurden. *Maria-Luise Kreuter*

Plutokratie Im Griechischen »Reichtumsherrschaft«, ab Mitte des 19. Jh. Charakterisierung politischer Systeme als Machtinstrumente der Hochfinanz und Wirtschaft. In der nat.soz. → Propaganda wurden insbesondere die USA und während des Zweiten Weltkrieges auch England als P. bezeichnet. Eine größere Bedeutung spielte der Begriff jedoch als Propagandamittel zur Rechtfertigung der repressiven und unmenschlichen Maßnahmen gegenüber der jüdischen Bevölkerung und der im Zusammenhang mit diesen Maßnahmen konstruierten angeblichen Verschwörung des Weltjudentums.

Willi Dreßen

Pogrom (russ.; Gewitter, Verwüstung) Ursprünglich Bezeichnung für Ausschreitungen gegen nationale, religiöse und andere Minderheiten in Rußland. Sie wurde nach der Welle antijüdischer P. von 1881–1883 in den internationalen Sprachgebrauch in einem eingeengten, nur auf die jüdische Minderheit bezogenen Sinn übernommen. Nach 1945 machte der Begriff eine Bedeutungserweiterung durch und steht heute für kollektive Gewaltaktionen einer Mehrheitsbevölkerung gegen Minderheiten jeder Art (→ »Reichskristallnacht«). *Werner Bergmann*

Polen Wurde nach dem Zusammenbruch seiner ehemaligen Teilungsmächte, der Monarchien in Rußland, Österreich-Ungarn und Deutschland, am 11.11.1918 als unabhängiger Staat wiederhergestellt, der nach dem Willen der Alliierten territorial und wirtschaftsgeographisch in der Lage sein sollte, sowohl Deutschland als auch dem bolschewistischen Rußland gegenüber eine starke Position einzunehmen. Die Zweite Poln. Republik (1918–1939) war ein Nationalitätenstaat mit nationalstaatlichem Anspruch, auf dessen Territorium Anfang der 20er Jahre nach offiziellen Angaben 4 Mio. Ukrainer, je 1,1, Mio. Deutsche und Weißruthenen sowie 2,1 Mio. Juden lebten, so daß die nationalen Minderheiten, denen im Minderheitenschutzvertrag von Versailles spezielle Minderheitenrechte garantiert wurden,

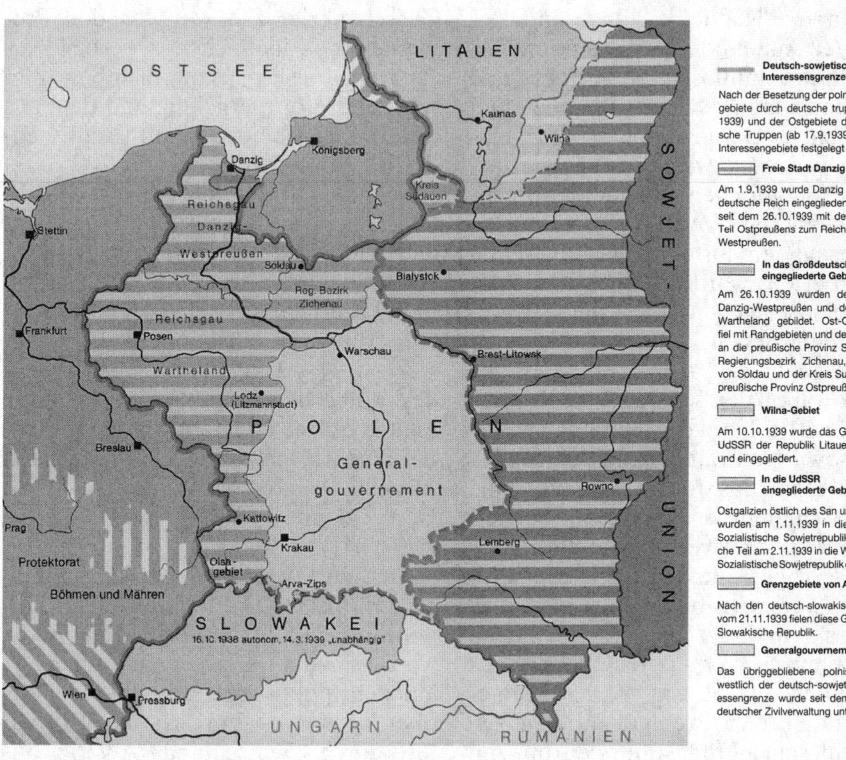

Abb. 60: Die Teilung Polens (1939)

mindestens 31% der Staatsbevölkerung ausmachten. Die von den Alliierten zwischen 1919 und 1921 durchgesetzte dt.-poln. Grenze, begleitet von Grenzkämpfen mit bürgerkriegsähnlichen Begleiterscheinungen in der Provinz Posen und in Oberschlesien, bildete das Kernproblem der dt.-poln. Beziehungen der Zwischenkriegszeit und schuf – trotz der Vereinbarung vom 21.4.1921 über den Transitverkehr (→ poln. Korridor) zwischen Ostpreußen und dem Reich – ein Klima nationaler Erregung. Seit Deutschlands Aufnahme in den → Völkerbund im Herbst 1926 waren Minderheitenfragen Gegenstand ständiger dt.-poln. Auseinandersetzungen. Die dt. Forderung nach Revision der im → Versailler Vertrag festgelegten Ostgrenze blieb während der gesamten Weimarer Republik unverändertes Ziel der Außenpolitik, das mit rigoroser Kompromißlosigkeit verfolgt und von den verschiedenen Parteien und politischen Organisationen fast einmütig vertreten wurde. In Erwartung des ökonomischen Zusammenbruchs und »inneren Verfalls Polens« (so Reichsaußenminister Stresemann und Ostexperten) wurde 1925/26 ein ruinöser Zollkrieg gegen P. eröffnet.

Da dem neuen P. Sowjetrußland als Hauptfeind galt (poln.-sowj. Krieg 1920) waren der Vertrag von Rapallo vom 16.4.1922 und der Berliner Vertrag (Dt.-sowj. Neutralitätspakt) für P. beunruhigend; das führte am 25.7.1932 zum Nichtangriffspakt mit der Sowjetunion, was eine verschärfte Frontstellung P. gegen die von dt. Seite aktivierte Grenzrevision brachte. Marschall Pilsudski und der am 2.11.1932 zum Außenminister ernannte Oberst Beck erstrebten für P. die Position einer von Frankreich weniger abhängigen Führungsmacht in Ostmitteleuropa mit Riegelfunktion gegen den expansiven Kommunismus der Sowjetunion und den revisionistischen dt. Nationalismus.

P. war von 1921–1926 parlamentarische Demokratie, die 1926 von Marschall Pilsudski in einem Staatsstreich durch eine »moralische Diktatur« ersetzt wurde; dieser folgte ab 1930 die offene Diktatur. Hatten die Regierungen unter Pilsudski im Gegensatz zum → Antisemitismus der Nationaldemokraten gegenüber der jüdischen Minderheit eine großzügigere Politik verfolgt, verbreitete die politische Rechte nach seinem Tod im Mai 1935 immer aggressiver die Ansicht, die → Juden seien für die strukturellen ökonomischen Krisen und die damit verbundenen sozialen Unruhen verantwortlich. 1936 kam es, mit Unterstützung der katholischen Kirche, zu einem antijüdischen Wirtschaftsboykott. Die gesamte Zwischenkriegszeit war von den Problemen der ländlichen Überbevölkerung, wie sie sich aus der nichtbewältigten Landreform ergaben, und dem aus der Massenarbeitslosigkeit resultierenden permanenten Elend geprägt.

Nachdem P. auf die nat.soz. Machtübernahme in Deutschland und auf das von Hitler vertretene Revisionsverlangen zunächst mit Präventivkriegsüberlegungen und demonstrativer Truppenverstärkung auf der Westerplatte (→ Danzig) unter Verletzung des Völkerbundstatuts re-agiert hatte, schloß es am 26.1.1934 unter heftiger Kritik der Opposition einen auf zehn Jahre begrenzten Nichtangriffspakt mit Deutschland (→ Dt.-poln. Nichtangriffspakt). Für Hitler, der in Widerspruch zur Weimarer Revisionspolitik seit Herbst 1933 taktische Verständigungsbereitschaft signalisiert hatte, wurde P. zum variablen Instrument in einem ostpolitischen Programm der Eroberung von → Lebensraum. Ermuntert durch Deutschlands Austritt aus dem Völkerbund, entledigte sich auch P. seiner völkerrechtlichen Verpflichtungen durch Kündigung des Minderheitenschutzvertrages. Die von Pilsudski und seinen Nachfolgern verfolgte Polonisierungspolitik bewirkte einen engeren Zusammenschluß der dt. Bevölkerungsteile in P., die zum Ziel nat.soz. Propaganda für eine »gesamtdt.« → Volksgemeinschaft wurden.

Nach der verbalen Distanzierung von Hitlers Politik der → Rheinlandbesetzung (7.3.1936) machte sich P. bei der Zerschlagung der → Tschechoslowakei im September/Oktober 1938, bei der es das Olsa-Gebiet annektierte, zum bereitwilligen Komplizen von Hitlers Aggressionspolitik. Als P. die seit Oktober 1938 von Hitler und Ribbentrop ultimativ vor-gebrachten Forderungen (Rückkehr Danzigs zum Reich, exterritoriale Eisenbahnlinie und Autobahn durch den »Korridor« sowie Betritt zum → Antikominternpakt) und die angebotene Partnerschaft bei einem Angriff auf die Sowjetunion im März 1939 ablehnte, nahm Hitler die Annahme der brit. Hilfsgarantie vom 31.3.1939 durch P. zum Anlaß, den Nichtangriffspakt von 1934 zu kündigen, womit die unmittelbare Vorgeschichte des Zweiten Weltkriegs begann. Der dt.-sowj. Nichtangriffspakt vom 23.8.1939 mit seinem Geheimen Zusatzprotokoll über die Aufteilung P. war ein entscheidendes Element der politischen Absicherung des geplanten Überfalls auf P.

Zielsetzung des am 1.9.1939 durch Hitler ausgelösten → Polenfeldzugs war die militärische Zerschlagung P., das der konservativen dt. Machtelite als »Saisonstaat« galt. Nach den schnellen Erfolgen des sog. Septemberfeldzugs durch das zahlenmäßige Übergewicht der dt. Kräfte, v.a. der motorisierten Verbände (Kapitulation Warschaus 27.9.1939), marschierte am 17.9. die Rote Armee in die weißruthenischen und ukrain. Provinzen Ostpolens ein; P. wurde zwischen Deutschland und der Sowjetunion aufgeteilt.

Im Zuge der territorialen Neuordnung wurde das Gebiet der Zweiten Poln. Republik zersplittert und einem gewaltsamen Besatzungsregime unterworfen, »das mit Verordnungen und dem bloßen Anschein des Rechts auskam« (Jakobmeyer). Im Erlaß über die Gliederung und Verwaltung der Ostgebiete wurden der nordwestliche Teil P. (Teile Danzigs, die Woiwodschaft Pommerellen und Westpreußen) als → Reichsgau → Danzig-Westpreußen, der Reichsgau → Wartheland mit den Zentren Posen und Lodz (ab 1940 »Litzmannstadt«) und Ostoberschlesien mit den wichtigsten Industriezentren vom Dt. Reich annektiert, während das zentralpoln. Gebiet als »Heimstätte der Polen« zum → »Generalgouvernement für die besetzten poln. Gebiete« erklärt wurde, dem am 1.8.1941 Ostgalizien angeschlossen wurde. Der Bezirk Białystok wurde nach dem dt. Angriff auf die Sowjetunion (Juni 1941) der Verwaltung des ostpreuß. Oberpräsidenten Koch unterstellt, die weißrussischen und ukrainischen Gebiete, die vor 1939 zu Polen gehört hatten, den Reichskommissariaten Ostland und Ukraine.

In der Typologie der nat.soz. Besatzungsherrschaft in Europa kommt P. ein besonderer Platz zu. Unter der rassepolitischen Leitlinie, die in den Polen → »Untermenschen« sah, wurde es zum praktischen Exerzierfeld für die Lebensraumpolitik.

Militärischer Feldzug und rasseideologischer Vernichtungskrieg verliefen parallel und bildeten den Auftakt zum Unternehmen → Barbarossa zwei Jahre später (→ Ostfeldzug). Ziel der Besatzungspolitik in den eingegliederten Ostgebieten war die schnelle → Germanisierung im Rahmen des demographischen und herrschaftlichen Umbauprogramms Europas, das mit unmittelbarem Terror umgesetzt wurde. Die Kommandos der → Einsatzgruppen des Sicherheitsdienstes der SS, die den in P. einmarschierenden Truppen der Wehrmacht folgten, ermordeten nach vorbereiteten Fahndungslisten Tausende von einflußreichen poln. Bürgern, darunter Intellektuelle, Geistliche, Arbeiter und Gewerkschafter. Um Platz für die aus dem Baltikum, Ostgalizien, Wolhynien und Bessarabien umgesiedelten → Volksdeutschen zu schaffen, wurden im Warthegau brutale Enteignungs- und Aussiedlungsaktionen durchgeführt. Die erste planmäßige Massendeportation von Polen und Juden fand im Dezember 1939 im Reichsgau Wartheland statt und setzte sich in den eingegliederten Ostgebieten bis zum Frühjahr 1941 fort. Zu diesem Zeitpunkt waren etwa 365 000 Juden und Polen in das Generalgouvernement deportiert worden. Mit geringem zeitlichem Verzug begann der Terror auch hier (→ Deportationen; → Rassenpolitik und Völkermord).

Nachdem die poln. Regierung am 17.9.1939 zunächst nach Rumänien geflüchtet war, wurde der nach Paris gelangte General W. Sikorski beauftragt, eine Exilregierung zu bilden, die sich im Nationalrat ein Exilparlament schuf und von den USA, Großbritannien und Frankreich anerkannt wurde. Als gleichberechtigter kriegführender Partner der Allianz gegen Hitler entstand eine poln. Exilarmee. Nach der Kapitulation Frankreichs wurde die Exilregierung, die in engem Kontakt zu ihrer »Delegatura« im Lande stand, nach London verlegt, wohin auch Teile der Exilarmee evakuiert werden konnten. Auf Druck von Churchill schloß die Londoner Exilregierung am 30.7.1941 ein Abkommen mit den Sowjets zur Unterstützung im Kampf gegen Deutschland und zur Aufstellung einer poln. Exilarmee in der Sowjetunion (Anders-Armee), jedoch ohne Gewähr für die Restitution der poln. Ostgrenzen. Als am 13.4.1943 die Leichenfunde von → Katyn bekannt wurden und die poln. Exilregierung von den Sowjets definitiven Bescheid forderte, brach Stalin die diplomatischen Beziehungen ab.

Unterdessen waren die poln. Untergrundverbände, die bereits Ende 1939 entstanden waren, im Winter 1941/42 auf 100 000 Mann angewachsen und formierten sich am 14.2.1942 zur »Armee im Lande« (Armia Krajowa/AK), der sich die meisten militärischen Untergrundgruppen anschlossen. Der poln. militärische Untergrund wurde zum größten seiner Art in Europa; er konnte sich auf die breite Masse der Bevölkerung stützen. Die AK war, wie die Regierungsdelegatur im Lande, an die Exilregierung und deren Programm gebunden und operierte in allen Gebieten, die vor dem Krieg zu P. gehört hatten.

Im Frühjahr 1942 entstand als eigene Kampftruppe der Kommunisten die »Volksgarde« (Gwardia Ludowa/GL), die Anfang 1944 zur Intensivierung des Untergrundkampfes in eine Volksarmee (Armia Ludowa/AL) überführt wurde. Hauptziel der → AL war es, sich auf die entscheidende Schlacht gegen Ende des Krieges zu konzentrieren.

Nachdem bis Ende des Jahres 1941 ein großer Teil der jüdischen Bevölkerung P. in abgeriegelten → Ghettos, auf deren Verlassen seit Oktober 1941 die Todesstrafe stand, konzentriert worden war, wurde im Dezember 1941 im → Vernichtungslager → Chelmno/Kulmhof im Warthegau mit der systematischen Massentötung von Juden in → Gaswagen begonnen. Allein in den ersten Monaten des Jahres 1942 wurden dort etwa 44 000 Menschen aus dem Ghetto Litzmannstadt (→ Lodz) ermordet. Insgesamt kamen in Chelmno mindestens 152000 poln. Juden um. Seit Ende des Jahres 1941 begannen die großen Transporte von Juden aus dem Dt. Reich und den von dt. Truppen besetzten Gebieten in die in P. errichteten Vernichtungslager (→ Deportationen; → Endlösung; → Rassenpolitik und Völkermord). Ab Frühjahr 1942 leitete der SS- und Polizeiführer Odilo Globocnik im Auftrag des → Reichsführers SS und Chefs der Dt. Polizei, Heinrich Himmler, unter dem Decknamen → Aktion Reinhardt den industrialisierten Massenmord an den poln. und europäischen Juden in den Vernichtungslagern → Belzec (ab März 1942), wo 390000 poln. Juden ermordet wurden (insgesamt 600000), → Sobibór (ab April) mit 80000 poln.-jüdischen Opfern (insgesamt 250000) und → Treblinka (ab Juli 1942) mit der größten Zahl der Opfer. Insgesamt wurden in den → Gaskammern von Treblinka über 900000 Juden ermordet, davon allein 300000 Juden aus Warschau. Etwa 100000 der in Treblinka Ermordeten kamen aus anderen europäischen Ländern. Während die Juden, die in diese ausschließlich zur Vernichtung errichteten Lager deportiert wurden, ohne Registrierung und Numerierung in den Gaskammern ermordet wurden, fanden in den an → Konzentrationslager angeschlossenen Vernichtungslagern → Selektionen statt, um die Arbeitskraft der Häftlinge noch auszunutzen. Bei dem bereits im Mai 1940 errichteten KZ → Auschwitz (Auschwitz I) wurde ab 1941 im nahegelegenen Birkenau (Auschwitz II) ein Arbeits- und Vernichtungslager gebaut, wo im Januar 1942 die systematische Ermordung (Vergasung mit → Zyklon B) von Juden aus allen Teilen Europas begann. In Auschwitz waren es 1 Mio. jüdische Opfer (ohne die 6500 Zigeuner [→ Sinti und Roma], → Kriegsgefangenen und nichtjüdischen Polen), darunter 400000 ungar. Juden (1944), 300000 aus verschiedenen Teilen Europas und ca. 300000 aus poln. Gebieten. Das zeitlich parallel zu Auschwitz entstandene KZ → Lublin-Majdanek wurde nicht als Vernichtungs- oder spezielles Judenlager errichtet, sondern mit dem Hauptzweck der Ausbeutung der Arbeitskraft der Häftlinge, aber auch hier wurden 60000 jüdische Häftlinge in den Gaskammern und durch Massenerschießungen ermordet.

Das Vernichtungslager Auschwitz-Birkenau wurde bis Oktober 1944 als Mordanlage für Juden aus den aufgelösten Arbeitslagern verwendet. Die Mindestzahl allein der poln.-jüdischen Opfer der Vernichtungsstätten beträgt über 2 Mio., hinzu kommen etwa 700000 Tote aus Ghettos, Arbeitslagern und infolge unmittelbaren Mordes (→ Einsatzgruppen, Exekutionen).

Bis Ende August 1942 hatte es keine offiziellen Kontakte des poln. Untergrunds zum jüdischen Untergrund gegeben.

Wichtigstes Ziel der poln. Résistance war der Aufbau bewaffneter Kräfte, um im Augenblick des Zusammenbruchs der dt. Besatzung die Geschicke Polens bestimmen zu können. Während der Deportationswelle des Sommers 1942 erschienen in der Untergrundpresse zahlreiche Protesterklärungen, die tiefe Empörung über die an den Juden begangenen Verbrechen ausdrückten. Im September 1942 entstand in Warschau unter dem Decknamen »Zegota« ein »Hilfsrat für Juden beim Bevollmächtigten der Regierung«, der für untergetauchte jüdische Flüchtlinge Unterkünfte, gefälschte Papiere und finanzielle Hilfen bereitstellte, was für die Mitarbeiter lebensgefährlich war, da auf Hilfeleistungen für Juden in P. die Todesstrafe stand. Vor dem →

Warschauer Ghettoaufstand (Beginn am 19.4.1943) kam es zu geringfügigen Waffenlieferungen aus den Warschauer AK-Magazinen ins Ghetto und zu einigen solidarischen Hilfsaktionen, während keines der anderen Ghettos militärische Hilfe von der AK erhielt. Im Winter 1943/44 ging die AK wegen des dt. Besatzungs- und Polizeiterrors zum offenen Guerillakrieg unter Führung von General Graf Bor-Komoroswki über, und nach der erfolgreichen sowj. Sommeroffensive, unterstützt von poln. Untergrundverbänden, löste Bor-Komorowski am 1.8.1944 den → Warschauer Aufstand aus, um der Befreiung Warschaus durch sowj. Truppen zuvorzukommen. Der Aufstand endete, da die Unterstützung durch die Rote Armee ausblieb, mit der Kapitulation der Aufständischen am 2.10. Das am 25.7.1944 entstandene Lubliner Komitee, ein von den Sowjets begünstigter Zusammenschluß kommunistischer, linkssozialistischer und »fortschrittlicher« Kräfte der alten Oppositionsparteien erklärte sich am 1.1.1945 zur Provisorischen Regierung und siedelte in das während der Winteroffensive ab dem 12.1.1945 befreite Warschau über. Auf den Konferenzen von → Teheran (28.11.–1.12.1943), → Jalta (4.11.2.1945) und → Potsdam (17.7.–2.8.1945) willigten die Westmächte unter dem Druck der militärischen Gegebenheiten in die »Westverschiebung« P. ein und beschlossen die Vertreibung der dt. Bevölkerung. Insgesamt waren fast 6 Mio. poln. Staatsbürger Opfer der dt. Besatzung (Generalgouvernement und eingegliederte Gebiete) geworden, darunter mindestens 2,7 Mio. Juden und rund 50% der nichtjüdischen Intelligenz. Polen hatte somit rund ein Fünftel seiner Vorkriegsbevölkerung verloren. Das poln. Judentum war nahezu vollständig ausgelöscht worden. *Beate Kosmala*

Literatur:
Wojciechowski, Marian: *Die polnisch-deutschen Beziehungen 1933–1938,* Leiden 1971.
Broszat, Martin: *200 Jahre deutsche Polenpolitik*, Frankfurt am Main 1972.
Broszat, Martin: *Nationalsozialistische Polenpolitik 1939–1945*, Stuttgart 1961.
Golczewski, Frank: Polen, in: Wolfgang Benz (Hg.): *Dimension des Völkermords. Die Zahl der jüdischen Opfer des Nationalsozialismus*, München 1991.
Hoensch, Jörg K.: *Geschichte Polens*, Stuttgart ²1990.
Kleßmann, Christoph (Hg.): *September 1939. Krieg, Besatzung, Widerstand in Polen,* Göttingen 1989.
Madajczyk, Czeslaw: *Die Okkupationspolitik Nazideutschlands in Polen 1939–1945*, Berlin 1987.
Roos, Hans: *Geschichte der polnischen Nation 1918–1985. Von der Staatsgründung im Ersten Weltkrieg bis zur Gegenwart*, Stuttgart/Berlin/Köln/Mainz 1986.

Polenfeldzug Unter dem Decknamen »Fall Weiß« am 1.9.1939 um 4.45 Uhr begonnener Überfall der dt. Wehrmacht auf Polen, der sich zum globalen Konflikt ausweitete (→ Weltkrieg 1939 – 1945). Vor dem Reichstag rechtfertigte Hitler die Aggression am Morgen des 1.9. mit poln. »Grenzverletzungen«, die aber vom → Sicherheitsdienst der → SS inszeniert wurden (→ Grenzzwischenfälle). Zwei dt. Heeresgruppen stießen von Norden und Süden, unterstützt von massiven Luftangriffen, weit auf poln. Territorium vor. Am 7.9. standen dt. Truppen 60 km vor Warschau, das am 27.9. kapitulierte – zehn Tage nachdem die Rote Armee gemäß Geheimem Zusatzprotokoll zum → Dt.-sowj. Nichtangriffspakt vom 23.8.1939 in Ostpolen einmarschiert war. Am 6.10. ergaben sich bei Kock die letzten poln. Einheiten. 100 000 poln. und 45 000 dt. Soldaten waren gefallen, Polen wurde zur Beute der Sieger. Neben Westpreußen und dem→ Wartheland wurde das → Generalgouvernement Schauplatz grausiger dt. Besatzungspolitik (→ Einsatzgruppen; → Rassenpolitik und Völkermord). *Thomas Bertram*

Polensonderstrafrecht Mit der anfänglich auch für Juden geltenden »Verordnung über die Strafrechtspflege gegen Polen und Juden in den eingegliederten Ostgebieten« vom 4.12.1941 wurde zur Erzwingung absoluten Gehorsams ein drakonisches Sonderstrafrecht geschaffen. Bei jeder Widersetzlichkeit, wozu bereits dt.feindliche Äußerungen zählten, drohten drastische Sanktionen (Überstellung an die → Gestapo; Straflager; Standrecht; → Standgerichte; Todesstrafe). *Michael Hensle*

Politische Beurteilung/Politisches Leumundszeugnis Wichtige Mittel der NSDAP zur Kontrolle und Steuerung der Bevölkerung. Gegenstand dieser parteiamtlichen Stellungnahme zu einem → Volksgenossen war nicht nur sein politisches Verhalten vor und nach 1933, sondern sein übriges Sozialverhalten: NSDAP-Mitgliedschaft, Spendenbereitschaft für das → Winterhilfswerk, Umgang mit Juden, Alkoholabhängigkeit, Arbeitsverhalten, Eheleben, Kindererziehung, »Asozialität« etc. Die entsprechenden Informationen, denen bei Beförderungen im öffentlichen Dienst und in Ermittlungs- und Strafverfahren große Bedeutung zukam, erhielt die NSDAP von ihren Wohngebietsorganisationen (→ Block, → Zelle, → Ortsgruppe). *Bernward Dörner*

Politische Leiter Bezeichnung für Funktionsträger der NSDAP vom → Blockwart bis zum → Reichsleiter. Die P. dienten der politischen Überwachung, propagandistischen Ausrichtung und weltanschaulichen Schulung der in der → NSDAP organisierten Bevölkerung. Nach den Richtlinien der Partei war der P. kein Beamter, sondern Amtsträger. Vom P. wurde die Bevölkerung seines Bereichs über Karteien und Fragebögen bis in alle Lebensbereiche hinein kontrolliert. Das »Korps der P«. wurde 1946 von den Alliierten zur verbrecherischen Organisation erklärt, da es bei der → Deportation der Juden sowie der Ausbeutung und Überwachung der → Fremdarbeiter etc. eine maßgebliche Rolle gespielt hatte. *Willi Dreßen*

Polizei Von den Nat.soz. als Instrument der Führerexekutive mit dem Zweck der Sicherung der »Volksordnung« und gegen jede Störung ihrer Politik verstanden. Ziel nach der → »Machtergreifung« war es, die föderalistisch zersplitterte P. zu vereinheitlichen, sie aus der inneren Verwaltung herauszulösen und sie schließlich mit der → SS zu einem einheitl. »Staatsschutzkorps« zu verschmelzen (→ Justiz und innere Verwaltung).

Nachdem → Reichsführer SS Heinrich Himmler bereits im Winter 1933/34 Leiter der politischen Polizeien (einschließlich der → Konzentrationslager), mit Ausnahme von Preußen und Schaumburg-Lippe, geworden war, wurde er am 26.4.1934 Inspekteur der Gestapo in Preußen; Chef des Preuß. Geheimen Staatspolizeiamtes (Gestapa) wurde der Leiter des → SD und der Bayer. Politischen Polizei, Reinhard Heydrich. Beide hatten damit in Doppelfunktion ein Partei- und ein Staatsamt inne. Noch 1934 erhielt das Gestapa zur besseren Koordinierung die Funktion eines »Zentralbüros der Politischen Polizeikommandeure der Länder«, was im Februar 1936 durch das preuß. Gestapo-Gesetz bestätigt wurde. Gegen den Widerstand von Reichsinnenminister Frick wurde Himmler mit Erlaß Hitlers vom 17.6.1936 zwecks »einheitlicher Zusammenfassung der polizeilichen Aufgaben« zum »RFSS und Chef der Dt. P. im → Reichsministerium des Innern« ernannt. Himmler blieb dem Reichsinnenminister zwar persönlich unterstellt, wurde aber per Runderlaß vom 15. 5.1937 ausdrücklich zum ständigen Vertreter des Ministers für den Geschäftsbereich P. erklärt. Ebenfalls 1937 wurde für die einzelnen Länderhaushalte ein einheitlicher Reichshaushalt für die P. eingerichtet, womit Himmler entscheidenden Einfluß auf Aufbau, Stellenplan und Ausrüstung der P. gewann.

Im Juni 1936 gliederte Himmler die P. in das Hauptamt Ordnungspolizei unter Daluege, dem Schutzpolizei, P.bataillone, Gendarmerie, Technische Nothilfe, Feuerschutz- und Gemeindepolizei unterstanden, und das Hauptamt → Sicherheitspolizei unter Heydrich (in Personalunion Chef des SD), dem damit → Gestapo und Kriminalpolizei unterstanden. Im September 1939 wurde das Hauptamt Sicherheitspolizei mit dem SD-Hauptamt der SS zum → Reichssicherheits-Hauptamt (RSHA) unter dem »Chef der Sicherheitspolizei und des SD«, Heydrich, vereinigt. Auf regionaler Ebene waren im Reich Inspekteure und in den besetzten Gebieten Befehlshaber und Kommandeure der Ordnungs- und der Sicherheitspolizei nachgeordnet.

Die organisatorische Verbindung der P. mit der SS unter Himmler und Heydrich wurde in den Wehrkreisen durch die → Höheren SS- und Polizeiführer (HSSPF) ergänzt. 1939 wurde diese Struktur mit der Nachordnung von SS- und Polizeiführern (SSPF) unter dem HSSPF in den Distrikten des Generalgouvernements und 1941 in der Sowjetunion für die drei Heeresgruppen sowie bald auch im Bereich der Zivilverwaltung mit je einem HSSPF für ein Generalkommissariat übernommen, wobei zu den SSPF auch noch SS- und Polizeistandortführer kamen. In den übrigen besetzten Gebieten wurde ähnlich verfahren. Mit Ernennung Himmlers zum Reichsinnenminister im August 1943 war die Einheit von SS und P. fast perfekt. Nach dem 20. Juli 1944 kam es noch zur Eingliederung der → Abwehr der Wehrmacht in das RSHA.

Zur organisatorischen trat zunehmend die personelle Verschmelzung von SS und P. Man legte großen Wert auf den Beitritt zur SS, besonders bei der Sicherheitspolizei. Danach durfte man einen SS-Rang bekleiden, der der bisherigen Dienststellung entsprach, in der Regel durch Verleihung eines sog. »SS-Angleichungsdienstgrads«. »Weltanschauliche Erziehung« sollte die Vereinheitlichung unterstützen. Bei Neueinstellungen erfolgte eine entsprechende Personalauswahl. *Volker Rieß*

Literatur:

Birn, Ruth Bettina: *Die Höheren SS- und Polizeiführer. Himmlers Vertreter im Reich und in den besetzten Gebieten*, Düsseldorf 1986.

Buchheim, Hans u.a.: *Anatomie des SS-Staates.* Bd. 1: *Die SS – das Herrschaftsinstrument. Befehl und Gehorsam*, Freiburg 1965.

Paul, Gerhard/Klaus-Michael Mallmann (Hg.): *Die Gestapo – Mythos und Realität*, Darmstadt 1995.

Polizeiattachés Ähnlich den → Höheren SS- und Polizeiführern waren die P. in erster Linie Bevollmächtigte des → Reichsführers SS und vertraten fachlich die polizeilichen Belange an den dt. diplomatischen Vertretungen in den verbündeten oder neutralen Ländern. Die P. waren für alle Fragen im Bereich der → Sicherheitspolizei, des → Sicherheitsdienstes, zum Teil auch der → Waffen-SS und der Volkstumspolitik u.a. Fragen von politischem und ordnungspolizeilichem Interesse bei den Botschaften zuständig. Sie unterlagen der Zuständigkeit des Chefs der Sicherheitspolizei und des SD, der im → Reichssicherheits-Hauptamt eine P.-Gruppe zur Führung und Verwaltung der P. eingerichtet hatte, die seit August 1942 tätig war. *Uffa Jensen*

Polnischer Korridor Der P. entstand durch den Friedensvertrag von → Versailles, der dem neu geschaffenen poln. Staat den größten Teil der bisherigen preuß. Provinz Westpreußen und damit einen 30–90 km breiten Zugang zur Ostsee zwischen Pommern und der Weichselmündung zugestanden hatte. Der überwiegend poln. besiedelte P. trennte ab 1919 Ostpreußen vom übrigen Reichsgebiet. Polen war verpflichtet, dem dt. Personen-, Waren-, Post-, Telegrafen- und Telefonverkehr Transitfreiheit durch den P. zu gewähren. Diese Situation führte in der Folgezeit zu permanenten Spannungen zwischen → Polen und dem Dt. Reich. Vorübergehend trat in der Korridorfrage eine Beruhigung durch den 1934 abgeschlossenen → Dt.-poln. Nichtangriffspakt ein. Ab Ende 1938 forderte die nat.soz. → Reichsregierung immer drohender den politischen Anschluß → Danzigs an das Reich und eine exterritoriale Eisenbahn- und Autobahnverbindung durch den P. Als Polen dies ablehnte, kündigte Hitler den Vertrag. Mit dem dt. Überfall auf Polen am 1.9.1939 löste er auch das Korridorproblem auf radikale Weise (→ Polenfeldzug; → Weltkrieg 1939–1945).

Wolfram Selig

Ponary (litauisch Paneriai) Erholungsort mit Bahnstation in einem Waldgebiet 10 km westlich von Wilna. Unter sowj. Herrschaft wurden 1940/41 Gruben für eine geplante weitläufige Heizöl-Tankanlage angelegt, die während der dt. Besetzung → Litauens ab Juni/Juli 1941 bis Anfang Juli 1944 als Ort für Massenmorde v.a. an Juden, aber auch an sowj. Kriegsgefangenen u.a. dienten. Die Opfer wurden mit der Eisenbahn nach P. transportiert und dort mit Unterstützung litauischer Helfer von SS und Polizei erschossen. Bis September 1943 dienten die vorhandenen Gruben als Massengräber, dann wurden sie von einem jüdischen Arbeitskommando geöffnet und die Leichen verbrannt. Bei einem Fluchtversuch am 15. 4.1944 entkamen 15 dieser »Arbeitsjuden«. Die Zahl der Opfer in P. wird auf 70000–100000 geschätzt.

Wolfgang Benz

Portugal P. spielte vor dem Zweiten Weltkrieg im außenpolitischen Kalkül des Dritten Reiches eine untergeordnete Rolle. Wohl gab es eine Interessengemeinschaft während des → Span. Bürgerkrieges, in dem sowohl Berlin als auch Lissabon die aufständischen Militärs unter Franco mit Kriegsmaterialien und Mannschaften unterstützten. Aber die Berührungspunkte zwischen dem Salazar-Regime und dem Dritten Reich beschränkten sich weitgehend auf den → Antikommunismus und die Ablehnung von Demokratie, Liberalismus, Arbeiterbewegung und Erscheinungen der modernen Kultur. Zwei zentrale Elemente der NS-Ideologie, der Rassengedanke und der → Antisemitismus waren dem Salazarismus fremd.

Während des Zweiten Weltkrieges wahrte P. strikte Neutralität. Durch einen Bündnisvertrag mit England verbunden, wahrte es außenpolitische Distanz zu beiden Kriegsparteien, um das geopolitisch verwundbare Staatsgefüge des portug. Weltreiches aus dem Kriegsgeschehen herauszuhalten. P. trat weder der → Achse noch dem → Antikominternpakt bei und drängte auch → Spanien zur Neutralität. Anders als im Falle Spaniens verfolgten die dt. Diplomatie sowie Dienststellen des Reiches und der

NSDAP nicht das Ziel, das Land zum Kriegseintritt auf dt. Seite zu bewegen, wollten aber den alliierten Einfluß auf Staat und Gesellschaft zurückdrängen und die Lage P. für Spionage- und Diversionszwecke gegen die Westmächte nutzen. Trotz gewisser Sympathien innerhalb der portug. Staatspolizei PVDE (später PIDE) und des Militärs für das NS-Regime, konnte das Dt. Reich keinen nennenswerten Einfluß auf Lissabon ausüben. Die Tatsache, daß P. als einziges neutrales Land im April 1945 zum Tode Hitlers kondolierte, sollte nur seine Unabhängigkeit von den Alliierten demonstrieren.

P. erlangte während des Zweiten Weltkrieges Bedeutung als Etappenziel und Transitland der Flüchtlingsströme, die über die Iberische Halbinsel Europa verließen (→ Emigration). Schätzungen bewegen sich zwischen 50 000 und 100 000 meist mitteleuropäischer Flüchtlinge, die sich über die Pyrenäen nach Spanien und P. durchschlugen. Ab 1942 waren es überwiegend portug. Schiffe, die den transatlantischen Passagierverkehr aufrechterhielten. Wegen des »Staus« bei der Weiterreise blieben zahlreiche dt. und andere Emigranten unfreiwillig im Lande und wurden von der Regierung zu einem Aufenthalt in Kur- und Badeorten gezwungen. Wohl gelang es dem → Reichssicherheits-Hauptamt, mit Hilfe von Sympathisanten innerhalb der portug. Geheimpolizei einen politisch unliebsamen Emigranten nach Deutschland zu entführen, dennoch lebten die Flüchtlinge in P. relativ sicher. Die Regierung verweigerte weiteren Flüchtlingen die Einreise, lieferte aber niemanden den dt. Behörden aus. Nach dem Kriege wanderten die meisten der noch verbliebenen dt. Flüchtlinge weiter, so daß heute nur noch einige wenige Familien in P. an dieses Kapitel der Geschichte erinnern. *Patrik von zur Mühlen*

Porzellanmanufaktur Allach Die P. München GmbH der → SS wurde 1936 von vier Gesellschaftern gegründet, die sämtlich Angehörige der SS waren und im Auftrag des → Reichsführers SS Heinrich Himmler handelten. 1939 wurde die Firma in das SS-Hauptamt Verwaltung und Wirtschaft (ab 1942 → SS-Wirtschafts-Verwaltungs-Hauptamt) eingegliedert. 1937 begann die Verlegung des Werkes in den Bereich des SS-Lagers beim KZ → Dachau, wo ab 1939 ein Arbeitskommando von zunächst 30 und schließlich bis zu 60 Gefangenen die Lieblingsprodukte Himmlers (→ Julleuchter, Hitlerbüsten, Tier- und andere Porzellanfiguren) herstellten. Firmenzeichen war die SS-Rune (→ Runen). Himmler beschenkte mit den Allacher Figuren SS-Führer und andere Würdenträger; sie waren außerdem auch käuflich zu erwerben.

Barbara Distel

Positives Christentum In Punkt 24 ihres Parteiprogramms bekannte sich die → NSDAP zu einem positiven Christentum, »ohne sich konfessionell an ein bestimmtes Bekenntnis zu binden«. Eine nähere Definition des P. unterblieb, und so gelang es in den ersten Monaten nach 1933, die wahre Grundanschauung führender Nat.soz. über Christentum und Kirche zu verschleiern. Erst der → Kirchenkampf entlarvte die reine Tarnfunktion dieses Programmpunktes. *Jana Richter*

Potempa Ort in Oberschlesien (heute Potepa). In der Nacht zum 10.8.1932 traten fünf SA-Männer in P. einen kommunistischen Bergmann zu Tode. Die Täter wurden am 22.8. vom Sondergericht in Beuthen aufgrund der Verordnung gegen politischen Terror vom 9. August 1932 zum Tode verurteilt. Hitler schickte den Verurteilten ein Solidaritätstelegramm und bezeichnete ihre Freilassung als »eine Frage unserer Ehre«. Im → *Völkischen Beobachter* rief er seine Anhänger zum Kampf gegen die Papen-Regierung auf. Trotz erheblicher Bedenken wandelte Reichskanzler v. Papen auf Vorschlag seines Justizministers Gürtner die Todesstrafen in lebenslängliche Zuchthausstrafen um. Maßgebend für die Entscheidung war wahrscheinlich die Überlegung, im Hinblick auf die bevorstehende Wahl vom 6.11.1932 dem Nat.soz. keine Märtyrer zu schaffen. Nach der → »Machtergreifung« wurden die Verurteilten von der NS-Regierung im März 1933 auf freien Fuß gesetzt. *Willi Dreßen*

Potsdam, Konferenz von Vom 17.7.–2.8.1945 trafen sich im Schloß Cecilienhof in Potsdam die Regierungs- bzw. Staatschefs der drei Großmächte USA (Harry S. Truman), UdSSR (Jossif W. Stalin) und Großbritannien (Winston S. Churchill bis 26.7., nach dessen Wahlniederlage Clement Attlee) zu ihrer letzten Kriegskonferenz. Zur Debatte standen die politischen und wirtschaftlichen Grundsätze der alliierten Kontrolle Deutschlands, die Ausübung der obersten Regierungsgewalt in Deutschland durch die Oberbefehlshaber der Streitkräfte der vier Besatzungsmächte im Alliierten Kontrollrat (Auflösung der NSDAP und aller nat.soz. Organisationen und der Wehrmacht, Entmilitarisierung, Entnazifizierung und Demokratisierung als Programm, Entflechtung und Dezentralisierung der Wirtschaft, Abbau von Industriekapazität, Territorial- und Reparationsprobleme). Zur Vorbereitung von Friedensregelungen mit den Verbündeten Deutschlands wurde ein Rat der Außenminister eingesetzt, der auch die dt. Frage beraten sollte. Strittig war die Verfügung über die dt. Flotte; beherrschende Probleme der P. waren jedoch die Reparationen und die poln. Westgrenze. Die Westmächte stimmten, als Kompromiß gegenüber der UdSSR, (vorbehaltlich einer endgültigen Lösung in einem Friedensvertrag) der Abtretung der Gebiete östlich der Oder-Neiße-Linie an Polen zu (ebenso der Annexion Königsbergs und des nördlichen Ostpreußen durch die Sowjetunion). Darüber hinaus vereinbarten sie, daß die UdSSR ihre und Polens Reparationsansprüche aus der sowj. Besatzungszone Deutschlands befriedigen, die Westmächte und alle anderen Gläubiger Deutschlands durch Entnahme aus den Westzonen entschädigt werden sollten. Zu den folgenreichen Beschlüssen gehörte die »ordnungsmäßige Überführung« der dt. Bevölkerung aus Polen, der Tschechoslowakei und Ungarn in das verkleinerte Deutschland (→ Flucht und Vertreibung). Die Beschlüsse, Absichtserklärungen und Vereinbarungen wurden im Konferenzkommuniqué (»Potsdamer Protokoll«, gemeinhin Abkommen genannt) am 2.8.1945 veröffentlicht.

Wolfgang Benz

Literatur:

Benz, Wolfgang: *Potsdam 1945. Besatzungsherrschaft und Neuaufbau im Vier-Zonen-Deutschland*, München ^{3}1994.
Graml, Hermann: *Die Alliierten und die Teilung Deutschlands. Konflikte und Entscheidungen 1941–1948*, Frankfurt am Main 1985.
Mee, Charles L.: *Die Teilung der Beute. Die Potsdamer Konferenz 1945*, Wien/München 1977.

Potsdam, Tag von Feierlicher Staatsakt in der Potsdamer Garnisonskirche am 21.3.1933, in dessen Verlauf Reichskanzler Adolf Hitler dem greisen Generalfeldmarschall und Reichspräsidenten Paul v. Hindenburg, dem Inbegriff des nationalen Mythos, seine Reverenz erwies. Die an diesem Tag vielbeschworene Einheit zwischen dem ruhm- und traditionsreichen Preußen und dem neuen revolutionären

Deutschland, symbolisiert durch Hindenburg und Hitler, sollte das konservative und bürgerliche Lager mit der nat.soz. »Bewegung« versöhnen. In Anwesenheit kaiserlicher wie republikanischer Militärs sowie des Kronprinzen Wilhelm appellierte Hindenburg an die Mitglieder des → Reichstages, sich hinter die Regierung zu stellen. Vom Reichsminister für Volksaufklärung und Propaganda, Joseph Goebbels, mit militärischem Pomp als »Rührkomödie« inszeniert, erfüllte der Festakt, der der ersten Parlamentssitzung des Dritten Reiches voranging, in der Tat seinen Zweck, die Seriosität Hitlers zu unterstreichen und das national-konservative Lager innerhalb der Regierung in Sicherheit zu wiegen.

Stefan Hoff

Potsdamer Abkommen s. Potsdam, Konferenz von

PPK s. Parteiamtliche Prüfungskommission zum Schutze des nationalsozialistischen Schrifttums

Prager Manifest Der Vorstand der Exil-SPD (Sopade) veröffentlichte am 28.1.1934 in Prag eine programmatische Erklärung als Dokument des → Widerstands gegen die NS-Diktatur (→ SPD). Das P. verstand unter Betonung marxistischer Theorie-Positionen die Hitler-Diktatur als Sieg der Gegenrevolution. Die Wiedereroberung demokratischer Rechte werde »zur Notwendigkeit, um die Arbeiterbewegung als Massenbewegung wieder möglich zu machen und den sozialistischen Befreiungskampf wieder als bewußte Bewegung der Massen selbst zu führen«. Die Verfasser (unter ihnen Friedrich Stampfer und Rudolf Hilferding) hatten über die Sofortmaßnahmen nach der Beseitigung des Nat.soz. hinaus die Vision eines erneuerten demokratischen Staates und einer sozialistischen Gesellschaft. Dazu sollten die Eliten in Bürokratie, Justiz, Polizei und Militär ausgetauscht sowie die Trennung von Kirche und Staat durchgeführt werden. Als Bedingung des revolutionären Wandels wurde die Enteignung des Großgrundbesitzes und der Schwerindustrie und die Sozialisierung der Großbanken gefordert. Das P. schloß mit dem Aufruf an die dt. Arbeiterschaft, die Ketten der Knechtschaft abzuschütteln.

Wolfgang Benz

Literatur:
Mit dem Gesicht nach Deutschland. Eine Dokumentation über die Sozialdemokratische Emigration. Aus dem Nachlaß von Friedrich Stampfer hg. von Erich Matthias, bearb. von Werner Link, Düsseldorf 1968.

Präsidialkanzlei Büro des → Reichspräsidenten, 1934, als Hitler das Amt des Reichspräsidenten mit übernahm, in P. und 1937 in »Kanzlei des Führers und Reichskanzlers« umbenannt. Die P. blieb für die Angelegenheiten des Staatsoberhauptes zuständig (z.B. zeremonielle Vorbereitung von Staatsbesuchen, Entgegennahme von Akkreditierungen von Diplomaten, Glückwünsche und Beileidsbezeugungen, Bearbeitung von Gnadensachen, Titel- und Ordenswesen). Politische Angelegenheiten, in denen auch die Entscheidung des Staatsoberhaupts nötig war, gingen auf die → Reichskanzlei über, einschließlich der Ernennung und Entlassung der höheren Reichsbeamten; letztere wurden Hitler weiter formell durch die P. zum Vollzug unterbreitet.

Volker Rieß

Preise und Auszeichnungen Für besondere nichtmilitärische Verdienste existierte eine Vielzahl von P. u. A., die auf nationaler, regionaler oder lokaler Ebene verliehen wurden. Sie dienten der nat.soz. → Propaganda; deshalb wurden die Preisträger oft vom → Reichsministerium für Volksaufklärung und Propaganda oder dessen Unterorganisationen vorgeschlagen. Die Ehrung mußte von Hitler genehmigt werden. Als wichtigste P. u. A. galten: der → Nationalpreis für Kunst und Wissenschaft vom 30.1.1937; der → Nationalpreis für Buch und Film vom 1.5.1933; der äußerst selten verliehene Adlerschild des Dt. Reiches, eine seit 1922 bestehende A. für Personen, deren Werke »weit über den Rahmen« des »eigentlichen Arbeitsgebietes hinaus Bedeutung haben und Gemeingut des dt. Volkes geworden sind«; die Goethe-Medaille für Kunst und Wissenschaft, 1932 begründet, als »die Krönung eines Lebenswerkes«, daher nur zu hohen Geburtstagen oder Dienstjubiläen verliehen; der Nationale Musikpreis vom 28.5.1938, mit jeweils 10000 RM für »den besten dt. Pianisten und den besten dt. Geiger« dotiert, die auf den jährlichen Reichsmusiktagen geehrt wurden; der Nationale Kompositionspreis vom 11.6.1939 mit jährlich 15000 RM dotiert, für einen oder mehrere »Komponisten dt. Abstammung, deren Schaffen in besonderem Maße schöpferisch und zukunftsweisend ist«; der »Kulturpreis der SA« vom 23.2.1937; der »Nationale Rundfunkpreis« vom 26.1.1939. Daneben war durch entsprechende Verordnung vom 27.8.1937 die Verleihung von Professorentiteln an bedeutende Künstler möglich, die eine »politisch einwandfreie Persönlichkeit« vorwiesen. Für Erfolge im technischen Bereich konnte man die Hermann-Göring-Denkmünze der Dt. Akademie der Luftfahrtforschung vom 21.1.1938 erhalten.

Obwohl Goebbels am 8.2.1943 die Stiftung neuer und die Erweiterung bestehender Kunstpreise verbot, wurde für kriegswichtige Verdienste am 12.11.1943 der neue »Dr.-Fritz-Todt-Preis« geschaffen, der zweimal jährlich, am 4. 9. (Geburtstag Todts) und am 8.2. (Todts Todestag), in drei Abstufungen (50000, 30000, 10000 RM) verliehen werden sollte.

Die »Zersplitterung der Kunstpreise« (z.B. gab es 1937 allein 70 öffentliche Literaturpreise) machte es notwendig, daß Goebbels am 24.8.1937 jeden Kunstpreis der öffentlichen Hand von seiner Zustimmung abhängig machte. Seit 26.1.1939 galt diese Anordnung für sämtliche Verleihungen von P. über 2000 RM. Wegen des Krieges wurden die Ehrungen durch P. u. A. seit der zweiten Jahreshälfte 1944 eingestellt (→ Orden und Ehrenzeichen).

Alexa Loohs

Presse Im Nat.soz. nicht mehr freie Trägerin der öffentlichen Meinung, sondern, als Teil der → Propaganda, Herrschaftsmittel und Instrument der Staatsführung zur Indoktrination der Bevölkerung. Den Anspruch auf Kontrolle und Lenkung der Informationspolitik (neben der P. auch der neuen Massenmedien Film [→ Kunst] und → Rundfunk) verfolgte die → NSDAP seit der Weimarer Republik, als sie noch um Medienpräsenz kämpfte. Ab 1933 versuchte das Regime, eine möglichst lückenlose politisch-ideologische und ökonomische Kontrolle über die P. zu erringen. Zu diesem Zweck verfügte die Partei allein über drei → Reichsleiter mit Medienkompetenzen: Joseph Goebbels (für Propaganda), Max Amann (für die gesamte nat.soz. Presse und ihre Verlage) und Otto Dietrich (als → Reichspressechef).

Um die bei der → »Machtergreifung« mit 3400 Tageszeitungen vielfältige dt. P.landschaft zu nivellieren, wurde die bereits am Ende der Weimarer Republik eingeschränkte P.freiheit mit der → Reichstagsbrandverordnung außer Kraft gesetzt, Journalisten wurden verfolgt (z.T. in → Schutzhaft genommen) und im Frühjahr 1933 die Zeitungsunternehmen von SPD, KPD und Gewerkschaften entschädigungslos enteignet (→ Verfolgung). Nutznießer dieser Aktionen waren die nat.soz. Gauverlage, die ab 1934 von Amann, dem Verleger des → *Völkischen Beobachters*, im parteieigenen → Eher-Verlag zu einem nat.soz. P.trust zusammengefaßt wurden. Die bürgerlichen Zeitungen in Privathand, die oft – aus Angst oder Überzeugung – Selbstzensur übten, wurden zunächst weitgehend verschont. Drei Anordnungen Amanns als Präsident der berufsständischen Reichspressekammer (eine der sieben Kammern der → Reichskulturkammer, deren Präsident Goebbels war) ermöglichten ab April 1935 die systematische Liquidierung konkurrierender Privatverlage.

Das → Schriftleitergesetz vom Oktober 1933 erklärte die Arbeit der P. zum Dienst an Volk und Staat. Journalisten waren durch obligatorische Mitgliedschaft in der Reichspressekammer zur Anpassung gezwungen. Ab 1935 sorgte eine Reichspresseschule für die zentrale Ausbildung linientreuer Journalisten. Die inhaltliche → Gleichschaltung erreichte Goebbels als Propagandaminister durch genaue Vorgaben in der täglichen Berliner P.konferenz, zu der nur ausgewählte Journalisten Zugang hatten. Die P. der Provinz wurde durch fernschriftliche Anweisungen der Reichspropagandaämter instruiert, ab 1939 durch den Zeitschriftendienst. Hinzu kam die Monopolisierung des Nachrichtenmaterials durch das → Dt. Nachrichtenbüro (das Kürzel DNB stand im Volksmund bald für »Darf nichts bringen«) und die → Nat.soz. Parteikorrespondenz (NSK).

Ab Januar 1938 oblag Dietrich als P.chef der Reichsregierung, der alle Ministerien gegenüber der P. im In- und Ausland vertrat, die Unterrichtung der Tageszeitungen mittels täglicher P.anweisungen.

Die Folge einer gewissen Uniformität in der Berichterstattung führte zur Leserflucht. Erst mit dem kriegsbedingten Informationsbedürfnis kam es zu einer Lockerung der P.lenkung (obwohl es ab 26.8.1939 eine militärische → Zensur gab). So konnte die bürgerliche *Frankfurter Zeitung* gemäßigt-kritisch bis Sommer 1943 berichten, bevor sie unter Amanns Kontrolle geriet und – gegen Goebbels Willen – eingestellt wurde (Auflage zuletzt: 30000). Relative Meinungsvielfalt und anspruchsvollen Journalismus gab es zum Schluß nur noch im 1940 gegründeten Wochenblatt → *Das Reich* (Auflage 1944: 1,5 Mio.). Insgesamt erreichten die Nat.soz. ihr Ziel einer gleichgeschalteten P. weitgehend: Ende 1944 existierten nur noch 625 meist kleine und kleinste Zeitungen in Privathand mit einem Anteil von 17,5% an der täglichen Auflage – gegenüber 82,5% (Zeitschriften und Illustrierte zu 100%), die Amanns P.trust als weltgrößter P.konzern in seiner Hand hielt.

Heiko Pollmeier

Literatur:

Abel, Karl-Dietrich: *Presselenkung im NS-Staat. Eine Studie zur Geschichte der Publizistik in der nationalsozialistischen Zeit*, Berlin 1968.

Frei, Norbert/Johannes Schmitz: *Journalismus im Dritten Reich*, München 1989.

Prestatäre In Frankreich lebende Ausländer unter 40 Jahren, die ab Februar 1940 zu Arbeitsdiensten herangezogen wurden, meist bei Befestigungsarbeiten. Sie waren disziplinarisch den frz. Soldaten gleichgestellt. In den P.kompanien dienten im Frühjahr 1940 ca. 5000 Ausländer, darunter viele Deutsche. Einem Großteil von ihnen gelang es, vor den dt. Truppen (→ Westfeldzug) ins unbesetzte Gebiet nach Südfrankreich zu fliehen (→ Vichy-Frankreich). *Hellmuth Auerbach*

Preußenschlag Der Staatsstreich des Reichskanzlers v. Papen am 20.7.1932 gegen die preuß. Regierung unter Ministerpräsident Braun (SPD) öffnete den Weg zur Machtübernahme der NSDAP. Mit der Amtsenthebung der nach dem Verlust der parlamentarischen Mehrheit (Landtagswahl 24.4.1932) nur noch geschäftsführenden Regierung der Weimarer Koalition (SPD, Zentrum, DDP/Staatspartei) durch Gewaltakt (»Papenstreich«) wurde eine der letzten demokratischen Bastionen beseitigt. Gestützt auf die Diktaturgewalt des → Reichspräsidenten (Art. 48 Reichsverfassung) wurde die verfassungsmäßige Regierung als Vorleistung für Hitler durch Notverordnung des Reichspräsidenten amtsenthoben und durch einen Reichskommissar in Personalunion mit dem Reichskanzler ersetzt. Inhaber der vollziehenden Gewalt war der Essener Oberbürgermeister Bracht als stellv. Reichskommissar. Der Dualismus der Regierung des größten Landes (3/5 der Fläche, die Hälfte der Einwohner) des Dt. Reiches und der Reichsregierung sollte durch die Aktion beseitigt werden. Zur Begründung dienten blutige Unruhen bei bürgerkriegsartigen Zusammenstößen zwischen NSDAP und KPD, die durch Aufhebung des Uniform- und Demonstrationsverbots durch die Reichsregierung ermöglicht worden waren und ihren Höhepunkt im → Altonaer Blutsonntag (17 Tote) gefunden hatten. Die legitime preuß. Regierung beantragte vergebens beim Staatsgerichtshof eine einstweilige Verfügung gegen die Reichsregierung. Der Staatsgerichtshof entschied am 25.10.1932, die Reichsregierung habe mit dem P. den Boden der Reichsverfassung teilweise verlassen, gab der preuß. Regierung staatsrechtlich bedeutsame Rechte (Vertretung des Landes im → Reichsrat) zurück, sanktionierte aber im wesentlichen das Vorgehen v. Papens und beließ dem Reichskommissar die exekutiven Befugnisse. Mit dem P. war die Auflösung Preußens eingeleitet, die mit der Aufhebung oder Übernahme fast aller obersten Staatsorgane durch das Reich 1933/34 (→ Gleichschaltung) de facto vollendet wurde. Der Verzicht der Preußenregierung auf gewaltsamen Widerstand wurde von den Zeitgenossen und Historikern als mangelndes Engagement für die Weimarer Demokratie interpretiert. *Wolfgang Benz*

Literatur:

Benz, Wolfgang/Imanuel Geiss: *Staatsstreich gegen Preußen, 20. Juli 1932*, Düsseldorf 1983.

Prora Seebad auf der Insel Rügen zwischen Binz und Saßnitz an der Bucht Prorer Wiek. Zu der für 20 000 Menschen geplanten Erholungsanlage der NS-Organisation → »Kraft durch Freude« wurde im Mai 1935 der Grundstein gelegt. Vom Architekten (Clemens Klotz) waren acht Blöcke von je 500 m Länge als Bettenhäuser mit Front zur See mit insgesamt 10 000 Zimmern vorgesehen, außerdem eine Festhalle, Restaurants, Theater, Bahnhof, Kai-Anlage. Die Bauarbeiten wurden 1939 eingestellt, fertig waren im Rohbau die Bettenhäuser, sie wurden im Krieg als Lazarett und zur Unterbringung von Flüchtlingen aus Ostpreußen und Evakuierten aus Hamburg genutzt. Die Rote Armee sprengte einen Teil der Bauten, die übrigen dienten bis 1990 der Nationalen Volksarmee der DDR als Kasernen. *Wolfgang Benz*

Prostituierte s. Asoziale

Protektorat Böhmen und Mähren Am 16.3.1939 in Prag von Adolf Hitler proklamiert. Die Besetzung der → Tschechoslowakei begann am 1.10.1938 als Ergebnis der Entscheidung der in München abgehaltenen Konferenz der vier Großmächte Deutschland, Großbritannien, Frankreich und Italien, nach der Deutschland das tschech.-mährische Grenzgebiet annektierte (→ Münchener Abkommen). Am 14./15.3.1939 besetzte die dt. Wehrmacht die »Rest-Tschechei«, ein Territorium von 48 959 km² mit ca. 7,5 Mio. Einwohnern, davon weniger als 250 000 Deutsche (einschließlich der ca. 30 000 dt. Juden), während die von Böhmen und Mähren abgetrennte Slowakei nominell selbständig wurde.

Hitlers Erlaß verkündete das P. als Gebiet des Großdt. Reiches, das »sich selbst verwaltet«, jedoch »im Einklang mit den politischen, militärischen und wirtschaftlichen Belangen des Reiches«. Der Reichsprotektor als Vertreter des Führers und Reichskanzlers sowie als Beauftragter der Reichsregierung konnte alle Maßnahmen der Protektoratsregierung aufheben, die Verkündigung von Gesetzen, Verordnungen und sonstigen Rechtsvorschriften sowie den Vollzug von Verwaltungsmaßnahmen und rechtskräftigen gerichtlichen Urteilen aussetzen. Er bestätigte außerdem die Mitglieder der Protektoratsregierung und konnte diese Bestätigung jederzeit wieder zurücknehmen. Im Laufe des Krieges wurde die Autonomie mehr umd mehr zur reinen Formsache. Alle Schlüsselfunktionen der »autonomen« Verwaltung wurden von Deutschen besetzt.

Konstantin v. Neurath wurde zum Reichsprotektor ernannt und am 27.9.1941 durch den Stellvertretenden Reichsprotektor Reinhard Heydrich, auf den am 27.5.1942 in Prag ein Attentat verübt wurde, dessen Folgen er am 4.6. erlag, abgelöst. Heydrichs Nachfolger wurde Kurt Daluege. Am 20.8.1943 ernannte Hitler Staatssekretär Karl Hermann Frank zum Dt. Staatsminister für Böhmen und Mähren und den abberufenen Innenminister Wilhelm Frick zum Reichsprotektor.

Der sog. Staatspräsident des P. war Emil Hácha, erster Premierminister der Protektoratsregierung Rudolf Beran, am 27.4.1939 abgelöst von Alois Elias, der am 27.9.1941 verhaftet, kurz danach zum Tode verurteilt und nach dem Attentat auf Heydrich hingerichtet wurde. Ab 19.1.1942 führte Jaroslav Krejci den Vorsitz der in ihrem Wirkungsbereich noch mehr beschränkten Regierung, ab 19.1.1945 Richard Bienert.

Fernziel der dt. Besatzungspolitik im P. war die »Endlösung der Tschechenfrage« in der Gestalt einer totalen → Germanisierung des Raumes und der Vernichtung der tschech. Nation als solcher. Das bezeugen v. Neuraths und Franks Denkschriften, Heydrichs programmatische Reden und zahlreiche andere Dokumente. Der im Dezember 1942 für den RFSS Himmler von führenden dt. Wissenschaftlern ausgearbeitete »Generalsiedlungsplan« rechnete im P. mit einem Bevölkerungsrückgang um mehr als 2 Mio. auf 5 265 000 Einwohner. Nach dieser Berechnung sollten 3 625 000 eingedeutschte Personen im P. leben. 224 500 einheimische Deutsche und 1 415 500 neue dt. Siedler. Die konkrete Besatzungspolitik respektierte jedoch die strategische, militärische und wirtschaftliche Bedeutung des tschech.-mährischen Raumes, in dem ca. 70 % der industriellen Produktion der Tschechoslowakei, v.a. die mächtige Rüstungsindustrie, konzentriert waren. Das aktuelle Ziel der dt. Besatzungspolitik war nun die äußerste Ausnutzung des tschech. Menschen- und Produktionspotentials für den Krieg. Ungeachtet der Festlegung dieser Priorität wurden gleichzeitig Wege gesucht, um auch dem »Endziel« soweit wie möglich näherzukommen. Dazu diente das System der brutalen Unterdrückung jedes Widerstands. Der Terror richtete sich nicht nur gegen aktive Widerstandskämpfer, sondern auch gegen einen breiten Kreis weiterer Opfer. Beispiele sind die ausgerotteten Gemeinden → Lidice und Lezaky. Auch die 80 000 Opfer der → »Endlösung der Judenfrage« in Böhmen und Mähren gehören in diesen Zusammenhang.

Miroslav Kárný

Literatur:

Brandes, Detlef: *Die Tschechen unter deutschem Protektorat*, Bde. I–II, München/Wien 1969, 1975.
Kárný Miroslav/Jaroslava Milotová/Margita Kárná (Hg.): *Deutsche Politik im »Protektorat Böhmen und Mähren« unter Reinhard Heydrich*, Berlin 1997.

Protokolle der Weisen von Zion, Die Eine antisemitische Fälschung, mit der eine jüdische »Weltverschwörung« bewiesen werden sollte. Viele Vorformen, insbesondere den Roman *Biarritz* von John Retcliffe (Pseudonym für Hermann Goedsche), kompilierte die zaristische Geheimpolizei gegen Ende des 19. Jh. zu einem »dokumentarischen Bericht«. Im Rückgriff auf ältere Verschwörungsvorwürfe wurden die P. als Beweis für die Fiktion dargeboten, daß die Juden auf einer geheimen Konferenz die Erlangung der Weltherrschaft, insbesondere mittels der Wirtschaft, der Finanz- und Medienwelt, geplant hätten. In den folgenden Jahren fanden die P. international viele Leser und Gläubige. Erst in den 20er Jahren wurden sie als Fälschung entlarvt, was ihre Wirkung aber nicht einschränkte. Von Deutschland aus wurden die P., in zahlreiche Sprachen übersetzt, weltweit verbreitet. Der Einfluß der P. auf führende Nat.soz. (Hitler, Himmler, Rosenberg) und ihre Wirksamkeit in der nat.soz. Propaganda sind erwiesen (→ Antisemitismus). Ein Prozeß in Bern 1934–1935 erhellte die Entstehungsgeschichte des Falsifikats.

Uffa Jensen

Q

Quäker Im 17. Jh. in England unter dem Namen »Society of Friends« gegründete, karitativ orientierte christliche Religionsgemeinschaft, entstanden aus der freikirchlichen anglo-amerik. Bewegung; nach beiden Weltkriegen organisierten sie umfangreiche Hilfsprogramme in Deutschland. Während der NS-Zeit nahm sich die kleine dt., 230 Mitglieder umfassende Quäker-Gemeinde der »konfessionslosen Juden« (»christliche Nichtarier«) an. Sie fand in Zusammenarbeit mit engl. und amerik. Q.-Gemeinschaften Flucht- und Auswanderungsmöglichkeiten, versuchte Einfluß auf die Verhältnisse in den KZ zu nehmen und leistete individuelle Hilfe. *Juliane Wetzel*

Quebec, Konferenzen von Zwei während des Zweiten Weltkriegs in der kanad. Provinzhauptstadt Quebec abgehaltene alliierte Konferenzen. Bei der ersten Q.-Konferenz (17.–24.8.1943) beschlossen US-Präsident Roosevelt und der brit. Premier Churchill im Rahmen der vorrangigen Bekämpfung Deutschlands (»Germany first«) für Mai 1944 die von der brit. Insel ausgehende Invasion Frankreichs, begleitet von Landungen im Mittelmeerraum. Die 2. Q.-Konferenz vom 11.–16.9.1944 behandelte Fragen der Niederwerfung Japans und auch den von Churchill und Roosevelt zunächst gebilligten, später jedoch widerrufenen → Morgenthau-Plan. *Stefan Hoff*

R

Rassenhygiene, s. Rassenpolitik und Völkermord, s. a. Medizin

Rassenhygienische und bevölkerungsbiologische Forschungsstelle (im Reichsgesundheitsamt) Die R. in Berlin-Dahlem entstand 1937 beim Reichsgesundheitsamt unter der Leitung des Psychologen und Psychiaters Robert Ritter, der dort ab 1941 auch die Kriminalbiologische Forschungsstelle und ab 1942 das Kriminalbiologische Institut im Reichskriminalpolizeiamt leitete. Die R. spielte bei der genealogischen Erfassung und anthropologischen Untersuchung von → »Asozialen«, von straffällig gewordenen Jugendlichen und bis 1942 v.a. von → Sinti und Roma innerhalb des Reichsgebiets eine zentrale Rolle. Ziel war es, diese ca. 30 000 Menschen umfassende Bevölkerungsgruppe in Arbeitslagern zu isolieren und durch Sterilisation zum Aussterben zu bringen (→ Rassenkunde). Die pseudowissenschaftlichen Gutachten der R. wiesen über 90 % der Sinti und Roma als »Zigeunermischlinge« aus, denen besonders gefährliche, vererbbare Eigenschaften zugeordnet wurden (→ Erbgesundheit). Das »Zigeunerarchiv« der R., aus dem sich Behörden und Parteistellen für ihre Zwecke bedienten, bildete schließlich die Grundlage für die familienweise → Deportation der Sinti und Roma in Konzentrationslager, v.a. nach → Auschwitz. *Maria-Luise Kreuter*

Rassenkunde Auf biologistische und sozialdarwinistische Gedankengänge (→ Sozialdarwinismus), wie sie von Gobineau und H. St. Chamberlain vertreten wurden, zurückgehender deterministischer Zweig der Anthropologie, mit zentraler Bedeutung in der nat.soz. → Ideologie und Politik (→ Medizin; → Rassenpolitik und Völkermord). Im Bildungssystem wurde R. als Erweiterung des Fachs (Sozial-) Anthropologie durch neue Lehrstühle und Institute in Berlin (Rassenhygiene), Königsberg (Erb- und Rassenbiologie), Greifswald (menschliche Erblehre), Frankfurt a.M. (Erbbiologie und Rassenhygiene), Jena (Rassenbiologie) forciert und in Publikationsorganen wie der *Zeitschrift für Rassenkunde* (ab 1935), *Rasse* (ab 1934), *Volk und Rasse* (seit 1926), *Neues Volk* (seit 1933), *Der Erbarzt* (Beilage zum *Deutschen Ärzteblatt* ab 1934) propagiert. Die R. stand im Dienst des Ideals völkischer »Reinrassigkeit« und erbbiologischer Gesundheit und war deshalb Bestandteil des Bildungsziels der Schulen. Zu den Protagonisten gehörten Eugen Fischer (1927–1942 Direktor des Kaiser-Wilhelm-Instituts für Anthropologie, menschliche Erblehre und Eugenik), Fritz Lenz (1923 Prof. für Rassenhygiene in München, 1933 für Eugenik in Berlin und Abteilungsleiter am Kaiser-Wilhelm-Institut für Anthropologie) und Hans F. K. Günther, dessen *Rassenkunde des dt. Volkes* (1922) zahlreiche Auflagen erlebte. *Wolfgang Benz*

Rassenpolitisches Amt der NSDAP 1934 von Heß gegründetes Amt der → Reichsleitung der NSDAP mit Sitz in Berlin, unter der Leitung von W. Groß, dessen 1933 aufgebautes Aufklärungsamt für Bevölkerungspolitik und Rassenpflege im R. aufging. Die Aufgabe des R. bestand primär in der Verbreitung der NS-Rassenideologie durch entsprechende Publikations- und Propagandatätigkeiten (→ Ideologie) sowie in Schulungs- und Freizeitangeboten. 1942 wurde das R. aufgelöst, weil die Rassenlehre »Allgemeingut« geworden war und nach der politischen Umsetzung (→ Nürnberger Gesetze; → Deportationen) an einer theoretischen Erörterung von Rassenfragen kaum noch Bedarf bestand, zumal die Rassenpolitik im Zuge der → Germanisierung des Ostens in den Händen Himmlers als → Reichskommissar für die Festigung dt. Volkstums lag (→ Volkstumspolitik; → Rassenpolitik und Völkermord). *Thorsten Wagner*

Rassenschande Straftatbestand nach § 2 des »Blutschutzgesetzes« (→ Nürnberger Gesetze), der »Mischehen« und außerehelichen Geschlechtsverkehr zwischen »Juden und Staatsangehörigen dt. oder artverwandten Blutes« verbot. Die schon vor 1933 erhobene Forderung, R. unter Strafe zu stellen, fand 1934/35 ihren Höhepunkt in der Hetzpropaganda des → *Stürmer,* die → Pogrome gegen jüdische »Rassenschänder« entfachte. Das »Blutschutzgesetz« vom 15.9.1935 und ein Erlaß des Geheimen Staatspolizeiamtes (Gestapa) vom 18.9. ermöglichten die richterliche Handhabe und staatliche Kontrolle. In nat. soz. Juristenzeitungen und Kommentaren – so von Bernd Lösener und Friedrich Knost – als juristischer Begriff verwendet, wurde R. immer weiter ausgelegt, so daß schon der Versuch strafbar wurde. Der § 5,2 des »Blutschutzgesetzes«, der eine Verurteilung von Frauen ausschloß, wurde von Gerichten und dem Gestapa umgangen, indem Frauen wegen Meineides oder Begünstigung angeklagt und vor allem jüdische Frauen von der → Gestapo in → KZ eingewiesen wurden.

Julia Schulze Wessel

Rasse- und Siedlungs-Hauptamt (RuSHA) Dienststelle der → SS, gegründet 1931, seit dem 30.1.1935 SS-Hauptamt. Das R. war vor allem für Belange der SS-Ideologie zuständig (»Rassenmäßige Ausrichtung« der SS-Angehörigen, Siedlungsfragen, Sittenfragen etc.). Zu diesem Zweck wurden Schulungsleiter und Rasse- und Bauernreferenten in den SS-Oberabschnitten eingesetzt und »Sippenpflegestellen« bei den SS-Standarten eingerichtet. In den *SS-Leitheften* wurde u.a. der »Blut- und Boden-Kult« propagiert (→ Blut und Boden). Nach dem Ausscheiden seines ersten Leiters Richard Walther Darré im Sommer 1938 und dem Entstehen neuer SS-Hauptämter verlor das R. zunehmend an Einfluß. Während des Krieges fertigte es v.a. Abstammungs- und rassebiologische Gutachten an, die als Entscheidungskriterien bei Freiwilligen für die → Waffen-SS, Siedlungsanwärtern und Umsiedlern sowie bei → Eindeutschungsfragen von → Fremdvölkischen dienten. Das Amt fungierte daneben als Auskunftsstelle für Kriegsverluste der SS und leitete zeitweise das Versorgungswesen der SS. *Willi Dreßen*

Rationierung Zwangsweise Beschränkung des Bezugs von Lebensmitteln. Textilien, Tabak- u.a. Waren durch Ausgabe von portionierten Berechtigungsscheinen (z.B. »Reichsfleischkarte«), für die zivile Bevölkerung. Seit 1937 im Reichsverteidigungsrat (→ Ministerrat für die Reichsverteidigung) geheim vorbereitet, setzte die R. in Deutschland am 28.8.1939, vier Tage vor Kriegsbeginn, für die Bevölkerung überraschend ein (»Verordnung zur vorläufigen Sicherstellung des lebenswichtigen

Bedarfs des dt. Volkes« vom 27.8.1939). Der R. wurden nach der Besetzung durch die Deutschen auch weite Teile Europas unterworfen. Eine besondere Form der R. waren die Bedingungen, unter denen die ausländischen → Zwangsarbeiter in Deutschland, die KZ-Häftlinge und die Juden lebten. Während die dt. Bevölkerung, besonders die mit Schwer- und Schwerstarbeiterrationen versorgten, trotz einiger Kürzungen (1942) bis gegen Kriegsende ausreichend Lebensmittel erhielt, die ländlichen Selbstversorger keine Not litten und ein erheblicher Teil der Bevölkerung zusätzliche Lebensmittel, Alkoholika u.a. Waren aus den okkupierten Gebieten oder vom → Schwarzmarkt bezog, wurden jene dem Hunger ausgeliefert, oft mit offizieller Vernichtungsabsicht (Juden, sowj. Kriegsgefangene, Großstadtbevölkerung in der UdSSR). Dieser Hungerstrategie lag die nat.soz. Rassenideologie zugrunde. Seit 1943 verbreitete sich darüber hinaus das barbarische System der »Leistungsernährung«, das sich besonders gegen sowj., poln. und ital. Zwangsarbeiter richtete. Sein Grundgedanke bestand in der Rationenkürzung bzw. im Nahrungsentzug bei »schlechter« zugunsten von Zulagen für überdurchschnittliche Arbeitsleistung. Seit März 1945 wurden radikale Kürzungen auch der dt. Rationen vorgenommen. Im April brachen das R.-system allerorten zusammen; die Bevölkerung plünderte vielfach die Vorratslager, um sich in der Übergangsphase bis zur Besatzungszeit versorgen zu können. *Dietrich Eichholtz*

Literatur:

Eichholtz, Dietrich: *Geschichte der deutschen Kriegswirtschaft 1939–1945,* Bde I–III, Berlin (Ost) 1969 ff.

Schmitz, Hubert: *Die Bewirtschaftung der Nahrungsmittel und Verbrauchsgüter 1939–1950. Dargestellt am Beispiel der Stadt Essen,* Essen 1956.

Raumordnung Nach 1933 bürgerte sich für Landesplanung, die bereits in den 20er Jahren den Schritt von der Stadtplanung in das städtische Umland getan hatte, der Begriff R. ein. 1935 wurde unter dem Nat.soz. Hanns Kerrl die Reichsstelle für Raumordnung als Oberste Reichsbehörde eingerichtet. Außerdem wurde 1935 die Reichsarbeitsgemeinschaft für Raumforschung der dt. Hochschulen gebildet, die seit 1936 die Zeitschrift *Raumforschung und Raumordnung* herausgab. Im Altreich (→ Großdeutschland) setzte die R. mit neuen Akzenten die bisherige Landesplanung fort, für den Osten Europas begann sie weitreichende Konzepte zur Organisation, Besiedlung und Beherrschung der eroberten Gebiete zu entwickeln. *Horst Matzerath*

Ravensbrück (KZ) 90 km nördlich von Berlin befand sich in R., einem Ortsteil des kleinen (damals) mecklenburgischen Luftkurortes Fürstenberg, direkt am Ufer des Schwedt-Sees, das größte nat.soz. → Konzentrationslager für Frauen. Die SS ließ das Lager 1938/39 durch Häftlinge des KZ → Sachsenhausen errichten. Nach dem Eintreffen von ca. 1000 Häftlingen, zumeist »Bibelforscherinnen« (→ Ernste Bibelforscher) aus der sächs. Lichtenburg, die von der SS zuvor als zentrales Frauen-KZ genutzt worden war, wurde R. im Mai 1939 in Betrieb genommen. Dem Frauen-KZ wurde im April 1941 ein abgetrenntes, kleineres Männer-KZ angegliedert. Die Häftlinge (Männer wie Frauen) wurden zu Bauarbeiten für den Lagerausbau, die Frauen v.a. im Gartenbau sowie in SS-Betrieben wie der »Texled« (Textil- und Lederverwertung) eingesetzt. Ab 1942 wurde R. zunehmend in die Kriegsproduktion einbezogen, z.B. ließ die Firma Siemens & Halske unmittelbar neben dem Lager einen großen elektrotechnischen

Betrieb für Waffenteile errichten. Auch in den ca. 70 Außenlagern, die in der zweiten Kriegshälfte eingerichtet wurden, mußte der Großteil der Häftlinge für die Rüstungsproduktion arbeiten (z.B. bei den Munitionsfabriken in Fürstenhagen und Grüneberg, bei Volkswagen, Heinkel und anderen Firmen). Seit 1942 führten Ärzte in R. → Menschenversuche durch: Infizierungen mit Bakterien und anschließende Operationen zur Überprüfung unerprobter Heilmethoden, Unterkühlungsversuche und Sterilisationsexperimente (→ Menschenversuche; → Medizin).

In R. befanden sich auch zahlreiche, zumeist mit ihren Müttern eingelieferte Kinder, die besonders stark unter den furchtbaren Verhältnissen litten. Schwangere Frauen mußten wie die anderen Häftlinge arbeiten und erhielten weder ausreichende Nahrung noch ärztliche Versorgung. Die meisten der über 800 im Lager geborenen Säuglinge starben nach wenigen Tagen. Die Frauen, Männer und Kinder stammten aus mehr als 20 Nationen; die meisten kamen aus Polen und der Sowjetunion. Unter den Häftlingen waren viele Jüdinnen sowie Sinti und Roma. Insgesamt zählte R. etwa 132 000 weibliche Häftlinge. Hinzu kamen mehr als 20 000 männliche Häftlinge und über 1000 weibliche Jugendliche, die seit 1942 im → Jugendschutzlager Uckermark interniert waren, das dem Reichskriminalpolizeiamt unterstand und unmittelbar an das Gelände von R. anschloß. In R. befand sich zudem ein Ausbildungslager für weibliches Wachpersonal.

Infolge der Evakuierungen von Häftlingen aus den östlicher gelegenen KZ (→ Todesmärsche) wurde R. in den letzten Kriegsmonaten völlig überbelegt. Mitte Januar 1945 befanden sich (einschl. Außenlager) über 46 000 weibliche und 7800 männliche Häftlinge in R. Die Baracken waren hoffnungslos überfüllt, Ungeziefer breitete sich aus, und eine Typhusepidemie griff um sich. Alte, kranke und schwache Häftlinge wurden ausgesondert und auf dem Gelände des im Dezember 1944 aufgelösten Jugendschutzlagers Uckermark untergebracht.

Gegen Kriegsende wurde in R. eine → Gaskammer eingerichtet (zu einer Zeit, als in anderen Lagern die Vergasungen eingestellt worden waren), in der 1500–5000 der im Lager Uckermark isolierten Häftlinge ermordet wurden. Neuere Forschungen beziffern die Zahl der Todesopfer in R. mit ca. 30 000 (ohne »Todesmärsche«). Hauptgründe für die hohe Sterblichkeit waren die völlig unzureichende Versorgung, der kräftezehrende Arbeitseinsatz, die zunehmend katastrophalen hygienischen Verhältnisse im Lager sowie die Mordaktionen an »Arbeitsunfähigen«, Kranken und rassistisch Verfolgten im Rahmen der → Aktion 14 f 13. Kurz vor der Befreiung, am 27. und 28.4.1945, trieb die SS in großer Eile mehr als 10 000 Häftlinge auf Evakuierungsmärsche in nordwestlicher Richtung. Die sowj. Truppen trafen am 28.4. im Lager nur noch 3500 Kranke und Kinder an.

Ca. 7000 Frauen verschiedener Nationalität verdanken ihre Rettung den Bemühungen des Grafen Folke Bernadotte, der als Vizepräsident des Schwedischen Roten Kreuzes Himmler entsprechende Zusagen abringen konnte. Der letzte Transport, ein Güterzug mit 3960 vorwiegend poln. Frauen, verließ R. am 25.4.1945 in Richtung Dänemark/Schweden.

R. wurde 1959 (neben → Buchenwald und Sachsenhausen) als kleinste der drei nach einheitlichen Richtlinien geplanten »Nationalen Mahn- und Gedenkstätten« der DDR eingeweiht. Allerdings beschränkte sich die Gedenkstätte im wesentlichen auf das Krematorium, das Zellengefängnis und ein Mahnmal am Schwedt-See, in den die SS die Asche der Toten hatte streuen lassen. Das ehemalige Häftlingslager wurde bis 1993 durch die sowj. Streitkräfte genutzt; von den Baracken sind heute nur noch die Fundamente erhalten. Die Gedenkstätte wurde 1984 um ein im ehemaligen SS-Kommandanturgebäude eingerichtetes »Museum des antifaschistischen Widerstandskampfes« ergänzt. Seit dem 1.1.1993 gehört R. zur Stiftung Brandenburgische Gedenkstätten. Im Rahmen einer Neukonzeption wurden 1993 und 1995 im Museumsgebäude neugestaltete Ausstellungen eröffnet. *Detlef Garbe*

Literatur:

Arndt, Ino: Das Frauenkonzentrationslager Ravensbrück, in: *Dachauer Hefte 3: Frauen. Verfolgung und Widerstand*, München 1993, S. 125–157.

Frauen in Konzentrationslagern: Bergen-Belsen – Ravensbrück, hg. von Füllberg-Stolberg, Claus/ Martina Jung/Renate Riebe/Martina Scheitenberger, Bremen 1994.

Jacobeit, Sigrid (Hg.): *Ravensbrückerinnen. Biographien, Zeugnisse, Lebensdaten*, Berlin 1995.

Rechberg-Gruppe Untergrundorganisation des → Widerstands, die unter Führung des Heidelberger Schriftstellers Emil Henk (Pseudonym: Rechberg) 1933/1934 in Südwestdeutschland Sozialisten (linke SPD, Sozialistische Arbeiterjugend, → Reichsbanner Schwarz-Rot-Gold) zu sammeln suchte, um Widerstandsnester zu bilden. Die → Gestapo verhaftete im September 1934 die Funktionäre der Gruppe, die zu Gefängnisstrafen verurteilt wurden. *Wolfgang Benz*

Rechnungshof des Deutschen Reiches Erst 1922 durch die Reichshaushaltsordnung (RHO) mit einer eigenständigen, demokratisch legitimierten Rechtsgrundlage ausgestattet, wurde der R. schon bald nach Beginn der nat.soz. Herrschaft nach dem Muster der früheren, auf den Monarchen bezogenen Immediatstellung unmittelbar dem Führer unterstellt. Mit den Novellierungen der RHO von 1933 und 1936 wurde außerdem das interne »Kollegialitätsprinzip« durch das → »Führerprinzip« ersetzt und die Finanzkontrolle durch die »Verreichlichung« der Landesrechnungshöfe zentralisiert. Nach der Ablösung des langjährigen Präsidenten F.E.M. Saemisch durch den nat.soz. Verwaltungsexperten H. Müller im Jahr 1938 kam es zu einer verstärkten Nazifizierung des R., die jedoch seinem Image als unabhängige und unpolitische Kontrollbehörde kaum Abbruch tat. Kurz nach seinem Amtsantritt stellte Müller die Weichen für den sich abzeichnenden Kriegseinsatz, außerdem wurde unter dem Begriff der »Betreuungs- und Beratungsrevision« ein neues Prüfungskonzept, kreiert mit dem Ziel, durch eine orts-, sach- und gegenwartsnahe Kontrolle die eigenen Prüfer, aber auch die betroffenen Verwaltungen, zu entlasten. Umgesetzt wurde das Konzept primär in den vor und während des Krieges besetzten bzw. annektierten Gebieten, in die sich nach und nach der größte Teil der Kontrolltätigkeit verlagerte. Allerdings mußte der R. im Vorfeld massive Widerstände insbesondere von seiten der zivilen Besatzungsverwaltungen überwinden. Prüfungsschwerpunkte waren u.a. die → Organisation Todt, die diversen Administrationen zur Verwaltung und Verwertung des »Feind- und Judenvermögens« und der nat.soz. Repressionsapparat einschließlich der KZ. Ungeachtet der Tatsache, daß man hinsichtlich des letztgenannten Prüfungsbereiches beim R. durchaus Einblicke in die Verhältnisse vor Ort erhielt, beschränkten sich die Rügen in erster Linie auf Sparsamkeits- bzw. Wirtschaftlichkeitserwägungen; ethische Gesichtspunkte wurden lediglich im Zusammenhang mit der v.a. in den letzten beiden Kriegsjahren verstärkt betriebenen Korruptionsbekämpfung thematisiert. *Franz-Otto Gilles*

Literatur:
Gilles, Franz-Otto: *Hauptsache sparsam und ordnungsgemäß. Finanz- und Verwaltungskontrolle in den während des Zweiten Weltkriegs von Deutschland besetzten Gebieten*, Opladen 1993.
Weinert, R.: *Die Sauberkeit der Verwaltung im Kriege. Der Rechnungshof des Deutschen Reiches 1938–1946*, Opladen 1993.

Rechtswahrer Als R. wurden neben Juristen auch Angehörige nichtakademischer Berufe der Rechtspflege bezeichnet, die nach nat.soz. Auffassung alle zu »Arbeitern am Recht« werden sollten; zusammengeschlossen im → Nat.soz. Rechtswahrerbund.
Michael Hensle

Refraktäre Bezeichnung für diejenigen »widerspenstigen« *(réfractaires)* jungen Franzosen, die sich weigerten, dem am 16.2.1943 gegründeten STO (Service du Travail Obligatoire; »Pflichtarbeitsdienst«), mit dem franz. Arbeitskräfte nach Deutschland verpflichtet wurden, Folge zu leisten. Die R. gingen lieber in den Maquis und stärkten so die Résistance erheblich. *Hellmuth Auerbach*

Reich, Das Von Rolf Rienhardt initiierte, seit dem 26.5.1940 im Deutschen Verlag (bis 1934 Ullstein) erschienene, sehr erfolgreiche politisch-kulturelle Wochenzeitung. Als repräsentatives Organ konzipiert, das auf eine intellektuelle Leserschaft in Deutschland und im Ausland zielte, wurde die Redaktion mit namhaften Journalisten ehemaliger liberaler und konservativer Blätter besetzt. In einer dem Anschein nach sachlichen Berichterstattung und mit ihrem gehobenen journalistischen Niveau die anderen NS-Publikationen übertreffend, gaben die Artikel nat.soz. Inhalte wieder, zeugten in Einzelfällen jedoch auch von vorsichtiger Distanz. Dem R. wurde im Zwangssystem der nat.soz. Presselenkung (→ Presse; → Reichskulturkammer) ein Freiraum gegenüber den Presseanweisungen des → Reichsministeriums für Volksaufklärung und Propaganda zugestanden, ebenso eigene Informationswege und ansonsten zurückgehaltenes Material. Hauptschriftleiter waren Eugen Mündler (bis 31.1.1943) und Mitbegründer Rudolf Sparing (seit 14.2.1943). Die Leitartikel wurden häufig von Goebbels verfaßt. Die Auflage stieg von 500 000 Exemplaren im Oktober 1940 auf 1,4 Mio. im März 1944. Die letzte regulär ausgelieferte Ausgabe erschien am 15.4.1945. *Angelika Heider*

Reichsakademie für Leibesübungen s. Sport

Reichsamt für Agrarpolitik Das in der Reichsleitung der → NSDAP angesiedelte R. führte die Tradition des Agrarpolitischen Apparats fort, der 1930–1933 unter Richard Walther Darré als Dienststelle der NSDAP deren Agrarpolitik entwickelt und propagiert hatte. Mit der Ernennung Darrés zum → Reichsbauernführer (→ Reichsnährstand) und zum Reichsminister für Ernährung und Landwirtschaft war das R. eigentlich obsolet, bestand jedoch neben der ständischen und der staatlichen als parteiamtliche Organisation in Personalunion weiter, und zwar mit den Aufgaben, den → Führer agrarpolitisch zu beraten, fachpolitische Funktionärsschulungen und Funktionärsauslese zu betreiben und das parteiamtliche Nachrichtenblatt *NS-Landpost* herauszugeben. Das R. war in neun Ämter gegliedert (u.a. Amt für Bauernkultur, Amt für Blutsfragen des Dt. Bauerntums). Das Amt für Personal und Organisation führte die Bezeichnung »Agrarpolitischer Apparat« weiter und betreute die → Alten Kämpfer, die vor dem 30.1.1933 von der Gau- bis zur Ortsebene herab als agrarpolitische Fachberater tätig gewesen waren.

Wolfgang Benz

Reichsarbeitsdienst (RAD) Das Gesetz zur Arbeitsdienstpflicht vom 26.6.1935 verpflichtete männliche und weibliche Jugendliche zwischen 18 und 25 Jahren zur Ableistung eines Arbeitsdienstes. Die Dienstzeit betrug ein halbes Jahr. Aus finanziellen und organisatorischen Gründen konnte der weibliche Arbeitsdienst bis 1939 nur auf freiwilliger Basis durchgeführt werden.

Der R. war keine → Gliederung und kein angeschlossener Verband der NSDAP. An seiner Spitze stand der Reichsarbeitsführer Konstantin Hierl, als Staatssekretär für den Arbeitsdienst dem → Reichsministerium des Innern angegliedert. Um die Trennung zwischen R. und NSDAP deutlich zu unterstreichen, gehörte Hierl nicht der Reichsleitung der Partei an. Nach der Übernahme des Reichsinnenministeriums durch Heinrich Himmler schied der R. im August 1943 aus diesem Zuständigkeitsbereich aus. Hierl erhielt Rang und Befugnisse eines Reichsministers und der R. damit den Charakter einer Obersten Reichsbehörde. Er gliederte sich in Arbeitsgaue, die in 4–8 Arbeitsdienstgruppen unterteilt waren, denen Arbeitsdienstabteilungen von etwa 150 Mann in Arbeitslagern unterstanden.

Arbeitsdienst war »Ehrendienst am dt. Volke«, sollte Standesunterschiede einebnen und zeigen, »daß der eigentliche Sinn an der Arbeit nicht im Verdienst liegt, den sie einbringt, sondern in der Gesinnung, mit der sie geleistet wird«. Ausgeführt wurden in erster Linie wirtschaftliche Aufgaben wie Landeskulturarbeiten, Forst- und Wegebauten, sowie Hilfsarbeiten beim Bau der Reichsautobahn (→ Autobahnen). Der Wert der geleisteten Arbeit stand in keinem Verhältnis zu den für den R. aufzubringenden Gesamtkosten. 1944/45 wurde in den RAD-Abteilungen meist nur noch militärische Ausbildung betrieben; nicht wenige Abteilungen wurden zu Flak-Batterien umgewandelt.

Reiner Pommerin

Literatur:
Köhler, Henning: *Arbeitsdienst in Deutschland. Pläne und Verwirklichungsformen bis zur Einführung der Arbeitsdienstpflicht im Jahre 1935*, Berlin 1967.

Reichsarbeitsgemeinschaft Heil- und Pflegeanstalten s. Aktion T 4, s.a. Medizin

Reichsarbeitskammer 1935 gebildetes Gremium innerhalb der → Dt. Arbeitsfront (DAF), in dem Vertreter aus Wirtschaft und Politik auf Reichsebene über sozialpolitische Fragen berieten. Das zunehmende Übergewicht der NSDAP in der R. ließ das ursprüngliche Ziel, Anregungen von Unternehmern und Arbeitnehmern der politischen Führung praxisnah zu unterbreiten, in den Hintergrund treten. Der Versuch der DAF, durch einen Gesetzentwurf den Status der R. und der ihr untergeordneten 26 Bezirksarbeitskammern zu erhöhen, scheiterte am Widerstand innerhalb der Administration wie der Regierung. Die R. blieb ein beratendes Gremium ohne Entscheidungsgewalt.

Stefan Hoff

Reichsarbeitsministerium Das Reichsarbeits- und das preuß. Wirtschaftsministerium wurde zwischen 1933 bzw. 1934 und 1945 von Minister Franz Seldte geleitet, der bis 1933 den → »Stahlhelm« geführt hatte. Zunächst verfügte es über vier Abteilungen: Allgemeines, Reichsversicherung, Arbeitsschutz und Gewerbeaufsicht, sowie

Siedlungs- und Wohnungswesen. Vorrangige Aufgaben waren die Sozial- und Lohnpolitik, letztere wurde durch die dem R. unterstehenden → Reichstreuhänder der Arbeit gestaltet. Um die dt. Arbeitskräfte im Interesse des → Vierjahresplans und der → Kriegswirtschaft besser mobilisieren zu können, wurde dem R. Ende 1938 die Reichsanstalt für Arbeitsvermittlung und Arbeitslosenversicherung als Abteilung V (→ Arbeitseinsatz) eingegliedert; im März 1939 wurden dem R. die Arbeitsämter als Reichsbehörden unterstellt. Von da an organisierte das R. den »geschlossenen Arbeitseinsatz« dt. Juden. Mit der Kriegsreform der Arbeitsgesetze schuf das R. im September 1939 die Instrumente für eine militärische Regulierung des Arbeitsmarktes. Das R. organisierte auch den Aufbau dt. Arbeitsverwaltungen in den besetzten Gebieten sowie den »Reichseinsatz« von → Fremdarbeitern. Für eine effektivere Gestaltung europaweiter → Zwangsarbeit trat das R. dann im März 1942 die Abteilungen III (Arbeitsrecht und Lohnpolitik) und V (Arbeitseinsatz) samt Personal an die neue Behörde des → Generalbevollmächtigten für den Arbeitseinsatz ab. Als Fachaufgaben behielt das R. die Reichsversicherung, den Städtebau und die Baupolizei, den Arbeitsschutz und die Fürsorge (→ Sozialpolitik). *Wolf Gruner*

Reichsautobahn s. Autobahnen

Reichsautozug »Deutschland« Amt bzw. Hauptstelle in der Reichspropagandaleitung der NSDAP mit der Aufgabe, technische Hilfsmittel für Großkundgebungen bereitzustellen. Dazu diente der in München stationierte R. mit Einrichtungen zur Trinkwasser- und Elektrizitätsversorgung und einer Lautsprecherkapazität zur Beschallung von bis zu 800 000 Zuhörern. *Wolfgang Benz*

Reichsbanner Schwarz-Rot-Gold Das 1924 gegründete R. war eine mehrheitlich sozialdemokratisch ausgerichtete und militant orientierte Schutzorganisation für Versammlungen und Demonstrationen von demokratischen Veranstaltern. Der Untertitel »Bund republikanischer Kriegsteilnehmer« weist auf den überwiegenden Anteil von Soldaten unter den Mitgliedern hin. Zur Ausbildung der Schutzformationen der besonders aktiven Mitglieder und der Jugendorganisation Jungbanner gehörten Marschübungen, Sport, Orientierungskunde, Signaltechnik und Nachrichtenwesen. Auf Drängen insbesondere jüngerer Mitglieder fanden v.a. in der Endphase der Weimarer Republik vereinzelte geheime Schießübungen statt, ferner wurden Schußwaffenlager angelegt und Vorbereitungen auf die Besetzung von Bahnknotenpunkten, Sperrung von Straßen und das Kappen von Telefonleitungen getroffen. Beim → Preußenschlag Papens und der → »Machtergreifung« versagte sich das R. die Möglichkeit zur bewaffneten Verteidigung der Weimarer Republik. Nach der offiziellen Auflösung des R. 1933 beteiligten sich Mitglieder des R. am → Widerstand. *Kurt Schilde*

Reichsbauernführer Eine der zentralen Institutionen der nat.soz. Agrarpolitik. Mit dem Gesetz zur Bildung des → Reichsnährstandes vom 13.9.1933 wurde der R. in der Person Richard Walther Darrés zu dessen Leiter bestimmt, der dem Reichskanzler verantwortlich war. Ihm standen Landes- und Kreisbauernführer zur Seite. Darré konnte durch die Personalunion von R. und Reichsminister für Ernährung und Landwirtschaft wichtigen Einfluß auf die Agrarpolitik nehmen (→ Reichsamt für Agrarpolitik). *Uffa Jensen*

Reichsbauerntag Der R. auf dem Bückeberg bei Hameln fand 1933–1937 am → Erntedanktag unter Beteiligung von jeweils rund 1 Mio. Bauern statt. Zentrale symbolische Akte waren die Übergabe der Erntekrone durch eine Abordnung der Bauernschaft und die Reden Hitlers und des → Reichsbauernführers. Ab 1935 nahm auch die Wehrmacht mit Gefechtsübungen am R. teil. 1937 fand der R. – mit der Schenkung des Bückebergs an Hitler – zum letztenmal statt, da er nach der Absage wegen der → Sudetenkrise 1938 nicht mehr gefeiert wurde. Der R. sollte die Verbundenheit des Regimes mit der Landbevölkerung im Sinne der → Blut und Boden-Ideologie ausdrücken und damit eine seiner Hauptstützen propagandistisch erfassen. *Uffa Jensen*

Reichsberufswettkampf 1933 vom Leiter des Sozialamtes der → Reichsjugendführung, Arthur Axmann, gegründeter Leistungsvergleich zur Kontrolle der Berufsausbildung, der gemeinsam mit der → DAF jeweils im Frühjahr durchgeführt wurde. Am R. beteiligten sich jedes Jahr über 1 Mio. (1938 2,2 Mio.) junge Arbeitnehmer. Bei der Bewertung spielten der praktische und weltanschauliche Teil die größte Rolle, wobei Mädchen auch hauswirtschaftliche Aufgaben gestellt wurden. Im sportlichen Teil waren Mindestanforderungen zu bewältigen. Die Sieger der Wettbewerbe hatten Aussicht auf besondere Förderung. *Willi Dreßen*

Reichsbischof Nach der Kirchenverfassung vom 11.7.1933 das höchste Organ der Dt. Evangelischen Kirche. Erster Träger des Amtes war Friedrich von Bodelschwingh, der bereits vor Erlaß der Kirchenverfassung am 27.5.1933 von den Führern der Landeskirchen gewählt wurde, aber wegen des beginnenden → Kirchenkampfes schon am 24.6.1933 wieder zurücktrat. Die Nationalsynode wählte dann am 27.9.1933 Ludwig Müller zum R., der nominell bis 1945 im Amt blieb, aber bereits Mitte 1935 seine Befugnisse verlor. *Carsten Nicolaisen*

Reichsbruderrat Neben Bekenntnissynode und Vorläufiger Kirchenleitung (VKL) eines der Leitungsorgane der → Bekennenden Kirche. Im Juni 1937 wurden acht Mitglieder des R. von der → Gestapo verhaftet, so daß der R. bis Kriegsende nicht mehr funktionsfähig war. Seine Anliegen wurden von der Konferenz der Landesbruderräte vertreten. Nach 1945 übertrug der R. seine kirchenregimentlichen Funktionen dem neu gewählten Rat der Evangelischen Kirche in Deutschland, verstand sich aber weiterhin als kritisches Korrektiv zum offiziellen Kurs der evangelischen Kirche. *Carsten Nicolaisen*

Reichsbühnenbildner 1936 wurde der Berliner Innenarchitekt und Bühnenbildner Benno v. Arent, Vorstandsmitglied der Reichstheaterkammer (→ Reichskulturkammer), zum R. ernannt. Arent, der als Autodidakt seit 1923 an Berliner Bühnen tätig war und seit Anfang der 30er Jahre der Partei nahestand, gehörte 1932 zu den Mitbegründern des Bundes nat.soz. Bühnen- und Filmkünstler. Ganz im Sprachstil der nat.soz. → Propaganda bezeichnete er es als die Aufgabe des Bühnenbildes, »optischer Mittler zwischen Bühnenwerk und Publikum« und zugleich »Diener am dt. Volk« zu sein. Er vertrat einen gemäßigt realistischen Bühnenstil bis hin zu volkstümlicher Verständlichkeit, übte in seiner Funktion als R. jedoch keinen prägenden Einfluß auf das Theaterleben im Dritten Reich aus (→ Kunst), obwohl er seit 1935 als

Ausstatter von Feiern wie als Bühnenbildner an Berliner Theatern Erfolg hatte und sich bis zum Ende des Dritten Reiches der besonderen Gunst Hitlers erfreuen konnte. *Hermann Weiß*

Reichsbund der Deutschen Beamten (RDB) Die im Oktober 1933 gegründete, der NSDAP angeschlossene Zwangsorganisation der dt. Beamten. Die Hauptaufgabe des R. lag in der »Erziehung der Mitglieder zu vorbildlichen Nat.soz.« und in der »Durchdringung mit nat.soz. Gedankengut«. Die Einheitsorganisation stand unter der personellen Führung des Amtes für Beamte der NSDAP und war in 14 (im Krieg 15) Fachschaften eingeteilt. Vorsitzender war Hermann Neef. Infolge der »Mobilisierung aller Heimatkräfte« bedeutete die Einstellung der Tätigkeit des Hauptamtes (17.2.1943) de facto das Ende des R. *Michael Sommer*

Reichsbund der Kinderreichen Deutschlands zum Schutze der Familie e.V. Ziel des 1919 als Selbsthilfeorganisation kinderreicher Familien gegründeten R. war ursprünglich die Berücksichtigung der Belange Kinderreicher in der Wirtschafts- und Steuerpolitik. Im Dritten Reich wurde der R. ein »bevölkerungspolitischer Kampfbund, der nat.soz., bevölkerungspolitisches Denken« verbreiten sollte und die »Erhaltung und Förderung der dt., erbgesunden, arischen Familie« zum Ziel hatte (→ Abstammungsnachweis; → Ehe; → Erbgesundheit). Aufgenommen werden konnten auf Antrag so gekennzeichnete Familien mit mindestens vier, Witwen mit mindestens drei Kindern. Die Zielrichtung des R. ergab sich auch aus seiner Betreuung durch das → Rassenpolitische Amt der NSDAP. *Wolfram Selig*

Reichsbund deutscher Seegeltung Der 1934 gegründete R., eine Organisation in Anlehnung an die NSDAP, hatte von Hitler den Auftrag, den Gedanken der Seegeltung zu verbreiten und zu intensivieren. Der Begriff »Seegeltung« erstreckte sich auf die Bereiche Schiffahrt, Seehandel, Kolonien, Auslands- und Volksdeutschtum (→ Volksdeutsche) und Kriegsmarine. Es gab keine Einzelmitgliedschaft, vielmehr gehörten dem R. alle mit der See in Verbindung stehenden Kräfte an, wie die Schiffahrt, Häfen, Industrie, Marineverbände etc. Dem R. war das Seegeltungsinstitut in Magdeburg angeschlossen, das der wissenschaftlichen Forschung auf diesem Gebiet dienen sollte. Leiter des R. wie des Instituts war zunächst Admiral Adolf v. Trotha, nach dessen Tod ab 1941 Konteradmiral Wilhelm Busse. *Wolfram Selig*

Reichsbund jüdischer Frontsoldaten (RjF) Auf Initiative von Leo Loewenstein im Februar 1919 gegründete Vereinigung jüdischer Veteranen. Der R. widmete sich der Betreuung jüdischer Kriegsopfer und versuchte, durch zahlreiche Bücher, Broschüren und Flugblätter dem → Antisemitismus entgegenzuarbeiten. Z.B. sollten Publikationen wie *Die jüdischen Gefallenen des deutschen Heeres* (1932) den Vorwurf entkräften, Juden seien im Weltkrieg ihrer Wehrpflicht nicht nachgekommen. 1925 zählte der R. 30 000–40 000 Mitglieder in 16 Landesverbänden; sein Verbandsorgan *Der Schild* (1921–1938) erreichte 1936 eine Auflage von 15 000 Ex. Der R. förderte darüber hinaus Siedlungsprojekte und gründete Jugendsportgruppen, die 1933 zum »Schild. Sportbund des R.« zusammengefaßt wurden und 1936 ca. 21 000 Mitglieder umfaßten. Nach der → »Reichskristallnacht« vom 9./10.11.1938 stellte der R. seine Aktivitäten ein. *Marion Neiss*

Reichsbürgergesetz s. Nürnberger Gesetze

Reichsdramaturg Seit 1933 im → Reichsministerium für Volksaufklärung und Propaganda zuständiger Mann für die Überwachung und Lenkung der Spielpläne der dt. Bühnen im nat.soz. Sinn. Der R. war ein wichtiges Instrument zur kulturellen Kontrolle der dt. Bühnen und ihrer Arbeit. *Willi Dreßen*

Reichsehrenmal In dem 1927 bei Hohenstein in Ostpreußen errichteten nationalen Denkmal zur Erinnerung an die Schlacht von Tannenberg, in der im August 1914 die russ. Narew-Armee vernichtend geschlagen worden war, wurde am 7.8.1934 Reichspräsident v. Hindenburg beigesetzt. Am 2.10.1935 erklärte Hitler die Stätte zum »R. Tannenberg«. Das Denkmal wurde im Januar 1945 beim dt. Rückzug aus Ostpreußen gesprengt. *Wolfgang Benz*

Reichserbhofgesetz Das R. vom 29.9.1933 war der wichtigste Bestandteil der nat.soz. Agrarpolitik. Als Konkretisierung der → Blut und Boden-Ideologie und zur Erhaltung der → nordischen Rasse sollten mittels des Anerbenrechts unveräußerliche → Erbhöfe, deren Besitzer »stammesgleichen Blutes« zu sein hatten, gebildet werden. Die Eingriffe in die bäuerliche Selbstbestimmung führten zu Protesten, wie auch die Neuregelung wirtschaftlich wenig Sinn machte, weil sie z.B. die Kreditaufnahme erschwerte. *Uffa Jensen*

Reichsfetthilfe Da die Fettrationen im → Protektorat Böhmen und Mähren weit unter denen des Dt. Reiches lagen, wurde die Differenz für die dt. Bevölkerung im Protektorat durch eine Sonderfettzuteilung, die R., ausgeglichen. Im September 1941 wurde auch für 1,8 Mio. tschech. Schwerarbeiter die Fettration geringfügig erhöht. Die Aktion wurde in Betriebsappellen propagandistisch ausgeschlachtet, weil die tschech. Wirtschaft für die Rüstungsproduktion wichtig war. *Wolfgang Benz*

Reichsfilmkammer s. Reichskulturkammer

Reichsflaggengesetz Eines der drei → Nürnberger Gesetze. Das R. bestimmte Schwarz-Weiß-Rot als Reichsfarben und die Flagge mit dem → Hakenkreuz zur Reichs-, National- und Handelsflagge. Durchführungsverordnungen zum R. verfügten das obligatorische Hissen der Reichsflagge auch an privaten Gebäuden an → nationalen Feiertagen und zusätzlich bei besonderen Anlässen. Die Einhaltung des R. wurde von Parteiinstanzen kontrolliert. Auch versehentliches Nicht-Befolgen führte u. U. zur Anklage nach dem → Heimtücke-Gesetz. Juden war das Hissen der Reichsflagge und das Zeigen der Reichsfarben verboten. *Heiko Pollmeier*

Reichsfluchtsteuer Seit 1931 zur Verhinderung von Kapitalflucht auf Vermögen von über 200 000 RM angewandte Steuer. Im NS-Staat wurde die R. zur Ausraubung auswandernder Juden auf Vermögen von über 50 000 RM und auf Jahreseinkommen von über 20 000 RM ausgedehnt. Der Steuersatz betrug 25% des Gesamtvermögens. Aufgrund von Devisenbestimmungen und Wechselkursen erhielten Auswandernde jedoch nur einen Bruchteil der verbleibenden Summe. *Maria-Luise Kreuter*

Reichsforschungsrat Anfang 1937 vom → Reichsministerium für Wissenschaft, Erziehung und Volksbildung eingerichtete Organisation zur Koordination der wehrwissenschaftlichen Forschung mit dem → Vierjahresplan. Präsident war General und Prof. (TH Berlin) Karl Becker; nach dessen Selbstmord 1940 wurde der R. umorganisiert (Sommer 1942). Die Luftwaffe beharrte auf eigener »Forschungsführung«. Im Interesse des Totaleinsatzes von Wissenschaft und Wehrtechnik unternahm das Planungsamt im R. 1943 weitere erfolglose Anstrengungen zur Koordination.

Karl-Heinz Ludwig

Reichsforstmeister Titel Görings als Chef des Reichsforstamtes; in Jagdsachen firmierte er zugleich offiziell als »Reichsjägermeister«. Das Reichsforstamt wurde 1934 als oberste Reichsbehörde gegründet und übernahm die Zuständigkeit für das Forst- und Jagdwesen, die Holzwirtschaft, den Wildhandel und den Vogelschutz vom Reichsministerium für Ernährung- und Landwirtschaft. 1935 wurde es mit dem preuß. Landesforstamt vereinigt. Es war außerdem für Naturschutz und Naturdenkmalpflege zuständig und aufgrund des 1935 erlassenen Reichsnaturschutzgesetzes oberste Naturschutzbehörde. Durch Ländergesetze modifiziert, galt das Reichsnaturschutzgesetz auch noch lange Jahre in der Bundesrepublik Deutschland. *Volker Rieß*

Reichsfrauenführerin Leiterin sämtlicher Frauenorganisationen im Dritten Reich. Seit 1934 stand Gertrud Scholtz-Klink als R. an der Spitze der → NS-Frauenschaft, des Dt. Frauenwerks sowie der Frauengruppen der → DAF, des Arbeitsdienstes (→ RAD) und des Dt. Roten Kreuzes. Die R. unterstand der → Reichsleitung der NSDAP.

Anja von Cysewski

Reichsführer SS und Chef der Deutschen Polizei (RFSSuChdDtPol) Zur Sicherung ihrer 1933 errungenen Machtposition übertrug die nat.soz. Führung in den Jahren 1933/34 Heinrich Himmler, seit 1929 Führer der »Schutzstaffel« (SS), die Leitung der Politischen Polizeien in den einzelnen dt. Ländern. Mit seiner Ernennung zum Inspekteur der preuß. Politischen Polizei (→ Gestapo) und der Beförderung Heydrichs zum neuen Leiter des Geheimen (preußischen) Staatspolizeiamtes (→ Gestapa) im April 1934 war die → Gleichschaltung der Politischen Polizei im ganzen Reich abgeschlossen. Die ebenfalls angestrebte Verreichlichung der Polizeiapparate in den Ländern erfolgte jedoch erst mit Himmlers Ernennung zum RFSSuChdDtPol. im Reichsministerium des Innern am 17.6.1936. Im Range eines Staatssekretärs wurde Himmler damit nicht nur oberster Chef der → Sicherheitspolizei unter Heydrich, sondern auch der Ordnungspolizei unter Kurt Daluege und damit Herr über den gesamten staatlichen Sicherheitsapparat. Die Einbeziehung seiner Parteifunktion als »Reichsführer der SS« in den neuen Titel unterstreicht die Absicht, SS und Polizei zu verschmelzen und den Polizeiapparat mit der im Sinne des Nat.-soz. ideologisierten SS personell aufzurüsten und zu einer zuverlässigen Säule des nat.soz. Unterdrückungssystems auszubauen. Die Doppelfunktion als Spitzenfunktionär der Partei und als führender Beamter des Staates ermöglichte es Himmler, ähnlich wie bei der Kombination → Reichsstatthalter/ → Gauleiter, seinen Minister zu umgehen und als Parteifunktionär mit direktem Zugang zu Hitler auch Probleme seines staatlichen Ressorts zu besprechen. Ein nicht mehr erreichtes Ziel war schließlich, die Polizei personell in der SS aufgehen zu lassen und die »Schutzstaffel« in ein polizeiliches »Staatsschutzkorps« umzuwandeln. Die Ernennung Himmlers zum Reichsinnenminister (August 1943) unter Beibehaltung seiner Stellung als RFSS zeigt nur einen weiteren Fall der Gleichsetzung von Staat und Partei, andererseits freilich auch die tatsächlichen Machtverhältnisse zum damaligen Zeitpunkt. *Jürgen Matthäus*

Literatur:

Breitman, Richard: *Der Architekt der »Endlösung«. Himmler und die Vernichtung der europäischen Juden,* Paderborn 1996.
Buchheim, Hans: *SS und Polizei im NS-Staat,* Duisburg 1964.

Reichsführerschulen Neben dem vom Staat beaufsichtigten Schulwesen hatte die NSDAP eine große Anzahl von Schulen für solche Gebiete geschaffen, deren Pflege abseits von staatlichen Aufgaben lag. Zu diesen Schulen zählten die R.; sie bezeichneten die Schulungseinrichtungen für die → Politischen Leiter der Partei und die für den parteiinternen Führernachwuchs bestimmten Ausbildungsstätten (→ Ordensburgen). *Jana Richter*

Reichsgau Bezeichnung für reichsunmittelbare Verwaltungsbezirke in Gebieten, die seit 1938 an das Dt. Reich angeschlossen wurden. In Österreich wurden die R. Wien, Niederdonau, Oberdonau, Steiermark, Kärnten, Salzburg, Tirol-Vorarlberg, in der Tschechoslowakei der Reichsgau → Sudetenland, in Polen die Reichsgaue → Danzig-Westpreußen und → Wartheland eingerichtet. Ihr Gebiet stimmte mit dem Territorium des jeweiligen NSDAP-Gaus überein. An ihrer Spitze stand ein → Reichsstatthalter, der zugleich → Gauleiter war. Die Verbindung beider Ämter in einer Hand verstärkte den Zugriff der Partei auf die staatliche Verwaltung. *Bernward Dörner*

Reichsgericht (1879–1945) Oberste Instanz für Zivil- und Strafsachen mit Sitz in Leipzig. Nach Kompetenzverlust (1933–1936) für politische Strafsachen (keine Revisionsbefugnis bei → Sondergerichten; Abgabe der Zuständigkeit für Landes- und Hochverrat an den → Volksgerichtshof, von militärgerichtlichen Sachen an das → Reichskriegsgericht) betrieb das R. über die verbliebene Revisionsbefugnis eine noch den Wortlaut übertreffende Handhabung der → Nürnberger Gesetze. Insgesamt erwies sich das R. durch exzessive Auslegung (Blutschutzgesetz; → Kriegssonderstrafrecht) unter Aufgabe von Rechtsstaatsprinzipien (Rückwirkungs- und Analogieverbot) als willfähriges Instrument zur Durchsetzung nat.soz. Rechtsvorstellungen. *Michael Hensle*

Reichsgesundheitsführer Das Amt des R. vereinigte ab April 1939 die Zuständigkeit für die staatliche Gesundheitspolitik und für die Maßnahmen der NSDAP auf dem Gebiet der Gesundheitsvorsorge (→ Medizin). R. und damit zugleich Staatssekretär im Reichsministerium des Innern, dem die zuletzt drei Abteilungen für Gesundheitssicherung, Gesundheitspflege und Veterinärwesen unterstanden, und Leiter des Hauptamtes für Volksgesundheit in der Reichsleitung der NSDAP, dem auch die Führung des Nat.soz. Dt. Ärztebundes oblag, wurde der Schweizer Arzt Dr. Leonardo Conti. Er war mitverantwortlich für die Ermordung der Geisteskranken (→ Aktion T 4) und die Durchführung des Gesetzes zum Schutz der → Erbgesundheit des Dt. Volkes, aber auch für Sozialfürsorge und Fürsorgeerziehung von Jugendlichen. Mit ihm konkurrierten ab 1943 der Generalkommissar, dann der Reichsbeauftragte für das Sanitäts- und Gesundheitswesen, Karl Brandt, sowie bei seinen Plänen für eine Krankenversicherungsreform Robert Ley als Leiter der → DAF. *Heinz Boberach*

Reichsgruppe Industrie (RGI) Zentrale Unternehmerorganisation und Interessenvertretung der dt. Industrie mit Zwangscharakter. Der Prozeß der Reorganisation der industriellen Spitzenverbände 1933/34 unter der Propagandaparole der »Abschaffung des Klassenkampfes« schloß im November 1934 mit der Bildung des R. ab (1. Durchführungsverordnung zum Gesetz zur »Vorbereitung des organisatorischen Aufbaus der dt. Wirtschaft« vom 27.11.1934). Den organisatorischen Unterbau der R. bildeten Wirtschafts- und Fachgruppen, regional die Industrieabteilungen der Wirtschaftskammern und spezielle Bezirksgruppen. 1938 wurde die Leitung der R. reorganisiert und verstärkt und unter ihrem neuen Leiter, Mannesmann-Generaldirektor Wilhelm Zangen, auf die forcierte Kriegsvorbereitung ausgerichtet (→ Vierjahresplan: Mobilmachungsplanungen). Nach den dt. Siegen 1939/40 begann die R. mit einer großangelegten Zusammenfassung und Systematisierung der Kriegsziele der dt. Industrie, die sich in ihren »Länderberichten« niederschlug (fertiggestellt für die Niederlande, Belgien, Frankreich, Dänemark und Norwegen). Hierin wurde die möglichst rasche Unterwerfung der Wirtschaft dieser Länder unter den dt. Führungsanspruch mittels → Arisierung, Ausschaltung von Konkurrenten, Übernahme von Unternehmen und Marktpositionen, »Kapitalverflechtung« und Oktroi der dt. Wirtschaftsorganisation gefordert. Imperialistische Ziele verfolgte die R. auch in Südosteuropa (Südostausschuß der R.), in der UdSSR (Rußlandausschuß und Ostreferat der R.) sowie in Ostasien (Ostasienausschuß der R.), Seit Ende 1943 arbeitete eine Reihe von Wirtschafts- und Finanzexperten unter der Leitung des stellvertretenden Leiters der R., Salzdetfurth-Generaldirektor Rudolf Stahl, geheime Strategiepapiere für die Wirtschaftspolitik nach dem Kriege aus. Dieser »Kleine Sachverständigenkreis« wurde im Sommer 1944 erweitert (»Stahl-Kreis«) und entwickelte ein ausführliches Programm »für die Bearbeitung der wirtschaftlichen Nachkriegsprobleme vom Standpunkt der Industrie« aus (Dezember 1944), wobei von der militärischen Niederlage des Reiches ausgegangen wurde. In den letzten Kriegsmonaten war es das vordringliche Ziel der R., die Industriebetriebe und Stammbelegschaften über das Kriegsende hinaus zu erhalten und die ausländischen Zwangsarbeiter, v.a. KZ-Häftlinge, Juden und Kriegsgefangene, an die Behörden und an die SS abzuschieben. Leitende Mitarbeiter der R. stellten sich im Mai 1945 den westlichen Alliierten als Fachleute für den Wiederaufbau zur Verfügung.

Dietrich Eichholtz

Literatur:

Eichholtz, Dietrich: *Geschichte der deutschen Kriegswirtschaft 1939–1945.* Bde. I–III, Berlin (Ost) 1969 ff.

Eckert, Rainer: Die Leiter und Geschäftsführer der Reichsgruppe Industrie, ihrer Haupt- und Wirtschaftsgruppen (I), in: *Jahrbuch für Wirtschaftsgeschichte,* 4, 1979.

Reichshandwerksmeister Der R. stand an der Spitze des Reichsstands des Dt. Handwerks und war deshalb in Personalunion Leiter des Dt. Handwerks- und Gewerbekammertages (ernannt aufgrund des Gesetzes über den vorläufigen Aufbau des dt. Handwerks vom 29.11.1933 vom Reichswirtschafts- und Reichsarbeitsminister) und des Dachverbandes der Innungen, der auf Anordnung des Reichswirtschaftsministers im März 1935 gegründeten Reichsgruppe Handwerk. Als Vertreter des R. fungierten in den Wirtschaftsbezirken Landeshandwerksmeister. Der R. war gleichzeitig Leiter der 1934 errichteten Reichsbetriebsgemeinschaft Handwerk in der → DAF. *Wolfgang Benz*

Reichshauptstadt Berlin war 1920 durch Zusammenschluß mit sieben großen Städten (Charlottenburg, Köpenick, Lichtenberg, Neukölln, Schöneberg, Spandau, Wilmersdorf), 59 Landgemeinden und 27 Gutsbezirken zur Metropole Groß-Berlin mit 4,2 Mio. Einwohnern geworden, war Sitz der Reichsregierung und Oberster Reichsbehörden sowie der preuß. Regierung. Wie in anderen Großstädten verhielten sich die Wähler vor 1933 gegenüber der NSDAP reserviert (bei den Kommunalwahlen 1929 erhielt sie 6% der Stimmen, bei den Reichstagswahlen im November 1932 mit 25,9% deutlich weniger als im Reichsdurchschnitt). Wegen ihres Charakters als Industriestadt dominierten SPD und KPD. Vom taktischen Zusammenspiel zwischen NSDAP und KPD beim Verkehrsarbeiterstreik im November 1932 abgesehen, bestimmten bürgerkriegsartige Auseinandersetzungen zwischen der betont provozierend auftretenden → SA und den Kommunisten die politische Situation Anfang der 30er Jahre. Joseph Goebbels war 1926 zum → Gauleiter von Berlin (damals 500 NSDAP-Mitglieder) ernannt worden; mit spektakulären Propagandaaktionen, Saal- und Straßenschlachten versuchte er, der NSDAP zum Erfolg zu verhelfen.

Nach dem → Reichstagsbrand und mit der Rekrutierung von Hilfspolizei aus SA und → SS wurde Berlin ab März 1933 Schauplatz ausgedehnten Terrors gegen politisch Mißliebige, die in mehr als 150 improvisierten Haftstätten (oft in Sturmlokalen der SA eingerichtet) gefangengehalten und mißhandelt wurden. Zahlreiche Gefangene wurden in die KZ → Oranienburg und → Sonnenburg deportiert, innerhalb des Stadtgebietes hatten unter SS-Regie das Columbia-Haus, die Feldpolizei-Kaserne (SA) in der General-Pape-Straße den Charakter von KZ; berüchtigt waren u.a. auch die Folterkeller in den SA-Hauptquartieren Hedemannstraße und Voßstraße, im Wasserturm Prenzlauer Berg, schließlich das Hausgefängnis der → Gestapo in der Prinz-Albrecht-Straße. Die meisten Haftstätten mit dem Charakter von KZ existierten nur bis Mai 1933. Einen Höhepunkt an Brutalität bildete die → Köpenicker Blutwoche im Juni 1933. Mindestens 14000 Personen wurden in dieser Zeit verschleppt, mehrere hundert wurden bei den Rache-und Säuberungsaktionen im Rahmen öffentlichen Terrors ermordet oder starben an den Folgen der Mißhandlungen.

Opfer terroristischer Willkür waren von Anfang an auch Juden. Berlin hatte 1933 160000 jüdische Bürger (3,78% der Stadtbevölkerung bzw. 32,1% aller dt. Juden). Nach Emigration und Binnenwanderung waren es 1937 140000, im Juli 1939 noch 75000. Nach Diskriminierung und Ausgrenzung (Judenbann in Berlin für bestimmte Straßen und Plätze und öffentliche Einrichtungen ab November 1934, Zerstörung der meisten Synagogen und jüdischen Geschäfte im November 1938 [→ »Reichskristallnacht«], Ghettoisierung in → Judenhäusern ab April 1939) begann im Oktober 1941 über Sammellager in der Levetzowstraße, Mauerstraße, Große-Hamburger-Straße und die Bahnhöfe Putlitzstraße und Grunewald die → Deportation in die → Vernichtungslager und nach → Theresienstadt. In 180 Deportationszügen fielen über 50000 Juden der Verfolgung zum Opfer. Wenige (schätzungsweise 2000) konnten im Untergrund, die übrigen im Schutz nichtjüdischer Partner in → Mischehen überleben.

Mit der Machtübertragung an Hitler wurde Berlin Kulisse der Selbstdarstellung und des Herrschaftsanspruchs des Nat.soz. Dem Fackelzug am 30.1.1933 folgten am 21.3., dem Tag von → Potsdam, Vorbeimärsche und Feldgottesdienste, am 10.4. ein Appell von 600 000 Mann SA und SS, die reichsweit aufmarschiert waren, um eine Hitlerrede aus dem Berliner Sportpalast zu hören, am 1. Mai der Massenaufmarsch auf dem Tempelhofer Feld, am 10.5. die → Bücherverbrennung auf dem Opernplatz. Höhepunkte nat.soz. Inszenierung waren die → Olympischen Spiele 1936 und die 700-Jahrfeier der Stadt im August 1937 mit einem Festzug durchs Brandenburger Tor, das mit einem Transparent »Führer befiehl, wir folgen« dekoriert war, und einem Festspiel im Olympiastadion mit 10 000 Mitwirkenden. Im September 1937 war Berlin anläßlich des Mussolini-Besuchs Schauplatz des größten und teuersten Massenaufgebots (3 Mio. Menschen), das vom NS-Regime mit Lichtdomen, Fahnenwäldern und anderen Dekorationen inszeniert war. Der nat.soz. → »Machtergreifung« folgte unmittelbar die → Gleichschaltung des kulturellen und geistigen Lebens in der R., beginnend mit der Akademie der Künste, an die anstelle der vertriebenen Käthe Kollwitz, Heinrich Mann, Leonhard Frank, Franz Werfel, Oskar Kokoschka, Ernst Barlach, Arnold Schönberg usw. konforme bzw. opportunistische Schriftsteller, Musiker, bildende Künstler wie Hans Grimm, Hans-Friedrich Blunck, Erwin Guido Kolbenheyer, Arno Breker usw. berufen wurden (→ Kunst). Die Säuberung der öffentlichen Bibliotheken einschließlich der Zerstörung des Magnus-Hirschfeld-Instituts für Sexualwissenschaft kulminierte in der öffentlichen → Bücherverbrennung vom 10.5.1933. Der Exodus von Theaterleuten und Wissenschaftlern, Musikern und Autoren (→ Emigration) bot Regimefreunden und Opportunisten Entfaltungsmöglichkeiten. Den Ruf der Kulturmetropole hielten Künstler wie Wilhelm Furtwängler als Chef der Philharmoniker und der Staatsoper, Gustaf Gründgens als Generaldirektor des Staatsschauspiels, Heinrich George an der Spitze des Schillertheaters aufrecht. Für die vom Regime geförderten und genutzten Medien → Rundfunk und → Film behielt Berlin seine zentrale Rolle.

Die architektonische Neugestaltung der R. setzte bald nach dem Machterhalt ein, Zeugnisse sind das → Reichsluftfahrtministerium (1935/1936) und der Zentralflughafen Tempelhof (1936-1941, Architekt: Ernst Sagebiel), das Olympiastadion (1934–1936, Architekt: Werner March). Die Neue Reichskanzlei, seit dem Neujahrsempfang für das Diplomatische Corps im Januar 1939 Regierungssitz Hitlers, war in neun Monaten Bauzeit von Albert Speer als Prototyp nat.soz. Unterwerfungsarchitektur (300 m Fußweg vom Eingang zum Empfangssaal) errichtet worden (nach Kriegszerstörung bis auf Reste des Führerbunkers [→ Führerhauptquartiere], in dem Hitler Selbstmord beging, abgetragen, der Marmor diente als Baumaterial für das sowj. Ehrenmal in Berlin-Treptow). Die megalomanischen Planungen für → Germania wurden wegen des Krieges kaum in Ansätzen realisiert. Zeichen der Aneignung der Stadt durch die nat.soz. Ideologie war neben neuen Namen für Straßen und Plätze auch die Umbenennung des Stadtbezirks Friedrichshain in »Horst Wessel«.

Stadtregierung und -verwaltung wurden 1933 gleichgeschaltet und von mißliebigen Politikern und Beamten gesäubert; der seit 1931 amtierende dt.-nationale Oberbürgermeister Sahm blieb jedoch bis Ende 1935 im Amt. Ihm wurde mit Julius Lippert ein Staatskommissar vorgesetzt, der nach der Stadtverfassung von 1934 die Befugnis der Kommunalaufsicht vom preuß. Oberpräsidenten übernommen hatte. Von 1936 bis zur Entlassung 1940 amtierte Lippert in Personalunion mit dem Titel Stadtpräsident als Oberbürgermeister und Staatskommissar. Im Sommer 1940 folgte ihm als kommissarischer Leiter der Stadtverwaltung Ludwig Steeg, der erst im März 1945 zum Oberbürgermeister ernannt wurde. Die politische Macht war auf den Gauleiter der NSDAP, Goebbels, übergegangen, der seit 1940 die Befugnisse des Stadtpräsidenten ausübte, was am 1.4.1944 durch Führererlaß bestätigt wurde. Berlin war als R. vom Geltungsbereich der → Dt. Gemeindeordnung ausgenommen, ohne dadurch besondere Freiheiten zu genießen, da die Reichsregierung direkte Verfügungsgewalt über Berlin in Anspruch nahm und insbesondere bei der Neugestaltung durch die führerunmittelbare Sonderbehörde Generalbauinspektor für die R. ohne Rücksicht auf kommunale Notwendigkeiten eingriff.

Die R. war wegen ihrer Größe und als Hochburg der Arbeiterbewegung Ort des → Widerstands in vielfältigen Formen. Sozialdemokratische Resistenz und kommunistischer Widerstand aus der Illegalität heraus waren ebenso wie Regimegegnerschaft kirchlicher Kreise (→ Kirchen und Religion) kennzeichnend für die Stimmung gegenüber dem Nat.soz.; während des Krieges verdichtete und organisierte sich Widerstand u.a. in der → Herbert-Baum-Gruppe, in der → Roten Kapelle, im → Kreisauer Kreis und im → Goerdeler-Kreis, in jüdischen Gruppen (»Chug Chaluzi«, »Gemeinschaft für Frieden und Aufbau«) und in der Militäropposition, die am → 20. Juli 1944 den Staatsstreich versuchte. Zeichen offenen Protests im Zentrum Berlins waren die tagelangen Demonstrationen im März 1943 nach der → Fabrikaktion, bei der nichtjüdische Angehörige jüdischer → Zwangsarbeiter in der Rosenstraße öffentlich die Freilassung der Verhafteten forderten.

Vom Krieg war Berlin als Industriestandort und Verkehrszentrum besonders betroffen. Zum Straßenbild gehörten ausländische → Fremdarbeiter und Kriegsgefangene, sowie KZ-Häftlinge, die in Lagern hausten und in Rüstungsbetrieben arbeiteten, schließlich bei der Beseitigung der Luftkriegsschäden eingesetzt waren. Ein erster Luftangriff erfolgte im August 1940, die großen Flächenbombardements begannen im November 1943, sie dauerten mit 16 Großangriffen bis März 1944 und setzten ab Herbst 1944 erneut ein (→ Luftkrieg). Insgesamt 50 000 Tote und der Verlust von 50% des Wohnraums waren das Ergebnis. Ab Herbst 1943 wurden etwa 1 Mio. Bürger aus Berlin evakuiert.

Am 1.2.1945 war Berlin zum »Verteidigungsbereich« erklärt worden, am 9.3. legte ein grundsätzlicher Befehl die Einzelheiten fest: Drei Stellungssysteme an Oder und Neiße und drei Verteidigungsgürtel um die und in der Stadt sollten Berlin zur Festung machen, verteidigt u.a. von der 3. und 4. Panzerarmee, der 9. Armee, dem Wachregiment »Großdeutschland« und vom letzten Aufgebot des → Volkssturms: 200 Bataillone, rekrutiert aus Alten, Jugendlichen und Kindern. Am 16.4.1945 begann an den Seelower Höhen, 50 km östlich von Berlin, der Endkampf um die R., am 20.4. erreichte die Rote Armee den nordöstlichen Stadtrand. Obwohl es nicht gelang, Entsatz zur eingekesselten Stadt heranzuführen, wurde die Aufforderung zur Kapitulation am 23.4. abgelehnt, im Straßenkampf rückten sowj. Truppen bis ins Zentrum vor, nach dem Selbstmord Hitlers und Goebbels' kapitulierten die Verteidiger der R. am 2.5. in Tempelhof. 134 000 Mann wurden gefangengenommen. Bis zur Besetzung war von Wunderwaffen (→ V-Waffen) und von Entsatzarmeen die Rede, propagiert vom Rundfunk und den Zeitungen, zuletzt von der Notzeitung im Flugblattformat, die vom 22.–29.4.1945 unter dem Titel *Der Panzerbär. Kampfblatt für die Verteidiger Großberlins* erschien.

Wolfgang Benz

Literatur:

Ribbe, Wolfgang (Hg.): *Geschichte Berlins,* München 1987.
Scheel, Klaus (Hg.): *Die Befreiung Berlins 1945. Eine Dokumentation,* Berlin 1985.
Thamer, Hans-Ulrich: Triumph und Tod eines Diktators. Berlin unter Adolf Hitler, in: *Die Hauptstädte der Deutschen,* hg. von Uwe Schultz, München 1993, S. 205–219.

Reichsinstitut für Geschichte des neuen Deutschlands Mit dem R. sollten nat.-soz. Geschichtsvorstellungen institutionell verankert werden. Die 1935 insbesondere von Walter Frank betriebene Umwandlung der Historischen Reichskommission in ein Reichsinstitut für ältere dt. Geschichte und das R. sollten neben der Bearbeitung einiger thematischer Ziele (nat.soz. Sicht dt. Geschichte, »Judenfrage«) auch im Sinne der → NSDAP kämpfende Historiker fördern. Die historische Zunft wurde davon aber wenig berührt, das R. konnte insgesamt kein nat.soz. Geschichtsbild durchsetzen, wofür die diffuse Programmatik des R., ein verbreitetes Desinteresse von seiten der Funktionsträger und die fehlende Machtbasis im nat.soz. System verantwortlich waren (→ Wissenschaft). *Uffa Jensen*

Reichsjägermeister s. Reichsforstmeister

Reichsjugendführung Die R. hatte die Stellung einer Obersten Reichsbehörde. Sie bestimmte die Richtlinien, nach denen die in der → Hitler-Jugend erfaßten Kinder und Jugendlichen erzogen, betreut und eingesetzt werden sollten. An ihrer Spitze stand der Jugendführer des Dt. Reiches, der in Personalunion auch Reichsjugendführer der NSDAP war. Diese Funktionen übte bis 1940 Baldur v. Schirach aus, sein Nachfolger wurde Arthur Axmann (→ Jugend). *Maria-Luise Kreuter*

Reichsjustizministerium Die oberste Justizbehörde des Dt. Reiches, die nach Beseitigung der Justizhoheit der Länder (1933–1935) zur Zentralbehörde wurde und reichsweit die Leitung der Justizverwaltungen übernahm (→ Justiz und Innere Verwaltung). Der dt.-nationale Reichsjustizminister Franz Gürtner im Kabinett Hitler (bereits Justizminister unter Papen und Schleicher) gab einerseits Rechtsstaatsprinzipien preis, versuchte andererseits, den offenen Terror von → SA, → SS und → Gestapo zu kanalisieren und in justizförmige Bahnen zu leiten, mit dem Ergebnis der völligen Entrechtung der → Juden und eines → Kriegssonderstrafrechts. Der nach Gürtners Tod am 29.1.1941 kommissarisch amtierende Staatssekretär Franz Schlegelberger setzte den Weg der Entrechtung fort (→ Polensonderstrafrecht; → Nacht-und-Nebel-Erlaß). Er wurde am 20.8.1942 durch den fanatischen Nat.-soz. Otto Thierack (zuvor Präsident des → Volksgerichtshofs) abgelöst. Thierack behielt zwar die richterliche Unabhängigkeit (Weisungsfreiheit) formal bei, intensivierte aber die Justizlenkung (→ Richterbriefe) und war für die weitere Pervertierung der Justiz verantwortlich (Auslieferung von Strafgefangenen an die SS »zur Vernichtung durch Arbeit«). *Michael Hensle*

Reichskammer der bildenden Künste s. Reichskulturkammer

Reichskanzlei Seit dem 30.1.1933 (→ »Machtergreifung«) Amtssitz Adolf Hitlers als Regierungschef und Behörde zur Abwicklung der laufenden Regierungsgeschäfte. Chef der R. war Staatssekretär, seit 1937 Reichsminister Hans Heinrich Lammers, der damit großen persönlichen Einfluß auf den Ablauf der Regierungsgeschäfte ausübte (Vortrag bei Hitler, Koordination der Ministerien etc.), den er aber im Verlauf des Krieges an den Chef der Parteikanzlei, Martin Bormann, abgeben mußte. Am 12.1.1939 verlegte Hitler seinen Amtssitz in die von Speer errichtete Neue R., einen Riesenbau in der Voßstraße in Berlin. Aus Material der zerstörten Neuen R. wurde nach dem Krieg ein sowj. Ehrenmal errichtet (→ Reichshauptstadt). *Willi Dreßen*

Reichskirchenausschuß Bezeichnung für die von Reichskirchenminister Hanns Kerrl am 3.10.1935 eingesetzte achtköpfige Leitung der Dt. Evangelischen Kirche. Seine Aufgabe, die konkurrierenden Leitungsansprüche innerhalb der evangelischen Kirche zu beseitigen, vermochte der R. nicht zu erfüllen, da er in der Kirche als vom Staat eingesetztes Organ nicht überall Anerkennung fand und auch von seinen staatlichen Auftraggebern nicht unterstützt wurde. Am 12.2.1937 trat der R. zurück (→ Kirchen und Religion). *Jana Richter*

Reichskleiderkarte Nach Beginn des Zweiten Weltkriegs an alle nicht Uniform tragenden Deutschen ausgegebener Berechtigungsschein zum Einkauf von Textilien. Die R. war jeweils für ein Jahr gültig und bestand aus 100 Punkten, die beim Einkauf von Textilien abgerechnet werden mußten (Sommermantel 35 Punkte etc.). Während des Krieges wurden Kleiderkarten für Jugendliche sowie Bezugsscheine für Winter- und Berufskleidung verteilt. Der jüdische Bevölkerungsteil war ab 1940 vom Bezug der R. ausgeschlossen. *Willi Dreßen*

Reichskommissar für die besetzten niederländischen Gebiete Oberste Verwaltungsinstanz der dt. Besatzung in den Niederlanden. Hitler ernannte am 19.5.1940 den österr. Nat.soz. Arthur Seyß-Inquart zum R., dem bis auf den militärischen und außenpolitischen Bereich die gesamte Besatzungsverwaltung unterstand. Eine gewisse Beschränkung fand der Einfluß des R. durch die Machtfülle der vier ihm unterstellten Generalkommissare. Seyß-Inquart wurde im Nürnberger Hauptkriegsverbrecherprozeß zum Tode verurteilt und hingerichtet (→ Nachkriegsprozesse). *Paul Stoop*

Reichskommissar für die besetzten norwegischen Gebiete Beim dt. Überfall auf → Norwegen am 9.4.1940 fand sich die norweg. Regierung – anders als die dän. – nicht zu einer Zusammenarbeit mit den Okkupanten bereit, ging vielmehr mit dem König an der Spitze ins Londoner Exil (→ Norwegenfeldzug). Hitler setzte daraufhin am 21.4.1940 den Essener Gauleiter und Oberpräsidenten der preuß. Rheinprovinz, Josef Terboven, in Oslo als unmittelbar dem Diktator unterstellten R. ein, der in den folgenden Monaten eine umfängliche Okkupationsbehörde nach dem → Führerprinzip aufbaute, die aus vier Hauptabteilungen bestand, die wiederum in mehrere Abteilungen untergliedert waren. Die Behörde Terbovens sollte in ihrer Aufsichtsfunktion über die norweg. Zentralbehörden die Ressourcen des Landes für die dt. → Kriegswirtschaft sichern und die Neuordnung der Öffentlichkeit nach nat.soz. Muster durchführen. Das Reichskommissariat existierte bis zum 7.5.1945, als Terboven von Dönitz abgesetzt wurde. Terboven beging am Tag darauf in Oslo Selbstmord.

Robert Bohn

Reichskommissar für die Festigung deutschen Volkstums Den Titel des R. verlieh sich Heinrich Himmler auf der Grundlage eines Erlasses Hitlers vom 7.10.1939 selbst. Er zog damit einen großen Teil der Kompetenzen zur ethnischen Neuordnung Europas an sich und konnte sich der Dienststellen von SS, Partei und Staat für seine → Volkstumspolitik bedienen. Durch Umsiedlung und → Eindeutschung versuchte Himmler, das Dt. Reich und angrenzende Gebiete ethnisch zu homogenisieren. Außerdem sollten nach der Abgrenzung der Interessenssphären im → Dt.-sowj. Nichtangriffspakt → Volksdeutsche aus der sowj. Einflußsphäre evakuiert werden. Nach dem Angriff auf Polen (→ Polenfeldzug) wurden unter der Regie des R. Volksdeutsche aus Ost-Polen, dem → Generalgouvernement, Bessarabien, Wolhynien und dem Baltikum vorwiegend in die annektierten poln. Gebiete umgesiedelt. Um für die Neuankömmlinge Platz zu schaffen, siedelten die dt. Behörden 1 Mio. Juden und Polen in das Generalgouvernement aus. Insgesamt verließen bis 1944 über 900 000 Volksdeutsche, überwiegend aus Osteuropa, ihre Wohnorte. Ein Teil von ihnen wurde im Reich oder in den Ostgebieten angesiedelt, andere verbrachten Jahre in Lagern der → Volksdt. Mittelstelle. Nach der Annexion der slowen. Untersteiermark, Elsaß-Lothringens und Luxemburgs veranlaßte der R. auch dort die Eindeutschung von geeignet erscheinenden Personen, während politisch und rassisch Unerwünschte nach Slowenien bzw. Frankreich ausgewiesen wurden. Unter der Leitung des R. stand auch die ökonomische »Eindeutschung«. In Polen wurde der Besitz von ausgesiedelten Polen und Juden dt. Neusiedlern übertragen. Der Koordination der Volkstumspolitik diente das Stabshauptamt des R. unter der Leitung des SS-Obergruppenführers Ulrich Greifelt. 1941 wurde die Dienststelle als Hauptamt R./Stabshauptamt Teil des SS-Apparates. Für Himmler waren die weitgehenden Kompetenzen als R. ein Mittel, um seine Machtposition als → Reichsführer SS und Chef der Dt. Polizei weiter auszubauen. Einiges deutet darauf hin, daß die Dynamik der Umsiedlungspolitik des R. bei der Entscheidungsbildung zur → »Endlösung der Judenfrage« eine wichtige Rolle spielte. *Peter Widmann*

Literatur:

Aly, Götz: *»Endlösung«. Völkerverschiebung und der Mord an den europäischen Juden,* Frankfurt am Main 1995.

Koehl, Robert L.: *RKFDV: German Resettlement and Population Policy 1939–1945. A history of the Reich Commission for the Strengthening of Germandom,* Cambridge 1957.

Reichskommissar für die Luftfahrt s. Reichsluftfahrtministerium

Reichskommissar für die Rückgliederung des Saarlandes Nach der noch im Versailler Vertrag vorgesehenen Abstimmung über die Rückkehr des → Saarlandes an das Dt. Reich (1.3.1935) stand Gauleiter Josef Bürckel (Saarpfalz, später Westmark), der schon ab 1934 als Saarbevollmächtigter der Reichsregierung fungierte, mit dem Titel R. (Ernennung am 30.1.1935) an der Spitze des reichsunmittelbaren Regierungsbezirks Saarland. *Wolfgang Benz*

Reichskommissar für die Sudetendeutschen Gebiete Mit Dienstsitz Reichenberg amtierte Konrad Henlein nach der Annexion der Sudetengebiete aufgrund des → Münchner Abkommens ab Ende September 1938 als R., ab 1.5.1939 als Reichsstatthalter und Gauleiter des → Sudetenlands. *Wolfgang Benz*

Reichskommissar für die Wiedervereinigung Österreichs mit dem Deutschen Reich Aufgrund seiner Erfolge im → Saarland wurde Gauleiter Josef Bürckel nach dem → Anschluß Österreichs am 23.4.1938 zum R. ernannt, mit dem Auftrag, die »Ostmark« innerhalb eines Jahres politisch, wirtschaftlich und kulturell ins Reich zu integrieren. Mit Hilfe dt. Experten wurde die Aufgabe als ökonomisches Rationalisierungs- und Modernisierungsprojekt begriffen und v. a. zu einer forcierten Auswanderungspolitik zur Verdrängung und Vertreibung der Juden und → Arisierung des jüdischen Besitzes genutzt. Der Auftrag des R. endete am 31.3.1940. *Wolfgang Benz*

Reichskommissariat Ostland Ab dem 17.7.1941 gebildete mittlere Verwaltungseinheit der besetzten Ostgebiete, die → Lettland, → Litauen, den größten Teil West-Weißrußlands (damals: Weißrutheniens), ab 5.12.1941 auch → Estland – mit militärischem Sonderstatus – in vier Generalkommissariaten umfaßte. Das R. leitete Hinrich Lohse, der Gauleiter von Schleswig-Holstein, zunächst von Kauen/Kowno, dann von Riga aus. Die Ausrottungspolitik gegenüber den einheimischen Juden begann unter Regie der SS sofort mit dem Einmarsch der dt. Truppen (→ Einsatzgruppen); an der Vernichtung der späteren Ghettos und Lagern konzentrierten Juden auch aus anderen europäischen Ländern (→ Riga [Ghetto]; → Kauen [Ghetto]) waren auch Behörden des R. beteiligt. Neben der wirtschaftlichen Ausbeutung und der → Deportation der → Zwangsarbeiter in das Reichsgebiet rückte vor allem der »Bandenkrieg« in Weißrußland ins Zentrum der Politik des R. (→ Partisanen). *Dieter Pohl*

Reichskommissariat Ukraine Am 17.7.1941 gebildete mittlere Verwaltungseinheit der besetzten Ostgebiete unter Erich Koch, Gauleiter von Ostpreußen, mit Sitz in Rowno. Das R. umfaßte die Zentralukraine bis zum Dnjepr-Gebiet und die ehemalige poln. Wojewodschaft Wolhynien – inkl. Teile Weißrußlands – in sechs Generalkommissariaten. Bis 1944 wurde im R. in erster Linie die Landwirtschaft ausgebeutet, die Jugendlichen der Bevölkerung zur → Zwangsarbeit nach Deutschland deportiert und die Juden ermordet.

Dieter Pohl

Reichskonkordat Das R. wurde am 20.7.1933 zwischen dem Dt. Reich und dem Heiligen Stuhl unterzeichnet. Es garantierte die Freiheit des Bekenntnisses und seine öffentliche Ausübung, die selbständige Ordnung kirchlicher Angelegenheiten, das Eigentum der Kirche sowie den Schutz katholischer Organisationen, sofern sie sich auf religiöse, kulturelle und karitative Zwecke beschränkten. Neu eingesetzte Bischöfe mußten einen Treueid auf die Regierung leisten. Neben dem Bestand katholisch-theologischer Lehranstalten wurde die Beibehaltung und Neueinrichtung von Bekenntnisschulen gewährleistet und der Religionsunterricht an öffentlichen Schulen zum ordentlichen Lehrfach erklärt. Umstritten ist bis heute v. a. Art. 32 des R., der Geistlichen und Ordensleuten die Mitgliedschaft in politischen Parteien sowie jede Tätigkeit für sie verbot, und die Antwort auf die Frage, ob das R. das Ende katholischer politischer Organisationen mitverursachte und mit ihm die Zustimmung der → Zentrumspartei zum → Ermächtigungsgesetz erkauft wurde. Das R. wertete das NS-Regime nach außen hin auf und lähmte den → Widerstand oppositioneller Katholiken. Andererseits hatte es – obgleich von dem Nat.soz. vielfach verletzt – für die Kirche eine gewisse Schutzfunktion bei der Abwehr zunehmender staatlicher Eingriffe (→ Kirchen und Religion). *Maria-Luise Kreuter*

Reichskriegsführer s. Nationalsozialistischer Reichskriegerbund

Reichskriegsgericht Das am 1.10.1936 geschaffene R. mit Sitz in Berlin (ab 1943 in Torgau) war der höchste Gerichtshof der nach 1933 wiedereingeführten Militärgerichtsbarkeit (→ Kriegsgerichtsbarkeit). Mit Kriegsbeginn war das R. zuständig für Hoch-, Landes- und Kriegsverrat, Spionage, Kriegsdienstverweigerung und → Wehrkraftzersetzung. Ausdruck seiner drakonischen Rechtssprechung war die Verhängung von mindestens 1200 Todesurteilen. *Michael Hensle*

»Reichskristallnacht« Die Bezeichnung R., deren Herkunft nicht definitiv geklärt ist, bildete und erhielt sich für den reichsweiten → Pogrom gegen die → Juden im Dt. Reich, der am 9./10.11.1938 stattfand. Er wurde am Abend des alljährlichen Treffens der NSDAP-Führerschaft nach Zustimmung Hitlers von Minister Goebbels durch eine Hetzrede ausgelöst. Anschließend gaben die SA-Führer von München aus telefonisch entsprechende Befehle an ihre Stäbe und Mannschaften durch. Die offizielle Propaganda suchte (vergeblich) den Pogrom als spontane Antwort der Bevölkerung auf den Tod des dt. Diplomaten Ernst vom Rath auszugeben. Der Legationssekretär an der dt. Botschaft in Paris war von einem gegen die Verfolgung der Juden und seiner aus Deutschland vertriebenen Verwandten protestierenden 17jährigen Juden namens Herschel Grünspan niedergeschossen worden. In einem barbarischen Terrorakt setzten SA- und NSDAP-Mitglieder die Synagogen in Brand, deren Trümmer später z.T. gesprengt wurden. Sie zerstörten etwa 7000 Geschäfte jüdischer Einzelhändler und verwüsteten Wohnungen der Juden. Sie töteten nach offiziellen Angaben insgesamt 91 Personen. Die Zahl derer, die infolge von Leid und Schrecken umkamen, ist nicht bekannt. An den Aktionen beteiligten sich auch Angehörige der HJ und weiterer NS-Organisationen. Der Mob nutzte die Chance zur Plünderung. SS und Gestapo organisierten die Verschleppung einer nicht exakt festgestellten Zahl jüdischer Männer und Jugendlicher (etwa 26000) in die KZ → Buchenwald, → Dachau und → Sachsenhausen. Viele von ihnen kamen dort infolge von körperlichen und psychischen Schikanen, von Medikamentenentzug u.a. um. Anderen wurde der Verzicht auf Eigentum abgezwungen. Die Masse der Inhaftierten kam erst nach Auswanderungserklärungen frei. Die R. bezeichnet den Übergang zur forcierten Vertreibung der Juden ins Ausland und den Beginn der mit Enteignung identischen abschließenden Phase der → Arisierung. Deutschland sollte »judenfrei« werden. Die Koordinierung aller Maßnahmen lag in den Händen von Göring und erfolgte nach einer Besprechung am 12.11.1938 im Gebäude des Reichsluftfahrtministeriums in Berlin unter Beteiligung von Goebbels, Heydrich sowie einigen Ministern und Vertretern der Wirtschaft (Versicherungen). Es ergingen Verordnungen und Erlasse über die »Sühneleistung« der Juden in Höhe von 1 Mrd. RM, über die Ausschaltung der Juden aus dem dt. Wirtschaftsleben, die Schließung aller jüdischen Geschäfts- und Handwerksbetriebe, das Verbot des Besuchs von Theatern, Konzerten und Kinos, den Ausschluß der jüdischen Kinder von öffentlichen Schulen und der jüdischen Studenten von Hochschulen, die Einschränkung der öffentlichen Fürsorge, des Wohnrechts und der Bewegungsfreiheit, den Einzug der Führerscheine, den Zwangsverkauf jüdischen Eigentums an Grundstücken, Gebäuden, Geschäften und Produktionsmitteln sowie die Beschränkung der Verfügungsrechte über Wertpapiere, Kunst- und weitere Wertgegenstände, Berufsverbote für jüdische Hebammen, Zahn- und Tierärzte u.a. Heilberufe (sämtl. zwischen 12.11.1938 und 17.1.1939). Schließlich erteilte Göring Heydrich den Auftrag, die »Judenfrage« durch »Auswanderung oder Evakuierung« zu lösen (24.1.1939). Die Mehrheit der dt. Bevölkerung verhielt sich gegenüber den Aktionen der R. distanziert. Der Pogrom erzeugte im Ausland weltweit Proteste von Organisationen und Einzelpersonen, die wirkungslos blieben, trug aber zum Ende der brit. Appeasement-Politik bei.

Kurt Pätzold

Literatur:
Graml, Hermann: *Reichskristallnacht. Antisemitismus und Judenverfolgung im Dritten Reich,* München 1988.
Pätzold, Kurt/Irene Runge: *Pogromnacht 1938,* Berlin (Ost) 1988.
Pehle, Walter H. (Hg.): *Der Judenpogrom 1938. Von der »Reichskristallnacht« zum Völkermord,* Frankfurt am Main 1988.

Reichskulturkammer Instrument der nat.soz. Kulturpolitik. Die R. wurde mit dem R.-Gesetz vom 22.9.1933 ins Leben gerufen. In einer Art »etatistischem Revolutionsverständnis« (Dahm) wurde dabei den nat.soz. Neuordnungsvorstellungen Rechnung getragen, dieser Umbau aber in bürokratische Bahnen gelenkt. Die Phase spontaner Aktionen gegen politisch unliebsame Kultureinrichtungen sollte damit beendet sein. Federführend bei der Einrichtung der R. war das → Reichsministerium für Volksaufklärung und Propaganda un-

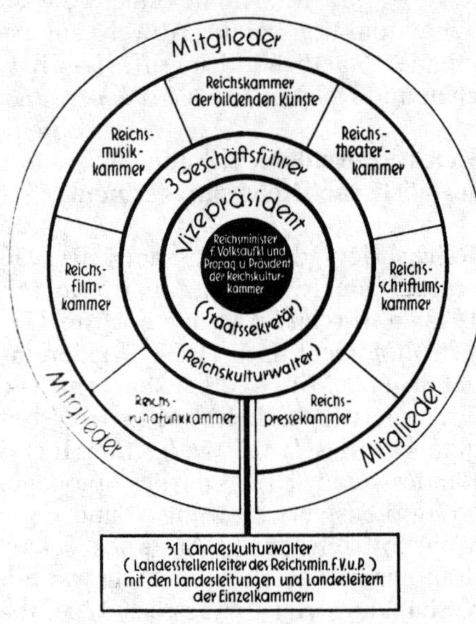

Abb. 61: Die Reichskulturkammer (aus: *Handbuch der Reichskulturkammer,* Berlin 1937)

ter der Leitung von Goebbels, wobei die Eingliederung der Kulturbetriebe in eine berufsständische Organisation den Widerstand der → Dt. Arbeitsfront Leys hervorrief. Als unmittelbares Motiv für die Gründung der R. muß der Wunsch des Propagandaministers angesehen werden, auf kulturellem Gebiet eine politische Monopolstellung zu begründen, insbesondere gegen die DAF, aber auch gegen Reichsinnenminister Frick und gegen den → Kampfbund für Dt. Kultur des Partei-Ideologen Rosenberg. Weltanschauliche Begründungen waren dabei zunächst eher zweitrangig, wurden aber in der Folge sehr wirkungsvoll. Laut Kulturkammergesetz bestand die R. aus einer Reichsschrifttumskammer, einer Reichspressekammer, einer Reichsrundfunkkammer, einer Reichstheaterkammer, einer Reichsfilmkammer, einer Reichsmusikkammer und einer Reichskammer der bildenden Künste. Aufgabe dieser Kammern und der Gesamtkörperschaft der R. war eine einheitliche Kulturförderung und die Regelung der sozialen und wirtschaftlichen Belange der Kulturschaffenden, die zur Mitgliedschaft verpflichtet waren. Zudem erhielt die R. die Möglichkeit, Mitglieder abzulehnen und damit Berufsverbote auszusprechen. Der Propagandaminister hatte gleichzeitig den Vorsitz der R. inne, der auch inhaltliche Vorgaben für die kulturelle Gestaltung erlaubt waren. Ideologisch bedeutete die Einrichtung der R. die Abkehr vom demokratisch-individualistischen Kulturaufbau hin zum völkisch-einheitlichen Kulturleben unter staatlicher Lenkung. Die Kultur erhielt die Aufgabe, den angeblich wahren Volkswillen zu repräsentieren. Neben dieser Ideologie der → Volksgemeinschaft ist insbesondere der ständische Charakter der R. hervorzuheben, die in der Praxis jedoch völlig zu einem nat.soz. Herrschaftsinstrument wurde. Mit Hilfe der Kammern konnten Goebbels und sein Ministerium eine weitgehende Kontrolle über die Zwangsmitglieder ausüben. Spätestens mit der organisatorischen und personellen Neuordnung 1935/36 wurde die R. faktisch zu einem rein ausführenden Organ des Propagandaministeriums. Ihr kulturpolitischer Wirkungsgrad muß eher gering eingeschätzt werden, sieht man einmal von der, allerdings fatalen, Selektionsfunktion ab, die z.B. jüdische Kulturschaffende im Lauf der Zeit völlig ausschloß. Spezifische Probleme dieses kulturpolitischen Systems lagen vor allem im organisatorischen Aufwand. Durch die zentrale Kontrolle über den gesamten Kulturbereich war ein wahrer »Leviathan der Organisation« (Muschg) entstanden, der eine entsprechende Problemflut verursachte und kaum überschaubar war. Zudem gestaltete es sich besonders in der Frühphase schwierig, die R. von anderen Verbänden und Organisationen abzugrenzen. Schließlich kam es bei der zentralistischen Organisationsform der R. häufig zu Konflikten mit lokalen und regionalen Institutionen. *Uffa Jensen*

Literatur:

Dahm, Volker: Anfänge und Ideologie der Reichskulturkammer, in: *Vierteljahrshefte für Zeitgeschichte,* 34 (1986), S. 53–84.

Reichslandbund Agrarpolitische Organisation im reaktionären Spektrum der Weimarer Republik, von Bedeutung für die nat.soz. Einflußnahme in bäuerlichen Kreisen. 1921 durch Fusion des Bundes dt. Landwirte mit dem Dt. Landbund entstanden, waren die Mitglieder des R. eines der wichtigsten Wählerpotentiale der → Dt.nationalen Volkspartei. Mit der Agrarkrise ab 1927 geriet der R. zunehmend in den Sog nationalistischer Protestbewegungen (Landvolkbewegung), gab zunächst bestehende Vorbehalte gegen den Nat.soz. rasch auf und unterstützte diesen aktiv. 1933 wurde der R. nicht wie andere Verbände aufgelöst, sondern in den → Reichsnährstand eingegliedert. *Uffa Jensen*

Reichsleiter Die R. wurden von Hitler für Sachgebiete bzw. besondere Parteiaufgaben ernannt. Ihnen unterstand – im Gegensatz etwa zu den → Gauleitern – kein »Hoheitsgebiet« der → NSDAP. Die Reichsleitung war nur ein Sammelbegriff für die R. als Inhaber höchster Parteiämter, sie war kein koordinierendes Führungsorgan der NSDAP. Die Bedeutung der R. war sehr unterschiedlich. Über großen Einfluß verfügten R., die in Hitlers Gunst standen und wichtige Staatspositionen innehatten (z.B. der R. für Propaganda, Joseph Goebbels, und der → Reichsführer SS und Chef der Dt. Polizei Heinrich Himmler). *Bernward Dörner*

Reichsluftfahrtministerium Nach den Bestimmungen des → Versailler Vertrags durfte Deutschland keine Luftwaffe besitzen. Göring, in das Kabinett Hitler zunächst als Reichsminister ohne Geschäftsbereich und Reichskommissar für die Luftfahrt aufgenommen, erhielt am 28.4.1933 das R. Um den Aufbau der Luftwaffe verdeckt durchführen zu können, mußte der gesamte militärische Bereich in das Ministerium eingegliedert werden. Erst am 1.5.1935 wurde Göring unter Offenlegung der Luftrüstung auch zum Oberbefehlshaber der Luftwaffe ernannt und damit auch nach außen hin Chef der zivilen und militärischen Luftfahrt. Er beließ den Führungsapparat der Luftwaffe weiterhin im Ministerium. Entsprechend umfaßte die Kommandostruktur des R. zivile wie militärische Bereiche. Da Görings Vertreter, Generaloberst Milch, als Staatssekretär im R. sowohl im zivilen als auch im militärischen Bereich Zuständigkeiten besaß, wurde die Luftwaffe als einziger Teil der Wehrmacht an der Spitze auch durch einen Staatssekretär vertreten. Da Göring sich allein schon wegen seiner Ämterhäufung wenig um die laufenden Geschäfte des R. kümmerte, führten die Spannungen zwischen dem in der Aufbauphase der Luftwaffe besonders wichtigen Staatssekretär und dem militärisch-operative Gesichtspunkte vertretenden Luftwaffen-Generalstab (damals: Luftkommandoamt) v.a. 1936/37 unter dessen Chef, Oberst Kesselring, zu mehrfachen Umgliederungen im R. Die 1937 eingeführte Beschränkung des »Staatssekretärs der Luftfahrt« auf zivile Aufgaben (einschließlich Flak, Personal- und allgemeiner Verwaltung der Luftwaffe) wurde durch die Einführung des Generalinspekteurs der Luftwaffe in Personalunion mit dem Staatssekretär bereits 1938 gemildert und bis Kriegsausbruch wieder aufgehoben. Bis auf die Dienststellen des Generalstabs der Luftwaffe und das Luftwaffenpersonalamt, die sich Göring als Oberbefehlshaber der Luftwaffe direkt unterstellte, übte Milch als Staatssekretär und Generalinspekteur praktisch die Leitung des Ministeriums aus. Im Februar 1939 wurde das für Entwicklungsaufgaben zuständige Technische Amt unter Ernst Udet zum Amt des Generalluftzeugmeisters ausgebaut. Von Herbst 1939 bis Herbst 1941 war das R. in die Göring unmittelbar unterstehenden Bereiche Luftwaffenpersonalamt und Generalstab sowie in die dem Staatssekretär unterstellten Bereiche Chef der Luftwehr, dem das Ausbildungswesen unterstellt worden war, und Generalluftzeugmeister gegliedert. Den wachsenden Aufgaben des Generalstabs entsprechend war kurz vor Kriegsausbruch der Chef des Nachrichtenverbindungswesens der Luftwaffe aus dem Staatssekretärsbereich herausgenommen und dem Generalstab unterstellt worden. Mit der Verschlechterung der Kriegslage und der zunehmenden Ideologisierung der Wehrmacht wurde das Luftwaffenpersonalamt unter dem Göring-Freund General Lörzer im Frühjahr 1944 zum Chef der Personalrüstung und NS-Führung der Luftwaffe aufgewertet und stand gleichwertig neben dem Generalstab und dem Staatssekretär der Luftfahrt. Im Sommer 1944 übernahm das Rüstungsministerium mit dem Ausscheiden Milchs aus der Stellung des Staatssekretärs für Luftfahrt die gesamte Luftrüstung; der Bereich des Reichsministers der Luftfahrt wurde damit gegenüber dem des Oberbefehlshabers der Luftwaffe nahezu bedeutungslos und blieb auf wenige Verwaltungsaufgaben beschränkt. Daran änderten auch die letzten Umorganisationen des seit 1.8.1944 unter der Bezeichnung »Oberbefehlshaber der Luftwaffe und Reichsministerium der Luftfahrt« firmierenden Ministeriums, wie die Einrichtung eines Befehlshabers der Ersatz-Luftwaffe im Frühjahr 1945, nichts mehr. In der Dienststellengliederung der Luftwaffe unter ihrem letzten Oberbefehlshaber, Generalfeldmarschall Ritter v. Greim, tauchte der Begriff R. nicht mehr auf.

Hermann Weiß

Reichsluftschutzbund s. Luftschutz

Reichsmarschall Höchster Dienstrang der → Wehrmacht. In Anerkennung des entscheidenden Beitrags der dt. Luftwaffe zum → Westfeldzug ernannte Hitler am 19.7.1940 deren Oberbefehlshaber Hermann Göring als einzigen Offizier zum »Reichsmarschall des Großdt. Reiches«. Die Reichsmarschallität umfaßte alle drei Wehrmachtsteile; damit war Göring der höchste Offizier der Wehrmacht. Anknüpfen sollte der Titel des R. an den 1707 dem Prinzen Eugen von Savoyen vom Reichskriegsrat verliehenen Rang eines Reichsfeldmarschalls. *Stefan Hoff*

Reichsministerium des Innern Im NS-Staat mit zahlreichen Verfassungs- und Verwaltungsaufgaben befaßtes und mit entsprechenden Zuständigkeiten ausgestattetes Ministerium. Nach der Machtübernahme 1933 wurden das R. und das Preuß. Ministerium des Innern durch das Gesetz vom 1.11.1934 zusammengefaßt und in eine Zentralabteilung sowie sieben Fachabteilungen gegliedert, deren wichtigste die Abteilungen I (Verfassung und Gesetzgebung), II (Beamtentum und Verwaltung), IV (Volksgesundheit) und V (Kommunalverwaltung) waren. Das R. war maßgeblich mit der Ausarbeitung zahlreicher NS-Gesetze befaßt und an der Schaffung des sog. dt. Einheitsstaates (Gleichschaltung der Länder) durch das »1. Gleichschaltungsgesetz« vom 1.3.1933 beteiligt (→ Gleichschaltung).

Weitere wichtige Gesetze unter Beteiligung des R. im Rahmen der neuen NS-Gesetzgebung waren:

- Gesetz zur Behebung der Not von Volk und Reich vom 24.3.1933 (→ Ermächtigungsgesetz)
- Gesetz zur Wiederherstellung des Berufsbeamtentums vom 7.4.1933, das den sog. → Arierparagraphen enthielt, und weitere Beamtengesetze
- → Nürnberger Gesetze vom 15.9.1935, deren wichtigste das »Reichsbürgergesetz« und das »Blutschutzgesetz« (Gesetz zum Schutze der dt. Ehre und des dt. Blutes) waren
- Gesetz zur Verhütung erbkranken Nachwuchses vom 14.7.1933, das u.a. Zwangssterilisationen ermöglichte (→ Erbgesundheit)
- → Dt. Gemeindeordnung (DGO) vom 30.1.1935
- Reichsarbeitsdienst (RAD)-Gesetz vom 26.6.1935. Der RAD war in das R. eingegliedert, wurde aber 1943 Oberste Reichsbehörde.

Über die Abteilung Volksgesundheit (Staatssekretär Leonardo Conti) war das R. maßgeblich an der → Aktion T 4 beteiligt (→ Medizin).

Das R. hatte darüber hinaus Einfluß im Bereich der → Schutzhaft und der → Konzentrationslager. In das R. eingegliedert war der Reichsführer SS, Heinrich Himmler, als Chef der Dt. Polizei, der dem Minister jedoch praktisch nur formal unterstellt war. Erster Reichsminister des Innern war ab 1933 Wilhelm Frick, der das Unrecht des NS-Staates zu legalisieren suchte, indem er den formalrechtlichen (legalen) Charakter der Gesetzesnormen hervorhob. Im Krieg verlor Frick zunehmend an Einfluß und wurde am

24.8.1943 von Heinrich Himmler abgelöst. *Willi Dreßen*

Literatur:

Das Reich als Republik und in der Zeit des Nationalsozialismus, Deutsche Verwaltungsgeschichte Bd. 4 hg. v. Kurt G. A. Jeserich u.a., Stuttgart 1985.

Reichsministerium für die besetzten Ostgebiete Seit dem 17.7.1941 oberste Behörde für die unter Zivilverwaltung stehenden besetzten sowj. Gebiete, die sich territorial in die → Reichskommissariate Ostland und Ukraine gliederten und sukzessive durch Abgabe von Militärverwaltungsgebieten erweitert wurden. Die geplanten Reichskommissariate Moskowien und Kaukasus wurden ebenso wie die meisten weitreichenden Pläne zur → Germanisierung nicht realisiert. Das R. hatte seinen Ursprung in der Ernennung Alfred Rosenbergs zum Beauftragten für »Ostfragen« im April 1941. Der Minister mit seinem »Ständigen Vertreter« Alfred Meyer und der schwach besetzten Behörde hatte Sitz in Berlin; Rosenberg verfügte über vergleichsweise wenig Einfluß bei Hitler. Das R. war für die politische Planung in den Ostgebieten, die Koordination mit den anderen Reichsbehörden und den Erlaß von Verordnungen zuständig; es leitete die wirtschaftliche Ausbeutung zusammen mit Rüstungsinspektionen. In Einzelbereichen hatten die Reichskommissare weitgehende Befugnisse, ebenso der SS- und Polizeiapparat, mit dem sich ein begrenzter Kompetenzkonflikt entspann. In den meisten Politikfeldern herrschte jedoch Konsens bezüglich der Ziele und enge Zusammenarbeit, so auch bei der Ermordung der Juden (→ Rassenpolitik und Völkermord). *Dieter Pohl*

Literatur:

Dallin, Alexander: *Deutsche Herrschaft in Rußland 1941-1945,* Düsseldorf 1958.

Reichsministerium für die besetzten Ostgebiete. Bestand R6, bearb. von Hartmut Wagner, Koblenz 1987.

Reichsministerium für die kirchlichen Angelegenheiten Am 16.7.1935 durch Erlaß Hitlers und der beteiligten Reichsminister errichtetes neues Ministerium, das für die bisher im Reichs- und Preuß. Ministerium des Innern und im Reichs- und Preuß. Ministerium für Wissenschaft, Erziehung und Volksbildung bearbeiteten kirchlichen Angelegenheiten zuständig wurde. Es unterstand Hanns Kerrl, wurde nach dessen Tod 1941 durch seinen Stellvertreter Hermann Muhs weitergeführt und 1945 von den Alliierten aufgelöst. Anlaß für die Gründung des R. war die verfassungsmäßig unklare Lage in der Dt. Evangelischen Kirche nach dem Zusammenbruch des Reichskirchenregiments (→ Kirchenkampf), die nun durch staatlich-administrative Anordnungen »befriedet« werden sollte. Kerrl, von der grundsätzlichen Übereinstimmung von Christentum und Nat.soz. überzeugt, fand mit seinen zunächst vermittelnden, später stärker staatskirchlich ausgerichteten Ordnungsversuchen allerdings weder in der Kirche noch in der nat.soz. Hierarchie genügend Rückhalt, so daß er mit seiner Politik scheiterte. Gegenüber der katholischen Kirche sah Kerrl im → Reichskonkordat ein entscheidendes Hemmnis für die Verwirklichung nat.soz. Kirchenpolitik und plante, es langfristig durch neue gesetzliche Regelungen zu ersetzen. *Carsten Nicolaisen*

Literatur:

Das Reich als Republik und in der Zeit des Nationalsozialismus, Deutsche Verwaltungsgeschichte, Bd. 4, hg. v. Kurt G.A. Jeserich u.a., Stuttgart 1985.

Reichsministerium für Rüstung und Kriegsproduktion Bis 2.11.1943 Reichsministerium für Bewaffnung und

Munition, eingerichtet mit Ernennung Todts am 17.3.1940. Gegen militärisches Mißbehagen an der »Zivilstelle« durchgesetzt, zum Zwecke rüstungswirtschaftlicher Leistungssteigerung auf immer mehr Bereiche ausgedehnt und nach dem Tod von Todt (Flugzeugabsturz am 8.2.1942) unter Zerschlagung vor allem des Wehrwirtschafts- und Rüstungsamtes im → OKW konsequent ausgebaut. Hitlers Erlaß über die Konzentration der → Kriegswirtschaft vom 2.9.1943 sicherte dem nun sog. R. alle Zuständigkeiten des Wirtschaftsministers für Rohstoffe und die Produktion in Industrie und Handwerk. → SS und → Waffen-SS drängten in der Endphase des Zweiten Weltkriegs mit terroristischen Methoden besonders im Raketenbau (→ V-Waffen) den Einfluß des R. zurück. Grundsätzlich vermochten Todt und Nachfolger Speer ohne größere bürokratische Organisation auszukommen und ein System sog. Selbstverantwortung der Industrie und technischer Fachleute im Produktionsbereich aufzubauen – keine wirkliche Selbstverwaltung, sondern eine vom → Führerwillen (fast 100 Protokolle der Konferenzen Hitler/Speer sind überliefert) abhängige Kriegswirtschaft unter machtpolitischen, zunehmend von Knappheit diktierten Zielsetzungen (→ Wirtschaft). *Karl-Heinz Ludwig*

Literatur:

Herbst, Ludolf: *Totaler Krieg und die Ordnung der Wirtschaft. Die Kriegswirtschaft im Spannungsfeld von Politik, Ideologie und Propaganda 1939–1945,* Stuttgart 1982.

Das Reich als Republik und in der Zeit des Nationalsozialismus, Deutsche Verwaltungsgeschichte, Bd. 4, hg. v. Kurt G. A. Jeserich u.a., Stuttgart 1985.

Reichsministerium für Volksaufklärung und Propaganda Am 13.3.1933 wurde der Reichspropagandaleiter der NSDAP und Gauleiter von Berlin, Joseph Goebbels, durch den Reichspräsidenten zum Chef des R. ernannt. Als jüngster Minister stand er einem neugeschaffenen Ressort vor, das sich zum größten Teil aus abgekoppelten Geschäftsbereichen bestehender Ministerien zusammensetzte und bald an die 1000, zumeist sehr junge Mitarbeiter zählte, vorwiegend → Parteigenossen. Hitler bestimmte in einer Verordnung vom 30.6.1933, das R. sei »zuständig für alle Aufgaben der geistigen Einwirkung auf die Nation, die Werbung für den Staat, Kultur und Wirtschaft, der Unterrichtung der in- und ausländischen Öffentlichkeit über sie und der Verwaltung aller diesen Zwecken dienenden Einrichtungen«. Danach war das R. federführend auf dem Gebiet der Massenmedien (→ Presse, → Rundfunk, Film und ab 1935 Fernsehen), der Kultur (Musik, Theater, Literatur [→ Kunst]) sowie der nat.soz. → Feiergestaltung. Zur Uniformierung der Meinungsbildung und Erleichterung von Steuerungsprozeduren wurde Goebbels am 22.9.1933 ermächtigt, Künstler und Publizisten in einer Zwangsorganisation, der → Reichskulturkammer (RKK), deren Präsident er wurde, zusammenzufassen. Juden, politisch Mißliebige und alle, die sich dem Diktat der nat.soz. Ideologie nicht beugten, fanden keine Aufnahme. Die Einrichtung der RKK mit ihren sieben Untergliederungen für Schrifttum, Presse, Rundfunk, Theater, Musik, bildende Kunst und Film diente Goebbels ebenso als Instrument zur personellen Säuberung und politischen → Gleichschaltung wie das → Schriftleitergesetz vom 4.10.1933. Ab Juli 1933 errichtete das R. zur Durchsetzung und Kontrolle seiner Propaganda und Kulturpolitik neue, mit der NSDAP personell und institutionell eng verflochtene Mittelbehörden, ab 1937 als Reichspropagandaämter bezeichnet. Auf täglich stattfindenden Pressekonferenzen wurden Berichterstattung und Kommentierung durch sog. Sprachregelungen bzw. Tagesparolen oftmals bis ins Detail vorgeschrieben. Die erstmals totalitär genutzten Massenmedien Presse und Rundfunk degenerierten zu Vollzugsorganen tendenziöser Indoktrination (→ Propaganda). *Elke Fröhlich*

Literatur:

Das Reich als Republik und in der Zeit des Nationalsozialismus, Deutsche Verwaltungsgeschichte, Bd. 4, hg. v. Kurt G.A. Jeserich u.a., Stuttgart 1985.

Reichsministerium für Wissenschaft, Erziehung und Volksbildung Dem R. unterstanden sämtliche Angelegenheiten, die das Erziehungs-, Unterrichts- und Bildungswesen in Schule und Hochschule sowie die wissenschaftliche Forschung und Lehre betrafen. Im Mai 1934 wurde das Preuß. Ministerium für Wissenschaft, Kunst und Volksbildung mit dem R. vereinigt. Als Reichserziehungsminister fungierte ab 1.5.1934 Bernhard Rust. Zu seinem Geschäftsbereich gehörten auch die körperliche Erziehung der Lehrer, Studierenden (→ Sport) und der Jugend sowie die Organisation des → Landjahres. Unterstellt waren dem R. die Chemisch-Technische Reichsanstalt, die Physikalisch-Technische Reichsanstalt, das Archäologische Institut, das Reichsinstitut für ältere dt. Geschichtskunde, das → Reichsinstitut für Geschichte des neuen Deutschlands, die Kaiser-Wilhelm-Gesellschaft zur Förderung der Wissenschaften mit ihren Instituten und die Dt. Forschungsgemeinschaft. Darüber hinaus unterstanden dem R. die Unterrichtsverwaltungen der Länder, die Oberpräsidenten und Regierungspräsidenten als Schulaufsichtsbehörden (→ Jugend; → Wissenschaft). *Jana Richter*

Literatur:

Das Reich als Republik und in der Zeit des Nationalsozialismus, Deutsche Verwaltungsgeschichte, Bd. 4, hg. v. Kurt G.A. Jeserich u.a., Stuttgart 1985.

Reichsmusikkammer s. Reichskulturkammer

Reichsmütterdienst s. Mütterdienst

Reichsnährstand Die ständische Organisation der nat.soz. Agrarpolitik. Der R. wurde am 13.9.1933 ins Leben gerufen. In ihm wurden sämtliche an der Erzeugung und dem Absatz landwirtschaftlicher Produkte beteiligten Personen per Zwangsmitgliedschaft gleichgeschaltet. Der R. war als Selbstverwaltungskörperschaft unter Leitung des → Reichsbauernführers (der gleichzeitig Reichslandwirtschaftsminister war) definiert. Aufgaben des R. waren neben der Lenkung der Produktion, des Vertriebs und der Preise landwirtschaftlicher Erzeugnisse auch die sozialen und kulturellen Belange der Mitglieder. Die anhaltenden Auseinandersetzungen mit den Gauleitern und der → Dt. Arbeitsfront um die Stellung des R. führten zur schrittweisen Aushöhlung der Selbstverwaltungsfunktion, so daß der R. schließlich Anfang der 40er Jahre nur noch ausführendes Instrument des Landwirtschaftsministeriums bzw. der Partei war. *Uffa Jensen*

Reichsorganisationsleitung s. Nationalsozialistische Deutsche Arbeiterpartei (NSDAP)

Reichsparteitage Parteitage von demokratischen Parteien dienen im eigentlichen Sinne der politischen Willensbildung, die R. der Nat.soz. waren hingegen reine Selbstinszenierungen und Machtdemonstrationen und dienten der Stärkung des Gemeinschaftsgefühls.

Der dazu nachträglich erklärte erste R. fand 1923 in München statt. Nach der Aufhebung des Verbots der → NSDAP traf sich diese 1926 in Weimar. Seit 1927 wurden die R. Anfang September in → Nürnberg zelebriert. Die Nat.soz. wollten sich mit dieser Standortbestimmung in der Tradition der spätmittelalterlichen Reichstage wissen. Nach dem 4. R. 1929 trafen sich die Partei und ihre Organisationen erst wieder 1933 zu ihrem Spektakel. Seit der → »Machtergreifung« bekamen die R. quasi einen staatlichen Charakter und wurden jeweils unter ein Motto gestellt. 1933 »Sieg des Glaubens«, zur Feier der »Machtergreifung«, 1934 »Triumph des Willens«, zur Vollendung der Diktatur, 1935 »R. der Freiheit«, aus Anlaß der Wiedereinführung der allgemeinen Wehrpflicht (16.3.1935) und zur Verkündigung der → Nürnberger Gesetze, 1936 »R. der Ehre«, nach den erfolgreichen → Olympischen Spielen und der → Rheinlandbesetzung, 1937 »R. der Arbeit«, mit Verkündigung des → Vierjahresplans, 1938 »R. → Großdeutschlands«, nach dem → Anschluß Österreichs. Der 11. und letzte R., der ironischerweise unter dem Motto »R. des Friedens« stehen sollte, fiel wegen des Kriegsbeginns aus.

Albert Speer hatte im Südosten von Nürnberg eine Anlage mit Stadion, Kongreßhalle und Aufmarschfeldern 1935 teilweise fertiggestellt. Auf dem mit einem Fahnenmeer geschmückten Zeppelinfeld, das mehrere hunderttausend Menschen fassen konnte, fanden die Rituale der R. statt. Endlose Kolonnen von → SA, → SS, → NSKK und → HJ u.a. Organisationen, später auch → Wehrmacht-Einheiten, zogen an der Haupttribüne des → Führers vorbei. Die Marschierenden formierten sich auf dem Gelände zu riesigen, hierarchisch gegliederten Menschenquadern. Neben Aufzügen, Sportvorführungen, Parolenausgaben, Treuegelöbnissen und Totenehrungen war der Höhepunkt eine programmatische Rede Hitlers. Um den dramatischen Effekt der Inszenierungen noch zu steigern, überwölbten Flakscheinwerfer die abendlichen Appelle mit einem Lichtdom. → Rundfunk und → Dt. Wochenschau sorgten dafür, daß diese Machtdemonstrationen ihr breites Publikum fanden und so die beabsichtigte Suggestion überdimensionaler Macht bei Großteilen der Bevölkerung ihre Wirkung nicht verfehlte. *Armin Bergmann*

Literatur:

Zelnhefer, Siegfried: *Die Reichsparteitage der NSDAP. Geschichte, Struktur und Bedeutung der größten Propagandafeste im nationalsozialistischen Feierjahr,* Neustadt a.d.A. 1991.

Reichspräsident Die Verfassung der Republik von Weimar bestimmte, daß als Staatsoberhaupt Deutschlands ein Reichspräsident fungieren solle, für eine Amtsdauer von sieben Jahren gewählt, und zwar von allen wahlberechtigten Staatsbürgern in gleichen, geheimen und direkten Wahlen (Art. 41, 42, 43). Der R. war Oberbefehlshaber der Streitkräfte (Art. 47) und mit Sondervollmachten ausgestattet (so nach Art. 25 mit dem Recht der Reichstagsauflösung und nach Art. 48 zur Außerkraftsetzung demokratischer Grundrechte und zu sonstigen Maßnahmen gegen Störungen der öffentlichen Sicherheit und Ordnung). Erster R. der Weimarer Republik war der Sozialdemokrat Friedrich Ebert (am 11.2.1919 von der Nationalversammlung zum vorläufigen R. gewählt, am 24.10.1922 vom Reichstag mit verfassungsändernder Mehrheit bis zum 23.6.1925 verlängert). Ebert gewann selbst bei den – gemäßigten – Konservativen hohes Ansehen: durch seine Redlichkeit und seine schlichte Würde, aber auch durch seine politische Tatkraft, die er in den stürmischen ersten Jahren der Republik bewies; so hat er vor allem im Krisenjahr 1923 mit Energie und Umsicht den Art. 48 im Dienste der demokratischen Entwicklung Deutschlands gehandhabt. Nach seinem Tod wurde am 26.4.1925 der letzte Generalstabschef der kaiserlichen Armee, Generalfeldmarschall Paul v. Hindenburg, von einer relativen Mehrheit (48 Prozent) gewissermassen als »Ersatzkaiser« zum R. gewählt. Selber konservativ im Sinne seiner Standesgenossen in Militär und ostelbischem Großgrundbesitz, wirkte Hindenburg im Frühjahr 1930 an der Liquidierung der letzten Reichsregierung mit, die über eine Mehrheit im Reichstag verfügte (Kabinett Müller). Bemüht, den Buchstaben der Weimarer Verfassung nicht zu verletzten, förderte er eine Politik, mit der die Kabinette Brüning, Papen und Schleicher, ohne parlamentarische Mehrheit amtierend und ihre alleinige Stütze, das Notverordnungsrecht des R., als Waffe nutzend, versuchten, den Reichstag als Stätte der politischen Entscheidungen auszuschalten und eine rechtsautoritäre Diktatur zu installieren. Diese Politik – die allerdings nur aufgrund der Selbstausschaltung eines Reichstags Erfolg haben konnte, in dem die beiden extremistischen Parteien NSDAP und KPD dominierten – schuf bis zur Jahreswende 1932/33 tatsächlich eine Konstellation, in der es einer kleinen Kamarilla hochkonservativer Berater möglich war, Hindenburg, der Hitler längere Zeit mißtraut und dessen Betrauung mit dem Reichskanzleramt widerstrebt hatte, doch dazu zu bringen, den Führer der NSDAP zum Reichskanzler zu ernennen. In der Folgezeit deckte Hindenburg mit seiner Popularität und Autorität den Aufbau des NS-Führerstaats, in dem dann auch die konservativen Helfer Hitlers entmachtet wurden, die geglaubt hatten, die NS-Bewegung »zähmen« zu können: vom Erlaß von Notverordnungen, die Grundrechte aufhoben, über das → Ermächtigungsgesetz vom 23.3.1933 bis zu Hitlers Mordaktion vom 30.6.1934 (→ Röhmputsch). Allerdings legte Hindenburg, dem der rassistische Antisemitismus der Nationalsozialisten fremd war, der NS-Judenverfolgung noch Zügel an, v.a. durch sein Eintreten für jüdische Kriegsteilnehmer und deren Nachkommen. Am 2.8.1934 starb Hindenburg auf seinem westpreußischen Landsitz Neudeck und wurde im → Reichsehrenmal Tannenberg (in Erinnerung an die Schlacht von Tannenberg, in der Hindenburg 1914 die deutschen Truppen befehligt hatte) beigesetzt. Hitler nützte Hindenburgs Tod, um das Amt des R. mit dem des Reichskanzlers zu vereinen, lehnte jedoch die auf demokratische Verhältnisse zurückweisende Bezeichnung R. ab und nannte sich »Führer und Reichskanzler«. *Kurt Pätzold*

Reichspressechef Bezeichnung für den Pressechef der NSDAP, der nach der → »Machtergreifung« zugleich → Reichsleiter der Partei, Staatssekretär im → Reichsministerium für Volksaufklärung und Propaganda und Pressechef der Reichsregierung war, eine Bündelung von Machtbefugnissen, die sich aus der Umsetzung eines Strukturprinzips nat.-soz. Herrschaft ergab: der Personalunion in Staats- und Parteiämtern. Nach der → Gleichschaltung der → Presse (→ Reichstagsbrandverordnung; → Reichskulturkammer) oblagen dem R. als Staatssekretär im Propagandaministerium Presselenkung und -kontrolle. Seit Juli 1933 setzte er diese in tägliche Presseanweisungen um. Das Amt des R. war mit dem Journalisten Otto Dietrich besetzt, den Hitler am 1.8.1931 zum Pressechef der NSDAP ernannt hatte und der als Vorsitzender des Reichsverbandes der Dt. Presse bei der Gründung der → Reichskulturkammer auch zum Vizepräsidenten der Reichspressekammer ernannt wurde.

Matthias Sommer

Reichspressekammer s. Reichskulturkammer

Reichsprotektorat Böhmen und Mähren s. Protektorat Böhmen und Mähren

Reichsrat Die Verfassung der Weimarer Republik hatte dem R. die Vertretung der dt. Länder bei der Gesetzgebung und Verwaltung des Reiches zugewiesen. So hatte er bei allen Gesetzesvorlagen der → Reichsregierung ein Einspruchsrecht. Der Entmachtung der Länder und des R. kam daher im Rahmen der → »Machtergreifung« aus der Sicht der NSDAP Priorität zu.

Unter der Parole und dem Deckmantel einer »Vereinheitlichung des Reiches« wurde deshalb schon am 31.3.1933 das »Gesetz zur → Gleichschaltung der Länder mit dem Reich« erlassen. Die Politik der Gleichschaltung setzte sich bis hinab auf die kommunale Ebene fort. Mit der Einsetzung von → Reichsstatthaltern am 7.4.1933 sowie dem Gesetz über den Neuaufbau des Reiches vom 30.1.1934, fand die Entmachtung der Länder ihren Abschluß. Der R. selbst wurde am 14.2.1934 aufgelöst. *Reiner Pommerin*

Reichsrechtsführer s. Nationalsozialistischer Rechtswahrerbund

Reichsreform Bereits in der Weimarer Republik zur territorialen Neugliederung des Dt. Reiches sowie zur Neubestimmung des Reich-Länder-Verhältnisses angestrebt (Art. 18 Weimarer Reichsverfassung). Die Nat.soz. stellten die → Gleichschaltung der Länder als Erfüllung dieses Verfassungsgebots hin. Organisationsgrundlage sollte das → Reichsgau-Prinzip werden. Das verfassungsändernde Gesetz über den Neuaufbau des Reiches (30.1.1934) setzte das alte föderative Verfassungsrecht außer Kraft, ohne jedoch die Neuorganisation des Dt. Reiches zu bestimmen. Ab 1935 unterband Hitler die weitere öffentliche Diskussion über die R. *Heiko Pollmeier*

Reichsregierung Kollegiales Gremium, bestehend aus den Reichsministern, den Reichsministern ohne Geschäftsbereich und weiteren Funktionsträgern des nat.soz. Staates (insges. 12–15 Fachressorts), das unter Vorsitz des Reichskanzlers als dem Chef der R. gemeinschaftlich über die Gesetzesentwürfe zu beraten und mit Stimmenmehrheit zu beschließen hatte. Hitler hielt sich nur in den ersten Monaten seiner Kanzlerschaft an die Prozedur regelmäßiger Kabinettssitzungen, ab 1935 gab es nur noch unregelmäßige Besprechungen der R., die dann ganze Serien von Gesetzen ohne Diskussion im Eilverfahren verabschiedete. Die letzte Kabinettssitzung der R. fand am 5.2.1938 statt. Die zunehmend führerstaatliche Struktur des NS-Staates ging einher mit einer immer weitergehenden Delegation der Gesetzgebungs- und Verordnungsrechte, u.a. auf konkurrierende Parteibehörden und Sonderbehörden (besonders seit Kriegsbeginn). Die R. zerfiel in eine Polykratie partikularer Ressorts. *Heiko Pollmeier*

Literatur:

Broszat, Martin: *Der Staat Hitlers. Grundlegung und Entwicklung seiner inneren Verfassung,* München 1969.

Reichsring für nationalsozialistische Propaganda und Volksaufklärung Amt bzw. Hauptstelle in der Organisation des Reichspropagandaleiters der NSDAP mit der Aufgabe, die Einheitlichkeit der → Propaganda aller Glie-

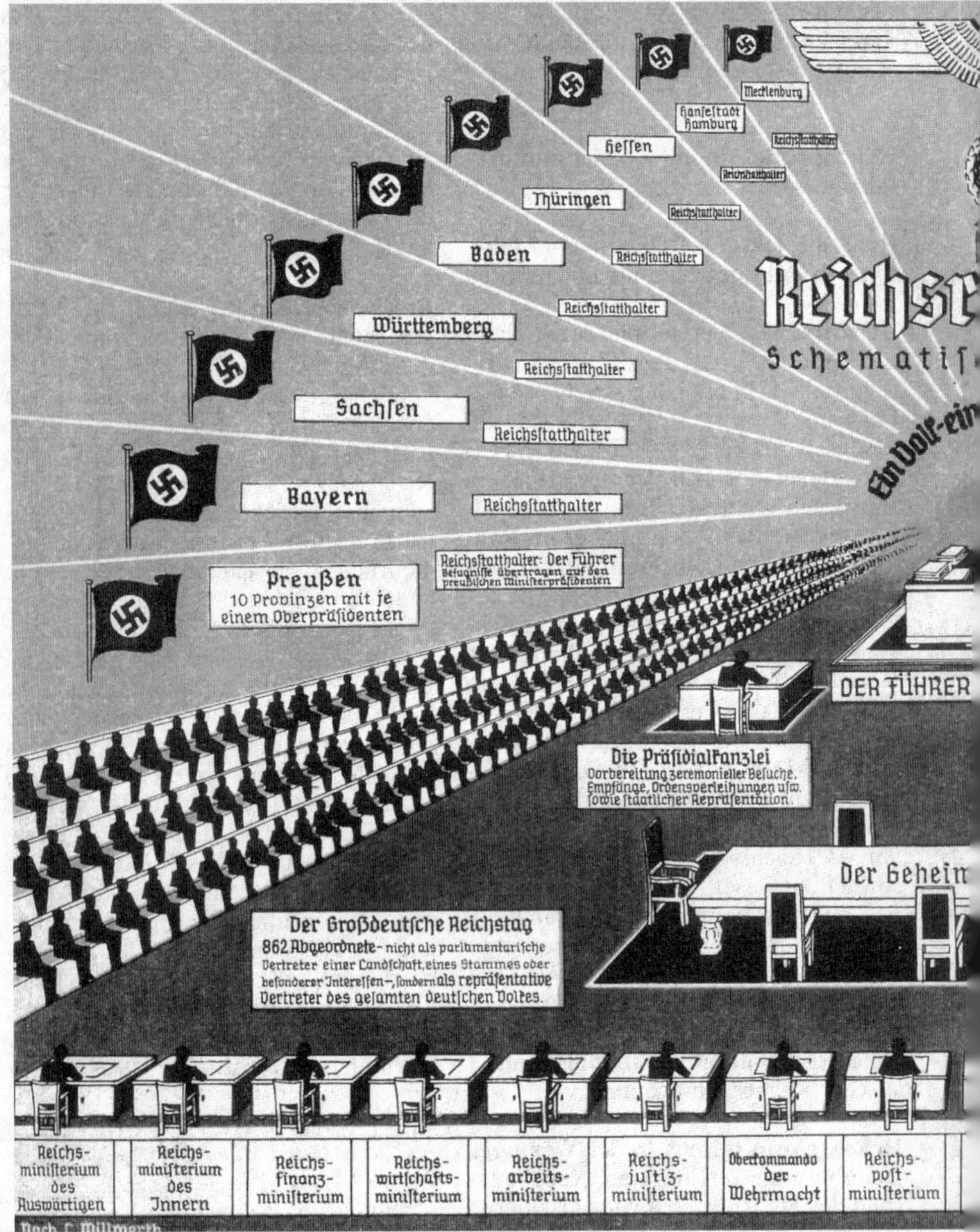

Abb. 62: Die Reichsregierung (aus: Max Eichler, *Du bist sofort im Bilde. Lebendig-anschauliches Reichsbürger-Handbuch*, Erfurt 1940)

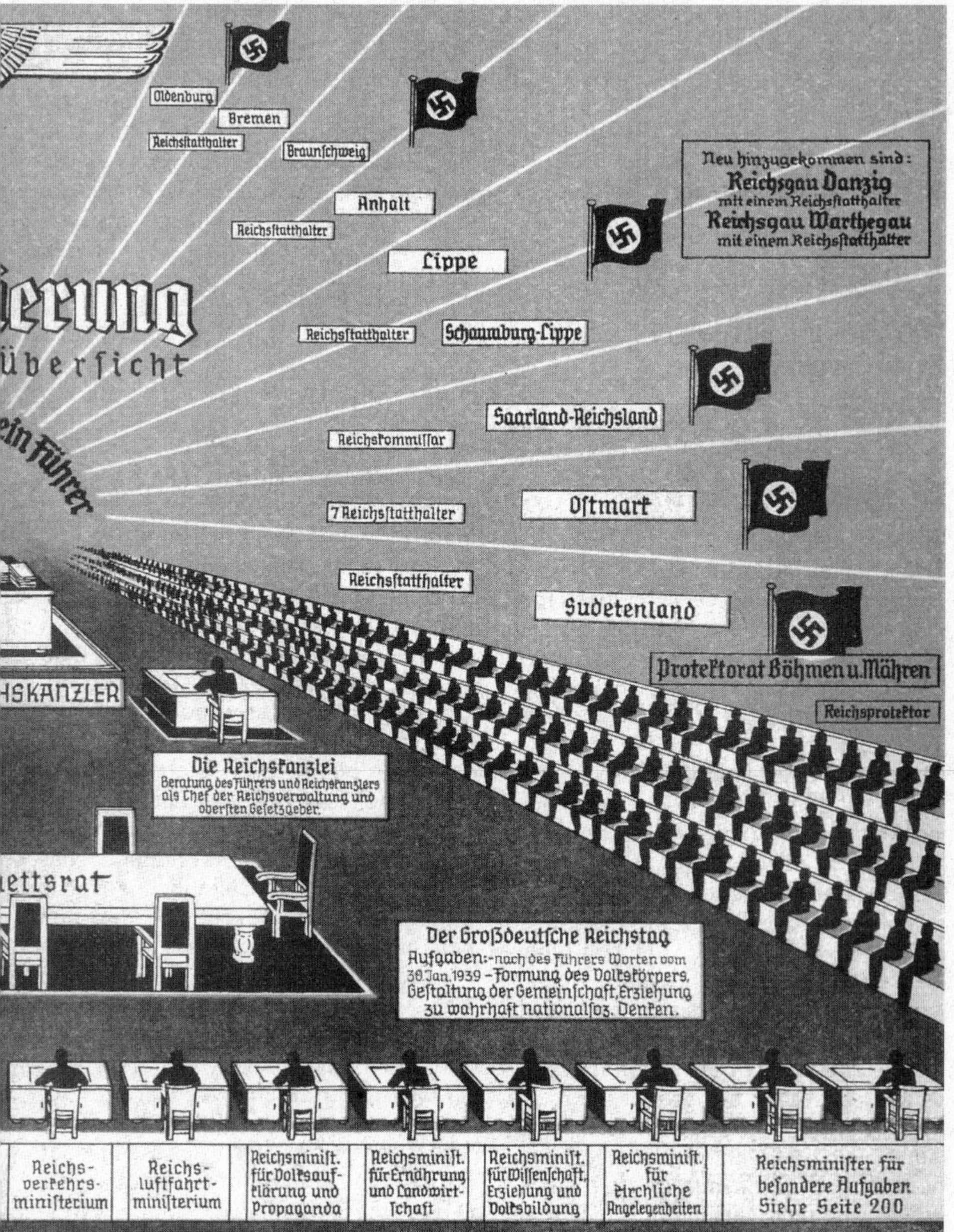

Oldenburg
Bremen
Reichsstatthalter
Braunschweig
Anhalt
Reichsstatthalter
Lippe
Neu hinzugekommen sind:
Reichsgau Danzig
mit einem Reichsstatthalter
Reichsgau Warthegau
mit einem Reichsstatthalter
ierung
übersicht
Reichsstatthalter
Schaumburg-Lippe
ein Führer
Saarland-Reichsland
Reichskommissar
7 Reichsstatthalter
Ostmark
Reichsstatthalter
Sudetenland
Protektorat Böhmen u. Mähren
Reichsprotektor
HSKANZLER
Die Reichskanzlei
Beratung des Führers und Reichskanzlers als Chef der Reichsverwaltung und obersten Gesetzgeber.
ettsrat
Der Großdeutsche Reichstag
Aufgaben: - nach des Führers Worten vom 30. Jan. 1939 - Formung des Volkskörpers, Gestaltung der Gemeinschaft, Erziehung zu wahrhaft nationalsoz. Denken.
Reichs-verkehrs-ministerium
Reichs-luftfahrt-ministerium
Reichsminist. für Volksaufklärung und Propaganda
Reichsminist. für Ernährung und Landwirtschaft
Reichsminist. für Wissenschaft, Erziehung und Volksbildung
Reichsminist. für kirchliche Angelegenheiten
Reichsminister für besondere Aufgaben Siehe Seite 200

derungen und angeschlossenen Verbände der NSDAP zu sichern,; dazu waren Vertreter aller entsprechenden Organisationen in den R. delegiert.

Wolfgang Benz

Reichsrundfunkkammer s. Reichskulturkammer

Reichsschatzmeister s. NSDAP

Reichsschrifttumskammer s. Reichskulturkammer

Reichsschule der NSDAP Feldafing Am 1.2.1936 übernahm die Dienststelle des Stellvertreters des Führers die noch von Ernst Röhm als SA-Kadettenanstalt eingerichtete Schule in Feldafing am Starnberger See als »Nationalsozialistische Dt. Oberschule Starnberger See«; die Umbenennung in R. erfolgte durch eine Anordnung von Heß vom 8.8.1939. Als achtklassige Höhere Schule hatte die R. auch im Lehrplan Ähnlichkeit mit den staatlichen → Nationalpolitischen Erziehungsanstalten; in der Übertrittsmöglichkeit aus der 6. Volksschulklasse stimmte sie dagegen mit den → Adolf-Hitler-Schulen überein. Jeder NSDAP-Gau konnte vier Bewerber vorschlagen (die Gaue Berlin und München-Oberbayern je fünf). Wie bei allen Anwärtern für die NS-Eliteschulen wurde auch bei den Kandidaten der R. neben guten schulischen Leistungen und »arischer« Abstammung großer Wert auf charakterliche und körperliche Eignung gelegt. Dank großzügiger Ausstattung mit Lehrmitteln und ausgewählten Pädagogen nahm die R. eine Spitzenstellung unter den NS-Eliteschulen ein, eine Entwicklung, die durch Hitlers Verbot von 1942, auch die NAPOLAS als »Reichsschulen« zu bezeichnen, bestätigt wurde. Mit Kriegsbeginn erhielt die R. zusätzliche Bedeutung als Reservoir für den Führernachwuchs der Wehrmacht (gegenüber der Waffen-SS bestand eine offensichtlich aus alten SA-Zeiten stammende Abneigung); der Führererlaß vom 7.12.1944 (→ Nationalpolitische Erziehungsanstalten) rückte die Funktion der Eliteschulen als Nachwuchslieferanten für das Offizierskorps in den Vordergrund und dehnte sie ausdrücklich auch auf die Waffen-SS aus.

Hermann Weiß

Literatur:

Scholtz, Harald: *Nationalsozialistische Ausleseschulen,* Göttingen 1973.

Reichssicherheitsdienst (RSD) 1934 als selbständige Reichsbehörde zum Schutz Hitlers, der Reichsminister und ausländischer Staatsmänner aus dem Kriminalpolizeikommando z.b.V. gebildete Institution. Mit eigenem Etat unterstand der R. ressortmäßig dem Chef der Reichskanzlei. Er rekrutierte sich aus bewährten und erfahrenen Schutz- und Kriminalpolizisten und verfügte über 13 Dienststellen für verschiedene Aufgaben. Die Dienststelle I mit Ortskommandos hatte zusammen mit dem sog. SS-Begleitkommando, das sich seit 1933 ausschließlich aus der SS-Leibstandarte rekrutierte, für den persönlichen Schutz Hitlers zu sorgen (→ Leibstandarte »Adolf Hitler«). Von 1934–1937 führte der R. in großer Anzahl Überprüfungen der politischen und persönlichen Vergangenheit von SS-Offizieren durch. 1942 war die Geheime Feldpolizei (GFP)-Gruppe RSD, Sicherungsgruppe Ost, des R. bei der Errichtung des Führerhauptquartiers (»Einsatz Eichenhain«, später »Werwolf«) beteiligt und wirkte bei Winniza/Ukraine an Judenmorden mit.

Volker Rieß

Reichssicherheits-Hauptamt Als Reichssicherheits-Hauptamt (RS-

Abb. 63: Das Reichssicherheits-Hauptamt und seine regionale Gliederung im »Großdeutschen Reich« (1943)

HA) wurden am 27.9.1939 die folgenden, dem Chef der → Sicherheitspolizei und des → Sicherheitsdienstes (R. Heydrich, ab Januar 1943 E. Kaltenbrunner) unterstehenden Behörden mit Hauptsitz in der Berliner Prinz-Albrecht-Straße zusammengefaßt, die jedoch im Verkehr mit Dienststellen außerhalb von → SS und → Polizei ihre bisherigen Bezeichnungen weiter benutzten: Hauptamt Sicherheitspolizei (errichtet 1936 bei Ernennung Himmlers zum Chef der Dt. Polizei); Geheimes Staatspolizeiamt (Gestapa, errichtet 1933 als preuß., ab 1936 Reichszentralbehörde unter Heinrich Müller); Reichskriminalpolizeiamt (1937 aus dem preuß. Landeskriminalpolizeiamt hervorgegangen, unter Nebe) und SD-Hauptamt der SS, das weiterhin aus dem NSDAP-Haushalt finanziert wurde, während die übrigen Ämter staatlich waren. 1944 wurden die Abwehrabteilungen des → OKW als Militärisches Amt (Mil) übernommen und ein Amt N (Nachrichtenverbindungen) eingerichtet. Nachgeordnet waren im Reichsgebiet Inspekteure der Sicherheitspolizei und des SD, Staatspolizei(leit)stellen mit Grenzpolizeikommissariaten, → Arbeitserziehungslagern und ab 1944 Auslandsbriefprüfstellen und Abwehrstellen, Kriminalpolizei(leit)stellen, SD-(Leit) Abschnitte, in besetzten und Operationsgebieten → Einsatzgruppen, Befehlshaber und Kommandeure der Sicherheitspolizei und des SD, die Politischen Abteilungen der → Konzentrationslager, SS-und → Polizeiattachés bei Auslandsvertretungen. Ab 1940 bestanden sieben Ämter: Vom Amt I – Personal – wurden die Beamten von Gestapo und Kriminalpolizei und die SS-Führer des SD eingesetzt und ausgebildet; ihm unterstanden die Führerschulen. Amt II – Organisation, Verwaltung, Recht – war u.a. zuständig für die Einziehung sog. staats- und volksfeindlichen Vermögens, für → Ausbürgerungen und die Konstruktion der → Gaswagen. Amt III – Inlandsnachrichtendienst – lieferte die → *Meldungen aus dem Reich* und Beurteilungen bei Ernennungen und Beförderungen in Verwaltung, Wirtschaft und Wissenschaft. Amt IV – Gegner-Erforschung und -Bekämpfung – war die Zentrale der Gestapo für alle Maßnahmen gegen Kommunisten, Sozialisten, Geistliche, → Freimaurer, → Ernste Bibelforscher, → Fremdarbeiter, → Kriegsgefangene und im Referat IV B 4 Eichmanns für die → »Endlösung der Judenfrage«. Das R. ordnete → Schutzhaft und → Sonderbehandlung an, bekämpfte Spionage und Sabotage, führte die Ermittlungen nach dem → 20. Juli 1944 und verfügte über das Hausgefängnis. Amt V, das Reichskriminalpolizeiamt, mit mehreren Reichszentralen für einzelne Deliktgruppen, war auch Zentrale für alle Fahndungen, schickte unter dem Vorwand der → vorbeugenden Verbrechensbekämpfung Tausende von »Gewohnheitsverbrechern« und Homosexuellen in KZ, verfolgte → Sinti und Roma nach »rassischer« Überprüfung durch sein Kriminalbiologisches Institut und entwickelte im Kriminaltechnischen Institut Verfahren zur Ermordung von Geisteskranken. Amt VI – Auslandsnachrichtendienst – betrieb, wissenschaftlich vorbereitet von den Instituten seiner Reichsstiftung für Länderkunde, Spionage und Sabotage im Ausland und hinter der feindlichen Front. Amt VII – Weltanschauliche Forschung – wertete »gegnerische« Veröffentlichungen aus und verwaltete große Bestände an Akten, die bei politischen Parteien und Verbänden, jüdischen Gemeinden und Organisationen, Logen und einzelnen Politikern, insbesondere in Frankreich, beschlagnahmt worden waren.

Heinz Boberach

Literatur:

Rürup, Reinhard (Hg.): *Topographie des Terrors. Gestapo, SS und Reichssicherheitshauptamt auf dem »Prinz-Albrecht-Gelände«. Eine Dokumentation,* Berlin [2]1987.

Tuchel, Johannes/Reinold Schattenfroh: *Zentrale des Terrors. Prinz-Albrecht-Str. 8, das Hauptquartier der Gestapo,* Berlin 1987.

Reichssippenamt Einzige Behörde, die zur Ausstellung des Abstammungsnachweises berechtigt war. Ein Vorläufer firmierte im Zuge des → Gesetzes zur Wiederherstellung des Berufbeamtentums vom 7.4.1933 zunächst als »Sachverständiger für Rasseforschung beim → Reichsministerium des Innern«, ab 5.3.1935 als »Reichsstelle für Sippenforschung« und wurde am 12.11.1940 in R. umbenannt. Leiter der Dienststelle war Achim Gercke, ab März 1935 Kurt Mayer, der ab 1.4.1935 zugleich Reichsamtsleiter des Amtes für Sippenforschung der NSDAP war. Bis Ende 1940 hatte das R. mit seinen 170 Mitarbeitern über 112 000 Abstammungsbescheide erteilt. Das R. überprüfte die »arische« Herkunft anhand von Urkunden oder sonstiger Dokumente, die von den Antragstellern vorgelegt werden mußten. In zweifelhaften Fällen erstellte es Gutachten, die, wenn der Verdacht auf »fremdartiges Blut« bestand, auch biologische Untersuchungen erforderten. Weitere Aufgaben des R. waren: Sicherung sippenkundlicher Quellen, wie z.B. das Abfotografieren von alten Kirchenbüchern, Auswertung jüdischer Personenstandsregister, Förderung sippenkundlicher Vereine (→ Abstammungsnachweis; → Rassenpolitik u. Völkermord).

Alexa Loohs

Reichssportfeld Das 1936 anläßlich der → Olympischen Spiele in Berlin eröffnete R. umfaßte ein riesiges Areal mit Stadien für verschiedene sportliche Disziplinen, darunter das Olympiastadion (90 000 Plätze) und das → Maifeld (75 000 Plätze) als Aufmarschfläche für 250 000 Menschen. Die Anlage war nicht nur Austragungsort sportlicher Wettkämpfe auf regionaler, gesamtdt. und internationaler Ebene, sondern Forum politischer Selbstinszenierung und Massenbeeinflussung. Hier fanden die Maifeiern der → Hitler-Jugend statt, hielt Joseph Goebbels seine »Feuerreden« bei den Sonnwendfeiern, wurden nationale Monumentalstücke aufgeführt und politische Großveranstaltungen verschiedener Art in Szene gesetzt. Während des Krieges diente das R. auch militärischen und Rüstungszwekken. Bei seiner Verteidigung gegen die Rote Armee fanden kurz vor Kriegsende fast 2000 Hitlerjungen den Tod.

Maria-Luise Kreuter

Reichssportführer Amtsbezeichnung für den Führer des → Dt. Reichsbundes für Leibesübungen und des 1938 gegründeten → Nat.soz. Reichsbundes für Leibesübungen. Der R. war auch Präsident der Dt. Reichsakademie für Leibesübungen und Leiter des zum → Reichsministerium des Innern gehörenden Reichssportamtes. R. war seit Juli 1933 Hans von Tschammer und Osten, auf ihn folgten Arno Breitmeyer (1943) und Karl Ritter v. Halt (1944).

Maria-Luise Kreuter

Reichssportkommissar s. Sport

Reichsstatthalter Im Zuge der → Gleichschaltung im föderalen Bereich der auch nach der → »Machtergreifung« nicht außer Kraft gesetzten Weimarer Verfassung wurde mit dem 2. Gesetz zur Gleichschaltung der Länder mit dem Reich vom 7.4.1933 für jedes dt. Land ein R. eingesetzt, der als Repräsentant der Reichsregierung am Ort der Landesregierung die Funktion eines Aufsichtsorgans bei der Durchsetzung der Reichspolitik in den Ländern ausübte. Die elf R. erhielten mit dem Gesetz über den Neuaufbau des Reiches vom 30.1.1934 als Inhaber der Reichsgewalt das Recht, Minister und Beamte ihres Landes zu ernennen. Ihre eigene Ernennung erfolgte auf Vorschlag Hitlers durch den Reichspräsidenten, nach Hindenburgs Tod durch Hitler direkt. Mit zwei Ausnahmen waren alle R. auch → Gauleiter eines Gaues in ihrem Amtsbereich als R.; Ausnahmen machten nur Bayern mit Ritter v. Epp und Preußen, wo Hitler sich selbst einsetzen ließ, die Amtsführung aber an Ministerpräsident Göring abgab. Als Dienstaufsichtsbehörde der R. fungierte nominell das Reichsinnenministerium. Da die R. als Gauleiter jedoch dem Parteiführer Hitler direkt unterstanden, führte die Ämterdoppelung häufig zu Störungen des ordentlichen Verwaltungsablaufs zu ungunsten des Reichsinnenministers. In den → Reichsgauen der seit 1938 dem Reich angegliederten Gebiete war die Identität von Partei und Staat durch die zur Regel erhobene Personalunion von Gauleiter und R. gewährleistet, was – anders als im Altreich – wegen der geographischen Übereinstimmung der Gaue mit den Amtsbezirken der R. das Problem der Doppelfunktion entschärfte. Die Personalunion der R. mit den Gauleitern in den neugeschaffenen Reichsgauen Österreichs unmittelbar nach dem → Anschluß 1938 vollzog die endgültige Auflösung der österr. Staatlichkeit. Im Altreich führte erst 1941 die Einsetzung des R. in der Westmark, der als Reichskommissar für die Saarpfalz bereits 1940 die Behörde des bayerischen Regierungspräsidenten in Speyer vereinnahmt hatte, zu einer Veränderung alter staatlicher Verhältnisse; die ehemals bayerische Pfalz wurde damit de facto einem politischen Gebilde zugeschlagen, dem auch das Saargebiet und das eingegliederte Lothringen angehörten. Bei Kriegsausbruch wurden die R. zu → Reichsverteidigungskommissaren ernannt, eine Funktion, die mit Verordnung v. 16.11.1942 auf alle Gauleiter übertragen wurde.

Kurt Pätzold

Literatur:

Das Reich als Republik und in der Zeit des Nationalsozialismus, Deutsche Verwaltungsgeschichte, Bd. 4, hg. v. Kurt G.A. Jeserich u.a., Stuttgart 1985.

Reichsstelle für Sippenforschung s. Reichssippenamt

Reichsstellen s. Kriegswirtschaft

Reichsstiftung für Länderkunde s. Reichssicherheits-Hauptamt

Reichstag Die Reichstagswahl am 5.3.1933 führte zum letzten Mehrparteienparlament des Dt. Reiches. Mit dem Verbot der KPD (→ Reichstagsbrandverordnung) und der SPD (22.6.1933) sowie der Selbstauflösung der bürgerlichen Parteien (Juni/Juli 1933), die mit dem »Gesetz gegen die Neubildung von Parteien« vom 14.7.1933 beendet war, hatte die Regierung Hitlers schlagartig die Alleinherrschaft der NSDAP und das Ende des Parlamentarismus bis 1945 herbeigeführt. Allerdings hatte sich der R. schon im März 1933 der Exekutive ausgeliefert. Das → Ermächtigungsgesetz vom 23.3.1933 räumte nämlich der → Reichsregierung das Recht ein, vier Jahre lang ohne Mitwirkung des R. Gesetze zu erlassen. Doch blieb der R. als Institution weiter bestehen, zumal die beabsichtigte → Reichsreform auf die Nachkriegszeit verschoben wurde. Hitler nutzte den R., um seinen Regierungserklärungen und den einstimmigen Akklamationen einen gewissen Rahmen zu verleihen und damit im In- und Ausland einen quasidemokratischen Eindruck zu bewahren.

Die Hälfte der Abgeordneten-Mandate blieb der Parteiorganisation vorbehalten, die Spitzenfunktionären weniger Gehalt zahlen mußte, wenn diese Diäten als Abgeordnete des R. bezogen. SA, SS und die der NSDAP angeschlossenen Verbände erhielten den Rest der Sitze in der Pseudo-Volksvertretung des Einparteienstaates, die zur bloßen Beifallslieferantin verkam. *Reiner Pommerin*

Reichstagsbrand Am 27.2.1933 brannte in Berlin das Reichstagsgebäude. Als Brandstifter wurde der Holländer Marinus van der Lubbe im Reichstag festgenommen und am 23. Dezember 1933 vom → Reichsgericht zum Tode verurteilt. Dies stellte die Verletzung des fundamentalen Rechtsprinzips »keine Strafe ohne Gesetz« dar. Er hätte nämlich nach dem zur Tatzeit geltenden Gesetz lediglich zu einer befristeten Zuchthausstrafe verurteilt werden dürfen. Die angebliche Täterschaft von vier kommunistischen Mitangeklagten ließ sich hingegen nicht beweisen. Die NSDAP bezeichnete den R. als »bolschewistischen Terrorakt« und nutzte ihn sogleich zur Herrschaftsstabilisierung. Die Brandstiftung durch die NSDAP ist hingegen bis heute unbewiesen.

Bedeutsamer aber als die Täterfrage erwiesen sich für das historische Geschehen die am 28. Februar 1933 aufgrund eines Kabinettsbeschlusses von Reichspräsident v. Hindenburg erlassenen »Verordnungen zum Schutz von Volk und Staat« (→ Reichstagsbrandverordnung) und »gegen Verrat am deutschen Volke und hochverräterische Umtriebe«. Sie setzten die politischen Grundrechte der Weimarer Verfassung außer Kraft und errichteten eine Art Ausnahmezustand, in dessen Schatten der brutale Terror der NSDAP gleichsam »legalisiert« wurde.

Reiner Pommerin

Literatur:

Backes, Uwe u.a.: *Reichstagsbrand. Aufklärung einer historischen Legende,* München/Zürich [2]1987.

Mommsen, Hans: Der Reichstagsbrand und seine politischen Folgen, in: *Vierteljahrshefte für Zeitgeschichte* 12 (1964), S. 351–413.

Reichstagsbrandverordnung Bezeichnung für die einen Tag nach dem → Reichstagsbrand auf Grundlage des Artikels 48 der Weimarer Verfassung erlassene Verordnung des → Reichspräsidenten »zum Schutz von Volk und Staat« (28.2.1933). Mit der Begründung der »Abwehr kommunistischer staatsgefährdender Gewaltakte« wurden wesentliche Grundrechte außer Kraft gesetzt: das Recht auf persönliche Freiheit; die Meinungs-, Presse-, Vereins- und Versammlungsfreiheit; das Brief-, Post- und Fernmeldegeheimnis; die Unverletzlichkeit der Wohnung. Die R. sah eine Verschärfung von Strafbestimmungen vor (u.a. Todesstrafe für Hochverrat und Brandstiftung). Sie legitimierte die als Verhängung von → Schutzhaft deklarierte Verhaftungswelle gegen Oppositionelle und bildete eine der juristischen Grundlagen für deren Aburteilung, erlaubte der → Reichsregierung auch Eingriffe in Landesangelegenheiten und forcierte so die weitere → Gleichschaltung der Länder. Letztlich diente die R. der Schaffung des Ausnahmezustandes und stellte noch vor dem → Ermächtigungsgesetz vom 23.3.1933 einen entscheidenden Schritt zur Errichtung der nat.soz. Diktatur dar. *Michael Hensle*

Reichstheaterkammer s. Reichskulturkammer

Reichstreuhänder der Arbeit Aufgabe der mit Gesetz vom 19.5.1933 eingesetzten Treuhänder der Arbeit war es, die Einhaltung der Mindestarbeitsbedingungen in den bestehenden Tarifverträgen zu überwachen, diese zu überarbeiten und als Tarifordnungen neu zu erlassen. Ab 1938, nun in R. umbenannt, erhielten sie das Recht, Löhne mit bindender Wirkung nach oben und unten festzusetzen. Sie waren ein wichtiges Element der nat.soz. → Sozialpolitik. *Marie-Luise Recker*

Reichsverband christlich-deutscher Staatsbürger nichtarischer oder nicht rein arischer Abstammung s. Paulusbund

Reichsverband der nichtarischen Christen s. Paulusbund

Reichsvereinigung der Juden in Deutschland (1939) s. Reichsvertretung der deutschen Juden

Reichsverteidigungskommissare Nach einer Verordnung vom 1.9.1939 zur Organisation der zivilen Verteidigung bestimmte Personen. R. wurde anfangs jeder → Gauleiter, der zugleich die Funktion des → Reichsstatthalters innehatte, ab 16.11.1942 wurden auch die übrigen Gauleiter R. In ihrer Funktion als R. unterstanden sie dem → Ministerrat für die Reichsverteidigung und kooperierten mit den Wehrkreisbefehlshabern. Ein von den R. berufener Verteidigungsausschuß beriet sie bei ihrer Tätigkeit. *Willi Dreßen*

Reichsverteidigungsrat s. Ministerrat für die Reichsverteidigung

Reichsvertretung der deutschen Juden Im September 1933 gegründete Gesamtvertretung der dt. Juden. Versuche, eine jüdische Gesamtvertretung zu bilden, wurden bereits 1869 (Dt.-Israelitischer Gemeindebund, DIG) und 1904 mit dem Verband der dt. Juden unternommen, der 1922 aber wieder aufgelöst wurde. Der DIG verlor nach den Gründungen der jüdischen Landesverbände (u.a. preuß. Landesverband 1922) immer mehr an Bedeutung. Aus dem Zusammenschluß der jüdischen Landesverbände 1928 konstituierte sich 1932 die Reichsvertretung der jüd. Landesverbände, die schließlich 1933 zur R. führte. Präsident war der Berliner Rabbiner Leo Baeck, der Vorstand setzte sich aus Vertretern der verschiedenen jüdischen Organisationen zusammen: Otto Hirsch → Centralverein deutscher Staatsbürger jüdischen Glaubens, CV), Siegfried Moses (→ Zionistische Vereinigung für Deutschland, ZVfD); Mitglieder: Rudolf Callmann (CV), Jacob Hoffmann (Orthodoxie), Leopold Landenberger (→ Reichsbund jüdischer Frontsoldaten), Franz Meyer (ZVfD), Julius L. Seligsohn und Heinrich Stahl (Liberale). Die R. verstand sich als verantwortliche Repräsentantin der dt. → Juden gegenüber den Regierungsbehörden. Die Aufgaben der R. umfaßten das Schul- und Bildungswesen (Lehreraus- und weiterbildung, Erstellen von Lehrplänen etc.), Wirtschaftshilfe (Kredite, Stipendien etc.) und Berufsfürsorge (Ausbildung und Umschulung), Wohlfahrtspflege (jüdische Winterhilfe, Waisen- und Krankenhausorganisation, Altenheime), Betreuung und Hilfe bei der Aus- und Binnenwanderung. Finanziert wurde die Arbeit der R. durch Steuern, Sammlungen und Spenden, v.a. der ausländischen jüdischen Organisationen (American Joint Distribution Committee und Council for German Jewry, England). Der im April 1933 gegründete → Zentralausschuß für Hilfe und Aufbau wurde 1935 der R. (die sich nun »Reichsvertretung der Juden in Deutschland« nennen mußte) eingegliedert. Im März 1938 verlor die R. ihren Status als Körperschaft des öffentlichen Rechts und war somit nicht mehr berechtigt, Steuern zu erheben. Im Juni 1939 erhielt sie die Bezeichnung »Reichsvereinigung der Juden in Deutschland«. Alle noch bestehenden jüdischen Organisationen und Gemeinden wurden zwangsweise in die Reichsvereinigung eingegliedert. Sie unterstand nun der Aufsicht des Reichsministers des Innern und war gezwungen, dessen Anweisungen Folge zu leisten. Hierzu gehörten seit dem Auswanderungsverbot vom Oktober 1941 auch die Vorbereitungen zur → Deportation. 1943 wurde die Geschäftsstelle der Reichsvereinigung aufgelöst, ihr Vermögen beschlagnahmt, und die letzten Mitarbeiter wurden in → Konzentrationslager deportiert.

Marion Neiss

Literatur:

Hildesheimer, Esriel: *Jüdische Selbstverwaltung unter dem NS-Regime. Der Existenzkampf der Reichsvertretung der Juden in Deutschland,* Tübingen 1994.

Plum, Günter: Deutsche Juden oder Juden in Deutschland? In: *Die Juden in Deutschland 1933–1945. Leben unter nationalsozialistischer Herrschaft.* hg. v. Wolfgang Benz, München 1993.

Reichswehr s. Wehrmacht

Reichswehrprozeß s. Ulmer Reichswehrprozeß

Reichswerke »Hermann Göring« Im Sommer 1936 forderte Hitler, daß Wehrmacht und Wirtschaft bis 1940 kriegsbereit und Deutschlands Abhängigkeit von der Rohstoffzufuhr im Rahmen des 1936 verabschiedeten → Vierjahresplans beendet sein sollten. Zum Beauftragten für den Vierjahresplan ernannte Hitler am 18.10.1936 Hermann Göring, der gegen den Widerstand der westdt. Schwerindustrie am 15.7.1937 die R. (Aktiengesellschaft für Erzbergbau und Eisenhütten »Hermann Göring«) von Paul Pleiger gründen ließ. Die R. erhielten den Auftrag, die unter dem Salzgittergebiet liegenden sauren Erze zu heben und nach dem neuen Verfahren von Paschke und Peetz zu verhütten. Am 7.11.1937 legte Göring selbst den Standort der Hütte im Salzgittergebiet fest. Geplant waren 32 Hochöfen, bei Kriegsende waren zwölf fertig. Kurz nach Kriegsbeginn wurde das erste Roheisen erschmolzen. Die R. praktizierten eine außergewöhnlich aggressive, expansionistische Firmenpolitik und rissen ab 1939/40 zahlreiche europäische Großkonzerne an sich. Während des Krieges kamen Tausende von → Zwangsarbeitern, → Kriegsgefangenen und KZ-Häftlingen bei den R. zum → Arbeitseinsatz und fanden dabei den Tod. Bei Kriegsende zerfiel der Konzern wieder in seine nationalen Bestandteile. *Jörg Leuschner*

Reichswirtschaftskammer Dachorganisation der durch Verordnung des Reichswirtschaftsministers und des Reichsministers des Innern geschaffenen »Organisation der gewerblichen Wirtschaft« (»Erste Verordnung zur Durchführung des Gesetzes zur Vorbereitung des organischen Aufbaues der dt. Wirtschaft« vom 27.11.1934). Mitglieder der R. waren deren fachliche und regionale Gliederungen: die Reichsgruppen, die Wirtschaftskammern, die Industrie- und Handelskammern und die Handwerkskammern. Leiter und Stellvertreter der R. wurden vom Reichswirtschaftsminister berufen. Die R. hatte gegenüber dem Reichswirtschaftsministerium beratende und berichtende Funktion. Ihr tatsächlicher Einfluß auf die Wirtschaft war gering, besonders gegenüber der beherrschenden Position der → Reichsgruppe Industrie, seit 1934 die Nachfolgeorganisation des Reichsverbands der dt. Industrie (→ Wirtschaft).

Dietrich Eichholtz

Reichswirtschaftsrat Mit dem Gesetz über den vorläufigen R. vom 5.4.1933 lösten die Nat.soz. den 1920 geschaffenen, aus 326 Mitgliedern bestehenden vorläufigen R. auf, der als Gremium berufener Wirtschaftsfachleute die Reichsregierung in der Wirtschafts- und Sozialgesetzgebung beraten und bei der Entwicklung der wirtschaftlichen Struktur und Organisation des Dt. Reiches mitwirken sollte. Der »neue« R. mit höchstens 60 von der Reichsregierung vorgeschlagenen Mitgliedern und ähnlichen Funktionen wurde bereits am 23.3.1934 wieder aufgelöst. Durch Vereinbarung zwischen dem Leiter der → DAF, dem Reichswirtschafts- und dem Reichsarbeitsminister wurde im März 1935 ein »Reichsarbeits- und R.« geschaffen, in dem der Beirat der → Reichswirtschaftskammer und der aus den Leitern der Reichsbetriebsgemeinschaften und den Bezirksverwaltern der DAF bestehende Reichsarbeitsrat zusammengeschlossen wurden. Die neue, von der DAF dominierte Institution sollte v.a. die Meinung der Regierung und der DAF-Leitung zur Wirtschafts- und Sozialpolitik entgegennehmen und die Zusammenarbeit der verschiedenen DAF-Ämter und -Organisationen befördern. Nennenswerten wirtschaftspolitischen Einfluß konnte der von einem Beratungsorgan zum Akklamationsgremium deformierte R. nicht mehr ausüben. *Hermann Weiß*

Reichszentrale für Gesundheitsführung s. Medizin

Reichszentrale für jüdische Auswanderung Am 26.8.1938 wurde die vom Judenreferenten im → SD-Hauptamt, Eichmann, geleitete Zentralstelle für jüdische Auswanderung in Wien errichtet, die als einzige Behörde ermächtigt war, Ausreisegenehmigungen für Juden aus Österreich zu erteilen, de facto erheblichen Druck auf die Emigration ausübte und erst die zwangsweise Auswanderung, später die → Deportation der österr. Juden organisierte. Nach dem Wiener Modell veranlaßte Heydrich im Januar 1939 in Berlin die Errichtung der R. als einer der Gestapo nachgeordneten Instanz. Eichmann war ab Oktober 1939 mit der Geschäftsführung betraut. Nach der Zerschlagung der Rest-Tschechoslowakei wurde am 26.7.1939 eine Zentralstelle für jüdische Auswanderung in Prag eingerichtet, die, von Eichmann bzw. seinem Stellvertreter Hans Günther geleitet, nach Wiener Vorbild erst die Emigration forcierte, dann die Deportation der Juden aus dem → Protektorat Böhmen und Mähren nach → Theresienstadt betrieb. Die Büros in Wien und Prag (eine weitere Zentralstelle für jüdische Auswanderung existierte ab 1940 in den besetzten Niederlanden unter Erich Rajakowitsch) fungierten als Außenstellen der R., die schließlich mit Eichmanns Referat im → Reichssicherheits-Hauptamt identisch war. *Wolfgang Benz*

Reichszentrale zur Bekämpfung der Homosexualität und Abtreibung s. Homosexualität/Homosexuelle

Reichszeugmeisterei Zentrale Beschaffungsstelle der NSDAP und ihrer Gliederungen, vergleichbar der Feldzeugmeisterei für die Wehrmacht. Die R. verwaltete Uniformen, Abzeichen, Ausstattungsgegenstände etc.; für deren Herstellung vergab sie die Lizenzen. Organisatorisch unterstand die R. dem Reichsschatzmeister der NSDAP. Ihre Zentrale lag in einem eigens errichteten 110 m langen Stahlskelettbau in der Tegernseer Landstraße in München. Von hier aus wurden Verkaufsstellen im ganzen Reich beliefert. *Wolfram Selig*

Reinhardtaktion s. Aktion Reinhardt

Reiter-SS s. Schutzstaffel

Rentendörfer Am 3.10.1942 ordnete Himmler die Ansiedlung volksdt. Familien im Kreis → Zamosc, Distrikt Lublin, an. Die arbeitsfähigen Mitglieder der poln. Familien, die für die Neuansiedler ihre Anwesen freimachen mußten, wurden zum → Arbeitseinsatz in Deutschland bestimmt, ihre Kinder bis zum Alter von 13 Jahren, nicht arbeitsfähige Erwachsene und die Alten ab 60 Jahren sollten in rein poln. Dörfer abgeschoben werden, die den Namen R. erhielten. Die Umsiedlung begann im Winter 1942/43. Vorbild für die Aktion waren die »Polenreservate« im Reichsgau → Wartheland (→ Volkstumspolitik). *Hermann Weiß*

Republik von Salò s. Italien

Résistance s. Frankreich

Rest-Tschechei s. Tschechoslowakei

Rexisten Angehörige der wallonischen antidemokratischen »Christ-Königsbewegung« in → Belgien, die von Léon Degrelle 1930 gegründet worden war. Die Bewegung nannte sich nach dem

Verlagshaus Christus Rex, das auch eine Zeitschrift mit dem Namen *Rex* herausgab. Die meisten Anhänger der R. rekrutierten sich aus dem militanten Flügel der katholischen Aktion, entfernten sich jedoch von ihrem kirchlichen Ursprung und wandten sich mehr und mehr dem Nationalismus zu. Die Bewegung strebte eine ständestaatliche Ordnung auf der Grundlage von Familie, Beruf und Volk an und hatte damit im flämischen Bevölkerungsteil anfänglich einen gewissen Erfolg. Bei den Wahlen vom 24.5.1936 stellten die R. 21 Abgeordnete und 12 Senatoren. Als die R. sich in der Folgezeit immer mehr dem Faschismus verschrieben, büßten sie jedoch 1938 erheblich Stimmen ein. Nach der dt. Besetzung Belgiens im Mai 1940 (→ Westfeldzug) kollaborierten die meisten Anhänger mit dem Besatzungsregime (→ Kollaboration). Nicht wenige der jüngeren Angehörigen der R. meldeten sich zur → Waffen-SS und wurden in die SS-Sturmbrigade (später Division) »Wallonie« eingereiht. Nach dem Krieg wurden in Belgien viele R. zum Tode verurteilt. *Willi Dreßen*

»Rheinlandbastarde« Als R. bezeichnete die nat.soz. Rassenpolitik dt. Kinder, die während der Zeit der Besetzung des Rheinlandes zwischen 1918 und 1929 das Licht der Welt erblickten, wenn deren Mütter dt. Frauen und deren Väter farbige Soldaten der alliierten Truppen waren. In der Weimarer Republik stellten Behörden in der bayer. Pfalz bereits Überlegungen zur »Reinhaltung der Rasse im besetzten Gebiet von farbigem Blut« an. Eine »Unfruchtbarmachung durch einen gänzlich schmerzlosen Eingriff«, gemeint war die Zwangssterilisation der Kinder, ließ sich auf der Grundlage der damaligen Rechtslage jedoch nicht verwirklichen.

Nach der → »Machtergreifung« ließ der preuß. Minister des Innern, Hermann Göring, die Zahl der R. sowie die rassische Herkunft ihrer Väter ermitteln. In einer Nacht- und Nebel-Aktion wurden die zwischen 7 und 19 Jahre alten Kinder im Sommer 1937 drei Sonderkommissionen zur Begutachtung vorgeführt. Mit dem angeblich »freiwilligen Einverständnis« der Mütter wurden die R. unter größter Geheimhaltung und ohne gesetzliche Basis in verschiedenen Krankenhäusern des Rheinlandes sterilisiert und danach als »geheilt« entlassen. *Reiner Pommerin*

Rheinlandbesetzung Am 7.3.1936 überschritten dt. Truppen die Rheinbrücken und errichteten linksrheinische Garnisonen (Aachen, Trier, Saarbrücken). Zusammen mit weiteren militärischen Maßnahmen von Heer und Luftwaffe beiderseits des Rheins, die unter der Tarnbezeichnung »Schulung« vorbereitet worden waren, verletzte diese Aktion den Vertrag von → Versailles vom 28.6.1919 (Art. 42 und 43). Danach durfte das Dt. Reich links des Stroms und in einer 50km-Zone östlich davon weder Befestigungen errichten noch Streitkräfte stationieren oder Mobilmachungsvorbereitungen treffen. Verletzungen dieser Art galten als »feindselige Haltung« und »Versuch der Störung des Weltfriedens« (Art. 44). Das Dt. Reich hatte sich außerdem durch die Locarno-Verträge vom 16.10.1925 (sog. Rheinpakt, Art. 1) freiwillig zur Achtung dieser demilitarisierten Zone verpflichtet. Zur Rechtfertigung ihres durch die R. vollzogenen doppelten Vertragsbruchs berief sich die Reichsregierung zu Unrecht auf den am 2.5.1935 geschlossenen frz.-sowj. Beistandspakt. Hitler versicherte vor dem Reichstag, während die Truppen sich auf dem Marsch in die Garnisonen befanden, keine Gebietsansprüche an Deutschlands Nachbarn zu stellen. Das Risiko der Aktion war infolge der Spannungen zwischen Großbritannien und Frankreich einerseits und Italien andererseits aufgrund des ital. Krieges in Abessinien verringert. Faktisch erhielt Deutschland als Gegenleistung für seine wohlwollende Haltung nun durch Mussolini Rückendeckung. Obwohl das noch dem → Völkerbund angehörende Italien sich an der folgenlosen Feststellung des völkerrechtswidrigen und vertragsbrüchigen dt. Vorgehens beteiligte, bahnte sich eine Wende der Beziehungen zwischen Berlin und Rom an, die in die Errichtung der → »Achse« mündete. Der gelungene und komplikationslos verlaufene erste militärische Coup ermutigte Hitler, der langfristig auf Krieg aus war. In nationalistischen, namentlich antifrz. gestimmten Teilen der Bevölkerung, die den Schritt als Akt der »Brechung der Ketten von Versailles« feierten, stieg das Ansehen des Führers. Auch in der Wehrmacht wuchs Hitlers Prestige. Am 29.3.1936 wurde zur Billigung der Regierungspolitik eine Volksabstimmung durchgeführt, die 98,8% Ja-Stimmen erbrachte. Von nun an war eine frz. Intervention gegen die dt. Expansionspolitik nur noch in der Form eines regelrechten Krieges möglich – was die Beziehungen zwischen Frankreich und seinen Klientelstaaten (Polen, ČSR, Rumänien) grundlegend veränderte. *Kurt Pätzold*

Richterbriefe Mit den R. wollte Reichsjustizminister Otto Thierack den dt. Richtern und Staatsanwälten »eine Anschauung davon geben, wie sich die Justizführung nat.soz. Rechtsanwendung denkt«. Zwischen dem 1.10.1942 und dem 1.12.1944 wurden vom Reichsjustizministerium auf dem Dienstweg 21 R. an jeweils 10 384 Juristen, die sie vertraulich zu behandeln hatten, verteilt. Sie befaßten sich, z.T. mehrfach, mit insgesamt 46 Einzelproblemen sowohl aus dem Straf- als auch aus dem Zivilrecht, indem sie zunächst über bis zu 26 Einzelverfahren und die dazu ergangenen Urteile referierten, um anschließend auszuführen, ob und wie sie anders hätten ausfallen müssen oder ob sie beispielhaft als »gute, für die Volksgemeinschaft wesentliche Entscheidungen« anzusehen waren. Schwerpunkte lagen bei der Anwendung der Verordnung über → Volksschädlinge, insbesondere bei Plünderungen nach Luftangriffen, beim Schutz der → Ehre und der Ehen von Soldaten, bei Urteilen gegen Juden und Jugendliche, dem Umgang mit falschen Anschuldigungen und Aussagen. Behandelt wurde aber auch die »volkstümliche Fassung von Anklagen und Urteilen«. Obwohl meist Entscheidungen beanstandet wurden, weil sie nicht dem → »gesunden Volksempfinden« entsprochen hätten, gab es auch Kritik an zu harten Urteilen, z.B. an Todesurteilen ohne sorgfältige Aufklärung des Sachverhalts. Die Beispiele stammten aus von den Gerichten dem Ministerium vorzulegenden Berichten, beruhten aber auch auf Urteilskritik von seiten der → Parteikanzlei und in den → *Meldungen aus dem Reich*. Die Ergänzung der R. durch Rechtsanwaltsbriefe blieb auf eine Nummer im Oktober 1944 beschränkt. *Heinz Boberach*

Literatur:

Boberach, Heinz (Hg.): *Richterbriefe. Dokumente zur Beeinflussung der deutschen Rechtsprechung 1942–1944,* Boppard 1975.

Rieucros (Dépt. Lozère, am Fuß des Mt. Lozère) *Camp disciplinaire* unter frz. Polizeiverwaltung für politisch verdächtige Emigranten-Frauen. Es beherbergte Ende 1940 ca. 1500 Insassinnen, im Juni 1941 noch 450 (→ Emigration). *Hellmuth Auerbach*

Riga (Ghetto) Hauptstadt von Lettland mit einer jüdischen Vorkriegsbevölkerung von 43 000 (1939). Wie zuvor in Kauen ermordeten einheimische Freiwillige nach dem Einmarsch der Wehrmacht am 1.7.1941 zunächst selbständig, später unter dt. Anleitung mehrere tausend Juden, bis für die verbliebenen 30 000 Mitte August die Ghettoisierung in einem nördlichen Stadtteil verfügt wurde. Dem → Judenrat unter Michael Elyashow blieb keine Zeit, die internen Verhältnisse auch nur halbwegs zu organisieren. Bereits Ende November/Anfang Dezember 1941 wurde die Mehrzahl der Ghettobewohner – 25 000 – von den Deutschen in zwei Tötungswellen im nahegelegenen Wald von Rumbuli erschossen. Ihren Platz an den Zwangsarbeitsplätzen innerhalb und außerhalb des Ghettos nahmen Juden aus dem Reich und dem → Protektorat Böhmen und Mähren ein, deren Zahl bis zum Frühjahr 1942 auf insgesamt 16 000 anstieg. Infolge von Himmlers Befehl, die Ghettos im → Reichskommissariat Ostland aufzulösen, wurden die Überlebenden entweder vor Ort ermordet oder ins neugegründete KZ → Kaiserwald verbracht. Einige Hundert überlebten versteckt in den Trümmern des von den Deutschen zerstörten Ghettos, eine größere Zahl in den umliegenden Wäldern (→ Ghettos; → Rassenpolitik und Völkermord). *Jürgen Matthäus*

Riga (KZ) s. Kaiserwald (KZ)

Ringelblum-Archiv s. Warschau (Ghetto)

Ringeltaube, Unternehmen Die schweren Bombenangriffe der Alliierten auf die dt. Rüstungsindustrie im Februar 1944 führten am 1.3.1944 zur Gründung des Jägerstabs. Dessen Ziel war die Aufrechterhaltung und Steigerung der Jagdflugzeugherstellung, die dezentralisiert und v.a. unter die Erde verlagert werden sollte. Neben natürlichen Höhlen oder Tunnels sollten auch neu zu erbauende halbunterirdische Betonbunker Verwendung finden. Obwohl der Bau von sechs Bunkern geplant war, wurden im Sommer 1944 nur vier begonnen. Die drei bei Landsberg am Lech befindlichen Baustellen firmierten unter dem Decknamen »Unternehmen Ringeltaube«, die Baustelle bei Mühldorf am Inn wurde als »Weingut I« kodiert.

Als letzte Arbeitskraftreserve griff die für das Bauprojekt zuständige → Organisation Todt (OT) auf jüdische KZ-Häftlinge aus ganz Europa zurück, deren Deportation ins seit 1942 »judenfreie« Reich von Hitler persönlich genehmigt worden war. Ab Juni 1944 wurden etwa 30 000 Juden in die elf rund um die Baustellen errichteten Außenlager Kaufering des KZ → Dachau deportiert; etwa 8000 kamen in die vier Lager bei Mühldorf. Menschenunwürdige Lebens- und Arbeitsumstände sowie → Selektionen und Hinrichtungen führten zum Tod fast der Hälfte aller nach Kaufering und Mühldorf Deportierten. *Edith Raim*

Ritterkreuz s. Orden und Ehrenzeichen

Rivesaltes (Dépt. Pyrénées-Orientales, nördl. von Perpignan), *Centre d'hébergement* (normales Internierungslager) unter frz. Polizeiverwaltung mit meist staatenlosen Insassen (d.h. aus Deutschland und Österreich ausgebürgerte Juden). Viele von ihnen wurden über Drancy nach dem Osten deportiert (→ Deportationen).

Hellmuth Auerbach

»Röhm-Putsch« Der Reichswehrhauptmann Ernst Röhm gehörte zu den frühesten Förderern und Mitstreitern Adolf Hitlers. Als Teilnehmer am → Hitlerputsch vom 8./9.11.1923 wurde der »Maschinengewehrkönig von Bayern«, der die Aufständischen mit Waffen versorgt hatte, zu 15 Monaten Festungshaft auf Bewährung verurteilt und schied aus der Reichswehr aus. Während Hitler nach seiner Haftentlassung entschlossen war, sich zur Eroberung der Macht im Staat einer Legalitätstaktik zu bedienen, hielt Röhm an revolutionären Ideen fest. Nach einem vorübergehenden Rückzug aus der Politik (1928–1930 Ausbilder in Bolivien) wurde er im Herbst 1930 von Hitler mit der Reorganisation der → SA betraut. Als Chef des Stabes rangierte er innerhalb der SA fortan unmittelbar hinter dem Obersten SA-Führer Hitler und war damit einzig seinem Duzfreund verantwortlich. Röhms Dynamik und Hemdsärmeligkeit, die ihn vor der Anwendung brutal-skrupelloser Methoden nicht zurückschrecken ließen, war es zuzuschreiben, daß es den Schlägertrupps der SA in wenigen Jahren gelang, die politischen Gegner einzuschüchtern und die Herrschaft über die Straße zu erringen. Danach verstand er es, der SA durch eine Reihe pseudo-sozialer Maßnahmen zunehmende Akzeptanz in der Bevölkerung zu verschaffen. Das rasante Anwachsen der Mitgliederzahl von 70000 im Jahr 1930 auf 4,5 Mio. im Sommer 1934 belegt diese Entwicklung. Nach der Ernennung Hitlers zum Kanzler einer aus Nat.soz. und Konservativen gebildeten »Regierung der nationalen Konzentration« (→ »Machtergreifung«) lebten die Auffassungsunterschiede zwischen Hitler und Röhm wieder auf. Zwar hatte die SA in den auf den 30.1.1933 folgenden Monaten als Hilfspolizei und als Wachpersonal der → Konzentrationslager erheblichen Anteil an der → Gleichschaltung großer Bereiche des öffentlichen Lebens, doch gebot Hitler den mitunter unkontrollierten Aktionen der SA im Herbst 1933 Einhalt. Röhm dagegen drängte auf eine Fortsetzung der innenpolitischen Umgestaltung und sprach in Reden und Artikeln von der Notwendigkeit einer »zweiten Revolution«. Diese sollte die Masse der SA-Männer materiell versorgen und in der Schaffung eines »Wehrstaates« gipfeln. Als entscheidende Voraussetzung hierfür betrachtete er die Schaffung eines Milizheeres, dessen Kern die SA bilden sollte. Da Hitler indes die Berufssoldaten der Reichswehr als Kern einer Armee für die angestrebte Eroberung von → Lebensraum im Osten Europas ansah, kam es zum Bündnis des Diktators mit der Reichswehrführung, welche sich durch die Pläne Röhms in ihrer Existenz gefährdet sah (→ Wehrmacht). Bedrängt von Röhms Gegenspielern innerhalb der NSDAP (Göring, Himmler und Goebbels), die sich des lästigen Widersachers zu entledigen suchten, entschloß sich Hitler im Frühjahr 1934, den Konflikt mit der SA-Führung gewaltsam zu lösen. Hitler fürchtete im übrigen auch, daß sich ansonsten die Reichswehr mit konservativen Regimekritikern in der Umgebung des Reichspräsidenten v. Hindenburg zum Versuch einer mo-narchischen Restauration verbinden würde; am 17.6.1934 hatte eine von Edgar Jung (→ Widerstand) verfaßte und von Vizekanzler v. Papen in Marburg gehaltene regimekritische Rede diese Möglichkeit als greifbar nahe vermuten lassen. Unter dem Vorwand, mit dem Ausland konspiriert und Umsturzpläne gehegt zu haben, wurden vom 30.6.–2.7.1934 mindestens 85 SA-Führer und Regimegegner von der → SS ermordet, darunter die Generale Kurt v. Schleicher und Ferdinand v. Bredow sowie die Hitler-Kritiker Gregor Straßer, Gustav Ritter

v. Kahr, Erich Klausener und Edgar Jung. Während Hitler mit der Ermordung Röhms am 1.7.1934 seinen letzten innerparteilichen Widersacher ausschaltete und definitiv den »Führer-Staat« begründete, sicherte sich die Reichswehr vorerst ihr Monopol als Waffenträgerin. Es kennzeichnet den im Frühsommer 1934 erreichten Grad der Gleichschaltung, daß die Mordwelle bereits am 3.7.1934 vom Kabinett als »Staatsnotwehr« für rechtens erklärt wurde. *Manfred Nebelin*

Literatur:

Fallois, Immo v.: *Kalkül und Illusionen. Der Machtkampf zwischen Reichswehr und SA während der Röhm-Krise 1934,* Berlin 1994.

Longerich, Peter: *Die braunen Bataillone. Geschichte der SA,* München 1989.

Rote Kämpfer s. Widerstand

Rote Kapelle Bezeichnung für Berliner Widerstandskreise um A. Harnack und H. Schulze-Boysen. Die Gestapo ordnete diese Gruppen dem Fahndungskomplex R. zu, ein Tarnbegriff für 1941/42 in Westeuropa ermittelte Gruppen des sowj. militärischen Nachrichtendienstes.

In Freundschaftskreisen, die sich 1941/42 durch persönliche Kontakte überschnitten und beeinflußten, fanden Menschen aus unterschiedlichen sozialen und politischen Milieus zusammen. Der Meinungsaustausch, die Hilfe für Verfolgte, die Dokumentation von nat.soz. Gewaltverbrechen, das Verbreiten von Flugschriften, eine Zettelklebeaktion, Fühlungnahmen zu anderen Hitlergegnern und ausländischen Zwangsarbeitern waren Ausdruck vielfältiger oppositioneller Tätigkeiten (→ Goerdeler-Kreis; → Kreisauer Kreis; → Keppler-Kreis; → Herbert-Baum-Gruppe; → Mittwochs-Gesellschaft). A. Harnack und H. Schulze-Boysen warnten im Frühjahr 1941 sowj. Stellen vor dt. Angriffsvorbereitungen. Über 50 Frauen und 100 Männer dürften zur R. gehört haben. Im Herbst 1942 wurden über 120 Mitstreiter verhaftet, 92 vor dem Reichskriegsgericht und dem → Volksgerichtshof angeklagt, 49 von ihnen, darunter 19 Frauen, hingerichtet (→ Widerstand). *Hans Coppi*

Literatur:

Griebel, R./M. Coburger/H. Schell: *Erfaßt? Das Gestapo-Album zur Roten Kapelle. Eine Fotodokumentation,* Halle 1992.

Coppi, Hans/Jürgen Danyel/Johannes Tuchel (Hg.): *Rote Kapelle im Widerstand gegen den Nationalsozialismus,* Berlin 1994.

Rothschilds, Die Film nach der Idee des österr. Schriftstellers Mirko Jelusich, unter der Regie von Erich Waschneck. Hauptrollen spielten u.a.: Carl Kuhlmann, Hilde Weißner, Gisela Uhlen, Erich Ponto, Bernhard Minetti. Zwei Monate nach der Premiere am 17.7.1940 wurde *R.* aus dem Verleih genommen, weil er kein Prädikat bekommen hatte. Erst im August 1941 tauchte R., nun mit dem Untertitel »Aktien auf Waterloo«, wieder in den Kinos auf. *R.* ist der erste Teil einer Trilogie antisemitischer nat.soz. Propagandafilme; es folgten → *Jud Süß* und → *Der ewige Jude*. So findet sich etwa das Motiv des Judensterns am Ende der *R.* und taucht bei *Jud Süß* im Titelvorspann auf. Ebenso wie bei *Jud Süß* werden auch in R. die Juden in Gestalt der Familie Rothschild als die Welt beherrschende, rücksichtslose Profiteure und Wucherer hingestellt: »Viel Geld können wir nur machen mit viel Blut.« Historische Fakten werden tendenziös dargestellt, Wahrheit, Lüge und Fiktion vermischt und gleichzeitig die authentischen jüdischen Gestalten mit allen denkbaren Eigenschaften des antisemitischen Judenklischees belastet (→ Antisemitismus; → Kunst). *Juliane Wetzel*

Rotterdam (Luftangriff) Erstes Bombardement einer westeuropäischen

Stadt im Zweiten Weltkrieg. 4 Tage nach Beginn des → Westfeldzuges bombardierte die dt. Luftwaffe am 14.5.1940 R., nachdem zwischen den Kriegsparteien die Übergabe der Stadt vereinbart worden war. Warum R. entgegen der Vereinbarung doch bombardiert wurde, ist nicht endgültig geklärt. Wahrscheinlich gab es Kommunikationsfehler bei der dt. Luftwaffe. Die Innenstadt und östliche Stadtteile R. wurden zerstört. Ca. 900 Menschen kamen bei dem Angriff ums Leben. Nach der dt. Drohung, Utrecht zu bombardieren, kapitulierten die → Niederlande am 15.5.1940. *Paul Stoop*

RSHA s. Reichssicherheits-Hauptamt

Ruhrpiraten s. Edelweiß-Piraten

Rumänien R. wurde bei der Pariser Friedenskonferenz 1919/20 zur Einbürgerung aller Juden verpflichtet. Die 767 000 Juden stellten nur 5% der Bevölkerung, waren aber wirtschaftlich in R. recht einflußreich. Als in die Verfassung von 1923 diesbezügliche Bestimmungen aufgenommen wurden, formierte sich unter den Studenten eine antisemitische Bewegung (→ Antisemitismus). 1923 wurde unter der Führung des Prof. A. C. Cuza die Liga zur National-Christlichen Abwehr gegründet. Ihr gehörte auch Corneliu Zelea-Codreanu an, der 1927 die Legion »Erzengel Michael« gründete. Diese terroristische Organisation wurde 1930 in »Eiserne Garde« umbenannt. In den Krisenjahren 1931/32 erhielten die beiden antisemitischen Organisationen Rückhalt von verarmten Bauern, Arbeitern und aus dem Mittelstand. Auf Landesebene erzielten sie erst bei der Parlamentswahl von 1937 einen Durchbruch. Um die mit 15,6% zur drittstärksten Partei angewachsene Partei Codreanus (»Alles für das Land«) zu schwächen, betraute der König die kleinere National-Christliche Partei Cuzas und Gogas mit der Regierung. Sie führte drastische antisemitische Gesetze ein, die für wirtschaftliches Chaos sorgten. Das Gesetz zur Überprüfung der Staatsbürgerschaft wurde unter der nachfolgenden Königsdiktatur nur leicht verändert: Bis 1939 wurden ca. 100 000 Juden staatenlos. Carol II. ließ 1938/39 Codreanu (30.11.1938) und viele seiner Anhänger ermorden. Im Sommer 1940 verlor R. etwa die Hälfte des Staatsgebietes an die Sowjetunion (sowj. Ultimatum vom 26.6) und durch den »Zweiten Wiener Schiedsspruch« der Achsenmächte vom 30.8. an Ungarn und Bulgarien. Carol mußte zugunsten seines minderjährigen Sohnes Michail abdanken. Die Regierung übernahm General Ion Antonescu, der sich die Macht mit der »Eisernen Garde« bis zu deren Putsch im Januar 1941 teilte. Im Oktober 1940 kamen dt. Truppen nach R. Gemeinsam mit ihnen stieß die Armee von R. 1941/42 in die 1940 an die Sowjetunion gefallenen Gebiete und danach in Richtung Asowsches Meer vor. Bei der Rückeroberung der Nordbukowina und Bessarabiens im Juli 1941 ermordeten rumän. und dt. Einheiten sowie Zivilpersonen mehrere zehntausend Juden. Danach wurden die Juden dieser Gebiete in das benachbarte → Transnistrien deportiert. Von den zwischen Herbst 1941 bis Sommer 1942 vermutlich 150 000 Deportierten lebten 1943 nur noch 50 741. Durch rumän. und dt. Einheiten wurden außerdem 185 000 ukrainische Juden umgebracht. Als Eichmann im Herbst 1942 die → Deportation der in R. verbliebenen Juden nach → Belzec (→ Endlösung; → Rassenpolitik und Völkermord) forderte, verweigerte R. die weitere Unterstützung. Ion Antonescu, Ministerpräsident Mihail Antonescu und der Gouverneur von Transnistrien, Gheorghe Alexianu, wurden 1946 als Kriegsverbrecher zum Tode verurteilt. *Mariana Hausleitner*

Literatur:
Ancel, Jean (Hg.): *Documents concerning the Fate of Romanian Jewry during the Holocaust*, 12 Bde; Jerusalem 1986.
Heinen, Armin: *Die Legion »Erzengel Michael« in Rumänien. Soziale Bewegung und politische Organisation*, München 1986.

Rundfunk Modernes Massenmedium, dem die nat.soz. Führung besondere Aufmerksamkeit widmete, um es als Mittel der Indoktrination und Mobilisierung einzusetzen. Die Verstaatlichung des R., die bereits mit den am 27.7.1932 verabschiedeten »Leitsätzen zur Neuregelung des R.« durchgeführt worden war, erleichterte den Nat.soz. den Zugriff. Die R.anstalten wurden 1933/34 durch die Auswechselung des Personals in Schlüsselpositionen (u.a. durch analoge Anwendung des → Gesetzes zur Wiederherstellung des Berufsbeamtentums) und die Beseitigung der föderativen Struktur mittels der Reichs-R.-Gesellschaft gleichgeschaltet (→ Gleichschaltung). Mitarbeiter des R. mußten Mitglieder der Reichsrundfunkkammer sein (bis zu deren Auflösung am 28.10.1939; danach Zwangsmitgliedschaft der künstlerischen Mitarbeiter in anderen Kammern der → Reichskulturkammer). Exponenten des R. der Weimarer Republik versuchte man (vergeblich) durch den R.-Prozeß zu kriminalisieren.

Joseph Goebbels steuerte den R. über die Abteilung III (»R.abteilung«) seines → Ministeriums für Volksaufklärung und Propaganda. Er und seine Mitarbeiter nahmen Einfluß auf den Inhalt der Programme, die formale Gestaltung, den Zeitpunkt von Sendungen und die Zuweisung des Sendebereichs. Der R. galt als »das Verkündigungsmittel der nat.soz. Weltanschauungseinheit« – so der Leiter der R.abteilung, Horst Dreßler-Andreß. R.hören wurde zur »staatspolitischen Pflicht« erklärt. Es wurde durch Gau-Rundfunktage und Funkausstellungen popularisiert, durch die Einführung des → Volksempfängers und anderer erschwinglicher Empfangsgeräte gefördert und durch verordneten Gemeinschaftsempfang in Schulen und Behörden sowie die Nötigung, »staatspolitisch wichtige« Sendungen in Gaststätten und Betriebe zu übertragen, organisiert. Über den R. wurden Reden Hitlers und anderer Personen aus der Staats- und Parteiführung verbreitet; Programme zu Gedenktagen wie dem Tag des → Hitlerputsches sollten die Verbundenheit mit der nat.soz. Bewegung festigen; durch Reportagen von Parteitagen, Staatsakten, Eröffnungen von Ausstellungen und Autobahnabschnitten sollten alle → Volksgenossen an den Selbstinszenierungen des Regimes teilhaben. Daneben sollten, nach einer im September 1933 ergangenen Anweisung von Goebbels, der eine aus Überdruß resultierende Abwendung der Hörer von der nat.soz. Propaganda verhindern wollte, zahlreiche Unterhaltungssendungen, Konzerte, Dichterlesungen und → Hörspiele auch der Entspannung und Erbauung dienen.

Mit Beginn des Krieges wurde das Hören ausländischer Sender im Zuge der »außerordentlichen R.maßnahmen« verboten und unter schwerste Strafe gestellt (→ Rundfunkverbrechen). Seit Mai 1940 war das Angebot auf das Einheitsprogramm des »Großdt. R.« reduziert, dem auch die Sender in Österreich und im → Protektorat Böhmen und Mähren einverleibt worden waren. Sender in den übrigen besetzten Ländern wurden der Militärverwaltung oder der Kontrolle des jeweiligen Reichskommissars unterstellt. Die »Front im Äther« wurde zum

»vierten Kriegsschauplatz« erklärt. Militärische Erfolge wurden mit Marschmusik und Fanfaren angekündigt und in Reportagen der Propagandakompanien verherrlicht. Zur Desinformation wurden Stör- und Geheimsender aufgebaut.

Nach der Kriegswende 1943 gewann der R. noch größere Bedeutung, besonders nachdem 1944 im Zuge des »totalen Kriegseinsatzes« fast alle Kultureinrichtungen geschlossen und Publikationsmöglichkeiten stark eingeschränkt worden waren. Hauptaufgabe des R. wurde nun die Ablenkung der Bevölkerung von der Kriegssituation und die Verbreitung guter Laune. Der mehrmals am Tag gesendete Wehrmachtbericht, Sondermeldungen und Luftlagemeldungen informierten die Bevölkerung und suchten sie zugleich über die tatsächliche Kriegslage zu täuschen. Die Wirksamkeit des R. wurde allerdings zunehmend durch Sende- und Stromausfälle aufgrund von Bombenschäden und durch das Vorrücken der Alliierten beeinträchtigt. Am 3.5.1945 stellte der letzte Sender des »Großdt. R.« seine Sendungen ein. *Wolf Kaiser*

Literatur:

Diller, Ansgar: *Rundfunkpolitik im Dritten Reich,* München 1980.

Rundfunk und Politik 1923 bis 1973, hg. von Winfried B. Lerg, Berlin 1975.

Wulf, Joseph: *Presse und Funk im Dritten Reich. Eine Dokumentation,* Gütersloh 1964.

Rundfunkverbrechen Die am 7.9.1939 in Kraft getretene Verordnung über außerordentliche Rundfunkmaßnahmen verbot das Hören ausländischer Sender. Zuwiderhandlungen galten als R., die mit Zuchthausstrafen zu ahnden waren. Für die Weiterverbreitung abgehörter Nachrichten konnte sogar die Todesstrafe verhängt werden. Zuständig waren die → Sondergerichte, die jedoch wegen der erwarteten Denunziationsflut erst nach Strafantrag der Gestapo tätig werden sollten. *Michael Hensle*

Runen Bezeichnung für die ältesten, gesamtgermanisch benutzten Schriftzeichen (got. *run*; »Geheimnis«), die teilweise auch als magische Symbolträger dienten. Um das germanische »Erbe« wiederzubeleben, förderten nationalistische und völkische Kreise seit Ende des 19. Jh. die Beschäftigung mit R. und benutzten einige R. als Symbole. NS-Organisationen nahmen R.zeichen in ihre Embleme, Flugblätter und Wimpel auf. Die bekannteste oder Sig-R., die Siegesrune, war in ihrer Verdoppelung Symbol für den Namen → SS und wurde u.a. auf den Kragenspiegeln und Ehrendolchen getragen; als Einzelzeichen war sie Symbol auf den Fahnen, Koppelschlössern und Abzeichen des Dt. Jungvolks (→ Hitler-Jugend). Mit der Verwendung von R. als Teil der »arischen Kultur« sollten »urtümliche Werte« wieder heraufgeführt werden, »die nur zu lange verschüttet und vergessen waren« (K. Renk-Reichert: *Runenfibel,* 1935). *Stefanie Endlich*

Rußlandfeldzug s. Ostfeldzug 1941–1945

RVJD s. Reichvertretung der dt. Juden

S

SA s. Sturmabteilung

Saarabstimmung s. Saarland

Saarland Territorium, das aufgrund des → Versailler Vertrages aus ehemals preuß. und bayer. Landkreisen unter der Bezeichnung »Saargebiet« gebildet und durch das »Saarstatut« vorläufig unter Völkerbundsmandat gestellt wurde. Frankreich wurde als Ersatz für im Krieg zerstörte frz. Bergwerke und als Teil der von Deutschland zu leistenden Reparationen das Eigentums- und Ausbeutungsrecht an den Saar-Zechen übertragen.

Dem Vertrag entsprechend wurde am 13.1.1935 ein Referendum über den zukünftigen Status des S. durchgeführt. Dabei votierten 90,73% der Abstimmungsberechtigten für den Anschluß an das Dt. Reich, 8,86% für den Status quo, 0,4% für den Anschluß an Frankreich. Das von prominenten dt. Exilanten unterstützte Status-quo-Bündnis aus KPD und SPD, das warnend auf die Terrorherrschaft der Nat.soz. im Reich hinwies, hatte auf ein weit besseres Ergebnis gehofft. Denn im S., dessen Bevölkerung überwiegend katholisch war und einen hohen Anteil linksorientierter Industriearbeiter aufwies, war der Einfluß der NSDAP gering gewesen. Noch bei den Wahlen zum Reichstag vom 31.7.1932 hatte die Partei nur 6,7% der Stimmen bekommen. Doch hatte sich die Taktik der → Dt. Front als erfolgreich erwiesen, die Abstimmung nicht als Entscheidung für das Dritte Reich, sondern als Bekenntnis zum dt. Volk und Staat auszugeben, Hoffnung auf eine Teilhabe am Aufschwung der Wirtschaft in Deutschland zu wecken, sich die Unterstützung der katholischen Bischöfe zu sichern, Ängste vor einer angeblich drohenden Besetzung durch frz. Kolonialsoldaten zu schüren und die Aktivitäten der Gegner des Anschlusses durch Einschüchterung und Terror zu behindern. Nach der Abstimmung wurde das S. mit der Pfalz zum Gau Saarpfalz zusammengeschlossen (seit dem 7.12.1940 Westmark).

Einige Gegner des Anschlusses setzten den Kampf gegen den Nat.soz. im Exil, aber auch im S. selbst fort (→ Emigration). Doch konnte der → Widerstand aufgrund des nat.soz. Terrors und der auf der Abschottung zwischen dem linksproletarischen und dem katholischen Milieu beruhenden Fragmentierung der politischen Kultur keine Breite gewinnen.

Am 22. und 23.10.1940 wurden die Juden aus den Gauen Saarpfalz und Baden auf Initiative der Gauleiter (Bürckelaktion) ins südfrz. Lager → Gurs deportiert, für die meisten eine Station auf dem Weg in die → Vernichtungslager (→ Deportationen; → Rassenpolitik und Völkermord). *Wolf Kaiser*

Literatur:

Mallmann, Klaus-Michael/Paul Gerhard: *Milieus und Widerstand. Eine Verhaltensgeschichte der Gesellschaft im Nationalsozialismus*, Bonn 1995.

Paul, Gerhard: *»Deutsche Mutter – heim zu Dir!« Warum es mißlang, Hitler an der Saar zu schlagen. Der Saarkampf 1933–1935*, Köln 1984.

Sachsenhausen (KZ) Im Zuge der Reorganisation des KZ-Systems entstand 1936/ 37 in S., einem Ortsteil → Oranienburgs (dort hatte bereits vom März 1933 bis zum Juli 1934 in einer stillgelegten Brauerei vorübergehend ein KZ unter SA-Verwaltung existiert), ein neues Lager, das der Vorgabe des geplanten → Arbeitseinsatzes von Häftlingen in SS-eigenen Betrieben, insbesondere den Dt. Erd- und Steinwerken, entsprach (→ SS-Wirtschaftsunternehmen). Die SS ließ S. ab Juli 1936 durch Häftlinge aus dem aufgelösten KZ Esterwegen errichten (die → Emslandlager wurden fortan von der Reichsjustizverwaltung als Strafgefangenenlager genutzt). Die Anlage des Lagers orientierte sich an einem architektonischen »Idealplan« mit Dreiecksgrundriß und Symmetrieachse, der zentral beim Lagereingang gelegenen Hauptwache und 51 zumeist fächerförmig um den Appellplatz gruppierten Baracken.

Nach Beendigung des Lageraufbaus im Dezember 1937 verlagerte sich die Hauptbautätigkeit zunächst auf die Errichtung einer Großziegelei mit Hafenbecken an der Lehnitz-Schleuse. Die Arbeitsbedingungen im Kommando Klinkerwerk waren sehr schlecht; die SS nutzte die dort eingesetzte Strafkompanie zur gezielten Vernichtung von Häftlingen. Vor allem Juden, Sinti und Roma sowie Homosexuelle wurden bei der stets im Laufschritt zu bewerkstelligenden Arbeit zu Hunderten zu Tode geschunden, über die Postenkette gejagt und dabei erschossen oder totgeschlagen.

Durch die Nähe zur → Reichshauptstadt und damit zur → Gestapo-Zentrale in der Berliner Prinz-Albrecht-Straße kam S. – ebenso wie zuvor → Dachau – die Funktion eines wegweisenden Musterlagers zu. Ein großes SS-Kontingent wurde hierher verlegt; S. diente zugleich als Ausbildungsort für KZ-Führungspersonal und Wachmannschaften. Im April 1938 verlegte die für alle KZ zuständige Inspektion der KZ ihren Amtssitz von Berlin nach S. in einen dafür errichteten Verwaltungsbau, dem an die SS-Unterkünfte angrenzenden sog. »T-Gebäude« (→ Inspekteur der KL). Hier wurde die Systematik des Terrors in Theorie und Praxis weiterentwickelt.

Besonders berüchtigt waren die Zustände in den im Frühjahr 1938 vom übrigen Lager abgetrennten Baracken der »Isolierung«, in der die SS die dort abgesonderten Häftlinge, zumeist politisch »Rückfällige« (v.a. Kommunisten) und Zeugen Jehovas (→ Ernste Bibelforscher), mit fortgesetzten Mißhandlungen peinigte.

1938 stieg die Häftlingszahl infolge verschiedener Verhaftungsaktionen stark an. Zu nennen sind hier insbesondere die Aktion »Arbeitsscheu-Reich« des Reichskriminalpolizeiamtes vom Juni 1938, in deren Verlauf ca. 11 000 Menschen verhaftet und in KZ eingewiesen wurden; davon allein 6000 nach S. Die von der SS mit dem schwarzen Winkel der → Asozialen klassifizierten Gefangenen stellten damit vorübergehend in S. die stärkste Gruppe. Von den nach der → »Reichskristallnacht« vom 9./10.11.1938 festgenommenen 30 000 Juden lieferte die SS ebenfalls ca. 6000 in S. ein.

Ende 1938 war das Lager trotz Entlassungen jüdischer Häftlinge, die Ausreisepapiere vorweisen konnten, völlig überfüllt. Nach der Besetzung der → Tschechoslowakei und insbesondere seit Kriegsbeginn kamen weitere Gefangenengruppen hinzu. Ende 1939 betrug die Lagerstärke bereits über 12 000 Häftlinge. Schon bald überstieg die Zahl der ausländischen Häftlinge die der deutschen bei weitem. Die Verpflegung wurde immer spärlicher. Im Winter 1939/40 sprengte die Todesrate alle zuvor in den KZ gekannten Dimensionen. Von Januar – Mai 1940 wurden 2184 Tote registriert; sie starben an Erfrierungen nach stundenlangem Appellstehen bei hohen Frosttemperaturen, an Hunger und Erschöpfung oder in der »Isolierung« an den Folgen sadistischer Quälereien.

Mit der stärkeren Einbeziehung der KZ in die → Kriegswirtschaft stieg die Häftlingszahl erneut stark an. V.a. in den in der zweiten Kriegshälfte eingerichteten ca. 100 Außenlagern mußten Zehntausende für Siemens, AEG, die Heinkel Flugzeugwerke, Henschel, Daimler-Benz, → I.G. Farben und andere Rüstungsbetriebe → Zwangsarbeit leisten.

Insgesamt zählte S. einschließlich der Außenlager ca. 200 000 Häftlinge aus über 40 Nationen (1944 lag der Anteil der Ausländer bei 90%). Die

Zahl der Todesopfer wird auf bis zu 100 000 geschätzt. In S. wurden ab 1941 ca. 18 000 nicht registrierte sowj. → Kriegsgefangene ermordet; ohne medizinische Versorgung fielen sie dem Typhus zum Opfer, wurden per Genickschuß getötet oder in der »Station Z« vergast.

Als S. am 22.4.1945 von sowj. und poln. Truppen befreit wurde, trafen diese im Lager nur ca. 3000 von der SS zurückgelassene, völlig geschwächte Häftlinge an. Insgesamt 33 000 Häftlinge waren in den Tagen zuvor von der SS in Marschkolonnen von je 500 Gefangenen Richtung Ostsee getrieben worden. Fast 6000 von ihnen starben bei diesem → Todesmarsch. In den ersten Maitagen wurden die Überlebenden im Raum zwischen Ludwigslust und Schwerin von amerik. Truppen befreit. Im Belower Forst bei Wittstock, wo die SS in den Tagen vom 26.–29.4. zahlreiche Häftlinge ermordete, erinnert seit 1981 ein Museum an den Todesmarsch.

Von 1945–1950 befand sich in S. das »Speziallager Nr. 7«, das größte der elf Internierungslager in der sowj. Besatzungszone. Die sowj. Geheimpolizei NKWD internierte auf der Grundlage der Beschlüsse der → Potsdamer Konferenz in den ehemaligen KZ-Baracken 50 000–60 000 Menschen: SS-Angehörige, Funktionsträger der unterschiedlichen Ebenen von Staat, Partei und Wehrmacht, aber auch Jugendliche mit Verdacht auf → Werwolf-Zugehörigkeit und zunehmend auch Gegner der sowj. Besatzungsmacht und der »sozialistischen Umgestaltung« unter der Ägide der SED. Während sich die sowj. Lager in der Gefangenenzusammensetzung nicht so sehr von den in den Westzonen – z.T. ebenfalls in früheren KZ – errichteten Internierungslagern unterschieden, zeigte die Gefangenenbehandlung gravierende Differenzen. So bemühte sich der NKWD kaum um einen individuellen Schuldnachweis. Viele Internierte erfuhren nie, weshalb sie inhaftiert worden waren. Ein anderer Unterschied betrifft die Zahl der Todesopfer. In S. starben mindestens 13 000 Internierte an Hunger und Krankheiten.

1961 wurde in S. eine Nationale Mahn- und Gedenkstätte eröffnet, die den Bereich des ehemaligen Häftlingslagers umfaßt. Die Gedenkstätte mit dem in der früheren Häftlings-Küche eingerichteten Lagermuseum wurde später um eine Ausstellung in der Baracke 38 über die jüdischen KZ-Gefangenen und um einen Neubau für ein Museum des antifaschistischen Widerstandskampfes der europäischen Völker ergänzt. Seit 1993 gehört S. zur Stiftung Brandenburgische Gedenkstätten. *Detlef Garbe*

Literatur:

Morsch, Günter (Hg.): *Von der Erinnerung zum Monument. Die Entstehungsgeschichte der Nationalen Mahn- und Gedenkstätte Sachsenhausen*, Berlin 1996.

Niemand und nichts vergessen. Ehemalige Häftlinge aus verschiedenen Ländern berichten über das KZ Sachsenhausen, hg. vom Sachsenhausenkomitee Westberlin, *Berlin 1984.*

Naujoks, Harry: *Mein Leben im KZ Sachsenhausen 1936–1942. Erinnerungen des ehemaligen Lagerältesten,* Köln 1987.

Saefkow-Jacob-Gruppe Nach der Zerschlagung illegaler kommunistischer Organisationen des → Widerstands (→ Uhrig-Römer-Gruppe, → Bästlein-Gruppe) im Frühjahr und Herbst 1942 versuchten Anton Saefkow und Franz Jacob, die als KPD-Funktionäre im KZ inhaftiert gewesen waren, ein neues Netz illegaler Zellen in Berliner Betrieben aufzubauen. Mit Querverbindungen zu vielen (auch sozialdemokratischen und bürgerlichen) Gruppen des → Widerstands war die S. bis zur Verhaftung zahlreicher Mitglieder nach dem → 20. Juli 1944 (über 60 Todesurteile) durch die → Gestapo eine der wichtigsten Organisationen des Untergrunds. Die S. erstrebte eine breite Widerstandsorganisation, arbeitete mit dem → Nationalkomitee »Freies Deutschland« zusammen, unterhielt Kontakte zu Kriegsgefangenen und Fremdarbeitern, publizierte Flugblätter und druckte die »Soldatenbriefe«, die sich an Wehrmachtsangehörige richteten und zur Beendigung des Krieges aufforderten. *Wolfgang Benz*

Sajmište (»Judenlager Semlin«) Gegründet als Aufnahmelager durch die dt. Besatzungsmacht im Frühjahr 1941 auf dem Gelände der Messe von Belgrad, einige hundert Meter vom Stadtzentrum entfernt. Es unterstand dem direkten Kommando des Befehlshabers der Sicherheitspolizei und des SD (BdS) für → Serbien. Die ersten Gefangenen waren Juden aus Serbien und dem Banat sowie Roma (die teilweise später entlassen wurden), vorrangig Frauen und Kinder. Bis März 1942 starben durch Krankheiten, Hunger, Kälte und Folterungen etwa 10% der Lagerinsassen. Im März 1942 wurde entschieden, alle Juden in Serbien zu töten, und so entstand Raum für gefangene Angehörige der Widerstandsbewegung. Die Operation führten besonders ausgebildete Angehörige der → SS von Anfang April bis zum 10. Mai 1942 mittels mobiler → Gaskammern aus. Die Opfer wurden in Massengräbern in der Umgebung Belgrads beerdigt. Im Lager S. litten 6320 Juden, v.a. Frauen und Kinder. Vom Frühjahr 1942 an trug S. die Bezeichnung »Anhaltelager Semlin« und stand weiterhin unter der Verwaltung der Gestapo, aber nun in Zusammenarbeit mit kroat. Stellen. Neue Häftlinge, gefangene Partisanen, Angehörige der → Četnik-Bewegung und alle anderen Gegner des Okkupationsregimes, mehrheitlich serb. Nationalisten, wurden als Vergeltungs-Geiseln der Besatzungsmacht hingerichtet oder als → Zwangsarbeiter ausgebeutet. Ein Teil der Häftlinge in S. wurde hierher aus den → Ustascha-Lagern → Jasenovac und Stara Gradiška hierher verbracht. Aus dem Lager S. wurden Gefangene in andere Lager im jugosl. Raum und auf dem Gebiet des Dt. Reiches überstellt. Seit Herbst 1943 war S. das zentrale dt. Lager auf dem Balkan, in dem Häftlinge aus Griechenland und Albanien eintrafen, die von hier aus in Lager ins Reich gebracht wurden. Beim alliierten Luftangriff auf Belgrad und Zemun vom 17.4.1944 kamen etwa 200 Lagerinsassen ums Leben, und ein Teil des Lagers wurde zerstört. Von Mai bis Mitte Juli 1944, als das Lager aufgelöst wurde, befand es sich in der Verwaltung kroat. Polizei unter dt. Aufsicht. Im Anhaltelager Semlin waren etwa 32000 Menschen gefangen, 10636 Personen verloren ihr Leben. *Milan Ristović*

Literatur:

Browning, Christopher: *Fateful Months: Essay on the Emergence of the Final Solution*, (Neuauflage) New York 1991.

Salò, Republik von s. **Italien**

Salzgitter Der Baubeginn der → Reichswerke »Hermann Göring« Ende 1937 führte Tausende von Arbeitskräften in das 1937 ca. 20000 Einwohner zählende S.gebiet. Um die im Aufbaugebiet liegenden, landwirtschaftlich geprägten und vollkommen überforderten Orte zu entlasten, ordnete der Chef der Reichswerke »Hermann Göring«, Paul Pleiger, Ende November 1937 ein Bauprogramm für ca. 10000 Wohnungen an, deren Planung von der Wohnungs-AG unter Leitung von Herbert Rimpl erfolgte und die sich in Siedlungen an vorhandene Orte anschmiegten. Nachdem Pleiger von den Planungen für die → Stadt des KdF-Wagens gehört hatte (→ Volkswagen), wurden von den Reichswerken ebenfalls Pläne für eine Großsiedlung entworfen. Pleiger und Rimpl lehnten einen Standort zu nahe bei Braunschweig und dem Volkswagenwerk wegen der Konkurrenz um die knappen Arbeitskräfte ab. Acht Standorte wurden erörtert. Göring selbst stimmte für die nun auch als »Hermann-Göring-Stadt« bezeichnete Großsiedlung Standort I im Fuhse-Vlothe-Tal. Angesichts der den Aufbau der Reichswerke hemmenden verwaltungsmäßigen Schwierigkeiten mit den Orten im Aufbaugebiet, die mehreren Kreisen und mit Preußen und Braunschweig zwei verschiedenen Ländern mit unterschiedlichen Bauordnungen und Vorschriften angehörten, forderte Georg Strickrodt im Frühjahr 1938 in einem Gutachten die Zusammenlegung des gesamten Gebietes um die Hütte und Schächte unter Einschluß der Großsiedlung, der Siedlungen, der Barackenlager und der alten Orte zu einer Stadt. Im September 1939 wurde mit dem Bau der Großsiedlung begonnen, bis Kriegsende ohne Unterbrechung weitergebaut, sechs Abschnitte (Abschnitt 6 nur z.T.) wurden fertiggestellt. Nach dem Gebietstausch der Kreise Holzminden und Goslar zum 1.8.1941 war für den von den Reichswerken geforderten kommunalen Zusammenschluß des gesamten S.gebietes am 1.4.1942 der Weg frei. Die neue Stadt wurde Watenstedt-S. (ab 1951 nur noch S.) genannt und hatte 1942 108 480 Einwohner. Sie blieb bis Kriegsende in jeder Hinsicht ein Torso.

Jörg Leuschner

Literatur:

Benz, Wolfgang (Hg.): *Salzgitter. Geschichte und Gegenwart einer deutschen Stadt 1942–1992*, München 1992

Leuschner, Jörg: Salzgitter. Die Entstehung einer nationalsozialistischen Neustadt von 1937 bis 1942, in: *Niedersächsisches Jahrbuch für Landesgeschichte*, 65 (1993), S. 33–48.

Sammlung Rehse Der Fotograf und Kunstverleger Friedrich Rehse baute in München eine zeitgeschichtliche Sammlung aus Dokumenten und Objekten auf, die bis zum Beginn des Ersten Weltkriegs zurückreichte und gesellschaftlichen und politischen Ereignissen, insbesondere dem Aufstieg der → NSDAP gewidmet war. Rehse hatte seit 1921 persönlichen Kontakt zu Hitler, 1929 erwarb die NSDAP für 80 000 RM die S., deren Gründer jetzt als Angestellter der NSDAP weitersammelte. Die S. unterstand mit wechselnden Bezeichnungen (1929 »Archiv und Museum für Zeitgeschichte«, 1932 »Sammlung F.J.M. Rehse Archiv für Zeitgeschichte und Publizistik«, 1938 »F.J. Rehse Archiv und Museum für Zeitgeschichte«) dem Reichsschatzmeister der NSDAP, sie war ab 1935 in der Münchner Residenz untergebracht; das geplante eigene Sammlungsgebäude wurde nicht mehr verwirklicht. In Konkurrenz zum → Hauptarchiv der NSDAP wertete die S. auch Zeitungen aus, erteilte Auskünfte und stellte Material für Propagandazwecke bereit. Die S. wurde 1945 von der US-Armee beschlagnahmt, kam großenteils in die Library of Congress, der größte Teil der Sammlung wurde 1964 von dort an dt. Institutionen (Bundesarchiv Koblenz, Baye-rische Staatsbibliothek, Bayerisches Hauptstaatsarchiv) abgegeben.

Wolfgang Benz

Schild s. Sport

Schirmeck (KZ) Am 15.7.1940 wurde im Elsaß das »Sicherungslager« S.-Vorbruck in der Zuständigkeit des Befehlshabers der Sicherheitspolizei und des SD Straßburg errichtet. In S. wurden Widerstandskämpfer aus ganz

Frankreich, auch aus Luxemburg, und Unerwünschte aus dem Elsaß inhaftiert. Für die meisten war S. Durchgangsstation zum KZ → Natzweiler/Struthof oder zu Lagern im Reich. S. wurde am 22.11.1944 geschlossen bzw. evakuiert. Zwei Außenkommandos in Baden existierten länger. In Haslach im Kinzigtal arbeiteten Häftlinge von November 1944–Februar 1945 im Stollen der Hartsteinwerke »Vulkan« (unterirdische Rüstungsproduktion), in Gaggenau (Ortsteil Rotenfels) waren die Gefangenen bei den Daimler-Benz-Werken, bei Aufräumarbeiten, in der Land- und Forstwirtschaft von September/Oktober 1944–April 1945 eingesetzt. Ein Drittel der 1500 Häftlinge in Gaggenau kam ums Leben, das Kommando Haslach hatte mindestens 400 Todesopfer. *Wolfgang Benz*

Schlurfs s. Edelweiß-Piraten

Schmutz- und Schundgesetz Kurzbezeichnung für das »Gesetz zur Bewahrung der Jugend vor Schund- und Schmutzschriften« vom 18.12.1926. Das S. verbot, die von eigens eingerichteten Prüfstellen als jugendgefährdend eingestuften Schriften zur Schau zu stellen und Jugendlichen unter 18 Jahren zum Kauf anzubieten. Verstöße konnten mit Gefängnis bis zu einem Jahr bestraft werden.

Das S. wurde durch ein Gesetz vom 10.4.1935 mit der Begründung aufgehoben, der nat.soz. Staat besitze mit dem Gesetz über die → Reichskulturkammer und der darauf beruhenden Einrichtung der Reichsschrifttumskammer ein weit wirksameres Mittel, nicht alleine die Jugend, sondern das ganze Volk vor schädlichen Schriften zu schützen. In der Tat hatte die Reichsschrifttumskammer bereits am 25.4.1934 eine erste »Liste des schädlichen und unerwünschten Schrifttums« veröffentlicht, die nicht wie die »Liste der Schmutz- und Schundschriften« vorwiegend auf Kontrolle des Vertriebs von Groschenheften und erotischer Literatur, sondern auf die Unterdrückung politisch mißliebiger Schriften zielte (→ Zensur; → Parteiamtliche Prüfungskommission zum Schutze des NS-Schrifttums [PPK]). *Wolf Kaiser*

Scholle s. Blut und Boden

Schönheit der Arbeit Das Amt S., eine Unterorganisation der NS-Gemeinschaft → Kraft durch Freude und damit Teil der → Dt. Arbeitsfront, sollte durch seine Ratschläge für die Gestaltung des betrieblichen Alltags der Verbesserung der Arbeitsbedingungen und der Erhöhung der individuellen Arbeitsleistung dienen. Im Rahmen des → Leistungskampfes der dt. Betriebe sollten diese Prinzipien dann auf breiter Basis durchgesetzt werden. *Marie-Luise Recker*

Schriftleitergesetz Am 4.10.1933 erlassenes Gesetz mit dem Ziel, die gesamte dt. → Presse zum nat.soz. Propagandamittel und Herrschaftsinstrument zu machen.

Das S. erklärte die Tätigkeit der Redakteure von Zeitungen und politischen Zeitschriften zu einer »durch dieses Gesetz geregelten öffentlichen Aufgabe« und schrieb ihnen die Mitgliedschaft im Reichsverband der Dt. Presse vor. In die Berufsliste der Schriftleiter konnte nur eingetragen werden, wer die dt. Reichsangehörigkeit besaß, »arischer Abstammung« und nicht mit einer Person von »nichtarischer Abstammung« verheiratet war.

Das S. erlegte dem Schriftleiter u.a. die Verpflichtung auf, »aus den Zeitungen alles fernzuhalten ... was geeignet ist, die Kraft des Dt. Reiches nach außen oder im Innern, den Gemeinschaftswillen des dt. Volkes, die dt. Wehrhaftigkeit, Kultur oder Wirtschaft zu schwächen«.

Berufsgerichte der Presse konnten bei Verstößen ein Berufsverbot aussprechen, das auch durch den Reichsminister für Volksaufklärung und Propaganda verfügt werden konnte, »wenn er es aus dringenden Gründen des öffentlichen Wohls für erforderlich« hielt. Für illegale Berufsausübung sah das Gesetz eine Gefängnisstrafe bis zu einem Jahr oder eine Geldstrafe vor (→ Zensur). *Wolf Kaiser*

Literatur:

Abel, Karl-Dietrich: *Presselenkung im NS-Staat. Eine Studie zur Geschichte der Publizistik in der nationalsozialistischen Zeit*, Berlin ^{2}1990.

Schrifttumspflege Im nat.soz. Staat Bezeichnung für die Kontrolle der gesamten und die Förderung der als erwünscht angesehenen Literatur. An der S. war eine Vielzahl von Partei- und Staatsinstitutionen beteiligt, darunter das Amt (ab 1941: Hauptamt) Schrifttumspflege beim → Amt Rosenberg, die → Parteiamtliche Prüfungskommision zum Schutze des NS-Schrifttums, die Reichsschrifttumskammer (→ Reichskulturkammer) und die Reichsschrifttumsstelle im → Reichsministerium für Volksaufklärung und Propaganda. *Wolf Kaiser*

Schule Ab 1933 wurden kontinuierlich völkische und rassische Kriterien für die Organisation von S. und Unterricht vorgeschrieben. Dem Nat.soz. kritisch gegenüberstehende, besonders sozialistische, pazifistische und jüdische Lehrer und Lehrerinnen an öffentlichen S. wurden verfolgt und entlassen. Als erste Maßnahmen der nat.soz. Schulpolitik wurden die (auf Initiative der Sozialdemokratie seit 1919 möglichen) weltlichen Schulen aufgehoben und – taktisch motiviert – ein Reichskonkordat mit dem Vatikan geschlossen. Als 9. Volksschuljahr wurde das → Landjahr eingeführt. Neue Lehrpläne wurden als »Richtlinien« erst ab 1937 verordnet (für die Volksschule 1937 und 1939, für die Höhere Schule 1938, für die Mittelschule 1939, für die → Hauptschule 1942). Die Schulzeit an den Höheren Schulen wurde 1937 um ein Jahr auf insgesamt 8 Jahre (Klasse 5–12 im Anschluß an die 4jährige Grundschule) verkürzt. Es gab getrennte Oberschulen für Jungen und Mädchen mit vereinheitlichten und vereinfachten Lehrplänen: Die Jungenschulen erhielten einen sprachlichen und einen mathematisch-naturwissenschaftlichen, die Oberschulen für Mädchen einen sprachlichen und einen hauswirtschaftlichen Zweig. Die Zahl der humanistischen Gymnasien wurde reduziert. Neugeschaffen wurde im Krieg die Hauptschule, die die vier oberen Jahrgänge der Volksschule umfaßte. Pläne zum Ausbau um zwei weitere Jahre wurden nicht realisiert. Schulorganisatorisch charakteristisch war die programmatische Heraushebung von Hauptschule und Mittelschule (Klasse 5–8 bzw. bis 10 im Anschluß an die 4jährige Grundschule) und die Gründung zahlreicher Aufbauschulen.

Für die Schulpolitik kennzeichnend war die weit ausgreifende Politisierung des gesamten Schullebens. Völkisch-rassisches Wahndenken, → Antisemitismus, Deutschtümelei und ein instrumenteller Umgang mit Kultur und Wissenschaft, ja mit dem geistigen Leben insgesamt überlagerten – in der Sprache des Nat.soz. »überwanden« – Aufklärung, Humanität und Toleranz. Hitler hatte das Programm für diese Art von Erziehung bereits in → *Mein Kampf* vorgegeben und in zahlreichen Reden ab 1933 wiederholt. Kinder und Jugendliche sollten Teil eines

Kollektivs werden, dessen Phantasien auf Krieg, Herrenmenschentum und Unterdrückung anderer, vermeintlich »minderwertiger« Völker zielten. An die Stelle von Bildung sollten wirksame Prägungen treten, Individualität sollte durch Formationserziehung abgelöst werden, an die Stelle von Religion und Humanität sollte kämpferische Gesinnung ohne Erbarmen gegenüber Schwachen, Kranken und Alten treten. Schulische Bildung trat daher überhaupt – weil intellektuell angelegt – gegenüber sportlichen und anderen »körperbetonten« außerschulischen Aktivitäten, besonders in der → Hitler-Jugend (Lagerleben, Wehrertüchtigung) stark zurück (→ Sport; → Jugend). Als Modell nat.soz. S. und Erziehung galten die → Nationalpolitischen Erziehungsanstalten. Für künftige Parteifunktionäre wurden zwölf → Adolf-Hitler-Schulen eingerichtet (→ Lehrerbildungsanstalten).

Dietfrid Krause-Vilmar

Literatur:
Heinemann, Manfred (Hg.): *Erziehung und Schulung im Dritten Reich*, 2 Bde; Stuttgart 1980.
Herrmann, Ulrich: *Die Formung des Volksgenossen. Der »Erziehungsstaat« des Dritten Reiches*, Weinheim/Basel 1985.
Scholtz, Harald: *Erziehung und Unterricht unterm Hakenkreuz*, Göttingen 1985.

Schulung, politische Die S. während des Nat.soz. verfolgte die weltanschauliche Erziehung und Ausrichtung im nat.soz. Sinne (→ Ideologie). Die → NSDAP beanspruchte dabei für sich das alleinige Hoheitsrecht, weltanschauliche und politische Erziehung sowie »jegliche Menschenformung« durchzuführen. Die Schulungsmethoden lehnten sich zum größten Teil an die militärische Erziehung an und beinhalteten Elemente wie Uniformierung, Organisation eines Gehorsamsverhältnisses gegenüber Führern und Ritualen, Kameradschaftsabende, vormilitärische Übungen sowie die Einübung eines bekenntnishaften Liedgutes. Die Bereitschaft der Gruppe, für ihre Überzeugungen radikal einzutreten, sollte damit gefördert und verstärkt werden. Darauf beruhte das Hauptkriterium für die Führerauslese, die sich in einer hierarchisch gestuften Wiederholung von S.lagern vollzog. Die S. fungierte demnach in erster Linie als eine weisungsgebundene Demonstration der weltanschaulichen Ausrichtung in Form von Ansprachen, Vorträgen, die nicht informieren, sondern lediglich zur Erreichung vorgegebener Kampfziele stimulieren sollten, und in Form von Arbeitsgemeinschaften mit praktischer Zielsetzung. Da das Parteiprogramm der NSDAP für unabänderlich erklärt worden war, konnte die S. nur auf die Manifestation von Einstellungen und Wertvorstellungen, nicht aber auf eine Entwicklung einer politischen Programmatik abzielen. Die weltanschauliche Ausrichtung des politischen Nachwuchses erfolgte in den streng hierarchisch abgestuften politischen Bildungseinrichtungen der NSDAP, den Schulungsburgen auf Reichs-, Gau- und Kreisebene.

Jana Richter

Schulungsburgen s. Schulung, politische

Schumann-Gruppe 1939–1944 tätige kommunistische Gruppe des → Widerstands in Leipzig, geführt von dem ehemaligen Reichstagsabgeordneten Georg Schumann, die durch Flugblätter und Sabotage in Rüstungsbetrieben den Nat.soz. bekämpfte. Die S. hatte Kontakte zur → Neubauer-Gruppe und zum → Nationalkomitee »Freies Deutschland« (NKFD). Nach dem → 20. Juli 1944 wurden über 100 Mitglieder verhaftet, mehrere zum Tode verurteilt und hingerichtet. Die übrigen Mitglieder arbeiteten bis Kriegsende als Leipziger Gruppe des NKFD weiter in der Illegalität. *Wolfgang Benz*

Schutzhaft Sicherheitspolizeiliche Repressivmaßnahme, die erstmals im preuß. Gesetz zum Schutze der persönlichen Freiheit von 1848 erwähnt und eines der wichtigsten Instrumentarien zur Festigung der NS-Diktatur wurde. Bereits die »Verordnung zum Schutze des dt. Volkes« vom 4.2.1933 gestattete die Inschutzhaftnahme von verdächtigen Personen; den Festgenommenen stand ein Beschwerderecht zu, und die Haftdauer war auf längstens drei Monate begrenzt. Unmittelbar nach Inkrafttreten der »Verordnung zum Schutz von Volk und Staat« am 28.2.1933 (→ Reichstagsbrandverordnung), die eine zeitlich unbegrenzte Haft zuließ, diese der richterlichen und rechtsstaatlichen Kontrolle entzog und den Festgenommenen keinerlei Rechtsmittel und Rechtsbehelfe gestattete, begannen die Verhaftungen von Kommunisten und linken Intellektuellen, wenige Wochen später auch von SPD- und → Reichsbanner-Funktionären und Gewerkschaftern (→ »Machtergreifung«). Am 31.7.1933 befanden sich mindestens 26789 dem Regime Mißliebige in Polizei- und Gerichtsgefängnissen, Strafvollzugsanstalten, provisorisch eingerichteten Haftstätten und Konzentrationslagern in S. Um die teilweise willkürlich erfolgten Verhaftungen durch → SA und → SS einzudämmen und die »Revolution von unten« zu beenden, erließ der Reichsinnenminister am 12. und 26.4.1934 Richtlinien über die Vereinheitlichung der S.-Praxis im gesamten Reichsgebiet, die die Inschutzhaftnahme durch Partei, SA und SS verboten; an der Rechtlosigkeit der Inhaftierten änderte sich jedoch nichts. Ein Erlaß vom 25.1.1938 definierte die S. als »Zwangsmaßnahme der Geheimen Staatspolizei« gegen Personen, »die durch ihr Verhalten den Bestand und die Sicherheit des Volkes und Staates gefährden«, und legte fest, daß nur die Gestapo S. anordnen könne. Da die Gestapo auch von der Justiz entlassene politische Strafgefangene immer wieder in S. nahm, kam es zu Kompetenzstreitigkeiten mit der Justiz, die für eine Verrechtlichung der S. eintrat; damit konnte sie sich jedoch nicht durchsetzen (→ Justiz und innere Verwaltung).

Angelika Königseder

Literatur:

Drobisch, Klaus/ Günther Wieland: *System der NS-Konzentrationslager 1933–1939*, Berlin 1993.

Schutzhaftlager »Wilde« → KZ, meist von der → SA provisorisch in Wachen, Kasernen, Schlössern, Fabriken und anderen leerstehenden oder besetzten Gebäuden als Stätten des Terrors eingerichtet, dienten bis Sommer 1933 als S. Der am 1.10.1933 erlassenen Modell-Lagerordnung des Lagerkommandanten von → Dachau Theodor Eicke zufolge war das S. die III. Abteilung eines aus fünf Abteilungen bestehenden KZ. Das S. war der eigentliche Häftlingsbereich. *Angelika Königseder*

Schutzmannschaften (Schuma) Einheimische Hilfspolizei-Verbände in der dt. besetzten Sowjetunion. Hervorgegangen aus von der Wehrmacht in den ersten Wochen des Unternehmens → Barbarossa rekrutierten Hilfswilligen, initiierte Heinrich Himmler Ende Juli 1941 den Ausbau der S. zu einem wichtigen Instrument dt. Herrschaftspolitik in den → Reichskommissariaten Ostland und Ukraine. In sowj. Gebieten unter dt. Militärverwaltung bediente sich die Wehrmacht ähnlicher, zumeist als Ordnungsdienst bezeichneter Verbände. Die S., die Ende 1942 bereits rd. 300000 Angehörige zählten und sich in Einheiten im geschlossenen (Bataillone) und im Einzeldienst (Polizeiposten) gliederten, wirkten im Rahmen dt. SS- und Polizeiverbände insbesondere bei der → »Endlösung« und beim Kampf gegen → Partisanen mit (→ Rassenpolitik und Völkermord; → Einsatzgruppen; → SS).

Jürgen Matthäus

Schutzstaffel (SS) Die SS wurde 1925 gegründet. Sie diente zunächst dem persönlichen Schutz des → Führers der → NSDAP, Adolf Hitler, und stand insofern in der Tradition der 1923 ins Leben gerufenen »Stabswache« bzw. des »Stoßtrupps Hitler«. In ihren Anfängen unterstand die SS dem jeweiligen Obersten SA-Führer (Osaf). Dies änderte sich auch nicht, als Heinrich Himmler am 6.1.1929 zum Reichsführer SS berufen wurde.

Als Reichsführer SS versuchte Himmler diese Parteiformation nach seiner Vision zu formen. Dies hieß zunächst, daß die SS als nat.soz. Elite konzipiert wurde, die sich durch besondere Bindung an den Führer Adolf Hitler auszeichnete (»SS-Mann, Deine Ehre heißt Treue«): Dadurch entstand zwangsläufig eine Distanz zur SA, als deren Bestandteil die SS zwar noch galt, von deren Rauhbeinigkeit sie sich aber scheinbar abhob und deren Eigeninteressen sie ablehnte. Mit dem Aufbau eines Nachrichtendienstes unter Reinhard Heydrich fiel der SS die

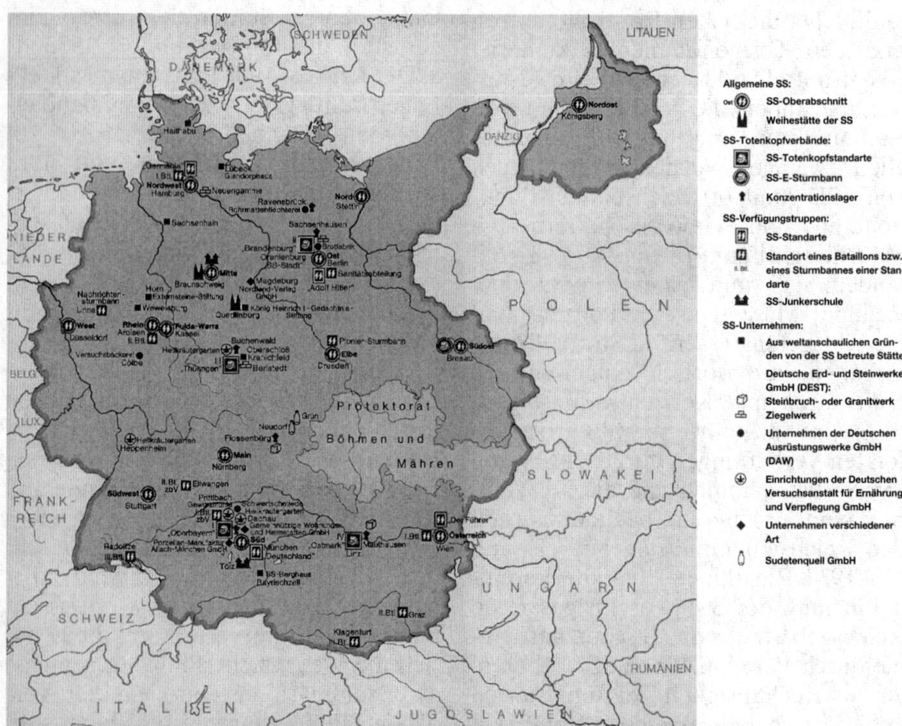

Abb. 64: Die regionale Organisation der SS (1939)

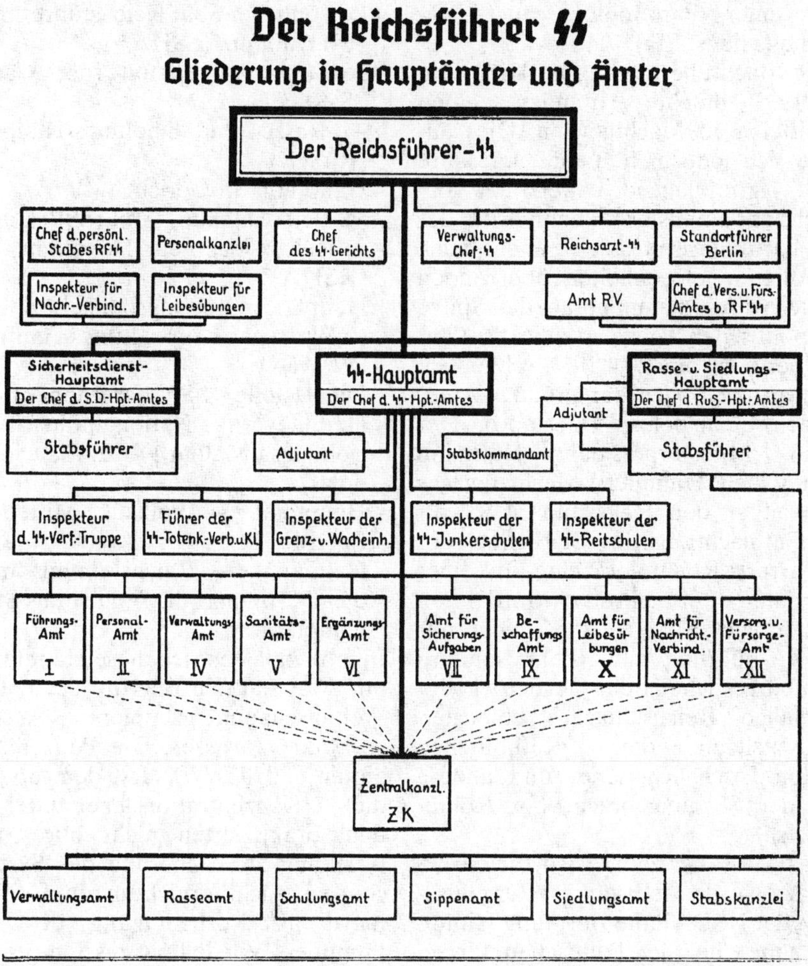

Der Reichsführer SS
Gliederung in Hauptämter und Ämter
Der Reichsführer-SS
Chef d. persönl. Stabes RFSS
Personalkanzlei
Chef des SS-Gerichts
Verwaltungs-Chef-SS
Reichsarzt-SS
Standortführer Berlin
Inspekteur für Nachr.-Verbind.
Inspekteur für Leibesübungen
Amt R.V.
Chef d. Vers. u. Fürs.-Amtes b. RFSS
Sicherheitsdienst-Hauptamt
Der Chef d. S.D.-Hpt.-Amtes
SS-Hauptamt
Der Chef d. SS-Hpt.-Amtes
Rasse- u. Siedlungs-Hauptamt
Der Chef d. RuS.-Hpt.-Amtes
Adjutant
Stabsführer
Adjutant
Stabskommandant
Stabsführer
Inspekteur d. SS-Verf.-Truppe
Führer der SS-Totenk.-Verb. u. KL
Inspekteur der Grenz- u. Wacheinh.
Inspekteur der SS-Junkerschulen
Inspekteur der SS-Reitschulen
Führungs-Amt I
Personal-Amt II
Verwaltungs-Amt IV
Sanitäts-Amt V
Ergänzungs-Amt VI
Amt für Sicherungs-Aufgaben VII
Beschaffungs-Amt IX
Amt für Leibesübungen X
Amt für Nachricht.-Verbind. XI
Versorg. u. Fürsorge-Amt XII
Zentralkanzl. ZK
Verwaltungsamt
Rasseamt
Schulungsamt
Sippenamt
Siedlungsamt
Stabskanzlei

Gliederung der Schutzstaffeln der NSDAP.
SS-Hauptamt
Übungslager
Hauptreitschule
Remonten-Anstalt
SS-Führer-Schule
VT-Berufsschule
Sondersturmbann im SS-Hauptamt
Wirtschaftsbetr.
Erholungsheime
Motorschule
Allgemeine SS
SS-Totenkopf-Verbände
SS Verfügungs-Truppe

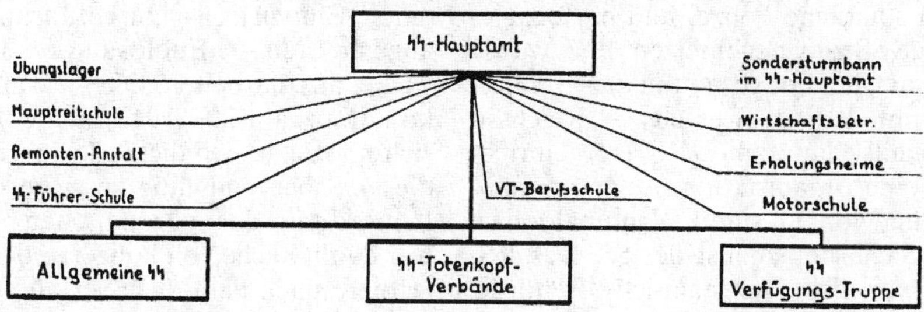

Abb. 65: Der Reichsführer SS/Gliederung der Schutzstaffeln der NSDAP (aus: *Organisationsbuch der NSDAP*, 1940)

Rolle einer »Parteipolizei« zu (→ Sicherheitsdienst SD).

Die Machtübertragung an Hitler am 30.1.1933 brachte Himmler keinen unmittelbaren Machtgewinn. Dies änderte sich jedoch im Laufe der Jahre 1933/34 grundlegend. Unterstützt vom Reichsinnenminister Wilhelm Frick, der den Partikularismus der Länder auch in Polizeiangelegenheiten überwinden wollte, wurde Himmler an die Spitze der politischen Polizeien aller dt. Länder berufen, am 20.4.1934 schließlich auch an die Spitze der preuß. → Geheimen Staatspolizei (Gestapo). Der preuß. Ministerpräsident Hermann Göring ließ Himmlers Machtzuwachs zu, weil er den Reichsführer SS für die Entmachtung des Stabschefs der SA, Ernst Röhm, brauchte. In einer bis dahin beispiellosen Mordaktion wurden am 30.6./1.7. 1934 nicht nur die SA-Führung mit Röhm, sondern auch bürgerliche Hitler-Gegner wie der ehemalige Reichskanzler Schleicher, der Vorsitzende der → Katholischen Aktion Erich Klausener und andere von der SS umgebracht (→ Röhm-Putsch).

Das Massaker zahlte sich für die SS aus. Sie wurde »selbständige Organisation« der NSDAP, die Berufung Himmlers zum Chef der Politischen Polizei verschaffte ihr reale Macht. Himmler war bestrebt, nicht nur seine Stellung in der Polizei weiter auszubauen, sondern auch staatliche Polizei und parteizugehörige SS zu verschmelzen. 1936 wurde er zum Chef der gesamten dt. → Polizei ernannt, 1939 ließ er das → Reichssicherheits-Hauptamt (RSHA) einrichten, eine organisatorische Zusammenfassung von Gestapo, Kriminalpolizei und Sicherheitsdienst der SS. Das RSHA war nicht nur staatliche Behörde, sondern zugleich auch ein Hauptamt der SS. Im Jahre 1944 gliederte sich die SS in zwölf Hauptämter:

- Persönlicher Stab Reichsführer SS
- SS-Hauptamt (SSHA)
- SS-Führungshauptamt (der Waffen-SS; SSFHA)
- → Rasse- und Siedlungs-Hauptamt (RuSHA)
- Hauptamt SS-Gericht
- SS-Personalhaupt-Amt (SSPHA)
- → Reichssicherheits-Hauptamt (RSHA)
- Hauptamt Ordnungspolizei
- → Wirtschafts-Verwaltungs-Hauptamt (WVHA)
- Dienststelle SS-Obergruppenführer Heißmeyer (→ Nationalpolitsche Erziehungsanstalten [NPEA, auch: Napola])
- Hauptamt → Volksdt. Mittelstelle (VOMI)
- Hauptamt → Reichskommissar für die Festigung dt. Volkstums/Stabs-Hauptamt

Inhaltlich lassen sich diese Hauptämter um zwei zentrale Begriffe der nat.soz. Weltanschauung gruppieren: »Ausmerze« und »Auslese«. Die Polizeihauptämter und das WVHA, dem ab 1942 die → Konzentrationslager unterstanden, praktizierten nicht nur Unterdrückung zur Sicherung des Systems, sondern auch Vernichtung und Völkermord als Vorbedingung des nach Himmlers Vorstellung rassisch normativen großgermanischen Reiches. Göring beauftragte am 31.7.1941 den Chef des RSHA, Reinhard Heydrich, einen Entwurf zur Durchführung der angestrebten → »Endlösung der Judenfrage« auszuarbeiten. Die → Wannseekonferenz am 20.1.1942 diente Heydrich u.a. dazu, sich die Federführung in dieser Sache endgültig zu sichern. Die Ermordung der europäischen Juden war damit Sache von Polizei und SS. Sie erfolgte nach dem dt. Überfall auf die Sowjetunion (→ Ostfeldzug) durch die vom RSHA aufgestellten → Einsatzgruppen und schließlich in den → Vernichtungslagern im → Generalgouvernement (→ Rassenpolitik und Völkermord). Die Ermordung der europäischen Juden war das Hauptziel des nat.soz. Rassismus im Zweiten Weltkrieg, aber nicht das einzige. Der Vernichtungswille bezog sich auch auf Zigeuner (→ Sinti und Roma), für deren Deportation im RSHA das Amt V, d.h. die Kriminalpolizei, zuständig war, und auf kranke Menschen, an deren Ermordung in der besetzten Sowjetunion sich auch die SS beteiligte, obwohl das »Euthanasie«-Programm über eine eigene Organisation außerhalb der SS verfügte (→ Medizin). Um Himmlers Ziel, die dt. Volkstumsgrenze mehrere hundert Kilometer nach Osten zu verlagern, Realität werden zu lassen, wurden außer Juden und Zigeunern auch Polen aus den annektierten poln. Westgebieten zunächst ins Generalgouvernement vertrieben und in den verlassenen Wohnungen und Gehöften → Volksdeutsche angesiedelt. Dies war das Betätigungsfeld der Volksdeutschen Mittelstelle und Himmlers in seiner Eigenschaft als Reichskommissar für die Festigung dt. Volkstums. Zu dieser »Festigung« gehörte auch die zwangsweise → Eindeutschung nichtdt. Kinder, wenn sie als »rassisch gut« eingestuft wurden. Hier lag ein Aufgabengebiet des Vereins → »Lebensborn«, der beim RuSHA angesiedelt war.

Am 25.8.1943 wurde Himmler Reichsinnenminister, nach dem → 20. Juli 1944 Befehlshaber des Ersatzheeres. Es war ein Aufstieg im Untergang. Er durfte zwar 1945 noch als Oberbefehlshaber zweier Heeresgruppen dilettieren und sich damit einen Jugendtraum erfüllen, aber dies beschleunigte den militärischen Zusammenbruch mehr, als es ihn hinauszögerte. Seine Kontaktaufnahme zu den Westmächten beantwortete Hitler mit dem Parteiausschluß. Der Verantwortung vor einem alliierten Gericht entzog Himmler sich am 23.5.1945 durch Selbstmord unmittelbar nach der Gefangennahme durch die Briten. Im Nürnberger Prozeß gegen die Hauptkriegsverbrecher wurde seine SS, einst konzipiert als Eliteformation arischer Herrenmenschen, zur verbrecherischen Organisation erklärt (→ Nachkriegsprozesse). *Frank Dingel*

Literatur:

Buchheim, Hans/Martin Broszat/Hans-Adolf Jacobsen/Helmut Krausnick: *Anatomie des SS-Staates*, 2 Bde. München 1967.

Höhne, Heinz: *Der Orden unter dem Totenkopf, Die Geschichte der SS*, München 1967.

Schwarze Front Aus Mitarbeitern des Berliner Kampf-Verlags, in dem sich unter den Brüdern Straßer v.a. Vertreter eines linken Kurses innerhalb der NSDAP ein Sprachrohr verschafft hatten, gründete Dr. Otto Straßer, von Hitler ausgebootet und aus der NSDAP ausgetreten, im Juli 1930 die Kampfgemeinschaft revolutionärer Nat.soz, die sich, um Reste der Stennes-SA (→ Stennes-Revolten) verstärkt, im Sommer 1931 mit Teilen der Landvolkbewegung, sektiererischen Rechtsradikalen sowie enttäuschten Nat.soz. und Kommunisten zur S. zusammenschloß. Konzipiert als Sammelbecken Völkisch-Konservativer mit sozialrevolutionären Vorstellungen auf den Gebieten der Wirtschafts- und Gesellschaftspolitik, die in der Zeitschrift *Solidarismus* der S. formuliert wurden, erreichte das aufgrund der divergierenden politischen Ziele seiner führenden Köpfe und der umstrittenen Führerpersönlichkeit Otto Straßers von Anfang an von Zerfall bedrohte Konglomerat linker und rechter politischer Prägung nie mehr als 5000 Mitglieder, obwohl ähnliche politische Ansätze auch in der → SA und der → Nationalsozialistischen Betriebszellenorganisation (NSBO) noch bis 1934 zu finden waren. Im Februar 1933 wurde die S. in Deutschland verboten und fristete nach Verhaftungswellen 1933–1945 im Untergrund ein Schattendasein, von dem ständig mit Geldnot und Konkurrenten in den eigenen Reihen kämpfenden Otto Straßer bis 1938 von Prag aus wenig effektiv gesteuert. Relativ unabhängige Auslandszentren der S. im Saarland, in Kopenhagen und in Buenos Aires stellten noch vor Kriegsausbruch die Arbeit ein. 1945 löste Straßer die S. offiziell auf. In der → Propaganda des Dritten Reiches wurde sie lange Zeit als gefährlichste Terrortruppe der rechten Opposition dargestellt (→ Ideologie). *Hermann Weiß*

Schwarze Kapelle s. Widerstand

Schwarze Korps, Das »Zeitung der → Schutzstaffel der NSDAP, Organ der Reichsführung SS« (→ Reichsführer SS und Chef der Dt. Polizei) untertiteltes Wochenblatt, dessen erste Ausgabe am 6.3.1935 im Zentralverlag der NSDAP, dem → Eher Verlag, erschien. Über ein reines Vereinsblatt der SS hinausgehend und -wirkend, präsentierte sich das *S.* in seinen Artikeln als Streiter für einen »wahrhaften, reinen Nat.soz.« und ein »artgemäßes Deutschtum« (→ Ideologie). Das Blatt griff, von beschwerdeführenden Lesern aufmerksam gemacht, staatliche Stellen (v.a. in der Verwaltung und Justiz) wegen Mangel an nat.soz. Geist an und kritisierte parteiinterne Mißstände, die Autoren ergingen sich jedoch in erster Linie in bösartigen Polemiken gegen die katholische Kirche und das Judentum. Das *S.* bezog vom → Sicherheitsdienst (SD) Meldungen und Informationen und gab einen Teil der zahlreich eingehenden Leserzuschriften an diesen weiter.

Als Hauptschriftleiter prägte Gunter d'Alquen das Blatt. Die Auflage betrug Ende 1935 200 000, 1944 750 000 Exemplare. Die letzte Ausgabe erschien am 12.4.1945. *Angelika Heider*

Schwarzer Markt Bezeichnung für illegale Transaktionen außerhalb des gesetzlich geregelten, »offiziellen« Marktes. Der S. ist kennzeichnend für Zentralverwaltungswirtschaften mit staatlich festgesetzten Preisen und → Rationierung v.a. von Konsumgütern.

Der »unerlaubte Tausch- und Schleichhandel«, so die damals übliche Sprachregelung, entstand, als das NS-Regime mit Beginn des Krieges zur Bewirtschaftung von Lebensmitteln und Gebrauchsgütern überging. Im wesentlichen lassen sich drei Formen unterscheiden: der Tausch knapper bzw. rationierter Waren zwischen Privatpersonen, z.B. Raucherkarten gegen Brotmarken; Handel mit rationierten Waren zwischen Geschäftsleuten; der Tausch rationierter Waren gegen Dienstleistungen. Obwohl solche → Kriegswirtschaftsverbrechen hart bestraft wurden, gelang es dem NS-Regime nicht, den S. zu unterbinden, zumal das »Organisieren« von Lebensmitteln oder Kleidung in der Bevölkerung mit zunehmender Dauer des Krieges zur überlebensnotwendigen Gewohnheit wurde (→ Kriegswirtschaft).

Werner Bührer

Schwarzschlachtung s. Kriegswirtschaftsverbrechen

Schweden Das skandinavische Königreich (449 439 km^2, 6,1 Mio. Einwohner 1930) war im Ersten wie im Zweiten Weltkrieg neutral und bemühte sich um wirtschaftspolitische Balance zwischen den Interessen des Dt. Reiches und denen der Alliierten. Als wichtiger Lieferant von Rohstoffen (Eisenerz, Holz), Lebensmitteln und Industriegütern und seit 1940 von dt. militärischem

Interessengebiet umgeben, mußte S. politisch lavieren und Zugeständnisse machen, um seine Unabhängigkeit zu behaupten. Als Exil- und Asylland (insbesondere anläßlich der Rettung der Juden aus → Dänemark und → Norwegen) und bei humanitären Hilfsaktionen am Ende des Krieges spielte S. eine wichtige Rolle.

Als bloße Nachahmung der → NSDAP muß die schwed. nazistische Bewegung betrachtet werden, die erstmals 1926 unter der Bezeichnung »Faschistische Kampforganisation« im Raum Stockholm hervortrat und ab 1929 unter dem Namen »Nat.soz. Volkspartei« in ganz S. um Anhängerschaft rang. Unter zwei rivalisierenden »Führern« – Birger Furugård und Sven Olof Lindholm – machte sie mehrere Spaltungen und Neuvereinigungen sowie Umbenennungen (Sveriges Nationalsocialistiska Parti, Nationalsocialistiska Arbetarpartiet, Svensk Socialistisk Samling) durch, ohne jemals über den Status einer politischen Sekte hinauszukommen. Als besonders grotesk muß angesichts der Andersartigkeit der Verhältnisse die Übernahme des NSDAP-Programms angesehen werden. Der organisierte Nazismus blieb in der schwed. Politik bis 1945 eine marginale Erscheinung. Niemals war bei den Reichstagswahlen ein Parlamentsmandat auch nur in Sichtweite. Ihr bestes Ergebnis erzielten die NS-Parteien bei den Wahlen1936 mit 0,7% Stimmenanteil, während die Linksparteien zusammen rund 50% erhielten. Bedeutsamer scheinen hingegen jene Gruppierungen gewesen zu sein, die sich im Vorfeld des → Faschismus bewegten, meist aber an die Konservative Partei gebunden waren bzw. in der Führungsschicht auf Sympathie stießen. Dies trat beim Schwed. Nationalen Jugendverband (SNU) besonders deutlich zutage. Antidemokratische Neigungen wurden, wie überall in Europa, auch von prominenten Vertretern der traditionellen Rechten zum Ausdruck gebracht, wie überhaupt die Grauzone zwischen Faschismus und Nationalkonservativismus im Falle S. besondere Aufmerksamkeit verlangt. In diese Grauzone gehört die Bauernpartei, die in ihrem Programm von 1933 die Reinhaltung der schwed. Rasse sogar als eine ihrer Hauptaufgaben propagierte.

Robert Bohn

Schweiz (amtl. Schweizer Eidgenossenschaft mit 1930 4 Mio. Einwohnern, vier Landessprachen, 41 288 km^2), Republik, die ab 1938 (→ Anschluß Österreichs) bzw. 1940 ganz vom Herrschafts- und Einflußgebiet der Achsenmächte umschlossen war. Auf strikte Neutralität und nationale Integrität bedacht, wehrte sich die S. aus Angst vor »Überfremdung« gegen jüdische Emigranten aus Deutschland und Österreich, u.a. 1938 durch die Initiative zur Kennzeichnung der Pässe jüd.-dt. Bürger mit einem »J«. Die Sequestrierung von Konten vieler Holocaustopfer bis Mitte der 90er Jahre löste internationale Kritik aus, eine 1996/1997 eingesetzte Kommission von Experten hat die Aufgabe, Eigentümer zu ermitteln und politische und moralische Hintergründe aufzuklären.

Faschistische Organisationen bestanden in der S. seit den 20er Jahren. Diese Bewegungen, generell als »Fronten« bezeichnet, erlebten ihren Höhepunkt in den Jahren 1933–1935, waren allerdings kein Machtfaktor in der Schweizer Politik. Nach 1940 versanken sie in der Bedeutungslosigkeit. 1943 wurden sie durch die Schweizer Regierung verboten. Die Fronten hatten sich teilweise in Anlehnung an den → Faschismus bzw. → Nat.soz. der Nachbarländer entwickelt, hatten daneben aber eine eigene, helvetische Prägung. Das Aufkommen des Faschismus in der S. war wesentlich eine Folge der geistigen, wirtschaftlichen und politischen Krise, in der sich das Land seit dem Ende des Ersten Weltkrieges befand.

Von den Fronten zu unterscheiden ist die → Auslandsorganisation der NSDAP (AO) in der Schweiz. In ihr organisierten sich – oftmals unter Zwang – Mitglieder der dt. Kolonie in der S. Die NSDAP in der S. verfügte über einen Landesleiter und über Ortsgruppen in verschiedenen Städten. Die Schweizer Regierung duldete den NSDAP-Ableger weitgehend. Nachdem Landesleiter Wilhelm Gustloff 1936 von dem aus Jugoslawien stammenden Juden David Frankfurter erschossen worden war, verbot die Schweizer Regierung die Einsetzung eines neuen Landesleiters. Dieses Verbot wurde allerdings umgangen, indem ein Mitarbeiter der dt. Gesandtschaft in Bern die Neuorganisation der noch bestehenden NSDAP-Ortsgruppen in der S. und damit de facto die Funktion eines Landesleiters übernahm. Die Auslandsorganisation der NSDAP in der S. wurde erst am 1.5.1945 verboten.

Die Duldung der AO bis 1945 zeigt exemplarisch, wie die S. der dt. Regierung entgegenkam. Zu diesem Entgegenkommen gehörte es auch, daß die S. den → Achsenmächten ihre Verbindungswege über die Alpen, Zulieferdienste ihrer Industrie oder die Dienste ihres Finanzplatzes zur Verfügung stellte. In der Forschung und Öffentlichkeit war lange Zeit die Meinung vorherrschend, allein militärischer Abwehrwille, wie er sich in General Henri Guisan und der von ihm konzipierten Alpenfestung, dem Réduit, verkörperte, hätte die S. vor einem dt. Angriff bewahrt. Dem militärischen Abwehrwillen entsprach die geistige Abschottung gegenüber Deutschland, die sich in der demonstrativen Betonung Schweizer Eigenart und Kultur (sog. geistige Landesverteidigung) ausdrückte.

Franco Battel

Literatur:
Bonjour, Edgar: *Geschichte der schweizerischen Neutralität,* Bde. IV–VI, Basel 1970.
Bourgeois, Daniel: *Le Troisième Reich et la Suisse 1933–1941,* Neuchâtel 1974.
Jost, Hans Ulrich: Bedrohung und Enge, in: *Geschichte der Schweiz und der Schweizer,* Basel 1986, S. 731–819.
Picard, Jacques: *Die Schweiz und die Juden 1933–1945. Schweizerischer Antisemitismus, jüdische Abwehr und internationale Migrations- und Flüchtlingspolitik,* Zürich 1994.

SD s. Sicherheitsdienst

SdP s. Sudetendeutsche Partei

Seehaus Die wichtigste dt. geheime Rundfunk-Abhörinstitution in Berlin/Wannsee. Der dem → Auswärtigen Amt (AA) unterstehende »Sonderdienst S.« wurde im Juli 1940 unter der Leitung von Kurt Alexander Mair in Betrieb genommen. Er verfolgte mit Hilfe seiner Außenstellen (Paris, Bukarest u.a.) Programme aus aller Welt in bis zu 37 Sprachen, die, übersetzt und ausgewertet, in verschiedenen, täglich erscheinenden Berichten (z.B. »Funk-Spiegel«) einen ausgewählten Personenkreis (Staatsführung, Reichsministerium für Volksaufklärung und Propaganda, OKW, Dt. Nachrichtenbüro) informierten. Zu den Mitarbeitern (Jan. 1941: ca. 500; Aug. 1944: ca. 700) zählte u.a. der spätere Bundeskanzler Kurt Georg Kiesinger. Wegen Kompetenzstreitigkeiten mit Goebbels wurde das S. am 22.10.1941 der Interradio AG, einem Gemeinschaftsunternehmen von AA und Propagandaministerium, einverleibt. Das S. war in der nat.soz. Führungsspitze umstritten, weil man dort die Verbreitung von Auslandsnachrichten durch die Mitarbeiter befürchtete. Daher wurde das S. ständig von der Polizei überwacht; ab 25.1.1942 wurde die Zahl der Empfänger des »S.-Materials« drastisch eingeschränkt. Die Auflösung des S. erfolgte Mitte April 1945. *Alexa Loohs*

Seekrieg In der Weisung Nr. 1 für die Kriegführung vom 31.8.1939 formulierte Hitler die Grundlage des S.: »Die Kriegsmarine führt Handelskrieg mit dem Schwerpunkt gegen England.« In der S.leitung vertraten der Oberbefehlshaber der Kriegsmarine, Großadmiral Dr. h.c. Erich Raeder, und der Befehlshaber der U-Boote, Admiral Karl Dönitz, unterschiedliche Auffassungen von Seestrategie: Raeder verfügte den Einsatz aller S.mittel, v.a. schwerer Überwasserstreitkräfte, gegen die feindlichen Zufuhren, während Dönitz in erster Linie in den U-Booten das am besten geeignete Werkzeug erkannte, feindliche Handelstonnage zu versenken und Kräfte zu binden. Gemäß der Weisung des Oberbefehlshabers wurden die Überwassereinheiten in den ersten beiden Kriegsjahren als Handelsstörer v.a. im Atlantik eingesetzt, wobei die U-Boote nur einen Teilauftrag zu übernehmen hatten; in jedem Fall aber war ein direkter Vergleich dt. Einheiten mit der zu Kriegsbeginn zehnfach überlegenen brit. Homefleet zu vermeiden. Nachdem das Schlachtschiff Bismarck, das zuvor das brit. Schlachtschiff Hood versenkt hatte, am 27.5.1941 ebenfalls versenkt worden war und die Schlachtschiffe Gneisenau und Scharnhorst sowie der schwere Kreuzer Prinz Eugen, abgesehen vom Kanaldurchbruch am 11./12.2.1942 zur Sicherung gegen eine befürchtete Invasion Norwegens, keine nennenswerten Erfolge hatten verbuchen können, verbannte Hitler die materialverschlingenden und personalintensiven »Dickschiffe« zu Küstenschutzaufgaben nach Norwegen und in die Ostsee. Der sich unerwartet lang hinziehende → Ostfeldzug band jene Rüstungskapazitäten, die Hitler – nach erfolgreicher Beendigung des Unternehmens → Barbarossa – schwerpunktmäßig der Kriegsmarine und der Luftwaffe für den Kampf gegen die USA und gegen England zur Verfügung stellen wollte. Kriegsverlauf und Wirtschaftskapazität zwangen die Rüstung der Wehrmachtteile jedoch zur Improvisation; die Konsequenz war die Konzentration der Kriegsmarine auf die kleinere und wesentlich effizienter einsetzbare U-Boot-Waffe. Am 30.1.1943 wurde der »Schlachtschiffenthusiast« Raeder durch den »Modernisten« Dönitz als Oberbefehlshaber der Kriegsmarine ersetzt. Dönitz rang Hitler im Schulterschluß mit Rüstungsminister Albert Speer in der ersten Hälfte des Jahres 1943 die Zusagen ab, die im »Flottenbauprogramm 43« gipfelten und den S. allein auf den U-Boot-Krieg ausrichteten. Mit der geplanten monatlichen Fertigung von 40 U-Booten – unter Einschluß neuer Konstruktionen –, Zerstörern und leichten Seestreitkräften hätte die Kriegsmarine nach der Planung spätestens 1948 über 11134 Einheiten verfügt. Nach Erfolgen im U-Boot-Krieg in der ersten Hälfte des Jahres 1943 ging der dt. technische Vorsprung u.a. infolge der radargestützten Luftsicherung und der Decodierung des Nachrichtenverschlüsselungssystems durch brit. Experten (→ Enigma) verloren, die Verlustrate überstieg die Neubauzahlen, da Rohstoff- und Materialengpässe sowie die systematische Bombardierung dt. Industrieanlagen (→ Luftkrieg) die geplanten Ablieferungszahlen unmöglich machten. Die materielle und technische Überlegenheit der Alliierten, die Luftüberlegenheit und die übermächtige Anzahl von Sicherungsfahrzeugen zwangen die dt. U-Boote in die

Defensive: Mitte 1943 war die dt. Niederlage in der »Schlacht im Atlantik« besiegelt, daran änderten auch die vielversprechenden Neukonstruktionen nichts, die später Grundlage für U-Boot-Planungen sowohl in der Sowjet- wie auch in der Bundesmarine werden sollten. Mit der Ausschaltung der Atlantikstützpunkte nach der → Invasion der Alliierten in der Normandie hatte die U-Boot-Führung ihre Operationsbasis verloren, Entwicklung und Einsatz sog. »Kleinkampfmittel« – Ein- und Zweimann-U-Boote und Torpedos – konnten nur noch Gelegenheitserfolge erzielen. In der Endphase des Krieges konzentrierte sich die S.führung im wesentlichen auf die Unterstützung des Ostheeres und sicherte den Rückzug von Verbänden der nicht mehr bestehenden Ostfront. Die dt. Seestreitkräfte transportierten in den letzten Kriegsmonaten über 2 Mio. Menschen – Soldaten, Verwundete, Zivilisten – in den Westen (→ Flucht und Vertreibung aus den dt. Ostgebieten). Der Befehl von Dönitz, alle verfügbaren Einheiten der Marine für die Räumung einzusetzen, sicherte Millionen das Leben (bei etwa 14 000 Toten auf See).

Guntram Schulze-Wegener

Literatur:

Salewski, Michael: *Die deutsche Seekriegsleitung*, Bde 1–3, Frankfurt am Main/München 1970–1975.

Seelöwe, Unternehmen Am 16.7.1940 befahl Hitler die Vorbereitung einer Invasion in England, die, zunächst als psychisches Druckmittel eingesetzt, nur im Falle einer Fortsetzung des Krieges durch Großbritannien verwirklicht werden sollte. Da die Ausschaltung der Royal Air Force, die wichtigste Voraussetzung für die Durchführung des unter dem Codenamen S. laufenden Unternehmens, in der → Luftschlacht um England mißlang, wurde S. am 17.9. von Hitler, der bereits am 31.7. einen Sieg über die UdSSR als Voraussetzung zum Frieden mit Großbritannien bezeichnet hatte, »auf unbestimmte Zeit« verschoben. Am 18.12.1940 erteilte er schließlich den definitiven Befehl zur Vorbereitung des Feldzuges gegen die Sowjetunion (Unternehmen → Barbarossa; → Ostfeldzug).

Karsten Krieger

Seelower Höhen s. Reichshauptstadt

Sekten Kleinere oder kleinste Religionsgemeinschaften, die nicht wie die großen Kirchen den Status einer Körperschaft des öffentlichen Rechts besaßen, staatliche Zuschüsse erhielten oder durch Staatskirchenverträge geschützt waren. Die S. galten als gefährlich, weil sie sich nicht auf die nat.soz. Weltanschauung verpflichten und in das nat.soz. Herrschaftssystem einpassen wollten. Sie wurden der Ausbeutung ihrer Mitglieder und der Volksverdummung sowie der Durchsetzung mit Marxisten und Kommunisten bezichtigt. Wegen ihres Fanatismus und ihrer internationalen Verbindungen, der Ablehnung der allgemeinen Wehrpflicht und ihrer Weigerung, in der Rüstungsindustrie mitzuarbeiten, der Verweigerung des → Eides und des → dt. Grußes wurden sie schon ab 1933 verboten, viele ihrer Mitglieder verfolgt, ihre Vermögen wurden beschlagnahmt. Unter der nat.soz. → Verfolgung hatten bes. die → Ernsten Bibelforscher (Zeugen Jehovas) zu leiden (→ Kirchen und Religion).

Carsten Nicolaisen

Selbstschutz Volksdt. Miliz bzw. Hilfspolizei, im September 1939 z.T. spontan in poln. Gebieten mit starker dt. Minderheit entstanden und fast von Anfang an durch die → SS organisiert und kontrolliert. Der S. war 1939 im Gebiet des späteren Reichsgaus → Danzig-

Westpreußen an der Liquidierung zehntausender Polen (bes. der Intelligenz sowie Kranker, Juden und → »Asozialer«) maßgeblich beteiligt, zunächst unter dem S.führer Westpreußen, L. von Alvensleben, dann unter der → Sicherheitspolizei. Im Distrikt Lublin des → Generalgouvernements wurde der S. ab November 1939 unter dem SS- und Polizeiführer Odilo Globocnik bis zur Ablösung durch den → Sonderdienst im August 1940 u.a. zur Bewachung jüdischer Arbeitskolonnen und der ersten jüdischen Zwangsarbeitslager sowie zur Erschießung von Juden und Polen eingesetzt. In den übrigen Distrikten und im späteren Warthegau (→ Wartheland, Reichsgau) blieb der S. im wesentlichen auf polizeiliche Funktionen beschränkt. Im rumän. verwalteten Transnistrien wurde 1941 durch Einsatzkommandos der Sicherheitspolizei in vielen volksdt. Dörfern ein S. organisiert; nach ersten Judenerschießungen durch den S. noch unter Einsatzkommandos folgten umfangreiche Erschießungen bis 1942 unter dem »Sonderkommando R« der → Volksdt. Mittelstelle (VOMI). *Volker Rieß*

Selektion Entlehnt aus dem Vokabular der Abstammungslehre, beschrieb S. während des Dritten Reiches die teils nach Kriterien der NS-Ideologie, teils willkürlich vollzogene Zuordnung von Menschen in die Kategorien »wert« und »unwert«, wobei letztere für die Betroffenen in der Regel das Todesurteil bedeutete. Mit S. in Zusammenhang stehende oder selektionsähnliche Vorgänge waren bereits vor der Ermordung unliebsamer Gruppen immanenter Bestandteil der Stigmatisierung und Ausgrenzung, wie die Trennung von »Juden« und »Halbjuden« auf der Basis der »Nürnberger Gesetze und die Aussonderung von »erblich Kranken« oder »Schwachsinnigen« im Rahmen der Zwangssterilisierungen und der »Euthanasie« belegen (→ Aktion T 4; → Medizin). Im zeitgenössischen wie gegenwärtigen Sprachgebrauch wird der Begriff in erster Linie auf die Situation in → Auschwitz-Birkenau bezogen, wo nach der Ankunft der Opfer an der berüchtigten Rampe eine Trennung in Arbeitsfähige und nicht Arbeitsfähige vorgenommen wurde (→ Konzentrationslager; → Vernichtungslager).Im Nat.soz. erfüllte der Begriff eine Doppelfunktion: Zum einen umriß er die rassenpolitischen Zielvorstellungen des Staates, dessen Bevölkerung einer ebenso radikalen wie permanenten »Ausmerze« unterliegen sollte. Zum anderen diente S. – wie → Endlösung, → Sonderbehandlung oder Umsiedlung (→ Volkstumspolitik) – zur Verschleierung politischer und moralischer Verantwortlichkeiten im Rahmen der Massenvernichtung (→ Rassenpolitik und Völkermord). Offiziell wurde »selektiert«, nicht ermordet; die Täter konnten sich demnach als Vollstrekker naturgegebener Gesetzmäßigkeiten verstehen und persönliche Motive hinter biologistisch-abstrakten Gedankengängen verbergen. *Jürgen Matthäus*

Literatur:

Sofsky, Wolfgang: *Die Ordnung des Terrors: Das Konzentrationslager,* Frankfurt am Main 1993.

Semlin (KZ) s. Sajmište

Senat Geplantes Gremium von ausgewählten »führenden Männern der → Bewegung« zur Regelung der Führernachfolge und als Beratungsorgan. Hitler verfügte am 20.12.1932 die Bildung eines »großen Parteisenats«, der für den Fall seines Todes den Nachfolger bestimmen sollte. Ein Senatssaal wurde in München (→ Braunes Haus) eingerichtet, einer war in Berlin im Reichstagsgebäude vorgesehen (1937/38). Ein Gesetzentwurf von Reichsinnenminister Wilhelm Frick zu einem S. des Großdt. Reiches (14.9.1939) fand nicht die Zustimmung Hitlers. Auch die Entscheidung über einen Erlaßentwurf zur Führerwahl (Juli 1941) wurde vertagt. Trotz weiterer Überlegungen Hitlers (1942) wurde das Projekt eines S. nicht realisiert. Des »Führers« große Abneigung gegen Beratergremien und seine Unentschlossenheit bezüglich des Personenkreises »erprobter Nat.soz.« standen einer rechtzeitigen Entscheidung im Wege. *Günter Neliba*

Serbien (Srbija) 1918 wurde S., bis dahin unabhängiges Königreich, Teil von → Jugoslawien. In der Wiener Vereinbarung vom 21./22.4.1941 wurde S. auf die Grenzen von 1912 zurückgeführt (51 000 km²; ca. 3,8 Mio. Einwohner). Die Batschka wurde von → Ungarn annektiert, Syrmien von → Kroatien, der größte Teil des Kosovo von → Albanien, der südliche und östliche Teil S. und der Rest des Kosovo von → Bulgarien. Der serb. Banat gehörte formell zu S., stand aber tatsächlich unter Kontrolle der dt. Minderheit (130 000 von 650 000 Einwohnern). Das strategisch und wirtschaftlich wichtige Territorium von »Rumpfserbien« wurde unter Militär-Verwaltung des Dritten Reiches gestellt, mit einem militärischen Oberbefehlshaber an der Spitze, seit 1942 »Kommandierender General in S.«. Im Mai 1941 entstand eine eigene serb. Verwaltung mit geringen Kompetenzen, die mit der dt. Besatzung kollaborierte, ab Ende August 1941 von General Milan Nedic geführt wurde und von der Unterstützung der serb. faschistischen Bewegung »Zbor« abhing. Der Aufstand von Kommunisten und Nationalisten (→ Četniks) im Sommer 1941 führte zu brutalen Repressalien gegenüber der Bevölkerung; in S. wurden mehrere → Konzentrationslager eingerichtet (→ Sajmište, Niš, Šabac). Bis Februar 1942 ermordeten die dt. Besatzer ca. 40 000 Geiseln (nach der Quote 1:100), darunter bis Mitte 1942 14 500 serb. Juden. Die Repressalien wurden auch auf die von Nachbarländern okkupierten Territorien ausgedehnt. S. wurde im Herbst 1944 von jugoslaw. Partisanen und der Roten Armee befreit (→ Balkanfeldzug). *Milan Ristović*

Shoa s. Endlösung, s. Rassenpolitik und Völkermord

Sichelschnitt s. Westfeldzug

Sicherheitsdienst (SD) Der 1931 unter Leitung von Reinhard Heydrich zur Überwachung gegnerischer Parteien und Organisationen und innerparteilicher Opposition eingerichtete »I c-Dienst« erhielt wenig später die Bezeichnung S. (SD) des → Reichsführers SS. Nach 1933 wurde ein Teil seiner Aufgaben nach und nach von der → Geheimen Staatspolizei übernommen, während andere Nachrichtendienste der Partei, so das Amt Information der → DAF, in ihm aufgingen. Seit 1937 war er im Inland damit befaßt, Nachrichten über weltanschauliche Gegner zu sammeln und darüber in »Leitheften« zu informieren, die Stimmung der Bevölkerung zu ermitteln und für die → *Meldungen aus dem Reich* auszuwerten und in Einzelfällen über politische Zuverlässigkeit zu urteilen, er hatte aber auch erheblichen Anteil an den Planungen für die Ausbeutung annektierter Gebiete. Dem SD-Hauptamt, 1939 Amt III des → Reichssicherheits-Hauptamtes, unterstanden im Reichsgebiet bis zu 52 SD-(Leit)Abschnitte mit 51 Haupt- und 519 Außenstellen, bei denen für die (1944) 6482 hauptamtlichen SD-Angehörigen rund 30 000 V-Leute tätig gewesen sein sollen. Der Auslandsnachrichtendienst, zuletzt unter W. Schellenberg, unterhielt ein Netz von Agenten z.B. im Vatikan, arbeitete mit ausländischen faschistischen Gruppen und dt. Minderheiten zusammen, lieferte den Vorwand für den Angriff auf Polen (→ Gleiwitzer Sender) und bereitete Sabotageakte vor. Als Angehörige des SD wurden auch alle Beamten und Mitarbeiter der → Gestapo und der Kriminalpolizei geführt, wenn sie der → SS angehörten (1944 etwa 6500 hauptamtliche Mitarbeiter); beim Einsatz in besetzten Gebieten trugen sie daher das SD-Abzeichen an der Uniform, was dazu beigetragen hat, daß die → Einsatzgruppen und Dienststellen der → Sicherheitspolizei und des SD von der Wehrmacht abgekürzt als SD bezeichnet wurden. 1944 übernahm der S. den militärischen Nachrichtendienst, die Abwehr, einschließlich deren Führungsspitze im OKW, soweit sie nicht dem militärischen → Widerstand angehörte. Der Internationale Militärgerichtshof in Nürnberg erklärte 1946 den S. zur verbrecherischen Organisation.

Heinz Boberach

Literatur:

Aronson, Shlomo: *Reinhard Heydrich und die Frühgeschichte von Gestapo und SD,* Stuttgart 1971.

Boberach, Heinz: *Meldungen aus dem Reich* (Auswahlbd. mit Einleitung), Neuwied/Berlin 1965.

Brommer, Peter (Hg.): *Die Partei hört mit,* Bd. 1: *Lageberichte und andere Meldungen des Sicherheitsdienstes der SS aus dem Großraum Koblenz 1937–1941.* Bd. 2: *Lageberichte im Gau Moselland 1941–1945,* Koblenz 1988, 1992.

Ramme, Alwin: *Der Sicherheitsdienst der SS,* Berlin (Ost) 1970.

Sicherheitspolizei Zwischen Frühjahr 1933 und Januar 1934 übernahmen der → Reichsführer SS (RFSS), Heinrich Himmler und sein Adlatus Reinhard Heydrich, Chef des → Sicherheitsdienstes (SD), das heißt des von der SS gestellten internen Nachrichten- und Polizeidiensts der NS-Bewegung, in rascher Folge die Ämter bzw. Abteilungen der Politischen Polizei in den einzelnen Ländern des deutschen Reiches (in Preußen geschah das im April 1934). Dabei lösten sie die Politischen Polizeien, meist bereits unter der Bezeichnung → Geheime Staatspolizei (Gestapo), aus der Zuständigkeit der staatlichen Verwaltung und aus dem Einfluß der → SA, deren Führer in vielen Ländern und Kommunen Polizeichefs geworden waren; bald konnten sie die verselbständigten und nun zum SS-Apparat gehörenden Ämter praktisch wie theoretisch (das heißt durch Gesetze und Verordnungen) auch von der Bindung an Recht und Gesetz lösen. Die Unterstellung der Politischen Polizeien unter den Reichsführer SS machte aus dem Prozeß zugleich einen Zentralisierungsvorgang. Schon im Juli 1934 durfte Himmler als »RFSS und Chef der Deutschen Polizei« figurieren und dem SD die Gegnerermittlung, der Gestapo die Gegnerbekämpfung als Aufgabe zuweisen. Nächster Schritt des Anschlusses der Polizei an die → SS war die Ernennung Himmlers zum »RFSS und Chef der Deutschen Polizei« am 17.6.1936. Himmler verfügte sofort die Wiedervereinigung von Politischer Polizei und Kriminialpolizei, allerdings jetzt als Anschluß der Kripo an die SS. Gestapo und Kripo bildeten von da an als »Sicherheitspolizei« (in einem »Hauptamt Sicherheitspolizei« vereinigt), jenes Schutzkorps des Dritten Reiches, das als gleichsam entstaatlichtes Instrument nur noch des »Führerwillens« zu fungieren hatte. Die Integration der Kripo in die SS kam auch darin zum Ausdruck, daß die Polizeibeamten – ähnlich wie die der Ordnungspolizei – veranlaßt wurden, in die SS einzutreten, und dort einen ihrem Polizeidienstgrad entsprechenden SS-Rang erhielten. Den Abschluß des Integrationsprozesses stellte die Schaffung des Reichssicherheits-Hauptamts (RSHA) dar (27.9.1939), in dem die Sicherheitspolizei mit dem SD zusammengelegt war.

Jürgen Matthäus

Literatur:

Paul, Gerhard/Klaus-Michael Mallmann: *Die Gestapo. Mythos und Realität,* Darmstadt 1995.
Boberach, Heinz: *Meldungen aus dem Reich* (Auswahlbd. mit Einleitung), Neuwied/Berlin 1965.

Signal Illustrierte Zeitschrift, die 14tägig von April 1940–März 1945 als Medium der Auslandspropaganda im Dt. Verlag Berlin (ehem. Ullstein) in bis zu 20 Sprachen erschien. Die Auflage betrug 1943 mehr als 2,5 Mio. Exemplare; das aufwendig und attraktiv gestaltete Blatt erschien unter der Verantwortung des → OKW als Organ der Abteilung Wehrmachtpropaganda. Redakteure (zuletzt Giselher Wirsing) wie Mitarbeiter (z.B. Walter Kiaulehn, Eduard Rhein und Kurt Zentner) waren teilweise auch in der Nachkriegszeit erfolgreich in der westdt. Publizistik tätig. Aufgabe der Zeitschrift war es, von den Verhältnissen in Deutschland ein positives Bild zu zeichnen, die Erfolge der NSDAP und Wehrmacht zu verherrlichen, dt. Organisationstalent als vorbildlich darzustellen und damit der Welt Deutschland und das »Neue Europa« als erstrebenswert zu zeigen: »S. ist die Zeitschrift des Neuen Europa.« Nach den Vorstellungen des OKW und des → Reichsministeriums für Volksaufklärung und Propaganda sollte *S.* die → Achsenmächte in ihren Kriegsanstrengungen moralisch stärken und in der psychologischen Kriegführung unterstützen, ferner versuchen, »das Vertrauen und den Arbeitswillen der Bevölkerung besetzter Gebiete« zu gewinnen und die Bevölkerung der neutralen Staaten im »prodt. und antigegnerischen Sinne« zu beeinflussen. Wie →*Das Reich* hatte *S.* Zugang zu Sonderinformationen und vermied allzu grobschlächtige (auch antisemitische) Propagandatöne.

Wolfgang Benz

Literatur:

Signal: Eine kommentierte Auswahl abgeschlossener, völlig unveränderter Beiträge aus der Propagandazeitschrift der Deutschen Wehrmacht, 5 Bde., Hamburg 1977.

Sinti und Roma Seit dem 15. Jh. in Mitteleuropa lebende, aus Nordindien stammende Minderheit, die – oftmals zu Sündenböcken der Mehrheitsgesellschaft abgestempelt – zahlreichen Diskriminierungen und Beschränkungen unterworfen war. Die → SS begann bereits 1931 mit der Erfassung der aufgrund ihrer »Rasse« als »Untermenschen« geltenden »Zigeuner« (→ Untermensch-Propaganda), deren Erforschung mit der Gründung des »Rassenhygiene-Instituts« 1936 in Berlin unter Leitung von Dr. Robert Ritter ein wissenschaftlicher Anstrich verliehen werden sollte (→ Rassenkunde). »Fliegende Arbeitsgruppen« des Instituts erstellten etwa 24 000 »Gutachten« mittels genealogischer Erfassung oder anthropologischer Vermessung, in denen die S. vom »reinrassigen« bis zum »Achtel-Zigeuner« klassifiziert wurden. Diese Gutachten dienten als Grundlage für die spätere → Deportation. Seit 1933, verstärkt seit 1936, wurden S. auf dem Gesetzesweg systematisch ausgegrenzt und in »Zigeuner-Gemeinschaftslager« gezwungen. 1936 wurden 400 Sinti nach → Dachau eingeliefert; in einer reichsweiten Verhaftungsaktion vom 13.–18.6.1938 wurden unter dem Mantel der »vorbeugenden Verbrechensbekämpfung« arbeitsfähige Männer (Arbeitsscheue; → Asoziale) zur → Zwangsarbeit nach Dachau, → Buchenwald und → Mauthausen verschleppt. Am 8.12.1938 schuf Himmler mit seinem »Grunderlaß« zur »grundsätzlichen Regelung der Zigeunerfrage aus dem Wesen dieser Rasse heraus« die formaljuristische Grundlage für die Deportation, die in den Zuständigkeitsbereich des Referats IV B 4 und des Amtes V des → RSHA fiel. Seit 17.10.1939 durften S. aufgrund des »Festschreibungserlasses« ihren Wohnort nicht mehr verlassen und sollten »bis zu ihrem endgültigen Abtransport« in Sammellagern konzentriert werden. Als »Modellversuch« wurden 2800 S. am 16.5.1940 in das → Generalgouvernement deportiert und dort unter erbärmlichen Bedingungen in → Ghettos und → KZ zur Zwangsarbeit eingesetzt. In Polen, Wolhynien, im Baltikum, im Kaukasus, in der Ukraine, auf der Krim und in den Karpaten ermordeten die im Rücken der Wehrmacht operierenden → Einsatzgruppen seit Sommer 1941 Zehntausende Roma. Die Einsatzgruppe D meldete in Südrußland die »Liquidierung« von 2316 »Zigeunern« in sechs Monaten. Im Dezember 1941 wurden 5000 S. aus dem Dt. Reich, Rumänien und Ungarn in das »Zigeunerlager« im Ghetto → Lodz deportiert; die Überlebenden der katastrophalen Zustände wurden in → Chelmno/Kulmhof vergast. Besonders grausam war die Verfolgung der S. in Jugoslawien. Am 16.12.1942 befahl Himmler alle noch im Reichsgebiet und in den besetzten Ländern Europas lebenden »Zigeunermischlinge, Rom-Zigeuner und Angehörige zigeunerischer Sippen balkanischer Herkunft ... in ein Konzentrationslager einzuweisen«. Aufgrund dieses »Auschwitz-Erlasses« und der am 29.1.1943 veröffentlichten Ausführungsbestimmungen des RSHA wurden ab März 1943 über 22 000 S. aus elf Ländern Europas – nur Bulgarien widersetzte sich – nach → Auschwitz-Birkenau deportiert. Dort war Ende 1942 im Abschnitt B II e ein »Zigeunerlager« eingerichtet worden. Die meisten der etwa 23 000 dort lebenden Häftlinge (10 737 aus dem alten Reichsgebiet und 2343 aus Österreich) starben an Unterernährung, Seuchen und Mißhandlungen, einige auch durch die → Menschenversuche, die S. auch in anderen KZ erdulden mußten. Da der erste Versuch, das »Zigeunerlager« in Auschwitz am 16.5.1944 zu »liquidieren«, am Widerstand der verzweifelten Männer scheiterte, wurden in den folgenden Wochen alle »Arbeitsfähigen« in andere Lager verbracht; die zurückgebliebenen 2897 S. wurden in der Nacht vom 2./3.8.1944 ins Gas geschickt. Auch nach dieser »Liquidierung« des »Zigeunerlagers« wurden S. nach Auschwitz deportiert. Insgesamt wurden mindestens 17 000 S. in Auschwitz ermordet. Die Gesamtzahl der Opfer des nat.soz. Rassenwahns unter den S. ist schwer zu bestimmen, da keine genauen Angaben über die Erschießungen und Massaker vorliegen. Hochrechnungen und Schätzungen zufolge fielen mehr als 500 000 S. der Verfolgung zum Opfer, darunter 25 000 der 40 000 von den Nat.soz. erfaßten dt. und österr. S. (→ Rassenpolitik und Völkermord). *Angelika Königseder*

Literatur:

Krausnick, Michail: *Wo sind sie hingekommen? Der unterschlagene Völkermord an den Sinti und Roma,* Gerlingen 1995.

Rose, Romani (Hg.): *Der nationalsozialistische Völkermord an den Sinti und Roma,* Heidelberg 1995.

Zimmermann, Michael: *Rassenutopie und Genozid. Die nationalsozialistische Lösung der »Zigeunerfrage«,* Hamburg 1996.

Sippenbuch (der SS) Personenverzeichnis des → Rasse- und Siedlungs-Hauptamtes der → SS, in dem die Familien der SS-Angehörigen registriert wurden. Grund für die Einführung des

S. war die Heiratsgenehmigung des Reichsführers SS, die jeder SS-Mann laut Befehl A Nr. 65 vom 31.12.1931 des Reichsführers SS einzuholen hatte. Die Eintragung der Familien erfolgte dann »nach Erteilung der Heiratsgenehmigung oder Bejahung des Eintragungsgesuches«. *Alexa Loohs*

Sippenforschung Nat.soz. Bezeichnung für Abstammungs- und Verwandtschaftslehre. Die S. wurde insbesondere betrieben, um den erb- und rassekundlichen → Abstammungsnachweis zu erhalten, der von der Reichsstelle für S. (12.11.1940 in → »Reichssippenamt« umbenannt) ausgegeben wurde. Nach dem Erlaß des → Gesetzes zur Wiederherstellung des Berufsbeamtentums vom 7.4.1933 und nach den → Nürnberger Gesetzen vom September 1935 war die S. für die Bestätigung der »Deutschblütigkeit« wichtig, da ab jetzt offiziell zwischen »Ariern« und »Nicht-Ariern« unterschieden wurde. Die S. bestand in der Beschaffung von urkundlichem Material über die Herkunft der eigenen Person und Familie, um daraus Sippen- bzw. Ahnentafeln erstellen zu können. Damit befaßt waren neben dem Reichssippenamt und dem Amt für S. der NSDAP mehrere Institute und einzelne Forscher, die z.B. der Vereinigung der Berufssippenforscher e. V. oder einer Organisation des Volksbundes der dt. sippenkundlichen Vereine angeschlossen waren. *Alexa Loohs*

Sippenhaft(ung) Repressionsmaßnahme, die sich gegen Familienangehörige politischer Gegner richtete und diese mit Vermögen, Freiheit oder Leben haftbar machte. Die S. diente der Bestrafung bzw. Abschreckung. Sie wurde zu Beginn des Dritten Reiches vereinzelt, nach dem gescheiterten Umsturzversuch vom → 20. Juli 1944 erstmals umfassend eingesetzt. Ferner wurde sie auch gegen die Mitglieder des → Nationalkomitees »Freies Deutschland« angewendet. Für den Vollzug der S. wurde eigens die Gruppe XI in der »Sonderkommission 20. Juli« des → RSHA unter der Leitung von Karl Neuhaus geschaffen, die ab Anfang August tätig wurde. Am 21.11.1944 wurde im RSHA ein neues Referat IV a 6 c »S.« unter Ernst Jarosch als ständige Institution errichtet. Das → OKW befahl später die Ausweitung der S. auf die Familien von Deserteuren (19.11.1944) und Wehrmachtsangehörigen, »die in der Kriegsgefangenschaft Landesverrat begehen« (5.2.45). Dazu zählten auch diejenigen, die in das neutrale Ausland geflohen waren.

Alexa Loohs

Sittlichkeitsprozesse s. Kirchen und Religion

Sitzkrieg (frz.: drôle de guerre, engl.: phoney war) Bezeichnung für die vom Beginn des → Polenfeldzugs bis zum → Westfeldzug währende, ohne größere Kampfhandlungen verlaufene Phase an der dt. Westfront, die der Wehrmacht die zur Verlegung ihrer Truppen nötige Zeit verschaffte. Während des Polenfeldzugs verhielten sich die wenigen am → Westwall stationierten dt. Truppen passiv, um keine frz. Offensive zu provozieren. Letztlich resultierte der S. aus der Entscheidung Großbritanniens und Frankreichs, den Krieg gegen Deutschland zunächst aus der Defensive zu führen und währenddessen ihre eigenen Streitkräfte aufzurüsten. *Karsten Krieger*

Slowakei Der slowakische Staat entstand als Ergebnis dt. Drucks auf der Tagung des slowakischen Landtages am 14.3.1939, ein Nebenprodukt der Zerschlagung der → Tschechoslowakei durch Hitler. Er war ein Satellit des

Dritten Reiches, das ihm im März 1939 den sog. Schutzvertrag aufzwang. Dieser ordnete die Außen-, Militär- und Wirtschaftspolitik der S. den Bedürfnissen Deutschlands unter. Die S. galt als »Musterstaat« des von Deutschland beherrschten Europa. Schon im September 1939 schloß sich der slowakische Staat dem Angriff auf Polen an (→ Polenfeldzug), im November 1940 trat er dem → Antikominternpakt bei, was dann folgerichtig zur Kriegserklärung an die Sowjetunion sowie an die westlichen Alliierten führte. Der slowakische Staat umfaßte eine Fläche von 38 055 km^2 und hatte 2 653 053 Einwohner (Dezember 1940), davon 80 000 Tschechen, 130 000 Deutsche, 79 000 Ukrainer, 67 000 Magyaren, 89 000 Juden und 30 000 Roma. Nach der im Juli 1938 verabschiedeten Verfassung war die S. eine Republik. An ihrer Spitze stand als Präsident der Priester J. Tiso. Das höchste gesetzgebende Organ war der slowakische Landtag, der noch in der Zeit der sog. zweiten ČSR, im Dezember 1938, gewählt worden war. Die Vollzugsgewalt lag in den Händen einer neunköpfigen Regierung, die im Juli 1940 und September 1944 umgebaut wurde. An ihrer Spitze stand V. Tuka.

Das Staatsregime hatte totalitären Charakter. Einen entscheidenden Platz nahm die Slowakische Hlinka-Volkspartei (HSLS) ein, deren führende Vertreter auch höchste staatliche Funktionen bekleideten. Präsident J. Tiso war gleichzeitig Vorsitzender der Volkspartei und benutzte den Titel »Führer«. Die Volkspartei hatte auch ihre bewaffneten Komponenten – die Hlinka-Garde und die Hlinka-Jugend. Innerhalb des Staates vollzog sich ein Machtkampf zwischen konservativem und radikalem Flügel. Beide Gruppen setzten faschistische Prinzipien und eine enge Kollaboration mit Deutschland durch. Sie unterschieden sich nur in der Art und Intensität der Durchsetzung ihrer Ziele und persönlichen Machtaspirationen. Durch einen Prozeß der → Arisierung nach dem Muster Deutschlands wurden die → Juden aus dem wirtschaftlichen und öffentlichen Leben ausgeschlossen. Mit Hunderten antisemitischer Verfügungen wurden sie nach und nach ihrer politischen, bürgerlichen und menschlichen Grundrechte beraubt. 1942 wurden auf dt. Druck vom Gebiet des Slowakischen Staates bis zu 58 000 Juden in die → Vernichtungslager deportiert. Die S. war aber ein nicht direkt okkupierter Satellitenstaat, der daher die → Deportation der Juden mit eigenen administrativen und Machtmitteln durchführte (→ Rassenpolitik und Völkermord).

Seit Beginn der Existenz des slowak. Staates gab es auch Widerstand gegen das Regime und die Allianz mit Deutschland. Die Resistenz gipfelte Ende August 1944 im Ausbruch eines die gesamte Nation umfassenden bewaffneten Aufstands. Zu seiner Unterdrückung wurden dt. Militär- und Polizeieinheiten entsandt, die gleichzeitig die zweite Etappe der Judendeportation durchführten. Etwa 13 500 Personen wurden deportiert und über 3600 Menschen direkt in der S. ermordet, darunter nicht nur Juden, sondern auch andere Bürger. Der slowak. Staat blieb einer der letzten politischen Verbündeten des Dritten Reiches. Er ging im April 1945 mit der militärischen Niederlage Deutschlands unter.

Katarina Hradská

Literatur:
Kaiser, Johann: *Die Politik des Dritten Reiches gegenüber der Slowakei 1939–1945. Ein Beitrag zur Erforschung der nationalsozialistischen Satellitenpolitik in Südosteuropa,* Diss. Bochum 1969.
Lipscher, Ladislav: *Die Juden im Slowakischen Staat 1939–1945,* München 1980.

Smolensker Komitee Nach einer in dem dt. besetzten Smolensk im Herbst 1941 von stalinfeindlichen Bürgern vergeblich versuchten Komitee-Gründung griff der im Juli 1942 in dt. Gefangenschaft geratene antistalinistische General Wlassow (→ Wlassow-Armee) den Gedanken wieder auf und rief am 27.12.1942 das S. ins Leben, nachdem er bis dahin auf die Abfassung und Unterzeichnung von antistalinistischen Flugblättern beschränkt gewesen war; jedoch erfolgte die Gründung des S. bezeichnenderweise nicht in Smolensk, sondern in Berlin und blieb, obwohl Wlassow am 25.3.1943 ein Manifest im Namen einer Russischen Befreiungsarmee veröffentlichen konnte, in dem er zum Kampf gegen den Stalinismus aufrief, praktisch eine propagandistische Fik-tion, da Hitler bis zum Herbst 1944 die tatsächliche Aufstellung einer Russischen Befreiungsarmee untersagte.

Elke Fröhlich

Sobibór → Vernichtungslager der → Aktion Reinhardt, im März/April 1942 im östlichen → Generalgouvernement errichtet, als erkennbar geworden war, daß → Belzec zur Erfüllung des Mordprogramms nicht ausreichte (→ Rassenpolitik und Völkermord; → Endlösung; → Wannsee-Konferenz). U.a. bezüglich der Abtrennung des Vernichtungs- vom Empfangs- und Verwaltungsbereich des Lagers, das eine stacheldrahtumzäunte Fläche von 600× 400 m einnahm, stellte S. eine verbesserte Nachbildung von Belzec dar. Betrieben wurde S. von etwa 30 Angehörigen der → Aktion T 4, wobei das sog. Euthanasie-Personal u.a. im Hinblick auf die Bewachungsaufgaben und den Vernichtungsprozeß von ca. 100 → »Trawnikis«, sowj. Kriegsgefangenen v.a. ukrain. Herkunft, verstärkt wurde. Der erste Kommandant des Lagers, Franz Stangl, übertrug die ihm aus Belzec bekannten Täuschungsmethoden und Tötungstechniken auch auf S., wo von Anfang Mai 1942 bis Sommer 1943 (mit Unterbrechungen) etwa 250 000 Juden u.a. aus dem Distrikt Lublin, dem Reich, der Slowakei sowie Frankreich und den Niederlanden ermordet wurden: In einer beruhigenden Ansprache wurde den in Zügen hierher deportierten Juden ihre Umsiedlung angekündigt. Diese erfordere jedoch zunächst – nach dem Deponieren von Kleidung und Wertsachen sowie dem Schneiden der Haare bei den Frauen – ein Bad. Unter diesem Vorwand wurden die Juden gruppenweise in die mit kohlenmonoxydhaltigen Abgaben eines Dieselmotors betriebenen, jedoch als Duschen getarnten → Gaskammern getrieben. Die zunächst nur in Massengräber geworfenen Leichen wurden ab Sommer 1942 auf Scheiterhaufen verbrannt. Etwa zur gleichen Zeit wurden neue → Gaskammern errichtet, was zu einer Verdoppelung der »Tötungskapazität« auf 1300 Menschen pro Vergasung führte. Etwa 600–1000 Juden wurden aus den Transporten ausgewählt und zu diversen Arbeiten im Lager und beim Vernichtungsvorgang eingesetzt – was jedoch ihre Ermordung nur kurzfristig aufschob. Seit Juli 1943 wurde von Himmler die Umwandlung von S. in ein → KZ betrieben; nach der Niederschlagung eines Häftlingsaufstands am 14.10.1943 wurde das Lager jedoch aufgelöst, und man versuchte, alle Spuren des Verbrechens zu verwischen.

Thorsten Wagner

Literatur:

Arad, Yitzhak: *Belzec, Sobibór, Treblinka. The Operation Reinhard Death Camps,* Bloomington/Indianapolis 1987.

Soldatenbriefe s. Saefkow-Jacob-Gruppe

Solf-Kreis Bürgerliche Oppositionsgruppe um Hanna Solf, Witwe des 1936 verstorbenen dt. Botschafters in Tokio, Wilhelm Solf. Die Kritiker und Gegner des Hitler-Regimes, die sich sporadisch bei ihr trafen, waren zumeist ehemalige oder aktive Angehörige des diplomatischen Dienstes. Zu ihnen gehörten u.a. Generalkonsul Dr. Otto Kiep, Legationsrat a.D. Dr. Richard Kuenzer und Botschaftsrat a.D. Albrecht Graf v. Bernstorff. Die rund zehn Mitglieder des S. unterhielten vielfältige Beziehungen zu anderen Oppositionellen. Der S. stellte ein Forum des Meinungsaustauschs dar und war Basis der Widerstandsaktivitäten einzelner Mitglieder, die Verfolgten des NS-Regimes zur Flucht verhalfen. Die Einschleusung eines Spitzels durch die → Gestapo am 10.9.1943 führte im Laufe des folgenden Jahres zur Verhaftung der Mitglieder des S. Die meisten von ihnen wurden hingerichtet (→ Widerstand).

Anja von Cysewski

Sommerzeit Das Vorrücken der Uhr um eine Stunde gegenüber der MEZ dient der energiesparenden besseren Ausnutzung des Tageslichts, wurde im Ersten Weltkrieg (ab 1916) erstmals in Deutschland praktiziert und durch Verordnung vom 23.1.1940 wieder eingeführt. Die S. galt vom März bis September. Die Kapitulationsurkunde von 1945 wurde wegen der S. auf 8. Mai 23.01 MEZ datiert, das entsprach nach der S. dem vereinbarten Zeitpunkt 9. Mai 00.01 Uhr. Im Nachkriegs-Notjahr 1947 galt die »doppelte S.« mit zwei Stunden Vorsprung vor der MEZ.

Wolfgang Benz

Sonderauftrag Linz s. Linz

Sonderbehandlung (SB) Tarnbegriff für die physische Vernichtung Einzelner sowie ganzer Gruppen (zumeist im Gefolge einer → Selektion) rassisch, politisch oder aus anderen Gründen als gefährlich erachteter Menschen (Reichsfeinde, Gemeinschaftsfremde [→ Asoziale], → Juden, Zigeuner [→ Sinti und Roma] u.a.). Anderen Komposita mit dem Bestandteil »Sonder-« vergleichbar (Sonderkommando, Sondereinsatz), erhielt S. seinen spezifischen Bedeutungsinhalt erst aus der staatlichen Verwaltungspraxis, die sich um Verschleierung massenmörderischer Projekte bemühte. Reinhard Heydrich definierte S. im September 1939 als »solche Sachverhalte, die hinsichtlich ihrer Verwerflichkeit, ihrer Gefährlichkeit oder ihrer propagandistischen Auswirkung geeignet sind, ohne Ansehen der Person durch rücksichtsloses Vorgehen (nämlich durch Exekution) ausgemerzt zu werden«. In der Folgezeit setzte sich dieses Verständnis innerhalb des SS-Apparats durch; die → Einsatzgruppen berichteten regelmäßig über S. in ihrem Tätigkeitsbereich. Mit zunehmender Verbreitung schwand der Verschleierungscharakter des Begriffs. Er wurde daher zunehmend durch bedeutungsgleiche Wortchiffren (Umsiedlung, Transportierung, Durchschleusung) ergänzt.

Jürgen Matthäus

Sonderdienst Im Mai 1940 durch den Generalgouverneur für die besetzten poln. Gebiete, Hans Frank, als bewaffnete Verwaltungsexekutive der Kreishauptleute mit polizeilichen Funktionen errichtete Institution. Der S. rekrutierte sich aus → Volksdeutschen. Nach einem Kompetenzstreit zwischen Frank, der über S., SS und Polizei allein verfügen wollte, und Himmler wurde der S. ab Januar 1943 dem Befehlshaber der Ordnungspolizei im → Generalgouvernement und der → SS- und Polizeigerichtsbarkeit unterstellt. Neben verwaltungspolizeilichen Aufgaben

(Steuer- und Kontingenteintreibungen, Preisüberwachung u.a.) führte der S. Wach- und Ordnungsdienste durch und war in diesem Zusammenhang an der → Deportation von Juden beteiligt.

Volker Rieß

Sondergerichte Mit Verordnung vom 21.3.1933 in allen Oberlandesgerichtsbezirken errichtete Spezialstrafkammern. Die S. waren mit drei Berufsrichtern zu besetzen, ab August 1942 konnten Entscheidungen auch von Einzelrichtern gefällt werden. Die strafprozessualen Rechte der Beschuldigten wurden stark beschnitten. Gegen Entscheidungen der S. waren keine Rechtsmittel zulässig. Die 1940 zur Urteilskorrektur geschaffene Nichtigkeitsbeschwerde diente zunehmend der Strafverschärfung. In der Vorkriegszeit waren die S. hauptsächlich für politische Delikte nach der → Reichstagsbrandverordnung und dem → Heimtücke-Gesetz zuständig. Aber schon mit der Verordnung vom 20.11.1938 konnte jede Straftat vor S. angeklagt werden, wenn dies der Anklagebehörde wegen der »Schwere oder Verwerflichkeit der Tat« geboten schien. Die eigentliche Ausweitung der Sondergerichtsbarkeit erfolgte aufgrund der mit Kriegsbeginn erlassenen Bestimmungen des → Kriegssonderstrafrechts sowie des 1941 ergangenen → Polensonderstrafrechts. Der damit einhergehenden Verfahrenshäufung wurde mit weiterer Verfahrensstraffung und der Errichtung zusätzlicher S. begegnet, deren Zahl von ursprünglich 26 sich bis Ende 1942 auf 74 erhöhte. Um trotz der Ausweitung der Sondergerichtsbarkeit eine einheitliche Rechtsprechung im nat.soz. Sinne zu gewährleisten, wurde die Justizlenkung intensiviert (→ Justiz und Innere Verwaltung; → Richterbriefe). Das Ziel, die S. zu »Standgerichten der inneren Front« (Roland Freisler) zu machen, wurde zwar letztlich nicht erreicht, doch lassen die rund 11 000 verhängten Todesurteile sowie die Durchführung von Strafverfahren nach dem → Nacht-und-Nebel-Erlaß keinen Zweifel am Charakter der S. als rechtsstaatswidrige staatliche Terrorinstrumente zur Durchsetzung der NS-Gewaltherrschaft.

Michael Hensle

Literatur:

Hensle, Michael P.: *Die Todesurteile des Sondergerichts Freiburg 1940-1945. Eine Untersuchung unter dem Gesichtspunkt von Verfolgung und Widerstand,* München 1996.

Wrobel, Hans (Bearb.): *Strafjustiz im totalen Krieg. Aus den Akten des Sondergerichts Bremen 1940 bis 1945,* hg. vom Senator für Justiz und Verfassung der Freien Hansestadt Bremen, 3 Bde., Bremen 1991–1994.

Sonderkommando Blobel
s. Enterdungsaktion

Sonderkommando Künsberg
s. Kunstraub

Sonderkommando 1005
s. Enterdungsaktion

Sonderkommandos **s. Einsatzgruppen**

Sondermeldung Offizielle Bezeichnung für Berichte über besondere Vorkommnisse des Kriegsverlaufs. Mit der S. wurde ab 1939 das laufende Programm aller dt. Rundfunksender unterbrochen, es erklangen Fanfaren, zeitweise auch der Anfang von Franz Liszts ›Les Prélūdes‹, vor und Trauer-, bzw. Marschmusik nach der S. Während in der ersten Kriegshälfte nur Siege dt. Truppen gemeldet wurden, gab es später auch S. bei anderen Anlässen, so bei Beginn der alliierten Invasion in der Normandie und beim Tod Hitlers.

Uffa Jensen

Sonderrecht s. Kriegssonderstrafrecht, s. Polensonderstrafrecht

Sonnenburg (KZ) In der Kleinstadt S. bei Küstrin (preuß. Provinz Brandenburg) wurde am 3.4.1933 in einem leerstehenden Zuchthaus ein → KZ eingerichtet, das bis 23.4.1934 existierte. Bewacht von → SA, → SS und → Polizei war S. eines der wichtigsten KZ der Anfangszeit des Dritten Reiches im Raum Berlin. Im Mai 1933 lud das Preuß. Staatsministerium Pressevertreter zur Besichtigung ein, um Berichten über Mißhandlungen der Gefangenen entgegenzutreten. Wie in anderen Lagern wurde zu diesem Zweck ein der Realität nicht entsprechender Häftlingsalltag inszeniert, der in positiver Berichterstattung Wirkung zeigte. Prominente Häftlinge, die internationale Aufmerksamkeit auf S. lenkten, waren u.a. der Schriftsteller Erich Mühsam, der antifaschistische Rechtsanwalt Achim Litten, Carl v. Ossietzky sowie Landtagsabgeordnete der KPD und SPD. Die Gefangenen waren z.T. aus dem KZ → Oranienburg nach S. verlegt worden, die letzten Häftlinge (etwa 200) wurden im April 1934 in die → Emslandlager verbracht. Insgesamt waren bei einer maximalen Belegung von 1500 insgesamt 5000 politische Gegner u.a. Mißliebige, v.a. Kommunisten und Sozialdemokraten, in S.

Wolfgang Benz

Sonnenstein Sächs. Festung in Pirna bei Dresden; 1811 psychiatrische Anstalt, Oktober 1939 Auflösung durch Verteilung auf andere sächs. Anstalten. Im Mai 1940 wurde dort eine »Euthanasie«-Station (→ Medizin; → Aktion T 4) errichtet. Von Juni 1940 bis August 1941 wurden in S. 13 720 Anstaltspfleglinge vergast und verbrannt. Meist über die Zwischenanstalten Zschadraß, Waldheim, Arnsdorf und Großschweidnitz geleitet, kamen sie zu etwa 50% aus Sachsen sowie aus Thüringen, Schlesien und Süddeutschland. Im Sommer 1941 wurden zudem in S. im Rahmen der Invalidenaktion (→ Aktion 14 f 13) über 1000 KZ-Häftlinge aus → Buchenwald, → Sachsenhausen und → Auschwitz sowie sehr wahrscheinlich weitere Insassen aus → Stutthoff und → Ravensbrück getötet.

Volker Rieß

Sonnwendfeier Die S. wurden von 1933–1944 im Sommer jeweils am 23.6. und im Winter am 21.12. gefeiert. Diese festen Daten in der nat.soz. → Feiergestaltung sollten vermeintlich germanische Traditionen aufgreifen und waren besonders für die → Hitler-Jugend bedeutsam. Im Sommer wurden dabei in den Abendstunden Lagerfeuer entzündet, in die Ehrenkränze – Parteimärtyrern und Kriegshelden gewidmet – geworfen wurden. Außerdem gab es sog. Feuersprüche von lokalen Parteifunktionären, woran sich in der Regel Fackelzüge anschlossen. Im Winter sollte die S. in Form eines Julfestes, bei dem anonyme Geschenke ausgetauscht wurden, die christliche Weihnacht ersetzen, was jedoch nie weitere Verbreitung fand. *Uffa Jensen*

Sorben (Wenden) Westslawisches Volk in der Lausitz, 1933 nach offizieller Volkszählung 57 000. Die nat.soz. Reichsregierung versuchte nach 1933 eine eigene sorb. Identität zu ersticken. Der Dachverband Domowina wurde 1937 verboten, nachdem er sich jahrelang geweigert hatte, sich als »Bund wendischsprechender Deutscher« zu definieren. Sprachunterricht und öffentlicher Gebrauch des Sorbischen wurden untersagt und zahlreiche sorb. Führungspersonen wegen Hochverrats angeklagt und verurteilt. *Peter Widmann*

Sowjetparadies, Das (Ausstellung) s. Herbert-Baum-Gruppe

Sowjetunion Die → »Machtergreifung« Hitlers ist auch von der S. anfangs nicht in ihrer Bedeutungsschwere erfaßt worden, erst nach Abschluß des → Dt.-poln. Nichtangriffspaktes (26.1.1934) und den innerparteilichen »Säuberungen« (→ Röhm-Putsch) verstärkte Moskau seine sicherheitspolitische Annäherung an die westlichen Demokratien; der Eintritt in den → Völkerbund (18.9.1934), die Beistandspakte mit Frankreich und der ČSR (Mai 1935) und die Volksfront-Politik der kommunistischen Parteien (VII. Weltkongreß der Komintern, 25.7.–20.8.1935) resultierten aus diesen Bedrohungsängsten.

Die UdSSR befand sich Anfang der 30er Jahre in einer schwierigen Transformationsphase: 1928 begann mit dem ersten Fünfjahresplan die forcierte Industrialisierung und damit ein tiefgreifender Umbruch der gesamten sozialen Strukturen; die Kollektivierung der Landwirtschaft (seit 1929) verschärfte noch die soziale Destabilisierung. Sie konnte nur mittels Gewalt, die im Terror der »Großen Säuberungen« (1935–1938) ihren schauerlichen Höhepunkt fand, unter Kontrolle gehalten werden.

Als Instrument zur Solidarisierung von Führung und Volk wurde – in Abkehr von der weltrevolutionären Orientierung – nun der »Sowjetpatriotismus« eingesetzt, eine ideologische Disziplinierung, die sich auf die junge, zumeist technokratische Elite stützte, welche die soziale Mobilität zu ihrem Aufstieg nutzte. Die Partei griff dabei auf russ. und andere »progressive« Traditionen des Landes zurück. Zusammen mit dem enormen wirtschaftlichen Aufschwung führte dies, ungeachtet von Millionen Opfern, zum Erfolg.

Unterstützt wurde diese Solidarisierung durch die zunehmende außenpolitische Bedrohung des »einzigen sozialistischen Staates«. Die jap. Aggression (→ Japan) konnte in den Kämpfen in der Mongolei 1938/39 gestoppt werden, doch wich die Besorgnis vor der Expansionspolitik Tokios erst mit dem Neutralitätsabkommen vom 13.4.1941. In Europa hatten Abessinien- und Spanien-Krieg die Ohnmacht des Völkerbundes erwiesen, die revisionistische dt. Ostpolitik (→ Münchener Abkommen; → Sudetenkrise; → Tschechoslowakei; → Außenpolitik) rief im Verbund mit Hitlers zunehmend militantem Antikommunismus (→ Antibolschewismus) ernste Besorgnis hervor. Die Kapitulation der Westmächte vor Hitlers ČSR-Politik und die poln. Haltung führten dann zu einem Frontwechsel Moskaus: Am 23.8.1939 wurde der → Dt.-sowj. Nichtangriffspakt unterzeichnet, der im Geheimen Zusatzprotokoll der S. mit den balt. Staaten, Ostpolen, der Nordbukowina und Bessarabien schließlich einen erheblichen territorialen Gewinn und damit ein tiefes militärisches Vorfeld brachte.

Der Pakt war freilich nur interimistisch gedacht, Hitler hielt an seiner Konzeption vom → Lebensraum im Osten fest. Der Dissens in der Balkanpolitik beschleunigte den Entschluß zum Überfall auf die S., zu dem die dt. Truppen am 22.6.1941 antraten (Unternehmen → Barbarossa; → Ostfeldzug).

Erst nach der Wende des Krieges, im Sommer 1943, begann mit der Gründung des kommunistisch inspirierten → Nationalkomitee »Freies Deutschland« (NKFD) eine neue Phase sowj. Deutschlandpolitik. In Zusammenarbeit mit dt. Exilkommunisten und Vertretern des NKFD wurden Richtlinien für einen Neuaufbau Deutschlands erarbeitet, die nach der Befreiung Deutschlands in der sowj. Besatzungszone Schritt für Schritt verwirklicht wurden. *Gert Robel*

Literatur:

Lorenz, Richard: *Sozialgeschichte der Sowjetunion I,* Frankfurt am Main 1976.
Rauch, Georg v.: *Geschichte der Sowjetunion,* Stuttgart [8]1990.

Sozialdarwinismus Eine in der zweiten Hälfte des 19. Jh. im angelsächsischen Raum und in Deutschland entstandene Strömung der Sozialphilosophie, die zu den ideengeschichtlichen Quellen nat.soz. Weltanschauung gehört (→ Ideologie). Die Sozialdarwinisten wendeten die von Charles Robert Darwin 1859 in seinem Hauptwerk *On the Origin of Species by Means of Natural Selection* beschriebene Entwicklungstheorie der natürlichen Auslese in der Pflanzen- und Tierwelt auf die menschliche Gesellschaft an. Darwins These von der Durchsetzung der jeweils bestangepaßten Art erfuhr eine Umdeutung zum Überleben des Stärksten in der Gesellschaft bzw. der höchstentwickelten Nation oder Rasse gegenüber weniger entwickelten (→ Rassenkunde). Durch den Einfluß der Rassentheorie, die davon ausging, daß geistige und seelische Qualitäten von unterschiedlichem Erbgut verschiedener Rassen abhängen, wurde der Gedanke der → Selektion zunehmend prägender: Durch medizinischen Fortschritt, Hygiene und Sozialversicherung, so die sozialdarwinistische These, würden schwache und lebensuntüchtige Menschen am Leben gehalten. Weil diese sich stärker vermehrten als Träger hochwertigen Erbgutes, degeneriere eine Nation oder Rasse und könne sich im Kampf ums Dasein nicht mehr behaupten. Daraus ergebe sich die Notwendigkeit zur »Rassenhygiene« (→ Erbgesundheit). Sie müsse die Fortpflanzung minderwertigen Erbgutes verhindern und die Vermehrung des hochwertigen fördern. Sowohl sozialistische als auch bürgerliche und völkische Denker griffen den S. in verschiedenen Variationen auf; in Deutschland verbreiteten ihn u.a. der Zoologe Ernst Haeckel (1834–1919) und – radikaler – der Germanist Alexander Tille (1866–1912). Rassismus und Imperialismus fußten in ihren Rechtfertigungstheorien auf dem S. Hitlers → *Mein Kampf* ist geprägt von einer vulgärdarwinistischen Sicht gesellschaftlicher Probleme. Nat.soz. Bevölkerungspolitiker setzten die Thesen des S. um: Sie förderten einerseits erwünschte Geburten und betrieben andererseits die »Ausmerzung« unerwünschten Erbgutes durch Sterilisation, »Euthanasie« und Genozid (→ Medizin; → Aktion T4; → Rassenpolitik und Völkermord).

Peter Widmann

Literatur:

Becker, Peter Emil: *Sozialdarwinismus, Rassismus, Antisemitismus und Völkischer Gedanke. Wege ins Dritte Reich,* Teil II, Stuttgart/New York 1990.
Koch, Hannsjoachim W.: *Der Sozialdarwinismus. Seine Genese und sein Einfluß auf das imperialistische Denken,* München 1973.

Sozialdemokratische Partei Deutschlands (SPD) Die SPD leitet ihren Ursprung von dem 1863 gegründeten Allgemeinen Dt. Arbeiterverein und der 1869 gegründeten Sozialdemokratischen Arbeiterpartei ab, die sich 1875 zur Sozialistischen Arbeiterpartei Deutschlands zusammenschlossen und 1890 in Sozialdemokratische Partei Deutschlands umbenannten. 1932 war die SPD die stärkste Partei im Dt. Reichstag und konnte, trotz nat.soz. Terrors, noch bei den Reichstagswahlen vom 5.3.1933 18,3% der Stimmen (120 Mandate) erringen. Als einzige Partei stimmte sie geschlossen gegen das → Ermächtigungsgesetz, zerfiel jedoch bis zu ihrem endgültigen Verbot (22.6.1933) infolge unterschiedlicher

Konzeptionen über legale Weiterarbeit, offenen → Widerstand oder Exil (→ Emigration) in verschiedene Lager. Der Parteivorstand errichtete eine Auslandsvertretung, die sich – seit Mai 1933 mit Sitz in Prag – als Vorstand der Exil-SPD unter dem Namen »Sopade« konstituierte. Über Grenzsekretariate steuerte sie die illegale Weiterarbeit in Deutschland und äußerte ihre theoretische Position im → Prager Manifest. 1938-1940 verlegte man den Sitz nach Paris, 1940 nach London; hier schloß sich die SPD im März 1941 mit anderen sozialistischen Exilbewegungen zur Union dt. sozialistischer Organisationen in Großbritannien zusammen.

Die nichtexilierten, in Deutschland verbliebenen Parteimitglieder zerfielen nach 1933 in drei Gruppen: Die zahlenmäßig stärkste Gruppe zog sich ins private Leben zurück und versuchte, innerhalb des sozialdemokratischen Milieus ihre politische Gesinnung aufrechtzuerhalten; eine zweite kleinere Gruppe ehemaliger Funktionäre hielt ein lockeres überregionales illegales Organisationsnetz aufrecht, welches im Widerstand aktiviert werden konnte; die dritte Gruppe – die v.a. aus dem sozialdemokratischen Umfeld hervorgegangenen Jugendorganisationen – leisteten 1933/34 die eigentliche Untergrundarbeit, fielen jedoch bis 1937 der engmaschiger gewordenen Überwachung der → Gestapo weitgehend zum Opfer. Das Fortleben tradierter sozialdemokratischer Lebensräume war eine wesentliche Voraussetzung dafür, daß sich die SPD bereits im Herbst 1945 neu organisieren konnte.

Michael Sommer

Literatur:
Buchholz, Marlis/Bernd Rother: *Der Parteivorstand der SPD im Exil. Protokolle der Sopade 1933–1940,* Bonn 1995.
Edinger, Lewis J.: *Sozialdemokratie und Nationalsozialismus. Der Parteivorstand der SPD im Exil von 1933–1945,* Hannover 1960.

Sozialistische Arbeiterpartei Deutschlands s. Widerstand, s. a. Arbeiterwiderstand

Spanien Das Scheitern der Zweiten Republik (1931–1936/39) im → Span. Bürgerkrieg brachte am 1.4.1939 General Francisco Franco y Bahamonde und mit ihm die Falange Española (FE; wörtl.: Stoßtrupp), eine von Primo de Rivera 1933 gegründete populistische und faschistische Bewegung, an die Spitze des span. Staates, die Franco bis April 1937 zur nationalen Sammelbewegung (FET y de las JONS) reformierte. Seit Juli 1942 ein nur vordergründig repräsentativer Staat mit pseudo-demokratischer Legitimation, blieb das S. Francos bis zu dessen Tod (20.11.1975) eine repressive, autoritäre Diktatur ohne kodifizierte Verfassung. Für das nat.soz. Deutschland bezeichnete der Erfolg der Franquisten im Span. Bürgerkrieg einen wichtigen außenpolitischen Erfolg. Schon zu Beginn des span. Konfliktes waren Beziehungen zwischen Hitler und Franco zustande gekommen, zunächst mit der Gründung einer span.-marokk. Transportgesellschaft (HISMA), die der Verlegung des Afrikaheeres nach S. diente, später mit der Bildung des Kompensationssystems HISMA/ROWAK, vermittels dessen sich die dt. Regierung die seit Oktober 1936 laufende Militärhilfe (→ Legion Condor) mit der Einfuhr span. Waren bezahlen ließ. Trotz S. Beitritt zum → Antikominternpakt im März 1939, eines Treffens zwischen Hitler und Franco in → Hendaye (23.10.1940) sowie span. Rohstoffexporte (v.a. Wolfram) trat S. nicht an der Seite Deutschlands in den Zweiten Weltkrieg ein, sondern verfolgte zwischen Neutralität und Nichtkriegführung (Juni 1940 – Oktober 1943) eine Schaukelpolitik mit eigenen politischen Zielen in Nordafrika (14.6.1940

Besetzung Tangers). Als nach dem dt. Überfall auf die UdSSR (22.6.1941; → Ostfeldzug) der Druck einer antikommunistisch gestimmten Öffentlichkeit und der extremen politischen Rechten auf Franco zunahm, willigte er ein, 100 000 span. Arbeitskräfte nach Deutschland zu schicken (→ Fremdarbeiter) und eine Gruppe von freiwilligen Kämpfern, die → Blaue Division (insg. etwa 47 000 Mann), an die dt. Ostfront zu entsenden. Deren Rückzug erfolgte auf internationalen Druck erst seit November 1943. S. löste seine diplomatischen Beziehungen mit dem NS-Regime am 8.5.1945.

Matthias Sommer

Literatur:

Payne, Stanley G.: *The Franco Regime 1936–1975* Madison (Wisonsin) 1987.
Ruhl, Klaus-Jörg: *Spanien im Zweiten Weltkrieg. Franco, die Falange und das »Dritte Reich«*, Hamburg 1975.
Fusi, Juan Pablo: *Franco. Spanien unter der Diktatur 1936–1975*, München 1992.

Spanienkämpfer Während des → Span. Bürgerkriegs kämpften in den Reihen der republikanischen Armee, insbesondere in den ihr angeschlossenen, später integrierten Internationalen Brigaden neben Sympathisanten aus aller Herren Länder etwa 5000 dt. Exilkommunisten. Demgegenüber lag die Zahl der dt. Soldaten auf seiten der Putschisten bei etwa 19 000, von denen die Mehrzahl der im November 1936 gegründeten → Legion Condor angehörten (→ Spanien). Nach Frankreich geflohene S. reichsdt. Herkunft liefen Gefahr, nach der Besetzung Frankreichs 1940 von dt. Truppen standrechtlich erschossen zu werden, wenn sie sich den bewaffneten Verbänden der frz. Armee oder den »Formations des Travailleurs Êtrangers« angeschlossen hatten. Gleiches galt für S. tschech. Herkunft, die mit der Bildung des Protektorats Böhmen und Mähren als Reichsdt. behandelt wurden.

Matthias Sommer

Spanischer Bürgerkrieg Der S. (17.7.1936–1.4.1939) begann mit einem Militärputsch nationalistischer Generäle in Spanisch-Marokko, die in ihrem Kampf gegen die republikanische Volksfront-Regierung durch katholische und rechtsrepublikanische Konservative, karlistische Monarchisten und die faschistische Falange unterstützt und getragen wurden. Der S. hat seinen Ursprung in einer Anzahl ungelöster innergesellschaftlicher, politischer und sozialer Konflikte, die die instabile Zweite Republik (1931–1936/39) nicht zu bewältigen vermochte, doch wurden Charakter, Dauer, Verlauf und Ausgang des Konfliktes maßgeblich durch die Internationalisierung des Krieges bestimmt, der v.a. im Urteil der beteiligten internationalen Konfliktparteien den Status eines antifaschistischen bzw. antikommunistischen Kampfes gewann. Seit dem 26.7.1936 leistete neben dem faschistischen Italien auch das Dritte Reich den Putschisten umfangreiche materielle und personelle Hilfe, deren Ursachen weniger in militärtechnischen Erwägungen dt. Militärs und nur z.T. in wehrwirtschaftlichen Strategien der Rüstungsindustrie, sondern v.a. auch im macht- und bündnispolitischen Kalkül der nat.soz. → Außenpolitik zu suchen sind, innerhalb derer sowohl die Stärkung des faschistischen Blocks in Europa als auch der Suprematieanspruch des Dritten Reiches eine Rolle spielten (→ Spanienkämpfer). Mit der Verfügung über dt. Transportflugzeuge, um deren Lieferung General Franco am 23.7.1936 gebeten hatte, und der militärischen Unterstützung durch dt. Luftwaffeneinheiten (→ Legion Condor) gelang es den Aufständischen, die republikanischen Truppen v.a. während der

Kämpfe im Norden (April 1937–1938) zurückzudrängen. Zum Symbol des direkten militärischen Eingreifens dt. Verbände in den S. wurden das Bombardement und die Zerstörung → Guernicas, der heiligen Stadt der Basken, durch dt. Bombenflugzeuge am 26.4.1937. *Matthias Sommer*

Literatur:
Schieder, Wolfgang/Christof Dipper (Hg.): *Der Spanische Bürgerkrieg in der internationalen Politik (1936–1939).* 13 Aufsätze, München 1976.
Tuñón de Lara, Manuel, u.a.: *Der Spanische Bürgerkrieg. Eine Bestandsaufnahme,* Frankfurt am Main 1987.

Spargemeinschaft SS s. SS-Wirtschaftsunternehmen

Sperrmark s. Neuer Plan

SPD s. Sozialdemokratische Partei Deutschlands

Sportpalastrede s. Totaler Krieg

SS s. Schutzstaffeln

SS-Totenkopfverbände (SS-TV) s. Waffen-SS

SS- und Polizeiführer s. Höhere SS- und Polizeiführer

SS- und Polizeigerichtsbarkeit Die Sondergerichtsbarkeit in Strafsachen für Angehörige der → SS und für Angehörige der Polizeiverbände bei besonderem Einsatz wurde durch Verordnung des → Ministerrats für die Reichsverteidigung am 17.10.1939 eingeführt. Danach wurden Strafsachen des betroffenen Personenkreises, der während des Krieges erheblich erweitert wurde und z.B. die → Waffen-SS und die gesamte Ordnungspolizei umfaßte (→ Polizei), nicht vor ordentlichen Gerichten verhandelt, sondern vor → Sondergerichten der SS und Polizei, deren höchstes das Hauptamt SS-Gericht in München war. Die untergeordneten SS- und Polizeigerichte wurden an den Dienstsitzen der → Höheren SS- und Polizeiführer eingerichtet. Die S. war analog zur → Kriegsgerichtsbarkeit der Wehrmacht gedacht, die Rechtsfindung hatte jedoch so zu geschehen, daß »die allgemeinen Strafgesetze von den SS- und Polizeigerichten entsprechend den Grundanschauungen der SS auszulegen sind«, wie es in einer Verlautbarung des Hauptamtes SS-Gericht vom 11.11.1942 hieß. In der Praxis bedeutete dies harte Strafen bei Kameradschaftsvergehen und nachsichtige Ahndung von Übergriffen SS- und Polizeiangehöriger gegen politische Gegner oder rassisch unerwünschte bzw. »Minderwertige«, solange sie nicht eigennützigen Interessen entsprangen. *Frank Dingel*

SS-Verfügungstruppe (SS-VT) s. Waffen-SS

SS-Wirtschaftsunternehmen Die ersten S. entstanden eher beiläufig als Resultat der Funktionen der → SS und der weltanschaulichen Ambitionen ihres obersten Repräsentanten, des → Reichsführers SS Heinrich Himmler. An Unternehmen mit der zentralen Aufgabe der Profitmaximierung war zunächst nicht gedacht. Der eine Strang SS-betriebener Warenproduktion ergab sich aus der über den Eigenbedarf hinausgehenden Produktion der Häftlinge in den → Konzentrationslagern, z.B. im KZ → Dachau, das über Tischlerei, Schlosserei, Elektrowerkstatt, Schuhmacherei, Sattlerei, Schlächterei und Bäckerei verfügte. Aus persönlichen Interessen Himmlers entstanden die Nordland-Verlag GmbH, die SS-Gedankengut publizistisch zu verbreiten hatte, die → Porzellan-Manufaktur Allach-München GmbH, zu deren Produktion die »Julleuchter« gehörten, mit denen Himmler einen Kontrapunkt zu traditionellem Weihnachtsbrauchtum setzen wollte, und andere Unternehmen (Photo-Gesellschaft F.F. Bauer GmbH, Anton Loibl GmbH). Einrichtungen wie die Gemeinnützige Wohnungs- und Heimstätten GmbH und die Spargemeinschaft-SS dienten der inneren Stabilisierung des SS-Ordens, die Gesellschaft zur Förderung Dt. Kulturdenkmäler und die vom → Ahnenerbe betreute Externsteine-Stiftung sollten eine SS-spezifische historische Vertiefung betreiben.

Der Funktionswandel der KZ von Orten politischer Einschüchterung und Disziplinierung zu Ausbeutungsstätten von Gratisarbeitskraft spiegelt sich auch in den S. wider, bei denen die Produktion nicht mehr Nebenprodukt der politischen Repression war, sondern mehr und mehr zum Selbstzweck wurde. Das KZ → Natzweiler im Elsaß entstand z.B., weil die 1938 gegründete SS-Unternehmung Dt. Erd- und Steine GmbH (DEST) dort Granit gewinnen wollte. Weitere große SS-Unternehmen mit Häftlingsarbeit als Basis waren die 1939 gegründeten Dt. Ausrüstungswerke (DAW), deren Aufgabe lt. Gesellschaftsvertrag u.a. in der »Beschäftigung brachliegender, in der freien Wirtschaft aus den verschiedensten Gründen nicht zu verwendender Arbeitskräfte mit Arbeiten für die öffentliche Hand« bestand, die ebenfalls 1939 gegründete Dt. Versuchsanstalt für Ernährung und Verpflegung GmbH und die 1940 gegründete Gesellschaft für Textil- und Lederverwertung GmbH. All diese Betriebe wurden zusammengefaßt in der Dachgesellschaft Deutsche Wirtschaftsbetriebe (DWB), als deren Gesellschafter Oswald Pohl und Georg Lörner zeichneten. Pohl war zugleich Chef und Abteilungsleiter im → SS-Wirtschafts-Verwaltungs-Hauptamt, in dem die wirtschaftlichen Fäden der SS zusammenliefen.

Mit der Expansion der SS während des Krieges expandierten auch die DWB. Ihr Ehrgeiz richtete sich neben Erwerbungen im Bereich der Möbelindustrie v.a. auf die Beherrschung des Mineralwassermarktes, was dem Antialkoholiker und Gesundheitsapostel Himmler ein besonderes Anliegen war. Im → Generalgouvernement sicherte sich die SS Produktionsstätten, die mit jüdischer → Zwangsarbeit betrieben wurden (Ostindustrie GmbH). Mit der Ermordung ihrer Arbeiter im Zuge der → Endlösung mußten die Betriebe liquidiert werden, obwohl sie größtenteils kriegswichtige Güter herstellten. In der Sowjetunion sicherte sich die SS bis Ende 1944 ca. 100 landwirtschaftliche Betriebe mit ca. 600 000 ha Land. Hier zeigte sich wieder der ursprüngliche Antrieb wirtschaftlicher Aktivität der SS und ihres Führers Himmler: Landraub für die aggressive Siedlungspolitik einer sich überlegen dünkenden Herrenrasse.

Frank Dingel

Literatur:

Georg, Enno: *Die wirtschaftlichen Unternehmungen der SS,* Stuttgart 1963.

SS-Wirtschafts-Verwaltungs-Hauptamt (WVHA) Entstand am 1.2.1942 durch die Zusammenlegung der SS-Hauptämter »Verwaltung und Wirtschaft« und »Haushalt und Bauten« (→ SS). Beide Hauptämter waren in Personalunion von Oswald Pohl geleitet worden, der, von Hause aus Marine-Zahlmeister, 1933 vom → Reichsführer SS Heinrich Himmler für den Posten eines SS-Verwaltungschefs gewonnen worden war. Das Hauptamt Verwaltung und Wirtschaft hatte die aus dem Etat der NSDAP kommenden Gelder für die SS verwaltet, das Hauptamt Haushalt und Bauten die Gelder aus dem

Reichshaushalt, die vor allem für die SS-Verfügungstruppe und die SS-Totenkopfverbände bestimmt waren (→ Waffen-SS). Chef der so geschaffenen Mammutbehörde mit mehr als 1500 Mitarbeitern war ebenfalls Pohl. Das WVHA gliederte sich in fünf Amtsgruppen, von denen sich die Amtsgruppen A und B mit Truppenverwaltung und Truppenwirtschaft (d.h. der Waffen-SS) befaßten. Die Amtsgruppe C war für das Bauwesen, die Amtsgruppe D für die → Konzentrationslager zuständig. In der fünften und letzten Amtsgruppe W liefen die Fäden der → wirtschaftlichen Unternehmungen der SS zusammen. Die Einbeziehung der KZ in das WVHA unterstrich, daß KZ-Häftlinge als Gratisarbeitskräfte gesehen wurden, und zwar sowohl für die SS-eigenen Unternehmen als auch für Fremdfirmen, v.a. in der Rüstungsproduktion. Fremdfirmen mußten für die Häftlingsarbeitskraft ein kleines Entgelt zahlen, das aber nur zum geringsten Teil den Arbeitenden, vielmehr vor allem dem WVHA zufloß. Gegen Ende des Krieges trieb das WVHA die Verlegung der Rüstungsproduktion, v.a. zur Herstellung der sog. → V-Waffen, in unterirdischen Stollen voran (→ Dora-Mittelbau), was nur unter großen Opfern der unter unmenschlichen Bedingungen eingesetzten KZ-Arbeiter gelang. Obwohl die Arbeitskraft der KZ-Häftlinge immer wichtiger wurde, verhinderten Pohl und das WVHA weder die »Vernichtung durch Arbeit« noch gar den Genozid an den Juden (→ Rassenpolitik und Völkermord). Oswald Pohl wurde 1947 vom III. US-Militärgerichtshof in Nürnberg zum Tode verurteilt und am 8.6.1951 hingerichtet (→ Nachkriegsprozesse). *Frank Dingel*

Stabswachen s. Sturmabteilung (SA)

Stadt der Auslandsdeutschen Von Hitler 1936 Stuttgart verliehener Beiname. Stuttgart, seit 1917 Sitz des Dt. Auslands-Instituts, sollte die Beziehungen zwischen Deutschen in aller Welt und Hitler-Deutschland durch Bildungsangebote, Vergünstigungen und Tagungen vertiefen. Während des Krieges wurden diese kostenintensiven Angebote nach und nach wieder eingestellt.

Heidrun Holzbach-Linsenmaier

Stadt der Reichsparteitage s. Nürnberg

Stadt des deutschen Handwerks Nach der → Dt. Gemeindeordnung konnte das Recht verliehen werden, zum Stadtnamen eine besondere Bezeichnung zu führen. Der Frankfurter Oberbürgermeister Krebs beantragte im Juni 1934 beim Preuß. Innenministerium eine solche, wies aber darauf hin, daß er gegen die naheliegende Bezeichnung »Handelsstadt« Bedenken »im Hinblick auf die frühere Vorherrschaft des Judentums in Frankfurt« hege. Er empfahl »Alte Kaiser- und Handelsstadt«, favorisierte dann »Dt. Kongreß- und Kulturstadt«. 1935 wurde zunächst »Stadt der dt. Mode« erwogen, im Juni erfolgte anläßlich des Reichshandwerkstages schließlich mit einem Grußtelegramm Hitlers die Benennung in »S.«, die im November 1936 rechtskräftig wurde. Ein inhaltlicher Bezug existierte nicht, ebensowenig stellte sich die erhoffte Wirtschaftsförderung oder eine gesteigerte gewerbliche Bedeutung Frankfurts ein. *Wolfgang Benz*

Stadt des KdF-Wagens (Wolfsburg) Die S. für die Produktion eines → Volkswagens sollte nach dem Willen Hitlers als »vorbildliche dt. Arbeiterstadt« in Form einer industriellen Neugründung in einem industriearmen Gebiet angelegt werden. Träger der Planung war die → DAF, Architekt der

Stadtplaner Peter Koller. In Anlehnung an gartenstädtische Vorbilder sollte für etwa 90 000 Einwohner eine Musterstadt geschaffen werden, die Industrie, Wohnen und Erholung miteinander verbinden, gleichzeitig aber auch eine funktionierende Stadtmitte (»Stadtkrone«) schaffen sollte. Spezifisch nat.soz. Vorstellungen schlugen sich in der Achsen-Konzeption und in der zentralen Position der Parteigebäude nieder. Am 26.5.1938 erfolgte die Grundsteinlegung (→ Salzgitter; → Reichswerke »Hermann Göring«). *Horst Matzerath*

Stahlhelm – Bund der Frontsoldaten Der S. wurde im Dezember 1918 von dem Chemiefabrikanten und Reserveoffizier Franz Seldte gegründet. Der Name geht zurück auf den in der dt. Armee 1916 eingeführten und zum ersten Mal während der Verdun-Schlacht verwendeten Helm, der die sog. Pickelhaube ablöste. Der Helm besaß in der Weimarer Republik einen hohen symbolischen Wert. Namentlich innerhalb der politischen Rechten versinnbildlichte er gleichermaßen das angeblich unbesiegte dt. Heer und den Mythos von der Frontgemeinschaft. Ursprünglich als bloßer Interessenverband für Veteranen ins Leben gerufen, entwickelte sich der S. zu einem entschiedenen politischen Gegner der Republik. Schon vor 1933 kam es dabei zu Annäherungen an die Nat.soz., zu deren → SA der S. eigentlich in Konkurrenz stand, die aber nach der »Machtergreifung« größere Teile des S. übernahmen. 1934 unter der Bezeichnung »NS-Frontkämpferbund« gleichgeschaltet, wurde der S. ein Jahr später ganz aufgelöst. Seinen Mitgliedern wurde trotz der Aufnahmesperre der NSDAP die Möglichkeit eingeräumt, in die Partei einzutreten. *Bernd Ulrich*

Stahlpakt Bezeichnung für den beim Besuch von Reichsaußenminister v. Ribbentrop in Mailand 1939 ausgehandelten dt.-ital. Freundschafts- und Bündnispakt, der am 22.5. in Berlin unterzeichnet wurde. Der Name S. geht auf die Mussolini zugeschriebene Bezeichnung des Abkommens als »potto d'acciaio« zurück. Die sieben Vertragsartikel und ein Geheimes Zusatzprotokoll sahen gegenseitige diplomatische und militärische Unterstützung auch für den Fall eines Angriffskrieges vor; im Kriegsfall sollten Friedens- und Waffenstillstandsverhandlungen nur in gegenseitigem Einverständnis aufgenommen werden. Ferner wurden häufigere Konsultationen und noch engere Zusammenarbeit auf rüstungswirtschaftlichem und militärischem Gebiet verabredet. Der S., abgeschlossen nach der Zerschlagung der → Tschechoslowakei und wenige Wochen nach dem für die → Achsenmächte günstigen Ausgang des → Spanischen Bürgerkriegs sowie der Unterzeichnung des → Antikominternpakts, enthüllt die Risikobereitschaft der Achsenmächte bis hin zum Krieg angesichts der auch auf dem Balkan (→ Rumänien; → Jugoslawien) immer schwächer werdenden Position der westlichen Demokratien. Während Hitler den S. jedoch zur Absicherung der kriegerischen Auseinandersetzung mit Polen abschloß (Befehl für den Fall Weiß am 11.4.1939, → Polenfeldzug), zögerte Mussolini aus Argwohn gegen Hitlers Polenpolitik, aber auch, weil er Italien erst ab 1943 kriegsbereit sah, mit dem Abschluß. Er ließ sich aber schließlich mit einer Bestimmung aus der Präambel, die die Unveränderbarkeit der Brennergrenze zur Voraussetzung für den S. machte und damit die Grundlage für die dt.-ital. Vereinbarung vom 21.10.1939 über → Südtirol schuf, und durch die Aussicht auf freie Hand gegen → Albanien (→

Balkanfeldzug) ködern. Sowohl Hitlers Kriegspolitik gegen Polen als auch Mussolinis Annexion Albaniens, beides ohne Einflußmöglichkeit des Partners betrieben, zeigen die Bedeutungslosigkeit des S., der mit dem Waffenstillstand → Italiens 1943 endgültig zerbrach (→ Italienfeldzug). *Hermann Weiß*

Stalingrad Sowj. Stadt an der unteren Wolga (450000 Einwohner 1940; heute Wolgograd), Rüstungszentrum und Verkehrsknotenpunkt. Am 23.7.1942 befahl Hitler in seiner Weisung Nr. 45 der Heeresgruppe B im Rahmen der dt. Sommeroffensive (→ Ostfeldzug) die Eroberung von S., während die Heeresgruppe A die kaukasischen Ölfelder besetzen sollte. Vom 1.–15.9. drangen die 6. Armee und die 4. Panzer-Armee in die Vororte von S. ein. Am 18.11. waren nach verlustreichem Häuserkampf 90% der Stadt erobert, während die Sowjets starke Reserven um S. zusammenzogen. Am 19.11. begann von Nordwesten und Süden die zangenförmige Gegenoffensive, die am 22.11. zur Einkesselung der Masse der eingedrungenen dt. Streitkräfte in einem Oval von 50×40 km führte. Hitler, der die Stadt zum Symbol dt. Siegeswillens stilisierte, verbot kategorisch jeden Ausbruch. Entsatzversuche scheiterten. Als die Rote Armee am 16.1.1943 den wichtigsten Flugplatz im Kessel eroberte, brach die ohnehin ungenügende Luftversorgung zusammen. In den folgenden Wochen überrannten die Sowjets sämtliche Verteidigungslinien und spalteten die 6. Armee. Am 31.1.1943 kapitulierte der Süd-, am 2.2. der Nordkessel mit 21 dt. und 2 rumän. Divisionen. 150000 dt. Soldaten waren tot, 91000 gingen in Gefangenschaft. Weitreichender noch als die militärischen Folgen (Wende an der Ostfront) waren die Auswirkungen von Sieg und Niederlage auf die Moral der Bevölkerungen. In einer pathetischen Rede suchte Göring die dt. Sprachregelung vom militärisch notwendigen Opfer mit dem Hinweis auf die Aufopferung des spartanischen Heeres unter Leonidas bei den Thermopylen schmackhaft zu machen. *Thomas Bertram*

Ständestaat Bezeichnung für die österr. Staatsform von 1934–1938. Unter Rekurs auf die Aufteilung der Gesellschaft in »ordines« im christlichen Mittelalter, entwickelte sich das Konzept des S. im 19. Jh. nicht zuletzt unter dem Einfluß der katholischen Soziallehre. Leo XIII. sah 1891 in der Enzyklika »Rerum novarum« den S. als Modell für die Überwindung des Klassenkampfes. Die ständische Gliederung (Berufsstände) der Gesellschaft wurde als natürliches Aufbauprinzip des Staates verstanden. Die Lehre von Othmar Spann (1878–1950), der eine Neuordnung des Staates auf der Grundlage einer berufsständischen Ordnung forderte, übte starken Einfluß auf die österr. Heimwehren aus. Grundgedanken der Lehre von Spann finden sich in der von Dollfuß erlassenen Verfassung vom 1.5.1934 (Maiverfassung; → Österreich). Die Nat.soz. beseitigten in Österreich nach dem → Anschluß alle ständestaatlichen Elemente. Die Ständelehre Spanns wurde von den Nat.soz. abgelehnt, da sie eine Souveränität des Standes nicht anerkannten. »Im nat.soz. Staat regeln die einzelnen Lebensgebiete (Stände) wie Wirtschaft, Kunst, Wissenschaft ihre Angelegenheiten nicht unabhängig in eigener Souveränität, sondern die einzelnen Lebensgebiete (Stände) müssen sich nach der nationalsozialistischen Weltanschauung gestalten« (SD [Hg.]; Der Spann-Kreis, 1935, S. 3). *Markus Meckl*

Standarte Verlags- und Druckerei GmbH s. Eher Verlag

Standgerichte Gerichte, die meist sofort vollstreckbare Urteile im Schnellverfahren erließen. S. wurden zunächst zur Bekämpfung des Widerstandes im okkupierten Polen eingerichtet. Die Besetzung dieser S. erfolgte mit Polizei- und SS-Angehörigen. Für den Bereich der → Wehrmacht wurde mit Verordnung vom 1.11.1939 die Bildung von S. zulässig, wenn eine Aburteilung zwingend geboten schien und das zuständige Militärgericht nicht erreichbar war. Im Juni 1943 wurde beim → Reichskriegsgericht ein zentrales Sonderstandgericht für politische Strafsachen gebildet (→ Kriegsgerichtsbarkeitsbefehl). Am 15.2.1945 erging die Verordnung zur Errichtung von S., die mit einem Strafrichter, einem NSDAP-Funktionär und einem Offizier zu besetzen waren und die faktisch nur zwischen Freispruch und Todesurteil zu entscheiden hatten. Dem Terror der S. (ab 9.3.1945 auch »fliegende« S.) fielen in den letzten Kriegswochen zahlreiche Menschen (nach Schätzungen mehrere tausend) zum Opfer. *Michael Hensle*

Stäuber-Banden s. Edelweiß-Piraten

Stefan-George-Preis s. Nationalpreis für Buch und Film

Stellvertreter des Führers (ab 1941 Parteikanzlei) Am 21.4.1933 ernannte Hitler Rudolf Heß, der seit langem sein persönlicher Sekretär und seit kurzem (20.12.1932) zugleich Vorsitzender einer »Politischen Zentralkommission« war, zu seinem Stellvertreter (StdF) und erteilte ihm die »Vollmacht, in allen Fragen der Parteileitung« in seinem Namen zu entscheiden. Die daraufhin errichtete Dienststelle des S. mit Sitz in München wurde am 12.5.1941, nach Heß' überraschendem Schottlandflug, in »Parteikanzlei« umbenannt und Reichsleiter Martin Bormann unterstellt. Dieser hatte als »Stabsleiter« des S. (seit 1.7.1933) Heß schon zuvor allmählich und nicht ohne dessen Mitverantwortung beiseite gedrängt. An dem fortgesetzten Ausbau der Dienststelle zu einer Kontroll- und z.T. Führungsinstanz gegenüber »Partei und Staat«, ausgenommen allerdings → Wirtschaft, → Propaganda, → Wehrmacht und → SS, hatte Bormann aufgrund seines machtpolitischen Talents und seines Geschicks im Umgang mit Hitler spätestens ab 1935 einen größeren Anteil als Heß. Die Zahl der Beschäftigten des S. stieg von anfänglich 2–3 (1933) über rund 100 (1939) bis auf etwa 400 (1944) an. Im Lauf des Jahres 1934 bildeten sich außer einer Abteilung für Personal und einer hausinternen Organisation eine »Parteirechtliche« und eine »Staatsrechtliche« Abteilung, bestimmt für Angelegenheiten der NSDAP bzw. des Staates. Außerdem siedelten sich eine Reihe von »Sachbearbeitern, Beauftragten und sonstigen Einrichtungen im Umfeld« (Longerich) der Dienststelle an, darunter die → Parteiamtliche Prüfungskommission zum Schutze des NS-Schrifttums, das Hauptarchiv der NSDAP, das Hauptamt für Kommunalpolitik, das → Rassenpolitische Amt der NSDAP, die → Dienststelle Ribbentrop für außenpolitische Fragen u.a.

Die Entwicklung der Dienststelle des S. bzw. der Parteikanzlei kann als Beispiel für jene Variante der (unausgesprochenen) Hitlerschen Herrschaftsgrundsätze verstanden werden, die das Korrelat zum Prinzip des »Teile und herrsche« darstellte: Jeder Teilhaber an der Macht im Nat.soz. hatte sich in einer Art »Kampf ums Dasein« sein »Recht« selbst zu beschaffen. Erwies er sich als der »Stärkere«, beließ ihm der Diktator ohne Rücksicht auf einstmals bestehende Berechtigungen das Errungene. Blieb er (auch z.B. in Kompetenzkämpfen) der Unterlegene, verschaffte ihm auch Hitler sein Recht nicht wieder. Dementsprechend besaß die Dienststelle des S. trotz der umfassend erscheinenden Ermächtigung am Anfang nahezu keine konkret festgelegten Kompetenzen und insbesondere keine Weisungsbefugnisse gegenüber den Ämtern der Partei und des Staates, erlangte bei den meisten davon aber allmählich und im Verlaufe langwieriger Auseinandersetzungen die Anerkennung und weitgehende Respektierung erheblicher, wenngleich uneinheitlich gehandhabter Anordnungs-, Einspruchs-, Kontroll- und Lenkungsrechte in unterschiedlichen Bereichen.

Im Bereich der Partei sah Hitler es wahrscheinlich als ursprüngliche Aufgabe seines S. an, ihn von Routineangelegenheiten und v.a. von den widerspruchsvollen Ergebnissen zu entlasten, die die skizzierten Herrschaftsmethoden fortgesetzt hervorbrachten. Heß bemitleidete sich daher häufig selbst als »die Klagemauer der Bewegung«. Vielfach war er mit Vermittlungsaufgaben beschäftigt. Das war oft wirkungslos, denn ein Unterstellungsverhältnis der → Reichs- und der → Gauleiter unter den S. bzw. die Parteikanzlei, wie es ein System klarer Verantwortlichkeiten erfordert hätte, war offenbar bewußt nicht geschaffen worden. Mehrere Anordnungen des S. betreffend eine Berichtspflicht der Reichsleiter über wichtige politische Vorgänge (22.12.1933, 9.4.1934) sind bezeichnend für den geringen Einfluß und das Ringen um Anerkennung in der Anfangszeit.

Dennoch gelang es, die Stellung des S. allmählich zu stärken. Hauptrivale war Reichsleiter Robert Ley, seit 20.12.1932 Chef des Funktionärskorps (»Stabsleiter der P.O.«, der »Politischen Organisation«). In einer langjährigen Auseinandersetzung wurde Ley immer mehr zurückgedrängt, bis er 1941 auch das alleinige Vortragsrecht in Personalangelegenheiten bei Hitler verlor. (Allerdings behielt er seinen offiziellen Posten und Titel sowie die → DAF und die Verfügungsgewalt über deren erhebliches Vermögen). Ferner gelang dem S. die Durchsetzung der alleinigen Befugnis zur Vertretung der Partei gegenüber dem Staat sowohl auf der Ebene des Reiches (unterstützt von der Beteiligung an Gesetzgebung und Personalentscheidungen) als auch auf der Ebene derjenigen Länder, die mehr als zwei Gaue umfaßten (Bayern und Preußen; Anordnung vom 25.10.1935). Diese Einschränkung betraf nur einige Gauleiter. Insgesamt verstand es Bormann sehr geschickt, mit diesen Statthaltern Hitlers, die nach dessen Willen »möglichst souverän« (Anordnung vom 20.12.1932) in ihren Gauen schalten und walten sollten und dies auch taten, umzugehen. Er verwandelte deren Bestrebungen in ein Herrschaftsmittel für seine eigene Position, indem er sie in einem Prozeß der strengen »Hierarchisierung« (Longerich) gegenüber rivalisierenden Stellen einschließlich der lokalen SS und der Kreisleitungen stützte und so an den S. bzw. die Parteikanzlei band. Er tat dies auch durch Einführung einer strikt überwachten, periodischen Berichtspflicht und durch ein bei Hitler erwirktes Verbot der Zusammenkunft von mehr als zwei Gauleitern.

Gegenüber dem »Staat« gewann die Dienststelle des S. Einfluß zunächst durch die Berufung von Heß ins Reichskabinett (29.6.1933), gefolgt von seiner Ernennung zum Reichsminister (1.12.1933) und besonders durch die am 27.7.1934 durch Anordnung Hitlers erlangte Beteiligung an der Gesetzgebung vom Entwurfsstadium an. Die Vorgänge führten zu einer Nebenregierung mit Vetofunktion und zur

Durchbrechung zahlreicher Kompetenzen sowie vielfacher Stagnation in der Gesetzgebung. Folgenreicher noch war das fortgesetzte Drängen auf ständig schärfere Maßnahmen gegenüber zahlreichen Verfolgten bereits unter Heß (→ Nürnberger Gesetze), besonders aber unter Bormann, der einen hohen Anteil an den Verbrechen des Nat.soz. hatte. Das zweite wesentliche Kontrollinstrument des S. und der Parteikanzlei im staatlichen Sektor bestand in dem Recht der Mitwirkung bei der Ernennung aller höheren Beamten (Anordnung vom 24.9.1935). Sie führte außer zu Stellenbesetzungen nach »politischen« Gesichtspunkten auch zur Disziplinierung, Einschüchterung und Unterdrückung aller Art, wahrgenommen wiederum höchst uneinheitlich und verbunden mit verbreiteten Patronage-Gewohnheiten. Dennoch vermochte die Dienststelle das Erfordernis der Parteimitgliedschaft, außer bei Spitzenbeamten, nicht verbindlich durchzusetzen. Bormann war ständig bestrebt, auch seine persönlichen Befugnisse zu erweitern. Er war Mitglied des »Dreimännergremiums« des (allerdings weitgehend versagenden) → Ministerrats für die Reichsverteidigung. Am 2.8.1942 bezeichnete er sich als »zentraler Bearbeiter politisch-konfessioneller Fragen« (bei Hitler). Am 12.4.1943 wurde er zum »Sekretär des Führers« ernannt. Am 8.5.1943 wurde bekanntgegeben, daß er auch »Sonderaufträge« Hitlers außerhalb der Aufgaben der Parteikanzlei durchführe. Im Dezember 1943 unternahm er den Versuch, sich bei der Wehrmacht einzuschalten (Installation der → NS-Führungsoffiziere). Im September 1944 wurde er zuständig für die politische Führung des → Volkssturms (Himmler erhielt die militärische). Hitler hatte die Macht wieder einmal geteilt vergeben. Zugelassen allerdings hatte er, daß Bormann das Recht, über den Zugang zum »Führer« zu bestimmen, monopolisierte. Den Vertreter für staatliche Angelegenheiten im Führerhauptquartier, Minister Lammers als Chef der → Reichskanzlei, hatte Bormann so oft daran gehindert, Entscheidungen Hitlers in wichtigen Angelegenheiten einzuholen, daß Lammers zu Neujahr 1945 in einem Schreiben feststellte, der Staat sei in den Augen zahlreicher Menschen außer Funktion getreten.

Die namens der Partei vom S. bzw. der Parteikanzlei erstrittenen Kompetenzen führten in vielen Fällen nicht zu endgültigen und schon gar nicht zu gesetzlich festgelegten Regelungen und sollten auch gar nicht dazu führen. Denn einerseits definierte Bormann selbst – bezeichnenderweise nicht offiziell, sondern nur intern (Brief an Ley) und erst auf einem Höhepunkt seiner Macht (31.8.1939) – die »Zuständigkeit« des S. »für den Bereich der Partei« als »grundsätzlich unbeschränkt«, da auch die Zuständigkeit des → Führers »unbeschränkt« sei. Andererseits schloß gerade dieser Anspruch Festlegungen bezüglich der eigenen Kompetenzen aus (selbst Geschäftsverteilungspläne waren geheim und unverbindlich), auf die der S. und die Parteikanzlei in der Praxis wiederum angewiesen waren. Der Omnipotenzanspruch samt seiner widerspruchsvollen Umsetzung in die Praxis gehörte mit zu den Ursachen für die allmähliche Zerstörung der überkommenen Prinzipien des Rechtsstaates und der Regelhaftigkeit staatlichen Handelns unter der Herrschaft des Nat.soz. An die Stelle des Rechts trat der → Führerwille. Die Verantwortung für diese Öffnung von Türen zu Willkür und Verbrechen trifft durchaus auch den oft verharmlosend dargestellten Heß, und nicht nur den allerdings stärker beteiligten Bormann. *Reinhard Bollmus*

Literatur:

Diehl-Thiele, Peter: *Partei und Staat im Dritten Reich. Untersuchungen zum Verhältnis von Partei und Staat und allgemeiner innerer Staatsverwaltung 1933–1945,* München 1971.
Longerich, Peter: *Akten der Parteikanzlei,* Teil 2, 1, Einleitung, München o. J.; erschienen auch als selbständige Schrift u.d. Titel: *Hitlers Stellvertreter,* München/London/New York 1992.

Stennes-Revolten Gewaltsame Protestaktionen der Berliner → SA unter ihrem Führer, Hauptmann a.D. Walter Stennes, Oberster SA-Führer (OSAF)-Stellvertreter Ost, gegen die politische Organisation der → NSDAP im Sommer 1930 sowie im Frühjahr 1931. Das Verhältnis zwischen SA und Parteileitung verschlechterte sich vor dem Hintergrund der Weltwirtschaftskrise nicht nur angesichts der angespannten Finanzlage der SA, sondern auch wegen Differenzen in der Frage der politischen Taktik: Während Hitler das verfassungskonforme Vorgehen der NSDAP betonte, drängte die radikaler werdende SA, die sich durch rapides Wachstum und einen immer höheren Anteil an Arbeitslosen auszeichnete, nach direkter Aktion. Anlaß für die Zuspitzung des Konflikts im Sommer 1930 war die von der SA-Spitze u.a. zur Verbesserung der Finanzlage erhobene Forderung, führende Angehörige der SA als Kandidaten für die Reichstagswahl im September zu nominieren. Nachdem Hitler dieses Ansinnen zurückgewiesen hatte, beschloß die Berliner SA-Führung, bis zur Erfüllung ihrer Forderung jede Tätigkeit für die Partei einzustellen. Ende August 1930 kam es zur offenen Konfrontation mit der Berliner Gauleitung bis hin zur Besetzung der Gaugeschäftsstelle. Es gelang Hitler zunächst, den Streit zu schlichten, indem er der SA finanzielle Verbesserungen in Aussicht stellte. Als sich Stennes jedoch im Frühjahr 1931 zunehmend gegen den von Hitler proklamierten Legalitätskurs wandte, ließ dieser ihn am 1.4.1931 absetzen. Stennes erklärte daraufhin den Bruch mit der Parteiführung und verkündete die »Übernahme der Bewegung« in Berlin und in den östlichen Provinzen. Der Parteileitung gelang es jedoch, den mit einer »Unabhängigen Nationalsozialistischen Kampfbewegung Deutschlands« glücklosen Stennes und seinen Anhang zu neutralisieren und die Ruhe in Berlin und den ostdt. Gauen wiederherzustellen. *Astrid Müller*

Sterilisation s. Medizin

Stichwort Walküre s. Walküre

Strafbataillon 999 s. Bewährungsbataillon 999

Strassmann-Kreis 1934 von Hans Robinsohn und Ernst Strassmann in Hamburg gegründete, einzige überregionale liberaldemokratische Gruppierung des → Widerstands mit Schwerpunkten in Berlin, Mitteldeutschland, Nordbayern (Thomas Dehler), zu der auch Sozialdemokraten und Konservative gehörten. Der S. sammelte Nachrichten, unterhielt Auslandskontakte, erarbeitete theoretische Positionen für die demokratische Erneuerung nach dem Sturz Hitlers und stand mit dem → Goerdeler-Kreis und der Militäropposition in Verbindung. Mit der Verhaftung Strassmanns 1942 (Robinsohn war 1938 emigriert) war die Organisation praktisch am Ende. *Wolfgang Benz*

Streifendienst s. Hitler-Jugend

Stresa, Konferenz von Im ital. Kurort S. am Lago Maggiore trafen sich die Regierungschefs Englands (MacDonald), Frankreichs (Flandin) und Italiens (Mussolini) vom 11.–14.4.1935, um über gemeinsame Schritte gegen den dt. Revisionismus (Wiedereinführung der allgemeinen Wehrpflicht, 16.3.1935) und gegen die Bedrohung Österreichs (→ Juli-Putsch 25.7.1934) zu beraten. In einer gemeinsamen Erklärung bedauerten sie die einseitige dt. → Aufrüstung während der laufenden Verhandlungen über eine Rüstungsbegrenzung und bekundeten ihren Willen, »sich mit allen geeigneten Mitteln jeder einseitigen Aufkündigung von Verträgen zu widersetzen, durch die der Friede in Europa gefährdet werden könnte«. Die drei Mächte unterstrichen ihre Entschlossenheit, für kollektive Sicherheit in Osteuropa, die Unabhängigkeit Österreichs, einen Luftpakt in Westeuropa, internationale → Abrüstung und für die Erfüllung ihrer Garantieverpflichtungen aus dem Locarnopakt bei einer einseitigen Remilitarisierung des Rheinlandes durch Deutschland einzutreten. Die »Stresafront« zerbrach schnell durch das → dt.-brit. Flottenabkommen vom 18.6.1935 und die im Gefolge des ital.-äthiopischen Krieges entstehende → Achse Berlin-Rom 1936. *Bernd-Jürgen Wendt*

Stroop-Bericht Aus den Fernschreiben, in denen der Befehlshaber der an der Niederschlagung des Warschauer Ghetto-Aufstandes vom 19.4.–16.5.1943 (→ Warschau [Ghetto]) beteiligten dt. Truppen, SS-Gruppenführer und Generalmajor der Polizei Jürgen Stroop, dem Höheren SS- und Polizeiführer Krüger in Krakau über den Fortgang der Kämpfe im Ghetto berichtete, und einigen anderen Unterlagen ließ Stroop unter dem Titel »Es gibt keinen jüdischen Wohnbezirk in Warschau mehr!« einen Gesamtbericht über die sog. Ghetto-Großaktion zusammenstellen, der in lediglich drei ledergebundenen Exemplaren und einer bei der Dienststelle des Warschauer SS- und Polizeiführers verbliebenen ungebundenen Durchschrift ausgefertigt wurde. Eines der Prachtexemplare, die z.T. auf Büttenpapier geschrieben waren, war für den → RFSS Himmler bestimmt. Ein anderes und die Durchschrift fielen nach dem Krieg US-Truppen in die Hände. Sie dienten bei den Nürnberger Prozessen als Beweisdokumente der Anklage (Signatur PS 1061; → Nachkriegsprozesse). Die Durchschrift befindet sich heute in den National Archives in Washington, das gebundene Original wurde für den Prozeß gegen Stroop, der vom 18.–23.7.1951 vor dem Wojewodschaftsgericht in Warschau stattfand, an Polen abgegeben (heute im Archiv der Hauptkommission zur Untersuchung der NS-Verbrechen in Polen). Im Warschauer Prozeß bestätigte Stroop die Echtheit seiner Unterschrift unter dem Original und bezeichnete den Chef der dt. Verwaltung im Distrikt Warschau, Gouverneur Dr. Ludwig Fischer, als Autor des ersten, beschreibenden Teils des Berichts.

Der S. besteht 1. aus dem eigentlichen Berichtsteil, der auch Namenslisten der dt. Gefallenen und Verwundeten sowie eine Liste der beteiligten Einheiten von → Waffen-SS, Ordnungs- und → Sicherheitspolizei (→ Polizei), Wehrmacht und → Trawniki enthält; 2. den täglichen Meldungen an Krüger vom 20.4. bis 16.5.1943 und einer Abschlußmeldung vom 24. Mai; 3. Fotos von der Bekämpfung des Aufstandes, meist vom Leiter der Werteerfassung im Warschauer Ghetto, Franz Konrad, aufgenommen. Der Berichtsteil referiert die Errichtung des Ghettos im Seuchensperrgebiet Warschaus, die »Umsiedlungsaktionen« vom Sommer/Herbst 1942 mit über 310000 und vom Januar 1943 mit ca. 6500 davon betroffenen Juden und schildert ausführlich die Niederschlagung des Aufstandes, die Bewaffnung und Taktik der jüdischen Verteidiger, die Zahl der Opfer und das Schicksal eines Teils der Überlebenden. Die Juden werden im Bericht als »Kreaturen«, »Banditen«, »niedrigste Elemente«, »Gesindel« und »Untermenschentum« angesprochen. Auch wenn der S. die Niederschlagung des Ghetto-Aufstandes als vollwertiges militärisches Unternehmen hinstellt, belegt die Zahl von 15 auf dt. Seite Gefallenen gegenüber den 12000–13000 »vernichteten« Juden den Charakter einer Polizeiaktion, bei der die etwa 2000 eingesetzten dt. Soldaten noch 56000 Ghettobewohner lebend »erfaßten« und (in → Vernichtungslager) deportierten (→ Deportation). Wegen seiner Ausführlichkeit und der Brutalität seiner Sprache ist der S. ein besonders eindringliches Zeugnis für die Behandlung der Juden unter dt. Herrschaft. *Hermann Weiß*

Literatur:

»Es gibt keinen jüdischen Wohnbezirk in Warschau mehr!«. Stroop-Bericht, Darmstadt/Neuwied 1960 und 1976.

Struthof s. Natzweiler/Struthof (KZ)

Sturmabteilungen (SA) Die unter dem Kürzel SA bekannt gewordenen S. der NSDAP bestanden seit 1920 als parteieigener Ordnerdienst zum Schutz von Veranstaltungen, Einsatz bei politischen Werbeaufmärschen und gewaltsamen Auseinandersetzungen mit politischen Gegnern, seit Nov. 1921 unter der Bezeichnung S.

Die nach dem Ersten Weltkrieg mehrheitlich aus ehemaligen Soldaten gebildete Truppe gliederte sich nach militärischen Merkmalen, landsmannschaftlichen Gesichtspunkten, Altersklassen und körperlicher Leistungsfähigkeit. 1943 bestanden 25 SA-Gruppen mit 2–7 Brigaden zu 3–9 Standarten; eine Standarte besaß 3–5 Sturmbanne aus 3–5 Stürmen zu 3–4 Trupps; ein Trupp unterteilte sich in 3–4 Scharen mit 8–16 SA-Männern.

Die bekannt gewordenen Zahlen der personellen Entwicklung sind relativ unpräzise: Für 1921 werden 300 Männer angegeben, am gescheiterten → Hitlerputsch in München 1923 (»Marsch auf die Feldherrnhalle«) sollen 1500 SA-Männern teilgenommen haben. In der Folgezeit stieg die Mitgliederzahl ungeachtet mehrerer Verbote sowie zahlreicher aus politischen Konflikten wie persönlichen Zerwürfnissen resultierender Ausschluß- und Austrittsbewegungen. Wurden Anfang 1932 ungefähr 420000 Mitglieder gezählt, wuchs deren Zahl bis 1934 zunächst auf ungefähr 4,2 Mio., um danach beständig zu sinken: 1935 wurden nur noch 1,6 Mio., 1938 etwa 1,2 Mio. und 1940 900000 Mitglieder erfaßt.

Der Nachwuchs der SA rekrutierte sich hauptsächlich aus der → Hitler-Jugend, deren Sonderformationen denen der SA entsprachen: Marine-, Reiter-, Nachrichten-, Pionier- und Sanitäts-Einheiten. Mit der Wachstandarte »Feldherrnhalle« aus sechs kasernierten Sturmbannen in den Standorten Berlin, München, Hattingen, Krefeld, Stettin und Stuttgart existierte eine Einsatztruppe, deren Hauptaufgabe es war, staatliche und parteieigene Dienststellen zu bewachen. Der eigentliche Organisator der SA als einer paramilitärischen Parteitruppe war Ernst Röhm, trotz mehrerer Vorgänger, darunter Göring (1923). Er zog sich aber – mit Hitlers Kurs nicht zufrieden – bereits im April 1925 von der Partei zurück. Einen militärisch geschulten Nachfolger fand Hitler in dem Hauptmann a.D. Franz Pfeffer v. Salomon (1926–1929). Nach dessen Bruch mit Hitler übernahm dieser nun selbst die Führung und blieb fortan → Oberster SA-Führer. Erster Stabschef unter Hitler war 1929–1930 Otto Wagener.

1931 ernannte Hitler seinen Duzfreund Ernst Röhm zum Stabschef der SA, was dieser bis zu seiner Ermordung 1934 blieb. Ihm folgten der SA-Obergruppenführer Viktor Lutze und nach dessen Unfalltod 1943 der Führer der SA-Gruppe Sachsen, Wilhelm Schepmann.

Die paramilitärische und braun uniformierte Truppe hatte vor 1933 den politischen Kampf der Parteiorganisation durch die »Eroberung der Straße« ergänzt. Dazu waren seit Ende der 20er Jahre in den großstädtischen Arbeiterwohngebieten »Sturmlokale« eingerichtet worden. Sie hatten sich aus den Treffpunkten und Stammlokalen der teilweise sozial entwurzelten und im Nat.soz. eine politische Perspektive suchenden, oft jugendlichen Anhängerschaft heraus entwickelt. Von diesen häufig als Wohnungsersatz dienenden Stützpunkten aus organisierte die SA den überwiegend gegen die KPD und ihre Anhänger gerichteten Terror. Aus den auf Provokation angelegten und mit großer Brutalität geführten Straßenkämpfen entstand eine Spirale der Gewalt, deren Überwindung viele Menschen sich von Hitler und der NSDAP erhofften. Aus Hitlers Ernennung zum dt. Reichskanzler am 30.1.1933 leitete die Basis der SA die Berechtigung ab, als »Ordnungsfaktor des Dritten Reiches« zu wirken und mit den politischen Gegnern »alte Rechnungen zu begleichen« (→ »Machtergreifung«). Am 22.2.1933 wurde durch einen Erlaß des kommissarischen preuß. Innenministers Hermann Göring eine Hilfspolizei aus SA, → SS und → Stahlhelm aufgestellt. Nun konnte die SA staatlich legitimiert Verhaftungen vornehmen und eigene Gefängnisse einrichten, wie in Hohnstein (Sachsen), bei Dresden (Lager Dürrgoy) und in der Berliner General-Pape-Straße. Bis dahin hatten die oft »Bunker« genannten Kellerräume von »Sturmlokalen« als Gefängnisse gedient. Mannschaften der SA bewachten zusätzlich die 1933 in → Oranienburg bei Berlin und in Wuppertal (→ Kemna) errichteten SA-→ Konzentrationslager (→ Schutzhaftlager). Zu den bekannt gewordenen terroristischen Aktivitäten der SA in der frühen Phase der NS-Herrschaft gehörten ebenfalls Übergriffe während des reichsweiten → Boykotts jüdischer Geschäfte am 1.4.1933. Die zahlreichen Willkürmaßnahmen der SA im »Revolutionsjahr« 1933, in dem SA-Führer als Polizeipräsidenten, Bürgermeister und Oberpräsidenten vielfach einflußreiche öffentliche Funktionen der Verwaltung übernommen hatten, mußten im nunmehr nat.soz. Staat kanalisiert werden. Da sich Hitlers Pläne von der politischen Konsolidierung des NS-Staates nicht mit den Vorstellung der SA und ihrer Stabschefs von seiner »zweiten (sozialen) Revolution« deckten und eine Übereinstimmung den Gegnern Röhms in der Partei auch nicht wünschenswert erschien, inszenierten Hitler, Göring und die SS-Führung im Bunde mit der Reichswehr die blutige Niederschlagung eines tatsächlich nicht gegebenen »Staatsstreichs« der SA-Führung (→ »Röhm-Putsch«).

In den folgenden Jahren konzentrierte sich die SA auf die vormilitärische Ausbildung und Wehrertüchtigung der Jugend sowie Straßensammlungen. Beim Pogrom am 9./10.11.1938 (→ »Reichskristallnacht«) und an den darauffolgenden Tagen erlangte die SA durch die Mißhandlung und Ermordung jüdischer Menschen sowie die Zerstörung von Synagogen und Geschäften jüdischer Inhaber noch einmal ihre alte terroristische Bedeutung zurück. Während des Zweiten Weltkriegs übernahmen die nicht eingezogenen Reste der SA Aufgaben der Truppenbetreuung, der vormilitärischen Ausbildung und, seit Ende 1944, des Aufbaus und der Verstärkung des → Volkssturms. *Kurt Schilde*

Literatur:
Longerich, Peter: *Die braunen Bataillone. Geschichte der SA*, München 1989.

Stürmer, Der Im April 1923 von Julius Streicher gegründet, zunächst im völkischen Verlag Wilhelm Härdel, seit 1935 im Eigenverlag Streichers erschienene vulgäre antisemitische Wochenzeitung mit dem Untertitel *Deutsches* (bis 1933 *Nürnberger*) *Wochenblatt zum Kampf um die Wahrheit.* Auf Breitenwirkung berechnet, betrieb der *S.*, oft in obszönen, pornographischen Greuelgeschichten, Verleumdung und Hetzpropaganda gegen die jüdische Bevölkerung. So gehörten Berichte über die »Rassenschande« jüdischer Männer mit »arischen« Frauen, über Ritualmorde und das Schächten von Tieren zu seinen Lieblingsthemen. Auf der Titelseite fanden sich seit 1925 bösartige, fast ausschließlich antisemitische Karikaturen von »Fips« (Philipp Rupprecht), seit 1927 als Fußleiste das Treitschke-Zitat: »Die Juden sind unser Unglück« (→ Antisemitismus). Der *S.* rief die Leser in speziellen Rubriken zur Denunziation von »Judenfreunden« auf. Durch öffentlichen Aushang in »S.-Kästen« an vielbesuchten Plätzen fand das Blatt eine zusätzliche Verbreitung. Die Hauptschriftleiter waren Streicher, in dessen Privateigentum der *S.* stets blieb, ab 1925 Karl Holz, ab 1938 Ernst Hiemer, ab 1941/42 Erwin Jellinek. Die Auflage betrug zunächst etwa 2000–3000 Exemplare und stieg auf über 20 000 im Jahr 1933 und knapp 400 000 im Jahr 1944. Die letzte Ausgabe erschien am 1.2.1945 (→ Propaganda; → Presse). *Angelika Heider*

Stutthof (KZ) Östlich von Danzig an der Mündung der Weichsel gelegenes KZ mit einem weitverzweigten Netz zahlreicher Außenlager (u.a. in Thorn und Elbing mit jeweils 5000 weiblichen jüdischen Häftlingen), das 1942 aus einem bei Kriegsbeginn gegründeten Lager für poln. Zivilgefangene hervorging. Aufgrund der extrem schlechten Arbeits- und Lebensbedingungen, der häufigen Hinrichtungen (insbesondere von Angehörigen des poln. Widerstands) und des im zweiten Halbjahr 1944 praktizierten Massenmordes in der → Gaskammer könnte S. auch als → Vernichtungslager bezeichnet werden. Von den etwa 115 000 Gefangenen unterschiedlichster Nationalität, die in S. während seines Bestehens eingeliefert wurden, starben 65 000. Besondere Bedeutung kam S. ab Sommer 1944 zu, als es als Zielort und Umschlagplatz für die wegen des Vormarsches der Roten Armee aus den baltischen KZ sowie aus → Auschwitz evakuierten Juden diente. Im Januar 1945 geriet S. selbst in Frontnähe; ein Großteil der 50 000 überwiegend weiblichen Gefangenen kam auf den → Todesmärschen um (→ Rassenpolitik und Völkermord). *Jürgen Matthäus*

Literatur:
Grabowska, Janina: *K.L. Stutthof*, Bremen 1993.

Sudetendeutsche Partei (SdP) Die am 1.10.1933 von dem Führer der sudetendt. Turnerschaft Konrad Henlein als überparteiliche nationale Sammlungsbewegung gegründete Sudetendt. Heimatfront wurde am 19.4.1935 in SdP umbenannt. Bei den Parlamentswahlen 1935 erreichte die SdP 68% der sudetendt. Stimmen und wurde stärkste Partei in der → Tschechoslowakei. Die SdP, nunmehr von reichsdt. Stellen finanziell unterstützt, forderte zunächst Minderheitenschutzgesetze und »völkische Selbstverwaltung«, aber noch keinen Anschluß des → Sudetenlandes an das Dt. Reich. Dies änderte sich, als

Henlein am 19.11.1937 in einem Brief an Hitler »eine Verständigung zwischen Deutschen und Tschechen« als »praktisch unmöglich und eine Lösung der sudetendt. Frage« als »nur vom Reiche her denkbar« bezeichnet hatte. Trotz aller Zugeständnisse seitens der Regierung der ČSR an die SdP lief das in der → Sudetenkrise zwischen Hitler und Henlein snychronisierte Vorgehen auf die Zerschlagung der ČSR hinaus. Nach dem → Münchner Abkommen ging die SdP am 11.12.1938 in der NSDAP auf. *Karsten Krieger*

Sudetenkrise Wie seit Herbst 1937 fest geplant, wandte sich Hitler nach dem → Anschluß Österreichs der Annexion der → Tschechoslowakei zu. Zusammen mit dem Führer der → Sudetendt. Partei (SdP), Konrad Henlein, initiierte er die S., einen internationalen Konflikt um das → Sudetenland, der Europa an den Rand des Krieges führte. Am 28.3.1938 hatte Hitler Henlein instruiert, stets Forderungen zu stellen, »die für die tschech. Regierung unannehmbar« seien. Am 24.4.1938 verkündete Henlein mit dem → Karlsbader Programm Ansprüche, deren Erfüllung das Ende der ČSR nach sich gezogen hätte, und löste damit die S. aus. Hitler, zum Krieg gegen die ČSR entschlossen, unterstützte gleichfalls die Revisionsforderungen der dortigen poln. und ungar. Minderheiten. Nachdem der brit. Premierminister Chamberlain in zwei Besuchen bei Hitler in Berchtesgaden (15.9.) und Bad Godesberg (22.–24.9.) lediglich eine Verschiebung des von Hitler ultimativ geforderten Anschlusses des Sudetenlandes an Deutschland erreicht hatte (→ Appeasement), wurde die S. durch die totale Erfüllung der dt. Forderungen im → Münchener Abkommen beigelegt; das für Hitler enttäuschende Ergebnis wurde dann im März 1939 mit der Besetzung der sog. Resttschechei vervollständigt.

Karsten Krieger

Sudetenland Ursprünglich wurde lediglich der dt.sprachige Raum in den bergigen Regionen Nordböhmens und Nordmährens, schließlich das gesamte an Deutschland und Österreich angrenzende dt.sprachige Gebiet als S. bezeichnet. Der Sammelname »Sudetendeutsche« für alle ehemals zur k.u.k.-Monarchie gehörenden, seit dem Vertrag von Saint-Germain (10.9.1919) zur Bevölkerung der neugegründeten → Tschechoslowakei zählenden ca. 3,2 Mio. Deutschen bürgerte sich erst nach 1918 ein. Obwohl sich die Sudetendeutschen trotz aller Diskriminierungen freier als jede andere dt. Minderheit in Ostmitteleuropa entfalten konnten, mißlang deren Integration in die ČSR. Die seit 1935 durch die NSDAP finanzierte → Sudetendt. Partei wurde zum wichtigsten Instrument Hitlers, um die → Sudetenkrise zu schüren, die schließlich – als Ergebnis des Münchener Abkommens – mit dem Anschluß des S. an das Dt. Reich endete. 1945 wurden die Sudetendeutschen auf der Basis der während der → Potsdamer Konferenz erzielten Übereinkünfte mit Zustimmung der Alliierten unter großen Menschenverlusten aus dem S. vertrieben.

Karsten Krieger

Südtirol (ital. Alto Adige) Südlich des Brenners gelegener Teil der ehemaligen Grafschaft Tirol. Im Vertrag von Saint-Germain vom 10.9.1919 mußte → Österreich S. an → Italien abtreten (Provinz Venezia Tridentina; ab 1926 Provinzen Bozen und Trient). Die faschistische ital. Regierung betrieb eine massive Italianisierung. Nach der Bildung der → Achse Italien/Deutschland schlossen Hitler und Mussolini einen

»Optionsvertrag«, wonach die Bewohner S. zwischen der ital. und der dt. Staatsangehörigkeit wählen konnten; wer für Deutschland optierte (etwa 70%), sollte das Land verlassen und in das Großdt. Reich umgesiedelt werden. Nach dem Einmarsch der dt. Truppen in Italien (9.9.1943; → Italienfeldzug) wurden die Provinzen Bozen, Trient und Belluno zur »Operationszone → Alpenvorland« mit ziviler Verwaltung, die dem Obersten Kommissar Franz Hofer, Gauleiter von Tirol und Vorarlberg, unterstellt war. Nach Kriegsende blieb S. bei Italien und erhielt 1969 im S.-Paket weitgehende Autonomie zugesprochen. Endgültig beigelegt wurde der Streit zwischen Italien und Österreich um S. erst 1992.

Juliane Wetzel

Swing-Jugend s. Jugend, s.a. Edelweiß-Piraten

Systemzeit Im Nat.soz. seit 1933 üblicher Propagandaausdruck für die Weimarer Republik. Das Wort sollte in seiner Bedeutung auf das Negative und künstlich Konstruierte der Weimarer Republik hinweisen. Der Ausdruck war bereits in den 20er Jahren von konservativen und völkischen Kreisen zur Diffamierung des republikanischen Staates (»Novembersystem«) benutzt worden. Der nat.soz. Staat wurde gegenüber der als Intellektuellenstaat diskriminierten Weimarer Republik als organisch gewachsene, völkische Gemeinschaft, die auf gemeinsamem Wollen, Fühlen und Denken aufgebaut sei, dargestellt. Das Denken und das »abstrakte Wissen« waren suspekt. In der Folgezeit wurde der Begriff »System« auf alle möglichen mißliebigen Institutionen angewandt (S.-Parteien, -Presse, -Regierungen, -Politiker u.a. m.).

Willi Dreßen

T

T 4 s. Aktion T 4, s.a. Medizin

Tag der nationalen Arbeit Bereits im ersten Jahr der nat.soz. Machtübernahme wurde der 1. Mai, der traditionelle Tag der internationalen Arbeiterbewegung, zum »gesetzlichen Tag der nationalen Arbeit« ausgerufen. In massenwirksamen Schauveranstaltungen sollte jedes Jahr an diesem Tag die klassen- und schichtenübergreifende → Volksgemeinschaft demonstriert und die Unterstützung der Arbeiterschaft für das neue Regime bezeugt werden (→ Propaganda).

Marie-Luise Recker

Tannenberg, Unternehmen s. Grenzzwischenfälle

Tannenberg s. Führerhauptquartiere

Tannenbergbund Ein 1925 von General a.D. Erich Ludendorff und dem nat.soz. Politiker Konstantin Hierl gegründeter Dachverband völkischer Gruppen und Jugendbünde. Der T. plante eine großdt. Militärdiktatur und bekämpfte die »überstaatlichen Mächte«: katholische Kirche, Jesuiten, Freimaurer und Juden. Der Versuch, in Konkurrenz zur → NSDAP die zersplitterten völkischen Kräfte zu bündeln, scheiterte (→ Völkische Bewegung). Nach dem Ausscheiden führender Mitglieder standen 1929 nur noch Ludendorff und seine Frau Mathilde an der Spitze des T. Parteipolitisch völlig isoliert, bauten sie ein weitverzweigtes Propagandanetz mit zahlreichen gläubigen Anhängern auf und verbreiteten ihre Weltanschauung in auflagenstarken Zeitschriften und Broschüren. Zu dieser Weltanschauung gehörte der Mythos von einer Weltverschwörung der »überstaatlichen Mächte« gegen Deutschland, der Kampf gegen das Christentum und für eine von M. Ludendorff erfundene »dt. Gotterkenntnis« sowie der Haß auf die nat.soz. Bewegung. Der T. wurde 1933 verboten. *Antje Gerlach*

Tannenberg-Denkmal s. Reichsehrenmal

Tausendjähriges Reich Der Begriff T. war eine Umschreibung des nat.soz. Regimes, mit der auf die seit dem Mittelalter gebräuchliche Reichsmetaphorik angespielt wurde. Wie andere Begriffe (→ Drittes Reich; → Germanisches Reich) diente die Metapher zunächst als Zukunftsprojektion, dann als Propagandainstrument und schließlich als Legitimation der Eroberung neuen → Lebensraums. Die Idee des T. sollte Kontinuität mit der Geschichte des Alten Reichs vorspiegeln und bildete eine Folie für eine rassistische Neuordnung, mit der die europäischen Völker in ein Reich unter dt. Führung gezwungen werden sollten. Wegen seines christlichen Gehalts stand Hitler dem Begriff aber trotz gelegentlicher Verwendung reserviert gegenüber. *Uffa Jensen*

Teheran, Konferenz von Vom 28.11.–1.12.1943 konferierten in der iranischen Hauptstadt die Regierungschefs von Großbritannien, der UdSSR und der USA. Bedeutsam war v.a. die Zusage Churchills und Roosevelts, in Frankreich eine zweite Front zu eröffnen, um die sowj. Truppen im Osten zu entlasten. Als Zeitpunkt dieser Invasion wurde der Mai 1944 ins Auge gefaßt. Stalin sicherte zu, gleichzeitig die Ostfront durch eine Offensive in Atem zu halten und darüber hinaus nach dem Ende des europäischen Krieges die USA in ihrem Kampf gegen Japan zu unterstützen. Einigkeit bestand ferner über die Westverschiebung Polens und über die Aufteilung Deutschlands, wenn auch nicht über die Modalitäten. Aufgabe einer europäischen Beratenden Kommission sollte es sein, das Deutschland-Problem zu reflektieren. Die Gründung einer Weltfriedensorganisation wurde diskutiert (→ Weltkrieg 1939–1945). *Michael Fröhlich*

Theater s. Kunst

Theresienstadt Die 1780 gegründete österr. Festungsstadt T. in Nordböhmen diente ab November 1941 als Internierungslager für Juden aus Böhmen und Mähren. Ab Juli 1942 war T. als »Altersghetto« Ziel der → Deportation dt. und österr. Juden. Zur gleichen Zeit wurde die nichtjüdische Wohnbevölkerung (3700 Personen) aus T. evakuiert. Der für T. vorgesehene Personenkreis aus Deutschland wurde durch Erlaß des → RSHA vom 21.5.1942 definiert: über 65jährige und über 55 Jahre alte gebrechliche Juden mit Ehegatten, dekorierte Weltkriegsteilnehmer mit ihren Frauen, jüdische Partner aus nicht mehr bestehenden → Mischehen und solche jüdischen → Mischlinge, die nach den → Nürnberger Gesetzen als Juden galten (→ Geltungsjuden). Gleichermaßen Täuschung und Ausplünderung waren die »Heimeinkaufsverträge«, in denen die Deportierten ihre Vermögenswerte gegen »Betreuung und Pflege« in T. abtreten mußten. Ab Januar 1942 war T. Durchgangsstation für die Vernichtungsstätten im Baltikum und auf poln. und weißruss. Territorium, ab Oktober 1942 gingen die Deportationen von T. nur noch nach → Auschwitz (→ Vernichtungslager; → Rassenpolitik und Völkermord). Die Lebensbedingungen in T., wohin u.a. auch Juden aus Dänemark und Holland deportiert wurden, waren vernichtend. Das Lager unterstand der Zentralstelle für jüdische Auswanderung in Prag, einer Dienststelle des Befehlshabers der Sicherheitspolizei und des SD. Als eigener Komplex bestand neben dem Ghetto in der »Kleinen Festung« unter dem Kommando der Prager Gestapo eine Haftstätte für politische Gefangene aus dem → Protektorat Böhmen und Mähren mit dem Charakter eines → KZ. Kommandanten von T. waren die SS-Offiziere Siegfried Seidl (Dezember 1941–Juni 1943), Anton Burger (Juni 1943–Februar 1944), Karl Rahm (Februar 1944–Mai 1945), die bis auf Burger, der aus der Haft fliehen konnte, nach dem Krieg in der ČSR zum Tode verurteilt und hingerichtet wurden. Die äußere Bewachung von T. erfolgte durch tschechische Gendarmerie. Im Inneren bestand unter Kontrolle der SS Selbstverwaltung, unter den Judenältesten Jacob Edelstein (Dezember 1941–Januar 1943), Paul Eppstein (Januar 1943–September 1944), und Benjamin Murmelstein (September 1944–Mai 1945). In T. lebten zahlreiche Prominente, Künstler und Gelehrte (unter ihnen Leo Baeck), die ein jüdisches Kulturleben aufrechterhielten. Für den Besuch einer Delegation des Internationalen Roten Kreuzes (23.7.1944) wurde durch Cafés und Läden, eine Bank mit Ghettogeld etc. die Illusion einer intakten Judenstadt vermittelt. Im Sommer 1944 ließen die Nat.soz. in T. einen Film mit der gleichen Intention drehen. Er wurde propagandistisch nicht mehr eingesetzt, sein legendärer Titel (*Der Führer schenkt den Juden eine Stadt*) ist nicht authentisch. Insgesamt wurden 141 000 Juden nach T. deportiert (gegen Kriegsende kamen noch 14 000 KZ-Häftlinge aus Evakuierungstransporten dazu), über 75 000 stammten aus der Tschechoslowakei, 42 345 aus Deutschland, 15 324 aus Österreich, 4897 aus Holland, 1270 aus Polen, 1074 aus Ungarn, 466 aus Dänemark. In T. starben etwa 33 500 Menschen, in Vernichtungslager deportiert wurden von T. aus 88 000 (von ihnen überlebten 3500). Insgesamt kamen 118 000 Menschen ums Leben, 23 000 wurden gerettet. T. wurde am 8. Mai 1945 durch die Rote Armee befreit. *Wolfgang Benz*

Literatur:
Adler, H. G.: *Theresienstadt 1941–1945. Das Antlitz einer Zwangsgemeinschaft,* Tübingen 1955.
Karny, Miroslav/Vojtech Blodig/Margita Karna (Hg.): *Theresienstadt in der »Endlösung der Judenfrage«,* Prag 1992.

Thielbeck s. Cap Arcona

Thingspiel »Thing« bezeichnet ursprünglich germanische Volks- oder Gerichtsversammlungen an altgewohntem Ort (Thingstätten). Die vom → Reichsministerium für Volksaufklärung und Propaganda 1933 initiierte »Thing-Bewegung« knüpfte an diese ältere Vorgabe unter Berücksichtigung der Traditionen des Laienspiels, der Naturtheaterbewegung und des Freilichttheaters an, um sog. T. an eigens dafür erbauten »Thingplätzen« – 1937 existierten 40 derartige Spielstätten – zur Aufführung zu bringen. T., verstanden als Ausdruck nat.soz. → Volksgemeinschaft, waren ihrer Form nach kultische Sprechchordramen. Proklamationen der Chöre ersetzten dramatische Dialoge und damit jede Handlung. Ein von Goebbels 1934 eingerichteter »Dichterkreis« zur Förderung von T. brachte kaum Erfolge. 1935 erfolgte eine Sprachregelung zur Vermeidung der Begriffe T. und »Kult« durch das Propagandaministerium. Das 1936 bei den → Olympischen Spielen uraufgeführte »Frankenburger Würfelspiel« von E. W. Möller bildete Höhepunkt und beginnendes Ende dieser Gattung. *Mona Körte*

Thule-Gesellschaft Eine aus dem völkischen »Germanen-Orden« Anfang 1918 hervorgegangene, von Rudolf v. Sebottendorf gegründete Tarnvereinigung (→ Völkische Bewegung) mit ca. 200 Mitgliedern in München. Die T. unterhielt enge Beziehungen zum → Alldt. Verband. Vereinszeitung war der *Münchener Beobachter*, ab 1.1.1920: → *Völkischer Beobachter*. Die T. leistete Geburtshilfe bei der Gründung der Dt. Arbeiterpartei und der Dt. Sozialistischen Partei (→ NSDAP). sieben Angehörige der T. wurden während der Münchner Räterepublik am 30.4.1919 von »den Roten« ermordet (»Geiselmord«). *Hellmuth Auerbach*

Tischgespräche Hitlers Eingebürgerte Bezeichnung für Aufzeichnungen, die von mündlichen Äußerungen Hitlers während Mittagstafel und Abendgesellschaft im → Führerhauptquartier gemacht wurden. Die Aufzeichnungen der T. entstanden im Stab, auf Anregung und nach Weisungen Bormanns. Die Niederschriften diktierten nach eigenen stenographischen Notizen und aus dem Gedächtnis der langjährige Adjutant Bormanns, Ministerialrat Heinrich Heim (Mitglied der NSDAP seit 1920), und während dessen Abwesenheit der eigens herbeibeorderte Oberregierungsrat Henry Picker, dessen Vater zu den frühen Förderern Hitlers in Wilhelmshaven gehörte. Die Aufzeichnungen Heims setzen am 5.7.1941 ein und enden am 7.9.1942, diejenigen Pickers umfassen den Zeitraum vom 21.3. bis 31.7.1942. Die Äußerungen galten unterschiedlichen Themen und Gegenständen, wichtigen und belanglosen, meist kreisten sie um die Geschichte der NSDAP, ihre Weltanschauung, um die Rolle von Verbündeten und die Bewertung von Gegnern, sie betrafen aber auch Literatur und Kunst, trivialste Erinnerungen an Ereignisse und Personen, Zukunftspläne sowie alltäglichste Dinge. Das aktuelle militärische Geschehen, das Gegenstand der »Lagebesprechungen« war, kam kaum zur Sprache. Hitler, der sich in der Runde engster Mitarbeiter und Gäste auch zu erholen wünschte, präsentierte sich ihnen gegenüber in endlosen, sich vielfach wiederholenden Monologen als ein in nahezu allen Fragen kompetenter Denker. Bedeutungsvoll sind die T. u.a., weil sie Auskunft über jeweils im Hauptquartier anwesende Militärs und Zivilisten geben, selten auch über deren Bemerkungen und Fragen. *Kurt Pätzold*

Literatur:
Adolf Hitler, Monologe im Führerhauptquartier 1941–1944. Die Aufzeichnungen Heinrich Heims, hg. von Werner Jochmann, Hamburg 1980.
Picker, Henry: *Hitlers Tischgespräche im Führerhauptquartier,* Bonn 1951, Stuttgart 1976.

Todesmärsche Phänomen im Dritten Reich, v.a. gegen Ende des Krieges, als die Häftlinge etlicher KZ evakuiert, d. h. in großer Zahl gezwungen wurden, unter unerträglichen Bedingungen und brutalen Mißhandlungen über weite Entfernungen zu marschieren, wobei ein großer Teil von ihnen von den Begleitmannschaften ermordet wurde. Einer der ersten großen T. im Zusammenhang mit der Evakuierung der KZ begann am 28.7.1944, als über 3600 Häftlinge des KZ in der Gesia-Straße in → Warschau (auf den Ruinen des Ghettos erbaut) gezwungen wurden, über eine Entfernung von 130 km nach Kutno zu marschieren. Es gab nichts zu essen, und es war nicht erlaubt, anzuhalten, um etwas zu trinken. Ungefähr 1000 Häftlinge wurden auf dem Marsch getötet oder starben. Die Überlebenden wurden nach der Ankunft in Kutno ohne Essen und Trinken in Güterzüge verladen, über 90 Häftlinge pro Waggon. Einige Hundert starben. Nicht einmal 2000 Häftlinge erreichten am 9.8.1944 das KZ → Dachau. Die Evakuierung der meisten KZ in Polen fand Mitte Januar 1945 während einer erneuten Offensive der Roten Armee statt. Die größten T. gingen im Süden von → Auschwitz und seinen Nebenlagern, im Norden von → Stutthof samt Nebenlagern aus.

Am 18.1.1945 begann der T. von ungefähr 66 000 Häftlingen, Männern und Frauen, in der Mehrzahl Juden, aus Auschwitz. Sie mußten nach Wodzisław (Leslau) laufen und wurden von dort unter unmenschlichen Bedingungen auf verschiedene KZ in Deutschland verteilt. Ungefähr 15 000 Häftlinge wurden auf diesem T. ermordet.

Die T. von Stutthof waren noch grausamer. Mitte Januar 1945 befanden sich etwa 47 000 Häftlinge in diesem KZ-Komplex, mehr als 35 000 davon Juden, v.a. Frauen. Im Hauptlager waren 25 000 Häftlinge, davon 13 000 Juden, hinzu kamen noch einmal 22 000 Häftlinge in den Nebenlagern in Ostpreußen und Pommern.

Am 20.1.1945 begannen die T. aus den ostpreuß. Nebenlagern von Stutthof. Ungefähr 6000 Frauen und 1000 Männer, sämtlich Juden, wurden von dt. Wachmannschaften nach Palmnicken an der Ostseeküste getrieben. Ungefähr 2000 von ihnen wurden auf dem Weg ermordet. In der Nacht vom 31.1. auf den 1.2.1945 trieben die Wachen alle Überlebenden, die Palmnicken erreicht hatten, ins Meer und schossen sie mit Maschinengewehren nieder. Nur 13 Häftlinge überlebten dieses Massaker. Mitte Januar 1945 wurden auch etwa 20 000 weibliche jüdische Häftlinge der Stutthof-Nebenlager in Pommern gezwungen, zu marschieren. 90% von ihnen wurden auf diesen Märschen ermordet. Anfang Februar begannen die T. von → Groß-Rosen und seinen Nebenlagern. Etwa 40 000 Häftlinge wurden in verschiedene andere KZ gebracht. Einige Tausend wurden unterwegs ermordet. Von den über 20 000 jüdischen Häftlingen der Lager im Eulengebirge wurden fast alle getötet, entweder kurz vor der Evakuierung oder während der T. im Februar 1945.

Während der Monate März und April 1945, als die amerik., brit. und sowj. Armeen rasch vorrückten, erhöhte sich die Zahl der Evakuierungen. Während dieser beiden letzten Monate des Dritten Reiches wurden mindestens 250 000 KZ-Häftlinge, ein Drittel davon Juden, auf T. geschickt. Zehntausende von ihnen wurden ermordet oder gingen auf den Straßen zugrunde. Ihre Gräber finden sich über Deutschland und Österreich verstreut. T. von → Buchenwald und seinen Nebenagern fanden während der ersten Aprilhälfte 1945 statt. Die Evakuierung des Hauptlagers Buchenwald begann am 6.4., als der erste Konvoi mit 3100 jüdischen Häftlingen in Marsch gesetzt wurde. 1400 von ihnen wurden auf dem Weg umgebracht. Während der folgenden Tage wurden etwa 40 000 Häftlinge gezwungen, das Lager zu verlassen. 13 500 von ihnen starben auf dem Weg.

Im April 1945 führte die SS Evakuierungen in Verbindung mit T. von Haupt- und Nebenlagern der KZ Dachau, → Flossenbürg, → Sachsenhausen, → Neuengamme, → Mauthausen und des Frauenlagers → Ravensbrück durch. Weitere Zehntausende starben auf diesen Märschen. Am 25.4.1945 erfolgte die endgültige Evakuierung von Stutthof bei Danzig, die im Januar begonnen hatte. Als die vorrückende Rote Armee das Gebiet einschloß, wurden etwa 4000 Häftlinge auf fünf Fähren evakuiert. Etwa 2000 von ihnen wurden im offenen Meer ertränkt, Hunderte an der Küste erschossen.

Nicht mit der Evakuierung von KZ verbunden, aber nicht weniger grausam waren die T. von Budapest, die am 8.11.1944 begannen und einen ganzen Monat andauerten. 35 000 jüdische Männer und Frauen wurden zu Fuß zur österr. Grenze geschickt und von dt. und ungar. Wachmannschaften begleitet. Viele Tausende wurden unterwegs von den Wachmannschaften erschossen, und Tausende starben an Hunger und Kälte. Tausend SS-Männer waren an der Organisation der KZ-Evakuierungen beteiligt und begleiteten die Häftlinge während der T. Sie waren schuld am Tod Zehntausender Häftlinge. Dennoch wurden nur wenige für ihre Verbrechen zur Rechenschaft gezogen. Die bewachten Häftlingszüge kamen durch viele dt. und österr. Städte und Dörfer. Viele der Häftlinge versuchten zu fliehen, doch sie fanden nur wenig Unterstützung bei der einheimischen Bevölkerung. *Shmuel Krakowski*

Literatur:

Gilbert, Martin: *The Holocaust. The Jewish Tragedy,* London 1986.

Krakowski, Shmuel: The death marches in the period of the evacuation of the camps, in: Y. Gutman/A. Saf (Hg.): *The Nazi concentration camps. Proceedings of Fourth Yad Vashem International Historical Conference,* Jerusalem 1984, S. 475–491.

Totaler Krieg Unter dem Eindruck des sich abzeichnenden Zusammenbruchs der 6. Armee bei → Stalingrad forderte Hitler am 13.1.1943 die »totale Mobilisierung« sämtlicher materieller und personeller Ressourcen zur Sicherung des »Endsieges«. Öffentlich ausgerufen wurde der T. schließlich am 18.2.1943 von Propagandaminister Joseph Goebbels in einer Rede im Berliner Sportpalast. Den Höhepunkt erreichte die zunehmende Radikalisierung der Kriegführung und des Alltagslebens nach Goebbels' Ernennung zum Reichsbevollmächtigten für den totalen Kriegseinsatz am 25.7.1944. Die in der Folgezeit getroffenen Entscheidungen machen dies deutlich: Einführung der → Arbeitspflicht für Männer und Frauen, Steigerung der Zwangsrekrutierung von → Fremdarbeitern (→ Zwangsarbeit), Bildung des → Volkssturms, Errichtung von fliegenden → Standgerichten gegen sog. Wehrkraftzersetzer (→ Wehrkraftzersetzung), Einführung der → Sippenhaft für Angehörige von »kampflos in Gefangenschaft geratenen Soldaten«, Aufrufe zum härtesten Widerstand gemäß der Parole »Siegen oder fallen«, Propaganda-Kampagnen über den vermeintlich bevorstehenden Einsatz sog. Wunderwaffen (→ V-Waffen), Aufruf zum Guerillakrieg durch den → Werwolf für die Fortsetzung des Krieges *ad infinitum.* Die Folge dieser Maßnahmen waren weitere sinnlose Opfer unter Soldaten und Zivilbevölkerung.

Manfred Nebelin

Totalitarismustheorie Der Begriff Totalitarismus tauchte zuerst im Italien der 20er Jahre auf und diente der Abgrenzung liberaler und katholischer Publizisten gegenüber Mussolinis »stato totalitario«. In ähnlicher Funktion wurde er Anfang der 30er Jahre von Gegnern Hitlers, aber auch von Kritikern der Sowjetunion übernommen. Von einer T. im engeren Sinne kann jedoch erst die Rede sein, wenn der polemische Gebrauch des Begriffes kombiniert wird mit dem Anspruch auf wissenschaftliches Erklären bzw. Verstehen, sei es, daß die bekämpften Regime in größere zeit- oder ideengeschichtliche Zusammenhänge eingeordnet, sei es, daß Vergleiche mit anderen Regimen angestellt werden. Eine eigentümliche Zwitterstellung zwischen Politik und Wissenschaft bleibt jedoch stets erhalten: Die politische Wirkungsabsicht erreichte in der Zeit des Kalten Krieges einen gewissen Höhepunkt, dementsprechend war das Konzept dem Vorwurf ausgesetzt, zum Instrument des Antikommunismus und der Selbstimmunisierung der westlichen Demokratien geworden zu sein. Gegenläufig dazu war die Tendenz zur Verwissenschaftlichung, dementsprechend sollte der platten Gleichsetzung von Rechts- und Linkstotalitarismus durch methodische Kontrolle entgegengewirkt werden. Für ein ausgewogenes Urteil muß man sich v.a. an die geschichtliche Ausdifferenzierung des Konzepts halten und seine Erfahrungsbindung herausarbeiten.

Der pluralistische Ursprung der T. wird schon in den 30er Jahren deutlich: Die Impulse, die zu einer mehr oder weniger einheitlichen Theoriegestalt führten, gingen gleichermaßen aus der Anschauung der sowjetruss. Entwicklung wie des ital. → Faschismus hervor, auch wenn außer Zweifel steht, daß die innere Radikalisierung des → Nat.soz. alsbald die größte Aufmerksamkeit auf sich zog. So war die frühe Publizistik Waldemar Gurians v.a. dem Studium des Bolschewismus der 20er Jahre entsprungen, ebenso wie Franz Borkenau sich als Kritiker der Komintern-Politik einen Namen gemacht hatte, bevor ihn der → Dt.-sowj. Nichtangriffspakt veranlaßte, in beiden Diktaturen einen gemeinsamen, den »totalitarian enemy« (1939) der westlichen Demokratien zu identifizieren. Umgekehrt war die wahrscheinlich anspruchsvollste, weil explizit auf einer vergleichenden Methode basierende Ausarbeitung der frühen 40er Jahre, Sigmund Neumanns *Permanent Revolution* (1942) eher aus dem intellektuellen Erschrecken geboren, das der von Deutschland angezettelte Weltkrieg auslöste. Diese negative Fixierung auf den Nat.soz. war insgesamt typisch für die Totalitarismusdebatte der 40er Jahre, die nicht zufällig von dt. Emigranten geprägt wurde. Der Höhepunkt dieser Version der T. wurde zweifelsohne in Hannah Arendts *Origins of Totalitarianism* (1951) erreicht, dessen philosophische Eindringlichkeit ebensooft gerühmt wurde, wie man seine essayistische Konstruktion tadelte. Von bleibender Bedeutung dürften die These und ihre kongeniale sprachliche Formulierung sein, daß Ideologie und Terror, sofern sie zu den formierenden Elementen eines modernen politischen Systems werden, zur Annullierung der menschlichen Natur als solcher führen müssen.

Eine analoge Kontextbindung zeigte sich seit Mitte der 40er Jahre in der sog. Renegatenliteratur: Bei ehemaligen Kommunisten wie Arthur Koestler oder Ruth Fischer stand Totalitarismus, mehr Metapher als Begriff, gleichermaßen für ein persönliches Bekehrungserlebnis wie für die politische Abrechnung mit dem Stalinismus. Dieser Entwicklungsstrang führte in die amerik. Sowjetforschung der 50er Jahre und wurde dort zum Ferment einer professionellen politik- und zeitgeschichtlichen Erforschung der kommunistischen Welt. Eine anspruchsvolle Synthese dieser und anderer Entwicklungslinien findet sich in *Totalitarian Dictatorship and Autocracy* (1956) von Friedrich und Brzezinski. Dieses Buch wurde einerseits zu einem Klassiker der Politikwissenschaft, weil es die Eigenart und die historische Modernität der totalitären Regime durch ein griffiges »set« von sechs Kriterien definierte: Einparteiensystem; umfassende Ideologie; terroristische Geheimpolizei; Propaganda- und Waffenmonopol; Planwirtschaft. Auf der anderen Seite wurde den Autoren gerade angekreidet, was sie zur Versachlichung der Debatte meinten geleistet zu haben: der idealtypische Schematismus, die herrschaftstheoretische Abstraktionslage gegenüber der sozialgeschichtlichen Realität sowie die normative Rückbindung an die Institutionen der westlichen Demokratie.

In den 60er Jahren geriet die T. auch in der westlichen Welt unter ein doppeltes Verdikt: Politikforscher wie Richard Löwenthal und Peter Christian Ludz glaubten aus gewissen Liberalisierungstendenzen im Sowjetblock – und den damit korrespondierenden Fortschritten einer »neuen Ostpolitik« im Westen (Willy Brandt) – die Schlußfolgerung ziehen zu können, daß die Annahme einer geschlossen-totalitären Herrschaft jedenfalls den poststalinistischen Regimen nicht mehr angemessen sei. Aus ganz anderen Quellen gespeist, aber in dieselbe Richtung wirksam wurden die theoriebildenden Impulse der Studentenbewegung: Deren Protagonisten glaubten sich, zumal in Westdeutschland, verpflichtet, die »Vergangenheitsbewältigung« nachzuholen, und ersetzten dabei das antikommunismusverdächtige Totalitarismuskonzept durch einen überpolitisierten Faschismusbegriff. Positiv besetzt und in der Forschung aufrechterhalten wurde die T. in den 70er und 80er Jahren v.a. von dt. Zeithistorikern wie Karl Dietrich Bracher und Ernst Nolte, während die internationale Politikwissenschaft großenteils skeptische Distanz wahrte. Nach 1989 zeichnete sich auch hier eine gewisse Wende ab: Nicht zuletzt weil er für den demokratischen Aufbruch in Osteuropa zum Leitmotiv geworden war, erfuhr der Totalitarismusbegriff eine Renaissance (→ Faschismustheorien).

Alfons Söllner

Literatur:

Löw, Konrad (Hg.): *Totalitarismus,* München 1988.

Totalitarismus und Faschismus. Eine wissenschaftliche und politische Begriffskontroverse, Hg. Institut für Zeitgeschichte, München 1980.

Friedrich, Carl Joachim: *Totalitäre Diktatur* (unter Mitarbeit von Zbigniew K. Brzezinski), Stuttgart 1957 (engl. Ausg. Cambridge/Mass. 1956).

Totenkopfverbände s. Konzentrationslager, s.a. SS

Totenkult Mit dem nat.soz.T. sollte ein bestimmtes Trauerverhalten eingeübt werden, das die Kräfte für den »Lebenskampf« nicht blockierte. Der T. verklärte vor Kriegsausbruch vor allem den Tod der für die nat.soz. Bewegung gefallenen → »Blutopfer«. Damit waren insbesondere die 16 Toten des → Hitler-Putsches von 1923 gemeint, deren jeweils am 9. November, dem »Tag der Bewegung«, in einer feierlichen »Totenweihe« gedacht wurde. 1935 waren die Zeremonien besonders ausgeprägt, als die Leichen der »Blutopfer« exhumiert, aufgebahrt und nach einem »letzten Appell« beigesetzt wurden. Ferner spielte der T. eine wichtige Rolle am → Heldengedenktag und bei Staatsbegräbnissen in einer jeweils aufwendigen → Feiergestaltung, die oft christliche Vorstellungen und Rituale (z.B. Fronleichnamsprozession) nachahmte, um soldatische Opferbereitschaft zu fördern. Nach Kriegsausbruch wurden Musteransprachen auch für örtliche Totenfeiern zunehmend verbreitet. Der nicht mehr zu leugnende millionenfache Tod von Soldaten und Zivilisten erwies sich als ein letztlich nicht lösbares Problem für die Propaganda: Man sprach nunmehr von einem »Wall der Gräber«, mit dem die Gefallenen die Kämpfenden gegen die »bolschewistischen Horden« unterstützen würden. Symbolischen Ausdruck fand dies in einer Art Grenzwall auch in den Totenburgen, die Wilhelm Kreis ab 1942 für die großen Schlachtfelder an der Ostfront entwarf. Der Tod stellte im T. auf der einen Seite die Initiation ins Heldentum und das ewige Leben in Aussicht, bedeutete aber auf der anderen Seite auch ein freiwilliges Opfer im Dienste der → Volksgemeinschaft. Hiermit konnte man die Gemeinschaft wiederum verpflichten, dem »Opfertod« nachträglich Sinn zu verleihen. Darin zeigte sich das eigentliche Ziel des T., von jeglicher Trauerarbeit abzulenken und zum Durchhalten aufzufordern. *Uffa Jensen*

Literatur:

Baird, Jay W.: *To die for Germany. Heroes in the Nazi Pantheon,* Bloomington/Indianapolis 1990.

Transnistrien Die Armee Rumäniens eroberte gemeinsam mit dt. Militäreinheiten im Juli 1941 das Gebiet zwischen Dnjestr und Bug, das bis dahin Teil der Moldawischen SSR gewesen war (→ Ostfeldzug). Die rumän. Behörden schoben über 50 000 Juden aus Bessarabien dorthin ab, die von Otto Ohlendorfs Einsatzgruppe D ermordet wurden (→ Einsatzgruppen). Da sich diese überfordert sah, wurde mit dem Abkommen von Tighina vom 30.8.1941 der dt. Einflußbereich auf Gebiete jenseits des Bug verlagert. T. kam unter rumän. Verwaltung, wobei aber die dt. militärische Kontrolle bestehen blieb. Ab September 1941 wurde ein großer Teil der jüdischen Bevölkerung aus dem Norden Rumäniens (Bukowina, Bessarabien und Nordmoldau) nach T. deportiert. Auch ca. 26 000 nomadisierende Roma aus Rumänien kamen an den Bug. Im ersten Winter starb ein Drittel der Deportierten an Hunger und Epidemien. 1942 kamen nur noch kleinere Transporte aus Czernowitz und anderen Städten Rumäniens. Im Dezember 1943 waren von den vermutlich 150 000 Deportierten nur noch 50 741 am Leben. Auch 185 000 ukrain. Juden wurden von rumän. und dt. Einheiten, von → Volksdeutschen und von ukrain. Miliz ermordet. Die meisten Deportierten konnten die → Ghettos und Lager erst verlassen, nachdem die Rote Armee T. im März 1944 erobert hatte. *Mariana Hausleitner*

Literatur:

Ofer, Dalia: The Holocaust in Transnistria, in: Lucjan Dobroszycki/Jeffrey Gurock (Hg.): *The Holocaust in the Soviet Union,* New York/London 1993, S. 133–152.

Trawniki Ortschaft in Ostpolen im Bezirk Lublin. In T. existierte ab Herbst 1941 ein Zwangsarbeitslager, das zunächst dem SS- und Polizeiführer im Distrikt Lublin, Odilo Globocnik, ab Herbst dem → SS-Wirtschafts-Verwaltungs-Hauptamt unterstand. Die Häftlinge rekrutierten sich anfangs aus sowj. Kriegsgefangenen und poln. Juden, deren Zahl sich insbesondere nach der Niederschlagung des → Warschauer Ghetto-Aufstands ab Mai 1943 erhöhte; T. war auch Ziel von Deportationstransporten aus dem Reich, den Niederlanden und der Sowjetunion (→ Deportationen). Die Mehrzahl der Lagerinsassen wurde im Herbst 1943 im Zuge der von Himmler angeordneten Aktion → Erntefest erschossen. Insgesamt durchliefen T. etwa 20 000 jüdische Häftlinge. Daneben bestand im T. im Rahmen der → Aktion Reinhardt ein zentrales Ausbildungslager der SS, das ca. 2000–3000 Volksdeutsche, Ukrainer und Angehörige anderer Nationen auf den Dienst in Belzec, Sobibór, Treblinka und anderen Lagern vorbereitete (»Trawnikis«). T. wurde im Sommer 1944 von sowj. Truppen befreit. *Jürgen Matthäus*

Treblinka → Vernichtungslager der → Aktion Reinhardt im nordöstlichen → Generalgouvernement, dessen Errichtung im Juni/Juli 1942 eine Konsequenz der begrenzten Kapazität der bereits bestehenden Todeslager darstellte. Größe und Aufbau deckten sich mit jenen → Sobibórs; auch flossen die bei der Errichtung und Inbetriebnahme von → Belzec und Sobibór gesammelten Erfahrungen in die Planung von T. ein, wobei u.a. auch die Tarnung des Vernichtungsbetriebes perfektioniert wurde. Bau und Betrieb lagen in den Händen der Stäbe der → Aktion T4, wobei den ca. 30 Leuten des »Euthanasie«-Personals etwa 90–120 v.a. für Bewachungsaufgaben und den Betrieb der → Gaskammern eingesetzte »Trawnikis«, ehem. sowj. Kriegsgefangene meist ukrain. Herkunft, unterstellt wurden. Der Vernichtungsbetrieb, dem insgesamt etwa 900000 Juden aus dem → Warschauer Ghetto, dem Distrikt Radom, aus anderen europäischen Ländern sowie Tausende von Zigeunern (→ Sinti und Roma) zum Opfer fielen, setzte am 23.7.1942 ein: Nach ihrer Ankunft mit dem Zug wurde den Deportierten vorgetäuscht, sie hätten vor ihrer Umsiedlung aus hygienischen Gründen noch ein Bad zu nehmen; anschließend trieb man sie nach Abgabe von Kleidung und Wertsachen gruppenweise durch den sog. Schlauch in die mit Motorabgasen betriebenen Gaskammern. Für diverse Aufgaben im Lager und bei der Vernichtung wurden aus den Transporten Juden ausgewählt, die jedoch meist bald ebenfalls selektiert und ermordet wurden. Bis zu 12000 Menschen wurden täglich vergast, wobei das zunächst durch diesen Massenmord entstehende Chaos nach Übernahme der Lagerleitung durch Franz Stangl und dessen Reorganisation des Lagers im September 1942 reguliert wurde. Außerdem stieg die Vernichtungskapazität pro Vergasung im Oktober 1942 durch den Bau weiterer zehn Gaskammern von 600 auf 4000. Seit Frühjahr 1943 wurden die – bisher nur in Gruben verscharrten – Leichen auf Rosten verbrannt, die man aus Schienen konstruierte, und das Lager wurde allmählich »abgewickelt«; ein Aufstand der »Arbeitsjuden« im August 1943 beschleunigte die Auflösung des Lagers. Bald darauf wurden die Spuren der Vernichtung beseitigt und ein Bauernhof als Tarnung errichtet (→ Rassenpolitik und Völkermord). *Thorsten Wagner*

Literatur:

Arad, Yitzhak: *Belzec, Sobibór, Treblinka. The Operation Reinhard Death Camps,* Bloomington/Indianapolis 1987.

Glazar, Richard: *Die Falle mit dem grünen Zaun. Überleben in Treblinka,* Frankfurt am Main 1992.

Treuhänder der Arbeit s. Reichstreuhänder der Arbeit

Triumph des Willens Leni Riefenstahl führte auf »besonderen Wunsch« Hitlers Regie bei dem Dokumentarfilm über den Nürnberger Reichsparteitag 1934, der unter dem Motto »Triumph des Willens« stand. Über 30 Kameraleute waren eingesetzt, Weitwinkel- und Teleobjektive wurden verwendet, um die Reaktionen des Publikums und die Rituale der Massenveranstaltung, die den »Führerkult« (→ Führer) transportierte, detailgetreu einzufangen. Der mehrfach ausgezeichnete Film, dessen große Montagekunst beeindruckte und dem selbst die ausländische Nachkriegs-Filmkritik ästhetische Qualität bescheinigte, wurde am 29.3.1935 im Ufa-Palast in Berlin uraufgeführt (→ Ufa). Durch die filmische Dokumentation sollte sich die Wirkung des Parteitages nicht nur auf die teilnehmenden Massen beschränken, vielmehr sollte die auf Zelluloid gebannte Szenerie als spektakuläres Propagandamittel zum Einsatz kommen (→ Propaganda). Die moderne Filmtechnik stilisierte den »Führer« zu einem höheren Wesen, das in Fackelschein und Fahnenmeer übermächtig in Erscheinung trat. *Juliane Wetzel*

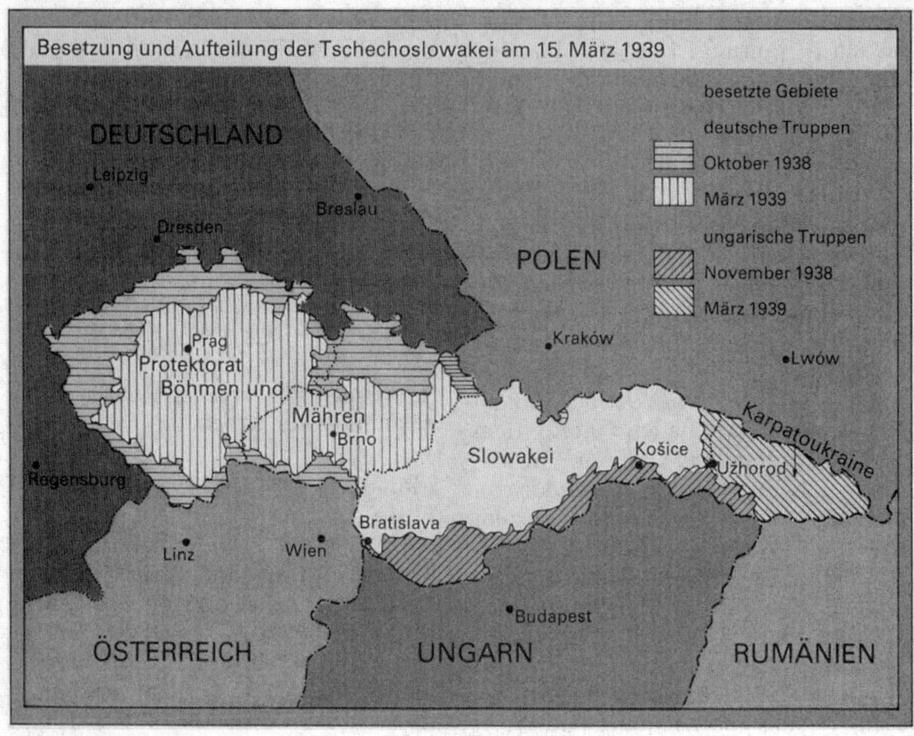

Abb. 66: Besetzung und Aufteilung der Tschechoslowakei (1938–1939)

Truppenbetreuung Von der Reichs-Wehrmacht (unter Zuständigkeit H. Hinkels) im Zweiten Weltkrieg betriebenes Unterhaltungs- und Kulturprogramm für die dt. Frontsoldaten. Künstlergruppen aller Art wurden an die Fronten in ganz Europa transportiert, um dort die Soldaten zu unterhalten und so deren Kampfmoral zu stärken. Der Dienstverpflichtung für die T. konnten sich auch die Film- und Bühnenstars des Dritten Reiches nicht entziehen. *Stefan Hoff*

Tschechoslowakei Die Tschechoslowak. Republik wurde am 28.10.1918 gegründet. Sie konstituierte sich aus den Ländern Böhmen, Mähren, Schlesien, der Slowakei und Karpathorußland, die bis dahin zu Österreich-Ungarn gehört hatten. Das Territorium der T. umfaßte rd. 140 500 km² und hatte 1930 14,7 Mio. Einwohner. Die T. war ein politisch, wirtschaftlich und kulturell hochentwickeltes demokratisches Land, an dessen Spitze die Präsidenten Tomáš G. Masaryk (1918–1935) und Edvard Beneš (1935–1938) standen. Die Bevölkerung war national stark differenziert. Neben 9,7 Mio. Einwohnern tschechoslowak. Nationalität (so wurde die tschech. und die slowak. Nation gemeinsam bezeichnet), lebten in der T. 3,2 Mio. Menschen dt., 690 000 ungar., 550 000 ruthenischer bzw. ukrain. Nationalität sowie 186 000 Juden. Bedroht von den auf die Revision der Pariser Friedensverträge von

1919/20 gerichteten dt. und ungar. Aktivitäten, suchte die tschechoslowak. Außenpolitik ihre Sicherheit v.a. im Bündnis mit Frankreich und durch eine auf den Völkerbund gestützte Politik der kollektiven Sicherheit, in deren Rahmen 1935 ein Pakt mit der → Sowjetunion abgeschlossen wurde. Die Vernichtung der T. gehörte zu den ersten Zielen der nat.soz. Kriegsstrategie. In seine im sog. → Hoßbach-Protokoll festgehaltenen Ausführungen vom 5.11.1937 vor den höchsten Repräsentanten der → Wehrmacht und der → Außenpolitik hatte Hitler bereits angekündigt, daß die T. gemeinsam mit → Österreich das erste Opfer dt. Aggression sein werde. Schon damals hatte Hitler die künftige Politik der Zwangsaussiedlung konkretisiert: Aus der eroberten T. sollten 2 Mio. Menschen ausgesiedelt werden. Die nat.soz. Strategie rechnete mit der Hilfe radikaler nationalistischer dt. Organisationen und Bewegungen in der T.

In der infolge der Wirtschaftskrise der ersten Hälfte der 30er Jahre entstandenen schwierigen sozialen Situation und besonders aufgrund der vom nat.soz. Deutschland gewährten politischen, propagandistischen und finanziellen Hilfe nahm die Stärke der 1933 ursprünglich als Sudetendt. Heimatfront gegründeten → Sudetendt. Partei (SdP) schnell zu. In den Wahlen 1935 erhielt sie 1249000 Stimmen, das waren zwei Drittel aller dt. Wähler. Die von Konrad Henlein geführte SdP fügte sich in ihrem politischen Vorgehen Hitlers Weisungen, um die sudetendt. Frage zu internationalisieren und eine Zuspitzung der sich steigernden Krisensituation zu erreichen. Während der intensiv verlaufenden Vorbereitungen zur militärischen Operation mit dem Ziel, die T. zu zerschlagen (»Fall Grün«, erste Fassung vom 21.4. und 30.5.1938), verstärkten sich im Frühjahr 1938 auch die politischen Vorbereitungen. Bei seinem Treffen mit Henlein am 28.3.1938 genehmigte Hitler persönlich die SdP-Strategie: die SdP sollte die tschechoslowakische Regierung stets mit Forderungen konfrontieren, die unerfüllbar seien. Gemäß dieser Weisung lehnte die SdP fortlaufend alle Angebote der T. ab, einschließlich des sog. vierten Plans, der am 5.9.1938 praktisch alle auf dem Karlsbader Parteitag der SdP vom 2.–24.4.1938 erhobenen Forderungen akzeptierte.

Nach Hitlers Rede auf dem Nürnberger Parteitag der NSDAP am 12.9.1938 organisierte die SdP einen Putsch unter der Parole: »Heim ins Reich!« In die Entwicklung der Ereignisse griff der brit. Premierminister Neville Chamberlain ein. Bei den Verhandlungen mit Hitler am 15.9.1938 in Berchtesgaden stimmte er allen dt. Ansprüchen auf die sudetendt. Gebiete zu (→ Appeasement). Die Intervention der frz. und der brit. Regierung zwang die T. zur Annahme dieser Forderungen. Bei seinem nächsten Treffen mit Hitler in Bad Godesberg vom 22. bis 23.9.1938 wurde Chamberlain mit neuen, noch drastischeren Ultimaten konfrontiert. Die T. reagierte mit der Mobilmachung. Die dt. militärischen Vorbereitungen zum Einmarsch gemäß der Weisung »Fall Grün« erreichten ihren Höhepunkt.

Schließlich kam auf Mussolinis Veranlassung eine Konferenz in München zustande (29./30.9.1938), auf der Hitler und Mussolini mit Chamberlain und Daladier zusammentrafen. Am Ende der Gespräche stand das → Münchener Abkommen, das der T. auferlegte, das Grenzgebiet von mehr als 28 000 km^2, ein Fünftel der Gesamtfläche der T., abzutreten und in der Zeit bis zum 10.10.1938 zu räumen. Deutschland diktierte die neue Grenze ohne Berücksichtigung der nationalen Struktur der Einwohnerschaft allein nach Maßgabe strategischer Interessen. Auch die ungar. territorialen Forderungen gegenüber der T. wurden aktiviert, und aufgrund des dt.-ital. Wiener Schiedsspruchs wurde Ungarn am 2.11.1938 ein umfangreiches Gebiet in der Südslowakei und der südwestliche Teil der Karpatho-Ukraine zugesprochen.

Die sog. Zweite Tschecho-Slowakische Republik war nur von kurzer Dauer. Am 21.10.1938 erneuerte Hitler die Weisung »Grün«, alle Vorbereitungen zu treffen, um »die Rest-Tschechei jederzeit zerschlagen zu können«. Diese Zeit kam Mitte März 1939. Hitler befahl zwei vor einigen Tagen abgesetzte Politiker der slowak. Regierung, Josef Tiso und Ferdinand Ďurčanskiý, zu sich. Er drohte ihnen, er werde die → Slowakei nicht vor der ungar. Invasion schützen, falls sie sich nicht von der T. trenne und ihre Selbständigkeit erkläre. Tatsächlich proklamierte der slowak. Landtag am 14.3.1939 die Slowakei als selbständigen Staat. In der Nacht vom 14./15.3.1939 teilte Hitler dem nach Berlin gereisten Präsidenten der Zweiten Republik, Emil Hácha, und seinem Außenminister František Chvalkovský mit, daß die dt. Wehrmacht am nächsten Morgen das restliche tschechische Gebiet besetzen werde, und legte beiden eine entsprechende Erklärung zur Unterzeichnung vor. Zu dieser Zeit hatten dt. Truppen die Grenzen des Landes bereits überschritten. Am nächsten Tag wurden Böhmen und Mähren zum → Protektorat des Reiches erklärt. Die Slowakei hatte mit Deutschland einen Schutzvertrag abgeschlossen und wurde zum dt. Vasallenstaat. Eines der Ergebnisse des Zweiten Weltkrieges war die Wiederherstellung der Tschechoslowak. Republik. *Miroslav Kárný*

Literatur:
Brügel, Johann Wolfgang: *Tschechen und Deutsche 1918–1938,* München 1967.
Král, Václav (Hg.): *Das Abkommen von München 1938. Tschechoslowakische diplomatische Dokumente 1937–1939,* Prag 1968.
Seibt, Ferdinand: *Deutschland und die Tschechen. Geschichte einer Nachbarschaft in der Mitte Europas,* München/Zürich 1993.

Tschetniks s. Četniks

Türkei Republik in Vorderasien und Südosteuropa mit 17,9 Mio. Einwohnern und 772 000 km^2 (1940), Hauptstadt Ankara. Während des Zweiten Weltkriegs verfolgte die T. unter Ismet Inönü (1938–1950) eine Politik der Neutralität. Das lag einerseits an der Niederlage im Ersten Weltkrieg auf dt. Seite und andererseits an der mangelhaften militärischen Ausrüstung der T. Für Deutschland war die T. ein potentieller Bündnispartner, da mit ihrer Hilfe die strategischen Flucht- und Handelswege zwischen → Palästina und dem Irak unterbrochen werden konnten. Die Ernennung Franz v. Papens im April 1939 zum dt. Botschafter in Ankara weist auf diese Einschätzung der T. durch Deutschland: Die → Achse Berlin-Rom sollte in ein Dreieck Berlin-Rom-Ankara verwandelt werden. Der Stellenwert der T. im Nahen Osten war für die Westmächte ebenfalls von Bedeutung, so daß es am 19.10.1939 zu einem brit.-frz.-türk. Beistands- und Wirtschaftsabkommen kam. Berlin wiederum schloß am 16.6.1941 mit der T. einen dt.-türk. Freundschafts- und Nichtangriffspakt und sicherte sich damit die Neutralität der türk. Regierung.

Für viele Flüchtlinge aus dem dt. besetzten Europa war die T. eine Zwischenstation auf ihrem Fluchtweg. Die 1933 in London gegründete Society for the Protection of Science and Learning brachte dt. Wissenschaftler in wissenschaftlichen Institutionen und Positionen der T. unter. Die T. nahm zwischen 1933 und 1938 ca. 200 aus politischen und rassischen Gründen verfolgte Wissenschaftler und Künstler aus Deutschland auf. Einer der berühmtesten Türkeiemigranten war Ernst Reuter (→ Emigration). Durch dt. Emigranten wurden in der T. wissenschaftliche Institutionen aufgebaut, die es zuvor in dieser Form nicht gegeben hatte. Ab 1938 mußten die Emigranten den Nachweis einer christlichen Taufe vorlegen. Schiffen, die europäische Emigranten nach Palästina beförderten, wurde der Zwischenaufenthalt nicht erlaubt, wenn von der brit. Mandatsverwaltung in Palästina keine Genehmigung vorlag. Zu einer Verschlechterung der Beziehungen zwischen Großbritannien und der T. kam es wegen türk. Chromlieferungen an Deutschland, woraufhin Churchill Inönü bei einem Treffen im Januar 1943 aufforderte, die Neutralität aufzugeben. Schließlich drohten die USA und Großbritannien der T. mit einem Embargo, weshalb die T. im April 1944 die Lieferungen an Deutschland einstellte. Unter dem Druck der Westmächte brach die türk. Regierung ihre diplomatischen und wirtschaftlichen Beziehungen zu Deutschland am 2.8.1944 ab und erklärte Deutschland und Japan am 1.3.1945 den Krieg. Die Aufnahme in die → Vereinten Nationen war damit gewährleistet. *Özden Uzunoglu*

Literatur:

Adanir, Fikret: *Geschichte der Republik Türkei,* Mannheim 1995.

Krecker, Lothar: *Deutschland und die Türkei im Zweiten Weltkrieg,* Frankfurt am Main 1964.

Önder, Zehra: *Die türkische Außenpolitik im Zweiten Weltkrieg,* Oldenburg 1977.

U

Uckermark s. Jugendschutzlager

UdSSR s. Sowjetunion

Ufa (Universum-Film-Aktiengesellschaft) Die U. wurde 1917 in Berlin im Auftrag der Reichsregierung als Vereinigung der wichtigsten dt. Film-Produktionsgesellschaften zur Verbesserung des Qualitätsstandards und des Ansehens des dt. Films im Ausland, aber auch als »Aufklärungs- und Beeinflussungsmittel«, zur Stärkung der Kampfmoral der Truppen, gegründet. 1918 übernahm die Dt. Bank die meisten Regierungsanteile, im neutralen Ausland wurden Kinos gekauft, um mit Filmvorführungen das Deutschlandbild zu verbessern. 1919 begann der Aufbau einer eigenen Kinokette und eines eigenen Vertriebsnetzes; 1923 erhielt die U. durch den Zusammenschluß mit der Decla Bioscop von Erich Pommer, der Produktionsleiter bei der U. wurde, das Gelände in Neubabelsberg (heute Potsdam). 1927 verhinderte Alfred Hugenberg den drohenden Bankrott der U., deckte die Schulden und wurde Aufsichtsratsvorsitzender. Damit verstärkten sich nationalistische Tendenzen, die besonders in den Wochenschauen zu spüren waren (→ Dt. Wochenschau). 1930 produzierte die U. mit »Der Blaue Engel« den ersten dt. Tonfilm, es folgten zahlreiche Operetten- und Musicalfilme (→ Kunst). Nach der nat.soz. → »Machtergreifung« wurde die U. mehr und mehr Teil des Goebbelsschen Propaganda-Apparates. 1937 kaufte die Regierung anonym U.-Aktien auf und übernahm schließlich die Kontrolle der Gesellschaft. Nach Kriegsende stellte die U. die Produktion ein, das Gelände in Neubabelsberg und weitere Einrichtungen (70% der Vermögenswerte) gingen an die 1946 in der sowj. Besatzungszone gegründete DEFA. In der Bundesrepublik entstandene Nachfolgegesellschaften wurden 1964 von der Bertelsmann-Gruppe übernommen. Nach der Wiedervereinigung war die Zukunft der DEFA zunächst ungeklärt, bis im August 1992 die frz. Investorengruppe Compagnie Générale des Eaux (CGE) die Studios übernahm und als Studio Babelsberg GmbH weiterführte.

Juliane Wetzel

Uhrig-Römer-Gruppe Die von dem Kommunisten Robert Uhrig geführte Gruppe des → Widerstands war seit 1940 in Berlin tätig und unterhielt Beziehungen zu ähnlichen Organisationen in anderen Großstädten, insbesondere zu einer Münchner Gruppe um Beppo Römer (ehem. Mitglied des Freikorps »Oberland«, Nationalbolschewist), die sich aus dem konservativen Lager, aus linken Intellektuellen und Arbeitern rekrutierte. Ab September 1941 bildeten beide Gruppen eine gemeinsame Organisation, die eine monatliche Flugschrift *Informationsdienst* publizierte, Sabotageakte durchführte und den Sturz der NS-Regierung propagierte. Ab Februar 1942 zerschlug die Gestapo mit über 200 Verhaftungen die U. Uhrig und Römer wurden hingerichtet, die unentdeckten Mitglieder schlossen sich der → Saefkow-Jacob-Gruppe an. *Wolfgang Benz*

Ukraine s. Reichskommissariat Ukraine

Ulm (KZ) s. Oberer Kuhberg

Ulmer Reichswehrprozeß Vor dem IV. Strafsenat des Reichsgerichts in Leipzig fand vom 23.9.–4.10.1930 der Hochverrats-Prozeß gegen drei junge Offiziere des in der Garnison Ulm stationierten Artillerieregiments 5 statt, dessen Kommandeur Oberst Ludwig Beck (→ 20. Juli 1944) war. Es handelte sich um die Leutnants Richard Scheringer (1904–1985) und Hans Ludin (1905–1948) sowie um den bereits Ende 1929 aus der Reichswehr verabschiedeten Oberleutnant Hans Friedrich Wendt (1905, nach 1933 verschollen). Sie waren »des Versuchs einer nat.soz. Zellenbildung innerhalb der Reichswehr« angeklagt und wurden jeweils zu eineinhalb Jahren Festungshaft verurteilt. Der Prozeß erregte seinerzeit größtes innenpolitisches Aufsehen. Einerseits gab er Aufschluß über republikfeindliche, in großer Interessennähe zu den Zielen der → NSDAP befindliche Offiziersgruppen in der Reichswehr. Andererseits wurde er zum Indikator für die Krise der Republik und den stark zunehmenden Einfluß der NSDAP in Staat und Gesellschaft. Nachdem die Partei zwei Wochen zuvor bei den Reichstagswahlen vom 14.9.1930 mit 107 Mandaten zweitstärkste Fraktion geworden war, nutzte sie den Prozeß – mit Duldung des Gerichts – als Propaganda-Plattform. Am dritten Verhandlungstag erläuterte Hitler die Ziele der Partei und äußerte als vereidigter Zeuge, nur mit »legalen Mitteln« die Macht im Staat zu übernehmen, da er bei einem Umsturzversuch den Einsatz der Reichswehr für die Republik fürchtete. Nach »2–3 Wahlen« werde die NSDAP aber die Mehrheit besitzen und »den Staat so gestalten, wie wir ihn haben wollen«. Und dann würden »auch Köpfe rollen«. *Silvester Lechner*

Literatur:

Bucher, Peter: *Der Reichswehrprozeß. Der Hochverrat der Ulmer Reichswehroffiziere 1929/30*, Boppard 1967.

Umsiedlung s. Volkstumspolitik

Ungarn *Innenpolitik:* Miklós Horthy de Nagybánya wurde 1920 zum »Reichsverweser« gewählt. Konservative und liberale Gruppierungen schlossen sich zur Regierungspartei (Partei der Nationalen Einheit [NEP]) zusammen, die alle nachfolgenden Wahlen gewann und den jeweiligen Ministerpräsidenten stellte (u.a. Graf István Bethlen, 14.4.1921 – 18.8.1931; Gyula Gömbös, 1.10.1932 – 11.10.1936; Kálmán Darányi, 12.10.1936 – 13.5.1938; Graf Pál Teleki, 12.2.1939 – 3.4.1941; László Bárdossy, 4.4.1941 – 8.3.1942; Miklós Kállay, 9.3.1942 – 19.3.1944).

Die von Ferenc Szálasi gegründete faschistische → Pfeilkreuz-Partei (1937) gewann zunehmend an Boden, doch die von Großgrundbesitzern und monarchistischen Kräften geprägte ungar. Regierung strebte kein Bündnis mit ihr an, sondern versuchte ihr durch die Verabschiedung von drei anti-jüdischen Gesetzen entgegenzuwirken: Das erste Gesetz (1937) beschränkte den Beschäftigungsanteil der jüdischen Bevölkerung im Presse- und Theaterbereich, im Rechtswesen und in der Medizin auf maximal 20%; das im Dezember 1938 verkündete zweite Gesetz basierte auf einer rassistischen Definition der Juden (davon betroffen waren auch die 62 000 zum Christentum konvertierten Juden) und schränkte deren Anteil in sämtlichen Beschäftigungsbereichen auf 6% ein. Ferner wurde die → Arisierung des jüdischen Eigentums eingeleitet. Das 1941 verabschiedete dritte Gesetz entsprach in vielen Punkten den → Nürnberger Gesetzen. Die Regierung unter Miklós Kállay wehrte sich – trotz heftiger Intervention von seiten des Dritten Reiches –, gegen die jüdische Bevölkerung im Sinne der von den Nat.soz. geforderten → Endlösung vorzugehen. Nachdem U. im März 1944 von dt. Truppen besetzt worden war, begannen SS-Einheiten, Gestapo und ungar. Faschisten (Pfeilkreuzler) mit der → Deportation der ungar. Juden nach → Auschwitz. Der Massendeportation, die zwischen dem 15.5. und dem 9.7.1944 stattfand, fielen ca. 440 000 Juden – überwiegend aus den ländlichen Regionen – zum Opfer.

Außenpolitik: Im Friedensvertrag von Trianon (1920) verlor U. 71% seines Gebiets und 63% seiner Bevölkerung an die Nachbarstaaten. In den 20er Jahren unterhielt U. enge Kontakte zum faschistischen Italien, in den 30er Jahren folgte eine stärkere außenpolitische Anlehnung an Deutschland, die primär auf die Revision des Trianon-Vertrages zielte. Durch den 1. Wiener Schiedsspruch (2.11.1938) wurde U. ein Teil der → Slowakei zugesprochen; U. besetzte die Karpatho-Ukraine (15.3.1939); im 2. Wiener Schiedsspruch (30.8.1940) erhielt U. Nord-Siebenbürgen. U. unterstützte Deutschland beim Angriff auf → Jugoslawien (11.4.1941), in der Hoffnung auf die Rückgewinnung → Kroatiens und der Wojwodina sowie auf die Eröffnung eines Zugangs zur Adria.

Ab 1933 kam es zu einer Intensivierung der ungar.-dt. Wirtschaftsbeziehungen und zur Festigung der politischen und militärischen Allianz mit dem Dt. Reich im ungar.-dt. Wirtschaftsabkommen (1934), durch den Beitritt U. zum → Antikominternpakt (13.1.1939), den Anschluß an den → Dreimächtepakt (20.11.1940) und den Eintritt in den Krieg gegen die Sowjetunion (27.6.1941).

Nach dem Sturz Mussolinis versuchte die ungar. Regierung Friedensverhandlungen mit den Alliierten aufzunehmen, doch Deutschland kam diesem Schritt zuvor und besetzte U. am 19.3.1944. Die Nat.soz. setzten drei Tage später eine Kollaborationsregierung unter Döme Sztójay ein. Nach dem gescheiterten Versuch, das Engagement mit dem Dt. Reich zu lösen und aus dem Krieg auszutreten, wurde Miklós Horthy von den Deutschen zur Abdankung gezwungen und in Deutschland interniert. Als Regierungschef wurde am 16.10.1944 Ferenc Szálasi, der Führer der Pfeilkreuzler eingesetzt. Im Dezember 1944 etablierten die Sowjets eine provisorische Regierung unter Ministerpräsident Miklós Béla Dálnoki, die am 20.1.1945 das Waffenstillstandsabkommen zwischen den Alliierten und U. in Moskau unterzeichnete. Am 4.4.1945 war U. endgültig befreit. *Brigitte Mihok*

Literatur:
Lackó, Miklós: *Arrow-Cross Men. National Socialists 1935–1944,* Budapest 1969.
Nagy-Talavera, Nicholas M.: *The Green Shirts and the Others. A History of Fascism in Hungary and Rumania,* Stanford 1970.
Sugar, Peter F. (Hg.): *Native Fascism in the Successor States 1918–1945,* Santa Barbara 1971.
Szöllösi-Janze, Margit: *Die Pfeilkreuzlerbewegung in Ungarn. Historischer Kontext, Entwicklung und Herrschaft,* München 1987.

Unser Wille und Weg Ab 1931 von Goebbels herausgegebene *Monatsblätter der Reichspropagandaleitung der NSDAP* (Untertitel), die im Zentralverlag der NSDAP (→ Eher-Verlag) als Arbeitsgrundlage für die Propagandaarbeit der → Politischen Leiter erschien. Die Zeitschrift enthielt neben Berichten über Propagandaaktionen v.a. »Aufklärungs- und Rednerinformationsmaterial« als Handreichung für die praktische Arbeit.
Wolfgang Benz

Untermensch-Propaganda Kern der nat.soz. → Rassenpolitik war die Kategorisierung von Menschen in »wertvolle«, und »minderwertige Rassen« (→ Rassenkunde). Die »germanischen Völker« im nat.soz. Sprachgebrauch auch als → nordische Rasse oder Arier bezeichnet, wurden zu Herrenmenschen idealisiert. → Juden, → Sinti und Roma, die slawischen Völker, vor allem Russen und Polen, sowie Menschen afrikanischer und asiatischer Herkunft wurden hingegen zu »Untermenschen« deklassiert. Programmatische und pseudowissenschaftliche Schriften und Abhandlungen sprachen ihnen pauschal Kraft, Intellektualität, Kreativität, Moral und Ehrbarkeit ab. Dieses Weltbild implizierte, daß die »Untermenschen natürliche Untergebene der hochwertigen Germanen« seien. War der »Nutzwert« erschöpft, konnte man sich ihrer entledigen. Eine alles durchdringende Massenpropaganda sowie gezielte Agitation diffamierten und dehumanisierten Menschen zu Artfremden (→ Art) und → Volksschädlingen, zu »Ungeziefer« und »Parasiten«. Durch die ständige Indoktrination der dt. Bevölkerung mittels demagogischer Reden, Schriften und Filme wurde die Ausgrenzung, Entrechtung und → Deportation und schließlich die Vernichtung von Millionen von Menschen ideologisch vorbereitet und begründet. Die kollektive Entmenschlichung des vermeintlichen Gegners enthemmte Soldaten, Polizisten und SS, wehrlose Menschen in den besetzten Ländern und in den KZ zu töten. Daß am Ende dieser U.propaganda der Mord stehen mußte, war den entsprechenden Verlautbarungen von Anfang an zu entnehmen, war letztendlich die logische Konsequenz der nat.soz. Propaganda (→ Ideologie). *Armin Bergmann*

USA Nach der Intervention der USA im Ersten Weltkrieg, die den militärischen Sieg der Alliierten über die von Deutschland geführte Mächtegruppierung beschleunigte und die künftige Weltmachtqualität des Staates anmeldete, zogen sich die Amerikaner wieder auf die schon von George Washington begründete Tradition des Isolationismus zurück. Zwar blieben die kommerziellen wie die finanziellen Interessen der USA globaler Natur, zumal sich das Land durch die materielle Unterstützung der Alliierten während des Krieges aus einem Schuldner in einen internationalen Gläubiger größten Ausmaßes verwandelt hatte, und solche Interessen konnten ohne ein gewisses politisches Engagement nicht vertreten werden. Deutschland profitierte insofern davon, als sowohl die US-Regierung wie amerik. Privatbankiers sich an der Nötigung → Frankreichs zu einer halbwegs erträglichen Regelung der deutschen Reparationszahlungen beteiligten (Dawesplan 1924, Youngplan 1929) und schließlich führend an der Liquidierung der Reparationen mitwirkten (Konferenz von Lausanne 1932). Doch hielt sich das politische Engagement in Grenzen. Die USA blieben dem vor allem von Präsident Wilson ins Leben gerufenen → Völkerbund fern, und von der Flottenabrüstungskonferenz abgesehen, die 1922 in Washington stattfand, fehlte anderen amerik. Initiativen zu Abrüstung und Friedenssicherung, so dem Kellogg-Pakt von 1928, die volle politische Deckung, obwohl ein wirtschaftlich potentes und politisch stabiles Europa für die USA als lebenswichtig gelten durfte. Als bis 1932 sämtliche Schuldner der USA – → Finnland ausgenommen – ihre Zahlungen einstellten und das Land selbst von der schwersten Wirtschaftskrise seiner Geschichte erschüttert wurde (1933 mindestens 15 Mio. Arbeitslose), nahm der Isolationismus noch zu. So reagierte die US-Regierung auf das jap. Ausgreifen auf das chines. Festland mit bloßer Nichtanerkennung der neuen Verhältnisse (Stimson-Doktrin), auf Hitlers → »Machtergreifung« in Deutschland und die ersten Anzeichen eines dt.-ital. Expansionismus, der einen neuen europäischen Krieg wahrscheinlich machte, sogar mit mehreren Neutralitäts-Gesetzen (1935–1937), die der Regierung schon die materielle Unterstützung kriegführender Staaten aus äußerste erschwerten. Immerhin nahm in den 30er Jahren die Zahl der konsequenten Gegner des nat.soz., faschistischen und jap. Imperialismus stetig zu. Ihr führender Repräsentant war Präsident Franklin D. Roosevelt, der nicht nur mit seiner Politik des »New Deal«, das heißt der staatlichen Intervention, das Wirtschaftsleben wieder einigermaßen in Gang brachte, sondern zugleich zwei Gründe dafür sah, bei dem herannahenden Krieg zwischen → Großbritannien und → Frankreich auf der einen und → Deutschland/→ Italien auf der anderen Seite aktiv zugunsten der westlichen Demokratien einzugreifen: 1. mußten die von den Achsenmächten – und auch von Japan – angestrebten autarken Großräume zu einer tödlichen Gefahr für die amerik. Wirtschaft werden, 2. bedrohte es die amerik. Nation in ihrem von demokratischen und christlichen Leitbildern geformten Wesenskern, wenn der europäische Kontinent – womöglich mit Großbritannien – unter die Herrschaft antidemokratischer Mächte geriet; daß Kontinentaleuropa als Sprungbrett geeignet war, machte das NS-Regime bereits in den 30er Jahren klar, als es seinen wirtschaftlichen und politischen Einfluß in einigen südamerikanischen Staaten von Jahr zu Jahr mehr ausbaute.

Gleichwohl sahen sich Roosevelt und seine politischen Freunde so fest an die isolationistische Grundströmung gebunden, daß sie selbst auf den Kriegsbeginn in Europa und die bis zum Winter 1941 währende Serie der Siege des NS-Regimes – ebenso auf die jap. Besetzung Indochinas (Vietnams) – nicht militärisch zu reagieren vermochten. Zwar steigerte der Präsident Monat für

Monat die materielle Unterstützung Großbritanniens; dabei legte er es durchaus darauf an, Zusammenstöße mit der dt. Marine herbeizuführen, so, als Geleitschutz fahrende amerik. Kriegsschiffe im September 1941 den Befehl erhielten, auf erkannte dt. U-Boote zu feuern. Doch ist es fraglich, wann, ja, ob Roosevelt eine Möglichkeit zur militärischen Intervention gefunden hätte, die zur Niederwerfung der Achsenmächte unbedingt erforderlich war, wäre er nicht durch den jap. Überfall auf die amerik. Flotte in Pearl Harbor (7.12.1941), der den jap. Vorstoß nach Südostasien eröffnete, aller Probleme enthoben worden. Der Isolationismus war zumindest vorübergehend tot, zumal Deutschland, mit Japan verbündet und auf Ablenkung der dt. Bevölkerung von der gerade ausgebrochenen Winterkrise an der russ. Front bedacht, den USA am 11. Dezember 1941 den Krieg erklärte: Zwischen dem 22. Dezember 1941 und dem 14. Januar 1942 fand in Washington die erste große Konferenz der westlichen Alliierten statt, auf der die USA und Großbritannien die Führung einer bereits »Vereinten Nationen« genannten globalen Koaliton gegen die Achsenmächte übernahmen und ferner, da die Roosevelt-Administration das NS-Regime als den gefährlichsten Feind ansah, das Prinzip »Germany First« beschlossen. Letzteres an der Seite Großbritanniens und der nun nolens volens zur Verbündeten gewordenen Sowjetunion durchzuhalten, war den USA möglich, weil es der amerik. Pazifikflotte schon im Juni 1942 gelang, in der Schlacht bei Midway den Kern der jap. Träger-Flotte zu vernichten und die bis dahin außerordentlich erfolgreichen Japaner in die Defensive zu drängen. In einer gigantischen Anstrengung mobilisierten die USA jetzt ihre industrielle und personelle Kraft. Die bisher geleistete Hilfe für Großbritannien wurde vervielfacht, dazu kamen nun ungeheure Lieferungen von Waffen und sonstigem Kriegsmaterial (zum Beispiel 15 000 Flugzeuge, 13 000 Panzer, 427 000 Lastwagen) an die Sowjetunion. Noch im Laufe des Jahres 1942 griffen außerdem amerik. Luftstreitkräfte in die Kämpfe in Nordafrika und in den Bombenkrieg gegen Westeuropa und Deutschland selbst ein. Am 7. und 8. November 1942 eröffneten schließlich amerik. – und brit.– Truppen mit der Landung in Marokko und Algerien den Landkrieg gegen die europäischen Achsenmächte. Nachdem die dt. und ital. Divisionen in Nordafrika geschlagen und am 13. Mai 1943 zur Kapitulation gezwungen worden waren, setzten amerik. und brit. Verbände am 10. Juli 1943 nach Sizilien über, das bis zum 17. August erobert wurde, und anschließend, am 3. und 9. September, nach Süditalien. Indem sie sich dort langsam nach Norden vorkämpften, konfrontierten die Alliierten – bei denen die Amerikaner mehr und mehr die Hauptlast zu tragen hatten – das NS-Regime erstmals mit der vollen Wirkung eines Mehrfrontenkriegs, zumal Italien im Juli das faschistische Regime abgeschüttelt und im September die Seiten gewechselt hatte, die Südfront also allein von deutschen Truppen verteidigt werden mußte; noch im Sommer 1943 sah sich die dt. Führung gezwungen, Divisionen von der Front in der Sowjetunion abzuziehen und nach Italien zu werfen. Gleichzeitig wurde unter führender amerik. Beteiligung der Bombenkrieg gegen Industrie, Verkehrswege und Bevölkerung in Deutschland auf eine bis dahin unvorstellbare Weise intensiviert. In diesem → Luftkrieg, in dem auch die Alliierten lange Zeit schwere Verluste hinzunehmen hatten, wurde die deutsche Jagdwaffe völlig aufgerieben, so daß die westlichen Alliierten bis zum

Sommer 1944 die absolute Luftherrschaft errangen und es daher riskieren konnten, mit der Landung in der Normandie (6. Juni 1944) eine weitere Front zu eröffnen. Daß die USA gleichzeitig (seit dem 13. Juni 1944) eine ebenso große amphibische Operation im Pazifik gegen die Marianen durchzuführen vermochten, bei der die Japaner abermals eine schwere Niederlage erlitten, zeigt, zu welcher Kraftentfaltung die neue Weltmacht fähig war: Beides zusammen, die Invasion in Frankreich und das Unternehmen gegen die Marianen, stellt die bisher größte militärische Leistung in der Geschichte dar. Nach schwersten Kämpfen brachen amerik., brit. und sonstige verbündete – zum Beispiel poln. – Truppen Ende Juli/Anfang August 1944 aus der Normandie aus und befreiten bis zum Winter ganz Frankreich und den größten Teil Belgiens und der Niederlande. Von erbittertem dt. Widerstand an der Reichsgrenze und von der nach wenigen Tagen gescheiterten letzten dt. Großoffensive (im Dezember in den Ardennen) nur kurz aufgehalten, eroberten sie bis Anfang Mai große Teile Deutschlands. Am 25. April 1945 traf die 69. US-Infanteriedivision bei Torgau an der Elbe mit der 58. sowj. Gardedevision zusammen, am 8. bzw. 9. Mai mußten die Reste der dt. Wehrmacht vor den Westalliierten und der roten Armee bedingungslos kapitulieren (Reims bzw. Berlin-Karlshorst). Außerdem gelang es den USA, bis zum Sommer 1945 die jap. Streitkräfte auf den innersten Verteidigungsgürtel zurückzudrängen, und nachdem am 6. bzw. 9. August die während des Krieges entwickelten ersten Atombomben auf Hiroshima und Nagasaki abgeworfen worden waren, mußte sich am 14. August 1945 auch Japan zur bedingungslosen Kapitulation verstehen.

Parallel zu ihrer letztlich kriegsentscheidenden militärischen und wirtschaftlichen Leistung wirkten die USA auch initiierend und maßgebend an der Vorbereitung der politischen Nachkriegsordnung Deutschlands, Europas und der außereuropäischen Welt mit. In endgültiger Abkehr vom Isolationismus verpflichteten sich die USA noch während der Kriegsjahre zur Beteiligung an einer längeren Besetzung Deutschlands; 1943/44 legte eine in London arbeitende amerik.-brit.-sowj. European Advisory Commission die alliierten Besatzungszonen in Deutschland fest, deren Grenzen dann auf der Konferenz von → Jalta (4.–11. Feb. 1945) offiziell beschlossen wurden, und auf der Konferenz von → Potsdam (17. Juli–2. Aug. 1945) übernahmen es die USA ferner, an einem Großunternehmen internationaler politischer Pädagogik mitzuwirken, das während einer solchen Besatzungsperiode den Nat.soz. in Deutschland austilgen und die dt. Gesellschaft in eine demokratische Zukunft steuern sollte. Darüber hinaus erkannte Stalin auf der Konferenz von Jalta den dort erhobenen Anspruch der USA – und Großbritanniens – an, sich bei der Schaffung demokratischer Staaten an Ost- und Südosteuropa fördernd und kontrollierend zu beteiligen (»Deklaration über das befreite Europa«). Daß Stalin die Vereinbarung von Jalta in den folgenden Monaten und Jahren brach und den Staatengürtel von Polen bis Bulgarien – einschließlich der sowj. Besatzungszone in Deutschland – in ein von Moskau beherrschtes und demokratische Entwicklungen ausschließendes sowj. Imperium zwang, war die europäische Ursache des zwischen den ehemaligen Verbündeten nun beginnenden globalen Konfliktes, der als Kalter Krieg charakterisiert worden ist und Europa wie Deutschland für lange Jahrzehnte spalten sollte. Mit ihrer Politik machte die Sowjetunion freilich ganz sicher, daß die USA, die nicht umhin konnten, die Protektion des nichtkommunistischen Europa – einschließlich Westdeutschlands – zu übernehmen, in Europa wie in Asien politisch engagiert blieben und die amerik. Weltmachtstellung so zu einem permanenten Faktor wurde. Durch die amerik. Politik zur Friedensvorbereitung, von Präsident Roosevelt Anfang 1942 eingeleitet und während der Kriegsjahre beharrlich verfolgt, konnte jedoch die Schaffung der → Vereinten Nationen 1945 durchgesetzt werden: Am 25. April begann in San Francisco die Gründungskonferenz der UN, die der am 12. April verstorbene Roosevelt allerdings nicht mehr erlebte, und am 26. Juni 1945 unterzeichneten die USA zusammen mit 49 anderen Staaten die Charta der Vereinten Nationen. *Michael Fröhlich*

Literatur:

Compton, James V.: *Hitler und die USA,* Oldenburg 1968.
Dedeke, Dieter: *Das Dritte Reich und die Vereinigten Staaten von Amerika 1933–1937,* Bamberg 1969.
Schröder, Hans-Jürgen: *Deutschland und die Vereinigten Staaten 1933 – 1939,* Wiesbaden 1970.

Uschla s. Oberstes Parteigericht

Ustascha (serbokroat. ustaše »Aufständische«) Kroat. separatistische und faschistische Bewegung. Sie hatte ihre Wurzeln im extremen Flügel der Kroat. Rechtspartei (Frankovci), die seit 1918 die Lösung → Kroatiens (mit Bosnien-Herzegowina und Syrmien, als »kroat. Länder«) von → Jugoslawien betrieb. Im Jahr 1929 gründeten sie die illegale Kroat. Befreiungsbewegung, deren terroristische Gruppen aus Italien, Österreich und Ungarn in Jugoslawien einfielen. Der Führer der U., Ante Pavelić, stellte seine Bewegung unter ital. Schutz. Mit ital. Hilfe und in Zusammenarbeit mit makedon. Separatisten organisierte er 1934 das Attentat auf den jugolaw. König Alexander I. in Marseille. Mitte der 30er Jahre näherte sich die U. politisch und ideologisch dem nat.soz. Deutschland an. Im Unabhängigen Staat Kroatien, ausgerufen am 10.4.1941, war die U. mit ihren politischen, militärischen und polizeilichen Organen der einzige politische Faktor. Gestützt vom Dritten Reich, hielt sich die U. an der Macht. Ihre Herrschaftsinstrumente waren Rassengesetze, Staatsterror und Konzentrationslager für Serben, Juden, Roma und alle Gegner des Regimes, Massenerschießungen, Plünderungen und der Raub von Eigentum. Die U. legte Wert auf die »gotische Herkunft« der Kroaten, sahen die Muslime in Bosnien-Herzegowina »rassenmäßig« als Kroaten an und nahmen sie in ihre Organisationen auf. Den Serben in Kroatien und den Slowenen verweigerten sie hingegen die nationale Selbstbestimmung. Weiteres Kennzeichen der U. war ein radikaler → Antisemitismus. Einem Teil der U. gelang es nach der Niederlage 1945, in die Emigration zu flüchten; Pavelić konnte nach seiner Flucht in Argentinien 1949 eine Exilregierung bilden. Nicht wenige Parteimitglieder fielen aber 1945 den politischen »Säuberungen« durch die Partisanen Titos zum Opfer. *Milan Ristović*

Literatur:

Hory, Ladislaus/Martin Broszat: *Der Kroatische Ustascha-Staat,* Stuttgart 1964.

V

Vaivara (KZ) Mitte September 1943 gegründetes KZ unweit von Narwa (Estland) mit zahlreichen Außenlagern, u.a. in → Klooga und Kiviöli. Wie die anderen zeitgleich gegründeten KZ im → Reichskommissariat Ostland leisteten die Gefangenen – primär Juden aus den aufgelösten → Ghettos in → Kauen und → Wilna, aber auch aus Deutschland, Polen, Ungarn – unter katastrophalen Bedingungen → Zwangsarbeit für dt. Militär- und Zivilinstanzen sowie für Privatfirmen (u.a. Ölschiefergewinnung). Die SS-Lagerleitung unter Aumeier führte regelmäßig → Selektionen durch, denen jeweils bis zu 500 Männer, Frauen und Kinder zum Opfer fielen. Mit dem Heranrücken der Front wurde zunächst der östlich gelegene Teil der Außenlager nach V. verlegt, ab August 1944 das Hauptlager selbst aufgelöst. Die Gefangenen deportierte die SS (→ Rassenpolitik und Völkermord).

Jürgen Matthäus

Vatikan Die Bezeichnung V. bezieht sich zum einen auf die nach dem röm. Wohnsitz des Papstes benannte oberste Behörde der römisch-katholischen Kirche, zum anderen auf das Gebiet des Kirchenstaates, das den Päpsten von dem fränkischen König Pippin durch die sog. Pippinsche Schenkung 754/56 übereignet und 1860 dem ital. Königreich angegliedert wurde. 1929 schloß Benito Mussolini mit dem Heiligen Stuhl die Lateran-Verträge, welche den Päpsten die volle Souveränität zusichert. Die V.stadt (Stato della Città del Vaticano) ist mit einer Größe von 0,44 km^2 und in den 1980er Jahren etwa 1000 Einwohnern der kleinste Staat der Welt. Er umfaßt im wesentlichen den V. mit Palast, Gärten, Peterskirche und Petersplatz. Umstritten ist die Politik des V. unter Pius XI. (1922–1939) gegenüber dem nat.soz. Deutschland. Der V. verfolgte in erster Linie die vertragliche Absicherung der Freiheit des Bekenntnisses und der öffentlichen Religionsausübung. Wiederholte positive Äußerungen Adolf Hitlers über die beiden christlichen Konfessionen ließen den V. nach dem erreichten Abschluß eines Konkordats (20.7.1933) immer wieder auf einen möglichen Ausgleich mit dem NS-Regime hoffen. V.a. diese Kompromißhaltung und die Unterlassung der öffentlichen und weltweiten Verurteilung der Judenverfolgung durch Pius XII. (1939–1958) gaben nach 1945 Anlaß zu heftigster Kritik (→ Reichskonkordat; → Kirchen und Religion).

Jana Richter

Venlo-Zwischenfall Entführung zweier brit. Geheimdienstoffiziere im niederländ. Venlo. Von Heydrich beauftragt, die beim brit. Geheimdienst vermuteten vermeintlichen Hintermänner des Elserschen → Attentats auf Hitler aufzuspüren, knüpfte Walter Schellenberg, Leiter der Gruppe Spionageabwehr im → Reichssicherheits-Hauptamt, im Oktober 1939 Kontakt zu zwei brit. Agenten, denen gegenüber er sich als Verbindungsmann zum dt. → Widerstand ausgab. Schellenberg setzte ein Treffen für den 9.11. in V. an, zu dem er mit einem bewaffneten Kommando der SS erschien. Unter Verletzung der niederländ. Grenze brachte die SS die Engländer und einen niederländ. Verbindungsoffizier nach einem kurzen Schußwechsel in ihre Gewalt und verschleppte sie nach Dt. Der Öffentlichkeit präsentierte man die Engländer als Drahtzieher des Hitler-Attentats vom 9.11.1939 im Münchener Bürgerbräukeller. Major Stevens und Captain Best wurden in das KZ → Sachsenhausen eingeliefert. Knochen und Schellenberg wurden wegen besonderer Verdienste befördert.

Julia Schulze Wessel

Vera-Verlagsanstalt GmbH s. Eher-Verlag

Verband nationaldeutscher Juden 1921 als Abspaltung des → Centralvereins dt. Staatsbürger jüdischen Glaubens gegründet. Die politisch weit rechts stehenden Mitglieder des V., die die dt. Staatsangehörigkeit sowie eine jüdische Abstammung nachweisen mußten und ihr Judentum nicht abgelegt haben durften, gaben sich äußerst patriotisch, was die NSDAP als plumpe Anbiederung verstand. Der V. verfügte über ein eigenes Presseorgan – *Der Nationaldt. Jude* – und über eine Jugendorganisation, das »Schwarze Fähnlein«. Wegen »staatsfeindlicher Aktivitäten« wurde der V. im Herbst 1935 verboten (→ Juden). *Juliane Wetzel*

Verbrannte-Erde-Befehl (Nero-Befehl) Führerbefehl vom 19.3.1945 (benannt nach dem röm. Kaiser Nero), der die Zerstörung aller Versorgungseinrichtungen im Reich, die dem Feind dienen konnten, anordnete. Die Strategie der »Verbrannten Erde« war von beiden Seiten bereits im → Ostfeldzug angewandt worden. Der Führerbefehl vom März 1945 kam trotz einer Denkschrift zustande, die der Reichsminister für Rüstung und Kriegsproduktion, Albert Speer, Hitler am 18.3.1945 übergeben hatte und in der er sich dagegen aussprach, die Lebensbasis des dt. Volkes zu zerstören. Hitler hingegen vertrat die Ansicht, wenn der Krieg verloren gehe, habe auch das Volk das Überleben nicht verdient. Nach dem Erlaß des V. versuchte Speer mit einem Schreiben vom 29.3.1945, den Befehl einzuschränken, und erreichte schließlich, daß nach den Durchführungsverordnungen vom 30.3. und 4.4.1945 Zerstörungs- und Vernichtungsanordnungen über sein Ministerium laufen mußten. Durch Kooperation und Absprachen mit Wehrmacht und Verwaltung gelang es ihm, den V. weitgehend zu inhibieren. *Willi Dreßen*

Verdunkelung s. Luftschutz

Verein Deutsche Volksheilkunde s. Erbgesundheit

Verein für das Deutschtum im Ausland (VDA) s. Volkstumspolitik
Vereinigung 1937 s. Paulusbund

Vereinte Nationen (UN) Nachfolgeorganisation des → Völkerbunds. Die Initiative zur Gründung der V. ging vom amerik. Präsidenten Roosevelt aus und basierte auf der Vorstellung einer Weltsicherheitsordnung. Zweck der Gründung der Weltorganisation war es, die nach der Beendigung des Zweiten Weltkriegs zu schaffende internationale Ordnung zu stabilisieren und jede künftige gewaltsame Veränderung des Status quo zu verhindern. Am 14.8.1941 verkündeten Präsident Roosevelt und der brit. Premierminister Churchill die → Atlantik-Charta, die die wichtigsten Prinzipien der angestrebten Friedensordnung enthielt, die mit der anschließenden »Erklärung der V.« (1.1.1942) proklamiert wurden. Die angestrebte Friedensordnung sollte auf Gewaltverzicht und einem dauerhaften System kollektiver Sicherheit basieren sowie die Menschenrechte garantieren. Am 30.10.1943 einigten sich die vier Großmächte USA, Großbritannien, UdSSR und China auf einer Moskauer Außenministerkonferenz darauf, eine internationale friedensschaffende Organisation zu gründen. Vom 21.8.–7.10.1944 wurden in Dumbarton Oaks Einzelheiten der organisatorischen Ausgestaltung besprochen (»Dumbarton Oaks Proposal«) und dieser noch unvollständige Entwurf auf der Krimkonferenz in → Jalta (4.–11.2.1945) ergänzt. Am 25.4.1945 begann im Opernhaus in San Francisco die »United Nations Conference on International Organizations« (UNCIO), an der 50 Länder teilnahmen. Gründungsmitglieder konnten nur Staaten sein, die vor dem 1.3.1945 Deutschland den Krieg erklärt hatten. Die Satzung der V. (Charta) wurde am 25.6.1945 einstimmig angenommen und einen Tag später unterzeichnet. Am 24.10.1945 trat die von 52 Staaten verabschiedete Charta der V. in Kraft. Hauptsitz der V. wurde New York. Ihre wichtigste Zielsetzung ist die Erhaltung des Weltfriedens und der internationalen Sicherheit (Art. 1 der Charta). Die V. sind ein politischer Zweckverband, dessen Satzung zwar Züge einer Verfassung der Staatengemeinschaft aufweist, jedoch keine Verfassung im engeren juristischen Sinne ist. Die V. verfügen gemäß der Charta über sechs Hauptorgane: die Generalversammlung, den Sicherheitsrat, den Wirtschafts- und Sozialrat, den Treuhandrat, den Internationalen Gerichtshof und das Sekretariat.

Die Gründung der V. war vornehmlich das Werk der Siegerstaaten des Zweiten Weltkriegs. Die Alliierten versuchten das Problem der Friedensregelung zwischen den Siegern und Besiegten des Zweiten Weltkrieges aus der Zuständigkeit der V. auszuklammern und verwehrten den »Feindstaaten« der Alliierten (Deutschland, Japan, Italien, Bulgarien, Rumänien), aber auch Spanien, die Mitgliedschaft in den V. (»Feindstaatenklausel«). Die meisten ehemaligen → Achsenmächte wurden in den 50er Jahren (Italien, Spanien und Bulgarien im Dezember 1955, Japan im Dezember 1956) in die V. aufgenommen. Deutschland stand Mitte der 50er Jahre als einziger ehemaliger Feindstaat noch außerhalb der V. Erst am 18.9.1973 wurden beide dt. Staaten Vollmitglieder der V., da die Aufnahme nur mit Zustimmung aller Mitglieder des Sicherheitsrats erfolgen konnte und die Bundesrepublik zuvor das Alleinvertretungsrecht für alle dt. Belange beansprucht hatte. Mit Abschluß des Grundlagenvertrags zwischen der BRD und der DDR Ende 1972 war die politische Voraussetzung für den Beitritt beider dt. Staaten zu den V. geschaffen. Spanien wurde wegen seiner Haltung im Zweiten Weltkrieg auf Empfehlung der V. von 1945–1950 diplomatisch und ökonomisch boykottiert und erst 1955 aufgenommen. Mit der Aufnahme ehemaliger Achsenmächte zwischen 1955 und 1965 und später der etwa 40 unabhängig gewordenen ehemaligen frz., engl. und ital. Kolonien bekamen die V. die Möglichkeit, ihre Rolle als Kriegsbündnis zugunsten eines politischen Weltverbands aufzugeben und ihre Handlungsspielräume zu erweitern. *Natalia Smith*

Verlag Heinrich Hoffmann Der Pressefotograf Heinrich Hoffmann war seit 1922 mit Hitler befreundet, blieb bis zuletzt dessen Vertrauter und besaß die Exklusivrechte an den Fotos von Hitler, die er in Büchern wie *Hitler, wie ihn keiner kennt* (1933), *Hitler befreit das Sudetenland* (1938) oder *Deutschlands Erwachen in Bild und Wort* (1924) verwertete. Zur Vermarktung war der Verlag gegründet worden, der ab 1933 stark expandierte (über 300 Mitarbeiter). Zum Programm gehörten lt. Sortimentskatalog »nat.soz. Bilder, Kunstblätter, Photo-Vergrößerungen, Aquarelle, Bücher und Plastiken«.

Wolfgang Benz

Vernichtung durch Arbeit s. Konzentrationslager, s.a. einzelne KZ

Vernichtungslager Erst in der Nachkriegszeit allgemein verwendeter Sammelbegriff für die im Rahmen der → Endlösung errichteten »Tötungsfabriken« im besetzten Polen. Im bürokratischen Alltag des Nat.soz. dominierten dagegen Bezeichnungen, die im Interesse der Geheimhaltung die Nähe zu den seit Beginn des Dritten Reiches errichteten Haftstätten nach Art der KZ (→ Konzentrationslager; → Dachau) und das Fehlen einer primär auf Massenvernichtung abzielenden staatlichen Intention suggerierten. Die seit Ende 1941 in → Belzec, → Sobibór und → Treblinka – den Lagern der → Aktion Reinhardt – sowie in → Chelmno, → Majdanek und → Auschwitz-Birkenau errichteten V. blieben mit dem System der Konzentrationslager verbunden, was sich in ihrer internen Organisation und Einbindung in den SS-Apparat spiegelte. Sie bildeten einen in sich geschlossenen, gleichzeitig in vielfacher Hinsicht mit Staats-, Partei- und Wirtschaftsinteressen verknüpften Funktionszusammenhang. Nicht nur die Massentötung, in der Regel mittels Giftgas, sondern auch die Heranschaffung der Opfer, die Beseitigung der Leichen und die Verwertung der Hinterlassenschaft basierten auf durchorganisierten, in anderem Zusammenhang – insbesondere bei der Ermordung dt. Anstaltsinsassen (→ Aktion T4) – eingeübten Handlungsabläufen. Zwischen 2,5 und 3 Mio. Menschen, überwiegend → Juden, fanden in den V. den Tod. Vor allem Auschwitz-Birkenau gilt der Nachwelt als Inbegriff der epochalen Destruktivität nat.soz. Politik. Es fällt allerdings schwer, die V. klar gegenüber anderen, in ihrer tödlichen Effizienz nicht minder schrecklichen Schauplätzen institutionalisierten Mordens wie den Erschießungsstätten der → Einsatzgruppen, den → Ghettos oder Zwangsarbeitslagern in Osteuropa (→ Zwangsarbeit), den Vergasungsanstalten der »Euthanasie« (→ Medizin) oder den bei Kriegsende im Rahmen der → Todesmärsche faktisch in »mobile V.« umgewandelten Konzentrationslagern abzugrenzen.

Jürgen Matthäus

Literatur:
Rückerl, Adalbert (Hg.): *Nationalsozialistische Vernichtungslager im Spiegel deutscher Strafprozesse: Belzec, Sobibór, Treblinka, Chelmno,* München 1977.

Versailles (Friedensvertrag) Am symbolträchtigen Ort der Kaiserproklamation von 1871, die den feierlichen Höhepunkt der Reichsgründung Bismarcks dargestellt hatte, mußte die dt. Delegation am 28.6.1919 im Spiegelsaal von V. den Friedensvertrag unterzeichnen. Er enthielt die Satzung des → Völkerbundes, obwohl das Dt. Reich erst 1926 als Mitglied zugelassen wurde, verfügte u.a. die Abtretung der Kolonien, Danzigs und des → Polnischen Korridors (insgesamt über 70 000 km^2 mit ca. 6,5 Mio. Einwohnern) sowie die Besetzung des Saarlandes und des linksrheinischen Gebietes mit rechtsrheinischen Stützpunkten und legte weitgehende Rüstungsbeschränkungen fest (Reduktion des dt. Heeres auf 100 000 und der Marine auf 15 000 Mann, Verbot von Flugzeugen, U-Booten, Panzern, schwerer Artillerie usw. und einer allgemeinen Wehrpflicht).

Besonderen Anstoß erregten Artikel 80, der den Anschluß von »Deutsch-Österreich an Deutschland« untersagte, und Artikel 231, der festschrieb, daß »Deutschland und seine Verbündeten als Urheber für alle Verluste und Schäden verantwortlich« seien, die die Alliierten »infolge des ihnen durch den Angriff Deutschlands und seiner Verbündeten aufgezwungenen Krieges erlitten« hätten. Obwohl aus alliierter Sicht damit in erster Linie ein Eingeständnis finanzieller Haftung und eine Verpflichtung zu noch nicht näher spezifizierten Reparationsleistungen beabsichtigt waren, wurde dies in dt. Perspektive als mutwillige Demütigung empfunden. Die Debatte um den »Kriegsschuldartikel« und die Zurückweisung der »Kriegsschuldlüge« stellten außenpolitisch den Dreh- und Angelpunkt für eine das gesamte Parteienspektrum der Weimarer Republik umfassende Revisionspropaganda dar, wenngleich die extreme Rechte zusätzlich innenpolitisch die Unterzeichnung des »Diktats von V.« der »Judenrepublik« anlastete und mit dem Vorwurf der »Erfüllungspolitik« die demokratische Staatsordnung insgesamt diskreditierte. Hitler bekannte in → *Mein Kampf*, daß die Auseinandersetzung mit dem Vertragswerk von 1919 die »Voraussetzung zu dem Erfolge der Bewegung in der Zukunft« beinhalte.

Noch vor dem 30.1.1933 konnten die Weimarer Präsidialkabinette entscheidende Änderungen zugunsten Deutschlands hinsichtlich der faktischen Beseitigung der Reparationen (Lausanne, Juni/Juli 1932) und hinsichtlich der theoretischen Aufhebung der Rüstungsbeschränkungen (Genf, Dezember 1932) erzielen, während für den Reichskanzler Hitler selbst die Totalrevision des Vertrags von V. lediglich als Ausgangspunkt für ein rassenideologisch ausgerichtetes → »Lebensraum«-Programm dienen sollte, das zunächst durch permanente Friedensbeteuerungen und Gleichberechtigungsforderungen verschleiert wurde. Begleitet wurden die Anfänge nat.soz. → Außenpolitik allerdings von dem eklatanten Bruch einzelner Vertragsbestimmungen, wie u.a. am 16.3.1935 durch die Einführung der allgemeinen → Wehrpflicht und am 7.3.1936 durch den Einmarsch der → Wehrmacht in das entmilitarisierte Rheinland (→ Rheinlandbesetzung). Am 30.1.1937 verkündete Hitler schließlich, daß er »die dt. Unterschrift feierlichst« zurückziehe von der in Artikel 231 »abgepreßten Erklärung, daß Deutschland die Schuld am Kriege besitze«. Fortan standen nicht mehr das »Diktat von V.« und eine Revision, sondern die Expansion unter der Parole »Selbstbestimmungsrecht« im Vordergrund einer Propaganda, mit der die Deutschen auf den → Anschluß Österreichs und die Einverleibung des → Sudetenlandes (→ Sudetenkrise; → Münchner Abkommen; → Tschechoslowakei) und schließlich auf die Entfesselung des Krieges vorbereitet wurden.

Rainer A. Blasius

Literatur:

Krüger, Peter: *Versailles. Deutsche Außenpolitik zwischen Revisionismus und Friedenssicherung,* München 1986.

Vertrauensrat Nat.soz. Einrichtung, die nach dem Arbeitsordnungsgesetz vom 20.1.1934 in Betrieben mit über 20 Arbeitnehmern eingerichtet wurde. Der V. bestand aus dem jeweiligen Unternehmer und Arbeitnehmern, die in Absprache mit der → Dt. Arbeitsfront und dem zuständigen Treuhänder der Arbeit (→ Reichstreuhänder der Arbeit) vom Arbeitgeber bestimmt wurden. Der V. nahm die Stelle des Betriebsrates ein, ohne über dessen Mitwirkungsrechte zu verfügen. *Willi Dreßen*

Vertreibung s. Deportationen, s. Flucht und Vertreibung aus den deutschen Ostgebieten

Vichy Südfrz. Kurort im Dépt. Allier. Von Juli 1940 bis August 1944 Sitz der frz. Regierung. Nach dem militärischen Zusammenbruch (→ Westfeldzug) wurde der nach dem Ersten Weltkrieg als Held von Verdun gefeierte Marschall Henri Philippe Pétain zum Regierungschef Frankreichs ernannt. Um dem Land ein möglichst hohes Maß an staatlicher Souveränität, aber auch eine gewichtige Rolle im nat.soz. beherrschten Europa zu sichern, signalisierte Pétain den Deutschen unmittelbar nach seiner Ernennung die Bereitschaft seines Landes zur → Kollaboration und bot ihnen einen Waffenstillstand an, der am 22.6.1940 in Compiègne unterzeichnet wurde und zur Teilung Frankreichs führte. Als am 10.7.1940 von der frz. Nationalversammlung gewählter Staatschef führte Pétain eine Änderung der Verfassung im autoritären Sinne herbei. Nationalismus und → Antisemitismus wurden gesellschaftsfähig. Die katholische Kirche und ein Großteil der Franzosen unterstützten die neue Politik. Mit kleinen Schritten beginnend, praktizierte V. in den Jahren 1940–1944 eine grundlegend antisemitische Politik und Gesetzgebung. Wichtigste Maßnahmen waren in diesem Zusammenhang der Erlaß des Judenstatuts (3.10.1940), das Gesetz über »die ausländischen Staatsangehörigen jüdischer Rasse« (4.10.1940), die Einrichtung eines Kommissariats für Judenfragen (März 1941), der Erlaß des zweiten Judenstatuts (2.6.1941), die → Arisierung jüdischer Firmen sowie die Mithilfe frz. Polizei und Verwaltung bei der Inhaftierung und → Deportation ausländischer und ab 1942 auch frz. Juden. Die Härte der dt. Besatzungspolitik und die Kollaborationsbereitschaft V. führten ab 1942 zu Protesten der frz. Öffentlichkeit und zum Anwachsen der von de Gaulle geführten Résistance. Die Besetzung der freien Zone (11.11.1942, nach der Landung der Westalliierten in Nordafrika) machte die Regierung von V. endgültig zum Marionettenregime. Die Flucht der frz. Regierung nach Deutschland nach der Rückeroberung Frankreichs durch die Alliierten (→ Westfront 1944–45) beendete schließlich die Existenz der Regierung von V. *Silke Ammerschubert*

Literatur:

Hirschfeld, Gerhard/Patrick Marsh (Hg.): *Kollaboration in Frankreich. Politik und Wirtschaft und Kultur während der nationalsozialistischen Besatzung 1940–1944,* Frankfurt am Main 1991.

Vierjahresplan Im Januar/Februar 1933 noch eine reine Propagandalosung Hitlers (»Gebt mir vier Jahre Zeit!«), war der (2.) V. von 1936 eine aufwendige bürokratische Institution im Rang einer → Obersten Reichsbehörde, die dem Hitlerschen Auftrag gemäß die dt. → Wirtschaft »in vier Jahren kriegsfähig« machen sollte. Ziel der V.-politik waren eine forcierte Erweiterung des rüstungswirtschaftlichen Potentials und der Blockadefestigkeit (→ Autarkie). Der von Hermann Göring im April/Mai 1936 geschaffene Rohstoff- und Devisenstab, der von Luftwaffenoffizieren und Industriellen geleitet wurde, wurde zum Kern der späteren V.-Behörde. Mitte August 1936 lagen Hitler umfangreiche Berechnungen des Stabes für die wichtigsten Rohstoffe vor, erarbeitet unter dem Leiter der Abteilung Forschung und Entwicklung, Carl Krauch (Mitglied des Vorstands der → I.G. Farben: seit 1940 Vorsitzender des Aufsichtsrats). Danach war bei Treibstoff durch den Bau großer Werke für die synthetische Produktion »eine weitgehende Mob.-Versorgung« bereits Ende 1938 gesichert; ähnliches galt für synthetischen Kautschuk. Hitler verfaßte binnen zehn Tagen eine geheime V.-Denkschrift, in der er das vorgesehene, volkswirtschaftlich verheerende Tempo der Kriegsvorbereitung billigte. Er erteilte Göring Generalvollmacht in allen wirtschaftlichen Fragen. Am 22.10.1936 stellte dieser als Beauftragter für den V. seine Organisation der Öffentlichkeit vor, die er vom Preuß. Staatsministerium aus befehligte. Die V.-Investitionen, die den größten Teil der dt. industriellen Investitionen überhaupt absorbierten, wurden seit 1938 drastisch auf Kernbereiche der → Aufrüstung, besonders auf die chemische Industrie, konzentriert. 1940 verlängerte Hitler die Vollmacht Görings als Beauftragter für den V., die sich inzwischen auch auf die besetzten Gebiete erstreckte, um weitere vier Jahre.

Dietrich Eichholtz

Literatur:
Petzina, Dieter: *Autarkiepolitik im Dritten Reich. Der nationalsozialistische Vierjahresplan,* Stuttgart 1968.

Vilnius s. Wilna

Vineta Vor Beginn des → Ostfeldzuges vom Reichsministerium für Volksaufklärung und Propaganda aufgebaute Organisation zur psychologischen Kriegführung gegen die Sowjetunion, seit Juli 1942 in der Organisationsform eines Vereins, des V. Propagandadienst e.V. Propagandamaterial (Flugblätter, Broschüren, Rundfunksendungen) wurden für die Rote Armee und die russ. Bevölkerung, später auch für die → Wlassow-Armee und die russ. → Zwangsarbeiter in Deutschland hergestellt. V. beschäftigte 1944 fast 1000 dt. und bis zu 1400 ausländische Mitarbeiter.

Hermann Weiß

Volk ohne Raum Titel eines 1926 erschienenen Romans von Hans Grimm (1875–1959), von den Nat.soz. als Schlagwort zur Begründung ihrer → Lebensraum-Politik benutzt. Der Roman, dessen vier Teile mit *Heimat und Enge, Fremder Raum und Irregang, Dt. Raum* und *Volk ohne Raum* überschrieben sind, schildert den Lebensweg von Cornelius Friebott. Der Bauernsohn aus dem Weserbergland wandert nach dem Militärdienst bei der Marine und nach unglücklichen Entwicklungen im privaten und beruflichen Bereich nach Südafrika aus. Er nimmt u.a. am Burenkrieg teil und kauft sich anschließend eine Farm. Im Ersten Weltkrieg kämpft er in den Kolonien gegen die Engländer, flieht aus der Gefangenschaft und kommt in Deutschland durch den Steinwurf eines Arbeiters ums Leben. Früher hatte Grimm in Deutschland auf einem SPD-Parteitag festgestellt, daß man dort, im Gegensatz zu seiner eigenen Auffassung, den Forderungen »nach wirtschaftlich ertragreichem fremdem Raum für Deutschland« ablehnend gegenüberstand.

Durch Lesungen aus dem Roman verbreitete Grimm seine kolonialistischen Vorstellungen, die dazu noch antibrit., antisemitische, rassistische und → Blut-und-Boden-Anspielungen enthielten. Die Lektüre ausgewählter Abschnitte seines Buches auf Tagungen und bei Gruppenlagern nationalistischer Kreise und Bünde wirkte als Multiplikator seiner Gedanken, die lebhafte Aussprachen über »Siedlung, Raumnot und völkische Zukunftsaufgaben« in Gang setzten. Der Roman selbst erlebte zahlreiche Auflagen.

Günter Neliba

Völkerbund (frz. Société des Nations, engl. League of Nations) Ende des Ersten Weltkriegs, am 28.4.1919, auf Anregung von US-Präsident Woodrow Wilson auf der Pariser Friedenskonferenz gegründete Weltorganisation mit Sitz in Genf. Die Satzung des V. trat als Bestandteil des → Versailler Vertrages am 20.2.1920 in Kraft. Ursprüngliche Mitglieder waren 32 alliierte Kriegsgegner der Mittelmächte und 13 neutrale Staaten. Deutschland trat dem V. 1926 bei. Die USA, die den Versailler Vertrag nicht ratifizierten, waren nicht Mitglied des V. Oberste Organe waren die Bundesversammlung, in der jedes Mitglied eine Stimme besaß, sowie der V.rat, der aus ständigen Mitgliedern bestand (anfangs Großbritannien, Frankreich, Italien, Japan und China). Hauptzwecke des V. waren die Erhaltung des Weltfriedens, die Wahrung der territorialen Integrität der Mitgliedsstaaten nach dem Prinzip der kollektiven Sicherheit und die Förderung der wirtschaftlichen und kulturellen Zusammenarbeit der Nationen. Das Scheitern der → Genfer Abrüstungskonferenz 1932 und die Tatenlosigkeit des V. angesichts der aggressiven Expansionspolitik Deutschlands, Japans und Italiens (→ Außenpolitik) führten zum Ansehensverlust des V. Im Herbst 1933 trat Deutschland aus dem V. aus. Mit dem Ausbruch des Zweiten Weltkrieges 1939 hörte der V. faktisch auf zu bestehen; formell wurde er am 18.4.1946 aufgelöst. Nachfolgeorganisation sind die → Vereinten Nationen.

Özden Uzunoglu

Völkische Bewegung Der V. liegen drei Hauptkomponenten zugrunde, die schon im Laufe des 19. Jh. entwickelt und in den Jahren vor 1914 sowie nach dem Ersten Weltkrieg ins Extreme getrieben wurden: 1. die sozialdarwinistische Vorstellung vom »Kampf ums Dasein« (→ Sozialdarwinismus), in dem sich der Starke, Wertvolle durchsetzt; 2. damit verbunden die Notwendigkeit eines Kampfes um → Lebensraum für das germanische dt. Volk, v. a. im Osten Europas; 3. ein »rassisch« begründeter → Antisemitismus (→ Rassenkunde), der die → Juden als minderwertige Rasse und als Wurzel allen Übels ansah. Hauptträger der V. waren der 1890/91 gegründete → Alldt. Verband (mit seinem Vorsitzenden Heinrich Claß), der 1912 entstandene antisemitische »Reichshammerbund« von Theodor Fritsch und der daraus hervorgegangene Geheimbund »Germanenorden«. Diese und andere Verbände schlossen sich nach dem Ersten Weltkrieg zum »Dt. völkischen Schutz- und Trutzbund« zusammen. Einer der Hauptpropagandisten war der Münchner Verleger Julius F. Lehmann, der seit 1917 die Zeitschrift *Deutschlands Erneuerung* herausbrachte, zu deren Herausgebern u.a. Heinrich Claß und Houston Stewart Chamberlain gehörten. Claß hat schon in seinem 1912 unter dem Pseudonym Daniel Frymann veröffentlichten Buch *Wenn ich der Kaiser wär'* die Konzeption eines totalitären Führerstaates im 20. Jh. entworfen. Die völkische und antisemitische Gesinnung war auch in der → DNVP (Hugenberg-Flügel), im → Stahlhelm, im → Dt.-nationalen Handlungsgehilfenverband (DHV) und in Teilen der Jugendbewegung weit verbreitet. Hitler und der Nat.soz. setzten die rassistischen und antisemitischen Vorstellungen der V. mit blutiger Konsequenz in die Tat um, ohne wesentlich Neues hinzuerfinden zu müssen. Ebenso konsequent war der Nat.soz. freilich auch mit der Gleichschaltung der V. bereits im Jahr 1933.

Hellmuth Auerbach

Literatur:

Hermand, Jost: *Der alte Traum vom neuen Reich. Völkische Utopien und Nationalsozialismus,* Frankfurt am Main 1988.

Mosse, George L.: *Die völkische Revolution. Über die geistigen Wurzeln des Nationalsozialismus,* Frankfurt am Main [2]1991.

Handbuch zur »Völkischen Bewegung« 1871–1918, hg. von Uwe Puschner u.a., München u.a. 1996.

Völkischer Beobachter Im Dezember 1920 von der NSDAP erworbenes Organ, das aus dem völkischen *Münchener Beobachter* hervorgegangen war und zunächst zweimal wöchentlich, seit dem 8.2.1923 täglich im → Eher Verlag erschien. Im Februar 1921 mit dem Untertitel *Kampfblatt der nationalsozialistischen Bewegung Großdeutschlands* versehen, diente der V. in übergroßem Format, Schwarz-Rot-Druck und reißerischer Aufmachung als Agitations- und Propagandainstrument zur Verbreitung der nat.soz. → Ideologie und Propaganda. Nach dem → Hitlerputsch verboten, erfolgte im Februar 1925 die Neugründung des *V.* Mit der → »Machtergreifung« wurde der *V.* praktisch Regierungsorgan, dessen Verlautbarungen offiziellen Charakter annahmen. Der *V.* erschien ab dem 1.2.1927 in einer Reichs- und Bayernausgabe, und, nachdem bereits zwischen März 1930 und März 1931 eine wenig erfolgreiche Berliner Ausgabe existiert hatte, ab dem 1.1.1933 in einer Norddt. und einer Berliner Ausgabe mit eigener Redaktion und Druckerei in der Hauptstadt. Verlagsdirektor (und zugleich Chef des nat.soz. Presseimperiums) war seit 1922 der Reichsleiter für die Presse Max Ammann. Hauptschriftleiter des *V.* waren Dietrich Eckart (seit 1921), Alfred Rosenberg (seit 1923) und Wilhelm Weiß (seit 1938). Die Auflage betrug 1925 4500, 1932 116 000, 1938 600 000 und 1941 1,2 Mio. Exemplare. Die letzte Ausgabe des V. erschien am 30.4.1945 (→ Presse; → Eher Verlag) *Angelika Heider*

Volksabstimmungen s. Wahlen und Volksabstimmungen

Volksbund für das Deutschtum im Ausland s. Volkstumspolitik

Volksdeutsche Der schon vor 1933 geprägte Begriff V. wurde in nat.soz. Zeit zur amtlichen Bezeichnung für Angehörige der dt. Sprache und des dt. Kulturkreises, die nicht dt., österr. oder Schweizer Staatsbürger waren. Die im Reich lebenden Deutschen wurden als »Reichsdeutsche«, juristisch auch »Reichsbürger«, im Ausland lebende dt. Staatsbürger als »Auslandsdeutsche« bezeichnet. Die V. lebten vor allem in Sprachinseln oder Streusiedlungen Ost- und Südosteuropas. Unter dem NS-Regime erhielten viele V. aus der UdSSR, Rumänien, Jugoslawien, Bulgarien und dem ital. Südtirol durch Umsiedlung die dt. Staatsangehörigkeit (→ Volkstumspolitik). Nach Art. 116, Abs. 1, des Grundgesetzes der Bundesrepublik Deutschland sind diese und die später vertriebenen oder ausgesiedelten V. den dt. Staatsangehörigen gleichgestellt. *Wolfram Selig*

Volksdeutsche Mittelstelle (VOMI) NSDAP-Dienststelle, hervorgegangen aus der 1935 von Rudolf Heß gegründeten »Volksdt. Parteidienststelle«. Von 1936–1945 von SS-Gruppenführer Werner Lorenz geleitet, koordinierte die V. die verschiedenen Organisationen und Aktivitäten der NS-Politik gegenüber »volksdt.« Minderheiten im Ausland, nicht zuletzt deren Finanzierung. So unterstützte die V. seit 1936 Henleins → Sudetendt. Partei. Gleichzeitig versuchte sie, die nat.soz. Weltanschauung bei den → Volksdeutschen zu verbreiten. Mit der Ernennung Himmlers zum → Reichskommissar für die Festigung dt. Volkstums 1939 wurde die V. zum ausführenden Organ von Himmlers Umsiedlungspolitik (→ Volkstumspolitik). Die V. organisierte den Transport sog. Rücksiedler ins Reich, ihre Unterbringung in Lagern und sortierte sie nach ihrer rassischen und politischen Eignung für die Besiedlung der eroberten Territorien im Osten (→ Dt. Volksliste). 1941 gliederte Himmler die V. als Hauptamt in den Apparat der → SS ein. *Peter Widmann*

Volksdeutscher Rat s. Volkstumspolitik

Volksempfänger Radiogerät, das aufgrund seines niedrigen Preises (ab 76 RM) für jeden Haushalt erschwinglich sein sollte. Auf Initiative von Goebbels verpflichteten sich alle großen Hersteller, den VE 301 gemeinsam zu produzieren. Zu dem auf der Funkausstellung 1933 vorgestellten V. kam 1938 der Kleinempfänger (»Goebbelsschnauze«) für 35 RM hinzu. Obwohl die Rundfunkgebühr 2 RM im Monat betrug, konnte die Ausstattung der dt.

Haushalte von 25% (1933) auf 65% (1941) erhöht werden. Der V. war für den Empfang des nächstgelegenen Senders gedacht, doch konnten mit Hilfe eines Zusatzgeräts auch entfernte, ja sogar ausländische Sender gehört werden (→ Rundfunk). *Wolf Kaiser*

Volksgemeinschaft Für den Nat.soz. ideologisch aufgeladener Begriff der Gemeinschaft im Gegensatz zur als künstlich und »undeutsch« empfundenen »Gesellschaft«. Ideengeschichtlich war V. einer der Schlüsselbegriffe der Jugendbewegung im beginnenden 20. Jh. und dann, auch unter Berufung auf Fronterlebnis und Schützengrabenkameradschaft während des Weltkrieges, in der Weimarer Republik Ausdruck eines gegen den bürgerlichen Liberalismus und Individualismus des 19. Jh. gerichteten bürgerlich-nationalen Erneuerungsstrebens. V. bedeutete »die Negierung aller Unterschiede in Herkunft, Stand, Beruf, Vermögen, Bildung, Wissen, Kapital« (Reinhard Höhn, *Rechtsgemeinschaft und Volksgemeinschaft*, 1935). Hinter dieser egalitären Maske wurde das Versprechen der V. zum wirksamen Mittel der nat.soz. Wahlpropaganda. Einer öffentlichen Stimulation der V. dienten neben der Ritualisierung von Festen und Jahrestagen (→ Feiergestaltung) die Nacht-Kundgebungen, → Eintopfsonntage, Straßensammlungen (→ Winterhilfswerk), Sammelabzeichen und die jährliche Wiederkehr spezifisch nat.soz. → Nationaler Feiertage. Eine intensive Manifestation der germanisierenden Ideologie einer V. stellten die flächendeckend zwischen 1933 und 1936 für das Dt. Reich geplanten, aber nur teilweise gebauten Thingplätze dar (z.B. auf dem Heiligenberg in Heidelberg). Sie sollten als Versammlungs- und Theaterstätten im »theatralischen Akt« der Verschmelzung der Bevölkerung zu einer V. dienen (→ Thingspiel; → Ideologie).

Michaela Haibl

Literatur:
Stolleis, Michael: Gemeinschaft und Volksgemeinschaft. Zur juristischen Terminologie im Nationalsozialismus, in: *Vierteljahrshefte für Zeitgeschichte* 20 (1972), S. 16–38.
Stommer, Rainer: *Die inszenierte Volksgemeinschaft. Die »Thing-Bewegung« im Dritten Reich,* Marburg 1985.
Thamer, Hans Ulrich: Nation als Volksgemeinschaft. Völkische Vorstellungen, Nationalsozialismus und Gemeinschaftsideologie, in: Jörg-Dieter Gauger/Klaus Weigelt (Hg.): *Soziales Denken in Deutschland zwischen Tradition und Innovation,* Bonn 1990, S. 112–127.

Volksgenosse Bei Anreden, in Ansprachen, Appellen und Gesetzestexten gebräuchliche Propagandaformel der Nat.soz., mit der dem einzelnen die Zugehörigkeit zu einer die sozialen Unterschiede überbrückenden → Volksgemeinschaft suggeriert werden sollte. Ausdrücklich ausgeschlossen worden waren bereits im NSDAP-Parteiprogramm von 1920 (→ Ideologie) sog. → Fremdvölkische: »Staatsbürger kann nur sein, wer V. ist. V. kann nur sein, wer dt. Blutes ist. Kein → Jude kann daher V. sein« (→ Propaganda).

Michael Hensle

Volksgerichtshof Nach dem für die Nat.soz. unbefriedigenden Ausgang des Reichstagsbrand-Prozesses vor dem → Reichsgericht wurde durch Gesetz vom 24.4.1934 zur Aburteilung von Hoch- und Landesverrat der V. geschaffen. Zunächst als → Sondergericht tätig, mit Gesetz vom 18.4.1936 als ordentliches Gericht im Sinne des Gerichtsverfassungsgesetzes etabliert, war der V. nachfolgend auch zuständig für schwere Wehrmittelbeschädigung, Feindbegünstigung, Spionage und → Wehrkraftzersetzung. Der V. urteilte in erster und letzter Instanz, Rechtsmittel waren nicht zulässig. Von den fünf Richtern der bis zu sechs Senate mußten nur der Vorsitzende und ein Beisitzer Berufsrichter sein, drei weitere Beisitzer waren Laien (aus Polizei, Wehrmacht und → Gliederungen der NSDAP). Sämtliche Richter wurden auf Vorschlag des Reichsjustizministers von Adolf Hitler ernannt. Die Präsidentschaft hatte ab 1936 Otto Thierack inne, dem nach seiner Berufung zum Reichsjustizminister im August 1942 Roland Freisler nachfolgte. Freislers Verhandlungsführung, wie er schreiend und tobend die Verschwörer des → 20. Juli 1944 zum Tode verurteilte, prägte das Bild des V. Allein in den Jahren 1943 und 1944 verhängte Freislers I. Senat, der auch die Prozesse gegen die Mitglieder der → Weißen Rose führte, 1600 Todesurteile. Freisler setzte jedoch nur fort, was schon unter Thierack begonnen hatte: Bereits Ende 1941 hatte der Anteil an verhängten Todesurteilen beträchtlich zugenommen (bis 1940 rd. 5%, ab 1942 fast 50%). Dieser Vernichtungswille, dokumentiert durch ca. 5200 Todesurteile, richtete sich nicht nur gegen den dt. → Widerstand, gegen »Defätisten« und »Wehrkraftzersetzer«, sondern ebenso gegen Oppositionelle der besetzten Länder, aus denen nahezu die Hälfte aller Verurteilten kam. *Michael Hensle*

Literatur:

Schlüter, Holger: *Die Urteilspraxis des nationalsozialistischen Volksgerichtshofs,* Berlin 1995.

Wagner, Walter: *Der Volksgerichtshof im nationalsozialistischen Staat,* Stuttgart 1974.

Volksgesetzbuch Mit der geplanten Schaffung eines V. (VGB) wurde der Versuch eingeleitet, die nat.soz. Rechtsauffassung nicht nur in Einzelgesetzen, sondern in einem umfassenden Gesetzeswerk festzuschreiben und zugleich das Bürgerliche Gesetzbuch (BGB) zu abzulösen. Mit den Vorarbeiten zu den acht vorgesehenen Büchern wurde im Juni 1939 die → Akademie für Dt. Recht beauftragt. Bis zu 19 Ausschüsse mit zeitweise an die 200 Mitarbeitern sollten in »volkstümlicher« Sprache gehaltene Entwürfe zum Personen-, Familien-, Erb-, Vertrags-, Eigentums-, Arbeits-, Unternehmens- und Gesellschaftsrecht erarbeiten. Ende 1942 wurde der Entwurf zu Buch I (»Der Volksgenosse«) veröffentlicht, dem 25 teils eng an das → NSDAP-Programm angelehnte Grundregeln vorangestellt waren. Das → Reichsjustizministerium entschied sich jedoch für eine Vertagung bis auf die Zeit nach Kriegsende; Mitte 1944 wurden schließlich sämtliche Arbeiten am V. eingestellt. *Michael Hensle*

Volksliste s. Deutsche Volksliste

Volksschädlinge Wer sich nicht in die nat.soz. → Volksgemeinschaft fügte, konnte als V. neben der gesellschaftlichen Diskriminierung seit 5.9.1939 mittels der Verordnung gegen V. juristisch belangt werden. Demnach galten alle Straftäter, die die Kriegssituation für ein Verbrechen nutzten, als V. und konnten von den zuständigen → Sondergerichten zum Tode verurteilt werden. Die Straftatbestände »Plünderung im frei gemachten Gebiet«, »Verbrechen bei Fliegergefahr« und »gemeingefährliche Verbrechen« waren durch die Richter fast unbegrenzt auslegungsfähig. Straftäter, die nicht unter diese speziellen Tatbestände fielen, konnten aufgrund § 4 der Verordnung zu Zuchthaus oder zum Tode verurteilt werden, »wenn dies das → gesunde Volksempfinden wegen der besonderen Verwerflichkeit der Straftat erfordert«. Sofort abgeurteilt werden konnte, wer »auf frischer Tat« ertappt wurde oder wessen »Schuld offen zutage« lag. Die meisten Todesurteile ziviler Gerichte nach 1939 gingen auf diese Verordnung zurück (→ Justiz und Innere Verwaltung).

Angelika Königseder

Volkssturm Durch Führererlaß vom 25.9.1944 gegründete örtliche bzw. regional gebundene Truppe aus den bisher nicht eingezogenen Männern zwischen 16 und 60 Jahren unter organisatorischer und politischer Verantwortung des Chefs der Parteikanzlei der NSDAP, Martin Bormann, und der militärischen des RFSS u. Befehlshabers des Ersatzheeres, Heinrich Himmler, zuständig für den Erlaß von Vorschriften und die Beschaffung von Waffen und Munition. Die Wehrmacht, eigentlich zuständig für die Aufstellung eines Landsturms, wurde dabei ausgeschaltet. Der V. wurde unter großer propagandistischer Begleitung auf Gauebene durch die Gauleiter in Verbindung mit Partei, SS, SA, NS-Kraftfahrkorps und HJ in Bataillonen organisiert, wobei nur ein Teil des zugewiesenen Kräftereservoirs genutzt werden konnte. Der V. wurde zu Schanzarbeiten sowie zu Bewachungs- und Sicherungsaufgaben eingesetzt, wobei die bestehenden Polizeihilfstruppen in den V. überführt wurden. Häufig nur auf dem Papier gut organisiert, dazu schlecht ausgebildet, ausgerüstet und geführt, kam der V. insbesondere im Osten des Reiches zum Kampfeinsatz. Er erlitt dabei hohe Verluste. Die genaue Opferzahl ist unbekannt; von 175000 als vermißt geltenden V.-Angehörigen dürfte die Mehrzahl gefallen sein.

Volker Rieß

Volkstrauertag s. Heldengedenktag

Volkstumspolitik Mit V. ist an sich die Erhaltung der Homogenität eines Volkes gemeint, zumal der kulturellen Eigenart (insbesondere der Sprache) einer seiner Volksgruppen im Ausland. Im Mittelpunkt der V. steht die Kulturnation, nicht die Staatsnation (Friedrich Meinecke). So gesehen kann man überhaupt nicht von einer nat.soz. V. sprechen, so sehr dieser Begriff Bestandteil des zeitgenössischen Vokabulars war. Wie auch in anderen Politikbereichen wurde das traditionelle Verständnis geschickt instrumentalisiert, sodann revolutioniert und am Ende gänzlich pervertiert. Historisch bedeutsam ist, daß gerade der irredentistische Charakter des NSDAP-Parteiprogramms sehr wesentlich zur Verharmlosung des NS-Regimes im In- und Ausland beigetragen hat, forderte man doch »nur« »den Zusammenschluß aller Deutschen auf Grund des Selbstbestimmungsrechts der Völker zu einem Groß-Deutschland«.

Zunächst profitierte auch die NS-Bewegung, die sich als »völkisch« ausgab, von der mit dem Zusammenbruch des Kaiserreichs einsetzenden Mutation des öffentlichen Bewußtseins: vom Staatsgedanken zur Volkstumsideologie, vom Reichsmythos zum Volksmythos. Als Folge der Schrumpfung des Reichsgebietes und der Auflösung Österreich-Ungarns lebten nach 1918 mehr als 10 Mio. Deutsche außerhalb der Reichsgrenzen. Abstimmungskämpfe im Norden (Nordschleswig), Osten (Oberschlesien) und Süden (Kärnten) wurden von der Öffentlichkeit mit großer Aufmerksamkeit verfolgt. Der Weimarer Staat ließ sich diskret die Pflege und Erhaltung des Deutschtums im Ausland angelegen sein, und zwar auf der Basis des vom Völkerbund formal garantierten, wenn auch nicht wirklich gewährleisteten Minderheitenschutzes. Er bediente sich dabei einer Vielzahl von Organisationen und Institutionen. Unter ihnen nahm der Verein für das Deutschtum im Ausland (VDA) eine herausragende

Stellung ein: Er war am Ende der Weimarer Republik in nicht weniger als 3000 Ortsgruppen und über 5000 Schulgruppen aktiv. Seit 1933 war der Kärntner Hans Steinacher »Reichsführer« des nunmehr in »Volksbund« umbenannten Vereins. Durch eine gewisse äußerliche Anpassung an die neue Zeit sollten die politische Unabhängigkeit und der bisherige Charakter der Volkstumsarbeit erhalten bleiben. Dem Drängen auf Zentralisierung wurde durch die Errichtung eines Koordinationsorgans (Volksdt. Rat) Rechnung getragen. Auch in diesem Gremium dominierten vorerst noch bewährte Experten der Weimarer Zeit, die Gewalt als Mittel der Politik ebenso ablehnten wie das auf die Verdrängung fremden Volkstums ausgerichtete Rassenprinzip. Aber man versprach sich von dem neuen, die → Volksgemeinschaft beschwörenden und nach außen kraftvoll auftretenden Staat auch erhöhten Schutz der bedrängten dt. Minderheiten im Ausland. Steinacher unterschied zwischen »etatistischem« und »volklichem« Denken, das »im Volkstum die urtümliche und höchste, nicht zu veräußernde natürliche Gemeinschaftsform unter der Menschheit« sieht. Diese Sprache zeigt ebenso die Verbindungs- wie Trennungslinien zwischen der nationalkonservativen und der spezifisch nat.soz. → Ideologie. Für Hitler hatte »die Macht des Mutterlandes«, wie er in → *Mein Kampf* immerzu betonte, entschieden Vorrang vor der Wiedergewinnung verlorener Gebiete: Für den Anschluß von 7 Mio. Deutsch-Österreichern, so sah er es, konnte man getrost 200 000 Südtiroler opfern. Letztlich war das Volk für ihn auch nur »Menschenmaterial« für den Kampf um die Macht, für das neue Imperium und für die Züchtung einer germanisch-dt. Rasse.

Hitler überließ die Betreuung der Volkstumsarbeit zunächst seinem Stellvertreter Rudolf Heß, bis die außenpolitische Gefahrenzone durchschritten war. Heß hatte dafür zu sorgen, daß die → Außenpolitik des neuen Regimes nicht durch die irredentistische Zielsetzung des Parteiprogramms und junge Heißsporne unter den volksdt. Gruppen belastet wurde. Nur für kurze Zeit sicherte dieses Kalkül dem VDA eine gewisse Schonfrist, nicht zuletzt gegenüber den Ansprüchen von Parteiapparaten wie der → Auslandsorganisation der NSDAP unter Gauleiter Ernst-Wilhelm Bohle. Als sich Hitler sicher wähnte und in der Wirtschaft (Ablösung Schachts), in der Diplomatie (Berufung Ribbentrops) und in der Wehrmacht Personalwechsel inszenierte, wurden auch der Volksdt. Rat und schließlich Steinacher selbst, die Vertreter bürgerlicher Volkstumspflege, kaltgestellt und durch die auf bedingungslosen Gehorsam gedrillte → Volksdt. Mittelstelle der SS (SS-Obergruppenführer Werner Lorenz) ersetzt.

Von da führte der Weg geradewegs zur Berufung Himmlers zum → Reichskommissar für die Festigung dt. Volkstums am 7.10.1939. Der Reichskommissar wurde zur Schaltstelle für die v.a. vom → Rasse- und Siedlungs-Hauptamt der SS in die Wege geleitete Ostkolonisation, für rücksichtslose Umsiedlungs- und Germanisierungsmaßnahmen. Dt. Volksgruppen wie die Baltendeutschen, die ihre angestammte Heimat im Herbst 1939 verlassen sollten, um in eroberten polnischen Gebieten angesiedelt zu werden, wurden stets nur als Objekte dt. Machtpolitik behandelt. Über ihr Schicksal wurde verfügt, ohne daß sie ein Wort mitzureden hatten. Zahlreiche Pläne, wie etwa die Umsiedlung der Südtiroler auf die Krim oder die Entführung »nordischer« Kinder nichtdt. Eltern zwecks → Eindeutschung sind allerdings nie zur Durchführung gelangt. Aber sie geben Aufschluß darüber, daß die V. des Nat.soz. von derselben menschenverachtenden, auf »radikale Lösungen« fixierten Gesinnung geprägt war wie die Genozidpolitik. Das Vorbild war die Ostkolonisation des Mittelalters, nicht mit Schwert und Pflug, sondern mit den technischen Möglichkeiten des 20. Jh. Churchill hatte völlig recht, als er vor dem Anbruch eines neuen Mittelalters warnte.

Lothar Kettenacker

Literatur:

Jacobsen, Hans-Adolf: *Nationalsozialistische Außenpolitik 1933–1938* Frankfurt am Main/ Berlin 1968.

Jacobsen, Hans-Adolf: *Hans Steinacher. Erinnerungen und Dokumente,* Boppard 1970.

Koehl, Robert L.: *RKFDV: German Resettlement and Population Policy 1939–1945,* Cambridge 1957.

Rimscha, Hans v.: Zur Gleichschaltung der deutschen Volksgruppen durch das Dritte Reich. Am Beispiel der deutschbaltischen Volksgruppe in Lettland, in: Historische Zeitschrift 182 (1956), S. 29–63.

Smelser, Ronald M.: *The Sudeten Problem 1933–1938. Volkstumspolitik and the Formation of Nazi Foreign Policy,* Folkstone 1975.

Volkswagen Um die Motorisierung Deutschlands voranzutreiben und propagandistisch nutzbare sozialpolitische Akzente zu setzen, unterstützte Hitler die von Ferdinand Porsche angeregte Konstruktion eines V. Da die Automobilindustrie, in deren Fertigungsstätten der V. produziert werden sollte, die Pläne indirekt sabotierte, errichtete die Gesellschaft zur Vorbereitung des dt. V. gemeinsam mit der → DAF 1938 bei Braunschweig ein eigenes Werk für den Bau des »KdF-Wagens« (→ Stadt des KdF-Wagens [Wolfsburg]). Im September 1938 wurde das Modell erstmals der Öffentlichkeit vorgestellt. Die → KdF-Organisation verteilte Sparkarten, auf denen Marken zum Kauf des 1000-RM-Autos gesammelt werden konnten. Keiner der 336 000 Besteller, von denen bereits 60 000 das Auto voll bezahlt hatten, erhielt jedoch »seinen« V. ausgeliefert, da das neue Werk während des Krieges ausschließlich Militärfahrzeuge (»Kübelwagen«) herstellte. *Angelika Königseder*

Vorbeugende Verbrechensbekämpfung Die von der Kriminalpolizei zu verhängende »Vorbeugungshaft« als wichtigster Bestandteil der V. griff – wie die Bestimmungen zur → Schutzhaft – tief in den Zuständigkeitsbereich der Justiz ein. Ein geheimer preuß. Erlaß vom 13.11.1933 ordnete unter Bezugnahme auf die → Reichstagsbrandverordnung bereits die »vorbeugende Polizeihaft gegen Berufsverbrecher« an. Wichtigste Grundlage für die V. bildete jedoch der Erlaß über die »V. durch die Polizei« vom 14.12.1937, der unter Ausschaltung der Gerichte die Ermächtigung der Kriminalpolizei zur Vorbeugungshaft (d.h. zur KZ-Einlieferung) von »Berufs«- und »Gewohnheitsverbrechern« auf »Gemeingefährliche« und jeden, der »durch sein asoziales Verhalten die Allgemeinheit gefährdet« (→ Asoziale), ausdehnte, selbst wenn die Betroffenen noch nicht vorbestraft waren. Seit Frühjahr 1938 wurde die »Vorbeugungshaft« auch als Mittel zur Arbeitskräftebeschaffung eingesetzt. Ende 1939 befanden sich 12 221 Häftlinge in »Vorbeugungshaft«.

Angelika Königseder

Vorbote, Der s. **Lechleiter-Gruppe**

Vrba-Wetzler-Bericht Die erste umfassende Darstellung von Augenzeugen über die Ermordung von Juden im → Vernichtungslager → Auschwitz. Anfang April 1944 flüchteten Rudolf Vrba und Alfred Wetzler aus Auschwitz-Birkenau. Nach dem Erreichen der Slowakei nahmen sie Kontakt mit dem dortigen Judenrat auf, um in einem Bericht die Weltöffentlichkeit und insbesondere die von der → Deportation bedrohten ungar. Juden zu warnen. Der V., der am 27.4.1944 fertiggestellt wurde, enthält eine Beschreibung von Auschwitz I und von Auschwitz II. Er beschreibt die innere Organisation der Lager, ihre Verflochtenheit mit den anliegenden Industriekomplexen, den Lageralltag der Häftlinge sowie die Funktionsweise der → Gaskammern und Krematorien. Der V. enthält zudem Angaben über die verschiedenen Transporte sowie Schätzungen über deren Umfang. Der V. wurde jedoch von den Judenräten nicht zur Warnung insbesondere der ungar. Juden genutzt, während der Kriegszeit nie vollständig veröffentlicht, von diversen Behörden nicht genügend beachtet und erst Ende November 1944 in der US-Presse umfassend zur Kenntnis genommen. Seine beabsichtigte Wirkung konnte der V. daher nie entfalten. Mit dem V. wurden die bereits kursierenden Gerüchte über die dt. Verbrechen bestätigt und v.a. in Einzelheiten beschrieben. Die historische Bedeutung des Berichts liegt also insbesondere in der erstmaligen und detaillierten Darstellung des Vernichtungsprozesses. *Uffa Jensen*

Literatur:

Bauer, Yehuda: Anmerkungen zum »Auschwitz-Bericht« von Rudolf Vrba, in: Vierteljahrshefte für Zeitgeschichte 44 (1996), S. 297–307.

Vrba, Rudolf: Die mißachtete Warnung. Betrachtungen über den Auschwitz-Bericht von 1944, ebd., S. 1–24.

Vught s. s'Hertogenbosch-Vught (KZ)

V-Waffen, Abkürzung für propagandistisch herausgestellte sog. Vergeltungswaffen, die technische Überlegenheit der westlichen Alliierten im → Luftkrieg »vergelten«, d.h. heimzahlen sollten. V. bestärkten den Wunderwaffenmythos, dem Albert Speer (→ Reichsministerium für Rüstung und Kriegsproduktion) Mitte 1943 mit der Durchhalteparole, daß »Masse durch bessere Qualität nicht nur ausgeglichen, sondern besiegt werden kann«, eine Grundlage verschafft hatte. Als V. galten die Flugbombe Fi 103 der Luftwaffe (V 1), die Rakete A 4 des Heeres (V 2) und langfristig entwickelte unbemannte Großgeschosse und Fernkampfmittel, die mit Flugbenzin bzw. einem Alkoholgemisch als Brennstoff sowie Flüssigsauerstoff für die Starthilfe bzw. die Förderpumpe angetrieben wurden. Die V 1 zielte seit Juni 1944 auf London und nach dem Rückzug von der Kanalküste – der geringen Reichweite wegen – auf die alliierten Nachschubzentren Antwerpen und Lüttich, die V 2 seit September 1944 auf London und Antwerpen. Die relativ geringe militärische »Nutzlast« – jeweils unter 1 t Sprengstoff –, Abwehrmaßnahmen der Alliierten und fehlende Zielgenauigkeit ließen die Erwartungen Hitlers und seiner Gefolgsleute unerfüllt. Als weitere V. kamen die sog. Hochdruckpumpen ins Gespräch sowie die Boden-Luft-Raketen »Wasserfall«, deren Steuerungstechnik unausgereift und die deshalb für militärische Einsätze unbrauchbar waren. *Karl-Heinz Ludwig*

W

Wachenfeld s. Berghof

Waffen-SS Am 14.12.1934 wurden auf Befehl Himmlers die Politischen Bereitschaften der → SS mit der → Leibstandarte »Adolf Hitler« zur SS-Verfügungstruppe unter dem Inspekteur der Verfügungstruppe, Paul Hausser, zusammengelegt. Diese drei Regimenter starke Truppe sollte Hitler im (innenpolitischen) Bedarfsfalle zur besonderen Verfügung stehen. Zusammen mit den zur Bewachung in den → Konzentrationslagern eingesetzten, seit 1939 so genannten SS-Totenkopfverbänden bildete sie den bewaffneten Teil der SS. Mit Erlaß vom 18.5.1939 bestimmte Hitler, daß aus der Verfügungstruppe eine SS-Division mit einer Höchststärke von 20000 Mann zu bilden sei. Ab Oktober 1939 führte Himmler die Bezeichnung W. für die bewaffneten Teile der SS ein. Die W. expandierte im Kriegsverlauf rasch. Der Ist-Bestand belief sich am 30.6.1944 auf fast 600000 Mann, davon über 350000 Mann Feldtruppen in bei Kriegsende nominell 38 Divisionen. Militärisch unterstanden diese Truppen übergeordneten Stäben des Heeres, SS-mäßig dem SS-Führungs-Hauptamt unter Obergruppenführer und General der Waffen-SS Hans Jüttner.

Die Kernidee des SS-Ordensgedankens, den eigentlich noch zu schaffenden nat.soz. Menschen in der Gegenwart schon vorwegzunehmen, galt auch für die W.: Der Soldat der W. war ein Freiwilliger, der allerdings nur genommen wurde, wenn er den SS-Rassekriterien entsprach. Er war politischer Soldat, d.h. nicht nur Kämpfer, sondern auch fanatischer Träger der nat.soz. Weltanschauung und stolz darauf, auch als Soldat einer Elite anzugehören. Dieser Soldatentyp eignete sich besonders gut für einen auch nach rassischen Gesichtspunkten geführten Krieg. Mit der sich für Deutschland verschärfenden Kriegslage 1943/44 sah sich Himmler allerdings gezwungen, von seinen Elitevorstellungen abzurücken: Es wurden nun auch nicht SS-taugliche Freiwillige akzeptiert. Zudem wurden die Reihen der W. mit Eingezogenen aufgefüllt, die keineswegs freiwillig kamen. Die Aufstellung »germanischer«, d.h. nicht-dt. »Legionen« aus Holländern, Flamen und Dänen war mit Himmlers ideologischem Rahmen vereinbar, demgegenüber zeigte die Aufnahme von muslimischen Bosniern und anderen nicht germanischen Fremdvölkern in die W.-Verbände, daß rassistischer Hochmut sich Rekrutierungsnotwendigkeiten zu beugen hatte. Trotz ihres rasch erworbenen Rufs als Elitetruppe hatte die bewaffnete SS zu Beginn des Krieges relativ hohe Verluste, die auf mangelhafte Führung und rücksichtslosen Kampfstil zurückzuführen waren. Im Verlauf des → Ostfeldzuges zeigte sich, daß die nach dem Konzept des SS-Obergruppenführers Gottlob Berger eilig und ziemlich planlos aufgestellten neuen W.-Divisionen qualitativ gegenüber den ersten fünf Divisionen abfielen, ein Mangel, der bis Kriegsende nicht abgestellt werden konnte und den mit der W. verbundenen Elitebegriff erheblich einschränkte.

Auf fast allen Kriegsschauplätzen fielen Einheiten und Führer der W. durch exzessive Härte auf bis hin zu Kriegsverbrechen gegen die Zivilbevölkerung (→ Oradour-sur-Glane) gegen → Kriegsgefangene (SS-Division »Hitler-Jugend« während der Invasion, Kampfgruppe Peiper bei Malmedy während der → Ardennenoffensive) und gegen → Partisanen (SS-Division »Prinz Eugen« im ehem. Jugoslawien; → Balkanfeldzug). Die Korsettstangen- und Feuerwehrfunktion der W.-Verbände konnte die Rückzüge an allen Fronten allenfalls verlangsamen. Bezeichnend für den Verschleiß auch der W.-Elitedivisionen waren deren Mißerfolge sowohl bei der Ardennenoffensive im Dezember 1944 als auch beim dt. Gegenstoß am Plattensee vom 6.–16. März 1945, dessen Scheitern der »Leibstandarte« Hitlers den Vorwurf des Versagens eintrug. Spätestens seit den Nürnberger Prozessen (→ Nachkriegsprozesse) war es üblich, zur Entlastung der → Wehrmacht im Kampfstil der W. ein Synonym für unmenschliche Kriegführung zu sehen, jedoch waren auch zahlreiche Offiziere und Soldaten der Wehrmacht an Kriegsverbrechen und an der → Endlösung beteiligt (→ Rassenpolitik und Völkermord).

Frank Dingel

Literatur:

Wegner, Bernd: *Hitlers Politische Soldaten: Die Waffen-SS 1933–1945. Studien zu Leitbild, Struktur und Funktion einer nationalsozialistischen Elite,* 2., durchgesehene Aufl. Paderborn 1983.

Wahlen und Volksabstimmungen Nach der letzten pluralistischen Wahl im Dt. Reich im März 1933 – als bereits kommunistische und sozialistische Regimegegner brutal verfolgt wurden – entmachtete sich der → Reichstag am 23.3.1933 durch Annahme des → Ermächtigungsgesetzes selbst. Um die pseudodemokratische Fassade zu wahren, fanden nach Auflösung der übrigen Parteien noch drei Reichstagswahlen nach NSDAP-Einheitslisten statt. Für die NSDAP stimmten im November 1933 92% der Wähler. 1936 und 1938 99%. Die W. dienten als Zustimmungsritual für das uniformierte Einparteienparlament, das keine Gesetzgebungskompetenz mehr besaß und als Redebühne für Hitler fungierte. Als V. wurde die »Befragung des Volkes durch den Führer« (Gesetz über V. vom 14.7.1933) bezeichnet. V. wurden reichsweit dreimal angewandt: Am 12.11.1933 zum Austritt aus dem → Völkerbund (95% Ja-Stimmen), am 19.8.1934 zur Zusammenlegung der Ämter des Reichspräsidenten und des Reichskanzlers (90%), am 10.4.1938 zum → Anschluß Österreichs (99%). Die V. hatten rein akklamatorischen Charakter: Ihre Abhaltung war in das Ermessen der Regierung gestellt, und in jedem Fall ging es, anders als bei der unter Aufsicht des Völkerbundes durchgeführten V. der Saar-Bevölkerung 1935 (→ Saarland), um die nachträgliche Absegnung vollendeter Tatsachen. Die hohen Quoten spiegeln das überwältigende Konsenspotential wider, zeigen aber auch den politischen Druck auf die Wähler: Geheime Stimmabgabe war verpönt, durch Repressalien wurden Gegner an der Stimmabgabe gehindert. In einzelnen Fällen kam es zu Ergebnisfälschungen. Der relative Mißerfolg bei der zweiten V. 1934 veranlaßte das Regime – abgesehen von den regionalen Plebisziten – die V. auszusetzen. Die V. von 1938 war nicht geplant, sondern hastig improvisiert. Ähnlich verfuhren die Nat.soz. mit den betrieblichen W. der → Vertrauensräte: sie brachten nicht den gewünschten Erfolg und wurden nach 1935 nicht mehr durchgeführt.

Nils Klawitter

Literatur:

Jung, Otmar: Wahlen und Abstimmungen im Dritten Reich 1933–1938, in: Eckhard Jesse/ Konrad Löw: *Wahlen in Deutschland,* Berlin 1997.
Jung, Otmar: *Plebiszit und Diktatur. Die Volksabstimmungen der Nationalsozialisten,* Tübingen 1995.

Waldwiese s. Führerhauptquartiere

Walküre Ursprünglich Deckname für den Rückgriff der dt. Wehrmacht auf Reserven in der Heimat während des Rußlandfeldzuges im Dezember 1941. Die am 31.7.1943 erlassene Neufassung des Operationsplanes W. sah Maßnahmen für den Fall »innerer Unruhen« vor: Auf das Stichwort W. hin hatten die Wehrkreiskommandos die in ihren Bereichen liegenden Ersatz- und Ausbildungstruppen in zwei Stufen zu Kampfgruppen zusammenzufassen und ferner den Objektschutz zu organisieren. General Olbricht, Graf Stauffenberg und andere Verschwörer suchten die W.-Befehle in den Dienst des Umsturzversuchs vom → 20. Juli 1944 zu stellen. *Astrid Müller*

Wannsee-Konferenz Am 20.1.1942 fand unter dem Vorsitz des Chefs des → RSHA, Reinhard Heydrich, eine Zusammenkunft von Mitarbeitern dieses Amtes, hohen SS-Offizieren und Staatssekretären dt. Oberster Reichs- und Okkupationsbehörden statt (insgesamt 15 Teilnehmer). Es wurden Fragen besprochen, die mit dem unter der Bezeichnung → Endlösung der Judenfrage getarnten und bereits eingeleiteten Massenmord an den europäischen Juden entstanden waren. Entgegen verbreiteter Ansicht wurde bei der W. der Judenmord nicht »beschlossen«, dazu hätte auch die Kompetenz der Konferenzteilnehmer nicht ausgereicht. Die Bezeichnung W. kam 1947 auf, als amerik. Fahnder in den Akten des Auswärtigen Amts ein Exemplar der von Adolf Eichmann hergestellten Niederschrift über das Treffen fanden. Der Name nimmt Bezug auf den Ort der Beratung, eine vom RSHA genutzte Villa der Kriminalpolizei in Berlin, Am Großen Wannsee 56–58.

Zum Zeitpunkt der W. (ursprünglicher Termin 9.12.1941, kurzfristig wahrscheinlich wegen der Kriegserklärung an die USA und der Kriegswende vor Moskau verlegt) waren dem von den → Einsatzgruppen der → Sicherheitspolizei und des SD verübten Massenmord im eroberten Territorium der UdSSR bereits etwa 500000 Juden beiderlei Geschlechts und jeglichen Alters zum Opfer gefallen. In → Chelmno/Kulmhof wurden seit Anfang Dezember 1941 von einem Sonderkommando poln. Juden durch Abgase aus Dieselmotoren von → Gaswagen erstickt. In → Belzec (im Osten des → Generalgouvernements) wurde mit dem Bau einer stationären Vernichtungsstätte begonnen. Die → Deportation von Juden aus dem Reich (einschließlich des → Protektorats Böhmen und Mähren und des besetzten Großherzogtums Luxemburg) »nach dem Osten« war bereits im Gange. Unmittelbar nach ihrer Ankunft wurden Juden dieser ersten Transporte im November/Dezember 1941 in Kauen (Kowno) und in der Nähe von Riga exekutiert. Angesichts des weit fortgeschrittenen Verbrechens, der dabei gewonnenen Erfahrungen, v.a. aber wegen des sämtliche Juden im dt. Machtbereich und in den neutralen Staaten Europas sowie in Großbritannien umfassenden Vernichtungsplans wollte Heydrich als Hauptverantwortlicher die Teilnehmer über das Gesamtvorhaben vollständig informieren, dessen Ausweitung und Grenzen (vorläufige Verschonung von » Halbjuden« [→ Mischlinge], Deportation von alten und »privilegierten« Juden in das Sonderghetto → Theresienstadt) klarstellen und sich der rückhaltlosen Mitwirkung aller Geladenen und der von ihnen geleiteten oder vertretenen Dienststellen versichern. Keiner der Anwesenden hatte, abgesehen vom Hinweis auf kriegswirtschaftliche Notwendigkeiten, Einwände gegen den Mordplan.

In Prozessen gegen die Vollstrecker des Judenmords war die Niederschrift der W. zuerst in Nürnberg im sog. Fall XI (Verfahren gegen Staatssekretäre und andere hohe Beamte in Reichsbehörden) Teil des Anklagematerials (→ Nachkriegsprozesse). Anschließend lag sie amerikanischen und bundesdt. Gerichten und dem Ankläger im Eichmann-Prozeß in Jerusalem vor. Während Eichmann die Niederschrift als korrekt bezeichnete und erklärte, die Teilnehmer hätten sogar noch offener gesprochen, als das Dokument es wiedergebe, wollte keiner der anderen

Angeklagten sich bei Vernehmungen und Verhören daran erinnern. Außerdem stellten alle in Abrede, ein Exemplar der Niederschrift erhalten zu haben. Da diese zu den Schlüsseldokumenten des Judenmords gehört, versuchen »Revisionisten« vom rechten politischen Spektrum bis heute, ihre Echtheit oder wenigstens Bedeutung in Abrede zu stellen. *Kurt Pätzold*

Literatur:

Pätzold, Kurt/Erika Schwarz: *Tagesordnung: Judenmord. Die Wannsee-Konferenz am 20.1.1942. Eine Dokumentation zur Organisation der Endlösung,* Berlin 1992.

Wapniarka Ukrain. Ort in → Transnistrien, in dessen sowj. Kasernen ab Oktober 1941 ein unter rumän. Leitung stehendes Internierungslager für Juden mit dem Charakter eines KZ eingerichtet war. Die Internierten des Jahres 1941 stammten aus Odessa und Bessarabien; 1942 wurden Juden aus der Bukowina nach W. deportiert, am 16.9.1942 kam ein letzter Transport mit 1046 Juden aus → Rumänien nach W. Neben Zwangsarbeit und schlechten sanitären Bedingungen hatte v.a. die Ernährung verheerende Folgen. Sie bestand aus einer giftigen Hülsenfrucht (Lathyrus sativus), die als Pferdefutter verwendet wird, beim Menschen jedoch spastische Paraparese (Lathyrismus) mit Symptomen wie schmerzhaften Muskelkontraktionen und Lähmungserscheinungen, Störungen der Darm- und Blasenfunktionen hervorruft. Im Januar 1943 waren Hunderte Häftlinge erkrankt. Nach einem Hungerstreik wurde medizinische Hilfe durch das jüdische Hilfskomitee in Bukarest gestattet. Im Oktober 1943 wurde das Lager W. wegen des Vormarsches der Roten Armee aufgelöst. Ein Teil der Häftlinge war zuvor auf → Ghettos und Gefängnisse in Transnistrien verteilt oder nach Rumänien zurückgebracht worden, viele wurden ermordet. Viele Häftlinge litten unter den Spätfolgen von Lathyrismus. Das in den 60er Jahren in Deutschland gegründete private »Hilfswerk W.« unterstützt die zumeist in Israel lebenden ehemaligen Häftlinge. *Wolfgang Benz*

Literatur:

Simon, Nathan: »... *auf allen Vieren werdet ihr hinauskriechen!« Ein Zeugenbericht aus dem KZ Wapniarka,* Berlin 1994.

Warschau (Ghetto) Die poln. Hauptstadt W. hatte ca. 1,3 Mio. Einwohner (1935), davon rd. 350 000 → Juden; ab 16.10.1939 war W. Distrikthauptstadt innerhalb des von Hans Frank (Dienstsitz Krakau) verwalteten → Generalgouvernements. Wie in den anderen poln. Städten mit hohem jüdischen Bevölkerungsanteil begann in W. mit dem dt. Einmarsch am 29.9.1939 (→ Polenfeldzug) ein schrittweiser Prozeß der Entrechtung und Ausbeutung. Dabei wurde an die ab 1933 im Reich praktizierte nat.soz. Judenpolitik angeknüpft (→ Nürnberger Gesetze), deren Zielsetzung und Methodik aber wesentlich verschärft. Nach einer Anfangsphase unkoordinierter Maßnahmen (Heranziehung zu → Zwangsarbeit, Requirierung jüdischen Vermögens, Verhaftungen und Erschießungen einzelner) wurde bereits im Herbst 1939 die Basis für die spätere Ghettoisierung geschaffen, indem die Besatzungsbehörden → Judenräte ernannten – in W. am 4.10.1939 unter Leitung von Adam Czerniakow –, die die Umsetzung dt. Befehle persönlich zu verantworten hatten. Je vollständiger die dt. Verwaltungsplaner Juden aus der Restgesellschaft verdrängten, um so konsequenter schien ihnen auch die geographische Absonderung. Bald darauf wurde das mittelalterliche Konzept des → Ghettos wiederbelebt, als man die jüdischen Wohnbezirke abriegelte: am 30.4.1940 zuerst in → Lodz, am 15.11.1940 in W.

Das Ghetto in W. war, wie in allen anderen poln. Städten, so konzipiert, daß es einem Maximum an Juden auf einem Minimum an Fläche (bevorzugterweise in bereits desolaten Stadtteilen) weniger als das Lebensnotwendigste bot: 500 000 Menschen fanden sich auf 73 Straßenzüge zusammengedrängt, durch meterhohe Ghettomauern von der Außenwelt nahezu total abgeschottet und auf eine Tagesration von weniger als 200 Kalorien reduziert, die auch ohne die gleichzeitige Ausbeutung durch Arbeit den sicheren Tod bedeutete. Die von der dt. Ghettoverwaltung (Alexander Palfinger, Max Bischof, Heinz Auerswald) betriebene systematische Unterversorgung zwang den Judenrat zur ständigen Suche nach zusätzlichen Geld- und Nahrungsmittelquellen, um die dramatisch steigende Todesrate einzudämmen. Der absurde Charakter der Ghettonormalität äußerte sich in einem Klima permanenter Unsicherheit, das »illegale« religiöse, politische und kulturelle Aktivitäten zahlreicher Gruppen ebenso hervorlockte wie es Bereicherung und → Kollaboration auf seiten einer kleinen Minderheit förderte. Hatten sich direkte Interventionen der Deutschen innerhalb des Ghettos bis dahin im wesentlichen auf Einzelaktionen beschränkt, so begann am 22.7.1942 der systematische Mord an den W. Juden im Rahmen der → Aktion Reinhardt (→ Endlösung). In drei Phasen deportierte die SS unter Hermann Höfle in Zusammenarbeit mit der dt. Polizei und Ghettopolizei bis zum September 1942 etwa 250 000 Juden in die → Gaskammern des → Vernichtungslagers → Treblinka (→ Deportationen; → Rassenpolitik und Völkermord). Die Annahme des Judenrats, die Deutschen würden das Ghetto aus ökonomischen Gründen erhalten, erwies sich als falsch; Czerniakow nahm sich am 23.7.1942 das Leben.

Angesichts des Chaos im Ghetto formierte sich die »Jüdische Kampforganisation« unter Mordechai Anielewicz, die erstmals im Januar 1943 zum bewaffneten Widerstand überging und den Boden bereitete für den W. Ghettoaufstand anläßlich der am 19.4.1943 beginnenden Deportation der verbliebenen knapp 60 000 Juden. Wenngleich Waffen, Munition und nachhaltige Unterstützung von seiten des poln. Untergrunds fehlten, leisteten die Ghettokämpfer bis Mitte Mai erbitterten Widerstand gegen die Übermacht dt. Einheiten unter dem Kommando von Jürgen Stroop. Sie bezeugten damit die Stärke des jüdischen Überlebenswillens, der sich auch in anderen Widerstandshandlungen wie in dem von dem Historiker Emanuel Ringelblum geleiteten geheimen Ghettoarchiv in W. manifestierte. Stroops Bericht vom 16.5.1943 über die erfolgte Liquidierung des »jüdischen Wohnbezirks« markierte das Ende einer im Herbst 1939 eingeleiteten Entwicklung (→ Stroop-Bericht). Am 11.6.1943 gab Himmler den Befehl, in W. ein KZ zu errichten und das zerstörte Ghetto in einen Park zu verwandeln. Von den knapp 500 000 Juden im W. Ghetto erlebten nur einige tausend das Kriegsende.

Jürgen Matthäus

Literatur:
Im Warschauer Ghetto. Das Tagebuch des Adam Czerniakow 1939–1942, München 1986.
Scheffler, Wolfgang/Helge Grabitz: *Der Ghetto-Aufstand Warschau 1943*, München 1993.

Warschau (KZ) Nach der Niederschlagung des Warschauer Ghetto-Aufstands (→ Warschau [Ghetto]) und der völligen Zerstörung des »jüdischen Wohnbezirks« wurde am 15.8.1943 ein KZ errichtet, dessen Insassen die Aufgabe hatten, das Gelände aufzuräumen, Abbrucharbeiten durchzuführen sowie Materialien zu sammeln und zu bergen. Ein Aufbaukommando (300 Häftlinge) kam aus → Buchenwald, ein Kontingent Häftlinge wurde aus → Auschwitz überstellt. Ab Frühjahr 1944 wurde W. als Kommando des KZ → Lublin-Majdanek weitergeführt und ab 24.7.1944 evakuiert. Ein Transport von 2800 Häftlingen aus W. traf am 6.8.1944 in → Dachau ein (→ Todesmärsche).

Wolfgang Benz

Warschauer Aufstand Am 1.8.1944 von General Bor-Komorowski in Absprache mit der Londoner Exilregierung (→ Polen) angeordnete Operation mit dem Ziel, die poln. Hauptstadt vor dem Einmarsch der Roten Armee aus eigener Kraft von dt. Besatzung zu befreien. Den Verbänden der AK (Armia Krajowa/Heimatarmee) schlossen sich andere Untergrundgruppen an, darunter auch die kommunistische AL (Armia Ludowa/Volksarmee). Nachdem die unzureichend bewaffneten Aufständischen (zunächst 14000, dann 36000 Soldaten) anfangs bedeutende Teile der Stadt unter ihre Kontrolle gebracht hatten, gewann die seit dem 4.8. von Himmler entsandte dt. Verstärkung (u.a. die SS-Sturmbrigade Dirlewanger) unter dem Oberbefehl des Waffen-SS-Generals Erich von dem Bach-Zelewski in wenigen Tagen entscheidende Gebiete zurück, wobei Zehntausende Zivilisten getötet wurden. Wegen der erhofften sowj. Offensive und der beginnenden militärischen Hilfe der Westalliierten (Abwurf von Hilfsgütern), die bis Mitte September von den Sowjets, die der Niederschlagung des Aufstandes passiv zusahen, behindert worden war, zögerten die Aufständischen die Kapitulation hinaus. Am 2.10.1944 wurde der Kapitulationsvertrag unterzeichnet, der 15000 AK-Soldaten, davon 2000 Frauen, als Kombattanten in dt. Kriegsgefangenschaft führte. Mindestens 16000 Tote unter den Kämpfern, etwa 150000 getötete Zivilisten, 60–80000 in dt. Konzentrationslager deportierte Polen waren die verlustreiche Bilanz des W. Auf Befehl Himmlers wurde Warschau »pazifiziert«: Nach der Zwangsevakuierung der Warschauer Bevölkerung (500000 Einwohner befanden sich im Durchgangslager Pruszkow) begann in der menschenleeren Stadt die systematische Vernichtung der Infrastruktur und der gesamten Bausubstanz, einschließlich der Baudenkmäler in der Altstadt und in einigen Teilen des Stadtzentrums.

Beate Kosmala

Warschauer Ghetto-Aufstand 1943 s. Warschau (Ghetto)

Wartheland, Reichsgau Im Oktober 1939 als Reichsgau Posen gebildet. Erst ab Januar 1940 galt die Bezeichnung W. Der Reichsgau W. besaß eine staatsrechtliche Sonderstellung, d.h. das Reichsrecht galt nicht automatisch. Die Osthälfte seines Regierungsbezirks Hohensalza und fast der gesamte Regierungsbezirk Kalisch waren ehemals kongreßpoln. Gebiet; die Reichsgrenze von 1919 war um 150–200 km nach Osten verlegt worden. Im Westen kam der 1919 an Polen abgetretene niederschles. Gebietsstreifen hinzu. Der Reichsgau W. stand sowohl nach Fläche als auch nach Bevölkerungszahl (4,2 Mio., davon 85% Polen, 7% Deutsche, 8% Juden) auf dem zweiten Platz aller Reichsgaue. Unter dem radikalen Gauleiter A. Greiser kam es im »poln.« Reichsgau zur → Germanisierung durch brutale Polenaustreibungen ins → Generalgouvernement und zur Ansiedlung von → Volksdeutschen besonders aus der UdSSR sowie zur Vernichtung fast aller Juden im quasi gaueigenen → Vernichtungslager

Chelmno/Kulmhof, dem ersten »Judenvernichtungszentrum« überhaupt (→ Rassenpolitik und Völkermord).

Volker Rieß

Wehrdörfer Im Januar 1944 befahl Generalfeldmarschall Ernst Busch, Oberbefehlshaber der Heeresgruppe Mitte in Weißrußland, durch geeignete Propaganda und v.a. durch Verteilung von Grund und Boden die Bauern in seinem Befehlsbereich dazu zu bewegen, in ihren Dörfern → Selbstschutztruppen aufzustellen. Sie sollten die »eigene Scholle« in zur Verteidigung hergerichteten W. gegen die im Rücken der Heeresgruppe agierenden Partisanenverbände verteidigen (→ Partisanen). Das Personal rückwärtiger militärischer Einrichtungen der Heeresgruppe (Veterinärmedizin, Lazarette u.ä.) sollte die Bauern unterstützen. Dieses Vorhaben, Eingeständnis eigener Unfähigkeit, die Partisanengefahr entscheidend zu bekämpfen, wurde auch noch durch die Tatsache konterkariert, daß ein großer Teil der männlichen Bevölkerung Weißrußlands von den dt. Truppen bereits für Hilfsdienste in Anspruch genommen wurde. Bis zur Juni-Offensive der Roten Armee mit ihren vernichtenden Folgen für die Heeresgruppe (→ Ostfeldzug) war es mit dieser hilflosen und durchschaubaren Änderung der dt. Politik gegenüber der einheimischen Bevölkerung nicht mehr möglich, die Partisanengefahr zu bannen und die Front nachhaltig zu stabilisieren.

Hermann Weiß

Wehrertüchtigung s. Sport, s.a. Jugend

Wehrkraftzersetzung Als W. galten nach der Verordnung zum → Kriegssonderstrafrecht vom 17.8.1938 neben Wehrdienstentziehung, Selbstverstümmelung, Anstiftung zur → Fahnenflucht auch die öffentliche Aufforderung zur Verweigerung der Dienstpflicht in der Wehrmacht. Eine sich radikalisierende Rechtsprechung (insbesondere durch → Volksgerichtshof und → Reichskriegsgericht) ahndete selbst nichtöffentliche kritische Äußerungen als Defätismus und W. vielfach mit der Todesstrafe.

Michael Hensle

Wehrkreise Das Reichsgebiet war in W. eingeteilt, in denen jeweils ein militärischer Befehlshaber für alle Angelegenheiten der Reichsverteidigung zuständig war und zugleich das Kommando über die darin stationierten Heereseinheiten innehatte. Bis 1935 bestanden die 1919 gebildeten sieben W. mit je einer Division fort, im Zuge der Aufrüstung und als Folge der Annexionen wurden nach und nach 17 W. mit je einem Armeekorps unter einem Kommandierenden General und Befehlshaber im W. mit den Nummer I–XIII, XVII–XX gebildet. Die Nummern XIV–XVI waren drei Armeekorps zugeteilt, zu denen kein W. gehörte. Die Abgrenzung der W., denen für die Erfassung und Einberufung der Wehrpflichtigen Wehrersatzinspektionen und Wehrbezirkskommandos nachgeordnet waren, erfolgte zuletzt durch Verordnung vom 17.7.1941. Nur in wenigen Fällen (Ostpreußen, Danzig-Westpreußen, Wartheland) stimmten die Grenzen der W. mit Länder-, Provinz-, Gau- und Bezirksgrenzen überein; so bildeten z.B. den W. XII (Wiesbaden) zwei Regierungsbezirke der preuß. Rheinprovinz, der bayer. Regierungsbezirk Pfalz, das Saarland, sieben Kreise der Provinz Hessen-Nassau, vier bad. und sieben hess. Kreise aus insgesamt fünf Gauen der NSDAP. Bei Kriegsbeginn traten die Armeekorps zum Feldheer, die Befugnisse der Wehrkreisbefehlshaber gingen auf Stellvertretende Generalkommandos über, denen die Einheiten des Ersatzheeres und auch die → Kriegsgefangenen unterstanden. Zugleich wurde die Verantwortung für die zivile Reichsverteidigung in jedem W. einem Gauleiter als → Reichsverteidigungskommissar übertragen (Verordnung vom 1.9.1939), ab November 1942 traten jedoch die Gaue als Reichsverteidigungsbezirke an die Stelle der W. Zuständig für jeweils einen W. waren auch die → Höheren SS- und Polizeiführer; und in der Regel stimmten die Bereiche der Rüstungsinspektionen mit ihren nachgeordneten Rüstungskommandos ebenfalls mit den W. überein. Die Abgrenzung der Luftgaue der Luftwaffe hatte bei ihrer Bildung 1937 ebenfalls den W. entsprochen, ihre Zahl wurde jedoch bis 1939 auf 10 (I., III, IV, VI – VIII, XI – XIII, XVII) reduziert. *Heinz Boberach*

Literatur:

Tessin, Georg: *Verbände und Truppen der deutschen Wehrmacht und Waffen-SS im Zweiten Weltkrieg 1939 – 1945,* Bd. 1, Osnabrück [2]1979.

Wehrmachtbericht Vom 1.9.1939 – 9.5.1945 jeweils in den Mittagsnachrichten ausgestrahlte Sendung über die Aktivitäten der Wehrmacht, die in der Amtsgruppe »Wehrmachtpropaganda« im OKW ausgearbeitet wurde. (»Das Oberkommando der Wehrmacht gibt bekannt«). Die zunächst weitgehend korrekten Meldungen wurden im Laufe des Krieges auch zur Tarnung von Mißerfolgen und Rückschlägen genutzt. Erfolgszahlen über Versenkung von Schiffen und die Abschüsse gegnerischer Flugzeuge waren meist überhöht, teilweise auch, weil keine Möglichkeit bestand, sie bis zum Mittag des jeweiligen Tages zu verifizieren und die Zahlen bewußt optimistisch geschätzt wurden. *Willi Dreßen*

Wehrmachthelferinnen Sammelbegriff für die ab 1940 (erst Ende 1944 wurde ein »W.korps« gebildet) eingesetzten uniformierten, nicht kämpfenden, völkerrechtlich geschützten, weiblichen Wehrmachtangestellten (Nachrichten-, Stabs-, Marine-, Luftwaffen-, Schwestern-, Flak- und Flakwaffenhelferinnen). 1943/44 gab es beim Ersatzheer etwa 300 000 W., davon die Hälfte dienstverpflichtet, und beim Feldheer bzw. in den besetzten Gebieten etwa 8000 Nachrichten- und 12 500 Stabshelferinnen; die Luftwaffe setzte bis Mai 1945 etwa 130 000 W. ein. Genaue Zahlen über bei Kampfhandlungen, Bombenangriffen und in der Gefangenschaft (einschl. → Zwangsarbeit) umgekommene W. fehlen. *Volker Rieß*

Wehrmacht-Untersuchungsstelle Im September 1939 gegründete Institution innerhalb der Rechtsabteilung des OKW mit der Aufgabe, die von gegnerischen Zivil- und Militärpersonen gegen Wehrmachtsangehörige begangenen Völkerrechtsverstöße festzustellen und entsprechende Vorwürfe aus dem Ausland gegen die → Wehrmacht aufzuklären. Zweck war die Durchführung von Prozessen gegen in dt. Hände gefallene Verdächtige (vorwiegend → Kriegsgefangene), die Substantiierung dt. diplomatischer Proteste und die Unterstützung der Propaganda. Die Untersuchungen, insbesondere Zeugenvernehmungen, wurden überwiegend durch Wehrmachtgerichte oder bei nicht im Feld befindlichen Soldaten durch Amtsgerichte durchgeführt.

Volker Rieß

Wehrpflicht Im Schatten des Erfolges der Volksabstimmung im → Saarland und dessen Wiederanschluß an das Dt. Reich am 1.3.1935 verkündete Hitler am 16.3. die Wiedereinführung der allgemeinen W. Der Reichsminister für Luftfahrt, Hermann Göring, hatte bereits am 10.3. die Existenz einer

Luftwaffe enthüllt. Beide Verlautbarungen bedeuteten das Eingeständnis eines gravierenden Bruchs der Abrüstungsbestimmungen des Vertrages von → Versailles. Das Gesetz über den Aufbau der → Wehrmacht vom 16.3. verfügte eine Stärke des dt. Feldheeres von 36 Divisionen (550 000 Mann). Es wurde ausgefüllt durch das Wehrgesetz vom 21.5., das von den Angehörigen der Wehrmacht u.a. den → Abstammungsnachweis verlangte. Die Einführung der W. entsprach zum einen den revisionistischen Zielen der Reichswehr, zum anderen war sie Voraussetzung für den Expansionismus Hitlers. Nach zaghaften Protesten des → Völkerbundes sowie Italiens, Frankreichs und Großbritanniens (Konferenz von → Stresa) sanktionierte Großbritannien schließlich im → dt.-brit. Flottenabkommen vom 18.6.1935 die dt. → Aufrüstung. *Karsten Krieger*

Wehrsport s. Sport

Wehrwirtschaftsführer Ab 1935 an Industrie- und Wirtschaftsführer, insbesondere an Persönlichkeiten der rüstungsorientierten Industrie wie Flick etc., verliehener Titel. *Willi Dreßen*

Weiße Rose Die Gruppe W. verbreitete 1942/43 gegen die NS-Herrschaft gerichtete Flugblätter. Die Herkunft des Namens des studentischen Widerstandszirkels steht nicht eindeutig fest. Der Kern der W. bestand aus den vier zur Fortsetzung des Medizinstudiums abkommandierten Soldaten Hans Scholl, Alexander Schmorell, Christoph Probst und Willi Graf sowie der Studentin (Biologie und Philosophie) Sophie Scholl, einer Schwester von Hans Scholl. Die an der Universität München Immatrikulierten stellten in Gesprächen – in die der Philosophie-Professor und Musikpsychologe Kurt Huber eingebunden war – eine Verständigung über ihre ablehnende Haltung gegenüber dem Nat.soz. her. Über die aus bürgerlich-christlichen Familien stammende Kerngruppe hinaus können dem Kreis weitere Studenten, Schüler, Lehrer, Professoren, Ärzte, Buchhändler, Schriftsteller und Künstler zugerechnet werden.

In der ersten Aktionsphase im Juni/Juli 1942 erschienen vier von Hans Scholl und Alexander Schmorell verfaßte und an eine relativ kleine Zielgruppe akademischer Adressaten in München und Umgebung gerichtete »Flugblätter der Weißen Rose«. Die mit der Post versandte Auflage betrug wahrscheinlich nicht mehr als je 100 Exemplare. Ein halbes Jahr später hatte sich der aktive Kern erweitert. In der Zeit von November 1942 bis Ende Januar 1943 erfolgte durch die Verfasser der ersten Flugblätter sowie durch Sophie Scholl und Willi Graf die Ausarbeitung der an »alle Deutschen« gerichteten fünften Schrift »Flugblätter der Widerstandsbewegung in Deutschland« mit dem Aufruf, sich angesichts der drohenden Niederlage rechtzeitig vom Nat.soz. zu trennen. Die Drucke – von denen 6000–9000 hergestellt wurden – tauchten in Süddeutschland (Augsburg, Frankfurt/M., Stuttgart) und Österreich (Linz, Wien) auf. In der letzten Phase, im Februar 1943, fanden außerdem nächtliche Malaktionen statt: Schmorell, Hans Scholl und Graf brachten an Gebäuden in München die Inschriften »Nieder mit Hitler«, »Hitler Massenmörder«, »Freiheit« und durchgestrichene Hakenkreuze an. Das sechste, auf einen Entwurf von Kurt Huber zurückgehende und von Hans Scholl, Schmorell und Graf verfaßte Flugblatt mit der Überschrift »Kommilitoninnen! Kommilitonen!« wandte sich gezielt an die Münchner Studentenschaft und rief dazu auf, sich vom nat.soz. System zu befreien. Damit reagierte die W. auf die am 3.2.1943 bekannt gewordene Niederlage der 6. Armee in → Stalingrad.

Bei der Verteilung des letzten Flugblatts am 18.2.1943 in der Münchner Universität wurden Hans und Sophie Scholl beobachtet, denunziert und als erste Mitglieder der Widerstandsgruppe verhaftet. Vier Tage später wurden sie mit Christoph Probst zum Tode verurteilt. Alle drei starben am 22.2.1943 unter dem Fallbeil. In einem weiteren Prozeß wurden Willi Graf, Alexander Schmorell und Kurt Huber am 19.4.1943 ebenfalls zum Tode verurteilt. Schmorells und Hubers Hinrichtung erfolgte am 13.7.1943, die von Willi Graf am 12.10.1943. Bis zum 13.10.1944 fanden insgesamt fünf Prozesse statt, in welchen weitere am Widerstand Beteiligte, darunter Mitglieder des Hamburger Zweiges der W., zu Freiheitsstrafen zwischen sechs Monaten und zehn Jahren verurteilt wurden (→ Widerstand). Lediglich Heinz Kucharski wurde in Hamburg zum Tode verurteilt, konnte aber auf dem Weg zur Hinrichtung fliehen und sich retten. Das Ausland nahm von den Vorgängen um die W. Kenntnis: Thomas Mann würdigte ihre Tat im Juni 1943 über die BBC. Die Royal Air Force informierte die Deutschen durch den Abwurf von mehreren tausend Flugblättern. *Kurt Schilde*

Literatur:

Schneider, Michael/Winfried Süß: *Keine Volksgenossen*, München 1993.
Scholl, Hans/Sophie Scholl: *Briefe und Aufzeichnungen,* hg. von Inge Jens, Frankfurt am Main 1984.

Welteislehre (auch Glacialkosmogonie), um 1913 von dem Ingenieur Hanns Hörbiger entwickelte Lehre. Wissenschaftlich unhaltbar, basiert die W. auf der Annahme, daß das Universum in seiner Genese auf Mutationen von ewigem Eis zurückzuführen sei und sich zudem in einem kosmischen Dualismus aus Sonnen- und Eisplaneten befinde. Auf Betreiben Himmlers, der wie Hitler u.a. die W. als zum »nordischen Weltbild« gehörend anerkannte, erlangte die W. ab 1937 im Zweig »Wetterkunde« der SS-Forschungsgemeinschaft → Ahnenerbe Einfluß, wobei insbesondere eine Wirkung des ewigen Welteises auf das Germanentum nachgewiesen werden sollte. *Uffa Jensen*

Weltkampf Der 1924 von Alfred Rosenberg gegründete *Monatszeitschrift für Weltpolitik, völkische Kultur und die Judenfrage aller Länder*. Der W. erschien nach seiner Gründung zuerst im Dt. Volksverlag, dann im → Hoheneichen Verlag. *Wolfgang Benz*

Weltwirtschaftskrise Bezeichnung für Wirtschaftskrisen, die nicht auf einen einzelnen Staat beschränkt sind, sondern international und womöglich weltweit auftreten, speziell aber für die bislang größte, alle Erfahrungen sprengende Krise, die zwischen 1928/29 und 1935/36 das globale Wirtschaftssystem erschütterte. Ihre Ursachen waren vielfältig und komplex: Ruin der internationalen Handels- und Finanzbeziehungen während des Ersten Weltkriegs; die finanzielle Hinterlassenschaft des Krieges in Gestalt der interalliierten Schulden und der dt. Reparationsschuld; die vom Krieg bewirkte Entstehung agrarischer und vor allem industrieller Überkapazitäten, die nach dem Ende des Nachfragebooms der ersten Nachkriegsjahre keine Märkte mehr fanden und daher Arbeitslosigkeit produzierten; eine zunehmend protektionistische Zollpolitik fast aller Staaten, die den internationalen Geschäftsverkehr aufs schwerste schädigte; das Ausscheiden Rußlands aus den normalen internationalen Wirtschaftsbeziehungen; Konzentrationsprozesse in allen industriellen Bereichen; die schlechten Beziehungen zwischen ehemaligen Kriegsgegnern, etwa zwischen Deutschland und Frankreich, die eine vernünftige Wirtschaftspolitik erschwerten oder verhinderten; der Aktien-Boom in den USA von 1922 bis Ende 1929, der, weil überwiegend kreditfinanziert, außergewöhnlich störanfällig war und nicht dauern konnte.

In Deutschland begann die Krise ebenfalls 1927/29 mit einem Preisverfall bei Agrarprodukten und der Überschuldung ganzer agrarischer Regionen, namentlich wenn sie, wie Schleswig-Holstein, monokulturell orientiert waren, zugleich mit Absatzschwierigkeiten zahlreicher Industriezweige im Inland und beim Export. Beides bewirkte ständig steigende Steuerausfälle, was bereits 1928 und 1929 zum Rückgang der für die Gesamtwirtschaft so wichtigen staatlichen Investitionstätigkeit führte. Ein Teufelskreis entstand, der sich um so schneller drehte, je mehr die dt. Industrie unter der Schwäche der außerdt. Märkte zu leiden hatte. Daß die wirtschaftliche Krise die politische Radikalisierung auf der Linken (KPD) und v.a. auf der Rechten (NSDAP) förderte, wirkte sich insofern auf die Wirtschaft aus, als es nach dem ersten großen Wahlerfolg der NSDAP (14.9.1930: Anstieg von 12 Reichstagsmandaten im Jahre 1928 auf 107) einige Wochen lang zum Abzug kurzfristiger ausländischen Kredite kam. Das verschlimmerte die Entwicklung, weil diese Kredite überwiegend – nicht zuletzt von Kommunen – in Vorhaben investiert worden waren, die längerfristige Kredite erfordert hätten. Die NSDAP profitierte also von der Krise und trug zugleich zur Verschlechterung der Lage bei. Für den Gesamtvorgang spielten derartige Details jedoch keine sonderliche Rolle. Der Faktor, der in Deutschland der Krise mit schließlich rund 6 Mio. Arbeitslosen (1932) eine ebenso große Dimension gab wie in den USA und eine etwas größere als in Großbritannien, war vielmehr die rigide Deflationspolitik des Reichskanzlers Brüning, der Deutschland bewußt an den Rand des totalen wirtschaftlichen Zusammenbruchs steuerte, um die ehemaligen Kriegsgegner zur Streichung der dt. Reparationsschuld zu bewegen. Letzteres ist ihm und seinem Nachfolger Franz v. Papen bis 1932 auch gelungen, freilich um den Preis einer politischen Radikalisierung der in Not und Elend gestürzten Nation, die bürgerkriegsähnliche Zustände produzierte und am Ende Hitler und der NS-Bewegung die Macht in die Hände spielte. Hitler hat die Krise – d.h. v.a. die Arbeitslosigkeit – bis 1936/37 mit staatlichem *deficit spending* überwunden, allerdings mit einer Ausgabenpolitik, die v.a. der Aufrüstung diente und im Krieg endete. *Monika Herrmann*

Literatur:
Blaich, Fritz: *Der Schwarze Freitag,* München 1985.
Kindleberger, Charles P.: *Die Weltwirtschaftskrise 1929–1939,* München 1973.

Werwolf Angesichts der auf allen Kriegsschauplätzen unaufhaltsam gegen die Reichsgrenzen vorrückenden alliierten Truppen beschäftigte sich Himmler in seiner Eigenschaft als Oberbefehlshaber des Ersatzheeres seit Mitte September 1944 mit dem »Aufbau der Widerstandsbewegung in den dt. Grenzgebieten«. Mit der Taktik des Untergrundkampfes auf dt. Boden und durch gezielte Sabotageakte hinter den gegnerischen Linien sollten die eigenen Kampfverbände entlastet, durch Anschläge gegen Deutsche, die mit dem Feind zusammenarbeiteten, eine evtl. Kollaborationsbereitschaft vermindert werden. Der Begriff »Werwölfe« tauchte in diesem Zusammenhang erstmals am 28.10.1944 in einer Rede Himmlers vor Männern des ostpreuß. → Volkssturms auf. Die Entlehnung aus dem Roman *Der Wehrwolf* von Hermann Löns (1910) mit seiner Schilderung des Partisanenkampfes niedersächs. Bauern gegen die Soldateska des 30jährigen Krieges liegt nahe.

Chef der geplanten W.-Organisation mit dem Titel »Generalinspekteur für Spezialabwehr beim Reichsführer SS« wurde Mitte September 1944 der als Höherer SS- und Polizeiführer Rußland-Süd mit der Organisation von Selbstschutzverbänden und der Bekämpfung von → Partisanen seit längerem vertraute SS-Obergruppenführer und General der Waffen-SS Hans Prützmann, der mit seinem Stab von einem bei Königs Wusterhausen, später Rheinsberg, stationierten Reichsbahn-Sonderzug aus den Aufbau der geplanten Organisation leitete. Prützmanns Stab, dem auch Wehrmachtsoffiziere und HJ-Führer sowie eine Referentin für den vorgesehenen weiblichen W. angehörten, konnte sich auf die Erfahrungen und einiges Personal von Sondereinheiten der → Waffen-SS (SS-Jagdverbände) stützen, die seit Anfang 1943 auf Schloß Friedenthal bei Berlin für Kommando-Unternehmen ausgebildet worden waren. Diese hatten nach dem Mai 1944 Personal und Material der → Abwehr (→ Brandenburg [Division]) übernommen. Grundlage für die Ausbildung zumindest der Führer der Kleinkampfgruppen (4–20 Mann) auf den improvisierten W.-Schulen war die seit Januar 1945 vorliegende Taktikfibel »Werwolf. Winke für Jagdeinheiten«. Nach dieser Ausbildungsanweisung war neben dem militärischen Führer der W.-Einheit ein den Kommissaren der Roten Armee vergleichbarer politischer Führer einzuplanen.

Die stärkste propagandistische Wirkung aller W.-Unternehmen erzielte die von Himmler befohlene Ermordung des Aachener Bürgermeisters Dr. Franz Oppenhoff, der am 25.3.1945 von einem W.-Kommando in seinem Haus erschossen wurde. Der *Völkische Beobachter* feierte den Mord an dem nach der Eroberung Aachens Ende 1944 von den amerik. Truppen eingesetzten Stadtoberhaupt als Vollstreckung eines rechtmäßigen Todesurteils. Man muß davon ausgehen, daß erst das weltweite Echo auf diesen »Fememord« den »Generalbevollmächtigten für den totalen Kriegseinsatz«, Joseph Goebbels, veranlaßte, in seiner »W.-Proklamation«, die eine Woche nach Oppenhoffs Ermordung über den Sender »Werwolf« auf der Welle des alten Deutschlandsenders ausgestrahlt wurde, der W.-Ideologie eine neue Richtung zu geben. War man in Prützmanns Stab noch vom Einsatz militärisch wenigstens notdürftig ausgebildeter Guerilla-Kleingruppen ausgegangen, so forderte Goebbels nun den in Selbstvernichtung mündenden Kampf jedes Deutschen, der fähig war, eine Waffe zu halten, ohne Rücksicht auf irgendwelche militärischen Konventionen: Der W. »hält sich nicht an die Beschränkungen, die dem innerhalb unserer regulären Streitkräfte Kämpfenden auferlegt sind... Für die Bewegung sind jeder Bolschewist, jeder Brite und jeder Amerikaner auf dt. Boden Freiwild. Wo immer wir eine Gelegenheit haben, ihr Leben auszulöschen, werden wir das mit Vergnügen und ohne Rücksicht auf unser eigenes Leben tun... Haß ist unser Gebet und Rache unser Feldgeschrei«. Deutsche, die dem sinnlosen Kampf ein Ende machen wollten oder sich den Alliierten zur Verfügung stellten, unterwarf Goebbels der Feme des W.: »Der ›Werwolf‹ hält selbst Gericht und entscheidet über Leben und Tod.«

Um die dt. Bevölkerung zu W.-Aktivitäten aufzustacheln, wurden in den letzten Kriegswochen über W.-Sender und die wenigen noch erscheinenden Zeitungen Meldungen verbreitet, die den Eindruck erwecken sollten, als seien die rückwärtigen Verbindungen der alliierten Truppen durch die »Erhebung« des dt. Volkes ernsthaft gefährdet. In Wirklichkeit schlugen die meisten Aktivitäten des W. jedoch auf die eigene Bevölkerung zurück. Eine unbekannte Zahl »Wehrunwilliger«, Soldaten, Zivilisten und selbst Amtsträger der Partei, fiel den aus Goebbelsscher W.-Mentalität geborenen Mordbefehlen zum Opfer. Wenige Tage vor Kriegsende wurden Männer und Frauen, darunter eine Schwangere, in der oberbayerischen Stadt Penzberg von einem vermummten W.-Kommando unter Führung des Schriftstellers Hans Zöberlein gnadenlos ermordet, weil sie die sinnlose Verteidigung ihrer Vaterstadt verhindern wollten (Penzberger Mordnacht). Die Anstiftung von Zivilisten zum bewaffneten Kampf hatte andererseits zur Folge, daß W.-Angehörige wegen des fehlenden Kombattantenstatus den nach dem Kriegsrecht erlaubten Repressalien alliierter Truppen ausgesetzt waren und z.T. standrechtlich erschossen wurden. Auch sie waren letztlich Opfer einer fanatischen, das eigene Volk nicht schonenden Menschenverachtung, die sich spätestens im Laufe des Krieges als einer der fundamentalen Wesenszüge der nat.soz. Politik enthüllt hatte.

Hermann Weiß

Literatur:

Rose, Arno: *Werwolf 1944–1945*, Stuttgart 1980.

Werwolf s.a. Führerhauptquartiere

Weserübung, Operation s. Norwegenfeldzug

Westerbork »Durchgangslager« für fast alle aus den → Niederlanden deportierten Juden und andere Häftlinge (→ Deportationen). W. wurde im Oktober 1939 im Auftrag des niederl. Innenministers bei Hooghalen in der östlichen Provinz Drenthe als Auffanglager für Flüchtlinge aus Deutschland errichtet. Während der Besatzung blieb es zunächst unter niederl. Kontrolle. Der niederl. Justizminister verwaltete das Lager, in dem sich beim dt. Einmarsch 750 dt. Flüchtlinge aufhielten. Im Juli 1942 wurde W. von der dt. → Sicherheitspolizei übernommen. Bis zur Befreiung am 12.4.1945 waren dort insgesamt mehr als 100 000 Menschen inhaftiert. Manche blieben nur Stunden oder Tage, andere Monate oder sogar Jahre. Das gesamte Leben in W. wurde von der Angst vor den Transporten zum → Arbeitseinsatz im Osten beherrscht, die unmittelbar nach Übernahme durch die dt. Polizei einsetzten. Nur im letzten Quartal 1942 gab es wegen einer Quarantäne zeitweise keine Transporte in die → Vernichtungslager. Im Vergleich zu den Lagern Amersfoort oder → 's Hertogenbosch-Vught, die der SS unterstanden, war die Behandlung der Häftlinge in W. weniger brutal. W. besaß eine Schule, ein Orchester und ein Kabarett, in dem auch berühmte dt. Künstler, die vor 1940 in die Niederlande geflohen waren, auftraten. Die kulturellen Aktivitäten wurden Ende August 1944 eingestellt. Dem Lagerkommandanten Albert Konrad Gemmeker wurde nach dem Krieg seine »korrekte Behandlung« der Inhaftierten als mildernder Umstand angerechnet. Er wurde zu zehn Jahren Haft verurteilt. Als kanad. Truppen das Lager befreiten, befanden sich in W. noch ca. 900 Häftlinge.

Paul Stoop

Literatur:

Mechanicus, Philip: *Im Depot. Tagebuch aus Westerbork*, Berlin1993.

Westfeldzug 1940 Bezeichnung für die militärischen Operationen der dt. Wehrmacht, die zur Kapitulation der → Niederlande und → Belgiens sowie zum Zusammenbruch → Frankreichs führten (Fall → Gelb). Nach einem Plan des Generalstabschefs der Heeresgruppe A, Generalleutnant Erich v. Manstein, sollte parallel zur Offensive im Norden ein Vorstoß durch die Ardennen Richtung Kanalküste die alliierten Armeen zerschneiden (»Sichelschnitt«), um sie anschließend getrennt schlagen zu können. Unter Bruch der Neutralität griff die Wehrmacht am 10.5.1940 die Benelux-Staaten an. Am 15.5. kapitulierte Holland nach einem dt. Luftangriff auf → Rotterdam. Zwei Tage zuvor hatten dt. Panzer bei ihrem Hauptvorstoß im Süden die Maas überquert; am 21.5. erreichten sie den Kanal. Als ein frz. Versuch, die entstandene Frontlücke zu schließen, scheiterte und am 28.5. Belgien kapitulierte, befahlen die Briten die Evakuierung der bei → Dünkirchen abgeschnittenen brit. und frz. Truppen über den Ärmelkanal. Am 5.6. begann mit der »Schlacht um Frankreich« die 2. Phase des W., die für die frz. Armee innerhalb weniger Tage in einer Katastrophe endete. Am 10.6. floh die Regierung nach Bordeaux. Am 14.6. fiel Paris. Als das brit. Angebot einer Union zur Fortsetzung des gemeinsamen Kampfes aus den Kolonien im frz. Kabinett keine Mehrheit fand, trat Ministerpräsident Paul Reynaud zurück (16.6.). Sein Nachfolger Marschall Philippe Pétain ersuchte am 17.6. um Waffenstillstand, der am 22.6. in → Compiègne unterzeichnet wurde. Die neue frz. Regierung, die der Dritten Republik die Schuld an der Niederlage gab und sich von einer Kooperation mit den Deutschen eine konservative Restauration versprach, verlegte ihren Sitz ins unbesetzte Frankreich (→ Vichy), während General Charles de Gaulle von London aus zur Fortsetzung des Kampfes aufrief. Hitler schien durch den Sieg im Westen seinem Ziel, den Lebensraumkrieg im Osten beginnen zu können, ein großes Stück nähergekommen zu sein. *Thomas Bertram*

Literatur:

Weinberg, Gerhard L.: *Eine Welt in Waffen. Die globale Geschichte des Zweiten Weltkriegs,* Stuttgart 1995.

Westfront 1944–1945 Nachdem deutlich geworden war, daß die dt. Truppen die → Invasion in der Normandie nicht zurückschlagen konnten und sich Hitlers Hoffnung auf eine kriegsentscheidende Wende durch den Einsatz von → V-Waffen sowie durch »fanatischen« dt. Widerstand in Frankreich als trügerisch erwiesen hatte, befand sich die Wehrmacht in dem Dilemma, daß nur durch die Verlegung größerer Einheiten an die W. die entfernte Aussicht bestand, den anglo-amerik. Vormarsch aufzuhalten, was wiederum die sowj. Offensiven im Osten begünstigen mußte. Mit neu aufgestellten Divisionen und von der Ostfront herangeführten Kräften eröffnete die Wehrmacht im Dezember 1944 die → Ardennenoffensive, deren Scheitern, zusammen mit dem Erfolg des strategischen → Luftkrieges der Alliierten, das Dritte Reich an den Rand der endgültigen Niederlage führte: Die letzten dt. Reserven waren verbraucht, das Transportsystem und die Treibstoffversorgung weitgehend zusammengebrochen. Bereits im August/September hatten die Westalliierten Frankreich und Teile Belgiens befreit und am 21.10. als erste dt. Großstadt Aachen erobert. Am 8.2.1945, knapp vier Wochen nach Beginn der sowj. Winteroffensive, begann auch an der W. die »Schlacht um Deutschland«. Ab dem 7.3. überschritten Briten und Amerikaner den Rhein und drangen auf breiter Front rasch vor. Hitlers → Verbrannte-Erde-Befehl vom 19.3. wurde nicht mehr ausgeführt. Gegen brit. Protest entschied sich General Eisenhower, nicht Berlin, sondern die → Alpenfestung zu erobern. Zwar kämpften dt. Truppen z.T. bis Kriegsende an zahlreichen Orten isoliert weiter, die W. jedoch hatte spätestens im März 1945 aufgehört zu existieren.

Karsten Krieger

Westmark s. Saarland

Westwall Ca. 630 km lange Befestigungslinie an der dt. Westgrenze von der Schweiz bis in den Aachener Raum. Zwischen Mai 1938 und September 1939 wurden hier eine Betonhöckerlinie und über 14000 Bunker und befestigte Unterstände errichtet. Neben den Angehörigen des → Reichsarbeitsdienstes wurden ca. 100000 Pioniere und rund 350000 Angehörige der → Organisation Todt bei den Arbeiten eingesetzt. Der W. kostete rund 3,5 Mrd. RM und verschlang allein 20% der dt. Jahresproduktion an Zement (8 Mio. t). Über 1 Mio. Eisenbahnwaggons mit Baustoffen wurden auf den Baustellen entladen. Beim Vormarsch der Alliierten 1944/45 bewährten sich die Anlagen nicht. Die Bunker waren unzweckmäßig und zu klein, die Höckerlinie wurde durch Auffüllen mit Steinen und anderen Materialien überwunden.

Willi Dreßen

Wewelsburg Renaissanceschloß mit dreieckigem Grundriß, ehemals Nebenresidenz der Paderborner Fürstbischöfe, zusammen mit dem Ort W. bei Paderborn Schauplatz der Bemühungen Himmlers, der → SS ein »wissenschaftliches« und »kultisches« Zentrum zu geben. Dazu trat die Idee einer Repräsentationszentrale des SS-Gruppenführerkorps. 1934 mietete die NSDAP die W. vom Landkreis Büren für 100 Jahre. Beim aufwendigen Umbau entstanden eine Bibliothek, ein »Studierzimmer«, Buchbinderei, Fotolabor u.a. (ab 1935 »SS-Schule Haus W.«). SS-Wissenschaftler (Vor- und Frühgeschichte, Volkskunde, Genealogie u.a.) wurden eingestellt. Ab 1936 griffen die Planungen über die W. hinaus: Die »Pfalz« und die »neue W.« auf dem Gebiet des Dorfes (ab 1940; leitender Architekt: H. Bartels) sollten im Halbkreis um den mit »Kulträumen« versehenen Nordturm der W. (»SS-Obergruppenführersaal«, »Gruft«) entstehen. Die umfangreichen Bauarbeiten, die nur Bruchteile der ehrgeizigen Pläne verwirklichten, wurden bis 1938 von Privatfirmen in Verbindung mit dem → Reichsarbeitsdienst durchgeführt. Ab 1939 wurde ein Außenkommando des KZ → Sachsenhausen nach W. verlegt (100 Häftlinge). Von 1941–1943 hatte das KZ als »K.L. Niederhagen« den Status eines Hauptlagers und war mit bis zu 1600 Häftlingen belegt. Es wurde im Frühjahr 1943 aufgehoben. In W. verblieb ein Restkommando von zuletzt 42 Insassen, die dem KZ → Buchenwald unterstellt waren. Von insgesamt ca. 3900 Häftlingen wurden – nach den amtlichen Sterbeurkunden – 1285 ermordet.

Wulff Brebeck

Wilna (Ghetto) Im September 1941 in einem Ortsteil der litauischen Stadt W. (1938 ca. 208 000 Einwohner) eingerichtetes → Ghetto für Juden. Insgesamt wurden in zwei Abteilungen des Ghettos ca. 60000 jüdische Menschen auf einem Gebiet untergebracht, in dem vorher rd. 4000 Menschen gelebt hatten. Das Ghetto unterstand dem dt. Stadtkommissariat, das Wachpersonal stellten SS und litauische Hilfspolizei. Es gab eine jüdische Ghettoverwaltung und eine jüdische Lagerpolizei (Ordnungsdienst). Die Insassen arbeiteten inner- und außerhalb des Ghettos in der Pelzindustrie und in verschiedenen Werkstätten für das Heer und die dt. Zivilverwaltung. Wöchentlich wurden bis zu 1000 Menschen, meist Arbeitsunfähige, erschossen. Ein Teil des Ghettos (kleines Ghetto) wurde 1941 aufgelöst, seine 1500 Insassen wurden erschossen. Ende Oktober 1941 bekamen die Facharbeiter gelbe Arbeitsscheine, die auch für ihre Familienangehörigen galten. 5000–8000 Juden, die keinen solchen Schein erhalten hatten, wurden am 24.10.1941 ausgesondert und erschossen. Im Dezember 1941 wurden die gelben Scheine gegen rosa Arbeitsscheine ausgetauscht und alle Ghettobewohner, die keinen solchen vorweisen konnten (3000 Personen), am 5.11.1941 erschossen (»Aktion der rosa Scheine«). Nach einer leichten »Normalisierung« der Verhältnisse (Errichtung von Handwerksbetrieben und jüdischen Schulen, Konzert- und Theateraufführungen) wurden die Insassen von W. nach Estland und Lettland deportiert (→ Deportationen). Insgesamt wurden etwa 6000 Menschen aus Verstecken geholt und bei Widerstand erschossen. Vom 23.–27.9.1943 wurden die Ghetto-Insassen teils in die beiden baltischen Staaten, teils ins → Vernichtungslager → Treblinka transportiert. Ein Rest dringend benötigter Arbeitskräfte, etwa 3000 Juden mit ihren Familien, verblieb zur Arbeit beim Heereskraftfahrzeugpark und in den Pelzfabriken in W. Am 27.3.1944 sonderte man die alten und kranken Männer und Frauen sowie alle Kinder aus und erschoß sie in der Nähe der Stadt (→ Ponary). Die letzten Insassen von W. erlitten Anfang Juli 1944 dasselbe Schicksal. Am 12./13.7.1944 wurde das Ghetto von der Roten Armee erreicht. Danach diente es als Lager für dt. Gefangene, von denen viele ums Leben kamen.

Willi Dreßen

Literatur:
Arad, Yitzhak: *Ghetto in Flames*, Jerusalem 1980.
Wajnryb, Abraham: *Medizin im Ghetto Wilna* in: Dachauer Hefte 4 (1988), S. 78–115.

Winterhilfswerk (WHW) Im Sommer 1933 erteilte Hitler dem Leiter der → NS-Volkswohlfahrt (NSV), Erich Hilgenfeldt, den Auftrag, ein W. (WHW) ins Leben zu rufen. Mit einer solchen Nothilfeaktion hoffte das neue Regime, schnell sichtbare Erfolge im Kampf gegen die Folgen der → Arbeitslosigkeit vorweisen zu können. Die (beträchtlichen) Einnahmen setzten sich aus Spenden von Firmen und Organisationen, aus Erlösen von Haus- und Straßensammlungen sowie aus Lohn- und Gehaltsabzügen zusammen. Trotz aller »Freiwilligkeit« wurde vielfacher Druck und Zwang auf Unwillige ausgeübt, um sie zu Spenden zu bewegen. Teil der Haussammlungen war auch der → Eintopfsonntag. Obwohl die Zahl der Bedürftigen im Zuge des Rückgangs der Arbeitslosigkeit schnell abnahm, wurde das W. im Sinne der Erziehung zu Opferbereitschaft und für die Finanzierung anderer Aufgaben der NSV, v.a. des → Hilfswerks »Mutter und Kind«, beibehalten. Auch andere Parteiorganisationen wie die → Hitler-Jugend oder der → Lebensborn wurden mit diesen Geldern unterstützt.

Marie-Luise Recker

Winterkrieg s. Ostfeldzug 1941–1945

Wlassow-Armee General Andrei Andrejewitsch Wlassow wurde nach hervorragender Bewährung namentlich in den Abwehrschlachten von Kiew und vor Moskau (Herbst und Winter 1941/42) im März 1942 als Oberbefehlshaber der 2. Stoßarmee in den Wolchow-Kessel eingeflogen, wo er am 12.7. 1942 in dt. Gefangenschaft geriet. Als Antistalinist stellte er sich der antibolschewistischen dt. Propaganda zur Verfügung. Sein Ziel war die Aufstellung einer russ. Armee, die an der Seite der dt. Armee und gleichberechtigt mit dieser bei der Liquidierung des stalinistischen Regimes mitwirken sollte. Die Realisierung scheiterte zunächst an der Ablehnung Hitlers, der von seinem Konzept für den Krieg gegen die Sowjetunion, das hieß Ausbeutung des Landes, Germanisierung großer Territorien und damit Vernichtung eines beträchtlichen Teils der Zivilbevölkerung keine Abstriche machen wollte. Jedoch genoß W. die Unterstützung zahlreicher Offiziere in der dt. Heeresführung und konnte daher – nachdem er im Herbst 1942 noch auf die Abfassung und Unterzeichnung von Flugblättern beschränkt war, in denen die Soldaten der Roten Armee zum Überlaufen aufgefordert wurden – Anhänger sammeln, am 27.12.1942 das → Smolensker Komitee gründen – bezeichnenderweise freilich nicht in Smolensk, sondern mehr als propagandistische Fiktion in Berlin – und am 25.3.1943 im Namen einer »Russkaja Oswobodennaja Armija« (ROA = Russische Befreiungsarmee) das »Smolensker Manifest« veröffentlichen, das die Völker der Sowjetunion zum Kampf gegen Stalin aufrief. Abermals griff Hitler ein und entschied, daß W. keinesfalls eine ernstzunehmende politische Bewegung ins Leben rufen dürfe. Danach blieb W. mehr als ein Jahr kaltgestellt. Erst auf Grund der katastrophalen militärischen Entwicklung gab Hitler dem Drängen des mittlerweile realistischer gewordenen Reichsführers SS, Heinrich Himmler, im Herbst 1944 nach. Am 14. November 1944 wurde in Prag das »Komitee zur Befreiung der Völker Rußlands« gegründet, das zwischen November 1944 und Februar 1945 aus Kriegsgefangenen und Ostarbeitern immerhin noch zwei Infanteriedivisionen und etliche weitere militärische Verbände aufstellen konnte, über die Wlassow den Oberbefehl erhielt. In der Endphase des Krieges ohne Bedeutung, wurde die W. nach der dt. Kapitulation von den USA an die Sowjetunion ausgeliefert – auch jene Einheiten, die sich am 6.5.1945 noch am Prager Aufstand gegen die dt. Herrschaft beteiligt hatten –, wo die meisten Offiziere erschossen und die anderen, wenn sie nicht ebenfalls den Tod fanden, in Zwangsarbeitslager verbracht wurden. Wlassow selbst ist am 12.5.1945 an die Sowjetunion ausgeliefert und dort zum Tod verurteilt worden.

Von der W. sind die sogenannten Osttruppen zu unterscheiden, aus Kriegsgefangenen meist nichtslawischer Herkunft bzw. aus nichtslawischer Zivilbevölkerung rekrutierte Einheiten, die, ohne zu größeren Kampfverbänden oder gar einer Armee zusammengefaßt zu werden, auf dt. Seite kämpften, v.a. gegen Partisanen; ferner als XIV. Kavalleriekorps der Waffen-SS unter der Führung des Generals v. Pannwitz organisierte Kosaken, die sich in großer Zahl auf die dt. Seite schlugen und nach dem Kriege das gleiche Schicksal erlitten wie die W. *Jürgen Matthäus*

Wochenschau s. Deutsche Wochenschau

Wochenspruch der NSDAP Von Januar 1939 – April 1944 erschienen kartonierte Blätter (23×33,5 cm), mehrfarbig gedruckt und graphisch gestaltet, mit Zitaten oder Sinnsprüchen von Hitler, verschiedenen Parteigrößen, Dichtern usw., die in Wechselrahmen in Behörden, Schulen usw. zum Aushang kamen. *Wolfgang Benz*

Wolfsburg s. Stadt des KdF-Wagens

Wolff's Telegraphisches Büro (WTB) Von Dr. Bernhard Wolff am 27.11.1894 gegründetes, bis zum 30.12.1933 existierendes zentrales Nachrichtenbüro mit einem dichten Korrespondentennetz im In- und Ausland. Aufgrund finanzieller Probleme bereits im Kaiserreich in staatliche Abhängigkeit geraten, wurde das W. im Verlauf der Weimarer Republik praktisch zur regierungsamtlichen Nachrichtenagentur des Dt. Reiches. Nach der Machtübernahme der Nat.soz. wurde das W. zwecks völliger Kontrolle des Nachrichtenwesens durch den NS-Staat zusammen mit dem 1913 gegründeten Konkurrenzunternehmen Telegraphen-Union (TU) zum → Dt. Nachrichtenbüro (DNB) zusammengelegt und dem → Reichsministerium für Volksaufklärung und Propaganda unterstellt. *Angelika Heider*

Wolfsschanze s. Führerhauptquartiere

Wolfsschlucht s. Führerhauptquartiere

Wunderwaffen s. V-Waffen

Wunschkonzert s. Unterhaltung

Wüste s. Geilenberg-Programm

Z

Zamosc Im Juli 1942 bestimmte Himmler in einer geheimen Weisung den Kreis Z. südlich von Lublin zum ersten »dt. Großsiedlungsgebiet« im → Generalgouvernement und befahl die »Einsiedlung« von zunächst 27 000 volksdt. Umsiedlern. Die Z.-Aktion begann am 24.11.1942 mit der Zwangsevakuierung der poln. Bevölkerung, die z.T. durch brutale Verhaftungen erzwungen wurde. Die Gewaltmaßnahmen führten zu Flucht und Widerstand und wegen des Rückgangs der landwirtschaftlichen Ablieferungen zu Ernährungsproblemen. Die durch Partisanentätigkeit katastrophale Sicherheitslage sollte mit großem Aufwand an Polizeikräften und Wehrmacht (Operation »Werwolf«) im Frühjahr 1943 wieder unter Kontrolle gebracht werden. Im August 1943 wurde die Umsiedlung ins Gebiet Z. eingestellt. *Wolfgang Benz*

Zazous s. Edelweiß-Piraten

Zelle Organisationseinheit der NSDAP, gebildet aus 4–8 → Blocks, geführt vom Zellenleiter, der dem → Ortsgruppenleiter unterstellt war. Auf dem Land konnten Z. eine oder ausnahmsweise mehrere Gemeinden umfassen, Ortschaften konnten auch als Z. eingestuft werden, wenn die Mindestzahl von vier Blocks nicht erreicht war. *Wolfgang Benz*

Zensur Behördliche Prüfung und das Verbot von Druckschriften. Während in den ersten beiden Jahren nat.soz. Herrschaft etwa 40 staatliche und nichtstaatliche Stellen mit unterschiedlicher Reichweite Verbote von Druckerzeugnissen aussprachen, wurde die Z. auf Initiative von Goebbels durch eine am 25.4.1935 vom Präsidenten der Reichsschrifttumskammer (→ Reichskulturkammer) erlassene Anordnung zentralisiert. Auf dieser Rechtsgrundlage wurde eine für das ganze Dt. Reich geltende, 3601 Einzeltitel und 524 Verbote der Gesamtwerke von Autoren umfassende »Liste des schädlichen und unerwünschten Schrifttums« (Stand Oktober 1935) zusammengestellt, die durch Nachträge ergänzt und in den folgenden Jahren in Form weiterer Listen aktualisiert wurde. Dieser Reichsindex wurde zur Täuschung der Öffentlichkeit und Förderung der Selbstzensur der Verleger und Buchhändler nicht öffentlich zugänglich gemacht. Jede Verbreitung der darin aufgeführten Druckschriften war verboten, nicht jedoch ihr Privatbesitz. Am 15.4.1940 wurden auch nicht in der Liste aufgeführte »Werke voll- oder halbjüdischer Verfasser« verboten. Zusätzlich wurde von der Schrifttumsabteilung im → Reichsministerium für Volksaufklärung und Propaganda eine »Liste der für Jugendliche und Büchereien ungeeigneten Druckschriften« veröffentlicht (zuerst 1941). Darüber hinaus wurden Publikationen durch informelle Anweisungen der RSK an Verleger verhindert (→ Presse).

Wolf Kaiser

Zentralausschuß für Hilfe und Aufbau Die Gründung des Z. am 13.4.1933 als Selbsthilfeorganisation war eine unmittelbare Reaktion auf den antijüdischen → Boykott vom 1.4.1933. Der Z., in dem alle führenden jüdischen Verbände Deutschlands vertreten waren, widmete sich unter dem Vorsitz des Rabbiners Leo Baeck übergemeindlich und überparteilich wirtschaftlichen, sozialen und wohlfahrtspflegerischen Aufgaben, insbesondere der Umschulung (»Berufsumschichtung«), der Erziehung und Bildung sowie der Auswanderung. Finanziert wurden die Aktivitäten des Z. zur Hälfte durch Gelder der großen ausländischen jüdischen Hilfsorganisationen und zum anderen Teil aus Mitteln der jüdischen Gemeinden. Am 1.4.1935 erfolgte die Eingliederung des Z. in die Reichsvereinigung der Juden in Deutschland (→ Reichsvertretung der dt. Juden).

Juliane Wetzel

Zentrale Stelle der Landesjustizverwaltungen s. Nachkriegsprozesse

Zentralstelle für jüdische Auswanderung Prag s. Reichszentrale für jüdische Auswanderung

Zentralstelle für jüdische Auswanderung Wien s. Reichszentrale für jüdische Auswanderung

Zentralverlag der NSDAP s. Eher Verlag

Zentralverrechnungsstelle Heil- und Pflegeanstalten s. Aktion T 4, s.a. Medizin

Zentrum Die Partei des politischen Katholizismus, nach Vorläufern in süddt. Landtagen und in Preußen sowie im Norddt. Bund 1870/71 in Preußen und dann im Reichstag neu gegründet, als eine gegen die Vorherrschaft eines protestantischen Preußen gerichtete politische Interessenvertretung der katholischen Bevölkerungsminderheit. Ihrem Selbstverständnis als monarchistische Verfassungspartei entsprechend, lehnte das Z. die Novemberrevolution 1918 ab, stellte sich jedoch nach heftigen innerparteilichen Auseinandersetzungen auf den Boden der Weimarer Verfassung und trug, seit 1919 in allen Reichsregierungen bis 1932 vertreten, die wesentlichen außen- und wirtschaftspolitischen Entscheidungen der Weimarer Republik mit (→ Versailler Vertrag, → Young-Plan, Rapallo). Mit der Wahl des Prälaten Ludwig Kaas zum Parteivorsitzenden im Dezember 1928 verstärkten sich die konservativen Tendenzen im Z.; die Kanzlerschaft Heinrich Brünings (März 1930-Mai 1932), abhängig vom Reichspräsidenten Paul v. Hindenburg, suchte jenen Tendenzen zu dienen.

Die durch die kirchliche Verurteilung der nat.soz. Weltanschauung unterstützte ablehnende Haltung gegenüber der NSDAP weichte gegen Ende der Weimarer Republik zunehmend auf: In der Absicht, die NSDAP durch Einbindung in die Regierungsverantwortung zu »zähmen«, fanden 1932 auf Reichs- wie auf Landesebene (Preußen) Koalitionsverhandlungen statt. Das Kabinett der → Harzburger Front unter Reichskanzler Adolf Hitler konnte das Z. im Januar 1933 aber nicht mehr verhindern. Mit der aus »nationaler Verpflichtung« und im Vertrauen auf die von Hitler gegebenen Verfassungsgarantien erfolgten Zustimmung zum → Ermächtigungsgesetz am 23.3.1933 hoffte das Z. seiner drohenden Auflösung entgegenzuwirken. Dessen ungeachtet steigerte sich der nat.soz. Druck auf die Partei, der am 5.7.1933 zur zwangsweisen Selbstauflösung des Z. führte. *Stefan Hoff*

Literatur:

Morsey, Rudolf: *Der Untergang des politischen Katholizismus. Die Zentrumspartei zwischen christlichem Selbstverständnis und »Nationaler Erhebung« 1932/33,* Stuttgart/Zürich 1977.

Zersetzung s. Wehrkraftzersetzung

Zeugen Jehovas s. Ernste Bibelforscher

Zichenau s. Polen

Zigeuner s. Sinti und Roma

Zinsknechtschaft Von Gottfried Feder, dem Wirtschaftsexperten der NSDAP-Frühzeit eingeführter Begriff, der das ursprüngliche antikapitalistische Moment der NS-Ideologie betonte, später vor allem synonym für »jüdischen Wucher« gebraucht wurde. Im Parteiprogramm von 1920 (→ Ideologie) war die »Brechung der Z.« als populistische Forderung zur »Abschaffung des arbeits- und mühelosen Einkommens« ein zentraler Punkt. Feder hatte 1918 einen »Dt. Kampfbund zur Brechung der Z.« gegründet, machte in den 20er Jahren die Hochfinanz für die Inflation verantwortlich, vertrat damit die pseudosozialistische Richtung in der NSDAP, verlor aber im selben Maß an Einfluß, wie der antikapitalistische Kurs den Erfolg der Partei beeinträchtigte und deshalb von Hitler korrigiert wurde. *Wolfgang Benz*

Zionistische Vereinigung für Deutschland (ZVfD) 1897 gegründeter Zusammenschluß der zionistischen Bewegung in Deutschland. Neben dem Aufbau und der Besiedlung → Palästinas trat die Z. für die »Erneuerung« des Judentums ein. Um 1930 hatte sie ca. 20000 Mitglieder; die große Mehrheit der dt. → Juden fühlte sich vor 1933 aber durch den → Centralverein dt. Staatsbürger jüdischen Glaubens repräsentiert. 1933 erschien in der *Jüdischen Rundschau* (1902–1938), dem Organ der Z., eine Reihe von Artikeln des Chefredakteurs Robert Weltsch, die die Assimilation der Juden scharf kritisierten und zu mehr Selbstbewußtsein aufriefen. Der bekannteste Artikel erschien am 4.4.1933, wenige Tage nach dem → Boykott, unter der Überschrift »Tragt ihn mit Stolz, den gelben Fleck!« Da die Z. die → Emigration aus Deutschland förderte, konnte sie ihre Arbeit bis 1938 weitgehend unbehelligt von nat.soz. Einflußnahme fortsetzen. Nach der → »Reichskristallnacht« wurde die Z. zwangsweise aufgelöst. *Maren Krüger*

Zitadelle, Unternehmen Nachdem es trotz der schweren Niederlage von Stalingrad und den verlustreichen Rückzügen der Heeresgruppe Süd gelungen war, die dt. Front in der Sowjetunion im Frühjahr 1943 noch einmal zu stabilisieren und sogar eine operative Reserve an motorisierten Infanterie- und an Panzerdivisionen zu sammeln, befahl Hitler am 15.4.1943 einen Zangenangriff der Heeresgruppen Mitte und Süd gegen den nach Westen vorspringenden sowj. Frontbogen im Raum von Kursk. Da das Z. getaufte Unternehmen, das der dt. Ostarmee die Initiative zurückgewinnen sollte, mehrfach verschoben wurde, ging freilich das Überraschungsmoment verloren, und die sowj. Führung konnte gegen die dt. Offensive stärkste eigene Kräfte massieren. Als das Unternehmen Z., bei dem die dt. Seite rund 2000 Panzer einsetzte, darunter erstmals eine Anzahl der modernsten Typen »Tiger« und »Panther«, am 5.7.1943 endlich begann, vermochte daher die sowj. Seite dieser dt. Konzentration rund 4000 Panzer entgegenzustellen. So lief sich der dt. Angriff bei minimalen Geländegewinnen schon nach wenigen Tagen fest. Beide Seiten erlitten in den größten Panzerkämpfen des Zweiten Weltkriegs schwere Verluste. Während jedoch die Rote Armee ihren personellen (etwa 20000 Gefallene, 34000 Gefangene) und ihren materiellen Aderlaß ausgleichen konnte, war das der dt. Wehrmacht (35000 Gefallene, 17500 Gefangene) nicht mehr möglich, zumal sie Verbände in den Mittelmeerraum abgeben mußte, wo am 10.7. amerik. und brit. Truppen auf Sizilien gelandet waren und der Bundesgenosse Italien nunmehr als unsicherer Kantonist zu gelten hatte. Am 13.7. wurde das Unternehmen Z. abgebrochen, und nach diesem Scheitern der letzten großen Offensive dt. Streitkräfte in Rußland ging die Initiative endgültig an die jetzt sofort mit eigenen Offensiven antwortende Rote Armee über (→ Ostfeldzug; → Weltkrieg 1939–1945). *Karsten Krieger*

Zivilinternierte Im Kriegsfall werden von den kriegführenden Staaten die auf ihrem Territorium dauernd oder kurzfristig lebenden Personen mit der Staatsangehörigkeit eines Feindstaates in der Regel festgesetzt, auch wenn sie keinen militärischen Status haben, d.h. sie werden interniert. So wurden nach dem Beginn des Zweiten Weltkriegs in Deutschland fast alle Personen mit brit., frz., poln. usw. Staatsangehörigkeit, die nicht dem Diplomatischen Corps bzw. dem Konsularischen Dienst angehörten, interniert, in Großbritannien und Frankreich fast alle Personen mit dt. Staatsangehörigkeit, für eine gewisse Zeit sogar viele dt. Emigranten, die das Dritte Reich längst ausgebürgert hatte, in den USA nach dem japan. Überfall auf Pearl Harbor (7.12.1941) nahezu sämtliche Japaner, auch diejenigen, die bereits die amerik. Staatsbürgerschaft erworben hatten. Für die Behandlung der Z. galten während des Zweiten Weltkriegs völkerrechtliche Vereinbarungen, und zwar die Haager Landkriegsordnung (1907) und das Genfer Abkommen von 1929 (von der dt. Regierung 1934 ratifiziert), d.h. die Z. mußten in gesonderten Lagern bei angemessener Versorgung getrennt von anderen Gefangenengruppen untergebracht werden, durften nicht zu kriegswichtigen Arbeiten herangezogen, mißhandelt oder als Geiseln getötet werden. Die Einhaltung dieser Regeln war von Organisationen wie dem Internationalen Roten Kreuz zu überwachen, denen der Kontakt mit den Z. und die Inspektion der Lager ermöglicht werden mußte.

Ohne Anspruch auf den Status der Z. sind die in einem eroberten Land von der Besatzungsmacht verhafteten Zivilisten, die als Straftäter (z.B. Schwarzhändler) oder wegen Übergriffen gegen die Besatzungsmacht festgesetzt werden, aber auch Geiseln, deren Status in Zusammenhang mit kriegsrechtlich erlaubten Repressalien ebenfalls völkerrechtlich verbindlich geregelt ist.

Einen Sonderfall stellte die am Ende des Zweiten Weltkriegs mit mehr oder weniger Druck erfolgte und rechtlich nicht einzuordnende Rekrutierung dt. Wissenschaftler und technischer Spezialisten (z.B. für den Raketenbau) durch die Alliierten dar. *Monika Herrmann*

Z-Plan s. Außenpolitik

Zwangsarbeit Der NS-Staat nutzte Z. als Mittel sowohl der politischen als auch der wirtschaftlichen Herrschaftssicherung. Zu diesem Zweck wurden v.a. im Krieg diverse Z.-Formen entwickelt, vom Arbeitszwang für sozial oder rassisch definierte Gruppen in der dt. Gesellschaft über den Arbeitsdienst für die Einwohner der besetzten Länder bis hin zum Industrieeinsatz von KZ-Häftlingen. Schon vor Kriegsbeginn hatte mit dem → Arbeitseinsatz die staatliche Regulierung des Arbeitsmarktes eingesetzt. Für die → Aufrüstung sollten künftig »alle Personen, die sich dem Arbeitsleben der Nation« nicht anpaßten, zwangsweise beschäftigt werden. »Arbeitsscheue«, Landstreicher und mehrmals vorbestrafte Personen brachte man mittels mehrerer Razzien in der ersten Hälfte des Jahres 1938 zur Z. in → Konzentrationslager (→ Asoziale). Ab Ende 1938 organisierten Arbeitsämter den »geschlossenen Arbeitseinsatz« zunächst der sozialunterstützten, ab 1940 aller dt. Juden, von denen schließlich 1941 über 50 000 auf dem Bau, im Forst oder in der Industrie in isolierten Kolonnen zwangsbeschäftigt waren. Nach Bildung des → Generalgouvernements im besetzten → Polen wurde am 26.10.1939 Z. für jüdische Polen verhängt. Deren Organisation in Lagern oder Ghettofabriken garantierte zunächst die SS, ab Mitte 1940 die Arbeitsverwaltung, 1942 wieder die SS bis zur → Deportation und Ermordung der Juden (→ Rassenpolitik und Völkermord). Anfang 1941 gab es in Polen und im Großdt. Reich insgesamt etwa 800 000 jüdische Zwangsarbeiter. Juden unterlagen in allen okkupierten Ländern, selbst im Wehrmachtsgebiet Tunesien, spezieller Z.

Zum System der Z. gehörten auch die → Fremdarbeiter in Deutschland. Die Transformation traditioneller Vertragsarbeit von Ausländern erfolgte seit 1938/39 schrittweise, vom freiwilligen Einsatz »arischer« Österreicher über die Verschickung österr. Juden, die Arbeitsverpflichtung von Tschechen nach Bildung des → Protektorats Böhmen und Mähren bis hin zur Arbeit poln. → Kriegsgefangener in der dt. Wirtschaft, die gegen internationales Recht verstieß. Gleichzeitig kam es nach Kriegsbeginn in Polen zu massiven Anwerbungen für den »Reichseinsatz«, die ab Anfang 1940 zu regelrechten Menschenjagden ausarteten. Die über 1 Mio. im Sommer 1940 in Deutschland beschäftigten Polen unterlagen einem Sonderrecht und trugen ein P-Abzeichen (→ Polensonderstrafrecht). Freizügigkeit und Mobilität waren aufgehoben, soziale und sexuelle Kontakte zu Deutschen standen unter Strafe. Die Einwohner jedes neu eroberten Landes waren von seiten der dt. Arbeitsverwaltung massiven Kampagnen für einen Einsatz in Deutschland ausgesetzt. Nur nach dem Überfall auf die Sowjetunion hielt die NS-Führung in ihrer Siegeseuphorie den Einsatz von Kriegsgefangenen zunächst für unnötig und ließ mehr als die Hälfte der 1941 gefangenen sowj. Soldaten mehr oder weniger systematisch verhungern. Mit zunehmender Kriegsdauer im Osten mußte die Rüstungsindustrie jedoch langfristig mit Arbeitskräften versorgt werden. Ab 22.8.1942 konnte deshalb jeder Arbeitsfähige in den okkupierten Ländern und in den Kriegsgefangenenlagern offiziell zur Z. herangezogen werden. V.a. Menschen aus der Sowjetunion wurden nun in großem Stil zum »Reichseinsatz« gepreßt. Diese sog. Ostarbeiter standen, im Gegensatz zu den Westeuropäern, auf der untersten Stufe der auch in der Arbeitswelt gültigen sozial-rassischen Hierarchie der Nat.soz. und unterlagen ähnlichen Sonderbestimmungen wie Polen und Juden.

Da der Arbeitskräftemangel weiter wuchs, begann das → SS-Wirtschafts-Verwaltungs-Hauptamt ab Herbst 1942 mit einem Transfersystem, ähnlich dem seit 1941 von der → Organisation Schmelt in Schlesien praktizierten, verstärkt KZ-Häftlinge an private und öffentliche Firmen zu vermitteln. Zehntausende KZ-Häftlinge arbeiteten u.a. für die → Organisation Todt, die darüber hinaus unter ihren über 1 Mio. Beschäftigten stets auch über jüdische Zwangsarbeiter verfügte, ob 1942 beim Infrastrukturausbau in den besetzten Ostgebieten, 1943 beim Bau des → Atlantikwalls in Frankreich oder beim Rüstungsbau im Reich gegen Kriegsende. Über 100 000 ungar. Juden wurden noch 1944 nach Deutschland verschleppt, um als KZ-Häftlinge unter grausamen Bedingungen beim Bau unterirdischer Fabriken ausgebeutet zu werden (→ Dora-Mittelbau; → Ringeltaube). Im Dt. Reich arbeiteten im Spätsommer 1944 rund 5,9 Mio. Ausländer, 1,9 Mio. Kriegsgefangene aus 26 Ländern sowie 400 000 KZ-Häftlinge. Mehr als 30 000 Arbeitslager existierten allein in Deutschland, in denen je nach Verpflichtungsart, Herkunft und Einsatzsektor der Arbeitskräfte unterschiedlichste Bedingungen herrschten.

Darüber hinaus existierten in den besetzten Gebieten Tausende von Lagern für das gigantische Z.system, denn auch in ihrer Heimat mußten unzählige Menschen Z. für die dt. → Kriegswirtschaft leisten. Ohne die vielfältigen Z.-Maßnahmen, von der → Arbeitspflicht bis hin zur »Vernichtung durch Arbeit«, hätte Deutschland den Krieg nie auf diese Weise führen können. An der Organisation der Z. waren Arbeitsverwaltung, Polizei, SS, Wehrmacht und zivile Besatzungsbehörden beteiligt, von ihrer Nutzung profitierten Reichsbehörden, öffentliche und private Unternehmen. Entschädigungen für die Z. von Millionen Frauen und Männern in und außerhalb Deutschlands stehen bis auf wenige Ausnahmen noch heute aus.

Wolf Gruner

Literatur:

Gruner Wolf: *Der geschlossene Arbeitseinsatz deutscher Juden. Zur Zwangsarbeit als Element der Verfolgung 1938–1943,* Berlin 1997.

Herbert, Ulrich (Hg.): *Europa und der Reichseinsatz. Ausländische Zivilarbeiter, Kriegsgefangene und KZ-Häftlinge in Deutschland 1938–1945,* Essen 1991.

Herbert, Ulrich: *Fremdarbeiter. Politik und Praxis des »Ausländer-Einsatzes« in der Kriegswirtschaft des Dritten Reiches,* Berlin/Bonn 1985.

»Deutsche Wirtschaft«. Zwangsarbeit von KZ-Häftlingen für Industrie und Behörden, hg. v.d. Hamburger Stiftung zur Förderung von Wissenschaft und Kultur, Hamburg 1991.

Zwangssterilisation s. Medizin

20. Juli 1944 Um 12.42 Uhr an diesem Tag explodierte während einer Lagebesprechung im Führerhauptquartier »Wolfsschanze« bei Rastenburg in Ostpreußen eine kurz zuvor von Oberst i.G. Claus Graf Schenk v. Stauffenberg deponierte Bombe. Das Attentat, dem mehrere mißglückte Versuche vorausgegangen waren, sollte das auslösende Ereignis für einen Staatsstreich v.a. nationalkonservativer Kreise sein. Stauffenberg, der die Explosion aus der Entfernung wahrgenommen hatte, ging irrtümlich vom Tod Hitlers aus. Er flog nach Berlin und versuchte vom Hauptquartier der Verschwörer in der Bendlerstraße aus zusammen mit Ludwig Beck, General Friedrich Olbricht, General Erich Hoepner, Generalfeldmarschall Erwin v. Witzleben, Werner v. Haeften und Albrecht Ritter Mertz von Quirnheim erfolglos die Operation Walküre reichsweit anlaufen zu lassen, um den Verschwörern damit die Militär- und Regierungsgewalt zu sichern. In den späten Abendstunden besetzten regimetreue Truppen den Bendlerblock, Beck wurde zum Selbstmord gezwungen, den Hoepner ablehnte, Stauffenberg, v. Haeften, Mertz v. Quirnheim und Olbricht wurden noch in derselben Nacht im Innenhof des Geländes erschossen. Der verhaftete Hoepner starb nach dem Todesurteil des VGH im August. Witzleben hatte den Bendlerblock schon früher verlassen, wurde jedoch am nächsten Tag festgenommen, Anfang August vom → Volksgerichtshof zum Tode verurteilt und erhängt.

Als Gründe für das Scheitern des Staatsstreichs werden angeführt, daß Hitler lediglich leicht verletzt wurde, daß es den Verschwörern nicht gelang, die Nachrichtenverbindung zum Führerhauptquartier »Wolfsschanze« zu unterbrechen, sowie der Umstand, daß sie sich die Verfügungsgewalt über die Medien nicht sichern konnten. In Reaktion auf den 20. Juli löste das → Reichssicherheits-Hauptamt die umfassende Verfolgungsaktion »Gewitter« aus, in deren Verlauf auch viele Familienangehörige politischer Gegner als Sippenhäftlinge festgenommen wurden (→ Sippenhaft). Insgesamt wurden etwa 600–700 Menschen verhaftet und mindestens 180 Personen hingerichtet (→ Widerstand). *Irene Stuiber*

Literatur:
Hoffmann, Peter: *Widerstand gegen Hitler und das Attentat vom 20. Juli 1944,* Konstanz 1994.
Ueberschär, Gerd R. (Hg.): *Der 20. Juli 1944. Bewertung und Rezeption des deutschen Widerstands gegen das NS-Regime,* Köln 1994.

Zyklon B Giftgas auf Blausäurebasis, mit dem allein in → Auschwitz ab Frühjahr 1942 1 Mio. Menschen ermordet wurden. 1923 von der Firma → DEGESCH als Entwesungsmittel in den Verkauf gebracht, wurde es laufend u.a. in Armee und Marine zur Desinfektion verwendet. Am 3.9.1941 wurden in einer improvisierten → Gaskammer in Auschwitz zum ersten Mal Menschen mit diesem Mittel ermordet. Opfer dieser »Probevergasung« waren 600 russ. → Kriegsgefangene und andere Häftlinge. Der Lagerkommandant von Auschwitz, Rudolf Höß, beschloß daraufhin, ausschließlich Z. zu verwenden, da es sich gegenüber der Vergasung mittels Kohlenmonoxyd aus Flaschen und Motorenabgasen als »effektiver« erwies. In geringerem Umfang wurde auch in den → Konzentrationslagern → Majdanek, → Mauthausen, → Sachsenhausen, → Ravensbrück, → Stutthof und → Neuengamme mit Z. gemordet. Hergestellt wurde Z. von den Dessauer Werken für Zucker und chemische Industrie und der Kaliwerke AG in Kolin. Ein Werk der → I.G. Farben in Uerdingen stellte einen Stabilisator für das Mittel her. Die Blausäure (Cyanwasserstoff) war auf Kieselgur aufgezogen und in verschweißten Metalldosen verpackt. Der Inhalt wurde durch verschließbare Öffnungen in die als Duschen getarnten Gaskammern geworfen, wo sich die Blausäure ab 25,7° C in Gas verwandelte und die Menschen durch Zellenerstickung tötete (→ Endlösung; → Rassenpolitik und Völkermord).

Alexander Ruoff

Literatur:
Kogon, Eugen/Hermann Langbein/Adalbert Rückerl u.a. (Hg.): *Nationalsozialistische Massentötungen durch Giftgas.* Eine Dokumentation, Frankfurt am Main 1983.

Teil III: Register

Adam, Franz *28.12.1885. Gründer und Leiter des Nat.soz. Reichssymphonieorchesters.
S. 610

Adorno, Theodor W. 11.9.1903 Frankfurt am Main – 6.8.1969 Visp (Kt. Wallis). Philosoph, Soziologe und Musiktheoretiker.
S. 176, 457

Ahlfen, Hans von Generalmajor. Kommandant des im Jan. 1945 zur »Festung« erklärten Breslau.
S. 404

Ahmet Zogu. Zogu I. 8.10.1895 Burgajet – 9.4.1961 Paris. König von Albanien 1928–1939. Nach dem italienischen Einmarsch ins Exil.
S. 356

Albers, Hans (Philipp August) 22.9.1891 Hamburg – 24.7.1960 München. Schauspieler. Filme u.a.: *Wasser für Canitoga,* 1939; *Münchhausen,* 1943; *Große Freiheit Nr. 7,* 1944.
S. 174 f.

Albrecht, Gustav *20.12.1890. Publizist. 1939–45 Vorstandsvorsitzender der Dt. Nachrichtenbüro-GmbH.
S. 427

Albrycht, Major. Poln. Offizier. Stadtkommandant von Bromberg 1939.
S. 404

Alexandar I. Karađorđević 17.12. 1888 Cetinje – 9.10.1934 Marseille. Seit 1921 König des Königreichs der Serben, Kroaten und Slowenen (1929 Jugoslawien). Tod durch Attentat.
S. 776

Alexander, Harold, Earl of Tunis (seit 1952) 10.12.1891 London – 16.6.1969 ebd. Brit. Feldmarschall (seit 1944). März 1942 Oberbefehlshaber in Birma, Aug. 1942 im Nahen Osten, Febr. 1943 im Mittelmeerraum Stellvertreter Eisenhowers, im Dez. 1944 alliierter Oberbefehlshaber im Mittelmeerraum. 1946 Generalgouverneur von Kanada, 1952-54 brit. Verteidigungsminister.
S. 540

Alexianu, Gheorghe Rumän. Politiker. Gouverneur von Transnistrien.
S. 707

Alquen, Gunter d' *24.10.1910 Essen. Journalist. 1928 zur NSDAP. 1935 Hauptschriftleiter der SS-Zeitung *Schwarzes Korps.* 1955 und 1958 wegen rassistischer Hetze zu Geldstrafen verurteilt.
S. 553, 722

Alvensleben, Ludolf von *17.3.1901 Halle. SS-Gruppenführer und Generalmajor der Polizei (1943). 1933 MdR. 5.4.1934 Führer der 46. SS-Standarte in Dresden. Chefadjutant des Reichsführers SS und Chef der Dt. Polizei. SS- und Polizeiführer für die Krim. Führer des Selbstschutzes im Reichsgau Danzig-Westpreußen.
S. 727

Amann, Max 24.11.1891 München – 30.3.1957 ebd. Politiker und Journalist. SS-Obergruppenführer (1941). 1922 Geschäftsführer der NSDAP. Direktor des Eher Verlages. Seit 1933 Präsident der Reichspressekammer. 8.9.1948 zehn Jahre Arbeitslager.
S. 437, 604, 635, 653 f.

Andersen, Lale, eigtl. Liselotte Helene Bunnenberg, 23.3.1910 Bremerhaven – 29.8.1972 Wien. Chansonsängerin und Kabarettistin (»Lili Marleen«).
S. 182, 570

Anielewicz, Mordechai. 1919 (20?) Wyszków/Polen – 8.5.1943 Warschau. Zionist, floh nach der poln. Kapitulation nach Wilna, seit 1940 organisierte er in Polen den jüd. Untergrund, seit Sommer 1942 in Form eines bewaffneten Widerstands hauptsächlich aus jüd. Jugendorganisationen. Nov. 1942 Kommandeur der Widerstandsorg. ZOB (Żydowska Organizacja Bojowa), die den jüd. Aufstand (Ghettoaufstand) in Warschau Apr./Mai 1943 organisierte. Er fiel im letzten Verteidigungspunkt.
S. 796

Antonescu, Ion 15.6.1882 Pitesi – 1.6.1946 Jilava (heute Bukarest). Rumän. Politiker. 1933 Generalstabschef. 1937/38 Kriegsminister. 4.9.1940 Regierungschef. Beteiligung am Angriff auf die UdSSR. Sturz am 23.8.1944. Hinrichtung nach Verurteilung durch Volkstribunal.
S. 456, 706

Antonescu, Mihai 1904 – 1.6.1946 Jilava (heute Bukarest). Rumän. Jurist und Politiker. Außenminister und stellvertretender Ministerpräsident unter Ion A. 1946 zum Tode verurteilt und hingerichtet.
S. 706

Arendt, Hannah 14.10.1906 Hannover – 4.12.1975 New York. Amerik. Politikwissenschaftlerin und Soziologin dt. Herkunft. Seit 1959 in Princeton. *Elemente und Ursprünge totalitärer Herrschaft,* 1951.
S. 64, 762

Arent, Benno von *19.7.1898 Görlitz – 14.10.1956 Bonn. Bühnenbildner. 1931 zur SS, 1932 zur NSDAP. 1932 Mitbegründer des Bundes nat.soz. Bühnen- und Filmkünstler (nach der »Machtergreifung« umbenannt in Kameradschaft der dt. Künstler), 1936 Reichsbühnenbildner. 1939 Reichsbeauftragter für die Mode. 1944 SS-Oberführer.
S. 666

Arita, Hachirô. 1885–4.3.1965 Jap. Politiker. 1938–39 Außenminister.
S. 528

Arnim, Jürgen von 4.4.1889-1.9.1962. Dt. Generaloberst. Nachfolger von Rommel als Kommandeur des Dt. Afrika-Korps ab 1.12.1943.
S. 353

Arp, Hans (Jean) 16.9.1887 Straßburg – 7.6.1966 Basel. Dt.-frz. Bildhauer, Maler und Graphiker. Mitbegründer der Dada-Bewegung.
S. 158

Attlee, Clement 3.1.1883 London – 8.10.1967 ebd. Brit. Politiker (Labour, seit 1907). 1925 Parteiführer. 1940 in Churchills Kriegskabinett, 1942-45 Churchills Stellvertreter. 28.7.1945 Premierminister. 1951-55 Oppositionsführer, danach im Oberhaus.
S. 651

Attolico, Bernardo 1880–1942. Ital. Diplomat. 1935-40 Botschafter in Berlin.
S. 315

Auerswald, Heinz 1908–1970. Rechtsanwalt. 1933 zur SS. »Kommissar für den jüdischen Wohnbezirk« in Warschau April 1941-Nov. 1942.
S. 796

Aumeier, Hans † 22.12.1947 (hingerichtet). SS-Hauptsturmführer, Kommandant des KZ Vaivara. Vom Obersten Volksgericht in Krakau zum Tode verurteilt.
S. 777

Axmann, Arthur 18.2.1913 Hagen – 1996. HJ-Funktionär. 1932 in die Reichsleitung der HJ. 1939/40 Soldat an der Westfront. 8.8.1940 Reichsjugendführer. 1949 zu drei Jahren Haft verurteilt.
S. 514, 666, 675

Bach, Johann Sebastian 21.3.1685 Eisenach – 28.7.1750 Leipzig. Komponist.
S. 180

Bach-Zelewski, Erich von dem 1.3.1899 Lauenburg (Pommern) – 8.3.1972 München. SS-Obergruppenführer (seit 1941). 1930 zur NSDAP, 1931 zur SS. 1932-44 MdR. Beteiligung an den Morden des sog. »Röhm-Putsches«. 22.6.1941 Höherer SS- und Polizeiführer im Bereich der Heeresgruppe Mitte. Juli 1943 Chef der »Bandenkampfverbände«. Aug. 1944 kommandierender General bei der Niederschlagung des Warschauer Aufstands. 1949 Verurteilung durch dt. Spruchkammer zu zehn Jahren Arbeitslager, 1962 wegen Ermordung politischer Gegner lebenslange Haft.
S. 518, 539, 637, 797

Badoglio, Pietro 28.9.1871 Grazzano Monteferrato – 1.11.1956 ebd. Ital. Marschall und Politiker. 1919-21 Generalstabschef. 1935 Oberbefehlshaber in Abessinien, 1936/37 Vizekönig. Nach Mussolinis Sturz Auftrag zur Regierungsbildung. 13.10.1943 Kriegserklärung an Deutschland. 1944 Rücktritt.
S. 526

Baeck, Leo 23.5.1873 Lissa (Posen) – 2.11.1956 London. Jüdischer Theologe. 1897 Rabbiner in Oppeln, 1907 in Düsseldorf, 1912-43 in Berlin. Seit 1933 Präsident der Reichsvertretung der dt. Juden. 1943 nach Theresienstadt deportiert. Nach 1945 in London.
S. 698, 758, 810

Baer, Richard 9.9.1911-1963. Kommandant von Auschwitz I Mai 1944-Febr. 1945.
S. 383

Baethgen, Friedrich 30.7.1890 Greifswald – 18.6.1972. Historiker. Bis 1939 Prof. in Königsberg, 1939-45 in Berlin. Mitglied der Mittwochs-Gesellschaft. 1947-58 Präsident der Monumenta Germaniae Historica.
S. 588

Baeumler, Alfred 19.11. 1887 Neustadt an der Tafelfichte – 19.3.1968 Eningen bei Reutlingen. Philosoph und Pädagoge. Prof. für »Politische Pädagogik«. Leiter des »Aufbauamtes Hohe Schule« im Amt Rosenberg. Propagierte als Sportideologe »polit. Leibeserziehung« und »völkische Kraftentfaltung«.
S. 136, 141, 203, 517

Baky, Josef von 23.3.1902 Zombor (Ungarn) – 28.7.1966 München. Filmregisseur. Filme u.a.: *Menschen vom Varieté,* Ungarn 1939; *Münchhausen,* 1943; *Die Frühreifen,* 1957.
S. 174

Baky, László Ungar. Politiker (Pfeilkreuz-Partei).
S. 639

Bárdossy, László 10.12.1890 Szombathely – 10.1.1949 Budapest. Ungar. Politiker. Ministerpräsident 4.4.1941-8.3.1942.
S. 771

Barlach, Ernst 2.1.1870 Wedel (Holstein) – 24.10.1938 Rostock. Expressionistischer Bildhauer, Graphiker und Dichter.
S. 169, 673

Barrasch (Barasz), Efraim 1892 Volkoysk b. Białystok – 1943 Majdanek (ermordet). Nach Studium in Dtl. Ingenieur. Zionist, Vorsitzender des Judenrats im Ghetto von Białystok. Hoffte vergebens, durch Qualitätsarbeit für die Deutschen, die 35 000 Juden im Ghetto Białystok vor der Deportation bewahren zu können. Er wurde 1943 mit seiner Familie ins Vernichtungslager Majdanek deportiert und ermordet, gen. Todestag nicht bekannt.
S. 398

Bartels, Adolf 15.11.1862 Wesselburen (Dithmarschen) – 7.3.1945 Weimar. Schriftsteller und Literaturwissenschaftler. Rassist und militanter Antisemit, für radikale »Entjudung« der dt. Literatur.
S. 179, 806

Bartels, Hermann *1900 Minden. Architekt (Wewelsburg).
S. 803

Bassermann, Albert (Eugen) 7.9.1867 Mannheim – 15.5.1952 Zürich. Theater- und Filmschauspieler. 1911 Auszeichnung mit dem Ifflandring, 1933 Emigration, 1946 aus Hollywood Rückkehr nach Deutschland. Filme u.a.: *Lucrezia Borgia,* 1922; *Foreign Correspondent,* USA 1940 (Oscar-Nominierung); *I was a criminal,* USA 1941.
S. 167, 170

Bästlein, Bernhard. Dt. 1894–18.9.1944 (hingerichtet). Widerstandskämpfer. Ehemaliger Abgeordneter der KPD. Vom Volksgerichtshof zum Tode verurteilt.
S. 310, 390

Bauer, Otto 5.9.1881 Wien – 4.7.1938 Paris. Österr. Politiker, Jurist, Sozialdemokrat. 1918/19 Staatssekretär für Äußeres. Teilnahme am Wiener Arbeiteraufstand 1934. Danach ins Exil.
S. 385

Baum, Herbert 10.2.1912 Moschin/Posen – 11.6.1942 Berlin-Moabit (angebl. Selbstmord). Elektriker. Widerstandskämpfer in der kommunistisch-jüdischen Herbert-Baum-Gruppe.
S. 507 f.

Bavaud, Maurice 1916–1941 (hingerichtet). Schweizer Theologiestudent aus Lausanne. 1939 vom Volksgerichtshof wegen Planung von Attentaten auf Hitler 1939 zum Tode verurteilt.
S. 397

Becher, Johannes R(obert) 22.5.1891 München – 11.10.1958 Berlin (Ost). Schriftsteller und Politiker. 1917 USPD, 1919 KPD. 1928 Gründung des Bundes Proletarischer Revolutionärer Schriftsteller. 1933 Emigration über die Schweiz und die Tschechoslowakei nach Frankreich, 1935 in die UdSSR. 1953-56 Präsident der Akademie der Künste der DDR, 1954-58 Minister für Kultur der DDR, aber seit 1957 ohne Einfluß.
S. 169

Beck, Józef 4.10.1894 Warschau – 5.6.1944 Stănesti (Rumänien). Poln. Politiker. 1932-39 Außenminister. Nach dem Polenfeldzug Internierung in Rumänien.
S.642

Beck, Ludwig 29.6.1880 Biebrich (Wiesbaden) – 20.7.1944 Berlin. General und Widerstandskämpfer. 1.10.1933 Chef des Truppenamtes, ab 1.7.1935 Chef des Generalstabs des Heeres. Wegen Kritik an Hitlers Kriegsvorbereitung 1.10.1938 Abschied aus der Wehrmacht als Generaloberst. Zentrum der militär. Opposition und neben Goerdeler Kopf des dt.Widerstands (Mittwochs-Gesellschaft). Von den Verschwörern des 20. Juli 1944 als Staatsoberhaupt vorgesehen. Nach gescheitertem Selbstmordversuch erschossen.
S. 78, 101, 312, 491 f., 587 f., 770, 815

Becker, Carl Heinrich 12.4.1876 Amsterdam – 10.2.1933 Berlin. Prof. für Orientalistik. 1921, 1925-30 preuß. Kultusminister.
S. 607

Becker, Karl 14.12.1879 Speyer – 8.4.1940 Berlin (Selbstmord). Ingenieur, Dt. General der Artillerie (1936), Prof. an der TH Berlin. 1938 Chef des Heereswaffenamtes. 1937-40 Präsident des Reichsforschungsrates.
S. 148, 669

Beckerath, Erwin von 31.7.1889 Krefeld – 23.11.1964 Bad Godesberg. Nationalökonom, Mitglied der Freiburger Kreise.
S. 320, 469

Beethoven, Ludwig van 17.12.1770 Bonn – 26.3.1827 Wien. Komponist.
S. 180, 560

Behncke, Paul 13.8.1866 – 4.1.1937. Dt. Admiral. 1933-37 Präsident der Dt.-Jap. Gesellschaft.
S. 530

Belling, Rudolf 26.8.1886 Berlin – 9.6.1972 München. Bildhauer. 1927-49 Vertreter der Neuen Sachlichkeit, seit 1950 abstrakt. 1937 Emigration. 1951-65 Lehrtätigkeit in Istanbul.
S. 158

Beneš, Eduard 28.5.1884 Kožlány (Böhmen) – 3.9.1948 Sezimovo Ustí (Böhmen). Tschechosl. Politiker. 1918-35 Außenminister der ČSR, 1921/22 Ministerpräsident, 1933-38 Staatspräsident. 5.10.1938 Rücktritt und Exil. Ab 1940 Präsident der Exilregierung in London, ab 1945 wieder Staatspräsident. 7.7.1948 nach Prager Staatsstreich Rücktritt.
S. 766

Benjamin, Walter 5.7.1892 Berlin – 26.(27.?)9.1940 Port Bou (Spanien). Literaturkritiker und Schriftsteller, seit 1924 Marxist. 1933 ins Exil nach Frankreich, in Paris 1935 Mitarbeiter des Instituts für Sozialforschung. Selbstmord aus Furcht vor Auslieferung an Gestapo. Hauptwerk: *Das Kunstwerk im Zeitalter seiner technischen Reproduzierbarkeit,* 1936.
S. 567

Benkhoff, Fita (Friedrich Elfriede) 1.11.1901 Dortmund – 26.10.1967 München. Theater- und Filmschauspielerin. Filme u.a.: *Amphitryon,* 1935; *Der Raub der Sabinerinnen,* 1953.
S. 183

Benn, Gottfried 2.5.1886 Mansfeld – 7.7.1956 Berlin. Schriftsteller und Arzt. 1912 erster Gedichtband. 1933 Begrüßung des Nat.soz. Abwendung vom Regime nach dem »Röhm-Putsch«. 1938 Ausschluß aus Reichsschrifttumskammer und Publikationsverbot. Nach 1945 erneuter Dichterruhm trotz Kritik an seiner

NS-Verstrickung (»Abdankung des Intellektuellen vor der Tyrannis«).
S. 156, 167, 169

Beran, Rudolf 29.12.1888 – 17.5.1969. Erster Premierminister der Regierung des Protektorats Böhmen und Mähren.
S. 656

Bergengruen, Werner 16.9.1892 Riga – 4.9.1964 Baden-Baden. Schriftsteller. 1937 führte sein Bekenntnis zur katholischen Kirche zum Ausschluß aus der Reichsschrifttumskammer. 1942 nach Tirol, später nach Rom. 1951 Wilhelm-Raabe-Preis, 1962 Schiller-Preis. Werke u.a.: *Der Großtyrann und das Gericht,* Roman 1935.
S. 169

Berger, Gottlob 16.7.1896 Gorstetten – 5.1.1975 Stuttgart. SS-Obergruppenführer (1940). 1938 Chef des Ergänzungsamts im SS-Hauptamt. 15.8.1940 Leiter des SS-Hauptamtes. 1942 Staatssekretär in Rosenbergs Ministerium für die besetzten Ostgebiete. 1.10.1944 Chef des Kriegsgefangenenwesens. 1949 in Nürnberg verurteilt zu 25 Jahren Haft. 31.1.1951 Freilassung.
S. 598

Bergner, Elisabeth, eigtl. Elisabeth Ettel, 22.8.1897 Drogobytsch (Galizien) – 12.5.1986 London. Gefeierte Bühnen- und Filmschauspielerin, seit 1933 in England. Filme u.a.: *Fräulein Else,* 1929; *Ariane,* 1931; *Catherine the Great,* GB 1934.
S. 170, 172

Bernadotte, Folke, Graf von Wisborg 2.1.1895 Stockholm – 17.9.1948 Jerusalem. Schwed. Politiker. 1943 Vizepräsident, 1946 Präsident des schwed. Roten Kreuzes. Rettung dän. und norweg. KZ-Häftlinge in den letzten Kriegsmonaten. Bei UN-Vermittlungsversuchen in Palästina von jüdischen Extremisten ermordet.
S. 661

Bernstein, Eduard 6.1.1850 Berlin – 18.12.1932 ebda. Politiker. 1872 zur SPD. 1902-06, 1912-18 und 1920-28 MdR. 1917 zur USPD, 1920 zur SPD. Begründer des Revisionismus.
S. 556

Bernstorff, Albrecht Graf von 6.3.1890 Berlin – 25.4.1945 ebd. Diplomat. Botschaftsrat. Mitglied der Widerstandsgruppe des Solf-Kreises. Von der Gestapo ermordet.
S. 735

Bertram, Adolf 14.3.1859 Hildesheim – 6.7.1945 Schloß Johannesberg (Böhmen). 1916 Kardinal, 1914 Fürstbischof von Breslau, 1919-45 Vorsitzender der Fuldaer Bischofskonferenz. Ablehnung des Nat.soz., dessen antisemit. Ausschreitungen und Übergriffe er mit einer Politik der Eingaben zu bekämpfen versuchte.
S. 193, 200, 248

Berve, Helmut 22.1.1896 Breslau – 6.4.1979 Heckendorf/Pilsensee. Althistoriker, seit 1927 Professor in Leipzig. Trotz liberaler Grundhaltung Annäherung an NS-Ideologie, Parteimitglied. 1940–43 Rektor der Univ. Leipzig, 1943–45 Professur in München, 1954 in Erlangen (*Das Alexanderreich auf prosopographischer Grundlage,* 1926; *Die Tyrannis bei den Griechen,* 1967).
S. 495 f.

Best., Brit. Captain. Mitarbeiter des brit. militär. Geheimdienstes, zus. mit Major Stevens beim Venlo-Zwischenfall vom SD gekidnappt, bis Kriegsende in KZ-Haft.
S. 777

Best, Werner 10.7.1903 Darmstadt – 23.6.1989 Mülheim/Ruhr. Jurist. SS-Obergruppenführer (1944). 1930 zur NSDAP. 1935 zur Gestapo nach Berlin. Chef des Amtes Verwaltung und Recht im Hauptamt Sicherheitspolizei. Sept. 1939–Juni 1940 Leiter des Amtes II des RSHA. 1940 Verwaltungschef beim Militärbefehlshaber in Frankreich, ab November 1942 Reichsbevollmächtigter in Dänemark. 1931 Autor der sog. Boxheimer Dokumente. 1949 in Kopenhagen zum Tode verurteilt, begnadigt, 1951 entlassen. In der BRD Rechtsberater des Stinnes-Konzerns. Erneute Anklage 1972 wegen der Organisation der Einsatzgruppen in Polen 1939, aus Gesundheitsgründen folgenlos.
S. 400, 632

Bethlen von Bethlen, István Graf 8.10.1874 Gernyeszeg – 1947 bei Moskau. Ungar. Politiker. Ministerpräsident 14.4.1921–18.8.1931. 1944 nach dt. Besetzung Ungarns Flucht, nach sowj. Einmarsch verhaftet und verschleppt.
S. 771

Bethmann Hollweg, Theobald von 29.11.1856 Hohenfinow bei Eberswalde – 2.1.1921 ebd. Politiker. 1905 preuß. Innenminister. 1909 Reichskanzler und preuß. Ministerpräsident. Rücktritt im Juli 1917.
S. 75

Biebow, Hans 1902 – 23.6.1947 Lodz (hingerichtet). Kaufmann. Leiter der Ghettoverwaltung von Lodz. 1937 zur NSDAP. Organisator der Deportationen von Lodz ins Vernichtungslager Chelmno/Kulmhof. 30.4.1947 Todesurteil.
S. 571

Bielski, Tuvia 1906–1987. Aus jüd. Landwirtsfamilie in Ostpolen. Kopf einer großen Partisanengruppe in Weißrußland.
S. 637

Bienert, Richard* 5.9.1881 Prag. Tschechosl. Politiker. Polizeipräsident von Prag. Landespräsident von Böhmen. Ab Jan. 1942 Innenminister. 19.1.1945 Premierminister der Regierung des

Protektorats Böhmen und Mähren. 1946 drei Jahre Gefängnis.
S. 656

Binding, Karl 1841–1920. Prof. für Strafrecht an der Universität Leipzig. Publizierte zus. mit Hoche 1920 *Freigabe der Vernichtung lebensunwerten Lebens.*
S. 236

Birgel, Willy (Wilhelm Maria) 19.9.1891 Köln – 29.12.1973 Dübendorf bei Zürich. Theater- und Filmschaupieler. Filme u.a.: *... reitet für Deutschland,* 1941; *Rittmeister Wronsky,* 1954.
S. 174

Bickenbach, Otto Mediziner. Menschenversuche an der »Reichsuniversität« Straßburg.
S. 609

Bischof, Max Angehöriger der dt. Verwaltung des Warschauer Ghettos.
S. 796

Bismarck, Otto von B.-Schönhausen 1.4.1815 Schönhausen (Altmark) – 30.7.1898 Friedrichsruh. Seit 1849 Mitglied der 2. preuß. Kammer, seit 1862 preuß. Ministerpräsident. 1871–90 Reichskanzler, seit 1880 preuß. Minister für Handel und Gewerbe.
S. 16, 24, 83, 497, 780

Bismarck-Schönhausen, Gottfried Graf von 29.3.1901 Berlin – 14.9.1949 Verden/Aller. Landwirt. SS-Oberführer (1943). 1933/34 Landrat von Rügen und Kreisleiter der NSDAP. 1933 MdR. 1935 Regierungspräsident in Stettin, 1938 Potsdam. 1944 wegen Verdachts auf Beteiligung am Attentat auf Hitler vom 20. Juli KZ-Haft bis Kriegsende (trotz Freispruchs vor Gericht).
S. 472

Blaskowitz, Johannes 10.7.1883 Peterswalde (Ostpreußen) – 5.2.1948 Nürnberg. Generaloberst (1.10.1939). Im Polenfeldzug Kommandeur der 8. Armee, Okt. 1939 Oberbefehlshaber Ost. Denkschriften gegen SS- und NSDAP-Greuel in Polen. Trotzdem Oberbefehlshaber mehrerer Heeresgruppen. 7.4.1945 Kommandeur der »Festung Holland«. Zusammenarbeit mit Alliierten zur Versorgung der Zivilbevölkerung. Nach Anklage wegen angeblicher Kriegsverbrechen Selbstmord.
S. 102

Blessing, Karl 5.2.1900 Enzweihingen – 25.4.1971 bei Orange (Frankreich). Bankier. Seit 1933 bei der Dt. Reichsbank. 1934 Generalreferent im Reichswirtschaftsministerium. 1937 Mitglied des Reichsbankdirektoriums, Mitglied des engeren Beirats der Dt. Bank. Wehrwirtschaftsführer. Diverse Vorstandsposten, u.a. Margarineunion AG. 1958-69 Präsident der Dt. Bundesbank.
S. 472

Blobel, Paul 13.8.1894 Potsdam – 7.6.1951 Landsberg/Lech (hingerichtet). SS-Standartenführer. 1931 zur NSDAP, SA, SS, 1935 zum SD. Kommandeur des Sonderkommandos 4a der Einsatzgruppe C, das u.a. 1941 in der Schlucht von Babi Yar bei Kiew über 30 000 Juden ermordete. Massenerschießungen im Operationsgebiet der 6. Armee. Im März 1942 mit der sog. Enterdungsaktion beauftragt. Verantwortlich für die Ermordung von mind. 60 000 Menschen. 10.4.1948 Todesurteil wegen Verbrechen gegen die Menschlichkeit, Kriegsverbrechen und Mitgliedschaft in einer verbrecherischen Organisation.
S. 388, 447

Blomberg, Werner von 2.9.1878 Stargard (Pommern) – 14.3.1946 Nürnberg. Generalfeldmarschall (20.4.1936) und Politiker. 30.1.1933 Reichswehrminister, 1935 Reichskriegsminister und Oberbefehlshaber der Wehrmacht. Wegen »unstandesgemäßer Heirat« am 4.2.1938 Entlassung (Fritsch-Krise). Während der Nürnberger Prozesse in der Haft verstorben.
S. 30, 68, 77, 100 f., 473, 520 f., 621

Blunck, Hans-Friedrich 3.9.1888 Altona – 25.4.1961 Hamburg. Schriftsteller, Justizbeamter. 1933-35 Präsident der Reichsschrifttumskammer. Apologet des Nat.soz., Verherrlichung von Rasse und Führertum (*Der einsame König,* 1936).
S. 167, 673

Bobrowski, Johannes 8.4.1917 Tilsit – 2.9.1965 Berlin. Dt. Schriftsteller. 1930 zum »Bund dt. Bibelkreise«, 1936 als Mitarbeiter der Bekennenden Kirche zum christlichen Widerstand gegen den Nat.soz. Nach 1949 Lektor in versch. Verlagen. Werke u.a.: *Sarmatische Zeit,* 1961; *Levins Mühle,* 1965.
S. 169

Bodelschwingh, Friedrich von 14.8.1877 Bethel – 4.1.1946 ebd. Evangelischer Theologe. 1910 Leiter der von seinem Vater gegründeten Bodelschwinghschen Anstalten für Behinderte. Seine Wahl zum Reichsbischof 1933 wurde von der NS-Staatsführung nicht anerkannt. Erfolgreicher Kampf für die Rettung seiner Patienten vor der Euthanasie.
S. 247, 666

Boden, Ernst Landforstmeister. Kommandeur des Ende 1939 aufgestellten paramilitärischen Forstschutzes.
S. 465

Boeckh, Chefarzt der Anstalten Neuendettelsau.
S. 247

Böhme, Horst SS-Obergruppenführer, Befehlshaber der Sicherheitspolizei in Prag. Verantwortlich für die Auslöschung von Lidice.
S. 569

Boepple, Ernst 30.11.1887 Reutlingen – nach 1945 Polen (hingerichtet). Bis 1933 Besitzer des ersten nat.soz. Verlags (Dt. Volksverlag, München). 1933 Ministerialrat. 1934 Bayer. Staatsrat, Chef des bayer. Kultusministeriums. Sept. 1941-Juni 1944 Staatssekretär z.b.V. in der Regierung des Generalgouvernements.
S. 567

Bohle, Ernst Wilhelm 28.7.1903 Bradford (England) – 9.11.1960 Düsseldorf. Seit 1931 in der Auslandsabteilung der NSDAP. 1.3.1932 Parteieintritt im Range eines Gauleiters. Seit 12.11.1933 MdR. 30.1.1937 Staatssekretär im AA. 8.5.1933 Leiter der Auslandsorganisation der NSDAP. Bekannte sich als einziger Angeklagter schuldig und wurde am 14.4.1949 von den Alliierten im Wilhelmstraßenprozeß zu fünf Jahren Gefängnis verurteilt, 21.12.1949 begnadigt und freigelassen.
S. 789

Bonatz, Paul (Michael Nikolaus) 6.12.1877 Sologne bei Metz – 20.12.1956 Stuttgart. Architekt. 1913–27 Bau des Stuttgarter Hauptbahnhofs. 1933–40 Berater von F. Todt beim Bau der Reichsautobahn; bis 1943 Mitarbeiter A. Speers; danach in Ankara. 1949–53 Prof. an der TH Istanbul. Erinnerungen: *Leben und Bauen,* 1950.
S. 161

Bonhoeffer, Dietrich 4.2.1906 Breslau – 9.4.1945 KZ Flossenbürg. Evangelischer Theologe und Widerstandskämpfer. 1931 Studentenpfarrer in Berlin, 1934 beratendes Mitglied des Ökumenischen Rates, 1940 Rede-, 1941 Schreibverbot. Hitler war für ihn der »Antichrist«. Kontakt zum Abwehr-Kreis um Canaris, im Mai 1942 in Schweden Sondierung eines Friedens, am 5.4.1943 von Gestapo verhaftet. Kurz vor Eintreffen der US-Truppen im KZ zusammen mit Admiral Canaris und Oberst Oster gehängt.
S. 201, 314, 462

Borchert, Wolfgang 20.5.1921 Hamburg – 20.11.1947 Basel. Schriftsteller. Hauptwerk: *Draußen vor der Tür,* 1947.
S. 169

Borkenau, Franz 15.12.1900 Wien – 22.5.1957 Zürich. Soziologe, zeitweilig Mitarbeiter am Frankfurter Institut für Sozialforschung. Verfasser einer der wichtigsten Darstellungen des spanischen Bürgerkriegs *(Kampfplatz Spanien. Die sozialen und politischen Konflikte des spanischen Bürgerkriegs).*
S. 458, 762

Bor-Komorowski, Graf 1.6.1895 Tremblowo (Ostgalizien) – 24.8.1966 Grove Farm/Buckinghamshire (England). Poln. General. Untergrundkämpfer (Armia Krajowa), Anführer des Warschauer Aufstands 1944.
S. 646, 797

Bormann, Martin 17.6.1900 Halberstadt – 2.5.1945 Berlin. Kontakt zu Geheimbünden in der Weimarer Republik, Beteiligung an »Fememorden«. 1927 Eintritt in NSDAP und SA. Juli 1933 Stabsleiter von Heß, praktisch Chef des Parteibüros. Fanatischer Volllstrecker des nat.soz. Rassenprogramms. Hitler bedingungslos ergeben. 1941 nach Heß' Schottlandflug dessen Nachfolger mit dem Titel Leiter der Parteikanzlei, 1943 »Sekretär des Führers«. Nach dem Krieg galt B. Jahrzehnte als verschollen. 1946 in Nürnberg in Abwesenheit zum Tode verurteilt. Seine Leiche wurde am 7./8.12.1972 zweifelsfrei identifiziert. Lt. Amtsgericht Berchtesgaden und Staatsanwaltschaft Frankfurt/Main ist er am 2.5.1945 in Berlin gestorben.
S. 30 f., 85, 87, 92, 196, 198, 209, 357, 510, 520, 581, 584, 592, 600, 607, 622, 624, 627, 676, 747 ff., 759, 788

Borsody, Eduard von 13.6.1898 Wien – 1.1.1970 ebd. Regisseur.
S. 183

Bosch, Carl 27.8.1874 Köln – 26.4.1940 Heidelberg. Chemiker. 1935 Vors. des Aufsichts- und Verwaltungsrats der I.G. Farben. 1931 Nobelpreis für Chemie (mit F. Bergius).
S. 138, 139, 486

Bosch, Robert 23.9.1861 Albeck bei Ulm – 12.3.1942 Stuttgart. Industrieller. 1886 Gründung der »R.B. Werkstätte für Feinmechanik und Elektrotechnik«, seit 1937 Robert Bosch GmbH.
S. 492

Bose, Herbert von 16.3.1893 Straßburg – 30.6.1934 Berlin. 1929 Chef des Presseamtes der preuß. Regierung, Pressereferent Franz v. Papens. Im Zuge des »Röhm-Putsches« in seinem Büro ermordet.
S. 579

Bosnyák, Zoltán. Ideologe der ungar. Pfeilkreuzpartei. Leiter des ungar. Instituts für Judenforschung.
S. 639

Boris III. 30.1.1894 Sofia – 28.8.1943 ebd. Seit 1918 König von Bulgarien. 1941 Beitritt zum Dreimächtepakt, aber keine Teilnahme am Krieg gegen die Sowjetunion. Tod unter ungeklärten Umständen nach einem Besuch bei Hitler am 15.8.1943.
S. 407

Bouhler, Philipp, 11.9.1899 München – 19.5.1945 bei Dachau. NSDAP-Reichsleiter und SS-Obergruppenführer (30.1.1936). Eines der ersten NSDAP-Mitglieder. Seit Juni 1933 Reichsleiter und MdR, ab 17.11.1934 Chef der neugeschaffenen Kanzlei des Führers. Am 1.9.1939 zus. mit K. Brandt von Hitler mit der Durch-

führung des Euthanasie-Programms beauftragt. Im Mai 1945 zus. mit Göring gefangengenommen, vor Einlieferung ins Internierungslager Dachau Selbstmord durch Gift.
S. 245, 403, 540, 634 f.

Bracht, Franz 23.11.1877 Berlin – 26.11.1933 ebd. Politiker. 1924–33 Oberbürgermeister von Essen. 20.7.1932 stellvertretender Reichskommissar für Preußen, Dez. 1932 preuß. Innenminister.
S. 655

Brack, Viktor 9.11.1904 Haaren – 2.6.1948 Landsberg/Lech (hingerichtet). SS-Oberführer. Zunächst Chauffeur Himmlers. 1936 SS-Verbindungsmann zur Kanzlei des Führers. Organisator der Euthanasie in der T 4-Dienststelle. Mitarbeit am Aufbau der Vernichtungslager in Polen. Todesurteil am 20.8.1947 im Nürnberger Ärzteprozeß.
S. 540

Brandt, Karl 8.1.1904 Mühlhausen (Elsaß) – 2.6.1948 Landsberg/Lech (hingerichtet). Mediziner und SS-Gruppenführer (20.4.1944). Jan. 1932 zur NSDAP, 1933 SA. 1934 »Begleitarzt« Hitlers. 1940 zur Waffen-SS. Aug. 1944 Reichskommissar für das Sanitäts- und Gesundheitswesen. Ende 1944 bei Hitler in Ungnade gefallen wegen einer Intrige gegen Hitlers Leibarzt Morell. Im Nürnberger Ärzteprozeß am 20.8.1947 zum Tode verurteilt.
S. 245, 540, 670

Brandt, Willy, früher Herbert Ernst Karl Frahm, 18.12.1913 Lübeck – 8.10.1992 Unkel/Rhein. Politiker. 1930 zur SPD, 1931 SAP. 1933 Emigration nach Norwegen. 1947 Rückkehr. 1949-57 und 1969-92 MdB. 1957-66 Regierender Bürgermeister von Berlin. 1964 Parteivorsitzender. 1966–69 Außenminister und Vizekanzler. 1969–74 Bundeskanzler. 1971 Friedensnobelpreis. 1976 Vorsitzender der Sozialistischen Internationale, 1977–80 der Nord-Süd-Kommission.
S. 763

Brauchitsch, Walther von 4.10.1881 Berlin – 18.10.1948 Hamburg. Generalfeldmarschall (19.7.1940). 4.2.1938 Oberbefehlshaber des Heeres. Hitlers Sündenbock für Winterkrise vor Moskau. 19.12.1941 Entlassung. Tod in brit. Haft vor Eröffnung eines Militärgerichtsverfahrens.
S. 101 f., 104, 473, 501, 621

Braun, Eva 6.12.1912 München – 30.4.1945 Berlin. Geliebte und Ehefrau (30.4.1945) Hitlers, die dieser 1929 im Atelier seines Fotografen Hoffmann kennenlernte. Beging zusammen mit Hitler im Bunker unter der Reichskanzlei Selbstmord.
S. 341

Braun, Otto 28.1.1872 Königsberg – 15.12.1955 Ascona. Politiker. Seit 1911 im Parteivorstand der SPD. 1920-33 (amtsenthoben) preuß. Ministerpräsident. 1933 Flucht in die Schweiz.
S. 655

Braun, Wernher von 23.12.1912 Wirsitz (Posen) – 16.6.1977 Alexandria (USA). Ingenieur. 1932 zum Heereswaffenamt. 1937 Leiter der Raketenversuchsanstalt in Peenemünde. Entwicklung der V-Waffen unter Ausnutzung tausender KZ-Häftlinge, die großenteils dabei umkamen. 1945 mitsamt Forscherteam in US-Gefangenschaft, Fortsetzung seiner Arbeit in den USA. 1955 US-Staatsbürger. 1959 zur NASA. 1970 Chefplaner der NASA.
S. 638

Brausewetter, Hans
S. 183

Brecht, Bertolt 10.2.1898 Augsburg – 14.8.1956 Berlin. Schriftsteller, Dramatiker, Dramaturg. Ruhm mit der *Dreigroschenoper* (1928), von den Nat.soz. als »Asphaltliterat« verunglimpft. Seit 28.2.1933 Exil (u.a. Frankreich, Schweden, USA). In seinen Werken immer wieder Auseinandersetzung mit dem Nat.soz. (*Furcht und Elend des Dritten Reiches,* 1935-38; *Der aufhaltsame Aufstieg des Arturo Ui,* 1941). 1947 zurück nach Deutschland, in Ost-Berlin Aufbau des »Berliner Ensembles«.
S. 169 f., 520, 569

Bredow, Ferdinand von 16.5.1884 Neuruppin – 1.7.1934 bei Lichtenburg. Generalmajor a.D. Im Zuge des »Röhm-Putsches« ermordet.
S. 577, 704

Breitbach, Joseph 20.9.1903 Koblenz-Ehrenbreitstein – 9.5.1980 München. Schriftsteller.
S. 567

Breitmeyer, Arno * 19.4.1903. SA-Standartenführer in Berlin. Oberregierungsrat. 1943 Reichssportführer.
S. 695

Breitscheid, Rudolf 2.11.1874 Köln – 24.8.1944 KZ Buchenwald. Nationalökonom, Jurist und Politiker. 1912 zur SPD, 1917-22 USPD, 1918/19 erster sozialistischer Innenminister Preußens. 1920 MdR. 1926 Mitglied der dt. Völkerbundsdelegation, für die nationalistische Rechte einer der »Erfüllungspolitiker« der Weimarer Republik. 1933 in die Schweiz, nach Ausbürgerung nach Paris, 1940 Flucht vor dt. Truppen nach Marseille. 11.12.1941 vom Vichy-Regime verhaftet und an die Nat.soz. ausgeliefert. Tod während eines Luftangriffs auf das KZ Buchenwald.
S. 300

Breker, Arno * 19.7.1900 Elberfeld – 13.2.1991 Düsseldorf. Bildhauer, seit 1933 in Berlin. Im Dritten Reich mit Staatsaufträgen überhäuft.

NS-Chefideologe Rosenberg sah in Brekers Monumentalplastiken »Wucht und Willenhaftigkeit« der Zeit repräsentiert. Nach 1945 wegen des »hohlen Pathos« seiner Figuren künstlerisch bedeutungslos, als Mitläufer eingestuft.
S. 159 f., 159, 164, 494, 507, 673

Brenner, Hermann 1899 Stuttgart – 1969. Dt. Architekt. 1928-47 Leiter der Bau-Abteilung der Dt. Versuchsanstalt für Luftfahrt e.V. in Berlin-Adlershof.
S. 162

Bruckmann, Elsa Frau des Verlegers Hugo B.
S. 405

Bruckmann, Hugo 13.10.1863 München – 3.9.1941 ebd. Dt. Verleger. 1932-41 MdR (NSDAP). Mitinhaber der F. Bruckmann KAG. Mitglied des Vorstands des Dt. Museums in München und des Senats der Reichskulturkammer.
S. 405

Bruckner, Anton 4.9.1824 Ansfelden – 11.10.1896 Wien. Österr. Komponist.
S. 178, 180

Bruckner, Ferdinand, eigtl. Theodor Tagger, 26.8.1891 Wien – 5.12.1958 Berlin. Österr.-dt. naturalistischer Dramatiker. 1923 Gründer des Renaissance-Theaters in Berlin. 1933 Emigration über Österreich und Frankreich in die USA. 1951 Rückkehr, Dramaturg in Berlin.
S. 170

Brüning, Heinrich 26.11.1885 Münster – 30.3.1970 Norwich (USA). Dt. Politiker. Seit 1919 in der christl. katholischen Gewerkschaftsbewegung, 1924-33 MdR für das Zentrum, 1929 Fraktionsvorsitzender. Nach Bruch der Großen Koalition 30.3.1930 Reichskanzler. Drastisches Sanierungsprogramm des Haushalts, seit Oktober 1931 auch Außenminister, Regierung als Präsidialkabinett mittels Notverordnungen ohne parlamentarische Mehrheit. Am 30.5.1932 Rücktritt, nachdem die Präsidentenberater ihn bei Hindenburg wegen seines Osthilfe-Programms angeschwärzt hatten (»Agrarbolschewismus«).
S. 67, 502, 688, 710, 802

Brunner, Alois. SS-Hauptsturmführer. 2.7.1943-17.8.1944 Kommandant des Durchgangslagers Drancy in der Nähe von Paris.
S. 434

Brzezinski, Zbigniew *28.3.1928 Warschau. US-Politikwissenschaftler. 1977–81 Leiter des nationalen Sicherheitsrats der USA. Veröff. u.a.: *Totalitarian Dictatorship and Autocracy,* 1956, zus. mit Carl Joachim Friedrich.
S. 762

Buch, Walter 24.10.1883 Bruchsal – 12.11.1949 Ammersee. Politiker. 1922 zur NSDAP, Aug. 1923 SA-Führer München. 1927 Vorsitzender der Untersuchungs- und Schlichtungsausschüsse, 1928 MdR. 1933 SA-Obergruppenführer. Als »Oberster Parteirichter« maßgeblich an Parteisäuberungen nach dem »Röhm-Putsch« beteiligt. Im Spruchkammerverfahren im Juli 1949 als Hauptschuldiger eingestuft und zu Arbeitslager und Vermögenseinzug verurteilt.
S. 624

Buck, Karl Kommandant der 1933 eingerichteten Schutzhaftlager Oberer Kuhberg und Heuberg sowie des Polizeigefängnisses Welzheim und ab 1940 des KZ Schirmeck-Vorbruck.
S. 509, 620

Büchner, Georg 17.10.1813 Goddelau bei Darmstadt – 19.2.1837 Zürich. Dramatiker u. Schriftsteller.
S. 170

Bürckel, Josef 30.3.1895 Lingenfeld (Pfalz) – 28.9.1944 Neustadt (Haardt). Hoher NS-Funktionär. 1921 zur NSDAP. 1930 MdR. 1935 Reichskommissar für die Rückgliederung des Saarlands und 1938 Reichskommissar für die Vereinigung Österreichs mit dem Dt. Reich. Gauleiter von Wien. 2.8.1940 Chef der Zivilverwaltung im besetzten Lothringen und Gauleiter der »Westmark« (Saarpfalz und Saargebiet). Selbstmord.
S. 421, 444, 630, 677 f.

Bumke, Erwin 7.7.1874 Stolp (Pommern) – 20.4.1945 Leipzig.Dt. Jurist. 15.2.1929 Präsident des Reichsgerichts in Leipzig (bis 1945). Vorsitzender des Staatsgerichtshofs für das Dt. Reich und seit Dez. 1932 Vertreter des Reichspräsidenten.
S. 92

Burger, Anton 19.11.1911 Neunkirchen (Österreich) – 25.12.1991 Essen. Handlungsgehilfe, SS-Hauptsturmführer, Juli 1943-Feb. 1944 Kommandant von Theresienstadt. Lebte nach 1945 unter falschem Namen unbehelligt.
S. 758

Busch, Ernst 6.7.1885 Essen-Steele – 17.7.1945 Gefangenenlager Aldershot (England). Generalfeldmarschall. Bei Ausbruch des Zweiten Weltkriegs Kommandierender General des VIII. Armeekorps, Oktober 1943 Oberbefehlshaber der Heeresgruppe Mitte im Rußlandfeldzug, 28.6.1944 nach Vernichtung der Heeresgruppe durch die Rote Armee abgelöst, im März 1945 Oberbefehlshaber Nordwest.
S. 319, 798

Busse, Wilhelm *20.3.1878 Berlin. Konteradmiral (1939). 1934 Präsident des Rechtshofes des Reichsarbeitsdienstes. 1941–45 Leiter des Reichsbundes dt. Seegeltung und des Seegeltungsinstituts in Magdeburg. MdR. 1943 Obergeneralarbeitsführer.
S. 667

Bussche-Streithorst, Axel von dem 20.4.1919

Braunschweig – 26.1.1993 Bad Godesberg. Major, im militär. Widerstand, Attentatsversuche auf Hitler, entging 1944 der Verhaftung. 1954–58 LegR Botschaft Washington, 1963 Gesch.führer Dt. Entwicklungsdienst.
S. 319, 379

Butenandt, Adolf 24.3.1903 Lehe (Bremerhaven) – 18.1.1995 München. Biochemiker, 1933 Prof. in Danzig. 1936 Direktor des Kaiser-Wilhelm-Instituts für Biochemie. Den Nobelpreis für Chemie 1939 mußte er zurückweisen. Von 1960–71 Präsident der Max-Planck-Gesellschaft.
S. 250

Callmann, Rudolf 1892 Köln – 1976 New York, Rechtsanwalt, 1930-1936 Mitglied im Vorstand des Centralvereins dt. Staatsbürger jüdischen Glaubens.
S. 698

Canaris, Wilhelm, 11.1887 Aplerbeck (Westfalen) – 9.4.1945 KZ Flossenbürg. Dt. Admiral und Geheimdienstler. 1.1.1935 Chef der Abwehrabteilung des Kriegsministeriums (seit März 1938 Amt Ausland/Abwehr des OKW). Nach 1938 Kontakt zum miltär. Widerstand. Proteste gegen Ausschreitungen der SS in Polen und Rußland. Feb.1944 kaltgestellt, am 23.7.1944 verhaftet, kurz vor Einrücken der US-Truppen von SS-Standgericht im KZ zum Tode verurteilt und gehängt.
S. 315, 346 f., 401, 462, 621

Carol II. (Karl) 15.10.1893 Sinaia – 4.4.1953 Estoril bei Lissabon. 1930-40 König von Rumänien. Abdankung nach dem 2. Wiener Schiedsspruch zugunsten seines Sohnes Michael.
S. 706

Carossa, Hans, eigtl. Johann Carl, 15.12.1878 Bad Tölz – 12.9.1956 Rittsteig bei Passau. Dt. Schriftsteller, Arzt. Autobiographisch gefärbte Lyrik und Prosa. 1933 Ablehnung der Wahl in die preuß. Dichterakademie, 1941 zum Amt des Präsidenten der faschistischen Europäischen Schriftsteller-Vereinigung gedrängt. Sein Werk ist ein Spiegel der Inneren Emigration nach 1933. Nach 1945 wurde C. zum Symbol des »anderen Deutschland«.
S. 169

Carstens, Lina 6.12.1892 Wiesbaden – 22.9.1978 München. Theater- und Filmschauspielerin (zuletzt *Lina Braake,* 1975).
S. 170

Caspar, Horst 10.1.1913 Radegast/Anhalt – 27.12.1952 Berlin. Bühnen- und Filmschauspieler in Bochum, München, Berlin, Wien und Düsseldorf. Inbegriff des jugendlichen Helden (Schiller, im gleichnamigen Film).
S. 546

Castillo, Ramón S. 1871 Provinz Catamarca – 13.10.1944 Buenos Aires. Argent. Politiker. Staatspräsident 1942/43, geschäftsführend seit 1940.
S. 373

Catel, Werner 27.6.1894 Mannheim – 30.4.1981 Kiel. Dt. Pädiater. 1933-46 Prof. und Direktor der Kinderklinik der Leipziger Universität. 1940-44 Gutachter im nat.soz. Reichsausschuß zur wissenschaftl. Erfassung schwerer erb- und anlagebedingter Leiden. Aufgrund einiger dieser Gutachten Tötung schwerbehinderter Säuglinge und Kleinkinder.
S. 152

Chamberlain, Houston Stewart 9.9.1855 Southsea bei Portsmouth – 9.1.1927 Bayreuth. Brit.-dt. Publizist, Wagnerianer. Rassist und Antisemit (*Die Grundlagen des 19. Jh.*, 2 Bde., 1899). Propagierte die »Reinigung« des Christentums von jüdischen Elementen, kulturschöpferisch seien einzig die Germanen.
S. 238, 405, 591 f., 658, 784

Chamberlain, Neville 18.3.1869 bei Birmingham – 9.11.1940 Heckfield bei Reading. Brit. Politiker (Konserv.) 1924-29 Gesundheitsminister. 1931-37 Schatzkanzler. 28.5.1937 Premierminister. Sturz am 10.5.1940. Vertreter der Appeasement-Politik.
S. *73,* 80 f., 367 f., 496, 590, 621, 755, 767

Charlotte *23.1.1896 Schloß Berg (Luxemburg). Aus dem Hause Nassau. Großherzogin von Luxemburg 1919-64; dankte zugunsten ihres Sohnes ab. 1940 Emigration mit ihrer Regierung.
S. 576

Chiang Kai-shek 31.10.1887 Feng Hwa – 5.4.1975 Taipeh. Chin. Politiker und Marschall. 1911 zur Reformbewegung Sun Yat-sens. 1925 Führer der Kuomintang-Regierung in Kanton. 1927 Bruch mit Kommunisten und UdSSR. 1928 Präsident der chin. Republik. 1948 Kapitulation der Kuomintang-Armee, 1949 Flucht nach Taiwan, dort 1950 Staatspräsident.
S. 528

Churchill, Winston 30.11.1874 Blenheim Palace (Oxfordshire) – 24.1.1965 London. Brit. Politiker. Seit 1900 im Unterhaus, zuerst als Konservativer, dann als Liberaler, mehrfach Minister, 1. Lord der Admiralität (Marineminister 1911-15). Nach dem Ersten Weltkrieg wieder in der konservativen Regierung als Schatzkanzler. Ab 10.5.1940 brit. Premierminister als Nachfolger N. Chamberlains, dessen Appeasement-Politik Churchill erbittert bekämpft hatte. 12.7.1941 Bündnis mit Stalin, Initiator der Allianz der »Großen Drei« (USA, Großbritannien und UdSSR). Mitwirkung an Gestaltung der europäischen Nachkriegsordnung scheiterte an

Wahlniederlage 1945. Erneut Premierminister 1951–55.
S. 322, 367 f., 378, 409, 496, 525 f., 631, 644, 651, 657, 757, 769, 790

Chvalkovský, František 1875-1945. Tschechosl. Politiker. Außenminister der sog. Zweiten Tschecho-Slowakischen Republik 1938/39.
S. 768

Ciano, Galeazzo, Graf von Cortellazzo, 18.3.1903 Livorno – 11.1.1944 Verona. Ital. Politiker und Diplomat. Schwiegersohn Mussolinis. 1933 Pressechef, 1934/35 Unterstaatssekretär, 1935 Propagandaminister und Mitglied des Faschistischen Großrats. 9.6.1936 Außenminister. Wegen Vorbehalten gegen Verwicklung in dt. Kriegspolitik im Feb. 1943 Ablösung, als Botschafter zum Heiligen Stuhl. Kontakt zur innerfaschistischen Opposition. Von den Deutschen interniert, im Nov. 1943 an Mussolini ausgeliefert, von faschist. Sondertribunal zum Tode verurteilt und erschossen.
S. 347

Claß, Heinrich 29.2.1868 Alzey – 16.4.1953 Jena. Politiker, Jurist. Seit 1897 beim antisemit. Alldt. Verband, 1908-39 Vorsitzender. Befürworter imperialistischer Großmachtpolitik des Dt. Reiches. 1931 Beteiligung an der Harzburger Front. März 1933 NSDAP-MdR.
S. 24, 357, 784

Clauberg, Carl 28.9.1898 Wupperhof – 9.8.1957 Kiel. Mediziner. 1932 Frauenklinik in Königsberg. 1942 von Himmler Auftrag für Sterilisationsversuche an weiblichen Häftlingen in Auschwitz, 1945 auch im KZ Ravensbrück. Von den Sowjets zu 25 Jahren Haft verurteilt, 1955 freigelassen, am 22.11.1955 erneut verhaftet. Tod vor Beginn des vom Zentralrat der Juden in Deutschland gegen ihn angestrengten Prozesses.
S. 583

Clausen, Frits 1893 Apenrade – Dezember 1947. Dän. Arzt. Seit 1933 Führer der Dän. Nat.soz. Arbeiterpartei.
S. 415

Codreanu, Corneliu Zelea 13.9.1899 Jassy – 30.11.1938 Bukarest-Jilava. Rumän. Politiker. 1923 Gründer der nationalistischen, antisemitischen »Legion Erzengel Michael«, seit 1931 »Eiserne Garde«. 1938 wegen Hoch- und Landesverrats verurteilt, in der Haft ermordet.
S. 456, 706

Cohn, Marianne 1924-8.7.1944. Aktivistin in der frz. jüdischen Untergrundbewegung. Verhaftung am 1.6.1944. Im Gefängnis ermordet. Dt. Widerstandskämpferin (Herbert-Baum-Gruppe).
S. 507

Conti, Leonardo 24.8.1900 Lugano – 6.10.1945 Nürnberg. Reichsärzteführer. SS-Obergruppenführer (1944). 1923 zur SA, 1927 NSDAP. 1930 SS. 1929 Mitbegründer des NS-Ärztebundes. Maßgeblich am Berufsverbot für jüdische Ärzte beteiligt. 20.4.1939 Leiter des Hauptamtes für Volksgesundheit und Reichsärzteführer der NSDAP. 1941 MdR. Selbstmord in alliierter Haft.
S. 670, 683

Cooper, Duff 22.2.1890 London – 1.1.1954 bei Vigo (Spanien). Brit. Politiker und Historiker. Seit 1923 konservativer Abgeordneter. 1935-Mai 1937 Kriegsminister. 1937/38 1. Lord der Admiralität. 1940/41 Informationsminister, 1943 Botschafter beim frz. Befreiungskomitee in Algier, dann bis 1948 bei der frz. Regierung in Paris. Werke u.a.: *Talleyrand,* 1932.
S. 368

Cornelius, Peter 24.12.1824 Mainz – 26.10.1874 ebd. Komponist.
S. 520

Cramer, Stadtkommissar von Kauen (Kaunas).
S. 543

Crinis, Max de *29.5.1889 Ehrenhausen (Steiermark). Professor für Neurologie an der Berliner Charité.
S. 152, 246

Cuza, Alexandru C. 8.11.1857 Jassy – 1.11.1946 Hermannstadt. Rumän. Wissenschaftler und Politiker. Gründer der Liga zur National-Christlichen Abwehr 1923, 1937/38 Minister im Kabinett Goga.
S. 706

Czerniakow, Adam 1880 Warschau – 23.7.1942 (Selbstmord). Chemieingenieur. 1927-34 Stadtrat in Warschau, 1931 in poln. Senat gewählt. Vorsitzender des am 4.10.1939 für Warschau ernannten Judenrates. Wegen Zusammenarbeit mit den dt. Zivilbehörden bei jüdischen Historikern und Zeitgenossen umstritten. Um bei den Vorbereitungen der Deportationen im Juli 1942 nicht mitwirken zu müssen, beging er Selbstmord.
S. 795 f.

Daladier Édouard 18.6.1884 Carpentras – 10.10.1970 Paris. Frz. Politiker. 1919–58 Abgeordneter in der Nationalversammlung (Radikalsozialist. Partei, 1927–31 deren Vorsitzender). 1933, 1934, 1938–40 Ministerpräsident. Mitunterzeichner des Münchener Abkommens 1938. 1939 Kriegserklärung an Dt. Reich. 1940 von Vichy-Regierung vor Gericht gestellt; 1943–45 Internierung in Deutschland. Politisches Comeback nach 1945 (1947–54 Präsident der Linksrepublikanischen Sammlungsbewegung; 1957/58 Präsident der Radikalsozialist. Partei.)
S. 73, 81, 767

glied des Außenhandelsausschusses der Dt. Reichsbank. Wehrwirtschaftsführer.
S. 486

Diels, Rudolf 16.12.1900 Berghausen (Taunus) – 18.11.1957 Katzenelnbogen (Hessen). Jurist. 1930 Regierungsrat im preuß. Innenministerium. 26.4.1933 Leiter des Gestapa bis April 1934. Dann Regierungspräsident in Köln, 1936 in Hannover. Nach dem 20. Juli 1944 zeitweise in Haft. Bis 1948 von Alliierten interniert, in Nürnberg Zeuge der Anklage.
S. 480

Dietrich, Joseph (»Sepp«) 28.5.1892 Hawangen (Oberbayern) – 21.4.1966 Ludwigsburg. SS-Oberstgruppenführer (1.8.1944). 1923 zur SA, 1928 zur NSDAP. September 1933 Kommandeur der Leibstandarte-SS »Adolf Hitler« bis Juli 1943. 27.7.1943-24.10.1944 Kommandierender General des I. SS-Panzerkorps. Oberbefehlshaber der 6. Panzerarmee Oktober 1944 bis Kriegsende. 25 Jahre Haft für Massaker an US-Kriegsgefangenen während der Ardennenoffensive. 1955 begnadigt.
S. 566, 594

Dietrich, Otto 31.8.1897 Essen – 22.11.1952 Düsseldorf. Journalist und Politiker. 1.8.1931 Pressechef der NSDAP, 1933 Reichspressechef. Vorsitzender des Reichsverbandes der dt. Presse und Vizepräsident der Reichspressekammer. 1937 Staatssekretär im Propagandaministerium. 1949 sieben Jahre Haft, 1950 entlassen.
S. 653 f., 688

Dietze, Constantin von 9.8.1891 Gottesgnaden bei Calbe/Saale – 18.3.1973 Freiburg i. Br. Nationalökonom. Angehöriger der Freiburger Kreise. Wiederholte Haft. 1955–61 Präses der Synode der evangelischen Kirche in Deutschland.
S. 320, 469

Dirlewanger, Oskar 26.9.1895 Würzburg – 19.6.1945 Altshausen (Oberschwaben). SS-Oberführer (1943). 1923 zur NSDAP, 1937 zur Legion Condor, 1939 Waffen-SS. Seit 1.9.1940 Kommandeur des SS-Sonderbataillons Dirlewanger, später SS-Sturmbrigade aus Abenteurern und Kriminellen. Berüchtigt wegen ihrer grausamen Exzesse, u.a. bei der Niederschlagung des Warschauer Aufstands. Bei Kriegsende geriet seine Einheit in sowjet. Gefangenschaft, er selbst konnte sich in den Westen absetzen. Er soll an Mißhandlungen in frz. Haft gestorben sein.
S. 440, 797

Dittmar, Walter Wilhelm. 1938–42 Hauptschriftleiter des Drahtlosen Dienstes.
S. 433

Dix, Otto 2.12.1891 Untermhaus bei Gera – 25.7.1969 Singen. Maler und Graphiker. Expressionist, wichtigster Vertreter der Neuen Sachlichkeit. Für die Nat.soz. Repräsentant »entarteter Kunst«. 1933 als Prof. der Dresdner Kunstakademie entlassen. Seine Gemälde wurden beschlagnahmt und z.T. verbrannt, Dix erhielt Arbeitsverbot.
S. 155, 169

Döblin, Alfred 10.8.1878 Stettin – 26.6.1957 Emmendingen/Breisgau. Schriftsteller aus jüdischer Kaufmannsfamilie, bis 1933 praktizierender Arzt, SPD-Mitglied. Hauptwerk: *Berlin Alexanderplatz,* 1929. 1933 wurden seine Bücher verboten, Döblin ging ins Exil, zunächst nach Frankreich, 1940 in die USA, wo er zum Katholizismus konvertierte.
S. 169

Dönitz, Karl 16.9.1891 Grünau bei Berlin – 24.12.1980 Aumühle bei Hamburg. Großadmiral (31.1.1943). 12.9.1939 Befehlshaber der U-Boote. 30.1.1943 Oberbefehlshaber der Kriegsmarine als Nachfolger Raeders. Hitler treu ergeben und von diesem testamentarisch zum Nachfolger als Reichspräsident ernannt. 2.5.–23.5.1945 »Geschäftsführende Reichsregierung« in Flensburg. In Nürnberg zehn Jahre Haft wegen »Verbrechen gegen den Frieden«.
S. 92, 100, 106, 541, 592, 621, 676, 725 f.

Dollfuß, Engelbert 4.10.1892 Texing (Niederösterr.) – 25.7.1934 Wien. Österr. Politiker, Jurist und Nationalökonom. 1931 Landwirtschaftsminister. 20.5.1932 Bundeskanzler. Autoritärer Kurs, gegen Anschluß Österreichs an Dt. Reich. 11.9.1933 Gründung der Vaterländischen Front (»Austrofaschismus«). Von nat.soz. Putschisten ermordet.
S. 70, 363, 385, 537 f., 746

Domagk, Gerhard 30.10.1895 Lagow (Brandenburg) – 24.4.1964 Burgberg (Schwarzwald). Dt. Pathologe und Bakteriologe. 1939 Nobelpreis für Medizin für die Entdeckung der Sulfonamide.
S. 250

Doriot, Jacques 26.9.1898 Bresles (Oise) – 22.2.1945 Menningen (bei Meßkirch). Frz. Politiker. 1924-34 Abgeordneter der KPF. 1936 Gründer des rechtsradikalen Parti Populaire Français. Mit der von ihm gegründeten Légion Tricolore auf dt. Seite Teilnahme am Rußlandfeldzug.
S. 456

Dornberger, Walter 6.9.1895 Gießen – 26.6.1980 Ottersweier (Baden). Dipl.-ing., 1939 Leiter der Raketenentwicklung im Heereswaffenamt, 1943 Kommandant der Versuchsanstalt für Raketenwaffen in Peenemünde. Oberst, 1.6.1943 Generalmajor, 1944 Generalleutnant und Chef der dt. Raketenentwicklung. 1945 brit. Kriegsgefangenschaft, 1947 Berater der US-Luftwaf-

fe, 1950 bei Bell Aircraft Corp., dort 1960 Vizepräsident; Verfechter des space shuttle. 1965 in den Ruhestand und Rückkehr nach Dtl.
S. 638

Dorpmüller, Julius Heinrich 24.7.1869 Elberfeld – 5.7.1945 Malente. Dt. Politiker. 1926-37 Generaldirektor der Dt. Reichsbahn. Reichsverkehrsminister 1937-45.
S. 422

Dressler-Andress, Horst *8.4.1899 Zeitz. 1930 zur NSDAP. Leiter der Rundfunkabteilung bei der Reichsleitung der NSDAP. 15.6.1933 Leiter des dt. Rundfunkwesens. Parteifunktionär. Ab Juli 1933 Ministerialrat im Reichspropagandaministerium. Nov. 1933 Präsident der Reichsrundfunkkammer.
S. 707

Drexler, Anton 13.6.1884 München – 24.2.1942 ebd. Schlosser, Mitgründer der DAP, 1921 von Hitler aus der Führung der NSDAP ausgebootet, Gründer des »Nationalsozialen Volksbund«.
S. 601

Dreyfus, Alfred 9.10.1859 Mülhausen – 12.7.1935 Paris. Frz. Offizier aus jüdischem Bürgertum. 1894 wegen angeblichen militärischen Geheimnisverrats an Deutschland angeklagt, 1906 rehabilitiert.
S. 524

Droysen, Johann Gustav 6.7.1808 Treptow a.d. Rega – 19.6.1884 Berlin. Historiker. Mitglied der Frankfurter Nationalversammlung 1848.
S. 587

Dühring, Karl Eugen 12.1.1833 Berlin – 21.9.1921 Nowawes (Potsdam). Philosoph, Nationalökonom und Wissenschaftstheoretiker. Als Kritiker der christlichen und jüdischen Religionen einer der führenden Antisemiten in Dtl., dessen Lehren von seinen Anhängern im Dühringbund weitergetragen wurden. Werke u.a.: *Kritische Geschichte der Philosophie*, 1869.
S. 446

Dulles, Allan Welsh 7.4.1893 Watertown (N.Y.) – 29.1.1969 Washington. Amerik. Politiker. Bruder von John Foster D. Im Zweiten Weltkrieg Leiter des US-Nachrichtendienstes in Europa. 1953-61 Chef der CIA.
S. 357

Ďurčanskiy, Ferdinand slowak. Politiker
S. 768

Durieux, Tilla, eigtl. Ottilie Godefroy, 18.8.1880 Wien – 21.2.1971 Berlin. Dt. Schauspielerin. 1903 zu Max Reinhardt nach Berlin. Durchbruch mit Wildes *Salome.* War mit dem bedeutenden jüdischen Kunsthändler und Verleger Paul Cassirer (1926 Selbstmord) verheiratet. 1934-52 Emigration nach Jugoslawien.
S. 170

Eberl, Irmfried 8.9.1910 Bregenz – 6.2.1948 Ulm. Österr. Mediziner. SS-Untersturmführer (1942). 1.2.1940 Leiter des psychiatrischen Krankenhauses Brandenburg (»Euthanasie«-Tötungsanstalt), im Herbst 1940 nach Bernburg verlegt. 1942 kurz erster Kommandant des Vernichtungslagers Treblinka. Wegen Unfähigkeit abgelöst. Selbstmord in Untersuchungshaft nach dem Krieg.
S. 396, 402

Ebert, Friedrich 4.2.1871 Heidelberg – 28.2.1925 Berlin. Politiker. 1889 zur SPD. 1912 MdR. 1913 neben Hugo Haase Parteivorsitzender, 1916 Fraktionsvorsitzender im Reichstag. 10.11.1918 Vorsitzender des Rates der Volksbeauftragten. Reichspräsident 1919-25.
S. 687

Eckart, Dietrich 23.3.1868 Neumarkt – 26.12.1923 Berchtesgaden. Journalist, wenig erfolgreicher Schriftsteller. Lehrer und Förderer Hitlers. 1921 erster Hauptschriftleiter des *Völkischen Beobachters.*
S. 20, 380, 429, 517, 602, 785

Edelstein, Jakob 1903 Gorodenka (Galizien) – 20.6.1944 Auschwitz. Zionist. Funktionär in Prag, Dez. 1941-Jan. 1943 »Judenältester« in Theresienstadt.
S. 758

Eden, Anthony, Earl of Avon (seit 1961) 12.6.1897 Windlestone Hall (Durham) – 14.1.1977 bei Salisbury (Wiltshire). Brit. Politiker. 1923-57 konservativer Unterhausabgeordneter. 1935-38 Außenminister, 1940 Kriegsminister, 1940-45 und 1951-55 Außenminister, 1955-57 Premierminister. Trat für enge europäische Zusammenarbeit ein.
S. 589

Eggerstedt, Otto 27.8.1886 Kiel – 12.10.1933 KZ Papenburg. Politiker (SPD). 1918–24 Stadtverordneter in Kiel. 1921 MdR. 1918–27 Parteisekretär der Groß-Kieler SPD. 1929 Polizeipräsident von Altona-Wandsbek. 1933 verhaftet. Bei angeblichem Fluchtversuch erschossen.
S. 359

Egk, Werner, eigtl. W. Mayer, 17.5.1901 Auchsesheim bei Augsburg – 10.7.1983 Inning/Ammersee. Komponist. 1936 Kapellmeister an der Berliner Staatsoper. 1950-53 Direktor der Berliner Hochschule für Musik. Werke u.a.: *Columbus,* 1933; *Die Zaubergeige,* 1938.
S. 179

Ehmig, Georg * 1892 Altona. Maler.
S. 156 f.

Eich, Günter 1.2.1907 Lebus – 20.12.1972 Salzburg. Dt. Lyriker und Hörspielautor. Richtungweisend für das Hörspiel der 50er Jahre.
S. 169, 520

Eichenauer, Richard 24.2.1893 Iserlohn. Dt. Musikwissenschaftler. Leiter der Bauernhochschule Goslar. Autor von *Musik und Rasse,* 1932 und *Die Rasse als Lebensgesetz in Geschichte und Gesittung,* 1934.
S. 179

Eichhorst, Franz *7.9.1885 Berlin – 30.4.1948 Innsbruck. Genre- und Bildnismaler und Illustrator (impressionistische Szenen aus dem Bauernleben).
S. 157

Eichler, Willi 7.1.1896 Berlin – 17.10.1971 Bonn. Journalist und Politiker. Vorsitzender des Internationalen Sozialistischen Kampfbundes bis 1945. 1933 Emigration, seit 1939 in England. 1945 Rückkehr, Chefredakteur der *Rheinischen Zeitung* bis 1951. MdL NRW 1947–48, MdB 1949–53. 1946–68 im SPD-Parteivorstand.
S. 311

Eichmann, Adolf 19.3.1906 Solingen – 1.6.1962 Ramle bei Tel Aviv (hingerichtet). SS-Obersturmbannführer (9.11.1941). 1.4.1932 zu NSDAP und SS. 1939 ins RSHA, Amt IV, Referat IV D 4 »Auswanderung und Räumung«, dann Referat IV B 4 »Judenangelegenheiten«. Zentraler Organisator der Deportation von über 3 Mio. Juden aus dem NS-Machtbereich und der »Endlösung«. 1946 Flucht aus US-Gefangenschaft nach Argentinien, von Geheimagenten nach Israel entführt, dort Prozeß (2.4.-11.12.1961), Verurteilung zum Tode.
S. 301, 373, 446, 578, 594, 613, 700, 706, 794

Eicke, Theodor 17.10.1892 Hampont (Elsaß-Lothringen) – 26.2.1943 Orelka (UdSSR). SS-Obergruppenführer (1943). 1923-32 Sicherheitskommissar der I.G. Farben. 1928 zu NSDAP und SA, 1930 zur SS. Sommer 1933 Kommandant des KZ Dachau. Juli 1934 Inspekteur der KL und der SS-Totenkopfverbände. Eickes beim »Röhm-Putsch« eingesetzte Totenkopfstandarte wurde zum Kern der SS-Division »Totenkopf«. Tod bei Flugzeugabsturz an der Ostfront.
S. 285, 412, 523, 717

Eiermann, Egon 29.9.1904 Neuendorf b. Berlin – 19.7.1970 Baden-Baden. Dt. Architekt, u.a. Kaiser-Wilhelm-Gedächtnis-Kirche in Berlin 1958-61.
S. 162

Eigruber, August 16.4.1907 Steyr – 28.5.1946 (hingerichtet). 1925 Führer der NS-Jugend in Österreich, 1928 Parteieintritt, 1930 Leiter der NSDAP im Bezirk Steyrland. Seit Mai 1935 NSDAP-Gaugeschäftsführer des Gaus Oberösterreich, 1936 Gauleiter, nach dem »Anschluß« 1938 bestätigt. 1.4.1940 Reichsstatthalter im Reichsgau Oberdonau. 1943 SS-Obergruppenführer. 1945 in Haft, Zeuge bei den Nürnberger Prozessen. Wegen der Verbrechen im KZ Mauthausen von amerik. Militärgericht im März 1946 zum Tode verurteilt.
S. 443

Einbeck, Georg *1871 Golluschütz (Westpreußen). Dt. Maler (Landschaften, Figuren). 1903-07 Mitglied der Berliner Sezession.
S. 157

Einsiedel, Horst von 7.6.1905 – 1948 vermutl. im sowjet. Internierungslager Sachsenhausen. Dt. Widerstandskämpfer. Mitglied des Kreisauer Kreises.
S. 552

Einstein, Albert 14.3.1879 Ulm – 18.4.1955 Princeton (USA). Dt. Physiker. 1905 Entwicklung der speziellen Relativitätstheorie, 1921 Physiknobelpreis für Arbeiten zur Quantentheorie. 1914–33 Direktor des Kaiser-Wilhelm-Instituts für Physik in Berlin, dann Institute for Advanced Study in Princeton, ab 1941 amerik. Staatsbürger. 1952 lehnte E. die Wahl zum Präsidenten des neuen Staates Israel ab.
S. 268, 422

Eisenhower, Dwight D(avid) 14.10.1890 Denison (Texas) – 28.3.1969 Washington. Amerik. General und Politiker. 25.6.1942 Oberbefehlshaber der US-Truppen, 24.12.1943 Oberbefehlshaber sämtlicher alliierten Truppen in Europa. Bis Nov. 1945 Oberbefehlshaber der US-Besatzungstruppen in Deutschland, anschließend Generalstabschef, 1953–1961 34. Präsident der USA.
S. 106, 322, 357, 524, 541, 806

Eisler, Gerhard 20.2.1897 Leipzig – 21.3.1968 Aserbeidschan. Dt. Politiker und Journalist. 1918 zur KP Österreichs. 1921 KPD Berlin. Redakteur der *Roten Fahne.* 1940 in Frankreich interniert, Flucht in die USA, 1949 in die DDR. 1967 Mitglied des Zentralkomitees der SED. Bruder von Ruth Fischer.
S. 567

Eliáš, Alois 1890 – 1942 (hingerichtet). Tschechosl. Politiker. 27.4.1939–Jan. 1942 Premierminister des Protektorats Böhmen und Mähren.
S. 656

Elkes, Elchanan 1879 Kalvarija (Litauen) – 25.7.1944, nach anderen Angaben 17.10.1944 KZ Dachau. Vorsitzender des jüdischen Ältestenrates im Ghetto in Litauens Hauptstadt Kauen (Kaunas). Nach der Liquidierung des Ghettos ins KZ Dachau deportiert.
S. 543

Elsas, Fritz 11.7.1890 Cannstatt (heute Stuttgart) – 4.1.1945 KZ Sachsenhausen. Dt. Kommunalpolitiker, Mitglied der Dt. Staatspartei, Jurist. 1931 Erster Bürgermeister von Berlin. 1933

wegen jüdischer Herkunft entlassen. Beriet als Anwalt Auswanderer. Mit den Verschwörern des 20. Juli befreundet, beherbergte nach dem 20. Juli 1944 Goerdeler. Von SS-Wachen erschossen.
S. 312

Elser, Johann Georg 4.1.1903 Hermaringen (Württemberg) – 9.4.1945 KZ Dachau. Widerstandskämpfer. Gelernter Schreiner. Gescheitertes Attentat auf Hitler im Münchner Bürgerbräukeller am 8.11.1938. »Ehrenhäftling« im KZ Dachau, im April 1945 erschossen.
S. 309, 379

Elyashow, Michael. Vorsitzender des Judenrates im Ghetto von Riga.
S. 703

Endre, László 1.1.1895 Adony – 28.3.1946 Budapest. Ungar. Politiker (Pfeilkreuzpartei).
S. 639

Engelhard, Josef * 23.6.1859 Aschaffenburg. Bildhauer.
S. 157

Engelhardt, Eugen von. Erster Leiter des 1934 gegründeten Instituts zum Studium der Judenfrage.
S. 365

Epp, Franz Xaver Ritter von 16.10.1868 München – 31.12.1946 ebd. General und Politiker. 1904–06 Kompaniechef in Südwestafrika, nach dem Ersten Weltkrieg Gründung des Freikorps Epp. 1928 zur NSDAP. 1928–45 MdR. 1933 Reichsstatthalter in Bayern. Wegen seiner katholischen Einstellung im Volksmund »Muttergottesgeneral« genannt. Mai 1934 Leiter des Kolonialpolitischen Amtes der Partei. Tod in amerik. Internierung.
S. 76, 469, 547, 695

Eppenstein, Georg von † 1933. Chemiker. Von SA ermordet.
S. 550

Eppstein, Paul 4.3.1901 Mannheim – 27.9.1944 Theresienstadt (erschossen). Soziologe und Nationalökonom, Privatdozent Mannheim. Ab 1933 Mitarbeiter Reichsvertretung der Juden, ab Ende Jan. 1943 »Judenältester« in Theresienstadt.
S. 758

Erler, Fritz 1868-1940. Dt. Maler, Mitglied der Münchner Künstlergruppe »Scholle«.
S. 157

Ernst, Max 2.4.1891 Brühl bei Köln – 1.4.1976 Paris. Frz. Maler und Bildhauer dt. Herkunft. 1919 Begründung des Kölner Dada mit Hans Arp. Seit 1922 in Paris, 1941 in die USA. 1953 Rückkehr nach Frankreich. Bedeutender Vertreter des Surrealismus in der bildenden Kunst.
S. 567

Essen, Paul von † 1933. Schlosser. Mitglied der SPD. Reichsbanner-Führer in Berlin. Von SA ermordet.
S. 550

Esser, Hermann 29.7.1900 Röhrmoos – 7.2.1981 München. 1919 zur DAP. Schriftleiter des *Völkischen Beobachters* 1923 Propagandaleiter der NSDAP. »Demagoge übelster Sorte« (O. Straßer). 1933 MdR, bayer. Wirtschaftsminister. 1935 Leiter der Fremdenverkehrsabteilung im Reichspropagandaministerium. 1949 zu fünf Jahren Arbeitslager verurteilt, 1952 entlassen.
S. 36, 497

Eucken, Walter 17.1.1891 Jena – 20.3.1950 London. Nationalökonom. Begründer der neoliberalen Freiburger Schule. Mitglied der Freiburger Kreise.
S. 320, 469

Eugen, Prinz von Savoyen-Carignan 18.10.1663 Paris – 21.4.1736 Wien. Österr. Feldherr und Staatsmann.
S. 683

Euringer, Richard 4.4.1891 Augsburg – 29.8.1953 Essen. Schriftsteller. Seit 1931 Autor für den *Völkischen Beobachter.* Träger des von Goebbels 1933 gestifteten Dt. Nationalpreises für seine *Dt. Passion.* Auch Autor von Thingspielen.
S. 599

Fabian, Walter 24.8.1902 Berlin – 15.2.1992 Köln. Journalist, Mitbegründer (1931) und Vorsitzender der Sozialistischen Arbeiterpartei Deutschlands, 1933 Mitglied der Reichsleitung. 1935 Emigration. 1957 Rückkehr, 1958 Gründer der Dt.-Journalisten-Union, 1963 deren Vorsitzender. 1966 Professor f. Didaktik in Frankfurt/Main. 1967-1971 Vorsitzender der Humanistischen Union.
S. 311

Falkenhausen, Alexander von 29.10.1878 Blumenthal bei Neiße – 31.7.1966 Nassau. General. 1940 Militärbefehlshaber in Belgien und Nordfrankreich. Nach dem Attentat vom 20. Juli 1944 abgelöst und bis Kriegsende im KZ Dachau. 1951 zu zwölf Jahren Zwangsarbeit verurteilt, nach 16 Tagen begnadigt wegen Rettung belg. Bürger vor der SS.
S. 392

Fárell, Edelmiro 12.8.1887 Avellaneda – 1980. General, Staatspräsident Argentiniens 1944–46.
S. 373

Faßbinder, Rainer Werner 31.5.1946 Bad Wörishofen – 10.6.1982 München. Dt. Regisseur, Schriftsteller und Filmproduzent. Filme u.a.: *Katzelmacher,* 1969; *Die bitteren Tränen der Petra von Kant,* 1972.
S. 570

Faulhaber, Michael v. 5.3.1869 Heidenfeld bei Schweinfurt – 12.6.1952 München. Seit 1917 Erzbischof von München, 1921 Kardinal. Gegenüber dem Nat.soz. ambivalent, Verurteilung des Antisemitismus, Eintreten für das Konkordat mit dem Heiligen Stuhl. Dankgottesdienst für die »wunderbare Errettung des Führers« beim Bürgerbräu-Attentat im November 1939.
S. 200, 248, 621

Fechter, Paul 14.9.1880 Elbing – 9.1.1958 Berlin. Literaturhistoriker, Schriftsteller und Journalist. Kritiker führender Berliner Tageszeitungen, u.a. *Vossische Zeitung.* Seit 1938 Mitglied der Mittwochs-Gesellschaft.
S. 588

Feder, Gottfried 27.1.1883 Würzburg – 24.9.1941 Murnau (Oberbayern). Bauingenieur. Beeinflußte das Programm der DAP (Forderung nach »Brechung der Zinsknechtschaft«). 1924-36 als Wirtschaftsexperte der NSDAP MdR. Sein Einfluß sank mit dem Sturz des sozialrevolutionären Flügels der Partei um G. Straßer (1932). 1936 auf eine Professur an der TH Berlin abgeschoben.
S. 17 f., 36, 258–261, 366, 811

Fehling, Jürgen 1.3.1885 Lübeck – 14.6.1968 Hamburg. Dt. Theaterregisseur. 1922–44 (mit Unterbrechungen) am Berliner Staatstheater, 1949-52 in München.
S. 170

Fehrle, Eugen Joseph 7.8.1880 Stetten b. Engen (Baden) – 5.5.1957 Heidelberg. Klassischer Philologe und Volkskundler, NSDAP-Mitglied. Herausgeber der *Oberdt. Zeitschrift für Volkskunde* und der Schriftenreihe *Bausteine zur Volkskunde und Religionswissenschaft.*
S. 424

Fehrmann, Wolfgang. Dt. Publizist. Herausgeber des Blattes *Die Judenfrage in Politik, Recht, Kultur und Wirtschaft,* vormals *Mitteilungen über die Judenfrage,* der Antisemitischen, ab Feb. 1942 Antijüdischen Aktion, April 1940-Dez. 1942.
S. 365

Feldscher, Peter Anton 1.3.1889 Masein (Kt. Graubünden) – 2.5.1979 ebd. Schweiz. Diplomat und Politiker. 1938–42 Chef der Sektion für Politische Angelegenheiten der Abteilung für Auswärtiges, 1942 Minister und Leiter des Amtes für Fremde Interessen an der Schweizer Gesandtschaft in Berlin. 1946 Gesandter in Wien.
S. 460

Felixmüller, Conrad 21.5.1897 Dresden – 24.3.1977 Berlin (West). Maler und Graphiker, vom Expressionismus beeinflußt.
S. 155

Felsenstein, Walter 30.5.1901 Wien – 8.10.1975 Berlin (Ost). Österr. Regisseur. 1932–34 Oberregisseur am Kölner Opernhaus, 1934–36 am Schauspielhaus Frankfurt/M. 1936 Ausschluß aus der Reichstheaterkammer. 1938–40 Stadttheater Zürich, 1940–44 Schillertheater Berlin, 1944 dienstverpflichtet. Seit 1947 Intendant der Komischen Oper, Berlin (Ost).
S. 170

Feuchtwanger, Lion 7.7.1884 München – 21.12.1958 Los Angeles. Schriftsteller aus jüdischer Familie. Im Dritten Reich wegen »Verherrlichung des Judentums« ausgebürgert. Emigration über Frankreich und Spanien in die USA. Werke u.a.: *Jud Süß,* 1925; *Erfolg,* 1930, ein Schlüsselroman über das Aufkommen des Nat.soz. in Bayern.
S. 169, 300, 567

Fiehler, Karl 31.8.1895 Braunschweig – 8.12.1969 Dießen/Ammersee. NS-Kommunalpolitiker. SS-Obergruppenführer (1943). Eines der ersten NSDAP-Mitglieder (Nummer 37). 1927-30 Ortsgruppenleiter der NSDAP. 1933 Vorsitzender des Dt. Gemeindetages, MdR, März 1933 Oberbürgermeister von München.
S. 503

Finck, Werner 2.5.1902 Görlitz – 31.7.1978 München. Autor und Kabarettist, Bühnen- und Filmschauspieler. Mitbegründer des Kabaretts »Katakombe« 1929 (1935 von den Nat.soz. geschlossen). KZ-Haft in Esterwegen. 1939 Ausschluß aus der Reichskulturkammer. 1939-45 Soldat der Wehrmacht, 1942 erneut 10 Monate Haft aus politischen Gründen.
S. 465

Fiore, Joachim von, s. Joachim von Fiore.

Fischer, Eugen 5.6.1874 Karlsruhe – 9.7.1967 Freiburg i. Brsg. Anthropologe. Protagonist der Rassenkunde. 1927-42 Direktor des Kaiser-Wilhelm-Instituts für Anthropologie, menschliche Erblehre und Eugenik. 1937 Mitglied der Preuß. Akademie der Wissenschaften. Nach dem Zweiten Weltkrieg Ehrenmitglied der Dt. Anthropologischen Gesellschaft. Werke u.a.: *Menschliche Erblichkeitslehre und Rassenhygiene,* 1921.
S. 658

Fischer, Ludwig 16.4.1905 Kaiserslautern. 1926 zur NSDAP. 1931 SA-Standartenführer. 1937 MdR. 24.10.1939 Chef der dt. Zivilverwaltung im Distrikt Warschau. 1940 SA-Gruppenführer.
S. 751

Fischer, Ruth, eigtl. Elfriede Golke, geb. Eisler, 11.12.1895 Leipzig – 13.3.1961 Paris. Politikerin und Publizistin. Nov. 1918 Mitbegründerin der österr. KP. 1921 Vorsitzende der Berliner KP, 1924–28 MdR, April 1924–September 1925

Parteivorsitzender der KPD, 1926 als Ultralinke Parteiausschluß. 1933 Emigration nach Paris, 1940 in die USA.
S. 762

Flandin, Pierre Étienne 12.4.1889 Paris – 13.6.1958 Saint-Jean-Cap-Ferrat. Frz. Politiker. Einer der Führer der demokratischen Allianz. 1934/35 Ministerpräsident, 1936 Außenminister. Vizepräsident und Außenminister der Vichy-Regierung 1940/41. 1946 wegen Kollaboration verurteilt, 1948 rehabilitiert.
S. 750

Flick, Friedrich 10.7.1883 Ernsdorf – 20.7.1972 Konstanz. Industrieller. 1919 Generaldirektor der Charlottenhütte AG, zahlreiche Beteiligungen, u.a. an der Gelsenkirchener Bergwerks AG. Bis 1945 ca. 7.65 Mio. Mark an Spenden für NSDAP. 1937 zur NSDAP. 1938 Wehrwirtschaftsführer. Mitglied des Freundeskreises des Reichsführers SS, des Präsidiums der Reichsvereinigung Eisen u.a. Der Flick-Konzern war einer der großen Nutznießer der Arisierung. Im Zweiten Weltkrieg Beschäftigung von Zwangsarbeitern und KZ-Häftlingen in großem Stil. 13.6.1945 Verhaftung. 22.12.1947 sieben Jahre Gefängnis im Flick-Prozeß, 25.8.1950 Amnestie.
S. 471, 508, 593, 800

Foerster, Friedrich Wilhelm 2.6.1869-9.1.1966. Pazifist, Professor f. Philosophie und Pädagogik in Wien, 1914-20 in München. Publizist. Seit 1922 Schweiz, Frankreich, USA. 1933 ausgebürgert.
S. 407

Foerster, Richard 31.3.1879 Stralsund – 9.4.1952 Berlin. Admiral. 1933-36 Flottenchef. Seit 1937 Präsident der Dt.-Jap. Gesellschaft.
S. 530

Forster, Albert 26.7.1902 Fürth – 28.4.1948, nach anderen Angaben 28.2.1952, Warschau (hingerichtet). Dt. Politiker. 1923 zur NSDAP. SA-Führer. 1930 Gauleiter von Danzig. Nach 1933 Führer des Gesamtverbandes der dt. Angestellten in der DAF. 1939 nach dem Sieg über Polen Reichsstatthalter und Gauleiter von Danzig-Westpreußen, 1948 Todesurteil durch poln. Gericht wegen Kriegsverbrechen.
S. 416

Forsthoff, Ernst 13.9.1902 Laar (heute Duisburg) – 13.8.1974 Heidelberg. Staats- und Verwaltungsrechtler. Veröffentlichte 1933 *Der totale Staat:* Propagierung des Führerprinzips, Juden als Feinde, die unschädlich gemacht werden müßten. Lehrstühle in Hamburg, Königsberg, Wien und Heidelberg. 1949-67 wieder Professor in Heidelberg, 1960-63 Präsident des obersten Verfassungsgerichts Zyperns.
S. 86

Fraenkel, Ernst 26.12.1898 Köln – 28.3.1975 Berlin (West). Politologe. 1926-38 Rechtsanwalt in Berlin. Emigration in die USA. Seit 1951 Prof. in Berlin.
S. 458

Franco y Bahamonde, Francisco 4.12.1892 El Ferrol – 20.11.1975 Madrid. Span. Politiker und General. 1935 Generalstabschef. 1936 auf die Kanarischen Inseln abgeschoben. Nach einer Revolte nationalistischer Offiziere in Marokko am 29.9.1936 Chef einer nationalspan. Regierung gegen die Volksfront. Etablierung eines klerikal-faschistischen Systems im Span. Bürgerkrieg. Regierte als »Caudillo« mit diktatorischen Vollmachten.
S. 22, 77, 83, 398, 456, 460, 507, 565, 649, 740 f.

Frank, Anne 12.6.1929 Frankfurt am Main – März 1945 KZ Bergen-Belsen. Jüdisches Mädchen. 1933 mit der Familie Flucht in die Niederlande. Ab 9.7.1942 tauchte die Familie zusammen mit jüdischen Freunden in einem Hinterhaus an der Amsterdamer Prinsengracht unter. Bis 1.8.1944 führte Anne hier Tagebuch. Am 4.8.1944 wurde das Versteck von der Gestapo entdeckt. Alle wurden deportiert und kamen mit Ausnahme von Annes Vater in den nat.soz. KZ und Vernichtungslagern ums Leben. Anne starb in Bergen-Belsen bei einer Epidemie. Das *Tagebuch der Anne Frank* ist ein bleibendes Zeugnis gegen den nat.soz. Terror.
S. 395

Frank, Hans 23.5.1900 Karlsruhe – 16.10.1946 Nürnberg (hingerichtet). Jurist und Politiker. Oktober 1923 zur NSDAP. Teilnahme am Hitlerputsch. 1928 Gründung des Nat.soz. Rechtswahrerbundes. 1933/34 bayerischer Justizminister, 1934 Reichsminister ohne Geschäftsbereich. 1939 Generalgouverneur im besetzten Polen. Trotz hin und wieder versuchter Durchsetzung und Wahrung von Rechtsnormen beugte er sich der Rassenideologie des Nat.soz. u. war einer der Hauptverantwortlichen für die Gewalttaten der SS. u. Polizei im Generalgouvernement. Wegen des von ihm praktizierten u. geduldeten korruptionsbelasteten Verwaltungsstils verlor er schon 1942 die Gunst Hitlers. Während der Haft in Nürnberg schrieb er Memoiren *(Im Schatten des Galgen)* und trat zum Katholizismus über.
S. 29, 353 f., 483 f., 551, 609, 735 f., 795

Frank, Karl Hermann 24.1.1898 Karlsbad – 22.5.1946 Prag (hingerichtet). Sudetendt. Politiker. SS-Obergruppenführer (1943). 1935 Abgeordneter der SdP im tschechosl. Parlament. 1938 stellvertretender Gauleiter des Sudetenlandes. Seit 1938 MdR. März 1939 Staatssekretär beim Reichsprotektor von Böhmen und Mähren, 1943 Staatsminister. Als Kriegs-

verbrecher zum Tode verurteilt.
S. 569, 656

Frank, Leonhard 4.9.1882 Würzburg – 18.8.1961 München. Schriftsteller. Sozialrevolutionäre Themen, expressionistisch beeinflußt. 1933-39 Exil u.a. in Frankreich und in den USA. Werke u.a.: *Links, wo das Herz ist,* Roman, 1952.
S. 673

Frank, Walter 12.2.1905 Fürth – 9.5.1945 Brunsrode bei Braunschweig. Historiker. 1934 Referent der NSDAP »für Fragen des historischen Schrifttums« im Stab von Heß. 1.7.1935 Leiter des Reichsinstituts für Geschichte des neuen Deutschlands. Bei Kriegsende Selbstmord.
S. 141, 675

Frankfurter, David 1909 Daruvar (Kroatien) – 19.7.1982 Tel Aviv. Sohn eines Rabbiners. 4.2.1936 in Davos Attentat auf Wilhelm Gustloff. 14.12.1936 Verurteilung zu 18 Jahren Haft, 1945 nach Palästina entlassen.
S. 724

Frantz, Constantin 12.9.1817 Börnecke bei Halberstadt – 2.5.1891 Blasewitz (Dresden). Politischer Publizist. Einflußreicher Konservativer im 19. Jh.
S. 498

Frei, Bruno., eigtl. Benedikt Freistatt, 11.6.1897 Preßburg – 21.5.1988 Klosterneuburg. Österr. Publizist. 1929-33 Chefredakteur *Berlin am Morgen.* 1933 Emigration, 1941 nach Mexiko. 1947 Rückkehr nach Österreich, seit 1960 freier Schriftsteller.
S. 564

Freisler, Roland 30.10.1893 Celle – 3.2.1945 Berlin. Jurist. 1925 zur NSDAP. 1933 Ministerialdirektor im preuß., 1935 Staatssekretär im Reichsjustizministerium. 1932 MdL (Preußen). 1933 MdR. Vertreter des Ministeriums auf der Wannsee-Konferenz. 1942 Präsident des Volksgerichtshofes (»Blutrichter«). Tod bei Luftangriff im Keller des Volksgerichtshofes.
S. 95, 736, 787

Freud, Sigmund 6.5.1856 Freiberg (Mähren) – 23.9.1939 London. Österr. Arzt. Begründer der theoretischen und praktischen Psychoanalyse.
S. 168, 407

Freundlich, Otto 10.7.1878 Stolp – 9.3.1943 KZ Majdanek. Maler, Graphiker und Bildhauer. Mosaik »Geburt des Menschen« im Kölner Opernhaus.
S. 158

Freyberg, Bernard Cyrill F. 21.5.1889 London – 4.7.1963 ebd. Neuseeländ. General. Kommandeur der griech. und der Commonwealth-Truppen auf Kreta 1940/41. Kommandeur in Nordafrika, Sizilien, Italien (Monte Cassino). 1946-52 Generalgouverneur von Neuseeland.
S. 584

Freyer, Hans 31.7.1887 Leipzig – 18.1.1969 Wiesbaden. Philosoph und Soziologe. Hauptwerk *Revolution von rechts,* 1931. Intellektueller Wegbereiter des Nat.soz. Lehrstühle in Kiel, Leipzig, Münster und Ankara (1954/55).
S. 143

Frick, Wilhelm 12.3.1877 Alsenz (Pfalz) – 16.10.1946 Nürnberg (hingerichtet). Jurastudium. 1923 Teilnahme am Hitler-Putsch. Seit 1928 als MdR Fraktionsführer der NSDAP. 1930 Innen- und Volksbildungsminister in Thüringen, 1933 Reichsinnenminister in der »Regierung der nationalen Erhebung«, maßgeblich an zahlreichen antisemitischen Gesetzen beteiligt. Durch Übertragung der Polizeihoheit der Länder auf das Reich Schaffung der Grundlage für die Allmacht der SS. Seit 24.8.1943 Minister ohne Geschäftsbereich, zugleich Reichsprotektor in Böhmen und Mähren. In Nürnberg am 1.10.1946 u.a. wegen Verbrechen gegen die Menschlichkeit zum Tode verurteilt.
S. 156, 483, 490, 520, 577, 584, 592, 603, 647, 656, 680, 683, 720, 728

Friedeburg, Hans Georg von 15.7.1895 Straßburg – 23.5.1945 Flensburg. Letzter Oberbefehlshaber der Kriegsmarine seit 1.5.1945. Seit 1943 Kommandierender Admiral der U-Boote. Am 9.5.1945 Mitunterzeichnung der bedingungslosen Kapitulation. Selbstmord bei Verhaftung der Regierung Dönitz.
S. 100, 106, 541, 620

Friedrich I. Barbarossa 1122 (?) Waiblingen (?) – 10.6.1190 im Saleph (Kleinasien, ertrunken). Herzog von Schwaben (Friedrich III). 1152 Röm. König, 1155 Dt. Kaiser.
S. 390

Friedrich I. 11.7.1657 Königsberg – 25.2.1713 Berlin. Als Friedrich III. Kurfürst von Brandenburg (seit 1688). Seit 1701 König in Preußen.
S. 396

Friedrich Wilhelm I. 14.8.1688 Kölln – 31.5.1740 Potsdam. Seit 1713 König in Preußen (»Soldatenkönig«). Vater Friedrichs II. des Großen.
S. 396

Friedrich II. der Große 24.1.1712 Berlin – 17.8.1786 Potsdam. Seit 1740 König von Preußen.
S. 157, 174

Fritsch, Theodor. 28.10.1852 Wiesenau (Sachsen) – 8.9.1933 Gautzsch b. Leipzig. Ingenieur, Verleger. Seit 1880er Jahren antisemitische Veröffentlichungen. MdR für die Dt.-völk. Freiheitspartei. Seit 1902 Hrsg. der antisemitischen Zeitschrift *Der Hammer,* 1912 Gründer des »Reichshammerbundes«.
S. 446

Fritsch, Werner Freiherr von 4.8.1880 Benrath (heute Düsseldorf) – 22.9.1939 Praga bei War-

schau. Generaloberst (1.4.1936). 1.2.1934 Chef der Heeresleitung, ab 2.5.1935 Oberbefehlshaber des Heeres. Sturz am 4.2.1938 wegen Opposition gegen Hitlers forcierte Kriegspolitik, wenngleich Befürworter von Aufrüstung und Krieg. Fritsch fiel im Polenfeldzug.
S. 30, 77, 100 f., 314, 411, 472 f., 491, 520 f., 621, 781

Fritzsche, Hans 21.4.1900 Bochum – 27.9.1953 Köln. Journalist. 1923 zur DNVP, 1933 NSDAP. 1933–38 Hauptschriftleiter des Drahtlosen Dienstes. 1938 Leiter der Abteilung Dt. Presse im Reichspropagandaministerium, 1942 der Rundfunkabteilung. Im Nürnberger Prozeß freigesprochen, 1947 von Entnazifizierungsgericht zu neun Jahren Arbeitslager verurteilt, 1950 entlassen.
S. 433

Froelich, Carl (August Hugo) 5.9.1875 Berlin – 12.2.1953 ebd. Filmregisseur und Produktionsleiter, entwickelte sich zum willfährigen Instrument nat.soz. Kulturpolitik, Präsident der Reichsfilmkammer; zwei »Nationale Filmpreise« (*Traumulus*, 1936; *Heimat*, 1938).
S. 174

Fromm, Erich 23.3.1900 Frankfurt am Main – 8.3.1980 Muralto bei Locarno. Amerik. Psychoanalytiker dt. Herkunft. 1934 Emigration. Hauptwerk: *Anatomie der menschlichen Destruktivität*, 1975.
S. 457

Fry, Varian 1907 – 13.9.1967 Connecticut (USA). Amerik. Politiker. Vertreter des Emergency Rescue Committee, das sich um die Emigration Internierter, u. a. im besetzten Frankreich, bemühte.
S. 567

Funk, Walther 18.8.1890 Trakehnen – 31.5.1960 Düsseldorf. Wirtschaftsberater Hitlers. 1933 zunächst Pressechef der Reichsregierung. Als Unterstaatssekretär im Reichspropagandaministerium und Vizepräsident der Reichskulturkammer zuständig für Presse und Rundfunk. 1938 Reichswirtschaftsminister und Generalbevollmächtigter für die Kriegswirtschaft, 1939 Reichsbankpräsident und Generalbevollmächtigter für die Wirtschaft, 1943 Mitglied der Zentralen Planung. 1946 zu lebenslänglicher Haft verurteilt, 1957 wegen Krankheit entlassen.
S. 74, 584

Furtwängler, Wilhelm 25.1.1886 Berlin – 30.11.1954 Ebersteinburg (Baden-Baden). Dt. Dirigent. 1922-45 und ab 1947 Dirigent der Berliner Philharmoniker. 1931 Leiter der Bayreuther Festspiele, 1933 Direktor der Berliner Staatsoper. Musikalisches Aushängeschild nat.soz. Kulturpropaganda trotz Festhaltens am als »entartet« verfemten Hindemith.
S. 176, 178, 673

Furugård, Birger 8.12.1887 Silbodal (Värmland) – 4.12.1961 Hyed (Värmland). Schwed. Politiker. Einer der »Führer« der Nat.soz. Volkspartei Schwedens.
S. 723

Gagern, Heinrich Reichsfreiherr von 20.8.1799 Bayreuth – 22.5.1880 Darmstadt. Politiker. 19.5.1848 zum Präsidenten der Frankfurter Nationalversammlung gewählt. Sprecher der Liberalen im Parlament.
S. 497

Galen, Clemens August Graf von 16.3.1878 Dinklage – 22.3.1946 Münster. September 1933 Bischof von Münster. Ruf als »Löwe von Münster« durch unerschrockene Predigten gegen die Euthanasie im Sommer 1941. Nach dem Zweiten Weltkrieg Kardinal.
S. 197, 199, 248, 313

Gall, Leonhard * 24.8.1884 München. Dt. Architekt.
S. 504

Galton, Sir Francis 16.2.1822 Birmingham – 17.1.1911 London. Brit. Naturforscher und Schriftsteller. Arzt und Anthropologe in London. Mitbegründer der Eugenik.
S. 12, 235

Gaulle, Charles de 22.11.1890 Lille – 9.11.1970 Colombey-les-deux-Églises. Frz. General und Politiker. 6.6.1940 Unterstaatssekretär für nationale Verteidigung. Nach der Kapitulation Frankreichs von London aus Aufruf zur Fortsetzung des Kampfes, daraufhin im Juli 1940 von der Vichy-Regierung zum Tode verurteilt. 1942 an die Spitze des frz. Komitees der Nationalen Befreiung, Juni 1943 Chef der frz. Exilregierung (Mai 1944: Provisorische Regierung der Frz. Republik). 1945/46 Ministerpräsident und provisorisches Staatsoberhaupt. 1947 Rückzug aus der Politik. 1958 wegen der Algerienkrise zurückgerufen. 21.12.1958 erster Präsident der 5. Republik nach Annahme einer neuen Verfassung. 28.4.1969 Rücktritt nach gescheitertem Plebiszit über seine Politik.
S. 468, 782, 805

Gaupp, Robert (Eugen) 3.10.1870 Neuenburg – 30.8.1953 Stuttgart. Psychiater, Neurologe. Forschungsschwerpunkte u.a. Paranoia, Homosexualität, Zwangssterilisierung. Ordinarius für Psychiatrie an der Universität Tübingen. Nach dem Zweiten Weltkrieg u.a. Stuttgarter Stadtrat.
S. 238

Gebhardt, Karl 23.11.1897 – 2.6.1948 Nürnberg (hingerichtet). Mediziner. SS-Brigadeführer. Ordinarius für orthopädische Chirurgie an der

Universität Berlin. Chefarzt der Heilanstalt Hohenlychen. Oberster Kliniker beim Reichsarzt der SS. »Chirurg der Waffen-SS«. Durchführung von Menschenversuchen mit Sulfonamid-Präparaten im KZ Ravensbrück. Todesurteil in Nürnberg am 20.8.1947.
S. 582

Gebühr, Otto 29.5.1877 Kettwig/Ruhr – 14.3.1954 Wiesbaden. Theater- und Filmschauspieler, berühmt v.a. als Darsteller Friedrichs II., des Großen, mit dem er verblüffende physiognomische Ähnlichkeit hatte, so in: *Fridericus Rex,* 1922; *Fridericus,* 1937; *Der große König,* 1942.
S. 174

Gehlen, Reinhard 3.4.1902 Erfurt – 8.6.1979 Berg bei Starnberg. General. 1935 zum Generalstab des Heeres. 1942–45 Abteilungsleiter »Fremde Heere Ost«. Nach dem Zweiten Weltkrieg Aufbau eines Nachrichtendienstes im alliierten Auftrag (ab 1956 Bundesnachrichtendienst mit Gehlen als Präsident, bis 1968). In seinen Memoiren (1971) Rechtfertigung des Rußlandfeldzuges als Kampf gegen den Bolschewismus.
S. 480

Geilenberg, Edmund 13.1.1902 Buchholz b. Hattingen. Politiker. 30.5.1944 Generalkommissar für Sofortmaßnahmen im Reichsministerium für Rüstung und Kriegsproduktion.
S. 482

Gemmeker, Albert Konrad. Kommandant des Lagers Westerbork in den Niederlanden.
S. 804

Georg II. 19.7.1890 Schloß Tatoi bei Athen – 1.4.1947 Athen. König von Griechenland seit 1922. 1924-35 Exil. 1936 ermächtigte er General J. Metaxas zur Errichtung einer Diktatur. 1941-44 während dt. Besetzung erneut im Exil. 1946 nach Plebiszit Rückkehr auf den Thron.
S. 494

George, Heinrich, eigtl. Heinrich Georg Schulz, 9.10.1893 Stettin – 26.9.1946 Sachsenhausen. Dt. Theater- und Filmschauspieler. 1938-1944 Intendant des Berliner Schiller-Theaters, nach 1933 Anpassung an NS-Regime. Mitglied des Aufsichtsrates der Terra Filmkunst GmbH. 1945 von Sowjets verhaftet, Tod im Internierungslager Sachsenhausen. Filme u.a.: *Berlin Alexanderplatz,* 1931; *Hitlerjunge Quex,* 1933; *Der Postmeister,* 1940; *Kolberg,* 1945.
S. 170, 174, 531, 546, 673

George, Stefan 12.7.1868 Büdesheim bei Bingen – 14.12.1933 Minusio bei Locarno. Dt. Schriftsteller. Symbolistische, esoterische Lyrik. Seit 1893 »George-Kreis«. Zwar Verbreitung einer »Führer-Reich-Ideologie« im dt. Bürgertum, aber Ablehnung des Dritten Reiches als »ordinäre Diktatur des Pöbels«.
S. 169

Gercke, Achim * 3.8.1902 Greifswald. April 1933 Sachverständiger für Rasseforschung im Reichsinnenministerium, ab 1935 Leiter der Reichsstelle für Sippenforschung (ab 1940 Reichssippenamt). 1933 MdR.
S. 694

Gerigk, Herbert. Dt. Musikwissenschaftler und Redakteur im Amt Musik des Amtes Rosenberg und der Nat.soz. Kulturgemeinde, publizierte *Die Juden in der Musik.*
S. 179

Gerngroß, Rupprecht * 21.6.1915 Shanghai. Offizier. Hauptmann. 1945 Führer der Freiheitsaktion Bayern.
S. 469

Gersdorff, Rudolf-Christoph Freiherr von 27.3.1905 Lüben (Schlesien) – 27.1.1980 München. Abwehroffizier der Heeresgruppe Mitte, gehörte zum Widerstandskreis um Henning von Tresckow.
S. 319, 379

Gerstein, Kurt 11.8.1905 Münster – 23.7.1945 Paris. Ingenieur und Mediziner. SS-Obersturmführer. Mai 1933 zur NSDAP. Mitglied der Bekennenden Kirche. 1938 nach KZ-Haft Parteiausschluß. Nach Medizinstudium und Ermordung einer Schwägerin im Rahmen der Euthanasie freiwillig zur Waffen-SS, um einen »Blick in Hitlers Küche« zu tun. Nov. 1941 als Entseuchungsexperte zum SS-Führungshauptamt in das Hygiene-Institut. Zeuge von Vergasungen in Treblinka, Sobibór und Belzec. Autor des Gerstein-Berichts über den nat.soz. Genozid in den Vernichtungslagern. Tod in frz. Haft (Selbstmord ungeklärt).
S. 488

Gerstenmaier, Eugen 25.8.1906 Kirchheim/Teck – 13.3.1986 Bonn. Politiker. Anhänger der Bekennenden Kirche. 1936-44 Tätigkeit im Kirchlichen Außenamt der Dt. Evangelischen Kirche. 1939 zur Kulturpolitischen Abteilung des AA dienstverpflichtet. Mitglied der Widerstandsgruppe Kreisauer Kreis. Verhaftung nach dem Attentat des 20. Juli 1944. Verurteilung zu sieben Jahren Haft. 1954-69 Präsident des Dt. Bundestages.
S. 552

Giovanna Ital. Prinzessin, Ehefrau König Boris' III. von Bulgarien.
S. 407

Gleichen-Rußwurm, Heinrich von 14.7.1882 Dessau – 29.7.1959 Göttingen. Politiker. Vorsitzender des 1924 gegründeten und 1944 aufgelösten konservativen Deutschen Klubs, später allgemein Herrenklub genannt. Herausgeber der Zeitschriften *Das Gewissen* und *Der Ring.*
S. 508

Globocnik, Odilo 21.4.1904 Triest – 21.5.1945 bei Weißensee (Kärnten). SS-Gruppenführer und Generalleutnant der Polizei (9.1.1942). 1931 zur NSDAP. 1.9.1934 zur SS. Im November 1939 SS- und Polizeiführer im Distrikt Lublin. 17.7.1941 Auftrag zur Planung und Errichtung von SS- und Polizeistützpunkten im »Ostraum«. Mai 1942 Auftrag zur Durchführung der »Aktion Reinhardt«. August 1943 Höherer SS- und Polizeiführer in der Operationszone Adriatisches Küstenland in Triest. Nach Festnahme durch alliierte Truppen Selbstmord.
S. 352, 354 f., 484, 645, 727, 764

Gobineau, Joseph Arthur Graf von 14.7.1816 Ville d'Auvray bei Paris – 13.10.1882 Turin. Frz. Schriftsteller und Diplomat. Rassentheoretiker, Verfechter der Überlegenheit der arischen Rasse (*Versuch über die Ungleichheit der Menschenrassen,* 4 Bde, 1853–55).
S. 12, 238, 658

Goebbels, Joseph 29.10.1897 Rheydt – 1.5.1945 Berlin. 1926 Gauleiter von Berlin, 1927-35 Gründer und Heraussgeber der Zeitung *Der Angriff.* Seit 1930 Reichspropagandaleiter der NSDAP, und MdR, seit 13.3.1933 Reichsminister für Volksaufklärung und Propaganda und Präsident der Reichsschrifttumkammer. 1944 Generalbevollmächtigter für den Totalen Kriegseinsatz. Goebbels betrieb systematisch die Verbannung des jüdischen Einflusses aus dem dt. Kulturleben. Hitler bedingungslos ergeben (»Hitler, ich liebe dich, weil du groß und einfach zugleich bist«, Tagebuch). Selbstmord mit seiner Frau im Führerbunker unter der Reichskanzlei, nachdem er vorher seine sechs Kinder vergiftet hatte. Werke: *Die Zweite Revolution* (1926); *Vom Kaiserhof zur Reichskanzlei* (1934); *Tagebücher* (posthum, versch. Editionen).
S. 20, 29, 31, 37-40, 42, 48 f., 85, 92, 135, 156, 167-170, 174 f., 178 f., 181 f., 193, 196, 222, 267, 314, 326, 338, 340, 360 ff., 370, 406 f., 426 f., 430, 435, 443, 451 ff., 506, 511, 522, 535, 546, 560, 570, 578, 581, 589, 599 f., 602 f., 618, 621, 625, 652 f., 663, 672, 674, 679 ff., 685, 695, 704, 707, 724, 758, 761, 772, 785, 803, 809

Göcke, Wilhelm. Kommandeur des 1943 errichteten KZ Kauen (Kaunas) in Litauen.
S. 543

Goedsche, Herrmann (Ottomar Friedrich) 12.2.1816 (1815?) Trachenberg (Schlesien) – 8.11.1878 Bad Warmbrunn. Schriftsteller und Journalist. Unter dem Pseudonym Sir John Retcliffe Verfasser des Romans *Biarritz,* der in die »Protokolle der Weisen von Zion« Eingang fand.
S. 657

Goerdeler, Carl Friedrich 31.7.1884 Schneidemühl – 2.2.1945 Berlin-Plötzensee (hingerichtet). Politiker, Verwaltungsfachmann. 1920–30 Zweiter Bürgermeister von Königsberg, seit 1930 Leipziger Oberbürgermeister, Reichskommissar für die Preisüberwachung (1931, 1934). 1935 Rücktritt als Preiskommissar, 1937 als Oberbürgermeister. Politischer Kopf des bürgerlichen Widerstands. Nach dem gescheiterten Attentat vom 20. Juli 1944 verhaftet und am 8.9.1944 zum Tode verurteilt. Das Urteil wurde erst im Februar 1945 vollstreckt, weil G. noch als Zeuge herangezogen wurde.
S. 312, 315, *320,* 321, 491 f.

Göring, Hermann 12.1.1893 Rosenheim – 15.10.1946 Nürnberg. Einer der erfolgreichsten Jagdflieger im Ersten Weltkrieg (Verleihung des Ordens Pour le mérite). Teilnahme am Hitlerputsch. 1928 NSDAP-MdR. 1932 Reichstagspräsident. Mai 1933 Reichsminister für Luftfahrt, 1934 Reichsforst- und Reichsjägermeister, 1936 Beauftragter für den Vierjahresplan, 1938 zweiter Feldmarschall des Dritten Reiches (nach Blomberg), 19.7.1940 Reichsmarschall. Im Sept. 1939 zum Nachfolger Hitlers bestimmt. 19.7.1940 Reichsmarschall. Zu Beginn des Rußlandfeldzuges war G. als eine Art Superminister mit allen Kompetenzen zur wirtschaftlichen Ausbeutung der besetzten Gebiete ausgestattet, vernachlässigte aber gleichzeitig die Luftwaffe, die bereits die Schlacht um England 1940 verloren hatte und personell und materialmäßig dem Mehrfrontenkampf im Osten (Stalingrad), Mittelmeerraum und Atlantik nicht gewachsen war. Hitler ließ G. aus außenpolitischen Gründen trotz seiner Unzufriedenheit nicht absetzen, jedoch wenige Tage vor Kriegsende noch verhaften und stieß ihn aus der Partei aus. Der Morphiumentzug während der Haft in Nürnberg verhalf G. dazu, vor Gericht sein altes Selbstbewußtsein zu finden und sich aggressiv zu verteidigen. Wenige Stunden vor der Vollstreckung des Todesurteils am 16.10.1946 nahm er Gift, das er auf noch immer ungeklärtem Weg erhalten hatte.
S. 20, 31, 73, 74, 77, 80, 87, 89 f., 92, 100 f., 114, 117, *118,* 149, 267, 279, 340, 359, 374, 379, 403, 430, 438, 442, 446, 465, 473, 480, 499, 508, 520, 532, 541, 561 f., 575, 577, 584, 592, 603, 608, 621, 669, 679 f., 682 f., 698 f., 701, 704, 713, 720, 746, 752 f., 782, 800

Göth, Amon Dez. 1908 Wien – 13.9.1946 Krakau (hingerichtet). Mitglied der NSDAP und der SS, bis Mai 1942 Mitarbeiter der Volksdeutschen Mittelstelle in Kattowitz, dann »Judenreferent« im Stab des SS- und Polizeiführers Lublin, später Krakau. Februar 1943-September 1944 Kommandant des KZ Krakau-Plaszów. Todesurteil durch das Oberste Poln.

Nationalgericht am 5.9.1946, am 13.9. hingerichtet.
S. 551

Goethe, Johann Wolfgang von (seit 1782) 28.8.1749 Frankfurt am Main – 22.3.1832 Weimar. Dt. Dichter.
S. 560

Goetz, Curt, eigtl. Kurt Goetz, 17.11.1888 Mainz – 12.9.1960 Grabs (Kanton St. Gallen). Schriftsteller, der seine Gesellschaftskomödien z.T. selbst verfilmte (*Dr. med. Hiob Prätorius,* 1934; Das *Haus in Montevideo,* 1953).
S. 172

Goga, Octavian 1.4.1881 bei Hermannstadt – 7.5.1938 Ciucea bei Klausenburg. Rumän. Schriftsteller und Politiker. Gründer und Vorsitzender der Liga zur National-Christlichen Abwehr. 29.12.1937 Ministerpräsident mit antisemitischem und nationalistischem Programm. 10.2.1938 Rücktritt.
S. 706

Gold, Käthe (Katharina Stephanie) 11.2.1907 Wien. Österr. Theater- und Filmschauspielerin. Ideale Interpretin von Klassiker-Rollen. Filme: *Das Fräulein von Barnhelm,* 1940; *Zwischen Nacht und Morgen,* 1943; *Rose Bernd,* 1957.
S. 170

Goldstein, Arthur. Dt. Journalist und Widerstandskämpfer. Seit 1917 KPD-Mitglied, 1920 Mitbegründer der Kommunistischen Arbeiterpartei Dtls. und Vertreter dieser Partei in Moskau. Seit 1922 in der SPD, 1933 Flucht nach Paris, dort vermutlich von der SS ermordet. Mitglied der Reichsleitung der Roten Kämpfer.
S. 311

Gorbatschow, Michail S. *2.3.1931 Priwolnoje (Gebiet Stawropol). Sowj. Politiker. Seit 1971 Vollmitglied des ZK der KPdSU. 1985-91 Generalsekretär. 1990-92 Staatspräsident. Friedensnobelpreis 1990.
S. 542

Grabbe, Christian Dietrich 11.12.1801 Detmold – 12.9.1836 ebd. Dramatiker.
S. 519

Graefe, Albrecht von 1.1.1868 Berlin – 18.4.1933 Goldebee (Mecklenburg). Vorsitzender der Dt.-völkischen Freiheitspartei, 1923 mit süddt. Nat.soz. zur nat.soz. Freiheitsbewegung Großdeutschlands vereinigt.
S. 1431, 605

Graf, Oskar Maria 22.7.1894 Berg bei Starnberg – 28.6.1967 New York. Schriftsteller. Sozialist, 1933 Emigration. Forderte anläßlich der Bücherverbrennung vom Mai 1933: »Verbrennt mich!«, weil die Nat.soz. ihn nicht sofort auf die Liste verfemter Autoren gesetzt hatten. 1958 amerik. Staatsbürger. Werke u.a.: *Das bayer. Dekameron* 1927; *Bolwieser,* Roman 1931; *Unruhe um einen Friedfertigen,* Roman 1947.
S. 169, 407

Graf, Willi 2.1.1918 Kuchenheim/Euskirchen – 12.10.1943 München (hingerichtet). Dt. Widerstandskämpfer. Mitglied der Weißen Rose.
S. 317, 800 f.

Grau, Wilhelm Juli 1940 – Oktober 1942 Direktor des Instituts zur Erforschung der Judenfrage.
S. 523

Greifelt, Ulrich *8.12.1896 Berlin. SS-Obergruppenführer. Oktober 1939 Chef des Stabshauptamtes beim Reichskommissar für die Festigung dt. Volkstums, seit 1941 Hauptamt Reichskommissar. 1948 in Nürnberg zu lebenslänglicher Haft verurteilt.
S. 677

Greim, Robert Ritter von 22.6.1892 Bayreuth – 24.5.1945 Salzburg. Generalfeldmarschall (28.4.1945). 1935 Kommandeur des Jagdgeschwaders Richthofen. 1938 Generalmajor im Reichsluftfahrtministerium. Seit April 1942 Leiter des Luftwaffenkommandos Ost. 25.4.–8.5.1945 Oberbefehlshaber der dt. Luftwaffe als Nachfolger Görings.
S. 100, 621, 683

Greiser, Arthur 22.1.1897 Schroda (Posen) – 14.7.1946 Posen. Politiker. SS-Obergruppenführer (1942). 1924 Mitbegründer des Stahlhelm in Danzig. 21.9.1939 Leitung der Zivilverwaltung im annektierten Posen, 2.11. Reichsstatthalter des neuen Reichsgaus Wartheland. Verantwortlich für brutale Eindeutschungspolitik und Massendeportationen. Nach Todesurteil vor seiner ehemaligen Residenz öffentlich gehängt.
S. 198, 411, 797

Grimm, Hans 22.3.1875 Wiesbaden – 27.9.1959 Lippoldsberg a.d.Weser. Schriftsteller. Juni 1933 Senator der Dt. Akademie der Dichtung. 1935 Sitz im Präsidialrat der Reichsschrifttumskammer. Nach 1945 ständiger Mitarbeiter der Zeitschrift *Nation Europa,* »Sprachrohr des europäischen Faschismus«. Hauptwerk: *Volk ohne Raum,* Roman, 2 Bde, 1926.
S. 400, 565, 673, 783

Grimm, Wilhelm 24.2.1786 Hanau – 16.12.1859 Berlin. Literaturwissenschaftler (*Deutsches Wörterbuch; Kinder- und Hausmärchen,* 1812–15, zusammen mit Jacob G.).
S. 624

Groener, Wilhelm 22.11.1867 Ludwigsburg – 3.5.1939 Bornstedt bei Potsdam. General und Politiker. 28.10.1918 Nachfolger Ludendorffs als Erster Generalquartiermeister. Drängte auf Abdankung des Kaisers 1918. 1920–23 mehrmals Verkehrsminister, 1928–32 Reichswehrminister, seit Okt. 1931 zugleich Innenminister

mit scharfem Vorgehen gegen NSDAP, SA und SS. 13.5.1932 Rücktritt und Rückzug ins Privatleben.
S. 587

Gropius, Walter 18.5.1883 Berlin – 5.7.1969 Boston (USA). Architekt. 1919 Direktor der Hochschule für Bildende Kunst und der Kunstgewerbeschule in Weimar, Zusammenfassung zum Bauhaus. 1934 Emigration nach London, 1937 in die USA.
S. 163, 560,

Grossman, Chaika *1919 Białystok. Jüdische Widerstandskämpferin aus dem Ghetto Białystok. Teilnahme am Ghettoaufstand August 1943. 1948 Emigration nach Israel.
S. 398

Groß, Walter 21.10.1904 Kassel – 1945. Dt. Mediziner. 1925 zur NSDAP. 1932 Mitarbeiter in der Reichsleitung des NS-Ärztebundes. 1933 Gründer und Leiter des Aufklärungsamtes für Bevölkerungspolitik und Rassenpflege in Berlin (April 1934 umbenannt in Rassenpolitisches Amt der NSDAP). 1936 MdR. Sept. 1942 Leiter auch des Hauptamtes Wissenschaft des Reichsleiters Rosenberg. Mit Schriften wie *Die rassenpolitischen Voraussetzungen zur Lösung der Judenfrage* (1943) pseudowissenschaftliche Wegbereitung der »Endlösung«.
S. 658

Grosz, George 26.7.1893 Berlin – 6.7.1959 ebd. Maler und Zeichner. Mitbegründer des Berliner Dada (1917), Mitglied der KPD. Schärfste Gesellschaftskritik und -satire: »Ecce Homo«, »Der Spießer-Spiegel«. 1933 Emigration, von den Nat.soz. als »entartet« eingestuft.
S. 155

Grothe, Franz 17.9.1908 Berlin – 12.9.1982 Köln. Dt. Komponist.
S. 185

Grotjahn, Alfred 25.11.1869 Schladen (Harz) – 4.9.1931 Berlin. Sozialhygieniker, Professor an der Universität Berlin seit 1920, SPD-MdR.
S. 237

Gruber, Kurt 1904–1943. Initiator und Führer der Großdt. Jugendbewegung 1923/1926 in Hitler-Jugend umbenannt). November 1931 als Jugendführer der NSDAP ausgebootet.
S. 513

Grüber, Heinrich Ernst Karl 24.6.1891 Stolberg (Rheinland) – 29.11.1975 Berlin. Dt. evangelischer Theologe. 1937 Gründung des Büros Grüber in seiner Pfarre Kaulsdorf bei Berlin für die Bekennende Kirche. Hilfe für rassisch verfolgte evangelische Christen. 1940-43 Haft in den KZ Sachsenhausen und Dachau. 1945 Propst der Ost-Berliner Marienkirche. 1949-58 Bevollmächtigter der evangelischen Kirche bei der Regierung der DDR. Übersiedlung in die BRD. Kampf gegen Militarismus, Aufrüstung und Neonazismus.
S. 199

Gründgens, Gustaf 22.12.1899 Düsseldorf – 7.10.1963 Manila. Bühnen- und Filmschauspieler, Regisseur, auch Operninszenierungen. Seit 1934 Intendanz des Staatstheaters Berlin. Karriere im Dritten Reich. 1945 von den Sowjets vorübergehend interniert. 1947-55 Intendant des Dt. Schauspielhauses Düsseldorf, bis 1963 des Dt. Schauspielhauses Hamburg. Filme als Schauspieler u.a.: *Pygmalion,* 1935; *Friedemann Bach,* 1941; *Faust,* 1960; als Regisseur: *Die Finanzen des Großherzogs,* 1934; *Der Schritt vom Wege,* 1939.
S. 170, 174, 175, 624, 673

Grünspan, Herschel *28.3.1921 Hannover. Jüdischer Attentäter des Legationssekretärs der dt. Botschaft in Paris, Ernst vom Rath, am 7.11.1938. 1940 an Deutschland ausgeliefert und bis Kriegsende im KZ Sachsenhausen und im Gefängnis von Berlin-Moabit inhaftiert. Der Zusammenbruch des Dritten Reiches vereitelte den geplanten Schauprozeß.
S. 679

Günther, Hans *22.8.1910. SS-Sturmbannführer, 1939–1945 Leiter der »Zentralstelle für jüdische Auswanderung in Böhmen und Mähren«, (Stellvertreter Eichmanns), Nachkriegsschicksal unbekannt.
S. 700

Günther, Hans Friedrich Karl 16.2.1891 Freiburg i. Br. – 25.9. 1968 ebd. Anthropologe (*Rassenkunde des dt. Volkes,* 1922–43 insg. 270 000 Ex.), lieferte ideale theoretische Fundierung des nat.soz. Rassismus. 1930 Prof. für Rassenkunde in Jena. Spitzname »Rasse-Günther«.
S. 141, 495, 567, 615, 658

Gürtner, Franz 26.1.1881 Regensburg – 29.1.1941 Berlin. Dt. Jurist und Politiker. 1922-32 Bayer. Justizminister (DNVP). 1932-41 Reichsjustizminister.
S. 92, 245, 247, 651, 675

Guisan, Henri 21.10.1874 Mézières (Waadt) – 7.4.1960 Pully (Waadt). Schweizer General. 1939–45 Oberbefehlshaber des Schweizer Heeres. Konzept eines Réduit national in den Alpen.
S. 724

Gundlach, Gustav 3.4.1892 – 23.6.1963 Mönchengladbach. Jesuit, Sozialwissenschaftler, Vertreter des christlichen Solidarismus.
S. 599

Gurian, Waldemar 13.2.1902 Straßburg – 7.1.1964 Hannover-Langenhagen. Dt. Publizist. Mitglied der katholischen Jugendbewegung »Quickborn«. 1934 in die Schweiz emigriert, dort Herausgeber der *Deutschen Briefe.*
S. 762

Gustloff, Wilhelm 30.1.1895 Schwerin – 4.2.1936 Davos. 1921 Mitglied des Dt.-völkischen Schutz- und Trutzbundes, 1929 zur NSDAP. 1932 Landesgruppenleiter der Auslandsorganisation der NSDAP in der Schweiz. 1936 ermordet.
S. 724

Haack, Käthe (Lisbeth Minna Isolde) 11.8.1897 Berlin – 5.5.1986 ebd. Filmschauspielerin, Darstellerin dt. Mädchen, Mütter und Großmütter über ein halbes Jahrhundert hinweg. Filme: *Hedda Gabler,* 1925; *Emil und die Detektive,* 1931; *Unser Doktor ist der Beste,* 1969.
S. 174

Haag, Alfred 15.12.1904 Schwäbisch Gmünd – 8.8.1982 München. Schreiner. Politiker. 1932/33 KPD-Landtagsabgeordneter in Württemberg. 1933-40 Gefängnis- und KZ-Haft.
S. 620

Haagen, Eugen. Mediziner. Menschenversuche an der »Reichsuniversität« Straßburg.
S. 610

Hácha, Emil 12.7.1872 Trhové Sviny – Juni 1945 Prag. Tschechosl. Politiker. 30.11.1938 Staatspräsident der ČSR. 15.3.1939 erzwungener Protektoratsvertrag mit dem Dt. Reich. Bis 1945 Präsident des Protektorats Böhmen und Mähren von dt. Gnaden. 1945 als Kollaborateur verhaftet und im Gefängnis vor Beginn eines ordentlichen Prozesses ermordet.
S. 656, 768

Hadamovsky, Eugen 14.12.1904 Berlin – 1944 Ostfront. Rundfunkpolitiker. 1930 zur NSDAP. Mitbegründer und 1933 Präsident des Reichsverbandes dt. Rundfunkteilnehmer und Sendeleiter des Deutschlandsenders, Reichssendeleiter und Direktor der Reichsrundfunkgesellschaft. Vizepräsident der Reichsrundfunkkammer. Unter seiner Regie wurde aus dem dt. Rundfunk ein »braunes Haus des Geistes«. 1942 bei Goebbels in Ungnade; 1943 freiwillig zur Wehrmacht.
S. 439

Haeckel, Ernst 16.2.1834 Potsdam – 9.8.1919 Jena. Zoologe und Philosoph. Führender Vertreter der Evolutionstheorie. Bekanntestes Werk: *Welträtsel* (1899).
S. 12, 376, 739

Haecker, Theodor 4.6.1879 Eberbach (Hohenlohe) – 9.4.1945 Ustersbach bei Augsburg. Dt. christlich geprägter philosophischer Schriftsteller, Essayist und Kulturkritiker. Als NS-Gegner 1936 Rede-, 1938 Publikationsverbot. Werke: *Der Christ und die Geschichte* (1935); *Der Geist des Menschen und die Wahrheit* (1937).
S. 317

Haeften, Werner von 9.10.1908 Berlin – 20.7.1944 ebda. Jurist. Widerstandskämpfer. Bruder von Hans-Bernd von H. Verwundung im Winter 1942, Versetzung ins OKH. Adjutant Stauffenbergs. Am Tag des gescheiterten Attentats vom 20. Juli 1944 in der Berliner Bendlerstraße erschossen.
S. 815 f.

Håkon VII. 3.8.1872 Charlottenlund (Kopenhagen) – 21.9.1957 Oslo. Seit 1905 König von Norwegen. Nach Besetzung Norwegens ins brit. Exil, 1945 Rückkehr.
S. 615

Halder, Franz 30.6.1884 Würzburg – 2.4.1972 Aschau/Chiemgau. Generaloberst (19.7. 1940). Seit 1.9.1938 als Nachfolger von Beck Generalstabschef des Heeres. Zunehmende Opposition gegen Hitler in militärstrategischen Fragen. 24.9.1942 entlassen. Lose Verbindung zum Widerstand, nach dem 20. Juli 1944 verhaftet, KZ-Haft, von den Amerikanern befreit.
S. 78, 101, 105, 315 f., 367, 491, 501 f.

Halt, Karl Ritter von 2.6.1891 München – 5.8.1964 ebd. Sportfunktionär, mehrfacher dt. Zehnkampfmeister, Achter bei den Olympischen Spielen 1912. 1929 Mitglied des IOC. Leiter des Fachamts für Leichtathletik im NS-Reichsbund für Leibesübungen. 18.9.1944 kommissarischer Reichssportführer (bis Ende 1944).
S. 255, 471, 695

Hanfstaengl, Ernst Franz (»Putzi«) 11.2.1887 München – 6.11.1975 ebd. 1921 zur NSDAP. Enger Freund und Förderer Hitlers. Teilnahme am Hitlerputsch. 1931 Auslandspressechef der NSDAP. 1935 im Stab des Stellvertreters des Führers, Leiter des Amtes Auslandspresse. 1937 Flucht nach England wegen Intrigen. In den USA Berater der psychologischen Kriegführung gegen das Dritte Reich. 1946 Rückkehr nach Deutschland.
S. 562

Hanke, Karl 24.8.1903 Lauban (Schlesien) – Juni 1945 bei Neudorf. Politiker. 1928 zur NSDAP. Gauorganisationsleiter. 1932 MdR. Ab 1933 Adjutant und persönlicher Referent von Goebbels. 1937 Reichskultursenator und 2. Vizepräsident der Reichskulturkammer. Februar 1938 Staatssekretär im Propagandaministerium. 1941 Gauleiter und Oberpräsident von Niederschlesien. Von Hitler in seinem Testament 1945 zum Nachfolger Himmlers bestimmt. Von tschech. Partisanen nach Flucht aus dem eingeschlossenen Breslau erschossen.
S. 404

Hansen, Rolf * 12.12.1904 Ilmenau (Thüringen). Theater- und Filmschauspieler. Nach Unfall mit anschließender Sprachstörung Regisseur regimekonformer Filmunterhaltung im Dritten

Reich. Filme u.a.: *Sommer, Sonne, Erika,* 1939; *Die große Liebe,* 1942; *Damals,* 1943.
S. 183

Harlan, Veit 22.9.1899 Berlin – 13.4.1964 Capri. Theater- und Filmschauspieler, Regisseur. Berüchtigter Exponent nat.soz. Propaganda im Filmschaffen des Dritten Reiches. Schöpfer antisemitischer Hetzstreifen, Heldenlieder, Durchhaltefilme: *Jud Süß,* 1940; *Der große König,* 1941; *Kolberg,* 1945. Nach 1945 einige Jahre Berufsverbot, in 2. Instanz vom Landgericht Hamburg freigesprochen, Nachkriegsfilme künstlerisch bedeutungslos.
S. 167, 174 f., 531, 546

Harnack, Arvid 24.5.1901 Darmstadt – 22.12.1942 Berlin-Plötzensee (hingerichtet). Jurist, Wirtschaftswissenschaftler und Widerstandskämpfer. Tätigkeit im Wirtschaftsministerium, 1936 Kontakt zum sowj. Geheimdienst aus Entsetzen über den Nat.soz. 1939 Anschluß an die später von der Gestapo als »Rote Kapelle« verfolgte Schulze-Boysen-Gruppe. 1942 verhaftet, wegen »Hochverrats« zum Tode verurteilt.
S. 310, 705

Harris, Arthur Travers 13.4.1892 Cheltenham – 5.4.1984 Goring/Oxfordshire. Brit. Luftmarschall (1.1.1946). 1942 Chef des brit. Bomberkommandos, ordnete Flächenbombardements dt. Städte zur Zermürbung der Moral der Zivilbevölkerung an (»Bomber-Harris«).
S. 388, 574

Hartjenstein, Fritz 3.7.1905-20.10.1954 Metz SS-Obersturmbannführer. Kommandant von Auschwitz II Nov. 1943-April 1944. Von brit. und frz. Militärgericht zum Tode verurteilt, starb an Herzschlag.
S. 383

Hartlaub, Felix 17.6.1913 Bremen – 1945 bei Berlin (gefallen). Schriftsteller und Historiker. Ab 1942 Sachbearbeiter der Abteilung Kriegstagebuch im Führerhauptquartier.
S. 169

Hartmann, Paul 8.1.1889 Fürth – 30.6.1977 München. Schauspieler. 1914–26 am Dt. Theater Berlin, 1926–34 Wiener Burgtheater, 1934–45 Staatstheater Berlin.
S. 522

Harvey, Lilian (Muriel Helen) 19.1.1906 Muswell Hill bei London – 27.7.1968 Cap d'Antibes (Frankreich). Schauspielerin. Ballettausbildung, Karriere als Revuegirl und später in der Tonfilmoperette und im Filmmusical. Traumpaar mit Willy Fritsch. Filme u.a.: *Die Drei von der Tankstelle,* 1930; *Der Kongreß tanzt,* 1931; *Glückskinder,* 1937.
S. 172

Hasenclever, Walter 8.7.1890 Aachen – 21.6.1940 Les Milles (Bouches-du-Rhône). Lyriker und Dramatiker. Pazifist. 1933 Emigration. Selbstmord im frz. Internierungslager nach dt. Einmarsch.
S. 564, 567

Hassell, Ulrich von 12.11.1881 Anklam – 8.9.1944 Berlin-Plötzensee (hingerichtet). Diplomat. 1933 zur NSDAP, preuß.-nationale Überzeugung. Wegen Opposition gegen außenpolitischen Kurs Hitlers entlassen. Anschluß an Widerstand um Beck und Goerdeler. Seit 1942 unter Gestapo-Überwachung, am 8.9.1944 zum Tode verurteilt.
S. 315, 321, 492, 588

Hatheyer, Heidemarie 8.9.1918 Villach – 11.5.1990 Zollikon (Kt. Zürich). Österr. Bühnen- und Filmschauspielerin mit herb-männlicher Ausstrahlung. Filme u.a.: *Die Geierwally,* 1940; *Ich klage an,* 1941.
S. 174, 522

Haubach, Theodor 15.9.1896 Frankfurt am Main – 23.1.1945 Berlin (hingerichtet). Journalist und Widerstandskämpfer. 1930 Pressechef im Berliner Polizeipräsidium, 1933 entlassen. Mehrfach verhaftet, 1934–36 im KZ Esterwegen, 1943 zum Kreisauer Kreis, am 8.8.1944 verhaftet.
S. 311 f., 552

Hauer, Jakob Wilhelm 4.4.1881 Ditzingen – 18.2.1962 Tübingen. Religionswissenschaftler, Ausbildung zum Missionar. Sammlung zahlreicher Sekten in der Dt. Glaubensbewegung (1933), deren Leiter er bis 1936 war. Entfremdung vom Nat.soz., öffentlicher Protest anläßlich der »Reichskristallnacht«.
S. 194, 422

Haupt, Joachim. Nat.soz. Funktionär. Ministerialbeamter im Reichserziehungsministerium. Bis 1935 Inspekteur der Napolas.
S. 598

Hauptmann, Gerhart 15.11.1862 Obersalzbrunn/Schlesien – 6.6.1946 Agnetendorf/Riesengebirge. Dt. Schriftsteller. Bedeutendster Bühnenautor im Wilhelminischen Deutschland. Nobelpreis 1912. Trotz Kritik an der braunen Diktatur nur mangelnde Distanz gegenüber der Propaganda des Nat.soz. Werke u.a.: *Die Weber,* 1892; *Rose Bernd,* 1903.
S. 169

Haushofer, Karl 27.8.1869 München – 13.3.1946 Pähl (Oberbayern). General und Geograph. Dt. Hauptvertreter der Geopolitik. 1934–37 Präsident der Dt. Akademie und 1938–41 des Volksbunds für das Deutschtum im Ausland. Nach Verhaftung seines Sohnes Albrecht wegen Beteiligung am Attentatsplan des 20. Juli 1944 in KZ-Haft. Nach Tod des Sohnes Selbstmord mit seiner Frau.
S. 15, 486

Hausser, Paul 7.10.1880 Brandenburg/Havel – 21.12.1972 Ludwigsburg. SS-General. Nach dem Ersten Weltkrieg Stahlhelm-Mitglied, 1933 zur SA. Übertritt zur SS, Beteiligung am Aufbau der ab 1939 Waffen-SS genannten Truppe (»Inspekteur der Verfügungstruppe«). Heeresgruppenchef im Frankreich- und Rußlandfeldzug. Gegen Kriegsende seines Postens enthoben. Bis 1949 in US-Gefangenschaft.
S. 792

Havemann, Gustav 15.3.1882 – 2.1.1960 Berlin. Professor an der Musikhochschule Berlin 1920 – 1945.
S. 176

Havemann, Robert 11.3.1910 München – 9.4.1982 Grünheide. Physikochemiker. 1932 zur KPD. Mitarbeiter am Kaiser-Wilhelm-Institut für physikalische Chemie, 1933 entlassen. 1943 als Leiter der Widerstandsgruppe »Europäische Union« vom Volksgerichtshof zum Tode verurteilt. Vollstreckungsaufschub wegen Forschungsarbeiten im Heereswaffenamt. 1945 aus der Haft befreit. 1964 Ausschluß aus der SED und von der Berliner Humboldt-Universität, 1966 aus der Dt. Akademie der Wissenschaften. Ausbürgerung aus der DDR, Übersiedlung in die BRD.
S. 150

Haydn, Joseph 31.3.1732 Rohrau (Nieder-österr.) – 31.5.1809 Wien. Österr. Komponist.
S. 429

Hayler, Franz 29.8.1900 Schwarzenfeld. Kaufmann und Politiker. SS-Gruppenführer (1944). 1931 zur NSDAP. 1934 Leiter der Wirtschaftsgruppe Einzelhandel, 1938 der Gruppe Handel. Reichswirtschaftsrichter. 30.1.1938 Wehrwirtschaftsführer. 1942 MdR. 1943 – 45 Vertreter von Reichswirtschaftsminister Funk. 30.1.1944 Staatssekretär im Reichswirtschaftsministerium.
S. 471 f., 581

Hauff, Wilhelm 29.11.1802 Stuttgart – 18.11.1827 ebd. Dichter.
S. 531

Hebbel, Christian Friedrich 18.3.1813 Wesselburen – 13.12.1863 Wien. Dichter.
S. 170

Heesters, Johannes 5.12.1903 Amersfoort. Österr. Sänger und Schauspieler niederl. Herkunft. 1934 zur Wiener Volksoper, 1936 nach Berlin (u.a. Komische Oper; Metropoltheater). Filme u.a.: *Der Bettelstudent,* 1936; *Hochzeitsnacht im Paradies,* 1950.
S. 182

Heidegger, Martin 26.9.1899 Meßkirch – 26.5.1976 Freiburg i. Brsg. Philosoph. 1933 Rektor der Freiburger Universität. Akademisches Sprachrohr der neuen nat.soz. Machthaber, später Distanzierung vom Nat.soz. Nach dem Zweiten Weltkrieg vorzeitig emeritiert. Vorwürfe wegen Nähe zur NS-»Blut-und-Boden«-Ideologie.
S. 143

Heim, Heinrich 15.6.1900 – 26.6.1988 München. Ministerialrat im Stab Stellvertreter des Führers. 1920 zur NSDAP. Ministerialrat, langjähriger Adjutant Bormanns. Niederschrift der Tischgespräche Hitlers für den Zeitraum 5.7.1941 – 7.9.1942.
S. 759

Heinemann, Generalleutnant a. D.; Vorsitzender des Untersuchungs- und Schlichtungsausschusses (Uschla).
S. 623

Heinrichsdorff, Wolff. Ab 1939 Leiter der Antisemitischen Aktion, vormals Institut zum Studium der Judenfrage.
S. 365

Heisenberg, Werner 5.12.1901 Würzburg – 1.2.1976 München. Physiker. 1941 – 45 Direktor des Kaiser-Wilhelm-Instituts für Physik in Berlin. Nobelpreis 1932. Mitglied der Mittwochs-Gesellschaft. 1945 kurzzeitig in England interniert. In der BRD später Leitung des Max-Planck-Instituts für Physik.
S. 588

Heißmeyer, August 11.1.1897 Gellersen – 16.1.1979 Schwäbisch Hall. SS-Obergruppenführer (1939). 1925 zur NSDAP. Ende 1930 zur SS. 1935 Chef des SS-Hauptamtes. 1939 Chef der neugeschaffenen »Dienststelle Obergruppenführer H.«, in dieser Funktion Inspekteur der Napolas. Höherer SS- und Polizeiführer Berlin-Brandenburg. 19.11.1944 General der Waffen-SS. Nach dem Zweiten Weltkrieg als Hauptschuldiger eingestuft. Internierung und Vermögenseinzug.
S. 598, 720

Heller, Hermann 17.7.1891 Teschen – 5.11.1933 Madrid. Bedeutender Staatsrechtslehrer, Professor für Völkerrecht und Öffentliches Recht an der Universität Frankfurt/Main. 1932/33 entlassen.
S. 458

Henderson, Sir Neville Meyrick 10.6.1882 Sedgwick Park, Horsham (Sussex) – 30.12.1942 London. Brit. Diplomat. 1937-39 Botschafter in Berlin. Überzeugter Vertreter der Appeasement-Politik.
S. 73

Henk, Emil eigtl. Emil Rechberg. Schriftsteller und Widerstandskämpfer.
S. 662

Henlein, Konrad 6.5.1898 Maffersdorf bei Reichenberg – 10.5.1945 Pilsen. Sudetendt. Politiker. 1933 Gründung der Sudetendt. Heimatfront (ab 1935: Sudetendt. Partei). Sept. 1938

Reichskommissar für die sudetendt. Gebiete, ab 1.5.1939 Reichsstatthalter und Gauleiter des Sudetenlandes. Selbstmord in US-Gefangenenlager.
S. 505, 677, 754, 767, 785

Henrici Siedlungsbeauftragter im Stab des Stellvertreters des Führers.
S. 428

Hentschel, Willibald. 1858-1947. Seit 1904 Veröffentlichung der programmatischen Schrift »Mittgart«, in der die Idee der »Erneuerung der germanischen Rasse« vertreten wird, 1906 Gründung des »Mittgartbundes«, Ende der 20er Jahre Eintritt in die NSDAP, 1934 Austritt. Rassenhygieniker.
S. 376

Herzog, Oswald 14.3.1881 Haynau (Schlesien). Bildhauer u. Kunstschriftsteller.
S. 158

Herzog, Otto 30.10.1900 Zeiskam. SA-Obergruppenführer (1943). 1926 zur NSDAP. 1928 SA-Führer. 1932 MdR. 1934-36 Führer der SA-Gruppe Schlesien. 1936 Stabsführer der Obersten SA-Führung. 1.6.1939 Führer der SA-Gruppe Schlesien und Inspekteur der Gebirgs-SA.
S. 753

Heß, Rudolf 26.4.1894 Alexandria – 17.8.1987 Berlin-Spandau. Politiker. Beeinflußt von rechtsradikaler Thule-Gesellschaft. 1920 zur NSDAP. Teilnahme am Hitlerputsch, seit 1927 Privatsekretär, ab 1933 Stellvertreter Hitlers als Parteiführer im Ministerrang. 10.5.1941 wegen Friedenssondierung Flug nach England, über Schottland Absprung mit dem Fallschirm, von Hitler für geistesgestört erklärt, in Nürnberg zu lebenslanger Haft verurteilt. Nach 41jähriger Haft Selbstmord.
S. 15, 30, 87, 92, 136, 191, 195, 261, 348, 405, 474, 486, 509, 581, 584, 592, 603, 606, 619, 658, 747 f., 785, 789

Heuß, Alfred 27.6.1909 Gaubzsch (Leipzig) – 7.2.1995 Göttingen. Dt. Althistoriker.
S. 178

Heuss, Theodor 31.1.1884 Brackenheim bei Heilbronn – 12.12.1963 Stuttgart. Politiker und Publizist. 1918 Mitbegründer der DDP, 1924–33 MdR. 1933 verlor Heuss Reichstagsmandat und Dozentenstelle an der Hochschule für Politik in Berlin. 1945 Kultusminister von Württemberg, ab 12.9.1949 erster Präsident der BRD.
S. 11

Heyde, Werner 25.4.1902 Forst (Lausitz) – 13.2.1964 Butzbach. Ordinarius für Psychiatrie in Würzburg SS-Arzt als Standartenführer. 1933 zur NSDAP. 1939 Leiter des Reichsverbands dt. Krankenhäuser und Sanatorien sowie der Aktion T 4. Mitverantwortlich für die Ermordung von über 100 000 Kranken und Behinderten. 1946 in Abwesenheit zum Tode verurteilt, praktizierte Heyde, von dt. Behörden gedeckt, unter dem Pseud. Dr. Sawade als Gerichtsgutachter weiter. 1959 stellte er sich einem Frankfurter Gericht. Kurz vor Prozeßbeginn Selbstmord.
S. 152

Heydrich, Reinhard 7.3.1904 Halle – 4.6.1942 Prag (ermordet). Juli 1932 Chef des SD der SS. »Rechte Hand« des Reichsführers SS. 1936 Chef der Sicherheitspolizei und des SD, 1939 Zusammenfassung der Ressorts zum RSHA. Im Juli 1941 von Göring mit der Durchführung der »Endlösung« beauftragt. Seit September 1941 stellvertretender Reichsprotektor von Böhmen und Mähren, am 20.1.1942 Leitung der Wannsee-Konferenz. Am 27.5.1942 Attentat.
S. 60, 101, 196, 255, 276, 278, 354, 446 f., 465, 473, 476, 480 f., 493, 508, 524, 569, 579, 614, 647 f., 656, 669, 679 f., 693, 700, 718 f., 729, 735, 777, 794

Hiemer, Ernst. Journalist. Hauptschriftleiter des *Stürmer* 1938–41.
S. 754

Hierl, Konstantin 24.2.1875 Parsberg (Oberpfalz) – 23.9.1955 Heidelberg. 1927 zur NSDAP. 1933 Staatssekretär im Reichsarbeitsministerium und Beauftragter des Führers für den Reichsarbeitsdienst, 1935 Titel »Reichsarbeitsführer«. 1943 Reichsminister. 1945 als Hauptschuldiger eingestuft. Fünf Jahre Arbeitslager und Einzug des halben Vermögens. Nach Entlassung völkischer Publizist und Propagandist.
S. 664, 756

Hilferding, Rudolf 10.8.1877 Wien – 10.2.1941 Paris. Dt.-österr. Politiker und Sozialwissenschaftler. Anfänge in Wien als Kinderarzt. Führender Theoretiker der Sozialdemokratie (*Das Finanzkapital,* 1922). 1919–22 USPD, dann SPD. 1923 und 1928/29 Reichsfinanzminister. 1933 Flucht in die Schweiz. Starb nach Mißhandlungen in Gestapo-Haft.
S. 458, 652

Hilgenfeldt, Erich 2.7.1897 Heinitz (Kreis Ottweiler). Nat.soz. Funktionär, Reichsleiter. 1929 zur NSDAP. 1933 Gauinspektor von Groß-Berlin. Leiter der NS-Volkswohlfahrt.
S. 619, 804

Hilpert, Heinz 1.3.1890 Berlin – 25.11.1967 Göttingen. Regisseur. 1926-32 Oberregisseur am Dt. Theater in Berlin. 1934 Übernahme der Reinhardt-Bühne. 1950-56 Intendant in Göttingen.
S. 170

Hilz, Sepp. Maler, Professor. Einer der Lieblingsmaler Hitlers unter den Zeitgenossen.
S. 156 f.

Himmler, Heinrich 7.10.1900 München – 23.5.1945 Lüneburg (Selbstmord). Seit den frühen 20er Jahren im Dunstkreis Hitlers und der NSDAP. Teilnahme am Hitlerputsch. Projizierung seiner geistigen Heimatsuche auf Hitler und die nat.soz. Weltanschauung. Umsetzung der Vorstellungen von Rasse, Auslese und Führertum, untermauert von »Blut-und-Boden«-Ideologie in der SS (seit 1925). 1929 Reichsführer SS, 1934 stellvertretender preuß. Gestapo-Chef, seit 17.6.1936 als Reichsführer SS und Chef der Dt. Polizei Herr über den gesamten nat.soz. Unterdrückungs- und Terrorapparat. 1939 Reichskommissar für die Festigung dt. Volkstums, 1943 Reichsinnenminister, 1944 Befehl über das Ersatzheer, 1945 in brit. Kriegsgefangenschaft. Selbstmord.
S. 20, 31, 37 f., 46, 53, 60, 64, 85, 90, 92 f., 101 ff., 141, 152, 155, 196, 208, 225, 276 ff., 283, 285, 331, 339 f., 353–356, 377, 379, 382, 390, 397, 400, 405 f., 412 f., 424 f., 439, 443, 446, 465, 471 ff., 480 f., 483, 485, 487, 493 ff., 518 f., 523, 539, 543, 561, 564, 573, 581, 583, 594, 598, 615, 622, 637, 645, 647 f., 650, 656 f., 659, 661, 664, 669, 677, 683, 693, 704, 717 ff., 731, 732, 734, 742 f., 749, 751, 764, 785, 788, 791 f., 803, 798 ff., 808 ff.

Hindenburg, Paul von Beneckendorff und von H. 2.10.1847 Posen – 2.8.1934 Gut Neudeck bei Freystadt (Westpreußen). Generalfeldmarschall (1914) und Politiker. 1916 Übernahme der Obersten Heeresleitung. 1925 Reichspräsident. 30.1.1933 Ernennung Hitlers zum Reichskanzler.
S. 28 f., 100, 313, 338, 438, 511, 522 f., 577 f., 622 f., 651, 668, 688, 695, 704, 810

Hindemith, Paul 16.11.1895 Hanau – 28.12.1963 Frankfurt a. M. Komponist. Aus völkisch-nationalen Kreisen Vorwurf des »Musikbolschewismus«. 1938 über die Schweiz Emigration in die USA, 1953 Rückkehr nach Europa. Werke u.a.: *Mathis der Maler*, Oper 1934; Sinfonien, Klavierwerke, Lieder u.a.
S. 176, 178 f.

Hinkel, Hans 22.6.1901 Worms – 8.2.1960 Göttingen. Journalist. Ministerialbeamter. 1921 zur NSDAP. 1930-32 Redakteur für den Berliner *Völkischen Beobachter.* Seit 1935 im Reichspropagandaministerium, Sonderbeauftragter für »Kulturpersonalien«. Seit Mai 1933 Geschäftsführer der Reichskulturkammer. Ende 1942 Chef des Unterhaltungsprogramms im Rundfunk. 1943 SS-Gruppenführer, 1944 Leiter der Filmabteilung im Propagandaministerium. Drehte im Auftrag Hitlers Film von den Prozessen gegen die Verschwörer des 20. Juli 1944.
S. 560, 638, 766

Hinz, Werner 18.1.1903 Berlin – 10.2.1985. Bühnen- und Filmschauspieler. Filme u.a.: *Der alte und der junge König,* 1935; *Ohm Krüger,* 1941.
S. 624

Hippler, Fritz 1909. Filmregisseur (*Der ewige Jude,* 1940). Reichsfilmintendant und Leiter der Abteilung Film im Reichspropagandaministerium.
S. 172, 175, 452

Hirohito 29.4.1901 Tokio – 7.1.1989 ebd. Jap. Kaiser. 1921 Regent, 1926 Kaiser (124. Tenno). Seit 1947 reine Repräsentationsfunktion.
S. 527

Hirsch, Helmut 27.1.1916 Stuttgart – 4.6.1937 Berlin-Plötzensee (hingerichtet). Graphiker, Lyriker, Widerstandskämpfer. 1936 Kontakt zur Schwarzen Front O. Straßers (Auftrag zum Attentat auf Hitler). Vom Volksgerichtshof wegen versuchten Sprengstoffanschlags auf Hitler bzw. Julius Streicher im Dezember 1936 auf dem Nürnberger Reichsparteitagsgelände zum Tode verurteilt.
S. 378

Hirsch, Otto 1885 Stuttgart – 19.6.1941 KZ Mauthausen (ermordet). Rechtsanwalt. 1933 geschäftsführ. Vorsitzender der Reichsvertretung der Juden in Deutschland.
S. 698

Hirt, August 29.4.1898 Mannheim – 2.6.1945 Schönenbach (Selbstmord). Mediziner an der »Reichsuniversität« Straßburg. Durchführung von Menschenversuchen an Häftlingen des KZ Natzweiler. Von frz. Militärgericht in Metz zum Tode verurteilt, nahm sich vor der Vollstreckung das Leben.
S. 353, 583, 609

Hirtsiefer, Heinrich 26.4.1876 Essen – 15.5.1941 Berlin. Politiker. 1919–33 Zentrumsabgeordneter im Preuß. Landtag. 1921–33 preuß. Minister für Volkswohlfahrt, Stellvertreter Otto Brauns. 1933 in »Schutzhaft«, KZ, 1934 amnestiert.
S. 543

Hitler, Adolf 20.4.1889 Braunau (Österreich) – 30.4.1945 Berlin. Begründer und Zerstörer des »Dritten Reiches«. Frühes Scheitern als Künstler, Teilnahme am Ersten Weltkrieg, 1919 nach Verwundung Propagandist der DAP, 1920 Umbenennung in NSDAP mit Hitler als »Führer«. Nach gescheitertem Putschversuch Festungshaft *(Mein Kampf),* 1925 Neugründung der nat.soz. Bewegung. Legalitätskurs zur politischen Macht. Hitler bündelte in seiner Person und im »Programm« der Nat.soz. die Unzufriedenheit und Orientierungslosigkeit eines durch verlorenen Krieg und Wirtschaftskrise in seinem Selbstverständnis erschütterten und verstörten Nachkriegsdeutschland. 30.1.1933 Er-

nennung zum Reichskanzler. Seit 2.8.1934 »Führer und Reichskanzler«. Scheitern des rechtskonservativen Zähmungskonzepts, Errichtung der NS-Diktatur, Beseitigung jeder politischen und gesellschaftlichen Opposition. Der Verantwortung für seine Verbrechen entzog Hitler sich durch Selbstmord im Bunker unter der Reichskanzlei.
S. 11-20, 22-43, 45, 48 f., 57-61, 66-72, 73, 74-85, 87-92, 94 f., 99, 100-106, 108 f., 113 f., 137, 140 f., 144, 152, 154, 156 f., 159, 175 f., 178 f., 184, 188-191, 193 ff., 200, 203, 206 f., 209, 212 f., 220 ff., 224, 226, 230 f., 235, 245, 249, 251, 254, 259-262, 266 f., 270, 282, 291, 296, 301, 309-317, 319 f., 325 ff., 339 ff.; in Teil II passim.

Hoche, Alfred 1.10.1865 Wildenhain – 16.5.1943 Baden-Baden. Dt. Psychiater (Ordinarius an der Universität Freiburg) und Schriftsteller. Publizierte 1920 zus. mit Binding *Freigabe der Vernichtung lebensunwerten Lebens.* Von den Nat.soz. als »verdienter Vorkämpfer« der Euthanasie geschätzt.
S. 236

Hodscha, Enver 16.10.1908 GjirokastÎr. Alban. Politiker. 1941 1. Provisorischer Sekretär der von ihm gegründeten KP. 1944-54 Ministerpräsident (bis 1953 auch Innen- und Außenminister). Seit 1954 1. Sekretär des ZK der Partei. 1985 gestürzt.
S. 356

Höffer, Paul 21.12.1895 Barmen – 31.8.1949 Berlin. Dt. Komponist, seit 1923 Lehrer an der Berliner Musikhochschule, 1948 deren Direktor.
S. 179

Hoffmann von Fallersleben, August Heinrich, eigtl. A.H. Hoffmann, 2.4.1798 Fallersleben bei Braunschweig – 19.1.1874 Schloß Corvey (Westfalen). Dt. Germanist und Lyriker. Verfasser des »Deutschlandliedes« (1841).
S. 429

Höfle, Hermann 19.6.1911 Salzburg – 1962 Wien (Selbstmord). SS-Sturmbannführer (1942). 1.8.1933 zu NSDAP und SS. 1939 Referent im Stab des SS- und Polizeiführers in Lublin. 1.11.1940 Leiter des Zwangsarbeitslagers am Burg-Graben. 1942 Leiter der Hauptabteilung »Einsatz Reinhardt« beim SS- und Polizeiführer in Lublin. 15.2.-7.3.1944 SS-Totenkopf-Wachbataillon KZ Sachsenhausen. 1.6.1944 Fachführer beim Höheren SS- und Polizeiführer Griechenland. 13.6.1944 SS-Hauptamt, Fachgruppe »Erfassung«.
S. 796

Höfler, Otto 10.5.1901 Wien – 24.8.1987 ebd. Österr. Volkskundler, 1938-45 und auch in der Nachkriegszeit Professor in München (*Germanische Kontinuität im dt. Brauchtum,* 1937).
S. 423

Höflich, Lucie, eigtl. von Holwede, 20.2.1883 Hannover – 9.10.1956 Berlin. Filmschauspielerin (*Ohm Krüger,* 1941).
S. 624

Hoepner, Erich 14.9.1886 Frankfurt/Oder – 8.8.1944 Berlin. Generaloberst (19.7.1940). Als Kommandeur von Panzerverbänden entscheidenden Anteil an den dt. Siegen in Polen und Frankreich. Ende 1941 gegen Hitlers Willen Befehl zum Rückzug vor Moskau als Oberbefehlshaber der 4. Panzerarmee. Am 8.1.1942 seines Postens enthoben. Nach Entlassung aus der Wehrmacht Kontakt zum militärischen Widerstand und aktive Teilnahme am Staatsstreichversuch vom 20. Juli 1944. Todesurteil durch den Volksgerichtshof am 8.8.1944.
S. 815

Hoerschelmann, Fred von 16.11.1901 Haapsalu (Estland) – 2.7.1976 Tübingen. Schriftsteller. Hörspielautor (*Das Schiff Esperanza,* 1953; *Die verschlossene Tür,* 1958).
S. 520

Höhn, Reinhard *29.7.1904 Gräfenthal. Jurist. SS-Oberführer. Direktor des Instituts für Staatsforschung in Berlin. Seit 1956 Leiter der Akadamie für Führungskräfte der Wirtschaft, einer der größten europäischen Managerschulen. Werke u.a.: *Rechts-gemeinschaft und Volksgemeinschaft,* 1935.
S. 86, 786

Hönmanns. Luftwaffenoffizier (Mechelen-Zwischenfall).
S. 580

Hörbiger, Hanns 29.11.1860 Atzgersdorf b. Wien – 11.10.1931 Mauer b. Wien. Österr. Ingenieur. Entwickler der sog. Welteislehre.
S. 801

Höß, Rudolf 25.11.1900 Baden-Baden – 16.4.1947 Auschwitz (hingerichtet). KZ-Kommandant. 1922 zur NSDAP. Wegen Fememord 1923 zehn Jahre Haft, 1928 amnestiert. 1934 in die SS, Block- und Rapportführer im KZ Dachau, 1938 KZ Sachsenhausen. 1.5.1940-Nov. 1943 Kommandant von Auschwitz I und II. Anschließend Leiter der Amtsgruppe D (KZ) im WVHA. Mai 1944 kurzzeitig zurück nach Auschwitz, um die Ermordung der ungarischen Juden zu organisieren. 11.3.1946 Verhaftung durch brit. Militärpolizei. 5.6.1946 Überstellung nach Polen. Todesurteil durch Oberstes Volksgericht in Warschau. Vor seinem früheren Wohnhaus erhängt. Bekenntnis guten Gewissens für sein Handeln in in seinen während der Haft verfaßten Memoiren *Kommandant in Auschwitz* (1958 in der BRD erschienen).
S. 377, 382 f., 477, 815

Hofer, Franz 27.11.1902 Badgastein – 18.2.1975 München. Österr. Politiker. Kaufmann. 1932

Gauleiter von Tirol-Vorarlberg. 1933 Verurteilung zu 30 Monaten Haft, Flucht nach Deutschland. Nach Anschluß Österreichs erneut Gauleiter, 1940 Reichsstatthalter. Oberster Kommissar der im Herbst 1943 eingerichteten Zivilverwaltung der Operationszone Alpenvorland. 1950 vom Innsbrucker Volksgericht des Hochverrats schuldig gesprochen.
S. 357 f., 756

Hoffmann, Ernst Theodor Amadeus, eigtl. E.T. Wilhelm H., 24.1.1776 Königsberg – 25.6.1822 Berlin. Dt. Dichter, Komponist, Zeichner und Maler. Jurist.
S. 172

Hoffmann, Heinrich 12.9.1885 Fürth – 16.12.1957 München. Fotograf. Seit den 20er Jahren im engsten Kreis um Hitler, an dessen Bildern er nahezu Exklusivrechte besaß. Bis 1945 ca. 2,5 Mio. Exemplare der Aufnahmen von Hitler. Zahlreiche Bildpublikationen, u.a. *Hitler, wie ihn keiner kennt; Hitler befreit das Sudetenland* u.ä.
S. 40, 47, 522, 779

Hoffmann, Jacob 1881 Papa (Ungarn) – 1956 Tel Aviv. Rabbiner. Vertreter der orthodoxen Juden in der Reichsvertretung der dt. Juden. 1937 Emigration USA, 1955 nach Israel.
S. 698

Hollaender, Friedrich 18.10.1896 London – 18.1.1976 München. Komponist. Einer der populärsten Chansonkomponisten des frühen dt. Tonfilms (»Ich bin von Kopf bis Fuß auf Liebe eingestellt«, Marlene Dietrich in: *Der blaue Engel,* 1930). 1933 Emigration in die USA. In Hollywood weitere Songs für die Dietrich in *Destry rides again* (1939), *Seven sinners,* 1940. Nach Rückkehr nach Deutschland 1956 Bundesfilmpreis für besondere Verdienste um den dt. Film.
S. 182

Holz, Karl 27.12.1895 Nürnberg – 20.4.1945 (gefallen). Journalist und Politiker. 1922 zur NSDAP. 1927–33 Redakteur beim *Stürmer.* 1933 MdR. 1934 Stellvertretender Gauleiter in Franken. Seit März 1942 mit der Führung des Gaus Franken beauftragt, November1944 Gauleiter. SA-Gruppenführer.
S. 754

Hommel, Konrad * 16.2.1883 München. Dt. Maler (Figuren, Landschaften). Ab 1912 Mitglied der Münchner Sezession.
S. 157

Hoppe, Marianne * 26.4.1911 Rostock. Theater- und Filmschauspielerin. Verkörperung psychologisch vielschichtiger Rollen. Filme u.a.: *Der Schritt vom Wege,* 1939; *Romanze in Moll,* 1943.
S. 170

Horkheimer, Max 14.2.1895 Stuttgart – 7.7.1973 Nürnberg. Philosoph und Soziologe. 1930–33 Direktor des von ihm mitgegründeten Frankfurter Instituts für Sozialforschung. 1933 Emigration. 1934 Fortführung des Instituts in New York. 1932-39 Herausgeber der *Zeitschrift für Sozialforschung,* 1940-42 *Studies in Philosophy and Social Science.* 1943/44 Direktor der wissenschaftlichen Abteilung des American Jewish Committee. 1949 zurück nach Frankfurt, 1950 Leiter des wiedererrichteten Instituts. Mit Th.W.Adorno Begründer der sog. Frankfurter Schule.
S. 108, 457

Horney, Brigitte (Sonni) 29.3.1911 Berlin – 27.7.1988 Hamburg. Schauspielerin. Leinwanddebüt 1930 unter der Regie Robert Siodmaks in *Abschied.* Weitere Filme u.a.: *Savoy Hotel 217,* 1936; *Münchhausen,* 1943; *Nacht fiel über Gotenhafen,* 1960.
S. 174

Horthy, Miklós (Nikolaus H. von Nagybánya) 18.6.1868 Kenderes – 9.2.1957 Estoril. Ungar. Politiker. 1918 Konteradmiral und Oberbefehlshaber der österr.-ungar. Flotte. 1919 Kriegsminister, Oberbefehlshaber der gegenrevolutionären Nationalarmee. Reichsverweser 1920-Oktober 1944. In Deutschland interniert. Seit 1948 in Portugal.
S. 456, 771 f.

Horváth, Ödön von (Edmund von H.) 9.12.1901 Fiume (Rijeka) – 1.6.1938 Paris. Österr. Schriftsteller, Bühnenautor. 1934-38 in Berlin, Emigration nach Frankreich. Werke u.a.: *Der ewige Spießer,* Roman 1930; *Geschichten aus dem Wienerwald,* 1931; *Kasimir und Karoline,* 1932; *Glaube, Liebe, Hoffnung,* 1936; *Jugend ohne Gott,* Roman 1938.
S. 170

Hoßbach, Friedrich 21.11.1894 Unna – 10.9.1980 Göttingen. General der Infanterie (1.11.1943). 3.8.1934-28.1.1938 Chef der Zentralabteilung des Generalstabs und Wehrmachtsadjutant Hitlers. 1943 Kommandierender General des 56. Panzerkorps'. Okt. 1944 Oberbefehlshaber der 4. Armee, 28.1.1945 wegen eigenmächtigen Rückzugs aus Ostpreußen seines Kommandos enthoben.
S. 78, 520

Hoyer, Hermann *Otto 15.1.1893 Bremen. Bildnis- und Landschaftsmaler.
S. 157

Hubay, Kálmán Ungar. Politiker. 1939 Gründer der Pfeilkreuzpartei.
S. 639

Huber, Ernst Rudolf 8.6.1903 Idar-Oberstein – 28.10.1990 Freiburg i.B. Staatsrechtslehrer in Kiel, Leipzig und Straßburg. Autor des führen-

den Lehrbuchs des nat.soz. Verfassungsrechts. 1962–1968 Professor in Göttingen (*Dt. Verfassungsgeschichte seit 1789* in 7 Bdn.).
S. 23, 29, 86

Huber, Kurt 24.10.1893 Chur (Schweiz) – 13.7.1943 München (hingerichtet). Dt. Musikwissenschaftler und Widerstandskämpfer. Zentrum des studentischen Widerstandskreises Weiße Rose. Am 27.2.1943 von der Gestapo verhaftet, vom Volksgerichtshof zum Tode verurteilt.
S. 317, 424, 800 f.

Huchel, Peter 3.4.1903 Berlin – 30.4.1981 Staufen. Lyriker und Hörspielautor. Chefredakteur der DDR-Kultruzeitschrift *Sinn und Form.* April 1971 in den Westen (zunächst Villa Massimo in Rom), ließ sich im badischen Staufen nieder. 1976 Mitglied des Ordens Pour le mérite.
S. 169

Hugenberg, Alfred 19.6.1865 Hannover – 12.3.1951 Kükenbruch bei Rinteln. Politiker. 1909-18 Direktor in der Firma Krupp. In den 20er Jahren Aufbau eines gigantischen Medienkonzerns (Zeitungen, Ufa, Nachrichtenagenturen). Seit 1920 MdR, rechter Flügel der DNVP und 1928 deren Vorsitzender. Bildung der nationalen Sammlungsbewegung Harzburger Front. Wegbereiter der nat.soz. »Machtergreifung«. Minister für Wirtschaft und Ernährung im ersten Kabinett Hitler, am 27.6.1933 zum Rücktritt gezwungen. Verkauf der Ufa 1937, des Scherl-Verlags 1944. Nach dem Zweiten Weltkrieg Internierung, 1951 Einstufung als »Entlasteter«.
S. 68, 174, 429, 502, 521, 769

Hull, Cordell 2.10.1871 Overton County (Tenn.) – 23.7.1955 Washington. Amerik. Politiker (Demokrat). 1933-44 Außenminister. 1945 Friedensnobelpreis für die Vorbereitung der UN.
S. 589

Husen, Paulus van 1891-1971. Jurist im OKW ab 1941. Dt. Widerstandskämpfer. Mitglied des Kreisauer Kreises.
S. 552

Inönü, Ismet, eigtl. Mustafa Ismet, 24.9.1884 Izmir – 25.12.1973 Ankara. Türk. Politiker. 1922-24 Außenminister. 1923/24 und 1925–37 Ministerpräsident. 1938–50 Staatspräsident. Verfechter der türk. Neutralität im Zweiten Weltkrieg bis Februar 1945. 1946–72 Vorsitzender der Republikanischen Volkspartei. 1961–65 Ministerpräsident.
S. 768

Jacob, Franz 1906 – 18.9.1944 (hingerichtet). Kommunistischer Funktionär. Widerstandskämpfer. Mitglied der Bästlein-Gruppe, von 1940–42 in Nordwestdeutschland, Hamburg und Berlin, dort in der Saefkow-Jacob-Gruppe aktiv.
S. 310, 390, 711

Jäger, Karl 20.9.1888 Schaffhausen – 22.6.1959. SS-Standartenführer. Kaufmann. 1923 zur NSDAP. Seit 1932 SS. 1938 Leitung des SD-Abschnitts Münster. Juni 1941 Kommandeur des Einsatzkommandos 3 der Einsatzgruppe A, später Kommandeur der Sipo und des SD in Kauen (Kaunas). Verantwortlich für Massenerschießungen. Herbst 1943 zurück nach Münster, dann Polizeipräsident in Regensburg. Nach dem Krieg bis April 1959 als Landarbeiter getarnt. Selbstmord in Untersuchungshaft.
S. 543

Jaffe, Moshe † 1942 (ermordet). Vorsitzender des Judenrats im Ghetto Minsk.
S. 584

Janitzky, Erich † 1933. Maschinenbauer, KPD-Mitglied. Von SA ermordet.
S. 550

Jannings, Emil 23.7.1884 Rorschach (Schweiz) – 2.1.1950 Strobl (Österreich). Charakterdarsteller auf der Bühne und im Film. Als einer der ersten europäischen Schauspieler in den 20er Jahren von Hollywood abgeworben. Erster Oscar der Filmgeschichte 1928 für *The way of all flesh* (1927) und *The last command* (1928). Rückkehr nach Deutschland. Politische und künstlerische Bindung an das NS-Regime, Verehrung mit personenkulthaften Zügen. 1938 Verleihung des Adlerschilds, 1941 Staatsschauspieler. 1945 Arbeitsverbot durch die Alliierten. Filme u.a.: *Der blaue Engel,* 1930; *Robert Koch,* 1939; *Ohm Krüger,* 1941; *Die Entlassung,* 1942.
S. 174, 624

Jarosch, Ernst. Leiter des 1944 eingerichteten Referats »Sippenhaft« im RSHA.
S. 730

Jaruzelski, Wojciech Witold * 6.7.1923 Kurów bei Lublin. Poln. General (1957) und Politiker. 1947 zur Poln. Arbeiterpartei (PPR). Seit 1965 Chef des Generalstabs. Seit 1964 im ZK der Vereinigten PPR, seit 1971 im Politbüro. 11.2.1981–6.11.1985 Ministerpräsident, 1985–1989 Staatsoberhaupt, 1989 zum Staatspräsidenten gewählt, Ende 1990 zurückgetreten.
S. 542

Jeckeln, Friedrich 2.12.1895 Hornberg. (Schwarzwald) – 3.2-1946 Riga (hingerichtet). Höherer SS- und Polizeiführer in Rußland. Seit 1929 NSDAP-Mitglied, 1930 zur SS. 1931 Führer des SS-Abschnitts IV (Nord), dann des SS-Oberabschnitts Mitte als SS-Gruppenführer. Leiter Landespolizei(amt) Braunschweig. 1936 SS-Obergruppenführer. 1932 MdR. Juni 1941

HSSPF Rußland-Süd, ab Dez. 1941 Rußland-Nord und Führer des SS-Oberabschnitts Ostland. Zuletzt Kommandeur des V. Waffen-SS-Armee-Korps. 3.2.1946 Todesurteil eines sowjetischen Gerichts in Riga, das sofort vollstreckt wurde.
S. 518

Jellinek, Erwin. Journalist und Politiker. Hauptschriftleiter des *Stürmer* 1941–45.
S. 754

Jelusich, Mirko 12.12.1886 Semilpodmoklitz b. Prag – 22.6.1969 Wien. Österr. Schriftsteller, 1938 zeitweilig Leiter des Burgtheaters.
S. 705

Jennings, H. Brit. Filmregisseur *(The silent village).*
S. 569

Jessel, Leon 22.1.1871 Stettin – 4.1.1942 Berlin. Komponist, vornehmlich Opern u. Operetten (*Schwarzwaldmädel,* 1917). 1934 Aufführungsverbot wegen jüdischer Herkunft. 1941 Gestapo-Haft. Tod infolge von Mißhandlungen im Jüdischen Krankenhaus Berlin.
S. 176

Jessen, Peter Jens 11.12.1895 Stoltelund – 30.11.1944 Berlin (hingerichtet). National-ökonom. Mitglied des Wirtschaftspolitischen Amtes der NSDAP. Mitglied der Akademie für Dt. Recht und der Mittwochs-Gesellschaft. Nach dem Attentat vom 20. Juli 1944 verhaftet, Todesurteil durch Volksgerichtshof.
S. 588

Jessner, Leopold 3.3.1878 Königsberg – 13.12.1945 Los Angeles/Hollywood. Regisseur. 1919-30 Leiter des Berliner Staatstheaters. 1933 Emigration. Expressionistische Inszenierungen (u.a. *Hamlet,* 1926).
S. 170

Joachim von Fiore (J. von Floris) um 1130 Celico bei Cosenza – 1202 San Giovanni in Fiore. Ital. Theologe, Mönch und Ordensgründer, bedeutender Geschichtsphilosoph (Trinitätslehre, Ankündigung des »Dritten Reiches«).
S. 435

Jodl, Alfred 10.5.1890 Würzburg – 16.10.1946 Nürnberg (hingerichtet). Generaloberst (30.1.1944). 23.8.1939 Chef des Wehrmachtführungsamtes, seit 8.8.1940 Wehrmachtführungsstab. Engster militärischer Berater Hitlers. An allen militärischen Planungen beteiligt. Am 7.5.1945 Unterzeichnung der bedingungslosen Kapitulation. Am 1.10.1946 in allen Anklagepunkten (u.a. Verbrechen gegen die Menschlichkeit) für schuldig befunden und zum Tode verurteilt.
S. 102, 106, 322, 541, 621

Johst, Hanns 8.7.1890 Seehausen (Sachsen) – 23.11.1978 Ruhpolding. Schriftsteller. Bekenntnis zur NS-Weltanschauung, nationalistischer Autor (*Schlageter,* 1932). 1935-45 Präsident der Akademie für Dt. Dichtung und der Reichsschrifttumskammer, zahlreiche Auszeichnungen für sein Werk, in welchem er den Nat.soz. und dessen Ideologie feierte. Als »Hauptschuldiger« im Berufungsverfahren nach dem Zweiten Weltkrieg zu Arbeitslager und zehnjährigem Publikationsverbot verurteilt.
S. 167

Joyce, William Brokke (Lord Haw-Haw) 24.4.1906 New York – 3.1.1946 London (hingerichtet). Ir.-dt. Propagandist. Mitglied der brit. Faschisten. 26.8.1939 mit brit. Paß nach Berlin, Anstellung beim dt. Rundfunk. 26.9.1940 dt. Staatsbürger. 28.5.1945 von brit. Streife verhaftet, zum Tode verurteilt.
S. 572

Jünger, Ernst * 29.3.1895 Heidelberg. Schriftsteller und Essayist. In den frühen Werken Krieg als inneres Erlebnis (In *Stahlgewittern,* 1920). Einer der intellektuellen Wegbereiter des Nat.-soz., aber Abrechnung mit dem als geistlos empfundenen Totalitarismus der NS-Massenbewegung (*Auf den Marmorklippen,* 1939). Zahlreiche Ehrungen in der Bundesrepublik Deutschland und Frankreich. Eine Distanzierung Jüngers von dem elitären, antidemokratischen Denken insbes. seines Frühwerkes blieb bis heute aus.
S. 169

Jüttner, Hans 1884 Saalfeld – 1965 München. SS-Obergruppenführer, General der Waffen-SS. Leiter des SS-Führungs-Hauptamtes.
S. 792

Juliani, Oberst. Befehlshaber der ital. Landschutzmiliz und der Einheit »Tagliamento« in der Operationszone Adriatisches Küstenland.
S. 352

Jung, Edgar 6.3.1894 Ludwigshafen – 30.6./1.7.1934 Oranienburg. Rechtskonservativer Publizist und Politiker, Antidemokrat. Verfasser der Marburger Rede Vizekanzler Franz von Papens. Am 25.6.1934 verhaftet, kurz darauf ermordet.
S. 312 f., 578 f., 704

Jung, Rudolf 16.4.1882 Plass b. Pilsen – 11.12.1945 Pankraz-Gefängnis Prag. Sudetendt. Politiker. Abgeordneter. Theoretiker der Dt. Nat.soz. Arbeiterpartei. Programmschrift *Nationaler Sozialismus* (1919). MdR seit März 1936, 1938 Professorentitel und Rang eines Gauleiters durch Hitler verliehen.
S. 600

Junghanns, Julius Paul 8.6.1876 Wien – 3.4.1958 Düsseldorf. Österr. Tiermaler und Radierer. 1937 Ehrenmitglied der Münchner Akademie.
S. 156

Kaas, Ludwig 23.5.1881 Trier – 25.4.1952 Rom. katholischer Theologe und Politiker. 1920–23 MdR. 1928–33 Vorsitzender der Zentrumspartei. 1933 für Zustimmung zum Ermächtigungsgesetz. Im röm. Exil Berater Papst Pius' XII.
S. 810

Kahr, Gustav Ritter von 29.11.1862 Weißenburg in Bayern – 30.6.1934 München. 1920/21 bayer. Ministerpräsident. Sept. 1923 Generalstaatskommissar. Scheinbar auf seiten der Hitler-Putschisten, ließ er den Putsch am 9.11.1923 niederschlagen. Im Zuge des »Röhm-Putsches« ermordet.
S. 515, 704

Kaiser, Jakob 8.2.1888 Hammelburg – 7.5.1961 Berlin. Dt. Politiker. 1933 MdR (Zentrum). Seit 1912 in der christlichen Gewerkschaftsbewegung. Mitglied des Widerstandskreises des 20. Juli 1944. 1945 Mitbegründer der CDU in der sowj. Besatzungszone. 1948/49 Mitglied des Parlamentarischen Rates, 1949-57 MdB. Minister für gesamtdt. Fragen, bis 1958 stellvertretender CDU-Vorsitzender.
S. 492

Kállay, Miklós 1887 – 1967. Ungar. Politiker. Ministerpräsident 9.3.1942-19.3.1944. Außenminister 1942/43.
S. 771 f.

Kaltenbrunner, Ernst 4.10.1903 Ried (Innkreis) – 16.10.1946 Nürnberg (hingerichtet). Österr. Jurist, Nationalsozialist, SS-Obergruppenführer (10.1.1943). 1932 zur NSDAP. Ab 30.1.1943 als Nachfolger Heydrichs Chef des RSHA. Rücksichtsloser Machtpolitiker, der in keiner Weise vom brutalen Stil seines Vorgängers abging. Am 1.10.1946 zum Tode verurteilt.
S. 278, 476, 693

Kaminski, Bonislaw Wladislawowitsch * 16.4.1901 – 1944 (ermordet). Ingenieur. Russ. Bandenführer. Als Bürgermeister im Rayon Lokot/Brajansk militärische Zus.arbeit mit den Dtn. Eigener bewaffneter Verband (Brigade K.). SS-Oberführer. Herbst 1943 Rückzug der Brigade zus. mit den dt. Truppen. Einsatz während des Warschauer Aufstands 1944, anschließend Liquidierung K.s auf Befehl Himmlers wegen der unmenschlichen Grausamkeiten der Brigade K. Der Rest des Truppenverbands wurde der Wlassow-Armee (600. Inf. Div.) zugeordnet.
S. 362, 539

Kampf, A.
S. 156

Kampmann, Karoly * 13.2.1902 Budapest. Politiker und Journalist. 1930 zur NSDAP. 1.1.1933–31.3.1934 Hauptschriftleiter des *Angriff,* seit 1933 *Tageszeitung der DAF.* Juni 1934 Pressechef des Reichsarbeitsdienstes. 1932 Mitglied des Preuß. Landtages.1933 MdR. Vizepräsident des Dt. Presseclubs. Ständiges Mitglied der Reichsarbeitskammer. 1943 Generalarbeitsführer und Chef des Presse- und Propagandaamtes beim Reichsarbeitsführer in Berlin.
S. 362

Kantorowicz, Alfred 12.8.1899 Berlin – 27.3.1979 Hamburg. Literaturhistoriker und Schriftsteller. 1931 zur KPD. 1933 Emigration nach Frankreich. 1938/39 Offizier im Span. Bürgerkrieg. Während des Zweiten Weltkriegs in den USA. 1946 nach Berlin (Ost). 1957 in die BRD.
S. 567

Kantorowicz, Hermann 18.11.1877 Posen – 12.2.1940 Cambridge (England). Jurist. Professor in Freiburg und Kiel, bedeutender Spezialist für mittelalterliches Recht. 1933 Emigration in die USA.
S. 556

Kappler, Herbert * 23.9.1907 Stuttgart. SS-Obersturmbannführer. Dt. Polizeichef von Rom.
S. 466

Kasack, Hermann 24.7.1896 Potsdam – 10.1.1966 Stuttgart. Schriftsteller. Mitbegründer des dt. PEN-Zentrums. 1953-63 Präsident der Dt. Akademie für Sprache und Dichtung. Werke u.a.: *Die Stadt hinter dem Strom,* Roman 1947.
S. 169

Kästner, Erich 23.2.1899 Dresden – 29.7.1974 München. Schriftsteller. Politisch-satirische Lyrik und Jugendbücher. 1933 Publikationsverbot. Drehbuch für *Münchhausen* (1942) mit Sondergenehmigung., danach völliges Schreibverbot. Werke u.a.: *Emil und die Detektive,* 1928; *Fabian,* Roman 1931; *Die Schule der Diktatoren,* 1957.
S. 168, 175, 407

Käutner, Helmut 25.3.1908 Düsseldorf – 20.4.1980 Castellina (Toskana). Dt. Schauspieler, Regisseur und Autor. Abgrenzung von der offiziellen NS-Ideologie. Innere Emigration. Seine Filme zählen zu den bedeutendsten der Zeit 1933-45; selbst von Goebbels anerkannt als Avantgarde-Filmkunst. Filme als Regisseur u.a.: *Große Freiheit Nr. 7,* 1944; *Unter den Brücken,* 1945.
S. 174, 175

Kaufmann, Karl 10.10.1900 Krefeld – 4.12.1969 Hamburg. SS-Obergruppenführer (1942). Mitbegründer der NSDAP im Ruhrgebiet. Seit 1925 Gauleiter Bezirk Rheinland-Nord. 1929-45 Gauleiter von Hamburg. 1930 MdR. 1942 Reichskommissar für die deutsche Seefahrt. 1945 gegen Befehl kampflose Übergabe Hamburgs an die Briten.
S. 473

Kehrl, Hans * 8.9.1900 Brandenburg. Dt. Industrieller und Politiker. Mai 1933 Gauwirt-

schaftsberater der NSDAP, Gau Kurmark, und Präsident der Industrie- und Handelskammer für die Niederlausitz. Generalreferent im Reichswirtschaftsministerium. 16.9.1943 Leiter des Planungsamtes, 1.11.1943 Leiter des Rohstoffamtes im Rüstungsministerium. Mitglied in zahlreichen Aufsichtsräten, u.a. Alpine Montan AG »Hermann Göring«. 11.4.1949 in Nürnberg zu 15 Jahren Haft verurteilt.
S. 471

Keitel, Wilhelm 22.9.1882 Helmscherode (Harz) – 16.10.1946 Nürnberg (hingerichtet). Generalfeldmarschall (19.7.1940). 1.10.1935 Chef des Wehrmachtamtes im Reichswehrministerium. 4.2.1938 Chef des OKW. Tief verstrickt in die verbrecherische Kriegführung des NS-Regimes. Hitler war für ihn der »größte Feldherr aller Zeiten«. 13.5.1945 verhaftet, in Nürnberg als Kriegsverbrecher zum Tode verurteilt.
S. 101, 106, 275, 541, 584, 595, 621

Kenstler, August Georg.
S. 377

Keppler, Wilhelm 14.12.1882 Heidelberg – 13.6.1960 Friedrichshafen. Dt. Politiker. Ingenieur und Gelatinefabrikant. 1927 zur NSDAP, 1931 Wirtschaftsberater der Partei. 1932 Bildung des Keppler-Kreises. 1935 zur SS. 1936 zum Vierjahresplan. Bis 1945 Staatssekretär z.b.V. In Nürnberg am 14.4.1949 Verurteilung zu zehn Jahren Haft, Begnadigung am 1.2.1951.
S. 471 f., 544

Kerrl, Hanns 11.12.1887 Fallersleben – 15.12.1941 Paris. 1923 zur NSDAP, 1928-33 Mitglied des preuß. Landtages. Seit 16.7.1935 Reichsminister für die kirchlichen Angelegenheiten.
S. 195 f., 420, 660, 676, 684

Kersten, Felix 30.9.1898 Dorpat – 16.4.1960 Hamm. Masseur Himmlers.
S. 564

Kesselring, Albert 30.11.1885 Marktsteft (Unterfranken) – 16.7.1960 Bad Nauheim. Generalfeldmarschall (19.7.1940). 5.6.1936 Generalstabschef der Luftwaffe. Dez. 1941 Oberbefehlshaber Süd, 21.11.1943 Oberbefehlshaber Südwest (Mittelmeerraum). 11.3.1945 Oberbefehlshaber West. 15.5.1945 amerik. Gefangenschaft. 6.5.1947 Todesurteil, u.a. wegen Massaker in den Fosse Ardeatine. Im Juli 1952 begnadigt und entlassen.
S. 105, 593, 682

Keynes, John Maynard Baron K. of Tilton (seit 1942) 5.6.1883 Cambridge – 21.4.1946 Firle (Sussex). Brit. Nationalökonom. Hauptwerk: *Allgemeine Theorie der Beschäftigung, des Zinses und des Geldes,* 1936.
S. 111, 261

Kiaulehn, Walter 4.7.1900 – 7.12.1968 München. Journalist, Schauspieler. Mitarbeiter der Zeitschrift *Signal.*
S. 730

Kiefer, M.M. Dt. Maler.
S. 156

Kiep, Otto Karl 7.7.1886 Saltcoats (Schottland) – 26.8.1944 Berlin-Plötzensee (hingerichtet). Diplomat. 1930 Generalkonsul in New York. Auf eigenen Wunsch Ausscheiden 1933. 1939 zur Auslandsabteilung des OKW eingezogen. Mitglied der Widerstandsgruppe des Solf-Kreises. Wegen Kritik an Kriegslage von der Gestapo verhaftet und am 1.7.1944 zum Tode verurteilt.
S. 735

Kiesinger, Kurt-Georg 6.4.1904 Ebingen (Albstadt) – 9.3.1988 Tübingen. Jurist, dt. Politiker (CDU). 1940-45 stellvertretender Leiter der Rundfunkabteilung im AA. 1949-80 MdB. 1958-66 Ministerpräsident von Baden-Württemberg. 1966–69 Bundeskanzler.
S. 724

Kihn, Berthold.
S. 152

Kitayama, Junyu. Jap. Buddhologe.
S. 530

Kjellén, Rudolf 13.6.1864 Torsö – 14.11.1922 Uppsala. Schwed. Historiker, Politiker und Abgeordneter. Prägte den Begriff Geopolitik.
S. 15

Klagges, Dietrich 1.2.1891 Herringen (Soest) – 12.11.1971 Bundheim b. Bad Harzburg. Politiker. 1925 zur NSDAP. 1931 Innen- und Volksbildungsminister in Braunschweig, 1933 Ministerpräsident von Braunschweig mit brutalem Vorgehen gegen politische Gegner. Veröffentlichung: *Heldischer Glaube,* 1934. 1950 lebenslänglich wegen Verbrechens gegen die Menschlichkeit, 1957 Begnadigung. 1970 Zuerkennung eines Rentenanspruchs durch Bundesverwaltungsgericht trotz öffentlicher Proteste.
S. 594

Klausener, Erich 25.1.1885 Düsseldorf – 30.6.1934 Berlin. Politiker (Zentrum). 1924 Ministerialdirektor im Wohlfahrtsministerium. 1926 Leiter der Polizeiabteilung im preuß. Innenministerium. Vorsitzender der Katholischen Aktion im Bistum Berlin, 1933 entlassen. Front gegen nat.soz. Rassenpolitik auf dem Berliner Katholikentag am 24.6.1934, von Göring auf »Todesliste« gesetzt und während des »Röhm-Putsches« erschossen.
S. 191, 542, 705, 720

Klein, Emil. Mediziner aus jüdischer Familie. Inhaber des ersten Lehrstuhls für Naturheilverfahren in Jena 1924.
S. 243

Kleinmann, Wilhelm *29.5.1876 Barmen (Wuppertal). Politiker. SA-Oberführer (5.6.1934). 1933 Leiter des Führungsstabes der NSDAP bei der Reichsbahn (Mai), Präsident der Reichsbahndirektion Köln (Juni), Stellvertreter des Generaldirektors der Dt. Reichsbahn (Juli). 1938 Staatssekretär im Reichsverkehrsministerium, 1942 entlassen. Preuß. Staatsrat. Leiter der Geschäftsgruppe Verkehr beim Beauftragten für den Vierjahresplan.
S. 471

Kleist, Ewald von 10.7.1922 Schmenzin. Offizier und Widerstandskämpfer.
S. 319, 379

Kleist, Heinrich von 18.10.1777 Frankfurt/Oder – 21.11.1811 Berlin. Schriftsteller.
S. 519

Klepper, Jochen 22.3.1903 Beuthen/Oder – 11.12.1942 Nikolassee. Schriftsteller. Verfasser geistlicher Lieder und Romane. Anerkennung bei NS-Kritikern, aber Schwierigkeiten wegen Bekenntnis zum Christentum und Ehe mit einer Jüdin. 1937 Ausschluß aus der Reichsschrifttumskammer. Selbstmord mit seiner Familie.
S. 169

Klimsch, Fritz 10.2.1870 Frankfurt am Main – 30.3.1960 Freiburg i. Br. Bildhauer. Ehrungen bereits im Kaiserreich (Virchow-Denkmal). 1940 Goethe-Medaille, 1960 Großes Bundesverdienstkreuz. Weibliche Akte, Porträtbüsten, Kämpferstatuen, die nat.soz. Stilempfinden entsprachen.
S. 158 f.

Klotz, Clemens. *31.5.1886 Köln. Architekt. Für die KdF-Erholungsanlage im Seebad Prora auf Rügen erhielt er den Grand Prix auf der Weltausstellung in Paris 1937. Weitere Bauwerke: Ordensburgen Vogelsang und Crössinsee.
S. 162, 655

Knochen, Helmut *14.3.1910 Magdeburg. SS-Standartenführer. 1932 zur NSDAP. 1936 zum SD. 1942 Chef des SD und der Sipo in Frankreich. 18.8.1944 wegen Übergriffen seines Postens enthoben und zur Waffen-SS versetzt. Von Briten im Juni 1946 zu lebenslänglicher Haft verurteilt, an Frankreich ausgeliefert. Todesurteil 9.10.1954, 1958 in lebenslänglich, 1959 in 20 Jahre Zwangsarbeit verwandelt. 1962 begnadigt, Rückkehr nach Deutschland.
S. 777

Knöchel, Wilhelm 1899 – Juli 1944 (hingerichtet). Politiker (KPD; ZK-Mitglied). Widerstandskämpfer (Knöchel-Organisation).
S. 310, 545

Kuost, Friedrich.
S. 659

Koch, Erich 19.6.1896 Elberfeld (Wuppertal). – 12.11.1986 Barczewo. Politiker. 1922 zur NSDAP. 1928 Gauleiter, 1933 Oberpräsident Ostpreußens. 1930 MdR. 1942 Reichskommissar für die Ukraine. Errichtung einer Schreckensherrschaft. 1943 zurück nach Königsberg, 1944 Organisator des dortigen Volkssturms. 1949 von brit. Militärpolizei verhaftet, 14.2.1950 Auslieferung an Polen, wegen Mordes an 400000 Polen zum Tode verurteilt. Wegen Unzurechnungsfähigkeit nicht hingerichtet.
S. 643, 678

Kochmann, Martin 1912 – September 1943 (hingerichtet). Widerstandskämpfer (Herbert-Baum-Gruppe).
S. 507

König, Lothar 1906-1946. Jesuit. Dt. Widerstandskämpfer. Mitglied des Kreisauer Kreises.
S. 552

Koestler, Arthur 5.9.1905 Budapest – 3.3.1983 London (Selbstmord). Engl. Schriftsteller ungar. Herkunft. 1926 nach Palästina. 1932/33 in der UdSSR. 1931-37 in der KP. Berichterstatter auf republikanischer Seite im Span. Bürgerkrieg, 1939 in Frankreich interniert, Flucht über Portugal nach Großbritannien.
S. 564, 762

Kokoschka, Oskar 1.3.1886 Pöchlarn – 22.2.1980 Villeneuve. Österr. Maler, Graphiker und Dichter. 1919-24 in Dresden. 1931 in Wien. 1934 Emigration nach Prag. 1938 Flucht nach London. Seit 1947 brit. Staatsbürger. Von den Nat.-soz wurde sein Werk als »entartet« diffamiert.
S. 673

Kolbe, Georg 13.4.1877 Waldheim (Sachsen) – 15.11.1947 Berlin. Bildhauer, beeinflußt von Rodin und dem Naturalismus. Idealisierung des Körpers entsprach nat.soz. Geschmack. Anpassung an nordisch-germanische Figuren-Vorstellungen in den 30er Jahren.
S. 158

Kolbenheyer, Erwin Guido 30.12.1878 Budapest – 12.4.1962 München. Schriftsteller. Vertreter völkischer, antikirchlicher Ideen in seinen vorwiegend historischen Dramen und Romanen.
S. 673

Koller, Peter. Architekt und Stadtplaner (Wolfsburg).
S. 745

Kollwitz, Käthe, geb. Schmidt, 8.7.1867 Königsberg – 22.4.1945 Moritzburg bei Dresden. Graphikerin und Bildhauerin. 1918–33 Prof. an der Berliner Akademie. Vertreterin des dt. Expressionismus. Ihr Werk ist geprägt von der gesellschaftlichen Realität und von sozialem Engagement (»Ein Weberaufstand«, 1897/98; »Der Krieg«, 1922/23).
S. 673

Konrad, Franz *1.3.1906 Liesing. SS-Hauptsturmführer (9.2.1944). 1932 zu NSDAP und

SS. Nov. 1939 Einberufung zur Waffen-SS. 1.4.1943 Tätigkeit bei der Ostindustrie GmbH in Lublin.
S. 751

Kordt, Theodor 8.10.1893 Düsseldorf – 30.1.1962 Bad Godesberg. Diplomat. 1934 Sekretär des Staatssekretärs von Bülow. März 1938 bis Kriegsausbruch Botschaftsrat in London, zeitweilig dt. Geschäftsträger. Im Zweiten Weltkrieg an der Gesandtschaft in Bern. 1946 Rückkehr nach Dtl., 1948 Zeuge im Nürnberger Weizsäcker-Prozeß. 1953-58 dt. Botschafter in Athen.
S. 315

Körner, Hermine 30.5.1882 Berlin – 14.12.1960 ebd. Schauspielerin, Regisseurin, Theaterkritikerin. 1915 zu Max Reinhardt ans Dt. Theater in Berlin. 1919–25 Leitung des Münchner Schauspiels, 1925–29 des Dresdner Albert-Theaters. 1934 als Staatsschauspielerin zu G. Gründgens nach Berlin. Eine ihrer größten Rollen: die Elisabeth in *Maria Stuart.*
S. 170

Kortner, Fritz, eigtl. Fritz Nathan Kohn, 12.5.1892 Wien – 22.7.1970 München. Regisseur und Schauspieler. Nach Theaterstationen in Wien, Mannheim, Hamburg und Berlin (unter Max Reinhardt) zum Film. 1933 Emigration. 1948 Rückkehr nach Deutschland. Filme u.a.: *Die Brüder Karamasoff,* 1920; *Die Büchse der Pandora,* 1929; *Berlin-Expreß,* 1948; *Der Ruf,* 1948.
S. 170, 172

Kötschau, Karl. *19.1.1892 Apolda. Mediziner. Seit 1924 Lehrstuhl für biologische Medizin in Jena. Publikationen u.a.: *Zum nat.soz. Umbruch in der Medizin,* 1936; *Kämpferische Vorsorge statt karitative Fürsorge,* 1939.
S. 240, 243 f.

Kotzde, Wilhelm. Völkischer Jugendbund »Adler und Falken«.
S. 376

Kovarcz, Emil. Ungar. Politiker (Pfeilkreuzpartei).
S. 639

Kracauer, Siegfried 8.2.1889 Frankfurt am Main – 26.11.1966 New York. Publizist, Soziologe und Filmwissenschaftler *(Von Caligari zu Hitler).* 1922-33 Mitarbeiter der *Frankfurter Zeitung* in Berlin. 1933 Emigration nach Frankreich, 1941 in die USA.
S. 173

Kraepelin, Emil 15.2.1865 Neustrelitz – 7.10.1926 München. Psychiater. Prof. in Dorpat, Heidelberg und München. Arbeiten zur Psychodiagnostik.
S. 236

Kramer, Josef 10.11.1906 München – 13.12.1945 Hameln (hingerichtet). SS-Hauptsturmführer. 1940 Adjutant von Auschwitz-Kommandant Höss. 1943 Lagerkommandant von Natzweiler. Ermordete persönlich 80 Frauen. Mai 1944-Dezember 1944 Kommandant von Auschwitz II, 1.12.1944 Kommandant von Bergen-Belsen (»Die Bestie von Belsen«). Todesurteil durch brit. Militärgericht.
S. 383, 395

Kranefuß, Fritz. Dt. Industrieller. SS-Ehrenbrigadeführer, seit 1933 SS-Mitglied. Direktor der Braunkohle-Benzin AG. Eine Art Generalsekretär des Freundeskreises Reichsführer SS.
S. 471 f.

Krauch, Carl 7.4.1887 – 3.2.1968 Bühl. Darmstadt. Chemiker und Industrieller. Vorstandsmitglied der I.G. Farben, seit 1940 im Aufsichtsrat. Leiter der Abteilung Forschung und Entwicklung in der Vierjahresplan-Behörde. Generalbevollmächtigter für Sonderfragen der chemischen Erzeugung beim Beauftragten für den Vierjahresplan.
S. 521, 782

Krauss, Werner 23.6.1884 Gestungshausen bei Coburg – 20.10.1959 Wien. Theater- und Filmschauspieler, u.a. unter Max Reinhardt in Berlin. 1920 Leinwanddebüt: *Das Cabinet des Dr. Caligari,* internationaler Durchbruch. Hauptrolle in dem antisemitischen Propagandafilm *Jud Süß* (1940). Weitere Filme u.a.: *Die freudlose Gasse,* 1925; *Paracelsus,* 1943; *Sohn ohne Heimat,* 1955.
S. 170, 175, 531

Krebs, Fritz 9.5.1894 Germersheim – 6.5.1961 Bad Homburg. Politiker. 1932 Mitglied des Preuß. Landtages (NSDAP). Kreisleiter der NSDAP in Frankfurt am Main, 1933 Oberbürgermeister. Preuß. Staatsrat. Diverse Aufsichtsratssitze, u.a. Dt. Städte-Reklame GmbH, Frankfurter Flughafen GmbH.
S. 105, 744

Kreis, Wilhelm 17.3.1873 Eltville – 13.8.1955 Bad Honnef. Architekt. Bis 1914 über 50 Bismarcktürme, Hang zum Monumentalen. Unterstützung von Speers Plänen für die Reichshauptstadt. 1938 Reichskultursenator, 1941 Generalbaurat für die Gestaltung der dt. Kriegerfriedhöfe.
S. 763

Krejči, Jaroslav 27.6.1892 Křemenetz (Bezirk Littau) – nach Oktober 1955 Leopoldstadt. Tschechosl. Politiker. 19.1.1941-19.1.1945 Premierminister der Regierung des Protektorats Böhmen und Mähren. 1946 zu lebenslänglicher Haft verurteilt.
S. 656

Kremmer, Martin.
S. 162

Krenek, Ernst 23.8.1900 Wien – 22.12.1991 Palm Springs (Kalifornien). Österr.-amerik. Komponist. 1925-27 Staatstheater Kassel, 1928-37 Wien, seit 1938 in den USA. Werke u.a.: *Jonny spielt auf,* Oper 1927.
S. 178 f.

Krichbaum, Wilhelm. SS-Oberführer. Feldpolizeichef der Wehrmacht bei der Amtsgruppe Ausland/Abwehr des OKW. Nach dem Zweiten Weltkrieg Mitarbeiter Gehlens beim Aufbau eines bundesdt. Geheimdienstes.
S. 479 f.

Krieck, Ernst 6.7.1882 Vögisheim (Baden) – 19.3.1947 Moosburg/Isar. Pädagoge. Bereits in der Weimarer Republik Grundlagen der »nat.soz. Erziehungslehre«. 1933 erster nat.soz. Rektor einer dt. Universität (Frankfurt am Main). Vertreter der nat.soz. Rassenideologie. 1945 aus dem Hochschuldienst entlassen.
S. 141 ff., 203

Krieger, Arnold 1.12.1904 Dirschau/Weichsel – 9.8.1965 Frankfurt/Main. Schriftsteller (*Geliebt, gejagt und unvergessen,* 1955).
S. 624

Krüger, Bernhard * 26.11.1904. SS-Obersturmbannführer. Leiter der 1940 begonnenen Geldfälschungsaktion Unternehmen Bernhard.
S. 396

Krüger, Friedrich Wilhelm 8.5.1894 Straßburg – Mai 1945 in Österreich. Staatssekretär für das Sicherheitswesen im Generalgouvernement (bis 10.11.1943). 1929 zur NSDAP, 1931 zur SS, 1931–35 Mitglied der SA. 1932 MdR. 1.7.1933 Chef des Ausbildungswesens (Chef AW) bei der SA, nach Auflösung der Dienststelle im Jan. 1935 wieder zur SS, im Juni 1935 SS-Obergruppenfhr. Preuß. Staatsrat. Am 4.10.1939 im Generalgouvernement. Nach jahrelangen Kompetenzkämpfen mit dem Generalgouverneur zum 20.11.1943 abberufen. 20.5.1944 Kommandeur der 6. SS-Gebirgsdivision, 26.8.1944 mit der Führung des V. SS-Gebirgs-Korps beauftragt. Unsicher, ob gefallen oder Selbstmord.
S. 410 f., 751

Krüger, Paulus, genannt Oom Paul (auch Ohm K.), 10.10.1825 Vaalbank bei Colesberg (Kapprovinz) – 14.7.1904 Clarens (Waadt). Südafrik. Politiker. 1883-1902 Präsident der Republik Transvaal, 1884 Unabhängigkeit als »Südafrik. Republik«. 1898 Gründer des nach ihm benannten Nationalparks.
S. 624

Krümmel, Carl 24.1.1895 Hamburg – 21.8.1942 Mühlberg/Elbe. Sportfunktionär. Seit 1934 Leiter des Amts für körperliche Erziehung im Reichserziehungsministerium. Seit 1935 Schriftleiter der Zeitschrift *Leibesübungen und körperliche Erziehung.* Tod bei Flugzeugabsturz.
S. 253

Krupp von Bohlen und Halbach, Alfried 13.8.1907 Essen – 30.7.1967. Industrieller, Sohn von Gustav K. Seit Dez. 1943 Alleininhaber der Firma (vormals Fried. Krupp AG). 31.7.1948 vom Nürnberger Militärgericht wegen Verbrechen gegen die Menschlichkeit (u.a. Beschäftigung von Kriegsgefangenen und Fremdarbeitern) stellvertretend für seinen haftunfähigen Vater zu zwölf Jahren Haft und Vermögenseinzug verurteilt, 31.5.1951 amnestiert. Nach Demontage und Entflechtung seit 1953 wieder Übernahme der Firma, allerdings erst nach Abgabe einer Erklärung, nie wieder Kriegsmaterial herzustellen.
S. 592

Krupp von Bohlen und Halbach, Gustav 7.8.1870 Den Haag – 16.1.1950 Blühnbach bei Salzburg. Industrieller. 1906 Heirat mit der Alleinerbin der Fried. Krupp AG, Berta, Berechtigung, den Namen »Krupp« zu führen. 1909 Vorsitzender des Unternehmens. 1921-33 Preuß. Staatsrat. Seit 1931 Vorsitzender des Reichsverbands der Dt. Industrie. Sitz im Kuratorium der Adolf-Hitler-Spende. 1937 Wehrwirtschaftsführer, 1940 Goldenes Parteiabzeichen. In Nürnberg als Hauptkriegsverbrecher (Vorbereitung eines Angriffskrieges) angeklagt, wegen Verhandlungsunfähigkeit Aussetzung des Verfahrens. Im Krupp-Prozeß 1947/48 wegen Plünderung von Wirtschaftsgütern in den besetzten Gebieten und Ausnutzung von Sklavenarbeit wurde an seiner Stelle sein Sohn Alfried angeklagt und verurteilt.
S. 351, 486, 592

Kucharski, Heinz
S. 801

Kübler, Ludwig 2.9.1889 Unterdill (Oberbayern) – 1947 Jugoslawien (hingerichtet). Dt. General. Befehlshaber im Sicherungsgebiet Adriatisches Küstenland.
S. 352

Kühn, Walter. Musikwissenschaftler.
S. 179

Kuenzer, Richard. Diplomat. Legationsrat a.D. Mitglied der Widerstandsgruppe des Solf-Kreises.
S. 733

Kuhlmann, Carl. Österr. Schauspieler (*Die Rothschilds,* 1940).
S. 705

Kuusinen, Otto Wilhelm 4.10.1881 bei Laukaa (Mittelfinnland) – 17.5.1964 Moskau. Sowj. Politiker finn. Herkunft. Journalist. 1918 einer der Gründer der finn. KP. 1922 in die UdSSR. Im finn.-sowj. Winterkrieg Chef der sowj.-finn.

Gegenregierung. 1940-56 Vorsitzender des Präsidiums des Obersten Sowjet der Karelo-Finn. SSR. Bis 1958 stellvertretender Vorsitzender des Präsidiums des Obersten Sowjet der UdSSR. 1957 Sekretär des ZK und Präsidiumsmitglied des ZK der KPdSU.
S. 461

Lagarde (bis 1854 Bötticher), Paul de 2.11.1827 Berlin – 22.12.1891 Göttingen. Orientalist und Kulturkritiker. Vertreter eines religiös-völkischen Antisemitismus mit den Juden als Hauptfeinden des »dt. Volkskörpers«.
S. 498

Lambach, Walther 28.5.1885 Gummersbach – 30.1.1943 Mainz. Politiker. Kaufmann. 1919–29 Geschäftsführer des Dt.nationalen Handlungsgehilfenverbandes. 1920-29 MdR (DNVP). Gegner Hugenbergs und Vertreter des linken Parteiflügels. Herausgeber der Zeitschrift *Politische Praxis.* 18.7.1930 Gründer der Konservativen Volkspartei.
S. 430

Lammers, Hans Heinrich 27.5.1879 Lublinitz (Oberschlesien) – 4.1.1962 Düsseldorf. Jurist. 1932 zur NSDAP. 30.1.1933 Chef der Reichskanzlei (bis 1945) als Staatssekretär bzw. Reichsminister.
S. 29, 31, 584, 593, 676, 749

Lampe, Adolf 8.4.1897 Frankfurt am Main – 9.2.1948. Nationalökonom. Mitglied des Reichsausschusses für wirtschaftlichen Vertrieb im Reichskuratorium für Wirtschaftlichkeit. Mitglied der Freiburger Kreise. 18.9.1944 Verhaftung. Bis 25.4.1945 in Haft.
S. 320, 469

Landenberger, Leopold 1888 Scheßlitz/Oberfranken – 1967 New York. Rechtsanwalt des Reichsbunds jüdischer Frontsoldaten. Vertreter in der Reichsvertretung der dt. Juden.
S. 698

Lang, Fritz 5.12.1890 Wien – 2.8.1976 Los Angeles. Dt.-amerik. Filmregisseur. Nach Anfängen im dt. Stummfilm (*Die Nibelungen,* 1924, *Dr. Mabuse, der Spieler,* 1922) erster Tonfilm: *M-Eine Stadt sucht einen Mörder* (1930). 1933 Emigration in die USA, zweite Karriere in Hollywood mit Kriminalfilmen, Western, Melodramen: *The return of Frank James,* 1940; *Scarlet Street,* 1945; *The big heat,* 1953.
S. 172, 569

Lange, Herbert 29.9.1909 Menzlin (Vorpommern) – 20.4.1945 Berlin. SS-Obersturmführer (20.4.1940). 1932 zur NSDAP, 1.3.1933 zur SS. 1938 Kriminalkommissar in Polen. Ab 20.4.1940 Kommandant des Vernichtungslagers Chelmno/Kulmhof, 1941/42 verantwortlich für die Ermordung von mindestens 152 000 Menschen. 1942 im RSHA tätig.
S. 477

Lange, Horst 6.10.1904 Liegnitz – 6.7.1971 München. Lyriker, Dramatiker und Erzähler. Werke u.a.: *Nachtgesang,* Gedichte 1928; *Schwarze Weide,* Roman 1937; *Verlöschende Feuer,* Roman 1956.
S. 168

Langgässer, Elisabeth 23.2.1899 Alzey – 25.7.1950 Rheinzabern. Dichterin. 1950 Georg-Büchner-Preis. Werke u.a.: *Triptychon des Teufels,* Novellen, 1932; *Der Laubmann und die Rose,* Gedichte 1947.
S. 169

Langhoff, Wolfgang 6.10.1901 Berlin – 25.8.1966 ebd. Schauspieler, Regisseur und Theaterleiter. Emigration nach KZ-Haft (Bericht *Die Moorsoldaten,* 1935) in die Schweiz. 1934–45 am Züricher Schauspielhaus. 1946–63 Leiter des Ostberliner Dt. Theaters.
S. 170

Lapouge, Georges Vacher de 12.12.1854 Neuville/Vienne – 20.2.1936 Poitiers. Frz. Anthropologe und Soziologe. Untersuchte kulturelle Leistungen nach rassischen Gesichtspunkten, stellte die »nordische« Rasse innerhalb der von indogermanischen Völkern hervorgebrachten Kulturen besonders heraus.
S. 12

Larenz, Karl * 23.4.1903 Wesel. Dt. Jurist. Einer der wichtigsten nat.soz. Theoretiker im Zivilrecht und in der Rechtsphilosophie. 1933 Prof. in Kiel. 1960 Professor in München.
S. 86

Lattre de Tassigny, Jean de 2.2.1889 Mouilleron-en-Pareds (Vendée) – 11.1.1952 Paris. Frz. Marschall (posthum 1952). 1944 Oberbefehlshaber der frz. 1. Armee in Algerien, mit der er in Südfrkr. landete. Für Frankreich Unterzeichner der dt. Kapitulation. 1948 Generalinspekteur der frz. Armee. 1950-52 Hochkommissar und Kommandeur der frz. Truppen in Indochina.
S. 468

Lawaczeck, Franz. Dt. Elektroingenieur und Turbinenbauer.
S. 258, 260

Laval, Pierre 26.6.1883 Chateldon – 15.10.1945 Paris (hingerichtet). Frz. Politiker. 1931/32 und 1935/36 Ministerpräsident. 1940 nach dt. Besetzung Frankreichs stellvertretender Regierungschef in der Vichy-Regierung. Juni 1940-Dezember 1940 und auf dt. Druck Ministerpräsident ab April 1942. Im Sept.1944 nach Deutschland verschleppt. August 1945 Verhaftung durch US-Truppen, Auslieferung an Frankreich. Als Kollaborateur zum Tode verurteilt.
S. 468, 588

Leander, Zarah 15.3.1902 Karlstadt (Schweden) – 23.6.1981 Stockholm (Mädchenname Zarah Hedberg) Schauspielerin schwed. Herkunft. Nach Anfängen als Konzertsängerin in Deutschland zu Filmruhm. Vergötterter Star der Ufa. Filme u.a.: *Zu neuen Ufern,* 1937; *La Habanera,* 1937; *Die große Liebe,* 1942. Nach 1945 von schwed. und dt. Presse wegen Kollaboration angegriffen.
S. 174, 184

Leber, Julius 16.11.1891 Biesheim (Elsaß) – 5.1.1945 Berlin-Plötzensee (hingerichtet). Politiker. Volkswirt und Historiker, seit 1913 SPD-Mitglied, 1924–33 MdR. Anfang 1933 verhaftet, nach vier Jahren Haft im KZ Oranienburg einer der führenden Köpfe des Widerstands. Im Vorfeld des Attentats vom 20. Juli 1944 Kontakt zu kommunistischen Widerständlern, von der Gestapo noch vor dem Putschversuch verhaftet. Im Oktober vom Volksgerichtshof zum Tode verurteilt.
S. 310–313, 321, 552

Lechleiter, Georg 1885 – September 1942 Stuttgart (hingerichtet). Politiker (KPD). Redakteur der *Roten Fahne.* MdL Baden. Widerstandskämpfer.
S. 565

Le Fort, Gertrud, Freiin von, 11.10.1876 Minden – 1.11.1971 Oberstdorf. Dt. Schriftstellerin. Religiöse und historische Themen. Werke u.a.: *Die Letzte am Schafott,* 1931; *Die Magdeburgische Hochzeit,* 1938.
S. 169

Lehmann, Julius F. 28.11.1864 Zürich – 25.3.1935 München. Verleger. Herausgeber der 1917 gegründeten antisemitischen Zeitschrift *Deutschlands Erneuerung.* Verleger nat.soz. und rassistischer Werke (u.a. »Rasse-Günther«). 1934 Adlerschild des Dt. Reiches, Goldenes Parteiabzeichen von Hitler zum 70. Geburtstag.
S. 566, 784

Lehmann, Wilhelm 4.5.1882 Puerto Cabello (Venezuela) – 17.11.1968 Eckernförde. Lyriker und Erzähler. Werke u.a.: *Weingott,* Roman 1921.
S. 169

Leip, Hans 22.9.1893 Hamburg – 6.6.1983 Fruthwilen (Schweiz). Schriftsteller. Verfasser des Gedichts *Lili Marleen.* Werke u.a.: *Bordbuch des Satans. Eine Chronik der Freibeuterei,* 1959.
S. 570

Lenard, Philipp 7.6.1862 Preßburg – 20.5.1947 Messelhausen bei Bad Mergentheim. Physiker. Nobelpreis 1905. Gegner Einsteins, dessen Arbeiten er als »jüdischen Trug« ablehnte. Versuch einer völkisch-rassischen Fundierung der Naturwissenschaften (*Dt. Physik,* 1936/37).
S. 141, 422

Lenz, Fritz 9.3.1887 Pflugrade (Pommern) – 6.7.1976 Göttingen. Humangenetiker. 1923 erster Lehrstuhl für Rassenhygiene in München, 1933 für Eugenik in Berlin und Abteilungsleiter für Rassenhygiene und Erblichkeitsforschung am Kaiser-Wilhelm-Institut für Anthropologie. Einfluß auf nat.soz. Bevölkerungspolitik. 1946–55 Prof. für menschliche Erblehre in Göttingen.
S. 384, 658

Lenz, Hermann *26.2.1913 Stuttgart. Schriftsteller. 1978 Georg-Büchner-Preis. Werke u.a.: *Tagebuch vom Überleben und Leben,* 1978.
S. 169

Leo XIII. 2.3.1810 Carpineto – 20.7.1903 Rom. Papst seit 20.2.1878.
S. 746

Leopold III. 3.11.1901 Brüssel – 25.9.1983 ebd. 17.2.1934 belg. König. Versuch der Neutralität gegenüber dem Dritten Reich. Während der dt. Besetzung interniert, 1940 Besuch bei Hitler, um die Entlassung der belg. Kriegsgefangenen zu erreichen, 1944-45 in dt. Kriegsgefangenschaft, am 8.5.1945 befreit. Vergebliche Bemühungen auf den Thron zurückzukehren. 11.7.1951 Abdankung zugunsten seines Sohnes Baudouin.
S. 392

Lepsius, Carl Richard 23.12.1810 Naumburg/ Saale – 10.7.1884 Berlin. Ägyptologe. Seit 1965 Direktor des Berliner Ägyptischen Museums, Begründer der Ägyptologie.
S. 587

Lessing, Gotthold Ephraim 22.1.1729 Kamenz (Bezirk Dresden) – 15.2.1781 Braunschweig. Dt. Schriftsteller, Kritiker und Philosoph.
S. 560

Leuschner, Wilhelm 15.6.1890 Bayreuth – 29.9.1944 Berlin (hingerichtet). Politiker (SPD). 1928–32 hess. Innenminister, 1932 stellvertretender ADGB-Vorsitzender. Am 2.5.1933 bei Zerschlagung der Gewerkschaften verhaftet. Nach Weigerung, die DAF auf der Internationalen Arbeiterkonferenz in Genf zu unterstützen und die NS-Organisation damit hoffähig zu machen, zwei Jahre im KZ Lichtenburg. Danach Kontakte zum Widerstand um Beck und Goerdeler. Stellte sich am 16.8.1944, nachdem seine Frau als Geisel inhaftiert worden war. Nach Folterungen am 9.9.1944 zum Tode verurteilt.
S. 311, 492

Levi, Primo 31.7.1919 Turin – 11.4.1987 ebd. Ital. Schriftsteller. 1944 als Partisanenführer nach Auschwitz deportiert. Tod durch Selbstmord. Werke u.a.: *Ist das ein Mensch?* Roman 1947; *Atempause,* 1963; *Das periodische System,* 1975.
S. 590

Ley, Robert 15.2.1890 Niederbreidenbach – 25.10.1945 Nürnberg. Politiker. 1923 zur NSDAP, 1925 Gauleiter Rheinland-Süd, 1928 wegen Alkoholismus entlassen (späterer Spitzname »Reichstrunkenbold«). 1930 MdR. Nach Entmachtung (1932) und Ermordung G. Straßers (1934 im Zuge des »Röhm-Putsches«) dessen Nachfolger als Reichsorganisationsleiter. Seit 1933 Leiter des »Aktionskomitees zum Schutz der dt. Arbeit« zur Zerschlagung der Gewerkschaften; an deren Stelle Gründung der »Deutschen Arbeitsfront« mit Ley als Leiter. Machtfülle durch DAF-Gründungen wie »KdF«. Mitglied des Generalrats der Wirtschaft, im Krieg von Rivalen wie Todt, Speer und Sauckel verdrängt. Im Mai 1945 verhaftet. Vor Prozeßbeginn erhängte Ley sich in seiner Zelle.
S. 31, 42, 92, 207, 240, 349 f., 360 f., 419, 506, 516, 597, 605, 618 f., 627, 670, 680, 748 f.

Lichtenberg, Bernhard 3.12.1875 Ohlau – 3.11.1943 KZ Dachau. Katholischer Theologe. 1938 Domprobst an der Berliner St. Hedwigs-Kathedrale. Gegen Rassismus, couragierter Protest gegen Euthanasie. 22.5.1942 wegen »Kanzelmißbrauchs« zu zwei Jahren Gefängnis verurteilt. Tod während des Transports ins KZ Dachau.
S. 313

Liebehenschel, Arthur 25.11.1901 Posen – 24.1.1948 Krakau (hingerichtet). SS-Obersturmbannführer (30.1.1941). 1932 zu NSDAP und SS. 4.8.1934 Totenkopfverbände. 1.5.1940 Stabsführer in der Inspektion der KZ, Amtschef im WVHA. 10.11.1943 Kommandant von Auschwitz I. 19.5.1944 Kommandant von Lublin/Majdanek. Bei Kriegsende im SS-Personalhauptamt. Von den USA an Polen ausgeliefert. 22.12.1947 Todesurteil.
S. 383

Liebeneiner, Wolfgang 6.10.1905 Liebau (Schlesien) – 28.11.1987 Wien. Bühnen- und Filmschauspieler und Regisseur. Von der Reichsfilmkammer 1937 als »politisch zuverlässiger Nachwuchskünstler« eingestuft. 1938 Leiter der filmkünstlerischen Fakultät der Dt. Filmakademie, seit 1942 Mitglied des Präsidialrates der Reichstheaterkammer, »Staatsschauspieler«, 1943 auf Weisung Goebbels' Produktionschef der Ufa. Filme als Schauspieler u.a.: *Der Mustergatte,* 1937; als Regisseur: *Ziel in den Wolken,* 1938; *Ich klage an,* 1941; *Auf der Reeperbahn nachts um halb eins,* 1954; *Die Trapp-Familie,* 1956.
S. 174, 522

Lindemann, Karl 17.4.1881 Goldberg (Mecklenburg) – (nach) 1947. Seit Juni 1933 Vorsitzender des Norddt. Lloyd. Präsident der dt. Gruppe der Internationalen Handelskammer, seit September 1944 Präsident der Reichswirtschaftskammer.
S. 471

Lindholm, Sven Olof. Schwed. Politiker. Einer der »Führer« der schwed. Nat.soz. Volkspartei.
S. 721

Lindtberg, Leopold 1.6.1902 Wien – 18.4.1984 Sils Maria. Schweizer Regisseur österr. Herkunft. 1933-45 am Zürcher Schauspielhaus, dort 1965-68 Direktor.
S. 170

Lingen, Theo, eigtl. Theodor Franz Schmitz, 10.6.1903 Hannover – 10.11.1978 Wien. Theater- und Filmschauspieler. Exzentriker unter den Komikern des dt. Films. Filme: *Der Doppelgänger,* 1934; *Der Mann, von dem man spricht,* 1937; *Der Theodor im Fußballtor,* 1950.
S. 174, 183

Linz, Juan. Amerik. Politologe in Yale (»Autoritarismus«).
S. 458

Lippert, Julius 9.7.1895 Basel – 30.6.1956 Bad Schwalbach. Journalist. 1923 zur NSDAP. 1927 Hauptschriftleiter des *Angriff,* seit 1933 *Tageszeitung der DAF.* 1937 Oberbürgermeister und »Stadtpräsident« von Berlin. 1940 Stadtkommandant von Arlon (Belgien). 1941 Kommandeur der Propagandaabteilung Südost, Aufbau des Soldatensenders Belgrad. 1945 verhaftet, 1952 zu sieben Jahren Zwangsarbeit verurteilt, nach Deutschland abgeschoben. 1.9.1953 in Spruchkammerverfahren als nat.soz. »Aktivist« eingestuft.
S. 362, 673

Lipski, Józef 1894- – 1958. Poln. Diplomat. Botschafter in Berlin 1933-39. Mitglied der poln. Exilregierung.
S. 430

Litten, Hans (Achim) 19.6.1903 Halle – 5.2.1938 KZ Dachau (Selbstmord?). Rechtsanwalt. Antifaschist. Strafverteidiger von Kommunisten und Sozialisten. Am 28.2.1933 verhaftet, in versch. KZ.
S. 737

Litwinow, Maxim L., eigtl. Max Wallach-Finkelstein, 17.7.1876 Bialystok – 31.12.1951 Moskau. Sowj. Politiker. Seit Juli 1930 Volkskommissar für auswärtige Angelegenheiten, am 3.5.1939 durch Molotow ersetzt, 1941-43 Botschafter in Washington, nach dem Zweiten Weltkrieg in Ungnade.
S. 73

Loder, Dietrich * 31.10.1900 München. Publizist. 1923 zu NSDAP und SA. Teilnahme am Hitlerputsch 1923. 1927 Mitarbeiter des *Völkischen Beobachter.* 1931 Schriftleiter der nat.soz. *Neuen National-Zeitung.* 1933 Hauptschriftleiter des *Illustrierten Beobachter.* 1934 Leiter des

Landesverbands Bayern im Reichsverband der Dt. Presse.
S. 522

Löffler, Friedrich. Publizist. Herausgeber des von 1943–45 erschienenen *Archivs für Judenfragen. Schriften zur geistigen Überwindung des Judentums* der Antijüdischen Aktion in Berlin, vormals Institut zum Studium der Judenfrage.
S. 365

Löns, Hermann 29.8.1866 Culm bei Bromberg – 26.9.1914 bei Reims (gefallen). Schriftsteller und völkstümlicher Lyriker. Werke u.a.: *Mein grünes Buch,* 1901; *Der Wehrwolf,* Roman 1910.
S. 803

Loeper, Wilhelm 13.10.1883 Schwerin – 23.10.1935 Dessau. Politiker. Offizier. Teilnahme am Hitlerputsch, 1925 zur NSDAP, 1928 Gauleiter in Magdeburg-Anhalt. 1934 SS-Gruppenführer, 1935 Mitglied der Akademie für Dt. Recht.
S. 317

Loerke, Oskar 13.3.1884 Jungen bei Marienwerder – 24.2.1941 Berlin. Dichter. Werke u.a.: *Die heimliche Stadt,* Gedichte 1921; *Der Atem der Erde,* Gedichte 1930.
S. 169

Lörner, Georg * 17.2.1899 München. Gesellschafter der SS-eigenen Dachgesellschaft Dt. Wirtschaftsbetriebe. SS-Gruppenführer. Leiter der Amtsgruppe B im SS-Wirtschafts-Verwaltungs-Hauptamt bis 1945. Stellvertreter von Oswald Pohl seit 1943. In Nürnberg 1947 zu lebenslänglicherHaft verurteilt, auf 15 Jahre herabgesetzt.
S. 743

Loerzer, Bruno 22.1.1891 Berlin – 22.8.1960 Hamburg. Generaloberst (Feb. 1943). Flieger im Ersten Weltkrieg. Orden Pour le mérite. Freund Görings. 1933 Präsident des Dt. Luftsportverbandes. 26.7.1935 Reichsluftsportführer. Okt. 1935 ins Reichsluftfahrtministerium, Leiter des Luftwaffenpersonalamtes. 1.2.1939 Kommandeur einer Fliegerdivision. Frühjahr 1944 Chef der Personalrüstung und NS-Führung der Luftwaffe. Bei Kriegsende Kommandierender General des II. Fliegerkorps.
S. 682

Lösner, Bernhard 1890-1952. Beamter im Reichsinnenministerium.
S. 659

Löwe, Heinrich 1869 Wanzleben – 1950 Tel Aviv. Führender dt. Zionist. Herausgeber der *Jüdischen Rundschau.* Bibliothekar an der Universität Berlin. 1933 Auswanderung nach Palästina.
S. 599

Loewenheim, Walter, Pseudonym Kurt Menz, Miles, 18.4.1896 Berlin – 31.3.1977 London. Dt. Politiker und Widerstandskämpfer. Kopf der Widerstandsgruppe »Neu Beginnen«. Verbindung zur Prager Exil-SPD. 1935 Emigration in die Tschechoslowakei, 1936 nach London.
S. 311

Löwenstein, Leo, auch L. Loewenstein, 8.2.1879 Aachen – 13.11.1956 auf einer Reise nach Israel. Chemiker und Physiker (Riechl-Löwenstein-Verfahren zur pyrotechnischen Produktion von Wasserstoffperoxid). 1919 Gründung des Reichsbunds jüdischer Frontsoldaten. 1943 Deportation nach Theresienstadt. Nach 1945 in der Schweiz.
S. 667

Löwenthal, Richard, eigtl. Paul Sering, 15.4.1908 Berlin. Politikwissenschaftler. 1935 Emigration nach Großbritannien. Bis 1959 als Journalist in London. 1961 Professor an der FU Berlin.
S. 458, 762

Löwith, Karl 9.1.1897 München – 24.5.1973 Heidelberg. Philosoph. 1933 Emigration, 1934–36 Rockefeller-Stipendiat in Rom, 1936–41 Professor in Japan, 1941–49 Professor in Hartford (Connecticut), bis 1952 an der New School for Social Research in New York. Ab 1952 Lehrstuhl in Heidelberg.
S. 530

Lohse, Hinrich 2.9.1896 Mühlenbarbek bei Itzehoe – 25.2.1964 ebd. Politiker. SA-Obergruppenführer (1937). 1923 zur NSDAP. 1925 Gauleiter, 1933 Oberpräsident von Schleswig-Holstein. 1939 Reichsverteidigungskommissar. Nov. 1941 Reichskommissariat Ostland. Durch Ostland-Gesellschaften Mitwirkung an Ausbeutung der balt. Gebiete. Bis 1945 Leiter der 1934 gleichgeschalteten Nordischen Gesellschaft. 1948 zu zehn Jahren Haft Höchststrafe durch Spruchgericht Bielefeld verurteilt, 1951 aus Gesundheitsgründen entlassen.
S. 615, 678

Lombroso, Cesare 18.11.1836 Verona – 19.10.1909 Turin. Ital. Mediziner und Anthropologe. Begründer der Kriminologie. Vertreter der These von der Erblichkeit verbrecherischer Anlagen.
S. 243

Lorenz, Werner 2.10.1891 Gründorf – 13.3.1974 Hamburg. SS-Obergruppenführer (1943). 1929 zur NSDAP. 1931 zur SS. 1933 MdR. 1937-45 Leiter der Volksdt. Mittelstelle; verantwortlich für Umsiedlungsaktionen von Volksdeutschen. 10.3.1948 zu 20 Jahren Haft verurteilt, 1955 freigelassen.
S. 785, 789

Lorre, Peter, eigtl. Lásló Loewenstein, 26.6.1904 Rosenberg (Ungarn) – 23.3.1964 Hollywood. Dt. Schauspieler. Nach Theateranfängen zum Film. Nach Emigration Karriere in Hollywood, u.a. *Casablanca,* 1942. Weitere Filme: *M – Eine*

Stadt sucht einen Mörder, 1931; *The man who knew too much,* GB 1935; *The Maltese falcon,* USA 1942.
S. 172

Lossow, Otto von 1863-1938. Kommandierender General im bayer. Wehrkreis VII zur Zeit des Hitler-Putsches 1923.
S. 515

Lubbe, Marinus van der 13.1.1909 Leiden – 10.1.1934 Leipzig (hingerichtet). Niederl. Maurergeselle. Nach Bauunfall Arbeitsunfähigkeit. Wanderungen durch Europa. Anschluß an Rade-(Räte)Kommunisten. Im Feb. 1933 nach Berlin. Beschluß, als Fanal linken Widerstands gegen den Nat. soz den Reichstag anzuzünden. Alleintäter (gegenteilige Behauptung der Nat.soz.). 23.12.1933 Todesurteil.
S. 568, 696

Lubitsch, Ernst 28.1.1892 Berlin – 30.11.1947 Hollywood. Amerik. Regisseur und Drehbuchautor dt. Herkunft. Verschaffte dem dt. Stummfilm Weltruf. Ab 1923 in Hollywood, Komödienspezialist (»Lubitsch-Stil«). Filme: *Der Stolz der Firma,* 1914; *Kohlhiesels Töchter,* 1920; *Ninotschka,* USA 1939; *To be or not to be,* USA 1942.
S. 172

Ludendorff, Erich 9.4.1865 Kruszewnia bei Posen – 20.12.1937 Tutzing. General. 21.8.1914 Generalstabschef der 8. Armee unter Hindenburg. Durch Siege bei Tannenberg und an den Masurischen Seen zum Mythos verklärt. 29.8.1916 Erster Generalquartiermeister. Bildete zusammen mit Hindenburg als Chef der Obersten Heeresleitung eine Nebenregierung neben Reichskanzler und Reichsregierung, die den Sturz des Kanzlers Bethmann Hollweg erzwang. Nach 1918 Propagandist der Dolchstoßlegende, Beteiligung am Hitlerputsch, 1925 erfolglose Kandidatur für das Reichspräsidentenamt, 1928 Abkehr vom Nat.soz. Geriet zunehmend unter den sektiererischen Einfluß seiner zweiten Frau Mathilde L.
S. 25, 34, 194, 430, 514 f., 605, 756

Ludendorff, Mathilde, geborene Spieß, 4.10.1877 Wiesbaden – 12.5.1966 Tutzing. Ärztin, Schriftstellerin. In dritter Ehe mit Erich L verheiratet. Führende Figur im Bund Dt. Gotterkenntnis, einer völkisch-religiösen Sekte.
S. 194, 408, 756

Ludwig I. 25.8.1786 Straßburg – 29.2.1868 Nizza. 1825-48 bayer. König, Sohn Maximilians I. Joseph.
S. 474

Ludwig, Emil, eigtl. E. Cohn, 25.1.1881 Breslau – 17.9.1948 bei Ascona. Schriftsteller (Biographien, u.a. *Goethe,* 1920; *Napoleon,* 1925). Für die Nat.soz. war sein Buch *Hindenburg und das Märchen von der dt. Republik* (1935) ein »gemeines Pamphlet«. L. lebte seit 1932 in der Schweiz. Nach Ausbürgerung 1940 Emigration in die USA.
S. 407

Lukaschek, Hans 22.5.1885 Breslau – 26.1.1960 Freiburg i. Brsg. Politiker, Widerstandskämpfer (Kreisauer Kreis). Nach dem 20. Juli 1944 im KZ Ravensbrück. 1949 Bundesvertriebenen'-minister (CDU).
S. 552

Ludin, Hanns 10.6.1905 Freiburg i. Brsg. – 9.12.1947 Preßburg (hingerichtet). 1930 zur NSDAP. Ab 1941 dt. Gesandter in der Slowakei. 1947 zum Tode verurteilt.
S. 770

Lütgens, August † 1.8.1933 (hingerichtet). Kommunist. Von Sondergericht wegen Beteiligung am »Altonaer Blutsonntag« zum Tode verurteilt.
S. 359

Luserke, Martin 3.5.1880 Berlin – 1.6.1968 Mehldorf. Schriftsteller. Einer der Führer der dt. Laienspiel-Bewegung.
S. 563

Lutter, Kurt. Kommunist aus Königsberg, plante angeblich im März 1933 ein Sprengstoffattentat auf Hitler, aus Mangel an Beweisen freigesprochen.
S. 378

Lutze, Viktor 28.12.1890 Bevergen – 2.5.1943 bei Hannover. SA-Stabschef (1933). 1922 zur NSDAP, 1923 in die SA. 1925 Gau-SA-Führer. 1928 SA-Oberführer Ruhr. März 1933 Oberpräsident der Provinz Hannover. Nach dem »Röhm-Putsch« 1934 SA-Stabschef. Tod durch Autounfall.
S. 623, 753

MacDonald, James Ramsay 12.10.1866 Lossiemouth (Schottland) – 9.9.1937 auf einer Seereise nach Südamerika. Brit. Politiker. Mitbegründer der Labour Party. Jan. 1924 Premier- und Außenminister der ersten Labourregierung. Wegen versöhnlicher Haltung gegenüber dem Dt. Reich 1924 Sturz. 1929 erneut Regierungschef, Koalition mit Konservativen und Liberalen 1931, 1935 Rücktritt.
S. 345, 750

Mackinder, Sir Halford John 15.2.1861 Gainsborough (Lincolnshire) – 6.3.1947 Parkstone (Dorset). Brit. Geograph und Politiker. 1910-22 Unterhausabgeordneter. 1919/20 brit. Hochkommissar in Rußland. Erstbesteiger des Mt. Kenya (1899).
S. 15

Maginot, André 17.2.1877 Paris – 7.1.1932 ebd. Frz. Politiker. 1910-32 Abgeordneter der demo-

kratischen Linken in der Nationalversammlung. 1922-24 und 1929-32 Kriegsminister. Schöpfer des Heeresgesetzes (1928) und der nach ihm benannten Maginotlinie, eines Befestigungssystems an der frz. Nordostgrenze (1929-32 erbaut).
S. 578

Mahraun, Artur 30.12.1890 Kassel – 27.3.1950 Gütersloh. Politiker. 17.3.1920 Begründer des Jungdt. Ordens. 1928 Gründer der Volksnationalen Reichsvereinigung, 1930 Zusammenschluß mit DDP zur Dt. Staatspartei. 1933 Auflösung des Ordens, Haft und Folter. Anschließend Verleger und Schriftsteller.
S. 538

Mair, Alexander. Leiter des dem AA unterstehenden, 1940 gegründeten »Sonderdienstes Seehaus«.
S. 724

Mann, Golo 27.3.1909 München – 7.4.1994 Leverkusen. Historiker und Publizist. Sohn von Thomas M. 1933 Emigration. Lehre in den USA, 1960-64 Prof. für Politikwissenschaft in Stuttgart.
S. 567

Mann, Heinrich 27.3.1871 Lübeck – 12.3.1950 Santa Monica bei Los Angeles. Schriftsteller. Errang Aufmerksamkeit mit erstem Roman *Der Untertan* (1914), Weltruhm nach der Verfilmung seines *Professor Unrat* (1905) als *Der blaue Engel* mit Marlene Dietrich (1930). Von den Nat.soz. aus der Preuß. Akademie der Künste ausgeschlossen, seine Bücher wurden verbrannt. Flucht über Frankreich in die USA. 1950 Ernennung zum Präsidenten der Dt. Akademie der Künste in Berlin (Ost).
S. 168 f., 300, 407, 673

Mann, Klaus 18.11.1906 München – 22.5.1949 Cannes. Schriftsteller und Publizist, ältester Sohn von Thomas M. 1933 Emigration, Herausgabe der Exilzeitschrift *Die Sammlung* 1933-35 in Paris. 1936 in die USA, 1945 als Korrespondent der US Army zurück nach Deutschland. Selbstmord aus Verzweiflung über persönliches Schicksal und politische Lage. Bekanntestes Werk: *Mephisto,* Roman 1936.
S. 169, 300

Mann, Thomas 6.6.1875 Lübeck – 12.8.1955 Kilchberg bei Zürich. Dt. Schriftsteller. Chronist des dt. Bürgertums (*Buddenbrooks,* Roman 1901). Als einer der wenigen dt. Intellektuellen Bejahung der Weimarer Republik. Nobelpreis 1929. 1936 ausgebürgert, 1938 Emigration in die USA. Kampf gegen den Nat.soz. in Rundfunkansprachen und Vorträgen. Nach dem Zweiten Weltkrieg nur kurze Besuche in Deutschland. Bis zu seinem Tod in der Schweiz.
S. 169, 407, 801

Mannerheim, Carl Gustav Emil Freiherr von 4.6.1867 Villnäs bei Turku – 27.1.1951 Lausanne. Finn. Politiker. Im finn.-sowj. Winterkrieg und im Zweiten Weltkrieg als Generalfeldmarschall Oberbefehl über finn. Streitkräfte. 1944-46 Staatspräsident. 1944 erzwungener Waffenstillstand mit der UdSSR.
S. 461

Manstein, Erich von 24.11.1887 Berlin – 10.6.1973 Irschenhausen (Isartal). Generalfeldmarschall (1.7.1942). 1939 Chef des Stabes der Heeresgruppe Süd, Schöpfer des Operationsplans »Sichelschnitt« für den Westfeldzug 1940. Im Rußlandfeldzug Eroberung der Krim, während der Schlacht um Stalingrad Oberbefehlshaber der Heeresgruppe Don (später Süd). Durch »Strategie der Aushilfen« Rettung der Südfront in Rußland. 16.3.1943 Eroberung Charkows. Wegen Meinungsverschiedenheiten mit Hitler am 30.3.1944 entlassen. Nach dem Zweiten Weltkrieg inhaftiert, zu 18 Jahren Haft verurteilt, 1953 freigelassen, Berater der Bundesregierung bei der Wiederbewaffnung.
S. 318, 453, 805

March, Werner 17.1.1894 Berlin – 11.1.1976 ebd. Architekt. Umbau des Dt. Stadions auf dem Reichssportfeld seit 1932 für die Olympischen Spiele 1936, unterstützt von Speer. 1953–62 Ordinarius für Städtebau und Siedlungswesen an der TH Berlin, Verdienste um Wiederaufbau.
S. 160, 673

Marian, Ferdinand 14.8.1902 Wien – 9.8.1946 Durneck (Oberbayern). Bühnen- und Filmschauspieler. Engagements am Dt. Theater Berlin, Staatstheater München. Filme u.a.: *Madame Bovary,* 1937; *La Habanera,* 1937; *Romanze in Moll,* 1943.
S. 175, 531

Marum, Ludwig 5.11.1832 Frankenthal – 29.3.1934 KZ Kislau (erdrosselt). Politiker (SPD). 1928–33 MdR.
S. 545

Marx, Karl 5.5.1818 Trier – 14.3.1883 London. Dt. Philosoph.
S. 407, 457

Masaryk, Tomáš Garrigue 7.3.1850 Hodonín – 14.9.1937 Schloß Lány bei Prag. Tschechosl. Soziologe, Philosoph und Politiker. 1918, 1920, 1927 und 1934 zum Staatspräsidenten gewählt. 1935 Rücktritt aus Altersgründen. Maßgeblich an der Errichtung eines selbständigen tschechosl. Staates beteiligt.
S. 766

Massary, Fritzi, eigtl. Friederike Massarik, 21.3.1882 Wien – 30.1.1969 Beverly Hills. Österr. Sängerin und Schauspielerin. Ab 1904 Revue- und Operettenstar. 1933 Emigration.
S. 185

Matsuoka, Josuke 4.3.1880 in der Präfektur Jamagutschi – 27.6.1946 Tokio. Jap. Politiker. 1930-34 Abgeordneter der konservativen Seijukai-Partei. 1933 Völkerbundsdelegierter Japans. 1940/41 Außenminister. Als Kriegsverbrecher verhaftet, Tod in der Haft.
S. 528

Maurice, Emil 19.1.1897 Westermoor. Uhrmacher. SS-Oberführer. 1919 zur NSDAP. Teilnahme am Hitlerputsch. 1936 MdR. Landeshandwerksmeister von Bayern. 1.4.1937 Präsident der Handwerkskammer München.
S. 581

Mayer, Kurt * 27.6.1903 Otterberg/Oberpfalz. Ab 1935 Leiter des Reichssippenamtes, Reichsamtsleiter des Amtes für Sippenforschung der NSDAP und Leiter des Volksbundes der dt. sippenkundlichen Vereine.
S. 694

Mayer, Rupert SJ 23.1.1876 Stuttgart – 1.11.1945 München. Katholischer Theologe. Seit 1923 Kampf gegen den Nat.soz. Nach 1933 mehrmals in Haft, Predigtverbot, 1939 KZ Oranienburg, dann Internierung im Kloster Ettal.
S. 314

Meckel, Christoph * 12.6.1935 Berlin. Schriftsteller und Graphiker.
S. 169

Meckel, Eberhard.
S. 169

Mehlhorn, Herbert * 24.3.1903. SS-Oberführer.
S. 493

Meinecke, Friedrich 30.10.1862 Salzwedel – 6.2.1954 Berlin. Historiker. Prof. in Straßburg, Freiburg und Berlin. Konservativer Befürworter der Weimarer Republik. Kritik an Auswüchsen des Nat.soz. 1934 Entzug der Herausgeberschaft der *Historischen Zeitschrift.* 1945 erster Rektor der von ihm mitgegründeten FU Berlin. *Die dt. Katastrophe,* 1946.
S. 788

Mejer, Otto. Vorstandsvorsitzender der Dt. Nachrichtenbüro-GmbH 1933-39.
S. 427

Mengden, Guido von. Stabsleiter des 1938 gegründeten Nat.soz. Reichsbundes für Leibesübungen.
S. 609

Mengele, Josef alias José M., Helmut Gregor(i), Dr. Fausto Rindón u.a. 16.3.1911 Günzburg – angebl. 7.2.1979 Embu (Brasilien). Mediziner. SS-Hauptsturmführer. 1937 zur NSDAP. 1940 zur Sanitätsinspektion der Waffen-SS. 1941 Bataillonsarzt der SS-Division »Wiking«. 30.5.1943 zur Dienststelle des SS-Standortarztes Auschwitz versetzt. Beteiligung an Selektionen zwecks Tötung arbeitsunfähiger Häftlinge. Bei seinen Menschenversuchen nahm er den Tod zahlloser Häftlinge in Kauf. Nach dem Zweiten Weltkrieg abenteuerliche Flucht, seit 1959 von den Behörden der Bundesrepublik per Haftbefehl gesucht (10 Mio. DM Belohnung). Anhaltspunkte für früheren Tod erst im Frühjahr 1985. Exhumierung der mutmaßlichen Leiche am 7.5.1985 durch internationale Gerichtsmediziner, die Identität mit hoher Wahrscheinlichkeit bestätigten.
S. 140, 153, 373, 583

Mentzel, Rudolf * 28.4.1900 Bremen. Ministerialdirigent im Reichsministerium für Wissenschaft, Erziehung und Volksbildung. Präsident der Dt. Forschungsgemeinschaft (Wehrchemie).
S. 139 f.

Merker, Paul 24.4.1881 Oberlößnitz b. Dresden – 13.5.1969 Berlin. 1924 preuß. MdL für KPD, deren linkem Flügel zuzurechnen. 1926 im ZK, 1927 im Politbüro der KPD, 1929/30 Reichsleiter der Revolutionären Gewerkschaftsopposition. 1930 wegen Linksabweichlertum Kaltstellung. 1939 Emigration nach Frankreich, Flucht nach Mexiko. Juli 1946 Rückkehr in SBZ, Wahl in Parteivorstand, 1949 Staatssekretär. 1955 zu 8 Jahren Zuchthaus verurteilt, 1956 entlassen, seit 1957 Arbeit als Lektor.
S. 307

Mertz von Quirnheim, Albrecht Ritter 26.3.1905 – 21.7.1944 (erschossen). Dt. Widerstandskämpfer (20. Juli 1944). Oberst, Mitarbeiter Gen. Olbrichts im Allg. Heeresamt.
S. 815

Metaxas, Ioannis 12.4.1871 Ithaka – 29.1.1941 Athen. Griech. General und Politiker. 1936 nach Staatsstreich Regierungschef. Errichtung einer antikommunistischen Diktatur.
S. 494

Meyer, Alfred 5.10.1891 Göttingen – Mai 1945 (Selbstmord). Politiker. SA-Obergruppenführer (1938). 1928 zur NSDAP. 1930 MdR, Gauleiter Westfalen-Nord. 1936 Staatsminister. 1938 Oberpräsident von Westfalen. 1941 Staatssekretär im Reichsministerium für die besetzten Ostgebiete. Stellvertreter Rosenbergs.
S. 684

Meyer, Emil Heinrich * 6.5.1886 Wiesbaden. Rechtsanwalt. Prof. an der Wirtschaftshochschule Berlin. Mitglied der Berliner Akademie für Dt. Recht. Vorstandsmitglied Dresdner Bank, Berlin.
S. 472

Meyer, Franz 1897 Breslau – 1972 Tel Aviv. Verbandsfunktionär. Vertreter der Zionistischen Vereinigung für Deutschland in der Reichsvertretung der dt. Juden.
S. 698

Meyer, Konrad * 15.5.1901. SS-Standartenführer. Prof. für Agrarwissenschaft. Direktor des Insti-

tuts für Agrarwesen und Agrarpolitik der Universität Berlin-Dahlem. Federführend für die Ausarbeitung des Generalplans Ost beim RKommissar f. d. Festigung dt. Volkstums.
S. 486

Meyerhof, Otto 12.4.1884 Hannover – 6.10.1951 Philadelphia.. Biochemiker. Medizinnobelpreis 1922 für Forschungen zu Stoffwechselprozessen. Wegen jüdischer Herkunft angefeindet, 1938 Emigration in die USA.
S. 567

Michael I. * 25.10.1921 Sinaia. Sohn von Carol II. 1927-30 und 1940-47 rumän. König. Ließ am 23.8.1944 Marschall Antonescu verhaften und erzwang Wechsel Rumäniens auf die Seite der Alliierten.
S. 706

Mierendorff, Carlo 23.3.1897 Großenhain (Sachsen) – 4.12.1943 Leipzig. Journalist, Politiker, Widerstandskämpfer. Sekretär der SPD-Reichstagsfraktion, 1930-33 MdR. Einer der sozialdemokratischen Wortführer gegen den Nat.soz., initiierte Veröffentlichung der Boxheimer Dokumente. 1933 aus Exil kurzzeitig zurück nach Deutschland, Verhaftung, bis 1938 in verschiedenen KZ, danach Aufbau sozialdemokratischer Widerstandsorganisation, Kontakte zum bürgerlichen und militärischen Widerstand (Kreisauer Kreis). Tod bei brit. Luftangriff vor Konkretisierung der Attentatspläne gegen Hitler.
S. 311, 552, 633

Mies van der Rohe, Ludwig 27.3.1886 Aachen – 17.8.1969 Chicago. Dt.-amerik. Architekt. 1930-33 Direktor des Bauhauses in Weimar. 1937 Emigration in die USA. Seit 1938 am Illinois Institute of Technology in Chicago.
S. 156, 560

Mihailovič, Dragoljub-Draža 27.4.1893 Ivanjica – 17.7.1946 Belgrad (erschossen). Serb. Oberst, ab Dezember 1941 General. Politiker. Mitbegründer der Četnik-Freischärler-Verbände in Serbien im Mai 1941. Gegner der kommunistischen Partisanen Titos. 1942-44 Kriegsminister in der jugosl. Exilregierung. 1946 wegen Landesverrats zum Tode verurteilt.
S. 410

Miklas, Wilhelm 15.10.1872 Krems – 20.3.1956 Wien. Österr. Politiker. 1923 Präsident der österr. Nationalversammlung. 1928 Bundespräsident, 1931 bestätigt. Auf Druck Hitlers am 11.3.1938 Ernennung von Seyß-Inquart zum Bundeskanzler. Lehnte Unterzeichnung des Anschlußgesetzes ab; Rücktritt am 13.3.1938.
S. 363

Miklós, Béla Dálnoki 11.6.1890 – 21.11.1948. Ungar. General und Politiker. Lief im Oktober 1944 zu den Sowjets über und leitete im Auftrag N. Horthys Waffenstillstandsverhandlungen ein. Ministerpräsident einer von den Sowjets eingesetzten Provisorischen Regierung ab Dez. 1944.
S. 771

Milch, Erhard 30.3.1892 Wilhelmshaven – 25.1.1972 Wuppertal. Generalfeldmarschall (19.7.1940). 30.1.1933 Stellvertreter Görings als Reichskommissar für die dt. Luftfahrt. 1935 General der Flieger. 1938 Generalinspekteur der Luftwaffe. Das Scheitern der dt. Luftwaffe bei der Reichsverteidigung 1943/44 wurde Milch zur Last gelegt. Jan. 1945 Verlust aller Ämter. Zeuge gegen Göring in Nürnberg. 17.7.1947 lebenslange Haft im Milch-Prozeß. 1951 zu 15 Jahren begnadigt, 1954 freigelassen. Berater in der Industrie.
S. 682

Milotay, István 3.5.1883 Nyírbátor – 10.2.1963 Bregenz. Ungar. Publizist. Herausgeber von *Virradat,* des Organs der Pfeilkreuzpartei.
S. 639

Minetti, Bernhard (Theodor Henry) * 26.1.1905 Kiel. Schauspieler. Anfänge 1927 in Gera, über Darmstadt ans Berliner Staatstheater (bis 1945), später in Berlin am Schiller- und Schloßparktheater, in Bochum und in Wien.
S. 170, 705

Mirbt, Rudolf 24.2.1896 Marburg – 4.12.1974 Feldkirchen-Westerham. Dt. Laienspielleiter. Leiter der Mittelstelle für Auslandsbüchereiwesen. Leiter der Hauptabteilung für Dt. Auslandsbüchereiwesen im Verein für das Deutschtum im Ausland.
S. 563

Mölders, Werner 18.3.1913 Gelsenkirchen – 22.11.1941 Breslau. Jagdflieger. 1938/39 erfolgreichster Flieger der Legion Condor im Span. Bürgerkrieg. Im Zweiten Weltkrieg hochdekoriert (Brillanten zum Ritterkreuz mit Eichenlaub und Schwertern). Tod bei Flugzeugabsturz. Gegenstand nat.soz. Heldenkults.
S. 460, 588

Möller † 1.8.1933 (hingerichtet). Kommunist. Wegen Beteiligung am »Altonaer Blutsonntag« von einem Sondergericht zum Tode verurteilt.
S. 359

Möller, Eberhard Wolfgang 6.1.1906 Berlin – 1.1.1972. Schriftsteller. 1934 Gebietsführer im Stab der Reichsjugendführung. Referent im Reichspropagandaministerium. 1935 Nationaler Buchpreis. Werke u.a.: *Rothschild siegt bei Waterloo,* 1934; *Die Maske des Krieges,* 1941.
S. 758

Moeller van den Bruck, Arthur 23.4.1876 Solingen – 30.5.1925 Berlin (Selbstmord). Publizist. Repräsentant der sog. Konservativen Revolu-

tion gegen Parlamentarismus und Demokratie (*Das Dritte Reich,* 1923).
S. 435, 508

Moissi, Alexander 2.4.1880 Triest – 22.3.1935 Wien. Österr. Schauspieler ital. Herkunft. Seit 1906 im Ensemble Max Reinhardts. 1920–32 »Jedermann« bei den Salzburger Festspielen.
S. 172

Molotow, Wjatscheslaw Michajlowitsch, eigtl. W.M. Skrjabin, 9.3.1890 Kukarka – 8.11.1986 Moskau. Sowj. Politiker, seit 1906 Bolschewik. 1921-57 Mitglied des Zentralkomitees der KPdSU, 1930-41 Vorsitzender des Rates der Volkskommissare. 3.5.1939 Außenminister. Nach Stalins Tod Entmachtung und allmählicher Verlust aller Ämter, 1962 Parteiausschluß, Wiederaufnahme zu seinem 94. Geburtstag.
S. 83, 430, 434

Moltke, Freya von * 1911 Köln. Frau von Helmuth James Graf von M. Widerstandskämpferin (Kreisauer Kreis).
S. 552

Moltke, Helmuth James Graf von 11.3.1907 Gut Kreisau (Niederschlesien) – 23.1.1945 Berlin-Plötzensee (hingerichtet). Jurist und Widerstandskämpfer. 1939-44 als Sachverständiger für Völkerrecht beim OKW. Sammelpunkt des Kreisauer Kreises. Ablehnung eines Attentats auf Hitler aus christlicher Überzeugung. 19.1.1944 Verhaftung bei Zerschlagung des Solf-Kreises, Verurteilung zum Tode trotz Nichtbeteiligung am Attentat des 20. Juli 1944.
S. 320, 552

Montgomery, Bernard Law, Viscount of Alamein and Hindhead, 17.11.1887 Kensington (London) – 24.3.1976 Islington Mill (Hampshire). Brit. Feldmarschall (1.9.1944). 13.8.1942 Oberbefehlshaber der brit. 8. Armee in Ägypten. Sieg bei El Alamein. 1944 Oberkommandierender der brit. Invasionstruppen. Bis 26.6.1946 Oberbefehlshaber der brit. Besatzungsarmee in Deutschland, danach Chef des Empire-Generalstabs. März 1952-Aug. 1958 stellvertretender NATO-Oberbefehlshaber.
S. 444, 541

Moosheim, Grete 8.1.1905 Berlin – 29.12.1986 New York. Schaupielerin. Von Max Reinhardt entdeckt, zwischen 1922–33 zahlreiche Bühnenrollen, überwiegend in Berliner Theatern. Emigrierte als Halbjüdin nach Österreich, London und – als Gattin des Eisenbahnkönigs Gould – USA, wo sie sich vom Theater zurückzog. 1952 nach Scheidung Comeback in Berlin. Dauernder Wohnsitz blieben aber die USA.
S. 170

Morgenthau jr., Henry 11.5.1891 New York – 6.2.1967 Poughkeepsie (New York). Amerik. Politiker. 1933 Unterstaatssekretär. 1934-45 Finanzminister. Urheber des nach ihm benannten Plans 1944. 1951-54 Chef der amerik. Finanz- und Entwicklungsbehörde für Israel.
S. 589

Moser, Hans, eigtl. Johann Julier, 6.8.1880 Wien – 19.6.1964 ebd. Österr. Kabarettist, Bühnen- und Filmschauspieler mit unverwechselbarem Idiom. Zeitlebens Rolle des »Raunzers«, des Querulanten, der sich am Ende der Autorität beugt. Filme u.a.: *Familie Schimek,* 1935; *Das Ekel,* 1939; *Hallo Dienstmann,* 1952.
S. 174

Moses, Siegfried 1887 Lautenburg/Westpreußen – 1974 Tel Aviv. Jurist. 1933-37 Vorsitzender der Zionistischen Vereinigung für Deutschland. 1937 Emigration.
S. 698

Moskovicz, Daniel. Jüdischer Widerstandskämpfer aus dem Ghetto Bialystok.
S. 398

Mosley, Sir Oswald 6.11.1896 London – 3.12.1980 Paris. Brit. Politiker. Ehemaliger Konservativer und Labour-Abgeordneter. 1932 Gründer der British Union of Fascists, 1939 verboten. 1940-43 Internierung. 1948 Gründung einer neuen faschistischen Organisation (»Union Movement«).
S. 457

Mozart, Wolfgang Amadeus 27.1.1756 Salzburg – 5.12.1791 Wien. Österr. Komponist.
S. 560

Muckermann, Hermann 30.8.1877 Bückeburg – 27.10.1962 Berlin. Anthropologe. 1896 Jesuit, 1926 Weltgeistlicher. 1927–33 Abteilungsleiter am Kaiser-Wilhelm-Institut für Anthropologie, menschliche Erblehre und Eugenik. Nach 1933 ohne öffentliches Amt. 1948 Prof. für angewandte Anthropologie und Sozialethik an der TU und FU Berlin.
S. 384

Mühsam, Erich 6.4.1878 Berlin – 10.7.1934 KZ Oranienburg. Schriftsteller und politischer Publizist. 1918 Mitglied des revolutionären Münchner Arbeiterrates. Nach Zusammenbruch der Münchner Räterepublik 15 Jahre Haft, 1926 amnestiert. Herausgeber der Zeitschrift *Fanal.* 28.2.1933 von SA verhaftet. Im KZ gefoltert und ermordet.
S. 626, 737

Müller, Heinrich * 7.6.1896 München. Präsident der Preuß. Oberrechnungskammer und seit 1938 Präsident des Rechnungshofes des Dt. Reiches. Mitglied der Akademie für Dt. Recht.
S. 662

Müller, Heinrich. * 28.4.1900 München. Ursprüngl. Flugzeugmonteur. Nach dem Ersten Weltkrieg zur bayer. polit. Polizei. SS-Gruppen-

führer (1941). 1933 Kriminalinspektor, 1937 Kriminalrat u. SS-Obersturmbannführer. 1939 zur NSDAP. 1939–45 Chef des Amtes IV (Gestapo) im RSHA. Zusammen mit Heydrich für den Überfall auf den Sender Gleiwitz verantwortlich. Wegen seiner Brutalität und Grausamkeit eine der am meisten gefürchteten Personen des NS-Regimes (»Gestapo-Müller«). Seit 29.4.1945 verschollen.
S. 481, 493, 614, 693

Müller, Hermann 18.5.1876 Mannheim – 20.3.1931 Berlin. Politiker. 1899–1906 Redakteur der sozialdemokratischen *Görlitzer Volkszeitung.* 1906 im Parteivorstand der SPD. 1916–18, 1920–31 MdR. 1920-28 SPD-Fraktionschef. 1919–27 einer der SPD-Vorsitzenden. Juni 1919–März 1920 Reichsaußenminister. Einer der Unterzeichner des Versailler Vertrages. März–Juni 1920 und 1928–30 Reichskanzler.
S. 614, 662

Müller, Josef 27.3.1898 Steinwiesen (Oberfranken) – 12.9.1979 München. Rechtsanwalt und Politiker. Nach Kriegsausbruch zur Abwehrabteilung des OKW, Kontakt zum militärischen Widerstand, Friedenssondierung über den Vatikan mit Großbritannien, 1943 wegen Landesverrats verhaftet. Trotz Freispruchs 1944/45 im KZ Buchenwald. 1945 einer der Gründer der CSU (»Ochsensepp«), 1947–49 stellvertretender bayer. Ministerpräsident, 1947–52 bayer. Justizminister.
S. 316

Müller, Ludwig 23.6.1883 Gütersloh – 31.7.1945 Berlin. Evangelischer Theologe. 27.9.1933 Wahl zum Reichsbischof. Widerstand von seiten der Bekennenden Kirche gegen Müllers Zentralisierungsversuchs, der Führerprinzip und Arierparagraphen innerhalb der evangelischen Kirche Geltung verschaffen wollte. Dezember 1933 eigenmächtige Überführung der evangelischen Jugendorganisationen in die HJ, 1935 Entmachtung, nach Kriegsende Selbstmord.
S. 190

Mündler, Eugen * 15.1.1889 Ulm. 1940-43 Chefredakteur der NS-Wochenzeitung *Das Reich.*
S. 663

Münzenberg, Willi 14.8.1889 Erfurt – 1940 bei Caugnet (Frankreich). Politiker. 1919 zum Spartakusbund, 1921 Gründung der Internationalen Arbeiterhilfe. 1924-33 MdR für die KPD, seit 1927 im ZK. 1933 Emigration nach Frankreich, Herausgeber des sog. *Braunbuches.* Organisator eines kommunistischen Verlags- und Pressewesens (»Roter Pressezar«). Wegen Stalinscher Säuberungen Entfremdung zwischen Münzenberg und der KPD, 1937 Parteiausschluß, nach dt.-sowj. Nichtangriffspakt völliger Bruch. Zuletzt wurde er am 21.6.1940 auf der Flucht vor dt. Truppen gesehen; möglicherweise von sowj. Agenten ermordet.
S. 300, 402

Muhs, Hermann 16.5.1894 Barlissen – 13.4.1962 Göttingen. 1937 Staatssekretär Reichsministeriuim für die kirchlichen Angelegenheiten, 1941-45 mit der Führung der Geschäfte beauftragt.
S. 684

Murmelstein, Benjamin * 1905 Lemberg – Okt. 1989 Rom. Rabbiner, Mitglied d. Wiener Judenrats, ab Dez. 1943 „Judenältester« des Judenrats in Theresienstadt.
S. 757

Muschg, Adolf 13.5.1934 Zollikon. Schweiz. Schriftsteller.
S. 681

Mushkin, Eliyahu. † 1942 (ermordet). Vorsitzender des Judenrats von Minsk.
S. 584

Mussert, Anton Adriaan 11.5.1894 Werkendam – 7.5.1946 Den Haag (hingerichtet). Niederl. Politiker. Dez. 1931 Gründer der niederl. faschistischen Bewegung. 1942 als Führer der Kollaboration »Leiter des niederl. Volkes«. Nach Kriegsende verhaftet und zum Tode verurteilt.
S. 596, 614

Mussolini, Benito 29.7.1883 Predappio – 28.4.1945 Giulino de Mezzegra (Como). Ital. Politiker. Bis 1914 Sozialist, publizistische Tätigkeit, 14.11.1914 Gründung einer eigenen Zeitung, *Popolo d'Italia.* 23.3.1919 Gründung der Sammlungsbewegung »Fasci di Combattimento«. 28.10.1922 »Marsch auf Rom«. Errichtung einer Einparteiendiktatur. Seit 1925 »Capo del Governo«, 1938 »Erster Marschall des Imperiums«, außerdem Präsident des Faschistischen Großrats und Oberbefehlshaber der faschistischen Milizen. Einschränkung seiner absoluten Machtstellung nach Bündnissen mit Großindustrie, Kirche und Monarchie. 10.6.1940 Kriegseintritt an der Seite Hitlers. Traum vom ital. Kolonialreich. 25.7.1943 Entmachtung und Gefangennahme, Befreiung durch dt. Truppen (12.9.1943). Die Installierung einer Marionettenregierung Mussolinis. von dt. Gnaden in Salò. Beim Versuch, in die Schweiz zu flüchten, von ital. Partisanen gefangengenommen und mit seiner Geliebten getötet.
S. 16, 22, 25, 70, 72, *73,* 82, 315, 347, 352, 356, 358, 363, 385, 454 f., 456, 467, 494, 525 f., 596, 602, 621, 702, 745, 750, 755, 761, 767, 777

Muth, Carl 31.1.1867 Worms – 15.11.1944 Bad Reichenhall. Publizist. Begründer (1903) und Leiter der katholischen Monatszeitschrift *Hochland.*
S. 317

Müthel, Lothar 18.2.1896 Berlin – 5.9.1964 Frankfurt am Main. Bühnenschauspieler und -regisseur, von den Nat.soz. als »stilbildend« gelobt. Mitglied des Präsidialrats der Reichstheaterkammer. 1939–45 Direktor des Wiener Burgtheaters. Rezitationen in SA-Uniform auf SA-Veranstaltungen. 1951–56 Schauspieldirektor in Frankfurt am Main.
S. 167

Nadler, Josef 23.5.1884 Neudörfl (Nordböhmen) – 14.1.1963 Wien. Literaturwissenschaftler. Hauptwerk: *Literaturgeschichte der dt. Stämme und Landschaften,* 4 Bde, 1912–1928. Vorbild späterer völkischer Literaturinterpretationen.
S. 167

Nansen, Fridtjof 10.10.1861 Gut Store Fron (Oslo) – 13.5.1930 Lysaker bei Oslo. Norweg. Polarforscher, Pazifist und Diplomat.
S. 595

Napoleon I., Napoléon Bonaparte, eigtl. Napoleone Buonaparte, 15.8.1769 Ajaccio (Korsika) – 5.5.1821 Longwood (Sankt Helena). Kaiser der Franzosen 1804-1814/15.
S. 546

Naujoks, Alfred Helmut 20.9.1911 – 4.4.1966 Hamburg. Geheimagent. 1931 zur SS, seit 1934 beim SD. 1939 SS-Sturmbannführer im SD-Hauptamt beim Auslandsnachrichtendienst (später Amt VI »Spionage« im RSHA). Aktionen: fingierter Überfall auf den Sender Gleiwitz; Venlo-Zwischenfall; Geldfälschungsunternehmen Bernhard. Später zur Waffen-SS abkommandiert, verwundet und 1944 gegen dän. Widerstandsgruppen eingesetzt. Am 19.10.1944 zu den Amerikanern übergelaufen. Internierung, Flucht nach Zeugenaussage in Nürnberg, anschließend unbehelligt als Geschäftsmann in Hamburg.
S. 491

Naumann, Werner 16.6.1909 Guhran (Schlesien) – 25.10.1982 Lüdenscheid. Staatssekretär im Reichsministerium für Volksaufklärung und Propaganda, von Hitler testamentarisch zum Nachfolger Goebbels als Prop. Min. bestimmt.
S. 471

Nebe, Arthur 13.11.1894 Berlin – 4.3.1945 ebd. (hingerichtet). Polizeioffizier. 1931 zu NSDAP und SA. 1932 Gründung einer NS-Beamtengemeinschaft. 1.4.1933 Kriminalrat im preuß. Gestapa. Kontakt zum Widerstand um L. Beck. 1935 Leiter des preuß. Landeskriminalamtes, 1936 Leiter der Kripo im gesamten Reichsgebiet. 1.7.1937 Reichskriminaldirektor. 1939 Chef des Amtes V im RSHA. SS-Gruppenführer. Kommandeur der Einsatzgruppe B im Ostfeldzug. Unterstützung des Attentats vom 20. Juli 1944. Erst durch seine Flucht am 23.7.44 machte er sich verdächtig. 16.1.1945 Verhaftung. 2.3.1945 Todesurteil durch Volksgerichtshof.
S. 693

Nedić, Milan 1882–1946. Serb. General und Politiker. 1941-44 serb. Ministerpräsident.
S. 726

Neef, Hermann *2.9.1904 Templin. Oberzollsekretär. 1923 zur SA, 1930 NSDAP-Kreisleiter. 1931 Organisations- und Propagandaleiter in der Reichsleitung der NSDAP. 1933 Führer des Dt. Beamtenbundes und MdR. SA-Brigadeführer und Reichsbeamtenführer. Okt. 1933 Gründung des Reichsbundes der Dt. Beamten. 1934 Regierungsrat und Hauptamtsleiter in der Reichsleitung der NSDAP. Mitglied der Akademie für Dt. Recht und des Obersten Führerrates der Dt. Rechtsfront, des NS-Rechtswahrerbundes und der Reichsarbeitskammer.
S. 667

Neithardt, Georg 1871-1941. Jurist. Richter im Hitlerprozeß 1924 vor dem Volksgericht München.
S. 515

Neubauer, Theodor 1890–1945. Politiker (KPD).
S. 610

Neufert, Ernst 15.3.1900 Freyburg/Unstrut. Architekt. 1926–39 Leiter der Bauabteilung des Bauhauses. Schüler von Gropius.
S. 163

Neuhaus, Karl *22.7.1915. Leiter der »Sonderkommission 20. Juli« des RSHA. SS-Sturmbannführer im RSHA
S. 732

Neumann, Ernst *13.7.1888 Wensowken. Leiter der Sozialistischen Volksgemeinschaft (Sovog).
S. 582

Neumann, Franz 23.5.1900 Kattowitz – 2.9.1954 Visp (Schweiz; Unfall). Soziologe und Politologe. Ursprüngl. Jurist. 1932/33 jur. Berater der SPD. Mai 1933 Emigration England, 1936 USA. Tätigkeit am Inst. for Social Research, New York, dort 1944: *Behemoth. The Structure and Practice of National Socialism.*
S. 16, 116, 458

Neurath, Konstantin Freiherr von 2.2.1873 Klein-Gattbach (Württemberg) – 14.8.1956 Enzweihingen (Württemberg). Politiker. SS-Obergruppenführer (1943). 2.6.1932 Reichsaußenminister, vorher Botschafter in Rom und London. Am 4.2.1938 durch Ribbentrop ersetzt, erst ein Jahr zuvor Beitritt zur NSDAP. 18.3.1939 Reichsprotektor in Böhmen und Mähren, kaum Einfluß. Die eigtl. Macht lag bei seinem Staatssekretär Karl Herman Frank. 1941 beurlaubt, 1943 erzwungener Rücktritt. Verurteilt zu 15

Jahren Haft in Nürnberg 1946, 1954 vorzeitig entlassen.
S. 68, 75, 77 f., 386, 430, 480, 520, 528, 656

Niehoff, Herrmann
S. 404

Niekisch, Ernst 23.5.1889 Trebnitz (Schlesien) – 23.5.1967 Berlin. Politiker und Schriftsteller. Volksschullehrer. 1917 zur SPD (1919–22 USPD). 1921–23 MdL in Bayern. 1927–34 Herausgeber der Zeitschrift *Der Widerstand,* die wegen ihrer nationalbolschewistischen Tendenz 1937 verboten wurde. Inhaftierung. Am 1.10.1939 wegen »literarischen Hochverrats« lebenslänglich Zuchthaus. Nach 1945 zur KPD, dann SED. 1948-54 Prof. an der Humboldt-Universität. Nach Kritik an der Niederschlagung des Aufstands vom 17.6.1953 Übersiedlung nach West-Berlin. Analyse des Nat.soz. in: *Hitler, ein dt. Verhängnis,* 1932.
S. 175, 599

Nielsen, Asta 11.9.1881 Kopenhagen – 25.5.1972 ebd. Dän. Theater- und Filmschauspielerin. Stummfilmkarriere in Deutschland, kurz nach Beginn des Ersten Weltkriegs aufgrund polit. Schwierigkeiten Rückkehr nach Dänemark (bis 1919). »Königin des Films« bis Greta Garbo. Mit dem dt. Film identifiziert. Filme u.a.: *Afgrunden,* 1910; *Rausch,* 1919; *Hamlet,* 1920; *Dirnentragödie,* 1927.
S. 172

Niemöller, Martin 14.1.1892 Lippstadt – 6.3.1984 Wiesbaden. Evangelischer Theologe. Im Ersten Weltkrieg U-Boot-Kommandant, nach dem Krieg Theologiestudium. 1924–30 Geschäftsführer der Inneren Mission Westfalen. 1.7.1931 Pfarrstelle in Berlin-Dahlem. Gründung des Pfarrernotbundes als Reaktion auf Gleichschaltungsversuche der evangelischen Kirche durch Reichsbischof Müller (21.9.1933). In der Folge Kristallisationspunkt der Bekennenden Kirche, am 1.7.1937 Verhaftung, Verurteilung durch ein Sondergericht zu 7 Monaten Haft. Nach Freilassung als »persönlicher Gefangener des Führers« bis Kriegsende im KZ Sachsenhausen. Nach dem Zweiten Weltkrieg Mitverfasser des Stuttgarter Schuldbekenntnisses. 1947–64 Kirchenpräsident der hess. Landeskirche, von 1961–67 Präsidiumsmitglied des Weltkirchenrats.
S. 192, 313

Nolde, Emil, eigtl. E. Hansen 7.8.1867 Nolde bei Tondern – 15.4.1956 Seebüll. Maler und Graphiker. Einer der eigenwilligsten Vertreter des dt. Expressionismus. N. fühlte sich zum Nat.soz. hingezogen, verstand sich selbst als der »nordischste« der dt. Maler. Dennoch wurden seine Bilder 1933 als »entartet« verdammt und 1937 aus allen Ausstellungen entfernt. 1941 Malverbot. Bis 1945 entstanden heimlich die »ungemalten Bilder«, etwa 1300 Aquarelle, die zu N.'s Meisterwerken zählen.
S. 156

Oberländer, Theodor *1.5.1905 Meiningen. Politiker. 1933 zur NSDAP. Professuren an den Hochschulen in Danzig, Königsberg, Greifswald u. Prag. 1939-45 Reichsführer des Bundes dt. Osten. 1956 zur CDU. Bundesvertriebenenminister. 1960 Rüchktritt nach Vorwürfen, im Ostfeldzug als Offizier an Kriegsverbrechen der Abwehr-Sondereinheit »Nachtigall« beteiligt gewesen zu sein. In der DDR in Abwesenheit zu lebenslänglicher Haft verurteilt.
S. 408

Ohlendorf, Otto 4.2.1907 Hoheneggelsen bei Hildesheim – 7.6.1951 Landsberg/Lech (hingerichtet). SS-Gruppenführer (Nov. 1944). 1925 zur NSDAP, 1926 zur SS. 1939-45 Leiter des SD innerhalb des RSHA. 1941/42 Chef der Einsatzgruppe D. Bis Juni 1942 verantwortlich für die Ermordung von ca. 90 000 Zivilisten in Rußland. Todesurteil am 10.8.1948.
S. 472, 518, 581, 764

Olbricht, Friedrich 4.10.1888 Leising (Sachsen) – 20.7.1944 Berlin. General der Infanterie. 1926-31 in der Abteilung »Fremde Heere« im Reichswehrministerium. Seit 15.2.1940 Chef des Allgemeinen Heeresamtes im OKW. Seit 1938 Kontakte zum militärischen Widerstand. Entwicklung des Staatsstreichplans »Walküre«, am 20. Juli 1944 ausgelöst. In der Bendlerstraße standrechtlich erschossen.
S. 316, 794, 815

Oncken, Hermann 16.11.1869 Oldenburg – 28.12.1945 Göttingen. Historiker. 1935 aus politischen Gründen zwangsemeritiert. Mitglied der Mittwochs-Gesellschaft.
S. 588

Ophüls, Max, eigtl. Max Oppenheimer, 6.5.1902 Saarbrücken – 26.3.1957 Hamburg. Schauspieler und Regisseur. Anfänge auf der Bühne (Wien), später zum Film. 1933 Emigration. Filme als Regisseur u.a.: *Liebelei,* 1933; *Letter from an unknown woman,* USA 1948; *La ronde,* Frankr. 1950.
S. 172

Oppenhoff, Franz 18.8.1902 Aachen – 25.3.1945 ebda. Kommunalpolitiker. Nach der alliierten Eroberung Aachens am 31.10.1944 eingesetztes Stadtoberhaupt, von Werwolf-Kommando ermordet.
S. 803

Orff, Carl 10.7.1895 München – 29.3.1982 ebd. Komponist. Kapellmeister in München, Mannheim und Darmstadt. 1925 Mitbegründer der Günther-Schule für Gymnastik, Musik und Tanz

Besatzer. Errichtung einer terroristischen Diktatur mit KZ für politische Gegner und Auslieferung der Juden an die SS. Bei Kriegsende Flucht über Österreich und Italien nach Argentinien.
S. 455, 776

Peiner, Werner *20.7.1897 Düsseldorf. Maler. Gründung einer »Landakademie«, später »Hermann-Göring-Meisterschule für Malerei« für Künstlerausbildung im nat.soz. Sinne. »Blut-und-Boden«-Gemälde als Widerspiegelung mythisch-völkischen Kunstverständnisses.
S. 157

Peiper, Joachim 30.1.1915 Berlin – 13.7.1976 Traves. SS-Standartenführer der Waffen-SS. Regimentskommandeur in der 1. SS-Panzerdivision »Leibstandarte Adolf Hitler« während der Ardennenoffensive. Im Malmédy-Prozeß wegen Gefangenenerschießungen zum Tode verurteilt, zu lebenslänglich begnadigt, 1956 freigelassen. Tod beim Brandanschlag einer frz. Untergrundorganisation auf sein Haus.
S. 792

Perón, Juan Domingo 8.10.1895 Lobos (Prov. Buenos Aires) – 1.7.1974 Buenos Aires. Argent. General und Politiker. Juni 1943-1945 Kriegs- und Arbeitsminister, 24.2.1946-21.9.1955 und September 1973-Juli 1974 Präsident Argentiniens.
S. 373

Peßler, Wilhelm 21.3.1880 Riga. Volkskundler. Mitglied des Beirats des Bundes für dt. Volkskunde.
S. 424

Petacci, Clara †28.4.1945 Giulino de Mezzegra (Como). Geliebte Mussolinis.
S. 526

Pétain, Henri 24.4.1856 Cauchy-la-Tour (Pas-de-Calais) – 23.7.1951 Port Joinville (Insel Yeu). Frz. Marschall (Nov. 1918) und Politiker. Feb. 1916 Oberbefehlshaber und Verteidiger Verduns. 1922-31 Generalinspekteur der Armee. 1929 Mitglied der Académie Française. 1934 kurz Kriegsminister. Nach dem dt. Angriff im Mai 1940 stellvertretender Ministerpräsident. 10.7.1940 Wahl zum Chef des État Français durch die frz. Nationalversammlung in Vichy. Doppelstrategie aus Widerstand und Kollaboration gegenüber dem Dritten Reich. Stellte sich am 24.4.1945 den frz. Behörden. Todesurteil am 15.8.1945, aus Altersgründen begnadigt zu Festungshaft.
S. 83, 444, 467 f., 588, 781 f., 802

Peter I., der Große, russ. Pjotr J. Alexejewitsch, 9.6.1672 Moskau – 8.2.1725 Petersburg. Russ. Zar (seit 1682) und Kaiser (seit 1721).
S. 396

Peters, Hans 5.9.1896 Berlin – 1966. Jurist. 1928 Prof. für öffentliches Recht in Berlin. Studienleiter der Berliner Verwaltungsakademie. Mitglied der Widerstandsgruppe Kreisauer Kreis. 1940–42 im Luftwaffenführungsstab in Berlin. 1964/65 Rektor der Univ. Köln.
S. 552

Peuckert, Will-Erich 11.5.1895 Töppendorf (Schlesien) – 25.10.1969 Langen (Kreis Offenbach). Volkskundler und Schriftsteller. Von den Nat.soz. mit Schreibverbot belegter Opponent der von den Nat.soz. favorisierten Dt. Volkskunde.
S. 424

Pfeffer, von Salomon Franz 19.2.1888 Düsseldorf – 12.4.1968 München. SA-Führer. 1924 zur NSDAP. Gründer und Leiter des Gaus Westfalen. 1926-30 OSAF. 1932-41 MdR. 1944 in Haft.
S. 752

Pfitzner, Hans 5.5.1869 Moskau – 22.5.1949 Salzburg. Komponist. 1908-18 Städtischer Musik- und Operndirektor in Straßburg, 1930-34 an der Akademie der Tonkunst in München. Danach Dirigent, Pianist, Opernregisseur. Naiver, aber überzeugter Verfechter nat.soz. Ideen und »echt dt.« Kunst in der Tradition Wagners. Bekannteste Oper: *Palestrina,* 1912-15.
S. 178

Philippson, Julius.
S. 311

Picasso, Pablo, eigtl. Pablo Ruiz y P., 25.10.1881 Málaga – 16.4.1973 Mougins (Alpes Maritimes). Span. Maler, Graphiker und Bildhauer.
S. 500

Picker, Henry 6.2.1912 Wilhelmhaven. Jurist. 1.4.1930 NSDAP-Eintritt. Referent für Rechtsschulung beim Reichsjugendführer. Als Oberregierungsrat mit der Verwaltung der zivilen Angelegenheiten im Führerhauptquartier betraut, protokollierte er zw. März u. Aug. 1942 die Hitlerschen Tischgespräche. Ab Sept. Landrat in Norden (Ostfriesland) mit Sonderauftrag im FHQ bis Apr. 1943. Danach Kriegsdienst.
S. 759

Pilsudski, Joséf 5.12.1867 Zulowo (Litauen) – 12.5.1935 Warschau. Poln. Politiker. Ab 1894 Führer der Sozialistischen Partei Polens. 1918 erster Staatspräsident des neuen poln. Staates. 1923 Rückzug aus der Politik, dann jedoch am 12.5.1926 Sturz der demokratischen Regierung, Diktatur mit parlamentarischer Fassade. Nichtangriffspakte mit der UdSSR und dem Dritten Reich.
S. 642

Pinder, Wilhelm 25.6.1878 Kassel – 13.5.1947 Berlin. Kunsthistoriker. Im Dritten Reich wegen seiner Arbeiten über »Wesen und Werden dt. Formen in der dt. Plastik« hochgeschätzt

und mit Festschriften geehrt. Mitglied der Mittwochs-Gesellschaft.
S. 588

Piscator, Erwin 17.12.1893 Ulm (Landkreis Wetzlar) – 30.3.1966 Starnberg. Regisseur. 1920/21 Gründung des Proletarischen Theaters Berlin. 1924–27 Oberregisseur der Volksbühne in Berlin. 1931–36 UdSSR, dann Paris, seit 1939 in den USA. 1962–66 Leiter der Ostberliner Freien Volksbühne.
S. 170

Pius XI., ursprüngl. Achille Ratti, 31.5.1857 Desio (Provinz Mailand) – 10.2.1939 Rom. Papst. 1919/20 Nuntius in Polen. 1921 Erzbischof von Mailand und Kardinal. Nach dem Ersten Weltkrieg Bemühen um »christlichen Frieden«. 6.2.1922 Papst. Abschluß von Konkordaten u.a. mit Österreich (1933) und dem dt. Reich (1933). Anprangerung des NS-Regimes 1937 in der Enzyklika »Mit brennender Sorge«.
S. 542, 587, 777

Pius XII., ursprüngl. Eugenio Pacelli, 2.3.1876 Rom – 9.10.1958 Castelgandolfo. Papst. 1899 Priesterweihe. 1917 Titular-Erzbischof von Sardes und Nuntius in München, 1920–29 bei der Reichsregierung in Berlin. 1930 Kardinalstaatssekretär. Befürworter der Konkordatspolitik Pius' XI. 2.3.1939 Papst. Im Krieg Bemühungen, Verfolgten zu helfen. Kontakte zum dt. militärischen Widerstand und zur brit. Regierung wegen Friedensschluß, aber kein offener Protest gegen Völkermord und Endlösung.
S. 316, 777

Planck, Max 23.4.1858 Kiel – 4.10.1947 Göttingen. Physiker. Begründer der Quantentheorie und des Planckschen Strahlungsgesetzes. Nobelpreis 1918. 1930 Präsident der Kaiser-Wilhelm-Gesellschaft. Kein Anhänger des Nat.soz., blieb Planck dennoch in Deutschland, Einsatz für jüdische Kollegen, Sabotierung von Entlassungsentscheidungen. Sein Sohn Erwin Planck wurde als Mitglied d. Widerstandsbewegung im Jan. 1945 hingerichtet.
S. 138, 139

Pleiger, Paul * 29.9.1899 Buchholz. Dt. Industrieller. Staatsrat. Gauamtsleiter und Gauwirtschaftsberater der Gauleitung Westfalen-Süd der NSDAP. Im Auftrag Görings 1936 Gründer, dann Leiter der Reichswerke »Hermann Göring«. Vorstandsvorsitzender in den diversen Aktiengesellschaften der »Hermann-Göring-Werke«.
S. 699, 713

Ploetz, Alfred 22.8.1860 Swinemünde – 20.3.1940 Herrsching am Ammersee. Rassenkundler, prägte den Begriff der »Rassenhygiene«. 1905 Gründung der Dt. Gesellschaft für Rassenhygiene, starker Einfluß auf nat.soz. Rassenlehre.
S. 12, 376

Poelchau, Harald 5.10.1903 – 29.4.1972. Widerstandskämpfer. Mitglied des Kreisauer Kreises. Seit 1933 Gefängnispfarrer in Berlin-Tegel, später in den Zuchthäusern Plötzensee u. Brandenburg.
S. 552

Pohl, Oswald 30.6.1892 Duisburg – 8.6.1951 Landsberg/Lech. SS-Obergruppenführer (21.4.1942). 1926 zur NSDAP, 1929 zur SA. 1.2.1934 SS-Standartenführer, Verwaltungschef im SS-Hauptamt. Juni 1939 in Personalunion Ministerialdirektor im Reichsinnenministerium. 1942 Chef SS-Wirtschaftsverwaltungshauptamt, damit Herr über die Arbeitssklaven in den KZ, die rücksichtslos ausgebeutet wurden. Exekutor von Himmlers Auftrag »Vernichtung durch Arbeit«. Todesurteil im Nürnberger Pohl-Prozeß am 7.3.1947, gehängt.
S. 285, 472, 743 f.

Pommer, Erich (Eric) 20.7.1889 Hildesheim – 8.5.1966 Los Angeles-Hollywood. Dt.-amerik. Filmproduzent *(Decla Bioscop).* 1923 Produktionsleiter bei der Ufa. 1933 Emigration nach Frankreich, Großbritannien und in die USA. 1950 in der BRD Gründung der Intercontinental Film GmbH. 1955 wieder in die USA.
S. 172, 769

Ponto, Erich (Johannes Bruno) 14.12.1884 Lübeck – 4.2.1957 Stuttgart. Bühnen- und Filmschauspieler. Einzige Titelrolle in *Schneider Wibbel,* 1939. Andere Rollen in *Liebe 47,* 1949; *Der dritte Mann,* GB 1949; *Feuerzangenbowle,* 1944.
S. 174, 705

Popitz, Johannes 2.12.1884 Leipzig – 2.2.1945 Berlin-Plötzensee (hingerichtet). Jurist und Politiker. Reichsminister ohne Geschäftsbereich Nov. 1932-Jan. 1933. Bis April 1933 kommissarischer Leiter des preuß. Finanzministeriums. 1925-29 Staatssekretär Reichsfinanzministerium. 21.4.1933-Juli 1944 preuß. Finanzminister. Allmählich Gegner des Nat.soz. Wegen Himmler-Kontakten umstritten. Mitglied der Mittwochs-Gesellschaft. Nach dem 20. Juli 1944 verhaftet, Todesurteil am 3.10.1944.
S. 492, 587 f.,

Porsche, Ferdinand 8.9.1875 Maffersdorf (Böhmen) – 30.1.1951 Stuttgart. Automobilkonstrukteur. 1916 Generaldirektor von Austro-Daimler. 1933 Konstruktion eines Rennwagens für die Auto Union. 1938 Präsentation des »Volkswagens«. Geschäftsführung der neugegründeten Volkswagen GmbH. 1938 Nationalpreis für Kunst und Wissenschaft. Im Zweiten Weltkrieg

Panzerkonstrukteur, nach dem Krieg Sportwagenbau (Porsche).
S. 790

Posse, Hans † 1942. Kunsthistoriker. Bis zu seinem Tod Kunstbeauftragter Hitlers vor allem für das geplante Groß-Museum in Linz. Führte ein Diensttagebuch, in dem Aufträge und Ankäufe Hitlers verzeichnet sind.
S. 561

Pradel, Friedrich. SS-Sturmbannführer u. Major d. Polizei. Im RSHA von Sept. 1941 bis Sept. 1942 mit der Herstellung, technischen Überwachung u. dem Einsatz der Gaswagen betraut. Deshalb wegen Beihilfe zur Massentötung verurteilt.
S. 477

Preminger, Otto * 5.12.1906 Wien. Amerik. Filmregisseur und -produzent österr. Herkunft. 1928 Leiter des Wiener Theaters in der Josefstadt. Nach Emigration 1934 am Broadway. 1941-51 Regisseur für 20th Century Fox. Filme u.a.: *Carmen Jones,* 1954; *Exodus,* 1960.
S. 172

Preysing, Konrad Graf von 30.8.1880 Schloß Kronwinkl (Niederbayern) – 21.2.1950 Berlin. Katholischer Theologe. 1917-32 Prediger und Domkapitular in München, 1932 Bischof von Eichstätt, 1935 von Berlin. In Hirtenbriefen Anprangerung nat.soz. Verstöße gegen das Konkordat. Protest gegen Euthanasie in einer Predigt 1941. Versuche, Judendeportationen zu bremsen, scheiterten. Kontakt zum Kreisauer Kreis. Weihnachten 1945 Kardinal.
S. 197, 313

Priebke, Erich * 29.7.1913 Henningsdorf b. Berlin. 1936 Dolmetscher für Italienisch bei der Politischen Polizei Berlin, SS-Hauptsturmführer, ab 1941 Mitarbeiter der deutschen Botschaft in Rom, nach Kriegsende Flucht nach Südamerika, seit 1948 Wohnsitz in Argentinien, 1995 an Italien ausgeliefert, 1997 wegen seiner Beteiligung an der Ermordung der Geiseln in den Ardeatinischen Höhlen (24.3.1933) von einem römischen Gericht zu einer Haftstrafe verurteilt.
S. 466

Probst, Christoph † 22.2.1943 (hingerichtet). Mitglied der Weißen Rose.
S. 318, 800 f.

Prühäußler, Karl. Journalist. Jan.-Sept. 1931 Redakteur der satirischen antisemitischen Zeitschrift *Die Brennessel.*
S. 403

Prützmann, Hans-Adolf 31.8.1901 Tolkemit – 21.5.1945 Lüneburg (Selbstmord). SS-Obergruppenführer (1943). 1933 MdR. 1943 Führer des SS-Oberabschnitts Südost und Ukraine. Sept. 1944 General der Polizei und Höherer SS- und Polizeiführer in der Ukraine. Leiter der geplanten Werwolf-Organisation.
S. 518, 803

Puchowski, Prälat.
S. 191

Quadflieg, Will * 15.9.1914 Oberhausen. Theaterschauspieler, Idol des dt. Publikums, wenige Filme, u.a.: *Der Maulkorb,* 1938, *Der große Schatten,* 1942. Größter Bühnenerfolg 1960 in Gustaf Gründgens' *Faust*-Inszenierung am Hamburger Schauspielhaus.
S. 170

Quisling, Vidkun 18.7.1887 Fyresdal (Telemark) – 24.10.1945 Oslo (hingerichtet). Norweg. Politiker und Offizier. 1927/28 Legationssekretär an der norweg. Botschaft in Moskau. 1930 Rückkehr nach Norwegen. Antibolschewist. 1933 Gründung der faschistischen, später sog. Nasjonal Samling. Nach der dt. Landung in Norwegen 1940 Kollaboration mit den Deutschen. 1942 Ministerpräsident einer »nationalen Regierung« ohne politischen Widerhall im Volk 9.5.1945 Verhaftung, 10.9.1945 Todesurteil.
S. 360, 384, 595, 616

Raabe, Peter 27.11.1872 Frankfurt/Oder – 12.1.1945 Weimar. Dirigent und Musikhistoriker. 1920–34 Generalmusikdirektor in Aachen. 1935 Präsident der Reichsmusikkammer. Autor von *Musik im Dritten Reich,* 1935.
S. 178

Rabenalt, Arthur Maria * 25.6.1905 Wien. Regisseur und Drehbuchautor österr. Herkunft. Filme u.a.: *Johannisfeuer,* 1939; *Der Zigeunerbaron,* 1954. 1947-49 Intendant des Metropol-Theaters in Berlin.
S. 174

Raeder, Erich 24.4.1876 Wandsbek (heute Hamburg) – 6.11.1960 Kiel. Im Ersten Weltkrieg Admiralstabsoffizier. 1.10.1928 Chef der Marineleitung, seit 1.1.1935 Oberbefehlshaber der Kriegsmarine. Befürworter Hitlerscher Aufrüstung. 1.4.1939 Großadmiral. Bruch mit Hitler über dessen Favorisierung der U-Boot-Waffe. 31.3.1943 durch Dönitz abgelöst. 1.10.1946 lebenslängliche Haft im Nürnberger Hauptkriegsverbrecherprozeß; 26.9.1955 Entlassung aus gesundheitlichen Gründen.
S. 76, 100, 520, 620, 725

Rahm, Karl 1907 Klosterneuburg – 1947 Litoměřice. Maschinenschlosser. 1934 Beitritt zur NSDAP und SS, 1939 Zentralstelle für jüdische Auswanderung Wien, 1940 in Prag, ab 8.2.1944 Komandant von Theresienstadt, 1947 in Litoměřice (Leitmeritz) zum Tode verurteilt und hingerichtet.
S. 758

Rahn, Rudolf 16.3.1900 Ulm – 7.1.1975 Düsseldorf. Gesandter. Reichsbevollmächtigter in Italien. Juni 1933 Mitgl. d. NSDAP. Aug. 1940 Leiter der Propaganda beim MilBfh. in Frankreich, seit 1942 mit Amtsbezeichnung Gesandter. Ab Aug. 1943 dt. Geschäftsträger in Rom, ab Nov. 1943 Botschafter bei der faschist. ital. »Republik von Galò«. Nach 1945 Verbindung zur rechtsgerichteten »Tatgemeinschaft freier Deutscher«.
S. 352

Rainer, Friedrich *28.7.1903 St. Veit a.d. Glan. SS-Obergruppenführer (1941). 1930 zur NSDAP. 1934 Leiter des Nachrichtendienstes der Kärntner SS-Standarte. 1934 zur Gauleitung der NSDAP in Kärnten. 12.5.1936 in die Landesleitung Österreich der NSDAP. 22.5.1938 Gauleiter der NSDAP in Salzburg, MdR. 1.9.1939 Reichsstatthalter in Salzburg. 18.11.1941 Gauleiter der NSDAP und Reichsstatthalter in Kärnten. Oberster Kommissar der Zivilverwaltung der Operationszone Adriatisches Küstenland.
S. 351, 357 f.

Rajakowitsch, Erich. Jurist. Leiter der Zentralstelle für jüdische Auswanderung in den Niederlanden. SS-Obersturmführer im RSHA. 1965 in Österr. wegen der Judendeportationen zu mehrhähriger Haft verurteilt.
S. 700

Rasche, Karl. Sportfunktionär.
S. 472

Rascher, Sigmund 12.2.1909 München – 26.4.1945 KZ Dachau. Mediziner. Protegé Himmlers. SS-Sturmbannführer. Durchführung von Menschenversuchen im KZ Dachau. Wegen Kindesentführung seiner Frau in Ungnade gefallen. Am 26.4.1945 im KZ Dachau wegen Häftlingsbegünstigung aus Gewinnsucht hingerichtet.
S. 353, 583

Rath, Ernst vom 3.6.1909 Frankfurt am Main – 9.11.1938 Paris. Diplomat. Seit Oktober 1936 Legationssekretär an der dt. Botschaft in Prais. Am 7.11.1938 bei Attentat, das eigentlich dem dt. Botschafter galt, verwundet. Die Nat.soz. nutzten den Anschlag des Juden Grünspan (Grynszpan) als Vorwand für die »Reichskristallnacht«.
S. 679

Rathenau, Walter 29.9.1867 Berlin – 24.6.1922 ebda. Industrieller und Politiker. 1899 in den Vorstand der AEG, seit 1915 Aufsichtsratsvorsitzender. Leiter der Kriegsrohstoffabteilung im Ersten Weltkrieg 1918 zur DDP. Sachverständiger der Reichsregierung bei den Konferenzen von Spa und Versailles 1919/20. Sitz in den Sozialisierungskommissionen 1918/19 und 1920. 1.2.1922 Außenminister, Unterzeichnung des Rapallo-Vertrages. Von Offizieren der rechtsradikalen Organisation Consul ermordet.
S. 451

Ratzel, Friedrich.
S. 15

Rauff, Walther 19.6.1906 Köthen (Anhalt) – 14.5.1984 Las Condes (Chile). SS-Standartenführer (21.6.1944). Marineoffizier. 1937 zur NSDAP, Abschied aus der Marine, Anstellung beim SD. 20.4.1938 zur SS. Im RSHA als Obersturmbannführer Leiter der Abt. II D (Technische Angelegenheiten); Entwicklung der Gaswagen zur Ermordung der Juden durch die Einsatzgruppen im Osten. Seit Sommer 1942 Leiter eines Einsatzkommandos in Tunis, später in Oberitalien. Nach dem Krieg Flucht nach Südamerika, seit 1958 in Chile.
S. 477

Rauschning, Hermann 7.8.1887 Thorn (Westpreußen) – 8.2.1982 Portland (Oregon). Politiker. 1918 Mitarbeit in der dt. Volksgruppe in Posen. 1931 zur NSDAP, konservatives Aushängeschild. 20.6.1933 Danziger Senatspräsident. Scharfe antisemitische Politik, Führerkult. 1934 Rücktritt wegen Differenzen in ökonomischen Fragen mit Gauleiter A. Forster. Flucht. in die Schweiz, seit 1948 in den USA. Seine *Gespräche mit Hitler* gut erfundenes Propagandaprodukt gegen den NS.
S. 260

Rauter, Hanns *4.2.1895 Klagenfurt – November 1948 Niederlande (hingerichtet). SS-Obergruppenführer und General der Polizei (21.6.1943). 4.8.1934 Leiter des NSDAP-Flüchtlingshilfswerkes in Berlin. 1938 MdR. 20.10.1938 Stabsführer im SS-Oberabschnitt Südost in Breslau. 22.5.1940 Höherer SS- und Polizeiführer Nordwest in den Niederlanden. Generalkommissar für das Sicherheitswesen in den besetzten niederl. Gebieten. 9.11.1940 Generalmajor der Waffen-SS.
S. 255

Raymond, Fred, eigtl. Raimund Friedrich Vesely, 20.4.1900 Wien – 10.1.1954 Überlingen. Österr. Operettenkomponist, u.a. *Maske in Blau,* 1937. Lied: »Ich hab mein Herz in Heidelberg verloren«, 1925.
S. 185

Rechberg, Emil s. Emil Henk.

Reder, Walter *4.2.1915 Freiwaldau (Nordmähren). SS-Sturmbannführer. Kommandeur der Aufklärungsabteilung der 16. SS-Panzergrenadierdivision, verantwortlich für ein Massaker an 1830 Zivilisten, meist alten Menschen, Frauen und Kindern, in der ital. Ortschaft Marzabotto bei Bologna im Sept. 1944. 1945 in Haft, 1951 in Bologna zu lebenslänglich verurteilt, im

Jan. 1985 trotz Protesten der Hinterbliebenen der Opfer vorzeitig freigelassen.
S. 579

Rehse, Friedrich 23.3.1870 Münster – 1952 München. Fotograf und Kunstverleger. Seit Beginn des Ersten Weltkrieg Aufbau einer zeitgeschichtlichen Dokumentensammlung (»Sammlung Rehse«), 1929 von der NSDAP erworben, heute auf Bundesarchiv und verschiedene andere Archive aufgeteilt, ein Teil blieb in der Library of Congress Washington.
S. 713

Reich, Wilhelm 24.3.1897 Dobrzcynica (Galizien) – 3.11.1957 Lewisburg (Penns.). Österr. Psychoanalytiker. 1933 Flucht nach Dänemark. 1939 Prof. für medizinische Psychologie an der New Yorker School for Social Research.
S. 457

Reichenau, Walter von 8.10.1884 Karlsruhe – 17.1.1942 Poltawa. Generalfeldmarschall (19.7.1940). 1.2.1933 Chef des Wehrmachtamtes im Reichswehrministerium. 1935 Kommandierender General des VII. Armeekorps. Bei Kriegsbeginn Oberbefehlshaber der 10. Armee. Okt. 1939 Generaloberst. 30.11.1941 Befehlshaber der Heeresgruppe Süd in Rußland. Propagierte Hitlers »Weltanschauungskrieg« gegen »jüdisches Untermenschentum« (»Reichenau-Befehl«). Tod durch Schlaganfall nach Flugzeugabsturz.
S. 100, 411

Reichstein, Tadeus *20.7.1897 Wloclawek. Schweiz. Chemiker poln. Herkunft. 1950 Nobelpreis für Medizin für Entdeckung der Wirksamkeit des Cortisons (zus. mit P. S. Hench und E. C. Kendall).
S. 567

Reichwein, Adolf 3.10.1898 Bad Ems – 20.10.1944 Berlin-Plötzensee (hingerichtet). Pädagoge und Widerstandskämpfer. Über Wandervogel zur Arbeiterbewegung (1930 zur SPD). 1933 Entlassung aus der Lehrerbildungsakademie Halle. Seit 1938 über Moltke Kontakt zum Widerstand (Kreisauer Kreis). 1944 Verbindungen zum kommunistischen Widerstand (Gruppe Saefkow-Jacob-Bästlein). Nach Folterungen am 20.10.1944 zum Tode verurteilt.
S. 424, 552

Reinberger, Luftwaffenoffizier (Mechelen-Zwischenfall).
S. 580

Reinhard, Wilhelm *18.3.1896 Lutau. SS-Obergruppenführer (9.11.1941). 1936 MdR. 18.3.1938 Reichsführer des Nat.soz. Reichskriegerbundes.
S. 608

Reinhardt, Fritz 3.4.1895 Ilmenau – 17.6.1969 Regensburg. Politiker. SA-Obergruppenführer (9.11.1937). 1928-30 NSDAP-Gauleiter von Oberbayern, 1930-33 MdR, ab 1.4.1933 Staatssekretär im Reichsfinanzministerium. Beteiligung an Arbeitsbeschaffungsprogrammen und Finanzierung der Aufrüstung. 1945 Haft, 1949 Freilassung. Vor Spruchkammer 1950 als »Hauptschuldiger« eingestuft.
S. 38 f., 354

Reinhardt, Max, eigtl. Goldmann, 9.9.1873 Baden bei Wien – 30.10.1943 New York. Schauspieler, Regisseur und Theaterleiter. Theaterdirektor in Wien und Berlin, wegweisend für das dt. Theater des 20. Jh. Den Nat.soz. galt R. als »Musterbeispiel für die Verjudung der dt. Bühnen«. Nach 1933 in Wien, dann Emigration in die USA.
S. 170

Reinke, Oskar 1907 – Juli 1944 (hingerichtet). Dt. Kommunist. Widerstandskämpfer, Mitglied der in Hamburg und Nordwestdeutschland 1940-42 tätigen Bästlein-Gruppe.
S. 390

Remarque, Erich Maria, eigtl. E. P. Remark, 22.6.1989 Osnabrück – 29.9.1970 Locarno. Dt. Schriftsteller. Weltruhm mit *Im Westen nichts Neues* (1929), von den Nat.soz. als »Zersetzung des Volksgeistes« angeprangert. Wütende Proteste von SA-Trupps u.a. mit Stinkbomben bei ersten Vorführungen der Roman-Verfilmung 1930, schließlich Verbot des Films (*All quiet on the Western Front,* USA 1930, R: Lewis Milestone). 1931 Emigration in die Schweiz, 1939 in die USA.
S. 168, 407

Remer, Otto-Ernst *18.8.1912 Neubrandenburg. Generalmajor (31.1.1945). Hat als Kommandeur des Wachbataillons Berlin beim versuchten Staatsstreich am 20. Juli 1944 zunächst Befehl gegeben, Goebbels zu verhaften, wandte sich nach Telefonat mit Hitler gegen die Verschwörer. Seit Nov. 1944 Kommandeur des Führerbegleitbataillons. Nach 1945 Mitbegründer der rechtsradikalen Sozialistischen Reichspartei und gerichtsnotorischer Neonazi.
S. 474

Rendtorff, Heinrich.
S. 188

Renk-Reichert, K. Verfasser einer *Runenfibel,* 1935.
S. 708

Retcliffe, John, eigtl. Hermann Goedsche, Journalist. 1848 als Urkundenfälscher verurteilt, Autor des Romans *Biarritz* (1868), der als Quelle des antisemitischen Pamphlets »Protokolle der Weisen von Zion« diente.
S. 657

Reuter, Ernst 29.7.1889 Apenrade – 29.9.1953 Berlin. Dt. Politiker. Früh zur SPD. Nach 1918

Aufbau der Berliner KPD, 1921 Generalsekretär. 1922 Parteiausschluß, zurück zur SPD. 1931-33 Oberbürgermeister von Magdeburg. 1932/33 MdR. 1933-35 zweimal KZ-Haft. 1935–46 Regierungsberater und Prof. in der Türkei. 1947 Oberbürgermeister von Berlin. 1950–53 Regierender Bürgermeister von Berlin.
S. 769

Reynaud, Paul 15.10.1878 Barcelonette – 21.9.1966 Paris. Frz. Politiker. Jurist. Feb.-Mai 1932 stellvertretender Ministerpräsident und Justizminister. April-Nov. 1938 Justizminister. 1938-40 Finanzminister. März-Juni 1940 Ministerpräsident und Außenminister, ab Mai Verteidigungsminister. Von Vichy-Regierung verhaftet, 1942 an Deutschland ausgeliefert. KZ-Haft. 1946–62 Abgeordneter der Unabhängigen Republikaner, 1948 Finanzminister, 1953/54 stellvertretender Ministerpräsident.
S. 467, 805

Rhein, Eduard 23.8.1900 Königswinter – 15.4.1993 Cannes. Ingenieur, Erfinder, Journalist und Schriftsteller, zu Beginn der 20er Jahre Tätigkeit in der Elektroindustrie, ab 1929 Redakteur beim Ullstein-Verlag, gleichzeitig Autor populärwissenschaftlicher Bücher mit Rekordauflagen von bis zu 600 000, nach Kriegsende konzipierte er die Programmzeitschrift »Hör zu« des Springer Verlages und wurde bis 1965 ihr Chefredakteur, Verfasser von mehr als 30 Romanen, 14 Kinderbüchern mit einer Gesamtauflage von 40 Millionen.
S. 730

Ribbentrop, Joachim von 30.4.1893 Wesel – 16.10.1946 Nürnberg (hingerichtet). Politiker. 1.5.1932 zur NSDAP. Außenpolitischer Berater Hitlers (»Dienststelle Ribbentrop«). Erfolg mit dt.-brit. Flottenabkommen. 1936–38 Botschafter in London, 4.2.1938 Außenminister als willfähriges Werkzeug Hitlers. Im Krieg Machtverfall des AA. Druck Ribbentrops auf abhängige und verbündete Staaten, jüdische Bürger auszuliefern. Erfüllungsgehilfe der »Endlösung«. In Nürnberg in allen Anklagepunkten für schuldig befunden und zum Tode verurteilt.
S. 68, 74–77, 314 f., 364, 386, 430, 432, 528, 588, 592, 613, 643, 745, 789

Richter, Otto.
S. 303

Richthofen, Wolfram Freiherr von 10.10.1895 Barzdorf (Schlesien) – 12.7.1945 Lüneburg. Generalfeldmarschall (16.2.1943). 1933 Leiter der Erprobungsabteilung im Reichsluftfahrtministerium. Jan. 1937 Stabschef, Nov. 1938 als Generalmajor Kommandeur der Legion Condor im Span. Bürgerkrieg. Kommandeur des VIII. Fliegerkorps im Frankreichfeldzug, auf dem Balkan und im Ostfeldzug. Juni 1942 Oberbefehlshaber der 4. Luftflotte im Osten, 1943 der 2. Luftflotte (Italien). Zeitweise als OBfh. der Luftwaffe anstelle Görings vorgesehen. Tod durch Gehirntumor.
S. 565

Riefenstahl, Leni * 22.8.1902 Berlin. Schauspielerin, Tänzerin und Filmregisseurin. Rollen u.a. in *Die Weiße Hölle vom Piz Palü,* 1929. Erste Regie: *Das blaue Licht,* 1932. Später NS-Propagandafilme: *Sieg des Glaubens, Triumph des Willens* (Reichsparteitage der NDSAP), *Fest der Völker* und *Fest der Schönheit* (Olympische Spiele 1936). Vorwurf der Kumpanei mit dem NS-Regime. Nach dem Zweiten Weltkrieg erfolgreiche Fotografin (*Die Nuba,* 1973).
S. 48, 173, 173, 599, 625, 765

Riehl, Wilhelm Heinrich von 6.5.1823 Biebrich (Wiesbaden) – 16.11.1897 München. Kulturhistoriker und Schriftsteller, konservativer Publizist. Werke u.a.: *Naturgeschichte des dt. Volkes als Grundlage einer dt. Sozialpolitik,* 1851–69.
S. 423

Rienhardt, Rolf * 2.7.1903 Bucha. Jurist. 1932 Rechtsberater des Eher Verlages. 1932 MdR. Hauptamtsleiter im Presseamt der Reichsleitung der NSDAP. Rechte Hand Ammans, von ihm 1943 kaltgestellt. Als Offizier zur Waffen-SS.
S. 663

Rimpl, Herbert 25.1.1902 Mallmitz (Schlesien) – 2.6.1978 Wiesbaden. Architekt. 1937-1945 Leiter der Wohnungs AG zum Bau von Wohnungen für die Arbeiter der Reichswerke »Hermann Göring« im Salzgittergebiet. Großaufträge der Rüstungsindustrie.
S. 162, 712f.

Ringelblum, Emanuel 1900 Buczacz (Ostgaliien) – März 1944 Warschau (ermordet). Jüdischer Historiker. Leiter des geheimen Ghettoarchivs in Warschau.
S. 796

Ritter, Karl 7.11.1888 Würzburg – 7.4.1977 Buenos Aires. Dt. Filmregisseur und -produzent. 1933 Produktionschef und Direktor der Ufa, Sitz im Präsidialrat der Reichsfilmkammer und Reichskultursenator. Ritter produzierte und inszenierte nat.soz. Propagandafilme: *Hitlerjunge Quex,* 1933, als Produzent; *Stukas,* 1941; *GPU,* 1942, beide als Regisseur). In den 50er Jahren Filme in der BRD (*Staatsanwältin Corda,* 1955).
S. 174

Ritter, Robert * 14.5.1901 Aachen. Psychologe und Psychiater. Seit 1937 Leiter der Rassenhygienischen und Bevölkerungsbiologischen Forschungsstelle im Reichsgesundheitsamt, seit

Rose, Wolfgang
S. 152

Rosenbaum, Sala (Kochmann). Widerstandskämpferin (Herbert-Baum-Gruppe).
S. 507

Rosenberg, Alfred 12.1.1893 Reval – 16.10.1946 Nürnberg (hingerichtet). Dt. Politiker. 1919 Mitglied der Thule-Gesellschaft, Eintritt in DAP. 1921 Chefredaktion des *Völkischen Beobachters.* Versuch der Profilierung als NS-Chefideologe *(Der Mythus des 20. Jh.).* 1933 Leitung des Außenpolitischen Amtes der NSDAP. 1934 »Beauftragter des Führers für die Überwachung der gesamten geistigen und weltanschaulichen Schulung und Erziehung der NSDAP«. 17.11.1941 Reichsminister für die besetzten Ostgebiete. 1.10.1946 Todesurteil.
S. 20, 21, 40, 68, 90, 135 f., 140 f., 144, 150, 155 f., 178, 188, 193 f., 196, 349, 360 f., 384, 405 f., 423 f., 438, 440 f., 494, 497, 499, 516 f., 539, 560 f., 591 f., 599 f., 615, 618 f., 635, 657, 680, 684, 785, 801

Rosenstock-Huessy, Eugen 6.7.1888 Berlin – 23.2.1973 Norwich. Kulturphilosoph, Rechtswissenschaftler und Soziologe. 1921 Gründer der Akademie der Arbeit. 1923-34 Prof. in Breslau. Emigration in die USA.
S. 599

Rothacker, Erich 12.3.1888 Pforzheim – 11.8.1965 Bonn. Philosoph. Versuch einer umfassenden Kulturanthropologie.
S. 143

Ruder, Wilhelm *24.3.1910 Bad Nauheim – NSDAP-Arbeitsleiter u. ab 1943 Leiter eines Arbeitsstabes in der Parteikanzlei zum Aufbau der NS-Führungsorganisation der nat.soz. Führungsoffiziere in der Wehrmacht.
S. 607

Rudin, Ernst 19.4.1874 St. Gallen – 1952. Rassehygieniker. Prof. für Psychiatrie in München, einer der Väter des »Gesetzes zur Verhütung erbkranken Nachwuchses« (1933) und Mitautor des maßgebenden Kommentars; einer der wichtigsten Rassehygieniker des Dritten Reiches.
S. 384

Rudolph, R. Maler.
S. 157

Rudorff, Ernst. 1904 Gründer des Dt. Bundes Heimatschutz,
S. 506

Rühmann, Heinz 7.3.1902 Essen – 3.10.1994 Aufkirchen (Starnberger See). Schauspieler. Nach Theateranfängen, u.a. bei Max Reinhardt, Beginn der Filmkarriere mit *Die Drei von der Tankstelle,* 1930. Nach 1933 Scheidung von seiner jüdischen Frau und Anpassung an NS-Regime. Glanzvolle Karriere, die sich nach 1945 in der BRD fortsetzte. Filme u.a.: *Der Mustergatte,* 1937; *Quax, der Bruchpilot,* 1941.
S. 174, 183

Rumkowski, Mordechai Chaim 1877 Ilino (Rußland) – 1944 Auschwitz (ermordet). Poln. Zionist. Okt. 1943 von den Dt. eingesetzter »Judenältester« (Vorsteher) des Ghettos von Lodz bis zu dessen Auflösung im Aug. 1944. Schloß sich mit seiner Familie freiwillig dem letzten Transport nach Auschwitz an.
S. 571

Rundstedt, Gerd von 12.12.1875 Aschersleben – 24.2.1953 Hannover. Generalfeldmarschall (19.7.1940). Im Polenfeldzug Oberbefehlshaber der Heeresgruppe Süd, Heeresgruppenführer in Frankreich und Rußland. Nach Rücknahme seiner Truppen vor Rostow am 3.12.1941 abberufen. 1.3.1942-10.3.1945 Oberbefehlshaber West mit Unterbrechung nach alliierter Invasion. Rundstedt leitete den »Ehrenhof« der Wehrmacht, der Offiziere ausstieß, die Verbindungen zu den Verschwörern des 20. Juli verdächtigt wurden. Nach dem Krieg brit. Gefangenschaft bis 1949.
S. 318, 435

Rupprecht, Philipp (»Fips«). Karikaturist *(Der Stürmer).*
S. 753

Rust, Bernhard 30.9.1883 Hannover – 8.5.1945 Berne (Oldenburg). Politiker. 1925 zur NSDAP. 1925-40 Gauleiter von Hannover (seit 1928 Südhannover-Braunschweig). 1930 MdR. 30.4.1933 Reichsminister für Wissenschaft, Erziehung und Volksbildung. Versuch nat.soz. Ausrichtung des dt. Schulsystems, Konflikte mit konkurrierenden Instanzen wie Ordensburgen (Ley), HJ (Schirach), Junkerschulen (Himmler). Selbstmord bei Nachricht von dt. Kapitulation.
S. 135, 142, 208, 213, 253 f., 349, 517, 597 f., 686

Saefkow, Anton 1903 – 18.9.1944 (Todesurteil des VGH). Widerstandskämpfer. Maschinenbauer. KPD-Funktionär. Langjährige Gestapohaft.
S. 310, 711

Saemisch, Friedrich 23.12.1869 Bonn. 1922-38 Präsident des Rechnungshofes des Dt. Reiches.
S. 662

Sagebiel, Ernst *2.10.1892 Braunschweig. Architekt (Reichsluftfahrtministerium und Flughafen Tempelhof, Berlin).
S. 673

Sahm, Heinrich 12.9.1877 Anklam – 3.10.1939 Osnabrück. 1912 Bürgermeister von Bochum. 1920 – 30 Senatspräsident der Freien Stadt Danzig (parteilos). 1931 Oberbürgermeister

von Berlin, 1935 auf nat.soz. Druck Rücktritt. Gesandter in Oslo.
S. 673

Salazar, António de Oliveira 28.4.1889 Santa Comba Dão (Beira Alta) – 27.7.1970 Lissabon. Portug. Politiker. 1927 kurzfristig, 1928 auf Dauer Finanzminister. 1932-68 Ministerpräsident. Schaffung des Estado Novo, eines Staates ohne Parteien und Parlamentarismus, mit der Verfassung von 1933.
S. 649

Saliger, I.
S. 157

Sas Niederl. Oberst. Militärattaché in Berlin.
S. 316

Saß, Frh. von
S. 582

Sauckel, Fritz 27.10.1894 Haßfurt (Unterfranken) – 16.10.1945 Nürnberg (hingerichtet). 1922 zur SA, 1923 zur NSDAP. 1927 Gauleiter von Thüringen, 1932 thüring. Ministerpräsident, Mai 1933 Reichsstatthalter (1935-37 auch in Anhalt). 21.3.1942 Generalbevollmächtigter für den Arbeitseinsatz. Für die dt. Kriegswirtschaft Rekrutierung eines Millionenheers von Fremdarbeitern, die rücksichtslos ausgebeutet wurden. 1.10.1946 Todesurteil in Nürnberg wegen Kriegsverbrechen und Verbrechen gegen die Menschlichkeit.
S. 124 f., 137, 471, 482, 558

Sauerbruch, Ferdinand 3.7.1875 Barmen (Wuppertal) – 2.7.1951 Berlin. Chirurg. Seit 1927 an der Berliner Charité. Arzt von Goebbels und Hindenburg. Wandlung vom Anhänger zum Kritiker des Nat.soz. 1937 Nationalpreis für Kunst und Wissenschaft. Kontakt zum Widerstand. Mitglied der Mittwochs-Gesellschaft. Memoiren *Das war mein Leben,* 1954 verfilmt.
S. 587 f., 599

Schacht, Hjalmar 22.1.1877 Tinglev/Nordschleswig – 3.6.1970 München. Dt. Finanzpolitiker. Dez.1923 Reichsbankpräsident, 1930 Rücktritt. 1918 Mitbegründer der DDP, politisch nach rechts (Harzburger Front). Drängte bei Hindenburg auf Ernennung Hitlers zum Reichskanzler. 1933-39 Reichsbankpräsident, 1935–37 Reichswirtschaftsminister und Generalbevollmächtigter für die Kriegswirtschaft. Zentrale Figur der nat.soz. Aufrüstung. Bis 1943 Reichsminister ohne Geschäftsbereich. Kontakte zum Widerstand. 29.7.1944 Inhaftierung. 30.9.1946 acht Jahre Arbeitslager, 1950 Freispruch, Beraterkarriere in Entwicklungsländern.
S. 18, 74, 76, 78, 113 f., 380, 423, 580, 612, 789

Schadewaldt, Wolfgang 15.3.1900 Berlin – 10.11.1974 Tübingen. Altphilologe. Prof. in Königsberg, Freiburg, Leipzig, Berlin, Tübingen (ab 1950). Herausgeber der Zeitschriften *Hermes* (1932-44) und *Antike* (1937-44). Homer-Übersetzer. Mitglied der Mittwochs-Gesellschaft.
S. 588

Schaefer, Emanuel * 20.4.1900. Gestapochef von Oppeln, Befehlshaber der Sipo u. des SD in Serbien, SS-Oberführer.
S. 493

Schäfer, Ernst 14.3.1910-21.7.1992. Tibetforscher. SS-Sturmbannführer.
S. 471

Schalla, Hans * 1.5.1904 Hamburg. Theaterregisseur. 1949-72 Intendant des Bochumer Schauspielhauses.
S. 170

Schallmayer, Wilhelm
S. 12, 236, 376, 384

Scheibe, Emil * 23.10.1914 München. Maler.
S. 157 f.

Scheibe, Richard 19.4.1879 Chemnitz – 6.10.1964. Bildhauer. 1936 Mitglied der Preuß. Akademie der Künste. Schöpfer des Gefallenendenkmals in Frankfurt am Main und des Ehrenmals für die Opfer des 20. Juli 1944.
S. 158

Scheel, Gustav Adolf 22.11.1907 Rosenberg (Bayern). Mediziner. 1930 zur NSDAP. 1931 Vorsitzender der Heidelberger Studentenschaft. 6.11.1936 Reichsstudentenführer. Inspekteur der Sipo und des SD in Stuttgart. 27.11.1941 Gauleiter und Reichsstatthalter in Salzburg. Ende Juni 1944 Reichsdozentenführer. Nach dem Krieg Arzt. In Spruchkammerverfahren fünf Jahre Arbeitslager und teilweiser Vermögenseinzug. Später Anklage wegen rechtsradikaler Aktivitäten.
S. 606

Schellenberg, Walter 16.1.1910 Saarbrücken – 31.2.1952 Turin. SS-Brigadeführer (1941). Mai 1933 zu NSDAP und SS. Sommer 1934 ins SD-Hauptamt. 1937 Regierungsrat. 1939 Leiter der Amtsgruppe IVE (Spionageabwehr Inland). Ende 1941 Leiter des Amtes VI (Auslandsnachrichtendienst) im RSHA. Zerschlagung der Roten Kapelle. In Nürnberg wegen Beihilfe zum Mord an sowj. Kriegsgefangenen zu sechs Jahren Haft verurteilt, 1950 begnadigt.
S. 727, 777

Schemm, Hans 6.10.1891 Bayreuth – 5.3.1935 ebd. NSDAP-Gauleiter. 1923 zur NSDAP, 1928 Gauleiter von Oberfranken (seit 1932 mit Oberpfalz-Niederbayern: Bayer. Ostmark). 13.4.1933 bayer. Staatsminister für Unterricht und Kultus. 1929 Gründung des NS-Lehrerbunds, dessen »Reichswalter« er bis zu seinem Tod (Flugzeugunfall) war.
S. 176

Schenzinger, Karl Aloys 28.5.1886 Neu-Ulm – 4.7.1962 Prien a. Chiemsee. Arzt und Schriftsteller. Werke u.a.: *Hitlerjunge Quex,* Roman 1932.
S. 514

Schepmann, Wilhelm * 17.6.1894 Hattingen. 1932 MdL (Preußen). 1933 MdR. Feb. 1933 Polizeipräsident von Dortmund. 1934 Führer der SA-Obergruppe X (Westfalen-Niederrhein), Nov. 1934 Führer der SA-Gruppe Sachsen. 9.11.1943 SA-Stabschef.
S. 623, 752

Scheringer, Richard 13.9.1904 Aachen – 9.5.1986 Kösching (Bayern). Soldat Freikorps und Reichswehr (1924), wegen Kontakt zur NSDAP Hochverratsprozeß, 1930 zu Festungshaft verurteilt, 1931 Wechsel zur KPD.
S. 770

Schickert, Klaus. Seit Oktober 1943 Direktor des Instituts zur Erforschung der Judenfrage.
S. 523

Schiller, Friedrich von (seit 1802) 10.11.1759 Marbach a. Neckar – 9.5.1805 Weimar. Dt. Dichter.
S. 170, 519, 560

Schilling, Claus * 5.7.1871 München. Dt. Tropenmediziner. Abt. Direktor Rob.-Koch-Inst. Berlin. Prof. Uni Berlin. Betreiber einer Malaria-Versuchsstation im KZ Dachau von Feb. 1942-März 1945.
S. 583

Schindler, Oskar 28.4.1908 Zwittau – 9.10.1974 Frankfurt a. M. Unternehmer. Reklamierte für seine Firma bei der SS jüdische Arbeitskräfte, die er damit vor dem sicheren Tod in den nat.soz. Vernichtungslagern rettete (»Schindlerjuden«). Ein Teil seiner Lebensgeschichte von Steven Spielberg verfilmt (*Schindlers Liste,* USA 1992). Erhielt vom israelischen Staat die Auszeichnung eines »Gerechten«.
S. 551

Schirach, Baldur von 9.5.1907 Berlin – 8.8.1974 Kröv/Mosel. 1925 zur NSDAP. 1928 Leiter des NS-Studentenbundes. 30.1.1931 Reichsjugendführer der NSDAP., Aufsicht über HJ. 18.6.1933 »Jugendführer des Dt. Reiches«. Bedingungsloser Gefolgsmann Hitlers, geriet jedoch zwischen die Mühlen interner nat.soz. Rivalitäten. 1940 von A. Axmann als Reichsjugendführer abgelöst und bis Kriegsende Gauleiter und Reichsstatthalter in Wien. Verantwortlich für Deportation von 185 000 österr. Juden. 1.10.1946 zu 20 Jahren Haft verurteilt, 1966 entlassen.
S. 209, 212 f., 349, 400, 513 f., 622, 675

Schlegelberger, Franz 23.10.1876 Königsberg – 14.12.1970 Flensburg. Jurist. 1938 zur NSDAP. 1931–42 Staatssekretär im Reichsjustizministerium. 29.1.1941 – 20.8.1942 kommissarischer Reichsjustizminister. In seine Verantwortung fallen Strafrechtsverschärfungen und die härteste Anwendung des Kriegssonderstrafrechts. In Nürnberg lebenslängliche Haft. 1951 wegen Krankheit freigelassen. Autor der Loseblattsammlung *Das Recht der Gegenwart* (16. Aufl. 1985).
S. 675

Schleicher, Kurt von 7.4.1882 Brandenburg a.d.Havel – 30.6.1934 Neubabelsberg. General (1929). 1929 Chef der Wehrmachtsabteilung im Reichswehrministerium. Mitwirkung am Sturz der Weimarer Regierungen Müller, Brüning und von Papen. Juni-Nov. 1932 Reichswehrminister. 3.12.1932 Reichskanzler. Nach dem Scheitern seines Versuchs einer Interessenkoalition aus Gewerkschaften, Zentrum und der NSDAP um G. Straßer Rücktritt am 28.1.1933. Im Zuge des »Röhm-Putsches« zusammen mit seiner Frau ermordet.
S. 345, 371, 577, 675, 688, 704, 718

Schlemmer, Oskar 4.9.1888 Stuttgart – 13.4.1943 Baden-Baden. Maler und Bildhauer. 1920 zum Weimarer Bauhaus. 1932 zur Berliner Akademie, 1933 entlassen.
S. 169

Schlieffen, Alfred Graf von 28.2.1833 Berlin – 4.1.1913 ebda. Preuß. Generalfeldmarschall (1911). 1891-1905 Chef des Generalstabs der Armee.
S. 453

Schmelt, Albrecht 19.8.1899 Breslau. SS-Brigadeführer. 1929 zum Nachrichtendienst der NSDAP. 1933 MdL (Preußen). 1933 MdR. 21.11.1934 Polizeipräsident von Breslau. Okt. 1940 Sonderbeauftragter des Reichsführers SS für fremdvölkischen Arbeitseinsatz in Oberschlesien. 25.6.1941 kommissarischer Regierungspräsident in Oppeln, 8.4.1942 endgültige Ernennung.
S. 628

Schmitt, Carl 11.7.1888 Plettenberg – 7.4.1985 ebd. Staats- und Völkerrechtler. 1921–45 Prof. in Greifswald, Bonn, Köln, Berlin. 1933 zur NSDAP. Preuß. Staatsrat. Führender Rechtstheoretiker des NS-Regimes bis 1936. Verteidigung der Röhm-Morde, für Säuberung dt. Rechts vom »jüdischem Geist«, für »totalen Staat«. Rechtfertigung des nat.soz. Angriffskrieges als »Raumrevolution« und »Raumordnungskrieg«. Nach 1945 ohne Amt, aber mit Einfluß in der BRD (Buch: *Nomos der Erde,* 1950).
S. 94, 143

Schmitt, Kurt 7.10.1886 Heidelberg – 22.11.1950 ebda. Wirtschaftspolitiker. Rechtsanwalt. 1921 Generaldirektor der Allianz-Versicherung.

29.6.1933 Reichswirtschaftsminister, 30.7.1934 durch Schacht ersetzt, Rückkehr in die Wirtschaft.
S. 18, 486

Schmitthenner, Paul *2.12.1884 Neckarbischofsheim. Politiker. SS-Oberführer. Ursprüngl. Führer der bad. Deutschnationalen. 1940–45 Staatsminister, Leiter des Ministeriums des Kultus und Unterrichts. Rektor der Universität Heidelberg und Prof. ebd. 1933–45.
S. 161

Schmorell, Alexander 16.9.1917 russ. Orenburg – 13.7.1943 München (hingerichtet). Widerstandskämpfer. Medizinstudent. Mitglied der Weißen Rose.
S. 317, 800 ff.

Schneider, Carl.
S. 152

Schneider, Reinhold 13.5.1903 Baden-Baden – 6.4.1958 Freiburg i. Br. Schriftsteller. 1940 Schreibverbot. Mit W. Bergengruen u.a. Zentrum katholischer Resistenz gegen den Nat.soz. Kurz vor Kriegsende wegen Hochverrats angeklagt. 1956 Friedenspreis des Dt. Buchhandels. Werke u.a.: *Las Casas vor Karl V.*, Erzählung 1938; *Der große Verzicht*, Drama 1950.
S. 169

Scholl, Hans 22.9.1918 Ingersheim (Crailsheim) – 22.2.1943 München-Stadelheim (hingerichtet). Widerstandskämpfer. Medizinstudent. HJ-Führer, wegen bündischer Jugendarbeit 1938 kurz inhaftiert. Vom glühenden Anhänger zum entschiedenen Gegner des Nat.soz. Herbst 1942 mit anderen Gründung der Widerstandsgruppe Weiße Rose. Nach Flugblattaktion am 18.2.1943 verhaftet, vier Tage später enthauptet.
S. 317, 318, 800 ff.

Scholl, Sophie 9.5.1921 Forchtenberg (Württemberg) – 22.2.1943 München-Stadelheim (hingerichtet). Widerstandskämpferin, Schwester von Hans S., Studentin der Biologie und Philosophie, knüpfte Kontakt der Weißen Rose zu ihrem Mentor Prof. K. Huber. Zusammen mit ihrem Bruder nach der Münchner Flug-blattaktion verhaftet und enthauptet.
S. 317 f., 800 ff.

Schönberg, Arnold 13.9.1874 Wien – 13.7.1951 Los Angeles. Österr. Komponist. 1925 zur Berliner Akademie der Künste. 1933 Emigration in die USA, bis 1944 an der University of California in Los Angeles.
S. 178, 673

Scholtz-Klink, Gertrud *9.2.1902 Adelsheim (Baden). 1928 zur NSDAP. 1930 Leiterin der NS-Frauenschaft. 1.1.1934 Leiterin des weiblichen Arbeitsdienstes. 24.2.1934 Reichsführerin der NSF und des Dt. Frauenwerkes. Nov. 1934 Titel »Reichsfrauenführerin«. 1950 in Spruchkammerverfahren als Hauptbelastete eingestuft mit Verlust der bürgerlichen Ehrenrechte. In ihren Memoiren 1978 positive Bewertung nat.soz. Ideen.
S. 617, 669

Schröder, Kurt Freiherr von 24.11.1889 Hamburg – 4.11.1966 ebd. Bankier. 1921 Mitinhaber des Bankhauses J. H. Stein. Präsident der Industrie- und Handelskammer Köln. Einer der Initiatoren des Keppler-Kreises. Seit 1932 Einsatz für Kanzlerschaft Hitlers. 1.2.1933 zur NSDAP. 13.9.1936 zur SS (Brigadeführer). Mitglied im Freundeskreis Reichsführer SS. Aufsichtsratsvorsitzender in verschiedenen Unternehmen, u.a. der Mitropa AG. Verurteilung nach dem Zweiten Weltkrieg im Spruchkammerverfahren.
S. 472

Schröder, Ernst 27.1.1915 Wanne-Eickel – 26.7.1994 Berlin. Schauspieler und Regisseur. 1937–45 Berliner Schiller-Theater, seit 1951 u.a. Zürich und Berlin (West). Filme u.a.: *Ohm Krüger*, 1941.
S. 624

Schröder, Karl 1884–1950. Pädagoge. Ab 1911 SPD-Mitglied, 1918 im Spartakusbund, 1920–22 KAPD. 1926–33 Lektor, Redakteur und Schriftsteller. Nov. 1936 Verhaftung, 1937 vom Volksgerichtshof zu vier Jahren Zuchthaus verurteilt, nach Verbüßung der Strafe KZ-Haft, ab 1948 in der DDR im Schulwesen und als Lektor tätig.
S. 311

Schröder, Rudolf Alexander 26.1.1878 Bremen – 22.8.1962 Bad Wiessee. Dichter. Bedeutendster Erneuerer des protestantischen Kirchenliedes im 20. Jh. 1899 Mitbegründer der Zeitschrift *Die Insel*. Werke u.a.: *Mitte des Lebens*, 1930.
S. 169

Schukow, Georgi Konstantinowitsch 11.12.1896 Strelkowa (Kaluga) – 18.6.1974 Moskau. Sowj. Marschall (1943). 1940 Befehlshaber im Militärbezirk Kiew. 1.2.1941 Generalstabschef. 1942/43 Koordination der sowj. Offensiven bei Stalingrad, Leningrad und Kursk. 1945 als »Sieger von Berlin« Entgegennahme der dt. Kapitulation in Karlshorst. Bis April 1946 Oberbefehlshaber der Roten Armee in Deutschland, 1955 Verteidigungsminister. 1957 fiel Sch. in Ungnade und wurde aller Ämter enthoben.
S. 106

Schulenburg, Fritz-Dietlof Graf von der 5.9.1902 London – 10.8.1944 Berlin-Plötzensee (hingerichtet). Jurist und Widerstandskämpfer. 1932 zur NSDAP. 1937 stellvertretender Polizeipräsident von Berlin, 1939 stellvertretender Ober-

präsident von Schlesien. Zunehmende Abscheu vor den brutalen Methoden des Nat.soz. seit dem »Röhm-Putsch«. Kontakte zum militärischen Widerstand, 1940 Parteiaustritt, Offizier im Auskämmstab des Generals von Unruh. Nach dem Scheitern des Attentats vom 20. Juli 1944 zum Tode verurteilt.
S. 315

Schulenburg, Friedrich Werner Graf von der 20.11.1875 Kemberg (Sachsen) – 10.11.1944 Berlin-Plötzensee (hingerichtet). Diplomat und Widerstandskämpfer. 1923 Gesandter in Teheran, 1931-34 in Bukarest. 1934 Botschafter in Moskau. Gegner des dt. Angriffs auf die UdSSR. Für Sonderfrieden mit Stalin. Kontakte zum Widerstandskreis um Goerdeler. Von den Verschwörern des 20. Juli als Außenminister vorgesehen. Todesurteil durch den Volksgerichtshof.
S. 492

Schultze, Norbert *26.1.1911 Braunschweig. Komponist (»Lili Marleen« und Propagandasongs wie »Panzer rollen in Afrika«). Opern (*Schwarzer Peter,* 1936), Filmmusik zu *Kolberg,* 1944. Nach dem Zweiten Weltkrieg Musicals wie *Das Mädchen Rosemarie,* 1957.
S. 546, 570

Schultze-Naumburg, Paul 10.6.1869 Altenburg bei Naumburg a.d.Saale – 19.5.1949 Jena. Architekt. Gegner der für ihn im Bauhaus verkörperten »volksfremden« Architektur. 1930 Leiter der Staatlichen Hochschule für Baukunst und Handwerk in Weimar, 1932 MdR für die NSDAP. Getreuer Propagandist nat.soz. Gedankenguts in der Kunst. Schriften: *Kunst und Rasse,* 1928; *Kunst aus Blut und Boden,* 1934; *Nordische Schönheit,* 1937.
S. 155 f., 161, 258, 506

Schultze, Walther 1.1.1894 Hersbruck (Mittelfranken) – 16.8.1979 Krailling bei München. Mediziner. Nach dem Ersten Weltkrieg Freikorps Epp, unter den ersten NSDAP-Mitgliedern. 1933 Leiter des bayer. Gesundheitswesens, 1935 Reichsdozentenführer (bis 1943). Beteiligt am Euthanasie-Programm und in mindestens 380 Fällen nachgewiesene Hilfe bei der Tötung Behinderter. 1960 vier Jahre Haft.
S. 136, 141 f., 606

Schulze-Boysen, Harro 2.9.1909 Kiel – 22.12.1942 Berlin-Plötzensee (hingerichtet). Offizier und Widerstandskämpfer. Durch Beziehungen zu Göring 1933 Stelle in der Nachrichtenabteilung des Reichsluftfahrtministeriums. Ab 1935 Sammlung von Regimegegnern. 1939 Zusammenschluß mit Gruppe um A. Harnack. Seit 1941 Weitergabe kriegswichtiger Informationen an die UdSSR. 1942 mit anderen Mitgliedern der von der Gestapo als »Rote Kapelle« bezeichneten Gruppe verhaftet, gefoltert, zum Tod durch Erhängen verurteilt.
S. 310, 705

Schumacher, Kurt 13.10.1895 Kulm – 20.8.1952 Bonn. Politiker. 1918 Mitglied des Berliner Arbeiter- und Soldatenrates. 1924 Mitbegründer des Reichsbanners Schwarz-Rot-Gold. 1924-31 SPD-MdL (Württemberg). 6.7.1933 Verhaftung, zehn Jahre in den KZ Dachau und Flossenbürg, im März 1943 schwerkrank entlassen. Nach dem Zweiten Weltkrieg Organisation des Wiederaufbaus der SPD. Seit 1946 Parteivorsitzender. Mitglied des Parlamentarischen Rates. Oppositionsführer im Dt. Bundestag.
S. 620

Schumann, Erich 1938-44. Leiter der Forschungsabteilung im Heereswaffenamt.
S. 148

Schumann, Georg 28.11.1886 Leipzig – 11.1.1945 Dresden (hingerichtet). Politiker (KPD-MdR). Widerstandskämpfer. 1933–39 Haft u. KZ. Juli 1944 erneut verhaftet, vom VGH zum Tode verurteilt, Jan. 1945 hingerichtet.
S. 716

Schupp, Fritz 22.12.1896 Uerdingen – 1.8.1974 Essen. Architekt. Vertreter einer zweckrationalen Industriearchitektur, beispielhaft realisiert (zus. mit Martin Kremmer) in der Anlage der Zeche Zollverein XII in Essen (1928–32).
S. 162

Schürmann, Arthur. Führer des NS-Dozentenbundes in Göttingen.
S. 136

Schuschnigg, Kurt Edler von 14.12.1897 Riva/Gardasee – 18.11.1977 Mutters (Österr.). Österr. Politiker. 1927 für die Christlichsoziale Partei in den Nationalrat. 1932–34 Unterrichtsminister. 30.7.1934 Bundeskanzler, zeitweise Außen- und Verteidigungsminister. Im »Berchtesgadener Diktat« Zustimmung zur Aufnahme des Nat.soz. A. Seyß-Inquart ins Kabinett. Versuch, durch Volksabstimmung österr. Unabhängigkeit zu retten. Nach dt. Einmarsch (12.3.1938) verhaftet, 1941–45 KZ-Haft. Memoiren: *Ein Requiem in rot-weiß-rot,* 1946.
S. 79, 363, 537, 621

Schwab, Alexander 5.7.1887 Stuttgart – 12.11.1943 Zuchthaus Zwickau. Publizist. Nach 1918 über USPD und Spartakus zur Kommunistischen Arbeiterpartei. Nach Lösung von der KAP Leiter der Pressestelle der Reichsanstalt für Arbeitsvermittlung, 1933 entlassen. Zum SPD-Widerstand. 1936 verhaftet, zu acht Jahren Zuchthaus verurteilt. Zwangsarbeit im KZ Börgermoor.
S. 311

Schwantes, Martin. Widerstandskämpfer. Lehrer,

ehemaliger KPD-Bezirksfunktionär. Zweiter Kopf der Danz-Schwantes-Gruppe.
S. 416

Schwarz, Franz Xaver 27.11.1875 Günzburg (Donau) – 2.12.1947 Internierungslager Regensburg. SS-Obergruppenführer (1943). 1922 zur NSDAP, 1925 Reichsschatzmeister. 16.9.1931 »Generalbevollmächtigter des Führers« in allen vermögensrechtlichen Dingen. Übernahme der SA-Hilfskasse und der Reichszeugmeisterei. 1933 MdR und Reichsleiter. 1935 Aufsicht über die Finanzen der angeschlossenen Verbände der NSDAP. Ernennung zum Ehren-Oberstarbeitsführer. 1948 in Spruchkammerverfahren postum als »Hauptschuldiger« eingestuft. Vermögensentzug.
S. 403, 516, 627

Schwarz, Heinrich † 1947 Sandweiher (hingerichtet). Kommandant von Auschwitz III, ca. ab Herbst 1943.
S. 383

Schwarz van Berg, Hans. Hauptschriftleiter des nat.soz. *Angriff,* seit 1933 *Tageszeitung der DAF.*
S. 362

Schweitzer, Hans alias »Mjölnir« 25.7.1901 Berlin – 15.9.1980 Landstuhl. Graphiker und Karikaturist *(Der Angriff).* 1937 Prof., 1935 »Reichsbeauftragter für künstlerische Formgebung« und Vorsitzender des Reichsausschusses der Pressezeichner.
S. 362

Sebottendorf, Rudolf von, eigtl. Glauner, 9.11.1875 Hoyerswerda – 8./9.5.1945. Hochstapler. Meister der Provinz Bayern des Germanenordens. Kaufte aus Vermögen seiner Frau *Münchner Beobachter.* Von Anf. Nov. 1933 Präs. der Thule-Gesellschaft. 1942–45 Agent der dt. Abwehr in der Türkei. Dort am 8./9.5.1945 angeblich Selbstmord.
S. 759

Seemann, Horst. Publizist. Herausgeber des Blattes *Die Judenfrage in Politik, Recht, Kultur und Wirtschaft,* vormals *Mitteilungen über die Judenfrage* der Antijüdischen Aktion, vormals Antisemitische Aktion, vormals Institut zum Studium der Judenfrage in Berlin, ab Dezember 1942 (1943 eingestellt).
S. 365

Seghers, Anna, eigtl. Netty Radványi, geb. Reiling, 19.11.1900 Mainz – 1.6.1983 Berlin (Ost). Schriftstellerin. 1928 zur KPD. 1933 Opfer der nat.soz. Bücherverbrennung. Emigration nach Frankreich, Spanien, Mexiko. 1947 nach Berlin (Ost). 1952–78 Präsidentin des Dt. Schriftstellerverbandes der DDR. Im Mittelpunkt ihres schriftstellerischen Schaffens stand der antifaschistische Widerstand. Formal Entwicklung von der Neuen Sachlichkeit zum sozialistischen Realismus. Werke u.a.: *Das siebte Kreuz,* Roman 1942; *Transit,* Roman span. 1944, dt. 1948).
S. 169, 520, 633

Seidel, Ina 15.9.1885 Halle/Saale – 2.10.1974 Schäftlarn/Isar. Schriftstellerin. Mystisch geprägte Prosa (*Lennacker,* 1938) und hymnische Verse auf Hitler. Mitglied der Dt. Akademie der Dichtung, 1941 Dichterpreis der Stadt Wien.
S. 169

Seidl, Siegfried 1911 Tulln (Österreich) – Feb. 1947 Wien. 1930 Mitglied der NSDAP, 1932 SS, Dez. 1939 beim Inspekteur der Sicherheitspolizei Wien, Nov. 1941 bis Juli 1943 Lagerkommandant Theresienstadt, dann in Bergen-Belsen und bei Judendeportationen in Ungarn eingesetzt, im Okt. 1946 vom Wiener Landgericht zum Tode verurteilt, hingerichtet.
S. 758

Seißer, Hans Ritter von 9.12.1874-14.4.1973. Oberst der Polizei. 1914 bayer. Max-Josefsorden. 1919-30 Chef der Bayerischen Landespolizei. 1933 für einige Zeit im KZ. 1945 Reorganisation der Münchener Polizei im Auftrag d. Besatzungsmacht.
S. 515

Seldte, Franz 29.6.1882 Magdeburg – 1.4.1947 Fürth. SA-Obergruppenführer (1935). 1933 zur NSDAP. Gründer (1918) und Führer des Stahlhelm (bis 1935; Auflösung). 1933-45 Reichsarbeitsminister, seit 1934 preuß. Wirtschaftsminister. Tod in amerik. Militärlazarett.
S. 502, 664, 745

Seligsohn, Julius L. 1890 Berlin – 1942 KZ Sachsenhausen. Jurist, Vorstandsmitglied Jüdische Gemeinde Berlin und Reichsvertretung der Juden in Deutschland, 1940 verhaftet.
S. 698

Seraphim, Peter Heinz * 15.9.1902 Riga. Volkswirtschaftler. 1937 Dozent in Königsberg. Völkische Analysen der Volkswirtschaft (*Polen und seine Wirtschaft,* 1937) und antisemitische Geschichtsinterpretationen (*Die Wanderungsbewegung des jüdischen Volkes,* 1940). 1941–43 Schriftleiter von *Weltkampf. Die Judenfrage in Geschichte und Gegenwart,* Organ des Instituts zur Erforschung der Judenfrage. Nach 1945 u.a. Hochschullehrer in München und Hamburg.
S. 523

Serrano Súñer, Rámon * 1901 Cartagena. Span. Außenminister. Jurist. Schwager Francos, während der Republik Abgeordneter in Cortes. 1939 Vorsitzender der polit. Junta der Farlauge. 1938-44 Innenminister, Außenminister bis 1942.
S. 398

Severing, Carl 1.6.1875 Herford – 23.7.1952 Bielefeld. Politiker. 1893 zur SPD. 1907-12 MdR. 1919 Reichskommissar im Ruhrgebiet. 1920-33

MdR. 1920-26 und 1930-32 preuß. Innenminister. 1928-30 im Kabinett der Großen Koalition Reichsinnenminister. Kein Widerstand gegen Papens »Preußenschlag« 1932. Im Dritten Reich gänzlicher Rückzug aus der Politik.
S. 238

Seydlitz, Walther von, eigtl. S.-Kurzbach. 22.8.1888 Hamburg – 28.4.1976 Bremen. General der Artillerie (Juni 1942). Im Westfeldzug Kommandeur der 12. Infanterie-Division. 25.1.1943 eigenmächtiger Befehl zur Kapitulation des von ihm kommandierten LI. Armeekorps bei Stalingrad. 31.1.1943 Kriegsgefangenschaft. Vorsitzender des 1943 in Lunjonow bei Moskau gegründeten Bundes Dt. Offiziere (bis 1945). Vizepräsident des Nationalkomitees »Freies Deutschland«. 1944 Todesurteil durch Reichskriegsgericht, 1950 Todesurteil als Kriegsverbrecher durch Sowjets in der DDR. Begnadigung zu 25 Jahren Haft, 1955 in die BRD entlassen.
S. 408

Seyß-Inquart, Arthur 22.7.1892 Stannern bei Iglau (Mähren) – 16.10.1946 Nürnberg (hingerichtet). Österr. Politiker. SS-Obergruppenführer (30.4.1939). Seit 1931 Verbindung zur österr. NSDAP, 1938 Beitritt. 1937 Mitglied des Staatsrats. 16.2.1938 auf Hitlers Druck Minister für die Innere Verwaltung und Sicherheit. Nach Ultimatum Hitlers am 11.3.1938 Bundeskanzler. Nach dem Anschluß Österreichs Reichsstatthalter der Ostmark (bis 30.4.1939). 1939-45 Reichsminister ohne Geschäftsbereich. 1940-45 Reichskommissar für die besetzten Niederlande. Verantwortlich für den nat.soz. Terror gegen Juden, politische Gegner, für Geiselerschießungen etc. Todesurteil als Hauptkriegsverbrecher am 1.10.1946.
S. 363, 614, 676

Shakespeare, William 26.4.1564 Stratford-upon-Avon – 23.4.1616 ebda. Engl. Dramatiker und Dichter.
S. 170

Shigemitsu, Mamoru 29.7.1887 Oita-Ken – 25.1.1957 Yugawara. Jap. Politiker. 1942–45 u. 1954–56 Außenminister.
S. 529

Sieber, Josef 28.4.1900 Witten – 3.12.1962 Hamburg. Schauspieler.
S. 183

Siebert, Georg * 13.5.1896. Maler.
S. 157

Sieg, John
S. 310

Siemens, Carl-Friedrich von 5.9.1872 Charlottenburg (Berlin) – 9.9.1941 Heinenhof (Potsdam). Industrieller, Sohn von Werner von S. 1919 Aufsichtsratsvorsitzender der Siemens & Halske AG. 1920-24 DDP-MdR. 1927 Leiter der dt. Delegation bei der Genfer Weltwirtschaftskonferenz.
S. 486

Siemsen, August 5.7.1884 Mark – 25.3.1958 Berlin (Ost). Pädagoge, Leiter der Emigrantenorganisation Anderes Deutschland. Studium der Geschichte. Als Studienrat Leiter v. Abendkursen zur Aus- und Weiterbildung u. Arbeiterabiturientenkursen. Seit 1924–33 Schriftsteller u. Redakteur der Zeitschr. *Sozialistische Erziehung.* 1931 als Mitbegründer der SAPD deren Vorsitzender in Thüringen bis 1933. MdR 1930–32. Emigration Apr. 1933 in die Schweiz, 1936 nach Argentinien. 1952 Rückkehr zunächst in die BRD, 1955 Wechsel in die DDR. Verfasser politischer u. pädagogischer Schriften, u.a. über seine Schwester Anna S.-Vollenweider.
S. 307

Sievers, Wolfram 10.7.1905 (nach dem Krieg wegen Verantwortung für Menschenversuche hingerichtet). Historiker und Volkskundler. Reichsgeschäftsführer des Ahnenerbe e.V.
S. 353, 471

Sikorski, Wladyslaw 20.5.1881 Tuszów Narodowy – 4.7.1943 Gibraltar. Poln. General und Politiker. 1921/22 Generalstabschef. 1922/23 Ministerpräsident. 1924/25 Kriegsminister. 1929 Abschied nach Differenzen mit Pilsudski. 30.9.1939 Chef der poln. Exilregierung in London und Oberbefehlshaber der poln. Truppen. 1941 Gespräche mit Stalin über poln. Nachkriegspolitik; nach Entdeckung der Massengräber von Katyn Bruch mit der UdSSR. Tod unter ungeklärten Umständen.
S. 644

Sima, Horia 3.7.1906 Bukarest. Rumän. Politiker. Führer der Eisernen Garde. 26.9.1944 Chef einer von Hitler eingesetzten rumän. Exilregierung.
S. 456

Simeon II. * 16.6.1937 Sofia. Sohn des bulgar. Königs Boris III. 18.8.1943–46 Zar von Bulgarien, durch Volksentscheid am 8.9.1946 zur Abdankung gezwungen.
S. 407

Simon, Gustav 2.8.1900 Saarbrücken – April 1945 Koblenz. NSDAP-Gauleiter. 1925 zur NSDAP. 1930 MdR. 1931 Gauleiter von Koblenz-Trier-Birkenfeld (ab 1942: Gau Moselland). August 1940 Chef der Zivilverwaltung in Luxemburg. 1942 Reichsverteidigungskommissar. Selbstmord.
S. 576

Simović, Dušan 1882–1962. Jugoslaw. General und Politiker. Ministerpräsident 1941/42.
S. 389

Siodmak, Robert 8.8.1900 Dresden – 10.3.1973 Locarno. Amerik. Filmregisseur dt. Herkunft. 1933 wegen jüd. Abstammung Emigration nach Frankreich, dann in die USA. In Hollywood Karriere im Film noir: *The suspect, The spiral staircase,* USA 1945; *The killers,* 1946; außerdem *The crimson pirate,* 1952. 1955 zurück nach Deutschland: *Nachts, wenn der Teufel kam,* 1957 u.a.
S. 172

Söderbaum, Kristina *5.9.1912 Stockholm. Dt.-schwed. Schauspielerin und Fotografin, verheiratet mit Regisseur Veit Harlan. Populär und vom NS-Regime propagiert in melodramatischen Rollen (*Die Reise nach Tilsit,* 1938, wo sie am Ende im Wasser den Freitod sucht; Spitzname »Reichswasserleiche«) und in Propagandastreifen (*Jud Süß,* 1940).
S. 175, 531, 546

Söhnker, Hans (Albert Edmund) 11.10.1903 Kiel – 20.4.1981 Berlin. Schauspieler. Nach Bühnenanfängen vor allem beim Film. Unter Helmut Käutners Regie Aufstieg zum Star mit *Auf Wiedersehen, Franziska,* 1941. Weitere Rollen in *Schwarzwaldmädel,* 1933; *Der Strom,* 1942.
S. 170

Solf, Hanna (Johanna) 1887–1954. Widerstandskämpferin. Witwe des 1936 verstorbenen dt. Botschafters in Tokio Wilhelm S. Fortführung des Solf-Kreises als »Frau Solfs Teegesellschaft«. Verhaftung der meisten Mitglieder des Solf-Kreises im Jan. 1944 nach Denunziation.
S. 735

Solf, Wilhelm Heinrich 5.10.1862 Berlin – 6.2.1936 ebd. Diplomat und Widerstandskämpfer (Solf-Kreis). 1911-18 Leiter des Reichskolonialamtes. 1920-28 Botschafter in Tokio.
S. 735

Spamer, Adolf 10.4.1883 Mainz. Philologe und Volkskundler. Leiter der Abteilung Volkskunde in der Reichsgemeinschaft für dt. Volksforschung.
S. 424

Spann, Othmar 1.10.1878 Wien – 8.7.1950 Neustift (Burgenland). Österr. Nationalökonom, Soziologe und Philosoph. Ideologischer Wegbereiter des Austrofaschismus und des österr. Ständestaates (*Der wahre Staat – Vorlesungen über Abbruch und Neubau der Gesellschaft,* 1921). 1938 vorübergehend im KZ Dachau interniert, anschließend Lehrverbot.
S. 746

Sparing, Rudolf. Mitbegründer und seit 14.2.1943 Hauptschriftleiter der Wochenzeitung *Das Reich.*
S. 663

Speer, Albert 19.3.1905 Mannheim – 1.9.1981 London. Architekt und Politiker. 1931 zur NSDAP. Speer wurde zum ausführenden Organ von Hitlers gigantomanischen architektonischen Herrschaftsphantasien (Welthauptstadt Germania). Feb. 1942 Reichsminister für Bewaffnung und Munition. Ankurbelung der Rüstung zu immer neuen Höchstleistungen unter immer schlechteren Bedingungen. Sabotage von Hitlers Nero-Befehl im März 1945 aus Einsicht in dessen Sinnlosigkeit angesichts des verlorenen Krieges. In Nürnberg als einziger neben Schirach und teilw. Frank Schuldeingeständnis. Verurteilung zu 20 Jahren Haft.
S. 31, 42, 89 f., 92, 119, 160, 162, 164, 257, 267, 270, 291 f., 339, 376, 485, 487, 495, 558, 606, 619, 629, 673, 676, 685, 687, 725, 778, 791

Speidel, Hans 28.10.1897 Metzingen – 28.11.1984 Bad Honnef. Generalleutnant (1.1.1944). 1936 zum OKH. Im Zweiten Weltkrieg Generalstabschef u.a. beim Militärbefehlshaber Frankreich, bei der Armeeabteilung Lanz und der Heeresgruppe Süd in Rußland. Seit 14.4.1944 unter Rommel bei der Heeresgruppe B in Frankreich. Kontakte zum Widerstand um L. Beck. 7.9.1944 Verhaftung, Haft bis Kriegsende. 1957-63 erster dt. Oberbefehlshaber der NATO-Landstreitkräfte in Mitteleuropa.
S. 318

Spemann, Hans 27.6.1869 Stuttgart – 12.9.1941 Freiburg i. Brsg. Zoologe. 1935 Nobelpreis für Medizin für die Entdeckung des Organisatoreffekts während der embryonalen Entwicklung.
S. 250

Spengler, Oswald 29.5.1880 Blankenburg/Harz – 8.5.1936 München. Kultur- und Geschichtsphilosoph. Hauptwerk: *Der Untergang des Abendlandes,* 2 Bde, 1918/22, mit Vision vom kulturellen Verfall Europas. Antidemokrat, feierte die nat.soz. »Machtergreifung«; das Pöbelhafte des Nat.soz. und dessen Anbetung der Masse blieben ihm indessen fremd. Im Dritten Reich als »Ewig-Gestriger« isoliert.
S. 258

Sperrle, Hugo 7.2.1885 Ludwigsburg – 2.4.1953 Landsberg/Lech. Generalfeldmarschall (19.7.1940). 1936/37 Kommandeur der Legion Condor. 1.7.1938 Oberbefehlshaber der 3. Luftflotte. 1944 Leitung der Luftoperationen zur Abwehr der alliierten Invasion. 23.8.1944 Verabschiedung und Entlassung. Im OKW-Prozeß am 22.10.1948 freigesprochen.
S. 565

Spielhagen 24.3.1876 Königsberg – 1945 Breslau. 1894 zum protestantischen Glauben konvertiert, Literaturwissenschaftler u. Jurist, Spezialist für Literatur des 19. Jahrhunderts, Dozent in Hamburg, Berlin und Göttingen, Mitglied der Deutschnationalen Volkspartei, 1935-37 Vorsitzender des Paulusbundes, bis Juli 1939

Einrichtung des Büros Dr. Heinrich Spiro zur Betreuung christlicher »Volljuden«. Stellvertretender Bürgermeister von Breslau. Wegen »Fahnenflucht« erschossen.
S. 404

Spiero, Heinrich
S. 638

Spranger, Eduard 27.6.1882 Groß-Lichterfelde (Berlin) – 17.9.1963 Tübingen. Kulturphilosoph und Pädagoge. Mitglied der Mittwochs-Gesellschaft.
S. 530, 587 f.

Staal, Victor 1909-1982. Schauspieler.
S. 184

Stadtler, Eduard. Führer der Antibolschewistischen Liga.
S. 364

Staeger, Ferdinand 2.3.1880 Trebitsch – 14.9.1976 Waldkraiburg. Maler, Graphiker und Entwurfzeichner für Gobelins und Spitzendecken.
S. 157

Stahl, Heinrich 1868–1942. Mitglied der Reichsvertretung der dt. Juden. Vorsitzender der Berliner jüd. Gemeinden. 1942 nach Theresienstadt deportiert.
S. 698

Stahl, Rudolf. Industrieller. Generaldirektor von Salzdetfurth. Stellvertretender Leiter der Reichsgruppe Industrie.
S. 671

Stahlecker, Walter. 10.10.1900 Sternenfels – 23.3.1942 (gefallen). Kommandeur der Einsatzgruppe A. 1934 Leiter der polit. Polizei in Württemberg. 1938 BdS im Protektorat Böhmen und Mähren, ab Mai 1940 in Norwegen. Ab Juni 1941 EGr. A.
S. 613

Stalin, Josef, ursprüngl. J. Dschugaschwili, 21.12.1879 Gori (Georgien) – 5.3.1953 Kunzewo (Moskau). Sowj. Politiker. Seit 1904 Bolschewik, 1912 Mitglied des Zentralkomitees. Mitbegründer der *Prawda.* 1913-17 Verbannung, nach der Februarrevolution 1917 Rückkehr nach Petrograd. Nach der Oktoberrevolution Volkskommissar für Nationalitätenfragen, 1922 Generalsekretär des Zentralkomitees. Bis 1929 Beseitigung aller Rivalen, Errichtung einer auf Polizei und Terror gestützten Diktatur. Seit 1941 Ministerpräsident, 1943 Marschall. Sicherte der UdSSR mit der Bolschewisierung Ost- und Südosteuropas einen Sicherheitskordon gegenüber dem Westen, von dem sich der »Ostblock« durch einen »Eisernen Vorhang« nach 1945 abschottete.
S. 23, 58, 73, 82 f., 326, 430 f., 525, 527, 542, 631, 636, 651, 757, 775, 808

Stampfer, Friedrich 8.9.1874 Brünn – 1.12.1957 Kronberg/Taunus. Journalist und Politiker. 1916–33 Chefredakteur des sozialdemokratischen *Vorwärts,* 1920–33 MdR, 1926-33 im SPD-Vorstand. Im Mai 1933 ins Prager Exil, Redaktion des *Neuen Vorwärts,* 1938 nach Frankreich, 1940 in die USA. 1948–55 Dozent an der Frankfurter Akademie für Arbeit.
S. 300, 652

Stang, Walter 14.4.1895 Waldsassen. 1930 zur NSDAP. 1933 Leiter der Dt. Bühne e.V. 1936 MdR. Reichshauptamtsleiter der NSDAP. Leiter der NS-Kulturgemeinde und der Abteilung für Kunstpflege beim »Beauftragten des Führers für die gesamte geistige und weltanschauliche Schulung der NSDAP«.
S. 618

Stangl, Franz 26.3.1908 Altmünster (Österr.) – 28.6.1978 Düsseldorf (in Haft). Mai 1942 Erster Kommandant des Vernichtungslagers Sobibór, seit Sept. 1942 Kommandant des Lagers Treblinka. 1948 Flucht aus österr. Gefängnis, über Rom, Damaskus nach Brasilien. Arbeiter bei VW. 1967 an Bundesrepublik ausgeliefert. 1970 zu Lebenslänglicher Haft verurteilt.
S. 732, 765

Stark, Johannes 15.4.1874 Thansüß (Oberpfalz) – 21.6.1957 Traunstein. Physiker. Entdeckte 1905 den optischen Doppler-Effekt an Kanalstrahlen und 1913 den nach ihm benannte Effekt der Aufspaltung der Spektrallinien im elektrischen Feld. Nobelpreis 1919. Polemiken gegen theoretische Physik und antisemitische Hetze. 1930 zur NSDAP. 1933–39 Präsident der Physikalisch-Technischen Reichsanstalt, 1934–36 Vorsitz der Dt. Forschungsgemeinschaft. Führender Vertreter einer rassistischen Interpretation der Naturwissenschaften.
S. 137, 139 f., 144, 422

Stark, Oskar. Journalist.
S. 312

Stauffenberg, Claus Schenk Graf von 15.11.1907 Jettingen bei Günzburg – 20.7.1944 Berlin hingerichtet). Offizier und Widerstandskämpfer. Als Jugendlicher beeinflußt vom Denken Stefan Georges. Grundkonservativ. 1939 Teilnahme am Polenfeldzug. Anfängliche Begeisterung für den Nat.soz., seit der »Reichskristallnacht« zunehmende Abscheu. Entsetzen über Erlebtes im Rußlandfeldzug. 1.10.1943 Chef des Stabes beim Allgemeinen Heeresamt. Bündelung des Widerstands. Entschluß zum Attentat auf Hitler. 1.7.1944 Oberst und Stabschef des Befehlshabers des Ersatzheeres, Zutritt zu Lagebesprechungen im Führerhauptquartier. Nach gescheitertem Attentat verhaftet und noch am selben Tag standrechtlich erschossen.
S. 102, 310, 317, 319, 321, 379, 492, 814 f.

Steeg, Ludwig. Politiker. 1940 kommissarischer

Leiter der Berliner Stadtverwaltung, März 1945 Oberbürgermeister.
S. 674

Stein, Heinrich Friedrich Karl Reichsfreiherr vom und zum 25.10.1757 Nassau – 29.6.1831 Cappenberg. Dt. Staatsmann und Reformer Preußens.
S. 90,

Steinacher, Heinz. Seit 1933 »Reichsführer« des »Volksbundes« für das Deutschtum im Ausland.
S. 789

Steinbrink, Otto * 19.12.1888 Lippstadt. Dt. Industrieller. SS-Brigadeführer (30.1.1939). 1932 zum Freundeskreis des Reichsführers SS, 1939 Stab des Reichsführers SS. 1.5.1933 zur NSDAP, 31.5.1933 SS. Seit 1937 Generalbevollmächtigter der Friedrich Flick KG. Wehrwirtschaftsführer. Mai 1940-Juli 1942 Generalbeauftragter für die Stahlindustrie in den besetzten Gebieten im Westen. April 1941 Mitglied des Präsidiums der Reichsvereinigung Kohle.
S. 471

Steinhoff, Hans 10.3.1882 Pfaffenhofen – Mai 1945 bei Luckenwalde (Flugzeugabsturz). Filmregisseur. Nach 1933 Karriere mit nat.soz. Propagandafilmen, die ihre diffamierenden, antisemitischen, volksverhetzenden Tendenzen hinter formaler Brillanz verstecken: *Hitlerjunge Quex,* 1933; *Der alte und der junge König,* 1935; *Ohm Krüger,* 1941.
S. 174, 514, 624

Steinmann, Generalvikar.
S. 191

Stelling, Johannes 12.5.1877 Hamburg – 22.6.1933 Berlin. Politiker (SPD). Ministerpräsident von Mecklenburg. Von SA während der »Köpenicker Blutwoche« ermordet.
S. 550

Steltzer, Theodor 17.12.1885 Trittau – 27.10.1967 München. Widerstandskämpfer. Mitglied des Kreisauer Kreises. Jan. 1945 Todesurteil. Himmlers Masseur Felix Karsten gelang Strafaufschub, am 25.4.1945 befreit. Mitbegründer CDU in Schleswig-Holstein. 1946/47 Min. Präs. ebd.
S. 552

Stempfle, Bernhard. Pater. NSDAP-Mitglied. Redigierte Hitlers *Mein Kampf.* In Zusammenhang mit Röhmputsch ermordet.
S. 581

Stennes, Walter 12.4.1895 Fürstenberg (Wünnenberg bei Paderborn) – 18.5.1989. Dt. SA-Führer. 1919–22 bei Sicherheitspolizei, 1923 Schwarzer Reichswehr und militärischer Abwehr. Ab 1927 Aufbau des SA-Bereichs Ostdeutschland u. OSAF-Stellvertreter Ost (bis 1931). 1930/31 Konflikte zwischen SA und Partei; Bruch mit Hitler. 1933-49 Militärberater bei Chiang Kai-shek.
S. 750

Stevens. Brit. Major.
S. 777

Stimson, Henry Lewis 21.9.1867 New York – 20.10.1950 Huntington (N.Y.). Amerik. Politiker (Republikaner). 1911-13 Kriegsminister. 1928/29 Generalgouverneur der Philippinen. 1929-33 Außenminister. 1932 sog. Stimson-Doktrin (Nichtanerkennung von Situationen, Abkommen etc. durch die USA, die unter Verletzung des Briand-Kellog-Paktes zustande kämen). 1940-45 Kriegsminister. Befürworter der Atombombenabwürfe über Japan.
S. 589

Stinnes, Hugo 12.2.1870 Mülheim/Ruhr – 10.4.1924 Berlin. Industrieller. Enkel von Mathias S. 1920-23 DVP-MdR. Ausbau des Stinnes-Konzerns in den 20er Jahren zum größten dt. Unternehmen.
S. 426, 508

Straßer, Gregor 31.5.1892 Geisenfeld (Oberbayern) – 30.6.1934 Berlin. 1921 zur NSDAP. Gauleiter in Niederbayern. Dez. 1924-Dez. 1932 MdR. 1926-30 Reichspropagandaleiter. Versuch, linken Flügel der NSDAP abzuspalten, scheiterte. 8.12.1932 Rücktritt von allen Parteiämtern. Während des »Röhm-Putsches« ermordet.
S. 37, 370, 431, 599 f., 603, 605, 704, 721

Straßer, Otto 10.9.1897 Windsheim (Mittelfranken) – 27.8.1974 München. 1925 zur NSDAP. Seit 1926 mit seinem Bruder Gregor S. Leitung des Kampf-Verlags, für »sozialistische« Ausrichtung der Partei. Nach Konflikt mit Hitler Austritt aus NSDAP, Gründung der »Kampfgemeinschaft revolutionärer Nat.soz.«, Zusammenschluß mit anderen Gruppen zur »Schwarzen Front«. 1933 Emigration. Von Österreich, Schweiz, Portugal aus Kampf gegen Hitler. 1956 Gründung der Dt.-sozialen Union, politisch bedeutungslos.
S. 27, 37, 370, 721

Strassmann, Ernst 27.11.1897-1958. Jurist (Richter) und Widerstandskämpfer.
S. 312, 750

Strauss, Richard 11.6.1864 München – 8.9.1949 Garmisch-Partenkirchen. Komponist, empfahl sich mit seinem Eintreten für dt. Musik den Nat.soz. 15.11.1933 Präsident der Reichsmusikkammer. 14.7.1935 Rücktritt nach Konflikt wegen Absetzung seiner Oper *Die schweigsame Frau,* weil der Librettist, Stefan Zweig, Jude war. 24.1.1944 Geheimorder Himmlers: Verbot des Umgangs mit S. Die Partei distanzierte sich von S., beutete sein Werk aus Prestigegründen aber weiter aus. Seine jüd. Schwiegertochter be-

wahrte sein Ruhm vor Verfolgung. Im Mai 1948 als »unbelastet« eingestuft.
S. 156, 176, 178

Strawinski, Igor 17.6.1882 Oranienbaum (Lomonossow) – 6.4.1971 New York. Amerik. Komponist russ. Herkunft.
S. 178

Streicher, Julius 12.1.1885 Fleinhausen bei Augsburg – 16.10.1946 Nürnberg (hingerichtet). Politiker und Verleger. 1921 zur NSDAP. 1923 Begründung des antisemitischen Hetzblattes *Der Stürmer.* 1928 Gauleiter in Franken. 1933-45 MdR. 1933 Leitung des »Zentralkomitees zur Abwehr der jüdischen Greuel- und Boykotthetze«, maßgeblich am Zustandekommen der Nürnberger Gesetze beteiligt. 13.2.1940 wegen Korruption und nach Streit mit höchsten Parteiführern aller Parteiämter enthoben. 23.5.1945 verhaftet, 1.10.1946 Todesurteil wegen Verbrechen gegen die Menschlichkeit.
S. 244, 378, 451, 497, 602, 753

Stresemann, Gustav 10.5.1878 Berlin – 3.10.1929 Berlin. 1918 Gründung der DVP. Mitglied der Weimarer Nationalversammlung, 13.8.1923 Reichskanzler, 23.11.1923 Rücktritt, bis zu seinem Tod Außenminister. Repräsentant der sog. Erfüllungspolitik, um Deutschland aus der außenpolitischen Isolierung zu führen: Locarno-Pakt 1925, Aufnahme des Dt. Reiches in den Völkerbund 1926, Berliner Vertrag 1926. Für Aussöhnung mit Frankreich. Friedensnobelpreis 1926.
S. 67, 425, 556, 642

Strickrodt, Georg. * 5.3.1902 Kassel. Politiker, aktiv tätig in der Demokratischen (Staats-)Partei und im »Reichsbanner«, 1929-36 als Jurist im preuß. Staatsdienst, 1936 als Gegner des Nat.soz. vom Dienst suspendiert, ab 1937 beteiligt am Aufbau der Reichswerke Hermann Göring in Salzgitter, nach Kriegsende 1945 Leiter der Reichswerke-Gesellschaft in Salzgitter, 1946-50 Wirtschaftsminister (CDU) zunächst im Braunschweigischen Landtag, dann in der Landesregierung Niedersachsen.
S. 713

Stroop, Jürgen 26.9.1895 Detmold – 6.3.1952 Warschau. SS-Gruppenführer (1943) und Generalmajor der Polizei. Kommandeur der dt. Truppen, die den Warschauer Ghetto-Aufstand 1943 niederschlugen. 21.3.1947 von US-Militärgericht wegen Erschießung gefangener alliierter Piloten zum Tode verurteilt, an Polen ausgeliefert, erneut zum Tode verurteilt und gehängt.
S. 751, 796

Stroux, Karlheinz 25.2.1908 Hamborn (Duisburg) – 2.8.1985 Düsseldorf. Theaterregisseur und Schauspieler.
S. 170

Struve. Mediziner. S. hat große Rolle bei Menschenversuchen in Dachau gespielt.
S. 237

Student, Kurt * 12.5.1890. Generaloberst (1945). 1941-43 Kommandierender General des XI. Fliegerkorps der 7. Fallschirm-Division. Leitung der Luftlandung auf Kreta 20.5.-1.6.1941. Nov. 1944-Jan. 1945 Oberbefehlshaber der Heeresgruppe A im Westen. Jan. 1945 Oberbefehlshaber der Fallschirmtruppe.
S. 583

Stülpnagel, Karl Heinrich von 2.1.1886 Darmstadt – 30.8.1944 Berlin-Plötzensee (hingerichtet). General der Infanterie (1.4.1939) und Widerstandskämpfer. 21.10.1938 Oberquartiermeister I im Generalstab des Heeres. 30.5.1940 Kommando über das II. Armeekorps. 15.2.1941 Befehl über 17. Armee (bis 25.11.1941 im Rußlandfeldzug). 13.2.1942 als Nachfolger seines Vetters Otto von S. Militärbefehlshaber in Frankreich. Hartes Besatzungsregime, gleichzeitig aktiver Widerstand. Am 20.7.1944 Verhaftung der wichtigsten SS-, SD- und Gestapo-Angehörigen in Paris. Todesurteil durch Volksgerichtshof.
S. 316

Stülpnagel, Otto von 16.6.1878 Berlin – 6.2.1948 Paris. General der Infanterie (1932). 1935 Kommandeur der Luftkriegsakademie. 25.10. 1940 Militärbefehlshaber in Frankreich, Etablierung einer Schreckensherrschaft mit Deportationen, Geiselerschießungen u.ä. bis 31.1.1942. Nach Kriegsende Verhaftung und Auslieferung an Frankreich, Selbstmord vor Prozeßbeginn.
S. 316

Stumme, Wolfgang. Musikreferent der Reichsjugendführung. Ab 1942 Kom. Ltr. des Amtes Musik im Hauptschulungsamt des Reichsorganisationsleiter.
S. 180

Stumpff, Hans-Jürgen 15.6.1889 Kolberg – 9.3.1968 Frankfurt/Main. Generaloberst.
S. 106

Suhr, Otto 17.8.1894 Oldenburg – 30.8.1957 Berlin (West). Nationalökonom und Politiker. Mitbegründer des DGB 1945 in Berlin. Tätigkeit in der Zentralverwaltung der Industrie der SBZ. Gegen Zusammenschluß von KPD und SPD. 1946-48 Stadtverordneter von Groß-Berlin, 1948–50 von Berlin (West). 1951–55 Präsident des Westberliner Abgeordnetenhauses. Ab 1955 Regierender Bürgermeister von Berlin (West). 1948/49 Mitglied des Parlamentarischen Rates. 1949–51 MdB. 1949 Neugründer und bis 1955 Direktor der Dt. Hochschule für Politik (seit 1958 Otto-Suhr-Institut der FU Berlin).
S. 422

Svinhufvud, Pehr Evind 15.12.1861 Sääksmäki

(Häme) – 29.2.1944 Luumäki (Kymi). Finn. Politiker. Ab 1894 konservativer Abgeordneter, mehrmals Parlamentspräsident. 1914-17 in sibirischer Verbannung. Mai-Dez. 1918 Reichsverweser. 1930/31 Ministerpräsident. 1931-37 Staatspräsident.
S. 461

Syrup, Friedrich 9.10.1881 Lüchow (Niedersachsen) – 1945 Sachsenhausen. Staatssekretär. 1920-27 Leiter der Reichsanstalt für Arbeitsvermittlung und Arbeitslosenversicherung. Reichsarbeitsminister 1932/33, danach wieder Leiter der Reichsanstalt bis zu ihrer Eingliederung ins Reichsarbeitsministerium. 1939 Staatssekretär und stellvertretender Reichsarbeitsminister. Nach Kriegsende im Lager Sachsenhausen interniert.
S. 369

Szálasi, Ferenc 6.1.1897 Kosice – 12.3.1946 Budapest (hingerichtet). Ungar. Politiker. Ehem. Generalstabsoffizier. Gründer (1935) und Führer der später sog. Pfeilkreuzler-Partei. Nach dem Sturz Horthys (16.10.1944) von den dt. Militärbehörden mit der Regierungsbildung beauftragt. Handlanger der dt. Judenverfolgung. Bei Kriegsende in Österreich verhaftet, an Ungarn ausgeliefert, zum Tode verurteilt.
S. 456, 638 f., 771 f.

Sztójay, Dominikus (Döme) 1883-1946. Ungar. Politiker und Diplomat. Generalleutnant. Gesandter in Berlin. März-Aug. 1944 Ministerpräsident.
S. 771

Tanzmann, Bruno. Führer der Dt. Bauernhochschulbewegung.
S. 376

Taut, Bruno 4.5.1880 Königsberg – 24.12.1938 Ankara. Architekt. 1921-24 Stadtbaurat in Magdeburg. 1930-32 Prof. für Wohnungswesen und Siedlungsbau an der TH Berlin. 1932 nach Moskau, 1933 nach Japan. Seit 1936 in Istanbul Leiter der Architekturabteilung der Kunstakademie. Bekannt durch den Glaspavillon auf der Kölner Werkbundausstellung 1914.
S. 560

Teleki, Pál Graf 1.11.1879 Budapest – 3.4.1941 ebda. Ungar. Politiker und Geograph. 1920 Außenminister. 1920/21 und 12.2.1939-3.4.1941 Ministerpräsident. Selbstmord.
S. 770

Tenenbaum, Mordechai. 1916 Warschau – Aug. 1943 Ghetto Białystok (Selbstmord). Jüdischer Widerstandskämpfer. Seit 1942 in Białystok, organisierte dort ein Ghetto-Archiv. Anführer des dort. Ghetto-Aufstandes. Selbstmord, nachdem die Munition ausgegangen war.
S. 398

Terauchi, Hisaichi 1879-1945. Jap. Politiker. 1935 Armeeminister.
S. 528

Terboven, Josef 23.5.1898 Essen – 8.5.1945 Oslo. SA-Obergruppenführer (1936). 1923 zur NSDAP. Teilnahme am Hitlerputsch. 1930-45 MdR. 1933 Preuß. Staatsrat. Gauleiter von Essen. 5.2.1935 Oberpräsident der Rheinprovinz. Sept. 1939 Reichsverteidigungskommissar Wehrkreis VI. 24.4.1940 Reichskommissar für die besetzten norweg. Gebiete. Härtestes Besatzungsregiment. Bei Kriegsende Selbstmord.
S. 615, 676

Tesch, Bruno 1913 Hamburg – 1.8.1933 ebd. (hingerichtet). Kommunist. Von einem Sondergericht wegen Teilnahme am »Altonaer Blutsonntag« zum Tode verurteilt.
S. 359

Thimig, Helene 5.6.1889 Berlin – 7.11.1974 ebd. Schauspielerin. 1917-33 in Berlin unter Max Reinhardt. 1933 Emigration nach Wien, 1938-46 in den USA. 1948-54 und 1960 Wiener Akademie für Musik und darstellende Kunst.
S. 170

Thierack, Otto Georg 19.4.1889 Wurzen (Sachsen) – 22.11.1946 Lager Eselheide (Sennelager). Jurist und Politiker. 1932 zur NSDAP. 1933 kommissarischer sächs. Justizminister; Auftrag zur Gleichschaltung. 1935 Vizepräsident des Reichsgerichts. 1936 Präsident des Volksgerichtshofs. Aug. 1942-45 Reichsjustizminister. Unter seiner Ägide permanente Rechtsbeugung zugunsten des nat.soz. Systems. Seit 1942 Präsident der Akademie für Dt. Recht. Selbstmord vor Verfahrenseröffnung gegen ihn in Nürnberg.
S. 354, 609, 675, 702, 784

Thieß, Frank 13.3.1890 Eluisenstein bei Uexküll (Livland) – 22.12.1977 Darmstadt. Schriftsteller. Während des Dritten Reiches überwiegend in Rom und Wien. Prägte das Schlagwort von der »Inneren Emigration«. 1968 Konrad-Adenauer-Preis der Deutschland-Stiftung. Werke u.a.: *Die Verdammten,* Roman 1923; *Das Reich der Dämonen,* Roman 1941.
S. 523

Thomas, Georg 20.2.1890 Forst (Lausitz) – 29.10.1946 Frankfurt am Main. General. Widerstandskämpfer. Okt. 1935 Chef Amtsgruppe Wehrwirtschaft im OKH. 1.8.1940 Gen. d. Inf. Ab Kriegsbeginn-20.11.1942 Chef des Wehrwirtschafts- und Rüstungsamts. Opposition SS-Rußlandfeldzug führte zu seiner Kaltstellung. 20.11.1944 wg. Verbindung zum militär. Widerstand festgenommen. Haft bis Kriegsende.
S. 491

Thorak, Josef 7.2.1889 Salzburg – 26.2.1952 Hartmannsberg (Oberbayern). Bildhauer. 1928

Staatspreis der Preuß. Akademie der Künste. Mit seinen überdimensionalen Heldengestalten avancierte Thorak neben A. Breker zum meistgeschätzten und -geförderten Bildhauer des Dritten Reiches. Seine Frauengestalten strahlten, so Hitler, »gesunde nordische Erotik« aus. Im Spruchkammerverfahren als »unbelastet« eingestuft.
S. 159 f., 494, 507

Thyssen, Fritz 9.11.1873 Styrum bei Mülheim a.d. Ruhr – 8.2.1951 Buenos Aires. Industrieller. 1926 Übernahme der Leitung des Thyssen-Konzerns, der im gleichen Jahr in den Vereinigten Stahlwerken aufging, deren Vorstandsvorsitzender er bis 1935 war. Wichtiger Finanzier und Förderer der NSDAP; 1933 Parteieintritt. Wegbereiter der Kanzlerschaft Hitlers und Türöffner zur westdt. Schwerindustrie (zus. mit E. Kirdorf). 1933 MdR; preuß. Staatsrat. Nach Kritik an Aufrüstung und nat.soz. Judenpolitik Bruch mit dem NS-Regime. 1939 Emigration in die Schweiz, später nach Frankreich. 1941 Auslieferung an Deutschland; KZ-Haft. Nach Entnazifizierungsverfahren 1948 (minderbelastet) Auswanderung nach Argentinien.
S. 109, 508, 522

Tiessen, Heinz.
S. 179

Tille, Alexander 1866–1912. Germanist. Vertreter eines radikalen Sozialdarwinismus.
S. 739

Tillich, Paul 20.8.1886 Starzeddel (Landkr. Guben) – 22.10.1965. Dt.-amerik. Theologe und Philosoph. 1920 zum Bund der religiösen Sozialisten. Lehrte bis 1933 Theologie, Religionswissenschaften und Sozialphilosophie in Marburg, Dresden, Leipzig und Frankfurt am Main. 1933 Suspendierung und Emigration in die USA. 1940 US-Bürger. Lehre in New York, Harvard und Chicago (ab 1962). 1962 Friedenspreis des dt. Buchhandels. Hauptwerk: *Systematische Theologie,* 1951–66.
S. 599

Tirpitz, Alfred von (1900) 19.3.1849 Küstrin – 6.3.1930 Ebenhausen (Schäftlarn). Großadmiral (1911) und Politiker. 1898 Mitbegründer des Dt. Flottenvereins und preuß. Marineminister. 1924–28 DNVP-MdR.
S. 76

Tiso, Josef 13.10.1887 Velka Bytča – 18.4.1947 Preßburg (hingerichtet). Slowak. Politiker und katholischer Theologe. 1918 Mitbegründer der Slowak. Volkspartei. 6.10.1938 Ministerpräsident der autonomen Slowakei. Proklamation der Unabhängigkeit auf dt. Druck am 14.3.1939. 26.10.1939 Staatspräsident. Williges Werkzeug Hitlers auch bei der Unterstützung der »Endlösung der Judenfrage«. 5.4.1945 Flucht nach Westen. Dez. 1946 wegen Hochverrats zum Tode verurteilt.
S. 733, 768

Tito, Josip, eigtl. J. Broz, 25.5.1892 Kumrovec (Kroatien) – 4.5.1980 Ljubljana. Jugosl. Marschall (1943) und Politiker. 1920 Mitbegründer der Kommununistischen Partei Jugoslawiens. 1927 Sekretär der Metallarbeitergewerkschaft. 1928-34 mehrfach in Haft. 1934 Emigration. Seit 1934 Mitglied des ZK und des Politbüros der KPJ. 1936-38 bei den Internationalen Brigaden im Span. Bürgerkrieg. 1937 Generalsekretär der KPJ. Ab 1941 Organisiation des Partisanenkampfes gegen die dt. und ital. Besatzer Jugoslawiens. 1943 Präsident des Antifaschistischen Rates der Nationalen Befreiung. 1945 Ministerpräsident und Verteidigungsminister. 1948 Lösung von Moskau. Ab 1953 Staatspräsident (1963 auf Lebenszeit).
S. 776

Todt, Fritz 4.9.1891 Pforzheim – 8.2.1942 bei Rastenburg (Ostpreußen, Flugzeugabsturz). Ingenieur und Politiker. 5.1.1922 zur NSDAP. 1931 als Standartenführer in die SA, später Obergruppenführer, außerdem Generalmajor der Luftwaffe. 5.7.1933 Generalinspektor für das dt. Straßenwesen, Leitung des Autobahnbaus. Dez. 1938 Generalbevollmächtigter für die Bauwirtschaft. Gründung der Organisation Todt zum Bau des Westwalls, später Bau des Atlantikwalls, Reparatur zerstörter Straßen und Brücken etc. 17.3.1940 Reichsminister für Bewaffnung und Munition, Leitung der gesamten Kriegswirtschaft.
S. 18, 63, 89 f., 119, 261 f., 264, 387, 403, 435, 485, 607, 629, 653, 685

Toller, Ernst 1.12.1893 Samotschin bei Bromberg – 22.5.1939 New York. Schriftsteller. Überzeugter Pazifist, Mitglied der USPD. Funktionär der bayer. Räterepublik 1919. Fünf Jahre Festungshaft. Arbeit u.a. für die *Weltbühne.* 1933 Ausbürgerung, Selbstmord aus Verzweiflung über Unmöglichkeit des Pazifismus.
S. 169, 299

Trenker, Luis 4.10.1892 St. Ulrich (Südtirol) – 12.4.1990 Bozen. Österr. Filmschauspieler und -regisseur. Nach Bergsteigerrollen in Filmen von Arnold Fanck (*Der Berg des Schicksals,* 1924) eigene Inszenierung meist großangelegter Abenteuergeschichten (*Der Kaiser von Kalifornien,* 1936). Trenkers Stil traf mit seiner »Blut-und-Boden«-Dramatik den Zeitgeist und wurde vom NS-Regime honoriert und propagiert.
S. 174

Tresckow, Henning von 10.1.1901 Magdeburg – 21.7.1944 bei Bialystok (Weißrußland). Ge-

neralmajor (30.1.1944) und Widerstandskämpfer. Nach »Röhm-Putsch« 1934 Distanz zum Nat.soz., vollends Abkehr nach der »Reichskristallnacht« 1938. Nach Kriegsbeginn Offizier im Generalstab. Erster Attentatsversuch auf Hitler am 13.3.1943 gescheitert. Anschluß an Kreis um Stauffenberg. 20.11.1943 Chef des Stabes der 2. Armee. Nach Scheitern des 20.-Juli-Attentats Selbstmord.
S. 316, 319, 379

Triebsch, Franz 14.3.1870 Berlin – 16.12.1956 ebd. Bildnismaler. 1940 Goethemedaille.
S. 157

Troost, Gerdy. Frau des Architekten Paul Ludwig T.
S. 504

Troost, Paul Ludwig 17.8.1878 Elberfeld (Wuppertal) – 21.1.1934 München. Architekt. 1930 Entwurf für den Ausbau des Braunen Hauses und 1932 des Hauses der Dt. Kunst in München.
S. 438, 474, 504, 599, 610

Trotha, Adolf von 1.3.1868 Koblenz – 11.10.1940 Berlin. Vizeadmiral. 1900 beim Boxeraufstand in China. 1920 Abschied aus der Reichsmarine und Führer des Großdt. Jugendbundes. 1934 Vorsitzender des nat.soz. Reichsbundes dt. Seegeltung und des Seegeltungsinstituts in Magdeburg.
S. 497, 667

Trotha, Carl Dietrich von 1907-1952. Widerstandskämpfer. Mitglied des Kreisauer Kreises. Referent im Reichswirtschaftsministerium.
S. 552

Trott zu Solz, Adam von 9.8.1909 Potsdam – 26.9.1944 Berlin-Plötzensee (hingerichtet). Diplomat und Widerstandskämpfer (Kreisauer Kreis). 1940 zur Informationsabteilung des AA. Ablehnung des Nat.soz. aus christlicher Grundüberzeugung. Seit 1939 Versuche, auf Auslandsreisen bei den Alliierten Unterstützung für die dt. Widerstandsbewegung zu finden. Nach dem mißglückten Staatsstreich vom 20. Juli 1944 am 15.8.1944 zum Tode verurteilt.
S. 552

Trotzki, Leo, russ. Lew Dawidowitsch T., eigtl. Leib Bronschtein, 28.10.1879 Iwanowka (?) (Gouv. Cherson) – 21.8.1940 Mexiko (ermordet). Russ. Revolutionär und Politiker. Organisator der Roten Armee.
S. 451

Truman, Harry S. 8.5.1884 Lamar (Missouri) – 26.12.1972 Kansas City. 33. Präsident der USA (1945-53) nach Roosevelts Tod am 12.4.1945. Vorher kurze Zeit Vizepräsident.
S. 651

Trumit, Hans Georg. Herausgeber der *Mitteilungen über die Judenfrage* des Berliner Instituts zum Studium der Judenfrage bis 1939.
S. 365

Trummler, Hans *24.10.1900. SS-Oberführer. 1939 Kommandeur der Grenzpolizeischule Pretzsch.
S. 493

Tschammer und Osten, Hans von 25.10.1887 Dresden – 25.3.1943 Berlin. 1929 zur NSDAP. Seit 5.3.1933 MdR. 28.4.1933 Reichssportkommissar, 14.7.1933 Übernahme des Dt. Turnerbundes, 19.7.1933 Reichssportführer, Führung des Reichsbundes für Leibes-übungen, ab 1938 NS-Reichsbund für Leibes-übungen. Präsident der Reichsakademie für Leibesübungen und des Dt. Olympischen Ausschusses. Nach 1936 Bestreben, alle jüdischen Sportler auszuschalten. Leiter der Sektion Sport des DAF-Werkes »Kraft durch Freude«.
S. 253 ff., 695

Tucholsky, Kurt 9.1.1890 Berlin – 21.12.1935 Hindås bei Göteborg. Schriftsteller, kritischer Publizist. Arbeit für *Schaubühne* und *Weltbühne.* Radikaler Pazifist, 1920 zur USPD, dann zur SPD. Seit 1929 in Schweden. 10.5.1933 wegen seiner antinazistischen Schriften und jüdischen Herkunft Opfer der Bücherverbrennung. 25.8.1933 Ausbürgerung. Selbstmord aus tiefster Depression. Literarische Werke u.a. *Rheinsberg – Ein Bilderbuch für Verliebte,* 1912; *Schloß Gripsholm,* 1931.
S. 168, 299, 407

Tuka, Vojtěch 1880–1946. Slowak. Politiker. Ministerpräsident 1939–44.
S. 733

Udet, Ernst 26.4.1896 Frankfurt am Main – 18.11.1941 Berlin. Generaloberst (19.7.1940). Erfolgreichster überlebender Flieger des Ersten Weltkriegs. Träger des Pour le mérite-Ordens In den 20er Jahren Schau- und Kunstflieger. 1935 als Oberst ins Reichsluftfahrtministerium. 1939 Generalluftzeugmeister. Von Göring und Hitler für das Scheitern der Luftschlacht um England verantwortlich gemacht, nahm sich Udet das Leben. Vorbild für Carl Zuckmayers Helden in *Des Teufels General.*
S. 682

Uhlen, Gisela, eigtl G. Schreck, *16.5.1919 Leipzig. Schauspielerin. Filme u.a.: *Die Rothschilds,* 1940; *Ohm Krüger,* 1941.
S. 624, 705

Uhrig, Robert 1903–1944 (hingerichtet). Ltr. einer Kommunist. Widerstandszelle bei der Fa. Osram/Berlin (seit 1933) und Widerstandskämpfer (KPD; Uhrig-Römer-Gruppe). 1934 erstmals verhaftet, seit 1942 im KZ Sachsenhausen, Juni 1944 Todesurteil.
S. 310, 770

Ulex, G. L. 1811–1883. Chemiker.
S. 102

Unger, Hellmuth 10.2.1891 Nordhausen – 13.7.1953 Freiburg i. Brsg. Augenarzt und Schriftsteller. Autor des Romans *Sendung des Gewissens,* Vorlage für den Film *Ich klage an,* 1941. Weitere Filmromane: *German, Robert Koch.*
S. 245, 522

Unruh, Fritz von 10.5.1885 Koblenz – 28.11.1970 Diez. Schriftsteller. Pazifist. 1932 Emigration über Italien nach Frankreich, 1940 interniert, weiter in die USA. Werke u.a.: *Der nie verlor,* Roman 1947.
S. 91, 170

Väth, Hans
S. 162

Vajna, Gábor. Ungar. Politiker (Pfeilkreuzpartei).
S. 639

Valentin, Karl, eigtl. Valentin Ludwig Fey, 4.6.1882 München – 9.2. 1948 ebda. Komiker und Schriftsteller.
S. 465

Valera, Eamon de 14.10.1882 New York – 29.8.1975 Dublin. Ir. Politiker. Seit 1913 in der ir. Freiheitsbewegung. 1919 Flucht in die USA. Wahl zum künftigen Präsidenten der ir. Republik. 1921 zurück nach Irland. Seit 1917 Präsident der Sinn Féin. Gegner des 1921 abgeschlossenen Vertrages mit Großbritannien über die Errichtung des ir. Freistaates innerhalb des Commonwealth und die Abtrennung Nordirlands. 1922 Rücktritt als Präsident, 1923/24 in Haft. Gründung der Fianna Fáil. Wahlsieg 1932. Bis 1948, 1951–54 und 1957–59 Premierminister, 1959–73 Präsident der Republik Irland.
S. 525

Vallat, Xavier. Leiter des im März 1941 eingerichteten Kommissariats für Judenfragen in Vichy.
S. 468

Valois, Georges 1880-1944. Frz. Philosoph und Schriftsteller. 1925 Gründer des Faisceau des combattants et des producteurs.
S. 456

Veidt, Conrad 22.1.1893 Berlin – 3.4.1943 Los Angeles-Hollywood. Schauspieler, berühmt für seine völlige Identifikation mit seinen Rollen. 1933 Emigration, Erfolge in Hollywood. Filme: *Der Student von Prag,* 1913; *Das Wachsfigurenkabinett,* 1924; *Casablanca,* USA 1942.
S. 172

Vietinghoff, Heinrich von 6.12.1887 Mainz – 23.2.1952 Pfronten-Ried März/April 1945. Generaloberst. Oberbefehlshaber Südwest in Oberitalien. Zw. 30.4. u. 2.5.45 seines Kdos. enthoben.
S. 527, 540

Viktor Emanuel III. 11.11.1869 Neapel – 28.12.1947 Alexandria (Ägypten). König von Italien 1900–46. Unter dem Druck des Faschismus am 30.10.1922 Ernennung Mussolinis zum Ministerpräsidenten. Sturz des Duce mit Hilfe des monarchistischen Flügels im Faschistischen Großrat (Mißtrauensvotum 24/25.7.1943). Abdankung zugunsten seines Sohnes Humbert II. 5.6.1944, endgültig am 9.5.1946.
S. 407, 455, 525

Virchow, Rudolf 13.10.1821 Schivelbein bei Belgrad – 5.9.1902 Berlin. Mediziner und Politiker. Begründer der Zellularpathologie. Vorkämpfer der Hygiene. Mitbegründer der Dt. Fortschrittspartei. 1880–93 MdR.
S. 240

Vögler, Albert 8.2.1877 Borbeck (Essen) – 14.4.1945 bei Dortmund. Industrieller und Politiker. 1915–26 Generaldirektor der Vereinigten Stahlwerke AG, größter dt. Stahlkonzern. 1920–24 DVP-MdR. 1930–33 einer der ersten finanziellen Förderer der NSDAP. Für Ernennung Hitlers zum Reichskanzler. Nach 1933 Aufsichtsratsvorsitzender der Ruhrgas AG, der Gelsenkirchener Bergwerks AG. Mitglied u.a. im Generalrat der Wirtschaft und MdR 1933–45 (parteilos). Selbstmord in amerik. Gefangenschaft.
S. 139, 486

Volkmann, Hellmuth. Generalmajor. Kommandeur der Legion Condor.
S. 565

Voß, Hermann 19.10.1892 Zwischenahn. 1922–24 bei der Schwarzen Reichswehr. 1932–33 NSDAP-MdL (Preußen). 1933 MdR. Seit 1942 Kunstbeauftragter Hitlers für ein geplantes Groß-Museum in Linz als Nachfolger von Dr. Posse.
S. 442, 561

Vrba, Rudolf * 1924 als Walter Rosenberg in d. Tschechoslowakei. Einer der Autoren des Vrba-Wetzler-Berichts über die Ermordung der Juden in Auschwitz. März 1942 ins Vernichtungslager Maidanek, dann Auschwitz, wo er zus. mit Alfred Wetzler am 7.4.1944 fliehen konnte.
S. 790 f.

Wagener, Otto Wilhelm * 29.4.1888 Durlach. 1923 zur SA. 1929 Mitglied der Reichsleitung der NSDAP. 1.10.1929-31.12.1930 Stabschef der SA. 1.1.1931 Leiter der Wirtschaftspolitischen Abteilung innerhalb der Reichsleitung der NSDAP. Sept. 1932 Stab des Führers z.b.V.

24.4.-30.6.1933 Reichskommissar für die Wirtschaft, 1933 MdR.
S. 17 f., 259, 752

Wagner, Adolf 1.10.1890 Algringen (Lothringen) – 12.4.1944 München. Politiker. 1922 zur NSDAP. 1929 Gauleiter des seit 1930 sog. Traditionsgaus München-Oberbayern. 12.4.1933 bayer. Innenminister und stellvertretender Ministerpräsident. Mächtigster Mann in Bayern, Intimus Hitlers. Fanatischer Motor der Judenverfolgung und der Arisierung. 1942 Schlaganfall. Beisetzung des »Despoten von München« mit Staatsakt.
S. 347

Wagner, Gerhard 18.8.1888 Neu-Heiduk (Oberschlesien) – 25.3.1939 München. Mediziner. Nach dem Ersten Weltkrieg aktiv in Freikorps Epp und Oberland. 1929 zur NSDAP. 1929 mit Leonardo Conti Gründung des Nat.soz. Dt. Ärztebundes, 1933 Reichsärzteführer. Ressort für Volksgesundheit in der Reichsleitung der NSDAP. Befürworter der Zwangssterilisation von Juden und Behinderten und der Euthanasie.
S. 136, 239, 241, 243 ff.

Wagner, Josef 12.1.1889 Algringen (Lothringen) – Ende April 1945 Berlin (?). 1922 Gründung einer NSDAP-Ortsgruppe in Bochum. 1928 MdR; Okt. 1928 Gauleiter in Westfalen. Dez. 1934 Oberpäsident und Gauleiter von Schlesien. 29.10.1936 Reichskommissar für die Preisbildung. Wegen dezidiert kirchlicher Einstellung 1941 Entzug aller Ämter. 12.10.1942 Ausschluß aus der NSDAP; ab Herbst 1943 Gestapoüberwachung. Nach dem Attentat vom 20. Juli 1944 in Haft, vermutlich von SS-Bewachern ermordet.
S. 624

Wagner, Richard 22.5.1813 Leipzig – 13.2.1883 Venedig. Komponist. Der von Hitler und den Nat.soz. meistverehrte Künstler, der sowohl mit seinem von germanischer Mystik und Heldenverehrung durchdrungenen musikalischen Werk als auch mit seinen antisemitischen Schriften vom NS-Regime völlig vereinnahmt wurde, mit der späten Übernahme der Rassentheorien Gobineaus aber auch selber zu seiner Instrumentalisierung für die propagandistischen Zwecke des NS-Regimes beitrug. Werke u.a.: *Der Ring des Nibelungen,* 1854–74; *Parsifal,* 1882; *Die Meistersinger von Nürnberg,* 1867.
S. 176, 179 f., 391

Wagner, Robert 13.10.1895 Lindach (Nordbaden) – 14.8.1945 Straßburg. 1925 zur NSDAP, Gauleiter in Baden, seit 5.5.1933 Reichsstatthalter. 2.8.1940 Leitung der dt. Zivilverwaltung im Elsaß. Verantwortlich für die Deportation der Juden im unbesetzten Frankreich und aus seinem eigenen Gau Baden. Verfechter brutaler Durchhaltepolitik beim Herannahen der alliierten Truppen. Nach Kriegsende von US-Militärpolizei verhaftet, an Frankreich ausgeliefert, standrechtlich erschossen.
S. 444

Wagner, Winifred (geb. Williams) 23.6.1897 Hastings – 5.3.1980 Überlingen. Schwiegertochter Richard Wagners, Freundin Hitlers. Seit 1930 Leitung der Bayreuther Festspiele. Von Hitler großzügig finanziell gefördert, wurde Bayreuth zur nat.soz. Kultstätte. 1945 mußte sie die Leitung der Festspiele abgeben. Noch 1975 Bekenntnis zu Hitler.
S. 178

Wagner-Régeny, Rudolf 28.8.1903 Sächsisch-Reen – 18.9.1969 Berlin. Komponist. 1950 Kompositionslehrer an der Dt. Hochschule für Musik in Berlin (Ost). Werke u.a.: *Das Bergwerk von Falun,* Oper 1961.
S. 179

Walz, Hans 21.3.1883 Stuttgart – 23.4.1974 ebd. Direktor von Bosch. 1919-63 in führender Position bei Bosch, enger Vertrauter der Firmenchefs. Mit Goerdeler befreundet.
S. 472

Waschneck, Erich. Österr. Filmregisseur. Filme u.a.: *Die Rothschilds,* 1940.
S. 705

Weber, Prälat
S. 191

Weber, Christian 25.8.1883 Tolsingen – 1945 München. Gastwirt, Buchmacher und Politiker. SS-Brigadeführer. 1926-34 Stadtrat der NSDAP in München. 1935 Ratsherr. 1936 MdR. Präsident des Dt. Jagdmuseums, des Kuratoriums für das Braune Band von Deutschland (1934-44 Organisator dieses höchstdotierten dt. Pferderennens in München-Riem), des Wirtschaftsbundes dt. Reitstallbesitzer und Vollblutzüchter. Inspekteur der SS-Reitschulen. Von bayer. Aufständischen 1945 ermordet.
S. 403, 595

Weber, Max 21.4.1864 Erfurt – 14.6.1920 München. Sozialökonom, Wirtschaftshistoriker und Soziologe.
S. 23

Wegener, Paul 11.12.1874 Rittergut Bischdorf (Ostpreußen) – 13.9.1948 Berlin. Schauspieler und Filmregisseur. 1906–20 am Theater bei Max Reinhardt in Berlin. Gilt als einer der ersten großen dt. Filmschauspieler *(Der Golem,* 1914). Nach 1933 nat.soz. Propagandafilme als Regisseur und vor allem als Darsteller: *Der große König,* 1937; *Kolberg,* 1945.
S. 174, 546

Weill, Kurt 2.3.1900 Dessau – 3.4.1950 New York. Komponist zwischen ernster und populärer

Musik. Berühmt durch Musik für B.Brechts *Dreigroschenoper* (1928) und *Aufstieg und Fall der Stadt Mahagonny* (1930). Für die Nat.-soz waren seine oft jazzigen Kompositionen »widerwärtige Machwerke« und wurden scharf angegriffen: »Gemeine Jazz- und Negerrhythmen ...« (*Dt. Bühnenkorrespondenz,* 1932). 1933 Emigration in die USA.
S. 178

Weinert, Erich 4.8.1890 Magdeburg – 20.4.1953 Berlin (Ost). Schriftsteller. 1933 Exil (Schweiz, Frankreich, UdSSR). Teilnahme am Span. Bürgerkrieg. Präsident des 1943 gegründeten Nationalkomitees »Freies Deutschland«. 1946 Rückkehr nach Berlin (Ost).
S. 597

Weisbach, Werner † 1953. Kunsthistoriker. Seit 1910 Mitglied der Mittwochs-Gesellschaft.
S. 588

Weiser, Grethe 27.2.1903 Hannover – 2.10.1970 Bad Tölz. Schauspielerin. Darstellerin meist komischer Rollen auf der Bühne und im Film. Filme: *Die göttliche Jette,* 1937; *Die Frau meiner Träume,* 1944; *Ach, Egon!,* 1961.
S. 170

Weiß, Wilhelm 31.3.1892 Stadtsteinach (Oberfranken) – 24.2.1950 Wasserburg am Inn. Journalist. 1922 zur NSDAP. 1924–26 Chefredakteur des *Völkischen Kuriers,* Ersatz für den zeitweise verbotenen *Völkischen Beobachter.* Redaktionsleiter des Eher Verlages. Vorsitzender des Reichsverbands der Dt. Presse. 1933-38 Hauptschriftleiter der satirischen antisemitischen Zeitschrift *Die Brennessel.* Seit 1938 Hauptschriftleiter des *Völkischen Beobachters.* Einer der einflußreichsten Pressefunktionäre des Dritten Reiches. Im Spruchkammerverfahren nach dem Zweiten Weltkrieg drei Jahre Arbeitslager, teilweiser Vermögenseinzug und zehn Jahre Berufsverbot.
S. 403, 785

Weißner, Hilde. Österr. Schauspielerin. Filme u.a.: *Die Rothschilds,* 1940.
S. 705

Weizsäcker, Ernst Freiherr von 12.5.1882 Stuttgart – 4.8.1951 Lindau. Diplomat. 1933–36 Geschäftsträger in der Schweiz, 1936 Leiter der Politischen Abteilung im AA. Distanz zum Nat.soz, gleichzeitig pflichtbewußter Beamter. Kontakte zum Widerstand und Ehrenrang eines SS-Brigadeführers. 1938 Warnung an brit. Außenminister Lord Halifax vor Angriff auf Tschechoslowakei und geplanten Kriegsbeginn. Hauptangeklagter im sog. Wilhelmstraßen-Prozeß: sieben Jahre Haft, 1950 begnadigt.
S. 78, 315, 367, 593

Wels, Otto 15.9.1873 Berlin – 16.9.1939 Paris. Politiker. 1891 zur SPD. Seit 1913 im Parteivorstand. 1912–33 MdR. Seit 1931 SPD-Vorsitzender. Lehnte als Fraktionsvorsitzender der SPD 1933 das Ermächtigungsgesetz ab. Nach 1933 Leitung des Exilvorstands der SPD in Prag bzw. Paris.
S. 449

Weltsch, Robert 1891 Prag – 1982 Jerusalem. Journalist und Zionist. 1933–38 Chefredakteur der *Jüdischen Rundschau,* Organ der Zionistischen Vereinigung für Deutschland. 1938 nach Jerusalem emigriert, von wo aus er den dt. Juden mit vielbeachteten Artikeln den Rücken stärkte. Während der Nürnberger Prozesse als Korrespondent für israel. Ztg. tätig. Mitbegründer des Leo-Baeck-Instituts.
S. 811

Wendt, Hans-Friedrich
S. 770

Werfel, Franz 10.9.1890 Prag – 26.8.1945 Beverly Hills. Österr. Schriftsteller. Frühe expressionistische Lyrik, in den 20er Jahren internationales, religiös geprägtes Werk. NS-Kritik an humanistischer Grundhaltung. Nicht zuletzt wegen jüdischer Abstammung 1933 aus der Preuß. Akademie für Dichtung ausgeschlossen, seine Bücher wurden verboten. Nach Anschluß Österreichs Flucht ins Exil. Romane: *Die 40 Tage des Musa Dagh,* 1933; *Das Lied von Bernadette,* 1941.
S. 300, 673

Werner, Ilse, eigtl. Ilse Charlotte Still, 11.7.1921 Batavia (Java). Schauspielerin. Karriere beim Film und als Schlagersängerin, einer der Top-Stars der 40er Jahre. Filme u.a.: *Wir machen Musik,* 1942; *Große Freiheit Nr. 7,* 1944.
S. 174, 183

Wessel, Horst 10.1.1907 Bielefeld – 23.2.1930 Berlin. 1926 zur NSDAP. Führer des SA-Sturms 5 in Berlin-Friedrichshain. Wegen pers. Streitigkeiten erschossen wurde dies von Goebbels umfunktioniert, und Wessel zum politischen Märtyrer der »Bewegung« stilisiert.
S. 520

Wetzel, Robert * 30.9.1898 Tübingen. Mediziner. Paläontologe. Funktionär des NS-Dozentenbundes, Hrsg. d. Zeitschrift *Deutschland Erneuerung,* inoffizielles Organ des Reichsdozentenbundes.
S. 136

Wetzler, Alfred. Slowakischer Jude, Mitverfasser des Vrba-Wetzler-Berichts über die Ermordung der Juden in Auschwitz.
S. 790 f.

Weyrauch, Wolfgang 15.10.1904 Königsberg – 7.11.1980 Darmstadt. Schriftsteller. Lyriker (*Die Spur,* 1963).
S. 520

Wiemann, Mathias 23.6.1902 Osnabrück – 3.12.1969 Zürich. Schauspieler. Seit 1924 an verschiedenen Bühnen. Nach 1945 im Rundfunk Rezitator klassischer Dichtung. Filme u.a.: *Der Schimmelreiter,* 1934; *Königliche Hoheit,* 1953.
S. 522

Wilcken, Ulrich 1862–10.12.1944. Althistoriker. Prof. an versch. dt. Universitäten, zuletzt 1917 in Berlin. Seit 1926 Mitglied der Mittwochs-Gesellschaft.
S. 588

Wilder, Billy, eigtl. Samuel W., *22.6.1906 Wien. Amerik. Filmregisseur österr. Herkunft. Zunächst in Berlin Drehbuchautor (*Menschen am Sonntag,* 1929; *Emil und die Detektive,* 1931). 1933 Emigration über Frankreich nach Hollywood. Zynisch-bissiger Satiriker des American Way of Life: *Sunset Boulevard,* 1950; *The seven year itch,* 1955; *The apartment,* 1960.
S. 172

Wildoner, Franz. Journalist. 1942-45 Hauptschriftleiter des Drahtlosen Dienstes.
S. 433

Wilhelm 6.5.1882 Potsdam – 20.7.1951 Hechingen. Dt. Kronprinz. Sohn Kaiser Wilhelms II. 1923 ins niederl. Exil. Nach seiner Rückkehr in der Hoffnung auf monarchische Restauration zunächst Förderer Hitlers, später Distanz zum Nat.soz., lose Kontakte zum Widerstand.
S. 652

Wilhelm II. 27.1.1859 Berlin – 4.6.1941 Schloß Doorn. Dt. Kaiser und König von Preußen (1888–1918). 9./10.11.1918 Abdankung und Flucht nach Holland. Auf Befehl Hitlers mit militärischen Ehren beigesetzt.
S. 24, 75

Wilhelmina 31.8.1880 Den Haag – 28.11.1962 Schloß Het Loo bei Apeldorn. Königin der Niederlande 1890-1948. Mai 1940 Flucht vor dt. Truppen ins brit. Exil. Mittelpunkt der niederl. Résistance.
S. 613

Wilson, Woodrow 28.12.1856 Staunton (Valmont) – 3.2.1924 Washington D.C. 28. Präsident der USA (1913-21). Verkündete Jan. 1918 Vierzehn-Punkte zur Beendigung des Ersten Weltkriegs. 1919 Friedensnobelpreis.
S. 773, 783

Winkler, Max 7.9.1875 Karresck (Westpreußen) – 12.10.1961 Düsseldorf. Kultur- und Finanzpolitiker. 1937 zur NSDAP. Reichsbeauftragter für die dt. Filmindustrie, deren Verstaatlichung er steuerte. Filmindustrie. 1939 Leiter der Haupttreuhandstelle Ost (Verwaltung des in den eroberten Ostgebieten beschlagnahmten Industrie- und Grundbesitzes). 1945 interniert. Nach Entnazifizierung im Auftrag der Bundesregierung Entflechtung des von ihm im Dritten Reich geschaffenen Filmkonzerns.
S. 504

Winter, August. Generalleutnant, Stellvertretender Chef des Wehrmachtführungsstabes.
S. 105

Wirsing, Giselher 15.4.1907 Schweinfurt – 23.9.1975 Stuttgart. Publizist. 1933 zur SS. Entwicklung eines expansionistischen Eroberungsprogramms. Als SS-Sturmbannführer zeitweise im Institut zur Erforschung der Judenfrage. Schriftleiter der Auslandsillustrierten *Signal* (1943–45). 1954–70 Chefredakteur der konservativen Wochenzeitung *Christ und Welt.*
S. 730

Wirth, Christian 24.11.1885 Oberbalzheim – 26.5.1944 bei Triest. SS-Sturmbannführer (Mai 1943). 1.1.1931 zur NSDAP, 30.6.1933 zur SA, 1939 zur SS. 1940 als Kriminalkommissar zur Aktion T 4. Im Rahmen der »Aktion Reinhardt« Auftrag zum Aufbau des Vernichtungslagers Belzec. Aug. 1942 Inspekteur der Vernichtungslager (»Christian der Grausame«). 30.1.1943 Kriminalrat. Versetzung nach Triest zur »Aussiedlung« der in Italien lebenden Juden. Von Partisanen erschossen.
S. 394, 476

Wirth, Hermann *6.5.1885 Utrecht (Niederlande). 1925/26 Mitglied der NSDAP. 1933 Gründer der Forschungsanstalt für Geistesgeschichte in Doberan/Mecklenburg. Leiter der Sammlung für Volksbrauch und Urglauben. 1935 ins Amt der Studiengesellschaft für Geistesgeschichte. Mitbegründer des Ahnenerbe e.V.
S. 353

Wirz, Franz *10.4.1889. Dermatologe. Leiter der NSDAP-Hochschulkommission.
S. 136

Wissel, Adolf *19.4.1894 Velbert b. Hannover. Maler (aus dem Leben der niedersächsischen Bauern).
S. 156

Witthöft. General. Militärbefehlshaber im Sicherungsgebiet Alpenvorland.
S. 358

Witzleben, Erwin von 4.12.1881 Breslau – 8.8.1944 Berlin-Plötzensee (hingerichtet). Generalfeldmarschall (19.7.1940) und Widerstandskämpfer. 1934 Befehlsheber des Wehrkreises III Berlin. Befehlshaber der 1. Armee im Polen- und im Frankreichfeldzug. 26.10. 1940 Oberbefehlshaber der Heeresgruppe D, 1.5.1941 Oberbefehlshaber West. 21.3.1942 abgelöst. Seit 1938 für Sturz Hitlers. Von den Verschwörern des 20. Juli als Oberbefehlshaber der Wehrmacht vorgesehen. Am 21.7. verhaftet und am 8.8.1944 zum Tode verurteilt.
S. 492, 815

Wlassow, Andrej Andrejewitsch 1.9.1900 Lomkino bei Nischnij Nowgorod – 2.8.1946 Moskau (hingerichtet). Sowj. Generalleutnant. März 1942 Oberbefehlshaber der 2. Stoßarmee. 12.7.1942 in dt. Gefangenschaft. Zum Smolensker Komitee, Versuch des Aufbaus einer Freiwilligenarmee aus russ. Kriegsgefangenen zum Sturz des Bolschewismus.
S. 734, 807 f.

Wohlbrück, Adolf (Wilhelm Anton) 19.11.1896 Wien – 9.8.1967 Garatshausen bei Starnberg. Bühnen- und Filmschauspieler. 1936 Emigration nach England. Filme: *Maskerade,* A 1934; *Victoria the Great,* GB 1937; *La ronde,* F 1950.
S. 172

Wolff † 1.8.1933 (hingerichtet). Kommunist. Von Sondergericht wegen Beteiligung am »Altonaer Blutsonntag« zum Tode verurteilt.
S. 359

Wolff, Bernhard 3.3.1811 Berlin – 11.5.1879 ebd. Journalist. 27.11.1849 Gründung von Wolff's Telegraphischem Büro.
S. 805

Wolff, Karl 13.5.1900 Darmstadt – 15.7.1984 Rosenheim. SS-Obergruppenführer (30.1.1942). 1918–20 Freikorps. 1931 zu NSDAP und SS. Juli 1933 persönlicher Adjutant Himmlers. 1936 Chef des persönlichen Stabes des Reichsführers SS. 23.9.1943 Höherer SS- und Polizeiführer Italien. 26.7.1944 als Bevollmächtigter General der dt. Wehrmacht eigentlicher Chef von Mussolinis Regierung in Salò. Über US-Geheimdienst in der Schweiz vorzeitige Kapitulation in Italien. In Nürnberg nur Zeuge. Im Spruchkammerverfahren 1949 vier Jahre Haft. 1964 15 Jahre Haft vor Münchner Schwurgericht wegen Beihilfe zum Mord an mindestens 300 000 Juden (Deportationen nach Treblinka). 1971 Haftverschonung.
S. 527, 594

Wüst, Walther * 7.5.1901 Kaiserslautern. Prof. für »aiatische Kultur- und Sprachwissenschaft« SS-Oberführer. Seit 1939 Kurator »Ahnenerbe«. 1941 Rektor der Münchner Universität. 1950 in 2. Instanz von Münchner Sprachkammer als minderbelastet eingestuft.
S. 353, 471

Wurm, Theophil 7.12.1868 Basel – 28.1.1963 Stuttgart. Evangelischer Theologe. 1933 Landesbischof in Württemberg, ab Herbst 1933 Opposition gegen NS-Gleichschaltungsversuche der Kirche. Anschluß an Bekennende Kirche. Ab 1934 unter Hausarrest, nach Protesten wieder freigelassen. Öffentliches Eintreten gegen Euthanasie und Judenverfolgung. August 1945 Vorsitzender des Rates der Evangelischen Kirche in Deutschland. Mitautor des Stuttgarter Schuldbekenntnisses.
S. 200, 247

York von Wartenburg, Marion Gräfin * 1904 Berlin. Juristin. 1930 heiratete sie Peter Graf York von Wartenburg nach dem 20. Juli 1944 inhaftiert. Ab 1946 Richterin Berlin, 1952 als erste Frau in Dtl. Schwurgerichtsvorsitzende, bis 1969 Landgerichtsdirektorin in Berlin. Das Wirken ihres Mannes und ihre eigenen Erfahrungen sind eindringlich beschrieben in ihrem Buch *Die Stärke der Stille. Erzählung eines Leben aus dem deutschen Widerstand.*
S. 552

York von Wartenburg, Peter Graf 13.11.1904 Klein-Oels (Schlesien) – 8.8.1944 Berlin-Plötzensee (hingerichtet). Widerstandskämpfer. Jurist. 1938 Oberregierungsrat beim Reichskommissar für die Preisbildung. Ablehnung des Nat.soz. aus christlicher Grundhaltung heraus. Mitbegründer des Kreisauer Kreises. Teilnahme am Polenfeldzug. Ab 1942 im Wehrwirtschaftsamt des OKW. Zusammen mit seinem Vetter Claus Schenk Graf von Stauffenberg Vorbereitung des Staatsstreiches vom 20. Juli 1944. Vom Volksgerichtshof zum Tode verurteilt.
S. 552

Yoshida, Shigeru 22.9.1878 Tokio – 20.10.1967 Oisn. Jap. Diplomat. U.a. Botschafter in England (1936-38). Außenminister in jap. »Kapitulations-Kabinett« Higashikuni. Zwischen 1946 u. 1954 jap. Ministerpräsident
S. 529

Zaborsky-Wahlstätten, Oskar von. Volkskundler (*Urvätererbe in dt. Volkskunst,* 1936).
S. 423

Zangen, Wilhelm 30.9.1891 Duisburg – 25.11.1971 Düsseldorf. Industrieller. 1929-34 Vorstandsmitglied der DEMAG. 1934 Vorstandsvorsitzender und Generaldirektor der Mannesmann-Röhrenwerke AG (bis 1957). 1927 zu NSDAP und SS. Wehrwirtschaftsführer. Stellvertretender Leiter der Reichswirtschaftskammer. 1938 Vorsitz der Reichsgruppe Industrie. Verfechter wirtschaftlicher Expansion in den besetzten Gebieten während des Zweiten Weltkriegs 1957-66 Aufsichtsratsvorsitzender von Mannesmann. 1956 Großes Bundesverdienstkreuz mit Stern.
S. 67

Zeitzler, Kurt 9.6.1895 Loßmar (Brandenburg) – 25.9.1963 Hohenaschau (Oberbayern). Generaloberst (30.1.1944). Im besetzten Frankreich Generalstabschef der Heeresgruppe D (1.4.1942). Am 24.9.1942 Generalstabschef des

Heeres. In der Stalingradkrise Konflikte mit Hitler über Kriegführung. Am 10.7.1944 Abschied (endgültig am 31.1.1945). Bis Februar 1947 in brit. Kriegsgefangenschaft.
S. 105

Zentner, Kurt. Mitarbeiter der Zeitschrift *Signal.*
S. 730

Ziegler, Adolf 16.10.1892 Bremen – 18.9.1959 Varnahlt bei Baden-Baden. Maler und Kunstpolitiker. 1925 Begegnung mit Hitler. Später Kunstsachverständiger der NSDAP, 1933 Prof. an der Münchner Kunstakademie. Spezialist für Frauenakte (»Meister des gekräuselten Schamhaars«) und Porträts. 1936–43 Präsident der Reichskammer der Bildenden Künste. Polemiken gegen zeitgenössische moderne und kritische Kunst. 1937 im Auftrag Hitlers »Reinigung« der dt. Museen von »entarteter« Kunst.
S. 157

Ziegler, Hans Severus *13.10.1893 Eisenach. Kulturfunktionär. Reichskultursenator, Staatsrat, Staatskommissar für die thüringischen Landestheater. Generalintendant des Weimarer Nationaltheaters. Gaukulturamtsleiter. Präsident der Dt. Schiller-Stiftung.
S. 177 ff.

Ziegler, Matthes *11.6.1911 Nürnberg. Vertreter einer Volkskunde auf rassischer Grundlage. Seit 1934 Chefredakteur der *NS-Monatshefte.* 1937 Reichsamtsleiter im Amt Rosenberg. 1941 Oberdienstleiter.
S. 423

Ziegler, Wilhelm 25.11.1891 Birstein. 1943 Ministerialrat im Reichsministerium für Volksaufklärung und Propaganda (»Judenreferent«). Leiter des Berliner Instituts zum Studium der Judenfrage. Antisemitischer Autor (*Die Judenfrage in der modernen Welt,* 1937).
S. 365

Zöberlein, Hans 1.9.1895 Nürnberg – 13.2.1964 München. Schriftsteller. SA-Brigadeführer (1943). 1919 Freikorps Epp. 1921 zur NSDAP. Teilnahme am Hitlerputsch 1923. Präsident des Ordens der Bayer. Tapferkeitsmedaille. 1945 Führer eines Werwolf-Kommandos (Penzberger Mordnacht); ließ 15 wehrlose Bewohner der Stadt erschießen. 1948 zum Tode verurteilt, in einem Revisionsverfahren 1949 in lebenslänglich umgewandelt; aus Gesundheitsgründen 1958 Haftverschonung. Autor von Werken wie *Glaube an Deutschland,* 1931; *Der Befehl des Gewissens,* 1937.
S. 804

Zuckmayer, Carl 27.12 1896 Nackenheim (Rheinhessen) – 18.1.1977 Visp (Schweiz). Schriftsteller. Anfänge mit expressionistischen Texten gegen den Krieg. Erfolge mit Vokstücken (*Der fröhliche Weinberg,* 1925). Satirischer Angriff auf Untertanengeist und Militarismus im *Hauptmann von Köpenick,* 1931. 1933 Verbot seiner Stücke, 1938 Flucht des Halbjuden aus Österreich. Im US-Exil: *Des Teufels General,* gedruckt 1946, Vorbild der Hauptfigur: Ernst Udet.
S. 170

Zweig, Arnold 10.11.1887 Glogau – 26.11.1968 Berlin (Ost). Schriftsteller. 1923 Redakteur der *Jüdischen Rundschau.* 1929 Vorsitzender des Schutzverbands dt. Schriftsteller. Entwicklung vom Pazifisten und Zionisten zum »marxistischen Sozialisten«. 1933 Emigration (1948 nach Palästina). Einer der wichtigsten Autoren der späteren DDR, dort Präsident der Akademie der Künste, des PEN-Zentrums und Abgeordneter der Volkskammer 1949–67. Werke u.a.: *Der Streit um den Sergeanten Grischa,* Roman 1927; *Das Beil von Wandsbek,* Roman 1943/47, meisterhafte literarische Darstellung des Mitläufertums im Dritten Reich.
S. 169

Zweig, Stefan 28.11.1881 Wien – 23.2.1942 Petropolis bei Rio de Janeiro. Österr. Schriftsteller. Internationale Anerkennung mit dem Antikriegsroman *Jeremias,* 1917/19. Übersetzer und Herausgeber wichtiger franz. und russ. Dichter im Dienste der Völkerverständigung. Von den Nat.soz. verfolgt, 1934 2. Wohnsitz in England, 1938 endgültig ins Exil. Selbstmord aus Verzweiflung über Zerstörung seiner Ideale. Letztes Werk: *Schachnovelle,* 1941.
S. 169, 299

Herausgeber und Verlag haben sich um größtmögliche Vollständigkeit bemüht, konnten jedoch nicht bei allen im Register genannten Personen die Lebensdaten ermitteln. Zusätzliche Informationen werden für weitere Auflagen gerne berücksichtigt.

Verzeichnis der Mitarbeiter

Silke Ammerschubert (Berlin)
Hellmuth Auerbach (München)
Holle Ausmeyer (Berlin)
Wolfgang Ayaß (Kassel)
Franco Battel (Zürich)
Wolfgang Benz (Berlin)
Armin Bergmann (Berlin)
Werner Bergmann (Berlin)
Thomas Bertram (Gelsenkirchen)
Rainer A. Blasius (Bonn)
Heinz Boberach (Koblenz)
Robert Bohn (Kiel)
Reinhard Bollmus (Trier)
Wulff Brebeck (Büren-Wewelsburg)
Werner Bührer (München)
Michael Caroli (Mannheim)
Peter Chroust (Kassel)
Hans Coppi (Berlin)
Anja von Cysewski (Bonn)
Frank Dingel (Berlin)
Barbara Distel (Dachau)
Bernward Dörner (Berlin)
Willi Dreßen (Ludwigsburg)
Albrecht Dümling (Berlin)
Ludwig Eiber (München)
Dietrich Eichholtz (Borkheide)
Stefanie Endlich (Berlin)
Hagen Fleischer (Athen)
Ute Frevert (Konstanz)
Elke Fröhlich (München)
Michael Fröhlich (Bonn)
Detlef Garbe (Hamburg)
Antje Gerlach (Berlin)
Franz-Otto Gilles (Berlin)
Hermann Glaser (Roßtal bei Nürnberg)
Hermann Graml (München)
Wolf Gruner (Berlin)
Michael Grüttner (Berlin)
Norbert Haase (Dresden)
Michaela Haibl (Augsburg)
Mariana Hausleitner (Berlin)
Angelika Heider (Berlin)
Johannes Heil (Berlin)
Michael Hensle (Berlin)
Monika Herrmann (Berlin)
Gerhard Hirschfeld (Stuttgart)
Stefan Hoff (Köln)
Serge Hoffmann (Bettenburg/Luxemburg)
Ute Hoffmann (Bernburg)
Heidrun Holzbach-Linsenmaier (Stuttgart)
Hans-Joachim Hoppe (Köln)
Katarina Hradská (Bratislava)
Karl-Heinz Janßen (Hamburg)
Uffa Jensen (Berlin)
Karsten Jessen (Lübeck)
Wolf Kaiser (Berlin)
Miroslav Kárný (Prag)
Ian Kershaw (Sheffield)
Lothar Kettenacker (London)
Markus Kienle (Ulm)
Nils Klawitter (Berlin)
Peter Klein (Berlin)
Harald Kleinschmidt (Tsukuba/Japan)
Angelika Königseder (Berlin)
Mona Körte (Berlin)
Beate Kosmala (Berlin)
Shmuel Krakowski (Jerusalem)
Dietfrid Krause-Vilmar (Kassel)
Maria-Luise Kreuter (Berlin)
Karsten Krieger (Berlin)
Maren Krüger (Berlin)
Konrad Kwiet (Sydney)
Silvester Lechner (Ulm)
Sigrid Lekebusch (Wuppertal)
Jörg Leuschner (Salzgitter)
Alexa Loohs (München)
Karl-Heinz Ludwig (Bremen)
Thomas Lutz (Berlin)
Wolf-Dieter Mattausch (Berlin)
Jürgen Matthäus (Washington)
Horst Matzerath (Köln)
Markus Meckl (Berlin)
Brigitte Mihok (Berlin)
Patrik von zur Mühlen (Bonn)
Astrid Müller (Berlin)
Manfred Nebelin (Dresden)
Marion Neiss (Berlin)
Günter Neliba (Rüsselsheim)
Carsten Nicolaisen (München)
Kurt Nowak (Leipzig)
Gerhard Otto (Berlin)
Özden Ozunoglu (Berlin)
Kurt Pätzold (Berlin)
Dieter Pohl (Potsdam)
Heiko Pollmeier (Berlin)
Reiner Pommerin (Dresden)
Edith Raim (Bonn)
Winfried Ranke (Berlin)
Marie-Luise Recker (Frankfurt am Main)
Peter Reichel (Hamburg)
Jana Richter (München)
Volker Rieß (München)
Milan Ristović (Belgrad)
Ernst Ritter (Berlin)
Gert Robel (München)
Hergard Robel (München)

Jürgen Runzheimer (Gladenbach)
Alexander Ruoff (Berlin)
Ágnes Ságvári (Budapest)
Kurt Schilde (Berlin)
Rolf Schörken (Düsseldorf)
Guntram Schulze-Wegener (Kiel)
Julia Schulze Wessel (Oldenburg)
Wolfram Selig (Polling)
Natalia Smith (Genf)
Alfons Söllner (Chemnitz)
Matthias Sommer (Berlin)
Michael Sommer (Kiel)
Gustav Spann (Wien)
Gerit Stibenz (München)
Paul Stoop (Berlin)
Alfred Streim †
Irene Stuiber (München)
Gerd R. Ueberschär (Freiburg)
Bernd Ulrich (Berlin)
Manfred Vasold (Großkarolinenfeld)
Thorsten Wagner (Berlin)
Hermann Weiß (München)
Bernd-Jürgen Wendt (Hamburg)
Juliane Wetzel (Berlin)
Peter Widmann (Berlin)
Wolfgang Wippermann (Berlin)